Chemie

10., völlig überarbeitete Auflage

Herausgeber:
Jürgen Falbe
Manfred Regitz

Band 1	**A – Cl**	1996
Band 2	**Cm – G**	1997
Band 3	**H – L**	1997
Band 4	**M – Pk**	1998
Band 5	**Pl – S**	1998
Band 6	**T – Z**	1999

Biotechnologie
1992

Umwelt
1993

Lebensmittelchemie
1995

Naturstoffe
1997

Lacke und Druckfarben
1997

Xi Reizend	Xn Mindergiftig	T Giftig	T+ Sehr Giftig	Radioaktiv

Lsm.	Lösemittel	Selbsteinst.	Klassifizierung in WGK gemäß
MAK	Maximale Arbeitsplatz-Konzentration		Konzept zur Selbsteinstufung des VCI
max.	maximal	sog.	sogenannt(e)
Meth.	Methode	Subl.	Sublimation
MHK	minimale Hemmkonzentration	subl.	sublimiert
MIK	Maximale Immissions-Konzentration	Synth.	Synthese
		Syst.	System
min	Minute	SZ	Säure-Zahl
mind.	mindestens	Tab.	Tabelle
Mio.	Million	teilw.	teilweise
Modif.	Modifikation	Temp.	Temperatur
mol.	molekular	tert.	tertiär
Mol.	Molekül	TH	Technische Hochschule
M_R	Molekulargewicht = Molmasse	Tl.	Teil, Teile
Mrd.	Milliarde	TRgA	Technische Regeln für gefährliche Arbeitsstoffe
Nachw.	Nachweis		
n	Brechungsindex	TRK	Technische Richtkonzentration
neg.	negativ	TU	Technische Universität
od.	oder	u.	und
Oxid.	Oxidation	unlösl.	unlöslich
p.o.	peroral, per os	v.a.	vor allem
pos.	positiv	Vak.	Vakuum
ppb	parts per billion = 10^{-9}	Verb.	Verbindung
ppm	parts per million = 10^{-6}	verd.	verdünnt
ppt	parts per trillion = 10^{-12}	Verf.	Verfahren
Präp.	Präparat	Verl.	Verlag
prim.	primär	Verw.	Verwendung
qual.	qualitativ	vgl. (Vgl.)	vergleiche, Vergleich(e)
quant.	quantitativ	VO	Verordnung
®	Marke, Warenzeichen	Vol.	Volumen
Red.	Reduktion	Vork.	Vorkommen
Rp	verschreibungspflichtig	VZ	Verseifungszahl
S	spanische Bezeichnung	wäss.	wäßrig
S.	Seite	WGK	Wasser-Gefährdungs-Klasse
s	Sekunde	WHO	World Health Organization
s. (S.)	siehe	Zers.	Zersetzung
s.c.	subcutan		
Schmp.	Schmelzpunkt (Fusionspunkt)	*	als Stichwort in diesem Werk behandelt
Sdp.	Siedepunkt (Kochpunkt)		
sek.	sekundär	°C	Grad Celsius

Chemie

10., völlig überarbeitete Auflage

Herausgeber

Prof. Dr. Jürgen Falbe
Prof. Dr. Manfred Regitz

Bearbeitet von

Dr. Eckard Amelingmeier
Dr. Michael Berger
Dr. Uwe Bergsträßer
Prof. Dr. Alfred Blume
Prof. Dr. Henning Bockhorn
Prof. Dr. Peter Botschwina
Dr. Jörg Falbe
Dr. Jürgen Fink
Dr. Hans-Jochen Foth
Dr. Burkhard Fugmann
Prof. Dr. Susanne Grabley
Dr. Ubbo Gramberg
Dr. Herta Hartmann
Prof. Dr. Hermann G. Hauthal
Dr. Hans-Wolfgang Helb
Dr. Heinrich Heydt
Dr. Claudia Hinze
Dr. Kurt Hussong
Cornelia Imming

PD Dr. Peter Imming
Dr. Martin Jager
Dr. Margot Janzen
Prof. Dr. Claus Klingshirn
Dr. Michael Krancher
Dr. Herbert Lamp
Dr. Susanne Lang-Fugmann
Dr. Michael Lindemann
Dr. Gisela Lück
Dr. Thomas Neumann
Dr. Gustav Penzlin
Dr. Reinhard Philipp
Dr. Matthias Rehahn
Dr. Karsten Schepelmann
Dr. Sabine Schlitte
Dr. Ralf Thiericke
Dr. Christa Wagner-Klemmer
Dr. Bernd Weber
Dr. Gotthelf Wolmershäuser

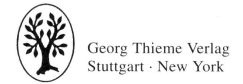

Georg Thieme Verlag
Stuttgart · New York

Redaktion:
Dr. Martina Bach
Ute Rohlf
Dr. Barbara Frunder
Georg Thieme Verlag
Rüdigerstraße 14
70469 Stuttgart

Übersetzungen:
Karina Gobbato
Jean-Louis Servant
Dr. Salvatore Venneri

Zolltarif-Codenummern:
Karl Kettnaker

Grafik:
Hanne Haeusler
Kornelia Wagenblast
Ruth Hammelehle

Einbandgestaltung: Dominique Loenicker

Die Deutsche Bibliothek – CIP-Einheitsaufnahme

Römpp-Lexikon Chemie / Hrsg.: Jürgen Falbe ;
Manfred Regitz. Bearb. von Eckard Amelingmeier ... –
Stuttgart ; New York : Thieme
 9. Aufl. u.d.T.: Römpp-Chemie-Lexikon
NE: Römpp, Hermann [Begr.]; Falbe, Jürgen [Hrsg]
Bd. 1. A–Cl. – 10., völlig überarb. Aufl. – 1996

1.–5. Auflage (1947–1952) Dr. H. Römpp
6. Auflage (1966) Dr. E. Ühlein
7. u. 8. Auflage (1972/1979) Dr. O.-A. Neumüller
9. Auflage (1992) Prof. Dr. J. Falbe u. Prof. Dr. M. Regitz

© 1996 Georg Thieme Verlag
Rüdigerstraße 14, D-70469 Stuttgart
Printed in Germany

Gesamtherstellung:
Konrad Triltsch GmbH
Graphischer Betrieb, Würzburg

Gedruckt auf Permaplar, archivierfähiges Werkdruckpapier aus chlorfrei gebleichtem Zellstoff von Gebrüder Buhl Papierfabriken, Ettlingen.

ISBN 3-13-734610-X (Band 1)
ISBN 3-13-107830-8 (Band 1–6)

In diesem Lexikon sind zahlreiche Gebrauchs- und Handelsnamen, Warenzeichen, Firmenbezeichnungen sowie Angaben zu Vereinen und Verbänden, DIN-Vorschriften, Codenummern des Zolltarifs, MAK- und TRK-Werten, Gefahrklassen, Patenten, Herstellungs- und Anwendungsverfahren aufgeführt. Alle Angaben erfolgten nach bestem Wissen und Gewissen. Herausgeber und Verlag machen ausdrücklich darauf aufmerksam, daß vor deren gewerblicher Nutzung in jedem Falle die Rechtslage sorgfältig geprüft werden muß.

Das Werk, einschließlich aller seiner Teile, ist urheberrechtlich geschützt. Jede Verwertung außerhalb der engen Grenzen des Urheberrechtsgesetzes ist ohne Zustimmung des Verlages unzulässig und strafbar. Das gilt insbesondere für Vervielfältigungen, Übersetzungen, Mikroverfilmungen und die Einspeicherung und Verarbeitung in elektronischen Systemen.

1 2 3 4 5 6

Vorwort zur zehnten Auflage

Von Professor Dr. H. Römpp 1947 ins Leben gerufen, von Dr. E. Ühlein fortgeführt (6. Auflage), von Dr. O.-A. Neumüller in der 7. und 8. Auflage geprägt, hat sich das mittlerweile 6 Bände umfassende Lexikon endgültig als das Nachschlagewerk für Chemieinteressierte etabliert. Mit neuen Herausgebern (J. Falbe, M. Regitz) und in einem neuen Verlag (Thieme) startete die 9. Auflage Ende 1989. Später folgte eine CD-ROM-Version sowie eine kartonierte Sonderausgabe, die dem Werk neue Leser erschlossen haben.
Sieben Jahre später starten wir jetzt mit dem ersten Band der 10. Auflage des RÖMPP, die weiteren Bände werden zügig im Halbjahresrhythmus folgen. Die Frage nach der Notwendigkeit dieser Neuauflage erübrigt sich, wenn man den enormen Wissenszuwachs in der heutigen Zeit betrachtet. Chemie ist eine Wissenschaft, die sich rasant entwickelt, was insbesondere für ihre Grenzgebiete bis hin zur Biologie gilt. Die seit vielen Jahren andauernde Diskussion über chemisch relevante Umweltprobleme und die allgemeine Akzeptanz unserer Wissenschaft verlangen ständige Aktualisierung. Auch die Gewichtung einzelner Fachgebiete innerhalb des Lexikons muß neuen Entwicklungen angepaßt werden, wenn der RÖMPP (oder die Bibel der Chemiker, wie Rezensenten früherer Auflagen anerkennend vermerkt haben) seine Bedeutung behalten soll. Mit ca. 44 000 Eintragungen auf etwa 5300 Seiten wird der Umfang der Vorgängerauflage nicht überschritten, obwohl mehr als 9000 Stichwörter neu aufgenommen wurden. Alle Einträge wurden konsequent überarbeitet und – sofern sinnvoll – mit den neuesten Literaturhinweisen versehen; sie werden dem Nutzer rasch den Einstieg in die Primärliteratur erlauben. Um den inhaltlichen Verlagerungen gerecht zu werden, wurden die klassischen Säulen der Chemie, die anorganische, die organische und die physikalische Chemie gestrafft, sie sind aber mit über 40% Volumenanteil im Lexikon noch ausreichend vertreten. Der so gewonnene Raum wird durch stärkere Berücksichtigung von Fachgebieten wie Analytik, Arbeitssicherheit, Biologie, Biotechnologie, Umweltschutz u.a. ausgefüllt.
Parallel zur Printversion des RÖMPP wird eine CD-ROM Ausgabe erscheinen. Sie enthält alle Einträge des 1. Bandes der 10. Auflage (Buchstabe A–Cl) sowie die Stichwörter der Bände 2–6 der 9. Auflage und wird sukzessiv mit dem Erscheinen neuer Bände aktualisiert. Dies ermöglicht das Arbeiten mit dem Gesamtwerk auf dem jeweils aktuellsten Stand.
Wir sprechen dem Thieme Verlag unseren Dank für das in uns gesetzte Vertrauen als Herausgeber der 10. Auflage aus. Wir anerkennen die Leistung unseres Autorenteams aus Industrie und Hochschule, das diesen Start mit viel Engagement und Kompetenz erst ermöglicht hat. Wir haben mit Wohlwollen den Aufbau einer RÖMPP-Redaktion im Verlag verfolgt und danken ganz besonders Frau Dr. E. Hillen, Leiterin des Chemieverlages, sowie den Mitarbeiterinnen Frau Dr. M. Bach, Frau Dr. B. Frunder und Frau U. Rohlf für Ihr Verständnis, das sie uns jederzeit entgegengebracht haben und für die zielgerichtete, reibungslose Zusammenarbeit.
Herausgeber, Autoren und Verlag sind bemüht, die Erfolgsgeschichte dieses Standardwerkes der Chemie weiterzuschreiben. Wir hoffen, daß der 10. Auflage die gleiche Aufmerksamkeit entgegengebracht wird wie ihren Vorgängern.

Neuss	Kaiserslautern
im August 1996	im August 1996
Prof. Dr. J. Falbe	Prof. Dr. M. Regitz

Hinweise für die Benutzung

Alphabet
Im Römpp Chemie Lexikon folgt die Einordnung der Stichwörter dem ABC der DIN-Norm 5007 (Nov. 1962), d.h. Umlaute werden wie ae, oe, ue behandelt. Griechische Buchstaben gehen den lateinischen, klein geschriebene den Großbuchstaben voraus (*Beisp.*: rh, rH, Rh, RH). Bei Eigennamen werden Adelsprädikate u. ähnliche Namensbestandteile im allgemeinen bei der Einordnung unberücksichtigt gelassen. Vorsilben wie primär-, cis-, endo- u. dgl. werden in der alphabetischen Einordnung der Stammverbindungen zunächst übergangen; sie werden ebenso wie α- (alpha), o- (ortho), N- (Stickstoff) u. dgl. als Sortiermerkmale erst innerhalb der Einzelwörter wirksam. Ziffern bleiben bei der Einreihung eines Stichworts zunächst ebenfalls unberücksichtigt.

Schreibweise
Als Schreibweise der Fachbegriffe wird jeweils die derzeit im wissenschaftlichen Schrifttum gebräuchlichste gewählt. Wird ein Wort mit k oder z nicht an der erwarteten Stelle gefunden, so sehe man unter c nach und umgekehrt, das gleiche gilt für Ä.- bzw. Ö- und E-Schreibweise.

Abkürzungen
Die in der aufgeführten Zusammenstellung nicht enthaltenen Abkürzungen sind im Buch an den betreffenden Stellen des Alphabets erläutert. Wird ein Stichwort im darauffolgenden Text wiederholt, so ist als Abkürzung vielfach nur der Anfangsbuchstabe (also etwa A., B. usw.) od. ein geläufiges Akronym (z.B. GDCh) eingesetzt. Die adjektivische Endung „isch" ist häufig abgekürzt und durch einen Punkt ersetzt worden.

Marken (Warenzeichen) und Bezugsquellen
Im Chemie Lexikon sind die eingetragenen Warenzeichen nach bestem Wissen mit dem nachgestellten Symbol ® gekennzeichnet. Fehlt dieser Hinweis, so kann daraus nicht geschlossen werden, daß die betreffende Bezeichnung im Sinne der Warenzeichen- und Markenschutz-Gesetzgebung als frei zu betrachten wäre und daher von jedermann benutzt werden dürfte. Umgekehrt können aus der irrtümlichen Kennzeichnung einer Benennung mit ® in diesem Werk keine Schutzrechte abgeleitet werden.
Die 10. Auflage des Chemie Lexikons nennt Bezugsquellen nur für eingetragene *Warenzeichen *(®). Lieferanten- und Herstellerverzeichnisse für andere Chemikalien befinden sich bei den Stichworten *Bezugsquellenverzeichnisse u. *Chemikalien.

Literaturzitate
Die im Stichworttext zu einem speziellen Aspekt der Abhandlung erwähnten Fremdzitate sind mit einem Index versehen und im zugehörigen Literaturteil (z.B. *Lit.*[1]) aufgeführt; anschließend folgen in alphabetischer Ordnung diejenigen Zitate, die sich mit dem besprochenen Begriff insgesamt beschäftigen (*allg.:*). Die Zitierweise erfolgt in Anlehnung an Chemical Abstracts Service. Herausgeberwerke sind unter dem Personennamen aufgenommen u. nicht unter dem Sachtitel, da dieser meist nicht so einprägsam ist (Landolt-Börnstein statt: Zahlenwerte und Funktionen…). Bei mehr als zwei Autoren ist zumeist nur der erste mit dem Zusatz „et al." aufgeführt.

Codenummern des Zolltarifs
Bei der Mehrzahl der chemischen Verbindungen bzw. Waren finden sich am Schluß des Literaturteils die *kursiv* gesetzte, in eckige Klammern eingeschlossene und mit *HS* gekennzeichnete Angabe des Codes der Nomenklatur des im Januar 1988 in Kraft getretenen Harmonisierten Systems zur internationalen Bezeichnung und Codierung von Waren. Die Angaben erfolgen nach bestem Wissen und Gewissen, aber ohne Gewähr.

Gefahrenklassen
Für den Transport *gefährlicher Güter auf der Straße, auf Schienen-, Wasser- u. Luftwegen existieren eine Reihe von Bestimmungen (s.a. das Stichwort *Transportbestimmungen). In der BRD sind die wichtigsten dieser Bestimmungen die GGVE (Gefahrgutverordnung Eisenbahn = Verordnung über die innerstaatliche und grenzüberschreitende Beförderung gefährlicher Güter mit Eisenbahnen) und die GGVS (Gefahrgutverordnung Straßen = Verordnung über die innerstaatliche und grenzüberschreitende Beförderung gefährlicher Güter auf Straßen). Allen gemeinsam ist die Einteilung in sog. Gefahrklassen. Die hier ebenfalls nach bestem Wissen u. Gewissen, aber ohne Gewähr gemachten Angaben der Gefahrenklassen finden sich am Ende des Literaturteils, ggf. hinter der CAS-Nr., in eckige Klammern eingeschlossen u. durch *G* gekennzeichnet.

MAK- und TRK-Werte
Die im Chemie Lexikon gemachten Angaben über die Einstufung giftiger Stoffe und Zubereitungen nach der *Gefahrstoffverordnung wie *MAK-, *BAT-, *TRK-Wert sowie LD_{50} (s. Letale Dosis), nach oraler Gabe, erfolgen nach bestem Wissen und Gewissen. Soweit zugänglich wurden auch wichtige Umweltparameter wie Wasser-Gefährdungs-Klasse (*WGK), Angaben zur *biologischen Abbaubarkeit und *Lipid-Löslichkeit aufgenommen.

Häufig zitierte Werke

ACHEMA-Jahrb. **1988**, 2172	Achema-Jahrbuch 88, Frankfurt: DECHEMA 1988 (hier Nr. 2172 des Teiles „Wer weiß über was Bescheid?"; analog **1991** für die Ausgabe 91 bzw. **1994** für die Ausgabe 1994; erscheint alle 3 Jahre)
Analyt.-Taschenb. **5**, 100	Analytiker-Taschenbuch, Berlin: Springer seit 1980 (hier Bd. 5, S. 100)
ApSimon **1**, 100	ApSimon (Hrsg.), The Total Synthesis of Natural Products, Bd. 1–9, New York: Wiley 1973–1992 (hier Bd. 1, S. 100)
Arzneimittelchemie II, 100	Schröder et al., Arzneimittelchemie (3 Bd.), Stuttgart: Thieme 1976 (hier Bd. II, S. 100)
ASP	Dinnendahl u. Fricke (Hrsg.), Arzneistoffprofile, Basisinformation über arzneiliche Wirkstoffe im Auftrag der Arbeitsgemeinschaft für Pharmazeutische Information (API), Loseblattsammlung, das Werk ist alphabetisch geordnet; Stammlieferung 1982 mit 1.–11. Ergänzungslieferung Januar 1996
Barton-Ollis **1**, 100	Barton u. Ollis, Comprehensive Organic Chemistry, Vol. 1–6, Oxford: Pergamon Press 1979 (hier Bd. 1, S. 100)
Batzer **3**, 100	Batzer, Polymere Werkstoffe, Bd. 1–3, Stuttgart: Thieme 1984/1985 (hier Bd. 3, S. 100)
Beilstein E IV **7**, 5000	Beilsteins Handbuch der Organischen Chemie, 4. Aufl., Berlin: Springer seit 1918 [hier 4. Ergänzungswerk, Bd. 7, 1969, S. 5000; analog E III/IV **17** für das 3./4. u. E V **17/11** für das 5. Ergänzungswerk]
Belitz-Grosch (4.), S. 100	Belitz u. Grosch, Lehrbuch der Lebensmittelchemie, 4. Aufl., Berlin: Springer 1992 (hier S. 100)
Blaue Liste, S. 100	Blaue Liste, Inhaltsstoffe kosmetischer Mittel (Hrsg.: Fiedler et al.), Aulendorf: Editio Cantor 1989 (hier S. 100)
Brauer **1**, 100	Brauer, Handbuch der Präparativen Anorganischen Chemie, Bd. 1–2, Stuttgart: Enke 1960, 1962 [hier Bd. 1, S. 100; analog (3.) für die 3. Aufl. 1975–1981; Nachfolgewerk ab 1996 s. Herrmann/Brauer]
Braun-Frohne (5.), S. 100	Braun (Hrsg.), Heilpflanzen-Lexikon für Ärzte und Apotheker, 4. Aufl., Stuttgart: Fischer 1981 [hier S. 100; analog Braun-Frohne (5.) für die 5. Aufl. 1987 bzw. Braun-Frohne (6.) für die 6. Aufl. 1994]
Braun-Dönhardt, S. 100	Braun u. Dönhardt, Vergiftungsregister, Stuttgart: Thieme 1975 (hier S. 100)
Büchner et al. (2), S. 100	Büchner et al., Industrielle Anorganische Chemie, 2. Aufl., Weinheim: VCH Verlagsges. 1986.
Carey-Sundberg, S. 100	Carey u. Sundberg, Organische Chemie, Weinheim: VCH Verlagsges. 1995 (hier S. 100)
Compr. Polym. Sci. **5**, 100	Allen u. Bevington, Comprehensive Polymer Science, Vol. 1–7, Oxford: Pergamon Press 1989 (hier Bd. 5, S. 100)
Crueger-Crueger (3.), S. 100	Crueger u. Crueger, Biotechnologie-Lehrbuch der angewandten Mikrobiologie, 3. Aufl., München: Oldenbourg 1989 (hier S. 100)
DAB **10** u. Komm.	Deutsches Arzneibuch, 10. Ausgabe, mit Ergänzungen (Stand: 4. Ergänzung 05/1995), Frankfurt: Govi 1991 (analog DAB **10/1** für die 1. Ergänzung der 10. Ausgabe; analog Komm. **10** für den Kommentar zur 10. Ausgabe; alphabetisch)
Deer et al. (2.), S. 100	Deer, Howie u. Zussmann, An Introduction to the Rock Forming Minerals, 2. Aufl., Harlow (England): Longman Scientific & Technical 1992 (hier S. 100)
Ehrhart-Ruschig, S. 100	Ehrhart u. Ruschig, Arzneimittel, Weinheim: Verl. Chemie 1968 [hier S. 100; analog (2.) **1** für Bd. 1 der 2. Aufl. Bd. 1–5, 1972]
Elias, S. 100	Elias, Makromoleküle, 4. Aufl., Basel: Hüthig u. Wepf 1981 (hier S. 100; analog **1**, 100 für Bd. 1 der 5. Aufl., 2 Bd. 1990/1992)

Häufig zitierte Werke

Elsevier **14**, 100	Elsevier's Encyclopaedia of Organic Chemistry, Series III: Carboisocyclic Condensed Compounds (Bd. 12, 13 u. 14 mit Teilbänden u. Supplementen), Amsterdam: Elsevier 1940–1954, Berlin: Springer 1954–1969 [hier Bd. 14 (1949) S. 100; analog 14 S, S. 5000 S für Supplement 14]
Encycl. Gaz, S. 100	Encyclopédie des gaz (L'Air Liquide, Hrsg.), Amsterdam: Elsevier 1976 (hier S. 100)
Encycl. Polym. Sci. Eng. **7**, 100	Mark et al., Encyclopedia of Polymer Science and Engineering, New York: Wiley-Interscience 1985–1990 (hier Bd. 7, 1987, S. 100)
Encycl. Polym. Sci. Technol. **12**, 230	Mark, Gaylord u. Bikales, Encyclopedia of Polymer Sciences and Technology (18 Bd.), New York: Wiley-Interscience 1964–1978 (hier Bd. 12, 1971, S. 230; analog **S 1**, 100 für Supplement 1, 1977, S. 100; analog **S 2**, 1978)
Farm	Farm Chemicals Handbook, 37841 Enclid Ave., Meister Publishing Co., Willoughby, Ohio 44094 (erscheint jährlich in aktualisierter Aufl.)
Florey **6**, 100	Florey u. Brittain (Hrsg.), Analytical Profiles of Drug Substances and Excipients (23 Bd.), New York: Academic Press 1972–1992 (hier Bd. 6, S. 100)
Forth et al. (6.), S. 100	Forth, Henschler u. Rummel (Hrsg.), Allgemeine und spezielle Pharmakologie u. Toxikologie, 6. Aufl., Mannheim: BI Wissenschaftsverl. 1992 [hier S. 100; analog (7.) für die 7. Aufl. 1996]
Fries-Getrost, S. 100	Fries u. Getrost, Organische Reagenzien für die Spurenanalyse, Darmstadt: Merck 1975 (hier S. 100)
Giftliste	Roth u. Daunderer, Giftliste (mit Ergänzungen), Landsberg: ecomed seit 1981
Gildemeister **3a**, 100	Gildemeister u. Hoffmann, Die ätherischen Öle, 4. Aufl. (7 Bd. u. Teilbände), Berlin: Akademie-Verl. 1956–1968 (hier Bd. 3a, 1960, S. 100)
Gmelin	Gmelins Handbuch der Anorganischen Chemie, 8. Aufl., Weinheim: Verl. Chemie seit 1922, Berlin: Springer seit 1974
Gräfe, S. 100	Gräfe, Biochemie der Antibiotika, Heidelberg: Spektrum Akadem. Verl. 1992 (hier S. 100)
Hager (4.) **7b**, 100	Hagers Handbuch der Pharmazeutischen Praxis (List u. Hörhammer, Hrsg.), 4. Aufl., 1967–1989; Bruchhausen et al., 5. Aufl., 9 Bd., Berlin: Springer 1993–1995 [hier Bd. 7b, S. 100; analog (5.), S. 100 für die 5. Aufl.]
Handbook **56**, F 50	Handbook of Chemistry and Physics, Boca Raton: CRC Press (hier 56. Aufl., 1975, Abschnitt F, S. 50; analog 66. Aufl., 1985)
Hassner-Stumer, S. 100	Hassner u. Stumer, Organic Syntheses Based on Name Reactions and Unnamed Reactions, Oxford: Pergamon Press 1994 (hier S. 100)
Helwig-Otto II/100	Arzneimittel. Ein Handbuch für Ärzte und Apotheker, 8. Aufl., 1995, Stuttgart: Wissenschaftliche Verlagsges. (hier Bd. II/100)
Herrmann-Brauer **1**, 100	Herrmann u. Brauer, Synthetic Methods of Organometallic and Inorganic Chemistry, Vol. 1–8, Stuttgart: Thieme 1996 (hier Band 1, S. 100)
Hommel, Nr. 100	Hommel, Handbuch der gefährlichen Güter, 2. Aufl., Berlin: Springer seit 1983 [hier Nr. 100; analog (3.) für die 3. Aufl. bzw. (4.) für die 4. Aufl. 1988]
Houben-Weyl **5/1a**, 100	Houben u. Weyl, Methoden der organischen Chemie, 4. Aufl., Stuttgart: Thieme seit 1952 (hier Bd. 5, Teilband 1a, 1970, S. 100; analog **E2** für den Erweiterungsband 2, 1982)
Hutzinger **1A**, 100	Hutzinger (Hrsg.), The Handbook of Environmental Chemistry, Berlin: Springer seit 1980 (hier Bd. 1A, 1980, S. 100)
Janistyn (3.) **1**, 100	Janistyn, Handbuch der Kosmetika und Riechstoffe, 3. Aufl., 3 Bd., Heidelberg: Hüthig 1978 (hier Bd. 1, S. 100)
Karrer, Nr. 100	Karrer et al., Konstitution und Vorkommen der organischen Pflanzenstoffe (exklusive Alkaloide), Basel: Birkhäuser 1958 (Hauptwerk), 1977 (Ergänzungs-Bd. 1), 1981 (Ergänzungs-Bd. 2/1), 1985 (Ergänzungs-Bd. 2/2) (hier Nr. 100)
Katritzky et al. **4**, 100	Katritzky, Meth-Cohn u. Rees, Comprehensive Organic Group Transformation, Vol. 1–10, Oxford: Elsevier Science 1995 (hier Bd. 4, S. 100)
Katritzky-Rees **1**, 100	Katritzky u. Rees, Comprehensive Heterocyclic Chemistry, Vol. 1–8, Oxford: Pergamon Press 1984 (hier Bd. 1, S. 100)

Häufig zitierte Werke

Kirk-Othmer (2.) **17**, 100	Kirk-Othmer (Hrsg.), Encyclopedia of Chemical Technology, 24 Bd., 2. Aufl., New York: Interscience 1963–1972; 3. Aufl., 26 Bd., New York: Wiley 1978–1984; 4. Aufl. seit 1992 [hier Bd. 17, S. 100; analog **S** für das Supplement; analog (3.) **1** für Bd. 1 der 3. Aufl. bzw. (4.) **1** für Bd. 1 der 4. Aufl.]
Kleemann-Engel (2.), S. 100	Kleemann u. Engel, Pharmazeutische Wirkstoffe, 2. Aufl., Stuttgart: Thieme 1982 (hier S. 100)
Korte (3.), S. 100	Korte, Lehrbuch der Ökologischen Chemie, Grundlagen u. Konzepte für die ökologische Beurteilung von Chemikalien, 3. Aufl., Stuttgart: Thieme 1992 (hier S. 100)
Krafft, S. 100	Krafft, Große Naturwissenschaftler, Düsseldorf: VCI 1986 (hier S. 100)
Kürschner (15.), S. 100	Kürschners Deutscher Gelehrten-Kalender, Berlin: De Gruyter (hier 15. Aufl., 1986, S. 100; analog 9. Aufl. 1961; 10. Aufl. 1966; 11. Aufl. 1970; 12. Aufl. 1976; 14. Aufl. 1983)
Laue-Plagens, S. 100	Laue u. Plagens, Namen- u. Schlagwortreaktionen in der Organischen Synthese, Stuttgart: Teubner 1995 (hier S. 100)
Luckner (3.), S. 100	Luckner, Secondary Metabolism in Microorganisms, Plants and Animals, 3. Aufl., Berlin: Springer 1990 (hier S. 100)
Manske **11**, 100	The Alkaloids, Chemistry and Pharmacology, 45 Bd. bis 1994, Hrsg.: Manske u. Holmes, Bd. 1–4; Manske, Bd. 5–16; Manske u. Rodrigo, Bd. 17; Rodrigo, Bd. 18–20; Brossi, Bd. 21–40; Brossi u. Cordell, Bd. 41; Cordell, Bd. 42–44; Cordell u. Brossi, Bd. 45, New York: Academic Press seit 1950 (hier Bd. 11, S. 100)
March (4.), S. 100	March, Advanced Organic Chemistry, 4. Aufl., New York: Wiley 1992 (hier S. 100)
Martindale (29.), S. 100	Martindale, The Extra Pharmacopoeia (Reynolds, Hrsg.), 29. Aufl., London: The Pharmaceutical Press 1989 [hier S. 100; analog (30.) für die 30. Aufl. von 1993]
McKetta **24**, 100	McKetta, Encyclopedia of Chemical Processing and Design, New York: Dekker seit 1976 (hier Bd. 24, 1986, S. 100)
Merck-Index (11.), Nr. 1328	The Merck Index, An Encyclopedia of Chemicals, Drugs, and Biologicals, 11. Aufl., Rahway, N.J.: Merck & Co., Inc. 1989 (hier Nr. 1328)
Methodicum Chimicum **1**, 100	Methodicum Chimicum (Korte, Hrsg.), Bd. 1, 4–8, Stuttgart: Thieme 1976 (hier Bd. 1, S. 100)
Mutschler (7.), S. 100	Arzneimittelwirkungen. Lehrbuch der Pharmakologie und Toxikologie, 7. Aufl., Stuttgart: Wissenschaftliche Verlagsges. 1996 (hier S. 100)
Negwer (6.), Nr. 100	Negwer, Organic-Chemical Drugs and their Synonyms, 6. Aufl., Berlin: Akademie-Verl. 1987; New York: VCH Publishers 1987 [hier Nr. 100; auch Angabe der Seitenzahl möglich; analog (7.) für die 7. Aufl. 1994]
Neufeldt, S. 100	Neufeldt, Chronologie der Chemie 1800–1980, Weinheim: Verl. Chemie 1987 (hier S. 100)
Ohloff, S. 100	Ohloff, Riechstoffe u. Geruchssinn, Berlin: Springer 1990 (hier S. 100)
Organikum, S. 100	Organikum, 19. Aufl., Leipzig: Barth Verlagsges. 1993 (hier S. 100)
Paquette **1**, 100	Paquette, Encyclopedia of Reagents for Organic Synthesis, Vol. 1–8, Chichester: Wiley 1995
Perkow	Perkow, Wirksubstanzen der Pflanzenschutz- und Schädlingsbekämpfungsmittel, Berlin: Parey seit 1971 (Loseblattwerk)
Pesticide Manual	The Pesticide Manual, A World Compendium (Incorporating the Agrochemical Handbook) (Worthing u. Hance, Hrsg.), 10. Aufl., Farnham: The British Crop Protection Council 1994
Pharm. Biol. **2**, 100	Pharmazeutische Biologie (Bd. 2–4), Stuttgart: Fischer [hier Bd. 2, 1980, S. 100); analog (2.) **3** bzw. (3.) **2** für die 2. bzw. 3. Aufl. 1984, 1985]
Pötsch, S. 100	Pötsch, Lexikon bedeutender Chemiker, Leipzig: VEB Bibliograph. Institut 1988 (hier S. 100)
Poggendorff **7b/3**, 100	Poggendorff, Biographisch-literarisches Handwörterbuch der exakten Naturwissenschaften, Leipzig: Barth seit 1863, Berlin: Akademie-Verl. (hier Bd. 7b, Teil 3, 1988, S. 100)
Präve et al. (4.), S. 100	Präve et al., Handbuch der Biotechnologie, 4. Aufl., München–Wien: Oldenburg 1994 (hier S. 100)
Ramdohr-Strunz, S. 100	Ramdohr u. Strunz, Klockmann's Lehrbuch der Mineralogie, 16. Aufl., Stuttgart: Enke 1978 (hier S. 100)
R.D.K. (3.), S. 100	Roth, Daunderer u. Kormann (Hrsg.), Giftpflanzen, Pflanzengifte, 3. Aufl., Landsberg: ecomed 1988 [hier S. 100; analog (4.) für die 4. Aufl. von 1994]

Häufig zitierte Werke

Rehm-Reed (2.), S. 100	Rehm et al., Biotechnology: a Multi-Volume Comprehensive Treatise, 2. Aufl., Weinheim: VCH Verlagsges. seit 1991 (hier S. 100)
Rippen	Rippen, Handbuch Umweltchemikalien, Landsberg: ecomed, seit 1984
Römpp Lexikon Biotechnologie, S. 100	Dellweg, Schmidt u. Trommer (Hrsg.), Römpp Lexikon Biotechnologie, Stuttgart: Thieme 1992 (hier S. 100)
Römpp Lexikon Lebensmittelchemie, S. 100	Eisenbrandt u. Schreier (Hrsg.), Römpp Lexikon Lebensmittelchemie, Stuttgart: Thieme 1995 (hier S. 100)
Römpp Lexikon Umwelt, S. 100	Hulpke, Koch u. Wagner (Hrsg.), Römpp Lexikon Umwelt, Stuttgart: Thieme 1993 (hier S. 100)
Sax (8.), Nr. 100	Lewis (Hrsg.), Sax's Dangerous Properties of Industrial Materials, 8. Aufl., 3 Bd., New York: Van Nostrand Reinhold 1992 (hier Nr. 100; auch Angabe der Seitenzahl möglich)
Scheuer I **1**, 100	Scheuer, Marine Natural Products – Chemical and Biological Perspectives, Bd. 1–5, New York: Academic Press 1978–1983 (hier Bd. 1, S. 100)
Scheuer II **1**, 100	Scheuer, Bioorganic Marine Chemistry, 6 Bd., Berlin: Springer 1987–1992 (hier Bd. 1, S. 100)
Schlee, S. 100	Schlee, Ökologische Biochemie, Berlin: Springer 1986 (hier S. 100)
Schlegel (7.), S. 100	Schlegel, Allgemeine Mikrobiologie, 7. Aufl., Stuttgart: Thieme 1992 (hier S. 100)
Schormüller, S. 100	Schormüller, Lehrbuch der Lebensmittelchemie, Berlin: Springer 1974 (hier S. 100)
Schröcke-Weiner, S. 100	Schröcke u. Weiner, Mineralogie, Berlin: de Gruyter 1981 (hier S. 100)
Schweppe, S. 100	Schweppe, Handbuch der Naturfarbstoffe. Vorkommen, Verwendung, Nachweis, Landsberg: ecomed 1992 (hier S. 100)
Skeist, S. 100	Skeist, Handbook of Adhesive, 2. Aufl., New York: Van Nostrand Reinhold 1977 (hier S. 100)
Snell-Ettre **18**, 100	Snell u. Hilton (ab Band 8: Snell u. Ettre), Encyclopedia of Industrial Chemical Analysis (20 Bd.), New York: Interscience 1966–1975 (hier Bd. 18, 1973, S. 100)
Strube **2**, 100	Strube, Der historische Weg der Chemie, Leipzig: Grundstoffindustrie 1986 (hier Bd. 2, S. 100)
Strube et al., S. 100	Strube et al., Geschichte der Chemie, Berlin: Dtsch. Verl. der Wissenschaften 1986 (hier S. 100)
Stryer (5.), S. 100	Stryer, Biochemie, 5. Aufl., Heidelberg: Spektrum der Wissenschaft Verlagsges. 1990 (hier S. 100)
Synthetica **2**, 100	Jonas et al., Synthetica Merck (2 Bd.), Darmstadt: Merck 1969, 1974 (hier Bd. 2, 1974, S. 100)
Trost-Fleming **3**, 100	Comprehensive Organic Synthesis, Vol. 1–9, New York: Pergamon Press 1991 (hier Vol. 3, S. 100)
Turner **1**, 100	Turner bzw. Turner u. Aldrige, Fungal Metabolites, Bd. 1 u. 2, London: Academic Press 1971, 1983 (hier Bd. 1, S. 100)
Ullmann (3.) **7**, 100	Ullmanns Enzyklopädie der Technischen Chemie, 3. Aufl., München: Urban und Schwarzenberg 1951–1970; 4. Aufl., Weinheim: Verl. Chemie 1972–1984; 5. Aufl. in Englisch, 1985–1995 [hier Bd. 7 der 3. Aufl., S. 100; analog **E** für den Ergänzungs-Bd.; analog (4.) für die 4. Aufl. bzw. (5.) für die 5. (englische) Aufl., z.B. Ullmann (5.) **A12**, 100]
Voet-Voet (2.), S. 100	Voet u. Voet, Biochemie, Weinheim: VCH Verlagsges. 1992; 2. Aufl., Chichester: Wiley 1995 [hier S. 100; analog (2.) für die 2. Aufl.]
Weissberger **14/3**, 100	Weissberger (Hrsg.), The Chemistry of Heterocyclic Compounds, New York: Interscience seit 1950 (hier Bd. 14, Teil 3, 1962, S. 100)
Weissermel-Arpe (4.), S. 100	Weissermel u. Arpe, Industrielle organische Chemie, 4. Aufl., Weinheim: VCH Verlagsges. 1994 (hier S. 100)
Wer ist wer, S. 100	Wer ist wer? Das Deutsche Who's Who, 33. Ausgabe, Lübeck: Schmidt-Römhild 1994 (hier S. 100)
Who's Who in America, S. 100	Who's Who in America, 49. Ausgabe, New Providence (USA): Marquis Who's Who-Verlag 1995 (hier S. 100).
Who's Who in the World, S. 100	Who's Who in the World, 58. Ausgabe, London: Europe Publications Limited 1995.
Wichtl (2.)	Wichtl, Teedrogen, 2. Aufl., Stuttgart: Wissenschaftliche Verlagsges. mbH 1989
Wilkinson-Stone-Abel (2.) **1**, 100	Wilkinson, Stone u. Abel, Comprehensive Organometallic Chemistry, Vol. 1–9, Oxford: Pergamon Press 1981: 2. Aufl. 1995 (hier Bd. 1, S. 100 der 2. Aufl.)

Winnacker-Küchler (3.) **6**, 100	Winnacker u. Küchler, Chemische Technologie, 3. Aufl., 7 Bd., München: Hanser 1970–1975 [hier Bd. 6, 1973, S. 100; analog (4.) für die 4. Aufl., 1981–1986]
Wirkstoffe iva (2.), S. 100	Industrieverband Agrar e.V. (Hrsg.), Wirkstoffe in Pflanzenschutz- u. Schädlingsbekämpfungsmitteln. Physikalisch-chemische u. toxikologische Daten, 2. Aufl., München: BLV Verlagsges. 1990 (hier S. 100)
Zechmeister **35**, 100	Zechmeister (Hrsg.), Fortschritte der Chemie organischer Naturstoffe, Berlin: Springer seit 1938 (hier Bd. 35, S. 100)
Zipfel, C 100	Zipfel, Lebensmittelrecht, Kommentar der gesamten Lebensmittel- u. weinrechtlichen Vorschriften sowie des Arzneimittelrechts, München: Becksche Verlagsbuchhandlung, Loseblattsammlung, Neuausgabe seit 1982 [hier Kommentar 100 zum Lebensmittelrecht; analog A (Text zum Lebensmittelrecht), D (Text u. Kommentar zum Arzneimittelgesetz)]

Nutzen Sie Ihr RÖMPP Lexikon Chemie auch auf dem PC!

Die Vorteile der CD-RÖMPP:

- Querverweise per Mausklick ersparen lästiges Blättern
- Volltextsuche in Sekundenschnelle – auch mit logischen Verknüpfungen
- Alle Daten sind auszudrucken und exportfähig
- Sechs(!) Suchkriterien stehen Ihnen zur Wahl:
  - Stichwort
  - Fachgebiet
  - Summenformel
  - Zollcode
  - Fremdsprachenindex
    - englisch
    - französich
    - italienisch
    - spanisch
  - Gefahrenklasse
- Netzwerk-Version auf Anfrage beim Verlag
- *Zeitgewinn und Effizienz bei anerkannter Qualität*

CD-RÖMPP
RÖMPP Lexikon Chemie au CD ROM, 10. Auflage 1996/99. Preisvorteile bis 31.12.1997, danach ca. DM 1.788,–
ISBN 3 13 107840 5

A

α (alpha). Erster Buchstabe des *griechischen Alphabets. Bei Elementen u. anorgan. Verb. werden hiermit bestimmte Modif. gekennzeichnet (z. B. α-Zinn, α-Zinnsäure), bei organ. Verb. die Stellungen von Substituenten im Molekül. Bei aliphat. Verb. bezeichnet α die Position desjenigen C-Atoms, an das die charakterist. Gruppe (z. B. COOH, NH$_2$) des Mol. gebunden ist; trägt dieses einen Substituenten, so läßt sich dies im Namen durch das Präfix α- vor dessen Bez. ausdrücken, z. B.

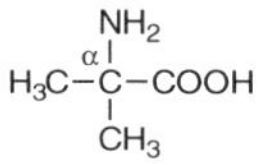

$$\underset{CH_3}{\underset{|}{H_3C-\overset{\overset{NH_2}{|}}{\underset{}{C}}-COOH}}$$

α-Aminoisobuttersäure (2-Amino-2-methylpropionsäure). In endständigen Benzol-Ringen *kondensierter Ringsysteme bezeichnet man die C-Atome neben den Ringverschmelzungsstellen mit α (im Naphthalin-Mol. sind dies die Positionen 1, 4, 5 u. 8; s. a. Carboline). In Heterocyclen ist die α-Position diejenige, die dem Heteroatom benachbart ist (in Pyridin sind α-C die Positionen 2 u. 6). In systemat. Namen ist die Verw. von Ziffern als Lokanten dieser Meth. vorzuziehen. Ferner dient α noch zur stereochem. Bez. der *Konfiguration von Atomen in *Ringsystemen, z. B. bei *Anomeren, Alkaloiden, Steroiden, Di- u. Triterpenen, zur Unterscheidung der *Carotin-Isomeren, ferner zur Kennzeichnung des am frühesten entdeckten Gliedes einer Isomerenreihe sowie zur Unterscheidung der Glieder einer Gruppe von Substanzen unbekannter Konstitution.
In der physikal. Chemie kennzeichnet α den Drehwinkel bei opt. aktiven Verb. (s. optische Aktivität), den therm. Ausdehnungskoeff. (s. Gasgesetze), den Dissoziationsgrad (s. elektrolytische Dissoziation), die Wärmeübergangszahl (s. Wärmeübertragung) u. die elektr. Polarisierbarkeit von Mol. (s. Polarisation). In der Kernphysik ist α das Symbol für alpha-Teilchen (s. Radioaktivität) u. für den Isotopen-Trennfaktor.

a. Symbol für *Atto... = 10^{-18} als Vorsatzzeichen für physikal. *Einheiten, ferner Kurzz. für die Zeiteinheit „Jahr" (von latein.: annus). Bei *kondensierten Ringsystemen bezeichnet kursiv gesetztes *a* eine Kante des Stammringsyst., die mit einem weiteren Ring(syst.) verschmolzen ist (s. Anellierung); *Beisp.:* *Benz[*a*]anthracen. In der physikal. Chemie steht a für die *Aktivität u. für eine *van der Waals-Konstante (vgl. Gasgesetze). In der theoret. organ. Chemie kann a als Index antarafacial bedeuten (s. sigmatrop).

A. 1. Symbol für *Ampere. – 2. Statt *Ar im französ. Sprachgebiet verwendetes Symbol für *Argon. – 3. Von der IUPAC empfohlenes Symbol für -acetat-, -acrylat-, -acrylnitril-, -adipat-, -allyl-, -amid- bei Abk. von Polymerennamen (z. B. CAB = Celluloseacetatbutyrat, PA = Polyamid). – 4. In der Einbuchstaben-Notation für Aminosäure-Sequenzen dient A (statt *Ala) als Symbol für *Alanin, bei *Ribonucleinsäuren als Symbol für *Adenosin.

Å. Symbol für *Ångström-Einheit.

AAAS. Abk. für die 1848 gegr. American Association for the Advancement of Science mit Sitz in 1333 Street, Washington (District of Columbia) 20005. Die AAAS ist die Dachorganisation der amerikan. wissenschaftlichen Ges. mit über 143 000 Mitgliedern. Wichtigstes *Publikationsorgan:* Science. – INTERNET-Adresse: http://www.aaas.org

AA/BB-Polykondensation (AA/BB-Polyreaktion). Polyreaktion unter Verw. zweier verschiedener Arten von Monomeren, von denen jede zwei gleichartige funktionelle Gruppen trägt. Diese können mit den funktionellen Gruppen der anderen Monomers zum Polymer abreagieren (Reaktion zwischen AA- u. BB-Monomeren). Typ. Beisp. sind *Polykondensationen von Dicarbonsäuren mit Diolen od. Diaminen unter Ausbildung von *Polyestern bzw. *Polyamiden. Im Gegensatz dazu findet bei AB-Polyreaktionen nur eine Art von Monomeren Verw., die gleichzeitig beide miteinander reaktionsfähigen Gruppen enthält (z. B. Hydroxycarbonsäuren). – *E* AA/BB polycondensation – *F* polycondensation AA/BB – *I* policondensazione AA/BB – *S* policondensación AA/BB
Lit.: Elias **1**, 219; **2**, 42.

Aaptamin (8,9-Dimethoxy-1*H*-benzo[*d,e*][1,6]-naphthyridin).

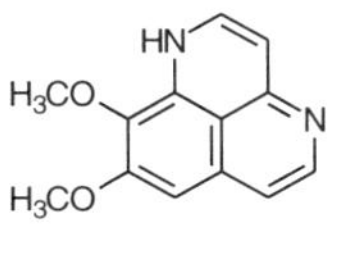

$C_{13}H_{12}N_2O_2$, M_R 228,25, blaßgelbe Krist., Schmp. 110–113 °C (Methanol/Aceton). 1*H*-Benzo[*d,e*][1,6]-naphthyridin-Alkaloid aus dem pazif. Schwamm *Aaptos aaptos* mit α-Adrenozeptor-Blocker-Aktivität (Kaninchen-Aorta). – *E* = *F* aaptamine – *I* = *S* aaptamina.
Lit.: J. Org. Chem. **52**, 616 (1987) ▪ Tetrahedron Lett. **23**, 5555 (1982); **26**, 1259 (1985); **34**, 4683 (1993). – [CAS 85547-22-4]

AAR. Abk. für *Antigen-Antikörper-Reaktion.

Aarane. Suspension von *Cromoglicinsäure-Dinatriumsalz u. *Reproterol-HCl in Treibmittel zur Inhalation gegen Atemnot bei Asthma u. a. Atemwegserkrankungen. *B.:* Fisons.

a. a. R. d. T. s. allgemein anerkannte Regeln der Technik.

AAS. Abk. für *Atomabsorptionsspektroskopie.

Aasblumen. Blüten, die durch Aas-artigen Geruch Insekten, v. a. Fliegen u. Käfer anlocken, damit diese die Bestäubung durchführen. Häufig ist ein duftproduzierendes Organ (Osmophor) vorhanden. Zu den A. gehört auch *Rafflesia arnoldii* (⌀ ca. 1 m), eine der größten Blüten Ostasiens. – *E* carrion flowers – *F* fleurs nauséabondes – *I* fiori emananti odori fetidi – *S* aro, yaro

Aasfliegen. Auch Schmeißfliegen od. Fleischfliegen genannte Familie Calliphoridae der Insektenordnung Diptera (Zweiflügler, Unterordnung Brachycera). Artenreiche Gruppe von sehr verschiedener Größe u. Färbung. Auffallend u. häufig sind die metall. goldgrün gefärbten Goldfliegen (z. B. Gattung *Lucilia*). Die Imagines leben in den verschiedensten Biotopen, häufig auf Blüten (v. a. Dolden), suchen zum Auflecken von Säften u. zur Eiablage bzw. zum Larvenabsetzen zerfallende organ. Substrate verschiedenster Herkunft auf, in erster Linie wohl angelockt durch die bei der bakteriellen Zersetzung von Eiweiß auftretenden Duftstoffe (z. B. Ethylmercaptan, *Indol, *Skatol, verschiedene Amine, *Ammoniumcarbonat). Verschiedene Arten können verschiedene Düfte bevorzugen. Für verschiedene Blumen- u. Fleischdüfte liegen spezif. Geruchssinnesorgane auf den Fühlern. Wechselnd ist auch das Verhalten bei Individuen der gleichen Art je nach Alter, Geschlecht u. aktueller Trieblage. Häufig sitzen A. auf nach Aas duftenden Blüten od. Pilzen, z. B. auf der Stinkmorchel (*Phallus impudicus,* hat als „nachahmenden" Hauptduftstoff *Phenylacetaldehyd, der beim Zersetzen von Fleisch nicht auftritt). Die madenartigen A.-Larven leben an verschiedensten zerfallenden organ. Stoffen pflanzlicher od. tier. Herkunft, an Leichen, auch an Exkrementen. Etliche Arten leben außen- od. innenparasit. an Wirbellosen u. an Wirbeltieren, einige auch gelegentlich beim Menschen in Wunden od. unter der Haut (z. B. *Cordylobia*-, *Lucilia*-, *Sarcophaga*-, *Phormia*-Larven; die Larven von *Lucilia sericata* wurden zeitweilig bei der Wundheilung benutzt: Wegfressen nekrot. Gewebes). Einige hundert Arten leben in Europa. – *E* carrion-flies – *F* mouches carnivores – *I* mosconi – *S* moscarda

Lit.: Jacobs u. Renner, Biologie u. Ökologie der Insekten, Stuttgart: Fischer 1988.

Aaskäfer. Familie Silphidae aus der Insektenordnung Käfer (Coleoptera, Polyphaga). A. sind meist mittelgroße, abgeflachte, häufig düster gefärbte Käfer. Bei Störung geben manche Arten aus dem After Ammoniak-haltigen Kot ab, andere spritzen aus dem After von Rektaldrüsen produzierte Wehrstoffe (Terpene, organ. Säuren) bisweilen gezielt auf Angreifer. Viele A.-Arten fressen als Imago u. als Larve an Aas, manche sind auch räuberisch. Von über 300 bekannten Arten leben 26 in Mitteleuropa, darunter der auffällige Totengräber (*Necrophorus vespillo,* ca. 22 mm lang). Fortpflanzung im Frühling u. Sommer; das Aas wird durch den Geruchssinn gefunden. Das Totengräber-Paar vergräbt das Aas im Boden u. legt bis zu 24 Eier in dessen Nähe ab. Nach der Verpuppung schlüpft der Jungkäfer noch im selben Jahr u. überwintert im Boden. – *E* carrion-beetles – *F* coléoptères carnivores – *I* silfidi – *S* silfa

Lit.: Jacobs u. Renner, Biologie u. Ökologie der Insekten, Stuttgart: Fischer 1988.

AB. Abk. für schwed.: Aktiebolag = Aktienges., s. Körperschaften.

A/B/A. Nach DIN 7728, Tl. 1 (01/1988) Kurzz. für Acrylnitril-Butadien-Acrylat-Copolymere.

Abachi (Wawa, Obéché, Samba). Blaßgelbes bis cremefarbiges, weiches, leichtes, wenig dauerhaftes Holz des ca. 40 m hohen westafrikan. Laubbaumes *Triplochiton scleroxylon* K. Schum., das im Innenbau u. zum Furnieren verwendet wird. D. 0,34 g/cm³. Das Holz ist anfällig für Pilze u. Insekten. – [HS 4403 49]

Abakafaser s. Manilahanf.

Abalone. Indian. Bez. für Meerohren (Meeresschnecken) der Gattung *Haliotis,* insbes. des als Delikatesse geschätzten konservierten Weichkörpers. Verw. der Schale zu Dekorationszwecken, aber auch zur Perlmuttergewinnung. – *E* abalone – *I* chioccila marina – *S* oreja de mar – [HS 0307 99]

Abamectin. Common name für das 4:1-Gemisch der beiden Makrolide Avermectin B_{1a} (1) u. B_{1b} (2) aus der Gruppe der *Avermectine.

$C_{48}H_{72}O_{14}$, M_R 873,09 (1), $C_{47}H_{70}O_{14}$, M_R 859,06 (2), Schmp. 150–155 °C, LD_{50} (Ratte oral) 10 mg/kg, fermentativ aus *Streptomyces avermitilis* gewonnenes, von Merck & Co. 1985 eingeführtes *Akarizid u. *Insektizid gegen Spinnmilben u. beißende Insekten im Baumwoll-, Blumen-, Zitrus-, Obst- u. Gemüseanbau. – *E* abamectin – *F* abamectine – *I* abamecitina – *S* abamectín

Lit.: Farm ▪ Perkow ▪ Pesticide Manual. – [CAS 71751-41-2]

Abastol®. Eiweißaufschluß, Phosphat-haltiges Fleisch-Plastifizierungsmittel zur Wurstherstellung. *B.:* Budenheim.

Abbau. Bez. für die – meist über definierte Zwischenprodukte verlaufende – Zerlegung vielatomiger

in einfachere Verbindungen. Anders als bei der *Zersetzung, bei der *Fäulnis od. beim spontanen *Zerfall (z. B. von radioaktiven Stoffen od. von labilen *Zwischenprodukten) erhält man beim A. gezielt bestimmte Reaktionsprodukte. A.-Reaktionen dienen häufig zur Konstitutionsaufklärung, denn aus den A.-Produkten kann man Rückschlüsse auf die Zusammensetzung der Ausgangssubstanz ziehen. Typ. A.-Reaktionen sind in der organ. Chemie der unter Spaltung von C–C-Bindungen verlaufende A. von Kohlenstoff-Ketten (z. B. beim *Kracken, durch *Decarboxylierung, *Hofmannscher Abbau), in der anorgan. Chemie der *therm. A.* (z. B. Abspaltung von Wasser aus Salzhydraten od. von Kohlendioxid aus Carbonaten durch Hitzeeinwirkung). A.-Reaktionen spielen in der organ. Analyse, in der *Präparativen Chemie u. bei *Verdauungs-Vorgängen (*Katabolismus) eine bes. Rolle. So werden z. B. Stärke, Cellulose u. a. Polysaccharide durch Kochen mit Säuren od. durch Enzyme allg. zu einfachen Zuckern, Eiweißstoffe durch eiweißspaltende Enzyme, wie z. B. Pepsin u. Trypsin, zu *Aminosäuren abgebaut. Beim A. von *Arzneimitteln (*Biotransformation) entstehende Stoffe greifen ggf. in den *Stoffwechsel ein.
A.-Reaktionen zur Konstitutionsermittlung in der organ. Analyse spielen nur noch eine untergeordnete Rolle; sie wurden durch physikal. Meth. wie Kernresonanz, Massenspektroskopie u. Röntgenstrukturanalyse verdrängt. Zunehmende Bedeutung erlangen A.-Reaktionen dagegen im Umweltschutz u. bei der Anw. von Pflanzenschutzmitteln. Sie bestimmen im wesentlichen die Verweildauer von Chemikalien in unserer Umwelt sowie die Menge der Rückstände von Pflanzenschutzmitteln in unserer Nahrung. Größere Bedeutung bei A.-Reaktionen kommt dem Sonnenlicht direkt zu. Die darin enthaltene UV-Strahlung kann eine Vielzahl chem. Bindungen spalten. Die dabei entstandenen Bruchstücke (*Radikale) reagieren dann durch Hydrolyse, Dehalogenierung, Isomerisierung, Dimerisierung, Oxid. u. Red. ab.
Biol. verläuft der A. enzymat. katalysiert in Höheren Tieren, Pflanzen od. Mikroorganismen. Die im Organismus gebildeten A.-Produkte nennt man *Metabolite. Wichtig sind A.-Reaktionen für *Waschmittel, *Detergentien, *Tenside u. *Kunststoffe in *Abwässern u. Müll sowie von *Pflanzenschutzmitteln im Agrarbetrieb. – *E* degradation, breakdown – *F* degradation – *I* decomposizione – *S* degradación
Lit.: Matsumura, Degradation of Pesticides in the Environment by Microorganisms and Sunlight, in Biodegradation of Pesticides, New York: Plenum Press 1982 ▪ Residue Rev. **92**, 59 (1984) ▪ Thier u. Frehse, Rückstandsanalytik von Pflanzenschutzmitteln, in Analytische Chemie für die Praxis, Stuttgart: Thieme 1986 ▪ s. a. biologischer Abbau.

Abbaubarkeit s. biologische Abbaubarkeit u. abiotischer Abbau.

Abbaukapazität der Umwelt. Maß für das Vermögen der Umwelt bzw. ihrer Komponenten, Substanzen durch *abiotischen od. *biologischen Abbau im Sinne einer *Mineralisation u. Rückführung des Stoffinventars in den allg. Kreislauf der Stoffe umzuwandeln. Die A. d. U. hängt nicht nur vom Stoff selbst ab. Auch die Stoffverteilung sowie das Umgebungsmilieu des Stoffes in physikal., chem. u. biolog. Hinsicht spielen eine große Rolle. Die Größenordnung der A. d. U. läßt sich abschätzen, indem für eine Zeiteinheit eine Bilanz über Stoffeintrag u. Stoffverbleib in der Umwelt aufgestellt wird. – *E* environmental capacity to degrade – *F* capacité dégradable d'environnement – *I* capacità di degradazione dell' ambiente – *S* capacidad de degradación del medio ambiente
Lit.: Chakrabarty (Hrsg.), Biodegradation and Detoxification of Environmental Pollutants, Boca Raton: CRC Press 1985 ▪ Science **211**, 132–138 (1981).

Abbauresistente Substanzen (rekalzitrante Substanzen). Stoffe, die in Organismen od. der Umwelt nicht chem., photochem. od. biolog. umgewandelt werden; zu diesen Stoffen zählen z. B. *Edelgase. Häufig werden zu den a. S. auch Stoffe gezählt, die in der Umwelt meist nur langsam abgebaut werden, z. B. *FCKW, polychlorierte Dibenzodioxine (s. Dioxine), *Cellulose, *Lignin, *Kohle, *Methan u. Distickstoffoxid (s. a. Persistenz). Allerdings hängt die Abbau-Geschw. nicht nur von Stoffeigenschaften, sondern auch von Stoffverteilung u. *Ökofaktoren ab, z. B. werden Dibenzodioxine, Cellulose u. Lignin durch bestimmte Pilze unter günstigen Bedingungen recht schnell abgebaut. Unter ungünstigen Bedingungen werden selbst Glucose[1] od. Lipide[2] rekalzitrant. – *E* recalcitrant substances – *F* substances résistantes à la dégradation – *I* sostanze resistenti alla degradabilità – *S* sustancias no degradables
Lit.: [1] Appl. Environ. Microbiol. **49**, 822–827 (1985). [2] Naturwissenschaften **75**, 143–145 (1988).
allg.: Ecotoxicol. Environ. Safety **19**, 212–227 (1990) ▪ Environ. Toxicol. Chem. **8**, 31–43 (1989) ▪ Korte (3.), S. 53–56 ▪ Naturwissenschaften **73**, 129–135 (1986).

Abbe, Ernst Karl (1840–1905), Prof. für Physik, Jena. *Arbeitsgebiete:* Optik, Auflösungsvermögen des Mikroskops, Theorie u. Bau opt. Instrumente.
Lit.: Krafft, S. 5 ▪ Strube **2**, 170 ▪ Volkmann, Carl Zeiss u. Ernst Abbe, Ihr Leben u. ihr Werk, München: Oldenbourg 1966.

Abbeizmittel. Nach DIN 55945 (12/1988) ist ein A. „ein alkal., saures od. neutrales Mittel, das, auf eine getrocknete *Beschichtung aufgebracht, diese so erweicht, daß sie von ihrem Untergrund entfernt werden kann. Die A. können flüssig od. pastenförmig sein. Die alkal. A. werden auch *Ablaugemittel* u. die neutralen (lösenden) A. auch *Abbeizfluide* genannt". Die *alkal. A.* auf Basis von Natron-/Kalilauge, Natriumcarbonat, -metasilicat, Trinatriumphosphat etc. sind geeignet zur Anw. auf verseifbaren Beschichtungssyst., wie Ölfarben, Alkydharz-Lacken usw. Eine Nachbehandlung zur Neutralisation der abgebeizten Oberflächen mit schwachen Säuren u. gründliches Abspülen sind notwendig. *Saure A.*, z. B. Phosphorsäure-haltige Produkte, haben nur geringe Bedeutung, zeigen aber bei speziellen Problemstellungen gute Ergebnisse (z. B. Entfernung von Polyurethan-Beschichtungen von Kautschuk-Substraten). Die *neutralen (lösenden) A.* bestehen aus Kombinationen organ. Lsm. wie aliphat./aromat. Kohlenwasserstoffe, Chlorkohlenwasserstoffe (CKW), Alkohole, Glykolether, Dicarbonsäurediester usw. Wegen seiner hervorragenden Lösungscharakteristik u. guten Penetrationsfähigkeit war Methylenchlorid das am meisten eingesetzte Lösemittel.

Im Zuge der allg. Bemühungen zur Reduzierung *CKW-haltiger Lsm. haben umweltverträglichere Produkte, wie Diglykolether, Dicarbonsäureester, Cycloaliphaten u. a. an Bedeutung gewonnen. Durch Zusätze von Cosolventien, Emulgatoren, Verdunstungsverzögerern, Netzmitteln, Aktivatoren (Säuren/Alkalien) u. Verdickungsmitteln kann das Wirkungsspektrum optimiert u. die Konsistenz von flüssig bis pastös u. gelartig eingestellt werden. – *E* paint (varnish, lacquer) remover, paint stripper – *F* décapant – *I* sverniciatore al solvente – *S* decapantes.
Lit.: Kirk-Othmer (3.) **16**, 762–768; (4.) **17**, 1069–1082 ▪ s. a. Anstrichstoffe, Lacke.

Abbey®. Leitfähiges W-PVC-Granulat. *B.:* Krahn.

Abbinden. Als A. bezeichnet man allg. das Festwerden von *Bindemitteln, d. h. ihren Übergang vom flüssigen bis pastenartigen in den festen Zustand durch rein chem. Prozesse (z. B. Oxid., Polymerisation, Hydratation), kolloidchem. (z. B. Brechen von Emulsionen bei den bituminösen Baustoffen) od. physikal. Vorgänge (z. B. Verdunsten von Lsm. bei Klebstoffen od. Abkühlung bei Schmelzklebern). Das Festwerden von Mörtel, Gips od. Zement wird heute vorzugsweise als *Erstarren bezeichnet. Für Klebstoffe wird nach DIN 16920 (06/1981) das A. definiert als Verfestigen der Klebschicht bis zur max. Festigkeit, entweder physikal. (z. B. durch Abkühlen, Lösungs- u. Dispersionsmittel-Verdunsten), chem. (z. B. durch Vernetzen) od. physikal./chemisch. Es wird unterschieden zwischen *Kalt*-A. bei Temp. bis 30 °C u. *Warm*-A. bei Temp. über 30 °C. – *E* setting – *F* prise – *I* presa – *S* fraguado, endurecimiento.

Abbrand. 1. In der *Kernenergie Bez. für die infolge des Reaktorbetriebes bewirkte Umwandlung von Atomkernen. *Spezif. A.* ist die Gesamtenergie, die in einem Kernbrennstoff je Masseneinheit durch A. freigesetzt wurde, dividiert durch die ursprünglich vorhandene Kernbrennstoffmasse (Einheit MWd/t); s. DIN 25401 (09/1986). – 2. In der Raketentechnik Bez. für die Verbrennung von Festtreibstoffen (s. Raketentreibstoffe). – 3. In der Metallurgie versteht man unter A. den Gew.-Verlust an reinem Metall, der beim Erhitzen od. Verformen von Metallen – z. B. durch Oberflächenoxid. (*Zunder), durch Verflüchtigung od. Übergang in die Schlacke – eintritt. – 4. In der Schwefelsäure-Ind. bezeichnet man als A. die sog. *Kiesabbrände, d. h. die Rückstände nach dem *Rösten von sulfid., insbes. *Eisensulfid-Erzen (1 t Pyrit gibt 0,7 t A.). – *E* 1. burn-up, 2. combustion, 3. cinder – *F* 1. combustion nucléaire, 2. combustion, 3. résidu de grillage – *I* 1. combustione nucleare, 2. combustione, 3. calo – *S* 1. u. 2. combustión, 3. residuos calcinados.
Lit. (zu 1.): Simnad, Nuclear Reactor Materials and Fuel, in Encycl. of Physical Science and Technology, Bd. 11, S. 327, San Diego: Academic Press 1992.

Abbrennen. Veraltetes Verf. zum *Korrosionsschutz von *Stahl. Das zu behandelnde Werkstück wird mehrfach mit einer (Lein)Ölschicht überzogen u. anschließend über der offenen Flamme eines Holzkohle- od. Koksfeuers auf 300–400 °C erhitzt. Als Folge dieser *Wärmebehandlung bildet sich eine oxid. Oberflächenschicht mit darin eingebetteter Ölkohle. Diese grauschwarze Schicht übt einen temporären Korrosionsschutz aus u. kann durch Imprägnierung mit Wachs od. Öl noch beständiger gemacht werden. Bei Kupfer u. Leg. wird Brennen dagegen als stark oxidierendes Beizen verstanden; s. a. Gelbbrennen. – *E* blazing – *F* trempage d'acier – *I* tempra dell'acciaio – *S* templar.

Abbruchreaktion. Bez. für das letzte Glied einer *Kettenreaktion, d. h. die Reaktion, die zum Abbruch der Reaktionskette (*Kettenabbruch*) führt. Näheres s. bei Termination. – *E* break off reaction – *F* réaction de rupture – *I* reazione di demolizione – *S* reacción de ruptura.

Abciximab. Internat. Freiname für das Fab-Fragment des *monoklonalen Antikörpers 7E3, es enthält humane u. murine Anteile. Es wurde 1995 von Beiersdorf-Lilly als Thrombocyten-Funktionshemmer (ReoPro®) angeboten. – *E* abciximab – *I=S* abciximab.

ABC-Löschpulver. Bez. für pulverförmige *Feuerlöschmittel, die sich zum Löschen von Bränden der *Brandklassen, A, B u. C eignen. – *E* ABC extinguishing powders – *F* poudres d'extinction ABC – *I* polvere antincendio – *S* polvo extintor ABC.

ABC-Pflaster®. Rheumapflaster mit Extrakten von *Arnika u. Capsicum; Salbe mit *Diethylaminsalicylat, Benzylnicotinat u. *Nonivamid. *B.:* Beiersdorf.

ABC-Transporter-Proteine. Gruppe verwandter Membranproteine, die teils unter Verbrauch von *Adenosin-5'-triphosphat (ATP) spezif. den aktiven *Transport bestimmter Substanzen durch biolog. *Membranen bewirken (traffic ATPases, M-Typ-ATPasen), teils auch als passive mol. Kanäle durch Membranen fungieren. Der Name ABC ist abgekürzt von *ATP-binding cassette*, das der dieser Protein-Superfamilie gemeinsame *Gen-Abschnitt ist, der für eine ATP-Bindungsstelle kodiert.
Struktur: Die Proteine der *ABC-Superfamilie* sind strukturell gekennzeichnet durch 2 regulator. u. 2 Membran-durchspannende *Domänen. Letztere enthalten nach Strukturvorhersagen je 6 α-Helices (s. Helix) u. je eine ATP-Bindungsstelle.
Vork. u. Funktion: Bei Bakterien als Import-Proteine für Nährstoffe (*periplasmat. Permeasen*, s. periplasmatische Bindungsproteine) u. Export-Proteine für *Proteine, *Peptide u. a. Stoffe. Bei *Eukarya als Transport-Syst. der Zellmembran (z. B. das *P-Glykoprotein u. der *CFTR), der inneren *Mitochondrien-Membran (z. B. ADP/ATP-Carrier, *Entkoppler-Protein)[1] u. a. Membranen (z. B. das Ald-Protein in der *Peroxisomen-Membran[2] sowie TAP, ein Peptid-Transporter mit Bedeutung für das *Immunsystem, im *endoplasmatischen Retikulum[3]). In letzter Zeit wurde festgestellt, daß einige der ABC-T.-P. – neben ihrer „normalen" Transporter/Kanal-Funktion – auch regulator. auf die Aktivität anderer Membran-Kanäle einwirken[4] (vgl. a. CFTR).
Pathologie: Mutationen des CFTR führen zur *zystischen Fibrose (Mukoviszidose). Ausfall des Ald-Proteins bewirkt Adrenoleukodystrophie[2], eine X-chromosomal rezessiv vererbbare Schädigung der *Nebennieren-Rinde u. der *Myelin-Scheiden. – *E* ABC

transporter proteins – *F* protéines de transport ABC – *I* proteine di trasporto ABC – *S* proteínas de transporte ABC
Lit.: [1] J. Bioenerget. Biomembr. **25**, 435–446 (1993). [2] Curr. Opin. Genet. Dev. **4**, 407–411 (1994). [3] J. Biol. Chem. **270**, 21 312 ff. (1995). [4] Cell **82**, 693–696 (1995); Science **270**, 1159, 1166 ff. (1995).
allg.: Alberts et al., Molekularbiologie der Zelle, 3. Aufl., S. 615 ff., Weinheim: VCH Verlagsges. 1995 ▪ Annu. Rev. Cell Biol. **8**, 67–113 (1992) ▪ Annu. Rev. Microbiol. **47**, 291–319 (1993) ▪ Cell **82**, 693 ff. (1995) ▪ Microbiol. Rev. **57**, 995–1017 (1993).

ABC-Trieb®. Marke (Name gebildet aus *A*mmonium*b*i*c*arbonat) der BASF für Backtrieb für trockenes Flachgebäck; s. a. Ammoniumhydrogencarbonat u. Backpulver.

ABC-Waffen. Abk. für *A*tomwaffen (s. Kernwaffen), *b*akteriolog. (s. biologische Waffen) u. **c*hemische Waffen.

Abdampfen s. Eindampfen.

Abdampfrückstand. Bez. für den Gehalt an Bestandteilen, die unter den Versuchsbedingungen nicht verdampfbar sind, vgl. DIN 51 784 (01/1983) u. DIN 55 945 (11/1984). Durch Glühen des A. bestimmt man *Glührückstand u. *Glühverlust. – *E* evaporation residue – *F* résidu d'évaporation – *I* residuo (solido) d'evaporazione – *S* residuo de evaporación

Abdampfschalen. Flache Porzellan- od. Glasschalen mit Ausguß zum *Eindampfen von Lösungen.
Lit.: DIN 12 903 (01/1976); DIN 12 336 (03/1970).

Abdeckbänder. Bez. für *Klebebänder zum Abgrenzen u. Maskieren bei Anstrich- u. Lackierarbeiten sowie zum Schutz empfindlicher Oberflächen bei Bearbeitung, Lagerung u. Transport. – *E* masking tapes – *F* bandes de recouvrement – *I* fascie di copertura – *S* cintas de protección, cintas de cobertura

Abdecklacke s. Abdeckmittel.

Abdeckmittel. Bez. für solche Stoffe, die bestimmte Stellen von Werkstoffen während der Bearbeitung vor Angriffen schützen. In der Hüttentechnik verwendet man z. B. als A. für die Oberflächen der Metallschmelzen gebrannten Kalk für Stahl, Holzkohle od. Quarzsand für Gußeisen, Salzschmelzen für Al- u. Mg-Legierungen. Diese Stoffe verhindern den *Abbrand od. die Gasaufnahme der Schmelzen, verringern die Wärmeabstrahlung u. nehmen aufsteigende Verunreinigungen aus der Schmelze auf. Für Cyanid-haltige Glüh- u. Kohlungsbäder ist anstelle von bisher verwendetem Schuppengraphit u. Abdeckkohle auch ein von der Degussa entwickelter *Abdeckschaum* verwendbar. Bei Anstrich- u. Lackierarbeiten werden *Abdeckbänder verwendet. In der Chemigraphie u. beim Offsetverf. dienen säurefeste Substanzen als A.; sie werden auf diejenigen Stellen der kopierten od. angeätzten Platte aufgetragen, die vor der Einwirkung der sauren Ätzflüssigkeit bzw. Entwicklerflüssigkeit geschützt werden sollen. In der Galvanotechnik schützt man die nicht zu metallisierenden Teile durch abziehbare *Abdecklacke* od. durch die Anw. von *Schmelzmassen. Als A. für Flüssigkeiten, z. B. wäss. od. organ. Lsm. in Behältern mit relativ großer Oberfläche, eig-

nen sich Hohlkugeln aus Polypropylen, die – auf der Oberfläche schwimmend – Wärme- u. Verdunstungsverluste mindern, Oxid. u. Feuchtigkeitsaufnahme aus der Luft herabsetzen, ein Verspritzen heißer od. ätzender Flüssigkeiten verhüten u. die Entwicklung aggressiver u. geruchsbelästigender Dämpfe verringern. – *E* covering materials, masking materials – *F* agents de couverture – *I* agente di copertura – *S* materiales de cobertura, materiales de protección

Abderhalden, Emil (1877–1950), Prof. für Physiolog. Chemie, Berlin, Halle u. Zürich. *Arbeitsgebiete:* Physiolog. Chemie (insbes. Stoffwechsel u. Eiweißstoffe), Entdeckung der Abwehrfermente, Synth. opt. aktiver Polypeptide, Norvalin-Synth., Begründer der modernen Ernährungslehre. Hrsg. zahlreicher Handbücher.
Lit.: Emil Abderhalden zum Gedächtnis, Halle: Dtsch. Akademie der Naturforscher 1952 ▪ Ethik **14**, 241–269 (1938) ▪ Pötsch, S. 7 ▪ Strube et al., S. 166 ▪ Z. Vitam. Horm. Fermentforsch. **4**, 1–18 (1951).

Abdunsten. DIN 55 945 (12/1988) definiert für *Anstrichstoffe das A. eines *Anstriches (auch Ablüften genannt) als „die teilw. od. völlige Verdunsten der flüchtigen Anteile, ehe die Filmbildung vollendet ist u./od. eine weitere Beschichtung aufgebracht werden kann". – *E* evaporating – *I* emesso – *S* evaporación

Abegg, Richard (1869–1910), Prof. für Anorgan. Chemie, Breslau. *Arbeitsgebiete:* Komplex-Ionen, Elektroaffinität, Löslichkeitsprodukte, Oxidationspotentiale in nichtwäss. Lsm., Theorie der Gefrierpunktserniedrigung von Lsg.; Begründer des „Handbuch der Anorgan. Chemie", das 1905–1939 erschien u. nach dem Tode A. von F. Auerbach u. I. Koppel weitergeführt wurde; vgl. auch Abeggsche Regel.
Lit.: Pötsch, S. 7 ▪ Strube et al., S. 126, 158.

Abeggsche Regel. Dieses von R. *Abegg 1904 erkannte Gesetz lautet: Die höchste Wertigkeitsstufe eines Elements gegenüber Sauerstoff ergänzt seine max. Wertigkeitsstufe gegenüber Wasserstoff zu 8. *Beisp.:* S u. Te sind in den Oxiden SO_3 u. TeO_3 pos. sechswertig, die gleichen Elemente sind also in H_2S u. H_2Te gegenüber Wasserstoff zweiwertig. Näheres s. bei Oxidationszahl u. Wertigkeit. – *E* Abegg rule – *F* règle d'Abegg – *I* regola d'Abegg – *S* regla de Abegg

Abel-Pensky. Kurzbez. für nach DIN 51 755 (09/1978) u. DIN 53 213, Bl. 1 (04/1978) genormte Verf. u. Apparate zur Bestimmung des *Flammpunktes von *Mineralölen u. a. brennfähigen Flüssigkeiten im Bereich zwischen +5 °C u. +65 °C.

Abels Reagenz. 10 %ige wäss. Lsg. von Chromsäure (eingebracht als CrO_3) zum Anätzen von Kohlenstoff-Stählen für mikroskop. Untersuchungen. – *E* Abel('s) reagent – *F* réactif d'Abel – *I* reagente di Abele – *S* reactivo de Abel

Abel-Test. Von Sir Frederick A. Abel (1827–1902) entwickelter Test für die chem. Stabilität von Salpetersäureester-*Explosivstoffen. Man mißt die Zeit, innerhalb der die von 1 g Explosivstoff bei 80 °C entwickelten Gase ein angefeuchtetes, mit Kaliumiodid-Stärke-Lsg. (neuerdings auch Zinkiodid-Lsg.) präpariertes Filtrierpapier blau od. violett färben. Diese Färbung soll bei gewerblichen Nitroglycerin-Sprengstof-

Abendfarbe

fen erst nach 10 min eintreten. – *E* Abel test – *F* test d'Abel – *I* test di Abele – *S* ensayo de Abel
Lit.: s. Explosivstoffe.

Abendfarbe. Farbton(-verschiebung) unter künstlichem Licht, s. Metamerie.

abeo-. Von latein.: abeo = ich gehe weg abgeleitetes Präfix in der Nomenklatur der Steroide (Regel 3S-7.5)[1] u. a. Naturstoffe (Regel F-4.9)[2], das zur Bez. von Gerüstumwandlungen infolge von Bindungswanderungen benutzt wird. Beispielsweise liegt in 10(5 → 4) *abeo*-Androstan statt der üblichen Bindung C-5/C-10 eine Bindung C-4/C-10 vor. Im *Beilstein wird a. als nicht-invertierbares (non-detachable) Stammpräfix (wie *cyclo... u. *seco...) behandelt u. nicht kursiv geschrieben.
Lit.: [1] Pure Appl. Chem. **61**, 1783–1822 (1989). [2] Eur. J. Biochem. **86**, 1–8 (1978).

Abessinischer Tee s. Kat.

Abessinisches Gold. Bez. für eine goldhaltige *Messing-Legierung.

Abfackelung. Eine Verbrennung von überschüssigen, nicht nutzbaren, diskontinuierlich anfallenden, brennbaren Gasen u. Dämpfen mit offener Flamme. – *E* flare – *F* torchage – *I* combustione tramite fiaccola
Lit.: Römpp Lexikon Umwelt, S. 2.

Abfall. Als A. werden gemäß *Kreislaufwirtschafts- und Abfallgesetz (KrW-/AbfG)[1] bewegliche Sachen bezeichnet, deren sich ihr Besitzer entledigt, entledigen will (subjektiver A.-Begriff) od. entledigen muß (objektiver A.-Begriff) u. die zusätzlich in einem Anhang des Gesetzes aufgeführt sind. Eine *Entledigung* liegt vor, wenn Sachen Verwertungs- od. Beseitigungsverf. zugeführt werden, die ebenfalls in Anhängen des KrW-/AbfG aufgeführt sind; im 1. Fall handelt es sich um „Abfälle zur Verwertung", im 2. Fall um „Abfälle zur Beseitigung", wobei die Unterscheidung nicht von der potentiellen Verwertbarkeit eines A. abhängt, sondern davon, ob er tatsächlich einer Verwertung zugeführt wird od. nicht. Ein *Entledigungswille* wird unterstellt bei Sachen die bei Produktions-, Verarbeitungsprozessen od. Dienstleistungen anfallen, ohne zu einer bestimmten Nutzung hergestellt worden zu sein, u. Sachen, deren bisherige Nutzung wegfällt, ohne daß eine neue Nutzung unmittelbar vorgesehen ist. Ein *Entledigungszwang* ist vorhanden, wenn eine Entsorgung zur Wahrung des Allgemeinwohls – auch gegen den Willen des A.-Besitzers – geboten ist. Vereinfacht ausgedrückt ist alles A., was nicht zielgerichtet produziert worden ist (Produktions-A.) u. was nicht mehr zweckentsprechend verwendet wird (Produkt-A.).
Mit der A.-Definition des KrW-/AbfG wurde der EG-A.-Begriff (s. a. EG-Richtlinie über Abfälle) wortgleich in dtsch. Recht übernommen. Damit werden die früher weitgehend außerha.b des *Abfallgesetzes rangierenden *Reststoffe, *Wertstoffe u. *Wirtschaftsgüter als „Abfälle zur Verwertung" vom A.-Begriff mit erfaßt u. unterliegen ebenfalls den Regelungen des KrW-/AbfG; mit dessen Inkrafttreten wurde der Reststoff-Begriff durch den A.-Begriff ersetzt. Durch diese Erweiterung des A.-Begriffes wurde die Grauzone zwischen A. u. Wirtschaftsgut beseitigt, allerdings haben sich die Probleme nunmehr teilw. auf die Abgrenzung „A. zur Verwertung" – (Neben)-Produkt verlagert.
A. läßt sich nach seiner Herkunft differenzieren in: z. B. *Siedlungsabfälle (*Hausmüll, Sperrmüll, etc.), Bauabfälle, Krankenhausabfälle sowie produktionsspezif. Abfälle. Neben diesen A., die dem KrW-/AbfG unterliegen, gibt es weitere A., z. B. radioaktive A. od. A. aus dem Bergbau, die nicht dem KrW-/AbfG, sondern spezialgesetzlichen Regelungen unterworfen sind.
Weiterhin werden A. nach Art u. Umfang ihrer abfallrechtlichen Überwachung in nicht überwachungsbedürftige A., überwachungsbedürftige A. sowie bes. überwachungsbedürftige A. unterteilt (s. Sonderabfall, Nachweisverordnung). – *E* waste – *F* déchet – *I* rifiuti, detriti – *S* desecho, residuo
Lit.: [1] Gesetz zur Vermeidung, Verwertung u. Beseitigung von Abfällen vom 27.09.1994 (BGBl. I, S. 2705 ff., Artikel 1).
allg.: Abfallwirtschafts-Journal, Berlin: EF-Verl. für Energie u. Umwelttechnik (seit 1989) ▪ Entsorgungs-Praxis, Gütersloh: Bertelsmann (seit 1987) ▪ Müll u. Abfall, Berlin: E. Schmidt (seit 1969) ▪ Müll-Handbuch, Loseblatt-Sammlung, Berlin: E. Schmidt (seit 1964).

Abfallabgabe. Einige Bundesländer (z. B. Baden-Württemberg, Hessen, Niedersachsen) haben A.-Gesetze erlassen, wonach Erzeuger von bes. überwachungsbedürftigen Abfällen (s. Sonderabfall) A. an das jeweilige Bundesland zu entrichten haben. Zweck der A. ist die Verteuerung der *Abfallbeseitigung mit dem Ziel, einen Anreiz zur *Abfallvermeidung u. *Abfallverwertung zu schaffen (Lenkungsfunktion). Mit dem Abgabenaufkommen sollen abfallwirtschaftliche Maßnahmen, z. B. *Altlastensanierung od. Forschungsvorhaben zur Abfallvermeidung u. -verwertung finanziert werden. Sowohl die Lenkungsfunktion als auch die Verfassungsmäßigkeit der A. sind umstritten. – *E* waste tax, waste duty – *F* taxes des déchets – *I* imposta sui rifiuti – *S* gravamen sobre los desechos
Lit.: Entsorgungspraxis **10**, Nr. 9, 564 ff. (1992).

Abfallablagerung s. Deponierung, Untertage-Deponierung.

Abfallartenkatalog s. Abfallkatalog.

Abfallbeauftragter (Betriebsbeauftragter für Abfall). Eine generelle Pflicht zur Bestellung eines A. haben Betreiber von genehmigungsbedürftigen Anlagen im Sinne des § 4 des *Bundes-Immissionsschutzgesetzes, Betreiber von Anlagen, in denen regelmäßig bes. überwachungsbedürftige Abfälle (s. Sonderabfall) anfallen, Betreiber ortsfester Sortier-, Verwertungs- od. Abfallbeseitigungsanlagen sowie Hersteller od. Vertreiber, die Abfälle zurücknehmen. Die Grundsätze der Bestellung u. Funktion des A. sind in den §§ 54 u. 55 des *Kreislaufwirtschafts- und Abfallgesetzes sowie in der VO über Betriebsbeauftragte für Abfall (AbfBetrbV)[1] geregelt.
Der A. hat den Betreiber als fachkundige Person bei der ordnungsgemäßen Entsorgung zu unterstützen. Er hat die Aufgabe, 1. den Weg der Abfälle sowie die Einhaltung entsorgungsrelevanter Bestimmungen zu überwachen (Kontrollfunktion), 2. Betriebsangehörige über die von Abfällen ausgehenden Gefahren u. Umweltauswirkungen aufzuklären (Informations-

funktion), 3. auf die Umsetzung abfallrechtlicher Pflichten im Bereich der Vermeidung, Verringerung, Verwertung u. Entsorgung von Abfällen hinzuwirken sowie 4. dem Betreiber über die durchgeführten Maßnahmen jährlich Bericht zu erstatten (Berichtspflicht). Alle Aufgaben sind Beratungsfunktionen, keine Entscheidungsfunktionen; die Verantwortlichkeit gegenüber den Behörden liegt beim Betreiber. Der A. ist nur dem Betreiber gegenüber zur Erfüllung seiner gesetzlichen Aufgaben verpflichtet u. soll somit ein Instrument der Selbstkontrolle des Betreibers, nicht aber ein Instrument staatlicher Kontrolle darstellen. – *E* commissioner for waste – *F* responsable d'entreprise pour les déchets – *I* responsabile aziendale per i rifiuti – *S* responsable de empresa para los desechos

Lit.: [1] VO über Betriebsbeauftragte für Abfall vom 26. 10. 1977 (BGBl. I, S. 1913).
allg.: Birn, Kreislaufwirtschafts- u. Abfallgesetz in der betrieblichen Praxis, Loseblatt-Ausgabe, 11/95, 2.3 – § 54 u. 2.3 – § 55, Augsburg: WEKA.

Abfallbegleitschein s. Begleitschein.

Abfallbehandlung. Techn. Maßnahmen im Rahmen der *Abfallentsorgung, um die Anforderungen an die *Abfallverwertung od. Ablagerung von Abfällen (*Deponierung) zu erfüllen; die direkte Ablagerung unbehandelter Abfälle ist gemäß *TA Abfall u. *TA Siedlungsabfall künftig nur noch in Ausnahmefällen möglich. Ziele der A.: – Schadstoffzerstörung bzw. -aufkonzentrierung (Schadstoffsenke), -Mineralisierung/Inertisierung, -Wertstoff- bzw. Energiegewinnung (Ressourcenschonung), -Mengen- u. Vol.-Reduzierung (Minimierung des Landschaftsverbrauchs). Neben Aufbereitungstechniken wie z. B. der Abfallsortierung kommen als A.-Maßnahmen v. a. die *chemisch-physikalische Behandlung, therm. sowie mechan.-biolog. Verf. in Frage.

Therm. A.[1]: Das wichtigste u. in der BRD in der Praxis bisher fast ausschließlich eingesetzte Verf. ist die *Abfallverbrennung in ihren Varianten *Hausmüllverbrennung, *Klärschlammverbrennung u. *Sonderabfallverbrennung. Noch überwiegend im Versuchs- bzw. Pilotmaßstab betrieben werden alternative therm. Behandlungsverf.[2] wie *Pyrolyse, *Vergasung, *Hydrierung, Plasma- u. Metallbad-Verf. sowie Verf.-Kombinationen, z. B. Pyrolyse/Verbrennung od. Pyrolyse/Vergasung. Bei der *Pyrolyse*[3] (Entgasung, Verschwelung, Konversion) von Abfällen werden die organ. Bestandteile unter Sauerstoff-Ausschluß therm. zersetzt, wobei langkettige, verzweigte u. vernetzte Kohlenwasserstoffe in kleinere Bruchstücke u. in Kohlenstoff umgewandelt werden. Es entstehen feste (Pyrolysekoks), flüssige (Pyrolyseöle u. -teere) u. gasf. (Pyrolysegas) Produkte. In Abhängigkeit vom Ausgangsmaterial erhält man zusätzlich Kondenswasser mit gelösten Verunreinigungen sowie mineral. u. metall. Anteile. Die Möglichkeiten einer stofflichen Verwertung der Pyrolyseprodukte, insbes. der Pyrolyseöle u. des vorwiegend aus Wasserstoff, Kohlenmonoxid sowie Methan bestehenden Pyrolysegases, werden kontrovers diskutiert; im Regelfall wird eine energet. Nutzung bevorzugt, d. h. die Pyrolyse wird als Vorbehandlungsstufe einer Verbrennung betrieben. Bei der *Vergasung* von Abfällen erfolgt eine therm. Umsetzung der organ. Bestandteile mit gasf. Vergasungsmitteln, z. B. Sauerstoff, Luft, Wasserdampf zu brennbaren Gasen (unterstöchiometr. Verbrennung), die im wesentlichen aus Wasserstoff, Kohlenmonoxid u. Kohlendioxid bestehen. Das Gas (Synth.-, Generator- od. Schwachgas) kann nach Aufbereitung stofflich od. energet. genutzt werden. Neben Gas fällt bei der Vergasung Prozeßwasser an, während nichtbrennbare mineral. Bestandteile als Asche od. Schlacke zurückbleiben.

Bei den vorwiegend für die Behandlung von *Restmüll vorgesehenen Kombinationsverf. findet in der Regel als letzte Stufe eine Verbrennung (Gasmotor, Kessel) statt, sie unterscheiden sich jedoch in der apparativen Trennung der Teilprozesse Entgasung, Vergasung u. Verbrennung. In der 1. Stufe erfolgt meist eine Pyrolyse u. in der Folgestufe entweder eine Hochtemp.-Verbrennung (z. B. Schwel-Brenn-Verf.) od. Hochtemp.-Vergasung (z. B. Thermoselect-, Konversionsverf.). Sollten diese Kombinationsverf. großtechn. zum Einsatz kommen, werden Vorteile gegenüber der konventionellen Abfallverbrennung bedingt durch geringere Rauchgasvolumina sowie höhere Verwertungsquoten erwartet, nachteilig ist die systembedingt geringere Energienutzung.

Nur für ein eng begrenztes Spektrum von Abfällen, zumeist *Sonderabfälle, einsetzbar sind die Hydrierung[4] sowie Plasma-[5] u. Metallbad-Verf.[6]. Bei der *Hydrierung* von Abfällen werden deren organ. Bestandteile therm. unter Sauerstoff-Ausschluß u. unter Wasserstoff-Anlagerung reduktiv umgewandelt, wobei Schwersieder in Leicht- u. Mittelsieder umgewandelt werden. Diese können einer stofflichen od. therm. Nutzung zugeführt werden. Als weitere Reaktionen werden organ. Halogen-Verb. abgespalten u. zu Salzen umgesetzt. Bei den *Plasma-Verf.* (z. B. Plasmox-Verf.) werden Abfälle im Plasmalichtbogen bei Temp. zwischen 10 000 u. 20 000 °C pyrolysiert. Es bildet sich eine Schmelze, die beim Abkühlen in einer glasartigen Schlacke erstarrt. Die Abgase werden in einem Folgeschritt oxidiert u. einer konventionellen Rauchgasreinigung unterzogen. Beim *Metallbad-Verf.* (z. B. CEP-Verf.) werden Abfälle in eine flüssige Metallschmelze (meist Eisen) eingebracht, wobei organ. Bestandteile unter Sauerstoff-Zusatz zu Kohlenmonoxid u. Wasserstoff umgesetzt werden u. Metalle als Legierungsbestandteile in Lsg. gehen. Durch Zuschlagstoffe, die als Reaktionspartner, z. B. für Halogene, Phosphor u. Schwefel dienen, werden flüssige Schlacken erzeugt, die nach Abzug zu keram. Materialien erstarren. Die Prozeßgase können nach einer Gasreinigung stofflich (Synthesegas) od. energet. genutzt werden.

Mechan.-biolog. A. („kalte" A. od. Restmüllbehandlung)[7]: Kombination aus mechan. u. biolog. Techniken. Ziel ist v. a., die in einer Deponie unkontrolliert ablaufenden Abbauprozesse, die zu Deponiegasbildung, Sickerwasserbelastung u. Setzungserscheinungen führen, unter optimierten Bedingungen in kurzer Zeit vor der Ablagerung durchzuführen. In der mechan. Aufbereitungsstufe werden die Abfallbestandteile ihrer Art u. Zusammensetzung entsprechend getrennt u. für die nachfolgende biolog. Behandlungsstufe vorbereitet. Komponenten der mechan. Aufbe-

Abfallbeseitigung

reitung können sein: Sortierung (Sichtung, Siebung, Magnetscheidung, Handsortierung), Zerkleinerung, Mischung, Homogenisierung, Klassierung u. Formung. Die biolog. Behandlung kann entweder aerob (*Kompostierung), anaerob (*Vergärung) od. als Kombination beider Verf. erfolgen. Es entstehen Rotteprodukte, bei denen die leicht abbaubaren Stoffe bereits umgesetzt sind so daß eine *Deponierung dieses Materials mit einer erheblichen Reduzierung von Deponiegasbildung, Sickerwasserbelastung u. Setzungserscheinungen im Vgl. zu unbehandelten Abfällen verbunden ist. Da der Abbau der organ. Bestandteile jedoch nur unvollständig abläuft (in der Regel verbleiben mehr als 20% Restorganik, die diesbezüglichen Anforderungen der *TA Siedlungsabfall werden nicht erfüllt) u. nur eine vergleichsweise geringe Mengenreduzierung stattfindet (es verbleiben ca. 70 Gew.-% bzw. 40 Vol.-% des Ausgangsmaterials), ist die mechan.-biolog. A. als Alternative zu den therm. Verf. umstritten. – *E* waste treatment – *F* traitement des déchets – *I* trattamento dei rifiuti – *S* tratamiento de desechos

Lit.: [1] Birn u. Jung, Abfallbeseitigungsrecht für die betriebliche Praxis, Loseblatt-Ausgabe, 5/94, 18/303, Augsburg: WEKA. [2] Entsorgungspraxis 13, Nr. 1–2, 19–23 (1995). [3] Entsorgungspraxis 10, Nr. 10, 672–677 (1992). [4] Müll u. Abfall 23, Nr. 11, 731–739 (1991). [5] Müll u. Abfall 23, Nr. 5, 283–294 (1991). [6] Entsorgungspraxis 13, Nr. 10, 90f. (1995). [7] Entsorgungspraxis 12, Nr. 9, 18–23 (1994).

Abfallbeseitigung. Umfaßt nach § 10 des *Kreislaufwirtschafts- und Abfallgesetzes[1] das Bereitstellen, Überlassen, Einsammeln, die Beförderung, die Behandlung, die Lagerung u. die Ablagerung von *Abfällen zur Beseitigung. Eine Auflistung von in der Praxis gebräuchlichen A.-Verf. befindet sich im Anhang II A des Kreislaufwirtschafts- u. Abfallgesetzes, z. B.: – Ablagerungen in od. auf dem Boden (s. Deponierung), – *chemisch-physikalische Behandlung, – Verbrennung an Land (s. Abfallverbrennung). Grundsätzlich gehören zur A. alle Verf. der *Abfallbehandlung, allerdings sind hier die Grenzen zur *Abfallverwertung fließend. So muß z. B. die Verbrennung von Abfällen in einer Verbrennungsanlage mit Energienutzung nicht in jedem Fall eine Maßnahme der A. (sog. therm. Behandlung) darstellen, unter bestimmten Voraussetzungen kann es sich hierbei auch um energet. Verwertung handeln.
Die Anforderungen an eine umweltverträgliche A. können durch Rechtsverordnungen od. durch allg. Verwaltungsvorschriften (s. TA Abfall, TA Siedlungsabfall) festgelegt werden. – *E* waste disposal – *F* élimination des déchets – *I* eliminazione dei rifiuti – *S* evacuación de desechos

Lit.: [1] Gesetz zur Vermeidung, Verwertung u. Beseitigung von Abfällen vom 27. 9. 1994 (BGBl. I, S. 2705 ff., Artikel 1).

Abfallbestimmungs-Verordnungen. Die A.-V. (AbfBestV) vom 03 04. 1990[1] zur Festlegung der bes. überwachungsbedürftigen Abfälle auf Basis des *Abfallgesetzes ist am 07. 10. 1996 außer Kraft getreten. Sie wurde ersetzt durch die Bestimmungs-VO bes. überwachungsbedüftige Abfälle (BestbüAbfV). Zusätzlich wurde eine Bestimmungs-VO überwachungsbedürftige Abfälle zur Verwertung (BestüVAbfV) erlassen.

Bestimmungs-VO bes. überwachungsbedürftige Abfälle[2]: Die am 01. 01. 1999 in Kraft tretende VO legt fest, welche Abfälle bes. überwachungsbedürftig sind u. damit der obligator. Nachweispflicht unterliegen (s. Nachweisverordnung, Sonderabfall); dies gilt sowohl für Abfälle zur Beseitigung als auch für Abfälle zur Verwertung. Die als Anlage zur VO aufgeführten bes. überwachungsbedürftigen Abfälle enthalten als Teilmenge die 237 Abfallarten des EG-Verzeichnisses gefährlicher Abfälle (s. a. Abfallkatalog), das vollständig übernommen u. damit in dtsch. Recht umgesetzt wird sowie darüber hinaus weitere Abfallarten, die als bes. überwachungsbedürftig angesehen werden.

Bestimmungs-VO überwachungsbedürftige Abfälle zur Verwertung[3]: Die am 07. 10. 1996 in Kraft getretene VO legt fest, welche Abfälle zur Verwertung überwachungsbedürftig sind u. damit gemäß Nachweis-VO der Überwachung mittels vereinfachtem *Entsorgungsnachweis unterliegen od. nach behördlicher Einzelanordnung dem fakultativen Nachweisverf. unterworfen werden können.

Sowohl die Bestimmungs-VO bes. überwachungsbedürftige Abfälle als auch die Bestimmungs-VO überwachungsbedürftige Abfälle zur Verwertung übernehmen die durch die EAK-VO (s. Abfallkatalog) eingeführte europ. Abfallnomenklatur. Für die in beiden Bestimmungs-VO aufgeführten Abfälle muß der Abfallerzeuger unter Berücksichtigung bestimmter Mengenschwellen *Abfallwirtschaftskonzepte u. *Abfallbilanzen aufstellen. – *E* waste determination ordinances – *F* décrets sur la détermination des déchets – *I* regolamenti per la destinazione dei rifiuti – *S* reglamentos para la determinación de desechos

Lit.: [1] BGBl. I, S. 614 (1990). [2] BGBl. I (in Vorbereitung). [3] BGBl. I (in Vorbereitung).

Abfallbilanz. Vom Abfallerzeuger jährlich zu erstellende Dokumentation über Art, Menge u. Verbleib seiner jeweils im Vorjahr verwerteten od. beseitigten Abfälle. Zur Erstellung einer A. sind gemäß *Kreislaufwirtschafts- und Abfallgesetz[1] sowie der am 07. 10. 1996 in Kraft getretenen Abfallwirtschaftskonzept- u. -bilanzverordnung (AbfKoBiV)[2] Abfallerzeuger verpflichtet, bei denen jährlich mehr als 2 t bes. überwachungsbedürftige Abfälle (s. Sonderabfall) od. mehr als 2000 t überwachungsbedürftige Abfälle anfallen. Die A. soll sowohl der betrieblichen Abfalldokumentation als auch der behördlichen Kontrolle dienen u. unter bestimmten Voraussetzungen *Begleitscheine ersetzen. – *E* waste balance – *F* bilan des déchets – *I* bilancio dei rifiuti – *S* balance de residuos

Lit.: [1] Gesetz zur Vermeidung, Verwertung u. Beseitigung von Abfällen vom 27.09.1994 (BGBl. I, S. 2705 ff., Art. 1). [2] BGBl. I (in Vorbereitung).

Abfallbörse (Recyclingbörse, Reststoffbörse). Die A. ist ein EDV-gestütztes überbetriebliches Vermittlungssyst. für Produktionsrückstände aus dem Bereich der gewerblichen Wirtschaft. Ziel ist es, Produktionsrückstände (*Reststoffe, *Wirtschaftsgüter, Abfälle zur Verwertung) als potentielle *Sekundärrohstoffe dem Wirtschaftskreislauf wieder zuzuführen u. hierdurch die zu beseitigenden Abfallmengen zu reduzieren u. Rohstoffe einzusparen. Betrieben werden A. seit 1973

vom *Verband der Chemischen Industrie (VCI)[1] sowie vom Deutschen Industrie- u. Handelstag (DIHT) u. seinen Industrie- u. Handelskammern (IHK). Seit 1980 koordiniert der DIHT auch die A. des europ. Auslands. – *E* recycling stock exchange – *F* bourse des déchets – *I* borsa dei rifiuti – *S* bolsa de intercambio de residuos
Lit.: [1] VCI-Abfallbörse, Postfach 11 19 43, D-60054 Frankfurt/Main; Entsorga-Magazin **10**, Nr. 11, 30 – 34 (1991).
allg.: Birn u. Jung, Abfallbeseitigungsrecht für die betriebliche Praxis, Loseblatt-Ausgabe 7/93, 18/301, Augsburg: WEKA.

Abfallentsorgung. Gemäß *Kreislaufwirtschafts- und Abfallgesetz[1] Oberbegriff für Maßnahmen der *Abfallverwertung u. *Abfallbeseitigung. Er umfaßt sowohl die stoffliche u. energet. Verwertung von Abfällen als auch die Behandlung (s. Abfallbehandlung) u. Ablagerung (s. Deponierung) von Abfällen einschließlich deren Bereitstellen, Überlassen (s. Anschluß- und Benutzungszwang), Einsammeln, Beförderung (s. Abfalltransport) u. Lagerung (s. Zwischenlager). – *E* waste management – *F* traitement des déchets – *I* smaltimento e trattamento dei rifiuti – *S* tratamiento de residuos
Lit.: [1] Gesetz zur Vermeidung, Verwertung u. Beseitigung von Abfällen vom 27. 9. 1994 (BGBl. I, S. 2705 ff., Art. 1).

Abfallentsorgungsanlage (Entsorgungsanlage). Anlagen od. Einrichtungen, in denen *Abfälle stofflich od. energet. verwertet (Abfallverwertungsanlage), behandelt, gelagert od. abgelagert werden (Abfallbeseitigungsanlage). Anlagen, in denen Abfälle behandelt werden, sind z. B. *chemisch-physikalische Behandlungs-Anlagen sowie *Abfallverbrennungs- u. Pyrolyseanlagen (s. Abfallbehandlung). Anlagen zum Lagern von Abfällen sind z. B. *Zwischenlager; Anlagen zum Ablagern sind z. B. *Deponien u. *Untertagedeponien. Nicht unter den abfallrechtlichen A.-Begriff fallen Anlagen u. Einrichtungen zum Einsammeln, Sammeln u. Befördern von Abfällen, z. B. Mülltonnen od. Altglas-Container.
Seit Inkrafttreten des Investitionserleichterungs- u. Wohnbaulandgesetzes am 01. 05. 1993[1] unterliegt die Zulassung ortsfester Anlagen zur Behandlung od. Lagerung von Abfällen nicht mehr der abfallrechtlichen Planfeststellung, sondern ausschließlich den Regelungen des *Bundes-Immissionsschutzgesetzes u. der VO über genehmigungsbedürftige Anlagen (4. BImSchV). Anlagen zur Ablagerung, d. h. Deponien, bedürfen nach wie vor der abfallrechtlichen Zulassung in Form einer Planfeststellung od. Plangenehmigung.
Gemäß *Kreislaufwirtschafts- und Abfallgesetz hat die Beseitigung von Abfällen im Regelfall in Abfallbeseitigungsanlagen zu erfolgen. Diese Festlegung bildet die Rechtsgrundlage für die behördliche Lenkung von Abfallströmen (Anlagenbenutzungszwang) u. für das Einschreiten gegen rechtswidrige Entsorgungsvorgänge. – *E* disposal facility – *F* installation pour la dépollution – *I* impianto per lo smaltimento e trattamento dei rifiuti – *S* instalación para la evacuación de residuos
Lit.: [1] Investitionserleichterungs- u. Wohnbaulandgesetz vom 22. 04. 1993 (BGBl. I, S. 466).

Abfallgesetz (AbfG). Gesetz über die Vermeidung u. Entsorgung von Abfällen[1]. Das Gesetz ist in seiner ursprünglichen Fassung (Abfallbeseitigungsgesetz) am 11. 06. 1972, in der zuletzt aktuellen Fassung, der 4. Novelle, am 01. 11. 1986 in Kraft getreten, wobei es durch mehrere Änderungsgesetze modifiziert worden ist. Das A. bildete die Grundlage des nat. *Abfallrechts u. legte die Rahmenbedingungen für die *Abfallentsorgung fest. Am 07. 10. 1996 ist das A. mit Ausnahme der §§ 5 a u. 5 b (s. Altölverordnung), die bis auf weiteres gelten, außer Kraft getreten u. durch das *Kreislaufwirtschafts- und Abfallgesetz abgelöst worden. – *E* federal waste act – *F* loi sur les déchets – *I* legge per i rifiuti – *S* ley de los desechos
Lit.: [1] Gesetz über die Vermeidung u. Entsorgung von Abfällen vom 27.08.1986 (BGBl. I, S. 1410, 1501), zuletzt geändert durch Art. 2 des Gesetzes vom 30.09.1994 (BGBl. I, S. 2771).
allg.: Hösel u. von Lersner, Recht der Abfallbeseitigung, Loseblatt-Sammlung seit 1974, Kz. 1020 ff., Berlin: E. Schmidt
■ Kunig, Abfallgesetz, 2. neubearb. Aufl., München: Beck 1992.

Abfallkatalog (Abfallartenkatalog). 1. *LAGA-Abfallartenkatalog*[1]. Der von der Länderarbeitsgemeinschaft Abfall (LAGA) 1991 herausgegebene Abfallartenkatalog diente vor Inkrafttreten des *Kreislaufwirtschafts- und Abfallgesetzes als Basis für die Umsetzung abfallrechtlicher Regelungen (z. B. *TA Abfall) u. wurde bundesweit u. a. bei der behördlichen Überwachung von Abfällen, Anlagen u. Betrieben, bei der Genehmigung von Abfallentsorgungs- u. a. Anlagen sowie bei der Erstellung von Abfallstatistiken herangezogen. Der LAGA-Katalog umfaßt ca. 600 Abfallarten, die jeweils nach Eigenschaften u. Herkunft geordnet u. mit einem fünfstelligen Zahlencode, dem Abfallschlüssel, versehen sind (z. B. 59302 = Laborchemikalienreste, organ.); für bes. überwachungsbedürftige Abfälle sind zusätzlich noch Entsorgungshinweise (s. a. TA Abfall, Sonderabfall) angegeben. Am 07. 10. 1996 wurde der LAGA-Katalog durch den Europ. A. abgelöst.
2. *Europ. A. (EAK).* Der 1994 bekanntgegebene[2] u. mit der EAK-VO (EAKV)[3] am 07. 10. 1996 in dtsch. Recht übernommene EAK ist ein Abfallverzeichnis, mit dem eine gemeinsame Abfall-Terminologie für die EG festgelegt werden soll. Dies ist insbes. für grenzüberschreitende *Abfallverbringungen von Bedeutung. Der EAK ist in 20 Abfallgruppen gegliedert u. enthält insgesamt ca. 650 Abfälle, die jeweils durch einen sechsstelligen Abfallschlüssel gekennzeichnet sind. Im Unterschied zum LAGA-Katalog ist der EAK v. a. herkunftsbezogen aufgebaut. Entsprechend der Begriffsdefinition „*Abfall" gilt der EAK für alle Abfälle, ungeachtet dessen, ob sie zur Verwertung od. Beseitigung bestimmt sind.
3. *EG-Verzeichnis gefährlicher Abfälle.* Das europ. Verzeichnis gefährlicher Abfälle[4] ist eine Teilmenge des EAK u. definiert ca. 240 Abfallarten als gefährlich. Die Gefährlichkeit bezieht sich auf die in der *EG-Richtlinie über gefährliche Abfälle festgelegten Kriterien des EG-Chemikalienrechts; diese sind nat. über die Regelungen des Gefahrstoff- u. Gefahrgutrechts umgesetzt. Das Verzeichnis gefährlicher Abfälle wurde als Bestandteil der Bestimmungs-VO bes. über-

wachungsbedürftiger Abfälle (*Abfallbestimmungs-Verordnungen) in dtsch. Recht übernommen. – *E* waste catalogue – *F* catalogue des déchets – *I* catalogo di rifiuti – *S* catálogo de los desechos
Lit.: [1] Länderarbeitsgemeinschaft Abfall, Informationsschrift Abfallarten, 4. Aufl., Berlin: E. Schmidt, 1992. [2] Amtsblatt der EG Nr. L 5 vom 07.01.1994, S. 15. [3] VO zur Einführung des Europäischen Abfallkatalogs [BGBl. I (in Vorbereitung)]. [4] Amtsblatt der EG Nr. L 356 vom 31.12.1994, S. 14.

Abfallrecht. Das A. läßt sich in die folgenden 4 Bereiche untergliedern:
1. *Internat. A.*[1]: Neben internat. Regelungen, wie z. B. dem Basler Übereinkommen (*Abfallverbringung) sind hier v. a. die Richtlinien u. VO der EG zu nennen. Während EG-VO unmittelbar in jedem Mitgliedstaat gelten, müssen EG-Richtlinien durch Gesetze u. VO in nat. Recht umgesetzt werden. Wesentliche EG-Richtlinien u. -VO sind: *EG-Richtlinie über Abfälle, *EG-Richtlinie über gefährliche Abfälle, EG-Abfallverbringungsverordnung (s. Abfallverbringung).
2. *Bundesabfallgesetze sowie zugehörige Rechts-VO u. Verwaltungsvorschriften*[2]: Das *Kreislaufwirtschafts- und Abfallgesetz des Bundes bildet als Nachfolger des *Abfallgesetzes von 1986 die Grundlage des nat. A. u. legt die Rahmenbedingungen für die *Abfallentsorgung bundeseinheitlich fest. Es wird durch Rechts-VO konkretisiert, die das für den Vollzug notwendige untergesetzliche Regelwerk darstellen (z. B. *Abfallbestimmungs-Verordnungen, *Nachweisverordnung). Noch in Kraft befindliche VO des früheren Abfallgesetzes sind z. B.: VO über Betriebsbeauftragte für Abfall (s. Abfallbeauftragter), *Altöl-Verordnung, *Klärschlamm-Verordnung, *HKW-Verordnung, *FCKW-Halon-Verbots-Verordnung. Für einen Teil dieser VO wurden Verwaltungsvorschriften (VwV) erlassen. VwV richten sich an die Behörden, nicht an die Betreiber von Anlagen. Die Behörden müssen diese Bestimmungen erst durch einen Verwaltungsakt (z. B. im Rahmen eines immissionsschutzrechtlichen Genehmigungsverf. od. durch nachträgliche Anordnung) für den Betreiber verbindlich machen. Wichtige VwV im A. sind die *TA Abfall u. *TA Siedlungsabfall, die insbes. die techn. Anforderungen an die Abfallentsorgung nach dem Stand der Technik bundesweit festlegen.
3. *Landesabfallgesetze*[3]: Aufgrund der im Grundgesetz festgelegten konkurrierenden Gesetzgebungskompetenz des Bundes auf dem Gebiet der Abfallbeseitigung steht den Ländern die Befugnis zur eigenen Gesetzgebung nur zu, solange u. soweit der Bund von seinem Gesetzgebungsrecht keinen Gebrauch macht, d. h. der Spielraum der Länder richtet sich danach, wie weit die Rechtsmaterie durch Bundesgesetz abschließend geregelt ist. Die Landesabfallgesetze der Bundesländer stellen demzufolge Gesetze zur Ausführung u. Ergänzung des früheren *Abfallgesetzes bzw. des heutigen Kreislaufwirtschafts- u. Abfallgesetzes dar, die u. a. Regelungen hinsichtlich der zur Entsorgung verpflichteten Gebietskörperschaften, der zuständigen Behörden, Verfahrensfragen zur Durchführung der Entsorgung, der Entsorgung von *Sonderabfällen sowie der Kostentragung enthalten.
4. *Kommunales Satzungsrecht*[3]: Die nach Landesrecht für die Abfallentsorgung zuständigen Gebietskörperschaften (in der Regel Landkreise u. kreisfreie Städte) regeln durch kommunale Satzungen u. a. die Entsorgungsgebühren, den Ausschluß von Abfällen von der *Hausmüllentsorgung, den *Anschluß- und Benutzungszwang sowie Bestimmungen über die Abfalleinsammlung. – *E* waste legislation – *F* législation sur les déchets – *I* legge sui rifiuti – *S* ley de desechos
Lit.: [1] von Köller, Klett u. Konzak, EG-Abfallverbringungs-VO, Berlin: E. Schmidt, 1994. [2] von Köller, Leitfaden Abfallrecht, Berlin: E. Schmidt, 1993; Fluck, Kreislaufwirtschafts- u. Abfallrecht, Loseblatt-Ausgabe, Grundwerk 1995, Heidelberg: Müller. [3] Birn u. Jung, Abfallbeseitigungsrecht für die betriebliche Praxis, Loseblatt-Ausgabe, 15/011–15/016, Augsburg: WEKA.

Abfallschlüssel s. Abfallkatalog.

Abfalltransport. Das gewerbsmäßige Einsammeln u. Befördern von *Abfällen zur Beseitigung bedarf gemäß *Kreislaufwirtschafts- und Abfallgesetz[1] sowie Transportgenehmigungs-VO (TgV)[2] einer Transportgenehmigung. Zweck dieser Maßnahme ist die Überprüfung der A. durchführenden Personen u. Betriebe auf Sach- u. Fachkunde sowie Zuverlässigkeit. Die Transportgenehmigung gilt bundesweit u. wird für Abfälle zur Beseitigung sowie für bes. überwachungsbedürftige Abfälle zur Verwertung benötigt. Keine Transportgenehmigung ist erforderlich für: – Abfälle, die von öffentlich-rechtlichen od. privaten Entsorgungspflichtigen od. deren Beauftragten transportiert werden (z. B. *Hausmüll), – jeweils nicht Schadstoff-kontaminierter Erdaushub, Straßenaufbruch od. Bauschutt, – Abfall-Kleinmengen, die von der Genehmigungspflicht behördlich freigestellt wurden, – A. im Rahmen des Werksverkehrs.
Neben den abfallrechtlichen Regelungen sind bei A. die verkehrsrechtlichen Erfordernisse, z. B. nach dem Güterkraftverkehrsgesetz (GVKG)[3] od. der Gefahrgut-VO Straße (GGVS)[4] zu beachten. – *E* waste transport – *F* transport des déchets – *I* trasporto dei rifiuti – *S* transporte de desechos
Lit.: [1] Gesetz zur Vermeidung, Verwertung u. Beseitigung von Abfällen vom 27.09.1994 (BGBl. I, S. 2705 ff., Art. 1). [2] BGBl. I (in Vorbereitung). [3] In der Fassung vom 08.06.1993 (BGBl. I, S. 1003). [4] In der Fassung vom 18.07.1995 (BGBl. I, S. 1025).
allg.: Birn, Kreislaufwirtschafts- u. Abfallgesetz in der betrieblichen Praxis, Loseblatt-Ausgabe seit 1995, Kap. 2.3 – § 49, Augsburg: WEKA.

Abfall- und Reststoffüberwachungs-Verordnung (AbfRestÜberwV). Die auf Basis des *Abfallgesetzes am 03.04.1990 erlassene u. am 01.10.1990 in Kraft getretene A.- u. R.-V.[1] regelte das Einsammeln u. Befördern sowie die Überwachung von *Abfällen u. *Reststoffen. Mit Inkrafttreten des *Kreislaufwirtschafts- und Abfallgesetzes am 07.10.1996 wurde sie durch die *Nachweisverordnung abgelöst.
Lit.: [1] BGBl. I, S. 648 (1990).

Abfallverbrennung. Die A. ist das wichtigste u. in der Praxis fast ausschließlich eingesetzte Verf. der therm. *Abfallbehandlung. Ziele der A. sind: – therm.-oxidative Zerstörung bzw. Immobilisierung der im *Abfall enthaltenen *Schadstoffe (Schadstoffsenke), um Abfälle zu inertisieren u. in eine verwert- od. ablagerbare Form zu bringen, – Verminderung von Abfallmenge u. -volumen, – Nutzung der in den Abfällen enthaltenen Energie. Neben der konventionellen A., die in der Regel aus den Komponenten Feuerung, Wärmenutzung (Energieerzeugung), Rauchgasreinigung sowie ggf. Reststoffbehandlung besteht (s. Abb.), gewinnen derzeit alternative Verbrennungstechnologien wie *Pyrolyse u. Vergasungsverf. an Bedeutung, bei denen die beim Verbrennungsvorgang teilw. simultan verlaufenden Vorgänge Trocknung, Entgasung, Vergasung u. die eigentliche Verbrennung separat voneinander durchgeführt werden (s. Abfallbehandlung). Als Behandlungsverf. vor der Ablagerung (*Deponierung) von Abfällen ist die A. ein unverzichtbarer Bestandteil der Entsorgung sowohl von *Hausmüll als auch von *Sonderabfällen. Nach der A. sind die dabei anfallenden Rückstände weitgehend frei von organ. Anteilen, so daß biolog. Abbauprozesse in der Deponie im Vgl. zu unbehandelten Abfällen nur untergeordnet stattfinden; entsprechend gering ist die Belastung von Deponiesickerwasser u. Deponiegas (s. Deponie). Die aus dem Betrieb moderner A.-Anlagen resultierenden Emissionen sind äußerst gering u. liefern keinen nennenswerten Beitrag zur *Umweltbelastung[2] (s. a. Abfallverbrennungsanlagen-Verordnung).

Verbrennungstechnik: In Abhängigkeit vom Input der A.-Anlagen unterscheidet man u. a. Anlagen zur *Hausmüllverbrennung, *Sonderabfallverbrennung, *Klärschlammverbrennung, Anlagen für spezielle Abfälle (z. B. für Krankenhausabfälle) sowie Anlagen, die für die Mitverbrennung von Abfällen geeignet sind, z. B. Zementdrehrohröfen. Diese Anlagen besitzen auf den jeweiligen Abfallinput ausgerichtete Feuerungssysteme, z. B. Rostfeuerungsofen (Hausmüllverbrennung), Drehrohrofen (Sonderabfallverbrennung), Etagen-, Wirbelschichtofen (Klärschlammverbrennung) u. Muffelofen (vorwiegend für flüssige u. gasf. Abfälle). Im Feuerungsraum spielen sich bei der A. folgende Vorgänge teilw. simultan ab: Trocknung, Entgasung, Vergasung sowie die eigentliche Verbrennung. Wichtig ist hierbei insbes. die möglichst vollständige Zerstörung der im Abfall vorhandenen organ. Schadstoffe, die v. a. von der Höhe der Verbrennungstemp. (meist 800–1200 °C) sowie von der Verweilzeit des Abfalls u. der Abgase im Verbrennungsraum abhängt. Nach der Verbrennung erfolgt im Abhitzekessel eine Abkühlung der Rauchgase, wobei sie ihre Wärme an das Kesselspeisewasser zur Dampferzeugung abgeben; der Dampf kann verstromt u./od. als Produktionsdampf bzw. Warmwasser verwendet werden. Die abgekühlten Abgase werden entstaubt u. in einer Rauchgaswäsche von anorgan. Schadgasen gereinigt, bevor sie über einen Kamin in die Atmosphäre emittiert werden.

Schadstoffanfall: Die bei der A. anfallenden Rauchgase, die sich im wesentlichen aus Stickstoff, Wasserdampf, Kohlendioxid u. Sauerstoff zusammensetzen, enthalten zahlreiche Schadstoffe, deren Konz. von der Abfallzusammensetzung u. den Feuerungsbedingungen abhängt: z. B. *Chlorwasserstoff (HCl), *Stickstoffoxide (NO_x), *Schwefeldioxid (SO_2), Kohlenmonoxid (CO) sowie organ. Verb., *Schwermetalle u. *Staub. Problemat. ist insbes. die Bildung tox. Kohlenwasserstoffe wie polychlorierte Dibenzodioxine (*PCDD) u. -furane (*PCDF), polychlorierte Biphenyle (*PCB) u. polycycl. Aromaten (*PAH). Diese können sowohl aus einer unvollständigen Verbrennung, vorwiegend aber aus einer Neubildung durch Radikal-Reaktionen resultieren (De-novo-Synth.).

Emissionsminderungsmaßnahmen: Zur Emissionsminderung bei A.-Anlagen kommen feuerungstechn.

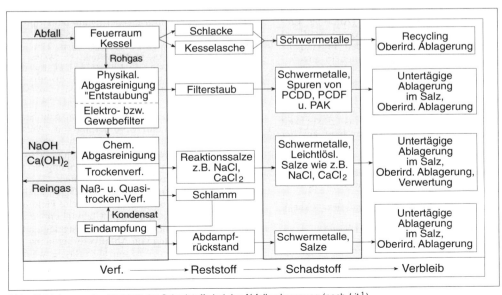

Abb.: Entstehungsort u. Verbleib der Schadstoffe bei der Abfallverbrennung (nach *Lit.*[1]).

Maßnahmen (Primärmaßnahmen) u. Rauchgasreinigungsmaßnahmen (Sekundärmaßnahmen) zum Einsatz. Zur Staubabscheidung werden Massenkraftabscheider (z. B. *Zyklone), *Naßabscheider (z. B. *Venturi-Wäscher), v. a. aber *Elektro- u. Gewebefilter (Schlauchfilter) eingesetzt (physikal. Rauchgasreinigung). Mit dem Staub wird der Hauptteil der partikelförmigen Schwermetalle entfernt. Den Staubabscheidern vor- od. nachgeschaltet werden Abscheider für gasf. Schadstoffe (chem. Rauchgasreinigung), wobei nasse, quasitrockene od. trockene Neutralisationsverf. zur Minderung der sauren Gase (Halogenwasserstoffe, Schwefeldioxid) sowie Katalysator- od. Hochtemp.-Verf. zur Stickoxid-Minderung (*DEnox-Verf.) verwendet werden. Bei nassen Verf. wird eine Waschlsg. im Rauchgas dispergiert u. die Rückstände fallen als Suspensionen an. Beim quasitrockenen Verf. wird das Reaktionsmittel (meist Kalkmilch) in wäss. Form ins Rauchgas eingebracht. Durch die heißen Rauchgase wird das Wasser verdampft u. die Reaktionsprodukte werden trocken abgeschieden. Beim trockenen Verf. sind sowohl Reaktionsmittel als auch Reaktionsprodukte trocken. Zur Stickoxid-Minderung werden Reduktionsmittel wie Ammoniak eingesetzt, was entweder durch direktes Einbringen in die Feuerung (nichtkatalyt. *SNCR-Verf.) od. an einem Katalysator am Ende der Rauchgasreinigungsstrecke (katalyt. *SCR-Verf.) erfolgen kann. Zur Einhaltung des Emissionsgrenzwertes für polychlorierte Dioxine u. Furane (0,1 ng/m^3) sind in der Regel weitere Sekundärmaßnahmen erforderlich, wobei v. a. die katalyt. Dioxin-Zerstörung an Metalloxid-Katalysator u. die adsorptive Abscheidung an Braunkohlenkoks zum Einsatz kommen.
Rückstände: Bei der A. entstehen Schlacke bzw. Asche aus der Verbrennung, Filterstäube (Flugstäube) aus der Rauchgasentstaubung sowie Reaktionsprodukte aus der Abscheidung gasf. Schadstoffe. Aufgrund der vergleichsweise geringen auslaugbaren Bestandteile kann die Schlacke entweder deponiert od. unter bestimmten Voraussetzungen nach Aufbereitung (Alterung, Entschrottung, Brechung, Siebung) vorwiegend im Straßen- u. Wegebau verwertet werden. Filterstäube aus der Rauchgasentstaubung enthalten in angereicherter Form eluierbare u./od. tox. Bestandteile; in unbehandelter Form ist eine Deponierung der Stäube nur noch untertägig zulässig. Die festen Reaktionsprodukte aus der Abscheidung gasf. Schadstoffe aus dem Rauchgas sind wegen ihrer hohen Wasserlöslichkeit ebenfalls untertägig abzulagern, Abwässer aus der Rauchgasreinigung müssen üblicherweise einer *Abwasserbehandlung od. -eindampfung zugeführt werden. – *E* waste incineration – *F* incinération des déchets – *I* incenerimento dei rifiuti – *S* incineración de desechos
Lit.: [1] Abfallwirtschafts-J. 2, Nr. 9, 564–569 (1990). [2] Abfallwirtschafts-J. 5, Nr. 3, 242–253 (1993).
allg.: Der Rat von Sachverständigen für Umweltfragen, Abfallwirtschaft, Ziff 1312–1439, Stuttgart: Metzler-Poeschel 1990 ■ Keller (Hrsg.), Abfallwirtschaft u. Recycling, S. 163–174, Esser: Vulkan-Verl. 1992 ■ Müller u. Schmitt-Gleser, Handbuch der Abfallentsorgung, Loseblatt-Sammlung, 4/94, Tl. V-3.1, Landsberg: ecomed.

Abfallverbrennungsanlagen-Verordnung. Die am 1.12.1990 in Kraft getretene 17. VO zur Durchführung des Bundes-Immissionsschutzgesetzes (VO über Verbrennungsanlagen für Abfälle u. ähnliche brennbare Stoffe – 17. BImSchV)[1] bildet den immissionsschutzrechtlichen Rahmen für die *Abfallverbrennung. Ihre Vorschriften ersetzen die entsprechenden Regelungen der *TA Luft von 1986 u. stellen verschärfte Anforderungen an die Errichtung, die Beschaffenheit u. den Betrieb von Abfallverbrennungsanlagen, an die Verbrennungsbedingungen, an die Überwachung u. insbes. die einzuhaltenden Emissionsgrenzwerte. Zweck der A.-V. ist es, die Emissionsfrachten von Abfallverbrennungsanlagen weiter zu vermindern, die Rechtssicherheit bei der Genehmigung dieser Anlagen zu erhöhen sowie die Anforderungen zwischenzeitlich verabschiedeter EG-Richtlinien zur Luftreinhaltung bei Hausmüllverbrennungsanlagen[2] in nat. Recht umzusetzen.
Wesentliche Regelungen der A.-V.:
– Anlagen, die überwiegend einem anderen Zweck als der Abfallverbrennung dienen, z. B. Kraftwerke, Zementwerke, sonstige Verbrennungs- u. Prozeßanlagen, unterliegen im Falle der Mitverbrennung von Abfällen ebenfalls Regelungen der A.-V.
– Die A.-V. gilt nicht für die Verbrennung von gasf. Stoffen.
– Die Emissionsgrenzwerte sind bezüglich der Tagesmittelwerte für Staub, gasf. Stoffe (CO, HCl, HF, SO_x, NO_x) u. Schwermetalle im Vgl. zur TA Luft um 50% u. mehr abgesenkt worden.
– Für polychlorierte Dioxine u. Furane gilt ein Grenzwert von 0,1 ng/m^3 Abgas.
– Bis spätestens 1.12.1996 müssen alle Abfallverbrennungsanlagen die Anforderungen der A.-V. erfüllen.
Die 1994 verabschiedete EG-Richtlinie über die Verbrennung gefährlicher Abfälle[3], die Mindestanforderungen für die EG-Mitgliedsstaaten festlegt, hat sich weitgehend an der A.-V. orientiert, allerdings machen von der geltenden A.-V. abweichende Detailregelungen eine Novellierung der A.-V. erforderlich. – *E* waste incineration facilities ordinance – *F* décret sur les installations d'incinération des déchets – *I* regolamento sugli impianti di incenerimento dei rifiuti – *S* reglamento para las incineradoras de residuos
Lit.: [1] 17. Bundesimmissionsschutz-VO vom 23.11.1990 (BGBl. I, S. 2545, 2832). [2] EG-Richtlinie, Nr. 89/369/EWG (Amtsblatt der EG Nr. L 163/32); EG-Richtlinie, Nr. 89/429/EWG (Amtsblatt der EG Nr. L 203/50). [3] EG-Richtlinie, Nr. 94/67/EG (Amtsblatt der EG Nr. L 365/34).
allg.: Abfallwirtschafts-J. 6, Nr. 12, 838–844 (1994).

Abfallverbringung. Als A. bezeichnet man die Staatsgrenzen überschreitende Beförderung von *Abfällen (Import, Export u. Transit) einschließlich deren Entsorgung. Sie unterliegt den Regelungen der EG-A.-VO u. des A.-Gesetzes, die beide zur Umsetzung des Basler Übereinkommens in nat. Recht dienen.
Basler Übereinkommen[1]: Das am 06.05.1992 in Kraft getretene Übereinkommen hat weltweite Geltung u. verpflichtet die Staaten, die dem Übereinkommen beigetreten sind, zu einer im einzelnen festgelegten Ordnung u. Überwachung von Abfallverbringungen. Wesentliche Regelungen: – A. sind nur zulässig, wenn zuvor alle beteiligten Staaten informiert wurden u. der Verbringung zugestimmt haben, – die A. in Staaten, die das Übereinkommen nicht ratifiziert haben, ist nur

zulässig, wenn bi- od. multilaterale Regelungen bestehen, die inhaltlich den Anforderungen des Übereinkommens entsprechen, – der Exporteur u. ggf. der Ausfuhrstaat sind im Falle illegaler A. zur Rücknahme der Abfälle verpflichtet, – Abfallexporte sollen nur bewilligt werden, wenn eine Entsorgung im Inland nicht möglich ist od. die Abfälle im Ausland als Rohstoffe benötigt werden.

EG-A.-VO[2]: Durch die am 06.05.1994 in Kraft getretene VO werden A. für sämtliche Mitgliedstaaten der EG einheitlich geregelt. Sie ist in allen Mitgliedstaaten unmittelbar anwendbares Recht u. ersetzt die dtsch. A.-VO vom 18.11.1988[3]. Die EG-A.-VO enthält Verbote von A. in od. aus bestimmten Ländern als auch Verfahrensvorschriften, die bei der A. zu beachten sind. Im Grundsatz gilt bei der A. das Prinzip der vorherigen Zustimmung des Empfängerstaates, wobei A. unter Beteiligung von Nicht-EG-Staaten strengeren Kontroll-Verf. bis hin zu Verbringungsverboten unterliegen als A. zwischen EG-Mitgliedstaaten. Entsprechend dem europ. Abfallbegriff (s. EG-Richtlinie über Abfälle) umfaßt die EG-A.-VO sowohl Abfälle zur Verwertung als auch Abfälle zur Beseitigung. Beide Abfallkategorien unterliegen unterschiedlichen Ein- u. Ausfuhrbeschränkungen sowie unterschiedlichen Kontroll-Verfahren. So sind Ein- u. Ausfuhr von *zur Beseitigung* bestimmten Abfällen nur noch innerhalb der EG sowie in bestimmte EFTA-Länder (European Free Trade Association: Europ. Freihandelszone) gestattet, ansonsten besteht ein generelles Ein- u. Ausfuhrverbot. Für die Verbringung dieser Abfälle ist ein sog. *Notifizierungsverf.* erforderlich, d. h. ein formalisiertes Benachrichtigungs- u. Verwaltungsverf. unter Beteiligung der zuständigen Behörden von Versand-, Empfänger- u. ggf. Transitstaat.

Bei der Verbringung von Abfällen *zur Verwertung* sind sowohl Ein- u. Ausfuhrbeschränkungen als auch der Überwachungsumfang in Abhängigkeit vom Gefährdungspotential der Abfälle unterschiedlich geregelt. Die EG-A.-VO unterscheidet: 1. Abfälle der „Grünen Liste" (z. B. Metallschrott, Kunststoffabfälle), – 2. Abfälle der „Gelben Liste" (z. B. Lsm., Säuren, Basen, *Hausmüll), – 3. Abfälle der „Roten Liste" (z. B. *PCB- od. *Dioxin-kontaminierte Stoffe, *Asbest). Während die grüngelisteten Abfälle von den Ein- u. Ausfuhrbeschränkungen sowie den Notifizierungsverf. der EG-A.-VO weitgehend ausgenommen sind, gelten für die gelb- u. rotgelisteten Abfälle bestimmte Ein- u. Ausfuhrverbote sowie unterschiedliche Notifizierungsverfahren. Darüber hinaus verlangt die EG-A.-VO bei jeder notifizierungspflichtigen A. die Hinterlegung einer Sicherheitsleistung u. bei illegalen Verbringungen die Rückführung der Abfälle ins Ursprungsland.

A.-Gesetz (AbfVerbrG): Das Gesetz ist Hauptbestandteil des am 14.10.1994 in Kraft getretenen Ausführungsgesetzes zum Basler Übereinkommen[4], das die Voraussetzungen für die innerstaatliche Umsetzung des Basler Übereinkommens schafft. Es enthält Ausführungsbestimmungen u. Ergänzungen zur EG-A.-VO u. konkretisiert deren Vollzug. Wesentliche Regelungen sind u. a. der Vorrang der *Abfallbeseitigung im Inland sowie die Einrichtung eines Haftungsfonds zur Übernahme der Rückführkosten bei illegalen Verbringungen, an den Abfallexporteure Beiträge zu entrichten haben. – *E* transboundary movements of wastes – *F* mouvements transfrontières de déchets – *I* spreco dei rifiuti – *S* conducción de residuos

Lit.: [1] Birn, Kreislaufwirtschafts- u. Abfallgesetz in der betrieblichen Praxis, Loseblatt-Ausgabe, Kap. 4.1.3, Augsburg: WEKA. [2] VO (EWG) Nr. 259/53 des Rates vom 01.02.1993 (Amtsblatt der EG Nr. L 30/1 vom 06.02.1993). [3] VO über die grenzüberschreitende Verbringung von Abfällen (AbfVerbrV) (BGBl. I, S. 2126, ber. S. 2418). [4] Ausführungsgesetz zum Basler Übereinkommen vom 30.09.1994 (BGBl. I, S. 2771). *allg.:* von Köller, Klett u. Konzak, EG-Abfallverbringungs-VO, Berlin: E. Schmidt, 1994 ▪ Szelinski u. Schneider, Grenzüberschreitende Abfallverbringung, 1. Aufl., Hamburg: Behr's 1995.

Abfallverbringungsgesetz s. Abfallverbringung.

Abfallverbringungsverordnung s. Abfallverbringung.

Abfallvermeidung. Unter A. versteht man Maßnahmen, die das Entstehen von *Abfällen verhindern od. vermindern. Man unterscheidet zwischen quant. A. (Reduzierung von Abfallmengen) u. qual. A. (Reduzierung von Schadstoffen im Abfall) sowie zwischen Primär-A. u. Sekundär-A.[1]. Zur Primär-A. zählt die Minimierung von Rohstoff- u. Energieverbrauch bei der Herst. von Produkten, während die Sekundär-A. verhindern soll, daß Produkte zu Abfall werden (z. B. durch Maximierung ihrer Nutzungsdauer).

Sowohl nach dem *Kreislaufwirtschafts- und Abfallgesetz (KrW-/AbfG) als auch nach dem *Bundes-Immissionsschutzgesetz (BImSchG) haben die Vermeidung u. Verwertung von Abfällen Vorrang vor der *Abfallbeseitigung; diese ist erst zulässig, wenn Vermeidung u. Verwertung nicht möglich od. unzumutbar sind. Gemäß § 5 Abs. 1 Nr. 3 BImSchG ist bei immissionsschutzrechtlich *genehmigungsbedürftigen Anlagen entweder das Entstehen von Abfällen zu vermeiden od. die beim Anlagenbetrieb anfallenden Abfälle sind zu verwerten. Eine A. läßt sich durch folgende Maßnahmen (sog. produktionsintegrierter Umweltschutz[2]) erreichen: – Einsatz abfallfreier u. abfallarmer Roh- u. Hilfsstoffe, – Anw. abfallarmer Prozeßtechniken, – anlageninterne Kreislaufführung von Stoffen, – Einbindung von Abfällen in Erzeugnisse. Für nicht immissionsschutzrechtlich genehmigungsbedürftige Anlagen gilt das Vermeidungs- u. Verwertungsgebot des BImSchG nicht, sondern hier greifen die Vermeidungs- u. Verwertungspflichten des KrW-/AbfG. Dieses strebt vorrangig eine A. an, die jedoch keine unmittelbar anwendbare Verpflichtung darstellt, sondern für immissionsschutzrechtlich genehmigungsbedürftige Anlagen auf das BImSchG verweist u. ansonsten in Form von Rechts-VO konkretisiert wird. Die VO enthalten Regelungen über die Verw. u. Beschaffenheit von Produkten, um diese möglichst lange im Wirtschaftskreislauf zu halten (z. B. *HKW-Verordnung, *Verpackungs-Verordnung). Das stringenteste Mittel der A. ist das generelle Verbot eines Stoffes od. Erzeugnisses, wofür Ermächtigungen sowohl im Abfall- u. Immissionsschutz- als auch im Chemikalienrecht enthalten sind. – *E* waste prevention – *F* évitement des déchets – *I* evitare i rifiuti – *S* evitación de desechos

Abfallverwertung

Lit.: [1] Entsorgungspraxis **8**, Nr. 1–2, 8–14 (1990). [2] Der Rat von Sachverständiger für Umweltfragen, Abfallwirtschaft, Ziffer 733–747, Stuttgart: Metzler-Poeschel 1990.

Abfallverwertung. A. ist das Gewinnen von Stoffen od. Energie aus *Abfällen. Als *stoffliche A.* definiert das *Kreislaufwirtschafts- und Abfallgesetz das Gewinnen von Stoffen aus Abfällen u. den Einsatz dieser Stoffe als *Sekundärrohstoffe sowie die Nutzung der stofflichen Eigenschaften von Abfällen, während der Einsatz von Abfällen zur Energiegewinnung eine *energet. A.* darstellt. Voraussetzung ist in beiden Fällen, daß der Hauptzweck der Maßnahme in der Nutzung des Abfalls u. nicht in der Beseitigung seines Schadstoffpotentials liegt, da es sich anderenfalls nicht um eine A., sondern um eine *Abfallbeseitigung handelt. Wegen der Unbestimmtheit der Kriterien ist diese Abgrenzung zwischen A. u. Abfallbeseitigung in der Praxis problemat., was insbes. auf die Verbrennung heizwertreicher Abfälle unter Energieerzeugung zutrifft. Sofern der Vorrang von stofflicher od. energet. A. nicht durch VO festgelegt ist, sind beide Verwertungsarten dann gleichrangig, wenn der Heizwert des Abfalls mind. 11 000 kJ/kg, der Feuerungswirkungsgrad mind. 75% beträgt u. die entstehende Wärme genutzt wird. Die A. hat Vorrang vor der Abfallbeseitigung, wenn sie techn. möglich ist, wenn keine unzumutbaren Mehrkosten entstehen, u. wenn die bei der A. gewonnenen Stoffe od. Energie vermarktet werden können. Dieser Vorrang entfällt, wenn die Abfallbeseitigung im Vgl. zur A. umweltverträglicher ist od. bei Abfällen aus Forschung u. Entwicklung.
Die für eine A. in Frage kommenden Verf. sind in einem Anhang des Kreislaufwirtschafts- u. Abfallgesetzes aufgeführt (z. B. Rückgewinnung von Lsm., Verw. als Brennstoff, etc.). Weitere Verwertungsverf. s. a.: Altglas, Altpapier Kompostierung, Kunststoffabfälle. – *E* waste recovery – *F* recyclage des déchets – *I* riciclaggio dei rifiuti – *S* reciclado de desechos
Lit.: Tiltmann, Recycling betrieblicher Abfälle, Loseblatt-Ausgabe seit 1990, Augsburg: WEKA.

Abfallwirtschaftskonzept. Vom Abfallerzeuger zu erstellende Dokumentation seiner für die Zukunft geplanten Maßnahmen zur Vermeidung, Verwertung u. Beseitigung von *Abfällen u. deren vorgesehene Entsorgungswege. Zur Erstellung von A. sind gemäß *Kreislaufwirtschafts- und Abfallgesetz[1] sowie der am 07. 10. 1996 in Kraft getretenen Abfallwirtschaftskonzept- u. -bilanzverordnung (AbfKoBiV)[2] Abfallerzeuger verpflichtet, bei denen jährlich mehr als insgesamt 2 t bes. überwachungsbedürftige Abfälle (s. Sonderabfall) od. mehr als 2000 t überwachungsbedürftige Abfälle anfallen. Das A., das alle fünf Jahre fortzuschreiben ist, soll der betrieblichen u. behördlichen Abfallwirtschaftsplanung dienen u. unter bestimmten Voraussetzungen *Entsorgungsnachweise ersetzen. – *E* waste management concept – *F* concept d'aménagement des déchets – *I* concetto economico sui rifiuti – *S* concepto administrativo de residuos
Lit.: [1] Gesetz zur Vermeidung, Verwertung u. Beseitigung von Abfällen vom 27. 09. 1994 (BGBl. I, S. 2705 ff., Art. 1). [2] VO über Abfallwirtschaftskonzepte [BGBl. I (in Vorbereitung)].

Abfallzwischenlager s. Zwischenlager.

Abfangen. 1. In der *Kristallographie Bez. für den für die *Geochemie bedeutsamen Effekt der Anreicherung von Spurenelementen in Kristallgittern zu höheren Konz., als sie in den Mutterschmelzen od. -lsg. auftraten. Die angereicherten Ionen der Spurenelemente müssen dabei höhere Wertigkeit, jedoch ähnliche Größe haben wie die von ihnen vertretenen Ionen. – 2. In der *Metallurgie des Eisens Bez. für den Abbruch des Frischvorganges bei einem bestimmten Kohlenstoff-Gehalt der Schmelze. – 3. Bei chem. Reaktionen Bez. für das spezif. Entfernen eines Reaktionspartners durch bestimmte Zusätze; *Beisp.:* Als *Radikal-Fänger wirkende *Antioxidantien. – 4. Zu A.-Reaktionen bei *Kernreaktionen s. Einfang. – *E* 1. enrichment, 2. catching, scotching, 3. scavenging, 4. capturing – *F* 1. enrichissement, 2. cessation, 3. cession, 4. capture – *I* 1. arricchimento, 2. cessazione, sospensione, 3. cattura, arresto, 4. cattura – *S* 1. enriquecimiento, 2. interrupción de la colada, 3. cesión, eliminación, captura, 4. captura

Abfeimen s. Glas.

AbfG. Abk. für *Abfallgesetz.

Abformmassen s. Abgußmassen.

Abführmittel. Heute im allg. synonym mit *Laxantien gebrauchte Bez. für Arzneimittel zur Herbeiführung, Erleichterung od. Beschleunigung der Darmentleerung, die nicht nur bei *Obstipation, sondern auch – als Bestandteile sog. *Schlankheitsmittel – gegen *Fettsucht eingesetzt werden. Nach der Stärke der Wirkung wurde früher zwischen sehr milden (*Aperitiva*), milden (*Laxantia*), mittelstarken (*Purgantia*), starken (*Hydragoga*) u. stärksten (*Drastika*) A. unterschieden. Heute gliedert man A. nach der Wirkungsweise: Die *physikal.* wirksamen A. haben entweder Gleitwirkung (z. B. Paraffinöl) od. wirken osmot., indem sie Wasser in den *Darm ziehen u. dadurch die Darmfüllung vergrößern (*salin. A.*, wie z.B. Glaubersalz, Bittersalz, Karlsbader Salz, Marienbader Salz); ebenfalls eine Vermehrung des Darminhalts bewirken Quellmittel, wie z. B. Agar-Agar. Die *chem.* wirkenden A. regen den Darm durch Reizung u. dadurch hervorgerufene *Hyperämie der Schleimhaut an. Rizinusöl u. Crotonöl (nur in der Tierheilkunde verwendet!) geben durch enzymat. Aufspaltung Ricinol- bzw. Crotonsäure ab, wodurch der Darm zu verstärkten Kontraktionen (*Peristaltik*) angeregt wird. Nach dem Wirkungsort wird zwischen *Dünndarm-A.* (hierzu gehören die salin. A.) u. *Dickdarm-A.* (z. B. die Anthraglykoside aus *Sennesblättern, *Rhabarber, *Aloe, *Frangula, *Kaskarillarinde sowie synthet. A., die sich von *Anthrachinon ableiten, außerdem bisphenol. *Laxantien vom Typ *Bisacodyl) unterschieden. Die früher häufig in A. verwendeten *Isatin-Derivate (z. B. *Diphesatin) sind jedoch wegen schädigender Nebenwirkung auf die Leber aus dem Handel gezogen worden[1]. – *E* cathartics, laxatives – *F* cathartiques, laxatifs – *I* purga, purgante, lassitivo – *S* catárticos, laxantes
Lit.: [1] Henning, Die Leberschädigung durch Phenolisatine, Stuttgart: Thieme 1978.
allg.: Arzneimittelchemie II, 311 ff. ■ Mutschler (7.), S. 544–548 ■ Pharm. Ztg. **138**, 3891 ff. (1993) ■ Pharm. Unserer Zeit **23**, 39–43, 44–51, 218–222 (1994).

Abgase. Bei techn. od. chem. Prozesse (bes. bei Verbrennungsprozessen in Feuerungsanlagen u. Kraftfahrzeugen) entstehende, meist nicht weiter nutzbare Gase (*Emissionen), ggf. einschließlich ihrer festen od. flüssigen Bestandteile. A. aus Verbrennungsprozessen enthalten bei vollständiger Verbrennung vorwiegend den aus der Luft stammenden Stickstoff u. die Verbrennungsprodukte Kohlendioxid (CO_2) u. Wasserdampf sowie überschüssige Luft, bei unvollständiger Verbrennung neben unverbranntem Sauerstoff noch Kohlenmonoxid, Wasserstoff, verschiedene unverbrannte Kohlenwasserstoffe u. Rußteilchen. Weiter enthalten sie Schwefeldioxid, das sich aus den in Brennstoffen enthaltenen Schwefel-Verb. bildet, sowie die v. a. bei höheren Verbrennungstemp. (>800 °C) entstehenden Stickstoffoxide (NO_x) u. Spurenbestandteile wie *Blausäure u. Metalloxide sowie noch Bestandteile des Brenngases. Der bei Verbrennung mit der auf den Kohlenstoff bezogenen theoret. Luftmenge sich stöchiometr. ergebende CO_2-Gehalt wird als CO_2-Maximum bezeichnet.
A. aus Kraftwerken, Ind.-Anlagen u. Gewerbebetrieben müssen, sofern sie *Luftverunreinigungen enthalten, vor dem Einleiten in die Atmosphäre einer *Abluftreinigung unterworfen werden (s. a. Bundesimmissionsschutzgesetz, Großfeuerungsanlagen-Verordnung, TA Luft). – *E* waste gases – *F* gaz résiduaires – *I* gas di scarico – *S* gases de escape (residuales)
Lit.: Birr et al., Umweltschutztechnik, S. 38 – 48, Leipzig: Deutscher Verl. für Grundstoffindustrie 1992.

Abgasentschwefelung s. Entschwefelung.

Abgasentstaubung s. Entstaubung.

Abgasentstickung s. Entstickung.

Abgasreinigung s. Abluftreinigung

Abgeschlossene Systeme s. thermodynamische Systeme.

Abgewandelte Naturstoffe. Älteste Gruppe von *Kunststoffen, die durch chem. Modifizierung von natürlichen Polymeren gewonnen werden. Zu den a. N. gehören u. a. Derivate der *Cellulose (Vulkanfiber, Pergamentpapier, Celluloseester, Celluloseether), der *Proteine (Kunsthorn), des Naturkautschuks (*Chlorkautschuk) u. der *Stärke (Stärkeester, Stärkeether). – *E* modified natural products – *F* plastiques semisynthétiques, produits naturels modifiés – *I* prodotti naturali modificati – *S* productos naturales modificados
Lit.: Houben-Weyl E20, 2042 – 2182 ▪ Ullmann (4.) **9**, 192 – 246; **13**, 591 ff.; **22**, 191 – 199 ▪ Vieweg u. Becker, Abgewandelte Naturstoffe (Kunststoff-Hdb., Bd. 3), München: Hanser 1965 ▪ Winnacker-Küchler (3.) **5**, 19 – 28; (4.) **6**, 436 – 442, 790 f.

Abgußmassen (Abformmassen, Formgußmassen). Bez. für härtbare Massen, die sich zur Nachbildung von Gegenständen, z. B. von *Zähnen (s. Dentalmaterialien), eignen. Verwendet werden als sog. starre A. Gips, Wachse, Spezialkunststoffe (*Polymethacrylate) u. *Guttapercha, als sog. elast. A. *Agar-Agar, Alginate u. Elastomere (Polysulfide, Polyether, Silikonkautschuk). – *E* casting materials – *F* matières à mouler – *I* massa di calco, massa di getto – *S* materiales de moldeo
Lit.: Ullmann (4.) **10**, 16 – 19.

Abhängigkeit s. Sucht.

Abieta Chemie GmbH. 86368 Gersthofen. Das 1957 gegr. Unternehmen ist zu je 50% im Besitz von Hoechst u. Hercules. *Produktion:* Disproportioniertes Kolophonium (Resin 731) u. dessen Na- u. K-Seifen (Dresinate).

Abietate. Bez. für Salze bzw. Ester der *Abietinsäure. Die aus roher Abietinsäure gewonnenen Salze werden meist als *Harzseifen (Resinate) bezeichnet. – *E* abietates – *F* abiétates – *I* abietati – *S* abietatos – [HS 3806 90]

Abietin s. Coniferin.

Abietinsäure (Sylvinsäure).

$C_{20}H_{30}O_2$, M_R 302,46. Zu den *Diterpenen gehörende Harzsäure, monokline Platten, Schmp. 172 – 175 °C, $[\alpha]_D^{15}$ – 102° (C_2H_5OH); Vork. v. a. in *Pinus*- u. *Abies*-Arten (Kiefern u. Tannen); wichtigster Bestandteil des *Kolophoniums, kann aus diesem durch Dest. gewonnen werden, gut lösl. in Alkohol, Ether, unlösl. in Wasser, leicht autoxidabel. A. ist Bestandteil der Verteidigungssekrete der Bäume gegen Insekten u. Infektionen durch Mikroorganismen.
Verw.: Zu Estern, Lackbestandteilen, Seifen, Metallseifen (*Harzseifen aus *Abietaten), Zusatz bei Milchsäure- u. Buttersäure-Gärung. – *E* abietic acid – *F* acide abiétique – *I* acido abietico – *S* ácido abiético
Lit.: Arch. Biochem. Biophys. **308**, 258 – 266 (1994) ▪ Beilstein E IV **9**, 2175 ff. ▪ Karrer, Nr. 1952 ▪ Phytochemistry **19**, 2655 (1980) ▪ Winnacker-Küchler (3.) **3**, 494 ff. – [HS 3806 90; CAS 514-10-3]

Abietospiran [(23*S*,25*R*)-17,23-Epoxy-23-hydroxy-3α-methoxy-(5α)-9β,19-cyclo-lanostan(26)carbonsäurelacton].

$C_{31}H_{48}O_4$, M_R 484,72, farblose Krist., Schmp. 219 – 221 °C, $[\alpha]_D^{22}$ – 17° (c 0,7/$CHCl_3$). *Triterpen der Weißtannenrinde (*Abies alba*), verantwortlich für das weiße Aussehen der Bäume. – *E* abietospiran – *F* abietospiranne – *I* abietospirano – *S* abietoespirano
Lit.: Angew. Chem. **91**, 751 (1979) ▪ Beilstein E V **19/5**, 641. – [CAS 71648-15-2]

Ab initio (latein. = von Anfang an). Bez. für eine Klasse von Verf. der *Quantenchemie (s. a. Theoretische Chemie) zur Berechnung der Eigenschaften von Atomen u. Mol. (z. B. elektr. u. magnet. Momente, Ladungs-

verteilungen, Gleichgewichtsgeometrien, Anregungsenergien, Schwingungsfrequenzen u. a.) u. ihren Wechselwirkungen. Auch in der Festkörperphysik finden a. i.-Meth. in jüngerer Zeit verstärkt Anwendung. Im Gegensatz zu *semiempirischen Verfahren verwenden die a. i.-Verf. keine zwecks Approximation od. Einsparung von Ein- u. v. a. von Zweielektronenintegralen an experimentelle Daten angepaßten Parameter. Zur Durchführung umfangreicher a. i.-Rechnungen benötigt man leistungsfähige Computer, da bei typ. heutigen Anw. mehrere Millionen von Zweielektronenintegralen berechnet u. verarbeitet werden müssen. Die derzeit gängigsten a. i.-Meth. basieren auf der *Born-Oppenheimer-Näherung u. vernachlässigen *relativistische Effekte entweder vollständig od. berücksichtigen sie mit Hilfe von *Störungstheorie od. effektiver Rumpfpotentiale (s. a. ECP u. Pseudopotential). Am weitesten verbreitet ist das *Hartree-Fock-Verfahren, das bei mehratomigen Mol. unter Verw. endlicher *Basissätze angewandt wird (Roothaan-Hall-Verf.). Bei geschlossenschaligen Atomen u. Mol. ist die Hartree-Fock-Wellenfunktion eine *Slater-Determinante mit doppelt besetzten Raumorbitalen (s. a. Atomorbital u. Molekülorbital). Diese werden nach dem *Energievariationsprinzip optimiert; die resultierenden Hartree-Fock-Gleichungen sind iterativ bis zur Selbstkonsistenz zu lösen, weswegen man auch den Ausdruck Self-Consistent-Field-Näherung (SCF) verwendet. Unter Verw. analyt. Meth. zur Berechnung von Ableitungen der Gesamtenergie nach den Kernkoordinaten eignet sich die SCF-Meth. v. a. zur Bestimmung von *Gleichgewichtsgeometrien, die bei mehratomigen Mol. experimentell nur sehr schwierig zu erhalten sind. Einelektroneneigenschaften wie *Dipolmomente werden auf ~ 10% genau berechnet. Das Hartree-Fock-Verf. vernachlässigt die Effekte der *Elektronenkorrelation, die v. a. zu Dissoziationsenergien u. elektron. Anregungsenergien erhebliche Beiträge beisteuert, aber auch Mol.-Eigenschaften (z. B. *Spindichten) stark beeinflussen kann. Weit verbreitete Verf. zur Berücksichtigung der Elektronenkorrelation sind das *MCSCF-Verfahren (s. a. CASSCF), *Configuration Interaction (CI, s. a. MR-CI), *Elektronenpaartheorien (z. B. *CEPA od. *Coupled Cluster) od. störungstheoret. Meth. (s. Störungstheorie, MBPT, MP u. Greensche Funktion). Von einigen Autoren wird auch die *Dichtefunktionaltheorie zu den a. i.-Meth. gezählt; Näheres s. dort.
Lit.: Adv. Chem. Phys. **67**; **69** (1987) ▪ Dykstra, Ab Initio Calculation of the Structures and Properties of Molecules, Amsterdam: Elsevier 1988 ▪ Hehre et al., Ab Initio Molecular Orbital Theory, New York: Wiley 1986 ▪ Schaefer, Modern Theoretical Chemistry, Bd. 3 u. 4, New York: Plenum 1977 ▪ Szabo u. Ostlund, Modern Quantum Chemistry, London: Macmillan 1982 ▪ Yarkony, Modern Electronic Structure Theory, 2 Bd., Singapur: World Scientific 1995 ▪ Jährliche Kompilationen von a. i.-Rechnungen werden in J. Mol. Struct. (THEOCHEM) veröffentlicht ▪ s. a. Quantenchemie, Theoretische Chemie.

Abiogenese (von griech.: a = verneinende Vorsilbe, bios = Leben u. genesis = Entstehung). Bez. für die Hypothese der Entstehung lebender Organismen aus einfachen anorgan. Bausteinen (*Urzeugung*). Näheres s. bei chemische Evolution. – *E* abiogenesis – *F* abiogénèse – *I* abiogenesi – *S* abiogénesis

Abiotisch. Von griech.: abios = ohne Leben abgeleiteter Begriff für Unbelebtes bzw. nicht durch Lebewesen Bedingtes (abiogen). Z. B. faßt man in der Ökologie Licht, Wärme, Wasser, mechan. u. chem. Faktoren als abiot. Faktoren (s. Ökofaktoren) zusammen. Abiose bezeichnet Lebensunfähigkeit od. Leblosigkeit sowie Ruhestadien von Organismen, bei denen der Stoffwechsel ruht (Synonym Anabiose, Kryptobiose). – *E* abiotic – *F* abiotique – *I* abiotico – *S* abiótico
Lit.: Stugren, Grundlagen der allgem. Ökologie (4.), S. 17, Stuttgart: Fischer 1986.

Abiotischer Abbau (abiot. Umwandlung). Der a. A. einer Chemikalie erfolgt unter Einwirkung physikal. u. chem. *Ökofaktoren. Neben biot. Umwandlungen bestimmt der a. A. die *Persistenz u. beeinflußt die Verteilung eines Stoffes in der *Umwelt. In Abhängigkeit von den auslösenden Faktoren kann unterschieden werden zwischen chem. (Oxid., Red., *Hydrolyse) u. photochem. Umwandlungen (*Photooxidation/Photomineralisation).
Oxidative Umwandlungen (Atmosphäre, Gewässer) sind Reaktionen mit mol. Sauerstoff od. reaktiven Sauerstoff-Spezies [photolyt. gebildete Sauerstoff-Atome O (^{3}p) ▪ *Ozon (O$_3$), *Singulettsauerstoffe O$_2$ ($^1\Delta$g); Peroxid-Radikale (˙OOH) u. a.; s. a. Photooxidantien].
Reduktive Umwandlungen (aquat. Syst.) sind charakterist. für den a. A. unter anaeroben Bedingungen (Sediment). Zwischen a. A. u. biot. Abbau kann dabei häufig nicht differenziert werden (z. B. reduktive Dechlorierung von Chlor-organ. Verb.: *DDT→DDD, *Lindan→*Benzol). Die *hydrolyt. Umwandlung* (aquat. Systeme; Boden) ist z. B. charakterist. für die Gruppe der Ester-Verb. (*Parathion, 2,4-Dichlorphenoxyessigsäureester, Carbaryl, *Phthalsäureester) Mol., die UV-Licht absorbieren, können direkt photochem. mineralisiert (unter Bildung von z. B. Kohlendioxid, Wasser, Chlorwasserstoff) od. infolge Aktivierung mit reaktiven Sauerstoff-Spezies anderweitig umgewandelt werden. – *E* abiotic degradation – *F* dégradation abiotique – *I* degradazione abiotica – *S* degradación abiótica
Lit.: Hutzinger **2A**, 77 – 159 ▪ Korte (3.), S. 54 – 63 ▪ Parlar, Chemische Ökotoxikologie, S. 76, Berlin: Springer 1991 ▪ Schlottmann (Hrsg.), Prüfmethoden für Chemikalien (Loseblattsammlung, 1. Aufl., 1. Ergänzungslieferung), Stuttgart: Hirzel 1994.

Abklingzeit. Zeitspanne, nach der der Wert einer Meßgröße (z. B. der Fluoreszenzintensität) auf einen bestimmten Bruchteil ihres Anfangswerts abgesunken ist. Hierfür wird üblicherweise 1/e (e ≈ 2,718; e = Eulersche Zahl) verwendet. – *E* decay time – *F* temps de relaxation – *I* tempo di scomparsa – *S* tiempo de extinción

Abkochung s. Decoctum.

Abkühlungskurve. Bez. für die funktionelle Darst. der zeitlichen Änderung der Temp. beim Abkühlen einer Substanz. Ermöglicht die Aufstellung von *Zustandsdiagrammen. – *E* cooling curve – *F* courbe de refroidissement – *I* curva (linea) refrigerante (di refrigerazione, di raffreddamento) – *S* curva de enfriamiento

Abkürzungen. In der Schriftsprache werden häufig wiederkehrende Benennungen oft als A. wiedergegeben¹. DIN 2340 (03/1977) definiert als A. „eine auf möglichst wenige Schriftzeichen (Buchstaben, Ziffern u. Gliederungszeichen) beschränkte Darst. einer Benennung". Bei der Bildung der A. sollte darauf geachtet werden, daß die zugrundeliegende vollständige Form der Benennung noch erkennbar bleibt; *Beisp.:* Co., Comp., Cie. als A. für Companie, AG für Aktiengesellschaft. Allerdings ist die Grenze zu sog. *Akronymen* (aus den Anfangsbuchstaben mehrerer Wörter gebildete Kunstwörter; *Beisp.:* ACHEMA, BASF) oft nur schwer zu ziehen. Für die in diesem Werk verwendeten allg. A. s. Vorwort. Die für *Kunststoffe u. *Weichmacher gebräuchlichen A. (*Kurzz.*) sowie die anderen chem. u. biochem. A. sind in den Einzelstichwörtern erklärt. In der einen od. anderen Weise mit A. verwandt sind *Notationen u. *chemische Kurzbezeichnungen (*Freinamen u. *Common Names, Generic Names). *E* abbreviations – *F* abréviations – *I* abbreviazioni (abbr.) – *S* abreviaturas

Lit.: ¹ IUPAC-Empfehlungen zur Verw. von Abk.: Pure Appl. Chem. **52**, 2229 ff. (1980).
allg.: Hand- u. Wörterbücher für Abk., Acronyme u. Kurzz. in vielen Wissensgebieten u. Sprachen sind in Buchhandel u. Bibliotheken erhältlich, oft auch in elektron. Form. *Beisp.:* Chemical Abstracts, Index Guide, Columbus (Ohio): CAS (jährliche Neuaufl.) ▪ Gmelin-Institut, GABCOM & GABMET (Abk. von Verb. u. Meth. aus Chemie u. Physik), Berlin: Springer 1993.

Ablagerung. Bez. für den Vorgang der *Sedimentation von Stoffen aus wäss. Lsg., Suspension od. Gasphase sowie für den abgelagerten Stoff (Sediment) selbst. Der Vorgang der A. aus der Atmosphäre wird meist als *Deposition bezeichnet¹. Bei Abfall-A. spricht man von *Deponieren. In Bezug auf Organismen bezeichnet A. die Speicherung von Stoffwechselprodukten in bestimmten Zellorganellen, Zellen, Geweben, Organen od. Organismen, z. B. von Calciumoxalat in Vakuolen pflanzlicher Einzelzellen (Ideoblasten), Zellgruppen (z. B. in vielen Blättern) od. in Leitbündel-begleitenden Zellen (z. B. Rhabarber sowie in der Niere bei bestimmten Erkrankungen. Bei Organismen wird die A. zudem von Ausscheidung, Absonderung, *Exkretion od. *Sekretion unterschieden. – *E* deposit – *F* dépôt – *I* deposizione – *S* depósito

Lit.: ¹ Römpp Lexikon Umwelt, S. 19.
allg.: Ullmann (5.) **B 2**, **B 7**, 526–530, **B 8**, 132 ff. ▪ Z. Umweltchem. Ökotox. **7**, 337–352 (1995).

Ablagerungen s. Lagerstätten, Sedimentgesteine sowie Härte des Wassers (Kesselstein).

Ablationskühlung. Das im Sonderfall auch *Schmelzkühlung* genannte Kühlverf. beruht darauf, daß einem Körper Wärme entzogen wird, wenn ein auf seiner Oberfläche aufgebrachtes Material schmilzt, verdampft, sublimiert u. mechan. abgetragen wird. Das Material muß, in Abhängigkeit vom Wirkungsprinzip des Kühlvorgangs, eine niedrige Wärmeleitfähigkeit, hohe Schmelz- bzw. Verdampfungsenthalpien besitzen, evtl. muß die Dissoziationswärme der aus ihm entstehenden Dämpfe erheblich sein; bei extrem hohen Temp. könnte auch die Ionisationswärme des abgetragenen Materials eine Rolle spielen. Die für die A. geeigneten Stoffe (*Ablativstoffe*) lassen sich in Gruppen von glasartigen, verkohlenden, sublimierenden od. aufblähenden Stoffen unterteilen, doch verwendet man in den „*Hitzeschilden*" zur Vernichtung der an den Stirnflächen u. Kanten von Raumfahrzeugen beim Wiedereintritt in die Erdatmosphäre durch die Luftreibung auftretenden Hitze meist Kombinationen, v. a. faserverstärkte Kunststoffe (s. Faserverstärkung u. glasfaserverstärkte Kunststoffe). Geeignete Ablativstoffe sind auch Graphit u. Beryllium. – *E* ablation cooling – *F* refroidissement par ablation – *I* raffreddamento ad ablazione – *S* enfriamento por ablación

Lit.: D'Alelio u. Parker, Ablative Plastics, New York: Dekker 1971 ▪ Kirk-Othmer (3.) **1**, 10–26 ▪ Encycl. Polym. Sci. Technol. **1**, 1–6 ▪ Science **158**, 740–744 (1967) ▪ Snell-Hilton **4**, 1–30 ▪ s. a. Kältetechnik.

Ablauf s. Destillation.

Ablaugemittel s. Abbeizmittel.

Ableitelektrode. Nach DIN 19261 (03/1971) Bez. für eine *Bezugselektrode, die zur Ableitung der *Galvanispannung an der Seite der Glasmembran der *Glaselektrode dient, an der sich die Bezugslsg. befindet. Bei der Wasserstoff- u. Chinhydron-Elektrode wird auch der metallene Teil für sich, wie z. B. Platin, als „A." bezeichnet. – *E* bleeder electrode – *F* électrode de fuite – *I* elettrodo conduttore – *S* electrodo de fuga

Ableitungsspektroskopie s. Modulationsspektroskopie.

Ablenkstoffe s. Attraktantien u. Repellentien.

Abluft. Bez. für *Abgase (mit einem Sauerstoff-Gehalt größer als 17 Vol.-%) aus techn. u. natürlichen Prozessen mit im wesentlichen Luft als Trägergas. – *E* waste air – *F* émissions gazeuses – *I* aria di scarico – *S* aire de salida

Abluftreinigung (Abgasreinigung). Bez. für Verf. zur sek. *Emissions-Minderung von gas-, dampf- u. partikelförmigen *Luftverunreinigungen. Nach VDI-Richtlinie 2280 werden die Begriffe *Abluft* u. *Abgas* nebeneinander verwendet. Die techn. Verf. zur A. lassen sich aufgrund ihrer zugrundeliegenden physikal. u. chem. Trennprinzipien aufteilen in Verf.:
1. der *Entstaubung; – 2. der Aerosolabscheidung; – 3. der *Absorption (z. B. Gaswäsche mit Waschwasser od. organ. Hochsiedern); – 4. der Adsorption (z. B. Rückgewinnung flüchtiger organ. Lsm. mit *Aktivkohle-Adsorber, *Zeolithen od. *Molekularsieben); – 5. der Kondensation (Rückgewinnung flüchtiger organ. Lsm. durch Abkühlen u. Komprimieren); – 6. der *Chemisorption (Reinigung durch homogene od. heterogene chem. Reaktionen, z. B. Trocken-Additiv-Verf., Entschwefelung); – 7. der Oxid. (A. durch Verbrennung od. biolog. Abbau, therm. od. katalyt. Nachverbrennung od. Reinigung organ. Abluft mit Biofiltern u. Biowäschern) u. – 8. der Membrantrennung (Auf- od. Abkonzentrierung von Lsm.- od. Benzindämpfen durch Gaspermeation).

In der Praxis werden häufig auch Kombinationen bzw. prozeßintegrierte Syst. auf Grundlage der oben genannten Verf. verwendet, z. B. Kombinationen aus therm. Nachverbrennung, Kondensation u. Umlufttrocknung in der Textil-Ind. od. Adsorption u. Nachverbrennung in der Serienlackierung; s. a. Entstickung u. Entschwefelung. – *E* waste air treatment – *F* épuration des émissions gazeuses – *I* pulitura dell'aria di scarico – *S* depuración del aire de salida

Abluftverbrennung

Lit.: ACHEMA-Jahrb. **1991** ▪ Birr et al., Umweltschutztechnik (5.), S. 49–110, Leipzig: Deutscher Verl. für Grundstoffindustrie 1992 ▪ Brauer (Hrsg.), Handbuch des Umweltschutzes u. der Umweltschutztechnik, Bd. 3, Behandlung von Abluft u. Abgasen, Berlin: Springer 1996 ▪ Fritz u. Kern, Reinigung von Abgasen (3.), Würzburg: Vogel 1992 ▪ Ullmann (5.), **B 7**, 526–582 ▪ VDI-Richtlinien 2260, 2264, 2280, 2442, 2443, 3475–3478, 3674–3679.

Abluftverbrennung s. thermische Gasreinigung.

Abmustern. Vergleichen gefärbter od. bedruckter Ware mit dem Vorlagemuster.

Abortiva. Von latein. abortus = Frühgeburt, Fehlgeburt abgeleitete Bez., in der allg. Sinne für Mittel zur Abk. eines Krankheitsverlaufes, speziell jedoch für Abtreibungsmittel verwandt wird, d. h. für solche Mittel, die durch Erzeugung von Wehen (s. Wehenmittel), Einleitung der Menstruation (Emmenagoga), Nidationsverhinderung [z. B. der *Progesteron-Antagonist Mifeproston (RU486)] od. tox. Schädigung der Frucht eine Fehlgeburt herbeiführen. Derartige A. gehören also nicht zu den *Antikonzeptionsmitteln, wenn auch die Anw. dem gleichen Ziel dient. – *E* abortives – *F* abortifs – *I* abortivi – *S* abortivos
Lit.: Dtsch. Apoth. Ztg. **130**, 393 ff. (1990) (Abort-Prävention); **132**, 2098–2102 (1992) (A. im 16. u. 17. Jh.).

AB-Polykondensation s. AA/BB-Polykondensation.

Abquetscheffekt. In der Textilausrüstung ein Maß für die nach dem Verlassen des Foulards (s. Klotzen) in der Ware verbleibende Feuchtigkeit in Prozent; wird auch als Flottenaufnahme bez., s. Flotte. – *E* press part – *F* zone d'essorage – *I* effetto schiacciante – *S* efecto prensa

ABR. Engl. Kurzz. für Polyacrylat-Elastomere; s. a. Acrylat-Kautschuk.

Abrasion s. Erosion.

Abrauchen. Meth. der chem. Analyse zur Zers. schwerlösl. Stoffe durch Verdrängung flüchtiger Anteile (z. B. von flüchtigen Säuren aus ihren Salzen od. von Ammoniak aus Ammonium-Salzen) durch Erhitzen. Dazu wird die Analysenprobe (je nach dem Anwendungszweck evtl. mit konz. Schwefel-, Perchlor-, rauchender Salz- od. Salpetersäure usw.) so lange stark erhitzt, bis die Substanz trocken u. keine Rauchentwicklung mehr festzustellen ist. – *E* evaporating with fuming – *F* évaporation – *I* evaporazione – *S* evaporación a sequedad

Abraum. 1. Bei der bergmänn. Gewinnung von Bodenschätzen Bez. für das abzuräumende (taube) Gestein od. die Bodenmassen, die die abbauwürdigen Erze, Kohlen etc. bedecken. – 2. Bez. für feste *Abfälle. – *E* 1. top layer, 2. rubbish – *F* déblais – *I* 1. strato di copertura, cappellaccio, 2. rifiuti, macerie – *S* 1. primera tierra, 2. escombros

Abraumsalze (Staßfurter A., Staßfurter Kalisalze, Edelsalze). Alte Bez. für die aus dtsch. Kalisalzlagern bergmänn. gewonnenen Kalirohsalze. – *E* abraum salts, waste salts – *F* décombres salins – *I* carnelliti – *S* sales de escombreras

Abreicherung (Verarmung). Als Gegensatz zur *Anreicherung Bez. für die Verminderung der relativen Häufigkeit einer Komponente eines Kollektivs im Verlaufe eines Prozesses, z. B. bei Erzaufbereitung, therm. Trennoperationen, Trennung von Nucliden. – *E* depletion – *F* appauvrissement – *I* impoverimento – *S* empobrecimiento

Abrin [*N*-Methyl-(L)-tryptophan, α-Methylamino-(3-indolyl)propionsäure].

$C_{12}H_{14}N_2O_2$, M_R 218,26, Prismen, Schmp. 296 °C (Zers.), $[\alpha]_D^{21}$ +47° (c 2,0/0,5 m HCl) mäßig lösl. in Methanol u. Wasser, unlösl. in Ether, mit Methanol aus den Samen von *Abrus precatorius* (Leguminosae) extrahierbar. Starkes Antigen. – *E* abrin – *F* abrine – *I* = *S* abrina
Lit.: Beilstein E V **22/14**, 40 f. ▪ Karrer, Nr. 2409. – [HS 2933 90; CAS 526-31-8]

Abrine. Eiweißartige Pflanzen-*Toxine (Toxalbumin), Glykoproteide vom M_R 63000–67000 aus den roten Samen der Paternostererbse (*Abrus precatorius*, Leguminosae). Die ebenso wie *Ricin zu den *Lektinen (Phytagglutininen) gerechneten A. bestehen aus zwei durch Disulfid-Brücken verbundenen Ketten (A-Kette M_R 30000, B-Kette M_R 35000) u. wirken inhibierend auf die Protein-Biosynth.; darauf beruht die starke Giftwirkung der Abrine[1]. Die Isolierung aller vier A. A–D ist in *Lit.*[2] beschrieben. Gelblich weißes Pulver, die Giftwirkung geht bei 80 °C verloren. Als Konjugate mit monoclonalen *Antikörpern finden A. Verw. in der experimentellen Tumortherapie (drug targeting, ELISA)[3]. – *E* abrines – *F* = *I* abrine – *S* abrina
Lit.: [1] J. Biol. Chem. **262**, 5908–5912 (1987); Nucleic Acids Symp. Ser. **17**, 187–190 (1986). [2] Toxicon **19**, 41 (1981). [3] Cancer Res. **42**, 2152–2158 (1982); Plant. Mol. Biol. Rep. **2**, 1–8 (1984); Methods Enzymol. **112**, 207–225 (1985).

ABS. 1. Nach DIN 7728, Tl. 1 (01/1988) Kurzz. für *Acrylnitril-Butadien-Styrol-Copolymere. – 2. In der Lit. übliche Abk. für *Alkylbenzolsulfonate.

Absättigung. Bez. für den Zustand der Bindung der größtmöglichen Anzahl von Atomen an ein anderes *Atom od. Mol., wobei die „freien Valenzen abgesätt." werden. Z. B. erfolgt durch *Hydrierung der ungesätt. Kohlenwasserstoffe Acetylen (HC≡CH) bzw. Ethylen ($H_2C=CH_2$) die A. unter Bildung von Ethan (H_3C-CH_3). Allerdings kann selbst Ethan noch ein *Proton binden unter Bildung des Kations $C_2H_7^+$ (*Protonenaffinität des Ethans: 601 kJmol^{-1}), wodurch die A. im klass. Sinne etwas relativiert wird. – *E* = *F* saturation – *I* saturazione – *S* saturación

Absaugen s. Filtration.

Abscheider. Vorrichtung zur physikal. Trennung zweier nicht miteinander mischbarer Phasen, z. B. zum Abtrennen von unlösl., spezif. leichteren (z. B. Fette, Öle, Benzin) od. schwereren Flüssigkeiten (z. B. Benzol u. a. *Aromaten) aus dem *Abwasser (s. Ölabscheider) sowie von flüssigen od. festen Partikeln aus *Abgasen. Bei der *Abluftreinigung bewirken Schwer- od. Zentrifugalkräfte der Partikel selbst bzw.

der sie benetzenden Wassertropfen od. ein von außen einwirkendes elektrostat. Feld die Abscheidung (s. Entstaubung, Zyklon, Elektrofilter). – *E* separator – *F* collecteur – *I* separatore – *S* separador
Lit.: Birr, Umweltschutztechnik (5.), S. 53–78, Leipzig: Deutscher Verl. für Grundstoffindustrie 1992 ▪ Römpp Lexikon Umwelt, S. 20f. ▪ Ullmann (5.), **B 8**, 132 ff.

Abscheidung. Abtrennen von flüssigen od. festen Stoffen aus Gasen u. Dämpfen sowie von festen Stoffen aus Flüssigkeiten mittels geeigneter Vorrichtungen (*Abscheider*). Diese wirken v. a. durch Aufprall, Ausdehnung, Abkühlung, Teilung der Phase, ferner durch elektrostat. od. Zentrifugalkräfte (s. Zyklone). *Beisp.:* A. von Staub, Teer, Benzin, Öl od. Fett. Ein Spezialfall der A. ist die elektrolyt. A. (s. Elektrolyse). – *E* separation – *F* séparation – *I* seperazione – *S* separación

Abscheidungspotential s. Zersetzungsspannung.

Abschirmung. 1. In der *Atomphysik* bezeichnet man mit A. die Schwächung des elektr. Feldes des Kerns, das auf Elektronen in äußeren Schalen, insbes. Valenzelektronen wirkt; die A. der pos. Kernladung erfolgt durch die neg. geladenen Elektronen auf inneren Schalen. Während im Wasserstoff-Atom für die Energieniveaus des Elektrons die Rydbergformel gilt

$$E(n) = \frac{R \cdot h \cdot c}{n^2} \cdot Z^2$$

(R = *Rydberg-Konstante*, h = *Plancksches Wirkungsquantum*, c = Lichtgeschw. u. Z = Kernladungszahl, bei Wasserstoff: Z = 1) u. n, als Hauptquantenzahl, eine ganze Zahl darstellt, ist für alle anderen Atome n durch n_{eff} (im allg. keine ganze Zahl) zu ersetzen. n_{eff} wird mit der Hauptquantenzahl n über n_{eff} = n – δ korreliert, wobei δ als *Quantendefekt* bezeichnet wird. Durch ihn wird die nicht vollständige Abschirmung der Kernladung durch die anderen Elektronen beschrieben.
2. Die *elektr. A.* spielt eine bes. Rolle in der Hochfrequenztechnik. Zur elektromagnet. A. von Leitungen werden Metallgeflechte, zu der von Geräten Käfige aus Maschendraht od. Verkleidungen mit Metallfolien verwendet.
3. Die A. von *Magnetfeldern* läßt sich nur dadurch erreichen, daß der zu schützende Raum von einem ferromagnet. Werkstoff vollkommen eingeschlossen wird; ein A. gegen magnet. Felder ist nie so effektiv wie gegen elektr. Felder, da die relative *Permeabilität* mit $\mu = 2 \cdot 10^5$ (70% Ni, 30% Fe) wesentlich kleiner ist als die relative elektr. Leitfähigkeit von z. B. 10^{21} zwischen Kupfer u. Luft. In der *NMR-Spektroskopie* versteht man unter A. die Tatsache, daß das von außen angelegte Magnetfeld am Ort des Kerns (z. B. eines Protons) durch die vorhandenen Bindungselektronen verstärkt od. geschwächt wird (neg. bzw. pos. A.). Verschiedene Feldstärken am Ort der Kerne infolge der verschiedenartigen Abschirmung resultieren dann in unterschiedlichen Resonanzfrequenzen („chem. Verschiebungen"). Durch *Verschiebungsreagentien* lassen sich weitergehende Eingriffe in die magnet. A. vornehmen.
4. In der *Kerntechnik* werden unter A. Schutzmaßnahmen gegen *ionisierende Strahlung* zusammengefaßt, vgl. a. Strahlenschutz, [DIN 25401, Bl. 8 (09/1986)], wobei *Absorption u. *Streuung in geeigneten Stoffen herangezogen werden. Alpha- u. Betastrahlen haben in Materie eine sehr kleine Reichweite. Als A.-Materialien gegen Gamma- u. Röntgenstrahlung werden Blei, Beton u. Barytbeton in verschiedenen Schichtdicken verwendet. Gegen Neutronenstrahlung werden Wasserstoff-haltige Substanzen zur A. verwendet; die bei der Absorption der Neutronen entstehende Gammastrahlung erfordert weitere Abschirmung. In Reaktoren, in denen beide Strahlenarten auftreten, wird die A. durch Kombination geeigneter Abschirm-Materialien erreicht, wobei Stoffe mit großem Neutronen-Einfangquerschnitt, wie Bor, bevorzugt zur Verw. gelangen. Fluoridgläser mit Ba/Th/Zr eignen sich zur Strahlungs-Abschirmung. – *E* (1, 2) screening, (3, 4) shielding – *F* (1, 3, 4) écran, (2, 4) blindage, (4) bouclier – *I* schermatura, schermaggio – *S* 1. apantallamiento, 2. blindaje, 3. apantallamiento, 4. blindaje.
Lit. (*zu 3*): s. NMR-Spektroskopie. – (*zu 4*): P. Kohlrausch, Praktische Physik, Bd. 2, Stuttgart: Teubner 1985 ▪ Musiol, Kern- u. Elementarteilchenphysik, Weinheim: VCH Verlagsges. 1988 ▪ s. a. Strahlenschutz.

Abschrecken. 1. Allg. ein Wärmebehandlungsschritt, bei dem ein Werkstück mit größerer Geschw. als an ruhender Luft abgekühlt wird [1]. Im engeren Sinne ein Fertigungsverf. der *Wärmebehandlungen, die ihrerseits zur Hauptgruppe Stoffeigenschaftsänderungen [2] zählen, u. ein Teilprozeß des *Vergütens. Grundsätzlich wird durch Abschrecken von hinreichend hohen Temp. versucht, diffusionsbedingte Umwandlungen zu unterdrücken u. damit Hochtemp.-Zustände von Werkstoffen „einzufrieren". Im allg. ist der damit erreichte Werkstoffzustand thermodyn. instabil u. wird durch nachfolgende Wärmebehandlungen mit dem Ziel, bestimmte Werkstoffeigenschaften zu erreichen, (teil-)stabilisiert (s. Anlassen). Kann in Abhängigkeit vom Werkstoff mit unterschiedlichen A.-Geschw. durch Abkühlung in Luft (bewegt od. unbewegt), in Öl, in Salzbädern od. in Wasser erzielt werden.
2. Im biolog. Sinne spricht man von A. bei *Repellentien, insbes. bei *Insektenabwehr- u. *Wildverbißmitteln. – *E* 1. quenching, 2. repelling – *F* 1. refroidissement brusque, 2. intimidation – *I* 1. tempra, 2. scacciata – *S* 1. enfriamiento brusco, 2. repulsión
Lit.: [1] DIN/EN 10052 (01/1994). [2] DIN 8580 (06/1974).

Abschwächer s. Photographie.

Abscisinsäure (Abscisin II, ABA; histor. Bez. Dormin, Sycamordormin).

$C_{15}H_{20}O_4$, M_R 264,32, Schmp. 160–161 °C. A. wird aus Kartoffeln, Avocadobirnen, Kohl, Rosenblättern u. zahlreichen Bäumen isoliert. A. ist ein allg. verbreitetes Sesquiterpen mit dem Gerüst der *Jonone.
Biolog. Wirkung: A. bewirkt als *Pflanzenhormon Entblätterung, Blühhemmung, Fruchtabfall u. induziert winterschlafähnliche Zustände [1]. Es ist damit ein

Antagonist der *Pflanzenwuchsstoffe. A. spielt eine Rolle in der pflanzlichen Signaltransduktion[2], der Genexpression u. bei Umweltstreß wie Schädlingsbefall[3]. A. wird zur Kontrolle des Reifungsprozesses bei Früchten verwendet. Für A. wurden mehrere Synth. beschrieben[4]. Die Biosynth. erfolgt über Metabolisierung von *all-trans-*Violaxanthin[5]. Nachw. durch chromatograph. Meth. u. monoklonale Immunoassays. – *E* abscisic acid – *F* acide abscisique – *I* acido abscisico – *S* ácido abscísico

Lit.: [1] Plant Growth Regul. **11**, 225–238 (1992). [2] Adv. Bot. Res. **19**, 103–187 (1993). [3] Davies u. Jones (Hrsg.), Environmental Plant Biology: Abscisic Acid. Physiology and Biochemistry, S. 125–135, 189–199, Oxford: BIOS Sci. Publ. 1991. [4] Aust. J. Chem. **45**, 179 (1992); Tetrahedron **48**, 8229 (1992). [5] Phytochemistry **29**, 3473 (1990); **31**, 2649 (1992); Methods Plant Biochem. **9**, 381–402 (1993). – *[CAS 21293-29-8]*

Absetzbare Stoffe. Sammelbez. für suspendierte Feststoffe, die sich in einer Wasserprobe in einer bestimmten Zeit am Boden des Meßbehälters absetzen, üblicherweise angegeben als ml Sedimentvol. pro l Wasserprobe. – *E* settleable substances – *F* sédiments – *I* sostanze depositabili – *S* sustancias depositables

Absetzbecken. Bez. für die baulichen Einrichtungen von *Kläranlagen, in denen die vom Abwasser mitgeführten gröber dispersen, absetzbaren Stoffe durch *Sedimentation unter der Einwirkung der Schwerkraft zur *Abscheidung gebracht werden. Je nach ihrer Position in der Folge der Verf.-Stufen werden sie auch als *Vor-*, *Zwischen-* u *Nachklärbecken* bezeichnet. – *E* settling tank – *F* bassin de décantation – *I* catino di deposizione – *S* tanque de decantación

Lit.: Abwassertechnische Vereinigung (Hrsg.), Lehr- u. Handbuch der Abwassertechnik (3.), Bd. 3, S. 173–209, Bd. 4, S. 676f., Berlin: Ernst u. Sohn ▪ Birr et al., Umweltschutztechnik (5.), S. 125–128, Leipzig: Dtsch. Verl. für Grundstoffind. 1992 ▪ DIN 4045 (12/1985) ▪ Ullmann (5.) **B 8**, 132ff.

Absetzenlassen. Bez. für das Abtrennen von suspendierten Feststoffen aus Flüssigkeiten durch Ausnützung der Schwerkraft od. anderer Kräfte; vgl. Klären u. Sedimentation. – *E* sedimentation, settling – *F* déposition – *I* deposizione – *S* deposición

Absetzverhinderungsmittel (Antiabsetzmittel, Schwebemittel). Allg. Bez. für Zusatzstoffe, die die Stabilität von Suspensionen erhöhen. Speziell bei Lacken u. Anstrichstoffen Bez. für Zusatzstoffe, die den gebrauchsfertigen *Lacken beigemischt sind, um die *Sedimentation der *Pigmente (Farbpulver) zu verhindern, verzögern bzw. um gebildete Bodensätze leicht wieder aufrühren zu lassen. Als A. geeignet sind Stoffe, die die Fließgrenze (s. Fließen) der dispersen Syst. erhöhen. A. führen im allg. zu einer Zunahme der *Thixotropie der Dispersionen (Thixotropierungsmittel). – *E* sedimentation inhibitors – *F* inhibiteurs de sédimentation – *I* inibitore della deposizione – *S* inhibidores de sedimentación

Lit.: s. Lacke u. Anstrichstoffe.

Absinth. Bez. für den unter Verw. von Mazeraten der Wermutpflanze (*Artemisia absinthium* L.) hergestellten Likör od. Trinkbranntwein mit Anis- u. Fenchelzusatz. A. ist wegen seines aus dem *Wermutöl stammenden Gehaltes an α- u. β-*Thujon gesundheitsschädlich. Chron. Mißbrauch (*Absinthismus*) führt zu körperlichem u. seel. Zerfall u. zu epilepsieähnlichen Krämpfen, weshalb seine Herst. in der BRD u. in den meisten europ. Staaten verboten ist u. strafrechtlich verfolgt wird. – *E* = *F* absinthe – *I* assenzio – *S* ajenjo

Absinthin.

$C_{30}H_{40}O_6$, M_R 496,64, orange Nadeln, Schmp. 182–183 °C (Zers.), $[\alpha]_D^{20}$ +180° (CHCl$_3$). Aus dem Kraut des Wermuts (*Artemisia absinthum*) u. *Artemisia siversiana* (Compositae) isolierter Bitterstoff[1]. Zur Isolierung u. Strukturaufklärung s. Lit.[2]. – *E* absinthin – *F* absinthine – *I* = *S* absintina

Lit.: [1] Coll. Czech. Chem. Commun. **27**, 1508 (1962). [2] Tetrahedron Lett. **1980**, 3191; **1981**, 2269. – *[HS 1302 19; CAS 1362-42-1]*

Absolues. Bez. für die Alkohol-lösl. Anteile der aus geeigneten Pflanzenteilen (Blüten) extrahierten Blütenöle; sie dienen als Rohstoffe für die Gewinnung von *Duftstoffen (*Riechstoffen für die *Parfümerie, s. a. etherische Öle). Man erhält sie durch Behandlung der sog. *Concretes* mit warmem abs. Alkohol; letztere sind die halbfesten, konz., je nach dem angewandten Lsm. mit mehr od. weniger Blütenfarbstoffen, Wachsen, Harzen u. anderen Extraktionsstoffen verunreinigten Produkte, die man durch wiederholte Extraktion der frischen Blüten mit flüchtigen organ. Lsm. (z. B. Petrolether) u. nach Abdest. des Lsm. erhält. Die Überführung der Concretes in A. ist mit $^2/_3$ bis $^3/_4$ Verlust verbunden. Die A. selbst sind ebenfalls noch nicht reine ether. Öle; diese erhält man aus den A. durch Wasserdampfdest. mit 70 bis 90% Verlust, bedingt durch den Gehalt der A. an Alkohol-lösl. Harzen u. Extraktstoffen. – *E* absolutes – *F* essences absolues – *I* estratti assoluti – *S* esencias absolutas, absolutos

Lit.: s. etherische Öle.

Absolut (von latein.: *absolutus* = vollendet). Allg. bedeutet a. „unbeschränkt, vollkommen, beziehungslos" u. steht im Gegensatz zu „relativ"; vgl. z. B. absolute Temperatur. Ein a. Betrag (a. Wert) betrifft den reinen Zahlenwert (unabhängig von Vorzeichen u. Richtung); er wird symbolisiert durch den Einschluß zwischen senkrechte Striche (*Beisp.*: |3| ist der a. Betrag von +3 u. –3). Vgl. auch a. Konfiguration u. Stereochemie. Als Reinheitsangabe bei organ. Lsm. drückt a. „100%ig" aus, doch bezieht sich diese Angabe weniger auf „extrem reine Substanz" als auf „a. Freiheit von Wasser" (vgl. Absolutierung). Über *a. Alkohol* s. Ethanol, über *a. Ether* s. Diethylether. – *E* absolute – *F* absolu – *I* assoluto – *S* absoluto

Absoluter Nullpunkt. Temp., bei der keine Wärmeenergie mehr in der Materie vorhanden ist. Ausgehend vom allg. *Gasgesetz ist beim a. N. Druck u. Vol. eines idealen Gases gleich Null, weshalb der a. N. nicht unterschritten werden kann. Auch wenn er nach dem Nernstschen Wärmetheorem nie ganz erreichbar ist, hat man in den letzten Jahren beachtliche Fortschritte in der Annäherung gemacht. Der Bereich bis 1 K wird mit flüssigem ^{4}He erschlossen; mit ^{3}He-^{4}He-Mischungen können Temp. bis 2 mK erreicht werden. Tiefere Temp. werden durch *adiabatische Kernentmagnetisierung erhalten, wobei der Rekord zur Zeit bei 2–3 µK (32 g Platin) für Festkörper liegt, während die Relativbewegung von Atomen in *Paul-Fallen durch Laserstrahlkühlung auf 170 nK abgekühlt werden konnte (1996, Physikal. Inst. der Univ. Bayreuth) – *E* absolute zero – *F* zéro absolu – *I* punto zero assoluto – *S* cero absoluto

Lit.: Phys. Bl. **44**, 123 (1988); **52**, 144f. (1996).

Absolute Struktur. Bei der *Röntgenstrukturanalyse von *Kristallstrukturen mit nicht-zentrosymmetr. *Raumgruppen kann die a. S. bestimmt werden. Für chirale Mol. od. Krist. (s. a. Kristallklassen) bedeutet das die Festlegung der abs. *Konfiguration, in den anderen Fällen wird die Polarität bestimmt [1]. Möglich ist die Bestimmung der a. S., weil für nicht-zentrosymmetr. Raumgruppen das Friedel-Gesetz (s. Röntgenstrukturanalyse) nicht streng gilt. Die auf anomaler Dispersion (s. Dispersion) beruhenden Abweichungen sind jedoch normalerweise sehr klein. Bei Anwesenheit schwerer Atome u. bei Verw. von Röntgenstrahlung mit einer Wellenlänge nahe der Absorptionskante dieser Atome sind die Effekte aber zur Bestimmung der a. S. hinreichend groß. Zur Entscheidung zwischen den Strukturalternativen wird heute meistens ein Absolutstrukturparameter (Flack-Parameter) zusammen mit den anderen Strukturparametern verfeinert, der darüber hinaus noch wichtige Informationen über mögliche Zwillingsprobleme gibt. – *E* absolute structure – *F* structure absolue – *I* struttura assoluta – *S* estructura absoluta

Lit.: [1] Acta Crystallogr. Sect. A **45**, 234–238 (1989). *allg.*: s. Kristallographie, Röntgenstrukturanalyse.

Absolute Temperatur [Kurzz. T nach DIN 1345 (09/1975)]. Bez. für die sog. thermodynam. Temp. mit der Einheit *Kelvin (Kurzz. K). Im Gegensatz zu anderen *Temperaturskalen wie *Celsius, Reomeur od. *Fahrenheit, die sich auf Eigenschaften spezieller Stoffe beziehen, beginnt die a. T. beim *absoluten Nullpunkt. Der Tripelpunkt von Wasser ist als T_{Trip} = 273,16 K festgelegt, mit der Folge, daß die Celsius-Skala (Kurzz. k) gegenüber der Kelvin-Skala um 273,15 k verschoben ist (t = T + 273,15 K bzw. T = t − 273,15 K). Die Differenz zweier Kelvin-Temperaturen T_1 u. T_2 ist gleich der Differenz der entsprechenden Temp. t_1 u. t_2 in der Celsius-Skala. $\Delta T = T_1 - T_2$ = $\Delta t = t_1 - t_2$ (s. Basiseinheiten). – *E* absolute temperature – *F* température absolue – *I* temperatura assoluta – *S* temperatura absoluta

Absolutierung. Bez. für die Entwässerung von organ. Flüssigkeiten, z.B. durch Dest. über geeigneten *Trockenmitteln (vgl. *Lit.*[1]) od. durch spezielle Rektifikationsverf., z.B. Schleppdest., extraktive Dest., azeotrope Dest. (s. azeotrop u. Ethanol). – *E* dehydration – *F* déshydratation – *I* disidratazione – *S* deshidratación

Lit.: [1] Ullmann (5.) **3**, 4ff. *allg.*: Kirk-Othmer (3.) **8**, 114–130.

Absorbens (Absorptionsmittel). Bez. für absorbierendes Medium (Feststoff od. Flüssigkeit); vgl. Absorption. – *E* absorbent – *F* absorbant – *I* assorbente – *S* absorbente

Absorberelemente. In der Kerntechnik versteht man nach DIN 25 401, Bl. 3 (09/1986) unter A. Neutronenabsorber enthaltende Bauteile von *Reaktoren, die der Beeinflussung der Überschußreaktivität od. der Reaktivitätsverteilung dienen. Man unterscheidet nach der Funktion: *Trimm-, Regel-* u. *Abschaltelemente*, nach der Ausführungsform: *Absorber-Stäbe, -Platten, -(Dreh-)Arme* usw. – *E* absorber elements – *F* éléments absorbeur – *I* elementi assorbenti – *S* elementos absorbentes

Absorptiometrie. Sammelbegriff für alle opt. Meth. der Analyt. Chemie, die auf der Messung der Absorption von Strahlung im ultravioletten u. sichtbaren Bereich des Spektrums beruhen. Als Hauptgruppen unterscheidet man dabei die *kolorimetr.* u. die *photometr. Verfahren*. Im ersten Fall erfolgt die Bestimmung der Konz. durch einen Farbvergleich der Probelsg. mit einer Standardlsg. derselben Substanz; zur Messung wird unzerlegtes (weißes) Licht verwendet. Die photometr. Meth. hingegen beruhen auf der Messung der Absorption monochromat. Strahlung durch die Lösung. Vgl. Kolorimetrie, Photometrie u. Spektroskopie mit ihren einzelnen Meth., wie z.B. *Atomabsorptionsspektroskopie. – *E* absorptiometry – *F* absorptiométrie – *I* assorbimetria – *S* absorciometría

Lit.: s. physikalische Analyse u. Spektroskopie.

Absorption (von latein.: absorbere = verschlucken). In Naturwissenschaft u. Technik vielfältig gebrauchter, nicht mit *Adsorption zu verwechselnder Begriff.
1. von *Materie*: Hierunter versteht man das gleichmäßige Eindringen von Gasen od. Gasgemischen (als Absorbat bezeichnet) in Flüssigkeiten od. Festkörpern (als Absorbens bezeichnet). Es ist somit eine Form der *Sorption. Im Gegensatz zur Adsorption spielt bei der A. die Oberfläche eine geringere Rolle u. ist im allg. mit einer Volumenvergrößerung des sorbierenden Mediums verbunden. Treten bei der A. keine chem. Veränderungen (wie Reaktion, Dissoziation, Hydration od. Assoziation) auf, so gilt bei niedrigem Druck als Näherung für die Konz. c eines in der Flüssigkeit gelösten Gases: c = k · p (*Henrysches Gesetz) mit p = Druck des Gases über der Flüssigkeit. k = Absorptionskonstante; k hängt von der Temp., der Art des Gases u. der Flüssigkeit ab. A. ist oft Bestandteil von *Trennverfahren, z.B. bei der *Gasreinigung durch Waschprozesse in *Venturi-Wäschern u. ähnlichen Geräten. Weitere techn. Anw. sind die Produktion von Lsg. (z.B. die Herst. von Salzsäure durch die A. von HCl in Wasser), die Produktrückgewinnung (z.B. A. von verflüssigtem Petroleumgas u. Benzinen aus Erdgas) u. die Trocknung (z.B. A. von Wasserdampf aus einem Erdgasgemisch). Für die techn. Realisierung werden meist Flüssigkeit u. Gas im Gegenstrom geführt.
2. von *elektromagnet. Wellen*: Beim Transport in Leitungen u. beim Durchgang durch ausgedehnte Medien wird die Energie der elektromagnet. Welle in Wärme bzw. Anregungsenergie (elektron., Schwingung, Ro-

tation etc.) umgesetzt. Als *Reinabsorption* α ist die folgende Größe definiert: $\alpha = (I_a - I_x)/I_a$, wobei mit I_a die Intensität der Welle in dem Medium an der Stelle a u. I_x die am Orte x nach Durchlaufen der Schichtdicke d bezeichnet wird. Für die *Durchlässigkeit D* gilt das Bouguer-Lambert'sche Gesetz mit $D = I_x/I_a = \exp(-k \cdot d)$. Die Absorptionskonstante k hängt von der Wellenlänge der Strahlung ab.
3. bei *radioaktiver Strahlung:* Bei der A. von γ- u. Röntgenstrahlung wird die Energie der Photonen in eine andere Form umgewandelt, wie z. B. in kinet. Energie von Elektronen (*Photoeffekt) od. in Materie (*Paarbildung), wobei sich im Coulombfeld eines Kernes aus einem Photon ein Elektron u. ein Positron bildet. Beide werden in Materie abgebremst; durch Rekombination des Positrons mit einem Elektron entsteht dabei *Vernichtungsstrahlung ($h \cdot \nu = 0{,}511$ MeV). Neben der A. tragen auch Streuprozesse (kohärente Streuung u. *Compton-Streuung) zur *Schwächung* der Strahlenintensität I bei. Die Abnahme der Intensität wird durch das *Schwächungsgesetz* $I = I_0 \cdot e^{-\mu \cdot x}$ beschrieben, I_0 = eingestrahlte Intensität, I = Intensität nach Durchlaufen der Strecke x. Die materialabhängige Größe μ wird (linearer) *Schwächungskoeff.* genannt; sie ist die Summe der Schwächungskoeff. der einzelnen Wechselwirkungen: $\mu = \mu$ (kohärente Streuung) + μ (Compton-Streuung) + μ (Photoeffekt) + μ (Paarbildung), die alle in unterschiedlicher Weise von der Energie der Photonen abhängen. Der *Massenschwächungs-Koeff.* ist definiert als $\mu' = \mu/\rho$. Typ. Werte für die Schwächung von 100 keV Photonen sind in Wasser $\mu' = 0{,}15$, in Kupfer $\mu' = 0{,}3$ u. in Blei $\mu' = 8$ cm^2/g.
Die Beschreibung der Schwächung von Teilchenstrahlen, wie α- od. β-Teilchen, Neutronen u. schnellen Ionen, erfolgt in ähnlicher Weise wie bei γ- u. Röntgenstrahlung. Elast. u. neg. Streuung sowie Kernumwandlungsprozesse schwächen den Teilchenstrom. Die Wirkungsquerschnitte der einzelnen Prozesse sind abhängig von der Teilchenart (Teilchen mit größerer elektr. Ladung haben größeren Wirkungsquerschnitt), von dem Material (schwerere Kerne haben größere Querschnitte) u. in sehr unterschiedlicher Weise von der Energie des Teilchens. Allg. nimmt der Querschnitt mit kleinerer Energie stark zu, d. h. die Teilchen haben eine begrenzte Eindringtiefe. Sie ist für α-Teilchen in Festkörpern $\leq 0{,}1$ mm; für 100 keV β-Teilchen in Luft 100 mm, in Wasser 0,1 mm u. in Aluminium 0,05 mm (s. Abschirmung).
4. In der *Physiologie:* Hier wird der Terminus A. häufig im gleichen Sinne wie *Resorption verwendet, speziell zur Bez. des Vorganges der Aufnahme von außen zugeführter Gase od. Flüssigkeiten durch Haut u. Schleimhäute. In anderen Definitionen der kosmet. Chemie wird A. jedoch nur mit *Penetration (Permeation, vgl. Permeabilität) gleichgesetzt. – *E* = *F* absorption – *I* assorbimento – *S* absorción
Lit. (zu 1): Kister, Absorption (Chemical Engineering) in Encycl. of Physical Science and Technology, Bd. 1, S. 1, San Diego: Acad. Press 1992 ▪ Ullmann (5). **B 3**, 9 ff. – *(zu 2):* s. Spektroskopie. – *(zu 4):* s. Haut.

Absorptionsbasen s. Absorptionsgrundlagen.

Absorptionsgefäße. Bez. für mit einem geeigneten flüssigen od. festen Absorptionsmittel gefüllte Gefäße zur Aufnahme von Gasen od. Feuchtigkeit beim Durchleiten; *Beisp.:* *Waschflaschen u. die zum *Trocknen verwendeten Gefäße. – *E* absorption vessels – *F* absorbeurs – *I* vasi d'assorbimento – *S* recipientes de absorción

Absorptionsgrundlagen (Absorptionsbasen). Bez. für fertige od. halbfertige, meist weiße *Salbengrundlagen (v. a. für *Cremes u. a. *Salben, s. a. Hauptpflegemittel) mit hohem Wasser-Aufnahmevermögen (200% u. mehr), die stabile *Emulsionen des Typs W/O (Wasser-in-Öl) ergeben. Sie enthalten W/O-Emulgatoren – in der Regel Fettalkohole (z. B. Cetylalkohol) od. deren Ester (z. B. Cholesterinester) – neben Bienenwachs, Ceresin, Paraffin, Paraffinöl, Vaseline usw. Die A. sollen geruchsfrei, neutral u. beständig sein. – *E* absorptive ointment bases – *F* bases absorbantes d'onguent – *I* fondamenti (basi) d'assorbimento – *S* excipientes (bases) absorbentes para pomadas
Lit.: Voigt, Pharmazeutische Technologie, S. 357–360, Berlin: Ullstein Mosby 1995 ▪ s. a. Salben.

Absorptionskante s. Ionisation.

Absorptionskoeffizient (Kurzz. k). 1. *Bunsenscher A.:* Bez. für das von der Vol.-Einheit des Lsm. bei der angegebenen Temp. aufgenommene Vol. eines Gases bei einem Teildruck des Gases von 100 kPa (Gasvol. umgerechnet auf 0 °C u. 100 kPa).
2. *Ostwaldscher A.* (Löslichkeitskoeff.): Das Verhältnis der Konz. eines Gases zwischen Flüssig- u. Gas-Phase.
3. Bez. für den Bruchteil, um den die eingestrahlte Intensität I_0 einer *Strahlung* (z. B. Lichtstrahlen, Röntgenstrahlen, Mikrowellen, Radiowellen, Korpuskularstrahlen) beim Durchgang der Strecke x durch Materie gemäß $I(x) = I_0 e^{-k \cdot x}$ durch *Absorption abnimmt. Die mittlere Eindringtiefe ε berechnet sich aus dem A. nach $\varepsilon = 1/k$. Der Extinktionskoeff. a ist größer gleich dem A., da bei der Extinktion die Strahlungsschwächung durch Absorption u. *Streuung beschrieben wird; s. a. Lambert-Beersches Gesetz u. UV-Spektroskopie – *E* absorption coefficient – *F* coefficient d'absorption – *I* coefficiente d' assorbimento – *S* coeficiente de absorción
Lit. (zu 3): Klessinger u. Michl, Lichtabsorption u. Photochemie organ. Moleküle, Weinheim: VCH Verlagsges. 1989.

Absorptionsmittel s. Absorbens.

Absorptionsquerschnitt. Bei der *Absorption Synonym für *Wirkungsquerschnitt. Für einen elektron. erlaubten Übergang bei Atomen u. Mol. gilt als Anhaltswert: A. = λ^2, wobei λ die Wellenlänge des Übergangs ist. – *E* absorption cross section – *F* section efficace d'absorption – *I* sezione efficace d'assorbimento – *S* sección eficaz de absorción

Absorptionsspektren s. Spektroskopie.

Absperrmittel. Nach DIN 55 945 (12/1988) werden A. in der Anstrichtechnik definiert als „Mittel, um Einwirkungen von Stoffen aus dem Untergrund auf die *Beschichtung od. umgekehrt von der Beschichtung auf den Untergrund od. zwischen einzelnen Schichten einer Beschichtung zu verhindern". Ältere Bez.: *Isoliermittel*. – *E* sealers – *F* isolants – *I* sostanza d' isolamento – *S* capas aislantes

Absrom. *ABS-Polymere als Flammspritz- u. Wirbelsinter-Pulver. *B.*: Daicel Chemical Ind., Ltd.

Absterberate (Zeichen k_d, d für *E* death). Die A. ist eine charakterist. Größe für die Zunahme der inaktivierten Zellen pro Zeiteinheit, bezogen auf die gesamte Zellzahl N: $k_d=(dN/dt) \cdot (1/N)$. Bei *Fermentationen wird üblicherweise nicht die Zellzahl bestimmt, sondern die Konz. der Zellmasse X, die als Ergebnis des *Wachstums u. der Vermehrung von *Mikroorganismen sowie pflanzlicher od. tier. Zellen gebildet wird. Dann ist $k_d=(dX/dt) \cdot (1/X)$. Dabei wird aber immer die Summe aus den lebenden, teilungsfähigen Zellen X_v u. den abgestorbenen, inaktivierten Zellen X_d erfaßt. Der Übergang einer diskontinuierlichen Kultur über die Verzögerungsphase zur stationären u. schließlich zur letalen Phase (Absterbephase) besteht darin, daß die Wachstumsrate μ immer kleiner wird, so daß die A. k_d immer stärker ins Gewicht fällt, bis die beiden Raten in der stationären Phase einander gleich sind od. die A. sogar überwiegt, wodurch die Zellmasse in der letalen Phase, während der die abgestorbenen Zellen zu lysieren beginnen, abnimmt. – *E* mortality – *F* mortalité – *I* mortalità – *S* mortalidad
Lit.: Dellweg, S. 57–87 ▪ Schlegel (7.), S. 223.

Abstich. In der Hüttentechnik Entnahme von flüssigem Metall od. von Schlacke aus dem Schmelzofen zur Weiterleitung in nachgeschaltete Anlagen od. Formen (s. Gießerei u. Gießform). Mit A. wird auch die dafür vorgesehene Öffnung im Ofen bezeichnet. – *E* tapping, tap – *F* piquée – *I* colata – *S* sangría

Abstrich. In der Medizin Bez. für die Probeentnahme von Material (Sekret, abgeschilferte Zellen) an Wunden u. Schleimhaut mit sterilen Watteträgern od. Platin-Ösen zur mikrobiolog. u. cytolog. Diagnostik. *Beisp.:* Rachen-A. bei Diphtherieverdacht. – *E* smear – *F* frottis – *I* striscio (Med.) – *S* frotis

Abstumpfen. Bez. für die Verminderung der Konz. von Wasserstoff- bzw. Hydroxid-Ionen durch Zusatz von Basen bzw. Säuren od. Salzen ohne Überschreitung des Neutralisationspunktes. Fügt man z.B. zu einer Säure HA (A = Säurerest) bzw. einer Base BOH (B = Baserest) neue Ionen A^- (z.B. in Form eines Salzes MA der Säure) bzw. B^+ (z.B. in Form eines Salzes BX der Base) hinzu, so müssen sich die Gleichgew. HA $\rightleftarrows$ $H^+ + A^-$ bzw. BOH $\rightleftarrows$ $B^+ + OH^-$ nach links verschieben, so daß die saure bzw. bas. Wirkung der Lsg. abnimmt. Bes. leicht gelingt A. mit *Puffer-Gemischen. – *E* blunting – *F* réduction de l'acide (la base) excès – *I* diminuzione cioè neutralizzazione dell'acido (della base) eccessivo – *S* reducción de la acidez (o de la basicidad)

Abtreibkolonne (Abtriebsäule) s. Destillation.

Abtreibungsmittel s. Abortiva.

Abundanz (Populationsdichte, Bevölkerungsdichte, Besiedlungsdichte). Von latein.: abundantia = Überfluß hergeleitet, bezeichnet A. die Anzahl der Individuen einer *Art pro Flächen- bzw. Vol.-Einheit (eines *Ökosystems). In heterogenen Ökosyst. mit günstigen *abiotischen *Umweltfaktoren haben unspezialisierte Arten (euryöke Arten) die größte A., in homogenen Ökosyst. od. in *Biotopen, die durch dauerhaft ungünstige Umweltfaktoren gekennzeichnet sind, weisen hingegen spezialisierte Arten (stenöke Arten) die größte A. auf (Abundanzregel). A. wird auch als Synonym zu *Artendichte u. *Dominanz gebraucht. – *E* abundance – *F* abondance – *I* abbondanza – *S* abundancia
Lit.: DIN 38410 Tl. 1 (12/1987) ▪ Odum, Grundlagen der Ökologie (2.), S. 237 ff., Stuttgart: Thieme 1983 ▪ Ullmann (5.) **B 7**, 27.

Abwärme. Bez. für eine in die Umgebung abgehende Wärme, die bei wärmetechn. Prozessen mit Gasen, Dämpfen, Flüssigkeiten od. Feststoffen im eigentlichen Arbeitsprozeß nicht genutzt wird. Wenn techn. möglich u. zumutbar, ist die A.-Nutzung gesetzlich vorgeschrieben (z.B. in der BImSchV, s. Bundes-Immissionsschutzgesetz). Zur A.-Nutzung s. *Lit.*[1]. – *E* waste heat – *F* chaleur perdue – *I* calore perduto – *S* calor perdido
Lit.: [1] Römpp Lexikon Umwelt, S. 23.

AbwAG. Abk. für *Abwasserabgabengesetz.

Abwasser. Nach DIN 4045 (12/1985) Bez. für „nach häuslichem, gewerblichem od. industriellem Gebrauch verändertes, insbes. verunreinigtes, abfließendes, auch von Niederschlägen stammendes u. in die Kanalisation gelangendes Wasser". Je nach Herkunft unterscheidet man zwischen Roh-A., *Schmutz-, Niederschlags-, Fremd-, Kühlwasser sowie Mischabwasser. *Roh-A.* ist das einer Kläranlage zufließende, unbehandelte Abwasser. Bei Trockenwetter bezeichnet man dieses als *Schmutzwasser*. Als Schmutzwasser gelten die aus den Anlagen zum Behandeln, Lagern u. Ablagern von Abfällen austretenden u. gesammelten Flüssigkeiten (s.a. Sickerwasser). Unter *Fremdwasser* versteht man in die Kanalnetze eindringendes *Grundwasser, unerlaubt eingeleitetes Dränagewasser u. über einen Schmutzwasserkanal zufließendes Oberflächenwasser (z.B. über Schachtabdeckungen). Durch Gebrauch erwärmtes, aber allg. unverschmutztes Wasser aus Kühlprozessen bezeichnet man als *Kühlwasser* (weitere Definitionen s. *Lit.*[1]).
A. gehören zu den kompliziertesten Vielstoffgemischen mit einem breiten Spektrum der verschiedensten Inhaltsstoffe (Salze, Fette, Eiweißstoffe, Kohlenhydrate, Lsm., Detergentien, Mikroorganismen, Sand, Holz u.a.), die gelöst, kolloidal, fein- od. grobdispers sowie in sehr unterschiedlichen Konz. vorliegen können. Je nach ihrer Dichte kommen die dispergierten Stoffe als Schwimm-, Schweb- od. Sinkstoffe vor.
Häusliches A. fällt aus Spül-, Wasch- u. Reinigungsarbeiten sowie aus der Benutzung sanitärer Anlagen an. Der tägliche A.-Anfall pro Einwohner beträgt ca. 150 l (50–400 l). Zur Beschaffenheit von Kommunalabwasser s. Tab. 1 u. 2 auf S. 24.
Die Schwankungsbreite dieser Werte ist infolge von Tages- u. Jahreszeit, Niederschlägen, Ind.-A., örtlichen Faktoren usw. erheblich.
Gewerbliches u. industrielles A. ist hinsichtlich Art u. Konz. der in ihm enthaltenen Stoffe stark von seiner

Tab. 1: Zusammensetzung häuslichen Abwassers in mg/l im 24 Stunden-Durchschnitt[2].

	mineralisch	organisch	gesamt	*BSB_5
absetzbare Stoffe	100	150	250	100
nicht absetzbare Stoffe	25	50	75	50
gelöste Stoffe	375	250	625	150
zusammen	500	450	950	300

Tab. 2: Typische Mittelwerte der Zu- u. Ablaufwerte kommunaler Kläranlagen für einige Kenngrößen[2].

Kenngröße	Zulauf [mg/l]	Ablauf [mg/l]	Bemerkung
*CSB	300–1000	20–80	
*TOC	100–300	5–20	
*BSB_5	150–500	5–25	
MBAS[a]	5–10	0,1–1	
BiAS[b]	1–4	0,1–1	
organ. Stickstoff	10–20	2–6	
NH_4^+-Stickstoff	20–40	10–20	bei *Nitrifikation unter 10
NO_3^--Stickstoff	0,1–2	5–15	bei *Denitrifikation unter 5
Phosphor gesamt	10–15	1–6	mit Fällung unter 0,5
Kupfer, Nickel, Zink, Chrom, Cadmium zusammen	1	0,3	

[a] *Methylenblau-aktive Substanzen
[b] *Bismut-aktive Substanzen

Herkunft abhängig. So enthält A. von Zellstoff- u. Zuckerfabriken, Hefefabriken, Brennereien, Gerbereien u. Seifenfabriken hohe Konz. an organ. Stoffen; im A. der Kali-Ind. sowie vom Bergbau u. von Salinen findet man dagegen große Mengen an Salzen, Säuren od. Basen. Gesetzliche Regelungen s. Wasserhaushaltsgesetz, Abwasserabgabengesetz u. Lit.[2]. – *E* waste water – *F* eaux résiduaires – *I* acqua di rifiuto – *S* aguas residuales

Lit.: [1] Römpp Lexikon Umwelt, S. 24. [2] Imhoff, Taschenbuch der Stadtentwässerung, München: Oldenbourg 1990.
allg.: Ullmann (5.) **B 8**, 1–152.

Abwasserabgabengesetz (AbwAG). Gesetz über Abgaben für das Einleiten von *Abwasser in *Gewässer. Das A. ist zusammen mit einer tiefgreifenden Änderung u. Ergänzung des *Wasserhaushaltsgesetzes 1976 zur Verbesserung des Gewässerschutzes erlassen worden. Das A. ist ein Rahmengesetz des Bundes u. damit auf Ergänzung durch Landesrecht angelegt. Die Länder haben diese Regelungen überwiegend durch bes. Landes-A., z. T. auch durch entsprechende Ergänzungen der *Landeswassergesetze getroffen. Die Abwasserabgabe wird für das Einleiten bestimmter *Schadstoffe u. Schadstoffgruppen erhoben (s. Tab. unten). Die Höhe der Abgaben ergibt sich aus dem Produkt von Abgabesatz mal Schadstofffracht, die in *Schadeinheiten* ausgedrückt wird. Der Abgabesatz pro Schadeinheit hat sich seit der erstmaligen Erhebung der A. im Jahre 1981 von 12 DM auf 60 DM (1993) erhöht, er steigt 1997 auf 70 DM. Der Abgabesatz ermäßigt sich zeitweilig um 75% (ab 1999 nur noch um 50%), wenn die *Abwasserbehandlung den *allgemein anerkannten Regeln der Technik bzw. dem *Stand der Technik entspricht.

Von der Abgabepflicht gibt es eine Reihe von Ausnahmen, wo die Erhebung der A. unbillig od. wasserwirtschaftlich nicht sinnvoll wäre. Von großer Bedeutung ist die vom AbwAG eingeräumte Möglichkeit,

Tab.: Schadeinheiten nach AbwAG.

Nr.	bewertete Schadstoffe u. Schadstoffgruppen	einer Schadeinheit entsprechen jeweils folgende volle Maßeinheiten	Schwellenwerte Konz.	Jahresmenge
1	oxidierbare Stoffe in chem. Sauerstoff-Bedarf (*CSB)	50 kg Sauerstoff	20 mg/l	250 kg
2	*Phosphor	3 kg	0,1 mg/l	15 kg
3	*Stickstoff	25 kg	5 mg/l	125 kg
4	organ. Halogen-Verb. als adsorbierbare organ. gebundene Halogene (*AOX)	2 kg Halogen, berechnet als organ. gebundenes Chlor	100 µg/l	10 kg
5	Metalle u. ihre Verb.			
5.1	*Quecksilber	20 g Metall	1 µg/l	100 g
5.2	*Cadmium	100 g	5 µg/l	500 g
5.3	*Chrom	500 g	50 µg/l	2,5 kg
5.4	*Nickel	500 g	50 µg/l	2,5 kg
5.5	*Blei	500 g	50 µg/l	2,5 kg
5.6	*Kupfer	1000 g	100 µg/l	5 kg
6	Giftigkeit gegenüber Fischen	3000 m³ Abwasser geteilt durch G_F	$G_F = 2$	

schon während der Bauzeit von Abwasserbehandlungsanlagen die getätigten Aufwendungen mit der an sich geschuldeten A. zu verrechnen. Zu den betroffenen Abwasserbehandlungsanlagen gehören auch Einrichtungen, die dazu dienen, die Entstehung von Abwasser ganz od. teilw. zu verhindern sowie die Abwasserkanäle (für begrenzte Zeit). Das Aufkommen aus der A. ist für Maßnahmen zweckgebunden, die der Erhaltung od. Verbesserung der *Gewässergüte dienen. Allerdings können die Länder vorab den Aufwand für den Vollzug des AbwAG einbehalten.

Lit.: Abwasserabgabengesetz – AbwAG in der Fassung vom 10.11.1990 (BGBl. I, S. 2432), geändert durch Gesetz vom 5.7.1994 (BGBl. I, S. 1452) ▪ Sautter, Einführung in das Abwasser- und Abwasserabgabenrecht, Wiesbaden: Dtsch. Fachschriften-Verl. 1991 ▪ Schendel et al. (Hrsg.), Umwelt u. Betrieb (Loseblattsammlung), Kennzahl 380, 4. Ergänzungslieferung, Berlin: E. Schmidt 1994.

Abwasserbehandlung (Abwasserreinigung). Bez. für alle Techniken u. Maßnahmen zur schadlosen Ableitung u. Reinigung des *Abwassers, im weiteren Sinne auch zur Rückgewinnung, bestimmter Inhaltsstoffe bzw. des Wassers selbst, sowie zur Minderung des Abwasseranfalls od. der Belastung mit Problemstoffen. Man unterscheidet im wesentlichen *mechanische, *biologische u. physikal.-*chemische Abwasserbehandlung. Die *mechan. A.* dient der Abtrennung von nicht gelösten Stoffen. Grobe Stoffe werden durch *Rechen, Sand im *Sandfang, aufschwimmende Stoffe wie Fette u. Öle durch Leichtstoff-*Abscheider, sink- od. absetzbare Stoffe (oft nach einer *Neutralisation) im Vorklärbecken (s. Vorklärung) zurückgehalten. Zur biologischen Abwasserbehandlung s. dort. Für spezielle Abwässer, deren Inhaltsstoffe in biolog. Kläranlagen zu langsam abgebaut werden od. die den biolog. *Abbau anderer Stoffe beeinträchtigen, kann eine chem.-oxidative A. in Betracht kommen, s. chemische Abwasserbehandlung. Bei der klass. *chem. A.* wird durch Zugabe von Kalk od. Natronlauge das Abwasser neutralisiert, wobei Kolloide ausflocken u. Salze ausfallen können (s. Ausfällung). Zur *Flockung der Phosphate werden dem Abwasser Eisensalze (s. Grünsalz) od. Aluminiumsalze zugegeben. Zur Aufkonz. bestimmter Abwasserinhaltsstoffe werden physikal.-chem. A.-Meth. eingesetzt, dazu gehören *Flotation, Ionenaustausch, *umgekehrte Osmose, *Extraktion, *Adsorption.

Ende der 50er Jahre waren etwa 15% der bundesdeutschen Bevölkerung an mechan. u. biolog. *Kläranlagen angeschlossen, 40% der Abwässer blieben ungeklärt. 1990 waren 93% der Bevölkerung der alten Bundesländer u. 73% in den neuen Bundesländern an die öffentliche Kanalisation angeschlossen. Aus Haushalten u. Kleingewerbe wurden 1990 ca. 10,35 Mrd. m³ Abwasser eingeleitet. Davon wurden in den alten Bundesländern 95% biolog. behandelt (davon 38% noch weitergehend zur Stickstoff- u. Phosphor-Beseitigung), 2% nur mechan. gereinigt u. nur 2% blieben unbehandelt. In den neuen Bundesländern blieben 1990 noch 16% des Abwassers unbehandelt u. 49% wurden nur mechan. gereinigt. – *E* waste water treatment – *F* traitement des eaux résiduaires (d'égout) – *I* trattamento delle acque di rifiuto – *S* tratamento de las aguas residuales

Lit.: Birr et al., Umweltschutztechnik (5.), S. 123–168, Leipzig: Dtsch. Verl. für Grundstoffind. 1992 ▪ Kunz, Behandlung von Abwasser (3.), Würzburg: Vogel 1994 ▪ Rüffer u. Rosewinkel, Taschenbuch der Industrieabwasserreinigung, München: Oldenbourg 1991 ▪ Ullmann (5.) **B 8**, 5–152 ▪ Ziffelsberger et al. (Hrsg.), Das neue Wasserrecht für die betriebliche Praxis, 1/03, Augsburg: WEKA 1992.

Abwasserfahne. Bez. für eine unterhalb einer Abwassereinleitungsstelle in ein Gewässer (Vorfluter) sichtbare (im Foto od. nur IR-photograph. od. mit anderen analyt. Meth. erfaßbare Wassermasse, die durch das eingeleitete *Abwasser stärker verschmutzt ist als die umgebenden Wassermassen. A. kann man v. a. in langsam fließenden Gewässern beobachten. – *E* sewage trail – *F* bataillère – *I* striscia delle acque di rifiuto – *S* estela de aguas residuales

Abwasserfischteich. Ein von ausreichenden Mengen an *Oberflächenwasser sowie zusätzlich von meist biolog. gereinigtem *Abwasser durchflossener Teich, der unter Ausnutzung der Abwasserinhaltsstoffe der Fischaufzucht sowie einer *Kläranlage nachgeschaltet als Schönungsteich dient. Typ. Besatzfische sind Schleien u. Karpfen, die auch bei geringen Sauerstoff-Gehalten gedeihen. – *E* sewage fish pont – *F* vivier à eaux résiduaires – *I* peschiera di scarico – *S* vivero de aguas residuales

Lit.: gwf Wasser/Abwasser **134**, 282–285 (1993) ▪ Imhoff, Taschenbuch der Stadtentwässerung, 27. Aufl., München: Oldenbourg 1990 ▪ Korrespondenz Abwasser **26**, 403 (1979).

Abwasserinhaltsstoffe s. Abwasser.

Abwasserlast. Belastung eines fließenden Gewässers mit *Abwasser, ausgedrückt als Zahl der *Einwohnergleichwerte (EGW), die an der Einleitungsstelle auf 1 l/s Flußwasser bei mittlerem Niedrigwasser (MNQ) kommen [DIN 4049, Blatt 2 (04/1990)]. Die Zahlen der A. geben Informationen über die Belastung jedes Gewässerpunktes. – *E* wastewater load – *F* charge d'eaux résiduaires – *I* peso delle acque di rifiuto – *S* carga de aguas residuales

Abwasserreinigung s. Abwasserbehandlung.

Abwassersammler. *Kanalisation od. zu deren Bestandteil erklärter offener Wasserlauf, der Abwässer aufnimmt u. fortführt. – *E* main sewer, intercepting sewer – *F* collecteur d'eaux résiduaires – *I* collettore di scarico – *S* colector de aguas residuales

Abwehrreaktionen. Verhaltensweisen u. Einrichtungen physiolog. od. morpholog. Art, mit denen Mensch od. Tiere bei drohender Gefahr Beeinträchtigungen od. Schaden zu verhindern versuchen. A. können unbewußt, reflektor. od. beim Menschen auch durch gezielte, vorausplanende Überlegungen gesteuert werden. Wehrhafte Tiere setzen zur aktiven Verteidigung spezielle Waffen ein (z. B. Hörner, Zähne, Wehrstachel). Passive Verteidigung erfolgt durch Einsatz von Stacheln (z. B. Seeigel), Panzern (z. B. Schildkröten), Wehrsekreten (z. B. Marienkäfer), Warnfärbung (z. B. Wespen; vielfach auch bei Ungenießbarkeit), *Mimikry (als Täuschung eines potentielles Freßfeindes trotz Genießbarkeit), *Mimese (als Täuschung durch Nachahmung von pflanzlichen od. nichtbiolog. Objekten bzw. Strukturen), Tarnung (z. B. mit pflanzlichem Material bei Maskenkrabben), Flucht (z. B. Springen der

Abwehrstoffe

Heuschrecken) u. Schreckfärbung (z. B. grelle Farben od. Augenmuster auf plötzlich zur Schau gestellten Hinterflügeln bei Schmetterlingen). A. bei Artgenossen in Konkurrenz um Territorien (Reviere, Lebensräume), Behausung, Nahrung u. Fortpflanzungsgelegenheiten zeigen Verhaltensweisen aus dem Bereich der innerartlichen Aggression. Innerhalb eines Organismus treten A. z. B. gegen schädigende Einflüsse, gegen körperfremde Stoffe („Gifte") od. durch entsprechende bereits vorhandene od. neu gebildete Stoffwechselprodukte auf. Endoparasiten u. schädliche Makromol. können durch *Antikörper od. durch Mobilisierung von *Leukocyten, *Phagocytose durch Makrophagen, Entzündungsreaktionen u. ä. bekämpft werden. – *E* defense reactions – *F* réaction de défense – *I* reazioni di difesa – *S* reacción de defensa
Lit.: Immelmann, Wörterbuch der Verhaltensforschung, Berlin: Parey 1982 ▪ Jacobs u. Renner, Biologie u. Ökologie der Insekten, Stuttgart: Fischer 1988 ▪ Mebs, Gifttiere, Stuttgart: Wissenschaftliche Verlagsges. 1992 ▪ Teuscher u. Lindequist, Biogene Gifte, Stuttgart: Fischer 1994.

Abwehrstoffe s. Insektengifte u. Pheromone bzw. Insektenabwehrmittel u. Repellentien.

Abziehen. In der Textilchemie Bez. für die Entfernung von Färbungen, Bedruckungen, Imprägnierungen durch Wiederablösen (z. B. durch Auswaschen), chem. Veränderung od. Zerstörung des Farbstoffs (z. B. durch Oxid. od. Red.). Über das A. von Haarfärbungen vgl. Haarbehandlung u. *Lit.*[1]. – *E* stripping – *F* démonter – *I* estrarre, staccare – *S* desmontado
Lit.: [1] Ullmann (4.) **12**, 440 f.

Abziehlacke s. Folienlacke u. Schutzhäute.

Abziehsteine. Bez. für Steine zum Schleifen (*Schleifsteine*, vgl. Schleifmittel), *Polieren (*Poliersteine*), Glätten der Schneide od. Nachschleifen (*Wetzsteine*) von Messern, Werkzeugen usw.; als Materialien dienen z. B. verkieselte Tonschiefer, Quarzit, Sandsteine usw. *Ölsteine* sind A., die mit Öl statt mit Wasser benetzt werden. – *E* hones – *F* pierres à aiguiser – *I* pietra per affilare, cote – *S* piedras de suavizar

Abzug (auch *Digestor* od. *Kapelle* genannt). Bez. für einen mit einem Schiebefenster verschließbaren Experimentierraum, in dem das Absaugen übelriechender u. schädlicher Gase u. Dämpfe, evtl. auch gefährliche Versuche durchgeführt werden. Durch ein ins Freie od. in eine *Gasreinigungs-Anlage führendes Rohr ziehen die giftigen Gase ab. Um den Durchzug zu beschleunigen, wird im A. während des Arbeitens ein Ventilator eingeschaltet. Der Abzug ist mit Anschlußventilen für Gas u. Wasser sowie Steckdosen u. einer Beleuchtung versehen. – *E* hood, fume cupboard – *F* hotte (fermée), „Sorbonne" – *I* sfogo (tiraggio) per i gas – *S* vitrina (de tiro)
Lit.: DIN 12924 (08/1991).

Abzyme (katalyt. Antikörper; von *E antibody enzymes* = Antikörper-Enzyme). Bestimmte, meist *monoklonale Antikörper, die – in prinzipiell gleicher Weise wie *Enzyme – chem. Reaktionen spezif. katalysieren. Ein zentrales Wirkprinzip der *Katalyse durch Enzyme ist die Herabsetzung der freien Aktivierungsenthalpie (Gibbs-Aktivierungsenergie; vgl. freie Energie u. Aktivierungsenergie) einer Reaktion durch Komplexierung (Chelatisierung) des *Übergangszustandes (ÜZ). Bei den A. ist es gelungen, für bestimmte Reaktionen Modellverb. zu finden, die den ÜZ ähneln (*E transition-state analogs*), sie als *Haptene einzusetzen u. *Antikörper gegen sie zu erzeugen. Diese können den ÜZ komplexieren u. so die betreffende Reaktion beschleunigen.
Anw.: Herst. von Katalysatoren „nach Maß" für organ.-chem. Reaktionen, für die keine herkömmlichen Katalysatoren od. natürlichen Enzyme bekannt sind, z. B. für stereoselektive od. energet. ungünstige Reaktionen [1]. Auf theoret. Gebiet tragen die Studien über A. zum Verständnis der enzymat. Katalyse u. ihrer Evolution bei. – *E* = *F* abzymes – *I* abzimi – *S* abzimas
Lit.: [1] Science **259**, 490 ff.; **260**, 337 ff. (1993).
allg.: Acc. Chem. Res. **26**, 391–404 (1993) ▪ Annu. Rev. Biochem. **61**, 29–54 (1992) ▪ Biotechnology **9**, 258 ff. (1991) ▪ J. Biochem. **115**, 623 ff. (1994) ▪ Naturwissenschaften **79**, 15–22 ▪ Science **269**, 1835–1842 (1995).

ac. Abk. für anticlinal, s. Ferrocen u. Konformation.

ac⁻. In der Lit. übliches Kurzz. für Acetat-Ion ($^-O-CO-CH_3$) als Ligand in Koordinationsverbindungen.

Ac. 1. Chem. Symbol für *Actinium. – 2. In der Lit. übliches Kurzz. für den *Acetyl-Rest.

AC. Von der *IUPAC empfohlenes Symbol für -acetat bei Abk. von Polymerennamen (z. B. PVAC = Polyvinylacetat).

acac. In der Lit. übliches Kurzz. für Anion von *Acetylaceton als Ligand in Koordinationsverbindungen.

ACAM. Versammlung der führenden Mitgliedsunternehmen im Europ. Chemieverband *CEFIC, in der 34 Unternehmen der Ind. vertreten sind. ACAM berät die Hauptversammlung u. das Direktorenkomitee (COD) der CEFIC.

Acamprosat.

$$\left[\left(H_3C-\overset{O}{\underset{\|}{C}}-NH-CH_2-CH_2-CH_2-SO_3^-\right)_2 Ca^{2+}\right]$$

Internat. Freiname für 3-Acetamido-1-propansulfonsäure, $C_5H_{11}NO_4S$, M_R 181,21. Das Calciumsalz A.-Calcium (s. Formelbild) wurde 1996 von Lipha Arzneimittel (in Frankreich Aotal®, in Deutschland Campral®) ausgeboten. Es vermindert aufgrund seiner Glutamat- u. NMDA-antagonist. Eigenschaften die neuronale Erregbarkeit u. wird so zur Senkung der Rückfallrate bei Alkoholikern eingesetzt. – *E* acamprosate – *F* = *S* acamprosat – *I* acamprosato
Lit.: Beilstein E IV **4**, 3292 ▪ Pharm. Ztg. **140**, 228, 4337 (1995). – *[CAS 77337-76-9]*

Acarbose.

$C_{25}H_{43}NO_{18}$, M_R 645,61, $[\alpha]_D^{18}$ +165° (H_2O), Pseudotetrasaccharid aus Kulturen von *Actinoplanes*-Stämmen. A. ist ein sehr wirkungsvoller Inhibitor intestinaler α-D-Glucosidasen u. Saccharasen u. hat sich in der Klinik als oral wirkendes Antidiabetikum mit einem neuartigen Wirkungsmechanismus erwiesen. A. reduziert die Glucose-Absorption im Gastrointestinaltrakt. Es wurde 1975 u. 1977 von Bayer (Glucobay®) patentiert. – *E = F* acarbose – *I* acarbosi – *S* acarbosa
Lit.: ASP ▪ Creutzfeldt (Hrsg.), Acarbose for the Treatment of Diabetes Mellitus, Berlin: Springer 1988 ▪ Pharm. Ztg. **140**, 944 (1995) ▪ Truscheit et al., in Progress in Clinical Biochemistry and Medicine, S. 17–100, Berlin: Springer 1988. – *[HS 2940 00; CAS 56180-94-0]*

Acceleratoren. Von latein.: accelerare = eilen, beschleunigen abgeleitetes Synonym für *Beschleuniger.

Acceptable daily intake s. ADI.

ACC Hexal®. Brause-, Filmtabl., Kapseln u. Granulat mit dem Mucolyticum *Acetylcystein. *B.:* Hexal.

Accosize®. Synthet. Leimungsmittel für die Papier-Ind. auf der Basis von Alkenylbernsteinsäureanhydrid (s. Bernsteinsäureanhydrid); sein Einsatzbereich liegt vorzugsweise bei pH-Werten zwischen 5 u. 9. *B.:* Cytec Industries Inc.

Accupro®. Filmtabl. mit dem *ACE-Hemmer *Quinapril-Hydrochlorid. *B.:* Goedecke.

Accuset™. Marke von SIGMA für eine Eich-Lsg. mit Humanserum u. Ethylenglykol als Stabilisator für Analyzer.

Accutrol™. Marke von SIGMA für gefriergetrocknetes Humanserum zur Bestimmung von Enzymen wie saurer *Phosphatase, alkal. *Protease, *Amylase usw.

Accuzide®. Filmtabl. mit dem *ACE-Hemmer *Quinapril-Hydrochlorid. *B.:* Goedecke.

Acebutolol.

Internat. Freiname für 3'-Acetyl-4'-(2-hydroxy-3-isopropylaminopropoxy)-butyranilid, $C_{18}H_{28}N_2O_4$, M_R 336,43, Schmp. 119–123 °C. Es wurde als Betablocker von May u. Baker 1968 entwickelt [Sectral®; in der BRD Prent® (Bayer)] u. ist generikafähig. – *E = S* acebutolol – *F* acébutolol – *I* acebutololo
Lit.: ASP ▪ DAB 10 ▪ Florey **19**, 1 ▪ Hager (5.) **7**, 3–7. – *[HS 2924 29; CAS 37517-30-9; 34381-68-5 (Hydrochlorid)]*

Acecarbromal.

Internat. Freiname für 1-Acetyl-3-(2-brom-2-ethylbutyryl)-harnstoff, $C_9H_{15}BrN_2O_3$, M_R 279,13, Schmp. 109 °C. Es wurde als Sedativum u. Hypnotikum von Bayer 1910 entwickelt (Abasin®), heute nur noch als Roborans von Farco-Pharma (Afrodor 2000®) im Handel. – *E = S* acecarbromal – *F* acécarbromal – *I* acecarbromale
Lit.: Hager (5.) **7**, 7. – *[HS 2924 10; CAS 77-66-7]*

Aceclidin.

Internat. Freiname für das 3-Chinuclidinylacetat, $C_9H_{15}NO_2$, M_R 174,2, Sdp. 73–74 °C (58,6 Pa), 113–115 °C (1,4 kPa); n_D^{25} 1,4675. Es wurde als Cholinomimetikum, Miotikum von Roche 1951 entwickelt. DL-Acetat-Hydrochlorid, Schmp. 166 °C [in der BRD Glaucotat® (Chibret)]. – *E* aceclidine – *F* acéclidine – *I = S* aceclidina
Lit.: ASP ▪ Hager (5.) **7**, 8–10. – *[HS 2933 39; CAS 827-6-2; 6109-70-2 (Hydrochlorid); 6821-59-6 (Salicylat)]*

Acediasulfon-Natrium.

Internat. Freiname für (4-Sulfanilylanilino)-essigsäure-Natriumsalz, $C_{14}H_{13}N_2NaO_4S$, M_R 328,32. Es wurde 1946/49 als ein Chemotherapeutikum insbes. gegen Otitiden von Cilag (Ciloprin®, außer Handel) patentiert. – *E* acediasulfone sodium – *F* acédiasulfone sodique – *I* acediasolfone-sodio – *S* acediasulfona sódica
Lit.: Hager (5.) **7**, 11. – *[HS 2930 90; CAS 127-60-6]*

Acefyllin-Piperazin.

Freie, internat. Kurzbez. für das Piperazin-Salz der 1,2,3,6-Tetrahydro-1,3-dimethyl-2,6-dioxopurin-7-essigsäure, $C_{22}H_{30}N_{10}O_8$, M_R 562,54. Acefyllin wurde 1922 von Merck entwickelt, A.-P. von Blaisse 1949 u. war von Delalande (Etaphydel®) als Bronchodilator im Handel. – *E* acefylline piperazine – *F* acéfyline piperazine – *I* acefillina-piperazina – *S* acefilina piperazina
Lit.: Kleemann-Engel (2.), S. 2 ▪ Merck Index (11.), Nr. 19. – *[HS 2939 50; CAS 18833-13-1]*

ACE-Hemmer. Arzneistoffe, die das *Angiotensin Converting Enzyme* u. dadurch die Umwandlung von *Angiotensin I in Angiotensin II hemmen. Letzteres Peptid ist einer der stärksten *Vasokonstriktoren. ACE-H. sind Standardtherapeutika gegen Hypertonie u. zur Herzinfarktprophylaxe. Entwickelt wurden sie anhand der Kenntnis des aktiven Zentrums von ACE, einer Zink-Protease, u. der Struktur von deren Substrat Angiotensin I [1]. Strukturell handelt es sich um *Peptidomimetika mit vom Prolin abgeleiteten Terminus. *Beisp.:* *Captopril, *Enalapril, *Lisinopril. – *E* ACE inhibitors – *F* inhibiteur ACE – *I* inibitori ACE – *S* inhibidores ACE
Lit.: [1] Science **196**, 441 ff. (1977).
allg.: Anaesthesia **49**, 613–622 (1994) ▪ Auterhoff, Knabe u. Höltje, Lehrbuch der Pharmazeutischen Chemie, S. 639 ff., Stuttgart: Wiss. Verlagsges. 1994 ▪ Bönner u. Rahn, ACE-Hemmer Handbuch, Heidelberg: Schattauer 1994 ▪ Farmaco **49**, 457 ff. (1994) (HPLC).

ACEMATT®. Mattierungsmittel auf Basis von Kieselsäuren u. Polymeren. *B.:* Degussa.

Acemetacin.

Internat. Freiname für den Glykolester des Indometacins, $C_{21}H_{18}ClNO_6$, M_R 415,83, Schmp. 150–153 °C; LD_{50} (Maus, Ratte) 18,42–55,5 mg/kg. Es wurde als nichtsteroidales Antirheumatikum von Tropon 1972 entwickelt u. von Bayer Pharma Deutschland (Rantudil®) in den Handel gebracht, jetzt generikafähig. – *E* acemetacine – *F* acémetacin – *I* acemetazina – *S* acemetacina
Lit.: Arzneim.-Forsch. **30**, 1313–1468 (1980) ▪ ASP ▪ Hager (5.) **7**, 11. – *[HS 2934 50; CAS 53164-05-9]*

Acemuc®. Brausetabl. u. Granulat mit dem Mucolyticum *Acetylcystein. *B.:* Betapharm.

Acenaphthen (1,2-Dihydroacenaphthylen).

$C_{12}H_{10}$, M_R 154,21, farblose Nadeln, D. 1,225 (0 °C), Schmp. 96,2 °C, Sdp. 279 °C; in heißem Ethanol, in Chloroform u. Benzol lösl., unlösl. in Wasser. A. stört bei Pflanzen die *Mitose; es ruft *Polyploidie hervor.
Herst.: A. wird über *Acenaphthylen* ($C_{12}H_8$, M_R 152,20, Schmp. 92 °C, Sdp. 265 °C) aus Steinkohlenteer isoliert.
Verw.: Zwischenprodukt bei der Synth. von Naphthalsäure, A.-Formaldehyd-Harzen, Farb- u. Kunststoffen sowie Insektiziden. – *E* acenaphthene – *F* acénaphtène – *I* acenaftene – *S* acenafteno
Lit.: Beilstein E IV **5**, 1334–1836 ▪ Elsevier **13**, 135–138 ▪ Kirk-Othmer (3.) **15**, 717; (4.) **16**, 977 ▪ Ullmann (4.) **7**, 10 f.; (5.) **A 13**, 265 f. – *[CAS 83-32-9]*

Acene. Auf Clar[1] zurückgehende Bez. für die linear kondensierte Reihe der aromat. Kohlenwasserstoffe. Die beiden ersten Glieder sind *Naphthalin u. *Anthr*acen* (Name!), von den viergliedrigen Verb. ab verwendet man zur Namensbildung die griech. Zahlwörter mit der Endung -acen (*Beisp.:* Tetracen, Pentacen, Hexacen); s. a. kondensierte Ringsysteme. – *E* acenes – *F* acènes – *I* aceni – *S* acenos
Lit.: [1] Ber. Dtsch. Chem. Ges. **72**, 2137 ff. (1939).

Acenocoumarol.

Internat. Freiname für 4-Hydroxy-3-[1-(4-nitrophenyl)-3-oxobutyl]-cumarin, $C_{19}H_{15}NO_6$, M_R 353,33, Schmp. 196–199 °C, LD_{50} (Maus) 114,7 mg/kg. Es wurde als Antikoagulans von Geigy 1953 (Sintrom®, außer Handel) patentiert. – *E* acenocoumarol – *F* acénocoumarol – *I* acenocumarolo – *S* acenocumarol
Lit.: ASP ▪ Hager (5.) **7**, 14. – *[HS 2932 29; CAS 152-72-7]*

Acenorm®. Tabl. mit dem *ACE-Hemmer *Captopril. *B.:* Azupharma.

Acephat. Common name für *O,S*-Dimethyl-*N*-acetylphosphoramidothioat.

$C_4H_{10}NO_3PS$, M_R 183,16, Schmp. 88–90 °C (techn. 82–89 °C), LD_{50} (Ratte oral) 945 mg/kg (GefStoffV), von Chevron entwickeltes breit wirksames *Insektizid mit Kontakt- u. Fraßgiftwirkung gegen beißende u. saugende Insekten in Obst-, Gemüse-, Wein-, Hopfen-, Baumwoll-, Sojabohnenanbau. – *E* = *F* acephate – *I* = *S* acefato
Lit.: Farm ▪ Perkow ▪ Pesticide Manual. – *[HS 2930 90; CAS 30560-19-1]*

Aceprometazin.

Internat. Freiname für 2-Acetyl-10-(2-dimethylaminopropyl)-phenothiazin, $C_{19}H_{22}N_2OS$, M_R 326,46. Es wurde als Neuroleptikum u. Antitussivum von Bayer 1955 entwickelt u. war in Kombination mit Meprobamat von Mack, Illert. (Clindorm®) im Handel. – *E* aceprometazine – *F* acéprométazine – *I* aceprometacina – *S* aceprometazina
Lit.: Hager (5.) **7**, 19 f. – *[HS 2934 30; CAS 13461-01-3]*

Acerbon®. Tabl. mit dem *Antihypertonikum *Lisinopril-Dihydrat. *B.:* Zeneca.

Acercomb®. Tabl. mit dem *Antihypertonikum *Lisinopril-Dihydrat. *B.:* Zeneca.

Acerola. Auch *Westind. Kirsche* genannte, glänzend rote, reife Frucht des in Mittelamerika heim. Strauches *Malpighia emarginata*, früher *M. punicifolia* (Malpighiaceae), die als Vitamin C-reichste Frucht gilt. 100 g entsteinte Früchte enthalten 92,3 g Wasser, 6,4 g Kohlenhydrate, 1,69 g Ascorbinsäure, 11 mg Vitamin A, ferner die Vitamine B_1, B_6 u. Nicotinsäure sowie etwas Fluor. Sowohl der Saft als auch das daraus durch Sprühtrocknung gewonnene Pulver [enthält 23–25% (!) Vitamin C] werden zu Nahrungszwecken verwendet. – *E* = *S* acerola – *F* acérole – *I* ciliegia dell'India occidentale
Lit.: Hager (5.) **5**, 672 f. ▪ Herrmann, Exotische Lebensmittel, S. 70, 167, Berlin: Springer 1983.

Acesal-Calcium®. Tabl. mit *Acetylsalicylsäure u. *Calciumcarbonat. *B.:* OPW.

ACESIL®. Synthet. Kieselsäuren u. Silicate als Katalysatoren u. Katalysatorträger, Adsorptions- u. Trocknungsmittel, Füllstoffe, Filtermassen, Trägerstoffe für flüssige u. pastöse Stoffe, Fließhilfsmittel u. Antibackmittel für pulverförmige Stoffe, Entschäumerkomponenten, Hilfs-, Füll- u. Beschichtungsmittel sowie als Weißpigment für die Herst. von Papier, Pappe u. Karton; zur Einarbeitung in Zahnpasten, Kosmetika u. in Pharmazeutika; als Zusatz zu Mischfuttermitteln zur Verbesserung der Fließ- u. Streueigenschaft; als chem. Futterzusatzmittel zur Verbesserung von Mischfuttermitteln durch Anreicherung mit Wirkstoffen. *B.:* Degussa.

Acesulfam-K [Sunett®, 6-Methyl-1,2,3-oxathiazin-4(3H)-on-2,2-dioxid, Kaliumsalz].

$C_4H_4KNO_4S$, M_R 201,24, farblose, stabile, sehr süß schmeckende, krist. Substanz, Zers. ab ca. 225 °C. In Wasser gut lösl. (ca. 1 g in 4 ml bei 20 °C u. ca. 1,3 g in 1 ml bei 100 °C), auch in Ethanol/Wasser-Gemischen. λ_{max} 227 nm. A. hat eine ca. 200fache Süßkraft im Vgl. mit *Saccharose u. ist ein moderner *Süßstoff[1]. A. ist nicht wasserdampfflüchtig u. nicht hygroskopisch. Zur Entdeckung s. Lit.[2], zur Synth. Lit.[3,4].
Verw.: A. ist wegen seiner guten Hydrolysestabilität, die v. a. bei Milchprodukten, Getränken u. Backwaren einen Vorteil gegenüber *Aspartam darstellt[4,5], u. seiner guten geschmacklichen Eigenschaften für alle Einsatzgebiete geeignet, in denen Süßstoffe verwendet werden. Es kann in Lebensmitteln, Kosmetika (auf Grund seiner antikariogenen Wirkung v. a. in Zahnpflegemitteln wie Mundwasser, Zahnpasten), Arzneimitteln u. Futtermitteln eingesetzt werden. In Kombination mit anderen gängigen Süßstoffen tritt sowohl ein qual. Synergismus, der zu einem zuckerähnlicheren Geschmacksprofil führt auf, als auch ein quant. Synergismus, der die mengenmäßige Einsparung von Süßstoffen erlaubt. Entsprechende Mischungen (z. B. Sunett®: Aspartam 1:1) sind im Rahmen des „Multi-sweetener-Konzeptes" patentrechtlich geschützt.
Recht: Nach der EU-Süßstoffrichtlinie ist A. für eine ganze Reihe von Anw.-Gebieten unter Beachtung entsprechender Höchstmengen zugelassen. A. ist mit einer Monographie im EAB registriert. Weltweit ist A. in über 70 Ländern zugelassen.
Toxikologie: Die WHO/FAO hat 1990 den *ADI-Wert für A. von 0–9 auf 0–15 mg/kg erhöht[5]. Eine Zusammenfassung der physiolog. relevanten Daten geben Lit.[6,7].
Analytik: In der Lit. werden je nach Probenmatrix Extraktions-, Isolierungs- u. Reinigungsverf. für A. beschrieben. Danach wird A. mit den chromatograph. Verf. qual. (DC) u. quant. (HPLC) bestimmt[8–10]. Eine photometr. Bestimmungsmeth. von A. in Süßstofftabl. wird in § 35 *LMBG Nr. L 57.22.99-3 beschrieben. – *E* acesulfam K – *F* acesulfame K – *I* acesolfamo K – *S* acesulfamo K
Lit.: [1] Chem. Unserer Zeit **9**, 142 f. (1975). [2] Gordian **90**, 143 (1990). [3] Synthesis **1990**, 405 f. [4] Z. Lebensm. Unters. Forsch. **194**, 476–478 (1992). [5] Dtsch. Lebensm. Rundsch. **86**, 298 (1990); WHO (Hrsg.), Tech. Rep. Ser. 806, S. 20 f., Geneva: WHO 1991. [6] WHO (Hrsg.), Food Add. Ser. 28, S. 183–218; 30, S. 5, Geneva: WHO 1990, 1993. [7] Comments Toxicol. **3**, 279–287 (1989). [8] J. Assoc. Off. Anal. Chem. **76**, 268–274 (1993); Dtsch. Lebensm. Rundsch. **86**, 348 ff. (1990). [9] Z. Lebensm. Unters. Forsch. **194**, 517 ff. (1992). [10] Analyst **112**, 879 (1987).
allg.: Ernährung **17**, 546–549 (1993) ▪ Ernähr.-Umsch. **40**, 152–155 (1993) ▪ Int. Z. Lebensmitteltech. **41**, 649–654 (1990) ▪ Mayer u. Kemper (Hrsg.), Acesulfame-K, New York: Dekker 1991 ▪ O'Brien, Nabors u. Gelardi (Hrsg.), Sweeteners (2.), S. 11–28, New York: Dekker 1991 ▪ SÖFW-J. **121**, 980 ff. (1995) ▪ von Rymon Lipinski u. Schieweck (Hrsg.), Handbuch Süßungsmittel, S. 445 ff., Hamburg: Behr 1991. – *[HS 2934 90; CAS 33665-90-6]*

Acetaldehyd (Ethanal). $H_3C–CHO$, C_2H_4O, M_R 44,05. Leichtbewegliche, brennbare farblose Flüssigkeit von charakterist. stechendem, fruchtigem Geruch, D. 0,78, Schmp. –124 °C, Sdp. 21 °C, FP. –38 °C c.c., krit. Temp. 181,5 °C, krit. Druck 6,40 MPa; Explosionsgrenzen in Luft 4,5–60,5 Vol.-%. A.-Dämpfe haben (bei langer Einwirkung) betäubende Wirkung u. reizen stark die Augen, die Atemwege, die Lungen sowie die Haut; Lungenödem möglich. Kontakt mit der Flüssigkeit führt zu Verätzung der Augen u. zu Reizung der Haut. A. gilt als Stoff mit begründetem Verdacht auf krebserzeugendes Potential (Gruppe III B, MAK-Werte-Liste 1995), MAK-Wert: 50 ppm. Wassergefährdende Flüssigkeit, WGK 1, LD_{50} (Ratte oral) 661 mg/kg, Emissionsklasse I; in Wasser u. organ. Lsm. leicht lösl., löst viele Öle u. Harze. A. ist eine hochreaktive Verb., die zahlreiche Kondensations- u. Additionsreaktionen eingeht u. leicht zu *Paraldehyd u. *Metaldehyd polymerisiert. Eine wichtige Reaktion des A. ist die Dimerisation zu *Aldol (*Aldol-Addition). Bei starker Erhitzung (Pyrolyse) zerfällt A. in Methan u. Kohlenoxid.
Vork.: A. ist ein Zwischenprodukt des Stoffwechsels pflanzlicher u. tier. Organismen, wo er in geringen Mengen nachweisbar ist. Größere Mengen von A. behindern den Ablauf biolog. Vorgänge. Als Zwischenprodukt der alkohol. Gärung ist A. in allen alkohol. Getränken wie Bier, Wein usw. in geringer Menge enthalten. Zum Nachw. von A. s. Kirk-Othmer (Lit.).
Herst.: Durch Hydratisierung von *Acetylen, durch katalyt. Dehydrierung von Ethanol. Techn. wird A. meist nach dem *Wacker-Verfahren durch Oxid. von Ethylen mit Pd-Katalysatoren hergestellt.
Verw.: A. ist ein bedeutendes Zwischenprodukt zur Herst. zahlreicher organ. Großprodukte. Dazu gehören Essigsäure, Peressigsäure, Acetanhydrid, Keten-Diketen, Ethylacetat, Crotonaldehyd, Pentaerythrit, Chloral, Pyridine u. viele mehr.
Geschichte: A. wurde von *Scheele 1774 entdeckt u. von *Liebig 1835 genauer beschrieben. – *E* acetaldehyde – *F* acétaldéhyde – *I* acetaldeide – *S* acetaldehído
Lit.: Beilstein E IV **1**, 3094–3102 ▪ Giftliste ▪ Hommel, Nr. 1 ▪ Houben-Weyl E 3 (1983); E 20 (1987) ▪ Kirk-Othmer (4.) **1**, 93–101 ▪ Rippen ▪ Ullmann (4.) **7**, 12–24; (5.) **A 1**, 31–44 ▪ Weissermel-Arpe (4.), S. 179–185. – *[HS 2912 12; CAS 75-07-0; G 3]*

Acetaldehyd-diethylacetal (Acetal, Diethylacetal).

$C_6H_{14}O_2$, M_R 118,18, D. 0,825 (20 °C), Sdp. 102 °C. Farblose, brennfähige, leicht bewegliche Flüssigkeit von aromat. Geruch; mischbar mit Alkohol u. Ether, wenig lösl. in Wasser. Dämpfe u. Flüssigkeit reizen die Augen u. die Atemwege, Kehlkopfödem möglich. Wassergefährdende Flüssigkeit, WGK 2 (Selbsteinst.), LD_{50} (Ratte oral) 4600 mg/kg. A. kann aus Acetaldehyd u. Alkohol hergestellt werden.
Verw: Reaktionsfähiges Zwischenprodukt für organ. Synth., als Lsm. bei der Herst. von Parfüms (Jasmin), Aromen. – *E* acetaldehyde diethyl acetal – *F* acétal diéthylique d'acétaldéhyde – *I* acetaldeid-dietilacetale – *S* dietilacetal del acetaldehído

Acetaldol

Lit.: Beilstein E IV **1**, 3103 f. ▪ Bull. Soc. Chim. Fr. **1984**, 173 ▪ Giftliste ▪ Hommel, Nr. 441 ▪ Merck-Index (11.), Nr. 31. – *[HS 291100; CAS 107-57-7; G 3]*

Acetaldol s. Aldol.

Acetale. Von *Acet*um u. *Al*kohol abgeleitete Bez. für geminale Diether (Dialkoxyalkane) der allg. Formel

$$R^2-\underset{\underset{OR^3}{|}}{\overset{\overset{R^1}{|}}{C}}-OR^4$$

die als Alkohol-Derivate von Carbonyl-Verb. (*Aldehyde u. *Ketone) aufzufassen sind. Im engeren Sinne versteht man unter A. die des *Acetaldyhds (R^1=H, R^2=CH$_3$); A. des *Formaldehyds heißen Formale, die des *Butyraldehyds Butyrale. Für Keton-A. ist auch die Bez. Ketale gebräuchlich. Die Schwefel-Analoga der A. (S anstelle von O) heißen Thioacetale. Cycl. A. sind ebenfalls bekannt; sie entstehen, wenn die Carbonyl-Verb. mit einem *Diol umgesetzt wird, vgl. Acetonide.

A. spielen in der Chemie der Zucker eine große Rolle (Halbacetal-Form der Zucker[1]). Cycl. A. sind auch die Oligomeren niederer *Aldehyde wie *Formaldehyd od. *Acetaldehyd, z. B. *1,3,5-Trioxan, *Paraldehyd u. *Metaldehyd. *Polyacetale sind ebenfalls bekannt, z. B. Polyoxymethylene (Handelsnamen: Delrin®, Hostaform®). Zur Herst. s. Acetalisierung.

Eigenschaften: Die A. sind gegen Laugen beständige u. daher als *Schutzgruppe für Carbonyl-Verb. geeignete, unzersetzt destillierbare, farblose, meist angenehm riechende Flüssigkeiten. Mit Säuren erfolgt Rückspaltung in Carbonyl-Verb. u. Alkohol, die bereits an feuchtem Kieselgel erfolgen kann. Zum Mechanismus der Katalyse s. Lit.[2]. A. bilden z. T. Bestandteile der Bukettstoffe von Weinbrand, Rum, Arrak, Obstbranntwein u. dgl. Zur Toxikologie der Acetale s. Lit.[3].

Verw.: Als Schutzgruppe in organ. Synth. In jüngster Zeit als wertvolle Synth.-Zwischenstufen in der *asymmetrischen Synthese in Form von enantiomerenreiner cycl. A.[4]. In der Heilkunde u. Parfümerie s. Lit.[5], s. a. Halbacetale. A. des Polyvinylalkohols haben Bedeutung als Kunststoffe. – *E* = *F* acetals – *I* acetali – *S* acetales

Lit.: [1] Adv. Carbohydr. Chem. Biochem. **33**, 11–109 (1976). [2] Chem. Rev. **74**, 581–604 (1974); Pure Appl. Chem. **49**, 1001 ff. (1977). [3] Patty's Ind. Hyg. Toxicol. **2 A**, 2629 f. (1981). [4] Nachr. Chem. Tech. Lab. **36**, 1212–1217 (1988). [5] Riechst., Aromen, Kosmet. **28**, 9–16 (1977).
allg.: Carey-Sundberg, S. 1430 ▪ Houben-Weyl **E 14 a/1** ▪ Katritzky et al. **4**, 176 f. ▪ Kocieński, Protecting Groups, S. 96–110, Stuttgart: Thieme 1994 ▪ Ullmann (5.) **A 1**, 344 ▪ s. a. Aldehyde u. Schutzgruppen.

Acetal-Harze. Gebräuchliche, aber unkorrekte Bez. für thermoplast. Polymere mit der Repetiereinheit –O–CH$_2$–. A.-H. sind entweder Endgruppen-stabilisierte Homopolymere des Formaldehyds (*Polyoxymethylene, POM), od. Copolymere des *Trioxans mit etwas Ethylenoxid. A.-H. weisen hohe Festigkeiten über einen breiten Temp.-Bereich, hohe Oberflächenhärten u. niedrige Reibwerte auf. A.-H. werden daher für maßhaltige Präzisionsteile verwendet. Die für A.-H. auch verwendete Bez. *Polyacetale sollte reserviert bleiben für Polymere aus Aldehyden u. mehrfunktionellen Alkoholen. Zu Polymeren aus Homologen des Formaldehyds s. polymere *Aldehyde. – *E* acetal resins – *F* résins d'acétals – *I* resine degli acetali – *S* resinas de acetales

Lit.: Encycl. Polym. Sci. Eng. **1**, 42–61 ▪ Kirk-Othmer (3.) **1**, 112–123 ▪ McKetta **1**, 162–171. – *[HS 3907 10]*

Acetalisierung. Bez. für die Überführung von Aldehyden u. Ketonen in *Acetale u. *Halbacetale. Zu den wichtigsten A.-Meth. gehören die Umsetzung der Carbonyl-Verb. mit Alkoholen in Ggw. einer Säure im Molverhältnis 1:2 unter Wasserabspaltung u. die A. über Enolether.

$$\underset{R^2}{\overset{R^1}{|}}C=O \xrightarrow{+R^3-OH} R^2-\underset{\underset{OR^3}{|}}{\overset{\overset{R^1}{|}}{C}}-OH \xrightarrow{+R^3-OH} R^2-\underset{\underset{OR^3}{|}}{\overset{\overset{R^1}{|}}{C}}-OR^3$$

Generell läßt sich sagen, daß die A. von Aldehyden leichter gelingt als die von Ketonen, daß cycl. Acetale leichter gebildet werden als offenkettige u. daß die A. durch Druckerhöhung begünstigt wird. Bei der A. von Carbonyl-Verb. mit Alkoholen spielt die Entfernung des zwangsläufig gebildeten Wassers eine entscheidende Rolle: Als Meth. haben sich hier die *azeotrope Dest. mit Benzol, Toluol u. a., die Bindung des Wassers mit Phosphorpentoxid, Schwefelsäure, Molekularsieb u. a., die Verw. von *Ortho-Estern (in der Regel Orthoameisensäureester) u. die Umacetalisierung bewährt. Nach Noyori et al.[1] lassen sich cycl. Acetale aus 1,2-Bis-(trimethylsilyloxy)-alkanen u. Carbonyl-Verb. in guten Ausbeuten herstellen. Der Enolether *3,4-Dihydro-2H-pyran ist ein mildes A.-Mittel, der mit Alkoholen u. Phenolen zu Acetalen mit der Tetrahydropyran-Einheit reagiert. Diese A. dient oft als Schutz für Alkohole u. Phenole. Die A. von *Kohlenhydraten[2] u. *Steroiden besitzen bes. synth. Bedeutung. A. spielen als Zwischenschritte bei der Synth. vieler organ. Verb. eine wichtige Rolle. – *E* acetalization – *F* acétalisation – *I* acetalizzazione – *S* acetalización

Lit.: [1] Tetrahedron Lett. **1980**, 1357. [2] Chem. Rev. **79**, 491–513 (1979).
allg.: s. Acetale.

Acetamid (Essigsäureamid). H$_3$C–CO–NH$_2$, C$_2$H$_5$NO, M_R 59,07. Farblose, zerfließliche, hexagonale Krist., D. 1,159, Schmp. 81 °C, Sdp. 221 °C, in Wasser, Ethanol, Chloroform u. Glycerin gut, in Ether kaum löslich. A. gilt als Stoff mit begründetem Verdacht auf krebserzeugendes Potential (Gruppe III B, MAK-Werte-Liste 1995), wassergefährdender Stoff, WGK 1, LD$_{50}$ (Ratte oral) 7000 mg/kg. A. ist nicht unzersetzt destillierbar; in reinstem Zustand ist es geruchfrei, riecht jedoch gewöhnlich „nach Mäusen". Die Metall-Derivate des A. haben die allg. Formel H$_3$C–CO–NHM[1]; mit Mineralsäuren u. Salzen geht A. Anlagerungsverb. ein.

Herst.: Durch Erhitzen von Ammoniumacetat (H$_3$C–COONH$_4$), durch partielle Hydrolyse von Acetonitril od. die Einwirkung von Ammoniak auf Essigsäureanhydrid od. Acetylchlorid.

Verw.: Geschmolzenes A. ist ein gutes Lsm. für viele organ. u. anorgan. Verb., als Lsm.-Zusatz, Weichmacherstabilisator, Vulkanisationsbeschleuniger, in organ. Synthesen. – *E* acetamide – *F* acétamide – *I* acetammide – *S* acetamida

Lit.: Beilstein E IV **2**, 399–405 ▪ Houben-Weyl **E 5**, 944, 1030 ▪ Kirk-Othmer (4.) **1**, 139 ff. ▪ Ullmann (4.) **11**, 71; (5.) **A 1**, 60. – *[HS 2924 10; CAS 60-35-5]*

Acetamido... Nach IUPAC-Regel C-823.1 Bez. für die Gruppierung –NH–CO–CH$_3$ in systemat. Namen, s. a. Acetylamino... – *E* = *S* acetamido... – *F* acétamido... – *I* acetammido...

Acetamino... s. Acetylamino...

Acetamiprid. Vorgeschlagener Common name für *N*-[(6-Chlor-3-pyridinyl)methyl]-*N'*-cyano-*N*-methylacetamidin.

$C_{10}H_{11}ClN_4$, M_R 222,68, Schmp. 101–103 °C, LD_{50} (Ratte oral) 146 mg/kg, von Nippon Soda entwickeltes *Insektizid zum Einsatz in Obst, Gemüse, Tee, Getreide, Tabak u. Reis sowie zur Bodenapplikation. – *E* = *S* acetamiprid – *F* acétamipride – *I* acetamiprid

Lit.: Takahashi, Brighton Crop Protection Conference – Pests and Diseases, Vol. 1, S. 89–96, Farnham, GB: British Crop Protection Council, 1992. – *[CAS 135410-20-7]*

Acetanhydrid s. Essigsäureanhydrid.

Acetanilid (*N*-Phenylacetamid, Essigsäureanilid). H$_3$C–CO–NH–C$_6$H$_5$, C$_8$H$_9$NO, M_R 135,17. Farblose, glänzende Krist., gewöhnlich in Schuppen anfallend, D. 1,219, Schmp. 115 °C, Sdp. 304 °C; geruchlos u. luftbeständig. Die Löslichkeit in Wasser ist gering, während die meisten organ. Lsm. A. gut lösen; wassergefährdender Stoff, WGK 1 (Selbsteinst.), LD_{50} (Ratte oral) 800 mg/kg. Kontakt mit dem Stoff führt zu Reizung der Augen u. der Haut. Das techn. Produkt besteht in der Regel aus weißen bis gelblich gebrochenen Krist. od. leicht gelblichem Pulver mit schwachem Geruch, es wird gewöhnlich aus Anilin u. Eisessig od. Acetylchlorid hergestellt. A. hat antipyret. u. analget. Eigenschaften. Es ist weit weniger tox. als das freie Anilin u. fand früher bes. als Antipyretikum Verw., worauf die Bez. *Antifebrin* hinweist. Im Organismus wird es z. T. in *Acetylaminophenol, z. T. jedoch durch Oxid. in *N*-Phenylhydroxylamin übergeführt, das zu Methämoglobin-Bildung führt. Aus diesem Grunde wurde es durch verwandte Pharmaka wie *Paracetamol ersetzt.

Verw.: Als organ. Zwischenprodukt bei der Synth. zahlreicher organ. Verb. u. Pharmazeutika. Als Weichmacher für Harze, Kunststoffe, photograph. Gelatine-Emulsionen u. ä. hat sich als Substanz gut bewährt. Daneben wirkt A. als Inhibitor bei der Zers. von Wasserstoffperoxid u. a. Peroxiden u. als Stabilisator in der Sprengstoffindustrie. Der Ni-Komplex ist ein wirksamer Katalysator z. B. bei der Synth. von Acrylsäure u. deren Derivaten aus Acetylen u. CO. Weitere Verwendungszwecke: Geruchsbindender Stoff (Fixateur) in der Riechstoff-Ind. sowie als Fixiermittel in der Xerographie. In der chem. Analyse dient A. als Standardsubstanz für die Elementaranalyse u. die Schmelzpunktbestimmung. – *E* = *I* acetanilide – *F* acétanilide – *S* acetanilida

Lit.: Beilstein E IV **12**, 373 ff. ▪ Blaue Liste, S. 244 ▪ Hommel, Nr. 1270 ▪ Houben-Weyl **E 5**, 944, 1001, 1083 ▪ Kirk-Othmer (4.) **2**, 738 ▪ Ullmann (4.) **7**, 543, 574; (5.) **A 2**, 309, 310. – *[HS 2924 29; CAS 103-84-4]*

Acetanisol s. 4-Methoxyacetophenon.

Acetarsol.

Internat. Freiname für 3-Acetylamino-4-hydroxyphenylarsonsäure, C$_8$H$_{10}$AsNO$_5$, M_R 275,09, Zers. bei 240–250 °C, MLD (Kaninchen, Katze) 125–175 mg/kg. Es wurde als Trichomonazid von Hoechst 1909 patentiert. – *E* = *S* acetarsol – *F* acétarsol – *I* acetarsolo

Lit.: Hager (5.) **7**, 22 ▪ Pharm. Ztg. **139**, 1767, 1968 (1994). – *[HS 2931 00; CAS 97-44-9; 5892-48-8 (Natriumsalz)]*

Acetat. 1. s. Acetate. – 2. Fachsprachliche Kurzbez. für *Celluloseacetat.

Acetate. H$_3$C–COO$^-$ M$^+$ (a) *Metall-Salze* der *Essigsäure. A. werden durch Ersatz des aciden COOH-Protons durch ein Metall-Kation erhalten. Alle neutralen A. sind wasserlösl., z. T. auch lösl. in Alkohol; die bas. A. sind schwer löslich. H$_3$C–COOR (b) *Carbonsäureester* der Essigsäure, s. Essigsäureester. – *E* = *F* acetates – *I* acetati – *S* acetatos

Lit.: s. Essigsäure

Acetat-Fasern. Fachsprachliche Bez. für *Chemiefasern aus *Celluloseacetat, s. a. Kunstseiden.

Acetat-Folien. Bez. für Folien aus *Celluloseacetat.

Acetat-Lacke. Bez. für Lacke auf der Basis von *Celluloseacetat.

Acetator-Verfahren. *Submersverfahren, bei dem *Ethanol in verd. Lsg. mit Hilfe von Essigsäurebakterien (s. Acetobacter) zu *Essigsäure (Speiseessig) umgewandelt wird. – *E* acetator process – *F* processus acétator – *I* processo acetificante – *S* proceso acetificante

Acetatseide s. Kunstseiden.

Acetazolamid.

Internat. Freiname für 5-Acetylamino-1,3,4-thiadiazol-2-sulfonamid, C$_4$H$_6$N$_4$O$_3$S$_2$, M_R 222,24, Schmp. 258–259 °C (schäumt auf). Es wurde von American Cyanamid 1950 entwickelt. Es wirkt diuret., antiepilept. u. gegen Glaukom u. ist generikafähig. – *E* acetazolamide – *F* acétazolamide – *I* acetazolammide – *S* acetazolamida

Lit.: Arzneimittelchemie I, 250; II, 103 f. ▪ ASP ▪ DAB **10** ▪ Florey **22**, 1 ▪ Hager (5.) **7**, 23. – *[HS 2935 00; CAS 59-66-5]*

Acetessigester.

$$H_3C-\underset{\underset{O}{\|}}{C}-CH_2-\underset{\underset{OC_2H_5}{}}{\overset{\overset{O}{\|}}{C}} \quad \rightleftharpoons \quad H_3C-\underset{\underset{OH}{}}{C}=CH-\underset{\underset{OC_2H_5}{}}{\overset{\overset{O}{\|}}{C}}$$

I $\qquad$ II

Im allg. Sinne Bez. für die Ester der *Acetessigsäure. Im engeren Sinne versteht man unter A. den *Acetessigsäureethylester* (Ethylacetoacetat, 3-Oxobutansäureethylester), $C_6H_{10}O_3$, M_R 130,14. Angenehm riechende, farblose Flüssigkeit, D. 1,025 Schmp. –45 °C, Sdp. 180 °C; in Wasser kaum lösl., mit Alkohol u. Ether mischbar. Der A. zeigt die sog. *Keto-Enol-Tautomerie, d. h. er liegt im Gemisch der Keto- (I) u. der Enol-Form (II) od. *aci-Form vor, wobei erstere mit bis zu 90% überwiegt. A. sind aufgrund ihrer *funktionellen Gruppen wichtige Ausgangsstoffe für organ. Synth., den *Acetessigester-Synthesen*. So läßt sich z. B. die acide *Methylen-Gruppe des A. alkylieren, acylieren od. halogenieren. Die so erhaltenen A.-Derivate können mit konz. Laugen in Säuren (Carbonsäure-Synth., *Säure-Spaltung*) mit verd. Lauge od. Mineralsäure in Ketone (Keton-Synth., *Keton-Spaltung*) überführt werden. Zur Keton-Spaltung mit NaI od CaI$_2$ für A.-Derivate, die sonst nur geringe Neigung zur Keton-Spaltung zeigen, s. *Lit.*[1].

A. u. Homologe sind auch wichtige Zwischenprodukte für die Herst. von Heterocyclen, insbes. Arzneimitteln, z. B. *Pyrazol-Derivate wie *Phenazon (vgl. Knorr-Synthesen), Pestizide u. Farbstoffe, z. B. *Flavazine. Mit Diazonium-Verb. geben der A. die *Japp-Klingemann-Reaktion. bei der elektrolyt. Red. substituierter A. läuft die sog. =Tafel-Umlagerung ab.
Herst.: Techn. wird A. aus Ethanol u. Diketen synthetisiert; man erhält ihn auch durch die sog. *Claisen-Kondensation des Essigsäureethylesters (Ethylacetat).
Analytik: Fe(III)-chlorid-Lsg. färbt wäss. A.-Lsg. violettrot; wäss. od. alkohol. Lsg. von A. dürfen Lackmuspapier nur schwach röten. – *E* ethyl acetoacetate, acetoacetates – *F* acéto-acétate d'éthyle – *I* generalmente gli esteri dell'acido acetacetico – *S* acetoacetato de etilo
Lit.: [1] J. Org. Chem. **31**, 3267 (1966).
allg.: Beilstein EIV **3**, 1528 ▪ Hommel, Nr. 371, 372 ▪ March (4.), S. 71 f., 366, 464 ff. ▪ Ullmann (5.) **A 9**, 570; **A 15**, 70; **A 18**, 314. – [*CAS 141-97-9 (Acetessigsäureethylester); G 3*]

Acetessigsäure (3-Oxobutansäure).

$$H_3C-\underset{\underset{O}{\|}}{C}-CH_2-COOH \quad \rightleftharpoons \quad H_3C-\underset{\underset{OH}{}}{C}=CH-COOH$$

$C_4H_6O_3$, M_R 102,09. In Keto- u. Enol-Form existierende *Oxocarbonsäure, zur *Keto-Enol-Tautomerie s. a. Acetessigester. Viskose, stark saure, mit Wasser mischbare Flüssigkeit (nach anderen Angaben Schmp. 36–37 °C), die bei Erhitzen auf 100 °C leicht in CO_2 u. Aceton zerfällt. A. wird daher für Synth. seltener verwendet als ihre Salze, Ester u. Amide, die bei der Herst. von Arzneimitteln, Pestiziden u. Farbstoffen eine wichtige Rolle spielen.
Herst.: Butansäure kann durch 3%iges Wasserstoffperoxid zu A. oxidiert werden; man erhält A. auch durch Verseifung von Acetessigester mit Schwefelsäure. A. entsteht beim Fettsäure-Abbau in der Leber, s. Ketonkörper. Im Harn von Zuckerkranken tritt A. als patholog. Stoffwechselprodukt auf. – *E* acetoacetic acid – *F* acide acétylacétique – *I* acido acetacetico – *S* ácido acetoacético
Lit.: Beilstein EIV **3**, 1527 ▪ Ullmann (4.) **13**, 157; (5.) **A 18**, 314.

Acetiamin.

Internat. Freiname für Thiamin-*O,S*-diacetat (Vitamin B$_1$-*O,S*-diacetat), $C_{16}H_{22}N_4O_4S$, M_R 366,44, Schmp. 123–124 °C. Es wurde von Takeda 1953 patentiert u. war als neurotropes Analgeticum von Rhône-Poulenc (Thianeuron®) im Handel. – *E* acetiamine – *F* acétiamine – *I* acetiammina – *S* acetiamina
Lit.: Hager (5.) **7**, 26. – [*HS 293 59; CAS 299-89-8*]

Acetimidoyl... Bez. für die Atomgruppierung –C(=NH)–CH$_3$ in systemat. Namen von organ. Verb. (IUPAC-Regel C-451.2). – *E* acetimidoyl... – *F* acétimidoyl... – *I* acetimmidoil... – *S* acetimidoíl...

Acetine s. Glycerinacetate.

Acetoacetyl... Bez. für die Atomgruppierung –CO–CH$_2$–CO–CH$_3$ in systemat. Namen von organ. Verb. (IUPAC-Regel C-416.3). – *E* acetoacetyl... – *F* acétoacétyl... – *I*=*S* acetoacetil...

Acetobacter (von latein.: acetum = Essig; griech.: bakteria = Stab). Leitgattung der Familie der Acetobacteriaceae (Essigsäurebakterien), zu der ebenfalls die Gattung *Gluconobacter* (s. Essig-Produktion) gehört. A. umfaßt vier Arten (*A. aceti, A. liquefaciens, A. pasteurianus, A. hansenii*) mit insgesamt 95 Stämmen. Diese sind obligat aerobe, Gram-neg. (s. Gram-Färbung) Bakterien mit Optima für Temp. bei 25–30 °C u. pH 5,4–6,3. Die wichtigste, für Essigsäurebakterien charakterist. physiolog. Eigenschaft ist die Umsetzung von Ethanol zu Acetat. Der Typ der Überoxidierer (Peroxidanten) herrscht vor, d. h. Acetat wird nur kurzfristig als Zwischenprodukt angehäuft, bevor es zu Kohlendioxid u. Wasser weiteroxidiert wird. Dagegen ist *Gluconobacter* ein Suboxidierer. Ethanol, Glycerin u. Natrium-DL-lactat stellen die für das Wachstum besten Kohlenstoff-Quellen dar. Säurebildung erfolgt bevorzugt (bei 85% der Stämme) aus Ethanol, 1-Propanol, 1-Butanol u. D-Glucose. Die meisten Essigsäurebakterien beanspruchen komplexe Nährmedien. Das modernste u. produktivste Verf. zur Essigsäure-Fermentation ist das *Acetator-Verfahren. – *E* acetobacter – *F*=*S* Acetobacter – *I* acetobatteri
Lit.: Schlegel (7.), S. 351 ff.

ACETOCAUSTIN®. Warzenmittel auf Basis *Chloressigsäure. *B.*: Asta Medica.

Acetochlor. Common name für 2-Chlor-*N*-ethoxymethyl-2'-ethyl-6'-methyl-acetanilid.

$C_{14}H_{20}ClNO_2$, M_R 269,77, ölartige Flüssigkeit, Schmp. 0 °C, LD_{50} (Ratte oral) 2950 mg/kg (WHO), von Monsanto entwickeltes Vorauflauf-*Herbizid gegen Ungräser u. einige Unkräuter im Mais-, Sojabohnen-, Zuckerrohr- u. Baumwollanbau. – *E* acetochlor – *F* acetochlore – *I* = *S* acetocloro
Lit.: Farm ▪ Perkow ▪ Pesticide Manual. – *[HS 2924 29; CAS 34256-82-1]*

Aceto Corporation. One Hollow Lane, Lake Success, New York 11042-1215; gegr. 1947. *Daten* (1994/95): 164 Mio. $ Umsatz. *Produktion:* Techn. u. Feinchemikalien, Agrochemikalien, Farbstoff- u. Pharma- Zwischenprodukte. *Tochterges.:* Pfaltz u. Bauer, Arsynco.

Acetofenid. In Kombination mit einem internat. Freinamen (*INN) verwendete Kurzbez. für die 1-Phenylethylidenether-Derivate zweiwertiger Alkohole.

– *E* acetofenid – *F* acétofénide – *I* acetofenide – *S* acetofenida

Acetogenine. Von *Acetyl... u. ....*genin abgeleitete Gruppenbez. für Naturstoffe, die man sich aus C_2-Bruchstücken entstanden denken kann, wobei die Biosynth. über Acetyl- u. Malonyl-CoA-Ester verläuft. Die A. werden auch als *Polyketide bezeichnet, weil die biosynthet. gebildeten cycl. Verb. im allg. zahlreiche – meist enolisierte – Oxo-Gruppen enthalten. – *E* acetogenins – *F* acétogénines – *I* acetogenine – *S* acetogeninas
Lit.: Angew. Chem. **91**, 453–464 (1979) ▪ Luckner (3.), S. 165–181 (Biosynth.) ▪ Zechmeister **30**, 152–203. – *Monographien:* Thomson, Naturally Occurring Quinones, London: Chapman & Hall 1987 ▪ Turner **1** u. **2**.

Acetoglyceride s. Monoglyceride.

Acetoguanamin. Trivialname für *2,4-Diamino-6-methyl-1,3,5-triazin.

Acetoin (3-Hydroxy-2-butanon).

$C_4H_8O_2$, M_R 88,11. Farblose, angenehm riechende Flüssigkeit, D. 0,997, Schmp. 15 °C, Sdp. 148 °C; mischbar mit Wasser u. Alkohol, wenig lösl. in Ether u. Petrolether. A. wird durch Luftsauerstoff zu *2,3-Butandion (Biacetyl) oxidiert, was in Lebensmitteln erwünschte od. unerwünschte Geschmacks- od. Geruchsveränderungen zur Folge haben kann. Biacetyl wird auch direkt von einigen Milchsäurebakterien (z. B. *Streptococcus cremoris, S. diacetylactis, Leuconostoc*-Arten) gebildet.

Bildung: Als sek. Stoffwechselprodukt von *Enterobacter aerogenes* u. *Clostridium acetobutylicum* aus Pyruvat über 2-Hydroxy-2-methyl-3-oxobutyrat[1]. Bei sich vermehrender Hefe zu Beginn der *Wein-Herst. od. in *Bier entsteht es auf dem gleichen Weg, wird aber später fast quant. zu 2,3-*Butandiol reduziert[2]. *Nachw.:* Rotfärbung im stark Alkal. in Ggw. von Kreatin u. α-Naphthol (Voges-Proskauer-Reaktion). Zusammen mit dem Methylrot-Test eine wichtige Unterscheidungsmöglichkeit zwischen *Escherichia coli* u. *Enterobacter aerogenes* (Coliforme). – *E* acetoin – *F* acétoïne – *I* acetoina – *S* acetoína
Lit.: [1] Schlegel (7.), S. 287. [2] Dittrich, Mikrobiologie des Weines, S. 71, Stuttgart: Ulmer 1977.
allg.: Baumgart, Mikrobiologische Untersuchung von Lebensmitteln (2.), S. 210, Hamburg: Behr 1990 ▪ Beilstein E IV **1**, 3991 f. ▪ Teuber, Grundriß der praktischen Mikrobiologie für das Molkereifach (2.), Gelsenkirchen: Mann 1987. – *[HS 2914 49; CAS 513-86-0]*

Acetomycin [(3*S*)-3α-Acetyl-5α-(acetyloxy)dihydro-3,4α-dimethyl-2(3*H*)-furanon, (2*S*,3*S*,4*R*)-4-Acetoxy-2-acetyl-2,3-dimethyl-butyrolacton)].

$C_{10}H_{14}O_5$, M_R 214,22, farblose Krist., Schmp. 115 °C (bei 70 °C Subl.), $[\alpha]_D$ –167° (c 1,47/C_2H_5OH). A. wurde aus *Streptomyces ramulosus* isoliert u. hemmt Gram-pos. Organismen. – *E* acetomycin – *F* acétomycine – *I* = *S* acetomicina
Lit.: Beilstein E III/IV **18**, 1135 ▪ J. Antibiot. **40**, 73, 77 (1987) ▪ J. Org. Chem. **57**, 3789 (1992). – *[HS 2940 90; CAS 510-18-9]*

Aceton (2-Propanon). $H_3C–CO–CH_3$, C_3H_6O, M_R 58,08. Klare, farblose, aromat. riechende, feuergefährliche Flüssigkeit, D. 0,7908, Schmp. –95 °C, Sdp. 56 °C, FP. –20 °C c. c., Explosionsgrenzen in Luft 2,5–13 Vol.-%. Längere Einwirkung von A. auf die Haut kann entzündliche Rötung (Erytheme) hervorrufen, die Dämpfe können Kopfschmerzen, Müdigkeit, Bronchienreizung u. in hohen Dosen Narkose bewirken; MAK-Wert 500 ppm, BAT-Wert 40 mg/l (Untersuchungsmaterial Harn), LD_{50} (Ratte oral) 5800 mg/kg, Emissionsklasse III; WGK 0, mit Wasser, Alkohol, Ether, Benzol u. Chloroform beliebig mischbar, löst fette u. ether. Öle, Fette, Harze, Schellack, Vinylharze, Asphalt, Acetylcellulose, Nitrocellulose u. Acetylen. A. ist das einfachste, techn. jedoch zugleich bedeutendste aliphat. *Keton. Reduktionsmittel führen es in 2-Propanol über (s. a. Oppenauer-Oxidation). Mit Oxidationsmitteln kann sich ein trimeres Peroxid bilden, das ähnlich den Etherperoxiden sehr explosiv ist. Unter dem Einfluß bas. Reagenzien, z. B. $Ba(OH)_2$, dimerisiert Aceton Aldol-artig zu *Diacetonalkohol, mit Schwefelsäure kondensieren 3 Mol. zu *Mesitylen.
Vork.: A. tritt spurenweise im normalen Harn u. im Blut auf; bei *Diabetes ist A. ein patholog. Bestandteil des Harns, s. a. Ketonkörper.
Herst.: Durch trockene Dest. von Calciumacetat (ältestes Verf., heute unwichtig). A. bildet sich auch reichlich bei der trockenen Zers.-Dest. von Holz, doch ist

seine Abtrennung von Methanol aus dem Holzessig schwierig. Von techn. Bedeutung sind die katalyt. Dehydrierung von 2-Propanol, das Wacker-Hoechst-Verf. der Direktoxid. von Propen, die *Hocksche Spaltung des *Cumolhydroperoxids, wobei A. als Coprodukt auftritt. Daneben haben die Vergärung Stärke-haltiger Produkte u. die Katalysator-freie Butan/Propan/Naptha-Oxid. eine geringere Bedeutung.
Verw.: A. ist ein Ausgangsprodukt für zahlreiche wichtige Zwischenprodukte wie Methylmethacrylat, Methylisobutylketon, Bisphenol A, Diacetonalkohol, Mesityloxid, Methylisobutylcarbinol u. Isophoron. Ein großer Teil dieser Produkte sowie A. selbst dienen als Lsm. für unterschiedlichste Materialien, wie z.B. Naturharze, Lacke, Farbstoffe, Acetyl- u. Nitrocellulose sowie für Fette u. Öle. Ca. 60–70% des hergestellten A. werden für Folgeprodukte verwendet, 30–40% als Lösemittel. A. ist zugelassen als Extraktions-Lsm. bei der Herst. von Lebensmitteln. Als A.-Ersatz ist 2-Butanon verwendbar.
Geschichte: A. wurde erstmalig durch Erhitzen von Bleiacetat hergestellt (Libavius, 1606) u. wurde 1661 von Boyle bei der Holzdest. beobachtet. Name von *Acetum u. *...on; er wurde erstmals von Bussy 1833 gebraucht. – *E = I* acetone – *F* acétone – *S* acetona
Lit.: Beilstein E IV **1**, 3180–3199 ▪ Giftliste ▪ Hommel, Nr. 2 ▪ Kirk-Othmer (4.) **1**, 176–193 ▪ McKetta **1**, 214–262 ▪ Rippen ▪ Ullmann (4.) **7**, 25–42; (5.) **A 1**, 79 ▪ Weissermel-Arpe (4.), S. 300–305 ▪ Winnacker-Küchler (4.) **6**, 72–75. – *[HS 2914 11; CAS 67-64-1; G 3]*

Aceton-Butanol-Fermentation. Fermentationsverf. zur Gewinnung von organ. Lsm. mit Hilfe von Bakterien. Zur Fermentation werden verschiedene *Clostridium*-Arten (s. Clostridien), z.B. *C. butyricum* u. *C. acetobutylicum* eingesetzt, die physiolog. durch einen ausgeprägten Gärungsstoffwechsel charakterisiert sind. Clostridien sind im allg. Gram-pos., haben keine *Katalase u. leben im allg. unter streng anaeroben Bedingungen. *Amylasen befähigen sie zum Abbau Stärke-haltiger Rohstoffe wie Mais. Beim Fermentationsprozeß entstehen 1-Butanol u. Aceton als Hauptprodukte, Kohlendioxid, Wasserstoff u. Wasser als Nebenprodukte gemäß der Bruttogleichung:

3 Glucose → 2 1-Butanol + Aceton + 7 CO_2 + 4 H_2 + H_2O

Hauptrohstoffe sind Mais u. Melasse. Während bei der Fermentation mit Mais Ethanol als Nebenprodukt entsteht, führt der Einsatz von Melasse zu einer etwas höheren Butanol-Ausbeute. Alle Substrate müssen vor Prozeßbeginn sterilisiert u. Sauerstoff muß entfernt werden. Die Organismen sind sehr empfindlich gegen ihre Gärprodukte, die Grenzkonz. für die *Produkthemmung liegt bei 20 g/l Lösungsmittel. Da Aceton u. Butanol durch Dest. aus der vergorenen Maische abgetrennt werden müssen, ist die A.-B.-F. mit einem bes. hohen Energieaufwand verbunden. So war das Verf. bis 1945 weit verbreitet, wurde aber danach in allen westlichen Ländern wegen Unwirtschaftlichkeit eingestellt. In jüngster Zeit ist die A.-B.-F. wieder Gegenstand zahlreicher Untersuchungen. – *E* acetone butanol fermentation – *F* fermentation acétone-butanolique – *I* fermentazione acetone-butanolica – *S* fermentación acetonbutanólica
Lit.: Microbiol. Rev. **50**, 484–524 (1986).

Acetondicarbonsäure s. Oxoglutarsäuren.

Acetonide. Nichtsystemat. Bez. für 2,2-Dimethyl-1,3-dioxolan-Derivate (s. Dioxole), die aus 1,2-*Diolen (Glykolen, Zuckern, Brenzcatechin-Derivate) u. Aceton unter dem Einfluß dehydratisierender, saurer Katalysatoren entstehen. A., die auch als *cycl.* *Acetale aufgefaßt werden können, dienen als *Schutzgruppen in der organ. Synth. mit Zuckern. Ihre Bildung zeigt das Vorhandensein einer *cis*-Konfiguration der 1,2-Diol-Einheit an. – *E* acetonides – *F* acétonides – *I* acetonidi – *S* acetónidos

Acetonitril (Essigsäurenitril, veraltet: Methylcyanid). H_3C-CN, C_2H_3N, M_R 41,05. Angenehm riechende, farblose Flüssigkeit, brennt mit leuchtend pfirsichroter Flamme, D. 0,783, Schmp. –45 °C, Sdp. 82 °C, FP. 2 °C c.c., Explosionsgrenzen in Luft 4–16 Vol.-%. Einatmen der Dämpfe u. Kontakt mit der Flüssigkeit führt zu Vergiftungen, die mit mehrstündiger Verzögerung auftreten. Die Flüssigkeit wird auch über die Haut aufgenommen, MAK-Wert 40 ppm, LD_{50} (Ratte oral) 2730 mg/kg. A. darf beim Herstellen od. Behandeln von kosmet. Mitteln nicht verwendet werden (Kosmetik-VO, Anlage 1, Nr. 393). Wassergefährdende Flüssigkeit, WGK 2, lösl. in Wasser u. den meisten organ. Lsm., unlösl. in Petrolether. A. kann durch Dehydratisierung von Acetamid od. durch Addition von Ammoniak an Acetylen hergestellt werden. Techn. wird A. als Nebenprodukt bei der Herst. von *Acrylnitril gewonnen.
Verw.: Zur Synth. von organ. Verb. sowie als selektives Lsm. für Fette u. anorg. Salze. A. ist ein vielbenutztes Lsm. hoher *Dielektrizitätskonstante in physikal.-chem. Untersuchungen, z.B. in der UV-Spektroskopie. – *E = I* acetonitrile – *F* acétonitrile – *S* acetonitrilo
Lit.: Beilstein E IV **2**, 419–428 ▪ Hommel, Nr. 4 ▪ Houben-Weyl **E 5**, 1548 ff. ▪ Kirk-Othmer **S**, 590–603; (3.) **15**, 895 ▪ Rippen ▪ Ullmann (4.) **17**, 323, 326, 329; (5.) **A 17**, 366 ▪ Weissermel-Arpe (4.), S. 332, 334. – *[HS 2926 90; CAS 75-05-8; G 3]*

Acetonyl... (2-Oxopropyl...). Bez. für die Atomgruppierung $-CH_2-CO-CH_3$ in systemat. Namen von organ. Verb. (IUPAC-Regeln C-318.1 u. R-9.1.27). – *E* acetonyl... – *F* acétonyl... – *I = S* acetonil...

Acetonylaceton s. 2,5-Hexandion.

Acetopersäure s. Peroxyessigsäure.

Acetophenon (1-Phenylethanon, Methylphenylketon, Acetylbenzol, Hypnon). $H_5C_6-CO-CH_3$, C_8H_8O, M_R 120,15. Farblose bis schwach gelbe Flüssigkeit mit durchdringend süßem Geruch, der an Orangenblüten erinnert, D. 1,03, Schmp. 20 °C, Sdp. 202 °C. Die Dämpfe u. Nebel reizen die Augen, die oberen Atemwege u. die Haut. Kontakt mit dem Stoff führt zu Reizung der Augen u. der Haut. Hohe Dampfkonz. haben betäubende Wirkung, LD_{50} (Ratte oral) 815 mg/kg, wassergefährdende Flüssigkeit, WGK 1. A. ist in Wasser geringfügig lösl., lösl. in Alkohol, Ether, Benzol u. fetten Ölen, löst Nitrocellulose, Schellack, Cumaron- u. Vinyl-Harze.
Vork.: Bestandteil des Steinkohlenteers sowie zahlreicher Nahrungsmittel u. ether. Öle.

Herst.: Durch Erhitzen von Benzol mit Acetylchlorid u. Aluminiumchlorid (*Friedel-Crafts-Reaktion); im Hock-Verf. zur Phenol-Herst. entsteht A. als Nebenprodukt.
Verw.: Als hochsiedendes Lsm. für Farben, Celluloseether, Kunst- u. Naturharze, zur Parfümierung von Detergentien u. techn. Produkten, als Zwischenprodukt für andere Riechstoffe, als Ausgangsstoff für Synth. in der pharmazeut. Ind.; in Kombination mit Formaldehyd werden Kunstharze od. Vorprod. für Kunstharze erhalten. – *E* acetophenone – *F* acétophénone – *I* acetofenone – *S* acetofenona
Lit.: Beilstein E IV 7, 619 ▪ Giftliste ▪ Hommel, Nr. 1259 ▪ Kirk-Othmer 1, 167–171 ▪ Merck-Index (11.), Nr. 65 ▪ Ullmann (4.) 14, 223f.; 20, 236; (5.) A 1, 205; A 15, 91 ▪ Winnacker-Küchler (4.) 6, 234, 768. – *[HS 2914 39; CAS 98-86-2; G 3]*

Acetostearine s. Stearin.

Acetoxy... Bez. für die Atomgruppierung –O–CO–CH$_3$ in systemat. Namen von organ. Verb. [IUPAC-Regel C-463.3; Chem. Abstr.: (Acetyloxy)...]. – *E* acetoxy... – *F* acétoxy... – *I* acetossi... – *S* acetoxi...

2-Acetoxybenzoesäure s. Acetylsalicylsäure.

Acetoxylierung. Bez. für die Einführung der *Acetoxy-Gruppe in organ. Verbindungen. Bekannte A.-Mittel sind organ. Peroxide, Hydroperoxide u. Ester von Persäuren (*Kharasch-Sosnovsky-Reaktion*) sowie Metallacetate z. B. von Pb, Hg (vgl. Treibs-Reaktion), Tl, Pd u. a. Zur A. von Chinonen s. Thiele-Winter-Reaktion. – *E* acetoxylation – *F* acétoxylation – *I* acetossilazione – *S* acetoxilación

Acetrizoesäure. Internat. Freiname für die 3-Acetylamino-2,4,6-triiodbenzoesäure.

$C_9H_6I_3NO_3$, M_R 556,87, Zers. bei 278–283 °C, deren Na- bzw. Methylglucamin-Salz als Röntgenkontrastmittel von Mallinckrodt (Cystocon®, Pyelokon-R®, beide außer Handel) 1950 patentiert wurden. – *E* acetrizoic acid – *F* acide acétrizoïque – *I* acido acetrizoico – *S* ácido acetrizoico
Lit.: s. Röntgenkontrastmittel. – *[CAS 85-36-9; 129-63-5 (Natriumsalz); 131-60-2 (Methylglucaminsalz)]*

Acetulan®. Marke für Cetylacetat u. acetylierten Lanolinalkohol. Hydrophober Emollient (s. Emollientien) mit samtigem Gefühl; reduziert den Schmiereffekt u. das Kleben von öligen u. fetten Formulierungen; vermindert den Okklusiveffekt (s. Okklusion) der Öle. *B.:* Nordmann, Rassmann GmbH & Co.

Acetum (pyrolignosum). Latein. Bez. für *Essig (Holzessig), s. a. Essigsäure.

Acetyl... Bez. für die Atomgruppierung –CO–CH$_3$ in systemat. Namen von organ. Verb. (IUPAC-Regel C-404.1). – *E* acetyl... – *F* acétyl... – *I* = *S* acetil...

Acetylaceton (2,4-Pentandion).

$C_5H_8O_2$, M_R 100,12. Farblose, angenehm riechende, klare Flüssigkeit, D. 0,975, Schmp. –23 °C, Sdp. 140 °C, FP. 30 °C c. c. A.-Dämpfe reizen stark die Augen u. die Atemwege. Kontakt mit der Flüssigkeit führt zu starker Reizung der Augen u. der Haut, lähmende Wirkung auf das Zentralnervensyst., Aufnahme über die Haut, Leber- u. Nierenschäden möglich. LD$_{50}$ (Ratte oral) 6,86 g/kg. Wassergefährdende Flüssigkeit, WGK 1, mit Wasser begrenzt mischbar, unbegrenzt mischbar mit Alkoholen, Ketonen, Ethern, aliphat. u. aromat. Kohlenwasserstoffen, Chlorkohlenwasserstoffen u. Estern. Als 1,3-*Diketon ist A. leicht enolisierbar. Die Lage des Gleichgew. zwischen Keto- u. Enol-Form wird außer vom Aggregatzustand von der Temp. u. duch Lsm. beeinflußt. Von der Enol-Form leiten sich die salzartigen *Acetylacetonate* ab, vgl. Metallacetylacetonate u. Chelate (in deren Kurzformeln A. häufig durch acac abgekürzt wird). Außer als Enol kann A. auch als Diketon, als π-Elektronendonator od. über σ-Bindungen als Ligand wirken; über A.-Komplexe aus der Dienol-Form heraus s. *Lit.*[1]. A. erhält man durch therm. Umlagerung von Isopropenylacetat in Ggw. eines Katalysators.

Verw.: A. ist Ausgangsprodukt für pharmazeut. u. Farbstoff-Synth. (Kondensation von organ. Basen wie Hydroxylamin, Hydrazin, Guanidin, Harnstoff mit A. führen zu heterocycl. Verb.), z. B. zur Herst. von Sulfonamiden. Verw. auch als Lsm., Absorptions- u. Extraktionsmittel in der chem. Ind., zur Reinigung metallhaltiger Abwässer, zum Nachweis von Metallen in der chem. Analytik. – *E* acetylacetone – *F* acétylacétone – *I* acetilacetone – *S* acetilacetona
Lit.: [1] Angew. Chem. 89, 896f. (1977).
allg.: Beilstein E IV 3, 3662–3678 ▪ Hommel, Nr. 537 ▪ Kirk-Othmer (4.) 14, 1007 ▪ Merck-Index (11.), Nr. 75 ▪ Ullmann (4.) 14, 212–217; (5.) A 15, 67, 89. – *[HS 2914 19; CAS 123-54-6; G 3]*

Acetylamino... Bez. für die Atomgruppierung –NH–CO–CH$_3$ in systemat. Namen von organ. Verb., von der IUPAC neben *Acetamido...* zugelassen (Regel C-823.1). – *E* acetylamino... – *F* acétylamino... – *I* acetilammino... – *S* acetilamino...

Acetylaminophenole (Hydroxyacetanilide).

$C_8H_9NO_2$, M_R 151,16. – (a) 2-A.: Tafeln, Schmp. 201–207 °C; leicht lösl. in heißem Wasser, gut lösl. in Ethanol, Ether, Benzol u. Alkalilaugen. – (b) 3-A.: Nadeln, Schmp. 145–148 °C; leicht lösl. in Wasser u. Ethanol, wenig lösl. in Ether, Chloroform u. Benzol. – (c) 4-A.: monokline Prismen, Schmp. 167–169 °C, D. 1,293; leicht lösl. in heißem Wasser u. in Ethanol. 4-A. gewann nach dem 2. Weltkrieg bes. in den angelsächs. Ländern als gut verträgliches Analgetikum an Bedeutung. Die Einführung in die Therapie beruhte nicht zuletzt auf der Beobachtung, daß sowohl *Acet-

anilid als auch *Phenacetin im Organismus in A. übergeführt werden. 4-A. wird unter dem internat. Freinamen *Paracetamol* vielfach anstelle von Phenacetin in Arzneimitteln eingesetzt. Außerdem wird 4-A. techn. als Zwischenprodukt für Farbstoffe, Photoentwickler, Antioxidantien u. Additive verwendet. – *E* acetylaminophenols – *F* acétylaminophénol – *I* acetilamminofenoli – *S* acetilaminofenoles
Lit.: ASP ▪ Florey 3, 1–119; 14, 551–596. – *[CAS 614-80-2 (2-A.); 621-42-1 (3-A.); 103-90-2 (4-A.)]*

3-Acetylamino-2,4,6-triiodbenzoesäure s. Acetrizoesäure.

Acetylbromid (Essigsäurebromid). $H_3C-CO-Br$, C_2H_3BrO, M_R 122,95. Rauchende, farblose, an der Luft gelblich werdende Flüssigkeit, D. 1,66, Schmp. –96 °C, Sdp. 76 °C; lösl. in Ether, Chloroform u. Benzol, wird durch Wasser u. Alkohol in heftiger Reaktion zersetzt. Die Dämpfe reizen stark die Augen, die Haut u. die Atemwege, Kontakt mit der Flüssigkeit führt zu starker Reizung der Augen u. der Haut. A. kann durch Einwirken von Phosphortrichlorid auf Essigsäure od. Essigsäureanhydrid hergestellt werden.
Verw.: Zu organ. Synth. (Glykosiden, Teerfarbstoffen usw.), Humusuntersuchung u. dgl. – *E* acetyl bromide – *F* bromure d'acétyle – *I* bromuro acetile – *S* bromuro de acetilo
Lit.: Beilstein E IV 2, 398 f. ▪ Hommel, Nr. 216 ▪ Houben-Weyl E 5, 789. – *[HS 2915 90; CAS 506-96-7; G 8]*

Acetylcellulose s. Celluloseacetat.

Acetylchlorid (Essigsäurechlorid). $H_3C-CO-Cl$, C_2H_3ClO, M_R 78,50. Farblose, an feuchter Luft infolge Hydrolyse zu Essigsäure u. HCl zerfallende, rauchende, stechend riechende Flüssigkeit, D. 1,104, Schmp. –112 °C, Sdp. 51 °C, FP. 5 °C c. c. Die Dämpfe reizen stark die Augen, die Atemwege u. die Lunge, Kontakt mit der Flüssigkeit löst schwere Reizung der Augen u. der Haut aus, LD_{50} (Ratte oral) 910 mg/kg, wassergefährdende Flüssigkeit, WGK 1 (KBwS). A. ist lösl. in Aceton, Ether, Benzol u. Chloroform.
Herst.: Durch Einwirkung von $CaCl_2$ auf Essigsäureanhydrid od. durch Behandlung von Natriumacetat mit Schwefeldioxid u. Chlor od. Phosphortrichlorid.
Verw.: Als Reagenz in der chem. Analyse, als Katalysator für Veresterungen u. Halogenierungen aliphat. Säuren sowie als Acetylierungsmittel zu chem. Synth. (Acetanilid, Acetophenon u. dgl.), auch von Farbstoffen u. Arzneimitteln. – *E* acetyl chloride – *F* chlorure d'acétyle – *I* cloruro d' acetile – *S* clorure de acetilo
Lit.: Beilstein E IV 2, 395–398 ▪ Hommel, Nr. 213 ▪ Houben-Weyl E 5, 593 ▪ Kirk-Othmer (4.) **1**, 155 ▪ Ullmann (4.) **11**, 71; (5.) **A 1**, 60. – *[HS 2915 90; CAS 75-36-5; G 3]*

Acetylcholin (2-Acetoxyethyl)-trimethylammoniumhydroxid, Abk. ACh.

$$[H_3C-CO-O-CH_2-CH_2-\overset{+}{N}(CH_3)_3]\ ^-OH$$

$C_7H_{17}NO_3$, M_R 163,22. *Neurotransmitter der sog. *cholinergen *Synapsen. ACh wird im Axon (s. Neurochemie) in der Nähe des präsynapt. Membran mit Hilfe des Enzyms Cholin-*O*-Acetyltransferase (EC 2.3.1.6) gebildet u. in den synapt. Vesikeln gespeichert.

Ein Mangel an diesem Enzym im Bereich der Großhirnrinde wird als eine der möglichen Ursachen der *Alzheimerschen Krankheit diskutiert[1]. Bei einer Erregung der präsynapt. Nervenzelle (Depolarisierung der Membran) strömen Calcium-Ionen ein, u. es kommt zur Freisetzung von ACh in den synapt. Spalt. An der postsynapt. Membran bindet ACh an spezielle *Rezeptoren u. bewirkt damit eine Signalübertragung auf die postsynapt. Zelle. Bei dieser kann es sich um eine weitere Nervenzelle handeln (die entweder exzitator. od. inhibitor. erregt wird), um eine Muskelzelle od. eine Drüsenzelle. Zur Beendigung des Erregungssignals u. zur Wiederherstellung der Erregungsbereitschaft wird das freigesetzte ACh durch das Enzym *Acetylcholin-Esterase zu Cholin u. Acetat abgebaut. Cholin kann in die präsynapt. Zelle wiederaufgenommen u. wiederverwertet werden. Der gesamte Vorgang spielt sich im Millisekunden-Bereich ab.
Pharmakologie: Man unterscheidet die *muscarin.* u. die *nicotin.* Wirkung des ACh nach den *Agonisten *Muscarin u. *Nicotin. Die muscarin. Effekte, die bei relativ geringen Konz. an ACh auftreten, sind u. a. Gefäßerweiterung, Blutdrucksenkung u. Verlangsamung des Herzschlags. *Atropin als muscarin. *Antagonist unterdrückt diese Wirkungen. Höhere Dosen führen dagegen zur Blutdrucksteigerung (nicotin. Effekt). Die unterschiedlichen pharmakolog. Wirkungen erklären sich durch Aktivierung verschiedener Zelltypen, die zwei Arten von *Acetylcholin-Rezeptoren* (AChR) tragen.
Nicotinische AChR (n-Cholinozeptoren, nAChR)[2] sind an den sympath. u. parasympath. Ganglien, an den neuromuskulären Endplatten u. nach neuerer Erkenntnis auch im Gehirn lokalisiert. Ihr Vork. im Gehirn (als präsynapt. Rezeptoren[3]) wird mit dem Lernen, der Wirkung des Nicotins auf die Lernfähigkeit u. mit der Alzheimerschen Krankheit in Verbindung gebracht[4]. Der nAChR gilt als der bestuntersuchte Rezeptor eines Neurotransmitters. Als annähernd zylindr. Membranprotein-Mol. von 11,5 nm Länge u. 6,5 nm Durchmesser mit M_R 268000 besteht er aus 5 Polypeptid-Ketten (Untereinheiten) mit einander ähnlichen Aminosäure-Sequenzen (davon 2 ident.: $\alpha_2\beta\gamma\delta$). Ähnliche Sequenzen wurden auch bei den *GABA-Rezeptoren, dem *Glycin-Rezeptor, $5HT_3$-Rezeptor (s. Serotonin) u. den *Glutamat-Rezeptoren gefunden. Die Untereinheiten besitzen je 4 hydrophobe u. daher wahrscheinlich Membran-durchspannende Abschnitte [wobei unklar ist, ob nur α-Helices (s. Helix) od. auch β-Faltblätter (s. Proteine) beteiligt sind[5]] u. sind im Fünfeck um eine zentrale Pore angeordnet. Diese Pore wirkt als Kationen-Kanal. Er wird geöffnet, sobald ACh an beide α-Untereinheiten gebunden ist. Als Hemmstoffe dieses *Ionenkanals wirken verschiedene Schlangengifte (z. B. α-*Bungarotoxin, *Kobratoxin), das Pfeilgift *Curare [Wirkstoff: (+)-*Tubocurarin], *Lophotoxin sowie etliche quaternäre Ammonium-Verb., die anstelle von ACh binden können. Bei der *Autoimmunerkrankung *Myasthenia gravis*, einer Muskelschwäche, die zum Tod führen kann, kommt es zur Bildung von Auto-*Antikörpern (s. Autoimmunität) gegen den nAChR u. zu dessen teilw. Zerstörung an den neuromuskulären Endplatten[6].

Muscarinische AChR (m-Cholinozeptoren, M-Rezeptoren, mAChR)[7] bestehen aus einer einzigen Polypeptid-Kette (M_R 50000–65000 je nach Subtyp) mit 7 Membran-durchspannenden α-Helices (Verwandtschaft mit β-*Adrenozeptor u. *Rhodopsin) u. üben ihren Einfluß über *G-Proteine u. verschiedene Effektoren wie *Phospholipase C od. *Adenylat-Cyclase aus[8]. Von den 4 pharmakolog. definierten Subtypen kommen die M_1-Rezeptoren in Ganglien vor, die M_2-Rezeptoren bewirken im Herz die Öffnung von Kalium-Kanälen u. eine Abnahme der Herzfrequenz. M_3-Rezeptoren befinden sich in der glatten Muskulatur von Darm, Bronchien u. in Drüsen u. verursachen bei Bindung von ACh eine Tonuserhöhung. In den Blutgefäßen kommt es durch ihre Aktivierung zu einer Freisetzung von Stickstoffmonoxid (s. Stickstoffoxide) u. in der Folge zur Gefäßerweiterung. M_4-Rezeptoren befinden sich in Uterus u. Lunge. Alle 4 Subtypen kommen auch im Gehirn vor u. sollen dort u. a. an Lern- u. Gedächtnisvorgängen u. der Schmerzverarbeitung beteiligt sein. Zu den mAChR der Insekten s. Lit.[9].

Acetylcholinium-Chlorid (M_R 181,68; weißes hygroskop. Kristallpulver, leicht lösl. in Wasser u. Alkohol, lösl. in Chloroform, unlösl. in Ether, Schmp. 149–150 °C) wird wie das analoge *Bromid* (M_R 226,12; leicht zerfließende prismat. Krist., die sich teilw. bereits beim Umkrist. aus heißem Alkohol zersetzen, Schmp. 143 °C) als *Parasympathikomimetikum verwendet. ACh wurde 1921 von *Loewi entdeckt. – *E* acetylcholine – *F* acétylcholine – *I=S* acetilcolina

Lit.: [1] FASEB J. **4**, 2745–2752 (1990). [2] Annu. Rev. Physiol. **57**, 469–493, 521–546 (1995); Spektr. Wiss. **1994** (1), 84–91. [3] Science **269**, 1692–1696 (1995). [4] Nachr. Chem. Tech. Lab. **43**, 444f. (1995). [5] Trends Biochem. Sci. **19**, 383ff. (1994). [6] Immunol. Res. **12**, 78–100 (1993). [7] Pharmazie **49**, 711–726 (1994); Wess, Molecular Mechanisms of Muscarinic Acetylcholine Receptor Function, Berlin: Springer 1995. [8] FASEB J. **9**, 619–625 (1995). [9] Trends Neurosci. **18**, 104–111 (1995). allg.: Adv. Second Messenger Phosphoprotein Res. **24**, 15ff. (1990). ▪ Beilstein E IV **4**, 1446f. ▪ Lüllmann et al., Taschenatlas der Pharmakologie, 2. Aufl., S. 98ff., Stuttgart: Thieme 1994 ▪ Mutschler (6.), S. 265ff. ▪ Stryer (5.), S. 1053–1061. – [HS 2923 90; CAS 51-84-3]

Acetylcholin-Esterase (Acetylcholin-Acetylhydrolase, AChE, EC 3.1.1.7). Eine *Hydrolase, genauer *Esterase, mit M_R 260000–330000, aus 4 ident. Untereinheiten bestehend, die – im Gegensatz zur (Pseudo-)*Cholin-Esterase – spezif. die Spaltung von *Acetylcholin in Acetat u. *Cholin katalysiert. Das halbe Mol., aus zwei kovalent gebundenen Untereinheiten bestehend, ist ebenfalls enzymat. aktiv. Im aktiven Zentrum (s. Enzyme) der AChE, deren 3-dimensionale Struktur 1991 veröffentlicht wurde[1], kann man die Bindungsstellen für die pos. geladene quartäre Ammonium-Gruppe des Acetylcholins sowie das Hydrolyse-Zentrum, bestehend aus Serin, Histidin u. Glutaminsäure („Serin-Esterase", vgl. Serin-Proteasen) unterscheiden. AChE kommt im zentralen Nervensyst., insbes. gebunden an postsynapt. Membranen von motor. u. parasympath. Nervenzellen, sowie im elektr. Organ von Zitteraalen u. -rochen vor u. ist – mit seiner extrem hohen Umsatzgeschwindigkeit (1 Mol. AChE hydrolysiert ca. 25000 Mol. Acetylcholin pro s) – wichtig für die rechtzeitige Beendigung der durch Acetylcholin übertragenen Nervenimpulse (in 0,1 ms ist alles im synapt. Spalt vorhandene Acetylcholin hydrolysiert). Die Funktion der AChE in nicht-*cholinergem Gewebe ist noch nicht ausreichend bekannt. Bekannte Hemmstoffe der AChE sind u. a. *Physostigmin u. verwandte Carbaminsäureester, die mit dem Enzym schwer hydrolysierbare Verb. bilden. Irreversibel wird das Enzym auch durch *Diisopropylfluorophosphat u. a. im Pflanzenschutz (*Parathion = E605) od. als Kampfgase verwendete *Phosphor-organische Verbindungen gehemmt. Dadurch kommt es zur ständigen Erregung des *cholinergen Syst., was schließlich durch Atemlähmung u. Herzstillstand zum Tode führt. Als *Antidote gegen AChE-Hemmer haben sich einige *Oxime bewährt, z. B. *Obidoximchlorid u. *Pralidoximiodid. – *E* acetylcholinesterase – *F* acétylcholinestérase – *I* acetilcolinesterasi – *S* acetilcolinesterasa

Lit.: [1] Science **253**, 872–879 (1990). – [HS 3507 90]

Acetylcholin-Rezeptor s. Acetylcholin.

Acetyl-CoA (*S*-Acetyl-Coenzym A, „Aktivierte Essigsäure").

$C_{23}H_{38}N_7O_{17}P_3S$, M_R 809,57. A. ist als Thioester ein reaktiver Acetyl-Gruppendonor u. ein zentrales Stoffwechselprodukt, das den Protein-, Kohlenhydrat- u. Fettstoffwechsel miteinander verbindet (s. a. Coenzym A). Bei *Aerobiern stammt die Acetyl-Einheit des A. aus dem Abbau von Kohlenhydraten, Aminosäuren u. Fetten u. wird in vielfältiger Weise für Biosynth.-Reaktionen verwendet. A. nimmt auch bei vielen anaeroben Bakterien (s. Anaerobier) eine zentrale Stellung im Stoffwechsel ein[1], nur wird es hier durch Carbonylierung von an *Tetrahydrofolsäure gebundenen Methyl-Gruppen od. aus Kohlenstoffdioxid gebildet. – *E* acetyl-CoA – *F* acétyl-CoA – *I* acetil-CoA – *S* acetil-CoA

Lit.: [1] Antonie Van Leeuwenhoek **66**, 187–221 (1994). allg.: Beilstein EV **26/16**, 431 ▪ Stryer (5.), S. 334, 336f., 404f., 495f., 499, 501, 508, 532, 582. – [CAS 75520-41-1 (Trilithiumsalz)]

Acetylcystein.

HS—CH$_2$—CH—COOH
          |
          NH—CO—CH$_3$

Internat. Freiname für *N*-Acetyl-L-cystein (L-2-Acetamido-3-mercaptopropansäure), $C_5H_9NO_3S$, M_R 163,19, Schmp. 110–112 °C, LD_{50} (Ratte) 5050 mg/kg, das als schleimlösendes Mittel (Mucolytikum) von Mead Johnson 1965 patentiert wurde. Es ist von Zambon (Fluimucil®) im Handel u. generikafähig. – *E* acetylcysteine – *F* acétylcystéine – *I* acetilcisteina – *S* acetilcisteína

Lit.: ASP ▪ DAB 10 ▪ Hager (5.) **7**, 33ff. ▪ Ullmann (5.) **A 2**, 83. – [HS 2930 90; CAS 616-91-1; 19542-74-6 (Natriumsalz)]

Acetyldigitoxin.

R = H; Acetyldigitoxin
R = OH; Acetyldigoxin

Internat. Freiname für das α-Acetat des *Digitoxins, $C_{43}H_{66}O_{14}$, M_R 806,99, α-Form: Schmp. 217–221 °C, $[\alpha]_D^{20}$ + 5,0° (c 0,7/Pyridin); β-Form: Zers. bei 225 °C, $[\alpha]_D^{20}$ + 16,7° (Pyridin). Patente haben Sandoz (Acylanid®) u. Boehringer Ingelheim. A. findet Verw. als *Digitalis-Glykosid in der Kardiologie. – *E* acetyldigitoxine – *F* acéty digitoxine – *I* acetildigitossina – *S* acetildigitoxina

Lit.: ASP. – [HS 2930 90; CAS 25395-32-8; 111-39-3 (α-Form)]

Acetyldigoxin.

$C_{43}H_{66}O_{15}$, M_R 822,99, Formel s. Acetyldigitoxin. Es sind zwei Acetate (α- u. β-A.) des *Digoxins bekannt, die beide sehr wirksam sind; α-Form: Zers. bei 225 °C, $[\alpha]_D^{20}$ + 18,9° (Pyridin); β-Form: Zers. bei 240 °C, $[\alpha]_D^{20}$ + 30,4° (c 1,2/C_2H_5OH). Patente für beide Substanzen hat Boehringer Ingelheim; generikafähig. – *E* acetyldigoxine – *F* acétyldigoxine – *I* acetildigossina – *S* acetildigoxina

Lit.: ASP ▪ DAB 10 (s. Digoxin) ▪ Hager (5.) **7**, 36ff. ▪ Ullmann (5.) **A 5**, 281. – [HS 2938 90; CAS 5511-98-8 (α-Form); 5355-48-6 (β-Form)]

Acetylen

(Azetylen, Ethin). HC≡CH, C_2H_2, M_R 26,04. Farbloses Gas, D. 0,6181 (–81,8 °C), Litergew. 0,9057 (Luft = 1; 15 °C), Schmp. –81 °C, Sdp. –84 °C (Subl.), krit. Temp. 35 °C, krit. Druck 6,24 MPa. Reines A. ist fast geruchfrei, das techn. aus Carbid gewonnene Gas riecht unangenehm, weil es durch Schwefelwasserstoff, Phosphorwasserstoff, Ammoniak, organ. Schwefel- u. Phosphor-Verb. verunreinigt ist. Wasser löst 1, Ethanol 6, Aceton unter 1,2 MPa Druck 300 Vol.-% A. (*Dissousgas*). Es entzündet sich oberhalb 305 °C u. verbrennt an der Luft mit stark leuchtender, rußender Flamme von 1900 °C; die A.-Sauerstoff-Flamme wird etwa 2800 °C heiß; 1 m³ A. liefert ca. 60 MJ (14 300 kcal). A.-Luft-Gemische mit 1,5–82 Vol.-% A. sind explosiv. Unverd. A. kann unter Normaldruck schon von 160 °C an zerfallen u. detonieren. Über explosives Verhalten von A. s. Kirk-Othmer u. Ullmann (*Lit.*). A. in reiner Form ist ungiftig, hohe Konz. wirken narkotisch. Auch bei geringen, noch nicht narkot. wirkenden Konz., muß mit den giftigen Verunreinigungen des techn. Produktes gerechnet werden. A. wurde in der Atmosphäre des Jupiter u. im intergalakt. Raum nachgewiesen.

Acetylen bildet das Anfangsglied der *Alkine, die deshalb auch oft *Acetylene* genannt werden. Die Reaktionsfähigkeit des A. ist nur selten durch die *Acidität der H-Atome bedingt, im allg. dagegen durch das Angebot an π-Elektronen, die auch für die Bildung von Metallkomplexen verantwortlich sind. Die beiden H-Atome des A. lassen sich leicht durch Metallatome ersetzen (Metallierung): z. B. beim Einleiten von A. in eine ammoniakal. Lsg. von Silber- od. Kupfer(I)-Salzen bilden sich die *Acetylide (Acetylenide)* Ag_2C_2 bzw. Cu_2C_2, die polymer vorliegen u. in trockenem Zustand heftig explodieren. Die Fällungsreaktionen von Silber- bzw. Kupferacetylid dienen zum qual. Nachw. des A. u. seiner Abkömmlinge vom Typ R–C≡CH. A. zeigt u. a. folgende Reaktionen: Addition unter Bildung von Ethylen- od. Ethan-Derivaten; mit Wasser erfolgt Hydratisierung (über Vinylalkohol) zu Acetaldehyd; Addition an Diazomethan führt zu Pyrazol. In einer salzsauren Lsg. von Kupfer(I)-chlorid u. Ammoniumchlorid dimerisiert A. zu *1-Buten-3-in (Vinylacetylen), in Ggw. von *Ziegler-Natta-Katalysatoren bildet sich *Polyacetylen. In den 30er Jahren entwickelte sich, bes. in der BRD, eine eigenständige „Acetylen-Chemie", welche nach ihrem Begründer *Reppe auch Reppe-Chemie genannt wird. Sie ist gekennzeichnet durch die Verw. von A. unter Druck (bis 3,0 MPa) bei hohen Temp. unter Verw. von Metallcarbonylen u. Schwermetallacetyliden als Katalysatoren. Reppe ist es gelungen, die Explosionsgefahren des komprimierten A. durch sorgfältige Betriebsführung auszuschalten. Die vier von Reppe aufgefundenen Hauptreaktionen der A.-Chemie sind: *Vinylierung, bei der die C,C-Dreifach- in eine C,C-Doppelbindung (Vinyl-Gruppe) übergeht (HC≡CH + H–OR → $H_2C=CH–OR$), *Ethinylierung, bei der die C,C-Dreifachbindung erhalten bleibt, z. B.

$$HC≡CH + 2\,R-\overset{O}{\underset{H}{C}} \longrightarrow R-\overset{OH}{\underset{H}{C}}-C≡C-\overset{OH}{\underset{H}{C}}-R,$$

Cyclisierung zu Benzol ($3\,C_2H_2 \to C_6H_6$) od. zu Cyclooctatetraen ($4\,C_2H_2 \to C_8H_8$) sowie die *Carbonylierung, wobei aus A. u. CO in Ggw. von Verb. mit acidem H-Atom u. Metallcarbonylen als Katalysator ungesätt. Carbonsäuren u. deren Derivate entstehen. Einen Überblick über die wichtigsten techn. Synth. mit A. vermittelt die Übersicht auf S. 39; Produkte, bei deren Herst. in zunehmendem Maße andere Rohstoffe als A. verwendet werden, sind eingeklammert.

Herst.: Diese erfolgt am einfachsten durch die Zers. von *Calciumcarbid durch Wasser nach der Gleichung:

$$CaC_2 + 2\,H_2O \to HC≡CH + Ca(OH)_2.$$

Mit der Entwicklung der *Petrochemie hat einerseits die Bedeutung des A. zugunsten anderer Rohstoffe wie Ethylen u. a. Olefine nachgelassen, zum anderen sind auch die techn. Herst.-Verf. für A. überwiegend auf die Basis petrochem. Grundstoffe gestellt worden. Zahl-

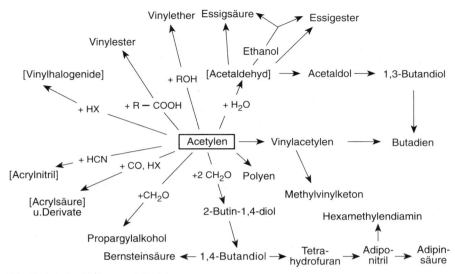

Abb.: Technische Synthesen mit Acetylen.

reiche Verf. zur Herst. von A. basieren auf der unkatalysierten Pyrolyse von Kohlenwasserstoffen im C-Bereich von Methan über Leichtbenzin bis zum Rohöl. Bei neueren Prozeßentwicklungen kommen zusätzlich höher siedende Fraktionen, Rückstandsöle od. auch Kohle zum Einsatz. Wichtige Voraussetzungen aller Prozesse sind eine schnelle Energiezufuhr auf hohem Temp.-Niveau von mehr als 1400 °C, sehr kurze Verweilzeiten der Einsatz- bzw. Reaktionsprodukte, niedriger Partialdruck des A. u. schnelles Abschrecken der pyrolysierten Gase. A. fällt dabei relativ verdünnt, d. h. zu etwa 5–20 Vol.-% im Spaltgas an. Es wird durch selektive Lsm. wie z. B. *N*-Methylpyrrolidon (NMP), Dimethylformamid (DMF), Kerosin, Methanol od. Aceton aus dem Gasgemisch herausgelöst u. in weiteren Stufen gereinigt. Die einzelnen A.-Verf. unterscheiden sich im wesentlichen in der Art der Erzeugung u. der Übertragung der hohen für die Spaltreaktion erforderlichen Temperaturen. Hier lassen sich drei Verf. unterscheiden:
1. allotherme Verf. mit direkter Wärmeübertragung, zumeist mit elektr. Aufheizung, – 2. allotherme Verf. mit indirekter Wärmeübertragung durch einen Wärmeträger u. – 3. autotherme Verf., bei denen die Wärme aus der Teilverbrennung des Einsatzproduktes zur endothermen Spaltung des Restes genutzt wird.
Eine ausführliche Beschreibung der einzelnen Verf. findet man in Weissermel-Arpe u. Kirk-Othmer (*Lit.*). Ohne techn. Bedeutung ist die klass. A.-Herst. aus den Elementen mit elektr. Lichtbogen nach $2C + H_2 \rightarrow HC{\equiv}CH$.
Verw.: Handhabungssicher kommt A. als Dissous-Gas in gelben Stahlflaschen (1,2–2 MPa), die mit porösen Massen sowie mit Aceton gefüllt sind, in den Handel. Früher wurde A. vorwiegend für Beleuchtungszwecke verwendet; in Fahrradlampen u. beweglichen Kleinbeleuchtungsgeräten wurde es aus Calciumcarbid durch Auftropfen von Wasser entwickelt (*Acetylen-* od. *Carbid-Lampe*). Bis zum Aufblühen der Petrochemie zählte A. zu den wichtigsten Grundstoffen der industriellen organ. Chemie. An die Stelle des A. als Basisprodukt v. a. für zahlreiche Monomere sind im Verlauf dieser Entwicklung die leichter zugänglichen u. damit preiswerteren sowie besser zu handhabenden Olefine getreten. Für viele Zwecke hat A. auch weiterhin seine Bedeutung behalten, z. B. zur Herst. der Vinylester u. -ether höherer Alkohole od. zur Herst. von 1,4-Butandiol. Der durch therm. Zers. erhaltene Acetylenruß wird in Batterien verwendet (s. a. Spaltruß), *Polyacetylene besitzen elektr. Leitfähigkeit. Durch Kupfer-Katalysatoren wird A. zu Cupren polymerisiert. Das A.-Knallgas, ein Gemisch von A. mit reinem Sauerstoff, erzeugt eine Temp. von 2800 °C u. wird zum autogenen Schneiden u. Schweißen von Stahlteilen benutzt. In der Medizin hat man chem. reines A. gelegentlich unter der Bez. „Narcylen" zu Narkosen verwendet; heute ist diese Anw. wegen der Explosionsgefahr nicht mehr üblich.
Geschichte: A. wurde 1836 erstmals von dem irischen Chemiker Edmund Davy (1785–1857) bei der Herst. von metall. Kalium durch Erhitzen eines Gemisches aus calciniertem Kaliumtartrat mit Holzkohle als Nebenprodukt erhalten. 1862 gelang F. *Wöhler die Herst. von A. durch Behandlung von Calciumcarbid mit Wasser; ihm wird allg. die Entdeckung des A. zugeschrieben, zumal Davy seine Beobachtung lediglich in seinem Laborjournal registrierte. Im gleichen Jahr synthetisierte *Berthelot A. aus den Elementen. – *E* acetylene – *F* acétylène – *I* acetilene – *S* acetileno
Lit.: Beilstein E IV **1**, 933–956 ▪ Beyer-Walter, Lehrbuch der Organischen Chemie, S. 93–102, Stuttgart: Hirzel 1991 ▪ Brandsma et al., Synthesis of Acetylenes, Allenes and Cumulenes, Amsterdam: Elsevier 1981 ▪ Hommel, Nr. 214 ▪ Houben-Weyl **5/2a** ▪ Kirk-Othmer (4.) **13**, 760–811 ▪ Patai, The Chemistry of the Carbon-Carbon Triple Bond, 2 Bd., Chichester: Wiley 1978 ▪ Ullmann (4.) **7**, 43 ff.; **9**, 156 ff., 443 ff.; (5.) **A 1**, 97 ff. ▪ Weissermel-Arpe (4.), S. 99–113 ▪ Winnacker-Küchler (3.) **4**, 1–27 ▪ s. a. Alkine. – *[HS 2901 29; CAS 74-86-2]*

Acetylenchloride s. Dichlorethylen u. 1,1,2,2-Tetrachlorethan.

Acetylen-Dissous s. Acetylen.

Acetylenide (Acetylide). Bez. für Salze mit dem Mono- ($HC\equiv C^-$) od. Dianion ($^-C\equiv C^-$) des *Acetylens. A. bilden eine Gruppe der salzartigen *Carbide. Ihre Bedeutung besteht in der direkten Einführung der Kohlenstoff-Dreifachbindung durch Umsetzung mit Elektrophilen, z. B. Alkylhalogeniden, Carbonyl-Verb. u. a. – *E* acetylenides – *F* acétylénide – *I* acetilenidi – *S* acetilenidos

Lit.: s. Acetylen u. Alkine.

Acetylenruß s. Acetylen.

Acetylenyl... s. Ethinyl...

Acetylglutaminsäure (*N*-Acetyl-L-glutaminsäure).

$$HOOC-\underset{NH-CO-CH_3}{\overset{H}{C}}-CH_2-CH_2-COOH$$

$C_7H_{11}NO_5$, M_R 189,17, prismat. Krist., Schmp. 199 °C. Alloster. (s. Allosterie) Aktivator des Enzyms Carbamoylphosphat-Synthetase (Ammoniak) (EC 6.3.4.16). – *E* acetylglutamic acid – *F* acide acétylglutamique – *I* acido acetilglutam(m)ico – *S* ácido acetilglutámico

Lit.: Beilstein E IV **4**, 3047 f. – *[HS 2924 10; CAS 1188-37-0]*

Acetylide s. Acetylenide u. Carbide.

Acetylierung. Bez. für die Einführung der Acetyl-Gruppe in organ. Verb., die OH-, SH- od. NH$_2$-Gruppen enthalten. Die A. ist ein Spezialfall der *Acylierung u. führt im Falle von OH-Gruppen zu *Acetaten (bekanntes Beisp.: Bildung von Acetylsalicylsäure aus Salicylsäure). Ammoniak wird zu *Acetamid u. Anilin zu *Acetanilid acetyliert. Die A. einer geeigneten CH-Gruppe (z. B. in *aromatischen Verbindungen) ist ebenfalls möglich u. liefert Methyl-*Ketone; s. a. Friedel-Crafts-Reaktion. Die A. spielt in der Analytik der Fette, Öle u. Wachse eine Rolle bei der Bestimmung der *Acetyl-Zahl. Gewöhnlich erhitzt man die zu acetylierende Verb. zusammen mit Essigsäureanhydrid od. Acetylchlorid in Ggw. eines Lsm. wie z. B. Benzol, Essigsäure u. dgl. In manchen Fällen wird die A. durch Zusatz saurer od. bas. Katalysatoren, z. B. von Zinkchlorid, Schwefelsäure bzw. Triethylamin, Pyridin od. 4-Dimethylaminopyridin (DMAP) beschleunigt. – *E* acetylation – *F* acétylation – *I* acetilazione – *S* acetilación

Lit.: s. Acylierung.

Acetylimino... Bez. für die Atomgruppierung =N–CO–CH$_3$ in systemat. Namen von organ. Verb. (IUPAC-Regel C-815 3). – *E* acetylimino... – *F* acétylimino... – *I* acetilimmino... – *S* acetilimino...

Acetylmethadol.

$$H_3C-CH_2-\underset{H_3C-CO-O}{\overset{C_6H_5}{\underset{|}{C}}}-\underset{C_6H_5}{\overset{|}{CH}}-CH_2-\underset{N(CH_3)_2}{\overset{|}{CH}}-CH_3$$

Internat. Freiname für 6-Dimethylamino-4,4-diphenylheptan-3-ol-acetat, $C_{23}H_{31}NO_2$, M_R 353,50, Analgetikum, ähnlich wie das chem. verwandte *Methadon, wurde in den USA auch gegen Heroinsucht verwendet. Es ist in Anlage I der Btm-VO gelistet. – *E* acetylmethadol – *F* acétylméthadol – *I* acetilmetadolo – *S* acetilmetadol

Lit.: Ann. N.Y. Acad. Sci. **311**, 199 (1978) ■ Pharmacologist **11**, 256 (1969). – *[HS 2922 19]*

***N*-Acetylneuraminsäure** s. Acylneuraminsäuren.

Acetyloxy... s. Acetoxy...

***N*-Acetyl-*p*-phenetidin** s. Phenacetin.

***N*-Acetyl-*p*-phenylendiamin** s. 4-Aminoacetanilid.

Acetylphosphorsäure.

$$H_3C-CO-O-\underset{\underset{OH}{|}}{\overset{\overset{O}{\|}}{P}}-OH$$

$C_2H_5O_5P$, M_R 140,03. Gemischtes Säureanhydrid mit hohem Phosphat-Transferpotential („energiereiches Phosphat"). A. wird in manchen Organismen aus Acetat u. *Adenosin-5′-triphosphat gebildet, ist seinerseits jedoch in der Lage, *Adenosin-5′-monophosphat u. *Adenosin-5′-diphosphat enzymat. zu phosphorylieren sowie an biolog. Acetylierungen mitzuwirken. Verschiedene Salze sind bekannt. – *E* acetylphosphoric acid – *F* acide acétylphosphorique – *I* acido acetilfosforico – *S* ácido acetilfosfórico

Lit.: Beilstein E IV **2**, 442.

Acetylsalicylsäure (2-Acetoxybenzoesäure).

[Struktur: Benzolring mit COOH und O–CO–CH$_3$]

$C_9H_8O_4$, M_R 180,16. Körnige od. nadelige farblose Krist. od. krist. Pulver von schwach säuerlichem Geruch u. Geschmack (aus Wasser) od. Tafeln (aus Isoamylalkohol), D. 1,35, Schmp. 135 °C. Es lösen sich 5 g in 100 ml Ether bei 18 °C u. 0,25 g in 100 ml Wasser bei 15 °C, pK_s (25 °C) 3.49; leicht lösl. in Ethanol u. Alkalilaugen, sehr wenig lösl. in Benzol.

Herst.: Durch Acetylierung von *Salicylsäure mit Essigsäureanhydrid[1].

Physiologie: A. wirkt im Organismus ähnlich wie Salicylsäure schmerzstillend u. fiebersenkend, jedoch mit geringeren Nebenwirkungen auf Magen u. Darm. Die therapeut. Wirkung der A. ist entgegen früheren Ansichten durchaus nicht allein dem Salicylat-Rest, der nach Abspaltung der Essigsäure im Darm entsteht, zuzuschreiben. Damit stimmt der Befund überein, daß die Essigsäure-Abspaltung im Organismus nur partiell erfolgt u. ein geringer Anteil A. unverändert ausgeschieden wird. In Untersuchungen über den Wirkungsmechanismus der A. fanden Hawkins u. a.[2], daß A. das Serumalbumin, die wichtigste Eiweißkomponente des Blutplasmas, durch Acetylierung verändert. Darüber hinaus zeigte sich, daß A. *in vitro* offenbar auch andere Substanzen acetylieren kann (z. B. γ-Globulin, Hormone, Desoxyribonucleinsäure), u. a. auch Hämoglobin, vgl. *Lit.*[3]. Neuere Untersuchungen haben gezeigt, daß A. die Synth. der *Prostaglandine durch kovalente Modifikation u. Inhibition der Cyclooxygenase (s. Oxygenasen) hemmt, worin man die Ursache für die schmerzstillende u. fiebersenkende Wirkung der A. sieht (s. *Lit.*[4]). Außerdem wurde nachgewiesen, daß A. die Aggregation u. Desaggregation der Blut-

plättchen stört u. dadurch das Stillen von Blutungen erschwert, was ebenfalls auf die Hemmung der Prostaglandin-Synth. zurückzuführen ist. Andererseits macht gerade diese Eigenschaft die A. zur Behandlung u. Prophylaxe thrombot. Erkrankungen geeignet[5]. Diese Verzögerung der *Blutgerinnung durch A. zieht als Nebenwirkung nach sich, daß – insbes. bei vorhandenen Magengeschwüren – Magenblutungen auftreten od. solche Geschwüre entstehen. Insgesamt ist also A. nicht ganz so harmlos, wie es ihre weltweite Anw. vermuten läßt: *Aspirin ist seit 1899 auf dem Markt; 1994 betrug die Jahresproduktion ca. 40000 t. Einmalige Gaben von 30–40 g können tödlich wirken; LD_{50} (Mäuse u. Ratten oral) 1,1 u. 1,5 g/kg. Die nach A.-Gaben beobachteten allerg. Reaktionen sind vorwiegend auf Verunreinigungen, insbes. mit dem stark allergenen A.-Anhydrid, zurückzuführen. A. wird aus dem Körper nur sehr langsam auf natürliche Weise eliminiert (eine Gabe von 1 g ist erst nach 6 h zur Hälfte ausgeschieden).
Verw.: A. ist als *Analgetikum, *Antipyretikum u. *Antirheumatikum unter den verschiedensten warenzeichenrechtlich geschützten Namen (am bekanntesten ist Aspirin®) meist tablettiert, aber auch in dosierten Pulvern als Substanz wie auch als Salz (z.B. als Calcium- u. Magnesium-Acetylsalicylate) im Handel, mikroverkapselt als Thrombocyten-Aggregationshemmer. Zur Tablettierung von A. vgl. *Lit.*[6].
Geschichte: Die A. wurde 1853 von Gerhardt erstmals hergestellt[7] u. 1899 von Bayer als Aspirin® in den Handel gebracht[8]. – *E* acetylsalicylic acid – *F* acide acétylsalicylique – *I* acido acetilsalicilico – *S* ácido acetilsalicílico

Lit.: [1] Kleemann/Engel (2.), S. 12f. [2] Science **160**, 780 (1968). [3] Proc. Natl. Acad. Sci. USA **70**, 1313 (1973). [4] Nature Structural Biology **2**, 637–643 (1995). [5] Pharm. Ztg. **139**, 2043–2048 (1994); Prog. Drug. Res. **33**, 43–62 (1989). [6] Pharm. Unserer Zeit **6**, 131–149 (1977). [7] Justus Liebigs Ann. Chem. **87**, 149 (1853). [8] Die Heilkunde **3**, 396 (1899).
allg.: ASP ▪ Beilstein E IV **10**, 138 ▪ Florey **8**, 1–46 ▪ Moeschlin, Klinik u. Therapie der Vergiftungen, S. 46, 429, Stuttgart: Thieme Verl. 1986 ▪ Mutschler (7.), S. 174–180 ▪ Ullmann (5.) A **23**, 481. – [HS 29182 2; CAS 50-78-2]

Acetyltransferasen s. Transacylasen.

Acetyl-Zahl. Maßzahl für den Gehalt an acetylierbaren Hydroxy-Gruppen od. für den Acetoxy-Gruppengehalt von acetylierten Verbindungen. Die A. ist die Anzahl der mg KOH, die man zur Neutralisation der aus 1000 mg Untersuchungs-Substanz abgespaltenen Essigsäure braucht. Im angloamerikan. Sprachgebrauch versteht man unter A. die *Hydroxyl-Zahl. – *E* acetyl number, acetyl value – *F* indicée d'acétyle – *I* indice acetilico (d'acetilene) – *S* índice de acetilo

Acetyst®. Brausetabl. u. Sirup mit dem Mucolyticum *Acetylcystein. *B.:* Yamanouchi.

ACEVIP®. Verdichtete Kieselsäure, in Folien verpackt, als Isolationsplatten zur Wärmedämmung in Kühl- u. Heizungsanlagen. *B.:* Degussa.

ACF-Diagramm s. Metamorphose.

Achate. Gebänderte od. gestreifte *Chalcedone mit wechselnder Färbung, bei denen die mikroskop. od. submikroskop. kleinen Quarzfasern senkrecht zur Streifung stehen. Vielfach kleiden A. Blasenhohlräume in *Vulkaniten aus („A.-Mandeln", „A.-Geoden"). Ausbildungsformen u. Abarten von A. sind *Festungsachat* (Bänderung etwa konzentr. parallel zu den Blasenwänden), *Uruguay-A.* (horizontal schichtige Bänderung), *Onyx, Moosachat* (mit Einlagerungen von fadenförmigem, kräftig grünem, an Moos erinnerndem *Chlorit), *Dendriten-A.* (mit Baum- od. Farnkraut-ähnlich auskrist. Mangan-Oxiden od. Eisenhydroxiden), *Lagenstein* (mit ebener Schichtung aus zwei verschieden gefärbten A.-Lagen), *Landschafts-A., Paraiba-A.* (polyedr. A.) u. *Trümmer-Achat.* Als *Enhydros* werden A.-Geoden bezeichnet, deren Inneres Wasser enthält. A. können Wasser u. bis 5% *Opal enthalten. Zur kontrovers diskutierten Entstehung der A. s. *Lit.*[1–3].
Vork.: Brasilien, Uruguay, Mexiko, USA, Indien, Idar-Oberstein.
Verw.: Zur Herst. von Schmuck (häufig künstlich gefärbt), *Gemmen, Gravuren u. kunstgewerblichen Gegenständen. Wegen seiner großen Zähigkeit als Reibschalen, Pistille, Lagersteine für Waagen u. als Polier- u. Glättsteine. – *E* agates – *F* agate – *I* agata – *S* ágata
Lit.: [1] Lapis **13**, Nr. 9, 11–28 (1988). [2] Chem. Erde **45**, 273–293 (1986). [3] Neues Jahrb. Mineral. Monatsh. **1993**, Nr. 1, 43–48.
allg.: Blankenburg, Achat, Leipzig: VEB Deutscher Verl. für Grundstoffind. 1988 ▪ Eppler, Praktische Gemmologie (5.), S. 281–285, Stuttgart: Rühle-Diebener 1994 ▪ Rykart, Quarz-Monographie (2.), S. 377–403, Thun: Ott 1995 ▪ s.a. Chalcedon. – [CAS 15723-40-7]

ACHEMA. Von *Ausstellungs-Tagung* für *chem.* Apparatewesen gebildete Abk. für die – weltweit gesehen bedeutendsten – Ausstellungs-Tagungen, die von der *DECHEMA in dreijährigem Turnus in Frankfurt a.M. durchgeführt werden. Die A. wurde 1920 von Max Buchner gegr., die erste fand in Hannover statt. Es folgten 1921 Stuttgart, 1922 Hamburg, 1925 Nürnberg, 1927 Essen, 1930 Frankfurt a.M., 1934 Köln, 1937 Frankfurt a.M. u. ab 1950 nur noch Frankfurt a.M. (1950, 1952, 1955, 1958, 1961, 1964, 1967, 1970, 1973, 1976, 1979, 1982, 1985, 1988, 1991, 1994...). Ziel der A.-Tagung ist es, durch Einzeldiskussionen am ausgestellten Erzeugnis den Erfahrungsaustausch zwischen Apparate-Hersteller u. -Benutzer u. damit die Weiterentwicklung chem. Apparate für Wissenschaft, Chem. Technik, Biotechnologie u. Umweltschutz zu fördern. Bei der 24. A. (5.–11.6.1994) wurden auf einer Netto-Ausstellungsfläche von 156000 m² von 3466 Ausstellern aus 31 Ländern (29% Auslandsanteil) Apparate, Maschinen, Anlagen, dazu Werk- u. Hilfsstoffe, Chemie-Lit. usw. vorgeführt; Besucherzahl 230000. Nach 1989 u. 1992 fand vom 15. bis 20. Mai 1995 zum drittenmal die AchemAsia in Peking statt, deren Veranstalter die DECHEMA u. die Chemical Industry and Engineering Society (CIESC) ist. Mit 453 Ausstellern aus 24 Ländern u. 30000 Besuchern wurde ein neuer Rekord aufgestellt. INTERNET-Adresse: http://www.achema.de.
Lit.: ACHEMA-Jahrb. **1994**, Bd. 1 ▪ Nachr. Chem. Tech. Lab. **42**, 864–883 (1994); **43**, 1062 ff. (1995).

Acheson, Edward Goodrich (1856–1931), amerikan. Chemiker, Erfinder u. Industrieller. *Arbeitsgebiete:* Herst. von Carborund u. künstlichem Graphit, Kon-

Achiral

struktion von Graphitierungsöfen, Entwicklung von Schmiermittelsyst. auf der Basis von Suspensionen von Graphit in Wasser (Aquadag), Öl (Oildag) u. Schmierfett (Gredag). Die Endung „dag" fungiert hier als Abk. für deflocculated Acheson graphite.
Lit.: Acheson and Pathfinder (Autobiographie), Port Huron: Acheson Industries, Inc. 1965 ▪ J. Chem. Educ. **33**, 113 f. (1956) ▪ Pötsch, S. 9.

Achiral s. Chiralität u. optische Aktivität.

Achondrite s. Meteoriten.

Achroit s. Turmalin.

Achromycin®. Antibiotikum, *Tetracyclin-Präp., als Filmtabl. u. Hautsalbe im Handel, Augensalbe auch mit Hydrocortison-Zusatz. *B.:* Lederle.

aci-. In der Regel kursiv gesetztes Präfix in den Namen organ. Verb., mit dem man die „sauren" Formen von Tautomeren (vgl. Tautomerie) bezeichnet (die daher früher auch *Pseudosäuren* genannt wurden).
Beisp.: Die *Enol-Form des *Acetessigesters, die *Nitronsäure*-Form der *Nitro-Verbindungen, die *Endiol*-Form der *Reduktone. – $E = F = I = S$ aci-

Acic Hexal®. Tabl., Creme u. Durchstechflaschen mit *Aciclovir gegen Herpes-Zoster-Infektionen. *B.:* Hexal.

Acichromie s. Halochromie.

Aciclovir.

Internat. Freiname für das gegen Herpes-Viren wirksame 9-[(2-Hydroxyethoxy)methyl]-guanin, $C_8H_{11}N_5O_3$, M_R 225,21, Schmp. 256,5–257 °C, LD_{50} (Maus oral) >10000, (Maus i.p.) 1000 mg/kg. Es wurde 1976, 1980 von Wellcome (Zovirax®) patentiert u. ist heute generikafähig. – $E = F = I = S$ aciclovir
Lit.: ASP ▪ DAB **10** ▪ Hager (5.) **7**, 44 ff. – *[HS 293 59; CAS 59277-89-3]*

Acid Blue 80 [3,3′-(1,4-Anthrachinondiyldiimino)-bis(2,4,6-trimethylbenzolsulfonsäure), Natrium-Salz].

Blauer *Anthrachinon-Farbstoff, $C_{32}H_{28}N_2Na_2O_8S_2$, M_R 678,68, der nur eingeschränkt zur Herst. kosmet. Mittel verwendet werden darf.
Lit.: Blaue Liste, S. 76. – *[CAS 4474-24-2]*

Aciderm®-Farbstoffe. Umfangreiches Sortiment von sauren *Anilin-Farbstoffen für die Lederfärbung. *B.:* Bayer.

Aciderm® plus. Präp. zur hautpflegenden Hände-Dekontaminierung. *B.:* Th. Goldschmidt AG.

Acider Wasserstoff s. Acidität.

ACIDEST®. Säuredestillationsapparat aus Quarzglas. *B.:* Heraeus Quarzglas GmbH.

Acid fading. Eigenschaft bestimmter Farbstoffe, bes. von *Reaktivfarbstoffen, unter dem Einfluß sauer reagierender Chemikalien, z. B. auch sauer reagierender Bestandteile verunreinigter Luft, ihre Bindung an die Faser ganz od. teilw. zu verlieren u. *auszubluten, sobald sie einer Naßbehandlung ausgesetzt werden. Das A. ist bei *Reaktivfarbstoffen von der chem. Beschaffenheit des *Reaktivankers abhängig. – $E = I$ acid fading – F fading d'acide – S ácido decolorante

Acidimetrie. Bez. für ein Verf. der *Maßanalyse, bei dem die Quantifizierung von Laugen durch langsame, portionsweise Zugabe von Säuren genau bekannter Konz. (Maßlösung, vgl. a. Normallösungen) erfolgt. Die Zugabe u. Volumenmessung der Säure – auch Titrand genannt – erfolgt durch eine *Bürette, wobei dieser Vorgang Titration genannt wird. Der Endpunkt der *Säure-Base-Titration wird durch *Indikatoren (organ. Farbstoffe: z. B. Phenolphthalein, Methylrot, Methylorange, Bromthymolblau, Mischindikatoren) über den Farbumschlag angezeigt. Auch physikal.-chem. Meth. wie *Potentiometrie, *Photometrie u. *Konduktometrie können zur Endpunktsbestimmung herangezogen werden. Das umgekehrte Verf. heißt *Alkalimetrie. – E acidimetry – F acidimétrie – I acidimetria – S acidimetría
Lit.: Schulze, Simon u. Jander-Jahr, Maßanalyse, Theorie u. Praxis der Titration mit chemischen u. physikalischen Indikationen, 15. Aufl., Berlin: de Gruyter, 1989 ▪ Kunze, Grundlagen der quantitativen Analyse, 3. Aufl., Stuttgart: Thieme, 1990 ▪ Schwedt, Analytische Chemie, S. 82 ff., Stuttgart: Thieme 1995.

Acidität. 1. *Allg.:* Bez. für die Fähigkeit einer Verb., an Wasser-Mol. Protonen (Wasserstoff-Ionen) abzugeben. *Speziell:* Maß für den Säuregehalt od. die Säurestärke einer Lsg., ausgedrückt durch die üblichen Konz.-Maße (*Normalität, *Molarität, *Molalität usw.) für die gelöste Säure bzw. durch den *pH-Wert der Lösung. Die A. kann in einem großen Bereich mit sog. *Hammett-Indikatoren* gemessen werden.
Physiologie: Die A. des Magensaftes beim Gesunden (= *Norm-A.*) ist durch einen Gehalt an 0,4–0,5% freier Salzsäure gekennzeichnet (ergibt pH-Werte zwischen 1 u. 2); hierdurch wird die Verdauung der Eiweißstoffe durch das Enzym Pepsin ermöglicht. Übersäuerung wird als *Super-* od. *Hyperacidität*, Säuremangel als *Sub-* od. *Anacidität* bezeichnet; beide Störungen der Norm-A. führen zu Verdauungsstörungen. Ein bekanntes Übel ist das Sodbrennen, das man meist mit *Antacida zu bekämpfen sucht. An der Regulierung der Magensaftsekretion sollen auch die *Prostaglandine beteiligt sein.
2. Unter der A. einer Base versteht man die Anzahl der Hydroxid-Gruppen eines Basen-Mol., die bei der Neutralisation u. Salzbildung durch Säure-Reste ersetzbar sind. Deshalb wurde früher meist von *einsäurigen, zweisäurigen* u. *mehrsäurigen* *Basen gesprochen.

3. Vor allem in der englischsprachigen Lit. wird unter (potentieller) A. („acidity" im Gegensatz zu „acid capacity") einer Verb. häufig ihr Gehalt an neutralisierbaren Wasserstoff-Atomen (*acider Wasserstoff*, vgl. aktiver Wasserstoff) im Mol. verstanden; entsprechend kennt man auch *acide Kohlenwasserstoffe*; vgl. auch elektrolytische Dissoziation, Ionen, Massenwirkungsgesetz, Maßanalyse, Säure-Base-Begriff, Säure-Basen-Gleichgewicht. *Gegensatz*: *Basizität. – *E* acidity, acid capacity – *F* acidité – *I* acidità – *S* acidez

Lit.: Adv. Phys. Org. Chem. **12**, 131–221 (1975) ▪ Christensen et al., Handbook for Proton Ionization Heats and Related Thermodynamic Quantities, New York: Wiley 1976 ▪ Pure Appl. Chem. **41**, 379–394 (1975) ▪ Reutov et al., CH-Acids, Oxford: Pergamon 1978 ▪ Rochester, Acidity Functions, New York: Academic Press 1970 ▪ Tanabe, Acid-Base Catalysis, Weinheim: VCH Verlagsges. 1989 ▪ s. a. Säure-Basen-Gleichgewicht.

Acidoliganden. Allg. Bez. für Anionen, die in Komplexverb. koordinativ gebunden sind; s. Koordinationslehre. – *E* acido ligands, anionic ligands – *F* liaisons anioniques – *I* acidolegami, legami anionici – *S* ligandos aniónicos

Acidophil (von *Acidum u. griech.: philos = Freund, säureliebend). Im allg. Sinne Bez. für die Neigung von Organismen, saure Bedingungen zu bevorzugen od. obligat auf sie angewiesen zu sein. Im engeren Sinne Bez. für die Eigenschaft alkal. Zell- od. Gewebsteile, mit sauren Farbstoffen, z. B. *Eosin od. *Fuchsin, Farbsalze zu bilden u. somit gut anfärbbar zu sein. – *E* acidophilic – *F* acidophile – *I* acidofilo – *S* acidófilo

Acidophile Bakterien. Extremophile Bakterien, die an Lebensräume mit niedrigem pH-Wert angepaßt sind (Gegensatz: *alkalophile Bakterien). Das pH-Optimum liegt im allg. zwischen pH 1,0 u. 5,5. Wichtige Vertreter dieser Gruppe sind die Essigsäurebakterien *Acetobacter* u. *Gluconobacter* sowie die *Eisenbakterien. Darüber hinaus gibt es unter den Archaebakterien (s. Archaea) thermoacidophile Arten, wie *Sulfolobus acidocaldarius*, der in heißen Quellen elementaren Schwefel zu Sulfat oxidiert (s. Schwefel-oxidierende Bakterien). – *E* acidophilic bacteria – *F* bactéries acidophiles – *I* batteri acidofili – *S* bacterias acidófilas

Lit.: Schlegel (7.), S. 116, 195 ▪ Trends Biotechnol. **10**, 395–402 (1992).

Acidum. Latein. Bez. für Säure, in Rezepten evtl. als Acid. abgekürzt. Die folgende Aufstellung enthält einige der eingedeutschten, von der *WHO empfohlenen, im allg. in den Einzelstichwörtern behandelten *Freinamen.

Beisp.: A. aceticum = Essigsäure, A. aminoaceticum = Glycin, A. amygdalicum = Mandelsäure, A. anisicum = Methoxybenzoesäure, A. arsenicicum = Arsensäure, A. arsenicosum = arsenige Säure, A. asparticum = Asparaginsäure, A. carbolicum = Phenol, A. carbonicum = Kohlensäure, A. cinnamylicum = Zimtsäure, A. edeticum = Ethylendiamintetraessigsäure, A. formicium = Ameisensäure, A. glutamicum = Glutaminsäure, A. hydrochloricum = Salzsäure, A. hydrocyanicum = Blausäure, A. hydrofluoricum = Flußsäure, A. lacticum = Milchsäure, A. maleinicum = Maleinsäure, A. malicum = Apfelsäure, A. malonicum = Malonsäure, A. muriaticum = Salzsäure, A. nitricum = Salpetersäure, A. oleinicum = Ölsäure, A. phenicum = Phenol,
A. phosphoricum = Phosphorsäure, A. phosphorosum = phosphorige Säure, A. pyrouvicum = Brenztraubensäure, A. racemicum = Traubensäure, A. silicium = Kieselsäure, A. succinicum = Bernsteinsäure, A. sulfuricum = Schwefelsäure, A. sulfurosum = schweflige Säure, A. tannicum = Gerbsäure, A. tartaricum = Weinsäure, A. uricum = Harnsäure, A. uvicum = Traubensäure.

Lit.: s. Freinamen.

Acifluorfen. Common name für 5-(2-Chlor-4-trifluormethyl-phenoxy)-2-nitrobenzoesäure.

$C_{14}H_7ClF_3NO_5$, M_R 361,66, Schmp. 142–160 °C, LD_{50} (Ratte oral) 1370 mg/kg (WHO), von Mobil Chem. Co. u. Rohm & Haas unabhängig voneinander entwickeltes Nachauflauf-*Herbizid gegen Unkräuter u. einige Ungräser im Sojabohnenanbau. – *E* acifluorfen – *F* = *I* acifluorfene – *S* acifluorfeno

Lit.: Farm ▪ Perkow ▪ Pesticide Manual. – *[CAS 50594-66-6]*

Acifugan®. Filmtabl. mit *Allopurinol u. *Benzbromaron gegen Hyperurikämie u. Gicht. *B.*: Henning.

Acilan®-Farbstoffe. Umfangreiches Sortiment von *Säurefarbstoffen zum Färben u. Bedrucken von Wolle, Seide u. Polyamid, von denen einige für Kosmetika, Mund- u. Zahnpflegemittel als Färbemittel zugelassen sind. *B.*: Bayer.

Acilit®. pH-Indikatorstäbchen für den sauren pH-Bereich. *B.*: Merck.

Acimethin®. Filmtabl. mit L-*Methionin gegen Harnwegsinfektionen, zur Optimierung von Antibiotika-Wirkung im sauren Urin, gegen Phosphat-Steine. *B.*: Gry Pharma GmbH, 7815 Kirchzarten.

Acipimox.

Internat. Freiname für 5-Methyl-2-pyrazincarbonsäure-4-oxid, $C_6H_6N_2O_3$, M_R 154,13, Schmp. 177–180 °C, LD_{50} (Maus oral) 3500 mg/kg. Es wurde als Lipidsenker von Carlo Erba 1973, 1977 patentiert u. ist von Pharmacia (Olbemox®) im Handel. – *E* = *F* = *I* = *S* acipimox

Lit.: ASP ▪ Hager (5.) **7**, 58 f. – *[HS 293359; CAS 51037-30-0]*

Acitretin.

Internat. Freiname für (alle-*E*)-9-(4-Methoxy-2,3,6-trimethylphenyl)-3,7-dimethyl-2,4,6,8-nonatetraensäure, $C_{21}H_{26}O_3$, M_R 326,44, Schmp. 228–230 °C; LD_{50} (Maus i. p.) >4000 mg/kg (1 d), 700 mg/kg (10–20 d). Es wurde 1974 u. 1978 als *Dermatikum gegen *Psoriasis von Hoffmann-La Roche (*Neotigason® 10, -25) patentiert. – *E* acitretin – *F* acitrétine – *I* acitretina – *S* acitretín

Lit.: ASP. – *[CAS 55079-83-9]*

Acivicin {(S)-Amino-[(S)-3-chlor-4,5-dihydro-5-isoxazolyl]-essigsäure}.

$C_5H_7ClN_2O_3$, M_R 178,58. Isoxazolin-Antibiotikum aus Kulturen von *Streptomyces sviceus*.
A. zeigt cytostat. Aktivität sowie herbizide Wirkung [1]. Die Biosynth. verläuft über Ornithin [2]. – *E* acivicin – *F* acivicine – *I* = *S* acivicina
Lit.: [1] Europ. Pat. A EP 640286 (01.03.1995). [2] J. Am. Chem. Soc. **114**, 10166 (1992).
allg.: Beilstein E V **27/21**, 8–9. – *[HS 2941 90; CAS 42228-92-2]*

AC-Kautschuk. Von *anti-crystallizing* abgeleitete Bez. für einen kältebeständigen („arktischen") *Kautschuk, dessen Krist.-Geschw. bei tiefen Temp. durch Zusatz von Schwefel-Verb. u. Weichmachern stark verringert ist. – *E* AC(arctic) rubber – *F* caoutchouc AC – *I* cauccíù anticristallizzante – *S* caucho AC
Lit.: Kirk-Othmer **17**, 656.

Acker, Ludwig (geb. 1913), Prof. (emeritiert 1979) für Lebensmittelchemie, Univ. Münster. *Arbeitsgebiete:* Enzymat. Vorgänge in wasserarmen Lebensmitteln, pflanzliche Phospholipasen, Phosphatide u. Lysophosphate des Getreides. Rückstände u. Verunreinigungen (bes. PCB) in der Umwelt, in Lebensmitteln u. in Muttermilch.
Lit.: Chem. Rundsch. **29**, 21 (1976) ▪ Kürschner (16.), S. 8 ▪ Nachr. Chem. Tech. Lab. **26**, 767 (1978); **28**, 734 (1980) ▪ Wer ist wer (33.), S. 3.

Ackermann, Theodor (geb. 1925), Prof. für Physik, Chemie, Univ. Freiburg (seit 1970). *Arbeitsgebiete:* Physikal. Chemie von Biopolymeren, Mischphasen-Thermodynamik, Spektroskopie.
Lit.: Kürschner (16.), S. 9 ▪ Wer ist wer (33.), S. 4.

Ackerschachtelhalm s. Schachtelhalm.

Aclaplastin®. Trockensubstanz zur Injektion mit *Aclarubicin gegen akute myeloische Leukämie. *B.:* Medac.

Aclarubicin.

Internat. Freiname für das Aclacinomycin A, $C_{42}H_{53}NO_{15}$, M_R 811,88, ein Antibiotikum aus Streptomyces-galilaeus-Kulturen. Zers. bei 151–153 °C, $[\alpha]_D^{24}$ –11,5° (c 0,1/CH_2Cl_2); LD_{50} (Maus i.p.) 22,6, (Maus i.v.) 33,7 mg/kg. Es wurde als Cytostaticum von Microbiochem. Res. Found. 1974, 1976 patentiert u. ist von Medac (Aclaplastin®) im Handel. – *E* aclarubicin – *F* aclarubicine – *I* = *S* aclarubicina
Lit.: ASP ▪ Hager (5.) **7**, 60 ff. ▪ J. Antibiot. **32**, 791, 801 (1979); **34**, 331 (1981). – *[HS 2941 90; CAS 75443-99-1]*

Aclonifen. Common name für 2-Chlor-6-nitro-3-phenoxyanilin.

$C_{12}H_9ClN_2O_3$, M_R 264,67, Schmp. 81–82 °C, LD_{50} (Ratte oral) >5000 mg/kg, von Celamerck (später Rhône-Poulenc) 1987 eingeführtes, selektives *Herbizid gegen Ungräser u. breitblättrige Unkräuter in Winterweizen, Kartoffeln, Sonnenblumen, Mais u. a. Kulturen. – *E* aclonifen – *F* aclonifène – *I* aclonifene – *S* aclonifén
Lit.: Farm ▪ Perkow ▪ Pesticide Manual. – *[CAS 74070-46-5]*

Aclyn®. Marke der Allied Chemical Corp. für *Ionomere. *B.:* Nordmann, Rassmann GmbH & Co.

ACNU® 50. Trockensubstanz zur Injektion mit *Nimustin-Hydrochlorid als alkylierend wirkendes Cytostatikum. *B.:* Asta, Medica.

Acoin®. Lsg. mit *Tetracain-Hydrochlorid, *Polidocanol u. Methylparaben als Schleimhaut-Anästhetikum für den Nasen-Rachenraum u. in der Urologie. *B.:* Combustin Vertrieb Pharm. Präparate GmbH, 8031 Seefeld.

Acolan®. Bodenbeschichtungen, Flüssigkunststoffe. *B.:* Remmers.

Aconin (Jesaconin). Formel s. Aconitin. $C_{25}H_{41}NO_9$, M_R 499,60, amorphes Pulver, Schmp. 132 °C, $[\alpha]_D^{20}$ +23° (H_2O). Diterpen-Alkaloid aus dem Blauen Eisenhut (*Aconitum napellus*) von bitterem Geschmack, giftig, in Wasser u. Alkohol gut lösl., in Ether u. Petrolether unlösl., *Antipyretikum. A. entsteht aus *Aconitin beim Erhitzen mit Wasser auf 170 °C. – *E* = *F* aconine – *I* = *S* aconina
Lit.: Beilstein E III/IV **21**, 2899–2900 ▪ Hager (5.) **3**, 15 ff.; **4**, 14, 65–80 ▪ Merck Index (11.), Nr. 110 ▪ R.D.K. (4.), S. 88–90 ▪ Sax (8.), Nr. ADG 500. – *[HS 2939 90]*

Aconitase (Aconitat-Hydratase, Citrat-Hydrolyase, EC 4.2.1.3). Ein vornehmlich in *Mitochondrien von Herzmuskel, Leber u. Niere vorkommendes *Enzym (M_R 83000), das im *Citronensäure-Cyclus die Isomerisierung der Citronensäure über *cis*-Aconitsäure zu Isocitronensäure katalysiert. A. besitzt in ihrer aktiven Form ein aus 4 Eisen- u. 4 Schwefel-Atomen bestehendes katalyt. Zentrum.
Darüber hinaus wurde neuerdings gefunden, daß A. eine wichtige Rolle im Eisen-Haushalt der Zellen spielt: Eine cytosol. Form (vgl. Cytosol) der A. ist als Apoenzym (d. h. nach Verlust des gebundenen Eisens u. damit der A.-Aktivität) ident. mit dem *Eisen-Regulations-Faktor* (auch: Eisen-Responsivelement-bindendes Protein od. Ferritin-Repressor-Protein), der die

Biosynth. des Eisen-Transport-Proteins *Transferrin u. des Eisen-Speicher-Proteins *Ferritin kontrolliert. Sinkt der Gehalt der Zelle an verfügbarem Eisen, so verliert auch die A. ihr Eisen, woraufhin sie an die Eisen-Responsivelemente, bestimmte Abschnitte der mRNA (s. Ribonucleinsäuren) von Transferrin u. Ferritin, bindet. Dadurch wird einerseits die Stabilität der Transferrin-mRNA erhöht u. somit die Syntheserate des Transferrins, das Eisen zur Zelle transportiert, gesteigert, andererseits die Synth. des Ferritins, das in der Zelle Eisen speichert, gehemmt. – $E = F$ aconitase – I aconitasi – S aconitasa

Lit.: Alberts et al., Molekularbiologie der Zelle, 3. Aufl., S. 546, 548, Weinheim: VCH Verlagsges. 1995 ■ Curr. Biol. **3**, 41 ff. (1993) ■ FASEB J. **7**, 1442–1449 (1993). – *[HS 3507 90]*

Aconitin.

R¹ = H, R² = H : Aconin
R¹ = CO—C₆H₅, R² = CO—CH₃ : Aconitin

$C_{34}H_{47}NO_{11}$, M_R 645,72, stark giftige hexagonale Platten, Schmp. 204 °C, $[\alpha]_D^{20}$ +19° (CHCl₃), fast unlösl. in Wasser, lösl. in Alkohol u. Ether. Wird aus den Blättern des Blauen Eisenhuts (*Aconitum napellus*, Ranunculaceae) u. a. *Aconitum*-Arten mit Alkohol extrahiert. Andere Eisenhut-Arten enthalten verwandte Aconitine; es handelt sich hierbei immer um Essigsäure- u. Benzoesäureester von mit Hydroxy- u. Methoxy-Gruppen substituierten *Diterpen-Alkaloiden (Aconinen). Der ostind. *Aconitum ferrox* enthält *Pseudoaconitin*; dies ist eines der stärksten Pflanzengifte, das auch als Pfeilgift Verw. fand. Schon 0,0006 mg A. verändern die Herzbewegungen des Frosches in charakterist. Weise (Herzrhythmien). Die für den Menschen tödliche Dosis scheint bei 1–2 mg zu liegen. In Arzneimitteln dürfen höchstens 0,2 mg auf einmal verabreicht werden. Reibt man A. mit Salben in die Haut ein, so finden Reizungen (Gefühl des Brennens, Kribbelns, Juckens), später Lähmungen der Nervenendungen statt. – $E = F$ aconitine – $I = S$ aconitina

Lit.: Beilstein E III/IV **21**, 2901–2903 ■ Braun (6.), S. 21 ■ Dtsch. Apoth. Ztg. **134**, 2749–2758 (1994) ■ Forth et al. (6.), S. 826 ■ Hager (5.) **3**, 72; **5**, 608 ■ Kirk-Othmer (4.) **1**, 1077 ■ Manske **4**, 275–330; **17**, 1–103 ■ Merck-Index (11.), Nr. 113 ■ R.D.K. (4.), S. 747–748 ■ Sax (8.), Nr. ADH 500; ADH 750 ■ Wirth u. Gloxhuber, Toxikologie (5.), Stuttgart: Thieme 1994 ■ Zechmeister **16**, 26–89. – *[HS 2939 90; CAS 302-27-2]*

Aconitsäure [(Z)-1,2,3-Propentricarbonsäure, Equisetinsäure, Pyrozitronensäure].

HOOC—CH₂—C(COOH)=CH—COOH

$C_6H_6O_6$, M_R 174,11. Ungesätt., wasserlös., dreibasige Säure, Schmp. 125 °C, bildet leicht ein Anhydrid vom Schmp. 74 °C. Sie entsteht als Zwischenprodukt im *Citronensäure-Cyclus im tier. Organismus. Außer-

dem ist sie im Eisenhut (*Aconitum napellus*, vgl. Aconitin), im Zuckerrohr, im Schachtelhalm, in Getreidearten u. in der Runkelrübe enthalten. Über Herst. von A. aus Melasse s. *Lit.*[1]. Die unter Dehydratisierung von *Citronensäure mit Schwefelsäure[2] entstehende *E*-Form bildet Blättchen vom Schmp. 194–195 °C (Zers.).

Verw.: Zur Synth. von ungesätt. Polyestern, zum Stabilisieren von Speisefetten, zur Bestimmung von tert. Aminen[3]. – *E* aconitic acid – *F* acide aconitique – *I* acido aconitico – *S* ácido aconítico

Lit.: [1] Chem. Ing. Tech. **1957**, 519. [2] Pure Appl. Chem. **56**, 468–477 (1984).
allg.: Beilstein E IV **2**, 2405 ■ Karrer, Nr. 876 ■ Stryer (5.), S. 291. – *[HS 3004 39; CAS 499-12-7; 585-84-2 (Z); 4023-65-8 (E)]*

ACP s. Acyl-Carrier-Protein.

A-C® Polyethylene. *Polyethylenwachse der Allied Signal (USA). *B.*: Nordmann, Rassmann GmbH & Co.

Acraconc®. Sortiment von synthet. Verdickungsmitteln für Pigmentdruckpasten auf der Basis von *Polycarbonsäuren. *B.*: Bayer.

Acralen®. Selbstvernetzende Latices auf Basis von Copolymerisaten aus *Acrylsäureestern u./od. *Acrylnitril bzw. *Styrol zur Vliesverfestigung u. Textilkaschierung. *B.*: Bayer.

Acramin®. 1. Synthet. Verdickungsmittel auf *Polycarbonsäure-Basis. – 2. Pigmente, die mit den A.-Bindern auf der Faser fixiert werden. *B.*: Bayer.

Acrasine (von griech. akrasia = Ausschweifung). Unspezif. Sammelbez. für *Chemotaxis-Reizstoffe bei der *Aggregation von *Zellen. Bei vielen Schleimpilzen, z. B. den Acrasiales, beinflußt cycl. *Adenosin-3′,5′-monophosphat die Aggregationsvorgänge. – *E* acrasins – *F = I* acrasine – *S* acrasinas

Acridin.

$C_{13}H_9N$, M_R 179,22. Nadeln od. Prismen aus verd. Ethanol, D. 1,100, Sdp. 346 °C. A. beginnt bei 100 °C zu sublimieren, von seinen fünf krist. Formen schmelzen die beiden stabilen bei 110 °C u. 106 °C, die anderen bei 109 °C, bei 109,5 °C, >110 °C. Wenig lösl. in siedendem Wasser, aber mit Wasserdampf flüchtig; leicht lösl, mit bläulicher Fluoreszenz in Alkohol, Ether, Schwefelkohlenstoff u. Benzol. Pulver od. Dampf reizt Haut u. Schleimhäute. A. läßt sich aus der Anthracen-Fraktion des Steinkohlenteers isolieren, synthet. läßt sich A. durch Red. von Acridon od. 9-Chloracridin herstellen. Mit Alkyl- u. Arylhalogeniden bildet A. sog. *Acridinium-Salze*, die meist gefärbt sind. A. ist Ausgangsstoff für die Synth. von Farbstoffen u. Pharmazeutika.

Geschichte: A. wurde 1870 von Graebe u. Caro entdeckt; sie gaben der Base den Namen A. (von latein.: acer = scharf) wegen der scharfen u. beißenden Wirkung, die sie auf die Haut hat. – *E = F* acridine – *I = S* acridina

Lit.: Albert, The Acridines, New York: St. Martin's Press 1966 ▪ Beilstein E V 20/8, 199 ▪ Merck-Index (11.), Nr. 117 ▪ Ullmann (4.) 7, 72; (5.) A 1, 147 ▪ Weissberger (2.) 9. – [HS 2933 90; CAS 260-94-6]

Acridin-Farbstoffe. Gruppenbez. für die als Derivate des *Acridins aufzufassenden bas. Beizenfarbstoffe. Diese haben als auxochrome Gruppe (vgl. Auxochrome) prim. od. disubstituierte Amino-Gruppen. Substituiert man Acridin in den Positionen 3 u. 6 durch N(CH$_3$)$_2$-Gruppen, so entsteht 3,6-Bis(dimethylamino)-acridin (*Acridinorange*), dessen ZnCl$_2$-Doppelsalz in Wasser u. Alkohol mit orangegelber Farbe u. grüner Fluoreszenz lösl. ist u. das mit Tannin u. Brechweinstein gebeizte Baumwolle orange färbt. *Acridingelb* ist 3,6-Diamino-2,7-dimethylacridin. Derartige *Acridinium-Salze* sind auch einige sehr wichtige Desinfektionsmittel u. Medikamente, z.B. *Acriflaviniumchlorid, *Ethacridin u. *Mepacrin. Zur Fluoreszenz von Komplexen aus A. u. Polydesoxyribonucleotiden s. *Lit.*[1]. – Mit Hilfe solcher DNA-Acridinorange-Komplexe lassen sich genet. aktive Zellkerne sichtbar machen[2]. – *E* acridine dyes – *F* colorants acridiniques – *I* coloranti acridinici – *S* colorantes de acridina

Lit.: [1] J. Mol. Biol. 83, 487 (1974). [2] Umschau 76, 78 f. (1976). *allg.*: Ullmann 3, 711.; (4.) 7, 73 ▪ Weissberger 9, 433–517, 579–613 ▪ Winnacker-Küchler (3.) 4, 250 ff., 617 f. ▪ s. a. Acridin. – [HS 3204 13]

ACRIFIX®. Klebstoffe u. weitere Hilfsmittel für die Verarbeitung von *PLEXIGLAS®, MAKROLON® u. CREANIT®. *B.*: Röhm.

Acriflaviniumchlorid. Internat. Freiname für die Mischung der Hydrochloride von 3,6-Diamino-10-methylacridinium-chlorid u. 3,6-Diaminoacridin, die gegen lokale Infektionen u. als Wundantiseptikum verwendet wird. Allerdings wird nach einer Studie der IARC das A. als mögliches Carcinogen angesehen. Es wurde 1929 von der I. G. Farben patentiert u. ist von Chinosolfabrik (Panflavin®) im Handel. – *E* acriflavinium chloride – *F* chlorure d'acriflavinium – *I* cloruro d'acriflavina – *S* cloruro de acriflavinio

Lit.: Hager (5.) 7, 64 ff. ▪ IARC Monogr. 13, 31–37 (1977). – [HS 3823 90; CAS 5225-22-4 (Base); 6034-59-9 (Chlorid); 8063-24-9 (Gemisch mit 3,6-Diaminoacridin)]

Acrinathrin. Common name für (*S*)-Cyano-3-phenoxybenzyl-(1*R*,3*S*)-2,2-dimethyl-3-[(*Z*)-2-(2,2,2-trifluor-1-trifluormethyl-ethoxycarbonyl)vinyl]cyclopropancarboxylat.

$C_{26}H_{21}F_6NO_5$, M_R 541,45, Schmp. 82 °C, LD$_{50}$ (Ratte oral) >5000 mg/kg, von Roussel Uclaf 1990 eingeführtes *Akarizid gegen ein breites Spektrum von Spinnmilben im Obst-, Gemüse-, Zitrus-, Baumwoll-, Soja-, Hopfen- u. Weinanbau. – *E* acrinathrin – *F* acrinathrine – *I* acrinatina – *S* acrinatrín

Lit.: Farm ▪ Pesticide Manual. – [CAS 101007-06-1]

ACRIPLEX® SR. Lacksyst. auf Acrylat-, Polysiloxan- od. Melaminharz-Basis zur kratzfesten Oberflächenvergütung von *PLEXIGLAS® u. *MAKROLON®. *B.*: Röhm.

Acrolein (Propenal, Acrylaldehyd). H$_2$C=CH–CHO, C$_3$H$_4$O, M_R 56,06. Farblose bis gelbliche, brennbare, leichtbewegliche Flüssigkeit von stechendem Geruch, D. 0,8389, Schmp. –88 °C, Sdp. 52 °C, FP. < –20 °C c. c., Explosionsgrenzen in Luft 2,8–31 Vol.-%. Die Dämpfe u. die Flüssigkeit sind sehr giftig. Sie werden auch über die Haut aufgenommen u. verursachen extrem starke Reizung der Augen, der Haut, der Atemwege u. der Lunge, bis hin zum Lungenödem. MAK-Wert: 0,1 ppm, LD$_{50}$ (Ratte oral) 46 mg/kg. Wassergefährdende Flüssigkeit, WGK 2, Emissionsklasse I, in Wasser gut, in Alkohol u. Ether sehr leicht löslich. Infolge der Doppelbindung neigt A. sehr leicht zu Polymerisation u. Additionsreaktionen u. ist daher in reinem Zustand kaum stabil; im allg. enthält A. etwas Hydrochinon als Inhibitor.

Herst.: Durch Erhitzen von Glycerin mit wasserentziehenden Mitteln wie Kaliumhydrogensulfat, Phosphorsäure od. Boroxid. Das klass. Verf. zur Herst. von A. basierte auf der Kondensation von Acetaldehyd mit Formaldehyd:

$$H_3C-CHO + HCHO \xrightarrow{kat.} H_2C=CH-CHO + H_2O$$

Heute ist diese Meth. durch die katalyt. Oxid. von Propen abgelöst worden:

$$H_2C=CH-CH_3 + O_2 \xrightarrow{kat.} H_2C=CH-CHO + H_2O$$

(s. a. Sohio-Verfahren). A. entsteht beim Überhitzen von Fetten aus dem Glycerin (daher der scharfe Geruch beim Anbrennen von Fetten) sowie bei der Hitzezers. von Diethylether. Der A.-Geruch tritt auch unmittelbar nach dem Auslöschen einer Kerze sowie im Zigarettenrauch auf, ferner bei der Dest. von Obstbranntweinen.

Verw.: U. a. zur Herst. von Allylalkohol, Pyridin, 3-Picolin, Acrylsäure, Acrylnitril, Methionin u. als Schädlingsbekämpfungsmittel. – *E* acrolein – *F* acroléine – *I* acroleina – *S* acroleína

Lit.: Beilstein E IV 1, 3435 ff. ▪ Hommel, Nr. 218 ▪ J. Appl. Toxicol. 12, 131 (1992) ▪ Kirk-Othmer (4.) 1, 232–249 ▪ Ullmann (4.) 7, 74 ff.; (5.) A 1, 149 ▪ Weissermel-Arpe (4.), S. 310 ff. – [HS 2912 19; CAS 107-02-8; G 3]

Acromelsäuren (Acromelinsäuren).

Acromelsäure A   Acromelsäure B

Der japan. Trichterling *Clitocybe acromelalga* (Dokusa-sako, Basidiomycetes) zählt auf Grund seiner tox. Wirkung zu den am intensivsten untersuchten Pilzen. Nach Genuß der Fruchtkörper treten starke Schmerzen verbunden mit roten Ödemen an Händen u. Füßen auf, die etwa einen Monat lang anhalten. Auf der Suche nach den verantwortlichen Toxinen wurden die stark neuroexcitator. wirkenden isomeren A. A [$C_{13}H_{14}N_2O_7$, M_R 310,26, Krist., Schmp. >310 °C, [α]$_D$

+27,8° (H₂O)] u. A. B [Pulver, [α]_D +50,1° (H₂O)] isoliert [1]. Biosynthet. dürften die A. aus L-DOPA durch Ringspaltung u. Kondensation der Produkte mit L-Glutaminsäure entstehen. Neben zahlreichen weiteren Aminosäuren [2] wurde aus *C. acromelalga* das tox. Pyridin-Nucleosid *Clitidin isoliert. – *E* acromelic acid – *F* acide acromélique – *I* acidi acromelici – *S* ácido acromélico

Lit.: [1] J. Am. Chem. Soc. **110**, 4807, 6926 (1988); Tetrahedron Lett. **31**, 3901 (1990); Chem. Lett. **1993**, 21; Tetrahedron **49**, 2427 (1993). [2] Z. Naturforsch. Tl. C **49**, 707 (1994) (Übersicht). *allg.:* Br. J. Pharmacol. **104**, 873 (1991) (Wirkung) ▪ Heterocycles **40**, 1009 (1995) (Synth.-Analoge) ▪ J. Chem. Soc., Chem. Commun. **1988**, 261 ▪ Tetrahedron Lett. **34**, 331 (1993) (Synth.). – *[CAS 86630-09-3 (A. A); 86630-10-6 (A. B)]*

Acronal®. Umfangreiches Sortiment von Dispersionen u. Lsg. auf Basis von Polyacrylsäureestern (s. Polyacrylate) zur Verw. in der Lack-, Klebstoff-, Papier-, Vliesstoff- u. Textil-Ind. sowie für bauchem. Erzeugnisse. *B.:* BASF.

α-Acrose s. Fructose.

Acrosol®. Copolymerisate auf Basis von *Acrylsäureestern. Verw. als Cobindemittel in der Papier- u. Kartonstreicherei zur Regelung des Laufverhaltens der Streichfarben. *Wirkung:* Regelung der Rheologie der Wasserretention u. des Laufverhaltens im High-Shear-Bereich der Streichfarbe u. zur Aktivierung von opt. Aufhellern. *B.:* BASF.

Acryl. Nach einem Vorschlag der US Federal Trade Commission Sammelbez. für Faserstoffe aus *Polyacrylnitril-Fasern, die mindestens 85 Gew.-% Acrylnitril enthalten; vgl. Modacrylfasern.

Acrylaldehyd s. Acrolein.

Acryl-Alkydharze. Mit Acrylaten modifizierte *Alkydharze, bei denen ein großer Tl. der Acrylate als Homopolymerisate in Mischung mit dem Alkydharz vorliegt. – *E* acrylic modified alkyd resins – *F* résine acrylalcydique – *I* resine arilalchidiche – *S* resinas acrilalquídicas

Lit.: Ullmann (4.) **19**, 78.

Acrylamid (Acrylsäureamid). T ☠
H₂C=CH–CO–NH₂, C₃H₅NO, M_R 71,08. Farblose Blättchen, D. 1,122, Schmp. 84–85 °C (heftige Polymerisation). Die Krist. u. der Staub reizen die Augen, die Atemwege, die Lunge u. die Haut. Wenn A. über die Haut aufgenommen wird od. wenn der Staub od. hohe Dampfkonz. eingeatmet werden, kommt es aufgrund von Schäden am Zentralnervensyst. zu neurolog. Störungen motor. u. sensibler Art. A. gilt als Stoff, der sich im Tierversuch eindeutig als krebserzeugend erwiesen hat (Gruppe III A 2, MAK-Werte-Liste 1995), eine erbgutverändernde Wirkung wurde im Tierversuch mit Säugern ebenfalls nachgewiesen. TRK-Wert: 0,06 mg/m³ bei Einsatz von festem A., ansonsten 0,03 mg/m³ (nach TRGS 102). LD_{50} (Ratte oral) 124 mg/kg, wassergefährdender Stoff, WGK 3, leicht lösl. in Wasser, Alkoholen u. Aceton. Die Herst. erfolgt durch partielle Hydrolyse von Acrylnitril.

Verw.: Als Monomeres für Polyacrylamid mit zunehmender Bedeutung als Flockungsmittel zur Wasseraufbereitung u. in der Erzflotation, in der Papier-Ind. sowie zur Herst. von Polymerisaten auf dem Dispersions-, Harz- u. Lackgebiet. In Form der Methylolacrylamid-Verb. dient es in Polymerisaten gleichzeitig als Vernetzungsmittel, im Labor für die Polyacrylamid-Gel-Elektrophorese. – *E* = *F* acrylamide – *I* acrilammide – *S* acrilamida

Lit.: Beilstein E IV **2**, 1471 f. ▪ Giftliste ▪ Hommel, Nr. 651 ▪ Houben-Weyl E **5**, 1030 ▪ Kirk-Othmer (4.) **1**, 251–266 ▪ Ullmann (4.) **7**, 86, 92; (5.) **A 1**, 173 ▪ Weissermel-Arpe (4.), S. 335 f. – *[HS 2924 10; CAS 79-06-1; G 6.1]*

Acrylate. Bez. für Salze (z. B. Na-Acrylat, Ca-Acrylat) u. Ester der *Acrylsäure, vgl. Acrylsäureester.

Acrylatharze s. Acrylharze.

Acrylat-Kautschuk (Acryl-Kautschuk, Kurzbez. ACM). Sammelbez. für kautschukelastomere, vulkanisierbare Copolymere auf der Basis von *Acrylsäureestern (insbes. Ethyl- u. Butylacrylaten), die geringe Mengen von Comonomeren wie Ethylen od. *Methacrylsäure enthalten, die die schnelle Vulkanisation des A.-K. begünstigen. A.-K. zeichnet sich durch gute Ölbeständigkeit bei mäßiger Kälteflexibilität aus. – *E* acrylic rubber – *F* caoutchouc acrylique – *I* caucciù acrilico – *S* caucho acrílico

Lit.: Br. Polym. J. **5**, 285, 291 (1973); **6**, 91 (1974) ▪ Encycl. Polym. Sci. Eng. **1**, 42–61 ▪ Ullmann (5.) **A 23**, 263 ff.

Acrylat-Klebstoffe (Acrylatester-Klebstoffe). A.-K. sind *Klebstoffe auf Basis von Acryl-Monomeren, insbes. von *Acryl- u. *Methacrylsäureestern. Sie werden entweder monomer als *Reaktionsklebstoffe eingesetzt, die während des Verklebungsprozesses polymerisieren, od. bereits polymer (*Polyacrylate od. *Polymethacrylate) in Form von Lsg.- bzw. Dispersionsklebstoffen. In die 1. Gruppe gehören u. a. die unter Luftausschluß aushärtenden Methacrylsäureester (s. a. anaerobe Klebstoffe), die unter Feuchtigkeitseinwirkung polymerisierenden Cyanacrylate (s. a. Cyanacrylat-Klebstoffe) u. die reaktiven A.-K. im engeren Sinne. Diese bestehen aus einem (Meth)acryl-Monomeren, einem als Verdickungs- u. Elastifizierungsmittel fungierenden Polymeren u. einem die Polymerisation auslösenden Initiator, vorzugsweise einem *Redoxinitiator. Sie werden als Zweikomponentenkleber in Kombination mit einer Aktivator-Lsg. eingesetzt u. können zur Verklebung sehr unterschiedlicher Substrate (u. a. Metalle, Glas, Kunststoffe, Elastomere, Holz) verwendet werden. Mit ihnen hergestellte Klebverbunde zeichnen sich durch hohe Festigkeitswerte in einem weiten Temp.-Bereich (ca. –110 °C bis +180 °C) aus. Als Lsg.- u. *Dispersionsklebstoffe applizierte A.-K. basieren dagegen vielfach auf polymeren Ethyl- u./od. Butylacrylaten, deren mechan. u. Hafteigenschaften durch Einpolymerisieren geeigneter Comonomere mit z. T. zusätzlichen funktionellen Gruppen wie Carboxyl- od. Hydroxyl-Gruppen gezielt einstellbar sind; sie sind als *Haftklebstoffe zum Verkleben von Textilien, Leder, Kunststoffen u. Metallen breit einsetzbar. – *E* acrylic adhesives – *F* adhésifa à l'acrylate – *I* adesivi acrilici – *S* pegamentos acrílicos

Acrylfarbstoffe

Lit.: Adhäsion **32**, Nr. 1–2, 32–40, Nr. 3, 31–39, Nr. 4, 24–29 (1988) ▪ Encycl. Polym. Sci. Technol. **1**, 569–572 ▪ Ullmann (4.) **14**, 233 f. ▪ s. a. Klebstoffe, anaerobe Klebstoffe, Cyanacrylat-Klebstoffe.

Acrylfarbstoffe. A. basieren auf Polyacrylamid- u. Polyacrylat-Dispersionen u. sind wasserverdünn- u. wasservermalbar. Sie enthalten keine fetten Öle, lassen sich aber wie *Ölfarben verarbeiten. Der eingetrocknete Film zeigt ähnliche Eigenschaften wie ein Ölfarbenfilm. A. mit bestimmter Rezeptur u. physikal. Einstellung eignen sich bes. für die Hinterglasmalerei. – *E* acryl dyes – *F* colorants à l'acryl – *I* coloranti acrilici

Acryl-Fasern. Handelsübliche Bez. für *Chemiefasern auf der Basis von *Polyacrylnitril.

Acrylglas. Sammelbez. für organ. *Kunstgläser aus *Polymethacrylaten, die durch Substanz- od. Perlpolymerisation u. nachträgliches Extrudieren bzw. Spritzgießen hergestellt werden. A. zeichnet sich durch hohe Lichtdurchlässigkeit, Transparenz u. Kratzfestigkeit aus. Die bekannteste Marke für A. ist *Plexiglas, ein *Polymethylmethacrylat (PMMA). Eine Übersicht über Herst. u. Eignung von A. s. *Lit.*[1]; zum Brandverhalten s. *Lit.*[2].
Verw.: Für Sicherheitsglasscheiben, Lichtkuppeln, sanitäre Einrichtungen, Behälter, Apparate, Leuchten, Instrumente, Uhrgläser, gewellte Platten im Bauwesen usw.; zur Verw. von A. in der Optik s. *Lit.*[3]. – *E* acrylic glass – *F* verre acrylique – *I* vetro acrilico – *S* vidrio acrílico

Lit.: [1] Chem. Labor Betr. **24**, 201–206 (1973). [2] Röhm Spektrum **20**, 59–61 (1977). [3] Kunstst. J. **10**, Nr. 10, 42–52 (1976). *allg.:* Encycl. Polym. Sci. Eng. **1**, 289 ▪ Esser, Polymethacrylate (Kunststoff-Hdb., Bd. 9), München: Hanser 1975 ▪ Houben-Weyl **E 20**, 1145–1149. – [HS 3920 51]

Acrylharze (Acrylatharze). Allg. Bez. für thermoplast. od. wärmehärtbare synthet. *Harze, die durch Homopolymerisation von *(Meth)acrylsäureestern (sog. Rein-A.) od. deren Copolymerisation mit z. B. Styrol od. Vinylestern gewonnen werden. Wärmehärtbare A.[1] enthalten zusätzlich funktionelle Gruppen (Hydroxy-, Hydroxymethyl-, Carboxy-Gruppen), über die Vernetzungsreaktionen durchgeführt werden können; sie können selbst- od. (z. B. nach Zusatz von *Aminoplasten od. *Epoxidharzen) fremdvernetzend sein. Über die Wahl der Monomeren lassen sich Löslichkeit u. mechan. Eigenschaften der A. breit variieren. A. sind in der Regel transparente u. UV-Licht beständige, nicht verfärbende Produkte.
Verw.: V. a. als Rohstoffe für Lacke u. Anstrichmittel (s. Acrylharz-Lacke), als Klebstoffe (s. Acrylat-Klebstoffe), ferner als Beschichtungs-, Verdickungs- u. Dispergierhilfsmittel, zur Herst. von Dentalmaterialien. – *E* acrylic resins, acrylics – *F* résines acryliques – *S* resinas acrílicas

Lit.: [1] Kunststoffe **59**, 247–251 (1969). *allg.:* Encycl. Polym. Sci. Eng. **1**, 211–299 ▪ Encycl. Polym. Sci. Technol. **1**, 246–328 ▪ Winnacker-Küchler (3.) **5**, 87 f., 444–447; (4.) **6**, 783–785.

Acrylharz-Lacke (Kurzz. AY). A.-L. sind Lacke auf Basis von *Acrylharzen. Sie werden als Lsg. in organ. Lsm., als wäss. Dispersionen od. als Pulverlacke vielseitig eingesetzt, z. B. für Außen- u. Innenstriche od. für die Lackierung von Papier, Holz u. Metallen. – *E* acrylic coatings – *I* lacche a base delle resine acriliche – *S* barnices de resina acrílica

Lit.: farbe + lack **81**, 121 (1975) ▪ Kunst. J. **10**, Nr. 3, 34–35 (1976) ▪ Ullmann (4.) **15**, 613–616, 666. – [HS 3208 20]

Acryl-Kautschuk s. Acrylat-Kautschuk.

Acrylnitril (Acrylsäurenitril). $H_2C=CH-CN$, C_3H_3N, M_R 53,06. Farblose, brennbare, stechend riechende Flüssigkeit (riechbar erst in gefährlichen Konz.); D. 0,806, Schmp. –82 °C, Sdp. 77 °C, FP. –5 °C c. c.; Explosionsgrenzen in Luft 2,8–28 Vol.-%. Dämpfe u. Flüssigkeit sind giftig. Sie werden auch über die Haut aufgenommen u. reizen stark die Schleimhäute, die Haut u. bes. die Augen. Es kommt zu Schädigung des Nerven-, Atmungs- u. Verdauungssystems. A. gilt als Stoff, der sich im Tierversuch eindeutig als krebserzeugend erwiesen hat (Gruppe III A 2, MAK-Werte-Liste 1995), TRK-Wert 7 mg/m^3 (nach TRGS 102), LD_{50} (Ratte oral) 78 mg/kg, Verdacht auf fruchtschädigende Wirkung. Wassergefährdende Flüssigkeit, WGK 3, in Wasser wenig lösl., mit fast allen Lsm. mischbar. In reiner Form ist A. nicht haltbar; es polymerisiert oft nach kurzem Stehen explosionsartig; mit Hydrochinonen u. Phenolen usw. kann es stabilisiert werden.

Herst.: Die älteren Verf. zur Herst. von A. verwendeten die relativ teuren C_2-Bausteine Ethylenoxid, Acetylen u. Acetaldehyd, die durch Umsetzung mit HCN zu A. od. seinen Vorstufen aufgebaut wurden. Heute erfolgt die A.-Synth. durch *Ammonoxidation, die größte techn. Bedeutung hat das *Sohio-Verfahren erlangt.

$$H_2C=CH-CH_3 + NH_3 + 1,5\,O_2 \xrightarrow{\text{Katalysator}} H_2C=CH-CN + 3\,HCN$$

Als Nebenprodukte entstehen unter anderem Acetonitril u. HCN.
Verw.: Zur Herst. von Homo- u. Copolymerisaten auf dem Faser-, Kunststoff- u. Synthesekautschuk-Sektor, als Zwischenprodukt z. B. führt die Elektrohydrodimerisierung zu Adipinsäuredinitril. Verb. mit aktiven Wasserstoff-Atomen wie Alkohole, Amine, Amide, Aldehyde u. Ketone lassen sich an der Doppelbindung addieren. Diese als *Cyanoethylierung bezeichnete Reaktion hat Bedeutung auf dem Pharma- u. Farbstoffsektor. Partielle Hydrolyse liefert Acrylamid. Im Pflanzenschutz besteht für A. ein vollständiges Anwendungsverbot. – *E* acrylonitrile – *F* nitrile acrylique – *I* acrilnitrile – *S* acrilonitrilo

Lit.: Beilstein E IV **2**, 1473–1479 ▪ Giftliste ▪ Hommel, Nr. 5 ▪ Kirk-Othmer (4.) **1**, 352–369 ▪ Rippen ▪ Ullmann (4.) **7**, 95 pf.; (5.) **A 1**, 177 ff. ▪ Weissermel-Arpe (4.), S. 328–336. – [HS 2926 10; CAS 107-13-1; G 3]

Acrylnitril-Butadien-Styrol-Copolymere (Kurzz. ABS nach DIN 7728, Tl. 1, 01/1988). ABS sind thermoplast. u. elast. *Polymer-Blends, deren diskontinuierliche, elast. Phase aus Homo- od. Copolymeren des 1,3-Butadiens in einer kontinuierlichen Phase aus steifen, thermoplast. Acrylnitril-Styrol-Copolymeren dispergiert ist. ABS gehören zur Gruppe der elastomermodifizierten *Thermoplaste. Sie werden techn. hergestellt durch *Co- od. *Pfropfcopolymerisation der drei Basismonomeren im *Emulsions- od. *Massepolymerisations-Verfahren. Über die Variation der Men-

genverhältnisse der Monomeren ist das Eigenschaftsspektrum der ABS breit beeinflußbar. ABS besitzen eine hohe Schlagzähigkeit u. Wärme-Formbeständigkeit. Sie werden als opake Standardtypen od. als Sondertypen, die sich durch Transparenz, Flammfestigkeit, Witterungsstabilität od. Galvanisierbarkeit auszeichnen, für die Verarbeitung durch Spritzguß od. Extrusion hergestellt. ABS sind allg. beständig gegenüber wäss. Säuren u. Basen, aliphat. Kohlenwasserstoffen u. Fetten, weniger beständig gegenüber chlorierten u. aromat. Kohlenwasserstoffen u. polaren Lsm. (Ester, Ketone).
Verw.: Überwiegend als Konstruktionswerkstoffe zur Herst. hochwertiger techn. Teile für unterschiedliche Einsatzgebiete (Kfz.-Bau, Haushaltsartikel, Elektroartikel, Büromaschinen, Möbel, Rohre, Fittings, Verpackungsfolien, Sport- u. Freizeitartikel, Spielzeug u. a.). – *E* acrylonitrile-butadiene-styrol polymers – *F* copolymère acrynitril-butadiène-styrol – *I* acrilnitril-butadien-stirol-copolimeri – *S* copolímeros de acrilonitrilo-butadieno-estireno
Lit.: Encycl. Polym. Sci. Eng. **11**, 388 ff. ▪ Encycl. Polym. Sci. Technol. **15**, 307 ff. ▪ Houben-Weyl E **20**, 1002 ff. ▪ Ullmann (4.) **19**, 277 ff. – [HS 3903 30]

Acrylsäure (Propensäure). $H_2C=CH-COOH$, $C_3H_4O_2$, M_R 72,06. Brennbare, ätzende, stechend Essigsäure-artig riechende, farblose Flüssigkeit, D. 1,0511, Schmp. 14 °C, Sdp. 141 °C, FP. 54 °C c. c.; Explosionsgrenzen in Luft 5,3 – 19,8 Vol.-%, mit Wasser, Alkohol u. Ether mischbar, polymerisiert in Abwesenheit von Stabilisatoren bei längerem Stehen. Die Dämpfe reizen sehr stark die Augen u. die Atemwege, Kontakt mit der Flüssigkeit führt zu schweren Verätzungen der Augen u. der Haut. Bei Erhitzen werden giftige Dämpfe freigesetzt. Wassergefährdende Flüssigkeit, WGK 1, LD_{50} (Ratte oral) 2,59 g/kg, Emissionsklasse I.
Herst.: Von histor. Interesse ist die Verseifung von 3-*Hydroxypropionitril. Techn. Bedeutung besitzt noch die Carbonylierung von *Acetylen, wenn sie in bereits bestehenden Anlagen durchgeführt werden kann. Die Hydrolyse von Acrylnitril führt über Acrylamid als Zwischenstufe ebenfalls zu Acrylsäure. Das heute dominierende Verf. ist die direkte Oxid. von Propen ohne Isolierung der Zwischenstufe *Acrolein.
Verw.: Der überwiegende Teil wird zu Acrylaten verestert. A. sowie die Ester sind wichtige Monomere zur Herst. von Homo- u. Copolymerisaten. Sie finden ihre Anw. bevorzugt auf dem Anstrich- u. Klebstoffsektor, in der Papier- u. Textilveredlung sowie in der Lederzurichtung. – *E* acrylic acid – *F* acide acrylique – *I* acido acrilico – *S* ácido acrílico
Lit.: Beilstein E IV **2**, 1455 ff. ▪ Giftliste ▪ Hommel, Nr. 220 ▪ Houben-Weyl E **5**, 195, 210 ▪ Kirk-Othmer (4.) **1**, 287 – 311 ▪ Ullmann **3**, 75 – 80; (4.) **7**, 80 – 94; (5.) A **1**, 161 ▪ Weissermel-Arpe (4.), S. 313 – 318. – [HS 2916 11; CAS 79-10-7; G 8]

Acrylsäureamid s. Acrylamid.

Acrylsäureester. $H_2C=CH-COOR$, Sammelbez. für die Ester der *Acrylsäure, deren Produktion in den letzten Jahren stark zugenommen hat. A. lassen sich leicht in Lsg., Dispersion, Emulsion od. Substanz durch Licht, Wärme od. chem. Radikalinitiatoren (*Peroxide, Azo-Verb.) zu *Polyacrylaten u. *Acrylharzen polymerisieren. Sie sind wichtige Monomere zur Herst. von Homo- u. Copolymerisaten, die bevorzugt Anw. auf dem Anstrich- u. Klebstoffsektor (*Hotmelts) sowie in der Papier-, Textil- u. Lederveredelung finden. Bevorzugt werden die niederen A., wie Methyl-, Ethyl-, *n*-Butyl-, *i*-Butyl- u. 2-Ethylhexylester verwendet, die allerdings leicht brennbar u. gesundheitsschädlich sind; MAK-Werte (1995) A.-ethylester: 5 ml/m³, 20 mg/m³, WGK 2 [G 3]; A.-methylester: 5 ml/m³, 18 mg/m³, WGK 2 [G 3]. Einige Aryl-substituierte A. dienen als UV-Absorber[1]. Über Synth. u. Polymerisation von Metall-haltigen Oligo-A. s. Lit.[2]. – *E* acrylic esters – *F* esters acryliques – *I* esteri degli acidi acrilici – *S* ésteres acrílicos
Lit.: [1] Kirk-Othmer (3.) **1**, 330 f.; **9**, 308. [2] Plaste Kautsch. **24**, 669 – 674 (1977).
allg.: Weissermel-Arpe (4.), S. 313 – 318.

Acrylsäurenitril s. Acrylnitril.

Acrysol®. Rheologiemodifizierungsmittel für wäss. Syst. in der Leder-, Lack- u. Farben-, Baustoff-, Textil-, Papier- u. Klebstoff-Industrie. *B.:* Rohm and Haas.

ACS. Abk. für *American Chemical Society.

Actane. Eine Suspension von *Kautschuk-Teilchen in einer wäss. Lsg. von Natriumtrimethylsilicaten zur Abdichtung von porös gewordenem Mauerwerk; die Meth. wurde mit Erfolg zum Schutz gefährdeter Bauten in Venedig erprobt.
Lit.: Naturkautschuk-Fortsch. & Entw. **25**, 38 (1972).

Actellic®. Spritzmittel zur Bekämpfung von Vorratsschädlingen in Getreide. *B.:* Bayer.

ACTH s. Corticotropin.

Actigran. Handelsname für Trimethylolpropantrimethacrylat in Granulatform für die Anw. als Coaktivator in Peroxid-vernetzten Gummimischungen. *B.:* Kettlitz Chemie GmbH & Co. KG.

Actihaemyl®. Ampullen, Augensalbe, Creme, Dragées, Gel, Salbe, Infusionsflaschen u. Wundgaze mit Blutdialysat vom Kalb. *B.:* Byk Gulden.

Actilight. Marke der Firma Eridania-Beghin Say für einen Fructooligosaccharid-Sirup (Inulin), hergestellt auf Basis der Zichorienwurzel.

Actin. Neben *Myosin eines der beiden wichtigsten Proteine im *Muskel, kommt jedoch auch in fast allen *eukaryontischen Nichtmuskelzellen vor (u. a. auch in Pflanzen[1]) u. ist an Bewegungsvorgängen u. an der Stabilisierung von zellulären Strukturen beteiligt. Letztere Funktion wird außer von A. auch von *Tubulin u. den *intermediären Filamenten wahrgenommen (s. Cytoskelett). A. ist in vielen Zellen das mengenmäßig häufigste Protein. Die Aminosäure-Sequenzen verschiedener A. sind wohl-konserviert: sie stimmen zu 80 – 90% miteinander überein.
Polymerisation: Monomeres *G-Actin* (globuläres A. – s. globuläre Proteine – M_R 42 000, ein unsymmetr.-hantelförmiges Protein-Mol. der Größe 3,5 – 5,5 nm, bestehend aus 375 Aminosäuren) polymerisiert unter physiolog. Bedingungen reversibel unter Beteiligung von *Adenosin-5′-triphosphat (ATP), das im Verhältnis 1:1 an G-A. bindet u. ca. 10 s nach der Anlagerung

des Monomers an die wachsende Kette des sog. *F-Actins* (filamentäres = fädiges A., besitzt die Gestalt einer langen rechtsgängigen Spirale mit 14 A.-Mol. pro Umlauf) zu *Adenosin-5'-diphosphat (ADP) hydrolysiert wird. A. besitzt die Aktivität einer *Adenosintriphosphatase. Gebundenes ADP begünstigt die Depolymerisation von F-Actin. So entsteht ein wachsendes, mit ATP besetztes Ende des A.-Filamentes (E ATP cap), während an Filamenten, die mit ADP besetzt sind, die Freisetzung von A -Monomeren überwiegt. Läßt man Myosin an F-A. binden, findet man im Elektronenmikroskop, daß die beiden Enden des mit Myosin dekorierten A.-Filaments strukturell verschieden sind u. dem spitzen u. dem stumpfen Ende eines Pfeils gleichen (E pointed end bzw. barbed end). Man hat festgestellt, daß G-A. am stumpfen Ende schneller durch Polymerisation wächst als am spitzen. Die Polymerisation des A. wird außerdem durch Ca^{2+}- u. Mg^{2+}-Ionen, durch *Diacylglycerine sowie durch zahlreiche Proteine beeinflußt, die entweder (wie *Profilin, *Desoxyribonuclease I) die monomeren A.-Mol. maskieren od. (wie die unterschiedlichen Capping-Proteine) an eines der beiden Enden des F-A. binden (z. B. *Bande 4.1). Andere, wie *Tropomyosin, stabilisieren das Filament gegen Zerfall. Das Schimmelpilz-Alkaloid Cytochalasin B (s. Cytochalasane) verhindert die Bildung von F-A., *Phalloidin, ein Gift des Knollenblätterpilzes, blockiert dessen Depolymerisation. Einige der Capping-Proteine (z. B. *Gelsolin, *Severin) spalten F-A. in kleinere Stücke. Bestimmte äußere Reize, z. B. Nahrungsangebot an den Schleimpilz *Dictyostelium discoideum*, führen zu *Phosphorylierung von A., was wiederum eine Depolymerisation von A.-Filamenten bewirkt[2].

Quervernetzung: Daneben gibt es Proteine, die F-A. durch Quervernetzung zu Bündeln binden (z. B. α-*Actinin, *Fimbrin u. *Villin) od. unter Ausbildung 3-dimensionaler Netzwerke zum Gelieren bringen können (z. B. das *Actin-bindende Protein 120, *Filamin, *Spectrin, das *in vivo* dazu dient, F-A. mit Membranen zu verknüpfen, od. das Calcium-sensitive *MARCKS).

Funktion: Im *Muskel* (s. dort u. Myosin) bildet A. die dünnen Filamente, die zusammen mit den dicken Myosin-Filamenten unter Einwirkung von ATP durch Aneinandervorbeigleiten die Muskelkontraktion bewirken. An diesem Prozeß sind außerdem die Proteine *Troponin, *Tropomyosin sowie Ca^{2+}-Ionen beteiligt. Weitere *Bewegungsvorgänge*, für die A. verantwortlich gemacht wird, sind der Transport von Vesikeln u. Organellen[3] in der Zelle u. die Fortbewegung von Zellen[4] u. Viren[5]. Als Bestandteil des *Cytoskeletts* ist F-A. (*Mikrofilamente) an der Ausbildung u. Stabilisierung von Zellstrukturen beteiligt, z. B. der *Mikrovilli, der abgeflachten Form der *Erythrocyten u. der Knospen von Hefezellen. Dazu bindet F-A. unter Beteiligung mehrerer anderer Proteine (Spectrin, *Adducin, *Ankyrin, *Bande 3) an die Zellmembran. F-A. ist neben α-Actinin u. Myosin auch an der Ausbildung der *Streß-Fasern beteiligt. Zur Rolle des A. bei der *Wundheilung s. Lit[6]. – E actin – F actine – I attina – S actina

Lit.: [1] Cell Motility Cytoskel. **16**, 164 ff. (1990). [2] Curr. Biol. **3**, 321 ff. (1993). [3] Nature (London) **356**, 722 ff. (1992). [4] Science **260**, 1086–1094 (1993); Spektrum Wiss. **1994**, Nr. 11, 42–49. [5] Nature (London) **378**, 636 ff. (1995). [6] Nature (London) **360**, 179 ff. (1992).
allg.: Alberts et al., Molekularbiologie der Zelle, 3. Aufl., S. 970–984, Weinheim: VCH Verlagsges. 1995 ■ Annu. Rev. Biophys. Biomol. Struct. **21**, 49–76 (1992) ■ Curr. Opin. Struct. Biol. **5**, 172–180 (1995) ■ Estes, Actin – Biophysics, Biochemistry, and Cell Biology, New York: Plenum Press 1994 ■ Trends Biochem. Sci. **40**, 9–15 (1992).

Actin-bindendes Protein (280) s. Filamin.

Actin-bindendes Protein 120 (ABP-120, *Dictyostelium* gelation factor). *Protein (M_R 240 000, Länge des Mol. 35 nm) aus 2 gleichen, in Kopf-Schwanz-Anordnung aneinandergelagerten Untereinheiten, das *Actin-Filamente zu *Gelen vernetzen kann. ABP-120 gehört – neben α-*Actinin, *Dystrophin, *Filamin, *Fimbrin u. der β-Kette des *Spectrins – zur Superfamilie der Actin-vernetzenden Proteine, deren Mitglieder ähnliche Actin-Bindungs-*Domänen besitzen. – E actin-binding protein-120 – F protéine-120 fixant l'actine – I proteina-120 che lega l'attina – S proteina-120 fijadora de la actina

Actinide. In der Lit. noch anzutreffende Bez. für die Reihe der Elemente 90–103 (*Actinoide).

α-Actinin. Protein (M_R ca. 100 000, Länge 30 nm), das mit F-*Actin unter Ausbildung von lockeren Faser-Bündeln reagiert.
Struktur: α-A. besitzt eine Amino-terminale Actin-Bindungs-*Domäne u. eine Carboxy-terminale *Calmodulin-ähnliche *EF-Hand-Domäne. Dazwischen liegt ein 4mal sich wiederholender 3strängig α-helikaler (s. Helix) Bereich aus 105 *Aminosäure-Resten. Durch Kopf-Schwanz-Anlagerung bildet sich ein antiparalleles Homodimer der Länge 40 nm mit den Actin-Bindungsstellen an entgegengesetzten Enden u. den Calmodulin-ähnlichen Domänen der jeweils anderen Kette in deren räumlicher Nachbarschaft. Es besteht Homologie zu verschiedenen anderen Actin-bindenden Proteinen wie *Actin-bindendem Protein 120, *Dystrophin u. *Spectrin.
Funktion: α-A. verbindet Actin-Filamente mit einer Anzahl von zellulären Strukturen, z. B. in Muskelzellen mit der Z-Scheibe der *Sarkomere. Es findet sich auch neben Actin u. Myosin in *Stress-Fasern, verleiht diesen die Struktur eines lockeren Bündels u. verankert deren Enden an den Fokalkontakten der Zellmembran. α-A. besitzt am Amino-Ende eine Bindungsstelle für *Zyxin u. am Carboxy-Terminus eine für *Vinculin[1]. Calcium-Ionen verhindern bei α-A. aus Nicht-Muskel-Zellen die vernetzende Funktion, wahrscheinlich durch Bindung an die Calmodulin-ähnlichen Domänen u. Verhinderung der Dimerisierung. α-A. aus Muskel benötigt zur Ausübung seiner Funktion die Ggw. von Phosphatidylinosit-4,5-bisphosphat (vgl. Phosphoinositide)[2]. – E α-actinin – F α-actinine – I α-attinina – S α-actinina

Lit.: [1] Science **258**, 955–964 (1992). [2] Nature (London) **359**, 150 ff. (1992).
allg.: Alberts et al., Molekularbiologie der Zelle, 3. Aufl., S. 986 f., 996 f., Weinheim: VCH Verlagsges. 1995.

Actinium (von griech.: aktis = Strahl; Symbol Ac). Radioaktives metall. Element aus der Gruppe III A des *Periodensystems. Obwohl im strengen Sinne nicht zutreffend, wird Ac oft als Anfangsglied der *Actinoiden-Reihe zugerechnet, Ordnungszahl 89, D. 10,07, Schmp. 1050 °C ± 50 °C, Sdp. ca. 3000 °C. Chem. verhält sich Ac ähnlich dem *Lanthan; in den bisher bekannten ca. 10 Verb. ist Ac +3-wertig. Es sind 26 Isotope mit Massenzahlen 209–232 bekannt, davon 2 natürliche. Das längstlebige Isotop 227 (HWZ 21,8 a) ist ein α- u. β-Strahler. Es kommt als Zerfallsprodukt des Uran 235 u. Glied der Uran-Actinium-Zerfallsreihe (s. Radioaktivität; dort findet sich auch eine Aufstellung über Actinium A, B, C etc. = AcA, B, C...) in Uranerzen vor (1 Teil/10^{12} Teile Erz!).

Herst.: Wegen des geringen Gehalts spielt die Gewinnung von Ac aus Uranerzen keine Rolle; wägbare Mengen Ac 227 sind durch Bestrahlung von Radium in Kernreaktoren erhältlich:

$$^{226}Ra\ (n,\gamma)\ ^{227}Ra \xrightarrow{\beta^-}\ ^{227}Ac.$$

Die Isolierung des Ac erfolgt durch Ionenaustausch od. Lsm.-Extraktion. Wegen ihres Gehalts an radioaktiven Zerfallsprodukten wurden Verb. des Ac bisher nur im μg- od. mg-Maßstab hergestellt. Durch Red. von Ac_2O_3 mit Thorium (bei 1730 °C, ca. 10^{-4} Pa) u. anschließende Verdampfung läßt sich Ac als ein silberweißes Metall herstellen, das im Dunkeln bläulich leuchtet. Es krist. – wie Lanthan – kub.-flächenzentriert.

Verw.: Ac, das etwa die 150fache Aktivität von Radium besitzt, findet Verw. zur Erzeugung von Neutronen, z. B. gemäß ^{227}Ac-Be (α,n) bei der *Aktivierungsanalyse von Erzen, Leg. usw. Darüber hinaus besitzt ^{227}Ac Interesse für die *thermionische Energieumwandlung. Nachw. s. *Lit.*[1].

Geschichte: Ac wurde 1899 von André Debierne in Pechblenden-Rückständen erstmals nachgewiesen; 1902 wurde es unabhängig davon von F. Giesel entdeckt. Die erste Herst. von künstlichem Ac erfolgte im Argonne National Laboratory, Chicago. 1950 erhielt Hagemann durch Neutronenbeschuß von 1 g Radium 1,27 mg Ac, aus denen er mit Hilfe ultramikrochem. Verf. eine Reihe von Salzen herstellen konnte. – *E = F* actinium – *I* attinio – *S* actinio

Lit.: [1] J. Radioanal. Chem. **26**. 279 (1985).
allg.: Brauer (3.) **2**, 1117–1127 ▪ Chem. Ztg. **101**, 500–507 (1977) ▪ Gmelin, Syst.-Nr. 40, Aktinium, Suppl. 1, 1981 ▪ Kirk-Othmer (3.) **19**, 655 ▪ Ullmann (5.) **A 22**, 526 ▪ s. a. Actinoide. – *[HS 2844 40; CAS 7440-34-8]*

Actinium A,B,C... s. die Uran-Actinium-Zerfallsreihe bei Radioaktivität.

Actiniumblei. Veraltete Bez. für das stabile Blei-Isotop ^{207}Pb als Endglied der Uran-Actinium-Zerfallsreihe, s. Radioaktivität.

Actinoide. Gruppenbez. für die 14 auf *Actinium folgenden Elemente 90–103 (*Actinium-Reihe*, vielfach einschließlich Ac). Gelegentlich wird das „Elementsymbol" An verwendet, wenn man irgend eines der A.-Elemente meint. Die A. umfassen Thorium (90), Protactinium (91), Uran (92), Neptunium (93), Plutonium (94), Americium (95), Curium (96), Berkelium (97), Californium (98), Einsteinium (99), Fermium (100), Mendelevium (101), Nobelium (102) u. Lawrencium (103). Die auf Uran (92) folgenden Elemente, durch Kernreaktionen künstlich erzeugt, werden auch als *Transurane bezeichnet. An die A. schließen sich die *Transactinoide an. *Seaborg (vgl. *Lit.*[1]) vermutet eine A.-ähnliche Elementenreihe, die er *Superactinoide nennt, im Anschluß an die Transactinoide.

Alle A. sind radioaktiv u. extrem tox.; beim Umgang mit ihnen müssen spezielle Sicherheitsvorkehrungen eingehalten werden. Von den A. bis Ordnungszahl 100 sind heute hinreichend langlebige Isotope in zumindest solchen Mengen verfügbar, die noch eine präparative Chemie im Ultramikromaßstab ermöglichen. Hinsichtlich des *Atombaus bilden die A. die Parallele zu den *Lanthanoiden: Bei beiden ist die äußere Elektronenschale (6s bzw. 7s) mit jeweils 2 Elektronen besetzt, u. während bei den Lanthanoiden das niedrigere 4f-Niveau schrittweise, zunehmend mit der Ordnungszahl, mit 14 Elektronen besetzt wird (u. damit die N-Schale ihre Auffüllung mit 32 Elektronen erreicht), gilt dies bei den A. für das 5f-Niveau (bzw. die O-Elektronenschale). Die demnach zu erwartende Ähnlichkeit des chem. u. physikal. Verhaltens mit den Lanthanoiden trifft allerdings besser für die schweren A. (ab Cm) zu, z. B. Dreiwertigkeit. Die leichteren A., d. h. bis zur Halbbesetzung der 5f-Schale mit relativ beweglichen Elektronen, sind – z. B. mit verschiedenen Wertigkeitsstufen – in ihrem Verhalten eher als typ. *Übergangsmetalle aufzufassen. Zur Untersuchung des Beitrags der 5f-Elektronen zur chem. Bindung s. *Lit.*[2]. Für die Abtrennung u. Bestimmung einzelner A.-Elemente kommen Extraktions- u. Sorptionsverf. zur Anw., wobei die Stabilisierung ungewöhnlicher Oxidationsstufen vorteilhaft ist. Eine Beschreibung der präparativen Herst. u. Reinigung der A.-Metalle bis hin zu Einkrist. findet sich in *Lit.*[3]. Zur Analyse der A. können *Polarographie u. *Coulometrie vorteilhaft eingesetzt werden[4]. Über Aspekte der bioanorgan. Chemie der A. s. *Lit.*[5]. – *E = S* actinoides – *F* actinoïdes – *I* attinoidi

Lit.: [1] Chem. Unserer Zeit **3**, 131–139 (1969). [2] Struct. Bonding (Berlin) **59/60** (1985). [3] Adv. Inorgan. Chem. **31**, 1–41 (1987). [4] Milner u. Phillips, in Nürnberg, Electroanalytical Chemistry, London: Wiley 1975. [5] Coord. Chem. Rev. **31**, 221–250 (1980).
allg.: Bachner u. Müller, Strahlenexposition u. Strahlenrisiko durch Inhalation od. Ingestion von Aktinoiden (Ber. G RS 1), Köln: Ges. Reaktorsicherheit 1977 ▪ Encycl. Electrochem. Elements **8**, 150–206 (1978) ▪ Freeman et al., Handbook on the Physics and Chemistry of the Actinides, Vol. 1–5, Amsterdam: North Holland 1984–1987 ▪ Friedman, Actinides in the Environment (ACS Symposia 35), Washington: ACS 1977 ▪ Gscheidner et al. (Hrsg.), Handbook on the Physics and Chemistry of Rare Earths, Vol. 19: Lanthanides/Actinides: Physics II, Elsevier: Amsterdam 1994 ▪ Katz et al., The Chemistry of the Actinide Elements, 2 Bd., New York: Chapman and Hall 1986 ▪ Kirk-Othmer (4.) **1**, 412–445. – *[HS 2844 10–50]*

Actinomyceten (von griech.: actino = Strahl; mykes = Pilz). Zu den Bakterien der Ordnung Actinomycetales gehörende unregelmäßig geformte Kurzstäbchen, hyphenartig fragmentierende Formen sowie Mycelbildner. Mit den coryneformen *Bakterien sind die A. durch Übergangsformen verbunden u. werden daher nach Bergey's Klassifizierung (s. *Lit.*) in eine gemeinsame Gruppe eingeordnet. A. sind Gram-pos., seltener

Gram-variabel. Der Durchmesser der Zellen od. Hyphen liegt zwischen 0,5–2,0 µm. Nach Wuchsform u. Zellwandaufbau werden 8 Familien unterschieden. Zu den Actinomycetaceae gehören die obligat od. fakultativ anaeroben Erreger der Actinomykosen. *Mykobakterien sind als Erreger der *Tuberkulose bekannt, apathogene Arten stellen wichtige Vertreter der Bodenmikroflora. Vertreter beider Familien bilden kein Mycel.

Als A. im engeren Sinne bezeichnet man die aeroben, Mycel-bildenden Formen, v.a. Streptomycetaceae, Nocardiaceae, Micromonosporaceae, Actinoplanaceae; in Gewässern, humusreichen Böden od. Kompost bauen sie organ. Material wie Cellulose, Lignin, Chitin u. weitere schwer zu zersetzende Naturstoffe sowie *Xenobiotika ab. *Streptomyceten verursachen durch Bildung flüchtiger Fettsäuren (z.B. *Geosmin) den typ. Erdgeruch. Bedeutung haben die A., darunter v.a. die Streptomyceten, als Produzenten von ca. 65% der bisher beschriebenen *Antibiotika erlangt. Die großtechn. Herst. therapeut. wichtiger Antibiotika erfolgt ausschließlich durch *Fermentation. Wegen ihrer Bedeutung als Produktionsstämme wurden für einige Streptomyceten bereits *Klonierungssysteme entwickelt. – *E* actinomycetes – *F* actinomycètes – *I* actinomiceti – *S* actinomicetos

Lit.: Bergey's Manual of Determinative Bacteriology, 8. Aufl., Baltimore: Williams & Wilkins 1974 ▪ Goodfellow et al., Actinomycetes in Biotechnology, London: Academic Press 1988 ▪ Schlegel (7.), S. 105 ff.

Actinomycine.

ActinomycinD [Sar = Sarcosin (*N*-Methylglycin), Me-Val = *N*-Methyl-L-valin]

Gruppe von stark giftigen, antibiot. wirkenden Chromopeptiden, die als Stoffwechselprodukte von verschiedenen *Streptomyces*-Stämmen gebildet werden. Allen orangerot gefärbten A. ist der gleiche Chromophor gemeinsam, der sie zu *Phenoxazon-Farbstoffen macht; die ca. 30 verschiedenen A. unterscheiden sich ausschließlich in der Zusammensetzung der beiden Peptidlacton-Einheiten, die über die Carboxy-Gruppen der 2-Amino-4,6-dimethyl-3-oxophenoxazin-1,9-dicarbonsäure gebunden sind. Isolierung, Konstitutionsaufklärung u. Synth. der wichtigsten A. (C_1 = D, C_2 u. C_3), deren erster Vertreter von *Waksman bereits 1940 aufgefunden wurde, sind bes. das Verdienst von *Brockmann[1]; zur Stereochemie der A. s. *Lit.*[2]. Die A. besitzen cytostat., radiomimet. u. bakteriostat. Eigenschaften; chemotherapeut. wird jedoch nur A. C_1 = A. D (Freiname: *D*actinomycin) in der Behandlung maligner Tumoren eingesetzt. Dabei beruht die Wirkung der A. auf einer Bindung an die Desoxyribonucleinsäure der Zellen, wodurch deren Matrizenfunktion behindert wird u. keine von Desoxyribonucleinsäure abhängige Ribonucleinsäure gebildet werden kann. Die A. verhindern also ein Wirksamwerden der in der Desoxyribonucleinsäure gespeicherten Information, indem sie die *Transkription stören. Man weiß heute, daß sich die A. in die Doppelhelix der DNA so einschieben (*Interkalation*), daß *Wasserstoff-Brückenbindungen zu Desoxyguanosin-Resten gebildet werden[3]. Diese Eigenschaft bedingt möglicherweise aber auch eine carcinogene Wirkung der A. (vgl. IARC, *Lit.*). – *E* actinomycins – *F* actinomycine – *I* attinomicine – *S* actinomicinas

Lit.: [1]Zechmeister **18**, 1–54; Pure Appl. Chem. **2**, 405–424 (1974). [2] Angew. Chem. **87**, 400–411 (1975). [3]Pharm. Unserer Zeit **5**, 161–169 (1976).
allg.: Adv. Appl. Microbiol. **14**, 47 (1971); **16**, 203 (1973) ▪ Chem. Rev. **74**, 625–652 (1974) ▪ IARC Monographs on the Evaluation of Carcinogenic Risk of Chemicals to Man, Bd. 10: Some Naturally Occurring Substances, Lyon: IARC 1976 ▪ J. Antibiot. **43**, 731 (1990) ▪ Kirk-Othmer (4.) **3**, 288 ▪ Martindale (30.), S. 473. – *[HS 294120; CAS 50-76-0]*

Actinon. Veraltete Bez. für das *Radon-Isotop 219 (*Actinium-Emanation*, früheres Elementsymbol An), s. Uran-Actinium-Zerfallsreihe unter *Radioaktivität.

Actinoquinol.

Internat. Freiname für 8-Ethoxychinolin-5-sulfonsäure, $C_{11}H_{11}NO_4S$, M_R 253,27, Schmp. 286–288 °C. Es ist als Ophthalmikum in Kombination mit Naphazolinnitrat von Durachemie (duraultra®) u. Stulln (Tele-Stulln®) im Handel. – *E* = *F* = *S* actinoquinol – *I* actinochinolo

Lit.: Hager (5.) **7**, 67. – *[CAS 15301-40-3; 7246-07-3 (Natriumsalz)]*

Actinouran s. Uran-Actinium-Zerfallsreihe unter Radioaktivität.

Actinoviridin A.

Chelatkomplex von 4-Hydroxy-3-nitrosobenzoesäure mit Eisen(II) im Verhältnis 2:1. $C_{14}H_8FeN_2O_8$, M_R 388,07, dunkelgrüner Feststoff, Schmp. >300 °C; A. wurde aus *Streptomyces griseus* isoliert. Viele Mikroorganismen setzen Chelatbildner (s. Chelate) frei, die eine Eisen-Aufnahme in die Zellen erleichtern. – *E* actinoviridin A – *F* actinoviridine – *I* = *S* actinoviridina
Lit.: J. Antibiot. **40**, 1131 (1987). – *[CAS 32749-97-6]*

Actin-verwandte Proteine (Arp). Neu entdeckte Familie *Actin-ähnlicher Proteine mit teilw. noch unverstandener Funktion. Am besten bekannt ist das *Centractin (Arp 1), das bei Wirbeltieren mit dem Motor-Protein *Dynein zusammenwirkt. – *E* actin-related

proteins – *F* protéines apparentées à l'actine – *I* proteine affini all'attina – *S* proteínas relacionadas con la actina
Lit.: J. Cell Biol. **127**, 1777 f. (1994).

ACTIRON® NX. Härtungsbeschleuniger u. Aktivatoren für Epoxy- u. Polyurethanharze. *B.:* Protex-Extrosa.

Activin (FSH-releasing protein, FRP). Zunächst aus Follikelflüssigkeit von Säuren isoliertes Protein aus 2 gleichen ($\beta_A\beta_A$ = A. A bzw. $\beta_B\beta_B$ = A. B) od. sehr ähnlichen ($\beta_A\beta_B$ = A. AB), über *Disulfid-Brücken verbundenen Untereinheiten, das die Freisetzung von *Follitropin (Follikel-stimulierendes Hormon, FSH) aus dem Vorderlappen der *Hypophyse stimuliert. A. scheint jedoch auch in vielen Geweben ohne Beziehung zur weiblichen Fortpflanzungs-Funktion gebildet zu werden u. dort verschiedene andere Aufgaben zu erfüllen. In *Xenopus*-Froschembryonen ist es an der Ausbildung des Mesoderms (mittleren Keimblatts) beteiligt[1]. Die Aminosäure-Sequenz u. die Rezeptorspezifität[2] des A. stimmen in hohem Grad mit denen des *transformierenden Wachstumsfaktors β überein. Ähnlicher Wirkung wie A. auf die Follitropin-Freisetzung, jedoch verschiedener Struktur u. aus dem Hypothalamus stammend, ist das *Gonadoliberin (Folliberin, Luliberin, FSH-releasing hormone). Treten die Untereinheiten β_A od. β_B des A. mit einer entfernt verwandten α-Untereinheit zusammen, so resultieren die *Inhibine A bzw. B, die im Gegensatz zu A. die Serum-Konz. des Follitropins absenken. Das Hypothalamus-Hormon Follistatin bindet an A. u. hebt so dessen Wirkung auf. – *E* activin – *F* activine – *I* attivina – *S* activina
Lit.: [1] Curr. Biol. **2**, 177 ff. (1992); Nature (London) **359**, 609–614 (1992). [2] Science **264**, 101 ff. (1994).
allg.: Annu. Rev. Physiol. **57**, 219–244 (1995).

Activox®. Zinkoxid der Durham Chemicals Ltd., England. *B.:* Nordmann, Rassmann GmbH & Co.

Actomyosin. Komplex aus *Actin u. *Myosin.

Actosolv®. Trockensubstanz für Infusionslsg. mit Urokinase gegen Thrombosen u. Embolien. *B.:* Hoechst

Actovegin®. Ampullen, Augensalbe, Creme, Dragées, Gel, Salbe u. Infusionsflaschen mit Blut-Derivat vom Kalb. *B.:* Nycomed Ismaning.

ACumist®. Mikronisierte Polyethylen-Wachse der Allied Signal (USA). *B.:* Nordmann, Rassmann GmbH & Co.

Acyclische Verbindungen (Acyclen). Sammelbez. für alle organ. Verb., in denen die Kohlenstoff-Atome in einer offenen (geraden od. verzweigten) Kette angeordnet sind, während sie bei den *cyclischen Verbindungen geschlossene *Ringsysteme bilden. Beisp. für a. V. sind die Paraffine u. a. *aliphatische Verbindungen. – *E* acyclic compounds – *F* composés acycliques – *I* composti aciclici – *S* compuestos acíclicos

Acyl... Bez. für Atomgruppierungen, die formal aus Säuren durch Abspaltung einer OH-Gruppe entstehen, in der organ. Chemie auch *Säurereste genannt, oft auf Carbonsäure-Reste beschränkt, bes. in der Biochemie (s. Transacylasen). *Beisp.:* –CO–R (z. B. Alkanoyl..., Cycloalkancarbonyl...), –SO$_2$–R (*...sulfonyl...), –PO(OR)$_2$ (Dialkoxyphosphoryl...). Namen für Acyl-Reste bildet man meist aus engl. (latein.) Säure-Namen, indem man...ic acid (*Acidum ...icum) durch die Endung *...yl ersetzt, oft eindeutiger durch *...oyl, z. B. *Carbamoyl... (–CO–NR$_2$), *Phosphinoyl... [–P(O)R$_2$], *Stearoyl... (–CO–*n*-C$_{17}$H$_{35}$, vgl. Stearyl!); *Ausnahme:* ...carboxylic(um) wird in *...carbonyl abgewandelt, z. B. Cycloalkancarbonyl..., Arencarbonyl... („Aroyl..."), Het(ero)arencarbonyl... („Hetaroyl..."). Übliche abgeleitete Begriffe: *Acylchloride*, *-halogenide* (s. Säurechloride, Säurehalogenide), *Acylamino...* (z. B. –NH–CO–R), *Acyloxy...* (z. B. –O–CO–R, vgl. Acetoxy...), s. a. die folgenden Stichwörter. Die Einführung von Acyl-Resten in organ. Verb. nennt man *Acylierung. Unter bestimmten Bedingungen sind *Umlagerungen innerhalb eines Mol. möglich (*intramol. Acyl-Wanderungen*)[1], z. B. *Fries-Umlagerung. Über *Acylium-Kationen* (R–CO$^+$) s. *Lit.* bei Carboxonium-Ionen. – *E* = *F* acyl... – *I* = *S* acil...
Lit.: [1] Pharm. Unserer Zeit **3**, 184–188 (1974).

Acylanion-Synthon. Bez. für ein *Synthon aus der *Retrosynthese, bei dem die normale Reaktivität der Acyl-Gruppe umgepolt ist (s. Umpolung). *Syntheseäquivalente* für A.-S. sind z. B. die Anionen von Thioacetalen (1,3-Dithianen), vgl. *Lit.* bei Acylierung u. Umpolung.

$$R-\overset{O}{\underset{}{C}}\!/_- \Rightarrow R-\!\!\!\left<\!\!\begin{array}{c}S\\|\\S\end{array}\!\!\right>$$

Synthon   Syntheseäquivalent

Über die Syntheseäquivalente von A.-S. läßt sich die Acyl-Gruppe *alkylieren. – *E* acylanion synthon – *F* acylanion-synthons – *I* sintone acilanione
Lit.: Aldrichim. Acta **15**, 35–41 (1982).

Acylasen. Gelegentliche Bez. für *Enzyme, die Acyl-Reste hydrolyt. abspalten: *Esterasen (EC 3.1.1), Thioesterasen (EC 3.1.2) u. *Amidasen (EC 3.5.1). Daneben ungenau für Acyltransferasen (*Transacylasen, EC 2.3.1). – *E* = *F* acylases – *I* acilasi – *S* acilasas

Acyl-Carrier-Protein (ACP).

Zentrale Proteinkomponente des bakteriellen Fettsäure-Synthetase-Komplexes, an deren Thiol-Endgruppe die im Verlaufe der *Fettsäure-Biosynthese wachsenden Acyl-Reste über eine Thioester-Bindung kovalent gebunden sind. Die *prosthetische Gruppe des ACP ist mit dem *Coenzym A strukturell verwandt. In beiden ist Phosphopantethein die reaktive Einheit. Beim Abbau der Fettsäuren ist diese Einheit ein Teil des CoA, bei der Synth. ist sie dagegen an einen Serin-Rest des ACP gebunden (s. Abb.). – *E* acyl carrier pro-

tein – *F* protéine transporteuse acyl – *I* proteina acilcarrier – *S* proteína portadora de acilos
Lit.: Stryer (5.), S. 50 ff.

Acylierung. Bez. für die Einführung einer elektrophilen Acyl-Gruppe in organ. Verb., die HO-, HS-, HN- od. geeignete HC-Gruppen enthalten. Bekannte A. sind die *Schotten-Baumann- u. die *Einhorn-Reaktion; (A. von Alkoholen u. Phenolen, Herst. von Carbonsäureestern) sowie die *Friedel-Crafts-Reaktion (A. von Aromaten, Herst. von *Ketonen). Spezielle A. sind die *Acetylierung u. die *Benzoylierung; die hydrierende A. (*Nenitzescu-Reaktion) u. die Cycloolefin-A. (*Darzens-Reaktion, 2.) sind zur Herst. von Acetylcycloalkanen geeignet. Als *Acylierungsmittel* werden außer Carbonsäurechloriden u. -anhydriden auch die Carbonsäuren selbst, Nitrile (*Houben-Hoesch-Synthese), Ketene u. Isocyanate eingesetzt.
Hochwirksame A.-mittel sind die gemischten Anhydride der Trifluormethansulfonsäure mit einer Carbonsäure[1] u. hochwirksame A.-Katalysatoren sind 4-Dialkylaminopyridine[2] sowie Übergangsmetall-Komplexe[3]. Zur umgepolten A. (vgl. a. Umpolung) von Elektrophilen mit *Syntheseäquivalenten von *Acylanion-Synthonen sind u. a. cycl. *Thioacetale (1,3-Dithian-Derivate) geeignet[4]. Im Organismus wird die enzymat. A. durch Acyl-Transferasen (*Transacylasen) bewirkt. – *E* = *F* acylation – *I* acilazione – *S* acilación
Lit.: [1] Angew. Chem. **84**, 294 ff. (1972). [2] Angew. Chem. **90**, 602–615 (1978); Chem. Soc. Rev. **12**, 129 ff. (1983). [3] Pure Appl. Chem. **52**, 635–648 (1980). [4] Synthesis **1969**, 17–36; Angew. Chem. **81**, 690–700 (1969).
allg.: Fuhrhop u. Penzlin, Organic Synthesis, 2. Aufl., S. 4–9, Weinheim: VCH Verlagsges. 1994 ▪ March (4.), S. 417–425, 487–495, 539 f., 598 f., 805 ff. ▪ Patai, The Chemistry of the Carbonyl Group, Bd. I, S. 233–302, London: Interscience 1966 ▪ Ullmann (5.) A **1**, 185 ff.

Acylneuraminsäuren.

offenkettige Form   pyranoside Form

Sammelbez. für acylierte Derivate der *Neuraminsäure. Die auch *Sial(in)säuren* genannten A. kommen meist in glykosid., durch *Neuraminidase spaltbarer Bindung in Bakterien, tier. Zellen u. Körperflüssigkeiten – bisher nicht in Pflanzen – vor. Neben anderen Zuckern sind sie Bestandteile membranbildender *Sphingolipide (insbes. der *Ganglioside), der *Blutgruppensubstanzen u. vieler *Glykoproteine (lösl. od. membrangebunden). Bei *Entzündungen, gewebezerstörenden Prozessen u. Tumorentwicklung treten jedoch auch freie A. vermehrt im Serum od. Harn auf.

Biolog. Funktionen: A. dienen der Viskositätserhöhung schleimiger Sekrete, sind wegen ihrer neg. Ladung (pK-Wert ca. 2) zum Transport pos. geladener Verb. u. zur Regulierung von Zellaggregation u. Zelladhäsion geeignet u. stabilisieren Glykoproteine gegen Denaturierung u. Proteolyse. Weiterhin tragen sie zu *Antigen-Determinanten (z. B. der Blutgruppensubstanzen u. von Differenzierungs-Antigenen) bei u. sind Bestandteile von *Rezeptoren (für Peptid-Hormone, *Toxine u. *Viren). Andererseits können A. auch die Ligand-Rezeptor- od. Antigen-Antikörper-Erkennung verhindern (maskieren). In embryonalen, Neugeborenen- u. Tumor-Geweben sowie in Mikroorganismen finden sich in Glykoproteinen gebundene *Polysialinsäuren*[1], die einen gewissen Wert als *Tumormarker besitzen. Die wichtigste A. ist die *N*-Acetylneuraminsäure[2] (R=CH$_3$) [NANA, Lactaminsäure, *O*-Sialinsäure, Sial(in)säure], $C_{11}H_{19}NO_9$, M_R 309,27, Schmp. 187–189 °C. – *E* acylneuraminic acids – *F* acides acylneuraminiques – *I* acido acilneura(m)minico – *S* ácidos acilneuramínicos
Lit.: [1] Int. J. Biochem. **25**, 1517–1527 (1993); Roth, Polysialic Acids. From Microbes to Man, Basel: Birkhäuser 1993. [2] Beilstein E IV **4**, 3288.
allg.: Nachr. Chem. Tech. Lab. **38**, 452 ff. (1990) ▪ Rosenberg, Biology of Sialic Acids, New York: Plenum Press 1995.

Acylnitrene s. Nitrene.

Acyloine.

$$R-\underset{\underset{H}{|}}{C}H-\underset{}{\overset{O}{\underset{\|}{C}}}-R$$

Gruppenbez. für α-Hydroxycarbonyl-Verb., wobei R ident. od. verschiedene, aliphat. od. aromat. Kohlenwasserstoff-Reste sind; bekannte Vertreter der A. sind *Acetoin u. *Benzoin. Der bekannteste Herstellungsweg ist der über die Dimerisation von Aldehyden u. die Red. von Carbonsäureestern mit Natrium, s. das folgende Stichwort. – *E* acyloins – *F* acyloïnes – *I* aciloini – *S* aciloínas
Lit.: s. Acyloin-Kondensation.

Acyloin-Kondensation. Unter A.-K. versteht man sowohl die in Ggw. von Katalysatoren ablaufende Dimerisation von Aldehyden zu *Acyloinen, s. a. Benzoin-Kondensation, als auch die reduktive Kupplung aliphat. Carbonsäureester mit metall. Natrium in inerten Lsm., in deren Verlauf über das Dianion des α-Hydroxyketons (*Endiolat*) ebenfalls Acyloine entstehen.

$$2R^1-\overset{O}{\underset{\|}{C}}-OR^2 \xrightarrow[-2\,NaOR^2]{Na} R^1-\overset{O^-}{\underset{\|}{C}}=\overset{O^-}{\underset{\|}{C}}-R^1$$

$$\xrightarrow{H^+} R^1-\overset{O}{\underset{\|}{C}}-\overset{OH}{\underset{|}{C}H}-R^1$$

Als Katalysatoren der Aldehyd-Dimerisation eignen sich neben dem Cyanid-Ion bes. *Thiazolium-Salze[1], die auch zur Dimerisation von aliphat. Aldehyden u. zur gemischten A.-K. mit α,β-ungesätt. Aldehyden geeignet sind. – *E* acyloin condensation – *F* condensation acyloïne – *I* aciloin-condensazione – *S* condensación acilóinica
Lit.: [1] Synthesis **1976**, 733 ff.; **1977**, 403 f.
allg.: Carey-Sundberg, S. 1007 ff. ▪ Org. React. **23**, 259–403 (1976) ▪ Trost-Fleming **3**, 613 ff.

Acyloxy... Bez. für die z. B. durch *Acylierung von OH-Gruppen entstehenden Atomgruppierungen –O–*Acyl. Die Namen bildet man bei organ. Verb. aus dem Namen des Acyl-Restes u. *Oxy..., z. B. *Benzoyloxy... (*Ausnahme*: *Acetoxy...), in der *Koordinationslehre dagegen aus dem Namen des Säure-Anions u. -o, z. B. Acetato..., (Methylsulfato)... Die Einführung der A.-Gruppe in organ. Verb. wird allg. als Acyloxylierung bezeichnet. – *E* = *F* acyloxy... – *I* acilossi... – *S* aciloxi...

Acyltransferasen s. Transacylasen.

ADA. Abk. für [(Carbamoylmethyl)-imino]-diessigsäure, (HOOC–CH$_2$)$_2$N–CH$_2$–CO–NH$_2$ [regelwidrige Bez. *N*-(2-Acetamido)-iminodiessigsäure], C$_6$H$_{10}$N$_2$O$_5$, M$_R$ 190,16, die als zwitterion. Puffer im Bereich pH 6,2–7,2 wirkt.

Adalat®. Kapseln, Lack- u. Retardtabl., Injektions- u. Infusionslsg. mit Nifedipin zur Behandlung u. Prophylaxe von Koronarinsuffizienz. *B.:* Bayer, Pharma Deutschland.

Adalin®. Polyolefin-Dispersionen, Polysiloxan-Emulsionen, Polyglykol-Verb. verschiedener Ionogenität; verleihen Textilien Stärke u. weichen Griff, verbessern Verarbeitungs- u. Gebrauchseigenschaften. *B.:* Henkel.

Adamantan (Tricyclo[3.3.1.1^{3,7}]decan).

C$_{10}$H$_{16}$, M$_R$ 136,24. A. hat den gleichen räumlichen Aufbau wie *Diamant, weswegen es früher auch *Diamantan* genannt wurde. Diese Bez. wird heute jedoch dem 2. Glied der A.-Reihe, dem *Congressan vorbehalten. Die farblosen, Campher-artig riechenden Krist. (D. 1,07) sublimieren trotz ihres hohen Schmp. (270 °C) bereits bei 20 °C, was durch die kugelsymmetr. Struktur des Mol. bedingt ist. A. kann aus Aceton umkrist. od. durch Subl. gereinigt werden. Substitutionsreaktionen finden vorwiegend am Brückenkopf-C^1 statt (vgl. Bicyclo...); gegen Oxidationsmittel ist A. weitgehend beständig. A. wurde erstmals im Jahr 1933 von Landa u. Machacek aus dem Erdöl isoliert u. später von Prelog synthet. hergestellt. Der tricycl. Kohlenwasserstoff ist nach den Untersuchungen von R. Schleyers durch Umlagerung von Tetrahydrodicyclopentadien mittels AlCl$_3$ leicht zugänglich geworden. Eine verbesserte Synth. mit Supersäure als Katalysator s. *Lit.*^{1} u. über eine Synth. von 2,4,6-substituierten A. s. *Lit.*^{2}. Amino-Verb. des A. haben pharmazeut. Bedeutung (s. 1-Adamantanamin). – *E* = *F* adamantane – *I* = *S* adamantano

Lit.: ^{1} Synthesis **1973**, 488. ^{2} Justus Liebigs Ann. Chem. **1976**, 1406.
allg.: Beilstein E IV **5**, 469 ▪ Chem. Rev. **64**, 277–300 (1964) ▪ Fort, Adamantane: The Chemistry of Diamond Molecules, New York: Dekker 1976 ▪ Science **241**, 913 (1988) ▪ Ullmann (4.) **14**, 663; (5.) **A 8**, 231. – [HS 2902 19; CAS 281-23-2]

1-Adamantanamin (1-Aminoadamantan, vorgeschlagener internat. Freiname Amantadin). C$_{10}$H$_{17}$N, M$_R$ 151,26. Farblose Krist., Schmp. 160–190 °C (Subl.), auch 180–192 °C angegeben. Das Hydrochlorid zeigt antivirale Wirkung gegen RNA-Viren, indem es die Penetration des Virus durch die Zellwand erschwert u.

die Freisetzung der RNA hemmt. Es ist bes. wirksam gegen Influenza A2-Viren (weniger gegen C- u. unwirksam gegen B-Typen) u. kann daher zur Prophylaxe der Grippe verwendet werden. Daneben zeigt A. anticholinerge Wirkung u. gute Erfolge in der *Parkinsonismus-Therapie; da es die Wirkung von L-Dopa potenziert, kann dessen Dosis erheblich gesenkt werden. Es wurde 1963 u. 1964 von Studienges. Kohle u. du Pont patentiert u. ist heute generikafähig. – *E* = *F* 1-adamantanamine – *I* 1-adamantanammina – *S* 1-adamantanamina

Lit.: Florey **12**, 1–36 ▪ Hager (5.) **7**, 150 ff. ▪ Ullmann (5.) **A 6**, 221. – [HS 2921 30; CAS 768-94-5; 665-66-7 (Hydrochlorid); 31377-23-8 (Sulfat)]

Adamin. Zn$_2$[OH/AsO$_4$]; meist kleine, flächenreiche, farblose, weiße, durch Cu-Gehalte gelbgrüne (*Cuproadamin*) rhomb. Krist. sowie kugelige od. hahnenkammförmige Aggregate. Krist.-Klasse mmm-D$_{2h}$; Struktur u. Infrarot-Spektren s. *Lit.*^{1,2}; H. 3,5, D. 4,3–4,5, Glasglanz.

Vork.: In *Oxidationszonen, z. B. Mapimi/Durango/Mexiko, Tsumeb/Namibia u. Lavrion/Griechenland. – *E* admite – *F* adamine, adamite – *I* = *S* adamina

Lit.: ^{1} Am. Mineral. **61**, 979–986 (1976). ^{2} Mineral. Mag. **47**, 51–57 (1983).
allg.: Lapis **7**, Nr. 3, 5–7 (1982) ▪ Ramdohr-Strunz, S. 629. – [CAS 20638-97-5]

Adams, Roger (1889–1971), Prof. für Organ. Chemie, Univ. Illinois. *Arbeitsgebiete:* Forschungen über Chaulmoograöl, Stereochemie von Biphenyl-Verb., Deuterium-Verb., Anästhetika, Farbstoffe, katalyt. Hydrierung, Alkaloide, Stickstoff-Bindung der Böden, Giftgase; Hrsg. von „Organic Reactions".

Lit.: Chem. Eng. News **42**, Nr. 20, 90; Nr. 49, 24 (1964) ▪ Poggendorff **7 b/1**, 25–31.

Adamsit (DM, 10-Chlor-5,10-dihydrophenarsazin).

C$_{12}$H$_9$AsClN, M$_R$ 277,58; kanariengelbe, giftige Krist., D. 1,65, Schmp. 195 °C, Sdp. 410 °C (Zers.), subl., wasserunlösl.; reizt Haut u. Atemwege, wurde im Ersten Weltkrieg als *Blaukreuz-*Kampfstoff verwendet. – *E* = *F* = *I* adamsite – *S* adamsita

Lit.: Beilstein E III/IV **27**, 9796 ▪ Klimmek et al., Chemische Gifte u. Kampfstoffe, S. 32–37, Stuttgart: Hippokrates 1983 ▪ Schrempf, Chemische Kampfstoffe – Chemischer Krieg, S. 16, München: Inst. für Internat. Friedensforschung 1981. – [CAS 578-94-9]

Adams-Katalysatoren. Katalysatoren aus Platinoxid zur Hydrierung organ. Verb. in flüssiger Phase. – [HS 38 15, 7115 10]

Adaptation (Anpassung). Von latein.: adaptare = sich anpassen hergeleitete Bez. für die Fähigkeit von Organismen od. Organen, sich an veränderte Umweltbedingungen anzupassen, um damit die Umwelt besser nutzen, od. umweltbedingte Störungen vermindern bzw. ausgleichen zu können. Die physiolog. A. ist Teil des Syst. zur Aufrechterhaltung der *Homöostase, d. h. äußere Reize werden möglichst weitgehend durch physiolog. Anpassungsvorgänge aufgefangen. Von modulativer A. spricht man, wenn durch geänderte Umweltbedingungen auffällige A. (wie Pigmentneubildungen bei Algen nach Bestrahlung mit ungewohnten Lichtstärken) verursacht werden.
Z. T. synonym, teils begrifflich getrennt, werden die Bez. *Adaption, Akklimation* u. *Akklimatisation* verwandt. Mit Adaption u. Akklimation wird dann die Anpassung an einen einzelnen veränderten Faktor bezeichnet, mit Akklimatisation diejenige an einen Komplex von z. B. durch saisonale od. klimat. Prozesse veränderten Umweltfaktoren.
In der *Evolution* versteht man unter A. das Auftreten von Nachfahren im Rahmen der Stammesentwicklung (Phylogenese), die an die bestehenden Umweltbedingungen besser angepaßt sind (modifikator. A.). In der *Sinnesphysiologie* bezeichnet man mit A. die vorübergehende Veränderung der Antwort von Rezeptoren auf Außenreize durch einen Dauerreiz. Die *metabol. A.* umfaßt die Veränderungen durch Anpassung auf biochem. Ebene, d. h. Verschiebungen im Stoffwechselbereich, ausgelöst z. B. durch Substrat- u. Sauerstoff-Angebot, Temp. od. ähnlichem.
Von großer Bedeutung ist die A. auch für den *biologischen Abbau organ. Substanzen. Durch entsprechende Anpassungsvorgänge in der Mikrobiozönose evolutionärer od. metabol. Art kann sich die *biologische Abbaubarkeit chem. Verb. verändern. – $E = F$ adaptation – I adattamento – S adaptación
Lit.: Hildebrand u. Hensel (Hrsg.), Biological Adaptation, Stuttgart: Thieme 1982 ▪ Hochachka u. Somero, Strategien biochemischer Anpassung, Stuttgart: Thieme 1980 ▪ Lexikon der Biologie, Bd. 1, S. 40, Freiburg: Herder 1988 ▪ Schlee (2.), S. 63–227.

Adaptine s. Clathrin.

Adaption s. Adaptation.

Adaptive Optik s. Optik.

Adaptogene. Von latein.: adaptare = passend herrichten abgeleitete Bez. für Wirkstoffe, die die allg. Fähigkeit von Organismen erhöhen, äußere Belastungen durch Anpassung zu überwinden. Im Gegensatz zu Reizkörpern wirken die A. auf zelluläre Biomechanismen im Sinne einer Steigerung der Belastungsfähigkeit unmittelbar ein. A. werden z. B. in der *Geriatrie eingesetzt. – E adaptogens – F adaptogènes – I adattogeni – S adaptógenos

Adaptor. Synthet. Oligonucleotid (Einzel- od. Doppelstrang-DNA), das in der *Gentechnologie zusammen mit einem *Linker od. einem weiteren A.-Mol. zur Verknüpfung von DNA mit unterschiedlich strukturierten Enden eingesetzt wird. Neben der Ligation (Verknüpfung) nichtkompatibler Enden, wie sie beim Schneiden der DNA mit unterschiedlichen *Restriktionsendonucleasen entstehen, können durch die A.-Technik neue Schnittstellen für *Restriktionsenzyme in *Klonierungsvektoren eingefügt werden. – E adaptor – F adapteur – I adattore – S adaptador
Lit.: Biochem. Biophys. Res. Commun. **81**, 695 (1978) ▪ Methods Enzymol. **152**, 343–359 (1987).

ad-Atom. Kurzform für adsorbiertes Atom (*Adsorption).

ADDIPAST®. Hochkonz. Pigmentpasten. *B.:* Brockhues.

Addisonsche Krankheit (Synonym Morbus Addison, Bronzehautkrankheit, prim. chron. Nebennierenrindeninsuffizienz). Durch den engl. Arzt Thomas Addison (1793–1860) 1856 erstmals beschriebene seltene hormonelle Erkrankung, hervorgerufen durch Zerstörung von mehr als 90% der Nebennierenrinde mit Ausfall der Produktion der Nebennierenrinden-Hormone (*Corticosteroide). Das klin. Bild ist gekennzeichnet von Müdigkeit, Gewichtsverlust, Übelkeit, Erbrechen, Erniedrigung des Blutdruckes u. dunkler *Pigmentierung von Haut u. Schleimhäuten sowie *Hypoglykämie u. variiert je nach Dauer u. Grad des Ausfalls von milder chron. Müdigkeit bis zum Koma. Häufigste Ursache der A.-K. ist eine langsam fortschreitende Verkümmerung der Nebennierenrinden, die sog. idiopath. Nebennierenrinden-Atrophie, die als *Autoimmunerkrankung angesehen wird. Seltener sind Infektionen durch Tuberkulose od. Pilze od. beidseitige Tumor-Metastasen. Therapeut. wird ein Ersatz der ausgefallenen Nebennierenrinden-Hormone angestrebt. – E Addison's disease – F maladie d'Addison – I malattia d'Addison – S enfermedad de Addison
Lit.: Gross et al., Lehrbuch der Inneren Medizin, S. 933–936, Stuttgart: Schattauer 1994 ▪ Degroot, Endocrinology, Philadelphia: Saunders 1995.

Additin®. Alterungsschutzmittel für die Mineralöl-Ind., z. B. auf der Basis von Di-*tert*-butylkresol, *N*-Phenyl-1-naphthylamin od. Diphenylenamin-Derivaten. *B.:* Bayer.

Addition. Reaktionstyp in der organ. Chemie, der speziell die Reaktivität von ungesätt. Verb. wie *Alkene (*Olefine), *Alkine u. anderen mit Kohlenstoff-Heteroelement-Doppelbindung bzw. -Dreifachbindung bestimmt. Die Produkte von A.-Reaktionen werden gelegentlich als Addukte nicht aber als *Additionsverbindungen bezeichnet, da dieser Begriff in der Hauptsache den *Molekülverbindungen vorbehalten ist. Je nach Art der ungesätt. Verb. u. des addierenden Reagenz kann die A. *einstufig* od. *zweistufig* ablaufen, es können *offenkettige* od. *ringförmige* Addukte gebildet werden, bei *konjugierten Dienen* kann die A. in 1,2- od. 1,4-Stellung erfolgen u. die A. kann, was in neuester Zeit von immer größerer Bedeutung für die synthet. organ. Chemie wird, *stereoselektiv bzw. *stereospezifisch erfolgen. Die *Diels-Alder-Reaktion u. die 1,3-dipolare Cycloaddition sind klass. Beisp. für einstufige (simultane od. pericycl.) A., die zu ringförmigen Produkten führen.
Zweistufige A. können als *elektrophile, *nucleophile od. *radikalische Reaktionen ablaufen, wobei neben den beteiligten A.-Partnern die *Lösemittel-Polarität u. die Ggw. von A.-Beschleunigern wie *Radikal-Startern od. eine *Säure-Base-Katalyse die Reaktionsweise bestimmen. Die A. von Halogenwasserstoffen

an Alkene wird als zweistufige, elektrophile A. aufgefaßt. Bei unsymmetr. Alkenen kann anhand der *Markownikoffschen Regel die *Regiochemie der A. vorhergesagt werden. Die A. von *Carbanionen an α,β-ungesätt. Carbonyl-Verb. ist ein Beisp. für eine nucleophile A. (*Michael-Addition), während radikal. A. beispielsweise bei der *Dimerisation von Halogenalkenen beobachtet werden. Neben der Dimerisation muß in diesem Zusammenhang auch die *Trimerisation, *Oligomerisation u. schließlich die *Homopolymerisation erwähnt werden, die durch die weitere A. eines A.-Partners an ein bereits gebildetes Addukt gekennzeichnet sind (s. a. Polyaddition, Polymerisation, Telomerisation u. Copolymerisation). Vgl. a. die folgenden Stichwörter. – $E = F$ addition – I addizione – S adición

Lit.: De la Mare u. Bolton, Electrophilic Additions to Unsaturated Systems, 2. Aufl., New York: Elsevier 1982 ▪ March, S. 734–981 ▪ Organikum, S. 258–314 ▪ Patai, The Chemistry of Double-Bonded Functional Groups, Suppl. A 2, S. 725–912, London: Wiley 1977 ▪ Perlmutter, Conjugate Addition Reactions in Organic Synthesis, Oxford: Pergamon Press 1992 ▪ Trost-Fleming **7**, 357 ff.

Additionsfarbstoffe s. Reaktivfarbstoffe.

Additionsname. Begriff aus der organ.-chem. *Nomenklatur, unter dem man Namen wie Ethylenoxid od. Ethylenchlorid versteht, die also die *Addition von Atomen u./od. Mol. an C,C-Doppelbindungen kennzeichnen. – E additive name – F nom additif – I nome additivo – S nombre por adición, nombre aditivo

Additionspolymerisation. A. ist eine im Gegensatz zur *Kondensationspolymerisation als *Kettenreaktion (*Polymerisation im eigentlichen Sinn im dtsch. Sprachgebrauch) od. Stufenreaktion (s. Polyaddition) ablaufende *Polyreaktion, bei der *Polymere durch Wiederholung einer Additionsreaktion von Monomeren gebildet werden. – E addition polymerization – F polymérisation d'addition – I polimerizzazione d'addizione – S polimerización de adición

Additionsverbindungen. Im wesentlichen werden hierunter *Molekülverbindungen verstanden, aber vielfach auch solche Verb., die wie die Additionspolymere durch direkte Aneinanderreihung von Mol. ohne gleichzeitige Bildung von niedermol. Nebenprodukten, wie Wasser, entstehen. Die Produkte von *Additionen sind keine A. in diesem Sinne. – E addition compounds – F composés d'addition – I composti d'addizione – S compuestos de adición

ADDITIV-BR-Serie. Additive zur Reduzierung der Blattrippenneigung bei Cold-Box-Kernen. *B.*: Ashland-Südchemie-Kernfest GmbH.

Additive. Unspezif. Bez. für alle Stoffe, die anderen Stoffen in kleinen Mengen zugesetzt werden, um deren Eigenschaften in gewünschter Richtung zu verändern od. deren Verarbeitbarkeit zu erleichtern. *Beisp.* für Anw.-Gebiete von A.: Netz-, Trocken-, Absetzverhinderungs-, Antiausschwimm-, Antihaut- u. Thixotropiermittel sowie Mikrobizide bei *Anstrichstoffen; Wasserenthärter, Sauerstoffentferner u. Puffer bei *Brauchwasser; Glanz- u. Netzmittel sowie Leitsalze in der *Galvanotechnik; Alterungsschutzmittel, Antioxidantien u. Antiozonatien, Füllstoffe, Weichmacher u. Geruchsverbesserer bei *Kautschuk; Inhibitoren, Sauerstoff-Entferner, Passivierungsmittel u. Sparbeizen in *Korrosionsschutzmitteln; Weichmacher, Antistatika, Stabilisatoren, Antioxidantien, Füllstoffe, Trenn-, Gleit- u. Flammschutzmittel, Mikrobizide u. UV-Absorber bei *Kunststoffen; Antiklopfmittel, Korrosionsinhibitoren, Metalldesaktivatoren, Mikrobizide, Antioxidantien, Vergaserreinigungsmittel, Rückstandsumwandler u. Antiicing-Mittel bei *Motorkraftstoffen; Stockpunkterniedriger, Viskositätsverbesserer, Alterungsschutzmittel, Detergentien u. Dispergiermittel, Entschäumer, Korrosionsinhibitoren u. Schmierfähigkeitsverbesserer bei *Schmierstoffen; opt. Aufheller, Korrosionsinhibitoren, Füllstoffe, Antistatika u. Mikrobizide bei *Tensiden u. *Waschmitteln.

Bei *Lebensmitteln u. Körperpflegemitteln spricht man statt von A. von *Zusatzstoffen (früher von *Fremdstoffen). – E additives – F additifs – I additivi – S aditivos

Lit.: Falbe u. Hasserodt, Katalysatoren, Tenside u. Mineralöladditive, Stuttgart: Thieme 1978 ▪ Hummel u. Scholl, Atlas der Kunststoff-Analyse, Bd. 3: Zusatzstoffe u. Verarbeitungshilfsmittel, Weinheim: Verl. Chemie 1981 ▪ Kittel, Lehrbuch der Lacke u. Beschichtungen, Bd. 3: Lösemittel, Weichmacher, Additive, Zwischenprodukte, Berlin: Colomb 1976.

Additive Wirkung. Summation von Einzelwirkungen mehrer gleichzeitig wirkender Faktoren; häufig in bezug auf die Auswirkung von Stoffen auf Mensch od. Umwelt gebraucht (s. a. Agonist, Antagonisten, Kombinationswirkung, Synergismus). – E additive effect – F effet additif – I effetto additivo – S efecto aditivo

Additol®. Zusatzstoffe zu Lacken u. Kunstharzprodukten, die als Hautverhütungsmittel, Entschäumer, Vernetzungskatalysatoren u./od. Verlaufmittel wirken. *B.*: Vianova Resins GmbH.

Adducin. In *Erythrocyten (M_R 200000) u. Gehirn (M_R 211000–214000) gefundenes heterodimeres Protein des Membranskeletts, das an *Actin-*Spectrin-Komplexe bindet u. wahrscheinlich die netzwerkartige Anordnung der beteiligten Mol. bewirkt. Bei Bindung an *Calmodulin verliert A. diese Wirksamkeit; von *Protein-Kinase C wird A. phosphoryliert. – E adducin – F adducine – I adducina – S aducina

Ade. Abk. für *Adenin.

Adelphan® (Esidrix). Tabl. gegen Hypertonie, enthalten Reserpin, Dihydralazinsulfat u. Hydrochlorothiazid. *B.*: Ciba Pharma.

Ademetionin s. *S*-Adenosylmethionin.

Adenin [7(9)*H*-Purin-6-amin, 6-Aminopurin; Name von griech.: aden = Drüse, Abk.: Ade].

$C_5H_5N_5$, M_R 135,13. In der Natur universell verbreitete *Purin-Base, kommt jedoch überwiegend in gebundener Form vor, z. B. in Mono-, Di- u. Poly-*Nucleotiden (*Nucleinsäuren) sowie in *Adenosin u. dessen Derivaten wie *Kinetin, *Zeatin, *Coenzym A. Aus

*Adenosin-5'-monophosphat od. Nucleinsäuren freigesetzt, kann A. durch A.-Desaminase (EC 3.5.4.2) in *Hypoxanthin übergeführt u. über *Xanthin zu *Harnsäure abgebaut werden. Die Amino-Gruppe liegt nicht in der Imino-Form vor, was für die Basenpaarung in *Desoxyribonucleinsäuren von Bedeutung ist. A. zeigt Leberschutzwirkung u. senkt den Blutdruck; es ist gelegentlich (ebenso wie *Cholin) als Vitamin B_4 bezeichnet worden. Bei längerer Verabfolgung höherer Dosen wirkt A. durch Ablagerung von 2,8-Dihydroxyadenin in den Nierenkanälchen toxisch. *Antimetabolit zu A. ist 6-Purinthiol. A. krist. mit 3 mol Wasser, das es bei 110 °C abgibt; bei 220 °C tritt Subl. u. bei ca. 360 °C Zers. ein. In Mineralsäuren u. Alkalien löst es sich leicht unter Salzbildung, in kaltem Wasser wenig lösl., Reaktion neutral. – *E* adenine – *F* adénine – *I* = *S* aderina

Lit.: Beilstein E V **26/16**, 104–110. – *[CAS 73-24-5]*

Adeninarabinosid 9-D-Arabinofuranosyl-9*H*-purin-6-amin, ARA-A; internat. Freiname: Vidarabin).

$C_{10}H_{13}N_5O_4$, M_R 267,24, Schmp. 257,0–257,5 °C, $[\alpha]_D^{27}$ –5° (c 0,25), LD_{50} (Maus i.p.) 4677, (Maus oral) >7950 mg/kg. Aus *Streptomyces*-Kulturen isolierbares, aber auch synthet. zugängliches *Arabinonucleosid*. A. wirkt als *Antimetabolit zu Adenosin, womit seine *Virostatikum-Eigenschaften bes. gegen *Herpes-*Viren erklärt werden. Es wurde 1969 von Parke Davis patentiert, es ist von Thilo (Vidarabin 3% Thilo®) im Handel. – *E* adenine arabinoside – *F* adénine-arabinoside – *I* adenina arabinoside – *S* adenina-arabinósido

Lit.: Florey **15**, 647 ■ Pharmacol. Ther. **8**, 143–171 (1980) ■ Ullmann (5.) **A 6**, 217 f. – *[HS 2934 90; CAS 5536-17-4; 24356-66-9 (Monohydrat); 29984-33-6 (5'-Dihydrogenphosphat); 71002-10-3 (5'-Dihydrogenphosphat-Dinatriumsalz)]*

Adenosin (6-Aminopurin-9-β-D-ribofuranosid, 9-D-Ribofuranosyl-9*H*-purin-6-amin; Abk.: Ado).

$C_{10}H_{13}N_5O_4$, M_R 267,24. Schon 1909 aus Hefenucleinsäuren isoliertes *Nucleosid, das bei Hydrolyse in *Adenin u. D-*Ribose gespalten wird; in Wasser lösl. Krist., Schmp. 235–236 °C. Ado ist, über Phosphodiester-Brücken mit anderern Nucleosiden copolymerisiert, Bestandteil von *Ribonucleinsäuren. Aus *Desoxyribonucleinsäuren wird statt Ado das entsprechende *Desoxynucleosid (dAdo) isoliert. Ado entsteht intrazellulär beim Abbau von *Adenosin-5'-monophosphat (AMP) u. *S*-Adenosylhomocystein als Zwischenprodukt, kann jedoch auch aus der Zelle od. aus extrazellulärem AMP freigesetzt werden u. übt dann durch Bindung an spezif. *Rezeptoren Funktionen als *Hormon od. *Neurotransmitter aus (z.B. hemmt es die *Thrombocyten-Aggregation u. steigert die Durchblutung der Herzkranzgefäße; weiterhin wirkt es auf die Herzfrequenz, auf die Ausschüttung von Neurotransmittern u. auf die *Lymphocyten-Differenzierung). Die Ado-Rezeptoren (P_1-Purinozeptoren) ähneln mit ihren 7 Membran-durchspannenden α-Helices den *Adrenozeptoren, dem *Bakteriorhodopsin u. dem *Rhodopsin. Sie wirken über stimulierende u. inhibierende *G-Proteine u. in der Folge über *Adenylat-Cyclase. Da Ado relativ rasch metabolisiert wird, wirkt es nur lokal (autokrin od. parakrin). Es wird – nach Rücktransport in die Zelle – *Adenosin-5'-triphosphat-abhängig zu AMP phosphoryliert od. durch *Adenosin-Desaminase* (ADA, EC 3.5.4.4, M_R 41 000) zu *Inosin abgebaut. ADA fungiert als *Ligand für CD26. Erblicher ADA-Mangel ist die häufigste bekannte Ursache des schweren kombinierten Immundefekts (SCID), der meist innerhalb des 1. Lebensjahrs zum Tode führt[1]. – *E* adenosine – *F* adénosine – *I* = *S* adenosina

Lit.: [1] Curr. Opin. Immunol. **3**, 547–551 (1991).
allg.: Adv. Enzymol. **69**, 83–120 (1994) ■ Beilstein E V **26/16**, 335–342 ■ J. Biol. Chem. **267**, 6451 ff. (1992) ■ Stone, Adenosine in the Nervous System, San Diego: Academic Press 1993. – *[HS 2933 59; CAS 58-61-7]*

Adenosin-Desaminase s. Adenosin.

Adenosin-5'-diphosphat (ADP).

Dreiwertiges Anion der Adenosin-5'-diphosphorsäure ($C_{10}H_{15}N_5O_{10}P_2$, M_R 427,20). ADP kann durch Hydrolyse von *Adenosin-5'-triphosphat (ATP) unter Mitwirkung von *Adenosintriphosphatasen od. durch Übertragung von Phosphat von ATP auf andere Mol., katalysiert durch *Kinasen, gebildet werden. Die Umwandlung von ATP u. *Adenosin-5'-monophosphat (AMP) in ADP wird durch *Adenylat-Kinase katalysiert: AMP + ATP ⇌ 2 ADP. Bei der Rückreaktion ist ADP sowohl Phosphatgruppen-Donor als auch -Akzeptor. Als Phosphat-Akzeptor dient es auch bei der Substratketten-, der oxidativen u. der Photo-*Phosphorylierung. Zum Transport durch die Membranen der *Mitochondrien werden Carrier benötigt, die zu den *ABC-Transporter-Proteinen gehören[1]. ADP greift auch (ebenso wie die anderen Adenosinphosphate) in die Regulation zahlreicher wichtiger Stoffwechselwege ein (z.B. *Glykolyse, *Citronensäure-Cyclus, oxidative Phosphorylierung). Der Einbau von 2'-Desoxy-ATP in *Desoxyribonucleinsäuren erfordert auf der Diphosphat-Stufe die Umwandlung von ADP in 2'-Desoxy-ADP. Extrazellulär wirkt ADP als *Neurotransmitter u. ist einer der aktivierenden Faktoren der *Thrombocyten-Aggregation bei der Blutgerinnung. –

E adenosine 5'-diphosphate – *F* adénosine 5'-diphosphate – *I* adenosina-5'-difosfato – *S* 5'-difosfato de adenosina
Lit.: [1] Trends Pharmacol. Sci. **15**, 103–108 (1994).
allg.: Beilstein E V **26/16**, 389 ff. – *[HS 2934 90; CAS 58-64-0]*

Adenosin-3'-monophosphat (3'-Adenylat, A-3'-MP).

Zweiwertiges Anion der Adenosin-3'-phosphorsäure (3'-Adenylsäure, veraltet: Hefe-Adenylsäure). Die freie Säure ($C_{10}H_{14}N_5O_7P$, M_R 347,22; s. Abb.) bildet Krist., die 1 mol Wasser enthalten (Schmp. 195 °C). Das aus *Ribonucleinsäuren isolierbare A-3'-MP ist in 3'-Stellung mit Phosphat verestert, dafür ist die 5'-Position frei. – *E* adenosine 3'-monophosphate – *F* adénosine 3'-monophosphate – *I* adenosina-3'-monofosfato – *S* 3'-monofosfato de adenosina
Lit.: Beilstein E V **26/16**, 410 f. – *[HS 2934 90; CAS 84-21-9]*

Adenosin-3',5'-monophosphat (cycl. Adenosinmonophosphat, cyclo-AMP, cAMP).

Einwertiges Anion der Adenosin-3',5'-monophosphorsäure. Die freie Säure ($C_{10}H_{12}N_5O_6P$, M_R 329,21; s. Abb.) bildet farblose Krist., Schmp. 220 °C (Zers.), in Wasser kaum löslich. Im Gegensatz zu anderen Adenosinphosphaten ist cAMP gegen Säuren u. Basen weitgehend stabil. In cAMP ist ein Phosphat-Rest gleichzeitig mit den beiden Hydroxy-Gruppen in 3'- u. 5'-Stellung des *Adenosins verestert. Das erst 1956 von *Sutherland (hierfür Nobelpreis 1971) aufgefundene cAMP ist in prakt. allen Zellen in winzigen Konz. anzutreffen, jedoch scheint es für Pflanzen von untergeordneter biolog. Bedeutung zu sein[1].

cAMP entsteht aus *Adenosin-5'-triphosphat unter der Einwirkung des Mg^{2+}-abhängigen Enzyms *Adenylat-Cyclase u. wird durch eine *Phosphodiesterase wieder gespalten. Die Aktivitäten der beiden Enzyme u. somit die zelluläre Konz. an cAMP unterliegen der Regulation durch *Hormone, *Neurotransmitter u. a. externe Signalstoffe. Die Hormonwirkungen werden mit Hilfe von *Rezeptoren über sog. *G-Proteine ins Innere der Zelle geleitet (*Signaltransduktion).
Regulation des Stoffwechsels: Durch Aktivierung von *Protein-Kinase A (PKA) lenkt cAMP seinerseits als sek. Botenstoff (*second messenger) Stoffwechselprozesse im Innern der Zelle. Die Weiterleitung der Aktivierung über mehrere Stufen (z. B. Rezeptor → stimulierendes G-Protein → Adenylatcyclase → cAMP → PKA → usw.) nennt man *Aktivierungskaskade*; sie führt zur vielfachen Verstärkung des ursprünglichen chem. Signals. Auf diese Weise werden z. B. der *Glykogen-Abbau u. die Lipolyse (s. Fettstoffwechsel) aktiviert.
Regulation der Transkription: Auch die *Transkription wird durch cAMP beeinflußt, indem verschiedene *Transkriptionsfaktoren durch PKA phosphoryliert u. dadurch an- od. abgeschaltet werden. Diese wiederum gehen Wechselwirkungen ein mit bestimmten *Desoxyribonucleinsäure-Sequenzen in Promotor-Regionen von Genen, den *cAMP-Responsivelementen* (CRE), u. können dadurch als Aktivatoren od. Repressoren der Transkription vieler Gene wirken. Der erste dieser Transkriptionsfaktoren, der entdeckt wurde, war das CRE-bindende Protein (*CREB*)[2], das bei der Gen-Aktivierung wiederum auf das CREB-bindende Protein (CBP) als Coaktivator angewiesen ist[3]. Gen-Regulation durch CRE-bindende Transkriptionsfaktoren hat u. a. Auswirkungen auf die Ausbildung u. Funktion der *Hypophyse, das Gedächtnis[4], das *Immunsystem[5], die Spermatogenese u. den biolog. Tagesrhythmus. In Bakterien kennt man statt dessen das cAMP-Rezeptor-Protein als Transkriptionsfaktor.
Regulation anderer Signalketten: cAMP greift auch regulierend in andere Signalsyst. ein. So inhibiert es z. B. die durch das *Ras-Protein aktivierte *Mitogen-aktivierte Protein-Kinase (MAP-Kinase), ist aber selbst nicht imstande, über MAP-Kinase zu signalisieren[6]. – *E* adenosine 3',5'-monophosphate – *F* adénosine 3',5'-monophosphate – *I* adenosina-3',5'-monofosfato – *S* 3',5'-monofosfato de adenosina
Lit.: [1] Trends Biochem. Sci. **20**, 492–495 (1995). [2] Biochim. Biophys. Acta **1174**, 221–233 (1994). [3] Nature (London) **376**, 348 ff. (1995). [4] Cell **79**, 5–8 (1994). [5] Nature (London) **379**, 81 ff. (1996). [6] Science **271**, 461 f. (1996).
allg.: Beilstein E V **26/16**, 417 ff. ▪ J. Biol. Chem. **269**, 17 359 ff. (1994) ▪ Stryer (5.), S. 476–482, 1012–1019. – *[HS 2934 90; CAS 60-92-4]*

Adenosin-5'-monophosphat (AMP, Adenylat).

Zweiwertiges Anion der Adenosin-5'-(mono)phosphorsäure (Adenylsäure, veraltet: Muskel-Adenylsäure). Die freie Säure ($C_{10}H_{14}N_5O_7P$, M_R 347,22; s. Abb.) ist ein feinkrist., geruchloses Pulver, Schmp. ca. 195 °C (Zers.). Die Biosynth. des AMP erfolgt aus *Inosin-5'-monophosphat (IMP), es entsteht aber auch bei der hydrolyt. Abspaltung von anorgan. Diphosphat aus *Adenosin-5'-triphosphat u. beim Abbau von *Adenosin-3',5'-monophosphat. AMP kann – ähnlich wie *Adenosin-3'-monophosphat – als Bestandteil von *Ribonucleinsäuren angesehen werden. Abbau zu *Adenosin od. IMP. Extrazellulär übt AMP ähnliche Lokal-*Hormon- u. *Neurotransmitter-Wirkungen aus wie Adenosin u. dessen andere Phosphate. – *E* adenosine 5'-monophosphate – *F* adénosine 5'-mono-

phosphate – *I* adenosina-5'-monofosfato – *S* 5'-monofosfato de adenosina
Lit.: Beilstein E V **26/6**, 367–372. – *[HS 2934 90; CAS 61-19-8]*

Adenosinphosphat. Internat. Freiname für *Adenosin-5'-monophosphat. Es ist von Dibropharm (Bio-Regenerat S$_3$) im Handel. – *E* adenosinephosphate – *F* adénosine-phosphate – *I* adenosina fosfato – *S* fosfato de adenosina – *[HS 2934 90]*

Adenosin-5'-triphosphat (ATP).

Vierwertiges Anion der Adenosin-5'-triphosphorsäure ($C_{10}H_{16}N_5O_{13}P_3$, M_R 507,18; s. Abb.). Die freie Säure ist ein farbloses Pulver, in wäss. Lsg. bei 0 °C mehrere h stabil. In je 100 g Säugetiermuskel zu 350–400 mg enthalten, ist ATP in allen Lebewesen verbreitet. Es hat u. a. die Bedeutung einer universellen „Energiewährung", da es bei Energie-liefernden Prozessen (Nährstoff-Verbrennung) gebildet wird, in Phosphorsäure-Anhydrid-Bindungen Energie speichert u. diese zum Antrieb von Energie-verbrauchenden Prozessen wieder zur Verfügung stellen kann. ATP, *Adenosin-5'-diphosphat (ADP) u. *Adenosin-5'-monophosphat (AMP) stehen über die *Adenylat-Kinase-Reaktion miteinander im Gleichgew. u. bilden zusammen das sog. Adenylsäure-System. Der Quotient

$$\frac{[ATP]+0,5[ADP]}{[ATP]+[ADP]+[AMP]}$$

heißt *Energieladung* Sie beträgt 1, wenn alle Adenosinphosphate in Form von ATP vorliegen u. nimmt den Wert 0 an, falls nur AMP vorhanden ist. Die Energieladung nimmt durch vielfältige alloster. Regulation Einfluß auf den Stoffwechsel.
Biosynth.: ATP wird im Organismus durch *Phosphorylierung von ADP hergestellt. Man spricht im einzelnen von Substratketten-Phosphorylierung (gekoppelt z. B. an die *Glykolyse als Energiequelle), oxidativer Phosphorylierung (*Atmungskette) u. Photophosphorylierung (*Photosynthese). ATP wird abgebaut durch Hydrolyse od. durch Übertragung von Phosphat auf Substrate.
Abbau u. Energiewechsel: Bei *hydrolyt. Abspaltung* von anorgan. Phosphat od. Diphosphat wird die dabei freiwerdende Energie für energieaufwendige Zwecke verwendet. Im Fall der Diphosphat-Abspaltung kann durch weitere enzymat. Hydrolyse des Diphosphats der betreffende Prozeß darüber hinaus energet. begünstigt werden. So ist die ATP-Hydrolyse an viele Biosynth.-Reaktionen gekoppelt, liefert Energie für die Faltung der *Proteine, ermöglicht die *Muskel-Arbeit, treibt bei Mikroorganismen Flagellen (Geißeln) u. Wimperhärchen (Zilien), bewirkt den aktiven *Transport von Mol. durch Biomembranen (s. z. B. *Lit.*[1]), von Vesikeln u. Zellorganellen. Elektr. Fische (Zitteraal, -rochen) erzeugen elektr. Strom mit Hilfe von ATP, während z. B. Glühwürmchen unter Beteiligung von ATP-Hydrolyse lumineszieren (*Luciferase-Reaktion, bildet die Grundlage eines empfindlichen ATP-Nachw.). Der Mechanismus der energet. Kopplung zwischen der ATP-Spaltung u. dem endergon. Prozeß besteht oft darin, daß der dem ATP entstammende Phosphat- bzw. Diphosphat-Rest zunächst auf Zwischenprodukte einer Reaktionssequenz übertragen wird u. diese dadurch aktiviert werden. Im Zuge weiterer Umsetzungen erfolgt dann die Freisetzung anorgan. Phosphats bzw. Diphosphats. *Weitere Abbauwege* des ATP sind – jeweils unter Freisetzung von anorgan. Diphosphat: Übertragung von AMP auf andere Biomol. zum Zwecke der energet. Aktivierung (von *Fettsäuren bei ihrem Abbau, von *Aminosäuren bei der Protein-Biosynth. – s. Translation) u. auf *Ribonucleinsäuren bei der *Transkription (für *Desoxyribonucleinsäuren wird das entsprechende 2'-Desoxy-ATP verwendet); Bildung von *Adenosin-3',5'-monophosphat. Bei der Synth. von *S*-*Adenosylmethionin schließlich wird eine 5'-Desoxyadenosyl-Einheit von ATP auf L-*Methionin transferiert unter gleichzeitiger Freisetzung von Diphosphat u. Orthophosphat.
Enzymologie: Enzyme, die ATP hydrolysieren, heißen *Adenosintriphosphatasen (ATPasen). Die F_1-ATPase der oxidativen u. Photophosphorylierung ist Teil einer *ATP-Synthase, da sie, über den Kopplungsfaktor F_0 (sprich: ef-oh) an die Membran gebunden, ATP synthetisiert. Die *Übertragung von Orthophosphat* aus ATP wird durch sog. *Kinasen bewerkstelligt. Auf diese Weise werden Metaboliten (z. B. Zucker) aktiviert, d. h. in energiereiche, für die weitere Umsetzung geeignete Form überführt. Im Fall der Phosphorylierung von Proteinen (s. Protein-Kinasen) dient dies aber nicht dem Transfer von Energie sondern der Informationsweitergabe od. der Regulierung des Stoffwechselgeschehens. Einige Kinasen (z. B. *Kreatin-Kinase, *Pyruvat-Kinase) katalysieren jedoch nicht den Abbau, sondern die Synth. von ATP aus Verb. mit höherem Phosphatgruppen-Übertragungspotential.
Extrazelluläres ATP: Außerhalb der Zellen wirkt ATP an speziellen *Rezeptoren, den P_2-Purinozeptoren, als *Neurotransmitter, Cotransmitter (mit L-*Noradrenalin) u. Lokalhormon (*Autacoid) auf Gefäßendothel u. -muskulatur[2] sowie als schneller Neurotransmitter im Gehirn u. in peripheren Ganglien[3]. – *E* adenosine 5'-triphosphate – *F* adénosine 5'-triphosphate – *I* adenosina-5'-trifosfato – *S* 5'-trifosfato de adenosina
Lit.: [1] Science **266**, 1197 f. (1994). [2] Circulation **84**, 1–14 (1991). [3] Trends Neurosci. **17**, 420–426 (1994).
allg.: Beilstein E V **26/16**, 404 ff. ■ Papa et al., Adenine Nucleotides in Cellular Energy Transfer and Signal Transduction, Basel: Birkhäuser 1992. – *[HS 2934 90; CAS 56-65-5]*

Adenosintriphosphatasen (ATPasen, EC 3.6.1.3). Enzyme, die *Adenosin-5'-triphosphat zu anorgan. Phosphat u. *Adenosin-5'-diphosphat hydrolysieren. Die dabei freiwerdende Energie wird vom Organismus für verschiedene Zwecke benutzt, z. B. Biosynth., *Muskel-Arbeit u. aktiven *Transport (entgegen Konzentrationsgefällen) durch Membranen. – *E* adenosine triphosphatases – *F* adénosine-triphosphatases – *I* adenosinatrifosfatasi – *S* adenosintrifosfatasas

Tab. 1: Klassifizierung der ATPasen[6].

Typ	Merkmal
C	ATPasen kontraktiler Prozesse, z. B. *Myosin
E	extrazelluläre ATPasen
F	H$^+$-Ionen-Pumpen, H$^+$-getriebene *ATP-Synthasen (*chemiosmotische Kopplung) aus *Mitochondrien, *Plastiden u. *Bakterien[1]
H	*Chaperone[2], *Hitzeschock-Proteine
M	*ABC-Transporter-Proteine
N	auf *Nucleinsäuren wirkend, z. B. DNA-*Topoisomerasen II, einige *Transkriptionsfaktoren[3]
P	*Ionenpumpen (2.), die intermediär phosphoryliert werden[4]
V	vakuolärer Typ, H$^+$-Ionen-Pumpen aus cytoplasmat. Membranen von Eukarya u. aus Archaea[1,5]

Lit.: [1] Hirst, Molecular and Cellular Mechanisms of H$^+$ Transport, Berlin: Springer 1994; Nelson, Organellar Proton-ATPases, Berlin: Springer 1995; Photosynth. Res. **33**, 137–146 (1992). [2] Science **265**, 659–666 (1994). [3] Nature (London) **374**, 88 ff. (1995). [4] J. Exp. Biol. **198**, 1–17 (1995). [5] J. Exp. Biol. **172**, 1–485 (1992). [6] J. Biol. Chem. **268**, 9937 ff. (1993).

Adenosylcobalamin s. Coenzym B$_{12}$.

S-Adenosylmethionin (S-Adenosin-5'-yl-methioninium, SAM, internat. Freiname Ademetionin).

$C_{15}H_{22}N_6O_5S$, M$_R$ 399,44. Wichtiger Methyl-Gruppendonor im Stoffwechsel, geht dabei in S-Adenosylhomocystein über. Dieses spaltet *Adenosin ab u. wird über L-*Homocystein u. L-*Methionin wieder zu S-A. regeneriert. Antirheumat. wirksam; LD$_{50}$ (Maus i.v.) 560, (Maus oral) 6000 mg/kg. Patente bei Boehringer Mannheim, Ajinomoto, Nippon Zeon, Bioresearch u.v.a. Es ist als Disulfat-Ditosylat von Asta Medica (Gumbaral®) im Handel. – *E* S-adenosylmethionine – *F* S-adénosylméthionine – *I* = *S* S-adenosilmetionina

Lit.: Beilstein E V **26/16**, 515 ▪ Hager (5.) **7**, 68 ▪ Stryer (5.), S. 608f. – [HS 293490; CAS 29908-03-0 (inneres Salz); 24346-00-7 (Chlorid)]

Adenoviren. Einfache, aus Doppelstrang-DNA u. Proteinen aufgebaute DNA-*Viren. Das *Capsid, ein Ikosaeder mit einem Durchmesser von 60–90 nm, setzt sich aus 252 Capsomeren (12 Pentone, 240 Hexone) zusammen. Alle Oberflächenstrukturen wirken als *Antigene; mehr als 80 *Serotypen sind nachgewiesen. A. sind humanpathogen; sie verursachen Infektionen des Auges u. des Respirationstraktes, einige Subgruppen haben *onkogenes Potential. – *E* adenoviruses – *F* adénovirus – *I* = *S* adenovirus

Adenylat-Cyclase [Adenyl(yl)-Cyclase, EC 4.6.1.1]. Bez. für ein ubiquitäres Membran-gebundenes *Enzym, das die Umwandlung von *Adenosin-5'-triphosphat in *Adenosin-3',5'-monophosphat bewirkt. Die Aktivität der A.-C. unterliegt der Regulation durch *G-Proteine u. *Calmodulin; dadurch ist das Enzym Bestandteil zweier wichtiger intrazellulärer Signalketten[1] (vgl. a. Signaltransduktion). Beim Pantoffeltierchen gibt es allerdings eine A.-C., die durch einen eingebauten Kalium-*Ionenkanal gesteuert wird[2]. – *E* adenylate cyclase – *F* adénylate-cyclase – *I* adenilato ciclasi – *S* adenilato ciclasa

Lit.: [1] Nature (London) **374**, 421 ff. (1995). [2] Science **255**, 600 ff. (1992).
allg.: Adv. Second Messenger Phosphoprotein Res. **24**, 51–57 (1990); **27**, 27–36, 109–162 (1993) ▪ Cell **70**, 869 ff. (1992) ▪ FASEB J. **7**, 768–775 (1993) ▪ Johnson u. Corbin, Adenylyl Cyclase, G Proteins, and Guanylyl Cyclase, San Diego: Academic Press 1991 ▪ Macneil, Calmodulin Regulation of Adenylate Cyclase, Hemel Hempstead: Ellis Horwood 1991.

Adenylat-Kinase [Adenyl(yl)-Kinase, Myokinase, EC 2.7.4.3]. Häufig vorkommendes Enzym (M$_R$ 20000–26000), das Magnesium-abhängig die Phosphorylierung von *Adenosin-5'-monophosphat (AMP) zu *Adenosin-5'-diphosphat (ADP) katalysiert. Phosphatgruppen-Donor ist hierbei *Adenosin-5'-triphosphat (ATP, als Komplex mit Mg^{2+}), das dabei ebenfalls in ADP übergeht: AMP+ATP$\rightleftarrows$2 ADP. Dies ist der erste Schritt zur Wiedersynth. von ATP aus AMP nach Diphosphat-Abspaltung. Andererseits kann unter Bedingungen, unter denen die Rückreaktion abläuft, die Energie der Phosphorsäureanhydrid-Bindung des ADP durch Überführung in ATP für den Organismus nutzbar gemacht werden. A. zeigt Homologie zu *ATP-Synthasen[1]. – *E* adenylate kinase – *F* adénylate-kinase – *I* adenilato chinasi – *S* adenilato cinasa

Lit.: [1] Ann. N.Y. Acad. Sci. **671**, 359–365 (1992).

Adenylocrat® F. Tropfen mit Weißdornfluidextrakten gegen Altersherz u. zur Infarktprophylaxe. *B.:* Goedecke.

Adenylsäuren s. Adenosin-3'-monophosphat u. Adenosin-5'-monophosphat.

Adeps. Latein. Bez. für Fett od. Schmalz. A. solidus = Hartfett; A. suillus = Schweinefett; A. lanae = Wollfett.

Adermin. Veraltete Bez. für *Pyridoxin, eines der drei *Vitamine B$_6$.

Adexin®. Sortiment von Bautenschutzmitteln, z. B. für die Mauerwerks-Sanierung. *B.:* Deitermann.

ADH. Abk. für 1. *Alkohol-*Dehydrogenase* u. 2. Antidiuretisches *Hormon*, s. Vasopressin.

Adhärenz-Verbindungen. Punkt- od. streifenförmige Haftverbindung zwischen den Außenseiten der Plasmamembranen (s. Cytoplasma) zweier tier. Zellen; in Epithelzellen zu durchgehenden *Adhäsionsgürteln* (zonulae adhaerentes, Einzahl: zonula adhaerens) verbunden, die direkt unterhalb der *tight junctions die Zelle umgeben u. mit diesen die Schlußleiste bilden. Ihre Funktion, die Zellen miteinander zu verbinden, erfüllen sie mit Hilfe der in der Membran enthaltenen *Cadherine, die als *Zell-Adhäsionsmoleküle zellübergreifend aneinander binden. Zur Membranverstärkung sind auf der Innenseite den A.-V. *Actin-Filamente (Tonofilamente) unterlagert – im Gegensatz zu den *Desmosomen, die *intermediäre Filamente enthalten. Sie verlaufen parallel zur Membran u. sind

mit dieser bzw. mit den Cadherinen über α-*Actinin, *Catenine, Plakoglobin u. *Vinculin verknüpft. *Fokalkontakte* od. *Adhäsionsplaques* sind eine Art A.-V., bei denen *Integrine die Plasmamembran mit der *extrazellulären Matrix verbinden u. an der Innenseite F-*Actin-haltige *Stress-Fasern ansetzen, die über α-Actinin, *Talin u. Vinculin befestigt sind. – *E* adherent junctions – *F* jonctions adhérantes – *I* giunzioni aderenti – *S* uniones adherentes
Lit.: Alberts et al., Molekularbiologie der Zelle, 3. Aufl., S. 1126 ff., Weinheim VCH Verlagsges. 1995 ▪ Cell Motil. Cytoskel. **20**, 1–6 (1991).

Adhäsine. In mikrobiellen *Membranen od. Fortsätzen (Fimbrien, Pili) vorhandene Mol. (meist *Proteine), die die Fähigkeit besitzen, an unbelebte Substrate od. Oberflächen-Mol. (A.-Rezeptoren, meist *Glykoproteine) eukaryontischer Wirtszellen zu binden. Diese Wechselwirkung führt zur *Adhäsion der Einzeller an das Substrat bzw. Wirtsgewebe u. stellt z. B. den ersten Schritt einer bakteriellen Infektion dar. – *E* adhesins – *F* adhésines – *I* adesine – *S* adhesinas
Lit.: Curr. Top. Microbiol. Immunol. **151**, 55–70 (1990) ▪ Voet – Voet (2.), S. 274.

Adhäsion. Haftwirkung zwischen einer festen Grenzfläche u. einer 2. Phase, die entweder aus individuellen Teilchen, Mol., Tröpfchen od. Pulvern od. aus einem kontinuierlichen flüssigen od. festen Film bestehen kann (vgl. dagegen Kohäsion). Die A. kann durch elektrostat. Kräfte, durch *van-der-Waals-Kräfte (diese gehören zu den *zwischenmolekularen Kräften) od. gar durch echte *chemische Bindung (z. B. im Falle der *Chemisorption) bedingt sein. Sie ist die Ursache der Sorption, sowohl der *Adsorption an einer Grenzfläche, wie auch der *Absorption in einer Grenzflächenschicht. Die A. bildet in der Technik u. a. die Basis für das Auftragen von Anstrichfilmen, den Buchdruck u. den Einsatz von Klebstoffen. Prinzipiell unterscheidet man sechs verschiedene Mechanismen zur Erklärung von A., die auch in Kombination auftreten können:
1. Mechan. Verbindungen, bei denen der dünnflüssige Kleber Risse u. Rillen ausfüllt u. dann aushärtet;
2. *Diffusion, die v. a. bei Polymeren auftritt, wobei in der Übergangszone Klebstoff u. Substrat ineinander diffundieren u. sich die Polymerketten miteinander vermischen;
3. Adsorption, bei der sich die Mol. in der Oberfläche des Substrates u. des Klebstoffes einander durch *London-Kräfte, Dipol-Dipol-Kräfte (z. B. *Wasserstoff-Brückenbindungen) u. Dipol-induzierte Dipol-Kräfte anziehen (Bindungsenergie 0,1 bis 40 kJ/mol);
4. chem. Reaktion, bei der ion., kovalente u. metall. Bindungen entstehen (Bindungsenergien 50 bis 1100 kJ/mol);
5. elektrostat. Kräfte, bei denen sich, aufgrund unterschiedlicher Elektronenaustrittsenergie, unterschiedliche, sich anziehende Oberflächenladungen bilden (z. B. elektrostat. Pulverbeschichtung, sonst von untergeordneter Bedeutung);
6. Säure-Lauge-Reaktion, die bei Metall-Halbleiterverb. auftritt, wobei sich eine zwischenliegende Polymerschicht ausbildet.

Ein Sonderfall ist die A. zwischen gleichartigen Adhärenden, z. B. makromol. Filmen, die man als *Autoadhäsion* bezeichnet. – *E* adhesion – *F* adhésion – *I* aderenza – *S* adhesión
Lit.: Anderson, Adhesion and Adhesives, in Encycl. of Physical Science and Technology, Bd. 1, S. 269–288, San Diego: Academic Press 1992 ▪ Ohring, The Material Science of Thin Films, San Diego: Academic Press 1992 ▪ Spektrum Wiss. **1993**, 84–99. – *Zeitschriften u. Serien:* Adhäsion, Berlin: Ullstein (seit 1957) ▪ Adhesion, New York: Gordon and Breach (seit 1969) ▪ Adhesives Age, New York: Palmerton (seit 1958) ▪ The Journal of Adhesion, Stamford: Technomic (seit 1969).

Adhäsionsmoleküle s. Zell-Adhäsionsmoleküle.

Adhäsions-Plaques s. Adhärenz-Verbindungen.

Adhäsiv. Ein nichtmetall., meist auf *Oligomeren od. *Polymeren basierender *Klebstoff, der Werkstücke unterschiedlichster Art verbindet, ohne daß die Werkstücke selbst merklich verändert werden. Der Zusammenhalt der Werkstücke wird durch Adhäsionskräfte (Anziehungskräfte zwischen A. u. Werkstück) u. Kohäsion (innerer Zusammenhalt des A.) bestimmt. – *E* adhesiv – *F* adhésif – *I* adesivo – *S* adhesivo
Lit.: Elias **2**, 704 ▪ Ullmann (5.) **A 1**, 221 ff.

Adhesin®. Dispersionen od. Lsg. thermoplast. Polymere (hauptsächlich *Polyvinylacetat-, *Polyvinylpropionat-, *Polyacrylate-Dispersionen). Zahlreiche Typen mit verschiedenen Eigenschaften, hauptsächlich als Klebstoffe in der Verpackungs-Ind. benutzt. Spezialprodukte werden bes. zur Klebung von Faltschachteln u. dgl. in automat. Maschinen verwendet. A. B-Typen: Synth. u. Naturkautschuk in Lsg. od. Dispersion, auch Polychlorbutadien. *B.:* Henkel.

ADI. Abk. für *E* Acceptable Daily Intake = annehmbare (duldbare) tägliche Aufnahme. Der Begriff ADI wird z. B. für die Bewertung der *Toxizität von *Pflanzenschutzmitteln, speziell bei der *Rückstands-Ermittlung solcher Stoffe in Lebensmitteln, herangezogen. Der ADI-Wert für den Menschen ist nach WHO u. FAO definiert als „die tägliche Aufnahme während des ganzen Lebens, die nach dem Stand allen verfügbaren Wissens kein erkennbares Risiko darstellt". Er ergibt sich aus der in langfristigen Tierversuchen ermittelten Dosis, bei der kein erkennbarer Effekt – auch nicht bei den Nachkommen – eintritt (*E* No Effect Level), geteilt durch den Sicherheitsfaktor 100. Im allg. liegen die *Fremdstoff-, *Pflanzenschutzmittel- u. *Schädlingsbekämpfungsmittel-Höchstmengen unter den ADI-Werten. – *E* acceptable daily intake
Lit.: Pesticide Residues in Food (WHO Techn. Rep. Series 574 u. 612), Geneva: WHO 1975, 1977 ▪ Residue Rev. **45**, 81 ff. (1973) ▪ Ullmann (4.) **6**, 93; **13**, 251–252; **16**, 745; **18**, 6; (5.) **A 8**, 77 f.

Adiabate (auch Isentrope genannt). Im pV-Diagramm (p = Druck, V = Vol.) eines Gases ist die A. eine Kurve gleicher *Entropie. Da die Änderung der Entropie über $\Delta S = \Delta Q/T$ proportional zur Wärmeänderung ΔQ ist, gilt für die A. $\Delta Q = 0$, d. h. bei dieser (reversiblen) *Zustandsänderung findet kein Wärmeaustausch mit der Umgebung statt. In der Praxis wird eine A. durch gut wärme-isolierte Gefäße (*Dewar-Gefäß) u. durch schnellen Ablauf der Zustandsänderung erreicht. Für ideale Gase gilt die *Adiabatengleichung* (Poisson-

Gleichung) p · V^γ = const, wobei γ als *Adiabatenkoeff.* bezeichnet wird. Es ist der Quotient aus den spezif. Wärmekapazitäten c_p u. c_v: $\gamma = c_p/c_v$ u. berechnet sich somit aus der Anzahl f der *Freiheitsgrade (Translation + Rotation + Vibration) der Gaspartikel über $\gamma = (f+2)/f$; s. a. Molwärme. – *E* adiabatic curve – *F* courbe adiabatique – *I* curva adiabatica – *S* curva adiabática

Adiabatengleichung, -koeffizient s. Adiabate.

Adiabatische Abkühlung. Durch die adiabat. Expansion eines Gases durch eine Düse aus einem Bereich hohen Druckes in einen Bereich niedrigen Druckes wird auf Grund von Stößen der Translationsimpuls der Gaspartikel ausgerichtet; d. h. die kinet. Energie der ungerichteten Bewegung (Wärme) wird in gerichtete Bewegungsenergie umgewandelt u., da kein Wärmeaustausch mit der Umgebung stattfindet (*Adiabate), somit das Gas abgekühlt.

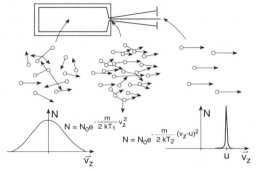

Abb.: Adiabatische Abkühlung.

Die *Maxwell-Boltzmann'sche Geschwindigkeitsverteilung f(v) verschiebt sich von

$$f(v) \sim e^{-\frac{m \cdot v^2}{2 \cdot k \cdot T_1}} \text{ zu } f^*(v) \sim e^{-\frac{m \cdot (v-u)^2}{2 \cdot k \cdot T_2}}$$

(u bezeichnet man als die Flußgeschw. des Gasstrahles u. T_2 als die Translationstemp.). Je nach Randbedingungen kann T_2 auf wenige Kelvin abgesenkt werden. Falls u größer als die lokale Schallgeschw. wird, bezeichnet man die Strömung als *Überschallströmung*. Sie findet Anw. bei *Atom- u. *Molekülstrahlen zur Untersuchung von *Stoßprozessen u. für die *Molekülspektroskopie. – *E* adiabatic cooling – *F* refroidissement adiabatique – *I* raffreddamento adiabatico – *S* enfriamiento adiabático

Lit.: Scoles, Atomic and Molecular Beam Methods, Oxford: University Press 1988.

Adiabatische Entmagnetisierung (eines paramagnet. Salzes). Verf. zur Erzeugung von Temp. unterhalb von 1 K. Hierbei werden die elektron. magnet. Momente von paramagnet. Ionen eines Salzes (z.B. Cer-Magnesium-Nitrat) in einem äußeren Magnetfeld bis in den Kelvinbereich mit einem ^{4}He-Verdampfungskryostaten vorgekühlt. Nachdem die Probe therm. von der Vorkühlstufe entkoppelt worden ist, wird das Magnetfeld verringert (Entmagnetisierung), wobei die Entropie des Spinsyst. erhalten bleibt (adiabat.). Die für die anschließende Erhöhung der Spinentropie notwendige Energie wird dann den therm. Gitterschwingungen (*Phononen) des Kristallgitters entzogen u. die Probe kühlt sich auf wenige mK ab. Dieses Verf. funktioniert nur bis zu einer Temp., bei der die Wechselwirkungsenergie zwischen den magnet. Momenten klein ist im Vgl. zur therm. Energie, da sonst das Spinsyst. in einen geordneten ferro- od. antiferromagnet. Zustand übergeht. Deshalb liegt die prakt. Grenze etwa bei 2 mK. Diese Meth. findet heute kaum noch Verw., da dieser Temperaturbereich auch mit kontinuierlich arbeitenden ^{3}He-^{4}He-Entmischungskühlern erschlossen werden kann. – *E* adiabatic demagnetization – *S* desmagnetización adiabática

Adiabatische Kernentmagnetisierung. Vom Prinzip das gleiche Verf. wie die *adiabatische Entmagnetisierung von paramagnet. Salzen, nur werden hier nicht elektron. magnet. Momente in einem externen Feld ausgerichtet, sondern die magnet. Momente der Atomkerne, die um den Faktor 1000 kleiner sind. Magnet. Ordnungsphänomene treten deshalb erst im µK-Bereich od. bei noch deutlich tieferen Temp. auf. Dies ist die heute gängige Meth., um Temp. unter 5 mK zu erreichen. Man nimmt ein Metall (z.B. Cu), das nicht magnet. ordnet, u. kühlt es in einem externen Feld (z.B. 8 T) mit einem ^{3}He-^{4}He-Entmischungskryostaten auf etwa 10 mK vor u. erreicht dann bei der Verringerung des Feldes Temp. von wenigen µK. Die Kerne können dabei zu deutlich tieferen Temp. abgekühlt werden (nK-pK-Bereich), therm. von den Leitungselektronen entkoppelt. Im therm. Gleichgew. konnte das Metall Pt bis zu 2 µK abgekühlt werden. – *E* adiabatic demagnetization – *F* démagnétisation adiabatique du noyau – *I* demagnetizzazione nucleare adiabatica – *S* desmagnetización nuclear adiabática

Lit.: Lounasmaa, Experimental Principles and Methods Below 1 K, New York: Academic Press 1974 ▪ McClintock, Cryogenics, Encycl. of Physical Science and Technology, Bd. 4, S. 663–686, San Diego: Academic Press 1992 ▪ Pobell, Matter and Methods at Low Temperatures, Berlin: Springer 1992.

Adicillin.

HOOC—CH—(CH$_2$)$_3$—CO—NH—[β-lactam ring with S, CH$_3$, CH$_3$, COOH]
      |
      NH$_2$

Freie internat. Kurzbez. für das auch Penicillin N genannte partial-synthet. *Penicillin-Derivat 6-(D-5-Amino-5-carboxypentanoylamino)-penicillansäure, $C_{14}H_{21}N_3O_6S$, M_R 350,40. Es wurde 1959 von ICI patentiert. – *E* adicillin – *S* adicilina – *[HS 294110; CAS 525-94-0]*

Adimoll®. Weichmacher für PVC bzw. Kautschuk aus Estern der *Adipinsäure, z. B. A. BO = Benzyloctyladipat, A. DB = Dibutyladipat, A. DN = Diisononyladipat, A. DH = Dihexyladipat, Weichmacher für Polyvinylbutyral (Folien für Sicherheitsglas). *B.:* Bayer.

Adipate. Bez. für Salze u. Ester der *Adipinsäure.

Adiphenin.

H_5C_6—CH—CO—O—CH$_2$—CH$_2$—N(C$_2$H$_5$)$_2$
         |
         C$_6$H$_5$

Adipinsäure 64

Internat. Freiname für den Diphenylessigsäure-(2-diethylamino-ethylester), $C_{20}H_{25}NO_2$, M_R 311,42, Schmp. 113–114 °C, LD_{50} (Kaninchen i.v.) 22,5–27,5 mg/kg. Es wurde 1934 von Ciba als Spasmolyticum patentiert u. ist nicht mehr im Handel. – *E* adiphenine – *F* adiphénine – *S* adifenina
Lit.: Hager (5.) **7**, 76 f. – *[HS 2922 19; CAS 64-95-9; 50-42-0 (Hydrochlorid)]*

Adipinsäure (Hexandisäure). Xi
HOOC–(CH$_2$)$_4$–COOH, $C_6H_{10}O_4$, M_R 146,14. Farblose Krist., Schmp. 153 °C, Sdp. 265 °C (bei 133 hPa), in Wasser wenig löslich. Stäube reizen stark die Augen, die oberen Atemwege u. die Haut. Kontakt mit dem Stoff führt zu starker Reizung der Augen, weniger der Haut, LD_{50} (Ratte oral) >11 g/kg, WGK 0. A. ist in der BRD als Kochsalzersatzmittel zugelassen (E 355) sowie zur Trinkwasseraufbereitung. A. wurde zuerst durch Oxid. von Fett (Adeps) mit Salpetersäure erhalten (daher der Name) u. entsteht auch bei der Oxid. von Cyclohexan-reichen russ. Erdölen. Der techn. bevorzugte Zugang zur A. besteht in der oxidativen Spaltung des Cyclohexans. A. wird hierbei zweistufig über die Zwischenprodukte Cyclohexanol/Cyclohexanon hergestellt.
Verw.: A. ist ein wichtiger Rohstoff für die Herst. von *Nylon u. *Adipinsäuredinitril, ferner ein wichtiges Zwischenprodukt bei der Herst. von Weichmachern, Polyamiden, Polyestern, Polyurethanen usw. – *E* adipic acid – *F* acide adipique – *I* acido adipico – *S* ácido adípico
Lit.: Beilstein E IV **2**, 1956–1959 ▪ Hommel, Nr. 1335 ▪ Kirk-Othmer (4.) **1**, 466–481 ▪ Ullmann (4.) **7**, 106 ff., (5.) **A 1**, 269 ▪ Weissermel-Arpe (4.), S. 260–262. – *[HS 2917 12; CAS 124-04-9]*

Adipinsäuredinitril (Adiponitril, ADN). NC–(CH$_2$)$_4$–CN, $C_6H_8N_2$, M_R 108,14. Farbloses Öl, D. 0,95, Schmp. 2 °C, Sdp. 295 °C (ab 93 °C Zers. unter Bildung von Cyanwasserstoff), wenig lösl. in Wasser, lösl. in Alkohol. Dämpfe u. Flüssigkeit sind stark giftig, die Flüssigkeit wird auch über die Haut aufgenommen, LD_{50} (Ratte oral) 155 mg/kg, wassergefährdender Stoff, WGK 1.
Herst.: Für die großtechn. Produktion wurden vier prinzipiell verschiedene Routen entwickelt: 1. dehydratisierende Aminierung von Adipinsäure mit NH$_3$; – 2. indirekte Hydrocyanierung von Butadien über die Zwischenstufe der 1,4-Dichlorbutene; – 3. direkte Hydrocyanierung von Butadien mit HCN; – 4. Elektrohydrodimerisierung (EDH) von Acrylnitril. A. wird zur Synth. von *1,6-Hexandiamin verwendet, vgl. AH-Salz. – *E* adiponitrile – *F* acide dinitroadipique – *I* acido dinitriladipico
Lit.: Beilstein E IV **2**, 1975 f. ▪ Hommel, Nr. 7 ▪ Kirk-Othmer (3.) **15**, 897 f. ▪ Ullmann (4.) **7**, 106 ff.; (5.) **A 1**, 273 ff. ▪ Weissermel-Arpe (4.), S. 266–270 ▪ Winnacker-Küchler (4.) **6**, 108 f., 128 f. – *[HS 2926 90; CAS 111-69-3; G 6.1]*

Adipiodon.

Internat. Freiname für Adipinsäure-bis-(3-carboxy-2,4,6-triiodanilid), $C_{20}H_{14}I_6N_2O_6$, M_R 1139,77, Zers. bei 306–308 °C, $n_D^{21,5}$ 1,3294, LD_{50} (Ratte, Maus) 2380±290, (Ratte, Maus i.v.) 4430±310 mg/kg. Es wurde 1957 als Röntgenkontrastmittel von Schering (Biligrafin®, Endografin®, außer Handel) patentiert. – *E* = *I* adipiodone – *F* adipiodon – *S* adipiodona
Lit.: Florey **33**, 333 ▪ Hager (5.) **7**, 79 f. – *[HS 2924 29; CAS 606-17-7; 2618-26-0 (Dinatriumsalz); 3521-84-4 (Methylglucaminat)]*

Adiponitril s. Adipinsäuredinitril.

Adipositas s. Fettsucht.

Adiuretin s. Vasopressin.

Adjuvans (Plural: Adjuvantien). Von latein.: adjuvare = Hilfe geben, unterstützen abgeleitete Bez. für einen Stoff, der – z. B. in Arzneipräp. – für sich allein (möglichst) nicht wirksam ist, jedoch die Wirkung des Präp. steigert. Bei immunchem. Vorgängen führen A. (z. B. Aluminiumhydroxide, Calciumphosphat-Gele od. das *Freundsche Adjuvans* aus Paraffinöl-Emulsionen mit abgetöteten Bakterien) zusammen mit *Antigenen zur verstärkten Bildung von *Antikörpern. – *E* = *F* adjuvant – *I* aiutanti – *S* adyuvante
Lit.: Jollès u. Paraf, Chemical and Biological Basis of Adjuvants, Berlin: Springer 1973 ▪ Pharm. Unserer Zeit **10**, 33–40 (1981).

Adkins-Katalysator. Kupfer-Chromoxid-Katalysator für Druckhydrierungen.

ADNR s. Transportbestimmungen.

Ado. Abk. für *Adenosin.

Adolf von Baeyer-Bibliothek. Die 1951 vom *Fonds der Chemischen Industrie gegr., 1957 im *Carl Bosch-Haus in 60486 Frankfurt als „Chemische Zentralbücherei" eröffnete u. 1962 unter dem neuen Namen im Erweiterungsbau des gleichen Hauses untergebrachte Bibliothek ging 1972 aus den Händen der *GDCh in den Besitz von *Gmelin-Institut u. *Beilstein-Institut über.

Adolit®. Holzschutzsalze. *B.:* Remmers.

Adonisröschen. Das im Frühjahr gelb blühende, auch Teufelsauge genannte A. (*Adonis vernalis*, Ranunculaceae) enthält in seinem Kraut neben *Flavonen (z. B. Quercitrin) u. Adonit ca. 0,4% *Herzglykoside; Hauptbestandteile sind Cymarin u. Adonitoxin. Aglykon des ersteren ist k-Strophanthidin (s. Strophanthine). Extrakte werden in pflanzlichen Kombinations-Präp. verwendet. – *E* vernal pheasant's eye, bird's eye – *F* adonis – *I* adonide – *S* adónida
Lit.: Hager (5.) **4**, 92 ff. ▪ Pharm. Ztg. **139**, 34 f., 3081 (1994) ▪ Steinegger u. Hänsel, Pharmakognosie, S. 574, Berlin: Springer 1992.

Adonit s. Ribit.

D-Adonose s. D-Ribulose.

ADP. Abk. für *Adenosin-5′-diphosphat.

ADP-Ribose s. cyclische ADP-Ribose.

ADP-Ribosylierung. Kovalente Anheftung eines od. mehrerer *Adenosin-5′-diphosphat-D-*Ribose-(ADPR)-Reste, meist an Proteine. Die ADPR-Reste entstammen dem *Nicotinamid-Adenin-Dinucleotid

(NAD⁺) u. sind im Fall von mehrfacher ADP-R. 1″-2′-, an Verzweigungspunkten aber auch 1″-2‴-verknüpft.

Adenosin-5′-diphosphat-Ribose (ADPR)

Verschiedene bakterielle *Toxine besitzen die Fähigkeit zur ADP-R.: Z. B. hemmt Diphtherie-Toxin (EC 2.4.2.36) die *Translation (3.) durch ADP-R. des *Elongationsfaktors 2, Cholera- u. Pertussis(Keuchhusten)-Toxin aktivieren *Adenylat-Cyclase dauerhaft durch ADP-R. von *G-Proteinen, u. die Toxine C2 u. C3 des Bakteriums *Clostridium botulinum* ADP-ribosylieren G-*Actin, das dadurch an der Polymerisation gehindert wird[1], bzw. das *kleine GTP-bindende Protein Rho (Regulator des *Cytoskeletts[2]). Cholera-Toxin wird durch zelleigene, *ARF genannte Faktoren aktiviert. Auch Phagen (T4) können ADP-R. bewirken, aber auch zelleigene Enzyme der *Eukaryonten (ADP-Ribosyl-Transferasen, EC 2.4.2.30, 2.4.2.31), die wahrscheinlich regulator. Funktionen ausüben – im Zellkern im Zusammenhang mit Strangbrüchen der *Desoxyribonucleinsäuren[3]. Bei extremen Schädigungen des Erbmaterials könnte das im Zellkern lokalisierte Enzym den Tod der Zelle herbeiführen. In *Mitochondrien wird einfache ADP-R. beobachtet, vermutlich durch das Enzym NAD⊕-Glycohydrolase (EC 3.2.2.5). Das Enzym *Glycerinaldehyd-3-phosphat-Dehydrogenase ADP-ribosyliert sich im aktiven Zentrum mit Hilfe seines Coenzyms NAD⁺ selbst, insbes. wenn es durch Stickstoffmonoxid dazu stimuliert wird[4]. – *E = F* ADP-ribosylation – *I* ADP-ribosilazione – *S* ADP-ribosilación

Lit.: [1] Mol. Microbiol. **6**, 2905 ff. (1992). [2] Trends Biochem. Sci. **20**, 227 ff. (1995). [3] Mol. Cell. Biochem. **138**, 71 ff. (1994). [4] Proc. Natl. Acad. Sci. USA **89**, 9382 ff. (1992).
allg.: Aktories, ADP-Ribosylating Toxins, Berlin: Springer 1992 ■ Moss u. Zahradka, ADP-Ribosylation. Metabolic Effects and Regulatory Functions, Norwell: Kluwer 1994. – [CAS 20762-30-5 (ADPR)]

ADP-Ribosylierungsfaktor s. ARF.

ADR s. Transportbestimmungen.

L-Adrenalin {(*R*)-Adrenalin, (*R*)-Epinephrin, (*R*)-1-(3,4-Dihydroxyphenyl)-2-methylamino-ethanol, 4-[(*R*)-1-Hydroxy-2-methylamino-ethyl]-brenzcatechin}.

$C_9H_{13}NO_3$, M_R 183,21. Krist., Schmp. 211-212 °C, wenig lösl. in Wasser, gut lösl. in wäss. Mineralsäuren u. Alkalien, nicht jedoch in Ammoniak u. Alkalicarbonaten, unlösl. in Alkohol, Chloroform, Ether, Aceton, Ölen. Mit Säuren bildet A. wasserlösl. Salze. Wie Brenzcatechin, Pyrogallol u. dgl. wird es leicht von Luftsauerstoff u. a. Oxidationsmitteln unter Bildung dunkler Reaktionsprodukte angegriffen. Eine Lsg. von A. kann durch Ascorbinsäure-Zusatz stabilisiert werden. Mit Eisenchlorid färbt es sich grün, mit Chromsäure nahezu schwarz. Die bei der Oxid. neutraler od. alkal. Lsg. entstehende rote Farbe geht auf die Bildung von *Adrenochrom zurück.
Hormonwirkung: L-A. wird als *Nebennierenhormon zusammen mit dem chem. u. physiolog. nahe verwandten L-*Noradrenalin – beide sind *Catecholamine u. damit *biogene Amine – im Nebennierenmark gebildet (*Biosynth.*: L-Tyrosin → L-Dopa → Dopamin → L-Noradrenalin → L-A.) u. von dort ins Blut ausgeschüttet. Im Stoffwechsel der Leber u. der Muskulatur aktiviert L-A. die zur Bildung von *Adenosin-3′,5′-monophosphat notwendige *Adenylat-Cyclase, was durch eine Aktivierungskaskade (Phosphorylierungen durch *Protein-Kinasen) schließlich zur Stimulierung der *Phosphorylase u. zu erhöhtem *Glykogen-Abbau führt. Der damit verbundene Anstieg des Blutzuckers ermöglicht dessen Vergärung zu Milchsäure in den Muskeln. In Fettgewebe bewirkt L-A. die Aktivierung von *Lipasen u. somit eine Steigerung des Fettabbaus. Da L-A. außerdem den oxidativen Stoffwechsel in den Zellen steigert, bewirkt es insgesamt eine erhöhte Einsatzbereitschaft des Organismus, sei es zu Arbeit, Angriff od. Flucht. Dementsprechend beobachtet man auch eine Steigerung der L-A.-Ausschüttung in *Stress-Situationen. In kleineren Dosen bewirkt z. B. auch *Nicotin eine Freisetzung von L-A. u. L-Noradrenalin.
Neurotransmission: L-A. ist auch ein *Neurotransmitter des *adrenergen Nervensyst., wird in dessen Neuronen synthetisiert u. von ihnen freigesetzt. Es wirkt auf α- u. β-*Adrenozeptoren, wobei die β-Affinität überwiegt.
Pharmakologie: Als *Sympathikomimetikum steigert L-A. die Kontraktionskraft des Herzens u. – durch Erhöhung der Schlagfrequenz – den systol. *Blutdruck, verengt die Blutgefäße von Haut, Schleimhäuten u. Baucheingeweiden u. erweitert die Gefäße der Skelettmuskeln u. der Leber. Die durch L-A. bewirkte Erschlaffung der glatten Muskulatur in Darm bzw. Bronchien führt zur Verringerung der Peristaltik (Darmbewegung) bzw. zur Erweiterung der Bronchien.
Verw.: Wegen des raschen Abbaus von L-A. (durch Catechol-*O*-Methyltransferase zu 3-*O*-Methyl-L-A. od. durch *Monoamin-Oxidase unter oxidativer Desaminierung; die Ausscheidung im Urin erfolgt als 3-Methoxy-4-hydroxy-L-mandelsäure) ist seine Wirkung im Organismus nur von kurzer Dauer. Weitere Anw. findet parenteral verabreichtes L-A. – oral ist es unwirksam – in Sympathikomimetika, *Broncholytika, *Antiasthmatika u. als *Vasokonstriktor zur Stillung od. Verhütung von Blutungen bei Operationen im Nasen-, Mund- u. Rachenraum, bei Blutungen innerer Organe usw. L-A. wird auch zusammen mit örtlichen Betäubungsmitteln injiziert, infolge der Blutgefäßverengung wirken die Anästhetika u. es reichen dann schon geringere Dosen.
Geschichte: L-A. wurde bereits in den Jahren 1900 u. 1901 unabhängig voneinander von Takamine, Aldrich u. von Fürth aus Nebennieren (latein.: adrenes, daher Name) isoliert u. als erstes Hormon krist. erhalten. 1904 gelangen Jowett die Strukturaufklärung u. *Stolz

die Synth. des Racemats. – *E* L-adrenaline, (meist:) L-epinephrine – *F* L-adrénaline – *I* = *S* L-adrenalina
Lit.: Beilstein E IV 13, 2927 ■ Mutschler (6.), S. 245 f. ■ Stryer (5.), S. 1011 f. – *[HS 2937 99; CAS 51-43-4]*

Adrenalon.

Internat. Freiname für 3′,4′-Dihydroxy-2-(methylamino)-acetophenon, $C_9H_{11}NO_3$, M_R 181,19, Zers. bei 235–236 °C, 243 °C (Hydrochlorid). Es wurde 1903 als *Sympathikomimetikum, Vasokonstriktor u. Hämostyptikum von Hoechst patentiert. Es war von Sertürner (Styphnasal®) im Handel. – *E* = *I* adrenalone – *F* adrénalone – *S* adrenalona
Lit.: ASP ■ Hager (5.) 7, 80 f. – *[HS 2922 50; CAS 99-45-6; 62-13-5 (Hydrochlorid)]*

Adrenerg. Von Adrenalin u. griech.: ergon = Werk, Tätigkeit abgeleitetes Adjktiv, das Beziehungen zu *Noradrenalin od. *Adrenalin ausdrücken soll. Man spricht z. B. vom *adrenergen* (Nerven-)*Syst.*, an dessen Enden (*Synapsen) Noradrenalin als *Neurotransmitter freigesetzt wird. Die a. Nervenbahnen sind die zu einem Erfolgsorgan ziehenden postganglionären Fasern des Sympathikus mit Ausnahme derjenigen der Schweißdrüsen. Dabei unterscheidet man noch zwischen α- u. β-a. *Rezeptoren (*Adrenozeptoren). Pharmaka, die auf derartige Synapsen anregend (mimet.) wirken, werden als *Adrenergika* od. *Sympathikomimetika bezeichnet. Substanzen, die spezif. hemmen (*Antiadrenergika*), werden *Blocker* genannt, s. Sympath(ik)olytika. – *E* adrenergic – *F* adrénergique – *I* adrenergico – *S* adrenérgico

Adrenerge Rezeptoren s. Adrenozeptoren.

Adrenochrom (3-Hydroxy-1-methylindolin-5,6-dion).

$C_9H_9NO_3$, M_R 179,18. Rote Krist., Zers. bei 115–120 °C, lösl. in Wasser u. Alkohol, oxidiert leicht zu Melanin, entsteht durch Cyclisierung u. Dehydrierung von *Adrenalin. A. beteiligt sich an biolog. Oxid., kann Halluzinationen, schizophrenieartige Zustände u. dgl. auslösen. Zur Herst. von A. durch Oxid. von Adrenalin mit Selenoxiden s. *Lit.*[1]. A. ist ein Zwischenprodukt der Bildung von *Melaninen, vgl. *Lit.*[2]. Das A.-Semicarbazon ist als Hämostyptikum (Freiname: *Carbazochrom) im Handel. – *E* adrenochrome – *F* adrénochrome – *I* = *S* adrenocromo
Lit.: [1] Synthesis 1973, 172. [2] Zechmeister 31, 565 f.; Histochemie 51, 141–152 (1977).
allg.: Beilstein E III/IV 21, 6434 ■ Chem. Rev. 59, 181–237 (1959). – *[CAS 54-06-8]*

Adrenocorticotropin s. Corticotropin.

Adrenolytika. Wegen der hemmenden Wirkung auf die *adrenergen Sympathikus-Nerven gelegentlich verwendete Bez. für die Alpha- u. Beta-Rezeptoren-*Blocker* (*Sympatholytika). – *E* adrenolytic drugs – *F* adrénolytiques – *I* adrenolitici – *S* adrenolíticos

Adrenosteron (4-Androsten-3,11,17-trion).

$C_{19}H_{24}O_3$, M_R 300,40, Nadeln, Schmp. 220–224 °C, wenig lösl. in Wasser, lösl. in Alkohol, Aceton, Ether, reduziert alkal. Silbernitrat-Lösung. Aus Nebennierenrinden-Extrakt gewinnbar, wirkt ähnlich wie männliches Geschlechtshormon. – *E* = *I* adrenosterone – *F* adrénostérone – *S* adrenosterona
Lit.: Beilstein E IV 7, 2796. – *[HS 2937 29; CAS 382-45-6]*

Adrenoxyl®. Tabl., Infusionslsg. u. Ampullen mit *Carbazochrom zur Behandlung u. Prophylaxe von Blutungen. *B.*: Sanofi Winthrop.

Adrenozeptoren (adrenerge Rezeptoren). Um im Organismus wirksam werden zu können, benötigen *Hormone u. *Neurotransmitter spezif. *Rezeptor-Mol. auf der *Cytoplasma-*Membran im Erfolgsorgan. Im *adrenergen Wirkungskreis der *Catecholamine unterscheidet man α_1- u. α_2- sowie β_1- bis β_3-Adrenozeptoren.

α-A. (α-adrenerge Rezeptoren, Alpha-Rezeptoren) werden durch L-*Noradrenalin als Neurotransmitter stimuliert, was Kontraktion der Gefäßmuskulatur u. des Uterus, Pupillenerweiterung, Hemmung der Darmkontraktion, Steigerung der Herzkraft u. -frequenz u. damit des Blutdrucks zur Folge hat. L-*Adrenalin hat zwar eine ausgeprägtere Wirkung auf β-A., wirkt aber auch α-stimulierend. Da α-A. vornehmlich an Haut- u. Schleimhautgefäßen vorkommen, werden ähnlich L-Noradrenalin wirkende α-*Sympathikomimetika insbes. zur lokalen Vasokonstriktion u. Blutstillung verwendet. Durch als Alpha-Blocker wirkende *Sympatholytika kann die Bindung der erregenden Substanzen (*Agonisten) verhindert u. somit ein antagonist. Effekt erreicht werden. Als α-*Antagonisten kommen v. a. *Ergot-Alkaloide in Frage.

β-A. (β-adrenerge Rezeptoren, Beta-Rezeptoren) veranlassen im allg. eine Funktionshemmung. Sie stehen damit teilw. im Gegensatz zu den α-Adrenozeptoren. Man unterscheidet die am Herzen lokalisierten β_1-A. u. die β_2-A. der glatten Muskulatur sowie die atyp. β_3-A.[1] des Fettgewebes. L-Noradrenalin als Neurotransmitter stimuliert neben den α-A. nur geringfügig die β_1-A. (Steigerung von Herzfrequenz u. -kontraktionskraft), L-Adrenalin sowohl α- als auch β_1- u. β_2-A., L-*Isoprenalin dagegen nur die beiden letzteren; die Reizung der β_2-A. gibt sich durch Erschlaffung der Gefäß-, Uterus-, Darm- u. Bronchialmuskulatur zu erkennen. Substanzen mit L-Adrenalin-analoger Wirkung (Sympathomimetika) werden therapeut. bei Herzinsuffizienz u. als *Broncholytika eingesetzt. Umgekehrt lassen sich die β-A. auch gezielt hemmen, u. zwar durch β-Sympatholytika, die als *Beta-Blocker* gegen Hypertension (*Antihypertonika) u. Herzrhythmusstörungen einsetzbar sind.

Mol. Eigenschaften: α-A. (M_R: $α_1$ ca. 60000, $α_2$ 80000) sind ebenso wie β-A. (M_R 62000–64000) Membranproteine mit 7 Membran-durchspannenden α-Helices (s. Helix), wie aufgrund der Hydrophobizität dieser Bereiche vermutet wird. In ihrer Aminosäure-Sequenz ähneln sie sowohl einander als auch z. B. dem Photorezeptor *Rhodopsin u. dem muscarin. *Acetylcholin-Rezeptor, mit denen sie zu einer Proteinfamilie gehören.
Signaltransduktion: $α_2$-A. inhibieren *Adenylat-Cyclase unter Mitwirkung eines inhibitor. *G-Proteins (G_i), stimulieren aber möglicherweise einen Na^+/H^+-*Antiport. $α_1$-A. aktivieren über ein G-Protein das Enzym *Phospholipase C, was zur Bildung von *Diacylglycerinen u. Inosit-1,4,5-trisphosphat (s. Inositphosphate) als *second messenger führt. Erstere aktivieren wiederum *Proteinkinase C, das zweite mobilisiert intrazelluläre Vorräte von Calcium-Ionen.
Der β-A. reagiert bei Erhöhung der L-Adrenalin-Konz. durch Aktivierung von stimulator. G-Proteinen (G_s), die wiederum die Synth. von *Adenosin-3′,5′-monophosphat durch Adenylat-Cyclase anregen. β-A. können durch *Phosphorylierung im cytoplasmat. Teil desensibilisiert (unempfindlich gegen die Anwesenheit ihres Agonisten) werden. – *E* adrenoceptors – *F* adrénocepteurs – *I* adrenocettori – *S* adrenoceptores
Lit.: [1] Eur. J. Endocrinol. **132**, 377–385 (1995).
allg.: Adv. Second Messenger Phosphoprotein Res. **28**, 1–9 (1993) ▪ J. Neurochem. **60**, 10–23 (1993) ▪ Lüllmann et al., Taschenatlas der Pharmakologie, 2. Aufl., S. 82–97, Stuttgart: Thieme 1994 ▪ Neuropharmacology **34**, 357–366 (1995) ▪ Protein Science **2**, 1198–1209 (1993) ▪ Trends Cardiovasc. Med. **1**, 189–194 (1991).

Adressine. Die vaskulären A. sind *Zell-Adhäsionsmoleküle auf der inneren Oberfläche (Endothel) der Blutgefäße mit Bedeutung für die spezif. Einwanderung von *Lymphocyten in Gebiete des peripheren Lymphsyst. u. in Entzündungsherde. Die vaskulären A. markieren nämlich diese Gebiete, sorgen durch Bindung an die auf den Lymphocyten befindlichen *Homing-Rezeptoren für deren Anheftung u. ermöglichen ihnen dadurch den Durchtritt durch die Gefäßwand. – *E* addressins – *F* adressines – *I* addressine – *S* adresinas
Lit.: Curr. Opin. Immunol. **3**, 373–382 (1991) ▪ Immunol. Today **16**, 449–457 (1995).

Adriamycin. Früherer Freiname für *Doxorubicin.

Adrian, Lord Edgar Douglas (1889–1977), Prof. für Medizin, Cambridge. *Arbeitsgebiete:* elektrophysiolog. Forschungen über die Erregungsleitung bei Sinnes- u. Muskelfunktionen; erhielt für Entdeckungen über die Funktionen der Neuronen 1932 zusammen mit Sir C. S.*Sherrington den Nobelpreis für Physiologie od. Medizin.

Adriblastin®. Injektionsflüssigkeit u. Trockensubstanz mit Doxorubicin-Hydrochlorid zur Chemotherapie von Tumoren, Lymphomen u. Leukämien. *B.:* Pharmacia.

Adsorbat s. Adsorption.

Adsorbentien (Singular: Adsorbens; Adsorptionsmittel). Bez. für meist feste Stoffe, die aufgrund ihrer großen Oberfläche befähigt sind, bestimmte Stoffe aus gasf. od. flüssigen Mischungen an ihrer *Grenzfläche selektiv anzureichern (zu *adsorbieren*). Je feiner eine bestimmte Menge des Adsorbens zerteilt ist, um so höher ist auch ihre *Adsorptions-Fähigkeit. Die Gesamtoberfläche kann bei fein zerteilten Stoffen überraschend hohe Werte erreichen. So hat z. B. ein Würfel von 1 cm^3 nur eine Oberfläche von 6 cm^2, zerteilt man ihn aber in Würfelchen von 0,001 mm Kantenlänge, so haben diese zusammen eine Oberfläche von 6 m^2, u. bei Würfelchen von 0,00001 mm Kantenlänge (Größenordnung der Kolloidteilchen) erhält man eine Gesamtoberfläche von 600 m^2 od. 6 Ar! Deshalb sind poröse Stoffe mit narbigen Oberflächen im allg. gute A. u. erniedrigen infolge der Adsorption der Gasmol. den Druck eines Gases, wenn man sie mit diesem in Berührung bringt, od. die Konz. einer Lsg., weil sie den gelösten Stoff daraus entfernen. Die gebräuchlichsten A. der Ind. sind *Aktivkohlen, *Aluminiumoxide, *Kieselgele, *Ruße, *Zeolithe, vgl. Lit.[1]. In der *Dünnschichtchromatographie u. *Adsorptionschromatographie stellen A. die *stationäre Phase dar. Bei der medizin. Verw. in der *Obstipantien u. dgl. dienen A. zur Bindung von Bakterien, Toxinen u. lokal reizenden Stoffen u. damit zur Verhinderung von deren Resorption durch die Darmschleimhaut; s. a. Adsorption. – *E* adsorbents – *F* adsorbants – *I* adsorbenti – *S* adsorbentes
Lit.: [1] Winnacker-Küchler (4.) **3**, 28, 73, 87, 313, 332, 336, 339 ff.
allg.: s. Adsorption.

Adsorbierbare organische Halogen-Verbindungen s. AOX.

ADSORMAT®. Trocken- u. Filterpatrone zur Vermeidung chem. Reaktionen durch Luftfeuchtigkeit. *B.:* Süd-Chemie AG.

Adsorption (von latein.: adsorbere = ansaugen). Anreicherung von Stoffen an den Grenzflächen fester u. gasf. bzw. flüssiger Materie. A. stellt eine Form der *Sorption dar; während bei der *Absorption der Stoff im Vol. eines Körpers aufgenommen wird, findet bei der A. durch *Adhäsion eine Belegung (*Retention) der Festkörperoberfläche mit einer dünnen Mol.-Schicht statt. Das Potential zwischen der Oberfläche u. einem freien Teilchen hat folgenden prinzipiellen Verlauf[1] (s. Abb.).

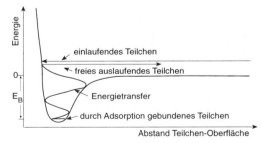

Abb.: Potential zwischen Oberfläche u. freiem Teilchen bei der Adsorption.

Die freiwerdende Bindungsenergie E_B geht in Wärme (Adsorptionswärme) über. Je nach der Bindungsenergie E_B spricht man von *Chemisorption (E_B

≥41,9 kJ/mol ~ 0,5 eV, chem. Bindungskräfte sind für das Haften der Teilchen an der Oberfläche verantwortlich) od. von Physisorption (E_B <41,9 kJ/mol), hier wirken *van-der-Waals-Kräfte, *London-Kräfte od. Dipol-Dipol- (s. Wasserstoff-Brückenbindung) bzw. Dipol-induzierte Dipol-Wechselwirkung.
Die physisorbierten Atome können sich nur an bestimmten Gitterplätzen der Oberfläche u. vielfach nur in einer bestimmten Ausrichtung anlagern. Sie bilden ein zweidimensionales Gitter mit Wandstrukturen zwischen einzelnen Domänen. Je nach Temp. u. Oberflächenbelegung kann sich die Gitterstruktur ändern, wobei Phasenübergänge auftreten (Beisp.: He, Kr od. O_2 auf Graphit.
Da die Oberfläche unterschiedliche *Affinität gegenüber den verschiedenen Komponenten besitzt, unterscheidet sich die Zusammensetzung der adsorbierten Schicht von der der Ausgangssubstanz, was für die Reinigung od. Separation von Stoffgemischen eingesetzt wird. Die traditionelle Anw. in der techn. Chemie ist die Entfernung von Spurenverunreinigungen aus Gas- u. Flüssigkeitsströmungen. Die adsorbierte Substanz (z. B. Brom-Dampf) wird als Adsorbat od. Adsorptiv (nach IUPAC durch den unteren Index „ads" gekennzeichnet), der adsorbierende Körper (z. B. Aktivkohle) als Adsorbens od. Adsorptionsmittel bezeichnet (vgl. Adsorbentien). Die großmol., schweren, leicht zu verflüssigenden Gase (Chlor, Phosgen) werden im allg. viel stärker acsorbiert als die leichten, schwer zu verflüssigenden Gase von der Art des Heliums, Wasserstoffs od. Sauerstoffs. Durch Erwärmung wird die Adsorptionskraft vermindert, durch Abkühlung erhöht. So adsorbiert z. B. 1 g Aktivkohle bei 0 °C nur 15, bei −185 °C dagegen 155 cm^3 Stickstoff. Wird das Adsorbens auf etwa 300 °C erhitzt, so verflüchtigen sich die adsorbierten Gase fast vollständig (*Desorption). Bei niederen Drücken u. Konz. (im Falle von Lsg.) ist die adsorbierte Menge diesen Größen proportional; sie wächst aber mit steigendem Druck bzw. steigender Konz. allmählich langsamer, bis sie einen Sättigungswert erreicht, von dem an keine weitere A. mehr erfolgt. In diesem Falle ist dann in der Regel über die gesamte Oberfläche des Adsorbens das Adsorbat in *monomolekularer Schicht ausgebreitet. Erfolgt bei höheren Drucken tatsächlich weitere A., so wird dies durch Anlagerung von Mol. auf dieser Schicht od. durch *Kapillarkondensation bewirkt. Für die A. aus Flüssigkeiten ist v. a. die *Grenzflächenspannung verantwortlich, d. h., A. tritt dann ein, wenn das Energiepotential an der Grenzfläche durch den dispergierten Stoff erniedrigt wird. Wenn ein Stoff einen anderen Stoff, der bereits vorher adsorbiert war, von der Oberfläche des Adsorbens verdrängt, weil sein Adhäsionsvermögen größer ist, so spricht man von Adsorptionsverdrängung. Die Beziehung zwischen der adsorbierten Menge u. dem Druck od. der Konz. (im Falle der A. aus einer Lsg.) wird Adsorptionsisotherme genannt. Von den zahlreichen in der Lit. erwähnten Ausdrücken für diese Isotherme sind die bekanntesten die von *Freundlich u. die von *Langmuir abgeleiteten. Tatsächlich ist die A. nicht immer eine stetige Funktion von Druck od. Konz., sondern erfolgt oft stufenweise (unstetige A.-Isotherme). Eine A.-Isotherme, die

die Anlagerung weiterer Mol.-Schichten u. den Übergang zur Kapillarkondensation berücksichtigt, ist die A.-Isotherme von Brunauer, Emmet u. Teller. Deren Bestimmung ist die Grundlage der sog. *BET-Methode zur Ermittlung der Oberfläche u. der Porengröße. Zur Untersuchung adsorbierter Spezies, z. B. bei der heterogenen Katalyse, können die *LEED-Meth., die NMR-, Photoelektronen- od. die Laser-Raman-Spektroskopie herangezogen werden.
A.-Vorgänge spielen in der Technik u. im täglichen Leben eine wichtige Rolle. Dafür einige Beisp.: In der Gasmaske werden die lungenschädigenden Kampfstoffe von Aktivkohle u. a. Substanzen adsorbiert. Textilien, Tapeten, Möbel, Körperhäute adsorbieren Ruß-, Rost- u. a. Schmutzteilchen. Von Zigarettenfiltern erwartet man, daß sie die im Rauch enthaltenen Spuren von krebserregenden Stoffen adsorbieren. Kühlt man Aktivkohle mit flüssiger Luft, so adsorbiert sie Helium nur sehr wenig, die übrigen Gase dagegen viel stärker; nach diesem Verf. kann durch wiederholte selektive A. nahezu reines Helium gewonnen werden. Die Mol. mancher Schutzkolloide (s. Kolloidchemie) werden von festen Kolloidteilchen (z. B. Silber- od. Goldteilchen) an der Oberfläche adsorbiert; umgekehrt können andere wiederum an ihren großen Oberflächen viele Metallkolloidteilchen festkleben. Bei *Flotation, *Abwasserbehandlung u. Entfernung von Flüssigkeiten spielen A.-Vorgänge eine wichtige Rolle, ebenso beim Färben der Textilien (bes. beim Einsatz von substantiven u. *Dispersionsfarbstoffen) u. bei der heterogenen *Katalyse. In Lackfabriken u. dgl. werden große Mengen von Lsm.-Dämpfen durch A. an Kieselsäuregel bzw. Aktivkohle zurückgewonnen. *Zeolithe wie auch bestimmte *Aktivkohlen wirken als *Molekularsiebe, s. a. Adsorbentien. An zahlreichen Lebensprozessen ist die A. ebenfalls beteiligt; so z. B. bei Enzymreaktionen, bei der Bindung von Giften durch Gegengifte, bei der Geruchsempfindung, Narkose u. Desinfektion. Wichtige Zweige der *Chromatographie u. a. *Trennverfahren beruhen auf A.-Vorgängen. Im Bereich der Kosmetik versteht man unter A. die Anlagerung (mit od. ohne chem. Bindung) an die Oberfläche der Haut, einschließlich der nach außen weisenden Wandungen ihrer Anhangsgebilde [2], vgl. a. Absorption u. Resorption. – E = F adsorption – I adsorbimento – S adsorción

Lit.: [1] Börnstein, Physics of Solid Surfaces, Bd. 24c, S. 278, Berlin: Springer 1995. [2] Gloxhuber u. Künstler, Anionic Surfactants, Bd. 43, S. 298, New York: Dekker 1992.
allg.: Henzler u. Göpel, Oberflächenphysik des Festkörpers, Stuttgart: Teubner 1994 ▪ Morrison, The Chemical Physics of Surfaces, New York: Plenum 1990 ▪ Rodrigues et al. (Hrsg.), Adsorption: Science and Technology, Dordrecht: Kluwer 1989 ▪ Ruthven, Adsorption (Chemical Engineering) in Encycl. of Physical Science and Technology, Bd. 1, S. 289, San Diego: Academic Press 1992 ▪ Ruthven, Principles of Adsorption and Adsorption Processes, New York: Wiley 1984 ▪ Ullmann (5.) 3, 8 ff. ▪ Wankat, Adsorption Separation Processes, Boca Raton: CRC Press 1986 ▪ Whyte, Yon u. Wagener (Hrsg.), Industrial Gas Separations, Washington: Am. Chem. Soc. 1983 ▪ Yang, Gas Separation by Adsorption Processes, Stoneham: Butterworth 1986.

Adsorptionschromatographie. Bez. für ein *Trennverfahren als Meth. der *Chromatographie, das auf

dem Prinzip der unterschiedlichen *Adsorption der zu trennenden Verb. an der *stationären Phase (dem *Adsorbens) beruht. Die *mobile Phase (Lsm., seltener Gas) konkurriert mit dem Adsorbat um die aktiven Zentren der *Adsorbentien. Auf einem ähnlichen Prinzip beruht die *Affinitäts-, auf einem anderen die *Verteilungschromatographie u. deren Spezialfall *Papierchromatographie.
Die A. kann als *Säulen-, *Dünnschicht-, *Gaschromatographie u. *HPLC durchgeführt werden. Als Adsorbentien werden neben den meist benutzten *Kieselgelen u. *Aluminiumoxiden auch gelegentlich Magnesiumoxid, -hydroxid, -carbonat, -silicat, Calciumoxid, -sulfat, -carbonat verwendet, ferner Talk, Bleicherden, Glaspulver usw. Als mobile Phase (auch als Laufmittel, *Fließmittel od. Elutionsmittel bezeichnet) verwendet man meist organ. Lsm. wie Alkane, Ketone, Ether, Ester, Glykole, Chlorkohlenwasserstoffe usw. Um die *Polarität des Fließmittels u. damit die *Elution kontinuierlich zu ändern, arbeitet man auch mit *Gradientenelution. Die getrennten Verb. können, sofern sie keine Eigenfarbe aufweisen, durch Fluoreszenz mit ultraviolettem Licht od. durch Farbreaktionen mit geeigneten Reagenzien (Dünnschichtchromatographie) sichtbar gemacht werden. Bei einigen Verf. (wie Hochleistungschromatographie) werden unter Ausnutzung unterschiedlicher physikal. Eigenschaften der getrennten Verb. *Detektoren eingesetzt.
Mit der A. gelingt die Trennung komplexer Stoffgemische. Sie hat sich bes. bewährt bei verwandten Derivaten u. Isomeren, die oft mit anderen Verf. nicht zu trennen sind.
Geschichte: Die A. geht auf *Tswett zurück; sie wurde von Engler (1886) u. Day (1897) begründet [1]. Über die Anfänge der A. s. *Lit.*[2]. Die Weiterentwicklung der A. ist mit den Namen *Brockmann, G. *Hesse, R. *Kuhn u. L. *Zechmeister verbunden. – *E* adsorption chromatography – *F* chromatographie par adsorption – *I* cromatografia ad adsorbimento – *S* cromatografía de adsorción
Lit.: [1] Naturwissenschaften **40**, 1 f. (1953). [2] Chem. Ztg. **78**, 419 f., 496 f. (1954).
allg.: Heftmann (Hrsg.), Chromatography: Fundamentals and Applications of Chromatography and Related Differential Migration Methods, 5. Aufl, Vol. A u. B, Amsterdam: Elsevier 1992 ▪ Ravindranath, Principles of Chromatography, Chichester: Horwood 1989 ▪ Schwedt, Chromatographische Trennmethoden, 3. Aufl., Stuttgart: Thieme 1994.

Adsorptionsisotherme s. Adsorption.

Adsorptionsmittel s. Adsorbentien u. stationäre Phase.

Adsorptionsregel (von Hahn) s. Hahnsche Regeln.

Adsorptiv s. Adsorption.

Adstringentien (von latein. adstringere = zusammenziehen). Bez. für Mittel, die in Schleimhäuten u. Wunden Eiweißfällungen u. Gerinnungen hervorrufen, so daß die Gewebe an den behandelten Stellen oberflächlich verdichtet werden. Hierher gehören z.B. Gerbsäure, Eichenrinde, Walnußblätter, Tannin-Albuminat, getrocknete Heidelbeeren, Alaun, essigsaure Tonerde, Aluminiumchlorat, Bleisalze, Kupfersulfat, Eisenchlorid, Silbernitrat u. -chlorid, Zinksulfat, Bismut-Verb. usw. In stärkeren Konz. wirken diese Stoffe vielfach gerbend. Die A. finden v. a. bei chron. Schleimhautkatarrhen Verwendung. Sie können nicht durch die Darmwand ins Blut wandern, da sie diese vorübergehend oberflächlich „gerben" u. damit für die A. selbst undurchlässig machen. In *Antidiarrhoika u. *Obstipantien werden v. a. gerbstoffhaltige Präp. u. Bismut-Salze verwendet, während die anderen Metall-Salze äußerliche Anw. finden, z.B. zur Blutstillung, Wundbehandlung, Entzündungshemmung sowie in *Antihidrotika. – $E = F$ astringents – I astringenti – S astringentes
Lit.: Helwig-Otto II/38 – 67.

ADUC. Abk. für die Arbeitsgemeinschaft der Professoren C 4 für Chemie an Universitäten u. TH der BRD. Die Geschäftsführung liegt bei der *GDCh. Die ADUC (seit März 1996 ein e.V.) veranstaltet die jährlichen Chemiedozententagungen u. ist eine der 11 Mitgliedsorganisationen im *Deutschen Zentralausschuß für Chemie.
Lit.: Nachr. Chem. Tech. Lab. **25**, 323, 344 (1977); **36**, 783, 824 (1988); **44**, 358 (1996).

Adular s. Feldspäte.

Adulte T-Zell-Leukämie. Bez. für einen bei Erwachsenen auftretenden bes. malignen Typ von T-Zell-*Leukämie. Die a. T.-Z.-L., die in Japan endem. auftritt, wird von einem humanen *Retrovirus, dem ATLV (*adult T-cell leukemia virus*) bzw. HTLV 1 (*human T-cell leukemia virus*) verursacht. – *E* adult T-cell leukemia – *F* leucémie des cellules T d'adultes – *I* leucemia T-cellulare degli adulti – *S* leucemia de células T de adultos
Lit.: Proc. Natl. Acad. Sci. USA **78**, 6776 – 6780 (1981).

Adumbran®. Tabl. mit *Oxazepam gegen Angst- u. Unruhezustände. *B.:* Thomae

Adurin®. Netzmittel für die Papiererzeugung der Dr. Th. Böhme KG.

Adversuten®. Tabl. mit dem *Antihypertonikum (peripherer α_1-Rezeptorenblocker) *Prazosin-Hydrochlorid. *B.:* AWD.

AE. Abk. für *Ångström-Einheit.

Aebi, Hugo (1921 – 1983), Prof. für Biochemie, Bern. *Arbeitsgebiete:* Klin. Chemie, Enzym-Mechanismen, Katalase, Peroxidase, Ernährungsprobleme.

AE-Cellulose. Kurzz. AE-C, s. Cellulose-Ionenaustauscher.

AED. *A*tom*e*missions*d*etektor in der *Gaschromatographie, mit dem elementspezif. Chromatogramme erhalten werden, z.B. für Cl-, P-, S- u. N-haltige Substanzen. Daneben ist die simultane Messung mehrerer Elemente sowie die Aufnahme von Emissionsspektren möglich.
Prinzip: Die Substanzen gelangen über eine beheizte Transferline in den *Detektor, wo durch ein Mikrowellenplasma ihre Zers. in Atome u. deren Anregung erfolgt. Das emittierte Licht gelangt über ein holograph. Gitter auf ein *Diodenarray. – $E = F = I$ AED – S detector de emisión atómica

Ägirin (Acmit, Akmit) s. Pyroxene.

Ägyptisch Blau. Ein bereits um 2600 v. Chr. in Ägypten verwendetes Blaupigment der Zusammensetzung $CaCu[Si_4O_{10}]$. Das Phyllo-Silicat kommt auch als Mineral *Cuprorivait* vor. – *E* Egyptian blue – *F* bleu égyptien – *I* blu eginziano – *S* azul egipcio
Lit.: Chem. Labor Betr. **27**, 432–437 (1976) ▪ Naturwissenschaften **62**, 181 f. (1975).

Ägyptischer Kümmel s. Römischer Kümmel.

Äpfelsäure (Apfelsäure, Hydroxybernsteinsäure).

$$HOOC-CH_2-\underset{\underset{OH}{|}}{CH}-COOH$$

$C_4H_6O_5$, M_R 134,09. L-(–)-A. bildet zerfließende Nadeln, die sich in Wasser, Alkohol u. Ether leicht lösen, Schmp. ca. 100 °C; das Racemat schmilzt bei 131–132 °C. L-(–)-A. findet sich in Äpfeln, Berberitzenbeeren, Quitten, Stachelbeeren, Trauben u. Vogelbeeren. A. wurde von Scheele 1785 aus Apfelsaft isoliert, ihre Konstitution hat Liebig 1832 ermittelt. Im menschlichen Organismus tritt A. als Zwischenstufe im *Citronensäure-Cyclus u. bei der Gluconeogenese auf.
Herst.: Opt. aktive A. wird als Stoffwechselprodukt von Pilzen u. Bakterien gewonnen, die racem. Form durch Hydratisierung von Fumar- od. Maleinsäure. D-(+)-A. läßt sich durch Racematspaltung der DL-A. od. aus L-(–)-A. durch Walden-Umkehr erhalten.
Verw.: Als Säuerungsmittel u. Säureregulator in der Süßwaren-Ind., als Synergist zu Antioxidantien (E 296), als chiraler Baustein in organ. Synthesen. – *E* malic acid – *F* acide malique – *I* mele, acido malico – *S* ácido málico
Lit.: Beilstein E IV **3** 1123 ff. ▪ Kirk-Othmer **12**, 837–849 ▪ Ullmann (4.) **13**, 156; (5.) **A 13**, 507. – [HS 2918 19; CAS 636-61-3 (D); 617-48-1 (DL); 97-67-6 (L)]

Aequamen®. Tabl. mit *Betahistin-dimesilat gegen Schwindelzustände. *B.:* Promonta Lundbeck

Äquatorial. Bez. aus der *Konformations-Theorie. In der Sesselform des *Cyclohexans sind 6 C,H-Bindungen nahezu parallel zur Ringebene (äquatorial) angeordnet, während die restlichen 6 C,H-Bindungen senkrecht (axial) auf dem „Äquator" stehen, u. zwar je 3 nach oben u. 3 nach unten; man spricht auch von „äquatorialen" u. „axialen" Substituenten. Bei durch Ringspannung deformierten Sesselformen liegen Substituenten in *pseudoäquatorialen*, bei Wannen- od. Twistformen dagegen in *quasiäquatorialen* Bindungen vor; Näheres s. bei Konformation. – *E* equatorial – *F* équatorial – *I* equatoriale – *S* ecuatorial

Äquidensiten. Begriff aus der *Photographie, unter dem man Linien, Kurven od. Flächen gleicher Helligkeit (od. Schwärzung) versteht. Durch Rechnereinsatz u. digitale Bildverarbeitung wird heute bei der Bildanalyse der Kontrast der Ä. durch Einfärben vergrößert (d. h. gleiche Helligkeitsstufe = gleicher Farbton), s. a. Falschfarbenphotographie. – *E* equidensities – *F* équidensité – *I* equidensiti – *S* equidensidades

Äquilibrierung. Bez. für das Erreichen eines Gleichgew. (latein.: aequilibrium). Speziell in der *Dünnschichtchromatographie Bez. für die Sättigung der *stationären Phase mit dem Dampf des Fließmittels. – *E* equilibration – *F* équilibrage – *I* equilibramento – *S* equilibrio

Äquimol(ekul)are Lösungen. Lsg., die in gleichen Vol. gleich viele Mole (Mol.) gelöst enthalten. *Beisp.:* Eine wäss. Lsg. mit 180 g Glucose (M_R 180) im Liter ist äquimolar einer Lsg. mit 342 g Saccharose (M_R 342) im Liter. – *E* equimol(ecul)ar solutions – *F* solutions équimol(écul)aires – *I* soluzioni equimolari – *S* soluciones equimol(ecul)ares

Äquivalent (von latein.: aequus = gleich u. valens = stark). Im *SI u. in der Nomenklatur der Physikal. Chemie[1] nicht vorgesehene Einheit für eine Stoffmenge (Kurzz.: *Val, Symbol: val). Angesichts der erweiterten Definition des *Mol erscheint die Einheit Val überflüssig[2], denn 1 mol = 1 val (bei der *Wertigkeit z = 1) bzw. 1 mol = 2 val (bei z = 2, z. B. bei H_2SO_4). Dennoch hat die IUPAC einen neuen Definitionsvorschlag gemacht[3]: „Das Äquivalent od. *Val* einer Substanz ist diejenige Stoffmenge, die, in einer definierten Reaktion, sich mit einer solchen Menge Wasserstoff vereinigt bzw. diesen freisetzt bzw. ersetzt, wie an 3 g Kohlenstoff in $^{12}CH_4$ gebunden sind." 1 val H_2SO_4 hat also eine Masse von 49,039 g, vgl. Äquivalentgewicht. Das Ä.-Konzept muß sich wie dasjenige des Mol auf Atome, Mol., Ionen, Radikale, Elektronen u. Quanten anwenden lassen. – *E* equivalent – *F* équivalent – *I* = *S* equivalente
Lit.: [1] Pure Appl. Chem. **51**, 1–41 (1979). [2] Chem. Rundsch. **28**, Nr. 21, 37, 41 (1975), s. dagegen Allg. Prakt. Chem. **23**, 246 (1972). [3] Pure Appl. Chem. **50**, 328–338 (1978).

Äquivalent-Dosis (Kurzz. D_q). Größe, mit der die Schädigung ionisierender Strahlung auf biolog. Gewebe beschrieben wird. Ist aus der Energie-Dosis D hergeleitet durch $D_q = q \cdot D$, wobei durch den Qualitätsfaktor q der Absorptionsquerschnitt der unterschiedlichen Strahlungsarten berücksichtigt wird. Typ. Werte für q (s. Tab. 1).

Tab. 1: Qualitätsfaktor (Q) zur Berechnung der Aquivalent-Dosis.

Strahlungsart	q
Röntgen- u. γ-Strahlung	1
β-Strahlung	1
langsame Neutronen	5
schnelle Neutronen	10
α-Strahlung	20

Die Einheit für die Ä.-D. ist: 1 Sv (Sievert) = 1 J/kg; vor 1985 gebräuchliche Einheit: 1 rem (*r*öntgen *e*quivalent *m*an) = 10^{-2} J/kg.
Während die Ä.-D. die mikroskop. Verteilung der im Gewebe absorbierten ionisierenden Strahlung berücksichtigt (s. LET), wird mit der *effektiven Ä.-D.* zusätzlich die unterschiedliche Strahlenempfindlichkeit der einzelnen Organe des menschlichen Körpers miteinbezogen. Hierbei wird als *Risikokoeffizient* r_T für die Krebserkrankung eines Organs od. Gewebes T der Quotient aus Strahlenrisiko p_T u. Ä.-D. H_T bezeichnet:

$$r_T = p_T/H_T \text{ (Einheit: 1/Sv)}$$

Aus r_T wird das *stochastische Gesamtrisiko* $R = \sum_T r_T$ u. der *Wichtungsfaktor* $w_T = r_T/R$ berechnet, deren Werte in der Tab. 2 aufgelistet sind.

Tab. 2: Risikokoeffizienten r_T u. Wichtungsfaktoren $w_T = r_T/R$ für stochast. Schadensereignisse bei Bestrahlung der Organe od. Gewebe T einer beruflich strahlenexponierten Person [nach ICRP 26 (dtsch: 1978), RöVO (1987) Anl. IV, StrlSchVO (1989) Anl. X].

Organ od. Gewebe	r_T [10^{-4} Sv^{-1}]	w_T
Keimdrüsen (Erbschaden) [1]	40	0,25
Brust	25	0,15
rotes Knochenmark	20	0,12
Lunge	20	0,12
Knochenoberfläche	5	0,03
Schilddrüse	5	0,03
andere Organe u. Gewebe [2]	50	0,30
Summe	R = 165	$\Sigma_T w_T = 1,00$

[1] Bei Keimdrüsenbestrahlung eines Elternteiles Schaden für die nächsten zwei Generationen.

[2] Blase, oberer Dickdarm, unterer Dickdarm, Dünndarm, Gehirn, Leber, Magen, Milz, Nebenniere, Niere, Bauchspeicheldrüse, Thymus, Gebärmutter. Hiervon ist für fünf der am stärksten strahlenexponierten Organe od. Gewebe die Körperdosis zu ermitteln u. mit $r_T = 10 \cdot 10^{-4}$ Sv^{-1} u. $w_T = 0,06$ zu bewerten; die Exposition aller übrigen Organe od. Gewebe bleibt unberücksichtigt.

Die effektive Ä.-D. H_E (Kurzbez. effektive Dosis) ist die Summe der mit dem zugehörigen Wichtungsfaktor w_T multiplizierten mittleren Ä.-D. H_T in den bestrahlten Organen u. Geweben:

$$H_E = \sum_T w_T \cdot H_T$$

– *E* dose equivalent – *F* équivalent de dose – *I* dose equivalente – *S* dosis equivalente

Lit.: Petzold u. Krieger, Strahlenphysik, Dosimetrie u. Strahlenschutz, Stuttgart: Teubner 1988 ■ Reich (Hrsg.), Dosimetrie ionisierender Strahlung, Stuttgart: Teubner 1990.

Äquivalentgewicht (Äquivalentmasse). Ebenso wie die *Molmasse eine dimensionslose Zahl für die Masse des *Äquivalents. In einfacher Darst. gibt das Ä. diejenige Menge einer Verb. an, die 1,008 g Wasserstoff od. das Äquivalent eines anderen Elementes enthält. Ä. spielen in der *Maßanalyse eine wichtige Rolle (s. a. Normalität); so ist z. B. eine Lsg., die 40 g reines NaOH im Liter enthält, äquivalent einer Lsg., die im Liter 56,5 g KOH, 36,5 g HCl od. 49 g H_2SO_4 enthält. – *E* equivalent weight – *F* poids équivalent – *I=S* peso equivalente

Äquivalentleitfähigkeit s. elektrische Leitfähigkeit.

Äquivalenz. In der *NMR-Spektroskopie unterscheidet man zwischen *chem. Ä.* u. *magnet. Äquivalenz.* Zwei od. mehrere Atomkerne sind chem. äquivalent od. *isochron*, wenn sie durch *Symmetrieoperationen ineinander übergeführt werden. Magnet. äquivalente Kerne haben die gleiche *Resonanzfrequenz u. nur eine charakterist. *Spin-Spin-Kopplungskonstante* mit den Kernen einer Nachbargruppe. Magnet. äquivalente Kerne sind auch chem. äquivalent, wogegen chem. äquivalente Kerne nicht magnet. äquivalent zu sein brauchen. Z. B. sind im 1,1-Difluorethylen ($F_2C=CH_2$) sowohl die beiden Protonen als auch die beiden Fluorkerne *chem. äquivalent*, jedoch *magnet. nichtäquivalent*, da zwei verschiedene Spin-Spin-Kopplungskonstanten existieren ($J_{cis} \neq J_{trans}$). Hingegen sind im Difluormethan (F_2CH_2) sowohl die Protonen als auch die Fluor-Kerne magnet. äquivalent. – *E* equivalence – *F* équivalence – *I* equivalenza – *S* equivalencia

Äquivalenzpunkt. Bei der *Titration derjenige Punkt, an dem die Menge der zugefügten Titer-Flüssigkeit derjenigen der titrierten Substanz chem. *äquivalent ist. Dieser ausgerechnete Punkt, dessen Erkennungsmeth. bei *Titration aufgeführt sind, wird auch als *stöchiometr. Punkt* od. als *theoret.* *Endpunkt* bezeichnet. In der *Immunologie versteht man unter Ä. denjenigen Punkt bei AAR, bei dem alle *Antikörper quant. mit *Antigenen reagiert haben (*Präzipitation). – *E* equivalence point – *F* point d'équivalence – *I* punto d'equivalenza – *S* punto de equivalencia

Aequorin. Protein aus Leuchtquallen (Medusen, *Aequorea*-Arten), M_R ca. 19 500. Die Aufarbeitung von 2 t Tieren ergab 125 mg Aequorin. In Anwesenheit von Spuren Ca^{2+}- oder Sr^{2+}-Ionen Licht (*Biolumineszenz). Diese Reaktion wird zur Bestimmung von Ca^{2+}-Ionen in biolog. Syst. genutzt. Die Ca^{2+}-bindenden Stellen im Protein sind die SH-Gruppen von drei Mol. *Cystein u. einem Mol. *Histidin; als funktionelles *Chromophor wurde 2-Amino-3-benzyl-5-(4-methoxyphenyl)-pyrazin = *Coelenterazin identifiziert. Die Lichtemission erfolgt als einem Phenolat-Monoanion von Coelenteramid [1]. – *E* aequorin – *F* équorine – *I* equorina – *S* ecuorina

Lit.: [1] Chem. Unserer Zeit **29**, 189f. (1995); J. Chem. Soc., Chem. Commun. **1994**, 165ff.

allg.: Biochemistry **26**, 1326–1332 (1987) ■ Methods Enzymol. **83**, 124 (1986) ■ Proc. Natl. Acad. Sci. U.S.A. **1986**, 8107–8111.

Aerex®. Enteisungs- u. Vereisungsschutzmittel für Flugzeuge im Winterbetrieb auf der Basis von *Glykolen. *B.:* BASF.

Aerobe Biologie (Belebung). Ein Verf. der *biologischen Abwasserbehandlung, bei dem aerobe Mikroorganismen (s. Aerobier) organ. Stoffe aus dem *Abwasser entfernen. Diese Mikroorganismen sind heterotroph (s. Heterotrophie), d. h. sie decken ihren Energiebedarf aus der Oxid. organ. Stoffe zu energiearmen Endprodukten (wie CO_2 u. H_2O; s. biologischer Abbau). Die durch die Oxid. organ. Substanzen nutzbar werdende Energiemenge führt zu einem Zuwachs an *Biomasse (s. a. Belebtschlamm), die in Form von *Überschußschlamm aus dem Reinigungssyst. abgezogen wird; ca. ein Drittel bis zur Hälfte der Energie fließt in die Biomasse-Produktion. Der Rest geht als *Abwärme verloren. Zu den heterotrophen Organismen in der a. B. gehören v. a. Bakterien u. Pilze sowie als ihre Konsumenten Geißeltierchen, Wurzelfüßer u. Wimpertierchen. Sie bilden je nach chem. u. physikal. Bedingungen Belebtschlamm-Flocken, *Blähschlamm od. Biofilme. Die Verschiedenartigkeit der Bakterienpopulation sowie die Vielfalt abbaubarer Stoffe machen die a. B. zu dem gegenwärtig universellsten Abwasserreinigungsverfahren. Dies gilt bes. für Abwässer mit Schwankungen nach Art u. Menge der Abwasserinhaltsstoffe. – *E* aerobic biology – *F* biologie aérobie – *I* biologia aerobia – *S* biología aerobia

Lit.: Ullmann (5.) **B 8**, 8–70.

Aerobier. Aerobier (Gegensatz zu *Anaerobier) sind Organismen (fast alle Tiere, die meisten Pilze u. viele Bakterien), die Sauerstoff für ihren Atmungsstoffwechsel (als terminalen Elektronen-Akzeptor) benötigen. Mikroorganismen nehmen Sauerstoff nur in gelöster Form, nicht aus der Gasphase auf. Obligate Aerobier, die Energie nur über die Atmung erzeugen u. auf Sauerstoff angewiesen sind, werden den obligaten *Anaerobiern (z. B. Clostridien) gegenübergestellt, die unter völligem Sauerstoff-Ausschluß wachsen u. für die Sauerstoff tox. ist. Microaerophile Keime tolerieren nicht nur Sauerstoff, sondern bevorzugen ihn bei niedrigem Partialdruck (1 – 3 kPa). Fakultative Anaerobier (Enterobakterien, viele Hefen) wachsen mit u. ohne Sauerstoff, bei Sauerstoff-Anwesenheit läuft die aerobe Atmung im Gegensatz zu den aerotoleranten Anaerobiern (meistens Lactobacillen), die auch bei Sauerstoff-Anwesenheit Energie nur über Gärungen gewinnen. A. entgiften das entstehende Superoxid-Radikal O_2^- durch *Superoxid-Dismutase zu Wasserstoffperoxid u. Sauerstoff. Wasserstoffperoxid wird meist durch *Katalase u. seltener *Peroxidasen (Lactobacillen) zersetzt.

$$2 O_2^- + 2 H^+ \xrightarrow{\text{Superoxid-Dismutase}} H_2O_2 + O_2$$

$$2 H_2O_2 \xrightarrow{\text{Katalase}} 2 H_2O + O_2$$

$$H_2O_2 + 2 \text{ Glutathion-SH} \xrightarrow[-2 H_2O]{\text{Glutathion-Peroxidase}} \text{Glutathiondisulfid}$$

– *E* aerobes – *F* aérobies – *I* aerobi – *S* aerobios
Lit.: Schlegel (7.).

Aerobin®. Kapseln u. Ampullen mit *Theophyllin gegen Atemwegserkrankungen u. Atemnot. *B.:* Farmasan.

Aerobiologie s. Luft.

Aerodur®. Dosieraerosol mit dem *Broncholytikum (β_2-Sympathomimetikum) *Terbutalin-Sulfat. *B.:* Pharma Stern.

Aerogel. Hochporöses Material aus Silicium- od. Metalloxiden (D.: 30 bis 300 kg/m^3, Schallgeschw.: 100 bis 300 m/s, innere Oberfläche: bis zu 1000 m^2/g). Seine größte Verw. wird als therm. Isolator[1] gesehen, denn es besitzt einen Wärmeverlustfaktor k ≤ 0,5 W/(m$^2 \cdot$ K); ferner für Detektoren von *Cerenkov-Strahlung u. als akust. Entspiegelung (durch eine $\lambda/4$-A.-Schicht wird eine Impedanzanpassung erreicht u. somit die Abstrahlung von *Ultraschall wesentlich erhöht[2]). Die Herst. von A. ist techn. aufwendig, denn unter *Normalbedingungen würde beim Verdampfen des Lsm. das Gel kollabieren. In einem neuen Verf. werden die inneren hydroxylierten Wände der Poren mit Silyl-Gruppen ausgekleidet, wodurch nach dem Trocknungsprozeß ein Aufspringen in die poröse Form erreicht wird[3]; s. a. Gele. – *E = S* aerogel – *F* aérogel
Lit.: [1] Phys. Unserer Zeit **26**, 235 – 241 (1995). [2] Phys. Bl. **51**, 935 ff. (1995). [3] Phys. Bl. **51**, 474 (1995); Nature (London) **374**, 439 (1995).
allg.: Phys. Unserer Zeit **17**, 101 (1986).

AEROSIL®. Durch Hydrolyse von Siliciumtetrachlorid in einer Knallgasflamme ($2 H_2 + O_2 + SiCl_4 \rightarrow SiO_2 + 4 HCl$, *Flammenhydrolyse*) hergestellte, hochdisperse „pyrogene" Kieselsäure von über 99,8% SiO_2-Gehalt. Das Herst.-Verf. wurde um 1940 von Kloepfer bei der Degussa entwickelt, vgl. *Lit.*[1]. A. ist aus amorphen, kugelförmigen Teilchen aufgebaut, die einen Durchmesser von 10 – 20 nm besitzen; bei einem Vol. von ca. 15 ml besitzt 1 g A. eine Oberfläche von 100 – 400 m^2! (D. 2,2, pH einer 4%igen wäss. Lsg. ca. 4). Die A.-Teilchen besitzen auf ihrer Oberfläche SiOH-Gruppen, die über relativ schwache *Wasserstoff-Brückenbindungen miteinander verknüpft sind, wodurch es zur Gerüstbildung kommt; näheres s. bei Thixotropie.
Verw.: Als Füllstoff für Natur- u. Synth.-, insbes. Siliconkautschuke, Verdickungsmittel für die pharmazeut. u. kosmet. Ind., Tablettier- u. Dragierhilfsmittel, Antiabsetzmittel u. Thixotropiermittel für Anstrichmittel u. Druckfarben, Rieselhilfe für zum Klumpen neigende Stoffe (hier bes. A. R 972, ein mittels Dichlordimethylsilan hydrophobiertes A.). Daneben findet A. Anw. in der Herst. bes. reiner Silicate, von Lichtpauspapieren (in Form von A.-Dispersionen), in der Papier-, Mineralöl- u. Email-Industrie. *B.:* Degussa.
Lit.: [1] Chem. Exp. Technol. **3**, 151 – 162 (1977).
allg.: Chem.-Ztg. **89**, 437 – 440 (1965) ▪ farbe + lack **75**, 531 – 538 (1969) ▪ Seifen, Öle, Fette, Wachse **94**, 849 – 858 (1968).

Aerosole (aus griech. = latein.: aer = Luft u. *Sole). Allg. Bez. für kolloide Syst. (s. Kolloidchemie) aus Gasen (z. B. Luft) mit darin verteilten kleinen festen od. flüssigen Teilchen (sog. *Schwebstoffen) von etwa 10^{-7} bis 10^{-3} cm Durchmesser. Sind die dispergierten Komponenten fest, so handelt es sich um *Staube od. *Rauche, sind sie flüssig, so spricht man von *Nebeln. Die A.-Teilchen können (z. B. durch dipolare od. unipolare Diffusion von Klein-Ionen) elektr. aufgeladen sein od. (z. B. durch Photoeffekt od. Photodissoziation entstanden od. durch Einwirkung von elektr. Entladungen erzeugt) selbst Ionen darstellen. A. sind unstabile kolloide Syst., da Dispersionsmittel u. kolloider Anteil erhebliche Dichte-Unterschiede aufweisen u. die *Brownsche Molekularbewegung ziemlich stark ist (häufige Zusammenstöße der Kolloide in dem nur schwach viskosen Dispersionsmittel können zur Koagulation führen). Je höher konz. das A. u. je größer die A.-Teilchen sind, um so rascher setzen sie sich am Boden ab. *Koagulation u. *Sedimentation lassen sich durch *Zentrifugieren, *Ultraschall-Einwirkung, elektr. Entladungen (*Cottrell-Verfahren), *Filtration u. dgl. beschleunigen. Das bedeutendste natürliche A. ist die Lufthülle der Erde (*sog. atmosphär. Aerosol*), deren Zusammensetzung starken lokalen Schwankungen unterliegt. Je nach der Natur der vorliegenden Schwebstoffe, ihrer Konz. u. dem Grad ihrer elektr. Aufladung können solche Teilsyst. d. atmosphär. A. das Wettergeschehen bestimmen (Bildung von Wolken, Nebel, Niederschlägen in Form von *Regen, *Schnee, Hagel, Tau, Reif). In mehr od. weniger begrenzten Bereichen treten als Schwebstoffe auf: vulkan. u. kosm. Staub, Sand aus Wüstengebieten, Salze aus ozean. Bereichen, Kohlenstaub, Rauche von Ind.-Anlagen, saure Nebel aus Feuerungen u. Autoabgasen – kurz alle Quellen natürlicher u. künstlicher *Luftverunreinigung bis hin zum *Smog. Die Gesamtmenge von A.-Teilchen wird weltweit auf ca. 2,6 Mrd. t geschätzt, wovon ca. 88,5% (2,3 Mrd. t) natürlichen Ursprungs sind u. ca. 11,5% (300 Mio. t) von Menschen verursacht werden (vgl. *Lit.*[1]).

Physiologie: Die physiolog. Wirkung ist außer von der stofflichen Zusammensetzung auch von der Teilchengrößenverteilung abhängig. Das Einatmen der A.-Teilchen u. die Resorption über die Lunge kann zur Verbreitung von tox. u. pathogenen Substanzen im Körper führen.

Herst.: Wie bei anderen kolloiden Syst. lassen sich Dispersions- u. Kondensationsmeth. heranziehen (s. Kolloidchemie). So erhält man A. z. B. durch mechan. Zerstäubung feiner Pulver, durch Kondensation von Dämpfen bei Abkühlung unter den Tau- od. Gefrierpunkt, durch Verbrennungsprozesse (Rauchbildung) od. Versprühen von Lsg., Solen, Emulsionen od. Suspensionen, wobei das Lsg.- od. Dispersionsmittel sofort verdampft. Im letzten Fall verwendet man meist sog. Sprühdosen (*Sprays), in denen ein verflüssigtes Druckgas als *Treibgas dient. Beim Druck auf den Ventilknopf entweicht das Treibmittel-Wirkstoff-Gemisch durch eine Düse aus der Dose; das Treibmittel verdampft sofort u. zerstäubt den Wirkstoff in der Luft, wodurch dann ein A. entsteht (näheres s. bei Sprays). In Wirtschaft u. Handel wird die Bez. „Aerosol" als Synonym für *Spray* od. *Sprühdose* gebraucht. In der Wahl der *Treibmittel wendet man sich seit ca. 1975 von den bis dahin bevorzugten *FCKW ab, weil diesen ein schädlicher Einfluß auf den – vor harter UV-Strahlung schützenden – *Ozon-Schild der Atmosphäre zugeschrieben wird (näheres s. bei FCKW). In einigen Ländern ist deshalb ein Verbot FCKW-haltiger Treibmittel erfolgt; in der BRD wurde der Einsatz von FCKW als Treibmittel in Sprays durch Selbstverpflichtung der Ind. von 53 000 t in 1976 bis auf ca. 5000 t in 1988 vermindert u. ist seit 1989 bis auf wenige Ausnahmen völlig substituiert worden. Als Ersatz für die FCKW sind nur wenige Gase geeignet (z. B. Propan, Butan, Dimethylether), weshalb die Entwicklung von Pumpen zur manuellen Versprühung verstärkt betrieben wurde.

Verw.: Künstliche A. (= *Sprays) sind wegen der Einfachheit der Handhabung u. Dosierung aus Ind., Handwerk u. Haushalt nicht mehr wegzudenken. Versprüht werden z. B. Haar- u. Körperpflegemittel, Desodorantien, Parfüms, Geruchsverbesserer, Desinfektions- u. Schädlingsbekämpfungsmittel, Fußboden-, Glas- u. Möbelpflegemittel, Lacke u. Anstrichmittel, Autopflegemittel u. v. a. In der Medizin hat die A.-Therapie ihren festen Platz. – *E* aerosols – *F* aérosols – *I* aerosol – *S* aerosoles

Lit.: [1] Naturwissenschaften **63**, 171–179 (1976). *allg.:* Kirk-Othmer (3.) **1**, 582–597; **21**, 466–483 ▪ Ullmann (4.) **2**, 254–258; **7**, 114–117. – *Zeitschriften:* Aerosol Age, Fairfield N.J.: Industry Publ. (seit 1956) ▪ aerosol report/aer, Heidelberg: Hüthig (seit 1962). – *Organisationen:* Föderation Europäischer Aerosol-Verbände (FEA), 49 Square Marie-Louise, B 1040 Bruxelles ▪ International Aerosol Association (IAA), Bahnhofstr. 37, CH 8023 Zürich ▪ Industrie-Gemeinschaft Aerosole (IGA), 60329 Frankfurt.

Aerotaxis s. Taxis.

Aerotex®. Marke der Cytes Industries Inc. für Textilchemikalien.

Aerotolerant. Aerotolerante Bakterien gehören zu den fakultativ anaeroben Bakterien (s. Aerobier), die in Ggw. von Sauerstoff leben, ihn aber nicht zur Energiegewinnung nutzen können (z. B. Milchsäure-Bakterien). Zur Entgiftung der entstehenden Peroxid-Radikale müssen die Enzyme *Superoxid-Dismutase u. *Katalase od. *Peroxidasen vorhanden sein. – *E* aerotolerant – *F* aérotolérant – *I* aerotollerante – *S* aerotolerante

Lit.: Schlegel (7.), S. 193.

Aerugo s. Grünspan.

AES. Abk. für *Auger-(Elektronen-)Spektroskopie.

Äscher(n) s. Gerberei.

Aescin.

Aus Roßkastanien (*Aesculus hippocastanum*) isolierbares *Saponin-Gemisch, das im wesentlichen (zu 20%) aus dem Glykosid [$C_{55}H_{86}O_{24}$, M_R 1131,27, Schmp. 225 °C, $[\alpha]_D^{27}$ −24° (c 5/CH_3OH)] des Protoaescigenins mit 2 Mol. Glucose u. 1 Mol. Glucuronsäure besteht. Das Aglykon *Protoaescigenin* [$C_{37}H_{58}O_8$, M_R 630,86, Krist., Schmp. 241–250 °C, $[\alpha]_D^{20}$ +25,6° ($CHCl_3$)] ist ein mit Essigsäure u. Tiglinsäure od. Angelicasäure verestertes *Triterpen. A. wird zur Behandlung von Hämorrhoiden u. Varizen eingesetzt. – *E* escin – *F* aescine – *I* = *S* escina

Lit.: Arzneim.-Forsch. **29**, 672 (1979) ▪ Chem. Pharm. Bull. **33**, 1043 (1985); **42**, 1357 (1994) ▪ Zechmeister **30**, 527–532. – [HS 2938 90; CAS 6805-41-0 (A.); 20690-10-2 (*Protoaescigenin*)]

Aesculetin s. Aesculin.

Aesculin (6-D-Glucopyranosyloxy-7-hydroxy-cumarin, Esculin).

$C_{15}H_{16}O_9$, M_R 340,28. Bitter schmeckende Nadeln, mit 1,5 Mol. H_2O, Schmp. 212 °C, $[\alpha]_D$ −78° (c 2,5/50% wäss. Dioxan). lösl. in Alkoholen, siedendem Wasser u. Pyridin; Isolierung aus verschiedenen Pflanzenarten, z. B. Roßkastanie u. Esche. Die wäss. Lsg. fluo-

resziert bei pH >5,8 blau, weshalb A. bereits 1929 als *optischer Aufheller für Textilfasern verwendet wurde. A. ergibt bei Hydrolyse Glucose u. das Aglykon Aesculetin.
Verw.: Wie andere *Cumarine (z. B. *Umbelliferon) als *Licht- u. *Sonnenschutzmittel, in der Bakteriologie zur Differenzierung von Bakterien u. in der Medizin wegen seines kapillarabdichtenden Effekts gegen Varizen, Hämorrhoiden u. Thrombosen. – E esculin – F aesculine – $I = S$ esculina
Lit.: Beilstein E V 18/3, 208–209 ▪ Chem. Pharm. Bull. **34**, 4012 ▪ Nat. Prod. Rep. **7**, 165–189 (1990) ▪ Phytochemistry **31**, 717 (1992). – *[HS 2338 90; CAS 531-75-9]*

Aescusan®. Filmtabl. mit Roßkastanienextrakt, Creme zusätzlich mit *Hamamelis-Extrakt; Ampullen u. Lsg. mit *Thiamin-Hydrochlorid zur Venentherapie. **B.:** Pharma Wernigerode.

Äskulapstab. Der Ä. ist das Berufssymbol der Ärzteschaft. Seinen Namen führt er nach dem griech.-röm. Gott der Heilkunst, Asklepios (latein.: Asculapidus), den antike Darst. stets mit einer Schlange zeigen. Diese windet sich um den Stab des Gottes. Die Legende besagt, daß Asklepios im Jahre 293 v. Chr. in Gestalt einer friedvollen Schlange die Stadt Rom von der Pest befreite. – E caduceus – F bâton d'Esculape – I verga di Esculapio – S vara de Esculapio

Ästuar s. Gewässer.

Äthanol s. Ethanol.

Äther s. Ether.

Aethoxal® B. Fettalkoholpolyalkylenglykolether, Überfettungsmittel für kosmet. Tensid-Formulierungen. **B.:** Henkel.

Aethoxysklerol Kreussler®. Injektionslsg. mit *Polidocanol u. Ethanol zur Verödung von Krampfadern. **B.:** Kreussler.

Äthyl... s. Ethyl...

Ätio... Von griech.: aitia = Grund, Ursache abgeleitetes Präfix zur Bez. von Abbauprodukten organ. Verb.; wird meist nur so lange benutzt, bis die Konstitution des abgebauten Produktes ermittelt u. diesem eine systemat. *Nomenklatur zuerteilt ist; *Beisp.:* Cholansäure ($C_{23}H_{39}$–COOH): Ätiocholansäure = 5β-Androstan-17β-carbonsäure ($C_{19}H_{31}$–COOH). – $E = I = S$ etio... – F étio...

Ätiologie (von griech.: aitia = Ursache u. logos = Lehre). Lehre von Ursache u. Wirkung, in der Medizin Lehre von den Krankheitsursachen. – E etiology – F étiologie – I etiologia, eziologia – S etiología

Ätioporphyrine s. Etioporphyrine.

Ätzalkalien s. Alkalien.

Ätzdruck. Bez. für ein Verf. des *Textildrucks. Dabei wird ein gefärbter Gewebeuntergrund mit einem Ätzmittelmuster bedruckt; der ursprüngliche Farbstoff wird an den bedruckten Stellen oxidativ od. reduktiv zerstört (*Weißätzen*), worauf die so gebleichten Stellen ggf. anders eingefärbt werden können (s. *Lit.*[1]). Bei der *Buntätze* enthält die Ätzpaste gleichzeitig ätzbeständige Farbstoffe. Zum Ä. auf Acrylfasern s. *Lit.*[2] u. auf Cellulose s. *Lit.*[3]. – E etch-printing – F gravure à l'eau forte – I incisione all'acquaforte – S estampación por corrosión
Lit.: [1] Text. Prax. Int., **1985**, 1235f. [2] Bayer Farben Rev. **22**, 60–66 (1972). [3] Text. Prax. Int. **1976**, 161–170, 291–298; **1983**, 54ff.
allg.: Behr u. Hanisch, Grundlagen der Textilchemie, Leipzig: Fachbuchverlag 1981 ▪ Rath, Lehrbuch der Textilchemie, Berlin: Springer 1972 ▪ Ullmann (4.) **22**, 568; **23**, 70ff.

Ätzen. Veränderung der Oberfläche von Stoffen durch Anw. von auflösenden flüssigen od. gasf. chem. aggressiven Verb. (*Ätzmittel*) od. (bei Metallen) auch durch elektrochem. Einwirkung. Im Gegensatz zum *Beizen wird beim Ä. nicht nur die Deckschicht entfernt, vielmehr wird auch der Untergrund lokal angegriffen u. abgetragen. Flächen, die von den Ätzmitteln nicht angegriffen werden sollen, werden mit Kunststoff-, Wachs- od. Asphaltschichten bedeckt, die nach dem Ä. wieder entfernt werden. In der *Metallographie* macht man durch Ä. das *Gefüge von Metallen u. Leg. sichtbar [Kornflächen-Ä., Korngrenzen-Ä., Kristallfiguren-Ä., s. DIN 29995 (10/1980)], bei *Meteoriten die sog. Widmannstätten-Figuren. Ätzverf. haben sich auch bei der Herst. von integrierten Schaltkreisen aus *Halbleitern als unersetzlich erwiesen. In der *Reproduktionstechnik* erzeugt man durch Ä. reliefartige Strukturen (Druckplatten): In der *Chemigraphie wird das Metall der Ätzplatten an den bildfreien Stellen aufgelöst, im Tiefdruck werden die Bildstellen durch Auflösen des Metalls in die Metalloberfläche eingeätzt. Im *Offsetdruck bezeichnet Ä. die Behandlung der Druckplatte mit geeigneten Mitteln, um sie für Wasser aufnahmefähig zu machen. Für die Reproduktionstechnik ist Ä. durch DIN 16544 (01/1966) u. DIN 16506 (05/1963) genormt: Geeignete Ätzmittel für Metalle sind z. B. Salzsäure (Ni, Zn, Stahl), Salpetersäure (Ni, Zn), Chromsäure (Cu, Ni, Stahl), Ammoniumpersulfat, Eisen(III)-chlorid, Phosphor-, Schwefel- u. Salpetersäure od. Natriumhydroxid (Al), Essig-, Salpeter- u. Flußsäure (Ge, Si, Halbleiter). Von *Ätzpolieren* spricht man, wenn beim *Polieren dem Poliermittel bereits ein Ätzmittel zugesetzt wird. Beim elektrolyt. Ä. werden Ätzlsg. u. Probe (Anode) von elektr. Gleichstrom durchflossen; die Schliff-Fläche wird hierbei teilw. durch Elektrolyse abgetragen, vgl. elektrochemische Metallbearbeitung. Bei elektronenmikroskop. Untersuchungen von *Festkörpern, für Strahlungsmessungen, aber auch zur Herst. von Mikrofiltrations-Membranen wendet man auch das sog. *Ionenstrahlätzen* an (s. *Lit.*[1]).
Beim Ä. von *Glas* wird die Oberfläche mit Lsg. von Flußsäure od. Fluoriden angegriffen; gebräuchlich sind Blank-Ä. sowie Tief- u. Matt-Ä., wobei sich das in Ggw. von Kaliumfluorid entstehende unlösl. Kaliumfluorsilicat auf den geätzten Flächen niederschlägt u. für den Matteffekt sorgt (*Beisp.:* Mattglas, Glühbirnen, Firmenstempel in Laborgläsern usw.; s. *Lit.*[2]). In der *Textiltechnik* wird bei der Weißätze der Farbstoff in gefärbtem Gewebe durch Aufdruck geeigneter Pasten durch Oxid. od. Red. lokal zerstört (*Ätzdruck-Verf.). In der *Medizin* werden Wucherungen auf der Haut (z. B. *Warzen) durch Ätzstifte aus Höllenstein ($AgNO_3$) od. anderen Ätzmitteln entfernt. Durch *Gefrierätzung* läßt sich der Bau von biolog. u. künstlichen

Membranen sichtbar machen, s. *Lit.*³. Beim Umgang mit *ätzenden Stoffen* (in diesem Werk entsprechend der Arbeitsstoff-VO gekennzeichnet durch das *Gefahrensymbol „Ätzend", vgl. Vorwort) sind bes. Vorsichtsmaßnahmen einzuhalten, s. a. *Lit.*⁴. – *E* etching, corroding – *F* mordre, graver – *I* incisione con mordenti chimici – *S* corrosión, grabado

Lit.: ¹ Schott. Inf. 1972, Nr. 3, 1–12, Nr. 4, 6–21; 1973, Nr. 1, 18–27; Kirk-Othmer (3.) **16**, 826–850. ² Kirk-Othmer (3.) **11**, 842. ³ Ann. Rev. Phys. Chem. **26**, 101–122 (1975). ⁴ Merkblatt Ätzende Stoffe (aus Sommer u. Schmidt: Gefährliche Stoffe) Wiesbaden: Deutscher Fachschriftenverlag 1988.
allg.: Beckert u. Klemm, Handbuch der metallographischen Ätzverfahren, Leipzig: Geest&Portig 1976 ■ Jahrbuch der Oberflächentechnik, Jg. 40, S. 30ff., Berlin/Heidelberg: Metall-Verlag 1984 ■ Kirk-Othmer **13**, 290 f.; **16**, 522 f. ■ Petzow, Metallographisches Ätzen, Stuttgart: Borntraeger 1976 ■ Ullmann (5.) A **13**, 634 ■ Winnacker-Küchler (4.) **3**, 436.

Ätzende Stoffe. Ein Stoff od. eine Zubereitung gilt als ätzend, wenn bei Aufbringung auf die gesunde intakte Haut von Versuchstieren nach der in § 2 Abs. 4 ChemPrüfV beschriebenen Prüfmeth. für die Hautreizung od. einer gleichwertigen Meth. bei mind. einem Versuchstier die Zerstörung der Haut in ihrer gesamten Dicke hervorgerufen wird od. wenn dieses Ergebnis vorausgesagt werden kann, z. B. bei stark sauren od. alkal. Reaktionen (nachgewiesener pH-Wert von 2 od. weniger bzw. 11,5 od. mehr; eine alkal. od. saure Reserve ist ebenfalls zu berücksichtigen). Die Einstufung kann auch aufgrund der Ergebnisse gut validierter *in vitro*-Tests erfolgen. Der Stoff od. die Zubereitung wird als ätzend eingestuft u. mit dem Gefahrensymbol „C" u. der Gefahrenbez. „ätzend" gekennzeichnet u. mit den R-Sätzen R 35 „Verursacht schwere Verätzungen" od. R 34 „Verursacht Verätzungen" versehen. – *E* corrosive substances

Lit.: Anhang I der GefStoffV vom 26. 10. 1993 (BGBl. I, S. 1782), zuletzt geändert durch die Zweite VO zur Änderung der GefStoffV vom 19. 09. 1994 (BGBl. I, S. 2557).

Ätzgewebe. Gewebe od. Maschenwaren, in denen aus Musterungsgründen Faserzerstörungen vorgenommen worden sind.

Ätzkali s. Kaliumhydroxid.

Ätzkalk s. Calciumoxid.

Ätznatron s. Natriumhydroxid.

Ätztinten s. Glastinten.

A-Faktor (Autoregulating-Factor).

Der A-F. ($C_{13}H_{22}O_4$, M_R 242,32), wie auch andere strukturverwandte Verb., initiiert Differenzierungsvorgänge u. das Anschalten von Antibiotika-Biosynthesegenen bei bestimmten Bakterienstämmen (z. B. *Streptomyceten). – *E* A factor – *F* facteur A – *I* fattore A – *S* factor A

Lit.: Gene **115**, 159–165 (1992) ■ Gräfe, S. 460 ff.

Afalon®. Gegen Unkräuter im Gemüse-, Obst-, Wein- u. Zierpflanzenbau verwendetes Herbizid auf der Basis von *Linuron. *B.:* Hoechst Schering AgrEvo GmbH.

Affenvirus 40 (Simian-Virus 40, Abk. SV 40). Onkogenes *cDNA-Virus, das aus einem nackten *Capsid (ohne Hülle, s. Viren) mit ikosaedr. Struktur besteht. Das A. 40 gehört, wie die *Papilloma-Viren u. Polyoma-Viren, zu den *Papovaviren. – *E* Simian-Virus 40 – *F* virus du singe – *I* scimmia virus – *S* virus del mono 40

Lit.: Schlegel (7.), S. 149.

Affinade, Affination s. Saccharose.

Affinität (von latein.: affinitas = Verwandtschaft). In der *Chemie* versteht man seit M. *Albertus. u. v. a. seit *Glauber unter A. diejenige „chem. Triebkraft", mit der sich die *chemischen Elemente u. Verb. zu neuen Stoffen verbinden. Nach dem *Thomsen-Berthelotschen Prinzip bildet die *Reaktionswärme ein Maß für die A., dem allerdings die Existenz spontan ablaufender *endothermer Reaktionen widerspricht. In der Gleichgew.-*Thermodynamik versteht man unter der A. nach Van t'Hoff u. Bennewitz die *max.* Nutzarbeit einer Reaktion, die bei isotherm-isochorer Reaktionsführung (Temp. u. Vol. konstant) gleich dem Negativen der Freien Reaktionsenergie u. bei isotherm-isobarer Reaktionsführung (Temp. u. Druck konstant) gleich dem Negativen der *Freien Reaktionsenthalpie ist. Da im letzteren Fall $\Delta G = \Delta H - T \cdot \Delta S$ gilt (*Gibbs-Helmholtzsche Gleichung), ist die A. einer Reaktion um so größer, je stärker neg. die *Reaktionsenthalpie ΔH u. je stärker pos. die *Reaktionsentropie ΔS ist; T ist die abs. Temperatur.

In der Thermodynamik *irreversibler Prozesse ist die A., die nach De Donder als

$$A \equiv -\sum_i v_i \cdot \mu_i$$

definiert wird, wobei v_i der stöchiometr. Faktor u. μ_i das *chemische Potential eines Reaktionsteilnehmers i sind, ein Maß für die Triebkraft, mit der die chem. Reaktion ihrer Gleichgewichtslage zustrebt. In der Biochemie nutzt man die sehr spezif. A. von biolog. Makromol. zu ihren Liganden bei der *Affinitätschromatographie u. bei der *Affinitätsmarkierung von *Enzymen aus. In der Immunologie bezieht sich A. auf die Bindung einer einzelnen *Antikörper-Bindungsstelle an eine *Antigen-Determinante; bei Wechselwirkungen zwischen multivalenten Antikörpern u. multideterminanten Antigenen verwendet man den Begriff der *Avidität.* – *E* affinity – *F* affinité – *I* affinità – *S* afinidad

Affinitätschromatographie. Bez. für eine Meth. der *Chromatographie, die in der Biochemie zur Isolierung od. Anreicherung (in einem Schritt oft einige 10^5fach) von speziellen Proteinen u.ä. Komponenten aus komplexen biolog. Syst. benutzt wird. Die A. beruht auf der Fähigkeit bestimmter zusammengehöriger Partner wie *Antigen – *Antikörper, *Enzym – *Substrat, *Rezeptor – *Hormon, *Kohlenhydrat – *Lektin, *Nucleinsäure – komplementäre Nucleinsäure, sich gegenseitig zu erkennen u. miteinander in Wechselwirkung zu treten.

Verf.: Bei der A. nutzt man die biospezif. *Affinität eines Partners aus, der – als reaktiver *Ligand od. *Ef-

Affinitätsmarkierung

fektor an ein chromatograph. Sorbens als *Träger fixiert – aus einem aufgebrachten Gemisch die spezif. passende Komponente bindet, während die übrigen Anteile das Trennrohr unverändert passieren (*bioselektive Adsorption*). Um unspezif. Adsorptionen u. Assoziationen zu vermeiden, wird bei der A. mit hohen Ionenstärken gearbeitet. Die *Elution der spezif. gebundenen Komponente erfolgt durch Änderung des pH-Werts, der Ionenstärke od. biospezif. mit einem kompetitiven, lösl. *Inhibitor od. Liganden-Analogen. Mit der A. können nicht nur einzelne Proteine (od. andere Makromol.) sondern ganze Protein-Familien (z. B. *Dehydrogenasen unter Verw. von *Nicotinamid-Adenin-Dinucleotid als Ligand) sowie Zellpopulationen isoliert werden.

Herst. des Trägermaterials: Die *Immobilisierung des Liganden unter Beibehaltung seiner Aktivität, also die Herst. eines *Affinitätssorbens* als *stationäre Phase des Trennverf., kann auf verschiedenen Wegen erfolgen. Dabei hat sich die kovalente Bindung an Trägermaterialien wie *Dextrane, *Polyacrylamide, *Agarose bes. bewährt. Mit *Bromcyan aktivierte Agarose (*Sepharose®) reagiert mit prim. Amino- u. a. Gruppen, wie sie z. B. in Biopolymeren vorkommen, unter Ausbildung kovalenter Bindungen. Andere aktivierte Träger enthalten Thiol- od. Epoxy-Gruppen. Kleine Liganden werden häufig über Brückenglieder (*Spacer*, Kohlenwasserstoff-Ketten mit 6-8 Kohlenstoff-Atomen, z. B. 1,6-Diaminohexan, 6-Aminohexansäure) an die Matrix gekoppelt, da die Wechselwirkung mit dem anzureichernden Protein sonst ster. behindert sein kann. Mit immobilisiertem *Avidin od. *Streptavidin u. kommerziell erhältlichen biotinylierten (vgl. Biotin) Liganden kann A. im „Baukasten-Syst." betrieben werden.

Varianten: Eine spezielle Unterart der A. ist die *kovalente Chromatographie*, bei der z. B. Thiolgruppenhaltige Proteine unter Ausbildung von Disulfid-Brücken gebunden werden. Somit kann auch eine Abtrennung intakten Proteins von oxidiertem, Disulfidhaltigem Eiweiß erzielt werden. Eine weitere Variante ist die *hydrophobe Chromatographie*. Bei ihr werden hydrophobe Wechselwirkungen zwischen lipophilen Liganden (Octyl-, Phenyl-Resten) u. Lipoproteinen, Membranproteinen od. sonstigen Proteinen mit hydrophoben Bereichen ausgenutzt, um diese von hydrophilen Proteinen abzutrennen. – *E* affinity chromatography – *F* chromatographie par affinité – *I* cromatografia ad affinità – *S* cromatografía de afinidad

Lit.: Hermanson et al., Immobilized Affinity Ligand Techniques, San Diego: Academic Press 1992 ■ Kline, Handbook of Affinity Chromatography, New York: Dekker 1993.

Affinitätsmarkierung. In der biochem. Forschung bei der Aufklärung von Struktur-Wirkungsbeziehungen verwendete spezif. chem. Veränderung von Makromol. (z. B. von *Enzymen, *Rezeptoren) unter Ausnützung ihrer *Affinität zu *Liganden wie z. B. *Substraten, *Coenzymen, *Hormonen. Speziell bei der *Photoaffinitäts-Markierung* ist der Ligand mit einer photoreaktiven (z. B. Azido-, Diazirino-)Gruppe modifiziert. Diese bildet nach Bindung an die affinen Bindungsstelle des Makromol. u. nach Bestrahlung mit UV-Licht hochreaktive Zwischenstufen aus (Nitrene bzw. Carbene), die schnell mit benachbarten Atom-Gruppen des Makromol. reagieren können. Diese Meth. hat den Vorteil, daß trotz niedriger unspezif. Modifizierung hohe Einbauraten des Liganden ins Bindungszentrum des Makromol. erzielt werden können. – *E* affinity label(l)ing – *F* marquage d'affinité – *I* marcatura d' affinità – *S* marcación de afinidad

Lit.: Knorre u. Vlassov, Affinity Modification of Biopolymers, Boca Raton: CRC 1989.

AFFINITY®. Marke der *Dow für Polyolefin-Plastomere.

Afilan®. Sortiment von Präparationsmitteln für Synthesefasern. *B.:* Hoechst.

AFK. Nach DIN 7728, Tl. 2 (03/1980) Kurzz. für Asbestfaser-verstärkte Kunststoffe; s. Faserverstärkung.

Aflatoxine. Gruppe von Stoffwechselprodukten der *Schimmelpilze *Aspergillus flavus, A. parasiticus* u. a., die bes. Nüsse, Mais u. Getreidemehle befallen. A. zählen zu den gefährlichsten Pilzgiften (*Mykotoxinen) u. stärksten Lebercarcinogenen[1,2]. Bekannt wurden sie als Verursacher des Truthahnsterbens, dem 1960 in Großbritannien 100 000 Truthühner zum Opfer fielen[3].

$R^1 = H$, $R^2 = OCH_3$, $R^3 = H$: A. B_1
$R^1 = OH$, $R^2 = OCH_3$, $R^3 = H$: A. M_1
$R^1 = H$, $R^2 = OH$, $R^3 = H$: A. P_1
$R^1 = H$, $R^2 = OCH_3$, $R^3 = OH$: A. Q_1

$R^1 = H$, $R^2 = H$: A. B_2
$R^1 = OH$, $R^2 = H$: A. M_2
$R^1 = H$, $R^2 = OH$: A. B_{2a}

$R^1 = H$: A. G_1
$R^1 = OH$: A. GM_1

$R^1 = H$, $R^2 = H$: A. G_2
$R^1 = OH$, $R^2 = H$: A. GM_2
$R^1 = H$, $R^2 = OH$: A. G_{2a}

A. B_3

A. flavus bildet A. B_1 u. B_2; *A. parasiticus* zusätzlich noch G_1 u. G_2 (B = blau u. G = grün[4] stehen für die Fluoreszenz im UV-Licht). Andere A. sind tier. od. mikrobielle Stoffwechselprodukte dieser vier (z. B. M_1, M_2, GM_1, GM_2, P_1, Q_1). Verb. der M-Reihe treten bes. in der Milch u. Milchprodukten auf, u. M_1 steht B_1, was die schädlichen Wirkungen angeht, kaum nach. Die A. bestehen alle aus einem Dihydrofurofuran- bzw. Tetrahydrofurofuran-Ringsyst., das an ein substituiertes Cumarin-Syst. ankondensiert ist.

A. sind die einzigen Toxine, deren max. Gehalt in Lebens- u. Futtermitteln gesetzlich geregelt ist[5] (A.-VO).

Tab.: Aflatoxine.

Aflatoxin	Summenformel	M_R	Schmp. [°C]	$[\alpha]_D$	CAS
B_1	$C_{17}H_{12}O_6$	312,28	268–269	–562° (c 0,115/CHCl$_3$)	1162-65-8
B_2	$C_{17}H_{14}O_6$	314,29	305	–492° (c 0,1/CHCl$_3$)	7220-81-7
B_{2a}	$C_{17}H_{14}O_7$	330,29	217		17878-54-5
P_1	$C_{16}H_{10}O_6$	298,25	320	–574° (c 0,08/CH$_3$OH)	32215-02-4
B_3	$C_{16}H_{14}O_6$	302,28	217		23315-33-5
G_1	$C_{17}H_{12}O_7$	328,28	247–250	–556° (c 0,1/CHCl$_3$)	1165-39-5
G_2	$C_{17}H_{14}O_7$	330,29	237–240	–473° (c 0,084/CHCl$_3$)	7241-98-7
G_{2a}	$C_{17}H_{14}O_8$	346,29	190		20421-10-7
M_1	$C_{17}H_{12}O_7$	328,28	299	–280° (c 0,1/DMF)	6795-23-9
M_2	$C_{17}H_{14}O_7$	330,29	293		6885-57-0
GM_1	$C_{17}H_{12}O_8$	344,28	276		23532-00-5
GM_2	$C_{17}H_{14}O_8$	346,29	270–272		
15,16-Epoxid (B_1)	$C_{17}H_{12}O_7$	328,28	>300		67337-06-8
M_4	$C_{17}H_{12}O_7$	328,28			104700-21-2
Q_1	$C_{17}H_{12}O_7$	328,28	266		

Für den Nachw. im pg-ng-Bereich sind Antikörper für ELISA-Tests erhältlich. Die Nachweisgrenze bei der DC/HPTLC liegt bei 2 µg/kg Probenmaterial[6]. A. B_1 ist das am häufigsten vorkommende, am stärksten tox. u. carcinogene Aflatoxin. Die Giftigkeit der A. hängt einmal von der Struktur, zum anderen aber von den individuellen Voraussetzungen des einzelnen Organismus bzw. Zelltyps ab. Prim. wird die Leber angegriffen, aber auch Nierenschädigungen treten auf. A. B_1 wird durch mikrosomale Enzyme metabol. aktiviert, dabei entsteht das reaktive 15,16-Epoxid. Dieses kann sowohl an DNA als auch an chromosomale Proteine binden. Die mutagene u. carcinogene Wirkung wird durch eine kovalente Bindung an N-7 eines Guanyl-Restes der DNA mit anschließenden Folgereaktionen u. dadurch bedingte Mutation im Gen p53, einem Tumorsuppressor-Gen, erklärt. In Hepatozyten kommt es in Ggw. von A. B_1 zu einer G → T-Umwandlung, die zu einem Austausch von Arginin durch Serin im codierten Protein führt. Diese G → T-Umwandlung findet man auch in Lebertumoren[7]. A. B_1 u. das Hepatitis-B-Virus wirken synergist. in der Leber[8]. Bes. empfindlich auf A. B_1 reagieren Forellen u. Entenküken (LD$_{50}$ 18 µg/50 g Körpergew.). Die Biosynth.-Schritte sind incl. der beteiligten Enzyme u. z. T. der Gene aufgeklärt[9]. – *E* aflatoxins – *F* aflatoxine – *I* aflatossine – *S* aflatoxinas

Lit.: [1] Nature (London) **267**, 863 (1977). [2] Proc. Natl. Acad. Sci. USA **80**, 2695–2698 (1983). [3] Endeavour **1963**, 75–79. [4] J. Am. Chem. Soc. **87**, 882 (1965). [5] BGBl. I, S. 3313, i. d. F. der Änderungs-VO vom 6. 11. 1990. [6] Analyst **115**, 1435–1439 (1990). [7] Nature (London) **350**, 427 ff. (1991). [8] Handbook of Applied Mycology, Bd. 5, Mycotoxins in Ecological Systems, Kap. 10 u. 11, New York: Dekker 1992; Lancet **339**, 943–964 (1992). [9] Appl. Environ. Microbiol. **59**, 3273–3279, 3564–3571 (1993).
allg.: Angew. Chem. **96**, 462–474 (1984) ▪ Betina, Mycotoxins – Chemical, Biological and Environmental Aspects, Kap. 7, Amsterdam: Elsevier 1989. – *Carcinogenese:* J. Biol. Chem. **264**, 12226–12231 (1989) ▪ Proc. Natl. Acad. Sci. USA **90**, 8586–8590 (1993). – *Epidemiologie:* Annu. Rev. Phytopathol. **25**, 249–270 (1987). – *Synth.:* J. Org. Chem. **51**, 1006 (1986) ▪ Synthesis **1988**, 760 ▪ Sax (8.), Nr. AET 750–AEW 500. – *[HS 2932 99]*

Aflatrem (α,α-Dimetilallylpaspalinin). $C_{32}H_{39}NO_4$, M_R 501,67, Nadeln, Schmp. 222–224 °C, Inhaltsstoff von *Aspergillus flavus*, gehört zu den tremorgenen Toxinen, welche bei Tieren Zittern u. Krämpfe hervorrufen. In den Sklerotien wird A. Schutzfunktion vor Tierfraß zugeschrieben. – *E = F = S* aflatrem – *I* α,α-dimetilallilpaspalinina
Lit.: Colc-Cox, Handbook of Toxic Fungal Metabolites, S. 410–413, New York: Academic Press 1981 ▪ Tetrahedron Lett. **1980**, 239. – *[CAS 70553-75-2]*

Aflux®. Verarbeitungswirkstoffe für die Gummi-Ind.; Dispergier- u. Gleitmittel zur Verbesserung von Plastizität, Fließverhalten, Spritzbarkeit u. Spritzleistung von Kautschuk-Mischungen u. zur besseren Dispergierung von Chemikalien u. Füllstoffen. *B.:* Rhein Chemie Rheinau GmbH.

AFM. Abk. für *Atomic Force Microscope*. Neuer Mikroskoptyp, ähnlich aufgebaut wie das *Tunnelmikroskop, bei dem die Kraft zwischen der Prüfspitze u. der zu untersuchenden Oberfläche gemessen wird (~10^{-18} N). Wie mit dem Tunnelmikroskop können mit dem AFM atomare Strukturen in der Oberfläche aufgelöst werden, es besitzt, verglichen mit dem Tunnelmikroskop, den Vorteil, nicht von der elektr. Leitfähigkeit u. lokalen Ladungen der Oberfläche abhängig zu sein. – *E* AFM
Lit.: Phys. Rev. Lett. **56**, 939 (1986) ▪ Rev. Sci Instrum. **59**, 833 (1988).

Afonilum®. Kapseln mit *Theophyllin, Ampullen mit Theophyllin-Ethylendiamin u. *Aminophyllin, sowie Ampullen mit Theophyllin-Natriumglycinat gegen Bronchialasthma u. Emphysembronchitis. *B.:* Knoll.

Afrormosia (Asamela). Dem *Teakholz ähnliche, daher auch „falsches Gold-Teak" genannte Holzart der im Kongo u. an der Elfenbeinküste wachsenden *A. elata*. A. ist ein schweres, hartes, zähes Holz von grünlich-gelber bis gelbbrauner Farbe, das gegen Pilze u. Insekten, insbes. *Termiten resistent ist. Es läßt sich gut bearbeiten u. kann oft Teak ersetzen. Die Wurzel

Afrotin®-Marken

wird pharmazeut. als Tonikum u. bei Lungenleiden genutzt. – *E* afrormosia – *F* Afrormosia – *I* = *S* afrormosia
Lit.: Franke, Nutzpflanzenkunde, Stuttgart: Thieme 1992. – [HS 4403 49]

Afrotin®-Marken. Fungizide bzw. Verrottungsschutzmittel für Textilien *B.*: Schill & Seilacher GmbH & Co.

Afugan®. System. Fungizid auf der Basis von *Pyrazophos gegen Mehltaupilze. *B.*: Hoechst Schering AgrEvo GmbH.

Afwillit. $Ca_3[SiO_3CH]_2 \cdot 2H_2O$; zu den Insel-*Silicaten gehörendes monoklines Mineral, Krist.-Klasse $2-C_2$, Struktur s. *Lit.*[1]. Farblose bis weiße, tafelige, nach einer Richtung gestreckte, glasglänzende Krist.; auch körnig; H. 3, D. 2,63.
Vork.: In Kalkstein-Einschlüssen in *Basalten, z.B. Ettringen/Eifel, Maroldsweisach/Bayern, Scawt Hill/Irland. In den *Klinker-Materialien des *Zements. – *E* = *F* = *I* afwillite – *S* afwilita
Lit.: [1] Acta Crystallogr., Sect. B **32**, 475–480 (1976).
allg.: Ramdohr-Strunz, S. 83 ■ Roberts et al., Encyclopedia of Minerals (2.), S. 7, New York: Van Nostrand Reinhold 1990. – [CAS 16291-79-5]

Afzelia (Kurzz. AFZ; nach dem schwed. Botaniker A. Afzelius, 1750–1837). Auch *Doussie* genanntes Holz der im trop. Afrika heim. *Afzelia bipindensis* Harms. A. ist ein gelblich-hellbraunes bis rötlichbraunes, schweres, hartes, grobfaseriges Holz, das gegen Pilze u. Insekten resistent ist, außerdem witterungsbeständig u. weitgehend säurefest. Es dient als Konstruktionsholz für innen u. außen, für Außenfurniere u. Parkett.

Ag. 1. Chem. Symbol für *Silber. – 2. Kurzz. für Alfagras, s. Espartogras.

AGA. Kurzbez. für den 1904 gegr. schwed. Chemiekonzern AGA AB, Lidingö. *Daten* (1994): 10 546 Beschäftigte, 7,771 Mrd. skr Kapital, 12,544 Mrd. skr Umsatz (Gruppe). *Produktion:* Techn. Gase, Geräte für die Gas- u. Schweiß-Ind., elektron. Präzisionsgeräte, Anästhesier- u. Beatmungsapparate usw. *Vertretung* in der BRD: AGA Gas GmbH, Troplowitzstraße 5, 22529 Hamburg.

Agalmatolith s. Pyrophyllit.

Agar(-Agar) (E 406). Gel-bildendes Heteropolysaccharid aus der Zellwand zahlreicher Rotalgen (kommerzielle Herst. aus *Gelidium*-Arten). A., ein Gemisch aus der gelierenden *Agarose (bis zu 70%) u. dem nichtgelierenden Agaropektin (bis zu 30%), hat ein M_R von 110 000 – 160 000, ist farb- u. geschmacklos, unlösl. in kaltem, lösl. in heißem Wasser. Noch in 1%iger Lsg. wird ein festes Gel gebildet, das zwischen 80–100 °C schmilzt u. sich bei ca. 45 °C wieder verfestigt. Der Hauptbestandteil Agarose ist ein lineares Polysaccharid aus D-Galactose u. 3,6-Anhydro-L-galactose, die alternierend β-1,3- u. β-1,4-galactosid. verknüpft sind. Das kompliziert aufgebaute Agaropektin besteht aus linear β-1,3-verknüpften, teilw. in 6-Stellung mit Schwefelsäure veresterten Galactose-Einheiten, 3,6-Anhydrogalactose u. den entsprechenden *Uronsäuren.

Verw.: A. ist nicht tox. für Mikroorganismen u. kann nur von wenigen Bakterien aus marinen Biotopen abgebaut werden, eignet sich daher ideal zur Herst. fester Nährböden in der *Mikrobiologie (erstmals 1882 von Robert Koch eingeführt). In der Arzneimittel-Ind. wird A. als Laxans u. als Füllmittel für Kapseln eingesetzt, in der Lebensmittel-Ind. in Süßwaren, Marmeladen usw., wegen seiner Fähigkeit zur *Quellung u. seiner Unverwertbarkeit auch in der Diätetik. Bei der *Immobilisierung von Zellen u. Enzymen dient Agarose als Träger, ebenso bei der Gel-Elektrophorese, Immundiffusion od. *Gel-Chromatographie. Hauptlieferant für A. ist Japan, in geringerem Maße auch Marokko, Spanien, Korea u. China. – *E* = *F* = *I* = *S* agar (-agar)
Lit.: Lawrence, Natural Gums for Edible Purposes 1976, Park Ridge: Noyes 1976 ■ Whistler u. BeMiller (Hrsg.), Industrial Gums (3.), S. 88–103, San Diego: Academic Press 1993. – [HS 1302 31; CAS 9002-18-0]

Agardiffusionstest. 1. (Plattendiffusionstest). Testsyst. zur qual. u. quant. Prüfung der Wirksamkeit eines *Antibiotikums (s.a. auxanographischer Test) bzw. Meth., um die Fähigkeit von Mikroorganismen zur Bildung von Antibiotika festzustellen. Dazu benutzt man Agarplatten (s. Agar), die einen Testkeim (z. B. Krankheitserreger) gleichmäßig suspendiert enthalten. Auf diese Platten werden die Test-Lsg. (z.B. das zu testende, bekannte Antibiotikum od. Konzentrate aus Pflanzen od. Mikroorganismen) aufgebracht, indem sie z.B. in Filterpapierscheibchen aufgesogen u. zur direkten Diffusion auf den Agar gelegt werden. Bei pos. Reaktion wird nach Bebrütung eine Hemmzone sichtbar, deren Durchmesser bei konstanten Versuchsbedingungen dem Logarithmus der Konz. des Antibiotikums proportional ist (s. Abb.).

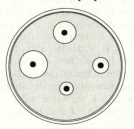

Abb.: Plattendiffusionstest zur quant. Bestimmung eines Antibiotikums (nach *Lit.*[1]).

2. Immunchem. Meth. zur Erfassung von *Antigen-Antikörper-Reaktionen in Agarmedien (s. Immundiffusion). – *E* agar diffusion test – *F* test de diffusion à l'agar – *I* agartest di diffusione – *S* prueba de difusión del agar
Lit.: [1] Zähner, Biologie der Antibiotika, Berlin: Springer 1965.
allg.: Ehrhart-Ruschig (2.) **4** (Chemotherapeutica Tl. 1) ■ Methodicum Chimicum **11**, 11ff. ■ Schlegel (7.), S. 367.

Agaricinsäure (2-Hydroxy-nonadecan-1,2,3-tricarbonsäure, α-Hexadecylcitronensäure).

$$\underset{\underset{COOH}{HOOC}}{HOOC-CH_2-\overset{\overset{OH}{|}}{\underset{|}{C}}-CH-(CH_2)_{15}-CH_3}$$

$C_{22}H_{40}O_7$, M_R 416,56. Farblose Krist., Schmp. 142 °C (Zers.), in heißem Wasser u. Ethanol lösl.; Pflanzengift, Vork. *Fomes laricis*. Früher als Antihidrotikum verwendet. – *E* agaric acid – *F* acide agarici(ni)que – *I* acido agaricinico – *S* ácido agárico

Lit.: Beilstein E IV **3**, 1284 ▪ Giftliste. – *[HS 291819; CAS 666-99-9]*

Agaritin {Glutaminsäure-5-[*N*′-(4-hydroxymethyl-phenyl)-hydrazid]; β-*N*-(γ-L-Glutamyl)-4-hydroxy-methyl-phenylhydrazin}

$C_{12}H_{17}N_3O_4$, M_R 267,28, Schmp. 205–209 °C (Zers.), $[\alpha]_D^{25} +7°$ (c 0,8/H$_2$O); gut lösl. in Wasser, unlösl. in gebräuchlichen organ. Lösemitteln. Inhaltsstoff des Zuchtchampignons *Agaricus bisporus* (Isolierung u. Strukturaufklärung s. *Lit.*[1]; Synth. s. *Lit.*[2]). A. ist ein Procarcinogen[3]. – *E* = *F* agaritine – *I* = *S* agaritina

Lit.: [1] J. Am. Chem. Soc. **83**, 503 (1961). [2] Helv. Chim. Acta **70**, 1261–1267 (1987). [3] J. Agric. Food. Chem. **30**, 521–525 (1982).

allg.: J. Biol. Chem. **261**, 13203–13209 (1986) ▪ J. Org. Chem. **45**, 3540 (1980) ▪ Zechmeister **51**, 236 (Übersicht). – *[CAS 2757-90-6]*

Agarofurane. *Sesquiterpen-Alkaloide u. -Ester aus Celastraceae (Spindelbaumgewächse). Meist polyacylierte Polyol-Derivate des Dihydro-agarofurans. *Beisp.* für natürlich vorkommende A. sind:

Dihydro-β-agarofuran

Maytin

Maytolin

Celorbicol

Ac = CO–CH$_3$

Tab.: Daten von Agarofuranen.

	Maytin	Maytolin	Celorbicol
Summenformel	$C_{29}H_{37}NO_{12}$	$C_{29}H_{37}NO_{13}$	$C_{15}H_{26}O_4$
M_R	591,61	607,61	270,37
Schmp. [°C]			222
opt. Aktivität		$[\alpha]_D^{25} +0,3°$ (c 0,75/CHCl$_3$)	$[\alpha]_D^{26} 24°$ (c 0,37/CHCl$_3$)
CAS	31146-56-2	31146-55-1	59812-41-8

A. zeigen häufig biolog. Aktivität. So ist von einigen eine insektizide Wirkung bekannt, andere sind cytostat. wirksam. – *E* agarofurans – *F* agarofurane – *I* agarofurani – *S* agarofuranos

Lit.: Manske **16**, 215 ▪ Phytochemistry **17**, 1821 (1978) ▪ Tetrahedron **43**, 5557 (1987).

Agarol®. Abführmittel aus einer Emulsion von Paraffin u. Phenolphthalein. *B.*: Warner, Wellcome.

Agaropektin s. Agar(-Agar).

Agarose.

Gelierfähiges Polysaccharid aus *Agar, das aus abwechselnden Einheiten von β-1,3-verknüpfter D-Galactopyranose u. α-1,4-verknüpfter 3,6-Anhydro-L-galactopyranose besteht; teilw. ist die Galactose in 6-Stellung methyliert. Zur Sekundär- u. Tertiärstruktur der A. in Lsg. u. Gelen s. *Lit.*[1]. In der *Agar(ose)gel-Elektrophorese u. *Immun-Elektrophorese, bei der Immundiffusion, der isoelektr. Fokussierung u. der *Gelchromatographie hat A. (bekannteste Marke *Sepharose®) den früher verwendeten Agar weitgehend verdrängt. Eine bes. Rolle spielt A. in der *Affinitätschromatographie als Trägermaterial für reaktive Liganden u. zum Ankoppeln der sog. Spacer[2]. – *E* = *F* agarose – *I* agarosio – *S* agarosa

Lit.: [1] Angew. Chem. **89**, 228–239 (1977). [2] Anal. Biochem. **116**, 200–206 (1987).

allg.: Ann. Rev. Biochem. **40**, 259–275 (1971) ▪ Methods Enzymol. **22**, 345–378 (1971). – Übersicht: Methods Enzymol. **152**, 61–87 (1987). – *[HS 391390; CAS 9012-36-6]*

Agar(ose)-Gelelektrophorese. *Elektrophorese unter Verw. von *Agarose (früher von *Agar) als Trägermaterial. Die A.-G. wird vornehmlich zur Trennung von *Proteinen u. von *Nucleinsäuren eingesetzt. Zur A.-G. von Serum-Lipoproteinen s. *Lit.*[1]. – *E* agar(ose)gel electrophoresis – *F* électrophorèse sur gel d'agar(ose) – *I* agar(osi)gel-elettroforesi – *S* electroforesis en gel de agar(osa)

Lit.: [1] J. Chromatogr. A **698**, 333–339 (1995).

a-gen 53. Vaginalsuppositorien mit Cellulose-poly(schwefelsäureester)-Trinatrium-Salz u. *Nonoxinol 9 zur Konzeptionsverhütung. *B.*: Chefaro.

Agens. Aus dem Latein. (=wirkend) übernommene Bez. für Triebkraft od. Wirkstoff. Plural: Agentien od. Agenzien. – *E* = *F* agent – *I* = *S* agente

Agent Orange s. chemische Waffen, Entlaubungsmittel, Kampfstoffe.

Agerite®. Marke von Vanderbilt für Antioxidantien für Kautschuk u. Polyolefine. A. *Resin D* ist polymerisiertes 2,2,4-Trimethyl-1,2-dihydrochinolin.

AGF. Abk. für Arbeitsgemeinschaft der *Großforschungseinrichtungen, Zusammenschluß der 16 Großforschungseinrichtungen (GFE) in der BRD. Die seit 25 Jahren bestehende AGF hat sich auf ihrer Jahrestagung am 13.11.1995 in Hermann von Helmholtz-Gemeinschaft Deutscher Forschungszentren (*HGF) umbenannt. Ziel dieser Neugründung ist es, mit neuen Strukturen u. Strategien mehr zu Lösungen von Problemen der modernen Ind.-Ges. beizutragen. Die HGF verfügte 1995 über einen Etat von 3,6 Mrd. DM u. beschäftigte

24 000 Mitarbeiter, davon mehr als 14 000 in Forschung u. Entwicklung. Als Wissenschaftsorganisation fördert die HGF den Erfahrungs- u. Informationsaustausch ihrer Mitglieder, wirkt bei der Koordinierung der Forschungs- u. Entwicklungsarbeiten mit, nimmt Aufgaben im gemeinsamen Interesse wahr u. vertritt die Großforschung nach außen; INTERNET-Adresse: http://www.helmholtz.gmd.de.
Lit.: Spektrum Wiss. **1995**, Nr. 8, 105 f. ▪ Naturwissenschaften **83**, 47 f. (1996).

Agfa-Gevaert. 1964 gegr. Unternehmen, mit den Betriebsges. Agfa-Gevaert AG, 51373 Leverkusen; zu 100% im Besitz der Agfa AG, Leverkusen, eine 100%ige Tochter der Bayer AG u. Agfa-Gevaert N. V., Mortsel/Belgien (25% Agfa AG, 75% Bayer). *Daten* (1995): 22 664 Beschäftigte, 879 Mio DM Grundkapital, 6,54 Mrd. DM Umsatz. *Produktion u. Vertrieb:* fotochem. u. elektron. Produkte für die Aufzeichnung, Speicherung, Wiedergabe u. Vervielfältigung von Bildern u. Texten; insbes. Filme für Fotografie, graf. Zwecke, Röntgen; Fotopapiere u. -chemikalien; Laborgeräte, Scanner; Laser-Belichter für die graf. Industrie.

Agglomerate (von latein.: agglomerare = zu einem Knäuel fest anschließen). Bez. für *pyroklastische Gesteine, die überwiegend aus miteinander verschweißten vulkan. Bomben (Korngröße >64 mm) bestehen. – *E* agglomerates – *F* agglomérats – *I* agglomerati – *S* agglomerados
Lit.: Fisher u. Schmincke, Pyroclastic Rocks, S. 90–92, Berlin: Springer 1984.

Agglutination. Von latein.: agglutinare = ankleben abgeleitete Bez. für die Zusammenballung u. Verklebung von *Antigene tragenden Körpern (Bakterien, Viren od. Erythrocyten) mit *Antikörpern (*Agglutininen* u. *Phytagglutininen* = *Lectinen). In der *Serodiagnostik ist die A. ein Kriterium in der Bestimmung der *Blutgruppensubstanzen u. *Rhesusfaktoren mit *Testseren; s. a. Immunologie. – *E* = *F* agglutination – *I* agglutinazione – *S* aglutinación

Agglutinine. Bez. für *Antikörper, die mit partikulären *Antigenen (z. B. Antigen-tragenden *Zellen od. *Viren) reagieren u. eine *Agglutination (Verklumpung) auslösen. Diese Antigene werden auch *Agglutinogene* genannt. Den A. ähneln in Wirkung u. Protein-Aufbau die nicht aus dem *Immunsystem stammenden, aus Tieren u. Pflanzen gewonnenen *Hämagglutinine u. Phytagglutinine, beide heute als *Lectine (Phytohämagglutinine) zusammengefaßt. – *E* agglutinins – *F* agglutinines – *I* agglutinanti – *S* aglutininas

Aggregation. Von latein.: aggregare = beigesellen abgeleitete Bez. für jegliche Art von räumlicher Anhäufung od. Ansammlung. – 1. In der Chemie bezeichnet A. eine Ansammlung von Atomen od. Mol. durch *Kohäsion, bei gleichartigen Mol. auch als *Assoziation bezeichnet. – 2. In der Mineralogie wird unter A. speziell die Häufung von vielen dicht aufeinandergedrängten Kristall-Individuen verstanden (z. B. Marmor). – 3. In der Biologie kennt man die A. bei Mikroorganismen u. bei Tieren; bei ersteren geht eine Signalwirkung zur A. von sog. *Acrasinen, bei Höheren Tieren von *Pheromonen aus. Hier ist A. eine Ansammlung, die nicht auf sozialer Attraktion beruht, sondern lediglich dadurch zustande kommt, daß viele Einzelindividuen die gleiche Stelle aufsuchen. – *E* aggregation – *F* aggrégation – *I* aggregazione – *S* agregación

Aggregationsverhalten (von *Tensiden). Bildung von *Micellen in Lsg. oberhalb einer charakterist. Konz., der krit. Micellbildungskonzentration. Mit steigender Tensidkonz. kommt es zur Ausbildung von Netzwerken u. *lyotropen Mesophasen (Flüssigkrist.)[1], wobei hexagonale u. lamellare Phasen dominieren. – *E* aggregation behaviour
Lit.: [1]Chem. Unserer Zeit **29**, 76–86 (1995).

Aggregationszahl. Maß für die Anzahl der *Tensid-Mol., die eine *Micelle bilden. Bei *Aniontensiden liegt die A. im allg. zwischen 20 u. 100, bei *nichtionischen Tensiden zwischen 10^2 u. 10^3 Mol. pro Micelle. Die A. ist vom hydrophoben Rest, vom Elektrolytgehalt der Lsg. u. der Temp. abhängig. – *E* aggregation number

Aggregatzustände. Bereits im Altertum unterschied man zwischen dem festen, flüssigen u. gasf. Zustand der Materie u. brachte diese mit den drei „Elementen" Erde, Wasser u. Luft in Beziehung. Im *festen A.* besitzt die Materie den höchsten Ordnungsgrad. Es überwiegen die anziehenden Kräfte zwischen den Atomen, wodurch diese an feste Plätze in dem Gefüge gebunden sind. Die meisten Festkörper haben krist. Struktur, d. h. eine bestimmte Grundstruktur (Basisgitter) wiederholt sich in regelmäßigem Abstand. Die physikal. Eigenschaften von *Kristallen werden durch skalare u. tensorielle Größen beschrieben. Die gleiche Substanz kann verschiedene Kristallstrukturen bilden (z. B. Kohlenstoff als Graphit od. Diamant). Durch sehr schnelles Abkühlen einer Schmelze kann man *amorphe Struktur erreichen, die auch als gefrorene Flüssigkeit (s. Glaszustand) bezeichnet wird. Im festen A. besitzt der Körper eine feste äußere Form. Von außen ausgeübte Kräfte ergeben eine Verformung, die (sofern die Kraft unter einer bestimmten Schwelle bleibt) proportional zur Stärke der Kraft ist (*Hookesches Gesetz). Nach Verschwinden der Kraft geht der Körper wieder in seine Ausgangsform zurück. Wird jedoch eine für die Substanz spezif. Spannung (Kraft pro Fläche) überschritten, tritt bleibende Verformung auf, indem sich Kristallbereiche gegeneinander verschieben.
Der flüssig-krist. A. wird heute als ein weiterer A. angesehen, dessen Eigenschaften zwischen denen des Krist. u. der isotropen Flüssigkeit liegt (*flüssige Kristalle). In diesem A. verschwindet die dreidimensionale Positionsfernordnung teilw. od. ganz. Es bleibt jedoch aufgrund einer Formanisotropie der Mol. noch eine Orientierungsfernordnung erhalten.
Im *flüssigen A.* ist der Ordnungsgrad geringer. Die Atome u. Mol. sind auf Grund der höheren Wärmebewegung nicht mehr an feste Plätze im Gefüge gebunden, sondern leicht gegeneinander verschiebbar (*Viskosität). Die anziehenden Kräfte zwischen den Partikeln sind noch so stark, daß die Substanz ein begrenztes Vol. einnimmt u. sich eine Oberfläche ausbildet

(*Oberflächenspannung). Im allg. sind Flüssigkeiten isotrop.

Im *gasförmigen* A. liegt keine räumliche Ordnung mehr vor. Anziehende Kräfte zwischen den Teilchen sind, bei Abständen größer als einige nm, nicht mehr vorhanden. Die Eigenschaften der Substanz sind allein durch die Wärmebewegung gegeben (*Brownsche Molekularbewegung, *Boltzmann'sches Energieverteilungsgesetz). Gase füllen den ihnen zur Verfügung stehenden Raum gleichmäßig aus.

Als weiterer A. wird der *Plasma-Zustand* angesehen, bei dem die elektr. Ladungsträger (Elektronen, ionisierte Atome bzw. Mol.) getrennt sind. Ein Plasma breitet sich im Prinzip wie ein Gas aus; es ist aber elektr. leitend u. kann durch äußere elektr. od. magnet. Felder in seiner Ausbreitung beeinflußt werden. Durch Rekombination der Ladungsträger wird Licht emittiert.

Welchen A. ein Stoff einnimmt ist von seiner Art, der Temp. u. dem Druck abhängig, wie am Zustandsdiagramm (p,T-Diagramm) von Wasser exemplar. dargestellt ist.

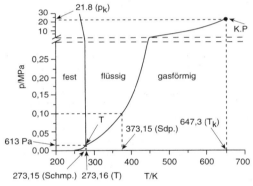

Abb.: Experimentell bestimmtes Phasendiagramm von Wasser.

Der Punkt T, in dem der feste, der flüssige u. der gasf. A. koexistent sind, wird als *Tripelpunkt* bezeichnet. Der Tripelpunkt von Wasser dient zur Definition der *Celsius-Temp.-Skala. Bei einem Druck unterhalb von 613 Pascal (~4,6 Torr) liegt nur der feste bzw. gasf. A. vor; oberhalb von 613 Pascal kann man durch Temp.-Erhöhung vom festen in den flüssigen A. (*Schmelzen, hierzu ist die *Schmelzwärme aufzuwenden) u. weiter vom flüssigen in den gasf. A. gelangen (*Verdampfen, *Verdampfungswärme notwendig). Die Temp.-Werte, bei denen diese Übergänge bei Normalbedingungen (p = 101,3 kPascal) stattfinden, werden als Schmelztemp. (*Schmelzpunkt, Schmp.) bzw. Siedetemp. (*Siedepunkt, Sdp.) bezeichnet. Beim entgegengesetzten Abkühlprozeß spricht man vom Erstarren (*Erstarrungspunkt) bzw. Kondensieren (Kondensationspunkt). Es ist möglich, die Phasenübergänge hinauszuzögern (*Siedeverzug, *Unterkühlung). Bei mehreren Stoffen treten innerhalb des festen od. flüssigen A. weitere Phasenübergänge auf, z. B. wenn sie ihre Kristallstruktur ändern. Die Koexistenzlinie im p,T-Diagramm zwischen dem flüssigen u. dem gasf. A. endet beim *kritischen Punkt (in der Abb. mit K. P. gekennzeichnet mit der krit. Temp. T_k u. dem zugehöri-

gen krit. Druck p_k). – *E* states of aggregation, physical states of matter – *F* états d'agrégation, états physiques – *I* stati d'aggregazione – *S* estados de agregación, estados físicos

Lit.: Atkins, Physikalische Chemie, 2. Aufl., 173–191, Weinheim: VCH Verlagsges. 1996 ▪ Bergmann-Schaefer, Lehrbuch der Experimentalphysik, Bd. 5, Vielteilchensysteme, Berlin: Gruyter 1992 ▪ Gerthsen u. Vogel, Physik, S. 260–274, Berlin: Springer 1995 ▪ Stierstadt, Physik der Materie, S. 182–187, Weinheim: VCH Verlagsges. 1989.

Aging s. Tabak.

Agiocur®. Granulat zur Verdauungsförderung mit ind. Flohkraut-Samenschalen. *B.:* Madaus.

Agiolax®. Granulat zur Verdauungsförderung mit ind. Flohkraut-Samenschalen u. Tinnevelly-Früchten; Pastillen u. Tabl. als Laxans mit *Natriumpicosulfat. *B.:* Madaus.

AGITAN®. Marke der Münzing Chemie für Entschäumer.

Agit® depot. Kapseln mit *Dihydroergotamin-mesilat, A. plus zusätzlich mit (±)-*Etilefrin-Hydrochlorid gegen Hypotonie u. orthostat. Kreislaufstörungen, zur Migräneprophylaxe. *B.:* Sanofi Winthrop.

Aglucone. Bez. für die Glucose-freien Bestandteile der *Glykoside.

Aglykone. Bez. für die Zucker-freien Bestandteile der Glykoside, vgl. das Beisp. der Digitalis-, Chinonyl- u. Makrolid-Glykoside. Die Namen der A. enden häufig auf …*genin od. …idin [bei *Anthocyan(id)inen]. – *E = F* aglycones – *I* aglicóni – *S* aglicónas

Agner-Bürette. Eine Kolben-*Bürette.

Agnolyt®. Kapseln u. Lsg. mit *Mönchspfeffer-Tinktur gegen Menstruationsanomalien. *B.:* Madaus.

Agnucaston®. Filmtabl. u. Lsg. mit *Mönchspfeffer-Tinktur gegen Menstruationsanomalien. *B.:* Bionorica.

AGOMET®. Reaktionsklebstoffe für konstruktive Zwecke auf Basis von Methacrylaten, Epoxiden u. *Polyurethanen. *B.:* Degussa.

Agonist (Synergist). Von griech. *agónistés* = Streiter. Stoff (od. Umweltfaktor), der in die gleiche Richtung wirkt wie ein anderer. Gegensatz: Antagonist, s. a. Antagonisten, Synergismus, Kombinationswirkung. – *E* agonist – *F* agoniste – *I* agonisti – *S* agonista

Agopton®. Kapseln mit *Lansoprazol als *Ulcus-Therapeutikum. *B.:* Takeda.

AGO-RAPID®. Lsm.-haltige Klebstoffe auf der Basis von *Polyurethan, *Nitrilkautschuk, *Polychloropren für die Schuhindustrie. *B.:* Degussa.

AGOVIT®. Kalthärtender Zweikomponentenkleber (Reaktionsklebstoff) für die Verbindung von Kunststoffen, insbes. von Acrylglas, auf der Basis von Methylmethacrylat. *B.:* Degussa.

Agraralkohol. Gärungs-*Ethanol aus Agrarprodukten. Als Hauptrohstoffe werden in Europa Kartoffeln, Getreide u. Rübenzuckermelasse verwendet, in den USA v. a. Mais. Der Begriff A. ist als Abgrenzung gegenüber Gärungsalkohol aus Ind.-Abläufen (z. B.

*Sulfit-Ablaugen cd. *Molke) zu verstehen. – *E* agricultural alcohol – *F* alcool agricole – *I* alcool agricolo – *S* alcohol agrícola

Agrarchemie s. Agrikulturchemie.

AgrEvo. Kurzbez. für Hoechst Schering GmbH, 13476 Berlin, Postfach 27 06 54. 1994 aus dem Bereich Pflanzenschutz/Schädlingsbekämpfungsmittel der Unternehmen Hoechst/Roussel Uclaf u. Schering gegründet. Daten 1995: Beschäftigte 8181; Umsatz: 3,358 Mio. DM.
Zu den wichtigsten Tochter- u. Beteiligungsges. gehören in der BRD: Aglukon Spezialdünger GmbH, Düsseldorf u. Stefes Agro GmbH, Kerpen; in Frankreich: AgrEvo France SA, AgrEvo Prodotech SA, Hoechst Schering AgrEvo SA, Procida SA, Schering Agriculture SA; in Großbritannien: Hoechst Schering AgrEvo UK Ltd.; in den Niederlanden: Hoechst Schering AgrEvo BV; in Italien: Hoechst Schering AgrEvo S.r.l. Außerdem Ges. in Nord- u. Südamerika, Asien, Australien u. Afrika.
Produktion: Pflanzenschutz- u. Schädlingsbekämpfungsmittel sowie Spezialdünger. Wichtige Marken: Arelon®, Basta®, Betanal®, Dropp®, Ignite®, Illoxan®, Sportak®, Puma®, Whip®.

Agricola, Georgius, eigentlich Georg Bauer (1494–1555), Arzt u. Mineraloge, Joachimsthal u. Chemnitz, Begründer der Mineralogie u. Metallurgie, Hauptwerk: De re metallica (1556).
Lit.: Agricola, 12 Bücher vom Berg- u. Hüttenwesen, herausgegeben von der Georg-Agricola-Ges., 3. Aufl., Düsseldorf: VDI-Verl. 1961 ▪ Krafft, S. 8 f. ▪ Michaelis et al., Bibliographie der Werke von u. über Agricola (Agricola – Ausgewählte Werke, Bd. 10), 1969 ▪ Pötsch, S. 10 ▪ Strube et al., S. 44, 46.

Agrikulturchemie (Agrochemie, Agrarchemie). Bez. für dasjenige Teilgebiet der *Angewandten Chemie, das sich mit den chem. Vorgängen bei der Ernährung der *Pflanzen u. Tiere sowie der Bewirtschaftung des *Bodens, außerdem mit der Wirkung u. Produktion von *Düngemitteln u. *Pflanzenschutzmitteln befaßt. Unter A. versteht man im weitesten Sinne alle chem. Maßnahmen bei der Aufzucht u. Verarbeitung von Kulturpflanzen u. Nutztieren. Bes. Förderung hat die A. durch *Liebig (1803–1873) erfahren, der auch als ihr Begründer gilt; vgl. auch die Stichwörter Agrochemikalien, Boden.., Chemurgie, Ökologische Chemie, Pflanzen(schutz..., Spurenelemente. – *E* agricultural chemistry – *F* chimie agricole – *I* chimica agricola (agraria) – *S* química agrícola
Lit.: Scheffer u. Schachtschnabel, Lehrbuch der Bodenkunde (11.), Stuttgart: Enke 1982 ▪ Winnacker-Küchler (4.) **1**, 8–11. – *Zeitschriften:* Journal of Agricultural and Food Chemistry, Washington: ACS (seit 1953). – *Inst.:* Agrikulturchem. Inst. der Univ., 53115 Bonn ▪ Inst. für Agrikulturchemie der Univ., 37075 Göttingen.

Agrin. Mit der *Basalmembran neuromuskulärer *Synapsen assoziiertes *Protein, das von der präsynapt. Nervenzelle (dem motor. Neuron) synthetisiert wird. Als extrazelluläres Signal-Mol. ist es an der Ausbildung dieser Synapsen beteiligt, indem es die Ansammlung nicotin. *Acetylcholin-Rezeptoren in der postsynapt. Membran bewirkt. A., das auch von anderen Neuronen gebildet wird, bindet an das – ebenfalls extrazelluläre – Protein *Dystroglykan*, wobei die Funktion dieser Wechselwirkung noch ungeklärt ist. A. tritt in mehreren Formen auf ($M_R \approx 220\,000$), die durch unterschiedliches *Spleißen der mRNA (s. Ribonucleinsäuren) verursacht werden. Die Aminosäure-Sequenz zeigt abschnittsweise Ähnlichkeit mit *Laminin, dem *epidermalen Wachstumsfaktor u. *Follistatin. – *E* agrin – *F* agrine – *I* = *S* agrina
Lit.: Cell **70**, 1 ff. (1992) ▪ J. Cell Biol. **126**, 1 ff. (1994) ▪ Trends Neurosci. **16**, 76 ff. (1993); **17**, 469 ff. (1994).

Agrobakterien. Gram-neg., stäbchenförmige Bakterien aus der Familie der Rhizobiaceae. Bedeutendster Vertreter ist *Agrobacterium tumefaciens*, das durch sein *Ti-Plasmid (Tumor-induzierendes Plasmid) *Pflanzenkrebs im Stammbereich höherer Pflanzen (sog. Wurzelhalsgallen) hervorrufen kann. Dabei wird ein Abschnitt des Ti-Plasmids in die Pflanzen-DNA integriert. Daraufhin beginnt die Pflanze, die sog. *Opine zu synthetisieren, die *A. tumefaciens* als Nahrung dienen. Genet. veränderte *A.-tumefaciens*-Stämme, die keine Tumorbildung mehr auslösen können, werden zur gezielten Übertragung von Fremd-DNA in höhere Pflanzen benutzt. – *E* agrobacteria – *F* agrobactéries – *I* agrobatteri – *S* agrobacterias
Lit.: Schlegel (7.), S. 162 f.

Agrochemikalien. Sammelbez. für Chemikalien, die in Landwirtschaft u. Gartenbau eingesetzt werden. Hier ist zu denken an die – in Einzelstichwörtern behandelten – Düngemittel, Herbizide, Fungizide, Insektizide u. a. Pflanzenschutz- u. Schädlingsbekämpfungsmittel, Vorratsschutzmittel, Pflanzenwuchs- u. -hemmstoffe, Silierungs- u. Konservierungsmittel u. Bodenverbesserungsmittel. Selbst Futtermittelzusätze, Tierhygiene- u. -arzneimittel werden oft zu den A. gerechnet. – *E* agrochemicals – *F* produits chimiques pour l'agronomie – *I* prodotti agrochimici – *S* productos agroquímicos

Agrolinz Melamin GmbH. 4021 Linz, eine 100%ige Tochterges. der OMV AG, Wien, die Aktivitäten umfassen: Düngemittel, Melamin/Harnstoff u. Standortservices, Kapital: öS 955 Mio., Beschäftigte: ca. 1240 Mitarbeiter, Umsatz: ca. öS 4,8 Mrd., Konzernumsatz: ca. öS 6,6 Mrd., wichtigste Tochterges.: Agrolinz Melamin Italia S.r.I.

Agropyren (1-Phenyl-hex-2-en-4-in). $H_3C-C\equiv C-CH=CH-CH_2-C_6H_5$, $C_{12}H_{12}$, M_R 156,23, Sdp. (40 Pa) 78–82 °C. Aus verschiedenen *Artemisia*-Arten u. dem Wurzelöl von Quecken (*Agropyron repens*) isolierter Kohlenwasserstoff, der auf Pflanzen als Wachstumshemmstoff u. auf Hefen antibiot. wirkt[1]. Nach *Lit.*[2] wird A. (=Capillin) die abweichende Konstitution des 1-Phenyl-2,4-hexadiins zugeordnet: $H_3C-C\equiv C-C\equiv C-CH_2-C_6H_5$, $C_{12}H_{10}$, M_R 154,21, Schmp. 0–1 °C[3]. – *E* agropyrene – *F* agropyrène – *I* agropirene – *S* agropireno
Lit.: [1] Naturwissenschaften **46**, 152 (1959). [2] Beilstein E IV **5**, 1806. [3] Chem. Ber. **95**, 39 (1962).
allg.: Beilstein E IV **5**, 1699. – [CAS 520-74-11]

AgroQuant®. Fertigtests für die Boden-Analytik. *B.:* Merck.

Agrosil®. Phosphat-haltiges Silicat-Kolloid zur Bodenverbesserung u. Aktivierung des Pflanzenwuchses in Gartenbau u. Landwirtschaft. *B.:* BASF; COMPO.

Agrumen. Von italien.: agrume = säuerliche Früchte abgeleitete Sammelbez. für die *Citrusfrüchte. Dementsprechend bezeichnet man die *Citrusöle auch als *Agrumenöle.* – *E* agrumen – *F* agrumes – *I* agrumi – *S* cítricos

AHD 2000. 75%ige Ethanol-Lsg. mit Rückfettern u. ether. Ölen zur Hände- u. Hautdesinfektion. *B.:* Wira.

AHF. Abk. für Anti*h*ämophiler *F*aktor, s. Hämophilie u. Thrombin.

AH3 N®. Filmtabl. mit dem *Antiallergikum *Hydroxyzin-Hydrochlorid. *B.:* Rodleben Pharma.

Ahornsaft. Saft aus dem Zuckerahorn (*Acer saccharum*), der in Kanada u. den nördlichen USA-Gebieten durch Anzapfen der Bäume gewonnen u. durch Eindampfen in flachen Pfannen über Holzfeuer zu Sirup (*E* maple syrup) bzw. Zucker (*E* maple sugar) verarbeitet wird. A. enthält neben ca. 3% *Saccharose noch *Citronen-, *Apfel- u. *Bernsteinsäure sowie verschiedene Aroma-Komponenten, z.B. *Vanillin, *Syringaldehyd, Dihydroconiferylalkohol, 1-(4-Hydroxy-3-methoxyphenyl)-propan-1,2-dion u. Furfurale. Zur weiteren Zusammensetzung s. *Lit.*[1–3]. Ahornzucker u. A. werden wegen ihres feinen Aromas höher bewertet als gewöhnlicher Zucker. – *E* maple sap – *F* sirop d'érable – *I* sugo d'acero – *S* jarabe de arce

Lit.: [1] Z. Lebensm. Unters. Forsch. **186**, 6 (1988). [2] J. Assoc. Off. Anal. Chem. **67**, 1125 (1984). [3] Am. J. Bot. **73**, 722 (1986).

AHP 200®. Filmtabl. mit *Oxaceprol gegen degenerative Gelenkserkrankungen. *B.:* Chephasaar

Ah-Rezeptor (Arylkohlenwasserstoff-Rezeptor, AhR). Protein, das *2,3,7,8-Tetrachlordibenzo[1,4]dioxin (TCDD) u. verwandte Substanzen bindet u. daraufhin im Zellkern zusammen mit dem Ah-Rezeptor-Kern-Translokator-Protein (Arnt) einen Komplex bildet[1], der als *Transkriptionsfaktor verschiedene Gene aktiviert, darunter solche, die für Medikament-metabolisierende Enzyme kodieren. Die Expression anderer Gene wird dagegen bei Aktivierung des AhR unterdrückt, unter anderem die der Estrogen-induzierten Gene. Der AhR ist dadurch für die Giftwirkung des TCDD verantwortlich. Seine Rolle im normalen Zellgeschehen ist noch unbekannt, könnte aber eine Schutzfunktion vor schädlichen Stoffen wie Ethanol beinhalten. – *E* Ah receptor – *F* récepteur Ah – *I* recettore Ah – *S* receptor Ah

Lit.: [1] Science **256**, 1193 ff. (1992).
allg.: Ann. N. Y. Acad. Sci. **685**, 624–640 (1993) ▪ Arch. Toxicol. Suppl. **17**, 99–115 (1995) ▪ Biochem. J. **276**, 273–287 (1991).

AH-Salz (Hexamethylendiammoniumadipat). Abk. für das Salz der *Adipinsäure mit *1,6-Hexandiamin. Das neutrale Salz krist. nach Zusammenfügen gleicher Mengen Säure u. Amin aus Methanol aus, es wird als Rohstoff für die Nylon-Herst. benutzt. – *E* AH-salt – *F* sel AH – *I* sale AH – *S* sal AH

Lit.: Weissermel-Arpe (4.), S. 263 ▪ Winnacker-Küchler (4.) **6**, 692, 694.

Ahypergole s. Raketentreibstoffe.

AIBN. In der Laborpraxis gebräuchliche Abk. für *Azoisobutyronitril.

Aida®. Bauwerksabdichtung u. Mörtelzusatzmittel. *B.:* Remmers.

Aidol®. Holzschutz- u. Holzveredlungsmittel. *B.:* Remmers.

AIDS. Abk. für *a*quired *i*mmuno*d*eficiency *s*yndrome. A. bezeichnet ein Krankheitsbild, dem eine defekte zellgebundene Immunabwehr zugrundeliegt u. bei dem eine Infektion mit dem *h*uman *i*mmunodeficiency *v*irus (HIV) nachgewiesen ist. Für die von A. betroffenen Menschen sind verschiedene Infektionskrankheiten lebensbedrohend. Sie bekommen ferner seltene Tumoren. Die ersten Fälle traten 1981 in den USA bei homosexuellen Männern auf. Seitdem hat sich diese Krankheit zunehmend weiter verbreitet, im Jahre 1991 zählte man in den USA mehr als 135 000 Fälle, weltweit wurden um die 10 Mio. angenommen. In der BRD waren 1993 dem Bundesgesundheitsamt 9997 Fälle gemeldet.
Die Ursache des A. ist die Infektion mit einem Retrovirus (s. a. Virologie), dem HIV, welches v. a. eine bestimmte Gruppe von *Lymphocyten befällt. Dadurch wird das Zusammenspiel der am Immunsyst. beteiligten Zellen stark gestört, so daß die körpereigene Abwehr von Krankheitserregern zusammenbricht. Die Folge sind schwere u. lebensbedrohliche Verläufe von Infektionskrankheiten (Lungenentzündungen, Darmentzündungen, Hirnhautentzündungen), auch von solchen, die normalerweise nicht od. in milderer Form auftreten. Auch kommt es zur Bildung von Tumoren der Lymphknoten (Lymphome) u. der Gefäße in Haut u. inneren Organen (Kaposi-Sarkom). Ein Befall der Zellen des Zentralnervensyst. mit dem Virus führt zu Störungen von Hirnfunktionen. Die Übertragung des HIV geschieht in erster Linie durch Sexualkontakt aber auch über Blut u. Blutprodukte (unsaubere Injektionsnadeln, Transfusionen) u. während der Geburt von der Mutter auf das Kind. So sind die meisten Infizierten unter den homosexuellen Männern, den Abhängigen von intravenösen Drogen sowie den an *Hämophilie erkrankten u. den Empfängern von Bluttransfusionen u. Plasmaderivaten zu finden. Die Infektion wird durch den Nachw. von *Antikörpern gegen das HIV im Blut der Patienten nachgewiesen. Eine wirksame Behandlung beschränkt sich derzeit noch auf die Infektionserkrankungen u. Tumoren, für den zugrundeliegenden Immundefekt gibt es keine Therapie. Die Vermehrung des Virus u. damit die Progression der HIV-Infektion zum A. kann durch Hemmstoffe seiner *Reversen Transcriptase wie *Zidovudin (AZT), Didesoxyinosin (ddI) od. Zacitabin (ddC) beeinflußt werden. Vorbeugende Maßnahmen sind Vermeidung von Kontakt mit Blut bei der Krankenversorgung, Vermeidung kontaminierter Injektionsbestecke bei Drogenabhängigkeit, Schutzmaßnahmen bei häufig wechselndem Geschlechtsverkehr (Kondome) sowie die serolog. Überwachung von Blutspendern u. Blutprodukten. Eine Impfung ist nicht möglich. – *E* = *I* AIDS – *F* sida – *S* SIDA

Lit.: Brandis et al., Lehrbuch der Medizinischen Mikrobiologie, S. 882–892, Stuttgart: Fischer 1994 ▪ Dancygier, AIDS, Stuttgart: Thieme 1993.

AIDS-Zentrum s. Bundesinstitut für Infektionskrankheiten und nicht übertragbare Krankheiten.

AIF. Abk. für Arbeitsgemeinschaft Industrieller Forschungsvereinigungen „Otto von Guericke" e. V. mit Sitz in 50968 Köln, Bayenthalgürtel 23. AIF ist eine 1954 gegr. Organisation der privaten Wirtschaft zur Förderung der naturwissenschaftlich-techn. industriellen Gemeinschaftsforschung einschließlich des Transfers u. der Umsetzung ihrer Ergebnisse zum Nutzen kleiner u. mittlerer Unternehmen. Sie ist das dtsch. Informationszentrum für die Fördermaßnahme „Technologieförderung zugunsten von KMU (CRAFT)" der EU, sowie nat. Koordinierungsstelle „AIF LEONARDO-Industriekontakt" für das Programm Leonardo der EU. Die AIF vertritt 107 Forschungsvereinigungen der dtsch. Ind. mit insgesamt 57 eigenen Forschungsinst., die ca. 50 000 fast ausschließlich kleine u. mittlere Unternehmen repräsentieren. Der Bundesminister für Wirtschaft (BMWi) fördert die industrielle Gemeinschaftsforschung u. -entwicklung u. hat die AIF vertraglich mit der Abwicklung dieser Maßnahme betraut. Damit sollen struktur- u. größenbedingte Nachteile dieser Unternehmen, die in der Regel keine eigenen Forschungseinrichtungen unterhalten können, ausgeglichen werden. Die AIF ist ferner vom *BMBF mit der Abwicklung der Maßnahmen „Förderung der *Auftragsforschung u. -entwicklung" u. „F- u. E-Personalzuwachsförderung" beauftragt. Die Fördermittel des BMWi u. des BMBF betrugen 1995 ca. 385 Mio. DM. An industrieeigenen Mitteln standen 343 Mio. DM (1993) zur Verfügung. Die AIF ist aktives Mitglied der europ. Organisation für Gemeinschaftsforschung FEICRO.

Publikationen: Forschungsreport, AIF-Mitteilungen „Forschung u. Entwicklung".
Lit.: Hdb. der AIF 1996/97.

Aikinit (Patrinit, Nadelerz). $PbCuBiS_3$ bzw. $2PbS \cdot Cu_2S \cdot Bi_2S_3$; schwärzlich bleigraue, bunt anlaufende, metall. glänzende, undurchsichtige, stengelige bis nadelige rhomb. Krist. (Krist.-Klasse mmm-D_{2h}) od. derbe Massen. D. ca. 7, H. 2–2,5; Strich grauschwarz; zur Struktur s. *Lit.*[1–3]; Nomenklatur u. chem. Analysen der *Bismuthinit-A.-Reihe s. *Lit.*[4].
Vork.: Dobšiná/Mähren, Beresovsk/Ural, Kasachstan, China, mehrorts in den USA. – *E* = *F* aikinite – *I* patrinite – *S* aikinita
Lit.: [1] Z. Kristallogr. **132**, 71–86 (1970). [2] Acta Crystallogr. Sect. B **27**, 1245–1252 (1971). [3] Am. Mineral. **74**, 250–255 (1989). [4] Neues Jahrb. Mineral. Monatsh. **1990**, Nr. 1, 35–45. *allg.:* Anthony et al., Handbook of Mineralogy, Vol. 1, S. 3, Tucson (Arizona): Mineral Data Publishing 1990 ▪ Ramdohr, Die Erzmineralien u. ihre Verwachsungen, S. 793f., Berlin: Akademie-Verl. 1975. – *[CAS 12232-84-7]*

Airfall-Ablagerungen s. pyroklastische Gesteine.

Airlift-Fermenter. *Bioreaktor, in dem nur die Belüftung eine Durchmischung bewirkt. Im Gegensatz zur Blasensäule (vgl. Bioreaktor) teilt ein installierter Verdrängerkörper den Fermenterraum in zwei Sektoren, einen, in dem durch die eingepreßte Luft das Gas-Flüssigkeitsgemisch nach oben steigt u. einen zweiten, in dem die entgaste Nährlsg. nach unten zurückströmt. Großtechn. werden Airlift-Fermenter zur SCP-Produktion (**s**ingle **c**ell **p**rotein, Einzeller-Protein) u. für die Abwasserreinigung eingesetzt. – *E* airlift fermenter – *I* fermentatore con ponte aereo – *S* fermentador con transporte de aire
Lit.: Crueger et al., Physical aspects of bioreactor performance, Frankfurt: Dechema 1987 ▪ Moo-Young, Comprehensive Biotechnology **2**, S. 99–118, Oxford: Pergamon Press 1985.

A.I.S.E. Abk. für Association Internationale de la Savonnerie, de la Détergence et de Produits d'Entretien, 1995 hervorgegangen aus der bisherigen Association Internationale de la Savonnerie et de la Détergence (AIS) u. der früheren Fédération Internationale des Associations de Fabricants de Produits d'Entretien (FIFE). A.I.S.E. setzt sich aus 33 nat. Ind.-Verbänden zusammen, die über 1200 Unternehmen der Seifen-, Wasch-, Reinigungs- u. Pflegemittelbranche in 23 europ. Ländern vertreten (1996). Verbandssitz ist Brüssel.

Aisit®. Sanierputze. *B.:* Remmers.

Ajan®. Ampulle u. Filmtabl. mit *Nefopam-Hydrochlorid gegen starke Schmerzen. *B.:* 3M Medica

Ajax®. Geschirrspül-, Vollwaschmittel u. Allzweckreiniger von Colgate-Palmolive.

Ajmalicin (16,17-Didehydro-19-methyl-18-oxayohimban-16-carbonsäuremethylester, Raubasin, δ-Yohimbin, Tetrahydroserpentin).

$C_{21}H_{24}N_2O_3$, M_R 352,43; farblose Krist. Schmp. 261–263 °C (Zers.), $[\alpha]_D$ –66° ($CHCl_3$). Monoterpenoides *Indol-Alkaloid aus *Rauwolfia*- u. *Vinca*-Arten, es wird als Antihypertonikum, Sedativum u. Tranquilizer eingesetzt. – *E* = *F* ajmalicine – *I* aimalicina – *S* ajmalicina
Lit.: Beilstein E III/IV **27**, 7927f. – *Biosynth.:* Manske, **7**, 1, 59; **8**, 693–723 ▪ Phytochemistry **18**, 965 (1979). – *Isolierung:* J. Am. Chem. Soc. **76**, 1332 (1954). – *Synth.:* Helv. Chim. Acta **64**, 1663 (1981) ▪ Heterocycles **24**, 2117 (1986) ▪ J. Am. Chem. Soc. **115**, 807 f. (1993); **117**, 9139–9150 (1995) ▪ J. Org. Chem. **60**, 3236–3242 (1995). – *Wirkung:* Hager (5.) **3**, 30 ff., **6**, 361–380; **9**, 495. – *[HS 293990; CAS 483-04-5 (R); 483-04-25 (S)]*

Ajmalin (Rauwolfin, Cardiorhythmin).

$C_{20}H_{26}N_2O_2$, M_R 326,438. A. ist ebenso wie *Ajmalicin ein *Rauwolfia-Alkaloid; blaß bernsteinfarbene Krist., Schmp. 205–207 °C, wasserfrei 158–160 °C (Methanol-Solvat), $[\alpha]_D^{18}$ +131 °C (c 0,4/$CHCl_3$), lösl. in Methanol, Ethanol, Ether, Chloroform, wenig lösl.

in Wasser. A. hat als *Antihypertonikum u. *Tranquilizer pharmakol. Bedeutung. – $E = F$ ajmaline – I aimalina – S ajmalina
Lit.: Beilstein E V 23/13, 349 f. ▪ Prog. Chem. Nat. Prod. **43**, 268–346 (1983). – *[CAS 4360-12-7]*

Ak. Kurzz. für *Angorawolle.

AK. Nach DIN 55950 (04/1978) Kurzz. für *Alkydharze.

Akanthit s. Argentit.

Akarizide (von griech.: akari = Milbe). Bez. für chem. Mittel gegen pflanzen- u. tierparasitäre Milben, insbes. die im Obst-, Zitrus-, Wein-, Hopfen-, Baumwoll-, Tee- u. Zierpflanzenanbau schädlichen Spinnmilben. Anstelle von A. wird gelegentlich der Begriff *Mitizide* verwendet. – E acaricide – F acaricide – I acaricidi – S acaricidas
Lit.: Ullmann (4.) **7**, 1–9; (5.) **A1**, 17–29.

Akatinol Memantine®. Ampullen, Filmtabl. u. Tropfen mit Memantin-Hydrochlorid gegen cerebrale u. spinale Spastik, Parkinsonismus. *B.:* Merz, Pharma.

Akaziengummi s. Gummi arabicum.

Akcros. Kurzbez. für die durch den Zusammenschluß von Akzo Nobel u. der Harcros Chemicals gebildete Akcros Chemicals, Eccles Site, PO Box 1, Bent Cliffe Way, Eccles, Manchester M30 0BH (UK). *Daten* (1995): 1000 Beschäftigte (weltweit), 200 Mio. £ Umsatz. *Produktion*: Thermoplast. Additive, oberflächenaktive Stoffe, chem. Spezialitäten u. Beschichtungen.

Akermanit s. Melilith.

AKI. Abk. für die 1951 gegr. Arbeitsgemeinschaft Deutsche Kunststoff-Ind. mit Sitz in 60329 Frankfurt, Karlstr. 21. Eine vom *Verband Kunststofferzeugende Industrie e. V. (VKE) u. vom *Gesamtverband kunststoffverarbeitende Industrie e. V. (GKV) getragene Inst., die sich vorrangig mit Schulinformationsarbeit (Printmedien, Dias, Probensammlung u. sonstige Hilfestellungen für Lehrende aller relevanten Bildungseinrichtungen) u. Fragen der Berufsbildung beschäftigt.

Akineton®. Tabl., Retarddragées u. Ampullen mit *Biperiden gegen Parkinsonismus, Trigeminusneuralgien. *B.:* Knoll.

Akklimation s. Adaptation.

Akkreditierung. Ein aus der Diplomatensprache entlehnter Begriff, der die Kompetenz eines Prüflabors für die Ausführung bestimmter Prüfungen od. Prüfarten (z. B. nach *DIN, VDI usw.) durch unpartei. Dritte (Akkreditierungsstelle) bestätigt. Die A. erfolgt nach DIN EN 45 000 ff. – E accreditation – F accréditation – I accreditamento – S acreditación
Lit.: DIN EN 45001 (1990); DIN EN 45002 (1990).

Akkumulation (Akkumulierung, Anreicherung). Von latein.: accumulare = anhäufen hergeleitet. Ansammlung von Stoffen in *Organismen, Organen, Geweben, *Zellen, Zellbestandteilen, Exkreten, Umwelt-*Kompartimenten, d. h. die Konz. bzw. der Massenanteil eines Stoffes ist im betrachteten, anreichernden Bereich höher als in der jeweiligen Umgebung od. größer als in der zugeführten Nahrung; s. a. Biokonzentration, Biomagnifikation, Akkumulationsfaktor. – $E = F$ accumulation – I accumulazione – S acumulación
Lit.: Korte (3.), S. 46–53 ▪ Sheehan et al., Appraisal of Tests to Predict the Environmental Behaviour of Chemicals, New York: Wiley 1985.

Akkumulationsfaktor. Quotient aus der Konz. bzw. dem Massenanteil (s. Akkumulation) eines Stoffes im betrachteten Bereich zu der Konz. bzw. dem Massenanteil in der Umgebung. Angegeben wird der A. in der Regel im Gleichgewichtszustand, d. h. wenn sich die Konz. (Sättigungskonz.) bzw. Massenanteile im betrachteten Bereich nicht mehr ändern; s. a. Biokonzentration. – E accumulation factor – F facteur d'accumulation – I fattore d'accumulazione – S factor de acumulación
Lit.: Korte (3.), S. 46 f.

Akkumulatoren. Bez. für Vorrichtungen zur Speicherung (latein.: accumulare = anhäufen) von elektr. Energie in Form von chem. Energie, die nach einiger Zeit wieder als elektr. Energie entnommen werden kann. Man versteht demnach unter A. *galvanische Elemente zur Erzeugung elektr. Energie, die nach Entladung durch einen dem Entladungsstrom entgegengesetzt gerichteten Strom wieder voll aufgeladen werden können. Daher bezeichnet man A. auch oft als (Strom)-*Sammler* od. *Sekundärelemente*, während *Batterien Primärelemente sind. Alle bei der Entladung ablaufenden Reaktionen lassen sich also durch Umkehrung der Stromrichtung (Aufladen) wieder rückgängig machen. Die in der Praxis verwendeten A. sind der Blei-A. (mit wäss. u. festgelegtem *Elektrolyten), der Nickel-Cadmium-A., der Nickel-Hydrid-A. u. für spezielle Anw. der Silber-Zink-Akkumulator, s. a. die Tabelle.
Im *Blei-A.*, der gebräuchlichsten Anordnung, läuft die folgende umkehrbare Gesamtreaktion ab:

$$PbO_2 + Pb + 2H_2SO_4 + x H_2O \underset{\text{Aufladung}}{\overset{\text{Entladung}}{\rightleftarrows}} 2PbSO_4 + 2H_2O + x H_2O$$

Tab.: Charakterist. Eigenschaften einiger Akkumulatoren.

	Ruhespannung [V]	Arbeitstemp. [°C]	Elektrolyt	Prakt. Energiedichte [Wh/kg]	Prakt. Leistungsdichte [W/kg]	Lebensdauer-Cyclen
PbO_2/Pb	2,0	15…60	H_2SO_4	30	100	>1000
Ni/Fe	1,2	15…50	KOH	50	90	>1000
Ni/Zn	1,7	15…50	KOH	60	90	>1000
Zn/Br_2	1,8	10…60	$ZnBr_2$ aq	65	70–90	>1000
Na/S	2,1	285…380	βAl_2O_3	130	90–110	>1000
NaNiCl	2,59	280…330	βAl_2O_3	89	109	>1000

Bei der Entladung ist die Bleidioxid-Elektrode die pos. Elektrode, die aus Bleischwamm bestehende Elektrode die neg. Elektrode; die Elektroden befinden sich in einem Elektrolyt, hier verd. Schwefelsäure, s. Akkumulatorensäure (beim Ni-Cd-A. ist der Elektrolyt eine Lauge). Bei der Entladung wird an der Anode 4-wertiges Blei in 2-wertiges umgewandelt, während an der Kathode Blei in 2-wertige Blei-Ionen übergeht. Der Entladungsvorgang ist allerdings nur möglich, weil das Blei durch das Auftreten einer *Überspannung daran gehindert wird, sich unter Wasserstoff-Entwicklung in der Säure aufzulösen, wie sein neg. *Normalpotential erwarten ließe. Deshalb ist auch nur sehr reines Blei als Elektrodenmaterial verwendbar. Werden die beiden Elektroden leitend miteinander verbunden, so fließt wegen der vorhandenen Spannung von etwa 2 Volt ein Strom vom Bleidioxid zum Blei; die bei der Entladungsreaktion freiwerdende elektr. Energie kann zur Arbeitsleistung (z. B. Betrieb einer Glühlampe) verwendet werden. Im entladenen Zustand sind beide Elektrodenplatten mit Bleisulfat bedeckt. Bei der Wiederaufladung muß man an die Elektroden eine äußere Spannung von mehr als 2 Volt anlegen; dabei kehren sich die chem. Prozesse der Entladung um, d. h. aus Bleisulfat u. Wasser werden wieder Blei, Bleidioxid u. Schwefelsäure zurückgebildet.

Eine A.-Zelle besteht aus pos. u. neg. Platten (Elektroden), dem Zellengefäß u. dem Elektrolyten. Bei den pos. Platten unterscheidet man sog. Großoberflächenplatten, Gitterplatten od. Panzerplatten, deren Oberflächen so gestaltet sind, daß sie möglichst viel PbO_2 tragen können. Die neg. Platten können als Kastenplatten ausgebildet sein od. als Gitterplatten, in deren Maschen elektrochem. schwammiges Pb erzeugt wird. Für wartungsarme Pb-A. werden Pb-Ca-Sn-Leg. verwendet. Zur Vermeidung von Kurzschlüssen müssen zwischen den Platten sog. Separatoren eingebaut sein, die heute aus speziellen mikroporösen Kunststoffscheidern bestehen. Mehrfachzellen (z. B. für 6 od. 12 V) sind aus Einzelzellen zusammengesetzt, die durch Polbrücken in Reihe geschaltet sind. Die speicherbare Strommenge eines A. (*Kapazität) gibt man in Amperestunden (Ah) an; einem A. von 48 Ah können also 12 h hinduch 4 A entnommen werden, bis er leer ist.

Zu den *alkal. A.* gehört der *Nickel-Eisen-A.* (Edison-A., Ni-Fe-A., Stahl-A.), dessen pos. Pol in geladenem Zustand aus Nickel(III)-hydroxid, der neg. Pol aus feinverteiltem Eisen besteht, das sich in Taschen aus vernickeltem Stahlblech befindet; als Elektrolyt dient etwa 20%ige Kalilauge. Die Gesamtreaktion ist hier die folgende:

$$Fe + 2NiOOH + 2H_2O \xrightleftharpoons[Laden]{Entladen} Fe(OH)_2 + 2Ni(OH)_2$$

Die Entladespannung beträgt etwa 1,3 V, die Stromausbeute ist etwa 70%, der energet. Nutzeffekt 50%. Analog läuft die Bruttoreaktion im *Nickel-Cadmium-A.* ab. Der Nutzeffekt dieses A. beträgt etwa 57%. *Metall-Luft-A.* benutzen alkal. Elektrolyte. Der *Zink-Luft-A.* enthält eine pos. Elektrode aus Zink, die neg. Elektrode besteht aus gesintertem Nickel, durch dessen Poren ein kleiner Kompressor ständig Luft in den Elektrolyten (Kalilauge) preßt; die durch Auflösung des Zinks im Elektrolyten gebildeten *Zinkate werden durch den Luftsauerstoff in Zinkoxid umgewandelt. Die Aufladung dieser A. erfolgt durch Red. des Zinkhydroxids. Ein Natrium-Schwefel-Hochtemp.-A. arbeitet bei 300 °C mit flüssigen Elektroden u. einem festen Elektrolyten. Dieser ist ein Keramik-Röhrchen aus β-Aluminiumoxid, das im Innern die flüssige Na-Anode enthält u. außen von der flüssigen S-Kathode umgeben ist. – *E* accumulators, storage batteries – *F* accumulateurs – *I* accumulatori – *S* acumuladores

Lit.: Elektrische Bahnen **90**, 365–372 (1992) ▪ Handbuchreihe Energie, Bd. 4, Elektrische Energietechnik, Köln: Verl. TÜV Rheinland 1987 ▪ Kahlen (Hrsg.), Batterien, Haus der Technik Fachbuchreihe, Essen: Vulkan-Verl. 1992 ▪ Kiehne, Batterien, Grafenau/Württ.: expert Verl. 1983 ▪ Proceedings of Conference for Electric Vehicle Research, Paris, 13–15 Nov. 1995, AVERE, Bd. du Régent, 8 B 1000 Bruxelles (Belg.): European Electric Road Vehicle Assoc. 1995.

Akkumulatorensäure. 20–26%ige Schwefelsäure bes. Reinheit (D. 1,15–1,22) für Bleiakkumulatoren, für Autobatterien auch 32%ig (D. 1,28). – *E* battery acid – *F* acide pour accumulateurs – *I* acido per accumulatori – *S* ácido para acumuladores

Akn... Anlautender Wortbestandteil einer Vielzahl von im allg. geschützten Handelsnamen für Präp. zur Behandlung der *Akne. Akne-Präp. können enthalten: Antibiotika (*Erythromycin, *Clindamycin u. für system. Anw. *Tetracycline), Benzoylperoxid, die Retinoide Vitamin-A-Säure u. Isotretinoin, Antiandrogene u. zur abrasiven Behandlung Aluminiumoxid-Partikel od. Silikonharz. Als keratolyt. Bestandteile werden Salicylsäure, Resorcin, Harnstoff u. Schwefel eingesetzt.

Akne. Hauterkrankung mit verschiedenen Formen u. Ursachen, gekennzeichnet durch nicht entzündliche u. entzündliche Knötchen, ausgehend von verstopften Haarfollikeln (Komedonen), die zur Pustel-, Abszeß- u. Narbenbildung führen kann. Am häufigsten ist die *Acne vulgaris*, die vorwiegend in der Pubertät auftritt. Ursächliche Bedingungen sind die Verhornung u. Verstopfung der Haarfollikel-Mündung, die vom Blutspiegel der männlichen Sexualhormone abhängige Talgproduktion (vgl. Sebum) u. die Produktion freier Fettsäuren u. gewebeschädigender Enzyme durch Bakterien (*Propionibacterium acnes*). Formen der von außen ausgelösten A. entstehen u. a. durch halogenierte Kohlenwasserstoffe (*Chlorakne), Mineralöle u. Teere sowie Glucocorticoide (Steroidakne). Therapeut. kommen Antibiotika, *Keratolytika, Benzoylperoxid-Lsg. sowie Isotretinoin (s. Tretinoin) zur Anwendung. – $E = I$ acne – $F = S$ acné

Lit.: Steigleder, Dermatologie und Venerologie, Stuttgart: Thieme 1992.

A-Kohle s. Aktivkohle.

Akon. Bez. für die als *Fasern verwendeten einzelligen Samenhaare von Asclepiadaceen u. Apocynaceen, insbes. *Calotropis gigantea* u. *C. procera*.

Lit.: Biol. Wastes **22**, 157–161 (1987) ▪ Hager (4.) **3**, 621.

Akrosin. Trypsin-ähnliche Proteinase mit einem M_R von 38000, die in speziellen Organellen der Spermatozoen, den *Akrosomen, vorkommt. Das Enzym spielt eine Rolle bei der Befruchtung (s. a. Konzep-

tion), man nimmt an, daß es das Eindringen von Spermatozoen in die Eizelle ermöglicht. – *E* acrosin – *F* acrosine – *I* = *S* acrosina
Lit.: Biol. Reprod. **32**, 619–630 (1985) ▪ Exp. Zoology **233**, 479–483 (1985).

Akrosom. Dem Spermium (s. Sperma) aufsitzende Vakuole. Das A. enthält an seiner Oberfläche *Bindine zur Bindung an *Glykoproteine der Eizelle sowie hydrolyt. Enzyme (u. a. *Hyaluronidase, *Neuraminidase, *Glykosidasen u. *Akrosin), die der Auflösung der die Eizelle umgebenden Eihüllen während der Befruchtung dienen (s. Konzeption). – *E* = *F* acrosome – *I* = *S* acrosoma
Lit.: Fénichel u. Parinaud, Human Sperm Acrosome Reaction, Paris: INSERM 1995.

Aktinische Strahlung s. Ultraviolettstrahlung.

Aktinolith s. Amphibole.

Aktinometrie. Von griech.: aktis = Strahl abgeleitete Bez. für Meth. zur Messung photochem. wirksamer Strahlung (vgl. Bunsen-Roscoesches Gesetz u. Photochemie). Die *Quantenausbeute einer zu untersuchenden photochem. Reaktion wird ermittelt durch Vgl. mit derjenigen einer in allen Einzelheiten bekannten Photoreaktion; Eichung mit einem Kugelphotometer[1]. Bekannte Aktinometer sind das Uranyloxalat- u. das *Ammoniumeisenoxalat-Aktinometer; auch das Decafluorbenzophenon-Isopropylalkohol-Syst. ist geeignet[2]. – *E* actinometry – *F* actinométrie – *I* attinometria – *S* actinometría
Lit.: [1]Lex. Phys. S. 931. [2]J. Chem. Soc., Chem. Commun. **1970**, 1413.
allg.: von Bünau u. Wolff, Photochemie, S. 239, Weinheim: Verl. Chemie 1987 ▪ J. Photochem. **20**, 335 f. (1982).

Aktiol. Handelsname für einen Aktivator in Granulatform für helle Verstärkerfüllstoffe wie Kieselsäure in Gummimischungen. *B.:* Kettlitz-Chemie GmbH & Co. KG.

Aktiphos. Marke von Giulini Chemie zur Härtestabilisierung u. Korrosionsminderung von Kühlwasser.

Aktiplast®. Verarbeitungswirkstoffe für die Gummi-Ind.; Zinksalze höhermol. Fettsäuren sowie Abbau-, Dispergier- u. Gleitmittel zur Verbesserung von Plastizität, Fließverhalten, Spritzbarkeit u. Spritzleistung von Kautschuk-Mischungen, zur besseren Dispergierung von Chemikalien u. Füllstoffen u. für das Recycling von Gummi-Abfällen. *B.:* Rhein Chemie Rheinau GmbH.

Aktivanad®. Roborans mit *Coffein sowie Hefe- u. Leber-Extrakten (Saft) bzw. Vitaminen der B-Gruppe u. C (Dragée); A.-Saft für Kinder enthält zusätzlich zu den genannten Extrakten noch Eisen(III)-Salze von Glycerindihydrogenphosphaten u. L-Lysin-Hydrochlorid. *B.:* Knoll.

Aktivanode s. Kathodischer Korrosionsschutz.

Aktivatoren. Pauschale Bez. für Stoffe, die die *Aktivierung eines Syst. bewirken u./od. als *Beschleuniger, Promotoren, *Verstärker* wirken, häufig im Sinne eines *Synergismus. So spricht man von A. bei der *Katalyse, *Flotation (*Beleber*), *Vulkanisation (s. Kautschuk), bei *Leuchtstoffen, *Waschmitteln, beim *Bleichen u. a. Prozessen. Selbstverständlich wirken in allen erwähnten Verf. u. Stoffen die A. auf verschiedene Art u. Weise. Selbst in der Biochemie spricht man unspezif. von A. u. meint damit *Coenzyme od. Cosubstrate (s. Enzyme). – *E* activators – *F* activateurs – *I* attivatori – *S* activadores

Aktiver Transport. Stofftransport durch eine Membran (*Cytoplasma- od. Zellorganell-Membran) entgegen einem Konzentrationsgradienten. Der a. T. ist im Gegensatz zum passiven Transport (unspezif. *Diffusion durch eine Membran) u. der erleichterten Diffusion (spezif. Stofftransport mit dem Konzentrationsgradienten) an einen energieliefernden Schritt gebunden. Der a. T. wird durch sog. *Carrier-Proteine (Transportproteine) vermittelt u. ist daher substratspezifisch. – *E* active transport – *F* transport actif – *I* trasporto attivo – *S* transporte activo
Lit.: Gottschalk, Bacterial Metabolism, S. 105 ff., New York: Springer 1988 ▪ Schlegel (7.), S. 280 ff.

Aktiver Wasserstoff. Der an N, O od. S. gebundene, sog. aktive, d. h. *acide* Wasserstoff von Carboxy-, Hydroxy-, Amino- u. Imino- sowie Thiol-Gruppen läßt sich nach einem von *Tschugaeff u. Zerewitinoff aufgefundenen Verf. durch Umsetzung mit Methylmagnesiumiodid in Butylethern od. anderen Ethern (*Zerewitinoffs Reagenz*, Gleichung z. B. ROH + CH$_3$MgI → ROMgI + CH$_4$) bestimmen, wobei das entstehende Methan gasvolumetr. gemessen wird. Auch der a. W. in aciden Kohlenwasserstoffen (s. Acidität) läßt sich in Einzelfällen so quant. erfassen. – *E* active hydrogen – *F* hydrogène actif – *I* idrogeno attivo – *S* hidrógeno activo
Lit.: s. Grignard-Verbindungen.

Aktives Zentrum s. Enzyme.

Aktivierter Komplex s. Übergangszustand u. Reaktionsdynamik.

Aktiviertes Isopren s. Isopren-Regel.

Aktivierung. Bez. für einen Prozeß, durch den Stoffe (z. B. Kohle, Tonerde, Metallpulver, chem. Verb.) durch Bestrahlung, Wärmebehandlung, Teilchenzerkleinerung, Zusatz geeigneter Fremdstoffe (*Aktivatoren) u. dgl. in einen reaktionsfähigeren, „aktivierten" Zustand versetzt werden; vgl. Aktivstoffe u. Aktivatoren. – *E* = *F* activation – *I* attivazione – *S* activación

Aktivierungsanalyse. Hochempfindliches Verf. der Analyt. Chemie zur qual. u. quant. *Spurenanalyse. Hierbei wird die zu untersuchende Substanzprobe mit *Neutronen (seltener mit *Deuteronen u. dgl.) beschossen, wobei ein bestimmter Teil der beschossenen Atome *radioaktive Isotope* (*Radioisotope) bildet, deren Radioaktivität (Halbwertszeit des Zerfalls), Energie u. Intensität der ausgesandten Strahlung gemessen werden kann. Aus dem Produktspektrum kann man auf Art u. Menge der in der Analysenprobe ursprünglich vorhandenen Elemente schließen. Die A. wurde von G. v. *Hevesy eingeführt, der durch Neutronenbestrahlung Verunreinigungen von Seltenen Erden nachwies. Üblicherweise wird die A. als *Neutronenaktivierungsanalyse* (NAA) ausgeführt, wobei man noch zwischen der zerstörungsfrei arbeitenden *instrumentellen* (INAA) u. der *radiochem.* (RNAA) Neutronen-A.

unterscheiden kann. Als Neutronenquellen kommen Reaktoren od. *Radionuklide in Betracht, die entweder beim Zerfall reichlich Neutronen liefern (z. B. *Californium-252) od. diese durch eine (γ, n)-Reaktion erzeugen (im allg. im Syst. Actinoide/Beryllium). Bei leichten Elementen läßt sich vorteilhaft auch eine Aktivierung mit *Protonen vornehmen.
Anw.: Wegen ihrer niedrigen Erfassungsgrenzen (bis $<10^{-13}$ g = 0,1 pg! bei einigen Substanzen, sonst bei 10^{-4} g) zur *Spurenanalyse in organ. u. anorgan. Material, d. h. zur Analyse von *Rückständen, *Gesteinen, in der Archäologie u. *Kunstwerkprüfung, im *Umweltschutz, in der Fertigungskontrolle etc. – *E* activation analysis – *F* analyse par activation – *I* analisi d' attivazione – *S* análisis por activación
Lit.: Altassi (Hrsg.), Activation Analysis, Bd. 1+2, Boca Raton: CRC Press 1989 ▪ Analyt.-Taschenb. **5**, 36–68 ▪ Ehrmann u. Vance (Hrsg.), Radiochemistry and Nuclear Methods in Analysis, Chichester: Wiley 1991 ▪ Schwedt, Analytische Chemie, S. 280–286, Stuttgart: Thieme 1995.

Aktivierungsenergie. Nach der Interpretation von Tolman (vgl. *Lit.*[1]) ist die A. gleich der Differenz der mittleren Energie der reagierenden Mol. u. der mittleren Energie aller (auch der nichtreaktiven) Moleküle. Vorausgesetzt wird hierbei eine Boltzmann-Verteilung (s. Boltzmannsches Energieverteilungsgesetz) für die Reaktandenmol.; nur Mol. mit einer Energie, die mind. so groß ist wie die A., können reaktive Stöße durchführen. Experimentell bestimmt wird meistens die *Arrheniussche A.* (s. Arrheniussche Gleichung), indem man die Temp.-Abhängigkeit der *Reaktionsgeschwindigkeitskonstante mißt. Ursache für das Vorliegen einer pos. A. ist meistens eine Energiebarriere auf der der Reaktion zugeordneten Potentialhyperfläche (s. Potential). Der Zusammenhang zwischen der A. u. der Höhe der Energiebarriere (auch „klass. A." genannt) ist komplexer Natur; die beiden Größen sind allenfalls ungefähr gleich; s. a. Reaktionsdynamik. – *E* activation energy – *F* énergie d'activation – *I* energia d' attivazione – *S* energía de activación
Lit.: [1] J. Am. Chem. Soc. **42**, 2506 (1920).
allg.: Angew. Chem. **81**, 446–452 (1969) ▪ Levine u. Bernstein, Molekulare Reaktionsdynamik, Stuttgart: Teubner 1991 ▪ Smith, Kinetics and dynamics of elementary gas reactions, London: Butterworths 1980.

Aktivierungsenthalpie, -entropie s. Übergangszustand.

Aktivierungskaskade s. Enzyme (Regulation).

Aktivität. 1. Maß für die Stärke eines radioaktiven Präp. (*Radioaktivität). A. ist definiert als die Zahl der Umwandlungen pro Zeiteinheit; die Einheit der A. ist 1 Bq (Becquerel) = 1 s^{-1} [veraltete Einheit: 1 Ci (*Curie) = 3,7 · 10^{10} Bq; entsprechend der A. von 1 g Radium-226]. Unter der *spezif. A.* versteht man die A. eines reinen Nuklids dividiert durch seine Masse m: a = A/m $\rightarrow$ a = N_A · ln2/(M · $t_{1/2}$) mit N_A = *Avogadro-Konstante = 6,022 · 10^{23} mol^{-1}, M = Molmasse u. $t_{1/2}$ = Halbwertszeit des Nuklids. Die A. nimmt nach dem Zeitgesetz des *radioaktiven Zerfalls ab: A = A(t=0) · exp(-ln2 · t/$t_{1/2}$).
2. In der physikal. Chemie tritt die A. an die Stelle der „wahren" *Konzentration u. drückt demgegenüber die „wirksame" Konz. von Atomen, Ionen od. Mol. aus, d. h. sie ist das Konz.-Maß, das in die für ideale Mischungen u. Lsg. abgeleiteten Gesetze (wie z. B. das *Massenwirkungs-Gesetz) einzusetzen ist, damit sich diese auch dann anwenden lassen, wenn in dem betreffenden Syst. kein ideales Verhalten (z. B. in mäßig verd. Elektrolytlsg. infolge der gegenseitigen Störung der Ionen) mehr vorliegt. Mit dem *chemischen Potential μ einer Substanz ist deren abs. A. λ verknüpft nach $\lambda = e^{\mu/RT}$ mit R = Gaskonstante u. T = abs. Temperatur. Den Anteil der „wirksamen" an der Gesamtzahl der vorhandenen Atome, Ionen od. Mol. gibt der *Aktivitätskoeff.* an. Dieser trägt, je nach Bezugssyst., nach IUPAC-Regeln die Symbole f (Basis *Molenbruch), γ (Basis *Molalität) od. y (Basis Konz.); bes. in der *pH-Meßtechnik schreibt man jedoch häufig für relative A. einer Substanz B $a_B = f_B \times c_B$ (c = Konz.). A.-Koeff. können aus elektrochem. Daten, Gefrierpunktsbestimmung od. spektroskop. ermittelt werden. Sie sind ggf. in *Tabellenwerken nachzuschlagen.
3. Die *katalyt. A.* od. speziell in der Biochemie die *enzymat. A.* ist ein Maß für die reaktionsbeschleunigende Wirkung eines Katalysators od. Enzyms mit der Einheit 1 kat (Katal) = 1 mol Substratumsatz pro Sekunde. Veraltet, aber noch gebräuchlich: 1 U (Enzym-Einheit) $\approx$ 16,67 nkat. Bezieht man die A. auf die Masse des Katalysators, so erhält man die *spezif. A.* in kat/kg (od. gebräuchlicher: 1 U/mg $\approx$ 16,67 mkat/kg).
4. Unter *biolog. A.* versteht man sehr allg. die Wirksamkeit eines Stoffes in biolog. Syst., z. B. wie oben (3.) als Enzym, aber auch als *Hormon, *Toxin, *Wachstumsfaktor usw. – *E* activity – *F* activité – *I* attività – *S* actividad
Lit. (zu 2): Pytkowicz, Activity Coefficients in Electrolyte Solutions (2 Bd.), West Palm Beach: CRC Press 1979.

Aktivkohle (A-Kohle). Unter A. versteht man Kohlenstoff-Strukturen aus kleinsten *Graphit-Krist. u. amorphem *Kohlenstoff mit poröser Struktur u. inneren Oberflächen zwischen 500 u. 1500 m^2/g. Entsprechend der äußeren Form unterscheidet man Pulver-A. (z. B. zur Entfärbung von Flüssigkeiten), Korn-A. (z. B. zur Wasserbehandlung) u. zylindr. geformte A. (z. B. zur Gasreinigung).
Herst.: Pflanzliche (Holz, Torf, Nußschalen, Kaffeebohnen), tier. (Blut, Knochen, s. Knochenkohle) u./od. mineral. (Braun- od. Steinkohle, petrochem. Kohlenwasserstoffe) Rohstoffe werden entweder mit Dehydratisierungsmitteln (Zinkchlorid, Phosphorsäure) auf 500–900 °C erhitzt u. anschließend durch Auswaschen gereinigt od. durch trockene Dest. verkohlt u. anschließend oxidativ aktiviert, d. h. man behandelt das verkohlte Material bei 700–1000 °C mit Wasserdampf, Kohlendioxid u./od. Gemischen daraus, evtl. auch mit Luft.
Verw.: Als *Adsorbens zur Entfernung unerwünschter od. schädlicher Farb-, Geschmacks- u. Geruchsstoffe aus Gasen, Dämpfen u. Flüssigkeiten, von Chlor u. Ozon aus Wasser, von Giftstoffen im industriellen, militär. u. zivilen Gasschutz, von radioaktiven Gasen in der Kerntechnik, von Benzindämpfen bei PKW, zur Rückgewinnung wertvoller Lsm. in der Kunstharz-, Lack-, Chemiefaser-, Zellglas-, Gummi-, Druck- u. Metall-Ind. sowie beim Chemisch-Reinigen, zur Ad-

sorption von Giftstoffen im Magen-Darm-Trakt (hier meist *medizinische Kohle – carbo medicinalis – genannt) u. in Zigarettenfiltern. – *E* activated carbon – *F* charbon actif – *I* carbone attivo – *S* carbón activo
Lit.: DAB 10 (Kohle, medizin.) ▪ Ullmann (5.) A 5, 124–140 ▪ Winnacker-Küchler (3.) 3, 326–342.

AKTIVox®. Aktivsauerstoff-Verb., Geräte u. Anlagen zur Reinigung von Wässern u. Abwässern. *B.:* Degussa.

Aktivstoffe. Unspezif. Bez. für solche *Festkörper, die sich vor anderen durch ihre *Aktivierung auszeichnen; ihr *Energieinhalt* ist höher als normal, weshalb sie thermodyn. als instabil zu betrachten sind (s. Stabilität). Typ. A. in diesem Sinne sind: Krist. Stoffe mit *Kristallbaufehlern (Gitterstörungen) od. mit einer unter den betreffenden Bedingungen nicht stabilen Allotropie (s. Modifikationen), Feststoffe in echt amorphem, flüssigkeitsähnlichem Zustand (vgl. Glaszustand) od. in sehr fein verteilter Form, d. h. mit sehr großer Oberfläche u./od. *Porosität. Nicht zu den A. rechnet man Stoffe im therm. od. photochem. *Anregungs-Zustand.
Herst.: Je nach Stoff bieten sich verschiedene Wege an, z. B. mechan. od. im Lichtbogen vorgenommenes *Zerstäuben, „Einfrieren" allotroper Umwandlungen, willkürliche Herbeiführung von Gitterstörungen z. B. durch Einbau von Fremdatomen bei der *Kristallisation (vgl. Epitaxie), Dislocation von Atomen auf *Zwischengitterplätze durch Einwirkung *ionisierender Strahlung, Fällungsreaktionen, *Pyrolyse od. *Schwelung (*Beisp.:* *Aktivkohle), *Calcinieren, selektives Herauslösen einzelner Komponenten z. B. aus Leg. (*Beisp.:* *Raney-Katalysatoren), Red. von Metallverb. usw.
Verw.: Die A. unterscheiden sich von den inaktiven Festkörpern durch höheren Wärmeinhalt u. gesteigerte Reaktionsbereitschaft: Sie reagieren unter sonst gleichen Bedingungen schneller od. bei tieferen Temp. als die inaktiven Stoffe. Bei feinzerteilten Stoffen ist die größere Oberfläche nicht die einzige Ursache für die Aktivität, denn schon an ein u. demselben Krist. kann die Oberflächenenergie je nach der Flächenart verschieden sein. Die bes. Qualität der Oberflächen spielt hier eine wichtige Rolle; bes. wirksam sind Oberflächen mit Gitterstörungen. Die reaktionsfähigen Oberflächen der A. können bei *Katalysatoren chem. Reaktionen aller Art beschleunigen od. verlangsamen (Aktivierung u. *Desaktivierung als pos. u. neg. *Katalyse), Fremdsubstanzen adsorbieren (s. Adsorption u. Chemisorption), passivierende Oxidhäute bilden usw.
Die Reaktionen an A. gehören somit in das Arbeitsgebiet der *Oberflächenchemie; s. a. Festkörper u. Katalyse. – *E* active solids – *F* solides actifs – *I* solidi attivi – *S* sólidos activos
Lit.: s. Festkörper, Katalyse, Oberflächenchemie.

Aktren®. Dragées u. Granulat mit *Ibuprofen zur Schmerz- u. Rheumatherapie. *B.:* Bayer Pharma Deutschland.

Akustik (von griech.: akuein = hören). Lehre vom *Schall. Berührungspunkte mit der Chemie: *Akusto-* od. *Sonochemie* (s. Ultraschallchemie), *optoakust.* *Spektroskopie*, *Sonolumineszenz*, *Phononen*, *Schalldämmstoffe. Moderne Meßverf. bedienen sich der Lasertechnik [1]. – *E* acoustics – *F* acoustique – *I* acustica – *S* acústica
Lit.: [1] Phys. Unserer Zeit **19**, 67 (1988).
allg.: Bergmann u. Schaefer, Lehrbuch der Experimentalphysik, Bd. 1, Berlin: de Gruyter 1990.

Akutphasen-Proteine (Akutphasen-Reaktanten). *Serumproteine od. -glykoproteine, die normalerweise in relativ geringen Konz. zirkulieren, bei Entzündungen, Verletzungen, Infektionen u. Tumoren jedoch vermehrt sind u. zum großen Teil frühe Abwehrfunktionen erfüllen. *Beisp.:* *C-reaktives Protein, Lipopolysaccharid-bindendes Protein, *Mannose-bindendes Protein u. *Serum-Amyloid-Komponenten, in geringerem Maß auch α_1-*Antitrypsin, Fibrinogen (s. Fibrin), *Haptoglobin, *Komplement C3, *Sialyltransferase [1]. – *E* acute phase proteins – *F* protéines de la phase aiguë – *I* proteine della fase acuta – *S* proteínas de la fase aguda
Lit.: [1] Comp. Biochem. Physiol. B **105**, 29 ff. (1993).
allg.: Immunol. Today **15**, 74–88 (1994).

Akypo®. Diese Gruppe der Alkylpolyglykolether-carbonsäuren u. ihre Salze werden als Spezialtenside, Hilfsmittel u. Rohstoffe für diverse industrielle u. kosmet. Einsatzgebiete verwendet, z. B. als schwach schäumende Produkte, in der Kosmetik als hautmilde Tenside. *B.:* Chemische Fabrik Chem-Y.

Akypogene®. Mischung verschiedener anion. *Tenside (z. B. Alkylsulfate od. Ethercarbonsäuren). *B.:* Chemische Fabrik Chem-Y.

Akypoquat®. Kation. Fettsäureester als kation. *Tenside für die Herst. von Kur- u. Cremespülungen. *B.:* Chemische Fabrik Chem-Y.

Akyporox®. Eine Gruppe von Kondensationsprodukten von Ethylenoxid u. höheren Alkoholen (Lauryl-, Oleyl-, Stearylalkohol) usw., die als kosmet. u. techn. Emulgatoren verwendet werden. *B.:* Chemische Fabrik Chem-Y.

Akzeptor (von latein.: acceptor = Empfänger). 1. Im allg. Sinne Bez. für ein Atom od. Mol., das Elementarteilchen (Elektronen, Protonen), Atome, Ionen od. Mol. anlagern od. Energie aufnehmen kann. Das angelagerte Teilchen kommt in allg. von einem *Donator od. ist gelegentlich der Don(at)or selbst; ein Beisp. ist das der *Elektronen-Donator-Akzeptor-Komplexe, in denen der A. vom Donator *einsame Elektronenpaare* aufnimmt. Jedoch spricht man von A. auch bei *Ampholyten, beim Übergang *einsamer Elektronen, bei *Charge-transfer-Komplexen, bei der *Energieübertragung (vgl. a. Photochemie), bei *Excimeren etc., ferner bei der Definition des *Säure-Base-Begriffs (Protonen-A.) u. von *Redoxsystemen. Zum A.-Begriff in der anorgan. Chemie s. *Lit.*[1].
2. In verwandtem Sinne diskutiert man auch A. u. Don(at)oren bei der *Aggregation von Zellen [2].
3. In der Halbleiterphysik versteht man unter A. ein – z. B. durch *Dotieren – eingelagertes Fremdatom mit Elektronenmangel, z. B. ein dreiwertiges Element wie B, Al, Ga auf dem Platz eines vierwertigen Si-Atoms im *Halbleiter-Si. Der neutrale A. kann ein Elektron

aus dem Valenzband aufnehmen od. mit anderen Worten ein *Defektelektron (Loch) im Valenzband erzeugen gemäß $A° + e_{vB} \leftrightarrow A^-$ od. $A° \leftrightarrow A^- + h$. In dem nun nicht mehr vollständig besetzten Valenzband wird Ladungstransport (elektr. *Leitfähigkeit) möglich, sog. *Löcherleitung. – *E* acceptor – *F* accepteur – *I* accettore – *S* aceptor
Lit.: [1] Struct. Bonding (Berlin) **1**, 207–220, 249–281 (1966); **5**, 118–149 (1968); **15**, 73–139, 167–188 (1973). [2] Naturwiss. Rundsch. **28**, 115–124 (1975).
allg.: Gutmann, The Donor-Acceptor Approach to Molecular Interactions, New York: Plenum 1978 ▪ Ibach u. Lüth, Festkörperphysik, 3. Aufl. Heidelberg: Springer 1991 ▪ Sze, Physics of Semiconductor Devices, 2. Aufl., New York: Wiley 1981.

Akzessorische Minerale s. Gesteine.

Akzessorische Pigmente s. Antennen-Komplexe.

Akzidentell (von latein.: accidentia = zufälliges Ereignis). Adjektiv mit der Bedeutung „zufällig, unwesentlich" u. dem Gegensatz *essentiell; *Beisp.*: *Spurenelemente. – *E* accidental – *F* accidentel – *I* accidentale – *S* accidental

AKZO. Kurzbez. für den internat. Chemiekonzern AKZO NOBEL, mit Hauptsitz in den Niederlanden, Velperweg 76, Arnhem. *Daten* (1995): 70000 Beschäftigte in 50 Ländern, 13 Mrd. $ Umsatz. Die Aktivitäten sind AKZO unter 4 Unternehmensbereichen zugeordnet: Fasern u. Polymere, Chemie, Farben u. Lacke, Pharma. Zu den zahlreichen *Tochter-* u. *Beteiligungsges.* gehören u. a. in der BRD AKZO Chemicals, Düren; AKZO Coatings, Stuttgart; AKZO Faser, Wuppertal. *Produktion:* Salze, anorg. u. org. Basischemikalien, Chemiefasern für textile u. techn. Zwecke, Lacke u. Lackhilfsmittel, Kunststoffe, Folien, Klebstoffe, Kunstharze, Kunststoff- u. Kautschukhilfsmittel, Papierchemikalien, Pharmazeutika für die Human- u. Veterinärmedizin, Tenside sowie Produkte hieraus.

...al. In systemat. Namen, Naturstoffnamen u. internat. *Freinamen verwendetes Suffix zur Kennzeichnung eines Aldehyds (IUPAC-Regeln C-11.3, C-302–304, R-5.6.1). *Beisp.*: *Pyridoxal; Propionaldhyd heißt systemat. Propanal. – *E* = *F* = *S* ...al – *I* ...ale

Al. Chem. Symbol für *Aluminium.

Ala. Abk. für L-*Alanin (neben A).

δ-ALA s. 5-Amino-4-oxovaleriansäure.

Alabamin. Aufgegebene Bez. für das Element 85, s. Astat.

Alabandin (Manganblende). MnS; schwarzes, halbmetall. glänzendes od. braun angelaufenes undurchsichtiges kub. Mineral, Krist.-Klasse m3m-O_h. Meist derbe od. körnige Massen. H. 3,5–4, D. 4,0, Strichfarbe grün.
Vork.: Auf Gold-Silber-Erzgängen, z.B. in Siebenbürgen/Rumänien, VR China; in Nordost-Bulgarien u. Alabanda/Türkei (Name!). In *Meteoriten. – *E* = *F* alabandine, alabandite – *I* = *S* alabandina
Lit.: Anthony et al., Handbook of Mineralogy, Vol. 1, S. 5, Tucson (Arizona): Mineral Data Publishing 1990 ▪ Ramdohr-Strunz, S. 439. – [CAS 1318-06-5]

Alabaster. Sehr feinkörniger, massiger, marmorartiger, durchscheinender, sehr reiner (>99%), in Kunstgewerbe u. Bildhauerei verwendeter, u.a. in der Toskana vorkommender *Gips von schneeweißer bis schwach grauer Farbe. – *E* alabaster – *F* albâtre – *I* = *S* alabastro
Lit.: Lapis **2**, Nr. 1, 7 f. (1977) ▪ Müller, Gesteinskunde (3.), S. 137 f., Ulm: Ebner 1991 ▪ Ramdohr-Strunz, S. 613. – [HS 251520; CAS 22206-35-5]

Alachlor. Common name für 2-Chlor-2′,6′-diethyl-*N*-(methoxymethyl)acetanilid.

$C_{14}H_{20}ClNO_2$, M_R 269,77, Schmp. 39,5–41,5 °C, LD_{50} (Ratte oral) 1200 mg/kg (GefStoffV), von Monsanto 1965 eingeführtes selektives system. *Herbizid gegen Ungräser im Mais-, Sojabohnen-, Erdnuß-, Baumwoll-, Raps- u. Sonnenblumenanbau. – *E* alachlore – *F* alachlore – *I* = *S* alacloro
Lit.: Farm ▪ Perkow ▪ Pesticide Manual. – [HS 292429; CAS 15972-60-8]

Alanate. Von *Wiberg geprägte Bez. für gemischte Metallhydride des Typs $MH_n \cdot nAlH_3 = M(AlH_4)_n$, die aus Metallchloriden (MCl_n) mit *Lithiumaluminiumhydrid ($LiH \cdot AlH_3 = LiAlH_4$) in ether. Lsg. nach der Gleichung $MCl_n + nLiAlH_4 \rightarrow M(AlH_4)_n + nLiCl$ entstehen. Es gibt z.B. Magnesiumalanat = $Mg(AlH_4)_2$, Aluminiumalanat = $Al(AlH_4)_3$; die systemat. IUPAC-Bez. für letzteres wäre Aluminium-tris(tetrahydridoaluminat). – *E* = *F* alanates – *I* alanati – *S* alanatos
Lit.: s. Aluminiumhydrid u. Hydride.

Alane. Von *Wiberg in Analogie zu *Borane geprägte Bez. für *Aluminiumhydrid u. dessen Derivate, sofern sie durch Austausch von Wasserstoff gegen Halogen-Atome od. organ. Reste entstehen. Die Bez. hat sich ebenso wenig durchgesetzt wie *Alanate. – *E* = *F* alanes – *I* alani – *S* alanos
Lit.: s. Aluminiumhydrid

Alanin (Aminopropionsäure). $C_3H_7NO_2$, M_R 89,09.

α-A.: Von den beiden Isomeren kommt L-A. [(*S*)-2-Aminopropionsäure, Abk. Ala od. A] als eine der wichtigsten Aminosäuren in fast allen Proteinen vor. Naturseide enthält rund 25%. Die D-Form (D-Ala) ist als Bestandteil der *Teichonsäuren u. des *Mureins ein wichtiger Baustein von Bakterien-Zellwänden. Viele weitere *Aminosäuren (z.B. Serin, Cystein, Cystin) sind Substitutionsprodukte des Ala. Im lebenden Organismus kann Ala aus *Milchsäure (od. *Brenztraubensäure) u. Ammonium-Ionen gebildet werden, es ist also nicht *essentiell.
Herst.: Im Labor synthetisiert man D,L-Ala aus 2-Chlorpropionsäure u. Ammoniak od. aus NH_4Cl/KCN bzw. NH_3/HCl u. Acetaldehyd (*Strecker-Synthese). Das opt. aktive Ala erhält man außer durch *Racemattrennung über diastereomere Salze od. enzymat.

Spaltung von N-Acetyl-D,L-Ala mit Acylasen auch durch enzymat. Decarboxylierung von L-*Asparaginsäure od. *asymmetrische Synthese.
Eigenschaften u. Verw.: Opt. aktives Ala u. racem. D,L-Ala vom Schmp. 295 °C (Zers.) sind leicht lösl. in Wasser, kaum lösl. in Alkohol, unlösl. in Ether. Ala ist Bestandteil von Diäten u. Infusionslsg. u. kann zur Erzielung süß-saurer Geschmacksnoten in Essig ebenso eingesetzt werden wie zur Synth. von *Vitamin B_6.
β-A. (3-Aminopropionsäure, β-Ala): Eine der wenigen in der Natur vorkommenden β-Aminosäuren; β-Ala ist ein Bestandteil der *Pantothensäure, des *Coenzyms A u. der Dipeptide *Anserin u. *Carnosin. Krist., Schmp. 197–198 °C (Zers.), in Wasser leicht, in Alkohol wenig, in Ether nicht löslich. – *E = F* alanine – *I = S* alanina
Lit.: α-Ala: Beilstein E IV **4**, 2480–2485 ▪ β-Ala: Beilstein E IV **4**, 2526–2528. – *[HS 292249; CAS 338-69-2 (D); 56-41-7 (L); 302-72-7 (DL); 107-95-9 (β)]*

Alaninol s. Aminopropanole.

L-Alanosin [(S)-2-Amino-3-(hydroxy-nitrosoamino)-propionsäure].

(2S)-Form

$C_3H_7N_3O_4$, M_R 149,11, Schmp. 190 °C (Zers.), $[\alpha]_D$ +8,0° (1 m HCl), –46,0° (0,1 m NaOH), pK_a 4,8 u. 8,6. LD_{50} (Maus, i.v.) 300 mg/kg. Antibiotikum aus Kulturen von *Streptomyces alanosinicus.* – *E = F* alanosine – *I = S* alanosina
Lit.: Bull. Chem. Soc. Jpn. **46**, 1847 ff. (1973). – *Biolog. Wirkung:* Nature (London) **211**, 1198 f. (1973). – *Synth.:* Tetrahedron Lett. **1966**, 1769 ff. – *[HS 294190; CAS 16931-22-9; 5854-93-3 (L); 5854-95-5 (DL)]*

Alant. Südosteurop., in Mitteleuropa als Arzneipflanze kultiviertes, 1–2 m hohes Kraut, *Inula helenium* L. (Asteraceae), dessen Wurzelstock für Tees als Expektorans, Stomachikum u. Cholagogum eingesetzt wird. Die Droge gehört zu den Amara-Aromatica. Sie enthält verschiedene *Sesquiterpen-Lactone (Alantolactone u. a.) u. bis zu 44% *Inulin, das Asteraceen-Speicherkohlenhydrat. – *E* elfdock – *F* aunée – *I* composite – *S* ínula
Lit.: Heywood, Harborne u. Turner, Biology and Chemistry of the Compositae (Symposium), S. 603–619, London: Academic Press 1977 ▪ Wichtl (2.), S. 45–47. – *[HS 121190]*

Alantcampher, Alantolacton s. Helenin.

Alanycarb. Common name für Ethyl-(Z)-N-benzyl-N-{[methyl(1-methylthioethylidenamino-oxycarbonyl)amino]thio}-alaninat.

$C_{17}H_{25}N_3O_4S_2$, M_R 399,52, Schmp. 46,8–47,2 °C, LD_{50} (Ratte oral) 440 mg/kg, von Otsuka Ende der 80er Jahre eingeführtes *Insektizid gegen ein breites Spektrum von Schadinsekten im Obst-, Gemüse-, Zitrus-, Tabak- u. Weinanbau. – *E = F = I* alanycarb – *S* alanicarb
Lit.: Pesticide Manual. – *[CAS 83130-01-2]*

Alarmplan. Nach § 43 Abs. 6 der *UVV „Allgemeine Vorschriften" wird die Aufstellung eines A. für den Brandfall gefordert. Er regelt den Ablauf der zu treffenden Maßnahmen u. den Einsatz von Personen u. Mitteln u. berücksichtigt ggf. zusätzliche Gefahren, die bei erschwerenden Umständen von den Löschmannschaften bei der Brandbekämpfung beachtet werden müssen. Nach § 55 Arbeitsstätten-VO hat der Arbeitgeber für die Arbeitsstätte einen Flucht- u. Rettungsplan aufzustellen, wenn Lage, Ausdehnung u. Art der Nutzung der Arbeitsstätte dies erfordern. Der Flucht- u. Rettungsplan ist an geeigneter Stelle in der Arbeitsstätte auszulegen od. auszuhängen. In angemessenen Zeitabständen ist entsprechend dem Plan das Verhalten im Gefahr- od. Katastrophenfall zu üben. Nach der 3. Allg. Verwaltungsvorschrift zur Störfall-VO muß die betriebliche Alarmplanung gewährleisten, daß nach dem Feststellen einer Gefahrensituation eine schnelle Gefahrenmeldung an eine interne od. externe Stelle (z.B. betriebliche Alarmzentrale, automat. Brandmeldeanlage mit direkter Verbindung zur Berufsfeuerwehr) erfolgt. – *E* alarm plan
Lit.: 3. Allg. Verwaltungsvorschrift zur Störfall-VO vom 23.10.1995 (GMBl. 1995, Nr. 38, S. 782) ▪ UVV „Allgemeine Vorschriften" (VBG 1), in der Fassung vom 1.4.1992 (Bezugsquelle für Unfallverhütungsvorschriften: Carl Heymanns Verl., Köln; Jedermann-Verl., Heidelberg ▪ VO über Arbeitsstätten (ArbStättV) vom 20.3.1975 (BGBl. I, S. 729), zuletzt geändert durch VO vom 1.8.1983 (BGBl. I, S. 1057).

Alarmstoffe. Bez. für Substanzen, die geeignet sind, erhöhte Wachsamkeit u. Abwehrbereitschaft hervorzurufen. In der Technik versteht man darunter z.B. *Warnstoffe*, die zur *Gasodorierung von an sich geruchlosen od. geruchsarmen giftigen Gasen eingesetzt werden. In der Biochemie bezeichnet man als A. bestimmte *Pheromone, die v. a. von *Insekten bei Gefahr sezerniert werden u. bei den Artgenossen je nach Wehrhaftigkeit Verteidigungs-Verhalten (z.B. Beißbereitschaft) od. Flucht auslösen. In ihrer chem. Struktur uneinheitlich, findet man sie vornehmlich bei sozialen Insekten. Bildungsorte bei Ameisen sind die Mandibulardrüsen, Giftdrüsen, Dufoursche Anhangsdrüsen u. Analdrüsen (s. Insekten). Auf einige *Ameisen-Arten wirken Alkylpyrazine[1], auf andere Hexanal u. Hexanol[2] u. bei weiteren *Dendrolasin, 2-Heptanon od. Dimethyltrisulfid als Alarmstoffe. Bowers et al.[3] fanden, daß *trans*-Farnesen (vgl. Farnesol) auf eine ganze Reihe von *Blattlaus-Arten alarmierend wirkt, also relativ wenig artspezif. ist. Beim Stich der Biene wird Isopentylacetat frei, das andere Bienen zum Angriff stimuliert. Bei einigen Süßwasser-Schwarmfischen, z.B. Elritze, tritt bei Verletzung eines einzelnen Tieres ein Stoff ins Wasser, der bei den Artgenossen Fluchtreaktion auslöst; vgl. a. Pheromone, Duftstoffe u. Insekten. – *E* alarming substances – *F* substances d'alarme – *I* sostanze d'allarme – *S* sustancias de alarma
Lit.: [1] Science **182**, 501 (1973). [2] Nature (London) **285**, 230 (1975). [3] Science **177**, 1121 (1972).

allg.: Frohne u. Pfänder, Giftpflanzen, Stuttgart: Wiss. Verlagsges. 1987 ▪ Mebs, Gifttiere, Stuttgart: Wiss. Verlagsges. 1992 ▪ Teuscher u. Lindequist, Biogene Gifte (2.), Stuttgart: G. Fischer 1994.

Alaun (Kaliumaluminiumsulfat). $KAl(SO_4)_2 \cdot 12 H_2O$, M_R 474,38. Farblose, klare Oktaeder od. farbloses Kristallpulver. D. 1,76. Schmp. 92 °C mit saurer Reaktion in Wasser gut, in Alkohol nicht löslich. Bei mäßigem Glühen entsteht der gebrannte A. (Alumen ustum). *Herst.:* Durch Zusammengeben der Lsg. von K_2SO_4 u. $Al_2(SO_4)_3$ u. Auskristallisierenlassen.
Verw.: Die adstringierende, Eiweiß-fällende Wirkung nutzt man im Rasierstein (s. Rasiermittel). Seit Plinius' Zeiten bis zur Ggw. wird A. in der *Gerberei, insbes. in der Weißgerbere z. B. zur Herst. von *Glacéleder verwendet, auch in der Färberei z. B. mit Krapp (*Alizarin) als Beizmittel. In vielen Verw.-Bereichen ist A. heute fast vollständig durch *Aluminiumsulfat verdrängt, so zur Leimung von Papier (unter Beibehaltung der traditionellen Bezeichnung Alaun in der Papierind.).
Geschichte: Ursprünglich wurde A. (latein.: alumen) aus Alaunschiefer durch Rösten u. Auslaugen gewonnen. Die wichtigste Lagerstätte war bei Smyrna in Kleinasien, bis Mitte des 15. Jh. große A.-Lager in der Nähe von Rom entdeckt wurden, wodurch die Europäer von den türk. Einfuhren unabhängig wurden. Mit der Entwicklung der chem. Ind. im 19. Jh. begann die Produktion über Schwefelsäure aus Aluminiumsulfat. – *E* alum – *F* alun – *I* allume – *S* alumbre
Lit.: Gmelin, Syst. Nr. 35, Al, Tl, B, 1933, S. 456–477 ▪ Kirk-Othmer (4.) **2**, 335 f. ▪ Ullmann (5.), **A 1** 532 f. – *[HS 2833 30; CAS 7784-24-9]*

Alaune. Sammelbez. für eine Gruppe von *Doppelsalzen, bei denen jeweils ein einwertiges (M^I) u. ein dreiwertiges (M^{II}) Metall-Ion mit zwei SO_4-Ionen verbunden sind, nach der allg. Formel: $M^I M^{III}(SO_4)_2 \cdot 12 H_2O$. Als M^I können z. B. K, Na, NH_4, Tl od. selbst organ. Ammonium-Ionen, als M^{III} z. B. Al, Ti, Mn, In, Fe, Cr, od. V auftreten. Von den oktaedr. angeordneten 12 Mol. H_2O umgeben 6 in lockerer Bindung das einwertige u. 6 in festerer Bindung das dreiwertige Kation: Die A. (z. B. *Alaun selbst) krist. in schönen Oktaedern u. Würfeln von teilw. beträchtlicher Größe. In Doppelsalzen des A.-Typs lassen sich alle Kationen u. Anionen nebeneinander nachweisen; Komplex-Ionen treten nicht auf. – *E* alums – *F* aluns – *I* allumi – *S* alumbres
Lit.: Kirk-Othmer (4.) **2**, 335 ff. ▪ McKetta **3**, 129 f. ▪ Ramdohr-Strunz, S. 609 f. ▪ Ullmann (5.) **A 1**, 531 ff. ▪ Winnacker-Küchler (4.) **3**, 32. – *[HS 2833 30]*

Alaunerde s. Tonerde.

Alaunstein s. Alunit.

Alba®. Weiße Palladium-Silber-Gold-Leg. für Dentalzwecke, insbes. für Modellguß-, Kronen- u. Brückentechnik. *B.:* Heraeus Kulzer GmbH.

Albabond®. Weiße Palladium-haltige Leg. für Keramik-Aufbrennzwecke in der Dentaltechnik. *B.:* Heraeus Kulzer GmbH.

Albardin®. Fugendichtstoffe. *B.:* Remmers.

Albendazol.

Internat. Freiname für [5-(Propylthio)-1*H*-benzimidazol-2-yl]-carbamidsäuremethylester, $C_{12}H_{15}N_3O_2S$, M_R 265,33, Schmp. 208–210 °C. Es wurde 1975 als *Anthelmintikum von Smith Kline-Beecham (*Eskazole®) patentiert. – *E=F* albendazole – *I* albendazolo – *S* albendazol
Lit.: ASP ▪ Hager (5.), **7**, 92. – *[HS 2933 90; CAS 54965-21-8]*

Albertol®. Umfangreiches Sortiment von mit Naturharzen (z. B. *Kolophonium) modifizierten Phenolharzen, die insbes. in der Lack- u. Druckfarben-Ind. Verw. finden. *B.:* Vianova Resins GmbH.

Albertus, Magnus (1193–1280), Dominikaner, Alchimist, krit. Anhänger des Aristoteles, Einführung des Begriffs der chem. Affinität. *Werke:* Eine krit. Gesamtausgabe in 40 Bd. erscheint seit 1961 im A.-M.-Institut, Bonn. Wichtigstes naturwissenschaftliches Werk: De rebus metallicis et mineralibus. Es gilt als die umfangreichste u. beste Darst. der Mineralogie des Mittelalters.
Lit.: Bugge, Das Buch der großen Chemiker, Bd. 1, S. 32–41, Weinheim: Verl. Chemie 1929 (1961) ▪ Pötsch, S. 10 ▪ Strube et al., S. 41.

Albinismus. Von latein. albus = weiß abgeleitete Bez. für eine vererbliche Stoffwechselstörung, die durch Fehlen der *Pigmentierung [rosig weiße *Haut, weiße bis strohblonde *Haare, rot aussehende Iris (s. Auge), Lichtscheu, Sehschwäche] in Erscheinung tritt. A. folgt einem autosomal rezessiven Erbgang (s. Mendelsche Gesetze), bei dem durch Defekte im Phenylalanin-Tyrosin-Stoffwechsel kein Melanin gebildet werden kann, das die Grundlage vieler Pigmentierungen ist. *Teilalbinismus tritt als Folge von Erkrankungen (z. B. *Vitiligo) auf, aber auch als *Inzucht-Phänomen bei Tieren, z. B. bei austauscharmen Stadtpopulationen von Amsel u. Haussperling. – *E* albinism – *F* albinisme – *I=S* albinismo

Albit s. Feldspäte.

Albocyclin (Ingramycin).

$C_{18}H_{28}O_4$, M_R 308,42, amorpher Feststoff mit undefiniertem Schmp.; A. ist ein *Makrolid-Antibiotikum, das aus *Streptomyces* spp. isoliert wurde. A. zeigt *in vitro* nur begrenzte Aktivität gegen *Staphylokokken. Daneben wurden weitere, strukturell verwandte A. M1 bis M8 in untergeordneter Menge isoliert, die gegen Gram-pos. Bakterien ebenfalls nur schwach wirksam sind. – *E=F* albocycline – *I=S* albociclina
Lit.: Beilstein E V **18/3**, 52 ▪ J. Antibiot. **37**, 1187 (1984) ▪ Tetrahedron **43**, 4395 (1987). – *[HS 2941 90; CAS 25129-91-3]*

Albomycine.

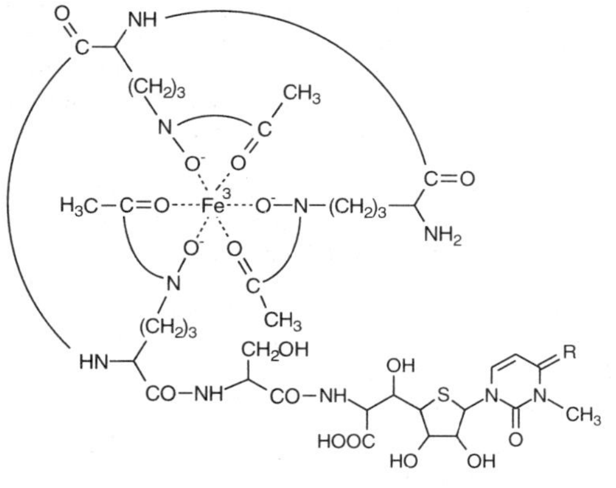

A. δ_2: R = N–CO–NH$_2$
A. δ_1: R = O

Zu den *Sideromycinen zählende Antibiotika aus Streptomyces-Stämmen, die mit *Grisein verwandt sind. Daten der Fe-freien A. δ_1: $C_{36}H_{58}N_{10}O_{18}S$, M_R 950,98; A. δ_2: $C_{37}H_{60}N_{12}O_{18}S$, M_R 993,02. – *E* albomycin – *F* albomycinum – *I* = *S* albomicina
Lit.: Justus Liebigs Ann. Chem. **1984**, 1399 f. – *[HS 2941 90; CAS 12676-11-8 (δ_1); 34755-52-7 (δ_2)]*

Albon®. Fugendichtstoffe, Montageschäume. **B.:** Remmers.

Albright u. Wilson. Kurzbez. für die Albright & Wilson LTD, Warley, West Midlands B 68 ONN, eine Tochterges. der Tenneco. *Daten* (1995): ca. 4300 Beschäftigte, 609 Mio. £ Umsatz. *Produktion:* Phosphor, anorg. u. org. Phosphate, Rohstoffe für Detergentien u. für die Parfümerie-, Kosmetik- u. Aromenind., Chemikalien für die Farben- u. Metallbearbeitungs-Ind., Kunststoffe, Biozide, Düngemittel, Wasseraufbereitungschemikalien, Flammschutzmittel u. anorgan. Grundchemikalien.

Albumine. Gruppe von *Proteinen, die v. a. in tier. Flüssigkeiten u. Geweben vorkommen (z. B. *Lactalbumin in Milch, *Ovalbumin in Ei, *Serumalbumin in Blut), in geringerem Maß auch in Pflanzensamen (*Leucosin in Weizen, Legumelin in Erbsen, *Ricin in Rizinussamen), u. die sich durch ihre Löslichkeit in salzfreiem Wasser von den sie begleitenden *Globulinen u. den *Prolaminen mancher Getreidearten unterscheiden. Im Vgl. zu den erwähnten Globulinen besitzen A. niedrigere Molmassen. u. sind erst durch relativ hohe Salzkonz. ausfällbar. A. sind reich an neg. geladenen *Aminosäuren (*Glutamin- u. *Asparaginsäure) sowie an *Leucin u. *Isoleucin, dagegen ist *Glycin schwach vertreten. Sie enthalten öfters noch kleine Mengen (bis zu 2%) von *Kohlenhydraten (nicht so Serumalbumin), Ovalbumin trägt eine Phosphorsäureester-Gruppierung.
Verw.: A.-Lsg. werden medizin. bei Schockzuständen, Eiweiß- u. Blutverlusten etc. infundiert. Radioaktiv (mit ^{131}I) markiertes A. wird in der Radiodiagnostik eingesetzt. Einsatz auch in der biochem. Analytik als Standard-Proteine u. in *Immunoassays zur Verhinderung unerwünschter Adsorption anderer Proteine. – *E* albumins – *F* albumines – *I* albumine – *S* albúminas

Albumosen s. Peptone.

Alchemie, Alchimie s. Geschichte der Chemie.

Alclometason.

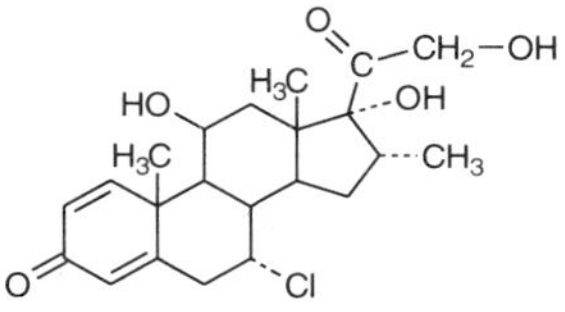

Internat. Freiname für 7α-Chlor-11β,17,21-trihydroxy-16α-methyl-1,4-pregnadien-3,20-dion, $C_{22}H_{29}ClO_5$, M_R 408,92, Schmp. 176–179 °C; $[\alpha]_D^{26}$ +47,5° (c 0,3/DMF). Es wurde 1978 als top. entzündungshemmendes Cortikoid von Schering patentiert u. ist von Essex Pharma (Delonal®) im Handel. – *E* alcometasone – *F* alclométasone – *I* alclometasone – *S* alclometasona
Lit.: Hager (5.) **7**, 94 f. – *[HS 2937 22; CAS 67452-97-5 (A.); 66743-13-2 (Dipropionat)]*

Alcloxa.

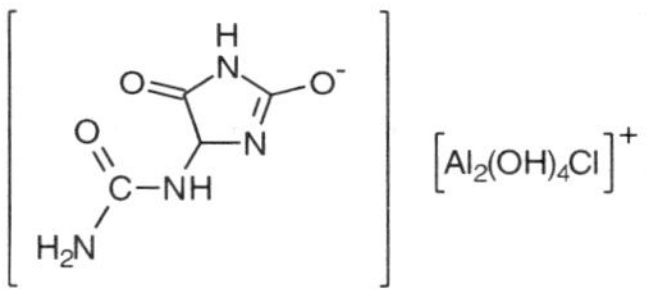

Internat. Freiname für das adstringierend wirken-de *Allantoin-Chlortetrahydroxydialuminat, $C_4H_9Al_2ClN_4O_7$, M_R 314,55. Es war von Basotherm in Kombination mit Triclocarban im Handel (Ansudor®). – *E* = *F* = *I* = *S* alcloxa
Lit.: Hager (5.) **7**, 96. – *[HS 2933 29; CAS 1317-25-5]*

Alcoa. Abk. für die 1888 gegr. *Al*uminum *Co*mpany *of A*merica, Pittsburgh (Pennsylvania), PA 15 219. *Daten* (1995): ca. 72 000 Beschäftigte, 12,5 Mrd. $ Umsatz. *Produktion:* Bauxit-Gewinnung, Rohaluminium, Al-Halb- u. Fertigprodukte, Al-Verb., Chemikalien auf Tonerdebasis, Verpackungssyst., Produkte für Raumfahrt. *Vertretung* in der BRD: Alcoa Industrial Chemicals Europe, Olof-Palme-Straße 37, 60439 Frankfurt.

Alcoa Hydral®. Speziell gefälltes wasserhaltiges Aluminiumoxid-Trihydrat von Alcoa.

Alcoa-Verfahren s. Aluminium.

Alcohol. In der Apothekersprache noch zu findende latein. Schreibweise für Alkohol. *Beisp.:* A. absolutus = abs. *Ethanol, A. cinnamylicus = *Zimtalkohol, A. lanae = Wollwachsalkohole (s. Wachsalkohole), A. sulfuris = *Schwefelkohlenstoff; andere Bez. brauchen hier nicht übersetzt zu werden.

Alcophor®. Korrosionsinhibitoren für Grundierungen u. Einschichtlacke, zum Passivieren von Rostrückständen nach mechan. Untergrundvorbehandlung; in Kombination mit Zinkphosphat als Alternative zu Zinkchromat. A. AC: Tannin-Derivat, A. 827 u. A. 828: Salze von heterocykl. Säuren. **B.:** Henkel.
Lit.: Welt Farben **1995**, Nr. 5, 17–22.

Alcryn®. Marke für thermoplast. *Elastomere als Formmassen. **B.:** DuPont.

Alcuroniumchlorid.

Internat. Freiname für das Curare-Derivat N,N'-Diallyl-nortoxiferin-dichlorid, $C_{44}H_{50}Cl_2N_4O_2$, M_R 737,81, $[\alpha]_D^{22}$ –348° (CH_3OH); UV_{max} (CH_3OH): 292 nm (ε 43 000). Es wurde 1963 als Muskelrelaxans von Hoffmann-La Roche (Alloferrin®) patentiert. – *E* alcuronium chloride – *F* chlorure d'alcuronium – *I* cloruro alcuronico – *S* cloruro de alcuronio
Lit.: ASP ▪ Hager (5.) **7**, 96. – *[HS 2939 90; CAS 15180-03-7]*

Alcytron s. Blutalkohol.

Aldactone®. Dragées u. Kapseln mit *Spironolacton, A.-Saltucin mit zusätzlichem *Butizid od. Ampullen mit Kaliumcanrenoat gegen Hyperaldosteronismus, Leberzirrhose, Ödeme. *B.:* Boehringer-Mannheim.

Aldag. Kurzbez. für die 1913 gegr. Firma Otto Aldag (Handel GmbH), 20097 Hamburg. *Vertrieb:* Furfurol, Fettsäureamide, Fettamine u. a. Chemikalien, Lsm., Harze, Gelatine, Düngemittel, Peptone u. Proteinhydrolysate, Fettsäuren, Fettalkohole, Glycerin u. Agar-Agar. *Marken:* Aldag®, Aldagar®.

Aldarsäuren. Nach IUPAC/IUB-Regel 2-Carb-23 Gruppenbez. für *Zuckersäuren der allg. Form HOOC–(CHOH)$_n$–COOH. Demnach würden die (+)-Weinsäure L-Threarsäure u. die *meso*-Weinsäure Erythrarsäure heißen. Weitere *Beisp.:* Galactarsäure (*Schleimsäure) u. Glucarsäure (s. Zuckersäure u. Saccharate). – *E* aldaric acids – *F* acides aldariques – *I* acidi aldarici – *S* ácidos aldáricos

Aldazine. Von *Aldehyden abgeleitete 2:1-Kondensationsprodukte mit Hydrazin, s. Azine.

Aldebaranium. Veraltete Bez. für *Ytterbium.

Aldehyd 11-11. Riechstoff auf der Basis von n-/i-*Undecanal mit typ. aldehyd., frischem Geruch. *B.:* Henkel.

Aldehyd 13-13. Riechstoff, typ. aldehyd., sanfte Zitrusnote, auf der Basis von n-/i-*Tridecanal. *B.:* Henkel.

Aldehyd-Amin-Kondensationsprodukte s. Aminoplaste.

Aldehyd C... Trivialnamen für in der Aromen- u. Parfüm-Ind. eingesetzte Verb., die häufig weder zu den *Aldehyden gehören noch die durch die Ziffer gekennzeichnete Anzahl C-Atome enthält; *Beisp.:* A. C-12 = *Dodecanal; A. C-12 MNA = Methylnonylacetaldehyd, s. 2-Methylundecanal; A. C-14 = *4-Hydroxyundecansäurelacton; A. C-16 = Ethyl-methylphenylglycidat.

Aldehyd-Dehydrogenasen (ALDH, EC 1.2.1.3 – 1.2.1.5, 1.2.99.3). Gruppe von Enzymen, die Aldehyde (z. B. Acetaldehyd) zu den entsprechenden Carbonsäuren (z. B. Essigsäure) oxidieren u. im Gegenzug *Nicotinamid-Adenin-Dinucleotid(-Phosphat) od. andere Elektronen-Akzeptoren reduzieren. Da Aldehyde aufgrund ihrer Reaktivität meist schädlich für den Organismus sind, üben die ALDH eine Schutzfunktion aus.

ALDH sind am Abbau von *Serotonin beteiligt. Bei Genuß von Alkohol wird der Abbau gestört, da der aus jenem entstehende Acetaldehyd die ALDH hemmt. ALDH werden auch z. B. durch *Tetraethylthiuramdisulfid inhibiert. – *E* aldehyde dehydrogenases – *F* aldéhyde déshydrogénases – *I* aldeide-deidrogenasi – *S* aldehido deshidrogenasas
Lit.: Crit. Rev. Biochem. Mol. Biol. 27, 283–335 (1992).

Aldehyde. Von Liebig (1835) eingeführte Bez. (*Alcohol dehyd*rogenatus), weil die A. durch Dehydrierung aus Alkoholen gebildet werden. So entsteht z. B. Acetaldehyd aus Ethanol formal nach:

$$H_3C-CH_2-OH \xrightarrow{(O)} H_3C-C\overset{H}{\underset{O}{\lessgtr}}$$

A. sind durch die A.-Gruppe –C(=O)H charakterisiert. Ihre Benennung erfolgt 1. durch Trivialnamen (z. B. Vanillin, Acrolein); – 2. ersetzt man bei den latein. Namen der Säuren, die bei der Oxid. der betreffenden A. entstehen, die Endung durch -*aldehyd*, so z. B. Formaldehyd (von Acidum formicium), Acetaldehyd (von Acidum aceticum), Benzaldehyd (von Acidum benzoicum); – 3. fügt man an den systemat. Namen des zugrunde liegenden Kohlenwasserstoffs die Endung -*al* an, z. B. Butanal = *Butyraldehyd, *2-Butenal = Crotonaldehyd usw.; – 4. hängt man an die Namen v. a. alicycl. u. aromat. Kohlenwasserstoffe die Endung -*carbaldehyd* an, z. B. Cyclohexancarbaldehyd; – 5. hat eine andere funktionelle Gruppe eine höhere Priorität (s. Nomenklatur), so muß die A.-Funktion durch das Präfix *Formyl...* bezeichnet werden (IUPAC-Regeln C-301 bis 305).

Die A.-Gruppe ist eine wichtige *osmophore Gruppe: Viele A. haben einen angenehmen, obst- od. blumenartigen Geruch. Die Sdp. der A. steigen mit den Molmassen u. liegen niedriger als die der zugehörigen Alkohole; die niederen A. sind wasserlösl., die höheren nicht. Die *Thioaldehyde sind Schwefel-Analoga der Aldehyde. *Vork.:* In Organismen treten A. als Zwischenprodukt des *Stoffwechsels auf, wobei Oxid. u. Red. durch *Dehydrogenasen (z. B. *Xanthinoxidase) bewirkt werden. In der Natur kommen A. in gebundener Form in den *Polysacchariden (*Kohlenhydraten) überall, in freier Form meist nur in geringen Konz. in ether. Ölen vor. Einige A. haben *Pheromon-Charakter.
Nachw.: *Schiffs Reagenz färbt sich nach Zusatz von A. blaurot; mit 12-Molybdokieselsäure in alkal. Lsg. geben A. eine blaue Farbreaktion, s. a. Angeli-Rimini-Reaktion.
Herst.: Die techn. Herst. der A. geht meist von den zugehörigen Alkoholen aus, die mit CrO_3 in Pyridin, HMPT od. Graphit (*Seloxcette), mit HNO_3, NO_2 od. katalyt. mit Luft oxidiert werden; auch die Red. von Carbonsäuren, ihren Halogeniden od. Salzen kommt als Herst.-Meth. in Frage, doch werden großtechn.

benötigte A. (so z. B. *Acetaldehyd) meist nach speziellen Verf. gewonnen (vgl. Oxo-Synthese). Zahllose Laborsynth. sind in der Lit. beschrieben worden; zu den bekanntesten Namensreaktionen gehören u. a. die *Gattermannsche Aldehydsynthese, *Reimer-Tiemann-Reaktion, *Rosenmund-Saytsev-Reduktion u. *Vilsmeier-Haack-Reaktion, s. a. die Etard-Reaktion u. die Tschitschibabin-Synthesen.

Umwandlungen: Die A. reagieren neutral od. höchstens schwach sauer; sie können leicht zu den entsprechenden organ. Säuren oxidiert werden u. wirken als Reduktionsmittel auf *Fehlingsche u. ammoniakal. Silbernitrat-Lösung. Die A. sind sehr reaktionsfähige Verb.; die Carbonyl-Gruppe geht leicht Additionen, Kondensationen u. Polymerisationen ein:

```
           H                       H
           |                       |
    R¹—C       +  H—Y  ———→   R¹—C—Y
           ‖                       |
           O                       OH

    Y = OH                    ———→   *Hydrate (*Chloralhydrat)
        OR²                   ———→   *Halbacetale
              R²
        CH₂—C                 ———→   *Aldole

        C—R²                  ———→   *Acyloine
        ‖
        O

           H                       H
           |                       |
    R¹—C       +  H₂Z  —−H₂O→  R¹—C
           ‖                       ‖
           O                       Z

    Z = N—R²                  ———→   *Imine
        N—Ar                  ———→   *Schiff'sche Basen
        N—NH—R²               ———→   *Hydrazone, *Azine
        N—OH                  ———→   *Oxime
```

Mit Natriumhydrogensulfit bildet sich eine feste Additionsverb., durch die A. isoliert u. gereinigt werden können. Mit Aminen, Hydrazin-Derivaten u. Oximen bilden die A. Kondensationsprodukte. Unter dem Einfluß von Alkalien gehen A. *Aldol-Addition od. die *Cannizzaro-Reaktion ein, an Olefine können sie sich in der *Prins-Reaktion od. zu 1,4-Diketonen (in einer bes. Form der *Acyloin-Kondensation) addieren. Zur Polymerisation der A. s. *Lit.*[1]. Aufgrund ihrer vielfältigen Einsatzmöglichkeiten haben die A. große techn. Bedeutung.

Anw.: Die niederen als Rohstoffe für Synth., für Kunststoffe u. *Kunstharze (*Aminoplaste, Phenoplaste), als Desinfektionsmittel, zum Gerben (s. Gerberei u. *Lit.*[2]) etc., die höheren zur Herst. von Riechstoffen (Aldehyd-Noten in *Parfüms). Aromat. A. werden zu Aromen, Pharmazeutika, Pflanzenschutzmitteln u. Farbstoffen verarbeitet. – *E* aldehydes – *F* aldéhydes – *I* aldeidi – *S* aldehídos

Lit.: [1] Houben-Weyl E 20/2, 1388–1399 (1984). [2] Winnacker-Küchler (3.) **5**, 542f.
allg.: Hager (5.) **1**, 541; **2**, 124, 304 ■ Houben-Weyl 7/1 u. E 3 ■ Katritzky et al. **3**, 1–109 ■ Kirk-Othmer (3.) **1**, 790–798; (4.) **1**, 926ff. ■ Patai, The Chemistry of Double-Bonded Functional Groups, Suppl. A1, S. 223–287, London: Wiley 1977 ■ Patai, The Chemistry of the Carbonyl Group, 2 Bd., London: Interscience 1966, 1970 ■ Ullmann (5.) **A 1**, 321–352 ■ Winnacker-Küchler (3.) **4**, 21ff., 75–83, 85ff., 168f.; (4.) **6**, 62–72.

Aldehydharze. A. sind bei der Behandlung von Aldehyden, insbes. *Acetaldehyd, mit starken Alkalien resultierende harzartige *Polykondensations-Produkte, die früher als Ersatz für natürlichen *Schellack verwendet wurden, heute aber im Gegensatz zu anderen *Kunstharzen keine techn. Bedeutung mehr haben. – *E* aldehydic resins – *F* résines aldéhydiques – *I* resine aldeidiche – *S* resinas aldehídicas
Lit.: Ullmann (3.) **8**, 440ff.; (4.) **7**, 14; (5.) **A 23**, 104.

aldehydo... Präfix zur Kennzeichnung der offenkettigen Form von aldehyd. Monosacchariden im Gegensatz zur ringförmigen Halbacetalform; *Beisp.:* aldehydo-D-Glucose/D-Glucopyranose. – *E* aldehydo...

Aldehydsäuren. Zu den *Oxocarbonsäuren gehörende Säuren, die neben der Carboxy-Gruppe noch eine Aldehyd(*Formyl*)-Gruppe (–CHO) besitzen. Zu den A. gehören z. B. *Glyoxylsäure, 3-Oxopropionsäure (Formylessigsäure), *Glucuronsäure, Phthalaldehydsäure usw. – *E* aldehyde acids – *F* acides aldéhydiques – *I* acidi aldeidici – *S* ácidos aldehídicos

Alder, Kurt (1902–1958), Prof. für Chemie, chem. Technologie, Köln. *Arbeitsgebiete:* Synthet. organ. Chemie, insbes. *Diels-Alder-Reaktion u. *En-Synthese, Stereochemie, Polymerisation. Nobelpreis 1950 zusammen mit *Diels für die Entdeckung u. Anw. der Dien-Synthese.
Lit.: Chem. Ber. **103**, 1–39 (1970) ■ Chem.-Ztg. **82**, 489f. (1958) ■ Neufeldt, S. 163 ■ Nobel Lectures in Chemistry 1942–1962, S. 255ff., 267–305, Amsterdam: Elsevier 1964 ■ Pötsch, S. 11 ■ Strube et al., S. 191.

Aldesulfon-Natrium.

$$NaO_2S-CH_2-NH-\!\!\bigcirc\!\!-SO_2-\!\!\bigcirc\!\!-NH-CH_2-SO_2Na$$

Internat. Freiname für das früher Sulfoxonnatrium genannte Lepratherapeutikum [Sulfonylbis-(*p*-phenylenimino)]-dimethansulfinsäure-Dinatriumsalz, $C_{14}H_{14}N_2Na_2O_6S_3$, M_R 448,43; Zers. bei 263–265 °C. Es wurde 1941 von US-Secretary of the Treasury patentiert u. in den USA von Abott (Diasone Sodium®) in den Handel gebracht. – *E* aldesulfone sodium – *F* aldesulfone sodique – *I* aldesulfone di sodio – *S* aldesulfona sódica
Lit.: Kleemann-Engel (2.), S. 847 – *[CAS 144-76-3; 144-75-2 (Dinatriumsalz)]*

Aldicarb. Common name für 2-Methyl-2-(methylthio)propionaldehyd-*O*-methylcarbamoyloxim.

$$\begin{array}{c} CH_3 O \\ H_3CS-\underset{|}{\overset{|}{C}}-CH=N-O-\overset{\|}{C}-NH-CH_3 \\ CH_3 \end{array}$$

$C_7H_{14}N_2O_2S$, M_R 190,26, Schmp. 98–100 °C, LD_{50} (Ratte oral) 0,93 mg/kg (WHO), von Union Carbide 1962 entwickeltes system. *Insektizid, *Akarizid u. *Nematizid für die Bodenapplikation gegen beißende u. saugende Insekten, Spinnmilben u. Nematoden im Baumwoll-, Zuckerrüben-, Kartoffel-, Pekannuß-, Erdnuß- u. Zierpflanzenanbau. – *E = I = S* aldicarb – *F* aldicarbe
Lit.: Farm ■ Perkow ■ Pesticide Manual. – *[HS 2930 90; CAS 116-06-3]*

Aldimine. Verb. der allg. Formel R–CH=NH, die sich von *Aldehyden durch Ersatz des Carbonyl-O-Atoms durch die NH-Gruppe ableiten, vgl. Imine.

Aldimorph. Common name für 4-*n*-Alkyl-2,6-dimethylmorpholine mit der Hauptkomponente *4-n-Dodecyl-2,6-dimethylmorpholin.*

$$H_3C \quad \quad$$
$$\diagdown \quad \diagup$$
$$C \quad N-(CH_2)_{11}-CH_3$$
$$\diagup \quad \diagdown$$
$$H_3C$$

$C_{18}H_{37}NO$, M_R 283,50, farblose Flüssigkeit, LD_{50} (Ratte oral) 3500 mg/kg, von Fahlberg List Anfang der 80er Jahre eingeführtes system. *Fungizid gegen Echten Mehltau im Getreide. – *E = I* aldimorph – *F* aldimorphe – *S* aldimorfo
Lit.: Perkow. – *[CAS 106788-55-0]*

Aldioxa.

$$[\text{structure}] \quad [Al(OH)_2]^+$$

Internat. Freiname für das *Allantoin-Dihydroxyaluminat, $C_4H_7AlN_4O_5$, M_R 218,10. Es ist von Stiefel (Zea-Sorb®) als adstringierender Puder im Handel. – *E = F = S* aldioxa
Lit.: Hager (5.) **7**, 98. – *[HS 2933 29; CAS 5579–81-7]*

Aldite. Nach IUPAC/IUB-Regel 2-Carb-19 Gruppenbez. für die natürlichen od. synthet. *Polyole der allg. Formel $HOCH_2-(CHOH)_n-CH_2OH$; *Beisp.*: Ribit, Sorbit, Mannit, Näheres s. bei Zuckeralkohole. – *E = F* alditols – *I* aldite – *S* alditoles

Aldo... Vorsilbe in Gruppenbez. von organ. Verb., die eine Beziehung zu *Aldehyden aufweisen; vgl. die folgenden Stichwörter. – *E = F = I = S* aldo...

Aldohexosen.

CHO	CHO	CHO	CHO
H–C–OH	HO–C–H	HO–C–H	HO–C–H
H–C–OH	H–C–OH	HO–C–H	HO–C–H
H–C–OH	H–C–OH	H–C–OH	H–C–OH
H–C–OH	H–C–OH	H–C–OH	H–C–OH
CH₂OH	CH₂OH	CH₂OH	CH₂OH
D(+)-Allose (All)	D(+)-Altrose (Alt)	D(+)-*Glucose (Glc)	D(+)-*Mannose (Man)

CHO	CHO	CHO	CHO
H–C–OH	HO–C–H	H–C–OH	HO–C–H
H–C–OH	H–C–OH	HO–C–H	HO–C–H
HO–C–H	HO–C–H	HO–C–H	HO–C–H
H–C–OH	H–C–OH	H–C–OH	H–C–OH
CH₂OH	CH₂OH	CH₂OH	CH₂OH
D(–)-*Gulose (Gul)	D(–)-*Idose (Ido)	D(+)-*Galactose (Gal)	D(+)-*Talose (Tal)

*Monosaccharide (*Hexosen) mit freier od. acetalisierter Aldehyd-Gruppe. Da die A. vier asymmetrische C-Atome haben, gibt es mind. $2^4 = 16$ opt. aktive Vertreter dieser A., deren *Konfigurationen durch die von den Trivialnamen abgeleiteten Präfixe *allo-, altro-, galacto-, gluco-, gulo-, ido-, manno-* u. *talo-* festgelegt sind (gezeigt sind die acht Isomeren der D-Reihe; sie bilden vier Epimeren-Paare). Die Zuordnung zu der D-Reihe geschieht nach der Konvention von Emil Fischer, wonach D-Zucker dieselbe absolute Konfiguration an dem asymmetrischen Kohlenstoff-Atom, das am weitesten von der Carbonyl-Funktion entfernt ist, wie D-Glycerinaldehyd besitzen. Die A. gehören zu den *Aldosen; sie sind isomer zu den *Ketohexosen* (s. Ketosen). – *E = F* aldohexoses – *I* aldoesosi – *S* aldohexosas

Aldoketene. Verb., die die Atomgruppierung –CH=C=O enthalten (vgl. Ketene). – *E* aldoketenes – *F* aldocétènes – *I* aldocheteni – *S* aldocetenas

Aldoketosen. Nach IUPAC/IUB-Regel 2-Carb-12 auch Ketoaldosen od. Aldosulosen genannte *Monosaccharide, die sowohl eine Aldehyd- als auch eine Keto-Funktion enthalten. Die Namen der früher als *Osone zusammengefaßten A. enden systemat. auf ...*osulose*. – *E* aldoketoses – *F* aldocétoses – *I* aldochetosi – *S* aldocetosas

Aldol (3-Hydroxybutyraldehyd, 3-Hydroxybutanal, Acetaldol).

$$\quad \quad \quad OH$$
$$H_3C-CH-CH_2-CHO$$

$C_4H_8O_2$, M_R 88,11. Farblose bis hellgelbe, syrupartige Flüssigkeit, scharfer, stechender Geruch, D. 1,103, Sdp. 85 °C (2,7 kPa), Schmp. –88 °C. A. polymerisiert, kondensiert u. zersetzt sich heftig bei Temp. ab 85 °C. Bei Brand u. Zers. bilden sich Wasser u. Crotonaldehyd. Die Dämpfe reizen stark die Augen u. die Haut sowie die Atemwege, Kontakt mit der Flüssigkeit reizt stark die Augen u. die Haut. A. vermischt sich vollständig mit Alkohol u. Wasser u. bildet auch bei Verdünnung noch giftige Mischungen; es entsteht aus 2 Mol. Acetaldehyd durch sog. *Aldol-Addition. A. ist ein Zwischenprodukt bei der Herst. von Crotonaldehyd, Crotonsäure, 1,3-Butandiol u. Polyester-Weichmachern. – *E = F = S* aldol – *I* aldolo
Lit.: Beilstein E IV **1**, 3984 ▪ Hommel, Nr. 542 ▪ McKetta **1**, 153 ▪ Weissermel-Arpe (4.), S. 201. – *[HS 2912 30; G 6.1]*

Aldol-Addition. Die durch Basen katalysierte *Addition von *Carbanionen, die aus aktivierten Methylen-Gruppen erzeugt werden (*Methylen-Komponente*), an die Carbonyl-Gruppe von Aldehyden od. Ketonen (*Carbonyl-Komponente*) bezeichnet man als A.-A. od. *Aldolisation.* Schließt sich der A.-A. eine Wasser-Eliminierung an, so spricht man von *Aldol-Kondensation.*

$$R^1 \diagdown \quad \quad R^3 \quad \quad \quad \quad R^1 \; R^4 \; R^3$$
$$\quad C=O + R^4-CH_2-C \xrightarrow{\text{Base}} R^2-C-CH-C$$
$$R^2 \diagup \quad \quad \| \quad \quad \quad \quad \; | \quad \quad \|$$
$$\quad \quad \quad \quad \quad O \quad \quad \quad \quad \quad OH \quad \quad O$$

Carbonyl-Komponente Methylen-Komponente

$$\xrightarrow{-H_2O} \quad R^1 \diagdown \quad \quad R^4$$
$$\quad \quad \quad \quad C=C$$
$$\quad \quad \quad R^2 \diagup \quad \diagdown C-R^3$$
$$\quad \quad \quad \quad \quad \quad \quad \|$$
$$\quad \quad \quad \quad \quad \quad \quad O$$

Die A.-A. kann auch durch Säuren katalysiert werden, wobei in der Regel die Produkte der A.-Kondensation anfallen. Die Produkte der A.-A. sind β-Hydroxyaldehyde (R^1=H; *Aldole*) bzw. β-Hydroxyketone (R^1=Alkyl od. Aryl; *Ketole*) od. α,β-ungesätt. Carbonyl-Verbindungen. Von präparativer Bedeutung ist die A.-A. od. A.-Kondensation zweier ident. Mol. miteinander, so z.B. bei der Bildung von Aldol ($R^1=R^3=R^4$=H, R^2=CH$_3$) aus Acetaldehyd od. *Mesityloxid* ($R^1=R^2=R^3$=CH$_3$, R^4=H) aus Aceton. Die A.-A. zweier verschiedener Aldehyde bzw. eines Aldehydes mit einem Keton wird oft als Claisen-Schmidt-Reaktion (s. Claisen-Kondensation) bezeichnet; diese Reaktion ist dann präparativ nutzbar, wenn die Aldehyd-Komponente kein α-Wasserstoff-Atom besitzt, so daß sie nur als Carbonyl-Komponente fungieren kann. Durch Verw. von Enol-Derivaten [z. B. Trimethylsilyl-enolether od. Zinn(II)-Enolaten] einer der eingesetzten Carbonyl-Komponenten sind A.-A. unterschiedlicher Carbonyl-Verb. miteinander ebenfalls möglich. Solche Derivate ermöglichen es auch, die Regioselektivität, Stereoselektivität (s. diastereoselektive, enantioselektive, stereoselektive Synthese) der A.-A. zu kontrollieren[1-3]. Die A.-A. ist reversibel, d.h. unter Säure- od. Basenkatalyse erfolgt Rückspaltung in die Ausgangsverb. (*Aldol-Spaltung*). Die A. gehört zu den basenkatalysierten *Additionen von *Carbanionen an Carbonyl-Verb., die sich in der Regel nur durch die Art der verwendeten Methylen-Komponente unterscheiden (vgl. Knoevenagel-Kondensation, Perkin-Reaktion, Darzens-Reaktion, Tollens-Reaktion, Wittig-Reaktion, Thorpe-Reaktion). – *E* aldol addition – *F* addition du type aldol – *I* addizione aldolica – *S* adición aldólica

Lit.: [1] Org. React. **46**, 1–103 (1994). [2] Aldrichim. Acta **15**, 23–32 (1982). [3] Top. Stereochem. **13**, 1–115 (1982). *allg.:* Houben-Weyl **21b**, 1603 ff. ■ Org. React. **16**, 1–438 (1968) ■ Trost-Fleming **2**, 133–275 ■ s. a. stereoselektive Synthese.

Aldolasen (Aldehyd-Lyasen, EC 4.1.2.). Zu den *Lyasen gehörende Enzyme, die analog der Aldol-Addition (daher Name) reversibel Triosephosphat-Einheiten (Dihydroxyacetonphosphat) an die Carbonyl-Gruppe von *Aldosen (D-Glycerinaldehyd) od. Aldosephosphaten (D-Glycerinaldehyd-3-phosphat od. D-Erythrose-4-phosphat) addieren, vgl. dagegen *Transaldolasen. Zum Mechanismus der Katalyse s. *Lit.*[1]. Die Reaktion hat Bedeutung bei der *Glykolyse/*Gluconeogenese. Die hierbei beteiligte D-Fructose-1,6-bisphosphat-A. (A. im engeren Sinn, EC 4.1.2.13, Muskel-Isoenzym: 4 ident. Polypeptid-Ketten aus je 361 Aminosäuren; M_R 160 000), von der es zwei mechanist. u. strukturell verschiedene Klassen gibt[2], bewirkt auch die Spaltung von D-Fructose-1-phosphat. Im Calvin-Cyclus (der Dunkelreaktion der *Photosynthese) wird die Synth. von D-Sedoheptulose-1,7-bisphosphat durch eine A. katalysiert. A. werden in der organ. Synth. eingesetzt[3]. Zu einem *Abzym mit A.-Aktivität s. *Lit.*[4]. Ein genet. Defekt des Leber-*Isoenzyms A. B ist verantwortlich für Fructose-Intoleranz[5]. – *E* = *F* aldolases – *I* aldolasi – *S* aldolasas

Lit.: [1] Trends Biochem. Sci. **18**, 36ff. (1993). [2] Trends Biochem. Sci. **17**, 110ff. (1992). [3] Nachr. Chem. Tech. Lab. **39**, 1408–1414 (1991). [4] Science **270**, 1797ff. (1995). [5] FASEB J. **8**, 62–71 (1994). – [HS 350790]

Aldole.

$$R^1-\underset{|}{CH}-\underset{|}{CH}-CHO$$
$$OHR^2$$

Von *Ald*ehyde u. Alkoh*ole* abgeleitete Bez. für *β-Hydroxyaldehyde* vom Typ des *Aldols. – *E* = *F* aldols – *I* aldoli – *S* aldoles

Aldolisation, Aldol-Kondensation, -Spaltung s. Aldol-Addition.

Aldonsäuren. Zu den *Zuckersäuren gehörende Monocarbonsäuren, die entstehen, wenn die Aldehyd-Gruppe der *Aldosen zur Carboxy-Gruppe oxidiert wird. Die Benennung erfolgt so, daß an den Wortstamm des Ausgangszuckers das Suffix *-onsäure* angehängt wird. Sie können unter Wasserabspaltung γ- od. δ-*Lactone bilden; *Beisp.:* *Gluconsäure, Glucono-lacton.

D-Glucose →(Oxid.) D-Gluconsäure →(Lactonisierung, -H$_2$O) D-Glucono-δ-lacton

– *E* aldonic acids – *F* acides aldoniques – *I* acidi aldonici – *S* ácidos aldónicos

Aldopentosen.

D(−)-Ribose (Rib), D(−)-Arabinose (Ara), D(+)-Xylose (Xyl), D(−)-Lyxose (Lyx)

*Monosaccharide (*Pentosen) mit freier od. acetalisierter Aldehyd-Gruppe. Aufgrund der drei *asymmetrischen C-Atome sind $2^3 = 8$ opt. aktive Formen bekannt [gezeigt sind die vier Isomeren (zwei Epimeren-Paare) der D-Reihe], deren Benennung mit den Präfixen *arabino-, lyxo-, ribo-* u. *xylo-* sich von den Trivialnamen ableiten. Zur Zuordnung zur D-Reihe s. Aldohexosen. Die zu den *Aldosen gehörenden A. sind isomer zu den *Ketopentosen (s. Ketosen). – *E* = *F* aldopentoses – *I* aldopentosi – *S* aldopentosas

Aldosen. Sammelbez. für einfache Zucker (*Monosaccharide), die eine Aldehyd-Gruppe (−CHO) u. 1−4 Asymmetriezentren besitzen (Polyhydroxyaldehyde). Je nach der Zahl der C-Atome in der Kette unterscheidet man unter den A. *Triosen, *Tetrosen, *Pentosen, *Hexosen usw. (*Aldohexosen, *Aldopentosen) entsprechend der allg. Formel HO−CH$_2$−(CHOH)$_n$−CHO mit n=1−4; die einfachste A.

Aldose-Reductase

ist *Glycerinaldehyd, die häufigste *Glucose. Die Numerierung der Kette beginnt am Aldehyd-C-Atom. Durch *Isomerasen können A. in die isomeren *Ketosen umgewandelt werden. Red. gibt *Aldite, Oxid. *Aldonsäuren od. *Uronsäuren, vgl. Zuckeralkohole u. Zuckersäuren. Eine Kettenverkürzung ist durch *Wohl'schen Abbau möglich. A. werden aufgrund der *Konfiguration am Chiralitätszentrum am Ende der Kette in eine R- u. S- bzw. D- u. L-Klasse eingeteilt, wobei letztere Einteilung die histor. ältere ist. Natürliche A. gehören meist zur Reihe der R- bzw. D-Zucker. Die Wiedergabe der A. geschieht meistens in der Fischer- od. Harworth-Projektionsformel wie am Beisp. der D-*Glucose gezeigt wird; daneben existieren auch Stereoformeln, wie Zickzack- (a), Fischer- (b) u. Sessel-Konformationsformel (c).

A. cyclisieren durch Reaktion mit der Hydroxy-Gruppe an C-4 bzw. C-5 zu stabilen Fünfring-(*Furanosen) bzw. Sechsring-*Halbacetalen (*Pyranosen). Die Namensgebung erfolgt in Anlehnung an den 6-Ring-Heterocyclus *Pyran bzw. 5-Ring-Heterocyclus *Furan. Die Bildung der Halbacetal-Form der Zucker führt zu einem neuen chiralen Zentrum am sog. *anomeren Kohlenstoff-Atom C-1. Es entstehen zwei *Epimere, die als α- od. β-Form unterschieden werden. Bei den cycl. A. wird anstelle der Fischer-Projektion häufig die *Haworth-Projektion verwendet.

β-D-Glucopyranose (Harworth-Projektion)   D-Glucose (Fischer-Projektion)   α-D-Glucopyranose (Harworth-Projektion)

4H-Pyran   Furan

Die A.-Epimeren stehen über die ringoffene Form miteinander im Gleichgewicht (*Mutarotation). Bei der Glucose beträgt das Verhältnis α-Form zu β-Form in wäss. Lsg. ~1:2. – $E = F$ aldoses – I aldosi – S aldosas
Lit.: Voet-Voet, S. 240–247 ▪ s. a. Kohlenhydrate, Monosaccharide.

Aldose-Reductase [Aldit:NAD(P)$^+$-1-Oxidoreductase, EC 1.1.1.21]. Bei Säugern monomeres *Enzym (M_R 30000–42000) breiter Spezifität, das Aldosen (z. B. D-*Galactose) zu den entsprechenden Alditen (Zuckeralkoholen, z.B. Galactit) reduziert. Als *Coenzym dient *Nicotinamid-Adenin-Dinucleotid(-Phosphat). Die Raumstruktur[1] besteht aus 8 zu einem Zylinder geschlossenen β-Faltblatt-Strängen, die von 8 α-Helices umgeben sind (α/β-Faß; vgl. Triosephosphat-Isomerase).
Unter physiolog. Bedingungen soll A.-R. mit der Osmoregulation befaßt sein, einen zusätzlichen Abbauweg für Glucose ermöglichen u./od. tox. Aldehyde entgiften; bei durch Diabetes bedingtem *Glucose-Überschuß im Blut (Hyperglykämie) kommt es jedoch zu Komplikationen durch die mit A.-R. entstehenden Red.-Produkte in Augenlinse, Netzhaut, peripheren Nerven u. Niere. Zur Therapie dieser Komplikationen können *Inhibitoren der A.-R. eingesetzt werden[2]. – E aldose reductase – F aldose-réductase – I aldosioreduttasi – S aldosa reductasa
Lit.: [1] Nature (London) **355**, 469ff. (1992); Science **257**, 81ff. (1992). [2] Trends Pharmacol. Sci. **15**, 293ff. (1994).
allg.: Diabetes **43**, 955ff. (1994).

Aldosteron.

Internat. Freiname für 11β,21-Dihydroxy-3,20-dioxo-4-pregnen-18-al, $C_{21}H_{28}O_5$, M_R 360,45. Das 1953 aus Nebennieren-Extrakten isolierte *Corticosteroid, Schmp. 108–112 °C (als Hydrat), liegt normalerweise in der 11,18-Halbacetal-Form vor (s. Formelbild). Durch Extraktion von 1000 kg Nebennieren erhält man nur 50 mg A., jedoch ist A. durch eine 4-stufige, z. T. photochem. Synth. aus *Corticosteron leicht zugänglich. Als typ. *Mineralcorticosteroid ist A. ebenso für die Natrium-, Chlorid-, Hydrogencarbonat- u. Wasser-Retention in den *Nieren wie für die Kalium-Ausschüttung im Harn verantwortlich. Damit reguliert das *Nebennierenhormon A., dessen Freisetzung durch *Angiotensin II u. durch Vol.-Rezeptoren gesteuert wird, den Wasser- u. Elektrolyt-Haushalt. Ein erhöhter A.-Spiegel hat *Hypertonie zur Folge; als Gegenmaßnahme empfiehlt sich die Anw. von A.-Antagonisten wie *Spironolacton od. *Kaliumcanrenoat, die als *Diuretika wirken. A. wird auch als Therapeutikum gegen *Addisonsche Krankheit eingesetzt. – $E = I$ aldosterone – F aldostérone – S aldosterona
Lit.: Annu. Rev. Physiol. **55**, 115–130 (1993) ▪ Mutschler (7.). – [HS 29372 9; CAS 52-39-1]

Aldosulosen s. Aldoketosen.

Aldoxime s. Oxime.

ALDRICH. A. ist ein Geschäftsbereich der SIGMA-ALDRICH Chemie GmbH mit Stammsitz in den USA (SIGMA-ALDRICH Corp., St. Louis, Missouri). Produktionsstätten in Deutschland, Großbritannien u. USA. *Daten* (1995, weltweit): ca. 5500 Beschäftigte, ca. 960 Mio. $ Umsatz. *Produktion:* Organ. u. Anorgan. Verb., Farbstoffe, Stabile Isotope, Metallorgan. Reagenzien, Fluor-Verb., Monomere, Riech- u. Aromastoffe. Vertr. in der BRD: SIGMA-ALDRICH Chemie GmbH, Riedstr. 2, 89555 Steinheim.

Aldrin. Common name für (1*R*,4*S*,5*S*,8*R*)-1,2,3,4,10,10,-Hexachlor-1,4,4a,5,8,8a-hexahydro-1,4:5,8-dimethanonaphtalin.

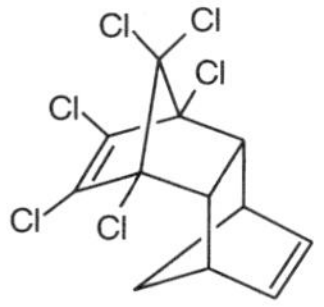

$C_{12}H_8Cl_6$, M_R 364,91, Schmp. 104 °C, LD_{50} (Ratte oral) 46 mg/kg (GefStoffV), MAK 0,25 mg/m³, von J. Hyman Co. u. Shell 1948 eingeführtes nicht-system. *Insektizid gegen Bodeninsekten, Termiten u. Ameisen. Wegen der Persistenz seiner Rückstände unterliegt A. in einigen Ländern (darunter auch die BRD) Anwendungsverboten bzw. -beschränkungen. – *E* aldrin – *F* aldrine – *I* aldrina – *S* aldrín
Lit.: Farm ▪ Perkow. – *[HS 290359; CAS 124-96-9]*

ALDRITHIOL™. Marke von ALDRICH für Di-(2-pyridyl)-disulfid bzw. Di-(4-pyridyl)-disulfid.

Alendronat.

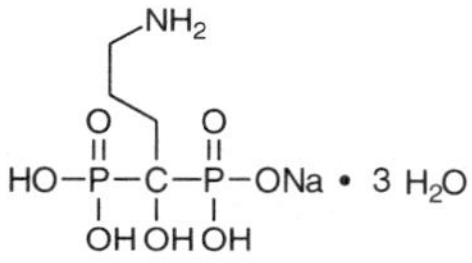

Internat. Freiname für das Mononatriumsalz-Trihydrat der Alendronsäure, (4-Amino-1-hydroxybutyliden)-bisphosphonsäure, $C_4H_{13}NO_7P_2$, M_R 249,10; LD_{50} (mg/kg) 966–1280 (Maus oral), 553–626 (Ratte oral) (weiblich-männlich); i.v. 10- bis 15fach niedriger. A. ist z.Z. von der Firma MSD Sharp & Dohme (Fosamax®) zur Behandlung u. Prävention von Osteoporose in der klin. Prüfung. – *E* = *F* alendronate – *I* alendronato – *S* alendronat *[CAS 129318-43-0]*

Aleppo-Gallen s. Tannine

Aleuritinsäure (Aleurinsäure) s. Schellack.

Alexan®. Infusionslsg. mit *Cytarabin gegen Leukämien. *B.*: Mack.

Alexandrit s. Chrysoberyll.

Alexine. Von griech.: alexein = abwehren abgeleitete Bez. für natürliche Schutzstoffe des Blutserums, die nicht durch vorherige Immunisierung erworben werden; vgl. Phytoalexine. – *E* alexins – *F* alexines – *I* alessine – *S* alexinas

Alfa. Kurzbez. für den Alfa-Katalog der Firma *Johnson Matthey.

Alfacalcidol.

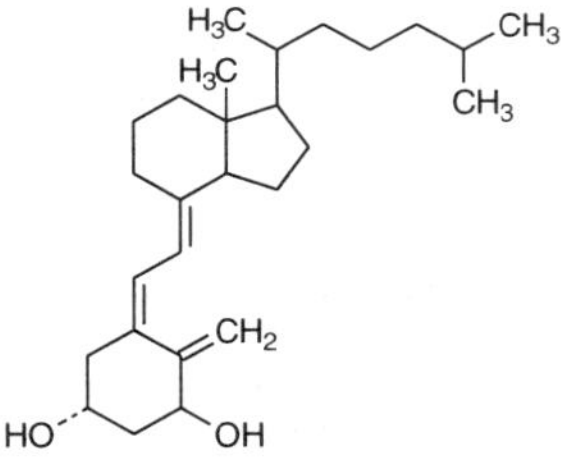

Von der WHO vorgeschlagener Freiname für das Vitamin-D Derivat 1α-Hydroxycholecalciferol, $C_{27}H_{44}O_2$, M_R 400,65, Schmp. 134–136 °C, auch 138–139,5 °C angegeben. Es wurde 1971 als Calciumregulator u. Antirachiticum von Wisconsin Alumni Res. patentiert. – *E* = *F* = *S* alfacalcidol – *I* alfacalcidolo
Lit.: ASP ▪ Hager (5.) **7**, 100f. – *[HS 290619; CAS 41294-56-8]*

Alfadolon.

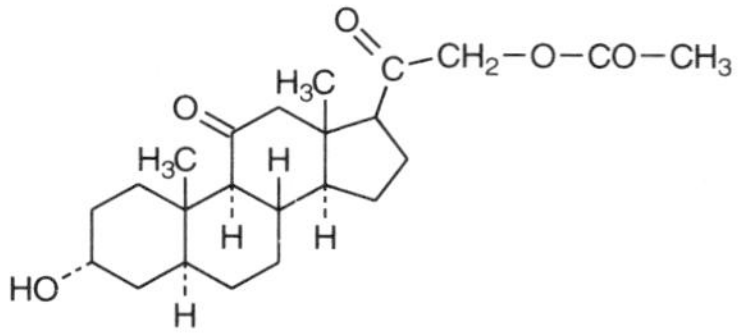

Internat. Kurzbez. für 3α,21-Dihydroxy-5α-pregnan-11,20-dion-21-acetat, $C_{23}H_{34}O_5$, M_R 390,52, Schmp. 175–177 °C. Es wurde 1971 als Anaesthetikum von Glaxo (Aurantex®, außer Handel) patentiert. – *E* = *F* = *I* alfadolone – *S* alfadolona
Lit.: Kleemann-Engel (2.), S. 23 ▪ Merck Index (11.), Nr. 224. – *[HS 291449; CAS 14107-37-0; 23930-37-2 (Acetat)]*

Alfagras s. Esparto.

Alfason®. Creme, Salbe u. Lotion mit *Hydrocortison-17-butyrat gegen Ekzeme u. ä. Hauterkrankungen, A.-Fucidine zusätzlich mit Natriumfusidinat. *B.*: Yamanouchi.

Alfaxolon.

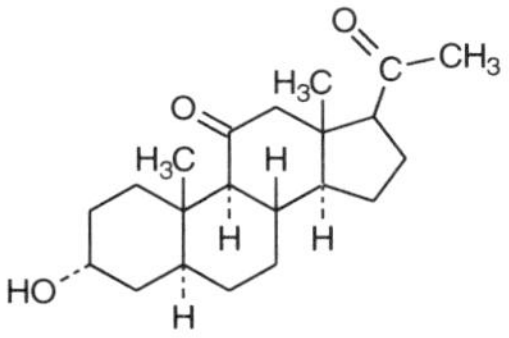

Internat. Kurzbez. für 3α-Hydroxy-5α-pregnan-11,20-dion, $C_{21}H_{32}O_3$, M_R 332,48, Schmp. 142–144 °C. Es wurde 1971 als Anaesthetikum von Glaxo patentiert u. war in Kombination mit Alfadolon (Aurantex®) im Handel. – *E* = *F* alfaxolone – *I* alfassolone – *S* alfaxolona
Lit.: Hager (5.) **7**, 102. – *[HS 291449; CAS 23930-19-0]*

Alfentanil.

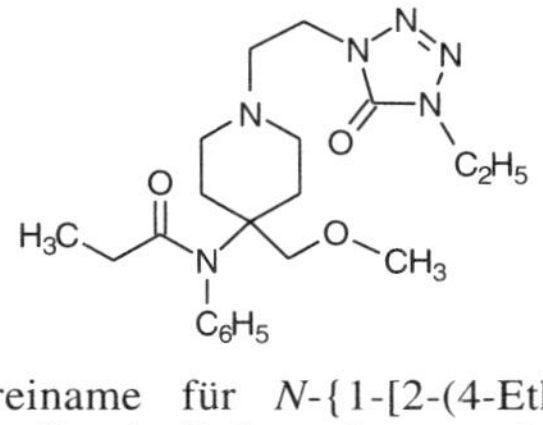

Internat. Freiname für *N*-{1-[2-(4-Ethyl-5-oxo-2-tetrazolin-1-yl)-ethyl]-4-methoxymethyl-4-piperidyl}-propionanilid, $C_{21}H_{32}N_6O_3$, M_R 416,52; verwendet wird das Hydrochlorid Monohydrat, Schmp. 138,4 °C, auch 140,8 °C angegeben. Es wurde 1978 als intravenös wirksames Narkoanalgetikum von Janssen (Rapifen®) patentiert. Es ist in der Anlage III A der Btm-VO gelistet. – *E* = *F* alfentanil – *I* alfentanile – *S* alfentanilo

Lit.: ASP ▪ Hager (5.) 7, 103 ff. – *[HS 2933 39; CAS 71195-58-9; 69049-06-5 (Hydrochlorid); 70879-28-6 (Hydrochlorid-Monohydrat)]*

Alfin-Polymerisation. Bei der A.-P. handelt es sich um eine Meth. zur Darst. extrem hochmol. *Polybutadiene mit 65–85% 1,4-*trans*-Strukturen. Ursprünglich wurde dabei ein *Initiator aus einem *Alkohol u. einem *Olefin verwendet, z. B. Natrium-2-propanolat u. Allylnatrium. Die wirtschaftlich beste Meth. zur Initiator-Herst. geht dagegen von 2-Propanol, Natrium u. Butylchlorid aus. Techn. werden Polycomere mit 5–15% *Styrol od. 3–10% *Isopren dargestellt. – *E* alfin polymerization – *F* polymérisation alfine – *I* polimerizzazione alfin – *S* polimerización alfínica
Lit.: Compr. Polym. Sci. **4**, 54 ▪ Elias **2**, 140.

Al-Fin-Verfahren. Verf. zum Verbundguß von Aluminium u. Leg. mit *Stahl od. *Gußeisen. Die zu verbindenden Bauteile werden zunächst gereinigt, in einer Salzschmelze vorgewärmt u. in flüssiges Al (830–880°C) getaucht. Die dabei gebildete intermetall. Fe-Al-Schicht ist fest mit dem Grundwerkstoff verbunden u. erleichtert Legierungsbildung u. Haftung beim anschließender Umgießen mit Al-Werkstoffen in der gewünschten Form. Angewendet wird dieses Verf. bei Bauteilen mit bes. Anforderungen an geringe Masse, hohe Wärmeleitfähigkeit u. örtliche Festigkeit sowie Härte. *Beisp.:* Graugußringnuten in Leichtmetallkolben für Verbrennungsmotoren. Ursprünglich entwickelt in den USA zum Angießen von Al-Rippen (fin) an Flugmotorenzylinder. – *E* Al-fin process – *F* Al-fin procédé – *I* processo Al-fin

Alfol-Isolierung. Eine Meth. der Wärmeisolierung mit Lagen von Al-Folien, zwischen denen sich Luft befindet.

Alfospas®. Ampullen mit *Tiropramid-Hydrochlorid als *Spasmolytikum. *B.:* Opfermann.

Alfrey-Price-Schema s. Q-e Schema.

Alftalat®. Umfangreiche Gruppe von modifizierten, trocknenden u. nichttrocknenden Alkydharzen für luft- u. ofentrocknende Grundierungen u. Decklacke, Spachtel usw. für Holz, Papier, Gummi, Leder, Glas, Metall usw. Zur Modifizierung dienen fette Öle, Fettsäuren, Harze, Aluminium-Verb., *Styrole, Acrylate od. *Epoxide. *B.:* Vianova Resins GmbH.

Alfuzosin.

Internat. Freiname für Tetrahydro-2-furancarbonsäure-3-[(4-amino-6,7-dimethoxy-2-chinazolinyl)-methyl-amino]propylamid, $C_{19}H_{27}N_5O_4$, M_R 389,45. Verwendet wird auch das Hydrochlorid, Schmp. 225°C, pK_a 8,13. Es wurde 1979 u. 1982 als *Antihypertonikum von Synthelabo patentiert; 1995 wurde es auch als selektiver α_1-Rezeptorenblocker zur Therapie der benignen Prostatahyperplasie ausgeboten; Synthelabo (Uroxatral®) u. Byk Gulden (Urion®). – *E* = *I* alfuzosin – *F* alfuzosine – *S* alfuzosina

Lit.: Pharm Ztg. **140**, 393, 416 (1995). – *[HS 2934 90; CAS 81403-80-7; 81403-68-1 (Hydrochlorid)]*

Alfvén, Hannes Olof Gösta (geb. 1908), Prof. (emeritiert) für Plasmaphysik, Stockholm. *Arbeitsgebiete:* Plasmaphysik, Magnetohydrodynamik (MHD), Astrophysik, Entwicklung des Sonnensyst., Antimaterie. Für seine MHD-Arbeiten erhielt A. 1970 den Nobelpreis für Physik (zusammen mit L. Néel).
Lit.: Nobel Prize Lectures, Physics 1963–1970, Amsterdam: Elsevier 1972 ▪ Who's who in the World?, S. 21.

Algavin®. Beton Trennmittel. *B.:* Remmers.

Algen (von latein.: alga = Seetang). Gattungsbez. für artenreiche niedere Pflanzen aus einzelnen *Zellen od. Zellverbänden. *Blaualgen* (Cyanophyceen) sind einzellige, den Bakterien nahestehende Mikroorganismen mit blauen od. roten Farbstoffen (Phycocyanin od. Phycoerythrin), die ggf. zu *Photosynthese u. *Stickstoff-Fixierung befähigt sind. *Rotalgen* (Rhodophyceen) u. *Braunalgen* (Phaeophyceen, z. B. *Blasentange) sind meist auf festem Untergrund verankert u. bilden z. T. über 100 m lange Kolonien (*Tange*). Ihre Farben verdanken Braunalgen u. a. dem *Fucoxanthin, Rotalgen dem Phycoerythrin. Die *Grünalgen* (Chlorophyceen) sind häufig einzellig u. Süßwasserbewohner (z. B. *Chlorella u. *Scenedesmus); sie enthalten *Chlorophyll. Photosynthetisierende Mikro-A. bilden als sog. *Phyto-Plankton* das Nahrungsmittel vieler Wassertiere. Die A. leben meist autotroph (s. Autotrophie).

Im frischen, feuchten Zustand enthalten Braunalgen 75–90% Wasser, in getrocknetem Zustand 20–35% *Alginsäure, 4–12% *Mannit, 9–12% *Laminarin, 7–12% *Cellulose, 16–23% andere Kohlenhydrate [vgl. Fucose, Fuc(o)...], 5–15% Eiweiß, 2–5% Fette, ferner Salze, Vitamine, *Toxine u. z. T. sehr ungewöhnlich strukturierte organ. Verb., die auch Br, Cl u. I enthalten können. Auch antibakteriell wirkende Inhaltsstoffe sind bei A. bekannt. Manche A. haben sich erstaunlich spezialisiert, z. B. eine im toten Meer lebende auf die Produktion von Glycerin (bis 85% ihres Trockengew.!), andere reichern Uran aus dem Meerwasser an u. wieder andere speichern SiO_2 in ihren Membranen (*Kieselalgen* = Diatomeen, vgl. Kieselgur). *Flechten stellen *Symbiose-Formen von A. mit *Pilzen dar.

Verw.: A. aus dem Meer gewinnen zunehmend an wirtschaftlicher Bedeutung. Schon lange genutzte Produkte sind *Agar-Agar, *Carrageen u. *Alginsäure. Da viele Meeresalgen nicht nur Stickstoff u. Phosphor, sondern auch Spurenelemente wie Fe, I u. Cu aus dem Meerwasser zu speichern vermögen, finden sie sowohl als Düngemittel wie auch als Beifutter in der Rinder- u. Geflügelzucht Verwendung. Bei dem rasch wachsenden Nahrungsmittelbedarf auf der Erde wird auch die Nutzbarmachung von A.-Kulturen systemat. untersucht; der tägliche Eiweißbedarf eines Menschen könnte schon mit ca. 100 g getrockneten A. gedeckt werden. Bes. Bedeutung können A.-Kulturen durch Bindung ausgeatmeten Kohlendioxids u. Lieferung von Sauerstoff in Raumkapseln, Unterseebooten etc. gewinnen.

Neben ihrer Nutzung als Nahrungsmittel – in Japan bestehen seit langem ca. 10% der Nahrung aus A. – die

nen die A. wegen ihrer Inhaltsstoffe als wertvolle Rohstoff-Quelle. In erster Linie ist hier an die Gewinnung von *Alginaten, Alginsäure u. Carrageen zu denken, die als Verdickungsmittel mannigfaltige Anw. finden, u. a. in *Schlankheitsmitteln zur Therapie der *Fettsucht. In Küstengebieten hat sich eine eigenständige Algen-Ind. entwickelt. Voraussetzung für die Nutzung der A. ist ihre Kultivierung, die angesichts der Belastung des *Meerwassers durch schadstoffhaltiges *Abwasser, *Ölpest, *Pflanzenschutzmittel u. ä. nicht ohne Probleme ist.
Eine weitere Einsatzmöglichkeit für A. ergibt sich in der Abwasserreinigung. Ungezügeltes A.-Wachstum (s. Algenblüte) in Binnengewässern u. im Meer (z.B. Nord- u. Ostsee 1988) als Folge der *Eutrophierung stört das biolog. Gleichgewicht. A. befallen als Schadorganismen nicht nur Metalle, Baustoffe u. niedermol. organ. Materialien, sondern auch Kunststoffe. Die Beseitigung von A. in Schwimmbädern u. Aquarien erfolgt mit A.-Bekämpfungsmitteln (s. Algizide). A. können nahezu überall auf der Erdoberfläche vorkommen, sowohl in anhaltend (perennierenden) als auch auf nur zeitweise feuchten Standorten, in Trockengebieten, in heißen Quellen sowie auf Eis u. Schnee. Die A. des *Planktons sind die wichtigsten *Primärproduzenten für energiereiche, organ. Substanzen in den Nahrungsketten der Meere u. Binnenseen. Fachsprachlich wird die Algenkunde als *Phykologie* (von griech.: phykos = Tang) bezeichnet. – *E* algae, seaweed – *F* algues – *I* alghe – *S* algas

Lit.: Referateorgan: Algae Abstracts, New York: Plenum (seit 1973) ■ Tardent, Meeresbiologie (2.), Stuttgart: Thieme 1993 ■ Van den Hoek, Algen (3.), Stuttgart: Thieme 1993. – [HS 1212 20]

Algenbekämpfungsmittel s. Algizide.

Algenblüte (Algenflor, Algenteppich, Wasserblüte). Keine Blüte im botan. Sinne, sondern starke Vermehrung (*Massenentwicklung) einzelliger *Algen, in einzelnen Gewässern od. Meeresbereichen meist nur eine Art betreffend u. anhand grüner, roter, gelber, brauner od. violetter Algenpigmente od. nächtlichen Leuchtens häufig mit bloßem Auge erkennbar. In Gewässern wie der Nordsee, in denen deutliche period. Änderungen der *abiotischen (Temp., Lichtverhältnisse, Wasserumwälzung) sowie biot. *Umweltfaktoren (Plankton-, Fischbestand) auftreten, sind Algenblüten regelmäßig von Frühjahr (Erwärmung) bis Herbst in typ. *Sukzession) zu beobachten. Der Eintrag von Nährstoffen kann die Ausbildung von Algenblüten fördern (s. a. Eutrophierung). Algenblüten sind bereits aus dem Altertum überliefert, teilw. auch, weil Algen für andere Organismen tox. Stoffwechselprodukte enthalten u. so z.B. Muscheln, die Algen aus dem Wasser filtrieren, vergiften u. für den menschlichen Konsum unbrauchbar machen. – *E* algal bloom, red tide – *F* prolifération des algues – *I* colorazione dell'acqua causata della alghe – *S* floración de algas

Lit.: Römpp Lexikon Umwelt, S. 40 f. ■ Umwelt (BMU) **1996**, 117–119.

Algenpheromone. Gruppe ungesättigter C_{11}-Kohlenwasserstoffe u. Epoxide, die von weiblichen Geschlechtszellen mariner Braunalgen zur Anlockung der männlichen Spermatozoiden abgeschieden werden[1]. Bei den hochentwickelten Arten (z.B. den *Laminariales*, z.B. Fingertang u. *Desmarestiales*, z.B. Stacheltang) wirken diese Verb. zusätzlich synchronisierend als Release-Faktoren, indem sie zunächst die Freisetzung der männlichen Geschlechtszellen aus ihren Gametangien bewirken. Die *Fucales* (z.B. der Blasentang, Sägetang) nutzen abweichend einen C_8-Kohlenwasserstoff, das *Fucoserraten (1,3E,5Z-Octa-1,3,5-trien), als Pheromon. Von *Dictyopteris*-Arten werden C_{11}-Kohlenwasserstoffe permanent in kleinen Mengen aus dem Thallus ans Seewasser abgegeben u. übernehmen dabei vermutlich ökolog. wichtige Aufgaben im Kampf um Lebensraum[2]. Interferenz mit den Signalsyst. benachbarter Arten[3] u. fraßhemmende Wirkungen auf Seeigel u. Fische wurden nachgewiesen[4].

Tab.: Daten von Algenpheromonen.

Pheromon	Summenformel	M_R	Drehwert	CAS
Caudoxiren	$C_{11}H_{14}O$	162,23	$[\alpha]_{578}^{25} +238,3°$ (CH_2Cl_2)	117415-46-0
Desmaresten	$C_{11}H_{14}$	146,23	$[\alpha]_D^{22} +168°$ (CH_2Cl_2)	83013-90-5
Ectocarpen	$C_{11}H_{16}$	148,25	$[\alpha]_{578}^{20} +17,4°$ (CH_2Cl_2)	33156-93-3
Finavarren	$C_{11}H_{16}$	148,25		29837-19-2
Hormosiren	$C_{11}H_{16}$	148,25	$[\alpha]_D^{21} -43°$ (CHCl$_3$)	29837-20-5
Lamoxiren	$C_{11}H_{14}O$	162,23		92675-19-9
Multifiden	$C_{11}H_{16}$	148,25	$[\alpha]_{578}^{20} +261°$ (CH_2Cl_2)	52886-04-1
Viridien	$C_{11}H_{14}$	146,23	$[\alpha]_{578}^{25} +228°$ (Pentan)	83013-89-2
Fucoserraten	C_8H_{12}	108,18		40087-61-4

Die A. entstehen durch oxidative Prozesse aus hochungesätt. C_{20}-Fettsäuren. Die Biosynth. der Cycloheptadiene (z.B. Ectocarpen) verläuft über eine spontane *Cope*-Umlagerung eines prim. gebildeten *cis*-disubstituierten Cyclopropans. Höhere Pflanzen synthetisieren Ectocarpen durch oxidative Decarboxylierung von Dodeca-3,6,9-triensäure. Manche der C_{11}-Kohlenwasserstoffe findet man auch bei *Diatomeen* (Kieselalgen) u. Höheren Pflanzen; die biolog. Funktion ist dort unbekannt. – *E* algae pheromones – *F* phéromones d'algues – *S* feromonas de algas

Lit.: [1] Biol. Unserer Zeit **17**, 176 (1987); Bot. Acta **101**, 149 (1988); Plant Cell Environ. **16**, 891 (1993); Proc. Natl. Acad. Sci. USA **92**, 37 (1995). [2] Tetrahedron Lett. **28**, 307 (1987). [3] Ecology **71**, 776 (1990). [4] Marine Ecol. **48**, 185 (1988).
allg.: Biosynth.: Angew. Chem. **104**, 1261 (1992) ■ Eur. J. Biochem. **191**, 453 (1990). – *Synth.:* Scheuer I **1**, 98–124; II **6**, 107–138 ■ Tetrahedron **51**, 7927 (1995). – *Wirkung:* Angew. Chem. **107**, 1717 (1995).

Algentest. *Biotest zur Ermittlung tox. Wirkungen von Wasser, Abwasser od. chem. Verb. u. deren Gemischen auf *Algen. Innerhalb der aquat. Lebensgemeinschaft gehören die Algen zur troph. Ebene (Ernährungsstufe, s.a. Nahrungskette) der Produzenten, im Unterschied zu Primärkonsumenten (Daphnientest), Sekundärkonsumenten (*Fischtest) u. Destruenten (*Bakterientest). Der A. erfolgt zumeist aufgrund gesetzlicher Anforderungen (*Chemikaliengesetz u. *Wasserhaushaltsgesetz) als *chron.* Test, bei dem das Testgut längerfristig auf die Organismen einwirkt; während der Einwirkphase finden mehrere Zellteilungen statt *(Reproduktionstest).* – *E* algal inhibition test – *F* essai des algues – *I* test sulle alghe – *S* prueba de algas
Lit.: OECD Guideline for Testing of Chemicals 201, Algae, Growth Inhibition Test, Paris: OECD 1984 ■ Römpp Lexikon Umwelt, S. 41 ■ Schlottmann (Hrsg.) Prüfmethoden für Chemikalien (Loseblattsammlung, 1. Aufl., 1. Ergänzungslieferung), Stuttgart: Hirzel 1994.

Algentoxine. Bestimmte einzellige Meeresalgen produzieren Toxine, die von Muscheln über die Nahrungskette aufgenommen u. angereichert werden. Nach Verzehr von Toxin-belasteten Muscheln können ernsthafte gesundheitliche Störungen auftreten, die von Magen-/Darmverstimmungen bis zu tödlich verlaufenden Lähmungen reichen. Insbes. beim Auftreten massenhafter Algenblüte wie der sog. „Roten Tide" muß die Zusammensetzung von Schalentieren bes. überwacht, ggf. ihr Verzehr vermieden werden. Die zugrundeliegenden Toxine sind z.B. *Brevetoxine, *Dinophysistoxine, *Domoinsäure, *Gonyautoxine, *Okada(in)säure, *Saxitoxin, vgl. a. PSP. – *E* poisons from toxic algae – *F* toxines d'algues – *I* tossine delle alghe – *S* toxinas de algas
Lit.: Angew. Chem. **108**, 545–664 (1996) (Synth.) ■ Chem. Unserer Zeit **29**, 68–75 (1995) ■ Römpp Lexikon Lebensmittelchemie, S. 17–20 ■ Science **257**, 1476f. (1992) ■ Shimizu, in Allaway, Marine Biotechnology, S. 391–410, New York: Plenum Press 1993.

Algesal®. Antirheumat. Creme mit *Diethylaminsalicylat u. *Myrtecain. *E.:* Kali-Chemie Pharma.

Algesalona®. Antirheumat. wirkende Creme mit *Diethylaminsalicylat, *Myrtecain u. *Flufenaminsäure. *B.:* Kali-Chemie Pharma.

Algin. Sammelbez. für die polysaccharid. Inhaltsstoffe der Braunalgen (s. Algen u. Alginsäure).

Alginate. Bez. für Salze u. Ester der *Alginsäure. Von den Salzen hat *Natriumalginat – häufig auch mit *Algin gleichgesetzt – dank Wasserlöslichkeit u. übrigen Eigenschaften größte Bedeutung als Verdickungsmittel, Emulgator bzw. Emulsionsstabilisator u. Gelgrundlage für die Nahrungsmittel-, Pharma- u. Kosmetik-Industrie. Wasserlösl. A. sind auch die Kalium-, Ammonium- u. Magnesium-Salze. Die Viskosität der Natrium-A.-Gele läßt sich z.B. durch Zusatz von wasserunlösl. Calcium-A. steuern. – *E* = *F* alginates – *I* alginati – *S* alginatos
Lit.: s. Alginsäure.

Alginat-Fasern [Kurzz.: ALG gemäß DIN 60001 T4 (08/1991)]. Diese bestehen zumeist aus Calciumalginat-Fasern, die aus *Alginsäure gewonnen werden. Man extrahiert die Alginsäure aus den *Algen mit Hilfe von Sodalösung. Die so entstehende Natriumalginat-Lsg. wird gereinigt u. in ein Fällbad mit schwach saurer $CaCl_2$-Lsg. gepreßt. Nach dem Naßspinnen kann eine Metallisierung der Filamente angeschlossen werden. Die Fasern sind stark hygroskop., sie lösen sich z.B. in Seifenwasser; eine Nachbehandlung mit Berylliumacetat erhöht die Beständigkeit hiergegen. A. sind nicht brennbar, sondern nur glühen nur, gegen organ. Lsm. sind sie stabil.
Verw.: Als Hilfsfäden für Wirkerei, Weberei u. Spitzenherstellung. Flammfest sind auch Al- u. Cr-Alginat-Fasern. – *E* alginate fibers – *F* fibres d'alginates – *I* fibre degli alginati – *S* fibras de alginato
Lit.: Encycl. Polym. Sci. Eng. **6**, 724 ■ Kirk-Othmer (3.) **10**, 153 ■ Ullmann (4.) **11**, 195, 199, 354.

Alginsäure.

R^1 = H, R^2 = COOH oder R^1 = COOH, R^2 = H

Farbloses, Carboxy-Gruppen enthaltendes Polysaccharid, $(C_6H_8O_6)_n$, M_R ca. 200000, in kaltem Wasser u. organ. Lsm. unlösl., wenig lösl. in siedendem Wasser mit schwach saurer Reaktion, ohne Eigengeschmack. A. bindet das 200- bis 300fache ihres Gew. an Wasser u. bildet beim Eintrocknen harte hornige Massen. Die Alkalisalze (das Na-Salz wird auch Algin genannt) u. das Mg-Salz lösen sich in Wasser, bei Mineralsäure-Zusatz scheidet sich die A. ab. Chem. besteht die Polyuronsäure A. aus 1,4-glykosid. verknüpften D-Mannuronsäure-Einheiten mit gelegentlichen Einschüben von L-Guluronsäure-Einheiten; beide Bestandteile der A. gehören zu den *Uronsäuren. A. findet sich in den Braunalgen (vgl. Algen) des Meeres in beträchtlichen Mengen (bis zu 40% i.Tr.); sie ist ähnlich wie Cellulose aus langen Fäden (Polymerisierungsgrad

ca. 1000) aufgebaut u. hat eine ähnliche Stützfunktion[1].
In Europa wird A. aus *Laminaria digitata* bzw. *cloustoni, Macrocystis pyrifera* u. *Ascophyllum nodosum* gewonnen, indem man die *Algen (Tange) mit verd. Sodalsg. od. a. Alkalien behandelt, worauf der *Polyelektrolyt A. in Lsg. geht. Nach dem Thornley-Verf. wird die A. zunächst als Calciumalginat ausgefällt, dessen Säurebehandlung A. freisetzt. Bei dem älteren Le Gloahec-Herter-Verf. wird A. direkt aus der Natriumalginat-Lsg. ausgefällt. Näheres auch zur Vor- u. Nachreinigung s. *Lit.*[2]. Zur Analytik s. *Lit.*[3].
Verw.: Die vielfältigen Anw. der A. beruhen auf der Fähigkeit, *Gele (früher Phykokolloide genannt), *Emulsionen u. thixotrope Lsg. (s. Thixotropie) zu bilden bzw. zu stabilisieren. Man verwendet A. u. *Alginate als *Verdickungsmittel u. Schutzkolloid in Leimen, Speiseeis, Marmeladen, Fruchtgelees, Kosmetika, Seifen, Mayonnaisen, Pudding, Fertigsuppen, Suppenwürfeln usw.[4]. A. sind nur oberhalb eines pH-Wertes von 3,5 stabil, so daß sie nicht für stark saure Lebensmittel anwendbar sind.
Toxikologie: Der ADI-Wert für A. ist „non specified". Das A.-Derivat Propylenglykolalginat (Schaumstabilisator für Bier) hat einen ADI-Wert von 0–25 mg/kg Körpergewicht. Bis auf die Tatsache, daß A. die Bioverfügbarkeit einiger Spurenelemente (Zink, Eisen, Cobalt) verringern, liegen keine toxikol. Bedenken vor.
– *E* alginic acid – *F* acide alginique – *I* acido alginico – *S* ácido algínico
Lit.:[1] Angew. Chem. **89**, 228 (1977); Merck Index (11.), Nr. 231. [2] Kirk-Othmer (3.) **17**, 768–774. [3] Z. Lebensm. Unters.-Forsch. **152**, 87 (1973). [4] Römpp Lexikon Lebensmittelchemie, S. 20.
allg.: Hager (4.) **7b**, 1–8 ▪ Lawrence, Natural Gums for Natural Purposes, Park Ridge: Noyes 1976 ▪ Ullmann (5.) **A 11**, 503, 563 ▪ Winnacker-Küchler (3.) **5**, 301. – *[HS 3913 10; CAS 9005-38-3 (Alginate); 9005-32-7 (Alginsäure)]*

ALGISIUM. Marke für einen Moisturizer u. Radikalfänger. *B.:* Nordmann, Rassmann GmbH & Co.

Algizide. Bez. für chem. *Algen-Bekämpfungsmittel. Bekannte A. zur Anw. in Aquarien u. Teichen sind Kupfersulfat[1], Kupferkomplexe mit Chelat-Bildnern wie Citronensäure, Gluconsäure, Triethanolamin, *EDTA u.a. sowie Kaliumpermanganat[2]. Als A. in Schwimmbädern eignen sich die – hier zu den *Schwimmbadpflegemitteln gezählten – Chloramin T, Chlorkalk, Calcium-Natriumhypochlorit od. Natriumdichlorisocyanurat (vgl. Chlorisocyanursäuren), die durch *Chlorung wirken, ferner quart. Ammonium-Verb. wie *Benzalkoniumchloride. Verschiedene landwirtschaftlich genutzte A. wie Diuron od. Quinonamid wirken auch gegen *Moose u. *Flechten. Über Zinn-organ. A. s. *Lit.*[3]. Für die Befreiung offener Gewässer von Algen hat sich Aluminiumsulfat bewährt, das die Ausflockung der für das Algenwachstum notwendigen Phosphate bewirkt. Einzelerfolge wurden auch mit biolog. A., nämlich spezif. Virusstämmen, in skandinav. Seen erzielt[4].
– *E* algicides – *F* alguicides – *I* alghicidi – *S* algicidas
Lit.:[1] Allg. Fisch.-Ztg. **94**, 766 (1969). [2] J. Am. Water Works Assoc. **58**, 255–263 (1966). [3] Chem. Eng. News **54**, Nr. 39, 30 (1976). [4] Naturwiss. Rundsch. **21**, 351 (1968).
allg.: Kirk-Othmer **22**, 130; **24**, 431 ▪ Meyer, Aquatic Herbicides and Algaecides 1971, Park Ridge: Noyes 1971 ▪ Ullmann (4.) **9**, 390.

Alglucerase. Mannose-terminierte Glucocerebrosidase, die 1995 zur Therapie der Lipidspeicherkrankheit Morbus Gaucher von Genzyme (Ceredase®) 50 U/400 U ausgeboten wurde. – *E* alglucerase, glucosylceramidase – *F* alglucérase – *I* alglucerasi – *S* aglucerasa
Lit.: Dtsch. Apoth. Ztg. **135**, 4043 (1995). – *[CAS 143003-46-7]*

Algoflon®. *Polytetrafluorethylen in Form von Pulver, Dispersionen u. Lacken. *B.:* Ausimont.

Algonkium s. Erdzeitalter.

Alicyclische Verbindungen (Alicyclen). Durch Zusammenziehung von *aliphatische u. *cyclische Verbindungen gebildete Gruppenbez. für auch Alicyclen od. Cycloaliphaten genannte ringförmige organ. Verbindungen. Die a.V. sind Teil der *isocyclischen Verbindungen u. werden in den Einzelstichworten Cycloalkane, Cycloalkene u. Cycloalkine ausführlich behandelt. Aromat. Verb. als eine weitere Klasse isocycl. Verb. u. heterocycl. Verb. einschließlich ihrer gesätt. Vertreter werden nicht zu den a.V. gezählt. – *E* alicyclic compounds – *F* composés alicycliques – *I* composti aliciclici – *S* compuestos alicíclicos
Lit.: Barton-Ollis **1**, 37–120 ▪ Haufe u. Mann, Chemistry of Alicyclic Compounds. Structure and Chemical Transformations, Amsterdam: Elsevier 1989 ▪ Rabideau, The Conformation Analysis of Cyclohexenes, Cyclohexadienes and Related Hydroaromatics, Weinheim: VCH Verlagsges. 1989 ▪ Rodd's Chemistry of Carbon Compounds, 2. Aufl., Bd. II A – II E (1967–1971), First Suppl. II A – II E (1974), Second Suppl. II A – II E (1992–1994), Amsterdam: Elsevier 1967–1994.

Alimemazin.

$$\text{CH}_2-\text{CH}-\text{CH}_2-\text{N(CH}_3)_2$$
$$|$$
$$\text{CH}_3$$

(phenothiazine ring structure)

Internat. Freiname für 10-(3-Dimethylamino-2-methylpropyl)-phenothiazin, $C_{18}H_{22}N_2S$, M_R 298,45; Schmp. 68 °C. Es wurde 1958 als Antihistaminicum u. Psychosedativum von Rhône-Poulenc patentiert u. ist von P. Fabre Dermo Ko (Repeltin®) im Handel. – *E* alimemazine – *F* alimémazine – *I* = *S* alimenazina
Lit.: Hager (5.) **7**, 111f. ▪ Pharm. Ztg. **140**, 322 (1995). – *[HS 2934 30; CAS 84-96-8; 4330-99-8 (Tartrat)]*

Alimet®. Marke von Monsanto für *Methionin-Hydroxy-Analoga. *B.:* Novus.

Alimix®. Suspension u. Tabl. mit *Cisaprid-Monohydrat zur Motilitätsförderung. *B.:* SmithKline Beecham.

Aliphatin s. Benzin.

Aliphatische Verbindungen (Aliphaten von griech.: aleiphar = Salbenöl, Fett). Sammelbez. für organ.

Verb., deren C-Atome in geraden od. verzweigten *Ketten angeordnet sind, im Gegensatz zu den *isocyclischen Verbindungen, bei denen die C-Atome Ringe bilden. Damit werden die a. V. den *acyclischen Verbindungen gleichgesetzt, deren Untergruppen die *Alkane (*Paraffine*), *Alkene (*Olefine*) u. *Alkine (*Acetylene*) sind. A. V. mit *funktionellen Gruppen besitzen große prakt. Bedeutung, z. B. *Alkohole (*Ethanol*), *Carbonsäuren (*Essigsäure*), *Fette und Öle (*Name!*), *Seifen, *Wachse u. v. a. – *E* aliphatic compounds – *F* composés aliphatiques – *I* composti alifatici – *S* compuestos alifáticos
Lit.: Barton-Ollis **1**, 37–120 ▪ Rodd's Chemistry of Carbon Compounds, 2. Aufl., Bd. IA–IG (1964–1976), First Suppl. IA–IG (1975–1983), Second Suppl. IA–ID (1991–1993), Amsterdam: Elsevier 1964–1993.

Aliquoter Teil (von latein.: aliquot = einige, ein paar). In der Analyt. Chemie Bez. für den zu analysierenden Bruchteil einer Gesamtmenge; aus der Zusammensetzung des a. T. läßt sich durch eine einfache Multiplikation die Zusammensetzung der gesamten Analysenprobe berechnen. – *E* aliquot part – *F* partie aliquote – *I* parte aliquota – *S* parte alícuota

Alitieren. Auch als *Calorisieren* bezeichnetes Verf. zur Herst. Aluminium-reicher Deckschichten auf metall. (bes. Fe) Gegenständen. Letztere werden in Al-Pulver, bzw. in Mischungen aus Al-Pulver, Al-oxid u. Ammoniumchlorid bei 900 °C geglüht od. in flüssigem Al od. Al-Leg. (z. B. mit Zn, Si u. a.) getaucht bzw. damit besprizt u. anschließend in Schutzgasatmosphäre erhitzt. Zusammen mit *Inchromverfahren, *Sherardisieren u. a. *Diffusionsverfahren ist A. ein Prozeß zur *Zementation. – *E* alitizing – *F* alitisation – *I* calorizzare – *S* alitación
Lit.: DIN 50902 (07/1975) ▪ Euronorm 154 (12/1980) ▪ Kirk-Othmer (3.) **15**, 242 f., 247 f. ▪ Schlosser u. a., Metallformung – Feueraluminiertes Stahlband, ZnA 115-beschichtetes Stahlband (Freiberger Forschungsh. B 201), Leipzig: Grundstoffind. 1978 ▪ Ullmann (5.) **B 1**, 8–55 ▪ Winnacker-Küchler (4.) **4**, 683 ff., 692 f.

Alizaprid.

Internat. Freiname für den *Dopamin-Antagonisten *N*-[(1-Allyl-2-pyrrolidinyl)-methyl]-6-methoxy-1*H*-benzotriazol-5-carboxamid, $C_{16}H_{21}N_5O_2$, M_R 315,38; Schmp. 139 °C, LD_{50} (Maus) 92,7 mg/kg. Es wurde 1975 als Antiemeticum von Delagrande patentiert u. ist von Synthelabo (Vergentan®) im Handel. – *E* = *F* = *I* alizapride – *S* alizaprida
Lit.: Hager (5.) **7**, 113 f. – *[HS 293390; CAS 59338-93-1]*

Alizarin (1,2-Dihydroxyanthrachinon).

$C_{14}H_8O_4$, M_R 240,22. Orangegelbe Nadeln, Schmp. 290 °C, in siedendem Wasser sehr wenig, in Alkoholen, Ether, aromat. Kohlenwasserstoffen u. Eisessig lösl.; wäss. alkal. Lsg. haben eine blaue Farbe. Natürlicherweise kommt A., mit *Primverose zur sog. *Ruberythrinsäure* ($C_{25}H_{26}O_{13}$), M_R 534,47, glykosid. verbunden, in der Wurzel des *Krapp vor (*Rubia tinctorum* = Färberröte; span.: alizari = levantin. Krapp, Name!).
Herst.: Durch Alkalischmelze der Anthrachinon-2-sulfonsäure, wobei nicht nur die Sulfonsäure-Gruppe abhydrolysiert, sondern eine zweite Hydroxy-Gruppe in 1-Stellung eingeführt wird; techn. auch durch $AlCl_3$-katalysierte Kondensation von *Phthalsäureanhydrid mit *Brenzcatechin.
Verw.: Mit verschiedenen Metalloxiden bzw. Metallsalzen bildet A. prächtig gefärbte Verb., die als *Krapplacke* bezeichnet werden. Damit A. gut haftet, müssen die zu färbenden Gewebe (z. B. Baumwolle) zuerst mit *Türkischrotölen behandelt u. nach dem Trocknen in eine Lsg. von Aluminiumsulfat od. Aluminiumacetat gebracht werden. Hierbei verbinden sich die Al-Salze mit dem Türkischrotöl, u. nachdem man das Tuch noch durch aufgeschlämmte Kreide (Säureneutralisierung) gezogen hat, kann die Färbung mit A. (u. Tannin-Zusatz) erfolgen. Dieses verbindet sich mit der Tonerdebeize zu einem leuchtend roten *Farblack. Mit der viel seltener angewendeten Eisenbeize gibt A. violette, mit Chrombeizen braunrote Farbtöne; zur Konstitution der A.-Metallkomplexe s. *Lit.*[1]. Werden Tücher stellenweise mit Metallbeizen bedruckt u. dann in A.-Lsg. getaucht, so erfolgt nur an den gebeizten Tuchstellen eine dauerhafte Färbung. A. ist somit ein *Beizenfarbstoff. Die mit Hilfe von Metallbeizen hervorgerufenen A.-Färbungen sind lichtecht, seifenecht, säureecht u. unempfindlich gegen schwächere Alkalien, dagegen werden sie von Chlor leicht angegriffen. Krapplack dient auch als Pigment für die Herst. von lichtechten Tapeten, für Künstlerfarben, Druckfarben usw.
Das im 13. u. 14. Jh. in Kleinasien zu hoher Blüte geführte Verf. des *Türkischrot-Färbens*[2] von Baumwolle, Wolle od. Seide bestand in einer mehrwöchigen Behandlung der zuvor mit abgestandenem Olivenöl imprägnierten Garne mit einer Kreide- u. Alaun-Aufschlämmung (Beizen). Es folgten das Färben mit Krapp (= A.-Türkischrot), das Dämpfen der Ware u. die abschließende Behandlung mit einer Aufschwemmung von getrocknetem Kuh- od. Schafmist (zu jeder Färberei gehörten große Viehställe!). Heute hat A. nur noch als Zwischenprodukt für die Herst. von *Alizarin-Farbstoffen Bedeutung; ferner dient es als Indikator u. zur Bestimmung von Al, Ga, In, Th, Ti, Cr u. Hf. In der klin. Chemie dient A. zur Anfärbung von Nervengewebe u. von aktiven Ossifikationszentren. – *E* alizarin – *F* alizarine – *I* = *S* alizarina
Lit.: [1] Fortschr. Chem. Forsch. **7**, 643–783 (1967). [2] Die BASF **19**, 195–199 (1969); Farbenpost **17**, Nr. 6 (1970); Text. Prax. Int. **1978**, 1220, 1227–1229.
allg.: Beilstein E IV **8**, 3256 ▪ Winnacker-Küchler (3.) **4**, 276 f. ▪ Zollinger, Color Chemistry, 2. Aufl., Weinheim: VCH Verlagsges. 1991. – *[HS 3204 12; CAS 72-48-0]*

Alizarin-Farbstoffe. Die A. im eigentlichen Sinne sind *Beizenfarbstoffe, die sich von *Alizarin durch weitere Substitution im Anthrachinon-Grundgerüst durch Amino-, Hydroxy-, Nitro- u. Sulfonsäure-Gruppen ableiten; *Beisp.* [nur die Substituenten am Grundkörper des *Anthrachinons (AC) werden hier aufgeführt; zur Struktur s. Formel bei Anthrachinon]: *Alizarin R* (1,2,3-Trihydroxy-AC), *Alizarinbordeaux* (1,2,5,8-Tetrahydroxy-AC), *Alizarinorange* (1,2-Dihydroxy-3-nitro-AC), *Alizarinrot S* (1,2-Dihydroxy-AC-3-sulfonsäure), *Alizarinsaphirol B* (1,5-Diamino-4,8-dihydroxy-AC-3,7-disulfonsäure), *Alizarinreinblau B* (1-Amino-2-brom-AC-4-(p-toluidinsulfonsäure). Schon die beiden letzten Beisp. zeigen, daß die Bez. „A." in sehr weitem Sinne gebraucht wird; viele sog. A. enthalten nicht einmal mehr das Anthrachinon-Gerüst. – *E* alizarin dyes – *F* colorants du type alizarine – *I* coloranti all'alizarina – *S* colorante de alizarina

Lit.: s. Alizarin u. Farbstoffe. – *[HS 3204 12]*

Alkaliblau.

Natrium-Salz der Monosulfonsäure des Triphenylrosanilins (s. Anilinblau), $C_{38}H_{31}ClN_3NaO_3S$, M_R 668,19, graublaues Pulver, lösl. in Wasser, Alkohol u. Isopropanol, wird als blauer Druckfarben-, Woll- u. Seidenfarbstoff verwendet. – *E* alkali blue – *F* Bleu d'alcali – *I* blu d' alcali – *S* azul álcali – *[HS 3204 12; CAS 30586-13-1]*

Alkalicellulose. A. entsteht bei der Behandlung (Alkalisierung, *Mercerisation) von *Cellulose, meist in Form von *Zellstoff, mit wäss. Alkali, insbes. Natronlauge. A. wird als reaktives Zwischenprodukt z. B. bei der techn. Herst. von *Celluloseethern u. *Cellulosexanthogenaten eingesetzt. Das bei der A.-Herst. verwendete Verhältnis Cellulose:Natriumhydroxid:Wasser erlaubt es, die Produkt-Eigenschaften breit zu variieren. – *E* alkali-cellulose – *F* alcali-cellulose – *I* cellulosa d'alcali – *S* celulosa alcalina

Lit.: Bikales, u. Segal, High Polymers, Vol. 5, Cellulose and Cellulosederivates: Pt. 4, S. 325–338, New York: Wiley 1971 ■ Houben-Weyl *E 20*, 2052ff. ■ Ullmann (4.) **9**, 214; (5.), **A 5**, 466.

Alkalichlorid-Elektrolyse s. Chloralkali-Elektrolyse.

Alkaliechtheit. Nach DIN 54030 (02/1971) bezeichnet man mit A. die Widerstandsfähigkeit der Farbe von Textilien jeder Art gegenüber verd. Alkali-Lösungen. – *E* alkali fastness – *F* résistance aux alcalis – *I* resistenza d'alcali – *S* resistencia alcalina

Alkalien. Nicht exakt abgrenzbare Bez. für Substanzen, deren Lsg. mit Wasser *alkalische Reaktionen zeigen, bitter schmecken u. die Haut reizen. In erster Linie gehören hierzu die *Hydroxide der *Alkalimetalle, insbes. die von Natrium u. Kalium, die man wegen ihres starken Ätzvermögens auch als *Ätzalkalien (kaust. Alkalien)* bezeichnet. Zu den A. rechnet man auch das Ammoniumhydroxid u. die Hydroxide der *Erdalkalimetalle. Die Carbonate der Alkalimetalle nennt man wegen ihres schwächer bas. Charakters *milde Alkalien*. Bei diesen unterschied man früher das aus Pflanzenasche gewonnene *vegetabil. A.* od. *Pflanzen-A.* (Pottasche = Kaliumcarbonat) von dem *mineral. A.* (Soda = Natriumcarbonat). Weiter unterteilte man in *flüchtige A.* (Ammoniak) u. *fixe A.* (feste Hydroxide u. Carbonate). Heute spricht man von *Basen. – *E = F* alkalis – *I* alcali – *S* álcalis

Alkalifehler s. Glaselektrode.

Alkalimetalle. Von arab.: al-qali = salzhaltige Asche von Salicornien abgeleiteter Name für die Elemente der 1. Hauptgruppe des *Periodensystems, nämlich Lithium, Natrium, Kalium, Rubidium, Cäsium u. Francium. Deren Atome besitzen ein einsames Elektron (*Valenzelektron*) über abgeschlossenen Schalen, weshalb sie in ihren Verb. nur einwertig auftreten. Das schwach gebundene Außenelektron (*Leuchtelektron*) ist auch verantwortlich für die bei physikal. *Anregung auftretende charakterist. *Flammenfärbung. Die reinen A. sind sehr unedel, werden an der Luft schnell oxidiert u. reagieren mit Wasser sehr heftig unter Entwicklung von Wasserstoff u. Bildung ihrer Hydroxide; mit Alkoholen bilden sie *Alkoholate. Auch A.-Kohlenstoff-Bindungen sind möglich (s. Schlosser, *Lit.*). Weiter sind für A. charakterist.: Geringe Härte, geringe Dichte, niedrige Schmelz- u. Siedepunkte. Ihre Reaktionsfähigkeit nimmt mit steigendem Atomgew. von Lithium zu Francium zu. Hergestellt werden die A. meist durch Schmelzflußelektrolyse ihrer Salze. Die Reinigung der A. kann am besten durch Dest. erfolgen.
A. bilden stabile Komplexe mit neutralen makrocycl. Liganden wie *Kronenethern u. Kryptanden (*Kryptate bildende Verb.). Die Stabilisierung von A.-Kationen durch Komplexbildner ist der Schlüssel für die Bildung von A.-*Anionen* in *Alkalid*-Salzen. Makrocycl. Verb., die A. zu binden vermögen, kommen auch in der Natur vor, z. B. *Valinomycin, ein cycl. Polypeptid; als *Carrier od. *Ionophore bewirken sie den Transport von A.-Kationen durch die hydrophobe Lipoidschicht der Zell-*Membrane. – *E* alkali metals – *F* métaux alcalins – *I* metalli alcalini – *S* metales alcalinos

Lit.: Brauer (3.) **2**, 935–948 ■ Hart u. Beumel jr., The Chemistry of Lithium, Sodium, Potassium, Rubidium, Cesium and Francium, Oxford: Pergamon 1975 ■ J. Chem. Educ. **62**, 954–964 (1985) ■ Prog. Inorgan. Chem. **32**, 327–441 (1984) ■ Schlosser, Struktur u. Reaktivität polarer Organometalle, Berlin: Springer 1973. – *[HS 2805 11–19]*

Alkalimetrie. Bez. für die Umkehrung der *Acidimetrie, also einem Verf. der *Maßanalyse, bei dem die Konz. von Säuren durch portionsweise Zugabe von genau eingestellten Laugen bestimmt wird. – *E* alkalimetry – *F* alcalimétrie – *I* alcalimetria – *S* alcalimetría

Lit.: s. Acidimetrie.

Alkalische Phosphatase s. Phosphatasen.

Alkalische Reaktion (bas. Reaktion). Wäss. Lsg. der *Alkalien; NaOH, KOH, $Ca(OH)_2$, $Ba(OH)_2$, Soda, Pottasche, Trinatriumphosphat, Ammoniak usw. färben rotes Lackmuspapier blau, farbloses Phenolphthalein rotviolett, rotes Methylorange gelb, blaues Kongorot rot u. gelbe Curcuma braun. Man sagt, die Lsg. reagieren alkal., bas. oc. laugenhaft, d. h. ihr *pH-Wert ist größer als 7 [s. a. DIN 19 260 (03/1971)]. In jedem Fall enthalten die Lsg. weniger *Protonen (H$^+$ bzw. H$_3$O$^+$) als neg. geladene Hydroxid-Ionen (OH$^-$), die bei den „echten" Laugen od *Basen (Natronlauge, Kalilauge) durch *Dissoziation (NaOH → Na$^+$+OH$^-$), bei den alkal. reagierenden Salzen (Soda, Pottasche) dagegen durch *Hydrolyse entstehen. Die Stärke der a. R. hängt von der Menge der vorhandenen OH$^-$-Ionen ab u. damit von der *elektrolytischen Dissoziation. Das Gegenteil der a. R. ist die *saure Reaktion. – *E* alkaline reaction – *F* réaction alcaline – *I* reazione alcalina – *S* reacción alcalina

Alkalischmelze. Ursprünglich nur Verf. zur Herst. von *Phenolen durch Erhitzen von aromat. Sulfonsäuren mit geschmolzenen Ätzalkalien. Spätere Versionen des Verf. gehen auch von chlorierten Aromaten aus (z. B. von Chlortoluolen). Heute sind folgende 3 Verf. üblich[1]: 1. Schmelzen mit wasserfreien *Alkalien. – 2. Schmelzen mit wäss. Alkalien (Druckschmelzen). – 3. Alkohol. Kalischmelzen. Mit Hilfe des Verf. 1 stellt man aus aromat. Sulfonsäuren die entsprechenden Phenole her nach

$$RSO_3Na + 2 NaCH \rightarrow RONa + H_2O + Na_2SO_3;$$

Verf. 2 wird angewendet, wenn 1 zu unkontrolliert verläuft, so z. B. bei der Herst. einiger Naphtholsulfonsäuren. Nach 3 (Lsg. bzw. Suspension von KOH in Methyl- od. Ethylalkohol ohne Druck bei 80–150 °C) erhält man wichtige *Küpenfarbstoffe der Indanthren-Reihe. Die Alkalischmelze von Alkoholen, z. B. Oxoalkoholen, dient zur Herst. von Carbonsäuren mittlerer Kettenlänge. – *E* alkali fusion – *F* fonte alcaline – *I* massa fusa alcalina – *S* fusión alcalina
Lit.: [1] Ullmann (5.) **A 3**, 508; **A 8**, 30, 51; **A 17**, 23.
allg.: Bentley u. Kirby, Elucidation of Organic Structures by Physical and Chemical Methods, S. 325–378, New York: Wiley 1973 ▪ Kirk-Othmer (3.) **8**, 187 f. ▪ Ullmann (4.) **15**, 64 f., 74 f.; **17**, 84; **20**, 190 ▪ Weissermel-Arpe.

Alkalit. Im Tauchverf. bei 60–100 °C anzuwendende alkal. Reinigungs- u. Entfettungsmittel mit hohem Anteil an waschaktiven Substanzen, Netzmitteln u. Komplex-Bildnern.

Alkalit®. pH-Indikator-Stäbchen für den alkalischen pH-Bereich. *B.:* Merck.

Alkaloide. Bez. für vorwiegend in Pflanzen vorkommende bas. Naturstoffe mit einem od. mehreren, meist heterocycl. eingebauten N-Atomen im Mol., die häufig eine ausgeprägte pharmakolog. Wirkung haben. Außer dem natürlichen Vork. der A. läßt sich kein allg. Charakteristikum angeben, u. es ist damit unmöglich, diese Stoffklasse eindeutig von chem. ähnlichen N-haltigen Substanzen (z. B. Aminen, Nucleosiden, Betainen, Aminosäuren) abzugrenzen. Mothes schlug 1950 die folgende Definition vor: „A. sind klass. Pflanzenstoffe mit vorwiegend heterocycl. eingebautem bas. Amin-Stickstoff, die eine starke, meist sehr spezif. Wirkung auf verschiedene Bezirke des Nervensyst. besitzen." In der *Einteilung der A.* herrscht keine Einheitlichkeit. So findet man in der Lit. Einteilungen aufgrund der Herkunft (*Beisp.*: Aconitum-, Amaryllidaceen-, Catharanthus-, Cinchona-, Coca-, Corydalis-, Curare-, Dendrobates-, Erythrina-, Iboga-, Kaktus-, Lycopodium-, Maytanus-, Mutterkorn-, Opium-, Rauwolfia-, Salamander-, Senecio-, Solanum-, Strychnos-, Tabak-, Veratrum-, Vinca-A.) neben Einteilungen aufgrund ihrer chem. Struktur (*Beisp.*: *Benzylisochinolin-, Berberin-, Carbolin-, *Chinolin-, *Chinolizidin-, *Diterpen-, Imidazol-, *Indol-, Indolizidin-, *Isochinolin-, Peptid-, *Piperidin-, *Purin-, *Pyridin-, *Pyrrol-, *Pyrrolizidin-, *Steroid-, *Terpen-, *Tropan-Alkaloide). Meist sind die Einteilungen nicht so streng; so werden z. B. den Indol-A. die kondensierten Derivate Harmin, *Yohimbin, *Strychnin u. Curarin zugerechnet.

Die einzelnen A. od. die ihnen zugrunde liegenden N-Basen leiten ihre Namen oft von den Naturprodukten ab. (*Beisp.*: Tropan = Stammbase des Atropins u. des *Cocains) od. von der Pflanze, in der die A. vorkommen (*Beisp.*: Solanin, Vincamin), manchmal auch von ihren physiolog. Eigenschaften, wie z. B. *Morphin (griech.: Morpheus = Gott des Schlafes) u. Emetin (Emetikum = Brechmittel). Die A. des Granatapfelbaumes Pelletierin, Pseudo-, Iso- u. Methylpelletierin sind nach dem franzos. Chemiker *Pelletier benannt, der u. a. das Strychnin u. das *Chinin isolierte. Die meisten A. sind farblos (gelb gefärbt: z. B. Chelidonin), sie sind als freie Basen in Wasser leicht, in Alkohol, Ether u. Chloroform besser löslich. Mit Säuren bilden sie oft gut krist., in Wasser leicht lösl. Salze; letztere werden wegen ihrer Löslichkeit bevorzugt in der Medizin angewendet (z. B. Morphinum hydrochloricum, Pilocarpin Hydrochlorid).

Die Mehrzahl der A. ist opt. aktiv. Zur Konformation einiger A. s. *Lit.*[1]. Die früher oft sehr zeitraubende u. größere Substanzmengen erfordernde Konstitutionsermittlung unbekannter A. läßt sich heute mit Hilfe der *Massenspektrometrie, opt. u. magnet. Meth.[2] sehr viel rascher bewerkstelligen, was u. a. zur Folge hat, daß die Zahl der bekannten A. rapide zunimmt: Bis Ende 1957 waren 2233 A. aus 3761 Pflanzenarten von 156 Familien isoliert worden, 1976 war die Zahl auf 5000 A. aus 7000 Pflanzenarten angewachsen, 1989 waren über 10 000 Alkaloide bekannt; 1995 wurde die Zahl der bekannten A. auf ca. 15 000 geschätzt. Die Strukturuntersuchungen an A. haben schon im 19. Jh. zur Entwicklung zahlreicher nützlicher Abbaumeth. geführt, die das Arsenal der organ. Chemie ganz wesentlich bereichert haben. Untersuchungen zur Biosynth. der A. haben erst relativ spät eingesetzt.

Biosynth.: Anders als bei *Steroiden u. *Terpenen gibt es bei A. keine *Isopren-Regel, die bei der Strukturermittlung u. Biogenese-Untersuchung hätte hilfreich sein können. Man nimmt heute allg. an, daß die A. aus Aminosäuren u. biogenen Aminen sowie biogenen Aldehyden u. Ketonen durch Cyclisierungen, Kondensationen u. Dimerisierungen entstehen; näheres s. *Lit.*[3,4].

Vork.: Da die A. meist Nervengifte sind, können sie sich im Tierreich nicht in größeren Mengen bilden, es sei denn in Hautdrüsen, in denen sie als *Neurotoxine sezerniert werden (z. B. die *Amphibiengifte Samandarin u. a. *Salamander-Alkaloide, Tetrodotoxin, Batrachotoxin, Bufotenin u. a. *Krötengifte, Glomerin, Serotonin, Histamin, Tyramin u. a. *biogene Amine)[5]. Die meisten A. kommen in Pflanzen vor, wo sie vermutlich als Nebenprodukte des Aminosäure-Stoffwechsels hauptsächlich in den peripheren Pflanzenteilen (Blätter, Wurzeln, Rinden, Früchten), viel seltener im Holz abelagert werden. In den Pflanzen finden sich die A. seltener als freie Basen, sondern kommen mit Oxal-, Essig-, Milch-, Citronensäure usw. in Salzen vor. Bes. A.-reich sind einige Höhere Pflanzenfamilien wie z. B. die Hahnenfußgewächse (Apocynaceae), Mohngewächse (Papaveraceae) u. Nachtschattengewächse (Solanaceae), dagegen sind die Korbblütler (Compositae) u. die Niederen Pflanzen (Farne, Mose, Algen) meist A.-frei. Es fällt auf, daß terpen- u. harzreiche Pflanzen meist A.-arm sind. Verwandte Pflanzenfamilien haben in der Regel auch ähnliche A. (vgl. Chemotaxonomie). Üblicherweise enthält eine Pflanzengattung nicht nur ein einziges A., sondern eine ganze Gruppe verwandter Stoffe, die sich durch unterschiedliche Stereochemie od. Stellungsisomerie ihrer Substituenten unterscheiden. So finden sich z. B. im *Tabak neben dem Haupt-A. *Nicotin eine ganze Reihe weiterer, z. T. ähnlicher A. wie Nornicotin, Nicotyrin, Nicotellin, u. v. a., aus dem *Opium wurden außer Morphin u. Codein mehr als 25 Neben-A. isoliert.

Nachw., Analytik: A.-Fällungsreagenzien, die die Bildung eines in Wasser schwer lösl. Salzes bewirken, sind z. B. *Dragendorffs-, *Fröhdes-, *Mayers-Reagenz, *Pikrinsäure, *Pikrolonsäure, *Dipikrylamin, Phosphormolybdänsäure, *Reineckesalz u. *Natriumtetraphenylborat. Für einige Gruppen von A. sind spezielle Farbreaktionen gebräuchlich, z. B. die Vitali-Reaktion zum Nachw. der Tropan-A., die Thalleiochin-Reaktion für China-A., die Murexid-Reaktion für Purine u. anderen. Zum Tüpfelnachweis von A. mit *NBD-Chlorid auf Dünnschicht-Platten s. *Lit.*[6], zur Dünnschicht-Chromatographie von A. s. *Lit.*[7], zur Chromatographie von A. allg. s. *Lit.*[8]. Zur Bestimmung von A. in Tabakerzeugnissen vgl. DIN 10241–10243 (04/1969). Zur forens. Chemie der A. s. *Lit.*[9]. Zur Strukturaufklärung s. *Lit.*[10].

Gewinnung: Die Isolierung u. Trennung der A. aus natürlichen Quellen beruht auf der Löslichkeit der freien Basen in lipophilen (Ether, Chloroform) u. der Salze in hydrophilen Lsm. (Wasser, Ethanol). Viele A. lassen sich auch synthet. gewinnen, doch dienten die entwickelten Teil- u. Totalsynth. in erster Linie zur Strukturaufklärung u. haben nur in den wenigsten Fällen prakt. Bedeutung erlangt. Andererseits haben zahlreiche spezif. Synth. die präparative organ. Chemie method. sehr bereichert. Nach Vorstellungen von Stevens[11] ist es möglich, aus zwei relativ einfachen Synthons eine Vielzahl von A. herzustellen.

Verw.: Wegen ihrer spezif. Wirkung insbes. auf das Nervensyst. werden viele A. seit alters her in der Pharmazie eingesetzt[12], z. B. die Morphin-A. (als *Schmerz- u. *Betäubungsmittel), die Mutterkorn-, Chinin-, Tropan-, Rauwolfia-A.; aus Immergrün-Arten die Vinca-A. als *Cytostatika[13]. Unter den A. finden sich *Sucht erzeugende Rauschmittel und starke Gifte: *Heroin (Morphin-Derivat), *Lysergsäurediethylamid, *Meskalin, *Cocain bzw. *Strychnin, *Batrachotoxin, *Tetrodotoxin, *Saxitoxin, *Aconitin u. a.[14].

Geschichte: Die Bez. A. wurde 1819 von dem Hallenser Apotheker C. F. W. Meissner für „alkaliähnliche" Pflanzenstoffe geprägt[15]. Einige Jahreszahlen markieren zusammen mit den Namen der Entdecker die Entwicklung der A.-Chemie: Morphin (1803 bzw. 1816 Sertürner), Strychnin (1818 Pelletier u. Caventou), Solanin (1820 Desfosses), Coffein (1820 Runge), Chinin (1820 Pelletier u. Caventou), Nicotin (1828 Posselt u. Reimann), Atropin (1831 Mein), Codein (1832 Robiquet), Theobromin (1842 Woskresensky), Cocain (1862 Wöhrer), Ephedrin (1887 Nagai), Scopolamin (1881 Ladenburg u. 1888 E. Schmidt), Meskalin (1896 Heffter). Die erste A.-Synth. gelang 1886 Ladenburg (Coniin, wurde 1826 von Giesecke entdeckt). Demgegenüber vergingen bei Reserpin nur 4 Jahre (1852–1856) zwischen Auffindung u. Synthese. Im 20. Jh. ist die A.-Chemie bes. mit den Namen Willstätter, Woodward, Schöpf, Robinson, Wieland, Karrer, Späth u. Hesse verbunden. – *E* alkaloids – *F* alcaloïdes – *I* alcaloidi – *S* alcaloides

Lit.: [1] Zechmeister **25**, 269–317. [2] Ann. Rep. NMR Spectr. **6A** (1975). [3] Adv. Enzymol. **32**, 373–422 (1969); Angew. Chem. **75**, 265–281, 357–374 (1963); Cordell, Alkaloids – A Biogenetic Approach, New York: Wiley 1981; Fortschr. Chem. Forsch. **9**, 534–604 (1968); Robinson, The Biochemistry of Alkaloids (2.), New York: Springer 1981; Nat. Prod. Rep. **5**, 523–540 (1988). [4] Pharm. Unserer Zeit **1**, 131–139 (1972). [5] Habermehl, Gifttiere und ihre Waffen (5.), Berlin: Springer 1994. [6] Pharm. Ztg. **115**, 752 (1970). [7] Chromatogr. Sci. **36**, 217–243 (1987). [8] Verpoorte et al., Chromatography of Alkaloids, Teile A u. B., Amsterdam: Elsevier 1983 u. 1984. [9] Manske **12**, 513. [10] J. Nat. Prod. **49**, 1–25 (1986). [11] Acc. Chem. Res. **10**, 193–198 (1977). [12] Negwer, S. 1277f. [13] Heterocycles **4**, 393 (1976). [14] Lewin, Die Pfeilgifte (2.), Hildesheim: Gerstenberg-Verl. 1984; Habermehl, Gift-Tiere und ihre Waffen (5.), Berlin: Springer 1994. [15] Dtsch. Apoth.-Ztg. **1962**, 426.

allg.: ApSimon, Bd. 1–9, insbes. Bd. 3 (1977) ▪ Dictionary of Alkaloids, London: Chapman & Hall (seit 1989) ▪ Helv. Chim. Acta **75**, 647–688 (1992) (Review) ▪ Kirk-Othmer (4.) **1**, 1039–1087 ▪ Mothes et al., Biochemistry of Alkaloids, Weinheim: Verl. Chemie 1985 ▪ Pelletier (Hrsg.), Alkaloids, Chemical and Biological Perspectives, Oxford: Pergamon 1994 ▪ Ullmann (4.) **3**, 177–279; (4.) **13**, 277 ff.; (4.) **7**, 142–198; (5.) **A 1**, 353–407 ▪ Waterman (Hrsg.), Alkaloids and Sulphur Compds., London: Academic Press 1993.

Zeitschriften u. Serien: Glasby, Enzyclopedia of the Alkaloids (4 Bd.), New York: Plenum 1975, 1977, 1983 ▪ Grundon, The Alkaloids, Spec. Period. Rep. (9 Bd.), London: Chem. Soc. 1971–1979 ▪ Lewis, Alkaloids (London), 12 Bd. bis 1982 ▪ Manske (49 Bd. bis 1996) ▪ Pelletier, Alkaloids (6 Bd.), New York: Wiley 1983–1988. – *[HS 2939 10–90]*

Alkalophile Bakterien. Extremophile Bakterien, die an Lebensräume mit hohem pH-Wert angepaßt sind (Gegensatz: *acidophile Bakterien). Das pH-Optimum liegt im allg. zwischen pH 8,5 u. 11,5. Gut untersuchte Vertreter dieser Gruppe sind die Harnstoff-abbauenden Organismen, wie *Bacillus pasteurii* u. *Proteus vulgaris*. Ebenso wie viele andere Bakterien gewinnen sie den benötigten Stickstoff durch die hydrolyt. Desaminierung von *Harnstoff. Da bei ihnen aber das hierfür benötigte Enzym *Urease konstitutiv ist, wird die Bildung desselben nicht durch hohe Ammoniak-Konz.

unterdrückt (keine Enzymrepression). Dadurch vermögen sie den gesamten verfügbaren Harnstoff abzubauen, wodurch pH-Werte von 9–10 erreicht werden. Wegen ihrer Vorliebe für einen extrem pH-Bereich sind sie leicht, z. B. aus alkal. Böden u. Gewässern, zu isolieren.
Biotechnolog. Anw.: A. B. werden als Produzenten von Enzymen im alkal. Medium genutzt. So können mit Hilfe verschiedener alkalophiler *Bacillus*-Arten alkal. *Proteasen gewonnen werden, die als Waschmittelzusätze Verw. finden. – *E* alkalophilic bacteria – *F* bactéries alcalophiles – *I* batteri alcalofili – *S* bacterias alcalófilas
Lit.: Schlegel (7.), S. 195 ▪ Trends Biotechnol. **10**, 395–402 (1992).

Alkalose. Störung des *Säure-Basen-Gleichgewichtes im Blut mit Verschiebung zur alkal. Seite. Eine A. entsteht, wenn ein Mangel an Wasserstoff-Ionen u./od. ein Überschuß an Hydrogencarbonat durch die Puffersyst. (*Puffer) des Organismus sowie die Kompensationsmechanismen von Niere u. Lunge nicht ausgeglichen werden kann. Die Ursache der A. kann zum einen Stoffwechsel-bedingt sein (metabol. A.), z. B. durch Verlust von saurem Magensaft bei Erbrechen u. durch Kaliummangel, zum anderen durch Störung der normalen Atemtätigkeit (respirator. A.), z. B. bei übermäßiger Steigerung der Atmung (Hyperventilation). Analog zur *Azidose, der gegensinnigen Störung des Säure-Basen-Haushaltes, erfordert die Diagnose blutchem. Untersuchungen. – *E* alkalosis – *F* alcalose – *I* alcalosi – *S* alcalosis
Lit.: Greiling u. Gressner, Lehrbuch der Klinischen Chemie und Pathobiochemie, S. 501–513, Stuttgart: Schattauer 1995.

Alkane. Sammelbez. für früher auch – weil sie bis zur Grenze ihrer Aufnahmefähigkeit Wasserstoff-gesätt. sind – *Grenzkohlenwasserstoffe* od. auch *Paraffine* genannte gesätt. aliphat. *Kohlenwasserstoffe der allg. Formel C_nH_{2n+2}, die in verzweigten (*Isoalkane, Isoparaffine*) od. unverzweigten (*n-Alkane, n-Paraffine*) Ketten vorliegen müssen – ringförmige gesätt. Kohlenwasserstoffe besitzen die allg. Formel C_nH_{2n} u. werden *Cycloalkane genannt. Nach den Nomenklatur-Regeln werden A. im Namen durch die Endung *-an* gekennzeichnet; *Beisp.:* Methan (CH_4), Ethan (C_2H_6), Propan (C_3H_8), Butan (C_4H_{10}); die A. mit mehr als 4 C-Atomen erhalten ihre Namen unter Zuhilfenahme der griech. Zahlwörter, z. B. Dodecan ($C_{12}H_{26}$), Eicosan ($C_{20}H_{42}$) usw. Vom Butan ab können aufgrund von Kettenverzweigungen *Isomere auftreten, d. h. Verb. gleicher Summenformel wie das entsprechende lineare Alkan. Für die ersten Glieder dieser verzweigten A. sind noch Trivialnamen wie z. B. Isobutan, Isooctan, Neopentan in Gebrauch, doch sollte die eindeutige Zuordnung durch Verw. der *IUPAC-Nomenklatur vorgenommen werden, da schon vom Decan beispielsweise 75, beim Eicosan bereits über 300000! Isomere denkbar sind; vgl. a. Isomerie.
Unter Normalbedingungen sind die A. von C_1 bis C_4 Gase, von C_5 bis C_{16} Flüssigkeiten, die höheren A. sind (z. T. wachsartige) Festkörper; der Schmp. 100 °C wird etwa bei C_{60} erreicht. A. mit M_R >1000 rechnet man meist schon zu den *Polyolefinen. Wie schon der frühere Gattungsname *Paraffine* besagt, sind die A. im allg. nicht sehr reaktionsfreudig (latein. *par*um = wenig, *affin*is = geneigt), wenn auch unter drast. Bedingungen Protonierungen, Oxygenierungen, Pyrolyse, Radiolyse u. Photolyse möglich sind. Die Oxid. der A. läßt sich auch elektrochem. bewirken. Auch einige Mikroorganismen vermögen A. abzubauen, z. B. Pilze, s. a. Biotechnologie. V. a. die niederen Glieder sind leicht entflammbar u. bilden mit Luft explosive Gemische (*Methan, *Benzin); ihre Löslichkeit in Wasser ist sehr gering.
Vork: In der Natur finden sich die A. im Erdöl u. Erdgas, woraus sie techn. durch Dest. u. Extraktion gewonnen werden. Auch bei der trockenen Dest. von Holz, Braun- u. Steinkohle etc. fallen A. an. Zur Trennung der verzweigten von den *n*-A. bedient man sich z. B. der Extraktion mit *Molekularsieben od. der Bildung von *Einschlußverbindungen mit Harnstoff. Bei diesen Verf. fallen selektiv die z. B. in *Motorkraftstoffen unerwünschten *n*-A. an, die in nachgeschalteten Prozessen in Olefine etc. umgewandelt werden können. Synthet. kann man A. durch *Kohlehydrierung u. Fischer-Tropsch-Synthese (s. Benzin), od. durch Polymerisation aus Ethylen gewinnen. Zur gezielten Synth. bestimmter A. eignen sich z. B. die *Kolbe- od. *Wurtz-Synthese bzw. die Hydrolyse von Metall-organ. Verb., z. B. von *Grignard-Verbindungen.

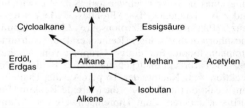

Abb: Techn. Verwendung von Alkanen.

Verw.: Als Lsm., Brennstoffe, Treibstoffe, zur Fettsynthese, zur Überführung in Olefine, die als Ausgangsstoffe für Alkylbenzole eine große Rolle für die Synth. biolog. abbaubarer Waschmittel spielen, zur Gewinnung von Fettsäuren durch Luftoxid., zur Herst. von *single cell protein usw. (s. Abb.) – *E* alkanes – *F* alcanes – *I* alcani – *S* alcanos
Lit.: Barton-Ollis **1**, 37–120 ▪ Beilstein E IV **1** ▪ Hill, Activation and Functionalization of Alkanes, New York: Wiley 1989 ▪ Hommel, Nr. 410 ▪ Houben-Weyl **5/1 a** ▪ Kirk-Othmer (3.) **17**, 110–271 ▪ Patai, The Chemistry of Alkanes and Cycloalkanes, Chichester: Wiley 1992 ▪ Ullmann (5.) **A 13**, 227–282.

Alkannin [(*S*)-5,8-Dihydroxy-2-(1-hydroxy-4-methyl-3-pentenyl)-1,4-naphthalindion, Alkannarot, Anchusasäure, Shikonin, C. I. 75530 (Racemat: Shikalkin)].

$C_{16}H_{16}O_5$, M_R 288,30, rotbraune Nadeln, Schmp. 147 °C, $[\alpha]_{644}^{27}$ −254° (c 0,1/$CHCl_3$). A. ist ein Derivat des Naphthazarins aus den Wurzeln des in Kleinasien, Südeuropa u. Ungarn angebauten *Alkanna (Anchusa)*

tinctoria (Färbende Ochsenzunge, ein Borretsch-Gewächs, Boraginaceae). Der in organ. Lsm. mit roter, in Laugen mit blauer Farbe lösl. Farbstoff dient als Indikator (Alkannin-Papier, Boettgers-Papier). Die Biosynth. verläuft über 4-Hydroxybenzoesäure u. Geranyldiphosphat. – *E* alkannin – *F* alkannine – *I* alcannina – *S* alcanina
Lit.: Beilstein E III **8**, 4089 ▪ Merck Index (11.), Nr. 243 ▪ Hager (5.) **1**, 701; **4**, 175 ff. – *[HS 3203 00; CAS 517-88-4]*

Alkanolamine. Fachsprachliche Trivialbez. für die systemat. als Aminoalkohole zu bezeichnenden Verb., die sowohl Amino- als auch Hydroxy- od. Ether-Gruppen als *funktionelle Gruppen besitzen (z. B. *Aminoethanole, *2,2'-Iminodiethanol bzw. *2,2',2''-Nitrilotriethanol). – *E* alkanolamines – *F* alcanolamines – *I* alcanolammine – *S* alcanolaminas

Alkanole. Von *Alkanen abgeleitete Alkohole, z. B. die *Fettalkohole u. *Wachsalkohole. – *E* alkanols – *F* alcanols – *I* alcanoli – *S* alcanoles

Alkansulfonate. Sammelbez. für Verb. der allg. Formel R–SO$_2$–OM[I], wobei R für einen – meist sek. – Alkyl-Rest u. M für ein einwertiges Kation, vorzugsweise Natrium, steht. A. werden durch *Sulfoxidation, teilw. noch durch *Sulfochlorierung, von unverzweigten Paraffinkohlenwasserstoffen gewonnen. Beim heute üblichen Licht-Wasser-Verfahren wird ein C$_{13}$- bis C$_{17}$-*Paraffin/Wasser-Gemisch unter Durchleiten von SO$_2$ u. O$_2$ (Molverhältnis 2:1) bei 30–40 °C mit UV-Licht bestrahlt. Um die Bildung unerwünschter Di- u. Oligosulfonate zu vermeiden, wird der Umsatz auf etwa 1–5% begrenzt, das Produkt kontinuierlich ausgeschleust u. das Neutralöl im Kreis gefahren. Die Abscheidung der wäss. Sulfonsäuren vom Restparaffin erfolgt durch Phasentrennung; nach Entgasung u. Abtrennung gebildeter Schwefelsäure wird das Gemisch homologer u. isomerer, im wesentlichen sek. Rohsulfonsäuren neutralisiert. Die Formel zeigt am Beisp. des C$_{15}$-Homologen die Verteilung der funktionellen Gruppe längs der Paraffinkette.

A. stellen umweltverträgliche *Aniontenside dar, die aufgrund ihrer guten Löslichkeit vorzugsweise in Formulierungen flüssiger Spül- u. Reinigungsmittel, aber auch als Prozeßchemikalien, z. B. als *Emulgatoren für die *Polymerisation von Vinylmonomeren in wäss. Phase u. als *Antistatika für Polymere eingesetzt werden. Die überwiegend in Europa angesiedelten Produktionskapazitäten für A. betragen etwa 150 000 t jährlich. Zu A. liegt ein Life Cycle Inventory (eine *Ökobilanz) als Teil einer *LCA-Studie vor[1]. – *E* alkanesulfonates
Lit.: [1] Tenside Surf. Det. **32**, 152 f. (1995).
allg.: Hauthal, Alkansulfonate, Leipzig: Deutscher Verlag für Grundstoffindustrie 1985 ▪ Stache, Anionic Surfactants – Organic Chemistry, S. 143–221, New York: Dekker 1996.

Alkanthiole. Von *Alkanen abgeleitete *Thiole, z. B. *Methanthiol, Ethanthiol, *1-Butanthiol. – *E* alkanethiols – *F* alcanethiols – *I* alcantioli – *S* alcanotioles

Alkaptonurie s. Homogentisinsäure.

Alkarb s. Rubidium.

Alka-Seltzer®. Brausetabl. mit Acetylsalicylsäure, Citronensäure u. Natriumhydrogencarbonat, gegen Sodbrennen u. Kopfschmerzen. *B.:* Bayer Pharma Deutschland.

Alkazid®-Verfahren. Von der BASF entwickeltes Verf. zur Entfernung von Schwefelwasserstoff aus Synthese-, Kokerei-, Raffinerie- u. Stadtgasen. Hierbei wird in Waschtürmen H$_2$S bei Raumtemp. in einer bei höherer Temp. reversiblen Reaktion mit Alkalimetallsalzen von Aminosäuren umgesetzt.

Alkene. Neben *Olefine Gruppenbez. für einfach ungesätt. lineare (*n-Alkene*) od. verzweigte (*Isoalkene*) aliphat. Kohlenwasserstoffe der allg. Formel C$_n$H$_{2n}$. Verb., die mehr als eine Kohlenstoff-Kohlenstoff-Doppelbindung im Mol. enthalten, werden Alkadiene od. einfacher *Diene, *Triene, *Polyene genannt. Die cycl. Vertreter der A. werden als *Cycloalkene zusammengefaßt. Nach den Genfer Nomenklaturregeln werden A. im Namen durch die Endung *-en* gekennzeichnet; *Beisp.:* Ethen (C$_2$H$_4$), Propen (C$_3$H$_6$), Buten (C$_4$H$_8$); bei den niedrigeren Gliedern der A. sind jedoch noch die älteren Namen Ethylen, Propylen u. Butylen (Sammelname auch: *Alkylene*) im Gebrauch. Bezüglich der Nomenklatur gilt im übertragenen Sinne das bei *Alkanen Gesagte. Die Lage der Doppelbindung innerhalb der Ketten bedingt das Auftreten von *Konstitutionsisomerie; z. B. gibt es 5 verschiedene *n*-Decene. Weitere Isomerie-Möglichkeiten sind durch *cis-trans*-Isomerie (*Stereoisomerie, s. a. Konfiguration) gegeben. Die A. sind bis zum Buten gasf., die nächsten sind flüssig, die höheren A. dagegen fest; die Schmelz- u. Siedepunkte liegen nur wenig tiefer als bei den entsprechenden *Alkanen. Die spezif. Gew. steigen mit den Molmassen langsam an; sie liegen zwischen 0,63 u. 0,79. Ähnlich wie die entsprechenden Alkane sind die A. in Wasser schwer bis nicht lösl., in Alkohol u. Ether leicht lösl.; sie brennen (wegen des relativ hohen C-Gehaltes) jedoch mit einer stärker rußenden Flamme u. sind chem. wesentlich reaktionsfähiger.
Vork.: In der Natur treten unsubstituierte A., bis auf *Ethylen, nicht häufig auf. Dagegen sind ein- u. mehrfach ungesätt. Ketten Bestandteile vieler Naturstoffe; interessante Beisp. findet man unter Insekten-*Pheromonen.
Herst.: Im Labormaßstab werden A. durch β-*Eliminierung aus Alkoholen (*Dehydratisierung), Alkylhalogeniden (*Dehydrohalogenierung), durch *Pyrolyse quaternärer Ammonium-Salze (*Hofmann-Eliminie-

rung), durch thermische cis-*Eliminierung von Estern (*Ester-Pyrolyse), *Xanthogenaten (*Tschugaeff-Reaktion), *Aminoxiden (*Cope-Eliminierung) u. Selenoxiden hergestellt.

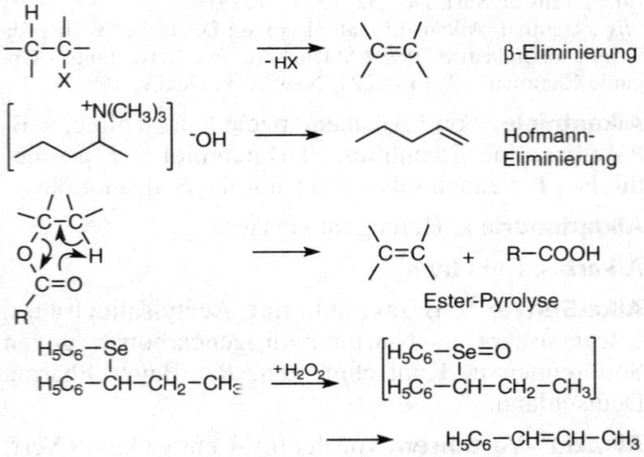

Weitere Meth. sind u. a. die reduktive Eliminierung von 1,2-Dihalogenalkanen mit Zink, die oxidative Decarboxylierung von 1,2-Dicarbonsäuren, die *Peterson-Eliminierung u. die *Horner-Emmons-Reaktion. Eine weitere wichtige Meth. zur A.-Synth. ist die partielle Red. von *Alkinen *Dienen u. *Aromaten (*Birch-Reduktion). Die Zers. von Tosylhydrazonen der Aldehyde od. Ketone [1] ist eine ebenfalls bestens geeignete Meth. zur A.-Synth. (s. Bamford-Stevens-Reaktion). Die klass. *Wittig-Reaktion mit all ihren Varianten bietet eine große Möglichkeit zur Synth. spezieller A.[2]. Diese Reaktion wurde von *Pommer in die industrielle Synth. zur Herst. von β-*Carotin übernommen. Zur Problematik des stereochem. Verlaufs der Wittig-Reaktion s. Lit.

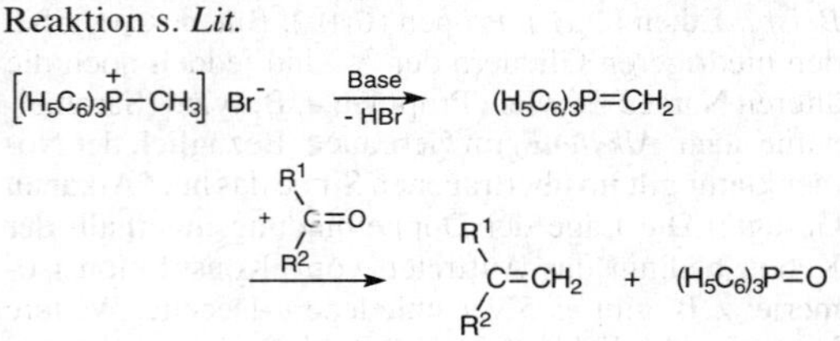

Umwandlungen: Die zum qual. Nachw. der A. verwertbare Entfärbung von Bromwasser u. kalter, mit Soda alkal. gemachter Kaliumpermanganat-Lsg. sind ein Ausdruck für die ausgeprägte Neigung der *Doppelbindung, Additionsreaktionen einzugehen. Die Mehrzahl der *Additionen an A. sind elektrophil. Bei Halogen-Additionen wird das Durchlaufen einer Halonium-Ionen-Zwischenstufe angenommen [3]. Die *Hydroborierung von A. mit Diboran u. a. Boranen ist eine wichtige Reaktion der A., die zur Synth. von Alkoholen ausgenutzt werden kann, die durch sauer katalysierte Hydratisierung von A. *nicht* zugänglich sind (s. Markownikoff-Regel):

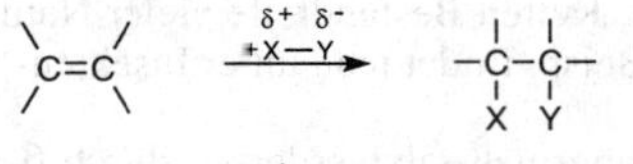

Weitere elektrophile Additionen an A. sind die Umsetzungen mit Metall-Salzen, z. B. Hg-, Pb-, Pd-Salzen (*Oxymetallierung), mit Aldehyden od. Ketonen unter Säurekatalyse (*Prins-Reaktion) mit Säurechloriden unter Bedingungen der *Friedel-Crafts-Reaktion. A. können mit $KMnO_4$ od. OsO_4 zu *Glykolen oxidiert werden. Die Oxid. mit Ozon liefert Aldehyde, Ketone od. Carbonsäuren u. kann zur Lagebestimmung der olefin. Doppelbindung herangezogen werden (*Ozonolyse). Die katalyt. *Hydrierung an Metall-Katalysatoren ist wohl etabliert; über die Hydrierwärme sind Aussagen über die relativen Energie-Inhalte der A. möglich. Ein weites Feld der A.-Reaktivität umfaßt die *Cycloaddition, z. B. mit *Dienen ([4+2]-Cycloaddition, *Diels-Alder-Reaktion) mit A. ([2+2]-Cycloaddition, *Dimerisierung), mit 1,3-Dipolen (*1,3-dipolare Cycloaddition, *Huisgen) u. a. (s. a. pericyclische Reaktionen).

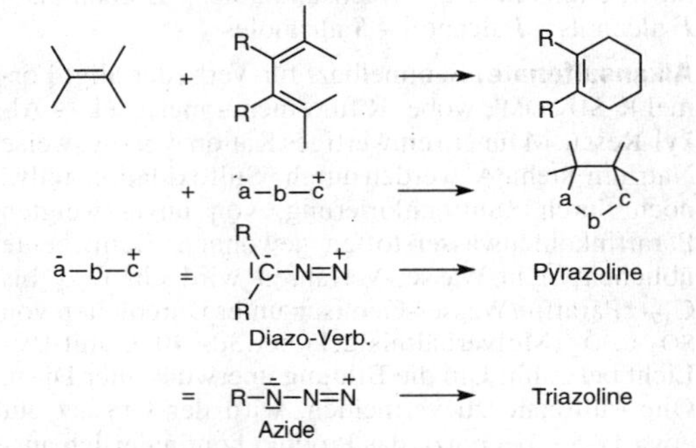

Typ. A.-Reaktionen sind auch die Bildung von Komplexen mit *Übergangsmetallen (vgl. π-Allyl-Übergangsmetall-Verbindungen), die sog. *Metathese, v. a. aber die *Polymerisationen [4].
Großtechn. gewinnt man A. durch therm. Kracken von Erdölfraktionen, wobei die Anteile einzelner A. im Pyrolyseprodukt durch Variation der verwendeten Katalysatoren gesteuert werden können. Langkettige α-Olefine (1-Alkene) sind nach den *Ziegler-Reaktionen durch ein Shell-Verf. (*SHOP) od. durch Dehydrochlorierung von Chloralkanen zugänglich. Hauptverwendungszweck der niederen A. ist der als Ausgangsmaterial für die Herst. von Polymeren od. Copolymeren; die längerkettigen endständigen A. dienen der Gewinnung von Alkoholen, Aminen, Säuren u. Tensiden, s. a. Olefine. – *E* alkenes – *F* alcènes – *I* alcheni – *S* alquenos

Lit.: [1] Org. React. **23**, 405–507 (1975). [2] Houben-Weyl **E 1**, 616–782. [3] Olah, Halonium Ions, New York: Wiley 1975. [4] Houben-Weyl, **E 20/2**, 689–798 u. 916–929.
allg.: Angew. Chem. **102**, 1415–1428 (1990) ▪ Barton-Ollis **1**, 121 ff. ▪ Beilstein E IV **1** ▪ Houben-Weyl **5/1 b–d** ▪ Kirk-Othmer (3.) **16**, 385–499 ▪ McKetta **2**, 482–498 ▪ Org. React. **44**, 1–296 (1993) ▪ Patai, The Chemistry of Double-Bonded Functional Groups, 2 Bd., London: Wiley 1977 ▪ Ullmann (5.) **A 13**, 227–282 ▪ Winnacker-Küchler (3.) **3**, 270–298; **4**, 30–123; (4.) **5**, 226 ff.

Alkeran®. Tabl. u. Trockensubstanz mit *Melphalan gegen verschiedene Krebsformen. *B.:* Glaxo, Wellcome.

Alkinamine s. Inamine.

Alkine. Systemat., der älteren Bez. *Acetylene* vorzuziehende Gruppenbez. für ungesätt. aliphat. Kohlenwasserstoffe der allg. Formel C_nH_{2n-2}, die eine Kohlenstoff-Kohlenstoff-Dreifachbindung im Mol. enthalten. Nach den Genfer Nomenklatur-Regeln werden diese Verb. im Namen durch die Endung *-in*, in der engl. Lit. *-yne* (*IUPAC-Regel A-3.2) gekennzeichnet. *Acetylen (HC≡CH), das erste Glied dieser Reihe, heißt somit auch Ethin, doch wird hier, außer in der Bez. *Ethinyl... u. *Ethinylierung, dem älteren Trivialnamen der Vorzug gegeben. Acetylen u. Propin sind gasf., die mittleren A. bis C_{14} flüssig u. die höheren fest. Längerkettige Verb., die sowohl Doppel- als auch Dreifachbindungen enthalten, sind ebenso bekannt wie Verb., die als Di-, Tri-, etc. -A. zu bezeichnen u. unter *Polyacetylene (*Polyalkine*) behandelt sind. Hinsichtlich der *Isomerie-Möglichkeiten gibt es bei A. *Konstitutionsisomerie ebenso wie bei *Alkenen, aber keine Stereoisomerie. Die cycl. Vertreter der A. sind die *Cycloalkine.

Vork. u. Nachw.: Zahlreiche Naturstoffe mit Kohlenstoff-Kohlenstoff-Dreifachbindungen sind von Bohlmann isoliert worden[1]. Die Entfärbung von Bromwasser od. einer Kaliumpermanganat-Lsg. dient zum Nachw. der A.[2]. Die Reaktionsfähigkeit der A. wird durch das Angebot an π-*Elektronen bestimmt. Elektronenreiche A. sind die *Inamine u. *Inether; zu den am häufigsten verwendeten elektronenarmen A. gehören der Butindisäuredimethylester u. der Propiolsäuremethylester.

Herst.: Üblicherweise werden A. durch elektrophile Alkylierung einfacher A. über Acetylide od. durch Eliminierung von Halogenwasserstoffen aus geeigneten Vorprodukten hergestellt. Die Oxid. der Bishydrazone von 1,2-Diketonen mit Quecksilber(II)-oxid od. mit anderen Oxidationsmitteln läßt sich ebenfalls zur A.-Synth. heranziehen; s. Abb. 1.

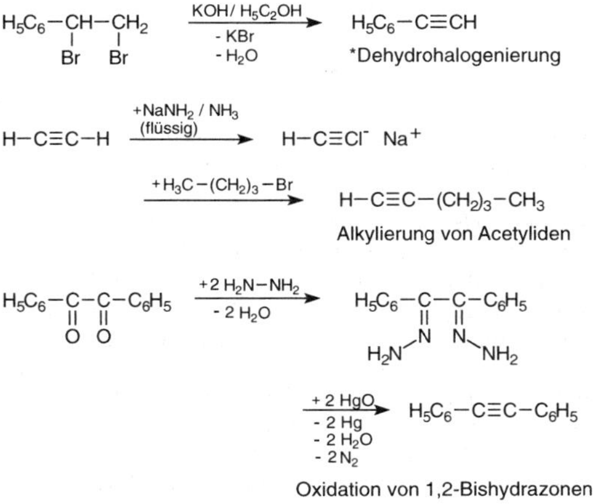

Abb. 1: Herstellung der Alkine.

Näheres zur A.-Herst. s. bei Brandsma (*Lit.*).

Umwandlung: Der synthet. Nutzen der A. liegt in ihrer Bereitschaft zu *Additions-Reaktionen begründet; je nach Reaktionsbedingungen werden dabei 1 od. 2 Mol. der Additionspartner angelagert. Techn. wichtig sind die von Reppe industriell ausgearbeitete *Vinylierung* u. *Ethinylierung*, s. Reppe-Synthesen. Der im Gegensatz zu Alkenen ($pk_a \cong 44$) od. Alkanen ($pk_a \cong 50$) acide Wasserstoff endständiger (*terminaler*) A. ($pk_a \cong 25$) läßt sich durch Metall-Atome ersetzen; es entstehen so Alkinsalze (sog. *Acetylide*), wie z. B. bei der Reaktion von Acetylen mit metall. Natrium in flüssigem Ammoniak; s. Abb. 2.

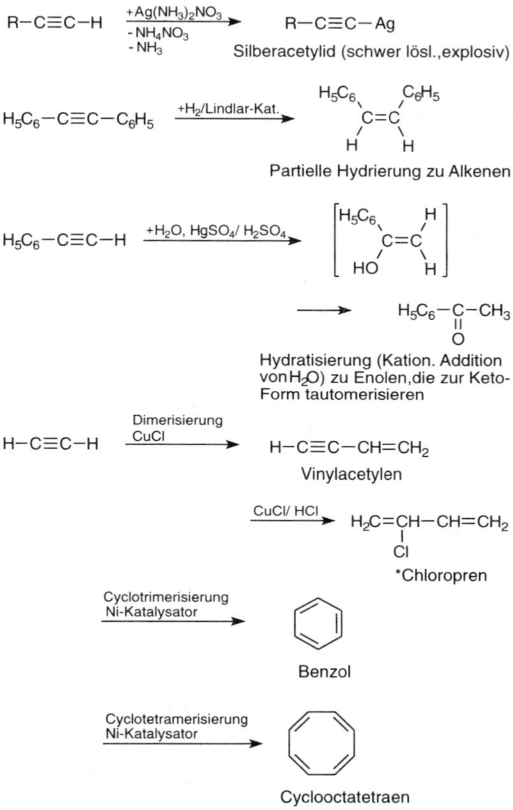

Abb. 2: Umwandlung von Alkinen.

Mit ihren *Pi-Bindungen lagern sich A. an *Übergangsmetall-Verb. zu Komplexen an. Über Metallkomplexe verlaufen auch die Cyclisierungen u. *Trimerisationen zu aromat. Verbindungen. A. lassen sich unter bes. Bedingungen zu *Alkenen hydrieren (*Semihydrierung*, mit *Lindlar-Katalysatoren). Eine bei vielen A. beobachtete typ. Reaktion ist die Umlagerung in *Allene u. Cumulene (s. a. Propargyl-Allenyl-Umlagerung). A. sind gute *Reaktionspartner* für eine Reihe von *Cycloadditionen, wobei die elektronenarmen od. elektronenreichen Vertreter die größte Reaktivität zeigen. *Diels-Alder-Reaktion u. *1,3-dipolare Cycloaddition sind hier an hervorragender Stelle zu nennen; s. Abb. bei *Alkenen*). Neuere Entwicklungen in der A.-Chemie beinhalten A. mit ungewöhnlichen Substituenten, Endiine, Cycloalkine, Oligo- u. Polyacetylene u. a.; einen aktuellen Überblick gibt *Lit.*[3]. Übrigens sind einige A.-Derivate von pharmakolog. Interesse, z. B. Methylpentynol u. a. *Ethinyl-Verbindungen. – *E* alkynes – *F* alcynes – *I* alchini – *S* alquinos

Alkinylamine

Lit.: [1] Bohlmann et al, Naturally Occurring Acetylenes, London: Academic Press 1973. [2] Hager (5.) **2**, 124 f. [3] Stang u. Diederich, Modern Acetylene Chemistry, Weinheim: VCH Verlagsges. 1995.
allg.: Beilstein E IV **1** ▪ Brandsma, Preparative Acetylenic Chemistry, 2. Aufl., Amsterdam: Elsevier 1988 ▪ Houben-Weyl **5/2 a** ▪ Katritzky et al. **1**, 997–1085 ▪ Kirk-Othmer (3.) **1**, 192–276; (4.) **1**, 195–231 ▪ Paquette **1**, 62–64 ▪ Patai, The Chemistry of Carbon–Carbon Triple Bond, 2 Bd., Chichester: Wiley 1978 ▪ Patai, The Chemistry of Triplebonded Functional Groups, Suppl. C 2, 2 Bd., Chichester: Wiley 1983 ▪ Ullmann (5.) **A 1**, 97–146 ▪ Winnacker-Küchler (3.) **4**, 1–27; (4.) **5**, 244–247.

Alkinylamine s. Inamine.

Alkohol. Umgangssprachlich u. auch in diesem Werk wird unter „A." immer *Ethanol verstanden, s. a. Alkohole u. alkoholische Getränke. – *E* = *S* alcohol – *F* = *I* alcool

Alkoholate. Bez. für bas. Verb. aus einem Metall-Kation u. dem Anion eines Alkohols. Systemat. werden die A. nach IUPAC-Regel C-206 mit der dem Stammnamen angehängten Silbe *..olat* gekennzeichnet. Die Namensgebung mit den Suffixen *...oxid* od. *..ylat* ist veraltet u. soll nicht mehr verwendet werden. *Beisp.:* Aluminium-(2-propanolat), veraltet: Aluminium-tri-(isopropylat). Die A. sind in Alkohol lösl., in Ether unlösl. u. sehr hygroskopisch. Techn. am wichtigsten sind die Methanolate, Ethanolate u. Isopropanolate der Alkali- u. Erdalkalimetalle sowie des Aluminiums.
Herst.: Durch Auflösen des gewünschten Metalls in überschüssigem Alkohol unter Wasserstoff-Entwicklung, z. B.: $C_2H_5OH + Na \rightarrow C_2H_5ONa + 1/2 H_2$.
Verw.: In der organ. Synth. dienen A. v. a. als bas. Kondensationsmittel od. Katalysatoren, z. B. bei der *Aldol-Addition, Ester-Kondensation, *Malonester-Synthese u. a. Eine weitere Verw. finden A. als *Nucleophile, z. B. bei der *Williamson-Synthese, als Basen bei *Eliminierungen usw. Aluminium-(2-propanolat) dient als Reduktionsmittel für Carbonyl-Verb. (*Hydrid-Übertragung*); s. Meerwein-Ponndorf-Verley-Reduktion. Spezielle Bedeutung als A. hat die sog. Alkalicellulose, s. Carboxymethylcellulose. – *E* alcoholates – *F* alcoolates – *I* alcoolati – *S* alcoholatos
Lit.: s. Alkohole.

Alkohol-Dehydrogenasen (ADH, EC 1.1.1.1). Zu den *Oxidoreduktasen, im engeren Sinn zu den *Dehydrogenasen gehörende, meist Zink-Ionen enthaltende Enzyme, die prim. bzw. sek. *Alkohole in Ggw. von *Nicotinamid-Adenin-Dinucleotid (NAD, oxidierte Form: NAD$^+$, reduzierte Form: NADH) als *Coenzym reversibel zu Aldehyden bzw. Ketonen dehydrieren. Am besten charakterisiert sind ADH aus Leber (M_R 80 000, dimer, 2 Zink-Ionen), die den *Blutalkohol abbaut, u. aus Hefe (M_R 145 000, tetramer, 4 Zink-Ionen), wo sie den letzten Schritt der *alkohol. Gärung* (s. Ethanol) katalysiert. In der Netzhaut des *Auges (Retina) sorgt eine ADH für die Reduktion von *all-trans*-*Retinal zu *Retinol (Vitamin A$_1$), was ein wichtiger Schritt des *Sehprozesses ist. ADH sind wegen ihres Gehalts an Zink u. freien Thiol-Gruppen gegenüber Schwermetallen, Oxidationsmitteln u. Komplexbildnern empfindlich. In der *enzymatischen Analyse wird Hefe-ADH eingesetzt zur quant. Bestimmung des Blutalkohols sowie zur Bestimmung von NAD$^+$, NADH u. Acetaldehyd. – *E* alcohol dehydrogenases – *F* alcool-déshydrogénase – *I* deidrogenasi degli alcoli – *S* alcohol deshidrogenasas
Lit.: Stryer (5.), S. 378 f. – *[HS 3507 90]*

Alkohole. Gruppenbez. für Hydroxy-Derivate von aliphat. u. alicycl. Kohlenwasserstoffen. Man spricht von ein-, zwei-, drei- etc.-wertigen A., je nachdem, wie viele Hydroxy-Gruppen das Mol. enthält. Zweiwertige A. nennt man, wenn die Hydroxy-Gruppen benachbart sind, nach ihrem einfachsten Vertreter Glykol auch *Glykole, anderenfalls *Diole. Die höherwertigen, mit den Zuckern verwandten A. (*Zuckeralkohole) werden nach den Nomenklaturregeln der *Aldite benannt. Diese werden gelegentlich mit anderen mehrwertigen A. (z. B. *Pentaerythrit) zu *Polyolen zusammengefaßt. Hydroxy-Derivate von aromat. Kohlenwasserstoffen nennt man *Phenole, die auf Grund ihres bes. Verhaltens nicht mehr zu den A. gerechnet werden; dagegen spricht man von A., wenn die OH-Gruppe in den aliphat. Seitenketten aromat. Kohlenwasserstoffe vorliegt (z. B. *Benzylalkohol). Befindet sich die OH-Gruppe an einem prim. C-Atom, so spricht man von einem *prim.* A. Entsprechend leiten sich *sek.* u. *tert.* A. durch Ersatz eines H-Atoms an einem sek. bzw. tert. C-Atom durch die OH-Gruppe ab. Die systemat. Namen werden von denen der Stamm-Kohlenwasserstoffe durch Anhängen des Suffixes -ol od. durch Vorhängen des Präfixes *Hydroxy...* abgeleitet, wobei gegebenenfalls Ziffern die Stellung der OH-Gruppe im Mol. kennzeichnen; *Beisp.:* für *prim., sek.* u. *tert.* A.:

$H_3C-CH_2-CH_2-OH$ $H_3C-CH_2-\overset{OH}{\underset{|}{C}H}-CH_3$

n-Butylalkohol   sek.-Butylalkohol
1-Butanol   2-Butanol

$H_3C-\underset{CH_3}{\overset{CH_3}{\underset{|}{\overset{|}{C}}}}-OH$

tert-Butylalkohol
2-Methyl-2-propanol

Ein falsch gebildeter Name ist „Isopropanol", denn es gibt keinen Kohlenwasserstoff Isopropan; korrekt ist 2-*Propanol od. allenfalls Isopropylalkohol. Für substituierte Methanole ist auch gelegentlich noch der veraltete Name *Carbinole in Gebrauch. Nach gleichen Regeln leiten sich die Namen alicycl. A. (*Cyclohexanol) u. ungesätt. A. ab (*2-Butin-1,4-diol), sofern nicht althergebrachte Trivialnamen, wie z. B. bei *Allylalkohol (H$_2$C=CH–CH$_2$–OH) beibehalten werden. Zu den A. gehören auch die *Enole (z. B. *Vinylalkohol, H$_2$C=CH–OH $\rightleftharpoons$ H$_3$C–CH=O, vgl. Keto-Enol-Tautomerie), die *Acyloine (als *Hydroxyketone), Aminoalkohole (z. B. die *Alkanolamine) u. die *Hydroxycarbonsäuren, die ggf. intramol. Ester (*Lactone) bilden können. Die einwertigen prim. A. mit 1–3 C-Atomen sind leichtbewegliche Flüssigkeiten, die sich mit Wasser beliebig mischen; die A. mit 4–12 C-Atomen sind ölige Flüssigkeiten, die höheren A. sind bei gewöhnlicher Temp. fest, geruchlos, wachsähnlich u. nur noch in organ. Lsm. löslich. Mehrwertige A. lösen sich in Wasser leichter auf; ihre Süßigkeit steigt im allg. mit der Zahl der OH-Gruppen. Die Sdp. der A. liegen infolge *Wasserstoff-Brückenbindungen bedeutend höher als die der entsprechenden Kohlenwasserstoffe; mit jedem weiteren Kohlenstoff-Atom steigt der Sdp. um durchschnittlich 19 °C; so siedet C_2H_5OH bei 78 °C, n-C_3H_7OH bei 97,4 °C u. n-C_4H_9OH bei 117,5 °C, die Schmp. erhöhen sich mit wachsender Molmasse weniger regelmäßig. Die sek. u. tert. A. haben tiefere Sdp. als die prim. Alkohole.

Vork.: In der Natur kommen so viele A. frei od. verestert vor, daß hier nur oberflächlich darauf eingegangen werden kann: *Fett- u. *Wachsalkohole kommen in Fetten, fetten Ölen vor. Wachsen vor, ein Bestandteil wichtiger Nervensubstanzen ist der A. *Sphingosin (ein Aminoalkohol), das exot. *Dolichol kommt im Nierengewebe vor, die Mehrzahl der physiolog. aktiven *Steroide (Cholesterin, Estradiol, Testosteron etc.) sind ebenso A. wie die *Catecholamine, wie *Saccharose u. *Kohlenhydrate, viele Pharmaka sind A., in Harzen u. Gummen sind aliphat. Tetrole gebunden. A. gehören zu den wichtigsten *Riechstoffen [1], die in vielen *ätherischen Ölen vorkommen, u. nicht wenige A. haben *Pheromon-Charakter. Auf das Auftreten der niederen A. bei Gärungsprozessen braucht nicht bes. hingewiesen zu werden – schließlich wird *Ethanol umgangssprachlich als „Alkohol" schlechthin bezeichnet, s. a. alkoholische Getränke. Einige A. treten auch im Stoffwechselgeschehen in Erscheinung.

Nachw.: Zum Nachw. von A. läßt sich die *Xanthogenat-Reaktion unter Bildung violetter Molybdän-Komplexe heranziehen [2]. Die Derivatisierung erfolgt unter Bildung schwerlösl. Ester z. B. in der *Schotten-Baumann-Reaktion mit Carbonsäurechloriden.

Herst.: Aus der Vielzahl der Herstellungsmeth. für A. seien die Hydratisierung von Alkenen, die *Hydroborierung, die Hydrolyse von Alkylhaliden, die Verseifung von Estern sowie die Red. von Carbonyl- bzw. Carboxy-Gruppen (z. B. mit Lithiumaluminiumhydrid od. die *Grignard-Reaktion) genannt (s. Abb. 1). Spezielle Meth. sind die *Aldol-Addition, *Oxo-Synthese, *Cannizzaro-Reaktion, *Bouveault-Blanc-Reaktion u. *Meerwein-Ponndorf-Verley-Reduktion sowie die insbes. zur Herst. prim. unverzweigter, langkettiger Fettalkohole entwickelte *Ziegler-Reaktion mittels *Triethylaluminium. Techn. wichtige A. sind – außer den bereits erwähnten – die Propanole, 2-Ethylhexanol u. a. Oxoalkohole. Zur *stereoselektiven Synth. opt. aktiver sek. A. s. *Lit.* [3]. Bei einigen niedermol. A. spielt auch noch die Gewinnung durch *Gärung eine Rolle, z. B. bei Methanol (*Holzgeist), Ethanol, den Butanolen, Glycerin u. 2,3-Butandiol. Lineare A. lassen sich aus Gemischen mittels Zeolithen abtrennen.

Umwandlung: In chem. Hinsicht sind die A. sehr reaktionsfähig, wobei jedoch die Isomeren deutliche Unterschiede in ihrem Verhalten zeigen. So lassen sich prim. u. sek. A. meist unter milden Bedingungen, tert. dagegen nur unter drast. Bed. oder gar nicht mit Carbonsäuren zu *Estern umsetzen. Ähnlichen Unterschieden begegnet man in der Reaktion mit Metallen, mit denen *Alkoholate gebildet werden, sowie in der Substitution der OH-Gruppe durch Halogen-Atome, wozu meist Phosphorhalogenide bzw. Thionylchlorid her-

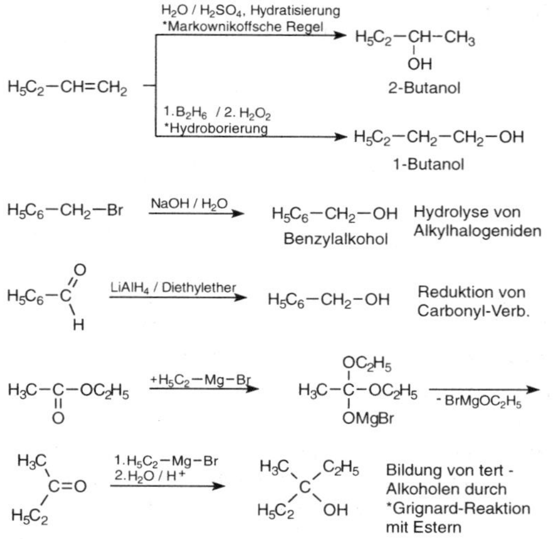

Abb. 1: Herstellung von Alkoholen.

angezogen werden. Charakterist. ist das Verhalten gegenüber Oxidationsmitteln: während prim. A. zu Aldehyden u. weiter zu Carbonsäuren oxidiert werden, entstehen aus sek. A. Ketone; tert. A. bleiben unter analogen Bedingungen unverändert. Zu den häufig verwendeten Oxidantien gehören Chromsäure, $KMnO_4$ u. MnO_2. Durch Einwirkung dehydratisierender Mittel wie Säuren, Metall-Salzen etc. lassen sich aus A. Alkene od. Ether gewinnen (s. Abb. 2).

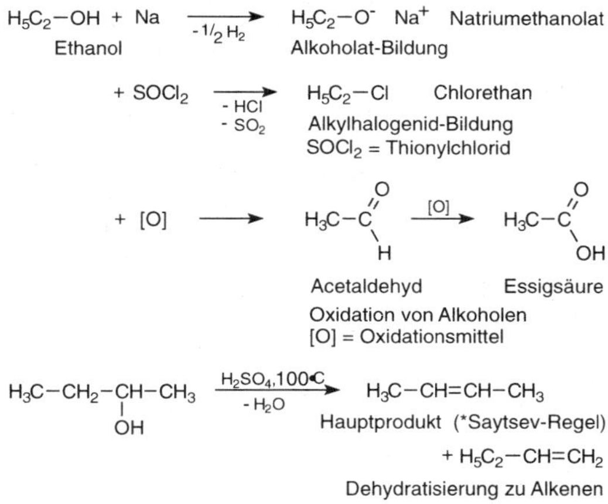

Abb. 2: Umwandlung von Alkoholen.

*Additions-Reaktionen der A. an C,C-Mehrfachbindungen lassen *Ether, solche an C,O-Doppelbindungen *Acetale entstehen. Der Wasserstoff der OH-Gruppe ist „sauer", wobei die *Acidität von Methanol zu Neopentylalkohol zunimmt. Die Beweglichkeit des Wasserstoffs ist auch die Ursache für die leichte Bildung von *deuterierten Verbindungen (ROD). Als *Schutzgruppen für A. haben sich Dihydropyranyl- (s. Acetalisierung), Alkylsilyl- od. Alkoxyalkyl-Gruppen bewährt.

Verw.: Als Lsm. in Labor u. Technik [zu den qual. Anforderungen s. DIN 53245 (1994)], zur Herst. von Estern für die Aromen-, Parfüm- u. Pharma-Ind., von

Alkoholfreie Getränke

Tensiden, von Monomeren u. als Rohstoffe für die Herst. anderer Organika. – *E* alcohols – *F* alcools – *I* alcoli – *S* alcoholes
Lit.: [1] Zechmeister **35** 439–447. [2] Hager (5.) **2**, 125. [3] Hanessian, Total Synthesis of Natural Products: The „Chiron" Approach, Oxford: Pergamon Press 1983.
allg.: Barton-Ollis, **1**, 579–706 ▪ Houben-Weyl **6/1 a, b, d** ▪ Katritzky et al. **2**, 37–88 ▪ Kirk-Othmer (3.) **1**, 716–789; (4.) **1**, 865–925 ▪ McKetta **2**, 465–481 ▪ Patai, The Chemistry of the Hydroxyl Group, 2 Bd., London: Interscience Publishers 1971 ▪ Patai, The Chemistry of Ethers, Crown Ethers, Hydroxyl Groups and their Sulphur Analogues, Suppl. E, 2 Bd., Chichester: Wiley 1980 ▪ Ullmann (5.) **A 1**, 279–304 ▪ Winnacker-Küchler (3.) **4**, 56–123, 456 ff.; (4.) **6**, 24–44.

Alkoholfreie Getränke s. Getränke.

Alkoholische Gärung s. Alkoholische Getränke u. Ethanol.

Alkoholische Getränke (geistige Getränke, Alkoholika). Sammelbez. für alle durch alkohol. Gärung (s. Ethanol) od. Zusatz von Ethanol, auch durch Dest., gewonnenen *Getränke. Die wichtigsten a. G. sind *Wein u. weinähnliche Getränke, *Bier u. *Spirituosen. Der Ethanol-Gehalt der verschiedenen Getränke ist sehr unterschiedlich; er liegt zwischen etwa 2,5 (bei leichten Bieren) u. mehr als 60% vol (bei Rum) u. ist für einzelne a. G. durch das Lebensmittelrecht gesetzlich festgelegt. In der BRD werden im Handel meist % vol nach dem *Alkoholometer von Tralles angegeben, bei Wein auch als „°-Alkohol" (*Grad-Alkohol*) bezeichnet. Die a. G. enthalten neben Ethanol u. Wasser noch eine Reihe anderer Substanzen, v. a. solche, die bei der alkohol. Gärung unter dem Einfluß der Hefe als Nebenprodukte in geringer Menge entstehen (z. B. Methanol, Propanol u. höhere einwertige Alkohole, Glycerin, aliphat. Carbonsäuren, Milch- u. Bernsteinsäure, Aldehyde, Ester usw.)[1] u. die für das Aroma der entstehenden a. G. wesentlich sind. Allerdings sind diese Inhaltsstoffe (im bes. sog. „Fuselöle") wohl auch in erster Linie für die oft recht unangenehmen Nachwirkungen verantwortlich, die nach dem Genuß a. G. auftreten können.[2] Näheres zu den physiolog. Wirkungen a. G. bzw. den Folgen ihres Mißbrauchs s. bei Ethanol bzw. Alkoholismus u. Sucht. Die Bestimmung des *Blutalkohol-Gehaltes liefert Anhaltspunkte für den Alkoholisierungsgrad einer Person. Zur Normierung bei Analysen der a. G. s. *Lit.*[3].

Wein u. weinähnliche Getränke: Nach EWG-VO ist Wein definiert als „das Erzeugnis, das ausschließlich durch vollständige od. teilw. alkohol. Gärung der frischen, auch eingemaischten Weintrauben od. des Traubenmostes gewonnen wird". Das Herstellen u. Inverkehrbringen von Getränken, die mit Wein verwechselt werden können, ohne Wein zu sein, ist verboten. Jedoch fällt unter dieses Verbot nicht die Herst. von entsprechend gekennzeichneten „dem Wein ähnlichen Getränken aus dem Saft von frischem Stein-, Kern- od. Beerenobst sowie aus Hagebutten od. Schlehen, aus frischen Rhabarberstengeln, aus Malzauszügen od. aus Honig". Die Wissenschaft vom Wein heißt fachsprachlich *Önologie.* Details s. Wein.

Weinähnliche Getränke werden etwa nach den gleichen Grundsätzen hergestellt wie Wein, v. a. durch Vergären von Obstpreßsäften. Die wichtigsten *Obstweine* sind Apfel- u. Birnenwein (zum Aroma der Apfelweine s. *Lit.*[4]). Auch der japan. *Sake kann hierher gerechnet werden.

Medizin. Weine od. *Arzneiweine* (s. *Lit.*[5]) fallen nicht unter das Weingesetz; sie gelten als *Arzneimittel-Zubereitungen (*Beisp.:* China-, Kondurango-, Kampfer-, Pepsinwein).

Schaumweine sind nach EWG-VO durch 1. od. 2. alkohol. Gärung aus Tafelweinen (bzw. Qualitätsweinen) gewonnene Produkte, aus denen beim Öffnen der Flasche aus der Gärung stammendes CO_2 entweicht u. die im geschlossenen Behältnis unter einem Überdruck von mind. 3 bar stehen. Schaumweine, denen die Kohlensäure durch sog. *Imprägnierung* (also nicht durch Gärung) künstlich zugeführt wurde, müssen durch die Worte „mit zugesetzter Kohlensäure" gekennzeichnet werden. Details s. Schaumwein.

Bier: Sammelbez. für alle aus stärkehaltigen Substanzen durch alkohol. Gärung gewonnenen Getränke. Details s. Bier.

Spirituosen: Als Spirituosen bezeichnet man hier a. G., in denen aus vergorenen, zuckerhaltigen Stoffen od. in Zucker umgewandelten u. vergorenen Stoffen durch *Brennverf.* (Dest.) gewonnenes Ethanol als wertbestimmender Anteil enthalten ist. Nach der Art der Zusammensetzung werden unterschieden: *Branntweine, Liköre, Punsche* u. *Mischgetränke* (Cocktails), deren Namen – teilw. handelt es sich dabei um Herkunftsbez. – vielfach gesetzlichen Schutz genießen, s. a. Obstbranntwein u. Spirituosen.

Mischgetränke haben verschiedenartige Zusammensetzung mit unterschiedlichem Ethanol-Gehalt. Den als *Cocktails* (engl. = Hahnenschwanz; diese Bez. geht auf den amerikan. Unabhängigkeitskrieg zurück u. rührt daher, daß man sich damals bemühte, verschiedenfarbige Flüssigkeiten möglichst unvermischt übereinander zu schichten, so daß das Getränk einem farbenprächtigen Hahnenschwanz ähnelte) bezeichneten, appetitanregenden, kalten, Ethanol-haltigen Mischgetränken wird in der Regel eine entkernte gekochte Kirsche (bei milden Cocktails) od. eine Olive (bei herben Cocktails) zugegeben; die meisten Cocktails werden mit Citronenöl überstäubt. Einige Hinweise auf die Geschichte der a. G. finden sich bei Ethanol. – *E* alcoholic beverages – *F* boissons alcooliques – *I* bevande alcoliche – *S* bebidas alcohólicas
Lit.: [1] Brauwissenschaft **30**, 33 (1977). [2] Naturwissenschaften **66**, 22–27 (1979). [3] Pure Appl. Chem. **17**, 273–312 (1968). [4] Parfüm. Kosmet. **56**, 202 (1975). [5] Die Deutsche Drogerie **32**, Nr. 8, 46 ff. (1978). – *Zeitschriften u. Serien:* American Society of Brewing Chemists, Proceedings of the Annual Meeting, Gleneview: Am. Soc. Brewing Chem. (jährlich) ▪ Brauerei-Adressbuch, Nürnberg: Brauwelt-Verl. (jährlich) ▪ Brauereien u. Mälzereien in Europa, Darmstadt: Hoppenstedt (jährlich) ▪ European Brewery Convention, Proceedings of the Congress, Amsterdam: Elsevier (zweijährlich) ▪ Goldschmidt, Weinfach-Kalender, Mainz: Diemer (jährlich) ▪ Spirituosen-Jahrbuch, Berlin: Versuchs- u. Lehranstalt für Spiritusfabrikation u. Fermentationstechnologie (jährlich).

Alkoholismus. Gewohnheitsmäßiger Genuß *alkoholischer Getränke mit deutlich erkennbaren Symptomen chron. Vergiftung in Form körperlicher, seel. u. sozia-

ler Schäden. Man unterscheidet *Alkoholmißbrauch*, der als täglicher Alkoholgenuß zur Aufrechterhaltung von Anpassungsleistungen mit Beeinträchtigung im sozialen u. beruflichen Feld durch Alkoholkonsum von mind. einem Monat Dauer definiert wird, von *Alkoholabhängigkeit*. Diese wird bezeichnet als übermäßiges Verlangen nach dem Suchtmittel mit Tendenz zur Erhöhung der Trinkmengen, psych. u. phys. Abhängigkeit sowie Entzugserscheinungen beim Unterbrechen des Alkoholkonsums. A. ist aufgrund Verlustes der Selbstkontrolle durch Abhängigkeit eine Krankheit im Sinne der Kranken- u. Rentenversicherung. Ursache des A. ist ein Bedingungsgefüge mit Erbanlagen (z. B. *Alkohol-Dehydrogenase- u. Acetaldehyd-Dehydrogenase-Aktivität), Persönlichkeitsstruktur, sozialen Faktoren (Familie, Beruf) u. Drogenwirkung (Entspannung, Enthemmung, Rausch).
Wirkung: Als Folgeerscheinungen des chron. A. treten körperliche Schäden an Magen-Darm-Trakt (*Gastritis, Blutungen), Leber (Fettleber, Hepatitis, Zirrhose), *Pankreas (Pankreatitis), Blutbildungssyst. (*Anämie), Herzmuskel u. Nervensyst. (Neuropathie, Kleinhirndegeneration, diffuser Hirnabbau) sowie psych. Störungen wie Wahnvorstellungen, Persönlichkeitsveränderungen u. intellektueller Abbau auf. Durch A. von schwangeren Frauen können Störungen in der embryonalen Entwicklung mit kindlichen Mißbildungen nach der Geburt (Alkoholembryopathie) vorkommen. Bei Unterbrechung der chron. Alkoholzufuhr kommt es oft zu Entzugserscheinungen in Form von Zittern u. Schwitzen, Krampfanfällen od. des *Delirium tremens*. Zu den sozialen Folgen des A. gehören u. a. Verlust des Arbeitsplatzes, familiäre Zerwürfnisse u. zunehmende Isolierung, Verschuldung u. sozialer Abstieg. Zur physiolog. Wirkung des A. s. a. Ethanol.
Therapie: Die Behandlung besteht nach der symptomat. Therapie von Entzugserscheinungen u. a. durch *Psychopharmaka wie *Clomethiazol, *1,4-Benzodiazepine od. *Neuroleptika aus dem unter ärztlicher Aufsicht durchgeführten körperlichen Entzug, durch den die phys. Abhängigkeit beseitigt werden soll u. anschließende psychotherapeut. u. sozialrehabilitativen Maßnahmen zur Beseitigung der psych. Abhängigkeit. Ambulante Nachbetreuung od. Teilnahme an Selbsthilfegruppen, wie z.B. den *Anonymen Alkoholikern*, verbessern die Prognose erheblich. Die Erfolgsaussichten für die Therapie des A. liegen bei spezif. Behandlung bei etwa 30–50%. Erschwert werden die Bemühungen v. a. durch ungenügende Therapiemöglichkeiten u. ungünstige gesellschaftliche Rahmenbedingungen, die durch Trinkrituale, leichte Verfügbarkeit alkohol. Getränke u. Alkoholwerbung über Massenmedien der Suchtverhütung entgegenwirken. Die Zahlen für den Alkoholkonsum u. den Alkoholmißbrauch gehen parallel. In der BRD besteht ein Pro-Kopf-Verbrauch von etwa 12 Litern reinen Alkohols im Jahr. Es wird hierzulande mit 2 bis 3 Mio. behandlungsbedürftigen Alkoholikern gerechnet, wobei der Altersschwerpunkt zwischen 30 u. 50 Jahren liegt; etwa $2/3$ sind Männer, etwa $1/3$ Frauen. Nach Schätzungen sterben 30 000 bis 40 000 Menschen pro Jahr an den Folgen des Alkoholismus. – *E* alcoholism – *F* alcoholisme – *I* alcolismo – *S* alcoholismo

Lit.: Feuerlein, Alkoholismus – Mißbrauch und Abhängigkeit, Stuttgart: Thieme 1989 ▪ Mallach, Hartmann u. Schmidt, Alkoholwirkung beim Menschen, Stuttgart: Thieme 1987 ▪ Mann u. Buchkremer, Sucht – Grundlagen, Diagnostik, Therapie, Stuttgart: Fischer 1996 ▪ Volger u. Welck, Rausch u. Realität, Reinbek: Rowohlt 1982.

Alkoholometer. Zur Bestimmung des Ethanol-Gehalts wäss. Lsg. geeichte *Aräometer. Eine Tab. mit Dichten, Gew. u. Vol.-Prozentgehalt von Ethanol-Wasser-Gemischen findet sich in *Lit.*[1]. Johann Georg Tralles (1763–1822) erfand ein nach ihm benanntes A., das auf der Skala direkt den Vol.-Prozentgehalt von *Ethanol angibt (*Tralles-Grade*). Wenn z. B. eine alkohol. Flüssigkeit 12 °C Tralles anzeigt, bedeutet dies, daß 100 ml davon bei 16 °C 12 ml Reinalkohol enthalten. – *E* alcoholometer – *F* alcoomètre – *I* alcolometro, alcolimetro – *S* alcohómetro
Lit.: [1] DAB 10.

Alkoholyse. Eine der *Hydrolyse analoge Reaktion, bei der anstelle von Wasser die *Hydroxy-Gruppe eines Alkohols die Spaltung einer Kohlenstoff-Element-Bindung bewirkt. Im Prinzip handelt es sich bei der A. um eine *nucleophile Substitution, wobei der Alkohol als *Nucleophil wirkt. Auch die Bildung von *Estern aus Carbonsäuren od. Carbonsäure-Derivaten mit Alkoholen kann als deren A. aufgefaßt werden; s. a. Veresterung. – *E* alcoholysis – *F* alcoolyse – *I* alcoolisi – *S* alcoholisis

Alkoxide s. Alkoholate.

Alkoxy... Allg. Bez. für die in *Ethern enthaltene Gruppierung –OR mit R = *Alkyl-Rest; *Beisp.:* *Methoxy..., *tert*-*Butoxy... A.-Gruppen treten auch als *Radikale auf[1]. Die *Zeisel-Methode ist eine Bestimmungsmeth. für A.-Gruppen. – *E* alkoxy... – *F* alcoxy... – *I* alcossi... – *S* alcoxi...
Lit.: [1] Kochi, Free Radicals, Bd. 2, S. 677–695, New York: Wiley 1973; Progr. React. Kinet. **4**, 63–117 (1967).

Alkutex®. Fassadenreiniger. *B.:* Remmers.

Alkydal®. Umfangreiches Sortiment von *Alkydharzen, die mit pflanzlichen Ölen, Fettsäuren, z. T. außerdem mit Vinyltoluol, Isocyanat od. ähnlichen Komponenten modifiziert sind u. als Bindemittel für Lacke dienen. *B.:* Bayer.

Alkydharze. A. sind nach DIN 53183 (09/1973) mit natürlichen Fetten u. Ölen u./od. synthet. Fettsäuren modifizierte *Polyesterharze. Sie werden hergestellt durch Veresterung mehrwertiger Alkohole, von denen einer mind. dreiwertig sein muß, mit mehrbas. Carbonsäuren. Als A. werden vielfach aber auch Fettsäuren-freie Polyester aus *Phthalsäure(anhydrid) u. Glycerin (s. *Glyptale) bezeichnet. Der Name Alkyd wurde 1927 von R. H. Kienle aus alcohol u. acid abgeleitet. A. fallen an bei der Veresterung von di- u. polyfunktionellen Alkoholen (z. B. *Ethylenglykol, 1,2-Propylenglykol, Glycerin, Trimethylolpropan, Pentaerythrit u. Dipentaerythrit) mit Dicarbonsäuren (Phthal-, Isophthal-, Terephthal-, Malein-, Adipin-, Dimerfettsäure) bzw. deren Anhydriden u. gesätt. od. ungesätt. Fettsäuren. Natürliche Fettsäuren werden bei der A.-Herst. als *Triglyceride (Fette, Öle) eingesetzt u. über Umesterungsreaktionen eingebaut. A. werden

Alkydharz-Lacke

entsprechend ihrem Ölgehalt – >60, 40–60 bzw. <40 Gew.-% – in Langöl-, Mittelöl- bzw. Kurzöl-A. od nach ihrem Härtungsmechanismus in lufttrocknende (oxidative Vernetzung über olefin. Doppelbindungen, z. B. Malerlacke) u. wärmehärtbare (Vernetzung über Kondensationsreaktionen; *Einbrennlacke) A. eingeteilt. Zur Einstellung spezif. Eigenschaften können A. durch Mitverw. unterschiedlicher Verb. bei ihrer Synth., z. B. von Styrol (Styrol-A.), Acryl-Monomere (*Acryl-A.), Siliconen (Silicon-A.), Isocyanaten (Urethan-A.) od. Epoxiden (Epoxid-A.) vielseitig modifiziert werden. A. werden gelöst in organ. Lsm. od. Lsm./Wasser-Gemischen (hydrophilierte wasserverdünnbare A.), im industriellen Bereich bevorzugt als High-Solid-Systeme (Einbrennlacke) eingesetzt.
Verw.: Als Bindemittel für *Lacke u. Anstrichstoffe (s. Alkydharz-Lacke, Kurzz. *AK), als Beschichtungs- u. Spachtelmassen, Dichtstoffe u. Kitte. – *E* alkyd resins – *F* résines alkyds – *I* resine alchidiche – *S* resinas alquídicas
Lit.: Encycl. Polym. Sci. Eng. **1**, 644 ff. ▪ Encycl. Polym. Sci. Technol. **1**, 609 ff. ▪ Houben-Weyl E **20**, 1429 ff. ▪ Ullmann (4.) **19**, 75 ff. – *[HS 3907 50]*

Alkydharz-Lacke. Nach DIN 55 945 (08/1983) Bez. für *Lacke, die als charakterist. Filmbildner *Alkydharze enthalten. Sie trocknen bei Zimmertemp. (lufttrocknend) od. erhöhter Temp. (wärmehärtend; Einbrennlacke). – *E* alkyd varnishes – *F* vernis à base de résines alkyds – *I* vernici a base delle resine alchidiche – *S* barnices de resinas alquídicas
Lit.: s. Alkydharze u. Lacke. – *[HS 3208 10]*

Alkyl... Allg. Bez. für einwertige Alkan-Reste der allg. Formel C_nH_{2n+1} (häufig durch R symbolisiert); man erhält sie wenn man aus dem Mol. eines *Alkans formal ein H-Atom entfernt. *Alkylierung ist die Einführung des A.-Restes. A.-*Radikale (*Alkyle*), die kurzfristig auch im freien Zustand existenzfähig sind, entstehen z. B. bei *Pyrolyse u. *Radiolyse von Kohlenwasserstoffen sowie bei der *Photolyse z. B. von bestimmten Ketonen od. von *Azo-Verbindungen (Azomethan[1]) u. bei der *Elektrolyse, z. B. von Fettsäure-Salzen (*Kolbe-Synthesen). Über A.-Übergangsmetallverb., eine Untergruppe der *Metallalkyle, s. *Lit.*[2]. Vgl. die folgenden Stichwörter u. Aralkyl... – *E* = *F* alkyl... – *I* alchil... – *S* alquil...
Lit.: [1] Adv. Free Radical Chem. **5**, 189–317 (1975); Progr. React. Kinet. **1**, 105–127 (1961); Kaplan, Reactive Intermediates, Bd. 2, S. 251–314, Bd. 3, S. 227–303, New York: Wiley 1981, 1985. [2] Angew. Chem. **86**, 664–667 (1974).

N-Alkylamide.

$$R^1-\overset{O}{\underset{\|}{C}}-NH-R^2$$

Bez. für monoalkylsubstituierte *Amide. Von techn. größerem Interesse sind die *N,N*-*Dialkylamide wie *Dimethylformamid. – *E* = *F* *N*-alkylamides – *I* *N*-alchilammidi – *S* *N*-alquilamidas
Lit.: s. Amide.

Alkylamine (Alkanamine). Bez. für die sich von Alkanen ableitenden prim., sek. u. tert. *Amine, *Dialkyl- u. *Trialkylamine. In der Technik werden die A. oft als *Fettamine zusammengefaßt. Die A. sind starke Basen von meist unangenehmem, z. T. fischartigem Geruch; die niederen Glieder sind gasf. bzw. flüssig, höhere (etwa ab C_{10}) sind fest. Die A. dienen als Ausgangsstoffe für die Herst. von Tensiden, Textil- u. Flotationshilfsmitteln, Bakteriziden, Korrosions- u. Schauminhibitoren, Additiven u. für Pharmazeutika sowie als Antioxidantien für Fette u. Öle. – *E* = *F* alkylamines – *I* alchilammine – *S* alquilaminas
Lit.: s. Amine.

Alkylantien. Substanzen, die nukleophile Gruppen alkylieren können. Einige A. werden als *Cytostatika verwendet. Hierzu gehören *Stickstofflost-Derivate, Ethylenimin-Verb. (z. B. *Thiotepa) u. Sulfonsäure-Ester (z. B. *Busulfan). Sie sind meist mehrfunktionell u. vernetzen dadurch Nucleinsäure-Ketten unnormal, was die Zellteilung stört. – *E* alkylating agents – *F* agents alkylants – *I* agenti alchilanti – *S* agentes alquilantes
Lit.: Auterhoff, Knabe u. Höltje, Lehrbuch der Pharmazeutischen Chemie, S. 838–845, Stuttgart: Wiss. Verlagsges. 1994 ▪ Cancer Chemother. Biol. Response Modif. **15**, 32–43 (1994) ▪ Crit. Rev. Toxicol. **24**, 281–322 (1994) (Review) ▪ Ullmann (5.) A **5**, 10–16.

Alkylarensulfonate (Alkylarylsulfonate). Wichtige, grenzflächenaktive Rohstoffe für den Aufbau synthet. *Waschmittel der allg. Formel R–Ar–SO_3M^I, wobei R heute zumeist für eine unverzweigte Alkyl-Gruppe, Ar für ein Benzol- od. Naphthalin-Ringsyst. u. M für einwertige Kationen, in der Regel Natrium steht. Die Art des Ringsyst. u. seine Stellung in der Alkylkette bedingen unterschiedliche anwendungstechn. Eigenschaften u. nehmen Einfluß auf die *biologische Abbaubarkeit u. Fischtoxizität der Verbindungsgruppe[1]. A. verfügen über eine hohe chem. Beständigkeit, ein ausgeprägtes textiles Netzvermögen sowie gute Wascheigenschaften. Neben dem Einsatz als *Aniontenside (vgl. Tenside) finden sie als Emulgatoren u. Entfettungsmittel Verwendung. Wichtigste Vertreter der in Waschmitteln eingesetzten A. sind die *Alkylbenzolsulfonate u. die *Alkylnaphthalinsulfonate. – *E* alkylarenesulfonates – *F* alkylarylsulfonates – *I* alchilarilsolfonati – *S* alquilarilsulfonatos
Lit.: [1] Tenside Deterg. **25**, 108 f. (1988).
allg.: vgl. Alkylbenzolsulfonate. – *[HS 3402 11]*

Alkylaryl... Gruppenbez. für durch Alkyl-Gruppen substituierte Aryl-Reste, z. B. $H_3C-CH_2-C_6H_4-$ (Ethylphenyl). Das Wort ist aus *Alkyl... u. *Aryl... zusammengesetzt u. bezeichnet einen anderen Verb.-Typ als *Aralkyl...; dennoch werden beide Bez. oft unterschiedslos gebraucht. Das mag daran liegen, daß die – z. B. durch *Wurtzsche Synthese zugänglichen – *Alkylaromaten* (s. Alkylbenzole) bei Substitutionen Verb. beider Typen liefern (KKK/SSS-Regel, s. Substitution); s. a. die folgenden Stichwörter. – *E* = *F* alkylaryl... – *I* alchilaril... – *S* alquilaril...

Alkylbenzole. Gruppenbez. für am Benzol-Ring durch Alkyl-Gruppen substituierte aromat. Kohlenwasserstoffe. Zu diesen *Alkylaromaten* (vgl. Alkylaryl...) gehören die *Toluole u. die *Xylole (diese A. werden oft mit Benzol unter der Abk. *BTX* zusammengefaßt), *Ethylbenzol, *Mesitylen, *Durol, *Cumol, *Cymol u. a., die als Produkte der *Alkylierung von Benzol, heute bevorzugt aus Kohle od. Erdöl durch therm. od. katalyt. Prozesse mit anschließender Isolierung gewonnen werden (s. Petrochemie, Kalien u. Erdöl). A. lassen sich am Kern od. in der Seitenkette substituieren (s. Substitution). Die wichtigsten Oxidationsprodukte der A. sind *Carbonsäuren bzw. *Phenol. – *E* alkylbenzenes – *F* alkylbenzènes – *I* alchilbenzeni, alchilbenzoli – *S* alquibencenos

Lit.: McKetta **2**, 387–400 ▪ Ullmann (5.) **A 13**, 272 ▪ Weissermel-Arpe (4.), S. 337 ff. ▪ s. a. Alkylierung, aromatische Verbindungen.

Alkylbenzolsulfonate (ABS). Wirtschaftlich bedeutendste Gruppe der *Aniontenside mit der allg. Formel

wobei R für einen Alkyl-Rest (in der Regel C_8–C_{12}) u. M^I für ein einwertiges Kation, bevorzugt Natrium, steht. Von linearen A. (LAS, LABS) spricht man, wenn als Rohstoff für den Alkyl-Rest ein *n*-*Paraffin-Homologengemisch mit der mittleren Kettenlänge von etwa C_{12} dient. Bedingt durch den Herstellprozeß des Vorprodukts *Alkylbenzol, ist der Phenyl-Rest längs der Paraffinkette verteilt, so daß sich eine antennenartige Struktur ergibt. LAS ist Bestandteil der meisten *Waschmittel-Formulierungen u. im Gegensatz zu den bis Mitte der 60er Jahre verwendeten, stark verzweigten *Tetrapropylenbenzolsulfonaten ökol. unbedenklich, was auch durch weltweites Monitoring[1] belegt ist. Zu A. liegt ein Life Cycle Inventory (eine *Ökobilanz) als Teil einer *LCA-Studie vor[2] (Life Cycle Assessment). A. mit niederen Kettenlängen, z. B. C_3 (Cumolsulfonat), eignen sich als Hydrotrope. Die Produktion von A. betrug 1995 weltweit etwa 2,3 Mio. t. – *E* alkylbenzene sulfonates – *F* alkylbènesulfonates – *I* alchilbenzensolfonati – *S* alquilbencenosulfonatos

Lit.: [1] Proceed. 3rd CESIO International Surfactants Congress & Exhibition – A World Market, London 1992, Sect. E; Tenside Surf. Det. **31**, 243 f. (1994); **32**, 25 f. (1995). [2] Tenside Surf. Det. **32**, 122 f. (1995).
allg.: Kosswig u. Stache, Die Tenside, München: Hanser 1993 ▪ Stache, Anionic Surfactants – Organic Chemistry, S. 39–142, New York: Dekker 1996.

Alkylbenzyldimethylammoniumchlorid s. Benzalkoniumchlorid.

Alkylene s. Alkene u. Olefine.

Alkylhalogenide (Halogenalkane). Gruppenbez. für halogensubstituierte *Alkane, wobei ähnlich wie bei *Alkoholen prim., sek. u. tert. A. zu unterscheiden sind. Durch stufenweise *Halogenierung lassen sich alle Zwischenstufen von mono- bis zu perhalogenierten Alkanen herstellen. Die sich von Methan u. z. B. Chlor ableitenden A. werden hier unter den geläufigeren Bez. Methylchlorid, Methylenchlorid, Chloroform u. Tetrachlormethan abgehandelt, während die höheren Homologen unter der systemat. Namen Di-, Tri-, Tetrachlorethan usw. behandelt werden. Mit steigender Molmasse u. Anzahl der Halogene in den A. nimmt die Flüchtigkeit ab; während die Fluor-Verb. des Methans u. des Ethans gasf. sind, sind Iodoform u. Tetrabrommethan bereits fest. Die A. sind in Wasser nicht, in organ. Lsm. jedoch löslich.

Verw.: Als Lsm., als Ausgangsmaterialien für organ. Synth., die niederen Glieder gelegentlich als Anästhetika, Feuerlöschmittel, Treibgase für Aerosole u. als Kühlmittel; s. Chlorkohlenwasserstoffe (CKW) u. FCKW. – *E* alkyl halides – *F* halogénures d'alkyle – *I* alchilalogenuri – *S* halogenuros de alquilo

Lit.: s. Einzelverbindungen.

Alkyliden... Gruppenbez. für ein von einem Alkan abgeleitetes zweiwertiges Radikal, das an *einem* C-Atom 2 H-Atome weniger enthält als die Stammverb. (IUPAC-Regel A-4.1). *Beisp.:* Ethyliden (=CH–CH$_3$), Isopropyliden [=C(CH$_3$)$_2$]. – *E* alkylidene... – *F* alkylidène... – *I* alchiliden... – *S* alquiliden...

Alkylidenierung. Bez. für die Einführung von Alkyliden-Gruppen (z. B. Methylen-, Ethylen-, vgl. Alkyliden...) in organ. Verb. (Bildung von Alkenen, *Olefinierung*), wobei die A. von Carbonyl-Verb. (Aldehyde, Ketone) die wichtigste Reaktion darstellt. Die *Wittig-Reaktion ist die in diesem Zusammenhang zu nennende A., die die größte Bedeutung besitzt. In neuerer Zeit spielen *Titan-organische Verbindungen als A.-Reagenzien eine immer größere Rolle, so die *Tebbe-Grubbs-Reagenzien. Dieses Methylenierungsreagenz besitzt gegenüber den Phosphoryliden der Wittig-Reaktion den Vorteil, daß es auch mit Estern u. Amiden A. eingeht.

Abb.: Alkylidenierung.

– *E* alkylidenation – *I* alchilidenazione – *S* alquilenización

Lit.: Org. React. **43**, 1–91 (1993).

Alkylierung. Bez. für die Einführung von Alkyl-Gruppen (z. B. Methyl-, Ethyl-, Propyl-, vgl. Alkyl...) in organ. Verb. durch *Substitution od. *Addition. Das Alkyl kann an Kohlenstoff-, Sauerstoff- (die O-A. wird bei *Ethern abgehandelt), Stickstoff-, Schwefel-, Silicium- od. Metall-Atome gebunden werden. Die A. spielt bei der Herst. von Kraftstoffen (*Alkylate*), Ethylbenzol u. a. *Alkylbenzolen, Kunststoffen, Farbstoffen, Arzneimitteln usw. eine wichtige Rolle. Üblicherweise werden bei C-A. im Laboratorium die *Alkylhalogenide eingesetzt, oft in Ggw. von *Lewis-Säuren (z. B. mit AlCl$_3$ bei der *Friedel-Crafts-Reaktion). In der Petrochemie geht man von Alkenen aus, die man in Ggw. von H$_2$SO$_4$, H$_3$PO$_4$, HF usw. zur A. einsetzt (z. B. im Alkar-Prozeß). Spezif. A.-Reaktionen sind die *Nencki-Reaktion od. die über *Meerwein u. a. *Oxo-

Alkylnaphthalinsulfonate

nium-Salze verlaufenden Synthesen. Ein wichtiges A.-Reagenz ist auch *Diazomethan, das v. a. zur *Methylierung von Carbonsäuren u. Phenolen eingesetzt wird. In der Biochemie sind A. sehr häufig: Im Organismus gehören A. u. *Desalkylierungen zu den üblichen Stoffwechsel-Reaktionen, in deren Verlauf im allg. C_1-Fragmente durch *Transferasen übertragen werden (biolog. *Methylierung). Allerdings betrachtet man A. im lebenden Organismus mit gemischten Gefühlen, da man den alkylierenden Substanzen, z. B. den *Arenoxiden, den Charakter von *Carcinogenen zuschreiben muß (näheres dazu s. bei Carcinogene). – $E = F$ alkylation – I alchilazione – S alquilación
allg.: Kirk-Othmer (3.) **2**, 50–72; (4.) **2**, 85 ff. ■ McKetta **2**, 357–415 ■ Trost-Fleming **3**, 1–411 ■ Winnacker-Küchler (3.) **3**, 237–242; **4**, 39 ff., 44 f., 178 ff., 473 f.; (4.) **6**, 150 ff.

Alkylnaphthalinsulfonate. Zur Gruppe der *Alkylarensulfonate gehörende grenzflächenaktive Stoffe, die in Form ihrer Alkali- od. Triethanolammoniumsalze als *Netzmittel u. *Emulgatoren Anw. finden (vgl. Nekal). – E alkylnaphthalenesulfonates – F alkylnaphthénesulfonates – I alchilnaftalinsolfonati – S alquilnaftalenosulfonatos – [HS 3402 11]

Alkylnitrate s. Nitrate.

Alkylolamide s. Fettsäurealkanolamide.

Alkylphenole. Bez für Derivate der *Phenole, bei denen am aromat. Ring eines od. mehrere der H-Atome durch gleiche od. verschiedene Alkyl-Gruppen ersetzt sind. Zu den A. gehören z. B. die *Kresole u. Xylenole, 4-*tert*-*Butylphenol, *2,6-Di-*tert*-butyl-4-methylphenol, *Thymol u. *Carvacrol sowie *4-*tert*-Octylphenol, *Nonylphenol u. *Dodecylphenol (Kryptophenole).
Herst.: A. werden normalerweise durch *Alkylierung von *Phenol od. seiner Homologen mit *Alkenen, *Alkoholen od. *Alkylhalogeniden hergestellt.
Umwandlung: Die chem. Eigenschaften der A. sind weitgehend mit denen von *Phenol ident., wobei ster. aufwendige Reste in *ortho*-Position zu der Hydroxy-Gruppe einige typ. Phenol-Reaktionen erschweren od. gar verhindern. Techn. bedeutende Reaktionen der A. sind die Veretherung mit *Alkylhalogeniden (*Williamsonsche Synthese) od. mit Ethylenoxid unter Bildung von *Alkylphenolpolyglykolethern. Mit Aldehyden kondensieren A. zu *Phenolharzen.
Verw.: Die niederen A. dienen als Desinfektionsmittel u. Rohstoffe für Phenoplaste, die höheren als Antioxidantien für Polymere. – E alkylphenols – F alkylphénols – I alchilfenoli – S alquilfenoles
Lit.: Kirk-Othmer (3.) **2**, 72–96; (4.) **2**, 113 ff. ■ McKetta **2**, 399 ff. ■ s. a. Phenole.

Alkylphenolharze s. Phenolharze.

Alkylphenolpolyglykolether. Gruppe von *nichtionischen Tensiden, die durch Kondensation von *Alkylphenolen mit *Ethylenoxid zugänglich sind (*Alkylphenolethoxylate*) u. hauptsächlich in Industriereinigern, daneben als Bohr- u. Flotationshilfsmittel sowie als Verlaufsmittel in der Fotoind. eingesetzt werden. Aufgrund ungünstiger ökolog. Eigenschaften hat sich die Waschmittelind. auf freiwilliger Basis bereiterklärt, in Zukunft auf den Einsatz von A. zu verzichten [1]. Der Verbrauch lag 1987 bei ca. 10000 t, ist jedoch stark rückläufig. – E alkylphenol polyglycol ethers – F éthers alkylphénylpolyglycoliques – I eteri alchilfenolpoliglicolici – S éteres alquilfenil-poliglicólicos
Lit.: [1] Tenside Deterg. **23**, 163 f. (1986).
allg.: Falbe, Surfactants in Consumer Products, S. 90 f., Berlin: Springer 1987 ■ Tenside Deterg. **21**, 1 f. (1984); **25**, 78 f. 86 f. (1988). – [HS 3402 13]

Alkylphosphate s. Phosphorsäureester.

Alkylpolyglucoside. Gruppe von *nichtionischen Tensiden auf Basis nachwachsender Rohstoffe. A. sind durch sauer katalysierte Reaktion (*Fischer-Reaktion) von *Glucose (od. *Stärke) od. von *n*-Butylglucosiden mit *Fettalkoholen zugänglich.

$$\left[\begin{array}{c} \text{CH}_2\text{OH} \\ \text{O} \\ \text{OH} \\ \text{HO} \quad \text{OH} \end{array} \right]_x \begin{array}{c} \text{CH}_2\text{OH} \\ \text{O} \\ \text{OH} \\ \text{OH} \end{array} \text{O-(CH}_2)_n\text{-CH}_3$$

Dabei entstehen komplexe Gemische aus Alkyl*mono*glucosid (Alkyl-D- u. -D-glucopyranosid sowie geringe Anteile -glucofuranosid), Alkyl*di*glucosiden (-isomaltoside, -maltoside, etc.) u. Alkyl*oligo*glucosiden (-maltotrioside, -tetraoside, etc.). Zur A.-Analytik vgl. [1]. Der durchschnittliche DP (degree of polymerization) kommerzieller Produkte, deren Alkyl-Reste im Bereich C_8–C_{16} liegen, beträgt 1,2–1,5. A. haben ein großes Synergie-Potential [2], sind bes. hautverträglich u. biolog. leicht abbaubar u. werden vorrangig in *Kosmetika [3], *Geschirrspülmitteln [4], flüssigen Reinigern u. *Waschmitteln eingesetzt [5]. A. sind als bisher einzige Tensidgruppe in die niedrige WGK 1 eingestuft. Zu A. liegt ein Life Cycle Inventory (eine *Ökobilanz) als Teil einer *LCA-Studie vor [6]. – E alkyl polyglucosides – F alkylpolyglucosides – I alchilpoliglucosidi – S alquilpoliglucosidos
Lit.: [1] Tenside Surf. Det. **32**, 336 f. (1995); **33**, 16 f. (1996). [2] Tenside Surf. Det. **30**, 116 f. (1993). [3] Seife, Öle, Fette, Wachse **121**, 598 f. (1995). [4] Seife, Öle, Fette, Wachse **121**, 412 f. (1995). [5] Seife, Öle, Fette, Wachse **121**, 682 f. (1995). [6] Tenside Surf. Det. **32**, 193 f. (1995).
allg.: Hill et al., Alkylpolyglucoside, Weinheim: VCH Verlagsges. 1997 ■ Robb, Specialist Surfactants, Glasgow: Blackie Academic & Professional 1996.

Alkylpolyglykolether(sulfate) s. Fettalkoholpolyglykolether(sulfate).

Alkylsulfate. Sammelbez. für die Mono- u. Diester der Schwefelsäure der allg. Formel RO–SO_3H bzw. R^1O–SO_2–OR^2, die als *Sulfate von den *Sulfonaten der allg. Formel R–SO_3M^1 streng zu unterscheiden sind. *Mono*alkylsulfate mit R = C_{11} bis C_{17}-*n*-Alkyl stellen wichtige *Aniontenside dar, die in *Waschmitteln u. Reinigern Eingang finden. A. zeigen ein gutes anwendungstechn. Leistungsprofil u. hohe Umweltverträglichkeit, da aufgrund der „Sollbruchstelle" Esterbindung ein rascher u. vollständiger biolog. Abbau begünstigt wird; zur Herst. vgl. Fettalkoholsulfate. Zu A. liegt ein Life Cycle Inventory (eine *Ökobilanz) als Teil einer *LCA-Studie vor [1].
*Dialkyl*sulfate, wie z. B. Dimethylsulfat [(H_3CO)$_2SO_2$], bei denen beide Protonen der Schwefelsäure durch Alkylgruppen R^1 bzw. R^2 ersetzt sind, dienen in der organ.

Synth. als Alkylierungsreagenzien. – *E* alkyl sulfates – *F* sulfates d'alkyl – *I* alchilsolfati – *S* sulfatos de alquilo
Lit.: [1] Tenside Surf. Det. **32**, 128f. (1995).
allg.: Kosswig u. Stache, Die Tenside, München: Hanser 1993 ▪ Stache, Anionic Surfactants – Organic Chemistry, S. 223–312, New York: Dekker 1996.

Alkylsulfonate s. Alkansulfonate.

Alkynol. Bez. für ölfreie, gesätt. Polyester für industrielle Einbrenngrundierungen, -decklacke sowie *Coil Coating. *B.:* Bayer.

Allanit (Orthit, Cer-*Epidot). $(Ca,Mn,Ce,La,Y,Th)_2(Fe^{2+},Fe^{3+},Ti)(Al,Fe^{3+})_2[O/OH/SiO_4/Si_2O_7]$, je nach vorherrschendem Seltenerd-Element auch als *Allanit-(Ce), Allanit-(Y), Allanit-(La)* spezifiziert; pechschwarze bis bräunliche od. grünliche, fett- bis pechartig glänzende monokline Krist. od. rundlich eingewachsene od. lose Körner; Struktur s. *Lit.*[1]. H. 5,5–6,5, D. 3,3–4,2; Bruch muschelig, Strich graugrünlich. Oft durch radioaktive Selbstbestrahlung infolge der Th- u. U-Gehalte teilw. od. vollständige Zerstörung des Krist.-Gitters (*metamikter* Zustand, vgl. Zirkon); zur Wiederherst. der Krist.-Struktur durch *Tempern s. *Lit.*[2].
Vork.: Als akzessor. Bestandteil bes. in *Graniten u. *Pegmatiten, auch in *Gneisen; z. B. Tittling/Bayer. Wald, Ural, Kanada, Luangwa Bridge/Sambia. *Name* nach dem schott. Mineralogen Allan. – *E* = *F* = *I* allanite – *S* allanita
Lit.: [1] Am. Mineral. **56**, 447–464 (1971). [2] Phys. Chem. Miner. **19**, 343–356 (1993).
allg.: Deer, Howie u. Zussman, Rock-Forming Minerals (2.), Vol. 1 B, Disilicates and Ring Silicates, S. 151–179, Harlow: Longman Scientific & Technical 1986 ▪ Lapis **14**, Nr. 11, 5–9 (1989) ▪ Ramdohr-Strunz, S. 698. – *[CAS 12172-70-2 (A.-Ce); 127030-85-7 (A.-Y)]*

Allantoin (5-Ureidohydantoin).

$C_4H_6N_4O_3$, M_R 158,12. Farblose, in Wasser u Ethanol in der Kälte wenig, in der Hitze leichter lösl. Krist., Schmp. 238 °C (racem. Form). A. ist ein Produkt des Eiweißstoffwechsels, das im Harn der Säugetiere (bes. Raubtiere), in Fliegenmaden u. in vielen Pflanzen (dort Produkt der Ammoniak-Entgiftung) enthalten ist, so z. B. in Roßkastanienrinde, Ahorn, Weizenkeimen, Beinwell, Schwarzwurzeln, Roten Rüben.
Herst.: Durch Oxid. von Harnsäure mit alkal. Permanganat-Lsg., durch Erhitzen von Harnstoff mit Dichloressigsäure od. aus Glyoxylsäure u. Harnstoff. Im Organismus von Säugetieren wird die A.-Synth. aus Harnsäure u. Uraten durch Uricase katalysiert (vgl. dort). A. wirkt keratolyt., epithelisierend u. damit wundheilungsfördernd, es findet Verw. in Hautpflegemitteln, After-shave Produkten, Sonnencremes, Deodorantien usw. – *E* allantoin – *F* allantoïne – *I* allantoina – *S* alantoína
Lit.: Beilstein E V **25/15**, 338 ▪ Janistyn **1**, 57–64 ▪ Kirk-Othmer **21**, 112f., (3.) **12**, 703 ▪ Merck-Index (11.), Nr. 246 ▪ Ullmann (5.) A **12**, 495. – *[HS 2924 29; CAS 97-59-6]*

Alleinarbeitsplatz. Grundsätzlich sind A. zulässig. Das Problem liegt in der Sicherstellung der Ersten Hilfe bei Unfällen od. akuten Erkrankungen. Nach § 27 Arbeitsstätten-VO müssen an A. mit erhöhter Unfallgefahr, die außerhalb der Ruf- od. Sichtweite zu anderen Arbeitsplätzen liegen u. nicht überwacht werden, Einrichtungen vorhanden sein, mit denen im Gefahrfall Hilfspersonen herbeigerufen werden können. Ergänzende Festlegungen zu A. finden sich in ca. 30 Unfallverhütungsvorschriften (UVV) u. verschiedenen VDE-Bestimmungen. – *E* solitary workplace
Lit.: UVV „Allgemeine Vorschriften" (VBG 1) in der Fassung vom 1.4.1992 ▪ UVV „Elektrische Anlagen u. Betriebsmittel" (VBG 4) in der Fassung vom April 1995 ▪ UVV „Hochöfen, Direktreduktionsschachtöfen u. Gichtgasleitungen" (VBG 28) in der Fassung vom 1.4.1991 ▪ UVV „Silos" (VBG 112) in der Fassung vom 1.4.1992 (Bezugsquelle für Unfallverhütungsvorschriften: Carl Heymanns Verl., Köln; Jedermann-Verl., Heidelberg) ▪ VO über Arbeitsstätten (ArbStättV) vom 20.3.1975 (BGBl. I, S. 729), zuletzt geändert durch VO vom 1.8.1983 (BGBl. I, S. 1057).

Allel. Eine von mehreren möglichen Varianten eines *Gens, die ident. Stellen auf *homologen *Chromosomen eines diploiden (vgl. Chromosomen) Organismus besetzen. Bei ident. Information beider A. ist der Organismus in Bezug auf das betreffende Genpaar reinerbig (homozygot), bei unterschiedlicher Information mischerbig (heterozygot). – *E* = *I* allele – *F* alléle – *S* alelo

Allelopathie. Von griech.: allelos = wechselseitig, gegenseitig u. pathe = Einwirkung, evtl. pathos = Leiden, hergeleitet, bezeichnet A. die chem. Einwirkung von Pflanzen auf andere Pflanzen der gleichen *Art od. a. Arten, im weiteren Sinne auch auf Mikroorganismen; gelegentlich generell auch die gegenseitige biochem. Beeinflussung von Lebewesen. A. als Wechselwirkung zwischen Pflanzen äußert sich in der Regel durch Keimungs- od. Wachstumshemmung u. ruft bestimmte Formen der *Bodenmüdigkeit hervor. In natürlichen Pflanzengemeinschaften wird durch allelopath. Substanzen häufig mosaikartiges Wachstum hervorgerufen. In Mitteleuropa scheiden z. B. Ahorn-Arten, Pappeln u. Platanen pflanzenhemmende (phytotox.) Stoffe aus. Flüchtige Terpene u. Phenole sind für vegetationslose Areale unter bestimmten Eukalypten verantwortlich. Bei sog. Altfeldsukzessionen (s. a. Sukzession) kann A. die Ausbildung von *Klimax-Gesellschaften verzögern, s. a. Allelopathika u. Pflanzenwuchsstoffe. – *E* allelopathy – *F* allélopathie – *I* allelopatia – *S* alelopatia
Lit.: Harborne, Ökologische Biochemie, S. 288–313, Heidelberg: Spektrum 1995 ▪ Inderjit et al. (Hrsg.), Allelopathy, ACS Symp. Ser. 582, Washington: ACS 1995 ▪ Odum, Grundlagen der Ökologie (2.), S. 365 ff., Stuttgart: Thieme 1983.

Allelopathika. Allelopath. (*Allelopathie) wirkende Stoffe, soweit hemmend auch als *Phytonzide bezeichnet. Viele A. werden bereits in aktiver Form freigesetzt (unmittelbare Allelopathie) manche jedoch als Vorstufe (mittelbare Allelopathie), z. B. bildet der Walnußbaum, *Juglans regia*, ein Glucosid, 5-Glucosyl-1,4,5-trihydroxynaphthalin, das u. a. aus den Wurzeln ausgeschieden wird u. aus dem erst durch mikrobielle Umwandlung das aktive Allelopathikum, *Juglon (5-

Hydroxy-1,4-naphthochinon), hervorgeht. Viele A. werden in den Blättern gebildet, von wo aus A. mit den Niederschlägen, als Gas od. erst bei der Zers. der Blätter freigesetzt werden. Beisp. für A. vorwiegend mitteleurop. Ursprungspflanzen s. Tabelle.

Tab.: Allelopath. Substanzen u. ihre Herkunftspflanzen.

Allelopath. Substanzen	Vorkommen (Beisp.)
*Arbutin (Glykosyl-hydrochinon)	Birnen (*Pyrus* spec.), Heidekrautgewächse (Ericaceae)
*Gallussäure	Platane (*Platanus occidentalis*)
Gallussäure-Derivate	Buchengewächse (Fagaleae)
*Ethin-Derivate, *Polyine	Korbblütler (Asteraceae), bes. bekannt: Wermut (*Arthemisia absinthium*), Goldrute (*Solidago altissima*)
*Terpene	Koniferen (Pinaceae), Lippenblütler (Lamiaceae), Korbblütler (Asteraceae)
*Cumarine	Doldenblütler (Apiaceae), Korbblütler (Asteraceae), Gräser (Poaceae)

– *E* allelopathic substances – *F* allélopathiques – *I* allelopatici – *S* alepáticos
Lit.: Schlee (2.), S. 237–254.

Allelozyme s. Isoenzyme.

Allen (Propadien). $H_2C=C=CH_2$, C_3H_4, M_R 40,06. Farbloses Gas, das mit rußender Flamme brennt; Schmp. –136,5 °C, Sdp. –34,5 °C, Explosionsgrenzen in Luft 1,7–12 Vol.-%. Das Einatmen des Gases verursacht Reizung der Augen, der Atemwege u. der Atmungsorgane, Aufnahme ist auch über die Haut möglich. In hohen Konz. besitzt A. betäubende Wirkung.
Herst.: Aus 2,3-Dichlorpropen durch Dechlorierung mit Zinkstaub in Ethanol/Wasser, durch Überleiten von Diketen über Cu mit N_2 bei 550 °C. A. kann bei der Krackung von Erdölfraktionen bzw. speziell des Propens u. Isobutens gewonnen werden, jedoch stets im Gemisch mit seinem Isomeren Propin. A. ist der Grundkörper der 1,2-*Diene u. der *Kumulene. Die Reaktionen des A. u. seiner Derivate werden hauptsächlich von seinen *kumulierten Doppelbindungen bestimmt, die auch Cycloadditionen eingehen. Charakterist. ist das Umlagerungsverhalten des A. u. seiner Derivate zu *Alkinen. A. bildet bei therm. Polymerisation *Oligomere, bei hohem Druck polymerisiert es zu kautschukartigen Massen; beim Durchleiten durch ein mit Tonscherben beschicktes Rohr liefert es bei 400–500 °C *Propin u. Polymerisationsprodukte, bei 600 °C Methan, Ethylen, Acetylen, Kohlenstoff u. Wasserstoff. Über opt. Aktivität von A. s. Atropisomerie u. Kumulene. Die A.-Gruppierung wird gelegentlich in der Natur angetroffen, z. B. in Pilzen u. Algen, vgl. a. Kumulene.
Verw.: A. als solches im Gemisch mit Propin als Schweiß- u. Schneidgas, zu organ. Synth., als Ausgangsprodukt für Insektizide. – *E* = *I* allene – *F* allène – *S* aleno
Lit.: Brandsma u. Verkruijsse, Synthesis of Acetylenes, Allenes and Cumulenes, Amsterdam: Elsevier 1981 ▪ Hommel, Nr. 886 ▪ Beilstein E IV **1**, 966 f. ▪ Houben-Weyl **5/2a** ▪ Kirk-Othmer **S**, 547–556 ▪ Landor, The Chemistry of the Allenes, New York: Academic Press 1982 ▪ Ullmann (5.) **A 1**, 140; **A 18**, 180. – [HS 290129; CAS 463-49-0]

Allergene. *Antigene, die von *Immunglobulinen E (IgE) erkannt werden u. zu einer überempfindlichen Immunreaktion (*Allergie) führen. A. quervernetzen IgE-Mol. u. somit indirekt auch deren *Rezeptoren auf basophilen Granulocyten (s. Leukocyten) u. *Mastzellen. Daraufhin kommt es zur Degranulation (gleichzeitige Entleerung sämtlicher als Granula bezeichneter Körnchen aus diesen Zellen), wodurch *Histamin u. andere *Mediatoren freigesetzt werden. Eine Zusammenstellung bekannter A. s. *Lit.*[1]. – *E* allergens – *F* allergènes – *I* allergeni – *S* alérgenos
Lit.: [1] Bull. WHO **72**, 797–806 (1994).

Allergie. Überempfindlichkeit durch verstärkte Reaktionsbereitschaft des körpereigenen Abwehrsyst. nach vorausgegangener *Sensibilisierung, die auf einer *Antigen-Antikörper-Reaktion (AAR) beruht. Die A. unterscheidet sich nur quant. u. durch ihre für den Organismus unerwünschten Reaktionen von der normalen *Immunantwort (s. a. Immunologie). Als Allergen wirkende *Antigene (Fremdprotein, *Haptene) führen durch Sensibilisierung zur Produktion von *Antikörpern. Nach Gell u. Coombs unterscheidet man im wesentlichen vier Formen der Immunantwort. Bei der Typ 1-Reaktion (Anaphylaxie) werden durch das Antigen spezif. Antikörper der IgE-Klasse, die mit ihrem Fc-Teil an die Oberfläche von *Mastzellen gekoppelt sind, aktiviert. Bei der AAR werden aus diesen Zellen Substanzen, u. a. *Histamin, u. Derivate der Arachidonsäure wie *Leukotriene u. *Prostaglandine, die sog. *Mediator-Stoffe, freigesetzt. Durch diese kommt es zum raschen Auftreten von lokalen Symptomen wie z. B. bei der Nesselsucht (Urticaria), dem Heuschnupfen u. dem *Asthma od. einer Allgemeinreaktion des Körpers mit Exanthem od. Kreislaufschwäche bis zum Schock.
Die Typ 2-Reaktion (*cytotox. Reaktion*) ist gekennzeichnet durch die Reaktion von Antikörpern der IgG-Klasse mit Antigenen auf der Oberfläche von Blutzellen (s. a. Blut). Dies führt zum Zelluntergang. Ein Beisp. ist der Verlust von Blutplättchen (*Thrombocyten) bei Anlagerung eines Erreger- od. Drogenantigens (Thrombocytopen. Purpura).
Bei der Typ 3-Reaktion (*Immunkomplex-Reaktion*) kommt es zur Bildung zirkulierender Immunkomplexe aus IgG-Antikörpern u. deren Antigenen. Durch deren Ablagerung an Gefäßwänden entstehen Thrombocyten-Verklumpungen u. eine Entzündung der kleinen Gefäße.
Die Typ 4-Reaktion ist eine zellvermittelte Immunreaktion, die verzögert einsetzt. Bestimmte weiße Blutzellen (T-Lymphocyten) werden durch den Kontakt mit dem Antigen zur Vermehrung angeregt u. führen über die Aktivierung von *Makrophagen zu einer Entzündung. Dieser Typ der Immunreaktion liegt dem Kontaktekzem u. dem *Tuberkulin-Test zugrunde.
Die Behandlung von Allergien setzt an unterschiedlichen Punkten an. Vorbeugend wirken die Vermeidung des Kontaktes mit dem Allergen u. die *Cromoglicinsäure, die die Freisetzung von Mediatoren verhin-

dert. *Antihistaminika blockieren die Wirkung des wichtigen Mediators Histamin. In schweren Fällen kommen Corticosteroide, bei anaphylakt. Schock auch *Adrenalin zur Anwendung. Die Meth. der Hyposensibilisierung soll durch subcutane od. orale Zufuhr des Antigens in langsam ansteigender Dosierung die Empfindlichkeit herabsetzen. – *E* allergy – *F* allergie – *I* allergia – *S* alergia
Lit.: Roitt et al., Kurzes Lehrbuch der Immunologie, S. 268–320, Stuttgart: Thieme 1995.

Allergocrom. Lsg. mit *Cromoglicinsäure-Dinatriumsalz gegen allerg. Bindehautentzündung. *B.:* Ursapharm.

Allergodil®. Nasentropfen u. Filmtabl. mit dem *Antihistaminikum *Azelastin-Hydrochlorid. *B.:* Asta Medica.

Allergopos®. Augentropfen mit *Antazolin-Phosphat u. *Tetryzolin-Hydrochlorid gegen allerg. u.a. Reizzustände der Bindehaut. *B.:* Ursapharm.

Allergospasmin. Dosier-Aerosol mit *Cromoglicinsäure-Dinatriumsalz u. *Reproterol-Hydrochlorid gegen Bronchialspasmen, Atemnot. *B.:* Asta, Medica.

Alleskleber. Allg. gebräuchliche, aber unkorrekte Bez. für *Klebstoffe, mit denen viele (aber nicht alle!) Materialien mit unterschiedlichem Ergebnis verklebt werden können. A. sind wäss. Dispersionen od. Lsg. von Polymeren, z. B. *Cellulosenitrat, *Polyvinylacetat, *Polyacrylate in (alkoholhaltigen) Estern u./od. Ketonen od. Wasser. A. binden ab durch Verdunsten des Löse-/Dispersionsmittels od. dessen Abgabe an das zu verklebende Substrat. – *E* all-purpose adhesives – *F* colles universelles – *I* adesivi universali – *S* pegalotodos, pegamentos universales
Lit.: Ullmann (4.) **14**, 239.

Allesreiniger s. Allzweckreiniger.

Allgemein anerkannte Regeln der Technik (a. a. R. d. T.). Regeln, die bei techn. Produkten, Verf. od. Leistungen einzuhalten sind. Sie müssen in der prakt. Anw. eine Erprobung (Bewährung) erfahren haben. Die a. a. R. d. T. beschreiben das am stärksten gereifte Niveau der technolog. Entwicklung eines Verf., zunehmend weniger etabliert sind Verf. nach dem *Stand der Technik, dem *Stand der Wissenschaft und Technik, u. nach dem Stand der Wissenschaft. Bis auf den letztgenannten Begriff handelt es sich um unbestimmte Rechtsbegriffe, die im Schriftum zum „Kalkar-Urteil" für die Konzessionierung u. Sicherheit von Anlagen allg. eine weitreichende Bedeutung erlangten. Während bis dahin die a. a. R. d. T. in herstellungsbezogenen Regelwerken (z. B. *Gerätesicherheitsgesetz) existierten, wurden sie in der Folgezeit in umweltbezogene Regelwerke (z. B. *Wasserhaushaltsgesetz) aufgenommen u. gegenüber dem *Stand der Technik (z. B. entsprechend der Abbaubarkeit u. Giftigkeit von Abwasser-Inhaltsstoffen) abgegrenzt. Im Entwurf zur 6. Novelle des Wasserhaushaltsgesetzes ist vorgesehen, auch die kommunalen Abwässer nach dem Stand der Technik – und nicht wie bisher nach den a. a. R. d. T. – zu behandeln. – *E* generally accepted technical conventions – *F* règlements généraux de technique – *I* regole generali riconosciute di

tecnica – *S* reglamentos generales reconocidos de la técnica
Lit.: Acta hydrochim. hydrobiol. **23**, 303 (1995) ▪ BVerfG, Beschluß vom 8.8.1978 – 2. BvL 877 NJW 1979, S. 353–364 ▪ BVerfG, Entscheidungssammlung, 49, S. 89–147 ▪ Himmelmann et al., Handbuch des Umweltrechts, E 2.1, München: Beck 1994 ▪ Wasserhaushaltsgesetz – WHG vom 23.9.1986 (BGBl. I, S. 1529, ber. S. 1654).

Allgemeine Chemie. Bes. im engl. Sprachgebiet übliche Bez. für den Lehrstoff, der in einführenden Übersichtsvorlesungen od. in Lehrbüchern dem Studienanfänger der Chemie vermittelt wird. Durch das Adjektiv „allgemein" soll ausgedrückt werden, daß wissenschaftliche Grundlagen vermittelt werden, ferner die chem. Fachsprache dargestellt wird u. die in der Chemie üblichen, naturwissenschaftlichen Arbeits- u. Meßmeth. behandelt werden. Es werden die allen Teilgebieten der *Chemie gemeinsamen Grundlagen wie Atomaufbau, chem. Bindungslehre, dynam. Gleichgew., Kinetik, Säure-Base-Theorie usw. behandelt. Die Stoffchemie, wie sie in den traditionellen Fachrichtungen der anorgan. u. organ. Chemie erörtert wird, fällt nicht unter diesen Begriff. Unter A. C. versteht man die gesamte, nicht spezialisierte Chemie, mit der jedes chem. Spezialgebiet nach sachlichen Gesichtspunkten den Zusammenhang zu wahren hat. In Zeitschriftentiteln drückt A. C. entweder aus, daß Arbeiten aus dem Gesamtbereich der Chemie aufgenommen werden (*Beisp.:* Zhurnal Obshchei Khimii = Zeitschrift für A. C.), od. daß die an u. für sich auf ein bestimmtes Teilgebiet der Chemie beschränkte Zeitschrift auch Arbeiten aus Grenzgebieten u. solche von allg. chem. Interesse bringt. (*Beisp.:* Zeitschrift für Anorgan. u. Allg. Chemie). – *E* general chemistry – *F* chimie générale – *I* chimica generale – *S* química general

Allgemeines Zoll- u. Handelsabkommen s. GATT.

Allgewürz s. Piment.

Allicin (2-Propen-1-thiosulfinsäure-*S*-2-propenylester).

$$H_2C\diagdown\diagup S\diagdown S\diagup\diagdown CH_2$$
$$\underset{O}{\overset{\|}{}}$$

$C_6H_{10}OS_2$, M_R 162,26, Flüssigkeit, D_4^{20} 1,112, n_D^{20} 1,561, d^{20} 1,11, in Wasser mäßig lösl., mischbar mit Ethanol u. Ether. Inhaltsstoff von Knoblauch (*Allium sativum*), Bärlauch (*A. ursinum*) u. Zwiebeln (*A. cepa*), verursacht den typ. Geruch u. Geschmack von Knoblauch. A. ist leicht giftig u. reizend. LD_{50} (Maus, i.v.) 60 mg/kg; LD_{50} (Maus, s.c.) 120 mg/kg.
Wirkung: A. wirkt antibakteriell[1], antifung.[2], antiviral[3], greift durch Hemmung der Acetyl-CoA-Synthase (ACS)[4] u. der 5-Lipoxygenase[5] in die Biosynth. von Fettsäuren u. Cholesterin[6] ein u. inhibiert die Plättchenaggregation im Blut[7]. A. entsteht durch enzymat. Abbau durch die Alliin-Lyase (EC 4.4.1.4) aus *Alliin.
Verw.: A. ist Bestandteil von Knoblauchpräp., deren pharmakolog. Wirksamkeit jedoch nicht immer gesichert ist[8]. – *E* allicin – *F* allicine – *I* allicina – *S* allicín
Lit.: [1] J. Am. Chem. Soc. **108**, 7045–7055 (1986). [2] Phytother. Res. **5**, 154–158 (1991). [3] Planta Med. **58**, 417–423 (1992). [4] FEBS Lett. **261**, 106–108 (1990). [5] Planta Med. **58**, 1–7

(1992). [6]Lipids **28**, 613–619 (1993); Atherosclerosis **94**, 79–85 (1992). [7]Thromb. Res. **65**, 141–156 (1992). [8]Dtsch. Apoth. Ztg. **130**, 2469–2474 (1990).
allg.: ACS Symp. Ser **534** (1993) (Human Medicinal Agents from Plants), 306–330 (Review) ▪ Beilstein E IV **4**, 7 ▪ Dtsch. Apoth. Ztg. **130**, 1800 (1990). – *Metabolismus:* Planta Med. **58**, 301 (1992). – *Synth.:* J. Am. Chem. Soc. **108**, 7045–7055 (1986) ▪ J. Org. Chem. **59**, 3227 (1994) ▪ Planta Med. **56**, 202–211 (1990) ▪ Sulfur Lett. **15**, 253–262 (1993). – *Toxikologie:* Sax (8.), Nr. AFS 250. – *Pharmakologie:* Int. J. Pharmacogn. **31**, 169–174 (1993). – *[CAS 539-86-6]*

Allihnkühler s. Kühler.

Alliin [3-(S)-2-Propenylsulfinyl)-L-alanin, S-Allyl-L-cystein-(S)-sulfoxic)].

$C_6H_{11}NO_3S$, M_R 177,22, Nadeln, Schmp. 163 °C (Zers.), $[\alpha]_D^{21}$ +67,7° (c 2/Wasser), lösl. in Wasser, unlösl. in organ. Lösemitteln. A. ist Inhaltsstoff von Knoblauch (*Allium sativum*) u. Zwiebeln (*A. cepa*), biogenet. Vorläufer des *Allicins, jedoch im Gegensatz zu diesem geruchlos u. besitzt andere pharmakolog. Eigenschaften.
Wirkung: A. wirkt als Radikalfänger[1], zeigt im Tierversuch antidiabet. Eigenschaften[2] u. inhibiert *in vitro* die mikrosomale Cytochrom-P450-Reduktase[3]. – *E* alliin – *F* alliine – *I* alliina – *S* allíin
Lit.: [1]Res. Commun. Chem. Pathol. Pharmacol. **74**, 249–252 (1991). [2]Indian J. Exp. Biol. **30**, 523–526 (1992). [3]Arzneim.-Forsch. **42**, 136–139 (1992).
allg.: Agric. Biol. Chem. **54**, 1077 ff. (1990) ▪ Beilstein E IV **4**, 3147 ▪ BioScience, Biotechnol., Biochem. **58**, 108 ff. (1994) ▪ Food Chem. **47**, 289–294 (1993) ▪ J. Agric. Food Chem. **42**, 146–153 (1994) ▪ Phytochem. **33**, 107–111 (1993) (Biosynth.). – *[CAS 556-27-4]*

Allo... (griech.: allos = anderer). Vorsilbe bei organ. Verb., die eine bestimmte Verb. von zwei nahe verwandten Isomeren kennzeichnen soll; wird beispielsweise bei Diastereomeren (Alloisoleucin), bei *cis-trans*-Stereoisomeren (Allozimtsäure) sowie bei Doppelbindungsisomeren (Alloocimen) verwendet. Bei den *Kohlenhydraten kennzeichnet *allo...* ein bestimmtes Isomeres, bei den *Cycliten einen bestimmten *Inosit. – *E* = *F* = *I* allo... – *S* alo...

Allobarbital.

Internat. Freiname für *5,5-Diallylbarbitursäure; $C_{10}H_{12}N_2O_3$, M_R 208,22; Schmp. 171–173 °C; LD_{50} (Ratte i.p.) 127,3 mg/kg. Es wurde 1912 als Hypnoticum u. Sedativum von Ciba patentiert u. ist in der Anlage III C der Btm-VO gelistet. – *E* = *F* allobarbital – *I* allobarbitale (allobarbiturico) – *S* alobarbital
Lit.: Hager (5.) **7**, 117 ▪ Pharm. Ztg. **137**, 1736 (1992) – *[HS 293351; CAS 52-43-7]*

Allochromasie (griech.: allos = anderer u. chroma = Farbe). A. liegt vor, wenn in einer *Kristallstruktur nicht färbende Ionen durch färbende partiell ersetzt sind. Der Strich (Verreibung auf unglasiertem Porzellan) ist häufig nicht od. nur schwach gefärbt; Gegensatz: *Idiochromasie.
Beisp.: *Korund ist idiochromat. farblos, in den allochrom. Formen aber durch Oxide von Fe, V u. Ti blau (*Saphir) od. durch Cr_2O_3 rot (*Rubin). Partieller Ersatz von Al^{3+} durch Cr^{3+} in *Beryll führt hingegen zu einer grünen Färbung (*Smaragd); s. a. Aluminiumoxide. – *E* allochromasy – *F* allochromasie – *I* allochromasia – *S* alocromasia
Lit.: Ramdohr-Strunz, S. 248.

Allochrotonsäure s. Butensäure.

Allochthon s. allothigen.

Allo comp ratio®. Tabl. mit *Allopurinol u. *Benzbromaron gegen *Hyperurikämie u. *Gicht. *B.:* ratiopharm.

Alloferin®. Ampullen mit *Alcuroniumchlorid als Muskelrelaxans. *B.:* Hoffmann-La Roche.

Alloisoleucin s. Isoleucin.

Alloisomerie. Veraltete, von A. Michael (1886) eingeführte Bez. für *cis-trans*-Isomerie.

Allokatalyse. Veraltete Bez. für die heterogene *Katalyse.

Allomaron®. Filmtabl. mit *Allopurinol u. *Benzbromaron gegen Hyperurikämie u. Gicht. *B.:* Rhone Poulenc Rorer.

Allomerie. Bez. für eine Übereinstimmung in der Kristallform chem. verschieden zusammengesetzter Verbindungen. – *E* allomerism – *F* allomérie – *I* allomeria – *S* alomerismo

Allomone. Von griech.: allos = ein anderer, in Zusammensetzungen: anders, fremd u. hormàn = antreiben hergeleitete Bez. für meist niedermol. (Signal-)Stoffe (Ökomone, s. Pheromone), die zwischen verschiedenen Organismen-Arten (interspezif., s. a. Art) wirken (u. – A. im engeren Sinn – für den Produzenten einen Vorteil bieten), z. B. *Repellentien, *Attraktantien, *Suppressantien wie *Antibiotika u. *Allelopathika, *Toxine u. Induktoren. A. können u. a. bei der Veränderung des Verhaltens od. physiolog. Reaktionen anderer Arten antagonist. (z. B. alle Warn-, Wehr- u. Abwehrsekrete u. die der Verteidigung u./od. dem Angriff dienenden Gifte) od. mutualist. wirken (für Sender u. Empfänger von Vorteil sind z. B. Blütendüfte, Nektar u. alle Duftstoffe, die Symbiosepartner zueinander führen). Im Gegensatz zu A. wirken *Pheromone zwischen Individuen derselben Art. – *E* allomones – *F* allomone – *I* allomoni – *S* alomonas
Lit.: Schlee (2.), S. 228–237.

Allomorphie s. Modifikationen.

Allopathie. Bez. für die Heilmeth. der Schulmedizin, die – im Gegensatz zur Homöopathie – mit Therapeutika behandelt, deren Wirkung den Krankheiten entgegengerichtet ist. – *E* allopathy – *F* allopathie – *I* allopatia – *S* alopatía

Allopatrie. Bez. für das geograph. getrennte Vork. von Populationen od. Arten (Gegenteil von Sympatrie). Die geograph. Trennung von Populationen kann – da ein Austausch von Erbfaktoren nicht länger möglich ist – beim Auftreten von *Mutationen eine allmähliche Auseinanderentwicklung bedingen, die im Extremfall bis zur Entstehung einer neuen Art führt. – *E* allopatry – *F* allopatrie – *I* allopatria – *S* alopatría

Allophanate. $H_2N-CO-NH-COOR$, Trivialname für Carbamoylcarbamate, Ester der in freiem Zustand nicht bekannten *Allophansäure. Die hochschmelzenden A. werden gelegentlich zur Charakterisierung organ. Hydroxy-Verb. herangezogen. *Biuret ist das Amid der Allophansäure. – *E* = *F* allophanates – *I* allofanati – *S* alofanatos
Lit.: Beilstein E IV 3, 127–131 ▪ Chem. Rev. **51**, 471–504 (1952) (Herst. u. Eigenschaften).

Allophane. Bez. für zu den *Tonmineralien gehörende, mit *Kaolinit verwandte, wasserreiche, früher als amorph angesehene, sek. *Aluminiumsilicate mit einem Si/Al-Molverhältnis von 0,5–1,0. Die A. bestehen aus winzigen Hohlkugeln mit 3–5 nm äußerem Durchmesser. Der häufig mit A. vergesellschaftete *Imogolit*, etwa $(SiO_2)_{1,0-1,2} Al_2O_3(H_2O)_{2,3-3,0}$, besteht aus feinsten Röhrchen mit 2 nm äußerem Durchmesser, die stets Faserbündel bilden. Reiner A. ist derb in verschiedenen Formen mit z. T. opalartigem Aussehen, farblos od. verschieden gefärbt; Bruch muschelig, spröde; H. 3, D. 1,9. Häufig sind A. durch Kalk, Alkalien u. Eisenhydroxid verunreinigt.
Vork.: A. entstehen v. a. bei der *Verwitterung vulkan. Gläser. Sie sind wichtige Bestandteile toniger u. lehmiger Böden. Eine feuerfeste Spezialschamotte aus A.-Ton wird als *Allophanit* bezeichnet. – *E* = *F* allophanes – *I* allofani – *S* alofanas
Lit.: Heim, Tone u. Tonminerale. S. 45 f., 58, 96, 98, Stuttgart: Enke 1990 ▪ Jasmund u. Lagaly (Hrsg.), Tonminerale u. Tone, S. 66 f., 214 f., 232 f., 244 f., Darmstadt: Steinkopff 1993 ▪ Ramdohr-Strunz, S. 760 f. ▪ Scheffer u. Schachtschabel, Lehrbuch der Bodenkunde (13.), S. 34 f., 91, 93, 447, Stuttgart: Enke 1992. – [CAS 12172-71-3]

Allophanit s. Allophane.

Allophansäure (Carbamoylcarbamidsäure, Ureidoameisensäure). $H_2N-CO-NH-COOH$, $C_2H_4N_2O_3$, M_R 104,07. In freiem Zustand nicht beständige Verb., deren Salze leicht zu CO_2, Harnstoff u. den Carbonaten hydrolysieren; s. a. Allophanate. – *E* allophanic acid – *F* acide allophanique – *I* acido allofanico – *S* ácido alofánico

Allopolarisierungs-Prinzip. Von Gomper u. Wagner geprägte Bez., um Selektivitäten bei Reaktionen ambidenter *(ambifunktioneller)* Anionen vorhersagen zu können. Nach dem A.-P. läßt sich der Einfluß von Substituenten auf kinet. kontrollierte Reaktionen vorhersagen: die Änderung der Selektivität ist eine Funktion der Änderung der *Polarität der ambifunktionellen Anionen. So reagieren 1-substituierte Allyl-Anionen mit Elektrophilen in der 3-Position od. 1-Position je nachdem, ob der Substituent ein Donor od. *Akzeptor ist.

$$R_2N-\overset{1}{CH}-\overset{2}{CH}-\overset{3}{CH_2} \xrightarrow{+E^+} R_2N-CH=CH-CH_2-E$$

$$R-\underset{O}{\overset{\|}{C}}-CH-CH-CH_2 \xrightarrow{+E^+} R-\underset{O}{\overset{\|}{C}}-CH-CH=CH_2$$

– *E* allopolarization principe – *F* principe d'allopolarisation – *I* principio d'allopolarizzazione – *S* principio de alopolarización
Lit.: Angew. Chem. **88**, 389–401 (1976).

Allopurinol.

Internat. Freinamen für 1H-Pyrazolo[3,4-d]pyrimidin-4-ol, $C_5H_4N_4O$, M_R 136,11, Schmp. >350 °C, eine mit *Hypoxanthin isomere Verb., die als *Xanthinoxidase-Hemmstoff der vermehrten Harnsäurebildung (Hyperurikämie) bei *Gicht-Kranken entgegenwirkt. Es wurde als Urikostatikum 1959 von Ciba patentiert (weitere Patente bei Henning, Berlin u. Wellcome Found) u. ist generikafähig. – *E* = *F* allopurinol – *I* allopurinolo – *S* alopurinol
Lit.: ASP ▪ DAB 10 ▪ Florey 7, 1–17 ▪ Hager (5.) 7, 118 ff. – [HS 293359; CAS 315-30-0]

Allosamidin.

(−)-Allosamidin

$C_{25}H_{42}N_4O_{14}$, M_R 622,63, Aminoglykosid-Antibiotikum aus *Streptomyces* spec., potenter Inhibitor von Chitinasen aus Insekten u. Pilzen. A. ist ein Pseudotrisaccharid, das als Leitstruktur für potentielle Insektizide synthet. Bearbeitung findet. Pulver, $[\alpha]_D^{20}$ −24,8° (c 0,5/0,1 m Essigsäure). – *E* allosamidin – *F* allosamidine – *I* allosamidina – *S* alosamidina
Lit.: Agric. Biol. Chem. **51**, 471 (1987) ▪ J. Antibiot. **40**, 295 (1987) ▪ Helv. Chim. Acta **75**, 1515 (1992) ▪ J. Chem. Soc., Chem. Commun. **1991**, 1099 ▪ J. Chem. Soc., Perkin Trans. 1 **1994**, 3411–3421 ▪ Tetrahedron Lett. **27**, 2475 (1986); **33**, 7565 (1992). – [HS 294190; CAS 103782-08-7]

Allosterie. Bes. Art u. Weise, wie niedermol. Substanzen in die *Regulation biochem. Reaktionsketten eingreifen, wenn sie als *Effektoren hemmend od. fördernd auf die Aktivität eines *Enzyms einwirken: Dadurch, daß ein Enzym-Mol. an einer von der Bindungsstelle des Substrats räumlich entfernten Stelle eine Kopplung mit einem Effektor eingeht, wird über Bewegungen des Enzyms die räumliche Anordnung (*Konformation) im aktiven Zentrum reversibel so abgewandelt, daß sich die Substrat-Bindung od. -Umsatzgeschw. ändert. Im Gegensatz dazu liegt *Orthosterie* vor, wenn sich die Bindungsstellen des Effektors u. Substrats ganz od. teilw. überlappen. Alle bisher bekannten alloster. Enzyme bestehen aus mehreren Untereinheiten u. besitzen mehrere Bindungsstellen für Substrate u. Effektoren, die im allg. so weit voneinander entfernt sind, daß direkte Substrat-Effektor-Wechselwirkungen ausgeschlossen sind. Auch *Rezeptoren, Transportproteine (Bsp. *Hämoglobin) u. dgl. zeigen alloster. Effekte. Die Bez. A. geht auf

Allothigen

*Monod zurück[1] – *E* allosterism – *F* allostérie – *I* allosteria – *S* alosterismo
Lit.: [1] J. Mol. Biol. **6**, 306–329 (1963).
allg.: Herve, Allosteric Enzymes, Boca Raton: CRC 1989.

Allothigen (allochthon). Von griech.: allóthi = anderswo u. -genés = entstanden hergeleitete Bez. für Stoffe, die außerhalb des betrachteten Organismus od. Gesteins entstanden sind. Gegensatz: authigen. – *E* allothigenic – *F* allothigène, allochtone – *I* alloctono – *S* alotígeno

Allothreonin s. Threonin.

Allotriomorphie (Xenomorphie). Von griech.: allotrios = fremdartig abgeleitete Bez. für die Erscheinung, daß Minerale in erstarrenden Gesteinen an der Ausbildung der für sie typ. Krist.-Gestalt (Gegensatz Idiomorphie) gehindert werden u. eine untyp., von der Umgebung abhängige Kristallform annehmen. – *E* allotriomorphism – *F* alotriomorphie – *I* allotriomorfia – *S* alotriomorfismo
Lit.: Ramdohr-Strunz, S. 192.

Allotropie s. Modifikationen.

Alloxan (Pyrimidintetron).

$C_4H_2N_2O_4$, M_R 142,07. A. kristallisiert wasserfrei in dunkelgelben Krist. u. schmilzt bei 256 °C (Zers.); es löst sich (mit saurer Reaktion) leicht in Wasser, Alkoholen, Aceton, nicht aber in Ether. A. bildet ein Tetrahydrat, das 3 Mol. Wasser leicht abgibt (trocknen im Exsiccator), während das letzte Mol. sehr fest in 5-Stellung [als A.-Monohydrat (Schmp. 170 °C) od. 5,5-Dihydroxybarbitursäure] gebunden bleibt. A. ist das Oxidationsprodukt von *Harnsäure bzw. *Alloxantin u. Zwischenprodukt der *Murexid-Reaktion.
Verw.: Zu chem. Synth., Ernährungsexperimenten, z. B. zur Erzeugung eines A.-Diabetes in Versuchstieren, wobei die Insulin-erzeugenden Zellen des *Pankreas durch A. zerstört werden[1]. – *E* alloxan – *F* alloxane – *I* allossano – *S* aloxana
Lit.: [1] Schmidt, Der Alloxandiabetes, Leipzig: Barth 1967.
allg.: Beilstein E V **24/5**, 382 ▪ Kirk-Othmer **21**, 113 ▪ Ullmann (4.) **19**, 620; (5.) **A 22**, 2 ▪ Weissberger **16**, 260–262. – *[HS 2924 29; CAS 2244-11-3]*

Alloxantin (Uroxin, 5,5'-Dihydroxy-5,5'-bipyrimidinhexon).

$C_8H_6N_4O_8$, M_R 286,15. Farblose Krist., die sich an der Luft langsam röter, Gelbfärbung ab 225 °C, bei 253–255 °C Zers., in kaltem Wasser (unter saurer Reaktion), Ethanol u. Ether wenig löslich. A. kann als Pinakol-artiges Dihydro-Dimeres des *Alloxans aufgefaßt werden; es gibt mit Ammoniak-Lsg. die *Murexid-Reaktion. A. ruft ähnlich wie *Alloxan Diabetes hervor. – *E* alloxatin – *F* alloxantine – *I* allossantina – *S* aloxantina

Lit.: Beilstein E V **26/15**, 150 ▪ Kirk-Othmer **21**, 113 ▪ Merck Index (11.), Nr. 282 ▪ Weissberger **16**, 262. – *[HS 2924 29]*

Alloxazin (1*H*-Benzo[*g*]pteridin-2,4-dion).

$C_{10}H_6N_4O_2$, M_R 214,18, graugrünes Pulver, zersetzt sich oberhalb 300 °C. In Wasser u. Ether ist es nicht, in Ethanol sehr wenig, dagegen in wäss. Alkali leicht lösl., kann aus *o*-Phenylendiaminhydrochlorid u. *Alloxan hergestellt werden. Ein Isomeres des A. ist *Isoalloxazin, bei dem ein H-Atom statt an N_1 an N_{10} steht u. die C,N-Doppelbindung sich dafür zu N_1 hin erstreckt. Isoalloxazin ist der Grundkörper der *Flavine. Über NMR-Untersuchungen an A. u. Iso-A. s. *Lit.*[1]. – *E* = *F* alloxazine – *I* allossazina – *S* aloxazina
Lit.: [1] Helv. Chim. Acta **60**, 348–379 (1977).
allg.: Beilstein E V **26/14**, 268 ▪ Heterocycl. Compd. **9**, 118–223 (1967) ▪ Russ. Chem. Rev. **32**, 290–307 (1963); **41**, 574–591 (1972). – *[HS 2933 90; CAS 490-59-5]*

Allozimtsäure s. Zimtsäure.

Allplas-Schwimmkugeln®. *Polypropylen-Kugeln als *Abdeckmittel für Flüssig-Oberflächen, isolieren gegen Temp.-Änderungen u. verringern Verdunstung u. Geruchsbelästigung. *B.:* Ritter-Chemie.

Allura Red [C.I. Food Red 17; 6-Hydroxy-5-(2-methoxy-5-methyl-4-sulfophenylazo)-2-naphthalinsulfonsäure, Dinatrium-Salz].

Orangeroter Azo-Farbstoff $C_{18}H_{14}N_2Na_2O_8S_2$, M_R 496,42 (rotes Pulver, lösl. in Wasser), der in den USA zum Färben von Lebensmitteln eingesetzt wird u. dort unter der Bez. FD & C Red No. 40 zugelassen ist. Zusammen mit *Tartrazin u. Sunset Yellow gehört A. R. zu den in den USA meist verwendeten Lebensmittelfarbstoffen. – *E* allura red – *F* rouge d'Allura – *I* rosso allura – *S* rojo de allura
Lit.: Blaue Liste, S. 121 ▪ Zollinger, Color Chemistry, S. 428, 2. Aufl., Weinheim: VCH Verlagsges. 1991. – *[CAS 25956-17-6]*

Alluvium s. Erdzeitalter.

Allvoran®. Tabl., Suppositorien u. Ampullen mit *Diclofenac-Natriumsalz gegen rheumat. u. nichtrheumat. Entzündungen. *B.:* TAD Pharmazeut. Werk GmbH.

Allyl... Bez. für die Atomgruppierung –CH$_2$–CH=CH$_2$ in systemat. Namen (IUPAC-Regel A-3.5). Der Name wurde von Wertheim 1844 geprägt u. ist von Allium (Knoblauch) hergeleitet. In Kurzz. von Polymeren kann Allyl... durch A abgekürzt sein; *Beisp.:* Diallylphthalat (DAP). Ähnlich wie die verwandten *Vinyl-Verb. neigen auch viele A.-Verb. zur Polymerisation (s. Allylharze) u. zu Additionsreaktionen an der Doppelbindung, vgl. die folgenden Stichwörter. Eine herausragende Bedeutung hat bei A.-Verb. die sog. *Allyl-Stellung* (s. das *Beisp.* bei Allyl-Umlagerung), die bei chem., v. a. radikal. Reaktionen bevorzugt angegriffen wird, z. B. bei der Bromierung mit *N*-Bromsuccinimid (Wohl-*Ziegler-Reaktion) od. bei der Acetoxylierung durch *Treibs-Reaktion. Eine interessante Reaktion zeigen A.-Verb. bei der *En-Synthese. Zu Reaktionen, die über A.-Kationen verlaufen, s. *Lit.*[1]. Über A.-Radikale s. *Lit.*[2]. – *E* = *F* allyl... – *I* allil... – *S* alil...

Lit.: [1] Angew. Chem. **85**, 877–894 (1973). [2] Angew. Chemie. **86**, 132 (1974).

allg.: Kirk-Othmer (3.) **2**, 97–129 ▪ McKetta **2**, 452–465 ▪ Schildknecht, Allyl Compounds and Their Polymers (High Polymers 28), New York: Wiley 1973 ▪ Snell-Hilton **5**, 75–109 ▪ Ullmann (4.) **7**, 243–249.

Allylalkohol (2-Propen-1-ol).
$H_2C=CH-CH_2-OH$, C_3H_6O, M_R 58,08. Farblose, klare Flüssigkeit mit stechendem, senfartigem Geruch, D. 0,852, Schmp. –50°C, Sdp. 97°C, FP. 21°C c. c., Explosionsgrenzen in Luft 2,5–18 Vol.-%. A. ist sehr giftig, Kontakt mit der Flüssigkeit bewirkt starke Reizung der Haut u. der Augen; Flüssigkeit u. Dämpfe werden schnell über die Haut aufgenommen; MAK-Wert 2 ppm, LD_{50} (Ratte oral) 64 mg/kg, wassergefährdende Flüssigkeit, WGK 2. A. vermischt sich vollständig mit Wasser u. bildet auch bei starker Verdünnung ein noch giftiges Gemisch; in fast allen organ. Lsm. löslich.
Vork.: Im Knoblauchöl (*Allium sativum*).
Herst.: Im Laboratorium durch Erhitzen von Glycerin mit Ameisensäure; techn. durch alkal. Hydrolyse von Allylchlorid od. katalyt. Isomerisierung von Propylenoxid od. aus Acrolein durch Hydrieren an MgO/ZnO-Katalysatoren od. durch Hydrolyse von Allylacetat.
Verw.: A. wird hauptsächlich zur Herst. von Glycerin eingesetzt, zur Herst. von polymerisierbaren Estern, z. B. Diallylphthalat; Vorprodukt für die Herst. von Pharmazeutika u. Riechstoffen, zur Synth. von 1,4-Butandiol, zur Synth. von Epichlorhydrin, als Schädlingsbekämpfungsmittel. – *E* allyl alcohol – *F* alcool allylique – *I* allilalcool – *S* alcohol alílico
Lit.: Beilstein E IV **1**, 2079–2083 ▪ Hommel, Nr. 23 ▪ Kirk-Othmer (4.) **2**, 144–153 ▪ Ullmann **3**, 315 f.; (4.) **7**, 219, 243 f., **12**, 599; (5.) **A 1**, 431 ▪ Weissermel-Arpe (4.), S. 322 ff. – *[CAS 107-18-6; G 6.1]*

Allylamin (3-Aminopropen).
$H_2C=CH-CH_2-NH_2$, C_3H_7N, M_R 57,10. Farblose Flüssigkeit mit stechendem, Ammoniak-ähnlichem Geruch. D. 0,76, Schmp. –88°C, Sdp. 53°C, FP. –29°C c. c., Explosionsgrenzen in Luft 2,2–22 Vol.-%. Die Dämpfe reizen stark die Augen u. die Atemwege, Kontakt mit der Flüssigkeit führt zu Verätzung der Augen u. der Haut, LD_{50} (Ratte oral) 102 mg/kg. Wassergefährdende Flüssigkeit, WGK 2, vollständig mischbar mit Wasser, Alkohol, Chloroform, Ether. A. kann aus Allylchlorid u. NH_3 hergestellt werden u. findet Verw. in organ. Synth. sowie zur Herst. von Quecksilber-haltigen Diuretika. – *E* = *F* allylamine – *I* allilammina – *S* alilamina
Lit.: Beilstein E IV **4**, 1057 ▪ Giftliste ▪ Hommel, Nr. 222 ▪ Ullmann **3**, 86, 322; (4.) **7**, 246 ff.; (5.) **A 1**, 439. – *[HS 2921 19; CAS 107-11-9; G 3]*

Allylbromid (3-Brompropen). $H_2C=CH-CH_2-Br$, C_3H_5Br, M_R 120,98. Farblose, widerlich riechende Flüssigkeit, D. 1,398, Schmp. –119°C, Sdp. 71°C, FP. –1°C c. c., Explosionsgrenzen in Luft 4,3–7,3 Vol.-%. A. reizt stark Augen u. Atemwege, bei längerer Einwirkung Lungenödem möglich; die Flüssigkeit wird auch über die Haut aufgenommen. A. ist wenig lösl. in Wasser, mischbar mit Alkohol, Chloroform, Ether, Schwefelkohlenstoff, Tetrachlormethan, kann aus Bromwasserstoffsäure u. Allylalkohol hergestellt werden.
Verw.: Zu organ. Synth., Einführung der Allyl-Gruppe in synthet. Riechstoffe, Arzneimittel, quartäre Ammonium-Verb.; Zwischenprodukt bei der Herst. von Parfums, Kunststoffen usw. – *E* allyl bromide – *F* bromure d'allyle – *I* allilbromuro – *S* bromuro de alilo
Lit.: Beilstein E IV **1**, 754 ff. ▪ Hommel, Nr. 681 ▪ Kirk-Othmer (4.) **4**, 572 ▪ Ullmann (4.) **8**, 700; (5.) **A 4**, 413. – *[HS 2903 30; CAS 106-95-6; G 3]*

Allylchlorid (3-Chlorpropen).
$H_2C=CH_2-CH_2-Cl$, C_3H_5Cl, M_R 76,53. Farblose, stechend riechende Flüssigkeit, D. 0,938, Schmp. –136°C, Sdp. 45°C, FP. –31°C c. c., Explosionsgrenzen in Luft 2,9–11,2 Vol.-%. Dämpfe u. Flüssigkeit reizen stark Augen, Haut u. Atemwege, hohe Inhalationstoxizität, MAK-Wert 1 ppm, LD_{50} (Ratte oral) 700 mg/kg. A. gilt als Stoff mit begründetem Verdacht auf krebserzeugendes Potential (Gruppe III B, MAK-Werte-Liste 1995). Wassergefährdende Flüssigkeit, WGK 2, in Wasser wenig, in Alkohol löslich.
Herst.: Großtechn. wird A. durch Heißchlorierung von Propylen hergestellt (Shell); weitere Verf. sind die Dehydrochlorierung von 1,2-Dichlorpropan u. die Oxychlorierung von Propen.
Verw.: A. wird hauptsächlich zur Herst. von Epichlorhydrin (weltweit mehr als 90% des Allylchlorids), Allylalkohol u. Allylamin verwendet. A. ist Zwischenprodukt bei der Herst. von Allyl-substituierten Farbstoffen, Pharmazeutika, Insektiziden usw.; zur Synth. von Allylestern, die als Grundstoffe in der Kunststoff-Ind. Verw. finden. – *E* allyl chloride – *F* chlorure d'allyle – *I* allilcloruro – *S* cloruro de alilo
Lit.: Beilstein E IV **1**, 738 ff. ▪ Hommel, Nr. 24 ▪ Kirk-Othmer (4.) **2**, 154 ff. ▪ Rippen ▪ Ullmann **3**, 323 f.; (4.) **9**, 466 ff.; (5.) **A 1**, 425 ▪ Weissermel-Arpe (4.), S. 319 ff. – *[HS 2903 29; CAS 107-05-1; G 3]*

Allylestrenol.

Internat. Freinamen für das *Gestagen 17α-Allylestr-4-en-17β-ol, $C_{21}H_{32}O$, M_R 300,48, Schmp. 79,5–80°C. Es wurde 1960 als Gestagen von Organon (Gestanon®) patentiert, heute außer Handel. – *E* allylestrenol – *F* allylestrénol – *I* allilestrenolo – *S* alilestrenol
Lit.: Hager (5.) **7**, 122. – *[HS 2937 92; CAS 432-60-0]*

Allylharze. Zu *Duroplasten aushärtbare synthet. Harze aus Allylestern von Di- u. Polycarbonsäuren, insbes. aus Diallyldiglykolcarbonaten u. Diallylestern

Allylisothiocyanat

der *Phthalsäuren. A. werden u. a. verwendet zur Herst. von opt. Materialien od. als *Gießharze u. Einbettungsmassen für elektr. Artikel. – *E* allyl resins – *F* résines allyliques – *I* resine alliliche – *S* resinas alílicas
Lit.: Encycl. Polym. Sci. Eng. **4**, 779–811 ▪ Encycl. Polym. Sci. Technol. **1**, 750–807 ▪ Kirk-Othmer **1**, 916–928; (3.) **2**, 109–129.

Allylisothiocyanat (Allylsenföl). $H_2C{-}CH{-}CH_2{-}NCS$, C_4H_5NS, M_R 99,15. Farblose od. gelbliche Flüssigkeit von sehr scharfem, zu Tränen reizendem Geruch, schwer lösl. in Wasser, leicht lösl. in Alkohol, Ether, Benzol, D. 1,006, Schmp. –80 °C, Sdp. 148–154 °C, wassergefährdende Flüssigkeit, WGK 2 (Selbsteinst.). A. ist empfindlich gegen Licht, Luft, Wärme, Schwermetalle; es zersetzt sich nach längerem Stehen unter Bildung einer orangeroten Substanz.
Vork.: In den Samen des Schwarzen *Senfs u. a. Cruciferae als Glucosid *Sinigrin* ($C_{10}H_{16}KNO_9S_2 \cdot H_2O$, Schmp. 127 °C, Zers.); dieses wird durch die im Senfsamen vorhandene Thioglucosidase in A., Glucose u. Kaliumhydrogensulfat hydrolysiert. A. kann aus Allyliodid u. Kaliumthiocyanat hergestellt werden. Auf der Haut ruft A. als typ. Vertreter der *Senföle Röte, Blutansammlung u. stechende, brennende Schmerzen hervor, dringt rasch in die tieferen Hautschichten ein u. verursacht dort Entzündungen, Blasen u. oft eiternde, schwer heilende Geschwüre.
Verw.: Als (mutagenes) Insektengift, zur Synth. von Geruchsstoffen u. Kampfgasen. Der aus A. hergestellte 2-(Hydroxyethyl)-allylthioharnstoff dient zur Herst. lichtempfindlicher Papiere. – *E* allyl isothiocyanate – *F* isocyanate d'allyle – *I* allilisotiocianato – *S* isocianato de alilo
Lit.: Beilstein E IV **4**, 1081 ▪ Chem. Unserer Zeit **12**, 182 (1978) ▪ Hommel, Nr. 921 ▪ Ullmann **17**, 340; (4.) **23**, 155 f.; (5.) **A 14**, 311; **A 11**, 154, 510. – *[CAS 57-06-7; G 6.1]*

Allylmetall-Verbindungen s. π-Allyl-Übergangsmetall-Verbindungen.

Allyloxy... Bez. für die Atomgruppierung $-O-CH_2-CH{=}CH_2$ in systemat. Namen (IUPAC-Regel C-205.1) von *Allylethern*. Diese lassen sich mit Pd/C spalten. Zur Isomerisierung von Allylarylethern s. Claisen-Umlagerung. – *E* = *F* allyloxy… – *I* allilossi… – *S* aliloxi…
Lit.: Angew. Chem. **88**, 578 f. (1976).

Allylpropyldisulfid s. Zwiebel.

Allylsenföl s. Allylisothiocyanat.

Allylthioharnstoff (Thiosinamin). $H_2C{=}CH-CH_2-NH-CS-NH_2$; $C_4H_8N_2S$, M_R 116,18. Farblose Krist. von bitterem Geschmack, schwach knoblauchartig riechend, D. 1,22, Schmp. 78 °C, LD_{50} (Ratte oral) 200 mg/kg, wassergefährdender Stoff, WGK 1, in Ethanol gut, in Wasser u. Ether wenig u. in Benzol nicht löslich. A. wurde früher zur Erweichung von Narbengewebe verwendet; es kann aus Allylisothiocyanat u. NH_3 hergestellt werden. – *E* allyl thiourea – *F* allylthio-urée – *I* alliltiourea – *S* aliltiourea
Lit.: Beilstein E IV **4**, 1072 ▪ Merck Index (11.), Nr. 9293 ▪ Ullmann **13**, 347; (4.) **23**, 170. – *[HS 293090; CAS 109-57-9; G 6.1]*

π-Allyl-Übergangsmetall-Verbindungen. Bez. für eine Gruppe von *metallorganischen Verbindungen, in denen *Übergangsmetalle koordinativ an Allyl-Reste gebunden sind.
Herst.: Verläuft meist über die Grignard-Verb. der entsprechenden Allylhalogenide; *Beisp.:*

$$2\,H_2C{=}CH{-}CH_2{-}MgBr \xrightarrow[-2\,MgBr_2]{+\,NiBr_2}$$

$$(H_2C\dddot{-}CH\dddot{-}CH_2)Ni(H_2C\dddot{-}CH\dddot{-}CH_2)$$

Im entstehenden Bis[η^3-(2-propenyl)]-nickel [früher Bis(π-allyl)-nickel genannt], ist das Zentralatom formal nullwertig. Die A.-Ü.-V., die bes. durch die Arbeiten von *Wilke zugänglich geworden sind, entflammen an der Luft u. hydrolysieren leicht zu den entsprechenden Olefinen. Ni, Zn, Pd, Pt bilden meist stark gefärbte A.-Ü.-V. mit je 2, dagegen Fe, Co, Cr, V mit je 3 u. Mo, W, Zr, Th mit je 4 Allyl-Resten (Propylen). Als ungesätt. Komponenten der A.-Ü.-V. kommen auch cycl. Olefine, Diene etc., als Metallkomponenten auch deren Halogenide sowie Übergangsmetall-*Carbonylkomplexe in Frage. Die Allyl-Metall-Verb. sind wirksame Katalysatoren für die Oligomerisation z. B. von Butadien, das in einer *Verdrängungsreaktion* an Bis[η^3-(2-propenyl)]-nickel zu *1,5,9-Cyclododecatrien trimerisiert; die Allyl-Gruppen werden als 1,5-Hexadien abgestoßen. Andere A.-Ü.-V. vermögen ähnlich wie *Ziegler-Natta-Katalysatoren Ethylen zu *Polyethylen zu polymerisieren. – *E* π-allyl transition metal compounds – *F* complexes π alliliques des métaux de transition – *I* composti π-allilmetallici di transizione – *S* complejos (o compuestos) π-alílicos de los metales de transición
Lit.: Hartley u. Patai (Hrsg.), The Chemistry of the Metalcarbon bond, 4 Bd., New York: Wiley 1982–1987 ▪ Jolly u. Wilke, The Organic Chemistry of Nickel, Bd. 1, S. 329–401, New York: Academic Press 1974 ▪ Seyferth, New Applications of Organometallic Reagents in Organic Synthesis, S. 329–359, Amsterdam: Elsevier 1976 ▪ Thayer, Organometallic Chemistry, Weinheim: VCH Verlagsges. 1988 ▪ s. a. Metallorganische Verbindungen, Übergangsmetalle.

Allyl-Umlagerung. Den Wechsel von Funktionalität von einem Ende eines Allyl-Syst. zum anderen unter gleichzeitiger Verschiebung einer Doppelbindung bezeichnet man als Allyl-Umlagerung.

$$\underset{X}{\overset{}{\diagdown}C}-\overset{}{C}{=}\overset{}{C}\diagup \longrightarrow \diagdown\overset{}{C}{=}\overset{}{C}-\underset{Y}{\overset{}{C}\diagup}$$

Sind X u. Y gleich, so ist die A. *degeneriert*, anderenfalls u. bei unsymmetr. Allyl-Syst. stellt sich ein mehr od. weniger ausgeprägtes Gleichgew. zwischen Umlagerung u. Nichtumlagerung ein, dessen Lage von vielen Faktoren abhängt u. nicht einfach vorhergesagt werden kann.
A. beobachtet man bei der nucleophilen Substitution von Allylalkoholen u. -halogeniden, bei der Umsetzung von Metall-organ. Allyl-Verb. mit Elektrophilen, bei [2,3]- u. [3,3]-*sigmatropen Umlagerungen wie bei der *Wittig-, *Stevens-, *Sommelet-, *Meisenheimer-, *Büchi-, *Mislow-, *Cope- u. *Claisen-Umlagerung. – *E* allylic rearrangement – *F* réarrangement allylique – *I* riordinamento allilico – *S* transposición alílica

Abb.: Allyl-Umlagerungen.

Lit.: Houben-Weyl **5/1b**, 905–912 ▪ Trost-Fleming **6**, 829–871.

Allzweck-Kautschuk. Oberbegriff für universal verwendbare *Kautschuke. Die A.-K. bilden mit ca. 80% der Produktionskapazitäten für synthet. Kautschuk neben den sog. Spezial-Kautschuken die zweite Untergruppe der Dien-Kautschuke. Zu den A.-K. werden die Styrol-Butadien-Kautschuke (SBR), Butadien-Kautschuke (BR), synthet. Isopren-Kautschuke (IR) u. Ethylen-Propylen(-nicht-konjugiertes-Dien)-Kautschuke (EPR, EPDM) gezählt. – *E* all purpose rubber – *F* caoutchouc universel – *I* cauccù universale – *S* caucho de uso general
Lit.: Elias **2**, 477 ff.

Allzweckreiniger (Allesreiniger, Universalreiniger). Universell verwendbare *Reinigungsmittel für alle harten, naß od. feucht abwischbaren Oberflächen im Haushalt u. Gewerbe. A. sind überwiegend neutral bis schwach alkal. Flüssigprodukte mit 4–10% *Tensiden, 0–5% *Builder (Citrate, Gluconate, Soda, Polycarboxylate), 0–10% Hydrotrope (Alkohole, Harnstoff, *Cumol-Sulfonate, *Xylolsulfonate), 0–10% wasserlösl. Lsm. (Alkohole, Glykolether) sowie wahlweise Hautschutzmittel, Farb- u. Duftstoffe.
Verw.: Als ca. 1%ige Lsg. in Wasser, zur lokalen Fleckentfernung auch unverd.; daneben sind gebrauchsfertige A. als sog. Sprühreiniger im Handel. A. in Pulverform besitzen nur geringe Marktbedeutung. – *E* all purpose cleaner – *F* nettoyant toutes surfaces – *I* detersivo universale – *S* detergentes universales

Almag®. Tabl. u. Suspension mit den *Antacida Aluminiumhydroxid u. Magnesiumtrisilicat. *B.:* ct-Arzneimittel.

Almandin s. Granate.

Almitrin.

Internat. Freiname für das gegen Sauerstoff-Mangel im Blut (vgl. Hypoxie) wirksame N,N'-Diallyl-6-{4-[bis-(4-fluorphenyl)-methyl]-1-piperazinyl}-1,3,5-triazin-2,4-diamin, $C_{26}H_{29}F_2N_7$, M_R 477,56, Schmp. 181 °C, LD_{50} (Maus i.v.) 210, (Maus i.p.) 390, (Maus oral) >2000 mg/kg. Es wurde 1970 von Science Union patentiert u. ist von Itherapia (Vectarion®) im Handel. – *E* = *F* almitrine – *I* = *S* almitrina
Lit.: ASP ▪ Hager (5.) **7**, 123 ff. – *[HS 293369; CAS 27469-53-0]*

Alnovol®. Phenol-Formaldehyd-Harze vom *Novolak-Typ, lösl. in Alkoholen, Estern, Ketonen, Glykol-Derivaten. *B.:* Hoechst.

Aloe. Eingedickter Saft der Blätter von *Aloe*-Arten (Liliaceae), hauptsächlich von *A. barbadensis* (Curaçao-A.) u. *A. ferox* (Kap-A.); enthält neben Harzen, *Emodin, ether. Ölen u. dgl., 15–40% *Aloin, ein bitter schmeckendes, gelbliches *Anthron-Derivat ($C_{21}H_{22}O_9$, M_R 418,40, Schmp. 148–149 °C), das ebenso wie A. selbst als *Abführmittel in der Bevölkerung sehr beliebt ist. Die Wirkung setzt schon nach einigen Stunden ein; sie kommt durch Darmschleimhaut-Reizung zustande. Außerdem sind in A. das *α-Pyron-Derivat *Aloenin* ($C_{19}H_{22}O_{10}$, Schmp. 204–205 °C, opt. aktiv), die *Aloesaponole I–IV* (Anthracenon-Derivate) u. das Chromanon-Derivat *Aloesin* ($C_{19}H_{22}O_9$) enthalten. Zur Gehaltsbestimmung von A. s. *Lit.*[1]. – *E* = *I* aloe – *F* aloès – *S* áloe

Lit.: [1] DAB **10** u. Komm.

allg.: Dtsch. Apoth. Zg. **133**, 2793 (1993) (Aufbereitungsmonographie) ▪ Hager (5.), **4**, 209 ff. ▪ Pharm. Unserer Zeit **13**, 172–176 (1984) ▪ Wichtl (2.), S. 50 ff. – *[HS 1302 19]*

ALOE VERAGEL®. Marke für Pflanzenextrakte der Aloe-Vera-Pflanze mit feuchtigkeitsspendenden Eigenschaften. *B.:* Nordmann, Rassmann GmbH & Co.

Aloxicoll. Marke für Antiperspirant-Wirkstoffe, z. B. Aluminiumchlorohydrat.

Alpaka. 1. Bez. für die in den Hochsteppen der Anden in großen Herden halbwild gehaltene Haustierform (*Lama guanicoë pacos*) des Guanako. Schafgroß, Lieferant feiner, langhaariger Wolle; Kurzz. Ap. – 2. Veraltete Bez. (auch *Alpakka*) für oberflächlich versilbertes *Neusilber. – *E* = *I* = *S* alpaca – *F* alpaga (alpaca)

Alpex®. Lackrohstoff aus Benzin-lösl. Cyclokautschuk für chemikalien-, korrosions- u. temperaturbeständige Schutzlacke; mit Pigmenten verarbeitbar, niedrigviskosere Typen bes. für Buch- u. Offsetdruckfarben. *B.:* Vianova Resins GmbH.

Alpha-Cypermethrin (Alphamethrin). Common name für das Racemat (*SR*)-Cyan-3-phenoxybenzyl-(1*RS-cis*)-3-(2,2-dichlorvinyl)-2,2-dimethylcyclopropancarboxylat.

1R-cis-S

$C_{22}H_{19}Cl_2NO_3$, M_R 416,30, Schmp. 81 °C, LD_{50} (Ratte oral) 79 mg/kg, von Shell 1983 eingeführtes, breit wirksames nicht-system. *Insektizid gegen saugende u. beißende Insekten in vielen Kulturen u. gegen Hygieneschädlinge. – *E* alpha-cypermethrin – *F* alpha-cyperméthrine – *I* alfa-cipermetrina – *S* alfa-cipermetrin
Lit.: Farm ▪ Perkow ▪ Pesticide Manual. – *[CAS 67375-30-8]*

Alpha-Depressan®. Kapseln mit dem *Antihypertonikum *Urapidil. *B.:* OPW.

Alphakinase. Durchstechflaschen mit Trockensubstanz der *Urokinase zur Auflösung von Thromben. *B.:* Alpha Therapeutic GmbH.

Alphamethrin s. Alpha-Cypermethrin.

Alpha-Rezeptoren s. Adrenozeptoren.

Alpha-Strahlen. Partikelstrahl, bestehend aus *Alpha-Teilchen, s. a. Radioaktivität.

Alpha-Teilchen. Bez. für schnell fliegende Helium-Kerne (bestehend aus zwei *Protonen u. zwei *Neutronen) die u. a. beim *Alpha-Zerfall entstehen. A.-T. haben eine hohe Bindungsenergie u. sind daher sehr stabil. Sie besitzen mit Materie einen großen *Wirkungsquerschnitt u. somit in Materie nur eine kurze Reichweite (in Luft wenige cm, in Festkörpern oft nur µm); d. h. durch *Abschirmung kann man sich leicht vor ihnen schützen. Ist allerdings alphastrahlendes Material im Körper aufgenommen, ist die Strahlung hochschädigend, denn sie ionisiert die unmittelbare Umgebung. Diese Tatsache wird durch die Definition der *Äquivalentdosis berücksichtigt. – *E* alpha particle – *F* particles alpha – *I* particelle alfa – *S* partículas alfa

Alpha-Zerfall. Bez. für die bei schweren Kernen (Ordnungszahl Z ≥83) auftretende spontane Aussendung von *Alpha-Teilchen (s. Radioaktivität), wobei sich für den Atomkern die Kernladungszahl um zwei u. die Massenzahl um vier vermindert. Im Gegensatz zum *Beta-Zerfall findet beim A.-Z. keine Umwandlung von *Elementarteilchen statt, sondern ein im Kernpotential gebundenes α-Teilchen verläßt den Kern, indem es durch die Potentialbarriere tunnelt (*Tunneleffekt). Da das Alpha-Teilchen im an den Atomkern gebundenen Zustand nur diskrete Energien annehmen konnte, besitzt das emittierte Alpha-Teilchen auch nur diskrete kinet. Energie; durch Ausmessen dieser Energien kann die Art des strahlenden Materials bestimmt werden. Der Zusammenhang zwischen der HWZ eines Alpha-Strahlers u. der Energie der emittierten A.-Teilchen wird durch das *Geiger-Nutall'sche Gesetz beschrieben. – *E* alpha decay – *F* désintégration alpha – *I* decadimento alfa – *S* desintegración alfa
Lit.: Petzold u. Krieger, Strahlenphysik, Dosimetrie u. Strahlenschutz, Stuttgart: Teubner 1988.

Alpicort®-N. Lsg. mit *Prednisolon u. *Salicylsäure gegen Haarausfall u. Psoriasis am Kopf; A.-F-Neu-Suspension enthält zusätzlich Estradiolbenzoat u. dient gegen androgenet. bedingten Haarausfall. *B.:* Wolff/Bielefeld.

Alpina®. Wand-, Decken- u. Fassadenfarbe, Lacke. *B.:* Caparol.

Alpinaweiß®. Innenfarbe, waschbeständig nach DIN 53778; Lsm.-frei, Bindemittel-Basis ist eine Kunstharz-Dispersion. *B.:* Caparol.

ALPINE-BORAMINE™. Marke von ALDRICH für (*R*)-TMED · 2 IPCBH$_2$ [(*R*)-*N*,*N*′-Bis-(mono-isopinocampheylboran)-*N*,*N*,*N*′,*N*′-tetramethylethylendiamin].

ALPINE-BORANE™. Marke von ALDRICH für B-3-Pinanyl-9-BBN. *R*- u. *S*-A.-B. werden als chirale Reduktionsmittel zur Herst. von 1-Deuterioaldehyden u. α,β-Acetylketonen verwandt.

ALPINE-HYDRIDE™. Marke von ALDRICH für Li(HB-IPC-9-BBN) {Lithium-B-isopinocampheyl-9-borabicyclo[3.3.1]nonylhydrid}. Chirales α-Pinen-Derivat zur Darst. von Ketonen.

Alpine (Zerr-)Klüfte s. Gänge.

Alpolit®. Ungesätt. Polyesterharze für verstärkte duroplast. Formteile, Gießharz- u. Spachtelmassen. *B.*: Vianova Resins GmbH.

Alprazolam.

Internat. Freiname für 8-Chlor-1-methyl-6-phenyl-4H-1,2,4-triazolo[4,3-a][1,4]benzodiazepin, $C_{17}H_{13}ClN_4$, M_R 308,77; Schmp. 228–228,5 °C, LD_{50} (Maus, Ratte oral) 1020, <2000, (Maus, Ratte i.p.) 540, 610 mg/kg. Es wurde 1970 als Tranquilizer von Upjohn (Tafil®) patentiert, ist außerdem vom Arzneimittelwerk Dresden (Cassadan®) u. Upjohn (Xanax®) im Handel u. in Anlage III C der Btm.-VO aufgelistet. – *E* = *F* = *S* alprazolam
Lit.: ASP ▪ Hager (5.) **7**, 130. – *[HS 2933 90; CAS 125229-61-0]*

Alprenolol.

Internat. Freiname für 1-(2-Allylphenoxy)-3-(isopropylamino)-2-propanol, $C_{15}H_{23}NO_2$, M_R 249,35; verwendet wird das Hydrochlorid, Schmp. 107–109 °C, LD_{50} 278, 597, 337,3 (Maus, Ratte, Kaninchen oral) mg/kg. Es wurde 1969 als Beta-Blocker von AB Hässle patentiert u. ist von Astra (Aptin® Duriles) im Handel. – *E* = *S* alprenolol – *F* alprénolol – *I* alprenololo
Lit.: ASP ▪ Hager (5.) **7**, 131f. – *[HS 2922 50; CAS 13707-88-5 (Hydrochlorid)]*

Alprostadil.

Internat. Freiname für das durchblutungsfördernde *Prostaglandin E$_1$, $C_{20}H_{34}O_5$, M_R 354,49, Schmp. 115–116 °C. Es ist von Schwarz Pharma (Prostavasin®) u. Upjohn (Minprog®) im Handel. – *E* = *F* alprostadil – *I* alprostadile – *S* alprostadil
Lit.: Hager (5.) **7**, 117. – *[HS 2918 90; CAS 745-65-3]*

Alraunwurzel s. Mandragora.

Alresat®. *Maleinatharze für helle u. lichtbeständige Öl-, Nitro- u. Kombinationslacke. Auch Acrylsäure-Dien-Addukte sind als A.-Typen im Handel. *B.*: Vianova Resins GmbH.

Alresen®. Kunstharz-Typen unterschiedlichen Aufbaus u. für verschiedene Verw.-Zwecke, z. B. Alkyl-*Phenolharze für Holzöllacke, für Polychloropren-Kleber; *Terpenphenolharze für Klebebänder, medizin. Pflaster, Klebrigmacher für Kautschuk; Phenol-*Kolophonium-Addukharze für Polychloropren-Kleber. *B.*: Vianova Resins GmbH.

ALS s. Arbeitskreis lebensmittelchemischer Sachverständiger.

Alsystin®. Insektizider Wachstumsregulator auf Basis *Triflumuron. *B.*: Bayer.

Altanlage. A. im Sinne der *TA Luft sind Anlagen, für die am 1.3.86 (Inkrafttreten der TA Luft-Novelle) eine Genehmigung, ein Vorbescheid od. eine Teilgenehmigung erteilt war. Die TA Luft enthält detaillierte Fristen, sowohl für die Behörden zum Erlaß nachträglicher Anordnungen, als auch für die Anlagenbetreiber zur Erfüllung der angeordneten Maßnahmen. Dabei gilt der Grundsatz: Je größer das einem Schadstoff innewohnende Risikopotential ist, desto strenger sind die techn. Anforderungen u. desto kürzer sind die Sanierungsfristen. In den neuen Bundesländern gelten die Sanierungsfristen ab 1.7.91.
Zu A. im Sinne der Großfeuerungsanlagen-Verordnung s. dort. – *E* antiquated plant – *F* vieille installation – *I* vecchio impianto – *S* instalaciones
Lit.: Neue Z. für Verwaltungsrecht **1991**, 316ff.

Altbatterie. Unter A. versteht man verbrauchte *Batterien aus dem Betrieb von elektron. Kleingeräten, Kraftfahrzeugen, Elektrofahrzeugen u. Notstromaggregaten. Von bes. Umweltrelevanz sind v. a. die sog. *Gerätebatterien*. Unter diesem Begriff werden alle gasdichten u. auslaufsicheren Kleinbatterien zusammengefaßt, die den netzunabhängigen Betrieb von Kleingeräten ermöglichen. Zu unterscheiden ist hierbei zwischen nichtaufladbaren Primärbatterien (z. B. Zink-Kohle- u. Alkali-Mangan-Batterien) u. aufladbaren Sekundärbatterien (z. B. Nickel-Cadmium-*Akkumulatoren).
Die „Vereinbarung über die Entsorgung von Altbatterien" von 1988 zwischen Batterieherstellern u. Händlern enthält neben der Selbstverpflichtung der Hersteller, Schadstoff-ärmere bzw. Schadstoff-freie Batterien zu produzieren, u. a. die Verpflichtung des Einzelhandels, Schadstoff-haltige, d. h. Blei-, Cadmium-, Nickel- oder Quecksilber-haltige, Batterien zu kennzeichnen (Recyclingpfeile) u. nach Gebrauch zurückzunehmen. Für diese A. existieren Verwertungswege (Rückgewinnung der Schwermetalle). Mit Ausnahme der Starter- u. Blei-Industriebatterien, die fast vollständig in Blei-Sekundärhütten verwertet werden, wird trotz des Rücknahmeangebots ein Großteil der Schadstoff-haltigen A. noch über den *Hausmüll entsorgt u. trägt deutlich zu dessen Schwermetall-Belastung bei. Den Hauptteil der gebrauchten Gerätebatterien (>90%) stellen die nicht kennzeichnungspflichtigen Batterien, v. a. Zink-Kohle- u. Alkali-Manganbatterien mit weniger als 0,1% Quecksilber bzw. völlig ohne Quecksilber. Diese A. sind ebenso wie die Schadstoff-haltigen A. als bes. überwachungsbedürftige Abfälle (s. Sonderabfall) zu entsorgen, werden derzeit jedoch vorwiegend über den Hausmüll entsorgt. Verf. zur Aufarbeitung dieser A. sind zwar in der Entwicklung, eine wirtschaftliche Aufarbeitung ist z. Z. jedoch noch nicht möglich. – *E* used accumulator – *F* batterie déchargée – *I* batteria vecchia – *S* bateria descargada
Lit.: Müll u. Abfall **26**, Nr. 10, 647–654 (1994) ▪ Sekundär-Rohstoffe **12**, Nr. 9, 307ff. (1995).

Altene D 6® u. D 8®. Sonderstabilisiertes Trichlorethylen für die Leichtmetall-Entfettung. *B.:* Elf Atochem.

Altern. 1. Bei Werkstoffen etc. spricht man von *Alterung. – 2. Aus biolog. Sicht ist A. jede nicht reversible Veränderung im Bereich der Lebensvorgänge bei Pflanzen, Tieren u. Menschen als Funktion der Zeit. *Seneszenz,* gelegentlich synonym verwendet, sollte nur der Periode degenerativer Veränderungen u. funktioneller Verluste in höherem Lebensalter vorbehalten bleiben. Erscheinungsformen des A. sind z. B. Wasserverarmung, reduzierter *Stoffwechsel, fehlerhafte *Mineralisation, Elastizitätsverluste bei Geweben, Ablagerung von Stoffwechselschlacken wie Calcium, Cholesterin u. Harnsäure im Gewebe etc.
Eine Vielzahl von Befunden führte im wesentlichen zu zwei unterschiedlichen Konzepten der *Theorien des A.:* a) Der Alterungsprozeß als ein genet. fixiertes Programm (genet. Programmtheorie u. Abnützungstheorie); – b) A. als zunehmende u. schließlich nicht mehr korrigierbare Entgleisung des Stoffwechsels (Katastrophentheorie, dazu Mutationstheorie u. Theorie der Autoimmunität). A. gilt heute als ein hochgradig komplexer, multikausaler Vorgang, wobei die verschiedenen Organismen wohl nicht den gleichen Alterungs-Prozessen unterliegen. Mit den Ursachen von A. befaßt sich die *Gerontologie.* *Geriatrika werden in der *Geriatrie eingesetzt. – *E* ageing (GB), aging (USA) – *F* vieillissement – *I* invecchiare – *S* envejecimiento
Lit.: Platt, Biologie des Alterns, Stuttgart: UTB 1976 ■ Prinzinger, Das Geheimnis des Alterns: die programmierte Lebenszeit bei Mensch, Tier u. Pflanze, Frankfurt/Main: Campus 1996 ■ Schmidt u. Thews, Physiologie des Menschen, Berlin: Springer 1995.

Alternierende Copolymere. A. C. sind eine Gruppe von *Copolymeren, deren Mol. 2 Arten von Monomeren A u. B in streng alternierender Folge $(AB)_n$ enthalten, so daß sie formal als Homopolymere einer neuen Monomereinheit AB aufgefaßt werden können. A. C. entstehen z. B. dann, wenn die copolymerisierenden Monomeren *Charge-Transfer-Komplexe bilden (s. Q-e-Schema). Die Tendenz zur Bildung von a. C. ist u. a. stark ausgeprägt bei der Copolymerisation von *Maleinsäureanhydrid mit Monomeren wie Methylvinylether, Ethylen od. Styrol, deren Produkte z. T. auch techn. Bedeutung erlangt haben. A. C. entstehen u. a. bei der Copolymerisation von Schwefeldioxid mit Olefinen od. Vinyl-Verb. bzw. der von Olefinen in Ggw. bestimmter *Ziegler-Natta-Katalysatoren. – *E* alternating copolymers – *F* copolymères alternants – *I* copolomeri alternanti – *S* copolímeros alternantes
Lit.: Elias **1**, 311 ■ Encycl. Polym. Sci. Eng. **4**, 233–261 ■ Encycl. Polym. Sci. Technol. Bd. **15**, S. 137–161.

Alternierende Copolymerisation. *Polymerisation, bei der *alternierende Copolymere gebildet werden.

Alternierende Kohlenwasserstoffe.

Die π-Elektronensyst. von konjugierten, ungesätt. Kohlenwasserstoffen lassen sich in *alternierende* u. *nichtalternierende* einteilen. In a. K. sind jeweils C-Atome der einen Sorte (in den Beisp. formal durch einen Kreis gekennzeichnet) solchen der anderen Sorte (*) so benachbart, daß nur Bindungen zwischen ungleichartigen Atomen auftreten (*Alternanz*); in nicht-a. K. treffen gleichartige Sorten von Atomen aufeinander. Die a. K. können dabei offenkettig od. cycl. (z. B. *Naphthalin*), verzweigt od. unverzweigt, geradzahlig od. ungeradzahlig sein, während nicht-a. K. stets ungeradzahlige Ringe enthalten (z. B. *Azulen*). Die quantenchem. Konsequenzen der Einteilung in a. K. u. nicht-a. K. betreffen die Berechnung von Bindungsstärken, Anregungsenergien etc. sowie Voraussagen über die chem. Reaktivität mit Hilfe der HMO-Meth. (s. HMO-Theorie) od. Spektreninterpretationen[1]. – *E* alternating hydrocarbons – *F* hydrocarbures alternants – *I* idrocarburi alternanti – *S* hidrocarburos alternados
Lit.: [1] Chem. Unserer Zeit **12**, 1–11 (1978).
allg.: Angew. Chem. **77**, 1097–1109 (1965) ■ Heilbronner u. Bock, Das HMO-Modell u. seine Anwendung, Bd. 1, S. 120–131, Bd. 2, S. 97–106, Weinheim: Verl. Chemie 1968, 1970.

Altersbestimmung. Zur Bestimmung des Alters von geolog. Ereignissen (*Geochronologie), *Mineralien, *Fossilien (*Paläobiochemie), Skulpturen etc. (Archäologie), Gemälden (*Kunstwerkprüfung) u. zum Studium der Klimageschichte der Erde[1] bedient man sich meist physikal. Verf., die auf dem radioaktiven Zerfall bestimmter Elemente beruhen. Die bekannteste dieser Meth. ist die *Radiokohlenstoff-Datierung, deren Ergebnisse jedoch mit denen anderer A.-Meth. verglichen werden müssen[2]. Daneben spielen noch die *Kalium-Argon-Methode, die *Rubidium-Strontium-Datierung, die *Blei-Methode, die *Tritium-Methode, die *Helium-Methode, die Rhenium-Osmium-Meth.[3] u. die sog. *Kernspaltspuren-Meth. eine Rolle. Andere A.-Verf. bedienen sich der *Thermolumineszenz[4], der *Racemisierungs-Erscheinungen bei Aminosäuren, der Magnetfeldumpolungen[5] od. der Jahresringfolge im Holz (*Dendrochronologie). Zum Meth.-Vgl. s. Lit.[6]. – *E* dating – *F* datation – *I* determinazione dell'età – *S* datación
Lit.: [1] Naturwissenschaften **63**, 16–22 (1976). [2] Naturwissenschaften **62**, 482f. (1975); Nature (London) **270**, 25 (1977). [3] Chem. Labor Betr. **27**, 405 (1976). [4] Naturwissenschaften **58**, 333–338 (1971); **59**, 145–151 (1972); New Sci. **61**, 808 (1974). [5] Umschau **75**, 512 (1975). [6] Naturwiss. Rundsch. **24**, 4–12 (1971); Chem. Labor Betr. **28**, 339–348 (1977).

Alterung. Unter dem – im techn. Bereich gegenüber *Altern bevorzugten – Begriff A. versteht man die Veränderung der physikal. u. chem. Eigenschaften eines Stoffes beim Lagern od. Gebrauch. Diese können auf natürlichem Wege (z. B. durch die Einwirkung der normalen Außentemp.) eintreten, lassen sich aber auch künstlich (z. B. durch erhöhte Temp.) erzeugen. Ihre Ursache können Ausscheidungsvorgänge (z. B. bei Metallen) od. Veränderungen der Mol.- od. Kristallstruktur sein. Unlegierte Stähle altern hauptsächlich durch die Ausscheidung ihrer metall. Verunreinigungen in Form von Oxiden od. Nitriden. Alterungsempfindliche Stähle werden durch die Alterung bes. anfällig für Spannungsrißkorrosion u. interkrist. Korrosion. Durch die Ausscheidung kann in manchen Fällen eine Verbesserung von bestimmten Eigenschaften, z. B. der Härte (durch die sog. Ausscheidungshärtung) erreicht werden [vgl. DIN 17014 (08/1988)]. Kunststoffe u. Elastomere erfahren durch die Einwirkung von Licht, Wärme, Sauerstoff, Feuchtigkeit u. energiereicher Strahlung chem. Veränderungen, z. B. einen *Abbau od. eine Umlagerung der Makromoleküle. Bei der A. des *Kautschuks treten u. a. Vernetzungen u. Cyclisierungen (bewirken Verhärtung u. Abnahme der Löslichkeit in Benzol) sowie Mol.-Kettenbrüche (vermindern Viskosität) auf. Zur Verhinderung der A. werden hier geeignete *Stabilisatoren eingesetzt, in der Regel Kombinationen von *Antioxidantien u. *Radikalfängern (vgl. auch Alterungsschutzmittel). Bei der A. photograph. Filme werden Empfindlichkeit, Gradation, Schleierbildung u. die mechan. Eigenschaften des Schichtträgers ungünstig beeinflußt [vgl. DIN 15 556 (04/1986)]. Bei der A. der *Gele (z. B. von Kieselsäure u. Aluminiumoxidaquat) erfolgt vielfach die Umgruppierung der im Koagulat zunächst regellos gelagerten Mol. unter Aufbau eines mehr od. weniger regelmäßigen od. vollständigen Kristallgitters. Ähnlich stellt man sich auch die A. von *Niederschlägen vor; deshalb vermag sich z. B. gealtertes, rotes Eisenhydroxid nicht mehr kolloidal zu lösen, u. gealtertes Mangandioxid zersetzt H_2O_2 langsamer als das frische Präparat; vgl. auch Kolloidchemie. Von A. spricht man auch beim *Wein, bei *Parfüms, *Mineralölen, *Textilien (vgl. Textilprüfung) u. v. a. Stoffen, s. a. Werkstoffprüfung. – *E* ageing (GB), aging (USA) – *F* vieillissement – *I* invecchiamento – *S* envejecimiento

Lit.: DIN 53 578 (12/1988) ▪ DIN 53 387 (12/1987) ▪ DIN 50 035 Tl. 1 (03/1972) u. Tl. 2 (12/1987) ▪ Dtsch. Lebensm.-Rundsch. **78**, 49 ff. (1982) ▪ Encycl. Polym. Sci. Eng. **1**, 595 – 611 ▪ Strujk, Physical Aging in Amorphous Polymers and Other Material, Amsterdam: Elsevier 1978 ▪ Ullmann (5.) **A 21**, 1 ff. ▪ Wöbcken, Natürliche u. künstliche Alterung von Kunststoffen (2 Tl.), München: Hanser 1976.

Alterungsschutzmittel. Zusätze für einer *Alterung unterliegende Stoffe (z. B. *Kautschuk, *Kunststoffe od. *Mineralöle), die Schädigungen der Materialien durch längerfristige Einwirkung von Sauerstoff, Ozon, Temp., Feuchtigkeit od. Schwermetallen verzögern od. inhibieren. Die A. wirken dabei meist als *Radikal-Fänger. Je nach ihrer Funktion werden A., die auch als *Stabilisatoren bezeichnet werden, eingeteilt in *Antioxidantien, *Antiozonantien, *Lichtschutzmittel etc. – *E* aging inhibitors – *F* protecteurs de vieillissement – *I* antinvecchianti – *S* protectores del envejecimiento

Lit.: s. Alterung u. Stabilisatoren.

Alterungsversprödung. Zeit- u. Temp.-abhängiger Versprödungseffekt (Verminderung der *Duktilität) von unberuhigtem *Stahl (s. beruhigter Stahl) mit erhöhten Stickstoff-Gehalten nach Kaltverformungen. Dieser Effekt ist darauf zurückzuführen, daß diffusionsfähiger Stickstoff zu thermodynam. günstigen Bereichen mit hoher Dichte von *Versetzungen diffundiert u. diese damit verankert (blockiert). Eine weitere Verformung (Bewegung von Versetzungen) ist nur durch Losreißen der Versetzungen von diesen Verankerungen möglich u. wird damit erschwert. Durch Zusatz von Aluminium wird Stickstoff chem. abgebunden, so daß keine Tendenz zur A. mehr besteht. – *E* strain aging – *F* durcissement après écrouissage – *I* fragilità tramite l'invecchiamento – *S* fragilidad por envejecimiento

Altglas. A. ist nach *Altpapier die zweitgrößte Gruppe der *Wertstoffe im *Hausmüll u. in hausmüllähnlichen *Abfällen (ca. 8%). Davon ist der Hauptanteil Behälterglas, während der Flachglas- u. *Glasfaser-Anteil vernachlässigbar ist. Der Begriff *Behälterglas* umfaßt alle Hohlglaswaren, die der Verpackung, Aufbewahrung, Konservierung u. dem Transport von Flüssigkeiten dienen. Man unterscheidet Weißglas (farbloses Glas), Grünglas (enthält Chromdioxid) u. Braunglas (enthält Eisensulfide, absorbiert UV-Strahlung). Für getrennt gesammeltes Behälterglas gibt es folgende Verwertungsmöglichkeiten: erneute Herst. von Behälterglas, Herst. von Glaspulver, Glassand (als *Schleifmittel) u. Glaswolle, Verw. im Straßenbau u. in der Bau-Ind. (Herst. von *Beton, Straßenunterbau) sowie bei der Kachel- u. *Fliesen-Produktion. Die wichtigste Verwertungsmöglichkeit ist der Wiedereinsatz von A. zur Behälterglasherstellung. Hierfür sind nur Scherben typ. Natron-Kalk-Kieselsäure-Gläser geeignet; wegen abweichender Zusammensetzung können Flachglas, Bleiglas, Laborglas sowie Glas von Glühbirnen u. Leuchtstoffröhren nicht verwendet werden. Beim Wiedereinschmelzen von A. in Behälterglashütten sind Störstoffe, z. B. Metalle, Porzellan, Ton, Keramik, Papier u. Kunststoffe, nur sehr begrenzt zulässig, da sie zu Schäden bei der Schmelze u. im Glas führen. Daher ist eine vorherige Aufarbeitung zur Entfernung solcher Verunreinigungen erforderlich. Obgleich A. zumeist farbgetrennt gesammelt wird, ist aufgrund des dennoch vorhandenen Fehlfarbenanteils eine zusätzliche Farbsortierung notwendig. Für die Herst. von Weißglas darf A. nur im Promille-Bereich durch Grün- od. Braunglas verunreinigt sein; ähnliches gilt auch bei Braunglas. Lediglich bei Grünglas können höhere Fremdfarbanteile akzeptiert werden.
Bei der A.-Verwertung handelt es sich im Unterschied zur Verwertung von Altpapier od. Kunststoffabfällen um ein „echtes" *Recycling, da Glas beliebig oft aufgeschmolzen u. wieder zum gleichen Produkt verarbeitet werden kann. Durch den Einsatz von A. in der Behälterglasproduktion werden Ressourcen geschont, darüber hinaus werden durch die verminderte Rohstoffgewinnung sowie beim Einschmelzen von A. Energie gespart u. Emissionen verringert. – *E* glass waste, scrap glass – *F* déchets de verre – *I* vetro vecchio – *S* vidrio de desecho

Lit.: Der Rat von Sachverständigen für Umweltfragen, Abfallwirtschaft, Ziffer 871–874, Stuttgart: Metzler-Poeschel 1990 ▪ Entsorga-Magazin **12**, Nr. 3, 70 – 75 (1993) ▪ Tiltmann, Recycling betriebseigener Abfälle, Loseblatt-Ausgabe, Ti. 4/4.1.4.1 u. 2, Augsburg: WEKA.

Altkunststoff s. Kunststoffabfälle.

Altlasten. Altablagerungen u. Altstandorte, durch die schädliche Bodenveränderungen od. sonstige Umweltgefahren hervorgerufen werden. *Altablagerungen* sind stillgelegte *Abfallentsorgungsanlagen u. son-

Altlastensanierung

stige Grundstücke, auf denen *Abfälle behandelt, gelagert od. abgelagert worden sind. *Altstandorte* sind Grundstücke stillgelegter Anlagen u. sonstige gewerblich genutzte Grundstücke, auf denen mit umweltgefährdenden Stoffen (mit Ausnahme *radioaktiver Stoffe) umgegangen worden ist. A. sind demnach Altablagerungen u. Altstandorte, bei denen *Umweltschadstoffe wie z. B. *Halogenkohlenwasserstoffe, *BTX-Aromaten, *Schwermetalle u. *Cyanide, bereits in die Umwelt gelangt sind od. auszutreten drohen. Demgegenüber versteht man unter altlastverdächtigen Flächen Altablagerungen u. Altstandorte, bei denen der konkrete Verdacht schädlicher Bodenveränderungen od. sonstiger Umweltgefahren besteht.
A. sind v. a. im Bereich der Ind. u. öffentlicher Einrichtungen durch zu leichtfertigen Umgang mit Abfällen, Zwischenprodukten u. Betriebsstoffen, durch Leckagen in Produktions- u. Lagereinrichtungen sowie durch undichte Leitungs- u. Kanalsysteme entstanden. Sie stellen akute od. latente Gefährdungen für die menschliche Gesundheit u. weitere Umweltschutzgüter, z. B. Wasser, Boden, Luft, Pflanzen u. Tiere, aber auch Sachgüter (Bauwerke, Versorgungs- u. Entsorgungsleitungen) dar. Die Freisetzung u. Ausbreitung von Schadstoffen ist möglich über den Luftpfad (z. B. Emission von Gasen), über den Wasserpfad (z. B. *Grundwasser-Verunreinigung durch *Sickerwasser od. flüssige Schadstoffe) u. über den Boden (Schadstoffübergang über Nahrungs- u. Futterpflanzen in die *Nahrungskette). Schäden an Sachgütern, wie Gebäuden, Leitungen, Verkehrswegen u. Brücken, können durch A. über physikal. (Setzungen, Verschiebungen), chem. (Sickerwasser, Deponiegas, Salze, Säuren, Basen) u. biolog. Einflüsse (Mikroorganismen, Pilze) hervorgerufen werden. Bei der Auswirkung von A. auf die menschliche Gesundheit kommen als Expositionspfade u. a. die Aufnahme von belasteten Nahrungsmitteln od. verunreinigtem Trinkwasser sowie die Inhalation kontaminierter Luft in Betracht. Zur Beurteilung des Gefährdungspotentials einer A. müssen alle im konkreten Einzelfall relevanten Gefährdungspfade u. Schutzgüter untersucht u. anhand von Stoff- u. Konz.-bezogenen Kriterien bewertet werden. Diese Informationen bilden die Grundlage für die Entscheidung über Notwendigkeit, Art u. Umfang von Sanierungsmaßnahmen (s. Altlastensanierung). – *E* contaminated land – *F* déchets – *I* terreno contaminato – *S* basureras abandonadas, terrenos contaminados
Lit.: Müll-Handbuch, Loseblatt-Sammlung, Kz. 4470, Lfg. 6/1990, Kz. 4480, Lfg. 8/1991, Berlin: E. Schmidt.

Altlastensanierung. Durchführung von Maßnahmen, durch die sichergestellt wird, daß von einer *Altlast nach der Sanierung keine Gefahren mehr ausgehen. Man unterscheidet zwischen Sicherungsmaßnahmen, die die Emissionswege langfristig unterbrechen, u. *Dekontaminations-Maßnahmen, die die *Schadstoffe in kontaminiertem Erdreich od. Grundwasser weitgehend eliminieren. Sicherungs- u. Dekontaminations-Maßnahmen lassen sich grundsätzlich unterteilen in *in-situ*- u. *ex-situ*-Verfahren. Bei den *in-situ*-Verf. bleibt der kontaminierte Boden an Ort u. Stelle im Untergrund; das Behandlungsmedium wird von außen in die Altlast eingebracht (z. B. durch Injektion). Bei den *ex-situ*-Verf. wird der kontaminierte Boden zunächst ausgehoben (ausgekoffert) u. entweder vor Ort (on site) od. andernorts (off site) behandelt.
Sicherungsmaßnahmen verhindern od. verringern den Schadstoffaustrag bzw. -eintrag in ein Schutzobjekt ohne direkte Einflußnahme auf das Schadstoffinventar. Zur Anw. kommen u. a. bautechn., hydraul. u. Immobilisierungsmaßnahmen. Als bautechn. Maßnahmen kommen horizontale (Oberflächen-, Basisabdichtung) od. vertikale (Spund-, Schlitzwände) Abdichtungen sowie die komplette Einkapselung von Altlasten zur Anwendung. Hierdurch soll der Eintritt von *Grund-, *Oberflächen- od. Niederschlagswasser sowie der Austritt von *Sickerwasser od. Gasen vermieden werden. Alternativ läßt sich der Zutritt von Wasser u. der damit verbundene Austrag von Schadstoffen mit dem Sickerwasser durch hydraul. Maßnahmen, z. B. Absenkung od. Umleitung von Grundwasser sowie Ableitung von Oberflächen- od. Schichtwasser unterbinden. Eine *Immobilisierung von Schadstoffen kann durch Umwandlung in eine chem. stabilere Form od. durch mechan. Verfestigung (Zusatz von *Bindemitteln, z. B. Zement, Wasserglas, Kalk), erreicht werden.
Dekontaminationsmaßnahmen beseitigen od. verringern die Schadstoffmenge einer Altlast. Neben der Auskofferung u. anschließender *Deponierung kontaminierten Bodenmaterials werden v. a. folgende Grundtypen von Dekontaminierungstechniken eingesetzt: pneumat., hydraul., chem.-physikal., therm. u. biolog. Verfahren. Bei *pneumat.* Verf. (Bodenluftabsaugung), die für die Entfernung flüchtiger Stoffe angewandt werden, wird über Pumpen ein Unterdruck in der Bodenzone erzeugt u. der aus den Bodenporen abgesaugte Gasstrom einer Abluftbehandlung unterzogen. Bei *hydraul.* Maßnahmen wird kontaminiertes Wasser abgepumpt u. die Schadstoffe durch eine *Abwasserbehandlung aus dem Wasserkreislauf entfernt. Zur Behandlung gemischter Kontaminationen wird als *chem.-physikal.* Verf. häufig eine Bodenwäsche eingesetzt. Die Schadstoffe werden durch Wasch- u. Spülvorgänge mit Schadstoff-spezif. Extraktionsmitteln (z. B. Wasser, Säuren, Basen, Tenside) vom Boden getrennt u. nachfolgend behandelt. Bei den *therm.* Verf. werden Schadstoffe durch Hitzeeinwirkung desorbiert. Die Verf. greifen auf Techniken der *Destillation (z. B. Wasserdampfdest.) u. der therm. *Abfallbehandlung (insbes. Pyrolyse, Verbrennung) zurück. Sie eignen sich bes. für die Behandlung hochkonz. organ. Kontaminationen u. weisen unter den verschiedenen Sanierungsmethoden den höchsten Wirkungsgrad auf.
Biolog. Behandlungsverf. nutzen die natürliche Fähigkeit von Bodenmikroorganismen, Kohlenwasserstoffe abzubauen u. werden bevorzugt bei Mineralöl-kontaminierten Böden eingesetzt. Ziel der Maßnahmen ist es, die *limitierenden Faktoren (z. B. Sauerstoff- u. Nährstoff-Mangel) aufzuheben u. optimale Milieubedingungen für den aeroben Schadstoffabbau zu schaffen. Dies kann durch Nährstoffzugabe, pH-Einstellung, Belüftung sowie ggf. durch Zusatz Schadstoff-adaptierter Mikroorganismen erfolgen. – *E* hazardous waste site treatment, site sanitation – *F* assainissement

des déchets – *I* trattamento del terreno contaminato – *S* saneamiento de basureras abandonadas
Lit.: Entsorgungspraxis **8**, Nr. 3, 74–78 (1990); **11**, Nr. 11, 798–805 (1993) ▪ Müll u. Abfall **24**, Nr. 4, 234–245 (1992) ▪ Müll-Handbuch, Loseblatt-Sammlung, Kz. 4470, Lfg. 6/1990, Berlin: E. Schmidt.

Altman, Sidney (geb. 1939), Prof. für Molekularbiologie in Yale, entdeckte unabhängig von *Cech, daß die Ribonucleinsäure neben ihrer Funktion als Überträger des genet. Codes zudem enzymat. Funktionen übernimmt, was bislang ausschließlich Eiweiß-Mol. zugeschrieben wurde. 1989 erhielt er hierfür zusammen mit Cech den Nobelpreis für Chemie.
Lit.: The New Encyclopaedia Britannica (15.), Bd. 1, Chicago: University of Chicago 1991.

Altmaterial. Sammelbez. für *Abfälle aus Haushalt, Gewerbe u. Ind., aus denen erneut *Rohstoffe zu gewinnen sind (s. Recycling). Hierzu zählen z. B. *Altmetalle, *Altglas, *Altpapier, *Altöl, *Altreifen, Altsäuren u. -laugen, gebrauchte Lösemittel. – *E* scrap materials – *F* produits de récupération – *I* materiale vecchio (usato) – *S* material viejo

Altmetall (Sekundärmetall). Bez. für den nutzbar zu machenden Rücklauf der Metalle aus ihren verschiedenen Anwendungen. A. kann als *Sekundärrohstoff in der metallerzeugenden Ind. eingesetzt werden. Hierdurch werden Rohstoffressourcen geschont, *Deponien entlastet u. Energie gespart, da die Metallgewinnung aus A. (Sekundärmetallerzeugung) mit geringerem Energieaufwand durchgeführt werden kann als die Primärmetallgewinnung. So lassen sich z. B. durch den Wiedereinsatz von Aluminium-Getränkedosen bis zu 95% Primärenergie gegenüber der Al-Gewinnung aus Bauxit einsparen[1]. Der Anteil des A. an der erzeugten Metall- bzw. Legierungsmenge liegt für Blei bei 45%, für Kupfer u. Eisen bei 40% u. für Aluminium bei 30%. Zur Aufarbeitung von A. s. Schrott. – *E* scrap metal – *F* ferraille – *I* metallo vecchio – *S* metal viejo
Lit.: [1] Tiltmann, Recycling betrieblicher Abfälle, Loseblatt-Ausgabe, Tl. 4/4.2.2.3.1, Augsburg: WEKA.

Altöl. Laut *Abfallgesetz sind A. gebrauchte halbflüssige od. flüssige Stoffe, die ganz od. teilw. aus *Mineralöl od. synthet. Öl bestehen, einschließlich ölhaltiger Rückstände aus Behältern, *Emulsionen u. Wasser-Öl-Gemische. Bei den synthet. Ölen handelt es sich z. B. um Poly-olefine od. *Polyalkylenglykole sowie Ölersatzstoffe auf der Basis polychlorierter Aromaten (Askarele) für den Einsatz als *Hydraulikflüssigkeiten od. Transformatorenöle. Neben den genannten Stoffen fallen alle sog. Mineralöl-bürtigen Stoffe, wie *Test- u. *Waschbenzin, *Kaltreiniger u. bestimmte *Lösemittel, unter den A.-Begriff.
In Abhängigkeit von der Zusammensetzung der A., insbes. vom Gehalt an Gesamthalogen u. *polychlorierten Biphenylen (PCB), unterscheidet man aufarbeitbare u. nicht aufarbeitbare A. (s. Altölentsorgung), wobei diese unabhängig davon, ob eine A.-Verwertung od. eine A.-Beseitigung erfolgt, in jedem Fall der abfallrechtlichen Überwachung unterliegen. Typ. gebrauchsbedingte Verunreinigungen von A. sind je nach vorherigem Einsatzgebiet z. B. Wasser, Metallabrieb, *Kraftstoffe, kurzkettige Crackprodukte sowie Ölalte-rungsprodukte (aus Oxid.- u. Polymerisationsreaktionen, z. B. *Harze u. *Asphalte).
Nicht unter den A.-Begriff des Abfallgesetzes fallen gebrauchte pflanzliche Öle (z. B. *Rapsöl)[1], sofern sie nicht mit mineral. od. synthet. Ölen verunreinigt sind.
– *E* used oil, waste oil – *F* huile usée – *I* olio usato – *S* aceite usado
Lit.: [1] Müll-Handbuch, Loseblatt-Sammlung, Kz. 8791, Lfg. 2/1992, Berlin: E. Schmidt.
allg.: Müller u. Schmitt-Gleser, Handbuch der Abfallentsorgung, Loseblatt-Sammlung, Tl. III-11, Landsberg: ecomed ▪ Müll-Handbuch, Loseblatt-Sammlung, Kz. 8752, Lfg. 2/1989, Berlin: E. Schmidt.

Altölentsorgung. Die A. umfaßt sowohl Maßnahmen zur Verwertung als auch zur Beseitigung von *Altöl. Bei der Altölverwertung sind grundsätzlich zwei Wege möglich: die stoffliche Verwertung (Aufarbeitung) u. die energet. Verwertung (Einsatz von Altöl als *Brennstoff). Demgemäß unterscheidet man folgende Altölkategorien: 1. Altöle, die zur Aufarbeitung geeignet sind; 2. Altöle, die in nach dem *Bundes-Immissionsschutzgesetz genehmigten Anlagen als Energieträger verbrannt werden können; 3. Altöle, für die aufgrund ihrer Zusammensetzung weder eine stoffliche noch eine energet. Verwertung in Betracht kommt u. die in Sonderabfallentsorgungsanlagen als *Abfall zu beseitigen sind.
Allgemeinverbindliche Vorgaben gibt es nur für Altöle der 1. Kategorie; gemäß *Altölverordnung haben diese Öle neben qual. Anforderungen Grenzwerte für *polychlorierte Biphenyle (20 ppm) u. Gesamthalogen (0,2%) einzuhalten. Höhere Halogen- bzw. PCB-Gehalte sind allenfalls dann zulässig, wenn diese Stoffe durch das Aufarbeitungsverf. zerstört od. bestimmte Produktgrenzwerte nicht überschritten werden. Ziel der Aufarbeitung ist u. a. die Herst. von Grund- od. Fluxölen nach Abtrennung od. chem. Umwandlung von *Schadstoffen, Oxid.-Produkten u. Zusatzstoffen. Als Aufarbeitungsverf. eingesetzt werden v. a. *Raffinations-Verf. (z. B. Schwefelsäure-Bleicherde-Kontakt-Verf.) sowie *Dünnschichtverdampfungs- u. *Extraktions-Techniken mit anschließender *Hydrierung[1].
Eine allg. Abgrenzung der Altöle der 2. u. 3. Kategorie kann nicht vorgenommen werden, da die Frage, ob die Verbrennung von Altöl in einer konkreten Anlage eine energet. Verwertung od. eine *Abfallbeseitigung (therm. Behandlung) darstellt, von den individuellen immissionsschutzrechtlichen Anforderungen dieser Anlage abhängt. Im dtsch. Recht gibt es keine Priorität der Aufarbeitung vor der energet. Verwertung, während die EG-Altölrichtlinie[2] die Aufarbeitung als vorrangig ansieht.
Gebrauchte Pflanzenöle fallen nicht unter den abfallrechtlichen Altöl-Begriff (s. a. Altöl) u. sind von Mineralöl-bürtigen od. synthet. Altölen getrennt zu halten. Als Entsorgungsmöglichkeiten kommen in Frage[3]: – Aufarbeitung zu neuwertigen Ölen unter Verw. von Verf., die die Ester-Bindungen der Pflanzenöle intakt lassen, – sonstige stoffliche Verwertung (z. B. Herst. von *Tensiden, *Waschrohstoffen, *Schmierstoffen), – energet. Verwertung in dafür zugelassenen Anlagen, – Beseitigung in Sonderabfall-

Altölverordnung

entsorgungsanlagen. – *E* waste oil disposal – *F* décharge des huiles usées – *I* smaltimento e trattamento dell'olio usato – *S* eliminación de aceite usado
Lit.: [1] Müll-Handbuch, Loseblatt-Sammlung, Kz. 8783, Lfg. 3/1990, Berlin: E. Schmidt. [2] Richtlinie des Rates vom 16.6.1975 über die Atölbeseitigung (75/439/EWG), Amtsblatt der EG Nr. L 194 v. 25.7.1975, geändert durch Amtsblatt der EG Nr. L 42 v. 22.12.1986, 43, 1987. [3] Müll-Handbuch, Loseblatt-Sammlung, Kz. 8791, Lfg. 2/1992, Berlin: E. Schmidt.
allg.: Müller u. Schmitt-Gleser, Handbuch der Abfallentsorgung, Loseblatt-Sammlung, Tl. III-11, Landsberg: ecomed ▪ Müll-Handbuch, Loseblatt-Sammlung, Kz. 8752, Lfg. 2/1989, Berlin: E. Schmidt.

Altölverordnung (AltölV). Die A. vom 27.10.1987 regelt die Aufarbeitung, Erfassung, Kennzeichnung, Sammlung u. Entsorgung von *Altöl. Sie definiert den Aufarbeitungsbegriff (s. Altölentsorgung) u. legt fest, welche Altöle aufgearbeitet werden dürfen (Max.-Werte *PCB: 20 ppm; Gesamthalogen: 0,2%; Ausnahmen sind in Abhängigkeit vom Aufarbeitungs-Verf. möglich. Synthet. Öle auf Basis halogenhaltiger Stoffe u. zur Aufarbeitung geeignete Altöle (z.B. Verbrennungsmotoren- u. Getriebeöle) dürfen nicht miteinander u. mit anderen Altölen od. *Abfällen vermischt werden u. sind getrennt zu sammeln, zu befördern u. einer Entsorgung zuzuführen. Neben der Altöl-Analytik u. -Nachweisführung regelt die A. ferner Hinweis- u. Annahmepflicht für gebrauchte Verbrennungsmotoren- u. Getriebeöle, für die der Verkäufer entsprechender Ware dem Endverbraucher eine kostenlose Rückgabemöglichkeit eröffnen muß; dies gilt auch für Verbrennungsmotoren- u. Getriebeöle pflanzlichen Ursprungs. – *E* waste oil ordinance – *F* décret sur l'huile usée – *I* decreto sull'olio usato – *S* reglamento sobre aceite usado
Lit.: Altöl-VO (AltölV) vom 27.10.1987 (BGBl. I, S. 2335) ▪ Hösel u. von Lersner, Recht der Abfallbeseitigung, Loseblatt-Sammlung, Erg.-Lfg. III/88, Kz. 1155, Berlin: E. Schmidt.

Altölverwertung s. Altölentsorgung.

Altpapier. Nach Gebrauch od. aus der Papiererzeugung od. -verarbeitung angefallene Papierabfälle, die erneut für einen Fabrikationsprozeß vorgesehen sind. Ein Teil davon wird vom A.-Handel, von privaten od. kommunalen Entsorgern erfaßt u. an die Papier-Ind. zurückgeliefert; der Rest wird vorwiegend deponiert bzw. zum kleineren Teil in Hausmüllverbrennungsanlagen verbrannt. Verwertungsmöglichkeiten für A. sind z.B.: – Herst. von Span- u. Gipskartonplatten, – Verw. als Kompostierungszusatz, – *Pyrolyse, – Einsatz als *Brennstoff, v.a. jedoch der Einsatz als *Sekundärrohstoff in der Papier- u. Pappeherstellung. A. stellt derzeit den mengenmäßig wichtigsten Rohstoff bei der Papierproduktion dar; die A.-Einsatzquote (= A.-Verbrauch bezogen auf Papier- u. Kartonproduktion) betrug 1993 bereits 54%.

Aufarbeitung: Vor dem A.-Einsatz in der Papierfabrik erfolgt eine Aufarbeitung, die in der Regel aus folgenden Verf.-Schritten besteht: Auflösen, Reinigen, Dispergieren u. Mahlen. Beim *Auflösen* wird das A. durch Einbringen in Wasser in seine Einzelfasern zerlegt u. liegt als Fasersuspension (Pulpe) vor. Die sich anschließende *Reinigung* der Pulpe kann unter Anw. von Sieb-, Hydrocyclier-, Flotier- u. Waschverf. erfolgen. Grobverunreinigungen können durch Sieben, kleinere Verunreinigungen durch Hydrocyclieren abgetrennt werden. Danach erfolgt die Abtrennung von Druckfarben durch Flotieren (*De-inking). Füll- u. Feinstoffe werden durch Waschen abgetrennt. Nach der Reinigung wird noch verbleibender Restschmutz (Wachse, Kleber, Farbreste) durch *Dispergieren* soweit feinstverteilt, daß er im späteren Erzeugnis nicht stört. Die so behandelte A.-Suspension gelangt, ggf. nach Fraktionieren, Mahlen od. Bleichen, in die Papierfabrik, wo nach Zugabe von Hilfs- u. Füllstoffen sowie Primärfaserstoffen (*Zellstoff, *Holzschliff) die eigentliche Papierherst. erfolgt.

Der Einsatz von A. als Papierrohstoff schont Ressourcen (Zellstoff) u. vermindert die Luft- u. Abwasserbelastung bei der Papierherstellung. Allerdings läßt sich A. nicht beliebig oft recyceln. Mit jedem Verwertungscyclus werden die Fasern infolge mechan. Einwirkungen verkürzt u. verlieren nach ca. 4–6 Cyclen die Fähigkeit, sich zu einem Blattgefüge zu verbinden. Die Papiertrocknung führt zu einer Verhornung der Fasern, was sich auf deren Bindevermögen u. die spätere Papierfestigkeit auswirkt. Mit Zunahme der Verwertungscyclen können sich organ. u. anorgan. *Schadstoffe anreichern. Aus diesen Gründen ist eine komplette Substitution von Primärfaserstoffen durch A. nicht möglich. – *E* waste paper – *F* vieux papiers – *I* carta vecchia – *S* papel viejo, maculatura, papelote
Lit.: Abfallwirtschafts-J. **6**, Nr. 11, 736–748 (1994) ▪ Tiltmann, Recycling betrieblicher Abfälle, Loseblatt-Ausgabe Tl. 4/3.6.1 u. 7/5.2, Augsburg: WEKA.

Altramet®. Infusionslsg. u. (Film-)Tabl. mit dem *Antihistaminikum *Cimetidin-Hydrochlorid. *B.:* AWD.

Altreifen. Jährlich fallen in der BRD etwa 350 000 t A. an. Neben dem Runderneuern hat sich insbesondere das Verbrennen mit Energienutzung u. das mechan. Aufbereiten (z.B. nach dem Tiefkühlverf. mit flüssigem Stickstoff) zu Gummigranulaten u. -mehlen durchgesetzt (s. Recycling). Die Altreifenpyrolyse (s. Pyrolyse) ist aufgrund der damit zusammenhängenden Umweltschutzprobleme noch im großtechn. Erprobungsstadium. – *E* used tyres – *F* vieux pneus – *I* pneumatici vecchi
Lit.: Umwelt **1981**, 134 ff. ▪ Umwelt Suppl. **1985**, Nr. 3, 15 ff.

Altretamin.

$$(H_3C)_2N-\underset{N}{\overset{N}{\bigcirc}}-N(CH_3)_2$$
$$N(CH_3)_2$$

Internat. Freiname für 2,4,6-Tris-(dimethylamino)-1,3,5-triazin, $C_9H_{18}N_6$, M_R 210,28, Schmp. 172–174 °C; LD_{50} (Ratte, Meerschweinchen oral) 350, 255 mg/kg. Es wurde 1967, 1969 als Cytostaticum von Casella patentiert u. ist von Rhône-Poulenc (Hexamethylmelamin®) im Handel. – *E* altretamine – *F* altrétamine – *I* altretammina – *S* altretamina
Lit.: ASP ▪ Hager (5.) **7**, 136. – *[HS 293 69; CAS 645-05-6; 15468-34-5 (Hydrochlorid)]*

Altriform®. Marke von Giulini Chemie für die saure Papierleimung; Aluminiumtriformiat.

altro-. Kursiv gesetztes Präfix zur Kennzeichnung einer bestimmten Konfiguration bei *Aldohexosen, vgl. die schemat. Abb. bei Kohlenhydrate. – *E* = *F* = *I* = *S* altro-

Altruismus. Uneigennütziges Verhalten, Gemeinnutz (Gegenteil von Egoismus). Verhalten, mit dem ein Tier mitunter unter Vernachlässigung des eigenen Wohles einem Artgenossen hilft. Regelmäßig tritt A. im Bereich der Brutpflege auf. Zwischen erwachsenen Tieren ist er weit seltener, allerdings nehmen entsprechende Befunde in neuerer Zeit stark zu. Das Vork. des A. bezieht sich v. a. auf drei Bereiche: gegenseitiges Warnen u. Verteidigen, Helfen bei der Aufzucht von Jungtieren, Übergabe von Nahrung. Im Sinne des Wirkens einer natürlichen Selektion schwer verständlich, hat die Soziobiologie den A. mit Sinn erfüllt. A. bringt durchaus auch dem ausführenden Tier Vorteile (z. B. Helfer am Nest) od., da er hauptsächlich zwischen verwandten Tieren vorkommt, der engeren Verwandtschaft als Ganzem. Zwischen nicht verwandten Tieren ist A. in der Regel gegenseitig u. bedeutet bei annähernd gleicher Verteilung letztendlich ebenfalls einen Vorteil für beide Tiere. – *E* altruism – *F* altruisme – *I* altruismo – *S* altruísmo
Lit.: Krebs u. Davies, Einführung in die Verhaltensökologie, Stuttgart: Thieme 1984.

Altstoffe. Nach *Chemikaliengesetz eine Chemikalie, die vor dem 18. 9. 1981 im Bereich der EG (s. EU) in Verkehr gebracht wurde. Die in der EU kommerziell verwendeten A. sind in *EINECS verzeichnet. – *E* existing substances – *F* résidus – *I* prodotti chimci vecchi – *S* material viejo, material de desecho
Lit.: Amtsblatt EG L 383 A (1992), L 84/1 (5. 4. 93), L 277/9 (8. 9. 93) ▪ ECETOC, Technical Report 30 (1) – 30 (5), Existing Chemicals: Literature Reviews and Evaluations, Brüssel: ECETOC 1988 – 1994 ▪ OECD Existing Chemicals, Paris: OECD 1986 ▪ UBA Texte 38/95, Bewertung der Gefährdung von Mensch u. Umwelt durch ausgewählte Altstoffe, Berlin: UBA 1995 ▪ Z. Umweltchem. Ökotox. 4, 164 – 173 (1992).

Altwolle s. Reißwolle.

Alu-Alftalat®. Mit Aluminium-Verb. modifizierte, trocknende *Alkydharze als Lackrohstoffe. *B.:* Vianova Resins GmbH.

Alugan®. *Insektizid u. *Akarizid in der Veterinärmedizin. *B.:* Hoechst Veterinär GmbH.

Alugel. Marke von Giulini Chemie für *Antacida-Wirkstoffe, z. B. Aluminiumhydroxyd.

Alumail®. Emails zur Aluminium-Emaillierung. *B.:* Bayer.

Aluminate. Als *amphotere Stoffe lösen sich Aluminiumhydroxide in überschüssiger Lauge z. B. unter Bildung von Natriumaluminat, dessen Formel mit $Na[Al(OH)_4]$ angegeben wird. Das Aluminat-Ion $[Al(OH)_4]^-$ kondensiert unter Wasser-Austritt zu höhermol. A., ähnlich wie die *Kieselsäuren zu *Silicaten. Es entstehen dabei zunächst ein Dialuminat-Ion $[Al(OH)_3-O-Al(OH)_3]^{2-}$, dessen Kalium-Salz $K_2[H_6Al_2O_7]$ isoliert wurde, u. schließlich Polyaluminat-Ionen $[H_{2n+2}Al_nO_{3n+1}]^{4-}$. Bei weiterem Entwässern bilden die A. wahrscheinlich ähnlich wie die Meta-Kieselsäure (s. Silicate) nacheinander Ketten $(Na_2O \cdot Al_2O_3 \cdot 2 H_2O)$, Blätter $(Na_2O \cdot Al_2O_3 \cdot H_2O)$ u. Raumnetze (aus $[AlO_2]^-$-Ionen).
Verw.: Natriumaluminat wird verwendet in der Wasser-Reinigung, in der Papier-Ind., zum Nachbehandeln von Titandioxid-Pigmenten, zur Herst. von Aluminium-haltigen Katalysatoren sowie in der Bautechnik. Calcium- u. (für Spezialzwecke) Bariumaluminate sind Bestandteile von Baustoffen, s. Klinker u. Zement. Die durch Zusammenschmelzen verschiedener Oxide erhältlichen wasserfreien Aluminate mit der allg. Formel $M^{II}Al_2O_4$, wobei M^{II} ein zweiwertiges Metall (z. B. Mg, Fe, Zn) bedeutet, sind ziemlich säurebeständig; sie finden sich in der Natur als *Spinelle. – *E* = *F* aluminates – *I* alluminati – *S* aluminatos
Lit.: Gmelin, Syst.-Nr. 35, Al, Tl, B, 1933, S. 360 – 367 ▪ Kirk-Othmer (4.) **2**, 267 – 273 ▪ Ullmann (5.) A **1**, 534 f. ▪ Winnacker-Küchler (4.) **3**, 33 f. ▪ s. a. Aluminium. – *[HS 2841 10]*

Aluminide s. Aluminium-Legierungen.

Aluminieren. Im weitesten Sinne der Sammelbegriff für das Herstellen eines Verbundsystems aus einem Grundwerkstoff (zumeist unlegierter Stahl) u. einer Oberflächenschicht aus Aluminium od. Aluminium-Legierung. Herstellungsverf.: Walzplattieren (vorzugsweise *Blech); *Schmelztauchen (Feueraluminierung, ca. 800 °C); Spritzplattieren (therm. Spritzen von Al-Pulver); Diffusionsglühen (ca. 450 – 800 °C in Al-abgebenden Stoffen, sog. *Alitieren, Calorisieren); Abscheidung aus wasserfreien, organ. Lsm.; od. bei Kunststoffen durch Aufdampfen im Vakuum. Angestrebt wird, durch A. die spezif. oberflächenwirksamen Eigenschaften von Al auf das Verbundsyst. zu übertragen, z. B. Korrosions- u. Zunderbeständigkeit. Im engeren Sinne ist A. das thermochem. Behandeln zum Anreichern der Randschicht eines Werkstückes mit Al[1]. – *E* aluminizing – *F* aluminiage – *I* alluminizzare – *S* aluminado
Lit.: [1] DIN/EN 10052 (01/1994); DIN 50902 (07/1994).

Aluminium (Symbol Al). Metall. (*Erdmetall) chem. Element aus der 3. Gruppe u. der 3. Periode des *Periodensystems; Ordnungszahl 13, Wertigkeit 3 (sehr selten 1), Atomgew. 26,98154. Natürliches Al besteht ausschließlich aus dem einzigen stabilen Isotop 27, daneben sind radioakt. Isotope ^{24}Al-^{31}Al mit HWZ im Sekundenbereich (außer ^{26}Al mit 720 000 a) bekannt. Al ist silberweiß u. krist. kub. flächenzentriert, D. 2,702 (*Leichtmetall), Schmp. 660,37 °C, Sdp. 2467 °C; Al-Pulver (nicht phlegmatisiert) ist an Luft selbstentzündlich; MAK 6 mg Feinstaub/m³; WGK 0. Al ist ein guter Leiter für Wärme (λ = 2,1 – 2,32 W/cm K) u. elektr. Strom (κ = 34 – 38 m/Ω mm²); die Höchstwerte gelten jeweils für 99,98%iges Al. Für elektr. Leiter werden neben dem E-Al (>99,5% Al) Sonderleg. verwendet, die aufgrund ihres Gehaltes an Fe (<0,8%) u. a. Zusätzen bei kaum verminderter Leitfähigkeit bessere mechan. Eigenschaften aufweisen.
Obgleich Al ein sehr unedles Metall ist (es steht in der *Spannungsreihe zwischen Mangan u. Magnesium), ist es gegen Sauerstoff u. Luftfeuchtigkeit viel unempfindlicher als z. B. Fe. Die Korrosionsbeständigkeit des Al beruht auf einer wenige Mol.-Lagen dicken, harten, zusammenhängenden, durchsichtigen Oxid-

Schicht, die sich z. B. auf frisch angeritztem Al an der Luft u. im Wasser schon in wenigen s bildet. Die Schutzschicht ist zunächst nur wenige Zehntel nm dick, wächst in einem Monat auf 5–10 nm an u. bleibt dann fast unverändert, selbst wenn man längere Zeit auf 400 °C erwärmt. Erst bei 450–500 °C wächst die glasartige Oxid-Schicht weiter, ihre Dicke kann z. B. bei zweistündigem Erhitzen auf 550 °C von 5 auf über 20 nm zunehmen. Al ist weich- u. hartlötbar in Ggw. von Flußmitteln, im Vak. od. unter Schutzgas. Das Verhalten von Al in wäss. Medien ist vom pH-Wert des Elektrolyten abhängig. Die schützende Oxidschicht ist im pH-Bereich zwischen 4,5 u. 8,5 weitgehend unlöslich. Von Blei-Salzen, Bromwasserstoffsäure, Eisenchlorid, Flußsäure, Iod-Tinktur, Kalilauge, Kupfer-Salzen, Natronlauge, Nickel-Salzen, Phosphorsäure, Quecksilber-Salzen, Salzsäure, Schwefelsäure, Silber-Salzen, Soda, Zink-Salzen u. Zinn-Salzen wird Al angegriffen; frisch hergestelltes, schutzschichtfreies Al-Pulver auch von Wasser u. niederen Alkoholen. Dagegen ist es unempfindlich gegen Al-Salze, ether. Öle, Benzin, Benzol, Bier, Fette, Fixiersalz, Glycerin, Harze, Kaliumpermanganat, Lacke, Petroleum, (kalte) Salpetersäure u. die meisten Lebensmittel.
Physiologie: Der menschliche Körper enthält 50–150 mg Al; der größte Teil der täglich aufgenommenen Al-Menge (10–40 mg) geht unresorbiert in den Kot über. In den menschlichen Geweben liegen die Konz. an Al im allg. zwischen 0,004 u. 0,5 mg pro 100 g Gewebe. Für die Leber wurden Werte von 0,16 mg/100 g u. für das Herz 0,056 mg/100 g gefunden. Al u. im Kontakt mit Lebensmitteln entstehende Al-Verb. gelten generell als toxikolog. unbedenklich, doch sollen hohe Al-Gehalte in der Nahrung (Schweinefleisch enthält 0,07–0,185 mg Al u. Rindfleisch 0,1–0,8 mg Al/100 g) die *Arteriosklerose fördern u. den Phosphat-Stoffwechsel stören können. Über mögliche Beeinträchtigungen von Gehirnfunktionen bei Langzeitbehandlung mit Aluminiumhydroxid s. *Lit.*[1]. Metall. Al ist als kosmet. Färbemittel zugelassen, u. einige seiner Verb. fungieren aufgrund adstringierender u. ä. Effekte als *Antihidrotika. Zusätze von Al-Salzen zum Wasser zögern das Welken von Schnittblumen hinaus[2].
Analytik: Man glüht die Al-Salze flüchtiger Säuren an der Luft (Bildung von Al_2O_3), befeuchtet das Al_2O_3 mit wenig Kobaltnitrat-Lsg. u. glüht wieder, wobei sog. *Cobaltblau entsteht. Spuren von Al in Lsg. (pH 5–7) erkennt man (selbst neben Beryllium) an der grünen Fluoreszenz, die nach Zusatz einer alkohol. Lsg. von *Morin auftritt. In der quant. Analyse wird Al als Oxidhydrat ausgefällt; dieses glüht man u. wiegt das entstandene Al_2O_3. Mehr od. weniger spezif. wirkende Al-Reagenzien (s. dort) sind Aurintricarbonsäure-Ammoniumsalz, Alizarin, Eriochromcyanin R, 8-Hydroxychinolin, Chloranilsäure, Chinalizarin, Kupferron u. a., vgl. dazu *Lit.*[3]; über mikroanalyt. Verf. s. *Lit.*[4]. Über spektrophotometr. Bestimmungen von Al neben Beryllium s. *Lit.*[5], u. zu potentiometr. Bestimmungen von Al mittels Fluorid-Elektroden s. *Lit.*[6].
Vork.: Etwa 8,13% der 16 km dicken Erdkruste bestehen aus Al. Dieses ist somit das bei weitem häufigste Metall unseres Lebensraumes u. nach Sauerstoff u. Silicium das dritthäufigste Element der Erdkruste vor dem Eisen. Wegen seiner starken Affinität zum Sauerstoff findet man es allerdings nie gediegen, sondern stets in Form seiner Verbindungen. Al ist in vielen *Feldspäten (z. B. $K[AlSi_3O_8]$ = Orthoklas, $Na[AlSi_3O_8]$ = Albit, $Ca[Al_2Si_2O_8]$ = Anorthit) u. *Glimmern (z. B. $KAl_2[AlSi_3O_{10}](OH,F)_2$ = Muskovit, $CaAl_2[Al_2Si_2O_{10}](OH)_2$ = Margarit) u. ihren Verwitterungsprodukten, den Tonen, in großem Umfang enthalten. *Türkis* ist bas. Al-Phosphat, das durch Cu-Sulfat blau bis grün gefärbt ist. *Korund* ist Al_2O_3; rot durch Cr_2O_3 als *Rubin*, blau durch V_2O_5 (od. TiO_2?) als *Saphir*, in dichter Masse als Schmirgel.
Das für die Al-*Gewinnung* bei weitem wichtigste Mineral ist der von Eisenoxiden meist rötlich gefärbte *Bauxit*, der in der Hauptsache aus einem Gemenge aus Aluminiumhydroxid-Mineralen (vorwiegend Böhmit) besteht. Größere Lager von *Bauxit (quant. Angaben s. dort) befinden sich in Südosteuropa, Frankreich, Jamaika, Guayana, Surinam, Dominikan. Republik, USA, Brasilien, GUS-Staaten, China, Indien u. Indonesien; über die größten Vorräte verfügen Guinea u. Australien. Die BRD besitzt nur geringe Vorkommen. Von den anderen Al-Mineralen wie Alunit, Anorthit, Nephelin, Kaolin u. den Tonen macht man zur Al-Gewinnung kaum Gebrauch, u. Kryolith, dessen Vorräte auf Grönland weitgehend erschöpft sind, gewinnt man heute synthetisch.
Herst.: Diese erfolgt fast ausschließlich durch Elektrolyse einer Lsg. von Aluminiumoxid in geschmolzenem Kryolith ($Na_3[AlF_6]$). Das verwendete Aluminiumoxid muß sehr rein sein, deshalb zerfällt die Herst. des Al in zwei Arbeitsgänge, nämlich die Gewinnung von reinem Aluminiumoxid u. die eigentliche Elektrolyse. Zunächst werden die Bauxit-Brocken nach dem 1892 patentierten *Bayer-Verf.* (des Österreichers K. J. Bayer) zerkleinert, getrocknet, zu feinem Pulver zermahlen u. in Autoklaven od. als sog. Rohraufschluß im Durchlauf durch Einwirkung konz. Natronlauge in Na-*Aluminat umgewandelt, wobei die Oxide von Fe, Si, Ti usw. ungelöst bleiben (sog. *Rotschlamm*). Aus der Na-Aluminat-Lsg. scheidet sich nach Impfen, Abkühlung unter 90 °C u. beim Verdünnen mit Wasser krist. Hydrargillit (vgl. Aluminiumhydroxide) aus. Dieser wird bei 1200–1300 °C völlig entwässert (calciniert, s. Calcinieren), wobei man Drehrohröfen od. Wirbelschichtöfen benutzt. Statt Bauxit könnten auch *Kaoline u. a. *Tone aufgeschlossen werden, doch sind noch keine wirtschaftlich konkurrenzfähigen Verf. entwickelt worden.
Das trockene Al_2O_3 wird nun mit der ca. 10–20fachen Menge an synthet. Kryolith (wirkt als Lsm. u. erniedrigt den Schmp. von 2050 °C auf 950–970 °C) vermischt u. in Elektrolysezellen durch Gleichstrom zerlegt (4–5 V, 80000–150000 A, 950 °C). Das flüssige Al (D. 2,34) sammelt sich auf dem Boden der mit Kohle ausgekleideten, als Kathode dienenden Wanne unter der vor Rückoxid. schützenden Schmelze (D. 2,15). Die als Anode wirkenden Kohleelektroden (Blockanoden od. *Söderberg-Elektroden) werden allmählich durch den freiwerdenden Sauerstoff zerstört: $2 Al_2O_3 + 3C \rightarrow 4Al + 3CO_2$ u. $Al_2O_3 + 3C \rightarrow 2Al + 3CO$.

Durch laufenden Ersatz verbrauchten Elektrodenmaterials läßt sich der – nach den unabhängig voneinander arbeitenden Erfindern auch *Hall-Heroult-Verf.* genannte – Prozeß kontinuierlich gestalten. Zur Gewinnung von 1 t Hütten-Al (99,5–99,8%ig) benötigt man 4 t Bauxit (gibt 2 t Al_2O_3), 0,5 t Elektroden, 0,05 t Kryolith, 42 GJ (zur Al_2O_3-Herst.) u. 13,5 MWh (zur Elektrolyse). Demgegenüber wurden zur Zeit der ersten elektrolyt. Verf. mit Elektrolyseöfen von ca. 10 000 A Stromaufnahme (1890) noch ca. 40 MWh verbraucht. Inzwischen sind Elektrolysezellen mit 250 000 A entwickelt, u. auch durch bessere Meth. des Bauxit-Aufschlusses, z. B. im Rohr statt im Autoklaven (VAW-Verf. s. *Lit.*[7]), läßt sich die Al-Herst. rationeller gestalten.

Eine erhebliche Belastung des Bayer-Verf. ist der zwangsweise Anfall des *Rotschlamms*, dessen Zusammensetzung im Trockenzustand lautet: 10% Glühverlust, 15–28% Al_2O_3, 24–25% Fe_2O_3, 3–11% TiO_2, 5–20% SiO_2, 5–12% Na_2O, 1–3% CaO. Rotschlamm fällt in Mengen von 0,5–1,5 t/t Al_2O_3 an. Trotz neuerer Nutzungsmöglichkeiten als Mauerziegel, Gasreinigungsmassen, Flockungsmittel, Bodenverbesserungsmittel, Flußmittel für die Stahlherst. od. Füllstoff für bituminöse Straßenbaumaterialien wird der weitaus größte Teil dieses Abfallproduktes nach wie vor deponiert. Die bei der Kryolith-Elektrolyse nachteilige Emission des pflanzentox. Fluors wurde durch verbesserte Verf. der Abgasreinigung beträchtlich vermindert; gleichzeitig werden damit Al-Fluorid u. Kryolith für den Prozeß zurückgewonnen. Für eine energiegünstigere u. umweltfreundlichere Al-Produktion wurden in den 70er Jahren das *Alcoa-Verf.* der Elektrolyse von $AlCl_3$ (aus Al_2O_3 u. Cl_2, das wiedergewonnen werden kann) u. das *Toth-Verf.* der Red. von $AlCl_3$ mit Mn (entstehendes $MnCl_2$ wird in MnO_2 u. Cl_2 umgewandelt, u. beide wandern in den Prozeß zurück) entwickelt. Gegenüber dem *Hall-Héroult-Verf.* haben sie jedoch bisher keine prakt. Bedeutung erlangt.

Für manche Zwecke reicht die Reinheit des Hütten-Al von 99,5–99,8% nicht aus. Es muß deshalb einer weiteren elektrolyt. Raffination unterworfen werden. Durch Zonenschmelzen kann Al mit einer Reinheit von >99,999% hergestellt werden. Al-Schrott wird durch Umschmelzen elektrolyt. gereinigt u. als *Sekundär-* od. *Umschmelz-Al* in die Produktion zurückgeführt.

Im weichgeglühten Zustand weist Al eine sehr hohe Bruchdehnung auf; es kann durch Walzen zu Folien bis 0,004 mm durch Hämmern zu Blatt-Al bis 0,0004 mm Dicke verarbeitet werden. Alle bei Metallen üblichen *Umform-Verf.* sind anwendbar, insbes. Strangpressen (warm), Drücken u. Kaltfließpressen. Da Al ein ziemlich weiches Metall ist, schmiert es beim Spanen. Die Mindestfestigkeit von Halbzeug aus Rein-Al liegt je nach Werkstoffzustand zwischen 40 u. 160 N/mm^2. Bei der Al-*Oberflächenbehandlung* kann man folgende Verf. unterscheiden: Mechan. Verf. (Schleifen, Polieren, Bürsten, Strahlen mit Al-Strahlmitteln), chem. Beiz- u. Ätzbehandlung mit Laugen u. Säuren, chem. u. elektrolyt. Polieren (Einwirkung von spezif. Glänzlsg. mit od. ohne elektr. Strom meist vor der anod. Oxid.), Verstärkung der natürlichen Oxid-Schicht durch chem. od. elektrochem. Verf. (z. B. anod. Oxid.), Aufbringen sonstiger anorgan. (Emaillierung) od. organ. Schichten (Kunststoffbeschichtung, Anstriche), Walz- u. Gießplattieren von Al auf Stahlband od. von anderen Metallen auf Al, galvanotechn. Aufbringung edler Metalle, Metall-Spritzverf. zur Auftragung von Metallen, Leg. od. Metalloxiden, Anw. spezif. Färbemethoden. Von den erwähnten Verf. haben die der Herst. bzw. Verstärkung von Oxid-Schichten (Schichtdicke 0,2–2 nm) die größte Bedeutung. Die chem. Verf. machen Gebrauch von Chromat- u./od. Phosphat-Lsg. (s. Chromatieren, Phosphatieren). Bekannte, z. T. gesondert behandelten Prozesse sind die Alodine-, Granodine-, Bonder-, Alrok-, MBV-, Pylumin-, EW-, LW-Verfahren. Noch vielgestaltiger sind die Meth. zur Erzeugung von 10–25 μm dicken Oxid-Überzügen durch *anodische Oxidation*, hier im allg. *Anodisieren* genannt. Als Elektrolyte benutzt man im allg. Schwefel- od. Oxalsäure (vgl. Eloxal-Verfahren), ferner Chromsäure od. Maleinsäure; letztere u. Metall-Salzlsg. dienen bes. zur Farbanodisation. Die erzeugten Schichten müssen, da sie mikroporös sind, „verdichtet" werden, was man durch Einwirkung siedenden Wassers od. 100 °C heißen Dampfes erreicht. Eloxierte Al-Bleche lassen sich mit Enzymen, z. B. Urease „beschichten" (vgl. *Lit.*[8]).

Verw.: Unlegiertes Al kommt als Hütten-Al, als Rein-Al u. als Reinst-Al in den Handel. Hütten-Al dient zur Herst. von Halbzeug, Guß- u. Knet-Leg. (s. Aluminium-Legierungen). Al ist das wichtigste Leichtmetall u. wird in der Technik sehr vielfältig eingesetzt, z. B. als Profil, Rohr, Blech od. Schmiedestück für Apparate, Armaturen u. Behälter für die chem. u. die Nahrungsmittel-Ind. u. Metallwaren, in Form von Draht für elektr. Leitungen, in Form von Folien als Verpackungsmittel u. Isoliermaterial auch in der Elektro-Ind., als Pulver für rostschützende Anstriche, zur Herst. von Sprengstoffen u. in der Feuerwerkerei, als Grieß zur aluminotherm. Gewinnung von Metallen (s. Aluminothermie), als Granulat zur Desoxid. bei der Stahlherst., als Schwamm in Fahrzeugen zur Absorption von Stoßenergie. Durch Aufdampfen von Al im Hochvak. werden Spiegel für opt. Instrumente erzeugt. Verbundwerkstoffe mit Al-Matrix kommen für einen künftigen Einsatz im Verkehrswesen in Betracht. Über die Entwicklung faserverstärkter Al-Werkstoffe s. *Lit.*[9]. Bes. Bedeutung haben *Aluminium-Legierungen, die wegen ihres geringen spezif. Gew. vielfältigen Einsatz v. a. im Flugzeugbau u. in der Kraftfahrzeug-Ind. finden. Die Verb. des Al haben unterschiedliche techn. Bedeutung, u. a. als Flockungsmittel, Adsorbentien, Hydrophobierungsmittel, Füllstoffe u. Verdickungsmittel sowie einige in Schweißverhütungsmitteln; die *Aluminium-organischen Verbindungen sind Bestandteile von Polymerisationskatalysatoren.

Wirtschaft: Die Haupteinsatzgebiete des Al in der BRD waren 1994: Verkehrswesen (18,0%), Bauind. (13,5%), Verpackungsind. (6,4%), Maschinenbau (5,9%), Eisen- u. Stahlind. (3,6%), Elektrotechnik (3,4%), Haushaltswaren (2,6%). Der Verbrauch an Hütten- u. Umschmelz-Al belief sich im Jahre 1994 weltweit auf 28,2 Mio. t; die Hüttenproduktion betrug 19,1 u. die Schrottverwertung erreichte 6,7 Mio. t.

Aluminiumacetate

Haupterzeugerländer für Hütten-Al (in Mio. t) waren die USA (3,299), die ehemalige UdSSR (3,014), Kanada (2,255), VR China (1,446), Australien (1,311), Brasilien (1,185), Norwegen (0,857), Venezuela (0,584), BRD (0,505). Die Bauxit-Reserven werden auf 27,75 Mrd. t geschätzt[10]. Nähere statist. Daten s. *Lit.*[13]. Die größten Al-Produzenten (nach Herst.-Kapazität) sind Alcan, Alcoa, Reynolds, Pechiney, Kaiser u. Alusuisse; vgl. *Lit.*[11]. Eine Marktprognose bis zum Jahr 2000 findet sich in *Lit.*[12].

Geschichte: Der Name Al ist von latein.: alumen = *Alaun abgeleitet; er wurde von Sir H. *Davy geprägt, der sich vergebens um die Herst. bemüht hatte. Unreines Al erhielt erstmals *Oersted 1825, reines F. *Wöhler 1827, der $AlCl_3$ mit Kalium reduzierte. Das techn. Verf. der Red. von $NaCl \cdot AlCl_3$ mit Na, nach dem von 1855 bis 1890 alles Al (ca. 200 t) hergestellt wurde, stammt von *Deville (1854). Das auch heute noch praktizierte Elektrolyseverf. wurde 1886 von dem Franzosen Paul-Louis-Toussaint Heroult (1863–1914) u. dem Amerikaner Charles Martin Hall (1863–1914) unabhängig voneinander entwickelt. – *E* aluminium (GB), aluminum (USA) – *F* aluminium – *I* alluminio – *S* aluminio

Lit.: [1] N. Engl. J. Med. **294**, 184 (1977); Science **197**, 1187 (1977). [2] Naturwiss. Rundsch. **28**, 404 ff. (1975). [3] Organische Reagenzien für die Spurenanalyse, S. 15–30, Darmstadt: Merck 1975. [4] Chem. Labor Betr. **26**, 144 ff. (1975). Mikrochim. Acta **1962**, 194 ff. [5] Anal. Chem. **37**, 704 (1965). [6] Anal. Chem. **41**, 855 (1969); **42**, 110 (1970). [7] Chem. Tech. (Heidelberg) **7**, 71–76 (1978); Chem. Labor Betr. **28**, 445 ff. (1977). [8] Angew. Chem. **89**, 761 f. (1977). [9] Metall **41**, 590–599 (1987). [10] Chemical Economics Handbook, 702.1000 C, Menlo Park: SRI Internationale 1993. [11] Primary Aluminium Smelters and Producers of the World, Düsseldorf: Aluminium-Verl. lfd. ergänztes Verzeichnis. [12] Metall **41**, 1161 f. (1987). [13] Metallstatistik **82**, 8–15, 71–83 (1995); European Aluminium Statistics Düsseldorf: Aluminium-Verl. (jährlich).
allg.: Aluminium-Merkblätter. Aluminium-Taschenbuch, 3. datenaktualisierter Druck 1988 ▪ Grjotheim u. Welch, Al-Smelter Technology (2.) 1987 ▪ Hegmann, Handwerkliche Bearbeitung von Aluminium (5.) 1987 ▪ Hübner u. Speiser, Die Praxis der anod. Oxidation des Al, (4.) 1987 ▪ Lewis (Hrsg.), Environmental Chemistry and Toxicology of Aluminum, Chelsea, Mich.: Lewis Publishers 1989. – *Monographien, Forschungsberichte* u. a. alle Düsseldorf: Aluminium-Verlag. – *ferner:* Aluminium Industry, Energy Aspects of Structural Change, Paris: OECD 1983 ▪ Gmelin, Syst.-Nr. 35 ▪ Hommel, Nr. 224 ▪ Kirk-Othmer (4.) **2**, 184–345 ▪ McKetta **3**, 1–133 ▪ Merian, Metalle in der Umwelt, S. 301–308, Weinheim: Verl. Chemie 1984 ▪ Misra Industrial Alumina Chemicals, ACS-Monograph No. 184 Washington DC: ACS 1986 ▪ Ullmann (5.) **A 1**, 267 ff.; **A 11**, 326 ▪ Winnacker-Küchler (4.) **6**, 235–301 ▪ s. a. Leichtmetalle. – *Zeitschriften* u. *Serien:* Aluminium, Düsseldorf: Aluminium-Verl. (seit 1919) ▪ Light Metals, New York: The Metallurg. Soc. AIME (jährlich) ▪ Revue de l'Aluminium, Paris (seit 1924) ▪ World Aluminum Abstracts, New York: Aluminum Assoc. (seit 1963). – *[HS 7601 10–20; CAS 7429-90-5]*

Aluminiumacetate. Von den 3 bekannten A. hat nur das sog. *bas. A.* [Aluminiumsubacetat, Aluminiumhydroxiddiacetat, $(HO)Al(O-CO-CH_3)_2$] als Beizmittel u. Farblackbildner in der Textilfärbung, zum Hydrophobieren u. Flammfestmachen techn. Verw. gefunden. Seine wäss. Lsg. wurde als *essigsaure Tonerde* in der Medizin lange Zeit zur Wunddesinfektion – ggf. unter Zusatz von Weinsäure, als *Aluminiumacetotartrat-Lsg.* – benutzt, doch ist das Hausmittel wegen zellschädigender Nebenwirkungen in Verruf gekommen. – *E* aluminum acetates – *F* acétates d'aluminium – *I* acetato d'alluminio – *S* acetatos de aluminio
Lit.: Beilstein E IV **2**, 115 ▪ Brauer (3.) **2**, 843 ▪ Kirk-Othmer **2**, 11–13 ▪ Ullmann (4.) **7**, 342; **11**, 67.

Aluminiumacetylacetonat s. Metallacetylacetonate.

Aluminiumalkoholate. In reinem Zustand farblose, flüssige od. feste Verb., die aus metall. Al, Al-Amalgam u. Alkoholen (Propanol, 2-Propanol, Butanol, Capryl-, Octylalkohol u. dgl.) gewonnen u. durch Filtration od. Vakuumdest. gereinigt werden. Ein in der organ. Chemie viel verwendetes A. ist das Aluminium-(2-propanolat). Die A. werden von Wasser in Alkohole u. Aluminiumoxid-Hydrat zersetzt. Zusätze von 0,5–2% A. zu Lackbindemitteln erhöhen deren Viskosität, binden das Wasser, vermindern die Runzelbildung u. das Absetzen der Pigmente, verbessern das Trocknen usw. – *E* aluminum alcoholates, aluminum alkoxides – *F* alcoolates d'aluminium – *I* alcoolati d'alluminio – *S* alcoholatos de aluminio
Lit.: Ind. Chim. Belge **34**, 405–416 (1969) ▪ Kirk-Othmer **1**, 832–851.

Aluminiumalkyle s. Aluminium-organische Verbindungen.

Aluminiumammoniumsulfat s. Ammoniumalaun.

Aluminiumbromid. $AlBr_3$, M_R 266,69. Glänzende, farblose Blättchen, D. 3,2, Schmp. 97,5°C, Sdp. 265°C, an offener Luft stark rauchend, ätzend, gesundheitsschädlich. $AlBr_3$ ist lösl. in Benzol u. Toluol, zersetzt sich in Wasser stürm., WGK 1, im Sauerstoff-Strom brennbar. $AlBr_3$ wird bei organ. Synth. wie z. B. *Friedel-Crafts-Reaktionen, Polymerisationen von Olefinen, Bromierungen durch Halogen-Austausch usw. verwendet. – *E* aluminum bromide – *F* bromure d'aluminium – *I* bromuro d' alluminio – *S* bromuro de aluminio
Lit.: Brauer (3.) **2**, 826 f. ▪ Gmelin, Syst.-Nr. 35, Al, Tl, B, 1933, S. 219–230 ▪ Hommel, Nr. 958 ▪ Synthetica **1**, 22 f. ▪ Kirk-Othmer (4.) **2**, 288 ▪ Snell-Hilton **5**, 171. – *[HS 2827 59; CAS 7727-15-3; G 8]*

Aluminiumbronzen. 1. Umgangssprachliche, jedoch sachlich unrichtige Bez. für das als Pigment in Anstrichmitteln gebrauchte *Aluminium-Pulver. – 2. Von *Bronze abgeleitete fachsprachliche Bez. für Zwei- u. Mehrstoff-Leg. mit Cu (Hauptbestandteil) u. Al (bis 14%) sowie ggf. Fe, Ni, Mn, As, Si. Die leicht bearbeitbaren A., die als Knet- bzw. Guß-Leg. nach DIN 17 665 (04/1974) bzw. DIN 1714 (06/1973) genormt sind, finden Verw. im Werkzeug-, Maschinen- u. Apparatebau, in Behältern, Rohrleitungen, Pumpen, Armaturen etc. für die chem. u. Nahrungsmittel-Ind., im Schiffs- u. Fahrzeugbau, in der Elektro- u. Metallwaren-Ind., im Bauwesen u. im Münzwesen (Frankreich, Finnland). – *E* aluminum bronzes – *F* bronzes d'aluminium – *I* cupralluminati – *S* bronces de aluminio
Lit.: Kirk-Othmer (4.) **7**, 462 ff. ▪ DIN 17 665 (12/83) ▪ Met. Mater. (Inst. Met.) **5** (3.), 128–132 (1989) ▪ s. a. Aluminium-u. Kupfer-Legierungen.

Aluminiumcarbid. Al_4C_3, M_R 143,96. Hellgelbe Krist., D. 2,36, Schmp. 2100°C (Zers.), die sich in Wasser unter Bildung von Methan u. $Al(OH)_3$ zersetzen:

$$Al_4C_3 + 12 H_2O \rightarrow 4 Al(OH)_3 + 3 CH_4.$$

A. wird techn. als Nebenprodukt in den Aluminium-Schmelzöfen gewonnen. – *E* aluminum carbide – *F* carbure d'aluminium – *I* carburo d'alluminio – *S* carburo de aluminio
Lit.: Beilstein E III **1**, 27 ▪ Brauer (3.) **2**, 841 ▪ Winnacker-Küchler (4.) **3**, 38; **4**, 288 f. – *[HS 2849 90; CAS 1299-86-1]*

Aluminiumchlorid. $AlCl_3$, M_R 133,34. Farblose od. gelbliche (Eisenchlorid-Spuren!), krist. Massen, die bei 183 °C sublimieren u. schon bei 20 °C etwas flüchtig sind, D. 2,44, Schmp. 192 °C (unter Druck), verursacht Verätzungen. $AlCl_3$ ist in den meisten organ. Lsm. gut, in Wasser (heftige Reaktion!) sehr leicht lösl., WGK 1; die Lsg. reagiert wegen teilw. Hydrolyse $[AlCl_3 + 3 H_2O \rightarrow Al(OH)_3 + 3 HCl]$ stark sauer; beim Eindampfen dieser Lsg. bleiben zerfließliche (hygroskop.), farblose Krist. von $AlCl_3 \cdot 6 H_2O$ zurück. Das wasserfreie $AlCl_3$ raucht an der Luft, weil sich durch Hydrolyse mit Luftfeuchtigkeit etwas HCl bildet.
Herst.: Flüssiges Aluminium wird mit Chlor-Gas bei 750–800 °C umgesetzt, od. man chloriert Aluminiumoxid in Ggw. von Kohlenstoff.
Verw.: Wasserfreies $AlCl_3$ spielt in der organ. Chemie bei der Alkylierung von Aromaten als *Lewis-Säure (vgl. a. Friedel-Crafts-Reaktion u. Fries-Umlagerung) eine wichtige Rolle, so in der Produktion von Ethylbenzol (Vorprodukt von Polystyrol). Es dient ferner als Katalysator bei der Herst. von Ethylchlorid, Farbstoffvorprodukten, Detergentien, Kohlenwasserstoff-Harzen sowie zahlreichen anderen Produkten für die Kraftstoff-, Kautschuk-, Lack-, Arzneimittel- u. Parfüm-Ind. Neuere Verf. der Herst. von *Aluminium (Alcoa- u. Toth-Verf.) gehen von wasserfreiem $AlCl_3$ aus. Es wird weiterhin zur Herst. von Aluminiumborhydrid, Lithiumaluminiumhydrid, von Phosphor- u. Schwefel-Verb. verwendet. In der Petrochemie ist die Bedeutung des $AlCl_3$ wegen der Entwicklung von Crack- u. Isomerisierungs-Katalysatoren auf der Basis von Zeolithen stark zurückgegangen. Wäss. Lsg. von $AlCl_3$ finden Anw. als Flockungsmittel in der Abwasserreinigung, zur Gewinnung von Pektin, als Katalysator bei der Textilausrüstung, zum *Carbonisieren von Wollwaren, als Zusatz zu Fixierbädern, als Ätzmittel für Offsetplatten, zur Gerbung von Gelatineschichten, zur Herst. von Al-Hydroxid-Gel, wasserfesten Papieren, zur Desinfektion u. im Holzschutz. $AlCl_3$ u. Aluminiumhydroxychlorid sind Bestandteile schweißhemmender u. desodorierender Mittel. – *E* aluminum chloride – *F* chlorure d'aluminium – *I* cloruro d'alluminio – *S* cloruro de aluminio
Lit.: Brauer, (3.) **2**, 825 f. ▪ Gmelin, Syst.-Nr. 35, Al, T1, B, 1933, S. 164–205 ▪ Hommel, Nr. 225 ▪ Kirk-Othmer (4.) **2**, 281–288 ▪ McKetta **3**, 89–94 ▪ Snell-Hilton **5**, 172 ▪ Ullmann (5.) **A 1**, 536–540 ▪ Winnacker-Küchler (4.) **3**, 34f. – *[HS 2827 32; CAS 7446-70-0; G 8]*

Aluminiumclofibrat.

$$\left[Cl-\!\!\bigcirc\!\!-O-\underset{CH_3}{\overset{CH_3}{\underset{|}{\overset{|}{C}}}}-COO^- \right]_2 Al-OH$$

Internat. Freiname für Aluminium-bis-[2-(4-chlorphenoxy)-2-methyl-propionat]-hydroxid, $C_{20}H_{21}AlCl_2O_7$, M_R 471,27, vgl. a. Clofibrat. Es wurde 1961 als Lipidsenker von ICI patentiert. – *E* aluminium clofibrate – *F* clofibrate d'aluminium – *I* clofibrato d'alluminio – *S* clofibrato de aluminio
Lit.: Hager (5.) **7**, 142. – *[HS 2918 90; CAS 14613-01-5]*

Aluminium Company of America s. Alcoa.

Aluminiumfluorid. AlF_3, M_R 83,98. Farbloses, in Wasser, Säuren u. Laugen kaum lösl. Pulver, D. 2,88, Schmp. 1260 °C (subl.), reizend, WGK 1.
Herst.: Aus Aluminiumhydroxid u. Fluorwasserstoff od. aus Aluminiumoxidhydrat mit Hexafluorkieselsäure. AlF_3 bildet durch Anlagerung von Alkalifluoriden Doppelsalze bzw. Komplexsalze, die *Fluoraluminate*, wie z. B. $Na(AlF_4)$, $Na_2(AlF_5)$ sowie $Na_3(AlF_6)$, den techn. wichtigen *Kryolith.
Verw.: Als Flußmittel, neben Kryolith bei der Herst. von Aluminium, beim Schmelzen von Leichtmetallen, Keramik sowie als Katalysator. – *E* aluminum fluoride – *F* fluorure d'aluminium – *I* fluoruro d' aluminio – *S* fluoruro de aluminio
Lit.: Brauer (3.) **1**, 238 ▪ Gmelin, Syst.-Nr. 35, Al, T1, B, 1933, S. 156–163 ▪ Kirk-Othmer (4.) **11**, 273–287 ▪ Snell-Hilton **5**, 177 ▪ Ullmann (5.) **A 11**, 320–328 ▪ Winnacker-Küchler (4.) **2**, 537 ff. – *[HS 2826 12; CAS 7784-18-1; G 8]*

Aluminiumfluorosilicat s. Fluate.

Aluminiumfolien s. Aluminium.

Aluminiumformiate. Sowohl Aluminiumdiformiat, $HO-Al(O-CO-H)_2 \cdot H_2O$, als auch Aluminiumtriformiat, $Al(O-CO-H)_3 \cdot 3 H_2O$, sind als farblose Pulver od. wäss. Lsg. in verschiedener Konz. u. Basizität im Handel.
Verw.: Zur Herst. wasserfester Stoffe, als Textilbeizmittel u. zur Fixierung von Textilfärbungen, als Papierleimungsmittel u. als Adstringens in der kosmet. Industrie. – *E* aluminum formates – *F* formiate d'-aluminium – *I* formiato d'alluminio – *S* formiato de aluminio
Lit.: Beilstein E IV **2**, 17 ▪ Kirk-Othmer **2**, 14 ff.; (3.) **2**, 202 ff. ▪ Snell-Hilton **5**, 180.

Aluminiumhydrid (Aluminiumwasserstoff). $(AlH_3)_x$, farbloses, wahrscheinlich hochpolymeres Pulver, das aus *Lithiumaluminiumhydrid mit $AlCl_3$ hergestellt werden kann. A. ist ebenso wie das daraus mit Diboran herstellbare *Aluminiumboranat* [Aluminiumtetrahydridoborat, $Al(BH_4)_3$] ein starkes Reduktionsmittel, doch wird meist $LiAlH_4$ infolge seiner gefahrloseren Handhabung u. besseren Löslichkeit bevorzugt. Auch Alkoxy-A. sind gute Reduktionsmittel [1]. Olefine addieren sich an AlH_3 zu *Aluminium-organischen Verbindungen. Für A. wurde auch der Name *Alane, für die komplexen A. *Alanate vorgeschlagen. – *E* aluminum hydride – *F* hydrure d'aluminium – *I* idruro d'alluminio – *S* hidruro de aluminio
Lit.: [1] Synthesis **1972**, 217–234.
allg.: Chem. Soc. Rev. **5**, 23–50 (1976) ▪ Fortschr. Chem. Forsch. **8**, 321–436 (1967) ▪ Gmelin, Syst.-Nr. 35, Al, T1, B, 1933, S. 1–4 ▪ Hommel, Nr. 225 ▪ Kirk-Othmer (4.) **13**, 611, 623 ff. ▪ Wiberg u. Amberger, Hydrides of the Elements of Main Groups I–IV, Amsterdam: Elsevier 1971. – *[HS 2850 00; CAS 7784-21-6; G 4.3]*

Aluminiumhydroxide. Gießt man bei 20 °C zu wäss. Aluminium-Salzlsg. etwas NH_4OH, so fällt ein gallertiges Hydrogel von amorphem Aluminiumoxid aus,

das sich allmählich (rascher beim Erwärmen) in krist. *Aluminiummetahydroxid*, AlO(OH) umwandelt. Der zunächst entstehende gallertige Niederschlag enthält unterschiedliche Mengen Wasser, die z. T. adsorbiert, z. T. chem. gebunden sind. Aus solchen Niederschlägen können sich allmählich stöchiometr. wohldefinierte Hydroxide bilden. Früher nahm man an, daß die entstandenen „Aluminiumoxidhydrate" (in der Technik immer noch *Tonerdehydrate* – vgl. Tonerde – genannt) die Zusammensetzung $Al_2O_3 \cdot H_2O$ od. $Al_2O_3 \cdot 3H_2O$ hätten u. somit *Oxidhydrate* (vgl. Aquoxide) wären. Untersuchungen haben jedoch gezeigt, daß die Niederschläge echte Hydroxide sind. Monoklines α-Al(OH)$_3$ (*Bayerit*, D. 2,53) erhält man durch Hydrolyse von Al-Alkoholaten. Häufiger ist das monokline γ-Al(OH)$_3$, das aus Lsg. von *Aluminaten mit CO_2 ausgefällt werden kann, z. B. nach $CO_2 + 2Na[Al(OH)_4] \rightarrow 2Al(OH)_3 + Na_2CO_3 + H_2O$. Dieses γ-Al(OH)$_3$ kommt in der Natur auch als Mineral (*Hydrargillit* od. *Gibbsit*) vor; es ist ein wichtiger Bestandteil von *Bauxit. Es bildet glimmerähnliche, glasartig glänzende Schüppchen od. sechsseitige Tafeln von der H. 2,5–3,5 u. der D. 2,3–2,4. Im Gegensatz zum amorphen, frisch gefällten Oxidhydrat löst sich das krist. Al(OH)$_3$ in Säuren nur schwer auf, u. es verliert auch bei mehrstündigem Erhitzen auf 100 °C kein Wasser. Erst bei z. B. 14tägigem Erhitzen auf 150 °C im zugeschmolzenen Rohr geht es unter Wasserabspaltung in das rhomb. krist. Metahydroxid γ-AlO(OH) (*Böhmit*, D. 3,01) über, das in der Natur ebenfalls Bestandteil des Minerals Bauxit ist. Der blätterige, glasglänzende, durchsichtige bis durchscheinende *Diaspor* (H. 6,5–7, D. 3,44) ist rhomb. krist. α-AlO(OH) u. häufiger Gemengeteil von Bauxit. Dieser enthält ferner sog. *Alumogel* od. *Sporogelit* ($Al_2O_3 \cdot xH_2O$) als meist durch Verunreinigungen gefärbte, bröckelige Massen der D. 2,4–2,5. Erhitzt man Diaspor auf 420 °C (bzw. Böhmit auf Rotglut), so entsteht der harte, wasserfreie *Korund* (α-*Aluminiumoxid). Einen Überblick über die Wechselbeziehungen der A. findet man in *Lit.*[1], u. zur Mineralogie s. *Lit.*[2].
Verw.: Die A. sind beim Bayer-Verf. der *Aluminium-Herst. Zwischenprodukt bei der Herst. von α-Al$_2$O$_3$ sowie Ausgangsmaterial für die Herst. von Al-Verb. u. Aktivtonerden. Al(OH)$_3$ selbst wird – v. a. in feinverteilter Form als Flammschutzmittel[3] u. Füllstoff in Teppichbodenbelägen, Kunst- u. Schaumstoffen u. Wandelementen verwendet, ferner als Beizmittel in der Textil-Ind., als Bestandteil von *Antihidrotika, Zahnputzmitteln, Papieren, Keramik, Schleifmitteln, als Füllstoff u. Pigment in der Kunststoff- u. Gummi-Ind. sowie in Kosmetika, als Adjuvans in Impfstoffen u. in *Antacida. Allerdings sind auch tox. Eigenschaften von A. berichtet worden[4]. – *E* aluminum hydroxides – *F* hydroxydes d'aluminium – *I* idrossido d'alluminio – *S* hidróxidos de aluminio
Lit.: [1] Helv. Chim. Acta **62**, 76–85 (1979). [2] Ramdohr-Strunz, S. 549ff. [3] TIZ **111** (6), 381ff. (1987). [4] N. Engl. J. Med. **294**, 184 (1977).
allg.: Brauer (3.) **2**, 831 ff. ▪ Gmelin, Syst.-Nr. 35, Al, Tl, B, 1933, S. 98–132 ▪ Kirk-Othmer (4.) **2**, 317–330 ▪ Misra, in ACS Monogr. **184**, 31–53, 55–71 (1986) ▪ Snell-Hilton **5**, 181 ▪ Ullmann (5.) **A1**, 558 ff. ▪ Winnacker-Küchler (4.) **3**, 2–28. – *[HS 2818 30; CAS 21645-51-2]*

Aluminiumhydroxychloride. Techn. Bez. für Chlorhydroxy-Verb. des Al (z. B. [Al$_2$(OH)$_5$Cl] · 2–3 H$_2$O, Handelsname Locron®), die in Antihidrotika (s. Aluminiumchlorid), Hydrophobierungsmitteln für Textilien, Feuerfestmaterialien u. zur Schwimmbad-Wasserreinigung Verw. finden. – *E* aluminum hydroxychlorides – *I* idrossicloruri d'alluminio – *S* hidroxicloruros de aluminio
Lit.: J. Pharm. Pharmacol. **26**, 531–537 (1975). – *[HS 2827 49]*

Aluminiumisopropylat [Aluminiumtri-(isopropoxid), Aluminiumtri-(2-propanolat)]. Al[OCH(CH$_3$)$_2$]$_3$, C$_9$H$_{21}$AlO$_3$, M$_R$ 204,25. Hygroskop. farblose Prismen, D. 1,0346, Schmp. 119 °C (andere Angaben 135–139 °C), Sdp. 135 °C (13 hPa), LD$_{50}$ (Ratte oral) 11 300 mg/kg. Lösl. in Ether, Ethanol, Benzol, Chloroform, Methanol, Toluol, wird in Wasser zersetzt; ist in Lsg. drei- bis vierfach assoziiert.
Herst.: Man erwärmt Al-Pulver mit trockenem 2-Propanol in Ggw. kleiner Mengen von HgCl$_2$.
Verw.: Sehr wirksames Dehydratations-, Red.- u. Vernetzungsmittel, Reagenz bei der Red. von Carbonyl-Verb. zu den entsprechenden Alkoholen (*Meerwein-Ponndorf-Verley-Reduktion) sowie bei der Umkehrung dieser Reaktion (*Oppenauer-Oxidation) in organ. Synthesen. – *E* aluminum isopropylate – *F* isopropylate d'aluminium – *I* isopropilato d'alluminio – *S* isopropilato de aluminio
Lit.: Beilstein E IV **1**, 1468 ▪ Jonas et al., Synthetica Merck, Bd. 1, S. 33ff., Darmstadt: Merck 1969 ▪ Kirk-Othmer (4.) **2**, 47, 276 ▪ Ullmann (4.) **7**, 220, 222; (5.) **A1**, 533; **A15**, 493. – *[HS 2942 00; CAS 555-31-7]*

Aluminiumkaliumsulfat s. Alaun.

Aluminium-Legierungen. Die Leg. des *Aluminiums enthalten meist nur geringe Anteile anderer Metalle neben der Hauptkomponente. Die wichtigsten Leg.-Zusätze sind Kupfer, Magnesium, Silicium, Mangan, Zink; in kleineren Mengen werden Nickel, Cobalt, Chrom, Vanadium, Titan, Blei, Zinn, Cadmium, Bismut, Zirkonium u. Silber als Komponenten verwendet. Bor u. Beryllium treten als Spurenkomponenten auf. Die Löslichkeit der einzelnen Leg.-Komponenten im Al ist sehr unterschiedlich; bei höheren Konz. können sie elementar (z. B. Silicium) od. als *intermetallische Verbindungen mit Al (*Aluminide* wie z. B. Al$_6$Mn, CuAl$_2$) im Gefüge auftreten. Auch Verb. zwischen od. mit mehreren Zusatzkomponenten können in A. vorkommen (z. B. Mg$_2$Si, Al$_{12}$Fe$_3$Si). Gegenüber Rein-Al weisen die Leg. meist wesentlich größere Festigkeit u. Korrosionsbeständigkeit, bessere Verarbeitbarkeit, niedrigeren Schmp. u. geringere elektr. Leitfähigkeit auf.
Im Hinblick auf die Verarbeitung unterscheidet man Knet-Leg. (DIN 1725, Tl. 1, 02/1983), Gußleg. mit Sand-, Kokillen- u. Druckguß [DIN 1725, Bl. 2, (02/1986), Bl. 5, (02/1986)] u. Vorlegierungen [EN 575 (07/1995), DIN-EN-1780 (04/1995)]. Weiter wird in aushärtbare (erster Vertreter *Duralumin) u. nicht aushärtbare (naturharte) A.-L. unterteilt. Nach DIN 1700 benutzt man zur Kennzeichnung der Al-Werkstoffe die chem. Symbole der Hauptbestandteile, die gegebenenfalls durch Ziffern ergänzt werden, die den ungefähren Gehalt des betreffenden Leg.-Zusatzes in % an-

geben (*Beisp.*: AlMg 5, AlCuMg 2). Die vor das Kurzz. gesetzten Kennbuchstaben bedeuten bei Guß-Leg.: G = Guß (allg. od. Sandguß). GS = Sandguß, GK = Kokillenguß, GD = Druckguß, GZ = Schleuderguß, S = Schweißzusatz, L = Lot, E = Leitwerkstoff. Bei Knet-Leg. unterscheidet man die Werkstoffzustände nach W = weichgeglüht, F = warm od. kalt umgeformt od. ausgehärtet sowie G = rückgeglüht aus Zustand höherer Kaltverfestigung; eine Anhängezahl kennzeichnet die Mindestfestigkeit in dN/mm^2. Weitere Bezeichnungsmöglichkeiten für A.-L. ergeben sich aus DIN 17007. Über das Syst. zur Kennzeichnung der A. in den USA s. *Lit.*[1]. Werkstoff-Bez. u. -Zusammensetzung in den USA, in Frankreich, Großbritannien, Italien, Japan, der UdSSR, in Österreich u. der Schweiz vgl. *Lit.*[2].
Verw.: Für Leichtbaukonstruktionen, in der Architektur, in der Tieftemperaturtechnik, in der Kunststoffverarbeitung für Wärmeaustauscher etc., vgl. a. Aluminium. Für einen zukünftigen Einsatz im Verkehrswesen, insbes. im Flugzeugbau sind Entwicklungen von AlLi-Leg., von pulvermetallurg. erzeugten u. von Leg. auf der Basis intermetall. Verb., wie TiAl, aussichtsreich. Bekannte, heute z. T. nur noch vom histor. Interesse beanspruchende Wortmarken sind Dural, Duralumin, Hydronalium, Magnalium u. Silumin. Über eine sog. superplast. A.-L. (Supral) s. *Lit.*[3]. Al spielt auch eine Rolle als Leg.-Element von Kupfer (s. Aluminiumbronzen), Zink, u. Eisen. – *E* aluminum alloys – *F* alliages d'aluminium – *I* leghe d'alluminio – *S* aleaciones de aluminio
Lit.: [1] Aluminum Standards and Data, Washington DC: The Aluminum Association 1982. [2] Hufnagel, Aluminium-Schlüssel (3.) Düsseldorf: Aluminium-Verl. 1987. [3] Chem. Eng. News **52**, Nr. 4, 23 (1974).
allg.: Davis, Aluminum and Aluminum Alloys, Ohio: ASM International 1993 ▪ DIN-Taschenbuch 27: Aluminium, Magnesium, Titan und deren Legierungen (5.), Berlin: Beuth 1987 ▪ Grewe u. Schlump: Pulvermetallurgie rasch erstarrter AlLi-Legierungen, Düsseldorf: Aluminium-Verl. 1987 ▪ Source Book on Selection and Fabrication of Aluminum Alloys, Cleveland: Am. Soc. Metals 1979 ▪ Ullmann (5.) **A 8**, 267 ff. ▪ Winnacker-Küchler (4.) **6**, 294–301 ▪ s. a. Aluminium. – [*HS 7601 20*]

Aluminiumnitrat. Al(NO$_3$)$_3$, M_R 213,00. Kommerziell erhältlich als Nonahydrat Al(NO$_3$)$_3 \cdot$9 H$_2$O. Weiße Krist., Schmp. 73 °C, Zers. in Salpetersäure u. bas. Aluminiumnitraten Al(OH)$_x$(NO$_3$)$_y$ bei 135 °C. In Alkohol u. Wasser (WGK 1, mit saurer Reaktion) leicht lösl., entsteht beim Auflösen von Aluminiumhydroxid in Salpetersäure. A. findet Verw. in der Glühstrumpf-Herst., bei der Ledergerbung u. als Extraktionsmittel für Uran in der Kernreaktor-Industrie. – *E* aluminum nitrate – *F* nitrate d'aluminium – *I* nitrato d' alluminio – *S* nitrato de aluminio

Lit.: Gmelin, Syst.-Nr. 35, Al, Tl, B, 1933, S. 149–156 ▪ Hommel, Nr. 803 ▪ Kirk-Othmer (4.) **2**, 289. – [*HS 2834 29; CAS 13473-90-0, 7784-27-2 (Nonahydrat); G 5.1*]

Aluminiumnitrid. AlN, M_R 40,99. Bläuliche Krist., D. 3,05, Schmp. 2230 °C, oberhalb 2200 °C Zers.; H. 9–10, widersteht geschmolzenem Fe u. Al. Herst. aus Bauxit nach der Gleichung:

$$Al_2O_3 + 3C + N_2 \rightarrow 2AlN + 3CO.$$

Verw.: Als Werkstoff für hochfeuerfeste Keramik, z. T. im Verbund mit Silicium- u. Bornitrid. – *E* aluminum nitride – *F* nitrure d'aluminium – *I* nitruro d'alluminio – *S* nitruro de aluminio

Lit.: Brauer (3.) **2**, 835 ff. ▪ Ceram. Eng. Sci. Proc. **6**, 1305 ff. (1985) ▪ Emeléus (Hrsg.), Int. Rev. Sci.: Inorg. Chem., Ser. 2, S. 257 ff., London: Butterworth 1975 ▪ Winnacker-Küchler (4.) **3**, 38. – [*HS 2850 00; CAS 24304-00-5*]

Aluminium-organische Verbindungen.
Bez. für Element-organ. Verb., in denen Aluminium direkt an mind. ein Kohlenstoff-Atom eines organ. Restes gebunden ist. Man kennt solche Verb. bereits seit 1859; sie wurden erstmals von W. Hallwachs u. A. Schafarik[1]) durch Reaktion von Ethyliodid mit metall. Al gewonnen. Große industrielle Bedeutung erhielten die äußerst reaktiven u. an der Luft selbstentzündlichen A.-o. V. mit der Erfindung der Niederdruck-Polymerisation von Ethylen u. des Direktverf. zur Herst. von Trialkylaluminium durch K. *Ziegler im Jahre 1953. Die wichtigsten A.-o. V. sind Alkylaluminium-Verb., die im allg. als Dimere od. Trimere vorliegen. Zu dieser Gruppe gehören Trialkylaluminium-Verb. R$_3$Al (R = Alkyl), Dialkylaluminiumhydride (R$_2$AlH), Dialkylaluminiumchloride (R$_2$Al-Cl), Alkylaluminiumdichloride (R-AlCl$_2$) u. die sog. Alkylaluminiumsesquichloride (R$_2$Al-Cl·R-AlCl$_2$).
Die techn. gebräuchlichen Alkylaluminium-Verb. (s. die Tab.) sind in der Mehrzahl farblose Flüssigkeiten, die sich gut in gesätt. od. aromat. Kohlenwasserstoffen lösen. An der Luft sind die unverd. Produkte selbstentzündlich. Unter kontrollierten Bedingungen u. in Verd. lassen sich die Trialkylaluminium-Verb. zu Alkoholaten oxidieren:

$$R_3Al + 1,5 O_2 \rightarrow (RO)_3Al.$$

Mit Wasser reagieren sie äußerst heftig:

$$R_3Al + 3 H_2O \rightarrow 3 RH + Al(OH)_3.$$

Zum Umgang mit A.-o. V. s. die Firmenschriften der Hersteller.
Herst.: Bei der Sesquichlorid-Synth. werden zerkleinertes Al u. geeignetes Alkylchlorid bei erhöhter

Tab.: Physikal. Daten Aluminium-organischer Verbindungen.

	M_R	D.	Schmp. [°C]	Sdp. [°C] (kPa)	WGK	CAS
Trimethylaluminium	72,1	0,7478	15,3	127 (101,3)	1	75-24-1
Triethylaluminium	114,2	0,8324	–46	185 (101,3)	1	97-93-8
Triisobutylaluminium	198,3	0,7822	1,0	58–60 (1,3×10^{-5})	1	100-99-2
Diethylaluminiumchlorid	120,6	0,9709	–74	125 (6,7)	1	96-10-6
Diisobutylaluminiumhydrid	142,2	0,7989	–80	89–105 (1,3×10^{-5})	–	1191-15-7
Ethylaluminiumdichlorid	127,0	1,227	35	115 (6,7)	1	563-43-9
Ethylaluminiumsesquichlorid	247,5	1,0956	–21	209 (101,3)	–	12075-68-2
Diethylaluminiumethoxid	130,2	0,851	2	108–109 (1,3)	–	1586-92-1

Aluminiumoxide

Temp. u. in Ggw. eines Katalysators umgesetzt: $2 Al + 3 R–Cl \rightarrow R_2Al–Cl + R–AlCl_2$. Das Ziegler-Direktverf. ermöglicht die Herst. von Trialkylaluminium-Verb. ausgehend von aktiviertem Aluminium-Pulver, Wasserstoff u. dem entsprechenden α-Olefin. Die Synth. erfolgt unter Druck u. erhöhter Temperatur. Bei der einstufigen Verfahrensweise laufen mehrere Teil-Reaktionen nebeneinander ab u. ergeben im Endeffekt:

$$Al + 1,5 H_2 + 3 C_nH_{2n} \rightarrow (C_nH_{2n+1})_3Al.$$

Das Direktverf. kann auch zweistufig durchgeführt werden. Setzt man pro Aluminium-Atom nur 2 Mol Olefin um, so erhält man Dialkylaluminiumhydrid. Die Reaktionsprodukte sind gleichzeitig Ausgangsstoffe für die Herst. anderer Alkylaluminium-Verbindungen. Näheres zur Herst. s. bei McKetta (*Lit.*).

Verw.: In Kombination mit Übergangsmetall-Verb. (z. B. Titantetrachlorid) als Mischkatalysatoren (**Ziegler-Natta-Katalysatoren*) der Polymerisation von Olefinen u. Diolefinen zu thermoplast. Kunststoffen u. synthet. Kautschuk. Triethylaluminium wird in großen Mengen als Zwischenprodukt bei der Herst. von langkettigen, prim. Alkoholen für Detergentien verwendet (vgl. Triethylaluminium). Durch Alkylierung von Zinntetrachlorid mit Alkylaluminium-Verb. werden *Zinn-organische Verbindungen hergestellt. Diisobutylaluminiumhydrid (DIBAH), Triisobutylaluminium (TIBA) u. BINAL-H (s. Binaphthyl) sind selektive Reduktionsmittel, die bei der Synth. von Arzneimitteln u. Feinchemikalien Verw. finden, vgl. *Lit.*[2]. *Aluminiumenolate*, die zur hochspezif. Knüpfung von Kohlenstoff-Kohlenstoff-Bindungen Verw. finden, entstehen durch konjugierte Addition A.-o. V. an α,β-ungesätt. Carbonyl-Verb. od. durch Ummetallierung von Lithiumenolaten[3]. Zur synthet. Nutzung anderer A.-o. V. s. *Lit.*[4]. Neben den Alkylaluminium-Verb. spielen andere A.-o. V., von denen auch cycl. Vertreter bekannt sind, in der Technik keine Rolle. – ***E*** organoaluminum compounds – ***F*** liaisons alumino-organiques – ***I*** composti organici d'alluminio – ***S*** compuestos organoalumínicos

Lit.: [1] Justus Liebigs Ann. Chem. **109**, 206 1859. [2] Synthesis **1975**, 617–630. [3] Nachr. Chem. Tech. Lab. **40**, 449–454 (1992). [4] Angew. Chem. **90**, 180–186 (1978); **105**, 1449f. (1993).

allg.: Brauer (3.) **2**, 823ff. ▪ Brauer, Gefahrstoff-Sensorik, Landsberg: ecomed 1988 ▪ Houben-Weyl **13/4**, 1–314 ▪ Kirk-Othmer (3.) **2**, 195; **16**, 565–572 ▪ McKetta **1**, 1–56 ▪ Patai, The Chemistry of the Metal-Carbon Bond, Vol. 4, S. 411–472, Chichester: Wiley 1987 ▪ Snell-Hilton **5**, 163–171 ▪ Ullmann (5.) **A 1**, 543–556 ▪ Wilkinson-Stone-Abel (1.) **1**, 555–682; (2.) **1**, 432–502 ▪ Winnacker-Küchler (3.) **3**, 341; **4**, 38, 62, 116; **5**, 180ff; (4.) **6**, 359f., 571f.

Aluminiumoxide. Zum histor. Namen s. Tonerde. Al_2O_3, M_R 101,96; MAK 6 mg/m³ als Feinstaub, wird in Form von Faserstaub behandelt wie ein Stoff der Gruppe III A 2 (krebserzeugend im Tierversuch). Die A. treten in verschiedenen Modif. auf, von denen das hexagonale α-A. die einzige thermodynam. stabile Modif. ist. Gut charakterisiert ist weiterhin das kub.-flächenzentriert krist. γ-Al_2O_3. Es entsteht aus den *Aluminiumhydroxiden durch Erhitzen auf 400–800 °C u. kann wie die anderen Modif. durch Glühen auf über 1100 °C in das α-Al_2O_3 übergeführt werden. Unter β-Al_2O_3 versteht man eine Gruppe von A., die kleine Mengen Fremd-Ionen im Kristallgitter enthalten. Andere Modif. haben ebenso wie die zahlreichen Übergangsformen zwischen den Aluminiumhydroxiden u. den A. nur geringe Bedeutung. α-Al_2O_3, D. 3,98, H. 9, Schmp. 2053 °C, ist unlösl. in Wasser, Säuren u. Basen. Techn. wird das α-A. aus *Bauxit nach dem *Bayer-Verf.* gewonnen. Die Hauptmenge dient zur elektrolyt. Herst. von *Aluminium. A. befinden sich als dünne Schutzschicht auf Aluminium; durch chem. od. anod. Oxid. läßt sich diese Oxid-Schicht verstärken.

In der Natur kommt α-Al_2O_3 als *Korund vor, D. 3,9–4,1, H. 9, Schmp. 2050 °C. Korund ist meist durch Verunreinigungen getrübt u. oft auch gefärbt. Aufgrund seiner großen Härte wird Korund zu Lagersteinen für Uhren u. elektr. Meßinstrumente sowie als Schleifmittel für Edelsteine u. Metalle verwendet. Bei der Herst. von Schleifscheiben wird z. B. pulverisierter, gemahlener Korund mit 8–25% eines Bindemittels aus Ton, Quarz od. Leim angefeuchtet, zu Scheiben gepreßt u. bei 1300–1400 °C gebrannt, wobei das Ganze zu einer einheitlichen harten Masse zusammensintert. Andere Formen von *Sinterkorund* werden zu Tiegeln, Schalen, Pyrometerschutzrohren, Abziehsteinen, Schneid- u. Ziehwerkzeugen, *Feuerfestmaterialien, *Cermets, Katalysatorträgern, Zahnpulvern, elektr. Isolatoren usw. verarbeitet. Heute gewinnt man Korund techn. als *Elektrokorund;* hierbei schmilzt man aus Bauxit gewonnenes A. im elektr. Lichtbogenofen über 2000 °C. Man erhält so ein sehr hartes Produkt mit ca. 99% Al_2O_3, das als wichtiges Schleif- u. Poliermittel, in der Feuerfest-Ind. u. bei der Herst. von Hartbetonstoffen verwendet wird.

Die sog. *aktiven A.* werden durch Fällungsverf. aus Aluminium-Salzlsg. – z. B. über therm. nachbehandelte Aluminiumhydroxid-Gele – od. durch Calcination aus α-Aluminiumhydroxid bei niedrigen Temp. od. durch Stoßerhitzung hergestellt. Sie zeichnen sich durch eine hohe spezif. Oberfläche (ca. 300 m²/g), gutes Adsorptionsvermögen u. katalyt. Eigenschaften aus. Sie werden häufig als *Adsorbentien (s. a. Adsorptionschromatographie) verwendet. Dabei können sowohl die Aktivität als auch der pH-Charakter der A. durch Wasserzusatz den jeweiligen Aufgaben angepaßt werden. Ein Maß für die Adsorptionsstärke ist durch die sog. *Brockmann-Skale gegeben. In der *Dünnschichtchromatographie verwendet man häufig A., die mit einem fluoreszenzfähigen Leuchtstoff imprägniert sind.

Verw.: Neben den bereits beschriebenen Anw. dienen A. als Trockenmittel für Gase u. Flüssigkeiten, als Katalysatoren für zahlreiche techn. Prozesse, als *Träger für Metall- bzw. Metalloxid-Katalysatoren, *Strahlmittel u. *keramische Werkstoffe (s. a. Oxid-Keramiken). Zusammen mit Metallen bilden die A. die Cermets. Zu Fasern versponnenes α-Al_2O_3 (*Saphibres) wird zur Wärmedämmung u. zur Verstärkung von Leichtmetallbauteilen eingesetzt. Das β-Al_2O_3 ($Na_2O \cdot 11 Al_2O_3$) ist hervorragend geeignet als Festelektrolyt, z. B. in Sensoren zur O_2-Messung. – ***E*** alumina, aluminum oxides – ***F*** oxydes d'aluminium, alumines – ***I*** ossidi d'alluminio – ***S*** óxidos de aluminio, alúminas

Lit.: Angew. Chem. **90**, 38 ff. (1978) ▪ Brauer (3.) **2**, 833 ▪ Büchner et al., S. 259 ff., 376 ff., 451 f. ▪ Gitzen, Alumina as a Ceramic Material, Columbus: Am. Ceram. Soc. 1970 ▪ Kirk-Othmer (4.) **2**, 302–317 ▪ Misra, Industrial Alumina Chemicals, ACS Monograph Nr. 184, Washington DC: ACS 1986 ▪ Ullmann (5.) **A 1**, 557 ff. ▪ Winnacker-Küchler (4.) **3**, 2 ff.; **4**, 236 ff., 244 ff. – *[HS 2818 10–30; CAS 1344-28-1]*

Aluminiumoxidhydrate s. Aluminiumhydroxide.

Aluminiumphosphate. (a) *Aluminiumorthophosphat*, $AlPO_4$, , M_R 121,95, farblose Krist., D. 2,566, Schmp. >1500 °C, lösl. in Säuren. Alkalien, unlösl. in Wasser. Es wird als Flußmittel in Gläsern, Keramik, Glasuren verwendet, außerdem im Gemisch mit $CaSO_4$ u. Na-Silicaten als Zement. $AlPO_4$-Gel eignet sich als Antacidum. – (b) *Aluminiummetaphosphat* $Al(PO_3)_3$, , M_R 263,90, ist ein farbloses Pulver, D. 2,779, das in Wasser u. Säuren unlösl. ist. Es ist Bestandteil von Glasuren, Emails, Gläsern, temperaturbeständigen Isoliermassen u. Molekularsieben[1]. – (c) *Monoaluminiumphosphat*, $Al(H_2PO_4)_3$, , M_R 317,94, wird verwendet als Kaltbindemittel zur Erzielung sog. Grünfestigkeit bei Feuerfestmaterialien. – (d) Sog. *Aluminiumpolyphosphate* entstehen aus $Al(OH)_3$ u. H_3PO_4 als Bindemittel für Feuerfestmaterialien u. Härter für Wasserglaskitte. In der Natur treten A. als *Wavellit u. *Türkis in Erscheinung. – *E* aluminum phosphates – *F* phosphates d'aluminium – *I* fosfato d'alluminio – *S* fosfatos de aluminio

Lit.: [1] Stud. Surf. Sci. Catal. **58**, 137–151 (1991).
allg.: Brauer (3.) **2**, 839 ▪ Gmelin, Syst.-Nr. 35, Al, Tl. B, 1933, S. 345–349. – *[HS 2835 29; CAS 7784-30-7 (a); 32823-06-6 (b); 13530-50-2 (c); 36955-75-6 (d)]*

Aluminium-Präparate. Bez. für therapeut. verwendete Aluminium-Verbindungen. Hierzu gehören z.B. Al-Sulfat (v. a. in Form von Alaun) u. Al-Acetattartrat, die Eiweißstoffe fällen sowie adstringierend u. antisept. wirken. Unlösl. kolloide Al-Verb., bes. Aluminiumoxidhydrate, haben als Adsorbentien für die Neutralisationstherapie (gegen Übersäuerung des Magens) Bedeutung. – *E* aluminum preparations – *F* préparations de l'aluminium – *I* preparati d'alluminio – *S* preparados de aluminio

Aluminiumsilicate. Sammelbez. für Verb. mit unterschiedlichen Anteilen Al_2O_3 u. SiO_2. Silicium ist immer tetraedr. von 4 Sauerstoff-Atomen umgeben, während Aluminium in oktaedr. Koordination vorliegt. Minerale, in denen Al auch Si-Gitterplätze besetzt u. wie dieses vierfach koordiniert ist, nennt man *Alumosilicate (Aluminosilicate)* z.B. *Zeolithe, *Feldspäte, *Feldspatvertreter. Zu den A. gehören u. a. die trimorphe Gruppe Al_2SiO_5 ($Al_2O_3 \cdot SiO_2$) mit den Mineralen *Andalusit, *Sillimanit u. *Kyanit, ferner *Mullit, *Pyrophyllit u. viele *Tonminerale. Schlecht krist. bzw. sogar amorphe A. sind Imogolit (*Allophane) u. Allophan. Frisch gefällte A. sind feindispers, z. T. gelartig amorph, mit großer Oberfläche u. hohem Adsorptionsvermögen, weshalb man sie als A.-Pigmente (ASP), als Füllstoffe u. Verdickungsmittel in der Lack-, Farben-, Gummi-, Kunststoff-, Papier- u. kosmet. Ind. verwendet. Natürliche u. synthet. A. finden Einsatzmöglichkeiten als Katalysatoren u. Feuerfeststoffe[1]; Fasern bzw. Hohlkugeln aus A. dienen als Isoliermaterial. – *E* aluminium silicates – *F* silicates d'aluminium – *I* silicati d'alluminio – *S* silicatos de aluminio

Lit.: [1] Manning, An Introduction to Industrial Minerals, S. 190 ff., London: Chapman & Hall 1995.
allg.: Gmelin, Syst.-Nr. 35, Al, Tl. B, 1934, S. 378–384 ▪ Wild, Umweltorientierte Bodenkunde, S. 50–52, Heidelberg: Spektrum Akadem. Verl. 1995 ▪ s. a. Mineralien. – *[HS 2839 90]*

Aluminiumstearate. Farbloses Pulver, das meist aus den Di- u. Tristearaten des $Al(OH)_3$ besteht, in Wasser unlösl., in Alkohol je nach Acyl-Gehalt etwas u. in polaren organ. Lsm. gut lösl. ist.
Verw.: Als Quell- u. Verdickungsmittel in kosmet. u. pharmazeut. Präp., zur Herst. von adstringierenden Pudern, als Absetzverhinderungsmittel in Anstrichmitteln, Schmierfetten, Bohrölen, Druckfarben, als Formtrenn- u. Gleitmittel in der Kunststoff-Ind., zur Hydrophobierung von Baustoffen, Papier, Leder u. Textilien etc. – *E* aluminum stearate – *F* stéarates d'aluminium – *I* stearati d'alluminio – *S* estearatos de aluminio

Lit.: Beilstein E IV **2**, 1214 f. ▪ Blaue Liste, S. 91 ▪ Hager (5.) **2**, 860, 946.

Aluminiumsubacetat s. Aluminiumacetate.

Aluminiumsulfat. $Al_2(SO_4)_3$, , M_R 342,14. Farblose Krist., D. 2,71, Schmp. 770 °C (Zers.), die sich in Wasser unter saurer Reaktion lösen. Neben der gewöhnlichen Form mit 18 Mol. Kristallwasser (D. 1,61, Schmp. 86 °C) existieren Hydrate mit 6, 10 u. 16 Mol. Wasser. Man erhält techn. $Al_2(SO_4)_3$, wenn Eisen-freies Aluminiumhydroxid od. -oxid in heißer, konz. Schwefelsäure gelöst wird. Über die Nutzung von Al-Abfällen zur Erzeugung von A. s. *Lit.*[1].
Verw.: Zur Leimung des *Papiers (wobei die Harzsäuren unlösl. Al-Seifen bilden) u. in großen Mengen bei der Reinigung von Abwasser (insbes. zur Entfernung von Phosphaten), von Oberflächenwässern, Brauch- u. Trinkwasser. Weiterhin wird A. als Ausgangsstoff zur Gewinnung fast aller anderen Aluminium-Verb. verwendet. – *E* aluminum sulfate – *F* sulfate d'aluminium – *I* solfato d'alluminio – *S* sulfato de aluminio

Lit.: [1] Chem. Eng. (New York) **84**, Nr. 21, 69 (1977).
allg.: Gmelin, Syst.-Nr. 35, Al, Tl. B, 1933, S. 248–279 ▪ Kirk-Othmer (4.) **2**, 330–335 ▪ McKetta **3**, 120–130 ▪ Snell-Hilton **5**, 190 ▪ Ullmann (5.) **A 1**, 527–531 ▪ Winnacker-Küchler (4.) **3**, 30 ff. – *[HS 2833 22; CAS 16828-11-8]*

Aluminiumwasserstoff s. Aluminiumhydrid.

Aluminon s. Aurintricarbonsäure-Ammoniumsalz.

Aluminothermie. Für verschiedene techn. Verf. verwendeter, stark exothermer Redoxprozeß, bei dem Metalloxide durch die Oxid. von Aluminium reduziert werden. Erstmalig eingesetzt von H. *Goldschmidt 1894 (*Goldschmidtsches Thermit-Verf.*). Voraussetzung für die Reaktion ist die hohe Bindungsenergie von Al_2O_3 (–400 kcal/mol) im Vgl. zu anderen Metalloxiden, z.B. Fe_3O_4 (–250 kcal/mol), Cr_2O_3 (–260 kcal/mol), ZrO_2 (–250 kcal/mol), TiO_2 (–210 kcal/mol). Die therm. Aktivierung des Prozesses erfolgt mit Hilfe von *Zündstäben.
Anw.: 1. Zur Darst. schwer reduzierbarer Metalle aus deren Oxiden in reiner Form; – 2. zum Verschweißen größerer Querschnitte aus *Stahl (aluminotherm. Schweißen, Thermit®-Schweißen), z.B. von Eisen-

Alumogel

bahnschienen; – 3. als Reparaturschweißverf. von fehlerhaften Gußstücken aus Stahlguß. In allen Fällen schwimmt das im Verlauf der Reaktion gebildete Al_2O_3 als Schlacke auf u. verhindert Reaktionen mit Gasen aus der Umgebung. – *E* thermite process, thermite welding – *F* aluminothermie, procédé au thermite – *I* alluminotermia – *S* aluminotermia
Lit.: Ullmann (5.) **A 1**, 447–457.

Alumogel s. Aluminiumhydroxide.

Alumosilicate s. Aluminiumsilicate.

Alunit (Alaunstein). Bas. *Aluminiumsulfat-Mineral der Formel $KAl_3[(OH)_6/(SO_4)_2]$, K^+ kann durch Na^+ (*Natroalunit*) u. z. T. durch H_3O^+, Ca^{2+}, Sr^{2+} u. NH_4^+ (*Ammonioalunit*[1]) ersetzt werden, Al^{3+} durch Fe^{3+} (*Jarosit, Natrojarosit*), u. $(SO_4)^{2-}$ z. T. durch $(PO_4)^{3-}$ od. $(AsO_4)^{3-}$; zur Krist.-Chemie der A.-Reihe s. *Lit.*[2]; zu Struktur u. Wasser-Gehalten von A. s. *Lit.*[3]. A. bildet überwiegend dichte, feinkörnige u. erdige, farblose bis weiße od. blaß gefärbte Massen, seltener würfelähnliche rhomboedr. trigonale Krist., Krist.-Klasse $\bar{3}m$-D_{3d}; H. max. 4, D. 2,7–2,8; in Kalilauge u. heißer Schwefelsäure löslich.
Vork.: V. a. als Umwandlungsprodukt von Kalifeldspat-reichen, oft vulkan. Gesteinen, z. B. Toskana/Italien, Auvergne/Frankreich, Gleichenberg/Steiermark, Ungarn. A. ist Rohstoff für die Herst. von *Alaun, *Aluminiumoxid u. Düngemitteln. – *E* = *F* alunite – *I* allumite – *S* alunita
Lit.: [1] Am. Mineral. **73**, 145–152 (1988). [2] Neues Jahrb. Mineral., Monatsh., **1976**, 406–417. [3] Am. Mineral. **77**, 1092–1098 (1992).
allg.: Ramdohr-Strunz, S. 602 f. ▪ Schröcke – Weiner, Mineralogie, S. 582 ff., Berlin: de Gruyter 1981. – [HS 2530 90; CAS 1302-91-6]

Alupent®. Tabl., Ampullen, Flüssigkeit, Dragées u. Dosieraerosol mit *Orciprenalin gegen asthmat. Beschwerden. *B.:* Boehringer-Ingelheim.

Alvarez, Luis Walter, amerikan. Physiker (1911–1988), entdeckte 1937 den Elektroneneinfang, führte mit F. *Bloch die erste Messung des magnet. Moments des Neutrons aus (1939) u. wies bei kosm. Strahlung den Ost-West-Effekt nach. Im Zweiten Weltkrieg war er an der Radarforschung sowie 1944/45 am amerikan. Atombombenprojekt beteiligt. Er leitete den Bau des ersten Protonen-Linear-Beschleunigers. Nach der Erfindung der Blasenkammer (1952) konstruierte er immer größere Wasserstoff-Blasenkammern, die einen Wendepunkt in der Elementarteilchenphysik darstellten. Durch eine damit einhergehende außerordentliche Vereinfachung der Meßtechnik u. der Datenanalyse wies er seit 1960 eine große Zahl neuer Elementarteilchen nach, so z. B. 1961 die erste Massenresonanz. Hierfür erhielt er 1968 den Nobelpreis für Physik.
Lit.: Brockhaus Enzyklopädie in 24 Bd. (19.), Mannheim: F. A. Brockhaus 1986.

Alzheimersche Krankheit. Von A. Alzheimer (1864–1915) im Jahre 1907 erstmals beschriebene degenerative Erkrankung des Zentralnervensyst., die durch fortschreitenden Verlust von Gedächtnis u. intellektuellen Fähigkeiten (Demenz) gekennzeichnet ist. Die Krankheit tritt am häufigsten bei Menschen im Alter über 80 Jahren auf u. stellt die Hauptursache der senilen u. präsenilen Demenz dar. In 25–40% der Fälle wurde ein familiäres Vork., gelegentlich mit autosomal dominantem Erbgang beobachtet. In den Gehirnen von an der A. K. Erkrankten findet sich ein fortschreitender Nervenzell-Untergang v. a. im Bereich der Großhirnrinde mit charakterist. histolog. Abnormitäten in den befallenen Regionen. So sind zum einen fibrilläre Zelleinschlüsse (Neurofibrillenbündel) beschrieben, die aus abnorm phosphoryliertem tau, einem *Mikrotubulus-assoziiertem Protein bestehen. Zum anderen finden sich Herde aus degenerierten Nervenendigungen, Zellen u. *Amyloid (senile Plaques). Die Amyloid-Ablagerungen der senilen Plaques bestehen aus Aggregaten eines Proteins mit einem M_R von 4000 (βA4-Protein) u. sind neurotoxisch. Die Ursache der A. ist unbekannt, als die Krankheit begünstigende Faktoren werden Alter, genet. Disposition, Amyloidose, Verletzungen, Infektionen, Stoffwechsel- u. Ernährungsstörungen diskutiert. Familiär auftretende Fälle sind auf einen Defekt eines Gens auf Chromosom 21 zurückgeführt worden. Eine Behandlung der A. ist nicht möglich. Im Verlauf von 5 bis 10 Jahren führt die Erkrankung zur völligen Hilflosigkeit u. Pflegebedürftigkeit, schließlich zum Tode. – *E* Alzheimer's disease – *F* maladie d'Alzheimer – *I* malattia di Alzheimer – *S* enfermedad de Alzheimer
Lit.: Bauer, Die Alzheimer-Krankheit, Stuttgart: Schattauer 1994 ▪ Dtsch. Ärztebl. **92**, 2340–2345 (1995).

Alzodef®. Pflanzenschutzmittel; Mittel zum Entblättern u. Ausdünnen von Nebentrieben. *B.:* SKW Trostberg AG.

Alzon®. Chem. Pflanzenschutzmittel zur Vertilgung von Unkraut u. schädlichen Tieren; Stickstoff-haltiges Düngemittel. *B.:* SKW Trostberg AG.

Am. Chem. Symbol für *Americium.

A/m. Einheitenzeichen für die abgeleitete SI-Einheit der magnet. Feldstärke (Ampere/Meter). Die (nicht gesetzliche) Einheit Oersted (Kurzz. Oe) berechnet sich durch:

$$1\,Oe = \frac{10}{4\cdot\pi}\cdot A/cm.$$

– *E* Ampere/meter – *F* ampère/mètre – *S* ampere/metro

AM1. Abk. für „*Austin Model 1*". Auf der *NDDO-Näherung basierendes *semiempirisches Verfahren, das von Dewar et al. (s. *Lit.*) eingeführt wurde u. einige Schwächen des *MNDO-Verfahrens behebt, die mit der Überschätzung der Rumpfrepulsion zusammenhängen. Mit dem AM1-Verf. lassen sich z. B. Wasserstoffbrücken-gebundene Komplexe wesentlich besser beschreiben als mit MNDO u. a. semiempir. Verfahren. Computerprogramme zum AM1-Verf. sind in populären quantenchem. Programmpaketen wie *AMPAC od. *MOPAC enthalten.
Lit.: J. Am. Chem. Soc. **107**, 3902 (1985).

AMA®. Oberflächenschutz- u. Gleitmittel, flüssig; verbessert die Oberflächen-Eigenschaften, indem es den Verlauf des Lacks fördert, verhindert Verkratzen u. Abrieb, Ausschwimmen u. Streifenbildung. *B.:* Langer & Co.

Amadori-Umlagerung. Säurekatalysierte Umlagerung eines Aldose-*N*-Glucosids in ein Isoglucosamin (korrespondierendes Ketose-*N*-Glucosid, vgl. Aminozucker). Diese Verb. stellen wichtige Zwischenprodukte zur Herst. von *Osazonen, *Osonen, *Chinoxalinen sowie zur Synth. des *Riboflavins und der *Folsäure dar. – *E* Amadori rearrangement – *F* réarrangement d'Amadori – *I* riorientamento trasposizione d'Amadori – *S* transposición de Amadori
Lit.: Angew. Chem. **102**, 597 (1990) ▪ Carbohydr. Res. **83**, 263–272 (1980) ▪ Hassner – Stumer S. 3 ▪ Prog. Food Nutr. Sci. **5**, 295–314 (1981).

Amagesan®. Trockensaft u. (Brause-)Tabl. mit dem *Antibiotikum *Amoxicillin Trihydrat. *B.:* Yamanouchi.

Amalgame (von arab. al-malgam = erweichende Salbe). Bez. für die flüssigen od. festen Leg. des *Quecksilbers mit Metallen. Auf der Bildung von A. beruhen die vom 16. bis Ende des 19. Jh. ausgeübten Anreicherungsverf. der *Amalgamation* bei der Gewinnung von Edelmetallen (insbes. Gold u. Silber) aus ihren Erzen. So wurden in brennstoffarmen Gegenden (z. B. Mexiko, Peru) zerkleinerte, silberreiche Erze mit Quecksilber behandelt, die *Silber unter A.-Bildung leicht auflöst u. die Silber-Verb. zu Silber reduziert. Die leichte Verdampfbarkeit des Quecksilbers aus Gold-A. u. Silber-A. wurde früher zur sog. *Feuervergoldung u. -versilberung* genutzt, indem man die zu veredelnden Gegenstände mit A.-Pasten dieser Edelmetalle bestrich u. anschließend erhitzte. Außer mit Gold u. Silber amalgiert sich Quecksilber leicht mit Natrium, Kalium, auch mit Zink, Cadmium, Zinn, Blei u. Kupfer. Durch Elektrolyse von NH_4Cl an einer Hg-Kathode ist *Ammoniumamalgam erhältlich. Über die A.-Bildung von Transuranen u. Seltenerdmetallen s. *Lit.*[1]. Quecksilber bildet keine A. mit Eisen, Mangan, Nickel, Kobalt, Wolfram u. Molybdän, weshalb man das Handelsquecksilber auch in eisernen Flaschen aufbewahrt.
Verw.[2]: In der *Chloralkali-Elektrolyse nach dem Quecksilber-Verf. ist Natrium-A. wichtiges Zwischenprodukt. In der Dentaltechnik sind die beständigen Zinn-Kupfer-Edelmetall-A. trotz der Diskussion um gesundheitliche Risiken[3] immer noch das meistverwendete Mittel für Zahnfüllungen (Plomben). Die Alkalimetall-A. dienen gelegentlich als Reduktionsmittel. Die Bildung von Gold- od. Silber-Amalgam läßt sich zur Reinigung Hg-haltiger Gase u. Flüssigkeiten anwenden u. wird bei der Spurenanalyse von Quecksilber genutzt. – *E* amalgans – *F* amalgames – *I* amalgami – *S* amalgamas
Lit.: [1] Inorgan. Nucl. Chem. Lett. **4**, 153 (1968). [2] Neue Hütte **35** (11), 414–418 (1990). [3] Pharm. Ztg. **140** (12), 9–13 (1995).
allg.: Brauer, (3.) **3**, 2060–2065 ▪ Gmelin, Syst.-Nr. 34, Hg, Tl. A, 1962, S. 885–1175 ▪ Kirk-Othmer (4.) **7**, 974 ff.; **11**, 973; **15**, 168; **21**, 193 ▪ Ullmann (5.) A **8**, 267 ff. ▪ Winnacker-Küchler (4.) **6**, 480 ▪ Z. Anal. Chem. **291**, 278–291 (1978). – [HS 284390, 285100]

Amanitine. Die Gruppe der A., die auch Amatoxine genannt werden, besteht aus acht definierten Verbindungen. Sie sind neben den *Phallotoxinen stark tox. Inhaltsstoffe des Grünen Knollenblätterpilzes (*Amanita phalloides*). Es handelt sich um cycl. Octapeptide, die eine S-haltige Brücke besitzen. Man unterscheidet

$$
\begin{array}{c}
R^2 \\
R^1-CH \\
H_3C-CH \\
HN-CH-CO-NH-CH-CO-NH-CH_2-CO \\
\ldots
\end{array}
$$

Tab.: Struktur u. Toxizität der Amanitine.

Name	R^1	R^2	R^3	R^4	R^5	LD_{50}	$K_i[M]$
α-A.	CH_2OH	OH	OH	NH_2	OH	0,3	$0,5 \times 10^{-8}$
β-A.	CH_2OH	OH	OH	OH	OH	0,5	$0,5 \times 10^{-8}$
γ-A.	CH_3	OH	OH	NH_2	OH	0,2	$0,5 \times 10^{-8}$
ε-A.	CH_3	OH	OH	OH	OH	0,3	$0,5 \times 10^{-8}$
Amanullin	CH_3	H	OH	NH_2	OH	>20	10^{-8}
Amanullinic Acid	CH_3	H	OH	OH	OH	>20	–
Proamanullin	CH_3	H	OH	NH_2	H	>20	5×10^{-5}
Amanin	CH_2OH	OH	H	OH	OH	0,5	$0,5 \times 10^{-8}$

(LD_{50}-Angaben mg/kg weiße Maus i.p., K_i für 50% Hemmung RNA-Polymerase B)

α-A. [$C_{39}H_{54}N_{10}O_{14}S$, Schmp. 254–255 °C (Zers.)], β-A. ($C_{39}H_{53}N_9O_{15}S$, Schmp. 300 °C), γ- u. ε-Amanitin, Amanullin, Amanullinsäure ($C_{39}H_{53}N_9O_{13}S$), Proamanullin u. Amanin (s. Tab.), um deren Strukturaufklärung sich insbes. Th. *Wieland verdient gemacht hat. Die *Toxine enthalten neben einer erstmals in den A. entdeckten Aminosäure, γ,δ-Dihydroxyisoleucin, noch folgende Bausteine (zur Erklärung der Symbole s. Aminosäuren): Asx, Cys, Gly, Hypro, Ileu, Trp; dabei sollen die A. als Sulfoxide vorliegen. Die Toxizität der auch peroral giftigen A. ist sehr hoch; so genügen schon 1 µg der γ-A. bzw. 2,5 µg des α-A., um eine Maus zu töten. Das Gift wird weder durch Kochen od. Trocknen noch durch die Proteasen des Verdauungstraktes zersetzt; seine Wirkung geht auf die alloster. Blockierung der m-RNA-Synth. durch Komplexbildung mit der RNA-Polymerase im Zellkern zurück, wodurch die gesamte Enzym-/Proteinsynth. in der Leber zum Erliegen kommt. Näheres zum Wirkungsmechanismus der A. s. *Lit.*[1]. Characterist. für die Giftwirkung der A. ist die verzögerte Wirkung, auch bei letaler Dosierung tritt der Tod erst 15 h nach Giftaufnahme ein. Der Knollenblätterpilz enthält auch das cycl. Decapeptid *Antamanid mit antitox. Wirkung gegenüber Phalloidin[2]. Nach *Lit.*[3] soll Cytochrom C (s. Cytochrome), nach anderen Quellen *Liponsäure als Antidot wirksam sein. – *E* amanitins – *F* amanitines – *I* amanitine – *S* amanitinas

Amantadin

Lit.: [1] Faulstich, Kommerel u. Wieland, Amanita Toxins and Poisoning, S. 59–78, Baden-Baden: Verl. G. Witzstrock 1980.
[2] Chem. Pharm. Bull. **36**, 3196 (1988); **37**, 1684 (1989).
[3] Schweiz. Med. Wochenschr. **108**, 185 (1978).
allg.: Hager (5.) **3**, 48 f. ▪ Sax (8.), Nr. AHI 625 ▪ Turner **1** u. **2**. – [CAS 23109-05-9 (α); 21150-22-1 (β)]

Amantadin. Von der WHO vorgeschlagener Freiname für die hier unter *1-Adamantanamin behandelte Verbindung.

Amanullin s. Amanitine.

Amara. Von latein. amarus = bitter abgeleitete Bez. für *Bitterstoffe.

Amaranth (Naphtholrot S).

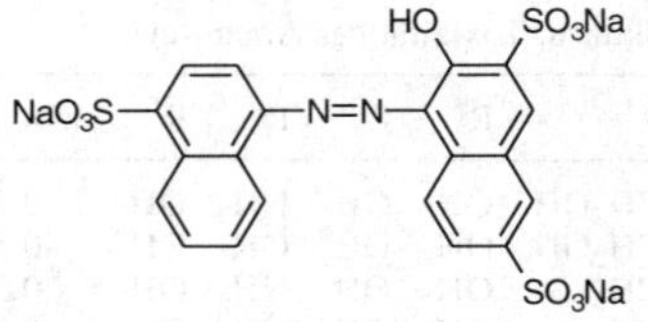

Trivialname für einen roten Azofarbstoff, C.I. Acid Red 27, $C_{20}H_{11}N_2Na_3O_{10}S_3$, M_R 604,46 (dunkelrotbraunes Pulver, lösl. in Wasser, kaum lösl. in Alkohol), der zum Färben von Wolle u. Seide Verw. findet. In der BRD ist A. nur unter Kenntlichmachung für bestimmte Lebensmittel zugelassen [Zusatzstoff-Zulassungs-VO § 6 (1)]. *ADI-Wert der WHO (1984) 0–0,5 mg/kg. A. darf in den USA jedoch wegen möglicher carcinogener Eigenschaften seit 1976 nicht mehr eingesetzt werden, s. *Lit.*[1] – *E* amaranth – *F* amarante – *I* = *S* amaranto
Lit.: [1] Chem. Labor Betr. **27**, 287 (1976); Chem. Ind. (Düsseldorf) **28**, 234 (1976).
allg.: Blaue Liste, S. 122 ▪ DFG (Hrsg.), Farbstoffe für Lebensmittel, Weinheim: VCH Verlagsges. 1988 (Loseblattsammlung) ▪ Merck Index (11.), Nr. 382. – [CAS 915-67-3]

Amarogentin.

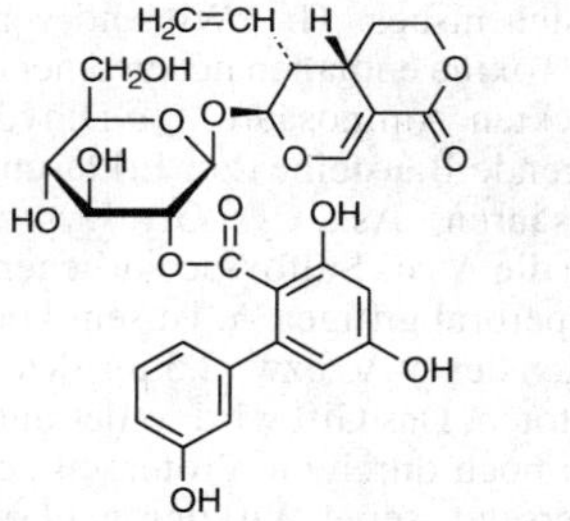

$C_{29}H_{30}O_{13}$, M_R 586,55; Krist., Schmp. (Monohydrat) 229–230 °C, $[\alpha]_D^{20}$ –117° (c 1,0/CHCl$_3$). Sehr bitteres Glucosid aus *Gentiana*- u. *Swertia*-Arten. – *E* amarogentin – *F* amarogentine – *I* = *S* amarogentina
Lit.: Beilstein E V **19/5**, 483 f. ▪ Merck-Index (11.), Nr. 384. – [HS 293890; CAS 21018-84-8]

Amaryllidaceen-Alkaloide. A.-A. kommen v. a. in der Familie der Amaryllidaceae vor (s. Tab. S. 147) u. sind lösl. in Aceton, Ethanol u. Chloroform.
Biosynth.[1]: Die verschiedenen Strukturen können von derselben Vorstufe, Norbelladin, abgeleitet werden, durch einfache od. multiple oxidative Kupplung ergibt es den Galanthamin-Typ (p-o-Kupplung), den Lycorin-Typ (o-p-Kupplung) u. den Haemanthamin-Typ (p-p-Kupplung). Norbelladin entsteht aus Tyrosin (für die C_6–C_2-Einheit u. Stickstoff) u. Phenylalanin (für die C_6–C_1-Einheit).

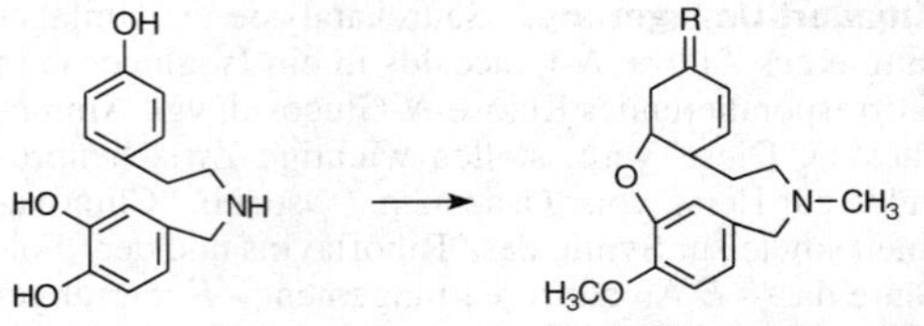

Verw.: Lycorin ist das verbreitetste A.-A., es ist hoch tox. u. für Narcissus-Vergiftungen verantwortlich,

R = H, OH : Galanthamin
R = O : Narwedin

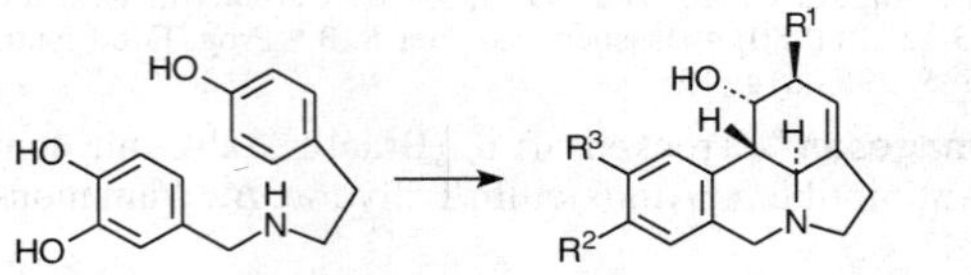

	R^1	R^2	R^3
Norpluviin	H	OH	OCH$_3$
Caranin	H	O–CH$_2$–O	
Lycorin	OH	O–CH$_2$–O	
Galanthin	OCH$_3$	OCH$_3$	OCH$_3$

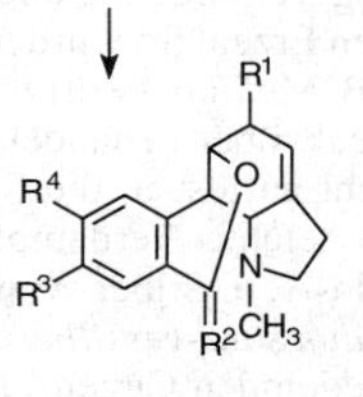

	R^1	R^2	R^3	R^4
Lycorenin	H	H, OH	OCH$_3$	OCH$_3$
Homolycorin	H	O	OCH$_3$	OCH$_3$
Hippeastrin	OH	O	O–CH$_2$–O	

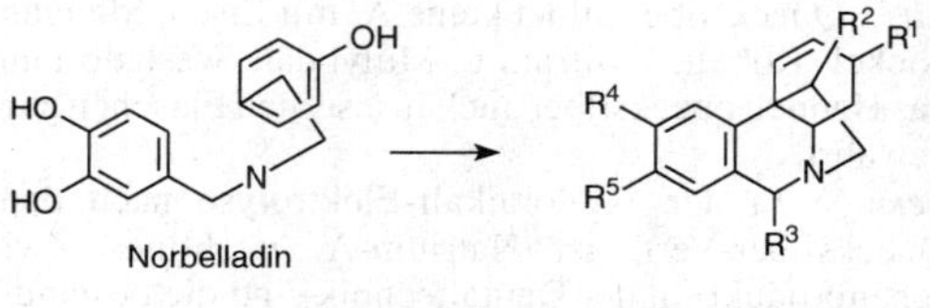

	R^1	R^2	R^3	R^4	R^5
Crinin	OH	H	H	O–CH$_2$–O	
Haemanthamin	OCH$_3$	H	H	O–CH$_2$–O	
Haemanthidin	OCH$_3$	OH	OH	O–CH$_2$–O	
Maritidin	OH	H	H	OCH$_3$	OCH$_3$

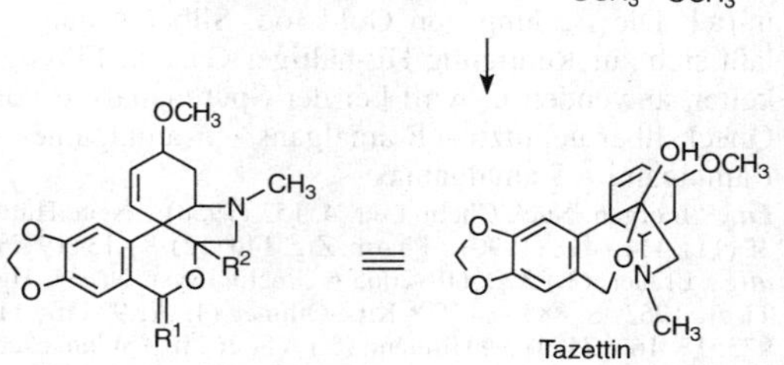

$R^1 = H_2$, $R^2 = OH$: Tazettin
$R^1 = O$, $R^2 = H$: Macronin

Tab.: Daten u. Vork. von Amaryllidaceen-Alkaloiden.

Name	Summen-formel	M_R	Schmp. [°C]	$[\alpha]_D$	Vork.	CAS
Galanthamin-Typ						
Galanthamin	$C_{17}H_{21}NO_3$	287,36	127–129	–122° (C_2H_5OH)	*Galanthus voronovii*	357-70-0
Narwedin	$C_{17}H_{19}NO_3$	285,34	189–192	+405° ($CHCl_3$)	*Narcissus cyclamineus, Galanthus nivalis*	510-77-0
Lycorin-Typ						
Caranin	$C_{16}H_{17}NO_3$	271,32	178–180	–197° ($CHCl_3$)	*Amaryllis belladonna*	477-12-3
Galanthin	$C_{18}H_{23}NO_4$	317,38	132–134	–85° ($CHCl_3$)	*Galanthus voronovii*	517-78-2
Hippeastrin	$C_{17}H_{17}NO_5$	315,33	214–215	+160° ($CHCl_3$)	*Hippeastrum vittatum*	477-17-8
Homolycorin	$C_{18}H_{21}NO_4$	315,37	175	+85° (C_2H_5OH)	*Narcissus peoticus*	477-20-3
Lycorenin	$C_{18}H_{23}NO_4$	317,38	202	+125° (C_2H_5OH)	*Lycoris radiata*	477-19-0
Lycorin	$C_{16}H_{17}NO_4$	287,32	280–281	–120° (C_2H_5OH)	*Lycoris radiata*	476-28-8
Narcissidin	$C_{18}H_{23}NO_5$	333,38	218–219	–32° ($CHCl_3$)	*Narcissus poeticus*	27857-07-4
Norpluviin	$C_{16}H_{19}NO_3$	273,33	239–241 (Zers.)	–232° (CH_3OH)	*Lycoris radiata, Pancratium maritimum*	517-99-7
Haemanthamin-Typ						
Crinin	$C_{16}H_{17}NO_3$	271,32	207–208	+26° ($CHCl_3$)	*Hippeastrum vittatum, Crinum moorei*	510-67-8
Haemanthamin	$C_{17}H_{19}NO_4$	301,34	203–203,5	+19,7° (CH_3OH)	*Haemanthus puniceus*	466-75-1
Haemanthidin	$C_{17}H_{19}NO_5$	317,34	189–190	–41° ($CHCl_3$)	*Haemanthus puniceus*	466-73-9
Macronin	$C_{18}H_{19}NO_5$	329,35	203–205	+413° ($CHCl_3$)	*Crinum macrantherum*	2124-70-1
Maritidin	$C_{17}H_{21}NO_3$	287,36	253–256	+25,1° (C_2H_5OH)	*Pancratium maritimum, Hippeastrum ananuca, Narcissus tazetta*	22331-07-3
Tazettin	$C_{18}H_{21}NO_5$	331,37	210–211	+150° ($CHCl_3$)	*Narcissus tazetta*	507-79-9

LD_{50} (Hund, i.v.) 41 mg/kg. Lycorin u. Verwandte haben antivirale u. antineoplast. Aktivität. Galanthamin ist ein kräftiges Analgetikum sowie ein Cholinesterase-Inhibitor, tox., LD_{50} (Maus, s.c.) 11 mg/kg. Tazettin LD_{50} (Hund, i.v.) 71 mg/kg.
Synth.: Für Lycorin sind verschiedene Synth. bekannt, die auch für Hippeastrin u. Clivonin Anw. finden[2]. Eine Anzahl von allg. Strategien für das Crinan-Skelett führten zu Totalsynth. von u. a. Crinin, Haemanthamin, Haemanthidin, Tazettin u. Macronin[3,4]. Galanthamin wurde in racem. u. opt. reiner Form synthetisiert. – *E* amaryllidaceae alkaloids – *F* alcaloides d'amaryllidacées – *I* alcaloidi dell'amarillidacee – *S* alcaloides de la amaryllidaceas
Lit.: [1] Mothes et al., Biochemistry of Alkaloids, S. 241–246, Berlin: VEB Verl. der Wissenschaften 1985. [2] J. Am. Chem. Soc. 110, 8250 ff. (1988). [3] J. Am. Chem. Soc. 106, 6431 ff. (1984). [4] J. Org. Chem. 49, 157–163 (1984); Krohn, Krist u. Maag, Antibiotics and Antiviral Compounds, S. 379–388, Weinheim: VCH-Verlagsges. 1993; J. Org. Chem. 58, 4662–4672 (1993). *allg.* ■ Beilstein E V **27**/9, 277 (Galanthamin); E IV **27**, 6463 (Lycorin); 6418 (Crinin) ■ Hager (5.) **3**, 748–750; **5**, 213–218 ■ Kirk-Othmer (4.) **1**, 1053–1066 ■ Manske **15**, 83–164; **30**, 251–376 ■ Nat. Prod. Rep. **9**, 183–191 (1992); **10**, 291–299 (1993); **11**, 329–332 (1994) ■ Sax (8.), Nr. AHI 635, GBA 000 ■ Ullmann (5.) A **1**, 382. – [*HS 2939 90*]

Amatol. Bez. für Explosivstoffe aus *Ammoniumnitrat* u. *2,4,6-Trinitrotoluol*, im Mischungsverhältnis 80/20 bis 40/60 variierbar, gießfähig u. bei 80/20 durch Schneckenpressen verfüllbar. A. 80/20 wurde im Ersten Weltkrieg vom brit. Militär zur Granatenfüllung verwendet, ist billiger u. raucharmer als *TNT, hat jedoch geringere Sprengkraft. Die deutsche Wehrmacht hat A. 50/50 im Zweiten Weltkrieg eingesetzt. – *E=F=S* amatol – *I* amatolo
Lit.: Kirk-Othmer (3.) **2**, 532; **9**, 595, 601 ■ Meyer, Explosivstoffe, 6. Aufl., S. 9, Weinheim: VCH Verlagsges. 1985 ■ Winnacker-Küchler (4.) **7**, 371. – [*CAS 8006-19-7*]

Amatoxine s. Amanitine.

Amavadin.

$C_{12}H_{20}N_2O_{11}V \cdot H_2O$, M_R 437,24, ohne Schmp., opt. aktiv, stabil in verd. Säuren u. NH_4OH, lösl. in Methanol. Blauer 1:2-Vanadium(IV)-Komplex der (*S,S*)-*N*-Hydroxy-α,α'-iminodipropionsäure aus dem Fliegenpilz (*Amanita muscaria*). Die hier angegebene Struktur als fünffach-koordinierter Oxovanadium(IV)-Komplex erscheint auf Grund neuer Untersuchungen fraglich, die eher für einen durch Sauerstoff u. Stickstoff achtfach koordinierten Vanadium(IV)-Komplex sprechen. – *E=F* amavadine – *I=S* amavadina
Lit.: Angew. Chem. **99**, 570 ff. (1987) ■ J. Am. Chem. Soc. **108**, 3075 (1986) ■ J. Chem. Soc., Chem. Commun. **1988**, 1158. – [*CAS 12705-99-6*]

Amazonit s. Mikroklin.

Ambacamp® 800. Filmtabl. mit *Bacampicillin-Hydrochlorid gegen bakterielle Infektionen. *B.:* Upjohn.

Ambazon.

Internat. Freiname für 1,4-Benzochinon-amidinohydrazon-thiosemicarbazon, $C_8H_{11}N_7S$, M_R 237,28; Zers. bei 195 °C. Es wurde 1957 als Mund- u. Rachen-Chemotherapeuticum von Bayer (Iversal®) patentiert, ist nicht mehr im Handel. – *E=F=I* ambazone – *S* ambazona

Ambene®

Lit.: Hager (5.) **7**, 153 ▪ Pharm. Ztg. **139**, 516 (1994) – [HS 2930 90; CAS 539-21-9; 6011-12-7 (Monohydrat)]

Ambene®. Filmtabletten u. Suppositorien mit *Phenylbutazon, Ampullen u. Fertigspritzen mit zusätzlich Natrium-2-carbamoylphenoxyacetat I, Lidocain u. Cyanocobolamin, sowie Salbe mit Phenylbutazon, 2-Hydroxyethylsalicylat u. Benzylnicotinat gegen rheumat. Beschwerden. *B.:* Merckle

Ambenoniumchlorid.

Internat. Freiname für N,N'-Bis-(2-diethylaminoethyl)-oxamid-bis-(2-chlorbenzylchlorid), $C_{28}H_{42}Cl_4N_4O_2$, M_R 608,48, Schmp. 196 – 199 °C. Es wurde 1958 als Cholin-Esterasehemmer von Sterling Drug patentiert. – *E* ambenonium chloride – *F* chlorure d'ambénonium – *I* cloruro ambenonico – *S* cloruro de ambenonio
Lit.: Hager (5.) **7**, 154 f. – [HS 2924 29; CAS 115-79-7; 470-78-07 (Base)]

Amber s. Ambra u. Walrat.

Amber Codon. Bez. für ein Stop- od. *Terminationscodon im codierenden Bereich eines Gens.

Amberglimmer s. Phlogopit.

Amberlite®. Stark bis schwach saure od. stark bis schwach bas. Ionenaustauscher auf Kunstharz-Basis, die nach verschiedenen Kriterien wie Vernetzungsgrad, Korngröße, Kapazität u. Feuchtigkeitsgehalt eingeteilt sind. *B.:* Rohm and Haas.

Amberlyst®. Makroretikulare (grobporige) Anionen- u. Kationenaustauscherharze. *B.:* Rohm and Haas.

Ambi... Von latein.: ambo = beide abgeleitete Vorsilbe mit der Bedeutung „gleich, beide" (vgl. a. amphi-). Unter ambifunktionellen od. ambidenten Verb. versteht man solche, die zwei reaktive Zentren besitzen, die wahlweise mit einem Reagenz reagieren können. Einen Zusammenhang zwischen Struktur u. Selektivität stellt das *Allopolarisierungs-Prinzip her, das Reaktivitäts-Vorhersagen für ambidente *Nucleophile z. B. *Enolat-Anionen erlaubt; vgl. a. Kornblum-Regel u. das Prinzip der harten u. weichen Säuren u. Basen (HSAB-Prinzip). – $E = F = I = S$ ambi...

Amblygonit. (Li,Na)Al[(F,OH)/PO$_4$]; meist weiße bis grauweiße, fett- bis glasartig glänzende, spaltbare Massen od. körnige Aggregate bildendes triklines Mineral; H. 5,5 – 6, D. 3 – 3,1.
Vork.: In Lithium-haltigen Granit-*Pegmatiten, z. B. South Dakota u. Maine/USA, Manitoba/Kanada, Brasilien, Spanien. A. wird zur Herst. von Lithium-Salzen verwendet. – $E = F$ amblygonite – *I* ambligonide – *S* ambligonita
Lit.: Am. Mineral. **58**, 291 – 301 (1973) ▪ Nriagu u. Moore (Hrsg.), Phosphate Minerals, S. 7f., Berlin: Springer 1984 ▪ Ramdohr-Strunz, S. 627f. – [CAS 1302-58-5]

ambo-. Von latein.: ambo = beide abgeleitete, kursiv zu setzende Stereobez., die an die Stelle von *RS tritt, bei Gemischen von Enantiomeren od. Epimeren im Mischungsverhältnis von etwa, aber nicht genau 50/50. – $E = F = I = S$ ambo-

Ambra. Bez. für eine Absonderung aus dem Verdauungstrakt des Pottwals, die nach dem Tod des Tieres dank seiner D. (ca. 0,9) auf dem Wasser schwimmt. A. bildet graue bis schwarze, oft weiß marmorierte wachsartige, in Wasser unlösl., in Alkohol wenig lösl. Massen mit einem Schmp. von ca. 60 °C. Es ist nicht zu verwechseln mit dem oft als Weiße Ambra od. Amber bezeichneten *Walrat. Die sog. graue A. riecht nach moosbedecktem Waldboden, Tabak u. Sandelholz. Die Hauptkomponenten des A. sind der Triterpenalkohol *Ambrein, Metabolite des Ambreins u. wechselnde Mengen an (+)-*epi*-Koprosterin[1]. Der riechende Inhaltsstoff macht gewichtsmäßig weniger als 0,5% der A. aus; er setzt sich wahrscheinlich aus Oxidationsprodukten des Ambreins zusammen, zu denen v. a. Dihydro-γ-jonon gehört, das einen kräftigen A.-Duft besitzt. Heute gehen Duftkompositionen meist von synthet. Produkten aus, s. *Lit.*[2]. – *E* ambergris – *F* ambre gris – *I* ambra – *S* ámbar gris
Lit.: [1] Helv. Chim. Acta **29**, 912 (1946). [2] Helv. Chim. Acta **60**, 2763 (1977); Parfüm. Kosmet. **57**, 1 – 11 (1976).
allg.: Fortschr. Chem. Forsch. **12**, 186 – 189 (1969) ▪ Kirk-Othmer (3.) **14**, 725 ▪ Ullmann (5.) **A 11**, 215; **A 19**, 172 ▪ s. a. etherische Öle. – [HS 0510 00]

Ambrein.

$C_{30}H_{52}O$, M_R 428,74. Der *Triterpen-Alkohol A., Schmp. 83 °C, Sdp. 210 °C (0,3 mbar), ist in Wasser nicht, in Methanol schwer u. in Chloroform gut löslich. A. ist der Hauptinhaltsstoff der grauen *Ambra. Im Gegensatz zu seinem Oxidationsprodukt ist A. vollkommen geruchlos. A. wird u. a. als Fixateur in der Parfüm-Ind. verwendet. – *E* ambrein – *F* ambréine – *I* ambreina – *S* ambreína
Lit.: Synth.: Helv. Chim. Acta **72**, 996 (1989); Justus Liebigs Ann. Chem. **1990**, 361 ▪ Ullmann (5.) **A 11**, 215 ▪ s. a. Ambra. – [HS 2906 19; CAS 473-03-0]

Ambrettolid (7-Hexadecen-16-olid, 16-Hydroxy-7-hexadecensäurelacton).

$C_{16}H_{28}O_2$, M_R 252,38. Stark moschusartig riechendes Öl, D_4^{20} 0,958, n_D^{20} 1,4816, Sdp. (0,67 Pa) 94 – 95 °C; im *Moschuskörneröl enthalten u. synthet. als *Moschus-Ersatz hergestellt, Verw. vorwiegend in der Feinparfümerie. – $E = F$ ambrettolide – *I* ambrettolite – *S* ambretolida
Lit.: Beilstein E V **17/9**, 283 ▪ Fortschr. Chem. Forsch. **12**, 198 – 212 (1969) ▪ Ohloff, S. 198 f. – [HS 2932 29; CAS 123-69-3]

Ambril®. Kapseln, Tabl., Tropfen u. Saft mit *Ambroxol-Hydrochlorid gegen akute u. chron. *Bronchitis. *B.:* Cascan.

Ambroid s. Bernstein.

Ambrox.

Sesquiterpenoider Naturstoff vom *Driman-Typ, $C_{16}H_{28}O$, M_R 236,40, als „holzige" Endnote in Parfums verwendet. – $E = F = I = S$ ambrox

Lit.: Ullmann (5.) A 11, 205. – *Synth.:* Heterocycles **26**, 2801–2804 (1987) ▪ Helv. Chim. Acta **72**, 996 (1989) ▪ J. Org. Chem. **61**, 2215 (1996) ▪ Tetrahedron **49**, 6251 (1993); **50**, 10095–10106 (1994); **51**, 8333–8338 (1995) ▪ Tetrahedron Lett. **29**, 1017 (1988); **34**, 629 (1993).

Ambroxan®. Riechstoff, enthält $8\alpha,12$-Epoxy-13,14,15,16-tetranorlabdan (s. Labdan), Duftrichtung: *Ambra. *B.:* Henkel.

Ambroxol.

Internat. Freiname für *trans*-4-(2-Amino-3,5-dibrombenzylamino)-cyclohexanol, $C_{13}H_{18}Br_2N_2O$, M_R 378,11. Das Hydrochlorid wird als sekretlösendes Expektorans verwendet, Zers. bei 233–234,5 °C; LD_{50} (Maus, Ratte i.p.) 268, 380, (Maus, Ratte oral) 2720, 13 400 mg/kg. Es wurde 1968 von Thomae (Mucosolvan®) patentiert u. ist generikafähig. – $E = F = S$ ambroxol – I ambrossoio

Lit.: ASP ▪ Hager (5.) **7**, 155–159 ▪ Pharm. Ztg. **138**, 2754 (1993). – [HS 2922 19; CAS 18683-91-5]

Ambucetamid.

Internat. Freiname für 2-Dibutylamino-2-(4-methoxyphenyl)-acetamid, $C_{17}H_{28}N_2O_2$, M_R 292,42, Schmp. 134 °C. Es wurde 1954 als Spasmolyticum von Janssen entwickelt u. war in Kombination mit Analgetica (Bersicaran®) im Handel. – E ambucetamide – F ambucétamide – I ambucetammide – S ambucetamida

Lit.: Hager (5.) **7**, 158 f. – [HS 2924 29]

Ambutoniumbromid.

Kurzbez. für (3-Carbamoyl-3,3-diphenylpropyl)ethyldimethylammonium-bromid, $C_{20}H_{27}BrN_2O$, M_R 391,35; Zers. bei 228–229 °C. Es wurde 1955 von Janssen als *Anticholinergikum entwickelt u. war in Kombination mit Oxacepam (Praxiten $SP^®$) im Handel. – E ambutonium bromide – F bromure d'ambutonium – I bromuro d'ambutonio – S bromuro de ambutonio

Lit.: Hager (5.) **7**, 159 ff. ▪ Pharm. Ztg. **137**, 649 (1992). – [HS 2924 29]

Amciderm®. Salbe, Fettsalbe, Creme u. Lotio mit *Amcinonid u. Benzylalkohol gegen Dermatosen u. ä. Hauterkrankungen. *B.:* Hermal

Amcinonid. Internat. Freiname für $16\alpha,17\alpha$-Cyclopentylidendioxy-9α-fluor-$11\beta,21$-dihydroxy-1,4-pregnadien-3,20-dion-21-acetat, $C_{28}H_{35}FO_7$, M_R 502,58. Es wurde 1975 als top. Glucocorticoid von American Cyanamid patentiert u. ist von Hermal (Amciderm®) im Handel. – $E = F = I$ amcinonide – S amcinonida

Lit.: Hager (5.) **7**, 161 f. – [HS 2915 39; CAS 51022-69-6]

AMD-Technik s. Dünnschichtchromatographie.

Ameisen (Formicoidea). Staatenbildende Insekten, deren ca. 6000 Arten weit verbreitet sind, bes. zahlreich jedoch in den Tropen vorkommen; in Europa ca. 200 Arten. Der Orientierungssinn der A. ist sehr gut ausgebildet: Sonnenkompaß, Duftspuren u. Landmarken. Der Verständigung dienen verschiedene *Pheromone mit *Alarmstoff-, aber auch mit *Insektenlockstoff-Charakter, der Verteidigung u./od. der Beutejagd eine Reihe von Giften, die häufig artspezif. sind u. mit Hilfe von Gift-Apparaten am Hinterleibsende od. in den Beißwerkzeugen appliziert werden. Die Duft- u. Wehrstoffe der A. sind meist relativ niedermol. Verb. wie *Ketone u. a. Carbonyl-Verb., *Di- u. Trisulfide u. *Terpene, z. B. *Iridomyrmecin, Methylheptenon, Methylhexanon, Iridodial, Dolichodial, *Dendrolasin, *Citral, *Citronellal, *Citronellol, *Limonen u. andere. Wegen ihrer zu Nekrosen führenden Wirkung gefürchtet sind die Toxine der Feuerameisen; sie bestehen aus 2-Methyl-6-alkylpiperidinen bzw. aus 2,5-Dialkylpyrrolidinen. Alkylpyrazine finden sich bei einigen trop. Ameisen. Nicht alle A. verfügen über *Ameisensäure als Gift, andere dafür um so mehr (bis 20% des Körpergew. 70%ige Säure!). Blattschneider-A., die in ihren Nestern als Nahrungsquelle einen Pilz züchten, sezernieren die *Pflanzenwuchsstoffe *Phenylessigsäure, 3-Indolylessigsäure u. 3-Hydroxydecansäure (*Myrmicacin), mit denen sie ihre Pilzgärten frei von Fremdpilzen u. Bakterien halten.

Manche A.-Arten gehen *Symbiosen mit anderen Lebewesen ein wie z. B. mit *Blattläusen, deren zuckerhaltige Sekrete als Nahrung dienen u. die daher gepflegt u. geschützt werden. Viele A. sind als Vertilger von Schadinsekten äußerst nützlich, wie z. B. die unter Naturschutz stehende Rote Waldameise; andere können jedoch in Haus u. Garten durch Fraß an Vorräten, Pflanzen u. verbautem Holz großen Schaden anrichten. Zur Bekämpfung der A. mit *Insektiziden eignen sich neben den früher verwendeten Chlor-haltigen Mitteln vom *Dieldrin-Typ auch Mittel, die *Lindan, *Dichlorvos, *Propoxur od. *Trichlorfon enthalten u. die in Pulverform od. in wäss. Lsg. eingesetzt werden. Zur Bekämpfung der ausschließlich im Haus vorkommenden u. bes. im Hospitalbereich gefürchteten Pharaoameise [1] hat sich das Auslegen von Fraßgift enthaltenden Ködern als nützlich erwiesen [2]. – E ants – F fourmis – I formiche – S hormigas

Lit.: [1] Chem. Rundsch. **27**, 25–29 (1974). [2] Chem. Rundsch. **30**, 11–12 (1977).

allg.: Dumpert, Das Sozialleben der Ameisen, Berlin: Parey 1978.

Ameisensäure (Methansäure). HCOOH, CH_2O_2, M_R 46,03. Klare, flüchtige, stechend riechende, farblose Flüssigkeit; in wasserfreiem Zustand D. 1,22, Schmp. 8 °C, Sdp. 101 °C, Explosionsgrenzen in Luft 18–51 Vol.-%. A.-Dämpfe reizen stark Augen u. Atemwege, Kontakt mit der Flüssigkeit, auch in verd. Form, führt zu Verätzungen der Augen u. der Haut, MAK-Wert 5 ppm, LD_{50} (Ratte oral) 1100 mg/kg, Emissionsklasse I. Wassergefährdende Flüssigkeit, WGK 1, mit Wasser, Ethanol, Ether u. Glycerin ist A. in jedem Verhältnis mischbar; wäss. Lsg. sind üblicherweise 25%ig, D. ca. 1,06. A. ist die stärkste *Carbonsäure, deren einfachster Vertreter sie ist; ihre Salze heißen Formiate. In der Reihe der Carbonsäuren nimmt A. eine Sonderstellung ein, da sie nicht nur als Säure, sondern auch als Aldehyd reagieren kann. Hierbei wirkt A. reduzierend, was zum Nachw. benutzt werden kann: z.B. Red. einer ammoniakal. Silbernitrat-Lsg. zu metall. Silber, Entfärbung einer Kaliumpermanganat-Lsg., Red. einer Kaliumdichromat-Lsg. zu Chrom(III)-Salz. Bei der Oxid. der A. entstehen Kohlendioxid u. Wasser, durch Einwirkung von Hitze od. mit Pt-Katalysatoren bei 20 °C wird A. zu CO_2 u. H_2 zersetzt, mit konz. H_2SO_4 entsteht CO. Mit tert. organ. Basen (z.B. Trimethyl- u. Triethylamin) bildet A. Additionsverb., die ausgezeichnete Reduktionsmittel darstellen[1], da die A. hier in aktivierter Form vorliegt. Über Synth. mit A. s. Lit.[2].
Vork.: In den Giftsekreten von *Ameisen u. Laufkäfern (bilden in Bläschen 1,5–2 mg 75%ige A.), in Brennesseln u. Tannennadeln.
Herst.: Ein Teil der benötigten A. fällt als Nebenprodukt bei der Herst. von *Essigsäure aus Leichtbenzin od. Butan an. Zur direkten Herst. von A. geht man von CO aus, das entweder zu A. hydratisiert od. durch Umsetzung mit Alkoholen in A.-Ester überführt wird. Nähere Beschreibung der Verf. s. Weissermel-Arpe (*Lit.*).
Verw.: Zur Herst. von Formiaten, in der Textil- u. Leder-Ind. zum Imprägnieren, Beizen u. Mattieren, in der Gerberei, als Koagulierungsmittel in der Kautschuk-Ind., zum Ansäuern von Silofutter, zum Entkalken von Boilereinsätzen, zum Desinfizieren von Bier- u. Weinfässern u. dgl. A. ist zugelassener Lebensmittelzusatzstoff (E 236), auch in Form des Natrium- (E 237) u. Calcium-Salzes (E 238). Medizin. dient sog. Ameisenspiritus (1 Tl. A., 14 Tl. Ethanol u. 5 Tl. Wasser) als Antirheumatikum.
Geschichte: A. wurde schon 1670 von Fischer beobachtet u. 1749 von Markgraf durch Dest. von Ameisen ziemlich rein hergestellt. – *E* formic acid – *F* acide formique – *I* acido formico – *S* ácido fórmico
Lit.: [1] Angew. Chem. **82**, 73–77 (1970). [2] Synthetica **1**, 36–42.
allg.: Beilstein E IV **2**, 3–19 ▪ Blaue Liste, S. 26 ▪ DAB **10** ▪ Gmelin, Syst.-Nr. 14, Kohlenstoff, Tl. C4, 1975, S. 48–120 ▪ Hommel, Nr. 25 ▪ Houben-Weyl E **5**, 194 ▪ Kirk-Othmer (3.) **11**, 251–258 ▪ Ullmann (4.) **7**, 362 ff.; (5.) **A 12**, 13–33 ▪ Weissermel-Arpe (4.), S. 44–48 ▪ Winnacker-Küchler (4.) **6**, 77. – *[HS 2915 11; CAS 64-18-6; G 8]*

Ameisensäureamid s. Formamid.

Ameisensäureethylester (Ethylformiat). $HCOOC_2H_5$, $C_3H_6O_2$, M_R 74,08. Leicht flüchtige u. entzündliche, Arrak-ähnlich riechende Flüssigkeit, D. 0,917, Schmp. –80 °C, Sdp. 54 °C, FP. –20 °C c.c.; Explosionsgrenzen in Luft 2,7–16,5 Vol.-%; in Wasser wenig, in organ. Lsm. gut löslich. A.-Dämpfe reizen stark die Augen u. die Atmungsorgane, MAK-Wert 100 ppm, LD_{50} (Ratte oral) 1850 mg/kg, wassergefährdende Flüssigkeit, WGK 1 (Selbsteinst.).
Herst.: Aus HCOONa, Ethanol u. Schwefelsäure.
Verw.: Zur Herst. von künstlichen Arrak- u. Rumessenzen, als Fungizid für Tabak u. Getreide, als Zwischenprodukt bei der organ. Synth. u. als Lsm. für Nitrocellulosen u. Celluloseacetat; zu Formylierungen mit A. s. *Lit.*[1]. – *E* ethyl formate – *F* formiate d'éthyle – *I* formiato d'etile – *S* formiato de etilo
Lit.: [1] Synthetica **1**, 43.
allg.: Beilstein E IV **2**, 23 ff. ▪ Hommel, Nr. 18 ▪ Synthesis **1983**, 796; **1984**, 1063 ▪ Ullmann (4.) **7**, 371 f.; **20**, 208; (5.) **A 9**, 567; **A 11**, 152; **A 12**, 29; **A 14**, 303. – *[HS 2915 13; CAS 109-94-4; G 3]*

Ameisensäuremethylester (Methylformiat). $HCOOCH_3$, $C_2H_4O_2$, M_R 60,05. Wasserklare, leicht entzündliche, rasch verdunstende Flüssigkeit; D. 0,976, Schmp. –99,8 °C, Sdp. 31,8 °C, FP. –19 °C c.c.; Explosionsgrenzen in Luft 5–23 Vol.-%. Löst sich langsam in viel Wasser, nicht gelöste Flüssigkeit schwimmt auf der Oberfläche u. bildet explosionsfähige Gemische über der Wasseroberfläche. A.-Dämpfe reizen die Augen u. die Atemwege, Kontakt mit der Flüssigkeit verursacht Reizung der Augen u. der Haut, MAK-Wert 100 ppm, LD_{50} (Kaninchen oral) 1622 mg/kg, wassergefährdende Flüssigkeit, WGK 2 (Selbsteinst.), Emissionsklasse II.
Herst.: Techn. aus CO u. Methanol od. durch Dehydrierung von Methanol in der Gasphase an einem Cu-Katalysator.
Verw.: Lsm. für Fette, Öle, Fettsäuren, Celluloseester u. Acryl-Harze, Zwischenprodukt bei organ. Synth. u. als Insektizid. – *E* methyl formate – *F* formiate de méthyle – *I* formiato di metile – *S* formiato de metilo
Lit.: Beilstein E IV **2**, 20 ff. ▪ Hommel, Nr. 130 ▪ Merck Index (11.), Nr. 5994 ▪ Ullmann (4.) **7**, 370 f.; **20**, 208; (5.) **A 12**, 28; **A 14**, 303. – *[HS 2915 13; CAS 107-31-3; G 3]*

Amensalismus. Von griech.: a = nicht u. latein.: mensalis = das Essen betreffend hergeleitete Bez. für die Behinderung eines Organismus durch einen anderen, ohne daß einer davon einen Vorteil hat; z.B. sind viele Abfallprodukte des *Stoffwechsels für andere *Organismen hemmend od. tox., ohne daß der ausscheidende Organismus aus der Hemmung anderer einen erkennbaren Vorteil für sich selbst hätte. – *E* amensalism, amentalism – *F* amensalisme – *I* amensalismo – *S* amensalismo, amentalismo
Lit.: Odum, Grundlagen der Ökologie (2.), S. 338, Stuttgart: Thieme 1983.

Amerchol® CAB. Weichmachende Absorptionsbase aus Lanolin-Alkohol mit *Vaselin, *W/O-Stabilisator mit bes. Einsatzgebiet in pharmazeut. Salben; sehr gut verträglich auch bei trockener u. verletzter Haut. *B.:* Nordmann, Rassmann GmbH & Co.

Amerchol® L 101. Multi-Sterolextrakt aus *Lanolin-Alkohol mit Paraffinöl. *Emollient, der das Hautgefühl verbessert, W/O-Co-Emulgator u. O/W-Stabilisator. *B.:* Nordmann, Rassmann GmbH & Co.

American Association for the Advancement of Science s. AAAS.

American Chemical Society (ACS). Die Ges. amerikan. Chemiker mit Sitz in 1155 Sixteenth Street, N.W., Washington (District of Columbia) 20036, gehört zu den größten u. mitgliederstärksten wissenschaftlichen Ges. der Welt. Die 1876 in New York von 35 Chemikern gegr. ACS zählte 1891 302, 1910 5681, 1920 ca. 15 000, 1945 42 500, 1950 ca. 63 000, 1969 ca. 111 000, 1978 ca. 115 000 u. gegenwärtig über 151 000 Mitglieder; Mitgliedschaft von Ausländern ist möglich. Ähnlich der *Gesellschaft Deutscher Chemiker, mit der sie enge Beziehungen pflegt, besitzt die ACS 187 Ortsverbände, die etwa 97% der in den USA lebenden Mitglieder erfassen. ACS veranstaltet halbjährliche Tagungen, verleiht Preise/Auszeichnungen u. verwaltet u. a. den Petroleum Research Fund. Die Fachleute der einzelnen Sektoren werden durch 34 Fachgruppen (Divisions) betreut, denen auch Nichtmitglieder als Gäste angehören können. Zur Geschichte der ACS s. *Lit.*[1].

Die *Publikationen* der ACS umfassen Zeitschriften, Referateorgane u. Schnellinformationsdienste: (1) *Chemical Abstracts, wöchentlich, (2) Chemical and Engineering News, wöchentlich, (3) Chemical Industry Notes, wöchentlich, (4) Biochemistry, zweiwöchentlich, (5) CA Selects, zweiwöchentlich, (6) Chemical Titles, zweiwöchentlich, (7) J. of the American Chemical Society, zweiwöchentlich, (8) J. of Organic Chemistry, zweiwöchentlich, (9) J. of Physical Chemistry, zweiwöchentlich, (10) Single Article Announcement, zweiwöchentlich, (11) Accounts of Chemical Research, monatlich, (12) Analytical Chemistry, monatlich, (13) CHEMTECH, monatlich, (14) Environmental Science and Technology, monatlich, (15) Inorganic Chemistry, monatlich, (16) J. of Chemical Education, monatlich, (17) J. of Medicinal Chemistry, monatlich, (18) Macromolecules, monatlich, (19) Organometallics, monatlich, (20) Chemical Reviews, zweimonatlich, (21) J. of Agricultural and Food Chemistry, zweimonatlich, (22) Industrial and Engineering Chemistry Process Design and Development, Industrial and Engineering Chemistry Product Research and Development, Industrial and Engineering Chemistry Fundamentals, vierteljährlich, (23) J. of Chemical and Engineering Data, vierteljährlich, (24) J. of Chemical Information and Computer Sciences, vierteljährlich, (25) J. of Physical and Chemical Reference Data, vierteljährlich, (26) Chemcyclopedia, jährlich.

ACS publiziert ferner *Serien:* Adv. Chem. Ser. ACS Symposia, ACS Monographs u. *Bücher:* *Ring Index, Directory of Graduate Research u. a. *Vertretung* der Werke der ACS u. des *Chemical Abstracts Service in der BRD: VCH Verlagsges., Weinheim. INTERNET-Adresse: http://www.acs.org.

Lit.: [1] Chem. Eng. News **54**, Nr. 15, 22–31 (1976).
allg.: A Century of Chemistry, Washington: ACS 1976 ■ Browne u. Weeks, 75 Eventful Years, Washington: ACS 1951 ■ Chem. Lab. Betr. **27**, 296 (1976).

American Petroleum Institute (API). Das 1919 gegr. API mit Sitz in 1220 L St., NW, Washington (District of Columbia) 20005, befaßt sich mit allen Aspekten der Förderung u. Verarbeitung von Erdöl u. der Verwertung von Mineralölprodukten u. Petrochemikalien. Das API bietet die über STN International verfügbaren Datenbanken APILIT u. APIPAT an. APILIT umfaßt weltweit nichtpatent-relevante wissenschaftliche u. techn. Lit. aus dem Erdöl- u. Energiebereich. APIPAT enthält Patente aus dem Erdöl u. Energiebereich. INTERNET-Adresse: http://www.api.org.

American Society for Testing and Materials (ASTM). 1902 gegr. Ges. mit Sitz in 100 Barr Harbor Drive, West Conshohocken, PA 19428, der ca. 35 000 Mitglieder angehören. Die dem *DIN entsprechende Inst. ist die amerikan. Zentralstelle für *Normung u. die Sammlung von technolog. Daten, sie gibt Definitionen heraus u. erarbeitet normierte Materialprüfungs- u. Testmethoden.

Publikationen: Book of ASTM Standards (jährlich erscheinendes Normenwerk), Proceedings, J. of Testing and Evaluation, Standardization News, J. of Forensic Sciences, Composites Technology Review, Geotechnical Testing Journal, Cement, Concrete and Aggregates. INTERNET-Adresse: http://www.astm.org.

American Type Culture Collection s. ATCC.

Americium (Symbol Am). Künstliches radioaktives *Actinoiden-Element, Ordnungszahl 95 (*Transurane). Isotope 237–247 mit HWZ zwischen 20 min u. 7400 a. Die leichten Isotope bis einschließlich 240 wandeln sich durch K-Einfang um, die Isotope ab 244 sind kurzlebige *β-Strahler; die beiden langlebigen Isotope 241 u. 243 sind α-Strahler mit Teilchenenergien von 5,48 bzw. 5,27 MeV. A. ist ein silberweißes, sehr geschmeidiges Metall mit doppelt hexagonaler, dichtgepackter Struktur, D. 13, 67 (20 °C), Schmp. 1173 °C. Es ist sehr reaktionsfähig, in Sauerstoff- od. Wasserstoff-Atmosphäre wird seine Oberfläche unter Bildung von AmO bzw. AmH$_2$ angegriffen; es löst sich leicht in Säuren. In seinen Verb. ist Am vorwiegend 3-wertig. Man kennt auch die Wertigkeitsstufen 2, 4, 5 u. 6; allerdings ist die 2-wertige Stufe in wäss. Lsg. nicht beständig. Die Verb. des 3-wertigen Am sind in der Regel gelblich bis rosa, die des 5-wertigen orange, die des 6-wertigen tiefgelb; AmO$_2$ ist schwarz. Bekannt sind Halogenide, Oxide u. Hydroxide, auch in Komplexen, ferner organ. Koordinationsverbindungen. Über den Metabolismus von A. im menschlichen Organismus s. *Lit.*[1]. Am soll sich in der Nahrungskette des Menschen nicht anreichern[2].

Am ist heute in Gramm u. sogar kg-Mengen verfügbar. Das am besten für metallurg. Untersuchungen geeignete Isotop 243 wird durch sukzessiven Neutronen-Einfang im Kernreaktor gebildet. Zur Trennung von Plutonium u. Curium wird die unterschiedliche Löslichkeit der Oxalate der 3-wertigen Elemente ausgenutzt. Das Metall läßt sich in guter Ausbeute u. Reinheit durch Red. von AmO$_2$ mit Lanthan od. Thorium herstellen; ein Reinheitsgrad von 99,9% wird durch wiederholte Sublimation im Hochvakuum in einer Tantal-Apperatur erreicht. Am wird als Strahlenquelle für die *Fluoreszenzspektroskopie verwendet.

Geschichte: Am wurde 1944 als drittes Transuran von *Seaborg, *Ghiorso, James u. Morgan an der Universität Chicago als Ergebnis sukzessiver Neutronen-Einfangreaktionen durch Plutonium-Isotope in einem Kernreaktor erhalten:

$$^{239}Pu\ (n,\ \gamma)\ ^{240}Pu\ (n,\ \gamma)\ ^{241}Pu \xrightarrow{\beta} {}^{241}Am$$

(zur Symbolik s. Kernreaktionen). Für die Namensgebung war außer der Entdeckung in den USA ausschlaggebend, daß Am die zu der des Lanthanoids *Europium analoge Elektronenkonfiguration besitzt. – *E* americium – *F* américium – *I* = *S* americio

Lit.: [1] Health Phys. **2**, 359 (1974). [2] Naturwissenschaften **65**, 137–143 (1978); Struct. Bonding (Berlin) **34**, 39–77(1978).
allg.: Gmelin, Syst.-Nr. 71, Transurane 1976, S. 57–67 ■ s. a. Actinoide u. Transurane. – *[HS 2844 40; CAS 7440-35-9]*

AMERLATE®

AMERLATE®. Marke für Lanolin-Verb., bes. für die dekorative Kosmetik. *B.:* Nordmann, Rassmann GmbH & Co.

Amesit s. Serpentin.

Ames-Prozeß s. Thorium.

Ames-Reagenzien. Sortiment von *Teststäbchen u. Testtabl., mit deren Hilfe sich in sehr kurzer Zeit Blut, Eiweiß, Zucker, Bilirubin, Ketonkörper etc. im Harn od. Kot bzw. im Blut aufgrund typ. Farbreaktionen nachweisen lassen. Die von der Firma *Miles entwickelten A.-R. tragen im allg. Handelsnamen, die auf ...stix enden; *Beisp.:* Dextrostix, Ketostix, Urobilistix. – *E* Ames reagents – *F* réactifs d'Ames – *I* ireagenti Ames – *S* reactivos de Ames

Ames-Test. Von Ames et al.[1] entwickelte Meth. zum Nachw. der Carcinogenität einer chem. Verb. über ihre *Mutagenität. Testorganismen sind verschiedene Typen von *Defektmutanten (Histidin-Auxotrophe) des Bakteriums *Salmonella typhimurium*, die unter dem Einfluß von *Mutagenen (u. *Carcinogenen) zum *Wildtyp ohne Histidin-Bedarf zurückmutieren. Zum Simulieren des menschlichen Stoffwechsels wird dem Testansatz Rattenleber-Homogenat zugesetzt, wodurch Umwandlungsprodukte der zu testenden Substanz miterfaßt werden. Da der A.-T. Carcinogene mit Hemmwirkung auf das menschliche *Reparatursystem nicht erfaßt, werden dem A.-T. normalerweise weitere Mutagenitätstests angeschlossen. – *E* Ames test – *F* essai d'Ames – *I* test d'Ames – *S* prueba de Ames
Lit.: [1] Proc. Natl. Acad. Sci. USA **70**, 782, 2281 (1973).
allg.: Kilbey et al. (Hrsg.), Handbook of Mutagenicity Test Procedures, Amsterdam: Elsevier 1984 ▪ Mutat. Res. **113**, 173 (1983).

Amethyst. Als Schmuckstein geschätzte, meist Krist. bildende, in verschiedenen Abstufungen violette u. rosaviolette Varietät von *Quarz (SiO$_2$); zu den Farbursachen s. *Lit.*[1], zum Feinbau s. *Lit.*[2]. Erhitzt man A. auf 400–500 °C, so färbt er sich gelb bis gelbbraun. Derart gebrannte A. werden im Handel als *Citrin* (Quarz), *Madeiratopas* od. *Goldtopas* bezeichnet.
Vork.: Bei Idar-Oberstein, in Brasilien, Uruguay, Indien, Mexiko u. Ontario/Kanada. Aus Bolivien ist ein zweifarbiger, aus A.- u. Citrin-Zonen bestehender Quarz unter dem Namen *Ametrin* im Handel. Im Altertum wurde A. als Amulett gegen Trunkenheit (griech.: amethystos = nicht trunken) getragen. – *E* amethyst – *F* améthyste – *I* ametista – *S* amatista
Lit.: [1] Mineral. Rec. **20**, 365ff. (1989). [2] Z. Dtsch. Gemmol. Ges. **29**, 17ff. (1980).
allg.: Heaney et al. (Hrsg.), Silica (Reviews in Mineralogy, Vol. 29), S. 442–446, Washington, D.C.: Mineralogical Society of America 1994 ▪ Lieber, Amethyst, München: Weise 1994 ▪ Rykart, Quarz-Monographie (2.), S. 121–123, 156–163, Thun: Ott 1995 ▪ s.a. Quarz, Edelsteine. – *[HS 2506 29; CAS 14832-91-8]*

Ametrin s. Amethyst.

Ametryn. Common name für 2-Ethylamino-4-isopropylamino-6-methylthio-1,3,5-triazin.

$C_9H_{17}N_5S$, M_R 227,33, Schmp. 84–86 °C, LD_{50} (Ratte oral) 1110 mg/kg (GefStoffV), von Geigy 1964 eingeführtes selektives system. *Herbizid gegen Ungräser u. Unkräuter im Zuckerrohr-, Kaffee-, Gemüse u. Obstanbau. – *E* ametryn – *F* ametryne – *I = S* ametrina
Lit.: Farm ▪ Perkow ▪ Pesticide Manual. – *[HS 2933 69; CAS 834-12-8]*

AM-EX-OL™. Marke von ALDRICH für 4-Chlor-2-phenylchinazolin.

Ameziniummetilsulfat.

Internat. Freiname für 4-Amino-6-methoxy-1-phenylpyridazinium-methylsulfat, $C_{12}H_{15}N_3O_5S$, M_R 313,33, Zers bei 176 °C; LD_{50} (Maus, Ratte oral) 1630, 1410, (Maus, Ratte i.v.) 40,4, 45,5 mg/kg. Es wurde 1970, 1971 als selektives noradrenerges Antihypertonicum von BASF patentiert u. ist von Grünenthal (Supratonin®) u. Knoll Deutschland (Regulton®) im Handel. – *E* ameziniummetilsulfate – *F* metilsulfate d'amécizinium – *I* ameziniometilsolfato – *S* metilsulfato de amecinio
Lit.: Hager (5.) **7**, 163. – *[HS 2933 90; CAS 30578-37-1; 41658-78-0 (Base); 51410-15-2 (Chlorid)]*

Amfepramon.

Internat. Freiname für 2-Diethylaminopropiophenon, auch Diethylpropion genannt, $C_{13}H_{19}NO$, M_R 205,30. Es wurde als Appetitzügler von Temmler Werke (Regenon®) 1961 patentiert, ist auch von Wira GmbH (Tenuate® Retard) im Handel u. in Anlage III C der Btm.-VO gelistet. – *E* amfepramone – *F* amfépramone – *I* amfepramone – *S* anfepramona
Lit.: ASP ▪ Hager (5.) **7**, 165f. – *[HS 2922 30; CAS 90-84-6; 134-80-5 (Hydrochlorid)]*

Amfetaminil.

Internat. Freiname für (α-Methylphenethylamino)-phenylacetonitril, $C_{17}H_{18}N_2$, M_R 250,34, Schmp. 85–87 °C. Es wurde 1959 als Psychoanaleptikum von Voigt (AN 1®, außer Handel) patentiert. Es ist in der Anlage III A der Btm-VO gelistet. – *E* amfetaminil – *F* amfétaminil – *I* amfetaminile – *S* anfetaminilo
Lit.: ASP ▪ Hager (5.) **7**, 170 ▪ Pharm. Ztg. **138**, 206 (1993). – *[HS 2926 90; CAS 17590-01-1]*

Amfomycin.

Dab^e = D-*erythro*-α,β-Diaminobutensäure
Dab^t = L-*threo*-α,β-Diaminobutensäure
Pip = D-Pipecolinsäure

Von der WHO vorgeschlagener Freiname für ein lokal wirksames Peptid-Antibiotikum aus *Streptomyces canis*, $C_{58}H_{91}N_{13}O_{20}$, M_R 1290,44; LD_{50} (Maus i.v.) 120,2 (Calciumsalz), 177,8 (Natriumsalz) mg/kg. Es wurde 1964 von Bristol Myers patentiert. – *E* amfomycin – *F* amfomycine – *I* amfomicina – *S* anfomicina
Lit.: Hager (5.) **7**, 172. – [HS 294120; CAS 1402-82-0]

Amgen. Biotechnologie-Unternehmen mit Hauptsitz in Thousand Oaks, California. Entwicklung u. Produktion von humanen biopharmazeut. Produkten auf der Basis von rDNA-Techniken. Forschungsschwerpunkte: Hämatopoese, Neurobiologie, Entzündung/Autoimmunität, Geweberegeneration.

AMICAL®. Handelsbez. der ANGUS Chemie GmbH für ein Fungi- u. Algizid. Einsetzbar als Gebindekonservierungsmittel gegen Pilzbefall sowie Schutz vor Schimmelpilzbefall von Farben, Dicht- u. Klebstoffen.

Amidacetale (1,1-Dialkoxy-1-dialkylaminoalkane). A. gehören in die große Gruppe der *Orthocarbonsäure-Derivate [1] (s. Orthoester), die wichtige Synthesebausteine in der organ. Chemie darstellen. Sie lassen sich aus anderen Orthocarbonsäure-Derivaten z.B. durch Aminolyse (vgl. Ammonolyse) bzw. *Alkoholyse gewinnen, wobei oft Imminium-Salze als Zwischenstufen auftreten.

z.B.: $R^1=R^2=R^3=CH_3$: *N,N-Dimethylacetamid-dimethoxyacetal* (1,1-Dimethoxy-1-dimethylaminoethan). A. sind sehr Hydrolyse-empfindlich u. reaktiver als *Orthoester. Sie reagieren leicht mit Elektrophilen u. *Nucleophilen. Charakterist. ist die schwache Dissoziation in ein Alkoholat- u. Imminium-Ion. – *E* amide acetals – *F* amidoacétals – *I* ammidacetali – *S* amidoacetales
Lit.: [1] Houben-Weyl, E 5/1, 3–192.
allg.: Patai, The Chemistry of Acid Derivates, Suppl. B, Bd. 1, S. 533–599; Bd. 2, S. 1005–1030, Chichester: Wiley 1979, 1992.

Amidasen (Amidohydrolasen, EC 3.5.1–3.5.2). Zu den *Hydrolasen zählende Enzyme, die C–N-Bindungen von Amiden hydrolyt. spalten. *Beisp.*: *Asparaginase, *Urease, *Penicillinase, während z.B. *Arginase u. die Purin-Desaminasen zu den *Amidinasen* (Amidinohydrolasen, EC 3.5.3–3.5.4), gehören. Peptide u. Proteine spaltende Enzyme rechnet man ebenfalls nicht zu den A., sondern zu den *Proteasen* (Peptid-Hydrolasen). – *E* = *F* amidases – *I* a(m)midasi – *S* amidasas

Amide. Im allg. versteht man unter A. die sog. *Säureamide*, die sich von Ammoniak durch Ersatz von 1, 2 od. 3 H durch Säure-Reste (R–CO– od. R–SO$_2$–) ableiten. Man unterscheidet hier zwischen Säure-A. mit einer (prim. A.), zwei od. drei Acyl-Resten, wobei erstere, auch im Hinblick auf die *Peptide, die bedeutendste Rolle in der organ. Chemie spielen. *N*-Alkyl- u. *N,N*-Dialkyl-Derivate, R^1–CO–NH–R^2 bzw. R^1–CO–NR$_2^2$, werden in der Lit. oft als sek. bzw. tert. A. bezeichnet. Die Säure-A. sind mit Ausnahme von *Formamid feste krist. Verb., so z.B. *Acetamid, *Benzamid, die *Sulfonamide, auch die *Anilide u. *Polyamide. Prim. A. lassen sich ähnlich wie *Ester mit viel Wasser in Ggw. von Alkalien verseifen. Die Carbonyl-Gruppe ist zur Bildung von sog. *Amidacetalen* befähigt.

Herst.: Für die direkte Herst. von A. aus Carbonsäure-Derivaten u. Ammoniak bzw. Aminen gibt es eine Vielzahl von Kondensationsmitteln, die auch die Herst. spezieller Amide gestatten. Neben der klass. Umsetzung von Carbonsäure-chloriden mit Ammoniak od. Aminen hat auch die Umsetzung von Aminen mit aktivierten *Estern, mit S-Estern od. *N*-Acyl-Heterocyclen (Azolide, s. Azole) Bedeutung u. wird auch zur Synth. von *Alkaloiden u. *Makroliden angewendet. Die *Hydratisierung von Nitrilen, die Acylaminierung von Kohlenwasserstoffen (durch *Ritter-Reaktion), die katalyt. *Carbonylierung in Ggw. von Aminen, die *Willgerodt-Reaktion u. die *Beckmann-Umlagerung von *Oximen sind weitere wichtige Methoden.

Abb.: Herstellung von Amiden.

Wird eine Amid-Bindung zwischen der Carbonyl-Gruppe der einen u. der Amino-Gruppe einer anderen Aminosäure geknüpft, so gelangt man zu *Peptiden; in diesem Fall spricht man von *Peptid-Bindungen*, wie sie in vielen Naturstoffen (*Proteine, *Wolle, *Seide) vorliegen u. durch *Amidasen gespalten werden können. Aus *Thiocarbonsäuren erhält man in analoger Weise *Thioamide, u. die Imino-A. heißen *Amidine. Formale Tautomere der A. sind die *Imidsäuren. Beim Ersatz der H-Atome des Ammoniaks durch Metall-Atome gelangt man zu *Metallamiden, durch anorgan. Säure-Reste ebenfalls zu A., z.B. zu *Cyanamid, *Amidoschwefelsäure, *Sulfamid u. Nitramid. – *E* = *F* amides – *I* ammidi, amidi – *S* amidas
Lit.: Houben-Weyl **8**, 647–671; **11/2**, 1–73; E 5/2, 934–1135 ■ Kirk-Othmer (3.) **2**, 252–259; (4.) **2**, 346ff. ■ Patai, The Chemistry of Acid Derivates, Suppl. B, Bd. 1, S. 441–490; Bd. 2, S. 357–369, Chichester: Wiley 1979, 1992 ■ Patai, The Synthesis of Carboxylic Acids, Esters and their Derivates, S. 176–192, Chichester: Wiley 1991 ■ Patai, The Chemistry of Amides, London: Interscience 1970.

Amidharze s. Aminoplaste.

Amidierung

Amidierung. Bez. für die Synth. von *Amiden mit dem Sonderfall der Acetamidierung. – $E=F$ amidation – I ammidazione – S amidación

Amidine (Carbimidsäure-amide).

$$R-C\overset{NH}{\underset{NH_2}{\diagup}}$$

Bez. für eine Gruppe von Verb., die sich formal von *Amiden durch Ersatz des Carbonyl-Sauerstoffs durch die Imino-Gruppe ableiten od. die als Amide der *Imidsäuren aufzufassen sind, d. h. Verb., die die stark bas. *Amidino...- od. Guanyl-Gruppe im Mol. enthalten; ihre 3 H-Atome können durch *Alkyl od. *Aryl ersetzt werden. Die A. liegen meist in Form ihrer Salze (z. B. Acetamidin-Hydrochlorid [$H_3C-C(NH)NH_2 \cdot HCl$]) vor. *Herst.:* Durch *Ammonolyse od. Aminolyse von *Amiden od. Nitrilen (weitere Meth. s. *Lit.*); zum präparativen Nutzen der Amidinium-Salze s. Böhme u. Viehe (*Lit.*). – $E=F$ amidines – I amidine – S amidinas

Lit.: Böhme u. Viehe, Iminium Salts in Organic Chemistry, Bd. 2, New York: Wiley 1978 ▪ Houben-Weyl E 5, 1304–1308 (1985) ▪ Patai, The Chemistry of Amidines and Imidates (2 Bd.), Chichester: Wiley 1975, 1991 ▪ s. a. Amide.

Amidinium-Salze s. Amidine.

Amidino... Laut IUPAC-Regel C-951.4 (1979) empfohlenes Präfix für die Atomgruppierung –C(=NH)–NH$_2$ in systemat. Namen, früher oft Guanyl... genannt. IUPAC-Regel R-3.2.1 (1993) bevorzugt Carbamimidoyl...; C.A.: (Aminoiminomethyl)... – $E=F=I=S$ amidino...

Amidinoharnstoff s. Dicyandiamidin.

Amido... In systemat. Namen von anorgan. Verb. (IUPAC-Regel I-10.4.5.5) Präfix für die Gruppierung –NH$_2$ als Ligand od. für partiellen Austausch von –OH gegen -NH$_2$ bei mehrbasigen Oxosäuren, *Beisp.:* *Amidoschwefelsäure. In der organ. Nomenklatur gibt es *kein* Präfix „A." (heißt statt dessen *Amino...), es sei denn in Zusammensetzungen wie *Acetamido..., *Benzamido... etc. – $E=F=I=S$ amido...

Amido-Farbstoffe. Säurefarbstoffe, Spezialsortiment zum Färben u. Bedrucken von *Polyamidfasern u. Wolle.

Amidol s. 2,4-Diaminophenol.

Amidopyrin s. Aminophenazon.

Amidoschwarz 10 B.

$C_{22}H_{14}N_6Na_2O_9S_2$, M_R 616,49, saurer Azofarbstoff zum Anfärben der Serum-Eiweißfraktionen, die bei der Papier-Elektrophorese getrennt werden. Die Stärke der Anfärbung ermöglicht Rückschlüsse auf die Zusammensetzung des Serums aus Albumin u. α-, β-, γ-Globulin. – E amido black 10 B, Naphtol Blue Black – F noir d'amidon – I amidonero 10 B – S negro de amida 10 B – *[HS 3204 12; CAS 1064-48-8]*

Amidoschwefelsäure (Sulfamidsäure, veraltet: Amidosulfonsäure u. Sulfaminsäure). H_2N-SO_2-OH, , M_R 97,10. Farblose, geruchfreie, unbrennbare, nicht hygroskop., nicht flüchtige, orthorhomb. Krist., D. 2,06, Schmp. 205 °C, oberhalb 209 °C Zers., WGK 1. Der Staub reizt stark die Augen, die Atemwege u. die Haut, Kontakt mit dem festen Stoff u. wäss. Lsg. führt zu Verätzung der Augen u. der Haut. Lösl. in Wasser (stark saure Reaktion ähnlich Mineralsäuren), in konz. anorgan. Säuren u. in den meisten organ. Lsm. wenig lösl., gut lösl. in flüssigem Ammoniak, Formamid u. Dimethylsulfoxid. *Herst.:* Techn. aus Harnstoff, Schwefeltrioxid u. Schwefelsäure od. aus Ammoniak u. Schwefeltrioxid. *Verw.:* Anstelle von Schwefelsäure in der chem.-techn. Ind. zur Entfernung von Kesselstein, Milchstein u. dgl. Rückständen, in der Gerberei zum Entkalken u. Pickeln, bei der Harnstoffharz-Fabrikation als Katalysator, zur Entfernung von Nitriten bei der Diazotierung, in der Metallbeizerei, Galvanotechnik, in Rostentfernungspasten, in der Maßanalyse als Urtitersubstanz, zum quant. Nachw. von Nitrit-Mengen in Fleischwaren[1], ferner in sprudelnden Badesalzen, in Feuerlöschmitteln zum Freimachen von Kohlendioxid aus Carbonaten, zur Grünfutterkonservierung u. Unkrautvernichtung, zur Herst. von *Fettalkoholsulfaten, *Cyclamaten u. Flammschutzmitteln. Von der A. leiten sich eine Reihe von organ. Derivaten ab durch Substitution an N u./od. O, z. B. Phenylsulfamidsäure (*N*-Phenylsulfamsäure; $H_5C_6-NH-SO_3H$), Phenylamidoschwefelsäuremethylester (Phenylsulfamidsäuremethylester od. auch Methylphenylsulfamat: $H_5C_6-NH-SO_2-OCH_3$). Das Amid der A. ist das *Sulfamid, die Salze u. Ester heißen *Sulfamate, die –SO$_2$–NH$_2$-Gruppierung ist der *Sulfamoyl-Rest. – E amidosulfuric acid, sulfamic acid – F acide aminofonique, acide sulfamique – I acido amidosolforico – S ácido amidosulfúrico, ácido aminosulfónico

Lit.: [1] Kontakte (Merck) **1972**, Nr. 3, 31.
allg.: Brauer **1**, 455 f.; (3.) **1**, 487 f. ▪ Brauer, Gefahrstoff-Sensorik, Landsberg: 1988 ▪ Gmelin, Syst.-Nr. 9, S, Tl. B, 1963, S. 1582–1599 ▪ Hommel, Nr. 590 ▪ Houben-Weyl 11/2, 641–731 ▪ Kirk-Othmer (3.) **21**, 949 f. ▪ Ullmann (5.) **A 25**, 439 ff. ▪ Winnacker-Küchler (3.) **1**, 692 f. – *[HS 2811 19; CAS 5329-14-6; G 8]*

Amidosulfate s. Sulfamate.

Amidosulfuron. Common name für *N*-[(4,6-Dimethoxy-2-pyrimidinylaminocarbonyl)aminosulfonyl]-*N*-methylmethansulfonamid.

$C_9H_{15}N_5O_7S_2$, M_R 369,37, Schmp. 160–163 °C, LD$_{50}$ (Ratte oral) >5000 mg/kg, von Hoechst 1990 eingeführtes, selektives system. *Herbizid gegen ein breites Spektrum breitblättriger Unkräuter im Getreideanbau. – $E=F$ amidosulfuron – I amidosulfurone – S amidosulfurona

Lit.: Farm ▪ Perkow ▪ Pesticide Manual. – *[CAS 120923-37-7]*

Amidotransferasen. Familie von *Enzymen, die die Amid-Gruppe des *Glutamins zur Synth. von *Aminosäuren u. -zuckern, Nucleotiden, Coenzymen u. Antibiotika benutzen. In der Nomenklatursystematik gehören die A. verschiedenen Enzymklassen an. *Beisp.:* Anthranilat-Synthase (EC 4.1.3.27), die 2-*Aminobenzoesäure aus Chorisminsäure herstellt, eine Reaktion der L-*Tryptophan-Biosynth., od. NAD-Synthetase (EC 6.3.5.1), die die Synth. von *Nicotinamid-Adenin-Dinucleotid (NAD) aus Desamido-NAD katalysiert. – *E* amidotransferases – *F* amidotransférases – *I* am(m)idotrasferasi – *S* amidotransferasas
Lit.: Adv. Enzymol. **66**, 203–309 (1993).

Amidotrizoesäure.

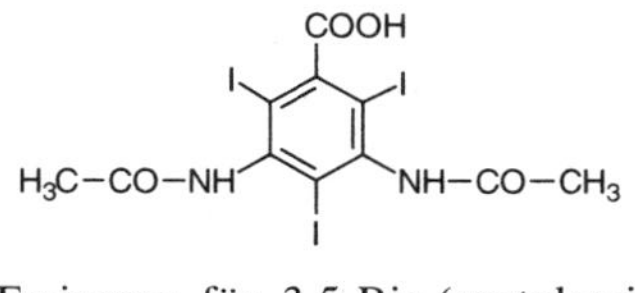

Internat. Freiname für 3,5-Bis-(acetylamino)-2,4,6-triiodbenzoesäure, $C_{11}H_9I_3N_2O_4$, M_R 613,92, Schmp. >300 °C. Verwendet werden auch das Natrium- u. das Methylglucamin-Salz. Es wurde als Röntgenkontrastmittel von Schering (1954, Angiografin® u.a.), Mallinckrodt (1955) u. Sterling Drug patentiert. A. ist von Köhler (Peritrast®) im Handel. – *E* amidotrizoic acid – *F* acide amidotrisoique – *I* acido amidotrizoico – *S* ácido amidotrizoico
Lit.: DAB 10 ▪ Florey **4**, 137 f.; **5**, 556 ▪ Hager (5.) **7**, 173–176. – *[CAS 117-96-4; 737-31-5 (Natrium-Salz); 8064-12-8 (Methylglucamin-Salz)]*

Amidoxime. Gruppenbez. für Verb., die die tautomere Atomgruppierung

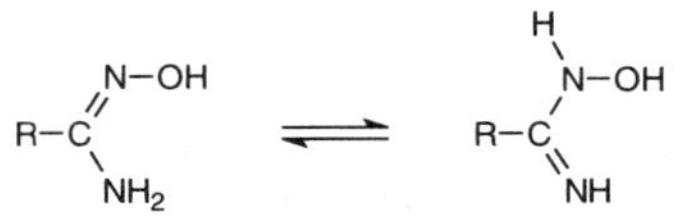

enthalten (IUPAC-Regel C-952.1). – *E* amide oximes – *F* amidoximes – *I* amidossimi – *S* amidoximas
Lit.: s. Hydroxamsäure-Derivate.

Amidozon®. *Aminophenazon von Bayer.

Amidrazone [Carbohydrazonsäure-amid(I) ⇌ Carbimidsäure-hydrazid(II)].

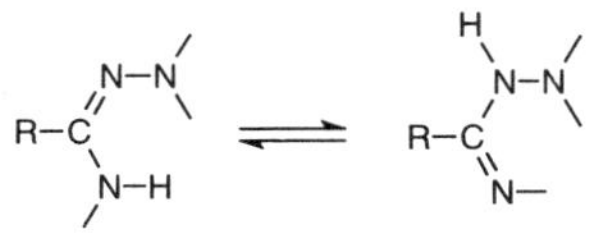

Gruppenbez. nach IUPAC-Regel C-953 für tautomere Verb. der Strukturen I od. II. – *E* = *F* amidrazones – *I* amidrazoni – *S* amidrazonas
Lit.: Houben-Weyl E **5**, 1308 f. (1985).

Amidseifen. Sammelbez. für die Cyanamide der langkettigen *Fettsäuren. Während klass. Herstellverf. von Carbonsäurechloriden od. -anhydriden ausgehen, sind A. heute leichter über die entsprechenden C_{8-18}-Fettsäureester zugänglich, die mit dem Mononatriumsalz des *Cyanamids unter Abspaltung von Methanol bei 100–250 °C umgesetzt werden. A. schmelzen bei 100–150 °C, oberhalb von 250 °C erfolgt Zers. zu den Nitrilen. Als Salze schwacher Säuren sind A. mit den klass. *Seifen verwandt, zeigen im Gegensatz zu diesen jedoch eine bessere Löslichkeit (*Krafftpunkte <25 °C) u. eine geringere Härteempfindlichkeit. – *E* amide soaps – *F* savones amides – *I* saponi amidati – *S* jabones amidados
Lit.: Falbe, Surfactants in Consumer Products, S. 81 f., Berlin: Springer 1987 ▪ Proc. World. Conf. Surf. Congr. Vol. III, 62 f., München, Gelnhausen: Kürle 1984.

Amifostin. $H_2N-CH_2-CH_2-CH_2-NH-CH_2-CH_2-S-PO(OH)_2$. Internat. Freiname für Thiophosphorsäure-*S*-[2-(3-aminopropylamino)ethylester], $C_5H_{15}N_2O_3PS$, M_R 214,22, Schmp. 160–161 °C, der 1995 als Cytoprotektivum bei Cytostatika- od. Strahlentherapie von Essex (Ethyol®) ausgeboten wurde. – *E* = *F* amifostine – *I* amifostina – *S* amifostín – *[CAS 20537-88-6; 63717-27-1 (Monohydrat)]*

Amikacin.

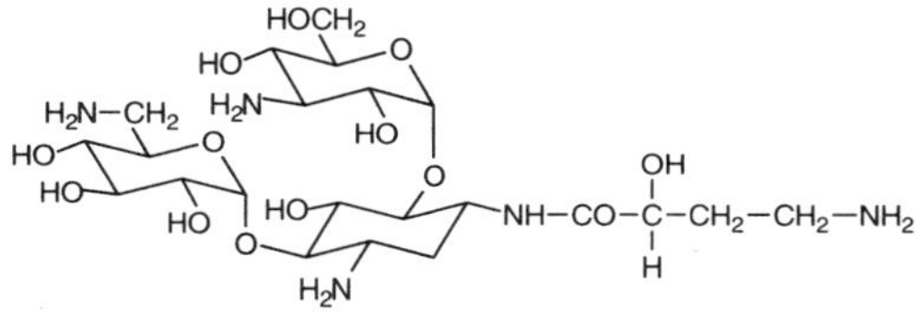

Internat. Freiname für 1-*N*-[L-(−)-4-Amino-2-hydroxybutyryl]-kanamycin A, $C_{22}H_{43}N_5O_{13}$, M_R 585,61, Schmp. 203–204 °C, LD_{50} (Maus) 340 (pH 6,6), 560 (pH 7,4) mg/kg. Es wurde 1973 als Aminoglykosid-Antibioticum von Bristol Myers (Biklin®) patentiert. Ebenso verwendet wird das Sulfat. – *E* amikacin – *F* amikacine – *I* amicacina – *S* amikacina
Lit.: Advances in Aminoglycoside Therapy: Amikacin, Chicago: Univ. Chicago Press 1976 ▪ ASP ▪ Florey **12**, 37–72 ▪ Hager (5.) **7**, 177–181. – *[HS 294190; CAS 37517-28-5; 39831-55-5 (Sulfat) (1:2)]*

Amikronen s. Mikronen.

Amilan®. Organ., Stickstoff-freies Haarkonditioniermittel. *B.:* Th. Goldschmidt AG.

Amiloretik®. Tabl. mit *Amilorid u. *Hydrochlorothiazid zur Kalium-sparenden Diurese. *B.:* Hexal.

Amilorid.

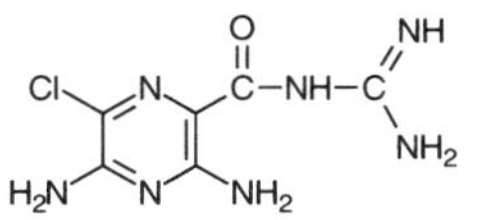

Internat. Freiname für N^ω-Amidino-3,5-diamino-6-chlorpyrazin-2-carbamid, $C_6H_8ClN_7O$, M_R 229,63, Schmp. 240,5–241,5 °C. Es wurde 1964 als Kaliumretinierendes Diuretikum von Merck & Co. patentiert u. ist in Kombination mit Furosemid, Hydrochlorothiazid (generikafähig) od. Trichlormethiazid im Handel. – *E* = *F* = *I* amiloride – *S* amilorida
Lit.: ASP ▪ Florey **15**, 1–34 ▪ Hager (5.) **7**, 181. – *[HS 293390; CAS 2609-46-3 (A.); 2016-88-8 (Hydrochlorid)]*

Amilorid comp.-ratiopharm®. Tabl. mit *Amilorid-Hydrochlorid u. *Hydrochlorothiazid gegen Hypertonie u. Ödeme. *B.:* Ratiopharm.

Aminale

Aminale. In Analogie zu *Acetalen geprägter Trivialname für Verb. des Typs

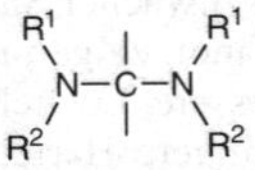

$$\begin{array}{c} R^1 \quad\quad R^1 \\ \backslash \quad | \quad / \\ N-C-N \\ / \quad | \quad \backslash \\ R^2 \quad\quad R^2 \end{array}$$

die sich ggf. in *Enamine umwandeln lassen. – $E=F$ aminals – I amminali – S aminales

Amin-Borane s. Bor-Stickstoff-Verbindungen.

Amine. Man kann die A. als Substitutionsprodukte des Ammoniaks durch *Alkyl- od. *Aryl-Reste auffassen; je nachdem, ob 1, 2 od. alle 3 H-Atome des NH_3 durch solche Reste R ersetzt sind, liegen Mono-, *Di- od. *Trialkylamine bzw. die entsprechenden aromat. A. vor; *Beisp.:*

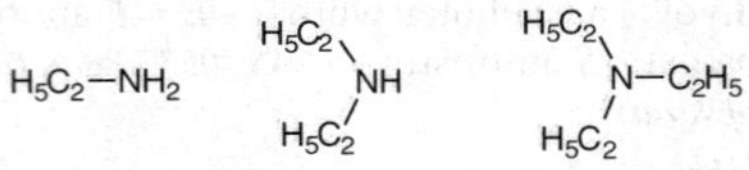

$H_5C_2-NH_2$ $\begin{array}{c}H_5C_2\\ \backslash NH\\ H_5C_2/\end{array}$ $\begin{array}{c}H_5C_2\\ \backslash N-C_2H_5\\ H_5C_2/\end{array}$

Ethylamin Diethylamin Triethylamin

Zugleich sind diese Verb. Vertreter für *prim., sek.* u. *tert.* A., obwohl man unter *sek.* bzw. *tert.* A. auch Verb. des Typs

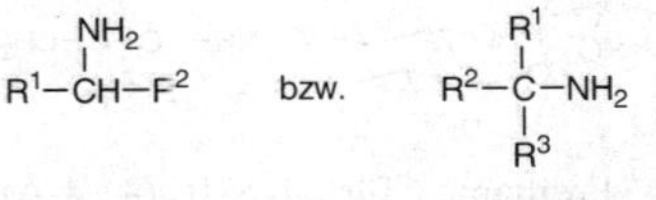

$\begin{array}{c}NH_2\\|\\R^1-CH-R^2\end{array}$ bzw. $\begin{array}{c}R^1\\|\\R^2-C-NH_2\\|\\R^3\end{array}$

verstehen kann. Durch Quaternisierung entstehen *quartäre Ammonium-Verbindungen (*Aminium*-Verb.). Auch von alicycl. Verb. leiten sich A. ab, u. selbstverständlich existieren auch gemischt aliphat.-aromat. A., wie z.B. *N*-Methylanilin u. *N,N*-Dimethylanilin. Andererseits können aliphat. bzw. aromat. Verb. auch mehrere Amino-Gruppen enthalten; *Beisp.:* Ethylendiamin ($H_2N-CH_2-CH_2-NH_2$), Phenylendiamin ($H_2N-C_6H_4-NH_2$) u.a. *Diamine, Tetraaminoethylene etc. In Analogie zur Keton-Enol-Tautomerie können *Imine in Form von *Enaminen vorliegen, u. auch *Inamine sind bekannt. *Amidine u. *Aminale lassen sich ebenfalls als A. auffassen, während man *Amide nicht zu den A. rechnet. Die gesätt. cycl. A. wie Piperidin, Pyrrolidin werden ebenso wie deren aromat. Vertreter Pyridin, Pyrrol als *heterocyclische Verbindungen behandelt. Die Namen der A. werden, soweit nicht Trivialnamen wie Anilin etc. zugelassen sind, entweder durch Anhängen des Suffixes ...*amin* an den Namen des Kohlenwasserstoff-Radikals gebildet od. durch Vorsetzen des Präfixes *Amino*... Die *Radikale des Typs NR^1R^2 werden *Aminyle* genannt. Weitere Reaktionen von A. sind bei den Nachw.-Reaktionen aufgeführt.

Die prim. aliphat. A. sind im Normalzustand Gase (C_1-C_2), Flüssigkeiten (C_3-C_{11}) bzw. Festkörper; mit steigender Molmasse ändert sich ihr Geruch von Ammoniak-artig über fischartig bis zur Geruchlosigkeit. Außer Di- u. Trimethylamin sind die niedrigen sek. u. tert. A. flüssig, die höheren fest. Aromat. A. sind hochsiedende, viskose Flüssigkeiten od. Festkörper. Die Löslichkeit der aliphat. A. in Wasser nimmt mit steigender Molmasse u. Substitutionsgrad ab u. auch die der aromat. A. ist gering; dagegen sind alle A. in organ. Lsm. gut löslich.

Vork.: Unsubstituierte A., die im Organismus im allg. als Decarboxylierungsprodukte aus *Aminosäuren hervorgehen (*Biogene Amine*), spielen als Hormone u. in der Neurochemie ebenso wie *N*-alkylierte A. eine große Rolle; *Beisp.:* *Noradrenalin u. *Adrenalin, *Serotonin, *Tryptamin. Diese A. werden je nach Konstitution oft als *Monoamine* od. als *Catecholamine* zusammengefaßt. Das Fehlen od. die Hemmung eines spezif. Enzyms, der *Monoaminoxidase (MAO), hat eine das ZNS aktivierende Wirkung, vgl. Iversen et al. (*Lit.*). Als Stimulantien dienen die *Amphetamine u.a. *Weckamine. Auch andere Nervensubstanzen enthalten A., z.B. *Sphingosin. Im *Sperma u.a. Körperflüssigkeiten sind nicht selten *Polyamine anzutreffen, einige von diesen auch in Pflanzen u. als sog. Leichengifte (*Ptomaine). Über pflanzliche A. s. *Lit.*[1]. Die Entfernung der NH_2-Gruppe auf enzymat. Wege kann als reduktive od. oxidative *Desaminierung erfolgen. Die Biosynth. flüchtiger pflanzlicher A. erfolgt durch *Transaminierung (s. a. Transaminasen). Wegen ihrer ausgeprägten pharmakolog. Wirkung finden sich unter den Arzneimitteln viele Amine. Andererseits können sich – auch im Organismus – aus manchen A. mit Nitriten od. salpetriger Säure die *Nitrosamine bilden, von denen viele als *Carcinogene bekannt sind.

Nachw.: Prim. A. reagieren mit HNO_2 zu N_2, Alkoholen u. H_2O (vgl. van-Slyke-Methode), sek. zu gefärbten Nitrosaminen, tert. gar nicht, u. aromat., prim. A. bilden Diazonium-Salze, die zu *Azofarbstoffen kuppeln[2]. Ein Nachw. für prim. A. ist die Bildung von *Isocyaniden. Eine Unterscheidung zwischen prim., sek. u. tert. A. kann man mit dem *Hinsberg-Test treffen.

Herst.: Aliphat. A. lassen sich durch Umsetzung von Alkylhalogeniden od. Alkoholen mit NH_3 (*Ammonolyse), durch sog. reduktive *Aminierung* von Ketonen od. Aldehyden, durch *Aminoalkylierung (insbes. *Mannich-Reaktion), Red. von Amiden mit Lithiumaluminiumhydrid, katalyt. Hydrierung von Nitrilen, Red. von Oximen mit Diboran od. von Aziden mit $LiAlH_4$ sowie durch *Hofmannschen Abbau, *Curtius-Umlagerung, *Ritter-Reaktion, *Schmidt-Reaktion od. *Gabriel-Synthese gewinnen. Die aromat. A. sind durch Red. der leicht herstellbaren Nitro-Verb. gut zugänglich, wobei die Reaktion mit geschmolzenem Par-

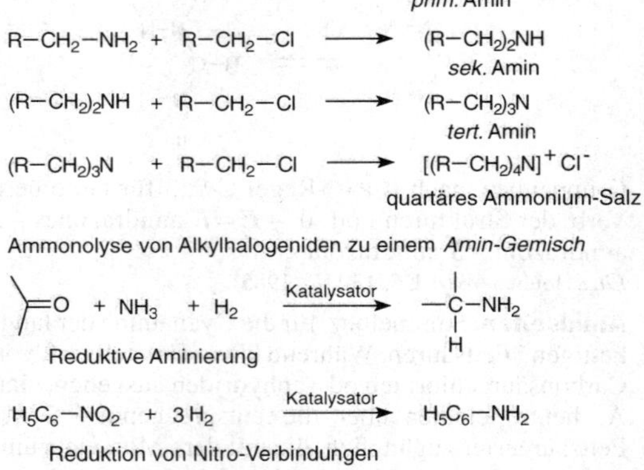

$R-CH_2-Cl + 2 NH_3 \xrightarrow{-NH_4Cl} R-CH_2-NH_2$
prim. Amin

$R-CH_2-NH_2 + R-CH_2-Cl \longrightarrow (R-CH_2)_2NH$
sek. Amin

$(R-CH_2)_2NH + R-CH_2-Cl \longrightarrow (R-CH_2)_3N$
tert. Amin

$(R-CH_2)_3N + R-CH_2-Cl \longrightarrow [(R-CH_2)_4N]^+ Cl^-$
quartäres Ammonium-Salz

Ammonolyse von Alkylhalogeniden zu einem *Amin-Gemisch*

$\rangle C=O + NH_3 + H_2 \xrightarrow{Katalysator} \begin{array}{c}|\\-C-NH_2\\|\\H\end{array}$

Reduktive Aminierung

$H_5C_6-NO_2 + 3 H_2 \xrightarrow{Katalysator} H_5C_6-NH_2$

Reduktion von Nitro-Verbindungen

Abb.: Herstellungsmethode von Aminen.

affin bei 360–390 °C bereits ausreichen kann. Die wichtigsten techn. Aminierungsreaktionen sind bei McKetta (*Lit.*) zusammengefaßt.
Umwandlung: Alle A. reagieren als Basen, wobei die *Alkylamine stärker bas. sind als die aromat. A. (*Aniline*). Aufgrund der nucleophilen Eigenschaften lassen sich A. leicht *alkylieren od. *acylieren (Bildung von *Amiden). Die Oxid. der A. liefert je nach Art des A. verschiedene Produkte:

R–NH$_2$ $\xrightarrow{[O]}$ R–NO$_2$ *Nitroalkane
R$_2$NH $\xrightarrow{[O]}$ R$_2$N–OH   *N,N*-Dialkylhydroxylamine
R$_3$N $\xrightarrow{[O]}$ R$_3$N$^+$–O$^-$ *Aminoxide

Die Oxid. von A., die in α-Stellung ein H-Atom besitzen, mit Permanganat führt zu Aldehyden od. Ketonen. Die anod. Oxid. liefert Hydrazide od. Azo-Verbindungen.
Verw.: Aliphat. A. (insbes. *Fettamine) dienen als Ausgangsmaterialien für die Herst. von Lsm., Textilu. Flotationshilfsmitteln, Invertseifen, Tensiden, Bakteriziden, Korrosionsinhibitoren, Antischaummitteln, Additiven u. Pharmazeutika, die aromat. A. darüber hinaus vorwiegend zur Herst. von Farbstoffen, insbes. *Azo-Farbstoffen. In jüngerer Zeit gewinnen *Polyamine, auch makrocycl. A., an Interesse wegen ihrer chelatisierenden Eigenschaften, die sie als Co-Katalysatoren geeignet erscheinen lassen. – *E = F* amines – *I* ammine, amine – *S* aminas
Lit.: [1] Karrer, Nr. 2444 – 2488, 3164 – 3176. [2] Hager (5.) **2**, 126. allg.: Barton-Ollis **2**, 3 – 184 ▪ Houben-Weyl **11/1**, 1 – 1033; **11/2**, 1 – 221 ▪ Iversen et al., Biochemistry of Biogenic Amines, Biogenic Amine Receptors, Biology of Mood and Antianxiety Drugs (Hdb. Psychopharmacol. 3, 6, 13), New York: Plenum 1975, 1975, 1978 ▪ Kirk-Othmer (3.) **2**, 272 – 376; (4.) **2**, 369 ff. ▪ McKetta **3**, 134 – 196 ▪ Patai, The Chemistry of Amino, Nitroso and Nitro Compounds and their Derivates, Suppl. F, Chichester: Wiley 1982 ▪ Patai, The Chemistry of the Amino Group, London: Interscience 1968 ▪ Snell-Ettre **11**, 429 – 461 ▪ Snell-Hilton **5**, 259 – 275 ▪ Ullmann (5.) A**2**, 1 – 56 ▪ Winnacker-Küchler (3.) **4**, 108 f.; (4.) **6**, 124 ff. ▪ s. a. biogene Amine.

Aminierung. Bez. für die Einführung der Amino-Gruppe in organ. Verb., s. Amine. – *E = F* amination – *I* amminazione – *S* aminación

Amino... Bez. für die Atomgruppierung –NH$_2$ in systemat. Namen organ. Verb. (IUPAC-Regeln C-811.3 u. C-812.2). – *E = F = S* amino... – *I* ammino...

Aminoacetaldehyddimethylacetal (2,2-Dimethoxyethylamin).

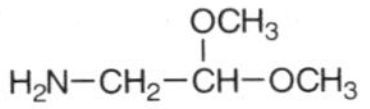

H$_2$N–CH$_2$–CH(OCH$_3$)–OCH$_3$

C$_4$H$_{11}$NO$_2$, M$_R$ 105,14. Farblose, stark bas., unangenehm riechende Flüssigkeit, die an der Luft CO$_2$ absorbiert, D. 0,97, Sdp. 135 – 139 °C. A. ist mit Wasser u. organ. Lsm. mischbar u. entsteht beim Erhitzen von Chloracetaldehyddimethylacetal mit Methanol u. Ammoniak. A. findet Verw. als Zwischenprodukt bei der Synth. von Pharmazeutika, in organ. Synthesen. – *E* aminoacetaldehyde dimethyl acetal – *F* amino acétaldéhyde diméthylacé tal – *I* amminoacetaldeide dimetilacetale – *S* dimetilacetal del aminoacetaldehído
Lit.: Beilstein E IV **4**, 1918 – [HS 2922 19; CAS 22483-09-6]

4-Aminoacetanilid (*N*-Acetyl-*p*-phenylendiamin).

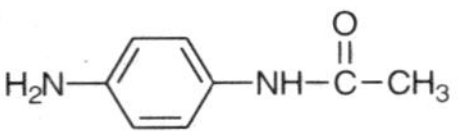

H$_2$N–C$_6$H$_4$–NH–C(=O)–CH$_3$

C$_8$H$_{10}$N$_2$O, M$_R$ 150,18. Farblose bis leicht rötliche Krist., Schmp. 164 – 166 °C, in Ethanol, Ether u. heißem Wasser löslich. A. kann durch katalyt. Hydrierung von 4-Nitroacetanilid hergestellt werden. Es wird für die Herst. von Azo-Farbstoffen u. Pharmazeutika benutzt. – *E* 4-aminoacetanilide – *F* 4-amino acétanilide – *I* 4-amminoacetanilide – *S* 4-aminoacetanilida
Lit.: Beilstein E IV **13**, 137 ▪ Merck Index (11.), Nr. 422 ▪ Ullmann (5.) A **17**, 435. – [HS 2924 29; CAS 122-80-5]

Aminoacyl-tRNA (Abk. aa-tRNA). Aktivierte Form der Aminosäuren bei der Protein-Biosynthese. Die entsprechende Aminosäure wird ausgehend vom Aminoacyladenylat durch eine Aminoacyl-tRNA-Synthetase auf den endständigen Adenosin-Rest ihrer spezif. tRNA übertragen (s. a. Translation). – *E* aminoacyl tRNA – *F* aminoacyl-ARNt – *I* amminoacil-tRNA – *S* aminoacil-tRNA, aminoacil-ARNt
Lit.: Spektrum Wiss. **1984**, 92 – 105 ▪ Stryer (5.), S. 766 f.

Aminoacyl-tRNA-Synthetasen s. Aminosäure-tRNA-Ligasen.

1-Aminoadamantan s. 1-Adamantanamin.

Aminoalkohole s. Alkanolamine.

α-Aminoalkylierung. Bez. für eine Kondensation von 1. Ammoniak, prim. od. sek. Amin, – 2. einer Carbonyl-Verb., – 3. einer Verb. mit reaktionsfähigem Wasserstoff nach dem allg. Schema:

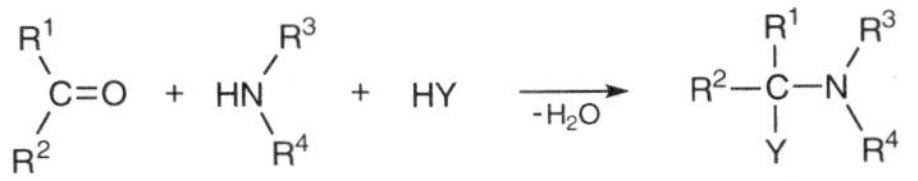

$$\underset{R^2}{\overset{R^1}{\diagdown}}C=O + HN\underset{R^4}{\overset{R^3}{\diagup}} + HY \xrightarrow{-H_2O} R^2-\underset{Y}{\overset{R^1}{\underset{|}{\overset{|}{C}}}}-N\underset{R^4}{\overset{R^3}{\diagup}}$$

Als acide Komponenten eignen sich O-acide (z. B. Alkohole), S-acide (z. B. Thiole, Thiophenole), Se-acide (Selenwasserstoff), N-acide (z. B. Amine, Amide), P-acide (z. B. Phosphonate) u. C-acide Stoffe (z. B. Ketone, Nitroparaffine), als Carbonyl-Komponenten Aldehyde u. Ketone. Das Verf. der α-*Amidoalkylierung*, bei dem statt Aminen Säureamide eingesetzt werden, erschließt eine Reihe von Verb., die der α-A. nicht zugänglich sind, insbes. 1,3-Dicarbonyl-Verb. u. Aromaten. Bei der α-*Ureidoalkylierung* setzt man Harnstoff-Derivate (s. Ureido...) zur analogen Reaktion ein. Die A. spielt in der organ. Synth., bes. von Arzneimitteln, eine bedeutende Rolle. Ihr bekanntester Vertreter ist die *Aminomethylierung* (*Mannich-Reaktion), bei der Formaldehyd die Rolle der Carbonyl-Verb. übernimmt; eine Variante ist die *Leuckart-Reaktion. – *E = F* α-aminoalkylation – *I* α-amminoalchilazione – *S* α-aminoalquilación
Lit.: Org. React. **14**, 52 – 269 (1965).

Aminoanthrachinone.

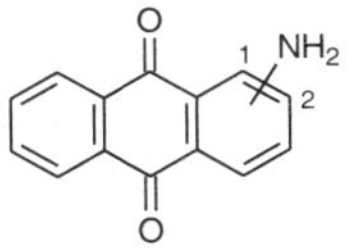

4-Aminoazobenzol

$C_{14}H_9NO_2$, M_R 223,23. Die A. mit Amino-Gruppen in 1- od. 2-Stellung des *Anthrachinons können durch die Umsetzung der entsprechenden Anthrachinonsulfonsäuren mit NH_3 od. durch Red. der jeweiligen Nitro-Verb. hergestellt werden, z. B. mit Natriumborhydrid[1]. 2-A. wird bevorzugt aus 2-Chloranthrachinon hergestellt; es bildet rote Nadeln, Schmp. 302 °C; Ausgangsmaterial zur Herst. von Farbstoffen, s. Indanthren-Farbstoffe. 1-A. bildet rubinrote Krist., Schmp. ca. 250 °C, unlösl. in Wasser, lösl. in Ethanol, Benzol, Chloroform, Ether, Eisessig; zur Herst. von Farbstoffen u. Pharmazeutika. – *E* aminoanthraquinones – *F* amino-anthraquinones – *I* amminoantrachinoni – *S* aminoantraquinonas
Lit.: [1] Synthesis 1976, 528–530.
allg.: Beilstein E IV **14**, 429, 447 ▪ Kirk-Othmer **2**, 447–462; (3.) **2**, 719–728 ▪ Ullmann (4.) **7**, 590 ff.; (5.) A **2**, 362, 366 ▪ Winnacker-Küchler (3.) **4**, 215, 285 f.; (4.) **6**, 277, 279. – [CAS 117-79-3]

4-Aminoazobenzol (4-Phenylazoanilin, Anilingelb). T

$H_5C_6-N=N-\langle\!\!\!\bigcirc\!\!\!\rangle-NH_2$

$C_{12}H_{11}N_3$, M_R 197,24. Gelbe Blättchen od. Nadeln, Schmp. 127 °C, wenig lösl. in Wasser, lösl. in Ethanol, Chloroform, Ether. A. ist stark sensibilisierend, Verdacht auf erbgutverändernde Wirkung (TRGS 500: krebserzeugend, Kat. 2). A. entsteht bei der sauren Umlagerung von *1,3-Diphenyltriazen u. spielt eine wichtige Rolle als Ausgangsprodukt für Diazo-Farbstoffe u. Induline. – *E* 4-aminoazobenzene – *F* aminoazobènze – *I* 4-amminoazobenzene – *S* 4-aminoazobenceno
Lit.: Beilstein E IV **16**, 445 ▪ Merck Index (11.), Nr. 430 ▪ Ullmann (4.) **8**, 243; (5.) A **3**, 252. – [HS 2927 00; CAS 60-09-3; G 6.1]

Aminobarbitursäure s. Uramil.

Aminobenzoesäureester.

$\langle\!\!\!\bigcirc\!\!\!\rangle-COOR$, mit NH_2 in Stellung 2, 3, 4

Von den zahlreichen Estern der *Aminobenzoesäuren haben einige erhebliche Bedeutung, vorwiegend als Anästhetika. Hier sind v. a. zu nennen die Ester der 4-Aminobenzoesäure mit Ethanol (Kurzbez.: Ethoform od. *Benzocain) u. mit 2-(Diethylamino)-ethanol (Freiname *Procain). Darüber hinaus sind viele weitere Derivate bekannt, die sich meist von dem Ester der 4-Aminobenzoesäure mit *Ethanolamin* ableiten; vielen dieser Verb. ist die Endung ...cain u. eine anästhesierende bzw. lokalanästhesierende Wirkung gemeinsam. Die Verw. von Estern der *p*-Aminobenzoesäure mit freier Amino-Gruppe in kosmet. Mitteln ist verboten. Auch einige 3-A. mit Alkoholen (z. B. mit Ethanol) wirken anästhesierend. Der *2-Aminobenzoesäuremethylester* (Anthranilsäuremethylester, $C_8H_9NO_2$, M_R 151,16, Schmp. 24–25 °C) riecht nach Orangenblüten u. kommt in Neroli-, Tuberosen-, Jasmin- u. Goldlackblüten sowie in Bergamotteblättern u. im süßen Pomeranzenschalenöl vor. Er wird in der Parfümerie bei der Herst. von künstlichem Neroliöl verwendet. – *E = F* aminobenzoates – *I* estere dell' acido amminobenzoico – *S* aminobenzoatos
Lit.: Hommel, Nr. 1275 ▪ Kirk-Othmer **2**, 405 ff.; (3.) **2**, 694 ff. ▪ Ullmann (4.) **7**, 559, 560.

Aminobenzoesäuren.

$\langle\!\!\!\bigcirc\!\!\!\rangle-COOH$, mit NH_2 in Stellung 2, 3, 4

$C_7H_7NO_2$, M_R 137,14. Die 3 isomeren A. lassen sich durch Red. der entsprechenden Nitrobenzoesäuren herstellen; sie bilden sowohl mit Säuren wie mit Basen Salze.
(a) 2-A. (Anthranilsäure, Vitamin L_1): Farblose bis blaßgelbe, blau fluoreszierende, süß schmeckende Blättchen, D. 1,412, Schmp. 146–147 °C, sublimiert unzersetzt, lösl. in Wasser, Ethanol, Ether, Chloroform, heißem Benzol. Bei stärkerem Erhitzen zerfällt sie in Anilin u. CO_2. Sie wurde 1841 von Fritsche beim Indigoabbau mit Alkali entdeckt u. wird techn. aus Phthalimid durch Behandlung mit alkal. Natriumhypochlorit-Lsg. hergestellt. A. findet Verw. in organ. Synth. u. als Ausgangsmaterial zur Synth. von Riechstoffen. A. dient zur Bestimmung u. zum Nachw. von Ag, Cd, Ce, Co, Cu, Hg, Mn, Ni, Pb, Pd, U, Zn, Nitrit usw.
(b) 3-A.: D. 1,511, Schmp. 174 °C, findet Verw. bei der Herst. von *Azofarbstoffen.
(c) 4-A. (PABA): Farblose Krist., D. 1,374, Schmp. 189 °C, LD_{50} (Maus oral) 2850 mg/kg, wassergefährdender Stoff, WGK 1 (Selbsteinst.), lösl. in heißem Wasser, Alkohol, Ether, Eisessig.
Verw.: Ausgangsstoff für die Synth. von Azofarbstoffen, Folsäure, Sonnenschutzmitteln, Lokalanästhetika. Nach Untersuchungen von R. *Kuhn, der winzige Mengen 4-A. (seinerzeit *Wuchsstoff H*, später *Vitamin H'* genannt) aus vielen Tonnen Hefe isolierte, ist 4-A. ein lebenswichtiger Wuchsstoff für Bakterien, die es zur Synth. von *Folsäure benötigen. An Stelle von 4-A. können Bakterien jedoch ebenso leicht ein Sulfonamid (z. B. *Sulfanilamid u. dgl.) einbauen, da sie diese Stoffe offenbar nicht zu unterscheiden vermögen. Diese beeinträchtigen Bakterienwachstum u. -stoffwechsel also infolge *kompetitiver Hemmung der Folsäure-Synth. (d. h. als *Antimetaboliten). – *E* aminobenzoic acids – *F* acides aminobenzoïques – *I* acidi amminobenzoici – *S* ácidos aminobenzoicos
Lit.: Beilstein E IV **14**, 1004, 1092, 1126 ▪ Hommel, Nr. 1229 ▪ Kirk-Othmer **3**, 434 ff.; (3.) **3**, 789 ▪ Merck Index (11.), Nr. 432, 433, 434 ▪ Parfum. Kosmet. **72**, 399 ff. (1991) ▪ Schormüller, S. 162 f. ▪ Ullmann (4.) **8**, 374 ff.; (5.) A **3**, 565. – [CAS 118-92-3 (2-A.); 99-05-8 (3-A.); 150-13-0 (4-A.)]

Aminobenzol s. Anilin.

4-Aminobenzolarsonsäure s. 4-Aminophenylarsonsäure.

Aminobenzolsulfonsäuren (Anilinsulfonsäuren). Xn

$\langle\!\!\!\bigcirc\!\!\!\rangle-SO_3H$, mit NH_2 in Stellung 2, 3, 4

Von den 3 isomeren A., $C_6H_7NO_3S$, M_R 173,19, sind die *m*- u. *p*-Isomeren von Bedeutung als Ausgangsstoffe zur Herst. von *Azofarbstoffen u. Pharmazeutika.

(a) *3-A.* (Metanilsäure): Farblose Krist., D. 1,69 (Na-Salz: Schmp. 302–304 °C, Zers.), in Wasser u. Alkohol wenig, in Ether nicht löslich. Die Säure wird durch Red. von 3-Nitrobenzolsulfonsäure hergestellt.
(b) *4-A.* (Sulfanilsäure): Farblose Krist. (mit 2 Mol. H_2O), wird bei ca. 100 °C wasserfrei, D. 1,485, Schmp. 288 °C (Zers.), in siedendem Wasser gut, in Alkohol u. Ether nicht lösl.; LD_{50} (Ratte oral) 12300 mg/kg, wassergefährdender Stoff, WGK 1 (Selbsteinst.). 4-A. entsteht, wenn man Anilin u. Schwefelsäure auf 190 °C erhitzt. 4-A. dient auch als Reagenz bei dem Nachweis von *Nitriten mit der *Grieß-Ilosvay-Reaktion*. Ihr Amid (*Sulfanilamid) ist eines der ältesten pharmazeut. verwendeten Sulfonamide (Prontalbin). – *E* aminobenzenesulfonic acids – *F* acides aminobenzène sulfoniques – *I* acidi amminobenzolsulfonici – *S* ácidos aminobencenosulfónicos
Lit.: Beilstein E IV **14**, 2638, 2647, 2655 ■ Giftliste ■ Merck Index (11.), Nr. 5832, 8901 ■ Ullmann (4.) **8**, 425; (5.) A **3**, 524. – *[CAS 121-47-1 (3-A.); 121-57-3 (4-A.); G 6.1]*

Aminobernsteinsäure s. Asparaginsäure.

Aminoborane s. Bor-Stickstoff-Verbindungen.

Aminobutane s. Butylamine.

2-Amino-1-butanol.

$$H_3C-CH_2-\overset{NH_2}{\underset{|}{CH}}-CH_2-OH$$

$C_4H_{11}NO$, M_R 89,14. Farblose Flüssigkeit, D. 0,944, Schmp. –2 °C, Sdp. 178 °C, mischbar mit Wasser, lösl. in Alkohol. A. kann durch Red. von 2-Nitro-1-butanol hergestellt werden.
Verw.: Emulgator für Cremes, Mineralöle, Paraffin-Emulsionen, Lederpflegemittel, Textilhilfsmittel, Polituren usw.; Zwischenprodukt bei der Synth. von grenzflächenaktiven Stoffen, Vulkanisationsbeschleunigern, Arzneimitteln u. dgl.; in der organ. Synth. als chirales Hilfsmittel. – *E* = *F* = *S* 2-amino-1-butanol – *I* 2-ammino-1-butanolo
Lit.: Kirk-Othmer (4.) **2**, 1, 27 ■ Tetrahedron: Asymmetry **2**, 339–342 (1991) ■ Ullmann (4.) **17**, 380. – *[HS 2922 19; CAS 13054-87-0]*

Aminobuttersäuren.

$$H_3C-CH_2-\overset{NH_2}{\underset{H}{\overset{|}{C}}}-COOH \qquad H_2N-CH_2-CH_2-CH_2-COOH$$

L-α γ

$C_4H_9NO_2$, M_R 103,12. Die L-2-A. (α-A.), Schmp. 270–280 °C (Zers.), ist ein zu geringen Mengen vorkommender Bestandteil einzelner *Proteine, opt. aktiv, wasserlösl., leicht süßlicher Geschmack. Bei Alkoholikern ist der A.-Spiegel im Plasma erhöht, was man für einen Test auf *Alkoholismus auswerten kann. 4-A. (γ-A., GABA), Schmp. ca. 195 °C (Zers.), die im Gehirn durch Decarboxylierung von L-*Glutaminsäure entsteht u. auch in Mikroorganismen, Pflanzen sowie anderen tier. Geweben nachgewiesen wurde, ist ein inhibitor. (als *Ganglienblocker) wirkender *Neurotransmitter (Näheres s. GABA-Rezeptoren). Das Lactam der 4-A. ist 2-*Pyrrolidon. – *E* aminobutyric acids – *F* acides aminobutyriques – *I* acidi am(m)inobutirrici – *S* ácidos aminobutíricos

Lit.: Beilstein E IV **4**, 2584, 2594, 2600. – *[HS 2922 49; CAS 1492-24-6 (L-2-A.); 56-12-2 (4-A.)]*

ε-Aminocapronsäure s. 6-Aminohexansäure.

Aminocarbonsäuren s. Aminosäuren.

Aminocarbonyl s. Carbamoyl....

7-Aminocephalosporansäure s. Cephalosporine.

Aminocyclohexan s. Cyclohexylamin.

1-Amino-cyclopropancarbonsäure (ACC).

$C_4H_7NO_2$, M_R 101,11, Schmp. 229–231 °C. Nichtproteinogene Aminosäure, zuerst als synthet. Aminosäure bekannt, später aus Birnen u. Äpfeln isoliert. ACC wird aus Methionin durch *S-Adenosylmethionin mit Hilfe der ACC-Synthase (EC 4.4.1.14) gebildet u. von der ACC-Oxidase zu dem multifunktionellen *Pflanzenhormon *Ethylen gespalten, dem eine Schlüsselfunktion in verschiedenen pflanzenphysiolog. Prozessen wie Reifung von Früchten, Alterung, Keimung, Streßreaktionen zukommt. – *E* 1-amino-cyclopropanecarboxylic acid – *I* acido 1-ammino-ciclopropan-1-carbonico – *S* ácido 1-amino-ciclopropano-1-carboxílico
Lit.: ACS Symp. Ser. 551, Kap. 31 (1994) ■ Annu. Rev. Plant Physiol. **35**, 155–189 (1984) ■ Beilstein E IV **14**, 973. – *[CAS 22059-21-8]*

Aminodermin CLR. Schwefel-reiches Aminosäuren-Konzentrat für Haut- u. Haarpflegemittel. *B.:* CLR.

Aminoessigsäure s. Glycin.

Aminoethan s. Ethylamin.

Aminoethanole (veraltet: Hydroxyethylamine). Xn

$$H_3C-\overset{OH}{\underset{|}{CH}}-NH_2 \qquad HO-CH_2-CH_2-NH_2$$

C_2H_7NO, M_R 61,08. Von den beiden isomeren *Alkanolaminen bildet *1-A.* (Acetaldehyd-Ammoniak), farblose bis gelbe Krist., Schmp. 95–99 °C (Hexahydro-2,4,6-trimethyl-1,3,5-triazin, s. *Lit.*[1]), sehr gut lösl. in Wasser u. Ethanol, lösl. in heißem Eisessig, Aceton u. Benzol, unlösl. in Ether; zersetzt sich in siedender Lsg., reizt Augen u. Schleimhäute.
Herst.: Durch Einwirkung von Ammoniak auf Acetaldehyd.
Verw.: Zur Herst. von reinem Acetaldehyd, als Vulkanisationsbeschleuniger sowie für organ. Synthesen. Das *2-A.* (*Colamin*, in der Ind. häufig als *Ethanolamin* bezeichnet) ist eine farblose, ölige, stark alkal. reagierende, Ammoniak-ähnlich riechende, haut- u. schleimhautreizende, hygroskop. Flüssigkeit, mit Wasser u. Alkoholen mischbar, D. 1,022, Schmp. 10 °C, Sdp. 171 °C; MAK-Wert: 3 ppm, LD_{50} (Ratte oral) 1720 mg/kg, wassergefährdender Stoff, WGK 1. Techn. wird 2-A. durch Einwirkung von Ammoniak auf Ethylenoxid hergestellt; neben 2-A. entstehen Di- u. Triethanolamin (*2,2'-Iminodiethanol u. *2,2,2''-Nitrilotriethanol).
Verw.: 2-A. findet (ebenso wie Di- u. Triethanolamin) Verw. als Fettsäure-Derivat für Detergentien, zur Gas-

reinigung (H_2S, HCl, CO_2), als Seifen, Cremebestandteile z. B. in der Form von $RCOO^-H_3N^+CH_2CH_2OH$, als Ausgangsprodukt für organ. Synth. (Heterocyclen). – *E* aminoethanols – *F* aminoéthanols – *I* amminoetanoli – *S* aminoetanoles

Lit.: [1] J. Org. Chem. 38, 3288 (1973).
allg.: Beilstein E IV 4, 1406 ▪ Hommel, Nr. 8 ▪ Kirk-Othmer 1, 809–831; (3.) 1, 945 ff. ▪ Merck Index (11.), Nr. 33, 3681 ▪ Ullmann (4.) 8, 141 ff.; (5.) 10, 1 ▪ Weissermel-Arpe (4.), S. 172 ff. – *[CAS 76231-37-3 (1-A.); 141-43-5 (2-A.); G 8]*

2-Aminoethansulfonsäure s. Taurin.

2-Aminoethanthiol s. Cysteamin.

Aminoglutethimid.

Internat. Freiname für 3-(4-Aminophenyl)-3-ethyl-2,6-piperidindion, $C_{13}H_{16}N_2O_2$, M_R 232,28, Schmp. 149–150 °C. Es wurde 1958 als cytostat. wirkendes Antiestrogen von Ciba (Orimeten®) patentiert, ist auch von Rodleben (Rodazol®) im Handel. – *E* aminoglutethimide – *F* aminoglutéthimide – *I* aminoglutetimide – *S* aminoglutetimida

Lit.: ASP ▪ Florey 15, 35–69 ▪ Hager (5.) 7, 186 ff. – *[HS 2925 19; CAS 125-84-8]*

Aminoglykoside. 1. Bez. für *Glykoside, deren Kohlenhydrat-Komponente aus *Aminozuckern besteht; näheres s. dort. – 2. Bez. für die wichtige Gruppe der Oligosaccharid-*Antibiotika, als deren erster Vertreter das *Streptomycin von Waksman et al. 1944 beschrieben wurde. Als Struktur liegt den A. ein Aminocyclohexanol-Ring (z. B. Streptidin, 2-Desoxystreptamin, zugrunde, der in der Regel mit weiteren Zuckern od. Aminozuckern glykosid. verknüpft ist. A. werden mit Ausnahme des Butirosin (*Bacillus circulans*) von verschiedenen *Actinomyceten, v. a. Streptomyceten u. Micromonospora, gebildet. Bei einem breiten Wirkungsspektrum werden A. vorwiegend bei der Bekämpfung nosocomialer Infektionen (für das Auftreten des *Hospitalismus verantwortlich) gegen Gram-neg. Erreger, wie Enterobakterien u. Pseudomonaden, eingesetzt. Sie stehen in Konkurrenz zu den halbsynthet. *Cephalosporinen; trotz ihrer Toxizität für Nieren u. Ohren als Nebenwirkung stellen die A. bei einigen Indikationen immer noch die Antibiotika der Wahl dar. Von den ca. 100 beschriebenen Verb. sind die wichtigsten Antibiotika für die Humantherapie u. a. *Streptomycin (Tuberkulose), *Neomycin, *Kanamycin, *Paromomycin *Gentamycin, Spectinomycin (Gonorrhoe) sowie die halbsynthet. A. *Amikacin u. *Netilmicin. In der Veterinärmedizin wird *Hygromycin B eingesetzt, im Pflanzenschutz (Reisanbau) *Kasugamycin u. Validamycin. A. sind Hemmstoffe der bakteriellen Protein-Biosynth. durch Bindung an die 30S Untereinheit des Ribosoms, daneben kommt es unter A.-Einfluß zu Schädigungen der bakteriellen Zellmembranen. – *E=F* aminoglycosides – *I* amminoglicosidi – *S* aminoglicósidos, aminoglicosidos

Lit. (zu 1): s. Aminozucker. – (zu 2): Gräfe ▪ Lancet 2, 311 (1982) ▪ Rehm u. Reed, Biotechnology, Vol. 4, S. 309–357, Weinheim: Verl. Chemie 1986 ▪ Rose, Economic Microbiology, Vol. 3, S. 151–238, London: Academic Press 1979 ▪ Vandamme, Biotechnology of Industrial Antibiotics, S. 329–365, New York: Dekker 1984 ▪ Whelton et al., The Aminoglycosides, New York: Dekker 1982 ▪ Zentralbl. Bakteriol. Parasitenkd. Infektionskr. Abt. 1.: Orig. Reihe A 253, 427 (1983).

Aminoguanidin (Guanylhydrazin).

CH_6N_4, M_R 74,09. Farblose Krist., lösl. in Wasser u. Alkohol, unlösl. in Ether; die wäss. Lsg. reagiert stark alkalisch. A. bildet mit vielen Säuren Salze; es kann als Hydrazin-, Guanidin- u. Formamidin-Derivat reagieren u. läßt sich vielfach direkt zu Heterocyclen umsetzen [1]. A. entsteht aus Nitroguanidin durch Red. mit nascierendem Wasserstoff u. wird im wesentlichen in Form seines Sulfats (Schmp. 161 °C) u. seines Hydrogencarbonats (Schmp. 172 °C, Zers.) gehandhabt. Das A.-Hydrogencarbonat dient als Zwischenprodukt in der chem., Pharma-, Pflanzenschutzmittel-, Farben-, Photochemikalien- u. Sprengstoff-Industrie. – *E=F* aminoguanidine – *I* amminoguanidina – *S* aminoguanidina

Lit.: [1] Angew. Chem. 75, 1157–1175 (1963).
allg.: Beilstein E IV 3, 236 ▪ Kirk-Othmer (4.) 2, 827 ▪ Merck Index (11.), Nr. 453 ▪ Ullmann (4.) 12, 414; (5.) A 12, 551. – *[HS 2928 00; CAS 79-17-4; 2582-30-1 (Hydrogencarbonat)]*

Aminoharze s. Aminoplaste.

2-Aminoheptandisäure s. 2-Aminopimelinsäure.

1-Aminohexan s. 1-Hexanamin.

6-Aminohexansäure (ε-Aminocapronsäure).

$H_2N–(CH_2)_5–COOH$, $C_6H_{13}NO_2$, M_R 131,17. Blättchen, unlösl. in Ethanol, wenig lösl. in Methanol, sehr leicht lösl. in Wasser, Schmp. 201–204 °C. LD_{50} (Maus oral) 14 300 mg/kg, wassergefährdender Stoff, WGK 1 (Selbsteinst.); die Verw. in kosmet. Mitteln ist verboten. A. kann aus Nitrocapronsäure durch Hydrierung hergestellt werden.
Die im menschlichen Organismus bisher nicht nachgewiesene Aminosäure hemmt Plasmin u. Chymotrypsin; ihre Verabreichung führt zur Stillung von akuten Blutungen unter operativen Eingriffen u. in der Traumatologie, zur Lösung von Muskelspasmen u. zur Verringerung der Histamin-Ausschüttung bei allerg. Reaktionen. – *E* 6-aminocaproic acid – *F* acide 6-aminohexane – *I* acido 6-amminoesanoico – *S* ácido 6-aminohexanoico, ácido 6-aminocaproico

Lit.: Beilstein E IV 4, 2695 ▪ Merck Index (11.), Nr. 442 ▪ Münch. Med. Wochenschr. 106, 615–617 (1964) ▪ Ullmann (4.) 8, 632; (5.) A 5, 45. – *[HS 2922 49; CAS 60-32-2]*

4-Aminohippursäure [*N*-(4-Aminobenzoyl)-glycin].

$C_9H_{10}N_2O_3$, M_R 194,19. Farbloses, krist. lichtempfindliches Pulver, Schmp. 197,5–199 °C, wenig lösl. in Wasser, Ether, lösl. in Alkohol, Benzol, Chloroform. A. kann durch Red. von 4-Nitrohippursäure hergestellt werden u. bildet leicht wasserlösl., stark alkal. reagierende Alkali-Salze.

Verw.: Zur Prüfung der Nierenfunktion (Na-Salz). – *E* 4-aminohippuric acid – *F* acide amino-4 hippurique – *I* acido 4-amminoippurico – *S* ácido 4-aminohipúrico
Lit.: Beilstein E IV **14**, 1152 ▪ DAB **10** ▪ Merck Index (11.), Nr. 454. – [*HS 2924 29; CAS 61-78-9*]

Amino-hydroxy-naphthalinsulfonsäuren s. Naphthylaminsulfonsäuren.

δ-Aminolävulinsäure s. 5-Amino-4-oxo-valeriansäure.

Aminolyse s. Ammonolyse.

Aminomethan s. Methylamin.

7-Amino-3-methyl-3-cephem-4-carbonsäure s. Cephalosporine.

Aminomethylierung s. Mannich-Reaktion u. vgl. α-Aminoalkylierung.

2-Amino-2-methyl-1,3-propandiol (AMPD).

$$HO-CH_2-\underset{\underset{CH_3}{|}}{\overset{\overset{NH_2}{|}}{C}}-CH_2-OH$$

$C_4H_{11}NO_2$, M_R 105,14. In Wasser u. Ethanol lösl. Krist., Schmp. 109–111 °C, Sdp. 151–152 °C (1,3 kPa), unlösl. in Ether, Tetrachlormethan, Benzol, Benzin. A. kann durch Red. der entsprechenden Nitro-Verb. hergestellt werden u. findet Verw. als biolog. Puffer für den pH-Bereich 7,8–9,8, als Emulgator, Vulkanisationsbeschleuniger u. als Absorptionsmittel für saure Gase, ferner als Ausgangsstoff für die Herst. oberflächenaktiver Stoffe u. Pharmazeutika, in der Kosmetik als Emulgator in Cremes u. Lotionen. – *E* 2-amino-2-methyl-1,3-propanediol – *F* 2-amino-2-méthyle-1,3-propandiol – *I* 2-ammino-2-metil-1,3-propandiolo – *S* 2-amino-2-metil-1,3-propanodiol
Lit.: Beilstein E IV **4**, 1881 ▪ Kirk-Othmer (4.) **2**, 27 ▪ Merck Index (11.), Nr. 460. – [*HS 2922 19; CAS 115-69-5*]

2-Amino-2-methyl-1-propanol (AMP). Xi

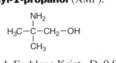

$C_4H_{11}NO$, M_R 89,14. Farblose Krist., D. 0,934, Schmp. 30–31 °C, mischbar mit Wasser, lösl. in Alkoholen, LD_0 (Kaninchen oral) 100 mg/kg, WGK 1 (Selbsteinst.). A. kann durch Red. der entsprechenden Nitro-Verb. hergestellt werden. Verw. wie *2-Amino-2-methyl-1,3-propandiol. – *E* 2-amino-2-methyl-1-propanol – *F* 2-amino-2-méthyle-1-propanol – *I* 2-ammino-2-metil-1-propanolo – *S* 2-amino-2-metil-1-propanol
Lit.: Beilstein E IV **4**, 1740 ▪ Kirk-Othmer (4.) **2**, 27 ▪ Merck Index (11.), Nr. 461. – [*HS 2922 19; CAS 124-68-5; G 3*]

Aminonaphthaline s. Naphthylamine.

Aminonaphthalinsulfonsäuren s. Naphthylaminsulfonsäuren.

Aminonaphthole (Hydroxynaphthylamine). Naphthalin-Derivate, die im gleichen Mol. die sauer reagierende Hydroxy-Gruppe u. die bas. reagierende Amino-Gruppe vereinigen. Zur Herst. der A. geht man entweder von den entsprechenden Aminosulfonsäuren aus, die mit KOH od. NaOH bei Schmelztemp. A. liefern, od. man reduziert die Nitronaphthole. Wichtiger als die A., deren 14 Isomere alle bekannt sind, sind davon abgeleiteten Sulfonsäuren (s. Naphthylaminsulfonsäuren), die als Zwischenprodukte für Farbstoffsynth. dienen. Ein Methyl-A. ist das Vitamin K_5. – *E* aminonaphthols – *F* aminonaphtols – *I* amminonaftoli – *S* aminonaftoles
Lit.: Beilstein E IV **13**, 2083–2104 ▪ Kirk-Othmer (3.) **15**, 736 ▪ Ullmann (5.) **A 17**, 46–57.

Aminonitrene s. Diazene u. vgl. Nitrene.

5-Amino-4-oxovaleriansäure (δ-Aminolävulinsäure, δ-ALA). $HOOC-CH_2-CH_2-CO-CH_2-NH_2$, $C_5H_9NO_3$, M_R 131,13. Farblose Krist., Schmp. 118–119 °C, als Hydrochlorid (M_R 167,59) Schmp. 156–158 °C (Zers.). δ-ALA ist ein Zwischenprodukt der Biosynth. der *Porphyrine, sie entsteht bei Tieren, Hefen u. einigen Bakterien in einem Nebenweg des *Citronensäure-Cyclus aus Succinyl-Coenzym A u. Glycin unter Decarboxylierung. Dabei wirken δ-Aminolävulinat-Synthase (EC 2.3.1.37) u. *Pyridoxal-5′-phosphat katalytisch. Bei grünen Pflanzen bildet sie sich in mehreren enzymat. Schritten aus *Glutaminsäure unter Mitwirkung einer Transfer-*Ribonucleinsäure als *Cofaktor[1]. δ-ALA wird weiter umgesetzt zu *Porphobilinogen. Vermehrte δ-ALA-Ausscheidung im Harn kann als Maß für eine Bleivergiftung gelten, da infolge einer Hemmung der spezif. δ-ALA-Dehydratase (Porphobilinogen-Synthase, EC 4.2.1.24) keine Kondensation zum Porphobilinogen stattfinden kann. δ-ALA kann jedoch auch zu 4,5-Dioxovaleriansäure abgebaut werden. – *E* 5-amino-4-oxovaleric acid – *F* acide amino-5 oxo-4 valérique – *I* acido 5-a(m)mino-4-ossovalerianico – *S* ácido 5-amino-4-oxovaleriánico
Lit.: [1]Trends Biochem. Sci. **13**, 139–143 (1988). – [*HS 2922 50*]

Aminooxy... Präfix für die Atomgruppierung $-O-NH_2$ in systemat. Namen (IUPAC-Regel C-841.2). – *E* = *F* aminooxy... – *I* amminoossi... – *S* aminooxi...

6-Aminopenicillansäure s. Penicilline.

Aminopeptidasen (EC 3.4.11). *Exopeptidasen, die vom Amino-Ende von *Peptiden od. *Proteinen schrittweise *Aminosäuren hydrolysieren. Sie werden wie ihre Gegenstücke, die *Carboxypeptidasen, zur *Sequenzanalyse von Proteinen verwendet. – *E* = *F* aminopeptidases – *I* a(m)minopeptidasi – aminopeptidasas
Lit.: FASEB J. **7**, 290–298 (1993) ▪ Trends Biochem. Sci. **18**, 167–172 (1993).

Aminophenazon.

Internat. Freiname für 4-Dimethylamino-1,5-dimethyl-2-phenyl-1,2-dihydro-pyrazol-3-on, $C_{13}H_{17}N_3O$, M_R 231,30, für das auch Kurzbez. wie *Aminopyrin* u. *Amidopyrin* in Gebrauch sind. A. ist ein farbloses, schwach bitter schmeckendes, krist. Pulver, Schmp.

108 °C, lösl. in der 20fachen Gewichtsmenge Wasser, sehr leicht lösl. in Alkohol, weniger lösl. in Ether. A. wirkt analget., antipyret. sowie antiphlogist. u. hat spasmolyt. Eigenschaften, kann jedoch bei längerer Einnahme sog. Agranulocytose hervorrufen u. wurde 1978 aus dem Handel genommen, da in A.-Präp. unterschiedliche Mengen carcinogener *Nitrosamine gefunden wurden. Möglicherweise sind Reste von aus der Herst. stammender HNO_3 für die Nitrosierung des A. verantwortlich. A. wurde 1896 von Stolz bei Hoechst synthetisiert, s. Pyramidon. Sehr lange bekannt ist auch die Mol.-Verb. des A. mit Barbital (*Veramon). — Als A. (od. 4-Amino-phenazon) wird verwirrenderweise auch auch die 4-Amino-1,5-dimethylphenyl-1,2-dihydro-pyrazol-3-on bezeichnet, das ebenso wie A. zur kolorimetr. Bestimmung von Phenolen dienen kann[1]. — *E* aminophenazone — *F* aminophénazone — *I* amminofenazone — *S* aminofenazona
Lit.: [1] IUPAC Inform. Bull. Techn. Rep. **7**, 7–8 (1973).
allg.: Arzneimittelchemie I, 196 ▪ Beilstein E III/IV, **25**, 3555–3563 ▪ Hager (5.) **7**, 190 f. ▪ J. Pharm. Pharmacol. **31**, 787 (1979) ▪ Pharmazie **36**, 492–500 (1981). — *[HS 2933 11; CAS 58-15-1 (A.); 23635-43-0 (Ascorbat)]*

Aminophenole (veraltet: Hydroxyaniline).   Xn ✖

C_6H_7NO, M_R 109,13. In reinem Zustand sind die 3 isomeren *o-*, *m-* u. *p-*A. feste, krist. Stoffe, die sich bes. bei Anwesenheit von Luft, Feuchtigkeit u. Licht dunkel färben. Zur Herst. geht man meist von den *Nitrophenolen aus, die mit Eisen od. Zinn in Ggw. von Säuren reduziert werden. *N*-substituierte 4-A. sind auch aus *p*-Phenylendiaminen zugänglich[1]. Da *Phenol sauer reagiert u. die Amino-Gruppe bas. Charakter hat, verhalten sich die A. sauer u. bas. zugleich (amphoter), doch überwiegt der bas. Charakter; mit Säuren bilden sie gut krist. luftbeständige Salze. Von allen A. sind hautreizende Wirkungen bekannt.
(a) *2-Aminophenol* (*o*-A.): Farblose bis gelbliche, rhomb. Krist., D. 1,328, Schmp. 174 °C, subl. 153 °C (15 hPa), ist ebenso wie *m-* u. *p-*A. in Wasser u. Ether mäßig, in Alkohol leicht, in Benzol kaum löslich. 2-A. reizt Augen, Atemwege u. die Haut, Aufnahme auch über die Haut möglich, schädigt das ZNS u. verändert den Blutfarbstoff (Methämoglobin-Bildung), Leber- u. Nierenschäden möglich, LD_{50} (Ratte oral) 1300 mg/kg, wassergefährdender Stoff, WGK 2 (Selbsteinst.).
Verw.: Als photograph. Entwickler, Antioxidans, Polymerisationsinhibitor für ungesätt. Verb., Ausgangsmaterial für die Herst. von Pharmazeutika, Haarfärbemitteln, Azo-, Schwefel- u. Oxid.-Farbstoffen.
(b) *3-Aminophenol* (*m*-A.): Farblose Prismen, Schmp. 123 °C. 3-A. wird für die Synth. von *p*-Aminosalicylsäure benötigt; zur Herst. von Haarfärbemitteln. Gesundheitsgefährdung s. 2-A., LD_{50} (Ratte oral) 924 mg/kg.
(c) *4-Aminophenol* (*p*-A.): Farblose Krist., Schmp. 190 °C, Verdacht auf erbgutverändernde Wirkung, Methämoglobin-Bildner, gelegentlich sensibilisierend, LD_{50} (Ratte oral) 375 mg/kg. 4-A. ist der wirksame Bestandteil verschiedener bekannter Photo-Entwickler, wird zur Herst. von Arzneimitteln, Farbstoffen, Antioxidantien, Additiven etc. benötigt u. zur Färbung von Haaren u. Pelzwerk verwendet. In der Photographie ist die Bedeutung der Entwickler auf Aminophenol-Basis geringer geworden. Einige werden heute nur noch bei Spezialentwicklungsverfahren angewendet. — *E* aminophenols — *F* aminophénols — *I* amminofenoli — *S* aminofenoles
Lit.: [1] Angew. Chem. **89**, 273 f. (1977).
allg.: Beilstein E III/IV **13**, 805, 952, 1014 ▪ Hommel, Nr. 663 ▪ Kirk-Othmer (4.) **2**, 582 ▪ Negwer (6.), S. 1663 ▪ Ullmann **3**, 470–474; (4.) **8**, 35; **18**, 227 f. . — *[CAS 95-55-6 (2-A.); 591-27-5 (3-A.); 123-30-8 (4-A.); G 6.1]*

4-Aminophenylarsonsäure (*p*-Arsanilsäure).

$C_6H_8AsNO_3$, M_R 217,04. Farblose Nadeln, Schmp. 232 °C, wenig lösl. in kaltem Wasser, Ethanol u. Essigsäure, lösl. in heißem Wasser, Amylalkohol, Alkalicarbonat-Lsg.; kann aus Anilin u. Arsensäure hergestellt werden. A. wird zur Synth. von Arsen-haltigen Medikamenten eingesetzt. — *E* 4-aminobenzenearsonic acid — *F* acide 4-aminophénylarsénique — *I* acido 4-amminofenilarsonico — *S* ácido 4-aminofenilarsónico
Lit.: Beilstein E IV **16**, 1190 ▪ Kirk-Othmer (4.) **3**, 629, 647 ▪ Ullmann (4.) **8**, 61. — *[HS 2931 00; CAS 98-50-0]*

2-Amino-1-phenylethanol (Phenylethanolamin).

$HO-CH(C_6H_5)-CH_2-NH_2$

$C_8H_{11}NO$, M_R 137,18. Hellgelbe Krist., Schmp. 56–57 °C, Sdp. 157–160 °C (2,3 kPa), lösl. in Wasser mit alkal. Reaktion.
Verw.: Freie Base zum Polymerisationsabbruch bei *SBR u. zum Härten von Wachsen; das Sulfat als Sympathikomimetikum. — *E* phenylethanolamine — *F* 2-amino-1-phényléthanol — *I* 2-ammino-1-feniletanolo — *S* 2-amino-1-feniletanol
Lit.: Beilstein E IV **13**, 1801 ▪ Kirk-Othmer (3.) **15**, 775. — *[HS 2922 19; CAS 7568-93-6]*

Aminophyllin. Internat. Freiname für die Mol.-Verb. $C_{16}H_{24}N_{10}O_4$, M_R 420,43, aus 2 Mol. *Theophyllin u. 1 Mol. *Ethylendiamin. Es wurde 1909 als Broncholyticum von Byk Gulden (Euphyllin®) patentiert u. ist heute generikafähig. — *E* = *F* aminophylline — *I* amminofillina — *S* aminofilina
Lit.: DAB 10 ▪ Florey **11**, 1–44 ▪ Hager (5.) **7**, 192–194. — *[HS 2939 50; CAS 317-34-0]*

2-Aminopimelinsäure (2-Aminoheptandisäure).

(2*R*)-Form

$C_7H_{13}NO_4$, M_R 175,18, Schmp. 219–220 °C (Zers.), $[\alpha]_D^{25}$ −21,0° (c 0,1/5 m HCl). Nichtproteinogene Aminosäure in Streifenfarn *Asplenium* spp.[1–3]. In *A. unilaterale* kommen 2-A. u. das *trans*-3,4-Dehydro-Derivat als (2*R*)-Form vor[2]. 2-A. in *A. wilfordii* ist partiell racemisiert[3]. In beiden Arten befindet sich dagegen

die 4-Hydroxy-2-aminopimelinsäure immer in der (2S)-Form[4]. Zur Chemotaxonomie vgl. Lit.[5]. – *E* 2-aminopimelic acid – *I* acido 2-amminopimelico – *S* ácido 2-aminopimélico
Lit.: [1]Karrer, Nr. 2380. [2]Phytochemistry **22**, 2735–2737 (1983). [3]Bot. Mag. Tokyo **101**, 353–372 (1988). [4]Beilstein E IV **4**, 3080; Phytochemistry **24**, 2291–2294 (1985); Karrer, Nr. 2381. [5]Phytochemistry **18**, 1505 (1979). – *[CAS 3721-85-5]*

Aminoplaste. Die auch als Amino- od. Amidharze bezeichneten A. sind meist relativ niedermol. Polykondensationsprodukte aus Carbonyl-Verb. (insbes. *Formaldehyd, neuerdings auch höhere Aldehyde u. Ketone) u. NH-Gruppen enthaltende Verb. wie z.B. Harnstoff (*Harnstoffharze), Melamin (*Melaminharze), *Urethane (Urethanharze), Cyan- bzw. Dicyanamid (Cyan- bzw. Dicyanamid-Harze, aromat. Amine (Anilin-Harze) u. *Sulfonamide (Sulfonamid-Harze), die in einer Art *Mannich-Reaktion miteinander verknüpft werden. A. werden bei der Anw. zu *Duroplasten ausgehärtet, die dann allg. sehr beständig gegenüber Lsm., Fetten u. Ölen u. kaum entzündbar sind. Sehr große techn. Bedeutung erlangt haben die Harnstoff- (Kurzbez. HF, nach DIN 7728, Tl. 1, 01/1988) u. Melaminharze (Kurzbez. MF, nach DIN 7728, Tl. 1, 01/1988).
Verw.: Herst. von Bauteilen in der Elektroind., Geschirr, Tischplatten, Wandverkleidungen u. dgl., als Leim- u. Tränkharze, Klebstoffe, Lackrohstoffe, Papier-, Textil-, Lederhilfsmittel, Dünge- u. Bodenverbesserungsmittel, Preßmassen u. Gießharze. Zur Geschichte der A. s. Lit.[1] – *E* amino resins – *F* aminoplastes – *I* amminoplasti – *S* aminoplásticos
Lit.: [1]Plaste Kautsch. **24**, 479–483 (1977).
allg.: Encycl. Polym. Sci. Eng. **1**, 752ff. ▪ Encyl. Polym. Sci. Technol. **2**, 1–94 ▪ Houben-Weyl **E 20**, 1811 ff. ▪ Ullmann (3.) **3**, 475–495; (4.) **7**, 403 ff. – *[HS 3909 10-50]*

Aminopropan s. Propylamine.

Aminopropanole.

$$H_3C-\underset{\underset{NH_2}{|}}{CH}-CH_2-OH \qquad H_2N-CH_2-CH_2-CH_2-OH$$

a   b

$$H_3C-\underset{\underset{OH}{|}}{CH}-CH_2-NH_2$$

c

C_3H_9NO, M_R 75,11. Von den 5 möglichen Isomeren sind nur 3 von Bedeutung.
(a) *2-Amino-1-propanol* (Alaninol): dl-Form in Wasser, Ethanol u. Ether leicht lösl., fischartig riechende Flüssigkeit, D. 0,962, Sdp. 173–176 °C; findet Verw. in organ. Synthesen.
(b) *3-Amino-1-propanol:* Farblose Flüssigkeit, D. 0,98, Sdp. 188 °C, in Wasser, Ethanol u. Ether lösl., findet Verw. bei der Herst. von grenzflächenaktiven Stoffen, Farbstoffen, Kunstharzen, Arzneimitteln.
(c) *1-Amino-2-propanol* (MIPA, fälschlich: *Isopropanolamin):*. Opt. aktive, farblose, Amin-artig riechende Flüssigkeit, D. 0,9611, Schmp. –1 °C, Sdp. 156–162 °C, mit Wasser, Alkoholen, Estern, Aceton. Aromaten mischbar, in Chlorkohlenwasserstoffen wenig lösl., in Ether u. Benzin unlöslich. Wassergefährdende Flüssigkeit, WGK 1 (Selbsteinst.), LD_{50} (Ratte oral) 2098 mg/kg; kann aus Propylenoxid u. NH_3 hergestellt werden. Alle A. reizen Augen, Atemwege u. Haut.
Verw.: Zwischenprodukt bei Farbstoff- u. Arzneimittelsynth., Stabilisator für Textilwachse, Lösungsvermittler, zur Herst. von Estern, Amiden u. Salzen höhermol. Fettsäuren, die als Wasch- u. Netzmittel, Öl-in-Wasser-Emulgatoren u. dgl. geeignet sind, zur enantioselektiven α-Methylierung von Cyclohexanon, als Kühlschmierstoff. – *E = F* aminopropanols – *I* amminopropanoli – *S* aminopropanoles
Lit.: Beilstein E IV **4**, 1614, 1623, 1664 ▪ Hommel, Nr. 413 ▪ Tetrahedron Lett. **21**, 4511 (1980) ▪ Ullmann (4.) **19**, 433 f.; (5.) **A 10**, 10. – *[CAS 6168-72-5 (2-A.-1-p.); 156-87-6 (3-A.-1-p.); 78-96-6 (1-A.-2-p.)]*

Aminopropionsäure s. Alanin.

Aminopterin.

Internat. Freinamen für 4-Aminopteroylglutaminsäure, $C_{19}H_{20}N_8O_5$, M_R 440,43. A. ist ein Antagonist zu Folsäure u. wurde deshalb ebenso wie das eng verwandte *Methotrexat gegen Leukämie verwendet, wird heute aber nur noch als Rodentizid eingesetzt. – *E* aminopterin – *F* aminoptérine – *I* amminopterina – *S* aminopterina
Lit.: Arzneimittelchemie III, 256 ▪ Clin. Pharmacol. **2**, 374 (1961). – *[CAS 54-62-6]*

4-Aminopteroylglutaminsäure s. Aminopterin.

6-Aminopurin s. Adenin.

Aminopyridine.

$C_5H_6N_2$, M_R 94,12. Das aus Pyridin u. Natriumamid (*Tschitschibabin-Synthese) zugängliche 2-A. (2-Pyridylamin) bildet farblose Krist., Schmp. 58–60 °C, die in Wasser u. den meisten organ. Lsm. lösl. sind. Staub, Dämpfe u. Kontakt mit dem festen Stoff führen zu Reizung der Augen, der Atemwege (Lungenödem möglich) u. der Haut, A. kann auch über die Haut aufgenommen werden; MAK 0,5 ppm, LD_{50} (Ratte oral) 200 mg/kg, wassergefährdender Stoff, WGK 2 (Selbsteinst.).
3-A. (3-Pyridylamin), Schmp. 64 °C, ist ein gelbliches krist. Pulver, das aus Nicotinamid hergestellt wird, in Wasser u. organ. Lsm. außer Petrolether lösl., wassergefährdender Stoff, WGK 2 (Selbsteinst.). Es findet Verw. in der Synth. von Farbstoffen u. Pharmazeutika.
4-A. (4-Pyridylamin), gelbliches Pulver, Schmp. 158–160 °C, das in Wasser u. Alkoholen gut, in Ether u. Cyclohexan wenig lösl. ist. Nervengift, LD_{50} (Ratte oral) 21 mg/kg, wassergefährdender Stoff, WGK 3 (Selbsteinst.); kann aus 4-Chlorpyridin u. KNH_2/NH_3 hergestellt werden. Es dient zur Herst. der 4-Halogenpyridine u. von Arzneimitteln. – *E = F* aminopyridines – *I* amminopiridine – *S* aminopiridinas
Lit.: Beilstein E IV **22**, 3840, 4067, 4098 ▪ Giftliste ▪ Hommel, Nr. 911 ▪ Ullmann (4.) **19**, 602 f.; (5.) **A 22**, 417 ▪ Weissberger **14** S/3, 41 ff.; **14**/3, 3–50. – *[CAS 504-29-0 (2-A.); 462-08-8 (3-A.); 504-24-5 (4-A.)]*

Aminopyrin s. Aminophenazon.

Aminoquinurid.

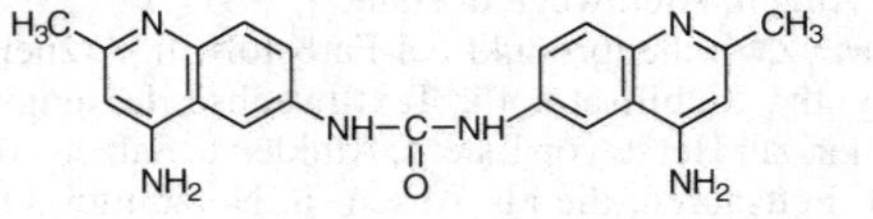

Internat. Freiname für N,N'-Bis-(4-amino-2-methyl-6-chinolyl)-harnstoff, $C_{21}H_{20}N_6O$, M_R 372,43, Zers. bei 255 °C. Es wurde als Mund-Antiseptikum 1934 von I. G. Farben patentiert u. ist in Kombination mit Tetracain Hydrochlorid von Hermal (Herviros®) im Handel. – *E* = *F* aminoquinuride – *I* amminochinuride – *S* aminoquinurida
Lit.: Hager (5.) **7**, 155–157. – *[CAS 3811-56-1]*

Aminosäure-Austausch. Austausch einzelner Aminosäuren in einem Protein. Der Austausch kann auf genet. Ebene durch eine *Punktmutation (z.B. gezielt durch *site-directed-Mutagenese) hervorgerufen werden. Durch Austausch eines Nucleotids in einem Codon kann bei der *Translation eine andere Aminosäure eingebaut werden. Je nach Lage u. Eigenschaften der ausgetauschten Aminosäure innerhalb des Proteins ergeben sich unterschiedlich starke Auswirkungen auf seine Funktion.
Auch fertige Proteine od. Peptide können durch A.-A. gezielt verändert werden. Ein Beisp. mit industriellem Nutzen ist die Abspaltung der C-terminalen Aminosäure Alanin aus Schweine-Insulin mittels Trypsin. Diese wird im Folgeschritt durch Threonin ersetzt, um Human-Insulin zu erhalten. – *E* aminoacid exchange – *F* échange d'acides aminés – *I* scambio degli amminoacidi – *S* intercambio de aminoácidos
Lit.: Oxender u. Fox (Hrsg.), Protein Engineering, New York: A. R. Liss 1987.

Aminosäuren (Aminocarbonsäuren). Bez. für *Carbonsäuren mit einer od. mehreren Amino-Gruppen im Molekül. Im engeren Sinn versteht man darunter die 20 am Aufbau der Eiweißstoffe (*Proteine) beteiligten (*proteinogenen*) u. in *Nucleinsäuren kodierten, aber in der Natur auch frei vorkommenden L-A. (L-2-Aminocarbonsäuren). In reinem Zustand sind sie farblose, krist. Stoffe, die in festem Zustand u. in neutraler wäss. Lsg. überwiegend als *innere Salze* (*Zwitterionen) vorliegen, d. h. das chem. Gleichgewicht

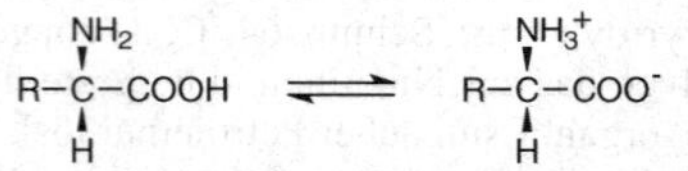

liegt weit auf der rechten Seite. Dadurch sind hohe Schmp. (ca. 250 °C unter Zers.) u. geringe (am *isoelektrischen Punkt minimale) Löslichkeiten in unpolaren Lsm. bedingt. A. sind *amphoter*, d. h. sie können sich als Säuren u. als Basen betätigen gemäß

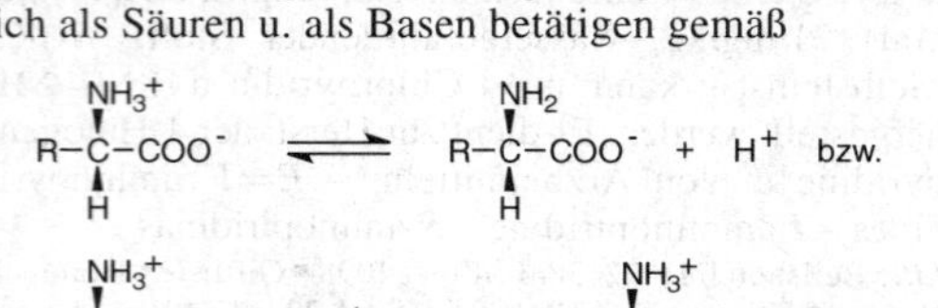

Die Reste R werden Seitenketten od. Seitengruppen genannt. Man unterscheidet:

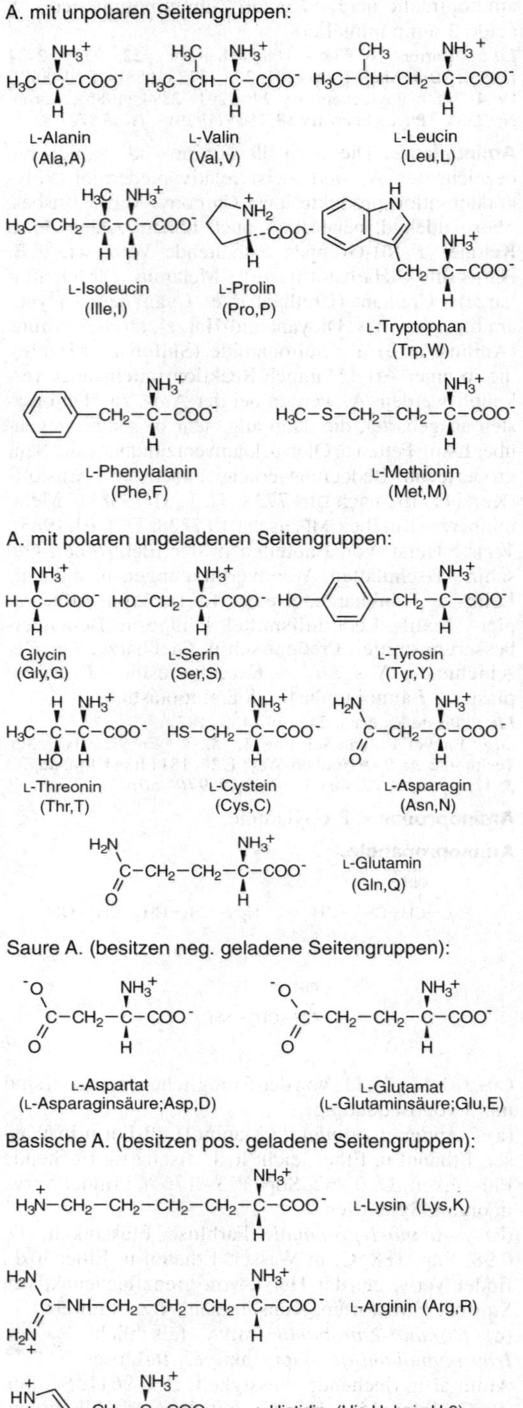

A. mit unpolaren Seitengruppen:

L-Alanin (Ala,A)   L-Valin (Val,V)   L-Leucin (Leu,L)

L-Isoleucin (Ille,I)   L-Prolin (Pro,P)   L-Tryptophan (Trp,W)

L-Phenylalanin (Phe,F)   L-Methionin (Met,M)

A. mit polaren ungeladenen Seitengruppen:

Glycin (Gly,G)   L-Serin (Ser,S)   L-Tyrosin (Tyr,Y)

L-Threonin (Thr,T)   L-Cystein (Cys,C)   L-Asparagin (Asn,N)

L-Glutamin (Gln,Q)

Saure A. (besitzen neg. geladene Seitengruppen):

L-Aspartat (L-Asparaginsäure;Asp,D)   L-Glutamat (L-Glutaminsäure;Glu,E)

Basische A. (besitzen pos. geladene Seitengruppen):

L-Lysin (Lys,K)

L-Arginin (Arg,R)

L-Histidin (His,H; bei pH 6)

Abb.: Proteinogene Aminosäuren.

Bei den A. mit ungeladenen Seitengruppen kompensieren sich Säure- u. Basenstärke annähernd. Zur Kondensation der A. zu Peptiden u. Proteinen s. dort. Die Seitenketten von Cys sind geeignet, *Disulfid-Brücken zu bilden, das Dimer heißt Cystin.

$$^-OOC-\underset{H}{\overset{NH_3^+}{C}}-CH_2-S-S-CH_2-\underset{H}{\overset{NH_3^+}{C}}-COO^-$$

Die Trivialnamen der A. wie auch die ihnen in der Abb. (S. 164) folgenden Drei- bzw. Einbuchstabensymbole sind von der *IUPAC/IUBMB-Nomenklaturkommission empfohlen [1]. Neben den erwähnten Symbolen findet man noch: Asx (B) für Asn od. Asp; Glx (Z) für Gln od. Glu, sowie X für unbekannte od. andere Aminosäuren. Weitere Empfehlungen zur Nomenklatur der A. finden sich ebenfalls in *Lit.*[1].
Seltener auftretende A. sind L-*Citrullin, L-*Homocystein (Hcy), L-*Homoserin (Hse), (4R)-*4-Hydroxy-L-prolin (Hyp), (5R)-*5-Hydroxy-L-lysin (Hyl, die beiden letzten in *Kollagen), L-*Ornithin (Orn), *Sarkosin (Sar, Methylglycin, Me-Gly) sowie einige D-Aminosäuren (in Bakterien-Zellwänden, Peptid-Antibiotika u. Opioiden [2]).
Physiologie: Pflanzen synthetisieren alle A. aus einfacheren Vorstufen, Mensch u. Tier können dagegen nur die sog. *nicht essentiellen A.* Ala, Asp, Asn, Glu, Gln, Gly, Hyp, Orn, Pro u. Ser selbst aufbauen. Die *essentiellen A.* Ile, Leu, Lys, Met, Phe, Thr, Trp u. Val müssen mit der Nahrung aufgenommen werden. Als *semiessentiell* gelten Arg u. His, die nur in Wachstumsphasen u. bei Mangelerscheinungen von außen zugeführt werden müssen. Eine Sonderstellung nehmen Cys u. Tyr ein, die aus den essentiellen A. Met u. Phe synthetisiert werden können. Die wichtigste Funktion der A. ist die als Bausteine für die Biosynth. der Proteine; beim Fehlen von essentiellen A. in der Nahrung gerät die Eiweiß-Synth. ins Stocken, u. als Folge stellen sich ggf. lebensbedrohliche Mangelerscheinungen ein. In der Neurochemie erfüllen A. u. ihre Derivate wichtige Aufgaben als *Neurotransmitter, s. *Lit.*[3] u. 4-Aminobuttersäure, Glutaminsäure, Glycin. Zu weiteren, spezif. Funktionen s. bei den jeweiligen Aminosäuren.
Biochemie: Der physiolog. *Auf-* u. *Abbau* der A. (Anabolismus u. Katabolismus) erfolgt hauptsächlich über die α-Ketosäuren (2-Oxocarbonsäuren), von denen 2-Oxoglutarsäure u. Oxalessigsäure Glieder des *Citronensäure-Cyclus sind. Über sie ist der Stoffwechsel von A. mit dem von Fetten u. Kohlenhydraten verknüpft. Die meisten proteinogenen A. übertragen ihre α-Amino-Gruppen in einer reversiblen *Transaminierungs-Reaktion mit Hilfe von Aminotransferasen (Transaminasen) auf 2-Oxoglutarsäure. Letztere wird dabei zu L-Glutaminsäure, die Ausgangs-A. werden zu den entsprechenden 2-Oxocarbonsäuren umgesetzt. Glu verliert sein N-Atom durch oxidative *Desaminierung (durch Glutamat-Dehydrogenase, EC 1.4.1.2 – 1.4.1.4) zu 2-Oxoglutarsäure. Die Amino-Gruppe von Asp wird im *Harnstoff-Cyclus auch dazu verwendet, Arg aus L-Citrullin zu regenerieren. Asp geht dabei in *Fumarsäure (ebenfalls Verb. des Citronensäure-Cyclus) über. Beim Aufbau des Kohlenstoff-Gerüsts unterscheidet man verschiedene Biosynth.-Familien, die von unterschiedlichen Ausgangsmaterialien ausgehen: Arg, Gln, Glu, Pro von 2-Oxoglutarsäure; Asn, Asp, Ile, Met, Lys, Thr von Oxalessigsäure; Cys, Gly, Ser von 3-Phospho-D-glycerinsäure, Ala, Leu, Val von Brenztraubensäure; Phe, Trp, Tyr von Phosphoenolbrenztraubensäure u. D-Erythrose-4-phosphat; u. schließlich His von D-Ribose-5-phosphat. In bezug auf Abbauprodukte unterscheidet man zwischen glucogenen A., die Intermediate des Citronensäure-Cyclus od. Brenztraubensäure liefern, u. ketogenen A., die nicht zur Zucker-Synth. verwendet werden können, da sie beim Abbau Ketone wie Acetessigsäure ergeben. Bei Decarboxylierung der A. durch spezielle *Decarboxylasen entstehen die *biogenen Amine. Wegen der Bedeutung der A. als Nährstoffe gibt es verschiedene spezif. zelluläre Transportsysteme, die die Aufnahme von A. durch die Membran regulieren, s. dazu *Lit.*[4].
Herst.: A. existieren auf der Erde mit Sicherheit bereits seit 3 Mrd. Jahren u. sind auch in Meteoriten, Mondgestein u. möglicherweise außerhalb des Sonnensyst.[5] vorhanden. Die Möglichkeit ihrer Entstehung aus unbelebter Materie wurde verschiedentlich gezeigt (vgl. a. chemische Evolution). Die physiolog. L-A. lassen sich sowohl aus natürlichen Proteinen (Eiweißstoffen) durch Abbau als auch aus einfacheren Stoffen durch enzymat. od. chem. Synth. gewinnen. Die Hydrolyse von Eiweiß läßt sich durch Kochen mit Salz- od. Schwefelsäure, durch Einwirkung proteolyt. (Eiweiß-spaltender) Enzyme (Pepsin, Trypsin) od. – weniger gut – durch Erhitzen mit Alkalien ausführen. Aus dem so entstehenden A.-Gemisch können die einzelnen A. durch spezif. Fällungsreagentien od. durch Umkrist. isoliert werden, wobei man sich die von den unterschiedlichen isoelektr. Punkten abhängigen Löslichkeiten zunutze macht. Labormengen lassen sich auch durch Adsorptions-, Ionenaustausch- u. Verteilungschromatographie trennen. Als präparativ-chem. Verf. sind die *Strecker, die *Knoop, die *Erlenmeyer u. die *Malonester-Synthese bekannt, ferner entstehen A. auch bei der Umsetzung von Halogencarbonsäuren mit Ammoniak. In der Mehrzahl der Fälle muß sich an die chem. Synth. noch eine *Racemattrennung anschließen. Zur biotechnol. Herst. von A. u. Derivaten s. *Lit.*[6].
Verw.: Essentielle A. werden für die Supplementierung von Futtermitteln in der Tierernährung sowie für die Qualitätsverbesserung von Proteinen für die menschliche Ernährung eingesetzt. In der Lebensmitteltechnologie dienen A. zur Herst. von Suppenwürzen u. Geschmacksverbesserern (Natriumglutamat), in der Diätetik für chem. definierte Diäten bei Störungen des A.- od. Fettstoffwechsels. In der Medizin werden A. u. a. für Infusionslsg. benutzt. Weitere Anw. finden sich in der Kosmetik.
Analyse: Nach der klass. Meth.[7] werden die freien A. ionenaustauschchromatograph. getrennt u. nach Farbreaktion mit *Ninhydrin od. o-*Phthal(di)aldehyd nachgewiesen. Der Vorgang ist automatisiert worden. Neuerdings werden A. auch derivatisiert (z.B. mit *Phenylisothiocyanat) der Flüssigkeitschromatogra-

Aminosäure-Sequenzer 166

phie unterworfen. – *E* amino acids – *F* acides aminés, aminoacides – *I* a(m)minoacidi – *S* aminoácidos
Lit.: [1] Pure Appl. Chem. **56**, 595–624 (1984); Eur. J. Biochem. **152**, 1 (1985). [2] Trends Biochem. Sci. **17**, 481 ff. (1992). [3] Turner u. Stephenson, Amino Acid Transmission, Colchester: Portland Press 1996. [4] Biochem. J. **299**, 321–334 (1994); Kilberg u. Häussinger, Mammalian Amino Acid Transport. Mechanisms and Control, New York: Plenum Press 1992. [5] Science **264**, 1668 (1994). [6] Rozzell u. Wagner, Biocatalytic Production of Amino Acids and Derivatives, München: Hanser 1992. [7] Anal. Chem. **30**, 1185 ff. (1958).
allg.: Jones, Amino Acid and Peptide Synthesis, Oxford: Oxford University Press 1992 ▪ Karlson et al., Kurzes Lehrbuch der Biochemie, 14. Aufl., S. 24–27, Stuttgart: Thieme 1994 ▪ Lubec u. Rosenthal, Amino Acids. Chemistry, Biology and Medicine, Leiden: ESCOM 1990 ▪ Stryer (5.), S. 17–23. – *Reihe:* Amino Acids and Peptides, London: Royal Society of Chemistry (seit 1968). – *Zeitschrift:* Amino Acids, Berlin: Springer (seit 1991). – *[HS 2922 41–49]*

Aminosäure-Sequenzer (Sequenator). Gerät zur automat. *Sequenzanalyse von Oligo- od. Polypeptiden. Diese werden im allg. einem *Edman-Abbau unterworfen u. die Aminosäuren mittels *HPLC identifiziert. – *E* protein sequencer – *F* séquenceur d'acides aminés – *I* analizzatore degli amminoacidi – *S* secuenciador de aminoácidos
Lit.: Jornall et al., Methods in Protein Sequence Analysis, Basel: Birkhäuser 1991 ▪ Wilson u. Goulding, Methoden der Biochemie (3.), Stuttgart: Thieme 1991.

Aminosäure-tRNA-Ligasen (Aminoacyl-tRNA-Synthetasen, EC 6.1.1). Gruppe sehr spezif. Enzyme, die *Aminosäuren (AS) mit Transfer-*Ribonucleinsäuren (tRNA) Ester-artig zu Aminoacyl-tRNA verbinden, wobei *Adenosin-5′-triphosphat (ATP) in *Adenosin-5′-monophosphat (AMP) u. anorgan. Diphosphat gespalten wird u. ein gemischtes Anhydrid von AS u. AMP als aktivierte Zwischenverb. auftritt.
Struktur: Die AS-tRNA-L. haben unterschiedliche Größe (M_R 85000–270000) u. Untereinheiten-Zusammensetzung (1–4 Polypeptid-Ketten). Aufgrund ihrer AS-Sequenzen u. der Raumstruktur der Untereinheiten teilt man sie in 2 verschiedene Klassen (I u. II) ein.
Funktion: Bei der Biosynth. der *Proteine (*Translation) werden Aminoacyl-tRNA als Substrate benötigt, wobei an ihrem RNA-Teil eine bestimmte Dreier-Gruppierung von *Nucleobasen (*Anticodon*) zu dem jeweils bereitstehenden der aufeinanderfolgenden Codons (ebenfalls Tripletts von Nucleobasen) der Messenger-RNA (mRNA, s. Ribonucleinsäuren) passen muß u. der Aminoacyl-Rest (die AS) auf eine wachsende Protein-Kette übertragen wird. Damit sich nun die Sequenz-Information der mRNA im Sinne des *genetischen Codes korrekt in die AS-Sequenz des Proteins übersetzt, muß für jedes Codon-AS-Paar mind. eine spezielle tRNA als Adapter vorhanden sein, u. die Verknüpfung der AS mit der tRNA muß spezif. u. fehlerfrei erfolgen. Es gibt zu diesem Zweck für jedes Paar von AS u. tRNA eine eigene Ligase. Die A. sind somit für die korrekte Anw. des genet. Codes verantwortlich, weshalb sie bisweilen auch *Codasen* genannt werden.
Die Erkennung der tRNA durch die Ligase erfolgt in manchen Fällen nicht am Anticodon, sondern in anderen Regionen des Mol.[1]. – *E* amino acid-tRNA ligases – *F* amino-acide-ARN-t ligases – *I* am(m)inoacido-tRNA-ligasi – *S* aminoácido-tRNA ligasas
Lit.: [1] FASEB J. **5**, 2180–2187 (1991).
allg.: Annu. Rev. Biochem. **62**, 715–748 (1993) ▪ Stryer (5.), S. 766 ff. ▪ Trends Biochem. Sci. **17**, 159–164 (1992).

p-Aminosalicylsäure (4-Amino-2-hydroxybenzoesäure, PAS).

$C_7H_7NO_3$, M_R 153,14. Farbloses Kristallpulver, Schmp. 150–151 °C, in Wasser, Ether, Benzol kaum, in Ethanol mäßig u. in Säuren bzw. Laugen gut löslich.
Herst.: Aus 3-*Aminophenol mit Ammoniumcarbonat od. Kaliumhydrogencarbonat unter Druck. A. zählt zu den Reservestoffen der Tuberkulostatika; seine Wirkung geht auf seine Rolle als *Antagonist zu der als Wuchsstoff von den Tuberkelbacillen benötigten 4-*Aminobenzoesäure zurück. Es ist von Fatol (PAS-Fatol-N) im Handel. Zur Therapie wird eine Tagesdosis von ca. 12–16 g der wasserlösl. Alkali- od. Ca-Salze, nur in Kombination mit Streptomycin u./od. *Isonicotinsäurehydrazid (s. Pasiniazid) benötigt. *5-Aminosalicylsäure* s. Mesalazin. – *E* p-aminosalicylic acid – *F* acide p-aminosalicylique – *I* acido amminosalicilico – *S* ácido p-aminosalicílico
Lit.: Arzneimittelchemie III, 22, 80–84 ▪ Beilstein E IV **14**, 1967 ▪ Florey **10**, 1–27 ▪ Ullmann (4.) **9**, 237 f. – *[HS 2922 50; CAS 65-49-6]*

Aminosidin s. Paromomycin.

Aminotoluole s. Toluidine.

Aminotransferasen s. Transaminasen.

Aminotriazol Bayer®. Herbizid im Obst- u. Weinbau, Plantagen sowie Nichtkulturland. *B.:* Bayer.

Amin-Oxidasen s. Diamin-Oxidase u. Monoamin-Oxidase.

Aminoxide. Sammelbez. für eine Gruppe *nichtionischer Tenside der allg. Formel

$$R^2-\underset{\underset{R^3}{|}}{\overset{\overset{R^1}{|}}{N}}\rightarrow O$$

worin R gewöhnlich für einen aliphat. od. auch cycl. tert. Alkyl- od. Amidoalkyl-Rest steht. Oberflächenaktive A. werden durch Oxid. von *Fettaminen od. -amidoaminen mit Wasserstoffperoxid erhalten u. finden infolge ihrer guten Hautverträglichkeit u. ihrer schaumstabilisierenden Eigenschaften in begrenztem Umfange Eingang in Haarshampoos u. Schaumbäder. Zur Bestimmung von A. in Kosmetika vgl.[1] – *E* amine oxides – *F* oxyde d'amine – *I* amminossidi – *S* óxidos de amina
Lit.: [1] J. Soc. Cosmet. Chem. **39**, 69 f. (1988).
allg.: Drug. Cosmet. Ind. **129**, 38 f. (1981) ▪ Jorn. Comit. Espan. Deterg. **13**, 73 f. (1982) ▪ Soap Perfum. Cosmet. **57**, 525 f. (1984). – *[HS 3402 13]*

Aminoxyle s. Nitroxyl-Radikale.

Aminoxylole s. Xylidine.

Aminozucker. Sammelbez. für Monosaccharide mit einer (meist acetylierten) Amino- statt einer Hydroxy-Gruppe; *Beisp.:* *Glucosamin, *Galactosamin, *Neuraminsäure. Die A. treten in Form von *Glykosiden (*Aminoglykosiden*) sowohl in hochmol. Gerüstsubstanzen (*Beisp.:* *Chitin, *Murein, *Heparin, *Hyaluronsäure u. a. Mucopolysaccharide) als auch in niedermol. *Antibiotika auf (*Aminoglykosid-Antibiotika*, z. B. *Streptomycin, *Gentamycin, *Kanamycin, *Neomycin, *Paromomycin), bei deren Langzeit-Anw. allerdings Gehörschäden auftreten können [1]. Eine wichtige Reaktion der A. ist die *Amadori-Umlagerung. Zur Konstitution bzw. Synth. von A. bzw. A.-Oligosacchariden s. *Lit.*[2]. – *E* amino sugars – *F* sucres aminés – *I* amminozucchero, zuchero amminico – *S* aminoazúcares

Lit.: [1] Pharm. Unserer Zeit **6**, 23 f. (1977). [2] Angew. Chemie **83**, 261–273 (1971); **87**, 547 f. (1975); **89**, 565 f. (1977).
allg.: Fortschr. Chem. Forsch. **83**, 105–170 (1979) ▪ Jeanloz u. Balazs, The Amino Sugars (3 Bd.), New York: Academic Press 1965–1969 ▪ Kirk-Othmer (3.) **2**, 819–852 ▪ Sammes, The Aminoglycosides and the Ansamycins (Topics Antibiot. Chem. 1), New York: Wiley 1977 ▪ Winnacker-Küchler (3.) **4**, 633 ff. ▪ Zechmeister **20**, 200–270.

Aminyle s. Amine.

Aminyloxide s. Nitroxyl-Radikale.

Amiodaron.

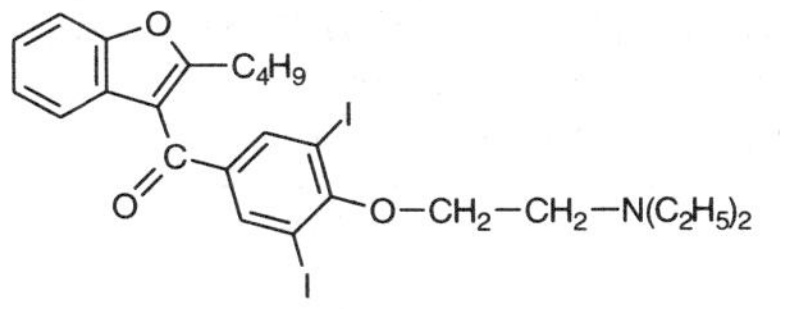

Internat. Freiname für (2-Butyl-3-benzofuranyl)-[4-(2-diethylamino-ethoxy)-3,5-diiodphenyl]-keton, $C_{25}H_{29}I_2NO_3$, M_R 645,32, verwendet wird das Hydrochlorid, Schmp. 156 °C. Es wurde 1963 u. 1966 als Coronardilatator von Labaz (Cordarone®) patentiert u. ist von Sanofi Winthrop (Cordarex®) im Handel. – *E* = *F* = *I* amiodarone – *S* amiodarona

Lit.: ASP ▪ DAB 10 ▪ Florey **20**, 1–120 ▪ Hager (5.) **7**, 199 f. – [HS 2932 90; CAS 1951-25-3]

Amiphenazol.

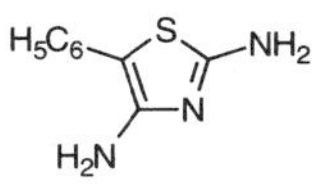

Internat. Freiname für 2,4-Diamino-5-phenyl-1,3-thiazol, $C_9H_9N_3S$, M_R 191,25. Es wurde 1955 als Atmungsstimulans, Morphinantagonist u. Antidot bei Barbituratvergiftungen entwickelt. Es war von Hoffmann-La Roche (Daptazile®) im Handel. – *E* amiphenazole – *F* amiphénazol – *I* amifenazolo – *S* amifenazol

Lit.: ASP ▪ Hager (5.) **7**, 202. – [HS 2934 10; CAS 490-55-1 (A.); 942-31-4 (Hydrochlorid)]

Amiral®. Fungizid auf der Basis von *Triadimefon. *B.:* Bayer.

Amitraz. Common name für *N*-Methyl-bis(2,4-xylyliminomethyl)amin.

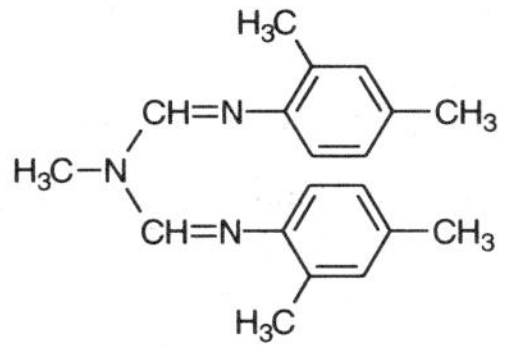

$C_{19}H_{23}N_3$, M_R 293,41, Schmp. 86–87 °C, LD_{50} (Ratte oral) 800 mg/kg (WHO), von Boots Co. 1973 eingeführtes nicht-system. *Akarizid u. *Insektizid mit breitem Wirkungsspektrum im Citrus-, Baumwoll- u. Obstanbau. – *E* = *F* = *I* = *S* amitraz

Lit.: Farm ▪ Perkow ▪ Pesticide Manual. – [HS 2925 20; CAS 33089-61-1]

Amitriptylin.

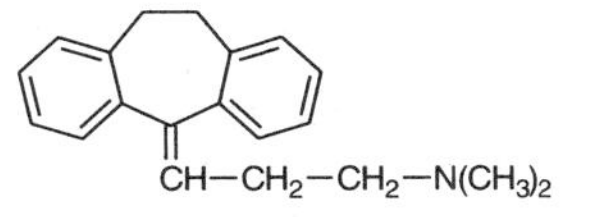

Internat. Freiname für 5-(3-Dimethylaminopropyliden)-10,11-dihydro-5*H*-dibenzo[*a,d*]cyclohepten, $C_{20}H_{23}N$, M_R 277,41; verwendet wird das Hydrochlorid, Schmp. 196–197 °C. Es wurde 1960 u. 1961 als Antidepressivum von Hoffmann-La Roche (Laroxyl®) u. Merck & Co. patentiert u. ist generikafähig. Das A.-*N*-oxid zeigt ähnliche Wirkung u. ist von Rhône-Poulenc (Equilebrin®) im Handel. – *E* = *F* amitriptyline – *I* = *S* amitriptilina

Lit.: ASP ▪ Florey **3**, 127–148 ▪ Hager (5.) **7**, 203. – [HS 2921 49; CAS 50-48-6 (A.); 549-18-8 (Hydrochlorid)]

Amitrol. Common name für 1*H*-1,2,4-Triazol-3-yl-amin.

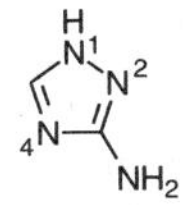

$C_2H_4N_4$, M_R 84,08, Schmp. 157–159 °C, LD_{50} (Ratte oral) >5000 mg/kg (Bayer), MAK 0,2 mg/m³, von Amchem 1954 eingeführtes nicht-selektives system. *Herbizid zur totalen u. semitotalen Bekämpfung von Ungräsern u. Unkräutern. – *E* amitrole – *F* amitrole, aminotriazole – *I* amitrolo – *S* amitrol

Lit.: Farm ▪ Perkow ▪ Pesticide Manual. – [HS 2933 90; CAS 61-82-5]

Amlodipin.

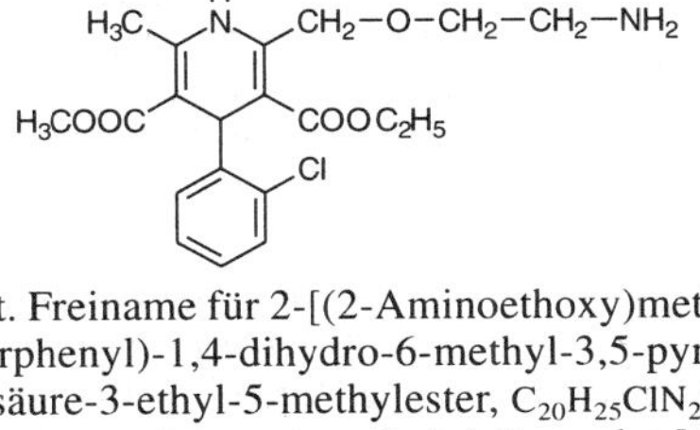

Internat. Freiname für 2-[(2-Aminoethoxy)methyl]-4-(2-chlorphenyl)-1,4-dihydro-6-methyl-3,5-pyridindicarbonsäure-3-ethyl-5-methylester, $C_{20}H_{25}ClN_2O_5$, M_R 408,88; verwendet werden die (±)-Form des Maleats, $C_{24}H_{29}ClN_2O_9$, M_R 524,96, Schmp. 178–179 °C u. des Benzolsulfonats, die 1983 u. 1986 als Calcium-Ant-

agonisten von Pfizer/Mack (Norvasc®) patentiert wurden. – *E* = *F* amlodipine – *I* = *S* amlodipina
Lit.: Hager (5.), **7**, 208 ff. – *[HS 2933 39; CAS 88150-42-9]*

A/MMA. Nach DIN 7728, Tl. 1 (01/1988), Kurzz. für Acrylnitril-Methylmethacrylat-Copolymere.

Ammin-Salze. Bez. für auch *Ammoniakate* genannte Komplexe des Ammoniaks mit Metallsalzen, bei denen je nach Koordinationszahl (KZ) des Zentralatoms 3, 4, 6 od. 8 NH_3-Mol. koordinativ gebunden sind, indem sich NH_3 mit einem *einsamen Elektronenpaar in Elektronenlücken des Metalls einlagert. So bilden z. B. Fe, Co, Ni, Cd, Zn (KZ 6) Hexaammin-Salze der allg. Formel $Me^{II}X_2 \cdot 6 NH_3$ bzw. $Me^{III}X_3 \cdot 6 NH_3$ mit X = Anion; *Beisp.:* $[Co(NH_3)_6]Cl(SO_4)$ (Hexaammincobalt(III)-chloridsulfat), während Cu, Hg u. Pt (KZ 4) Tetraammin-Salze bilden; *Beisp.:* $[Cu(NH_3)_4]SO_4$ (Tetraamminkupfer(II)-sulfat, s. a. Tetraamminkupfer(II)-Salze), $[Pt(NH_3)_4]Cl_2$ (Tetraamminplatin(II)-chlorid). In Wasser unlösl. AgCl löst sich in Ammoniakwasser leicht auf, wobei unter Aufnahme von 2 bzw. 3 NH_3 Di- bzw. Triamminsilberchlorid ($[Ag(NH_3)_2]Cl$ bzw. $[Ag(NH_3)_3]Cl$) entsteht. Komplex gebundene Wasser-Mol. (*Aqua-Komplexe) können NH_3 in den A.-S. ersetzen. So gibt es z. B., ausgehend von $CoCl_3$, sowohl Tetraammindiaquacobalt(III)-chlorid, $[Co(H_2O)_2(NH_3)_4]Cl_3$, als auch Triammintriaquacobalt(III)-chlorid, $[Co(H_2O)_3(NH_3)_3]Cl_3$. Auch Verb. der Art Pentaamminchlorcobalt(III)-chlorid, $[CoCl(NH_3)_5]Cl_2$, sind bekannt. Die A.-S. entstehen – analog zu den *Hydraten aus wäss. Lsg. – aus Lsg. von Salzen in flüssigem NH_3, das ähnlich wie Wasser ein gutes Lsm. für viele Stoffe ist, außerdem, wenn Salze aus wäss. Ammoniak-haltigen Lsg. auskristallieren od. wenn man Ammoniak-Gas über die wasserfreien Salze leitet. Beim Erhitzen entweichen die NH_3-Mol. ähnlich wie Kristallwasser. Die Nomenklatur der A.-S. richtet sich nach den IUPAC-Regeln für anorgan. Koordinationsverb. (Regel 7.322). – *E* ammine salts – *F* sels amminés – *I* sali amminici – *S* sales de aminas
Lit.: Kirk-Othmer (4.) **2**, 644.

Ammi visnaga. Aus dem Mittelmeergebiet stammendes Kraut, *Ammi visnaga* (L.) Lam. (Zahnstocher-Ammei; Apiaceae). Extrakte der Früchte werden in einer Reihe von Fertigpräp. wegen ihrer muskulotrop spasmolyt. Wirkung bei starkem Husten u. Krampfzuständen der glatten Muskulatur eingesetzt. Für die Wirkungen hauptverantwortlich sind Furochromone (*Khellin u. a.; spasmolyt. wirksam) u. Pyranocumarine (*Visnadin, *Visnagin u. a.; koronarerweiternd wirksam). Diese Inhaltsstoffe werden auch als Reinsubstanzen für Fertigarzneimittel verwendet. – *E* = *F* khella – *I* ammi visnaga – *S* biznaga
Lit.: DAB 10 u. Komm. (A.-Früchte) ■ Planta Med. **60**, 101–105 (1994) ■ Wichtl (2.), S. 54 ff. – *[HS 1211 90; 1302 39]*

Ammoidin s. Xanthotoxin.

Ammon, Robert (geb. 1902), Prof. für Physiolog. Chemie, Univ. Saarbrücken, 6650 Homburg. *Arbeitsgebiete:* Enzyme, Hormone, Vitamine, Ernährungsfragen, Blutersatz, Leberinsuffizienz, Stoffwechselkrankheiten.
Lit.: Kürschner (16.), S. 43 f. ■ Wer ist wer? (33.), S. 19.

Ammoniak. NH_3, M_R 17,03. Farbloses, stechend riechendes, giftiges, zu Tränen reizendes Gas. D. 0,5967 (0 °C, 100 kPa, Luft = 1). Schmp. –78 °C, Sdp. –33 °C, Litergew. 0,771 g (0 °C, 100 kPa); krit. Temp. 132,4 °C, krit. Druck 1,13 · 10^4 kPa, krit. D. 0,235 g/cm^3. Das Gas kann bei 20 °C bereits durch einen Druck von 800–900 kPa verflüssigt werden; es kommt so in Stahlflaschen in den Handel. Die D. des flüssigen A. beträgt am Sdp. 0,674 g/cm^3; die Flüssigkeit ist farblos, leicht beweglich u. stark lichtbrechend. A. ist in Wasser, aber auch in Alkohol, Benzol, Aceton u. Chloroform leicht lösl.; 1 l Wasser nimmt bei 0 °C u. 100 kPa 880 g (1142 l) NH_3-Gas, bei 20 °C dagegen nur noch 520, bei 40 °C etwa 340 u. bei 100 °C nur noch 75 g von dem Gas auf.

Die wäss. Lsg. des A. nennt man *Ammoniakwasser*. In diesem liegt das in freiem Zustand nicht bekannte *Ammoniumhydroxid* (NH_4OH) vor, welches z. T. dissoziiert (s. unten), z. T. als *Ammoniakhydrat* existiert, das durch Tieftemp.-Versuche als bei –77 °C schmelzende Krist. isoliert werden konnte. Zu den Bindungsverhältnissen im NH_4OH vgl. *Lit.*[1]. Die offizielle A.-Lsg. 10% *Ammonii hydroxidi solutio 10 per centum* (alte latein. Bez.: *Liquor Ammonii caustici*) enthält nach DAB **10** mind. 9,7 u. höchstens 10,3% (m/m) Ammoniak. Handelsübliche, auch *Ätzammoniak* genannte konz. A.-Lsg. enthält 28–29% (D. ca. 0,90) u. verd., volkstümlich *Salmiakgeist* (zur Etymologie s. Ammoniumchlorid) genannte etwa 10% A. (D. 0,957). Wie die folgende Tab. zeigt, ist die D. des A.-Wassers um so niedriger, je konz. die Lsg. ist:

Tab.: Dichte von Ammoniakwasser.

D. bei 15 °C	Gew.-% NH_3
0,99	2,31
0,98	4,8
0,97	7,31
0,96	9,91
0,95	12,74
0,94	15,63
0,93	18,64
0,92	21,75
0,91	24,99
0,90	28,33
0,89	31,75
0,882	34,95

Konz. zwischen 5 u. 10% sind als reizend, über 10% als ätzend zu kennzeichnen.
Die charakterist. Eigenschaft des A. ist seine bas. Wirkung; diese rührt daher, daß seine wäss. Lsg. teilw., wenn auch nur in sehr geringen Mengen unter Protonenaufnahme in *Ammonium- (NH_4^+) u. Hydroxyl-Ionen (OH^-) dissoziiert. Beim Erhitzen wäss. Lsg. entweicht A. vollständig, weswegen man es – im Gegensatz zu den fixen *Alkalien NaOH u. KOH – als *flüchtiges Alkali* bezeichnet.
Bei gewöhnlicher Temp. ist gasf. A. beständig, zerfällt aber in Ggw. von Katalysatoren bei Erwärmen bis zur Gleichgew.-Konz. in seine Elemente: 92,1 kJ + 2 NH_3 ⇌ N_2 + 3 H_2. Ebenso zersetzt es sich beim Belichten mit ultraviolettem Licht, durch Einwirkung einer elektr. Funkenentladung, od. bei der Radiolyse. Gemische aus

A. u. Luft sind in den Grenzen von 15,5 bis 28 Vol.-% NH_3 explosiv. In Ggw. von Katalysatoren läßt sich die Verbrennung von A.-Luft-Gemischen schon bei etwa 300–500 °C erreichen (techn. Ausnutzung zur Herst. von *Salpetersäure). In reinem Sauerstoff verbrennt A. zu Stickstoff u. Wasser:

$$2 NH_3 + 3/2 O_2 \rightarrow N_2 + 3 H_2O.$$

Mit Säuren verbindet sich A. zu *Ammonium-Salzen. Die Wasserstoff-Atome des A. können durch Metallatome ersetzt werden. Man gelangt so zu *Metallamiden (MNH_2), Metallimiden (M_2NH) u. *Nitriden (M_3N, wobei M = einwertiges Metall). Ersatz der Wasserstoff-Atome durch 1, 2 od. 3 organ. Reste führt formal zu prim., sek. od. tert. *Aminen, Ersatz durch Acyl-Reste zu *Amiden u. *Imiden.

Das NH_3-Mol. ist tetraed. gebaut: Das N-Atom sitzt an der Spitze einer Pyramide, deren Basis die 3 Wasserstoff-Atome zu Ecken hat. Das 36 pm über der Ebene der H-Atome befindliche N-Atom (das ein *einsames Elektronenpaar besitzt) kann mit einer ganz bestimmten Frequenz durch diese Ebene hindurchschwingen. Hierauf beruhen die sehr präzise A.-Uhr (s. Atomuhren) u. der *Maser. Die hohe Verdampfungswärme des A. von 1,26 kJ/g, die auf *Wasserstoff-Brückenbindungen zurückzuführen ist, wird techn. in Kältemaschinen genutzt. Flüssiges A. ist ein typ. wasserähnliches Lsm., d. h. in ihm vermögen sich Salze unter Dissoziation in Ionen u. ggf. unter Bildung von *Ammin-Salzen zu lösen, vgl. dazu Lit.[2]. Die Löslichkeit von Salzen in verflüssigtem A. weicht z. T. von der in Wasser erheblich ab, vgl. Lit.[3]. Im Gegensatz zu den Lsg. der Salze leitet die reine Flüssigkeit den elektr. Strom kaum, vgl. Lit.[4]. A. löst auch Alkalimetalle; die blaue Farbe dieser Lsg. rührt von *solvatisierten Elektronen her. Derartige Lsg. von Na in A. werden zur Red. organ. Verb. (s. Birch-Reduktion) benutzt. Arbeiten in u. mit flüssigem A. erfordern bes. Apparaturen (s. Lit.[5]).

Physiologie: A.-Dämpfe wirken schon in geringer Konz. reizend, in höherer ätzend auf die Schleimhäute insbes. der Atemwege u. der Augen. MAK 35 mg/m³, Konz. von 1,5–2,5 g A. pro m³ Luft wirken innerhalb 1 h tödlich, desgleichen die Aufnahme von 3–5 ml Salmiakgeist in den Magen. Allerdings sind A.-Vergiftungen wegen der Warnwirkung des stechenden Geruchs sehr selten (Geruchsschwelle je nach Umgebung 1–5 ppm). Eingenommen bewirkt A. Magenbluten u. Kollaps; zur Neutralisation eignen sich verd. Lsg. von Essig-, Wein- u. Citronensäure. Über Erste Hilfe-Maßnahmen bei A.-Vergiftungen u. Verätzungen s. Lit.[6].

Vork.: NH_3 entsteht in der Natur durch *Fäulnis Stickstoff-haltiger pflanzlicher u. tier. Substanzen (hauptsächlich Eiweiße); es gelangt hierbei in den Boden u. in die Luft. Bei der *Stickstoff-Fixierung u. der *Assimilation von Nitraten durch Mikroorganismen werden mol. N_2 u. anorgan. Nitrate in A. umgewandelt (s. Lit.[7]). Allerdings ist A. in der Natur selten in freier Form anzutreffen, sondern meist gebunden als Substitutions- u. Additionsverb. od. im Boden enzymat. zu Nitraten oxidiert (*Nitrifikation). Eine Ausnahme bildet der Aaskäfer *Phosphuga atrata*, der eine 4,5%ige wäss. Lsg. von A. als Wehrsekret sezerniert (s. Pheromone). Im menschlichen Organismus kommt freies A. nur als patholog. Stoffwechselprodukt vor (vgl. Glutaminsäure); zur spektrometr. Messung von freiem A. in der Atemluft s. Lit.[8]. Das z. B. bei oxidativer *Desaminierung freiwerdende A. wird bei Säugern als Harnstoff, bei Vögeln u. Reptilien als Purine (z. B. Harnsäure) ausgeschieden. Geochem. Untersuchungen[9] haben ergeben, daß fast alle magmat. Gesteine kleine Mengen (5–50, durchschnittlich 20 g/t) NH_3 enthalten. Von den Sedimenten enthalten Tone u. Tonschiefer 580 g/t, Sandsteine u. Grauwacken 135 g/t, Kalke 70 g/t NH_3 od. anderweitigen Stickstoff. Auch im Weltall wurde A. gefunden, z. B. in der Milchstraße[10] u. in der Venus-Atmosphäre[11].

Nachw.: NH_3 erkennt man an dem unangenehmen Geruch, der Bläuung von feuchtem roten Lackmuspapier u. an der farblosen Rauchbildung (NH_4Cl) beim Annähern eines Salzsäure-Tropfens am Glasstab. In wäss. Lsg. gibt NH_3 bei Zugabe von Kupfersulfat-Lsg. die charakterist., tiefblaue Färbung von Tetraamminkupfer(II)-sulfat ($[Cu(NH_3)_4]SO_4$). Mit *Neßlers Reagenz geben schon sehr verd. A.-Lsg. eine stark orange- bis rötlichbraune Trübung, die auf der Bildung von komplexem Quecksilberamidoiodid ($[Hg_2N]I$) beruht. Diese Reaktion wird allerdings durch die Ggw. von Schwefelwasserstoff gestört; dieser erschwert v. a. die Bestimmung von A.-Spuren. In solchem Falle wendet man besser die *Berthelot-Reaktion* an: Durch Einwirkung von aktivem Chlor auf A. bilden sich Chloramine, die in alkal. Milieu in Ggw. eines Katalysators mit Phenolen zu tiefblau gefärbten Indophenolen reagieren, s. Lit.[12]. Durch die Indophenol-Reaktion läßt sich z. B. auch das bei Harnstoff-Bestimmungen mit *Urease gebildete A. nachweisen. Eine schnelle Bestimmung von freiem A. gestatten *Prüfröhrchen. Die quant. Bestimmung geringer, insbes. organ. gebundener A.-Mengen erfolgt am besten durch die *Kjeldahl-Methode od. elektrochem. (vgl. Ammonium).

Herst.: Im Labor erhält man A. durch Erhitzen von am besten zuvor mit Calciumchlorid gesätt. A.-Wasser (D. 0,91) od. von einem Gemisch aus Ammoniumchlorid u. Calciumhydroxid [$2 NH_4Cl + Ca(OH)_2 \rightarrow CaCl_2 + 2 NH_3 + 2 H_2O$]. Das techn. wichtigste Verf. zur A.-Gewinnung ist das *Haber-Bosch-Verfahren, bei dem Stickstoff u. Wasserstoff bei hohem Druck u. erhöhter Temp. mit Hilfe von Katalysatoren gemäß $N_2 + 3 H_2 \rightleftharpoons 2 NH_3 + 92,1$ kJ umgesetzt werden. Nach diesem Grundprinzip arbeiten heute alle A.-Produktionsanlagen der Welt. Unterschiede treten hinsichtlich der Katalysatoren sowie der Herst. der Ausgangselemente auf, die von der Verfügbarkeit der Rohstoffe abhängt. Vor dem 2. Weltkrieg stammten ca. 90% des benötigten *Synthesegases aus der *Kohlevergasung. 1977 wurden weltweit etwa 64% des A. auf Erdgasbasis, 13% auf Naphtha- u. 12% auf Kohle-/Koksbasis erzeugt. Zusammenfassende Übersichten über die techn. Prozesse findet man bei Winnacker-Küchler, Ullmann, Kirk-Othmer, McKetta (s. Lit.). Eine gewisse Rolle – insbes. unter dem Aspekt von *Umweltschutz u. Energieeinsparung – spielt auch die Gewinnung von A. aus Kokereigasen, Abgasen u. Abwässern. Gegenüber der früher üblichen Gaswäsche werden dazu heute meist chem. Absorptionsverf. praktiziert. Von

Ammoniakate

den zahlreichen anderen Herstellungsmeth. für A. sind heute das *Kalkstickstoff-Verf.* (CaN$_2$ + 3 H$_2$O → CaCO$_3$ + 2 NH$_3$, unter Druck) u. das *Serpek-Verf.* (Hydrolyse von Nitriden, z.B. 2 AlN + 3 H$_2$O → Al$_2$O$_3$ + 2 NH$_3$) ohne techn. Bedeutung, ebenso haben die elektrolyt. Red. von N$_2$ (vgl. *Lit.*[13]), *Stickstoff-Fixierung mit homogenen, metallorgan. Katalysatoren, photokatalyt. Red. von N$_2$ mit Wasser[14] etc. bisher keine prakt. Bedeutung erlangt.
Verw.: A. ist ein Grundprodukt der chem. Ind., das die Ausgangsbasis für mannigfache chem. Synth. bildet. Es dient z.B. zur Herst. von Harnstoff, Sulfonamiden, Chemiefasern, Natriumcyanid, Blausäure u. Nitrilen (durch *Ammonoxidation), Natriumcarbonat (Solvay-Verf.), Aminoplasten, Salpetersäure u. Nitraten, in Form der Ammonium-Salze für Düngemittel u.a. Zwecke. Flüssiges A. findet wegen seiner hohen Verdampfungswärme Anw. in Kältemaschinen, in der *Textilveredlung[15], zum Plastifizieren von Holz[16], als *Düngemittel, als nichtwäss. Lsm., gasf. A. als *Destraktions-Mittel[17], in der Metall-Ind. zur *Nitrierhärtung u. als *Schutzgas[18] sowie beim *Lichtpausen. A.-Wasser findet u.a. Verw. zu Reinigungs- u. Beizzwecken u. zur Einstellung von Lsg. u. Dispersionen auf bestimmte pH-Werte, zum Unschädlichmachen von Chlor u. Formaldehyd nach Desinfektionsprozessen, zur Neutralisation u.a. Zwecken. Im Umweltschutz läßt sich A. zur gleichzeitigen Entschwefelung u. Entstickung von Rauchgas verwenden, unter Bildung von Ammoniumsulfat u. ggf. -nitrat, die als Düngemittel zu verwerten sind, s. *Lit.*[19].
Wirtschaft: 1993 betrug die Weltproduktion von A. 90,55 Mio. t, die Anlagenkapazität 112 Mio. t. Etwa 85% der Produktionsmenge werden letztlich als Stickstoffdünger verwendet; die übrigen 15% dienen als Ausgangspunkt für die oben genannten chem. Synth., s. *Lit.*[20].
Geschichte: A. u. Ammonium-Salze (bes. Salmiak) waren bereits im Altertum den Ägyptern u. Arabern bekannt. Die Bez. Ammonium od. A. geht vielleicht auf den ägypt. Sonnengott Ra Ammon zurück. J. Kunckel erwähnte 1716 zum erstenmal die Entstehung von A. bei Gärungsvorgängen. Hales stellte schon 1727 A. durch Erhitzen einer Mischung aus Kalk u. Salmiak her. Die chem. Zusammensetzung des A. wurde von Scheele (1774), Berthollet (1785) u. Davy (1800) ermittelt. Zur Geschichte der A.-Synth. s. *Lit.*[21]. – *E* ammonia – *F* ammoniaque – *I* ammoniaca – *S* amoníaco
Lit.: [1] J. Chem. Educ. **30**, 511 (1953). [2] Q. Rev. (London) **16**, 19–43 (1962). [3] Jander u. Lafrenz, Wasserähnliche Lösungsmittel, Weinheim: Verl. Chemie 1968. [4] Chemistry **41**, Nr. 4, 10–15 (1968). [5] Brauer (3.) **1**, 102–107. [6] Giftliste; Braun-Dönhardt S. 48; Hommel Nr. 26, 27; Merkblatt (G 7) über den Umgang mit Ammoniak, Weinheim: Verl. Chemie 1975. [7] Naturwiss. Rundsch. **29**, 316–324 (1976); Naturwissenschaften **63**, 457–464 (1976). [8] Int. Lab. **1977**, Nr. 4, 11–21. [9] Geochim. Cosmochim. Acta **1961**, 106–154. [10] Chem. Eng. News **46**, Nr. 54, 25 (1968). [11] Naturwiss. Rundsch. **27**, 201 (1974). [12] Z. Anal. Chem. **230**, 344 (1967); Vom Wasser **36**, 263–318 (1969). [13] Nachr. Chem. Techn. **16**, 413f. (1968). [14] Chem. Eng. News **55**, Nr. 40, 19 (1977). [15] Textilveredlung **10**, 92–100 (1975); Lenzinger Ber. **42**, 90–96 (1977). [16] Ideen exakt. Wiss. **1973**, 263. [17] Angew. Chem. **90**, 775 ff. (1978). [18] Chem.-Ztg. **86**, 341–348 (1962). [19] Chem. Ing. Tech. **56**, A 407 (1984).

[20] The Chemical Economics Handbook – SRI International, Nitrogen Products, 756.300 E, 1995. [21] Chem.-Ztg. **90**, 104ff. (1966); Nitrogen **100**, 47–58 (1976); „Wilhelm Ostwald u. die Stickstoffgewinnung aus der Luft" (Dokumente aus Hoechster Archiven 5), Frankfurt: Hoechst 1964; Erdoel Kohle, Erdgas, Petrochem. **26**, 192 (1973).
allg.: Gmelin, Syst.-Nr. 4, N, 1936, S. 395–506 ▪ Kirk-Othmer (4.) **2**, 638–693 ▪ McKetta **3**, 256–278; **6**, 480f.; **7**, 253–257 ▪ Nicholls, Inorganic Chemistry in Liquid Ammonia, Amsterdam: Elsevier 1979 ▪ Ullmann (5.) **A 2**, 143–242 ▪ Winnacker-Küchler (4.) **2**, 92–146. – [*HS 2814 10; CAS 7664-41-7*]

Ammoniakate s. Amminsalze.

Ammoniaksoda. Veraltete Bez. für nach dem Solvay-Verf. hergestelltes *Natriumcarbonat.

Ammoniakuhr s. Atomuhr.

Ammonio... Bez. für die Atomgruppierung –$^+$NH$_3$ in systemat. Namen von organ. Verb.; die –$^+$N(CH$_3$)$_3$-Gruppe heißt Trimethylammonio-Gruppe (IUPAC-Regeln C-82.1, -85, -87.1, -816.3). – *E* = *F* = *I* ammonio... – *S* amonio

Ammoniotelie s. Stickstoff-Exkretion.

Ammonium. Bez. für die Atomgruppierung NH$_4$, deren Isolierung als neutrales, radikal. Mol. bisher nicht gelungen ist[1]. Die durch Vereinigung von gasf. Ammoniak u. Säuren od. durch Neutralisation von Ammoniakwasser mit Säuren entstehenden A.-Verb. sind typ. Vertreter der *Onium-Verbindungen. Sie ähneln in ihrem Aufbau den Alkalimetall-Verb. weitgehend; so entspricht z.B. dem Ammoniumchlorid (NH$_4$Cl) das Natriumchlorid (NaCl), dem Ammoniumcarbonat [(NH$_4$)$_2$CO$_3$] das Natriumcarbonat (Na$_2$CO$_3$), dem Ammoniumacetat (H$_3$C–COONH$_4$) das Natriumacetat (H$_3$C–COONa) usw. In der Technik sind noch Jargonbez. wie Ammonsalpeter, Ammonsulfat verbreitet. Nachdem es Davy 1807 gelungen war, die Metalle Kalium u. Natrium rein herzustellen, hoffte man, auch das A. in Form eines Metalls gewinnen zu können. Bereits im Jahre 1808 erhielten Seebeck u. Berzelius ein *Ammoniumamalgam, als sie Salmiak-Lsg. mit Hg als Minuspol elektrolysierten. In wäss. Lsg. dissoziieren die A.-Verb. in Analogie zu den Alkalimetall-Salzen in NH$_4$-Kationen u. Anionen. Die NH$_4$-Ionen haben fast den gleichen Ionendurchmesser wie die Kalium-Ionen. Daher kann z.B. beim *Alaun Kalium leicht durch A. ersetzt werden; eine weitere Analogie findet sich in der Wasserunlöslichkeit der Perchlorate, Hydrogentartrate u. Hexachloroplatinate sowohl von A. als auch von Kalium. Auf der Unlöslichkeit der Hexachloroplatinate beruht auch ein Mikronachweis[2]. Schnellbestimmungen sind mit Hypobromit[3] od. mit Ionen-spezif. Elektroden möglich[4]. Aus den A.-Verb. läßt sich durch starke Basen gasf. NH$_3$ austreiben, das z.B. mit *Neßlers Reagenz nachgewiesen werden kann. Einige Ammonium-Salze sind unzersetzt sublimierbar (sie können „abgeraucht" werden), dabei zerfallen sie in Ammoniak-Gas u. Säuredämpfe. Die von A. abgeleiteten organ. Derivate [NR$_4$]$^+$X$^-$ (X = Anion) werden unter *quartären Ammonium-Verbindungen abgehandelt. – *E* = *F* ammonium – *I* ammonio – *S* amonio

Lit.: [1] J. Chem. Educ. **45**, 40–43 (1968). [2] Chem. Labor Betr. **26**, 98–102 (1975). [3] Acta Chim. Acad. Sci. Hung. **78**, 129–138 (1973). [4] Am. Lab. **1973**, 5 (7), 51–54.
allg.: Gmelin, Syst.-Nr. 23, NH_4, 1936, S. 1–43 ▪ Kirk-Othmer (4.) **2**, 692 f. ▪ s. a. Ammoniak.

Ammoniumacetat. H_3C–$COONH_4$, M_R 77,08. Farblose, hygroskop., zerfließliche Masse. D. 1,171, Schmp. 113 °C, leicht lösl. in Wasser (148 g/102 g Wasser bei 4 °C) mit neutraler Reaktion, lösl. in Alkohol; die wäss. Lsg. gibt beim Eindampfen NH_3 ab.
Verw.: Zusatz zu Tonungsbädern, ölhaltigen Spezialzementen, Stickstoff-Quelle in der Gärungsind., zur Bestimmung von Fe u. Pb u. Egalisiermittel in der Wollfärberei. Die verd. wäss. Lsg. fand früher als *Spiritus Mindereri* Anw. als Diuretikum. – *E* ammonium acetate – *F* acétate d'ammonium – *I* acetato d'ammonio – *S* acetato de amonio
Lit.: Beilstein E IV **2**, 121 ▪ Gmelin, Syst.-Nr. 23, NH_4, 1936, S. 392–400 ▪ Kirk-Othmer (4.) **2**, 692 f. ▪ Snell-Hilton **5**, 325 ff. – *[HS 2915 29; CAS 631-61-8]*

Ammoniumalaun (Aluminium-Ammoniumsulfat). $NH_4Al(SO_4)_2$, M_R 237,14. Farblose, wasserlösl. Krist., D. 1,64, Schmp. 109 °C; die 1%ige wäss. Lsg. hat den pH-Wert 3,52. Zur Fällung von A. mit Ethanol s. *Lit.*[1]. A. entspricht in Herst., Eigenschaften u. Verw. weitgehend dem Kalialaun (s. Alaun). A. kristallisiert aus wäss. Lsg. als Dodecahydrat $NH_4Al(SO_4)_2 \cdot 12\,H_2O$ (M_R 453,33), das oberhalb von 250 °C entwässert werden kann. Mit A. behandelte Blumenerde bewirkt Blaufärbung von Hortensienblüten. In der Medizin als Adstringens benutzt. – *E* ammonium alum – *F* alun d'ammonium – *I* allume d' ammonio – *S* alumbre amónico
Lit.: [1] Chem. Tech. (Heidelberg) **5**, 201–206 (1976).
allg.: Gmelin, Syst.-Nr. 35, Al, Tl. B, S. 509–515 ▪ Kirk-Othmer (4.) **2**, 336 ▪ Ullmann (5.) **A 1**, 533. – *[HS 2833 30; CAS 7784-26-1; 7784-25-0 (wasserfrei)]*

Ammoniumamalgam. Silberglänzendes, bei –80 °C sprödes u. haltbares *Amalgam. Bei –30 °C beginnt sich A. zu zersetzen; es ist bei 20 °C butterweich, zerfällt jedoch rasch in NH_3, H_2 u. Hg.
Herst.: Durch Übergießen von Natriumamalgam mit konz. NH_4Cl-Lsg. od. durch deren Elektrolyse an einer Hg-Kathode. Die A. sind von theoret. Interesse, weil es hier ausnahmsweise gelingt, die sonst sehr unbeständige *Ammonium-Gruppe (NH_4) als Metall-ähnlichen Leg.-Bestandteil herzustellen. Über Tetraalkylammoniumamalgame s. *Lit.*[1]. – *E* ammonium amalgam – *F* amalgame d'ammonium – *I* amalgama d' ammonio – *S* amalgama de amonio
Lit.: [1] Chem. Commun. **1967**, 665 f.
allg.: Gmelin, Syst.-Nr. 34, Hg, Tl. A, 1962, S. 1006 ff.

Ammoniumamidosulfat s. Ammoniumsulfamat.

Ammoniumbenzoat. H_5C_6–$COONH_4$, $C_7H_9NO_2$, M_R 139,15. Farbloses Kristallpulver, D. 1,26, Schmp. 198 °C, mäßig lösl. in Wasser, Alkohol u. Glycerin. A. kann aus Benzoesäure u. NH_3 hergestellt werden u. findet Verw. als Konservierungsmittel für Leime u. Latex. – *E* ammonium benzoate – *F* benzoate d'ammonium – *I* benzoato d'ammonio – *S* benzoato de amonio
Lit.: Beilstein E II **9**, 83 ▪ Kirk-Othmer (4.) **4**, 112 ▪ Merck Index (11.), Nr. 515 ▪ Ullmann (4.) **8**, 371; (5.) **A 3**, 560. – *[HS 2916 31; CAS 1863-63-4]*

Ammonium bituminosulfonicum s. Ichthyol.

Ammoniumborate. Von den bekannten A. haben zwei techn. Bedeutung: das *Diammoniumtetraborat* $(NH_4)_2B_4O_7 \cdot 4\,H_2O$, M_R 191,31, D. 1,58, nach NH_3 riechende, tetragonale Krist. u. das *Ammoniumpentaborat* $(NH_4)B_5O_8 \cdot 4\,H_2O$, M_R 200,08, D. 1,567, geruchlose, orthorhomb. Kristalle.
Herst.: Durch Umsetzung von Borsäure mit NH_3-Lsg. bei höheren Temperaturen.
Verw.: Als *Flammschutzmittel, in Elektrolytkondensatoren. – *E* ammonium borates – *F* borate d'ammonium – *I* iborati d'ammonio – *S* borato de amonio
Lit.: Ullmann (5.) **A 4**, 275 f. – *[HS 2840 20]*

Ammoniumbromid. NH_4Br, M_R 97,94. Farbloses, krist. Pulver, D. 2,40, in Wasser (75,5 g/100 g Wasser bei 20 °C), Alkoholen u. Aceton lösl., sublimiert beim Erhitzen auf 395 °C. A. entsteht bei Einwirkung von Ammoniak auf Bromwasserstoff.
Verw.: Als Beruhigungsmittel, zur Herst. von Photoplatten u. Filmen, zum Gravieren in der Lithographie usw. – *E* ammonium bromide – *F* bromure d'ammonium – *I* bromuro d'ammonio – *S* bromuro de amonio
Lit.: Gmelin, Syst.-Nr. 23, NH_4, 1936, S. 203–221 ▪ Kirk-Othmer (4.) **2**, 695 ff. ▪ Ullmann (5.) **A 4**, 423 f. – *[HS 2827 59; CAS 12124-97-9]*

Ammoniumcarbonat. $(NH_4)_2CO_3$, M_R 96,09. Nach Ammoniak riechende, gesundheitsschädliche, glänzende, säulenartige Krist., die an der Luft allmählich ihren Glanz verlieren u. unter NH_3-Entwicklung in *Ammoniumhydrogencarbonat übergehen; in 100 g Wasser lösen sich bei 20 °C 100 g A., zerfällt bei 58 °C in Wasser, CO_2 u. NH_3.
Herst.: Durch Erhitzen eines Gemisches aus Ammoniumsulfat u. Schlämmkreide [$(NH_4)_2SO_4 + CaCO_3 \rightarrow (NH_4)_2CO_3 + CaSO_4$], entsteht beim Einleiten von Kohlendioxid in Ammoniakwasser. Früher erhielt man A. beim trockenen Erhitzen von Horn, Hufen, Klauen, Leder usw. (daher der Name *Hirschhornsalz*); das in harten, gelblich werdenden Krusten u. Blöcken in den Handel kommende Hirschhornsalz ist ein Gemisch aus 1 Tl. $(NH_4)_2CO_3$ u. 2 Tl. $(NH_4)HCO_3$ mit kleinen Mengen Ammoniumcarbamat.
Verw.: Als Treibmittel für Lebkuchen u. Flachgebäck (Gasbildung beim Erhitzen!), als Beize beim Färben, als Detachiermittel, Stripper zur Entmetallisierung, in Feuerlöschgeräten (zur CO_2-Entwicklung), zur Herst. von Katalysatoren, Schaumstoffen, Schwammgummi (Blähmittel), Haarbehandlungsmitteln, Caseinfarben u. -leimen, in der Wollfärberei (Spülbäder), als Photoentwicklerzusatz usw. – *E* ammonium carbonate – *F* carbonate d'ammonium – *I* carbonato d'ammonio – *S* carbonate de amonio
Lit.: Gmelin, Syst.-Nr. 23, NH_4, 1936, S. 337 ff. ▪ Kirk-Othmer (4.) **2**, 693 f. ▪ Snell-Hilton **5**, 331 ff. ▪ Ullmann (5.) **A 2**, 261 ff. ▪ Winnacker-Küchler (4.) **2**, 174. – *[HS 2836 10; CAS 506-87-6]*

Ammoniumchlorid (Ammonchlorid, *Salmiak*). NH_4Cl, M_R 53,49. Farblose, luftbeständige, bitter-salzig schmeckende Oktaeder, D. 1,52. A. ist in Wasser unter starker Abkühlung (37,2 g/100 g Wasser bei 20 °C) u. in Alkoholen lösl., in Ether, Aceton u. Essigsäure dagegen nicht. A. sublimiert bei 338 °C, wobei es völlig in NH_3 u. HCl gespalten wird. Bei 520 °C schmilzt A. unter einem Druck von

3450 kPa. Die wäss. NH₄Cl-Lsg. reagiert bei 20 °C infolge Dissoziation schwach sauer; eine 10%ige Lsg. hat bei 25 °C pH 5,0.
Herst.: Einleiten von Ammoniak-Gas in Salzsäure od. Mischen von 12–25% NH₃ mit konz. Salzsäure u. Eindampfen. Den Solvay-Prozeß (s. Natriumcarbonat) kann man so lenken, daß A. u. Soda in etwa gleichen Mengen anfallen (Soda-Salmiak-Verf.).
Verw.: In der Galvanoplastik, Keramik, Gerberei, Photographie (Bestandteil von Schnellfixierbädern) u. Färbereitechnik, zur Herst. von Eisenkitt, zu *Kältemischungen, zum Entkalken von Häuten, bei der Herst. von Wettersprengstoffen, Räuchersalzen für die Frostbekämpfung in der Landwirtschaft, zu Kunststoff- u. Kautschuk-Erzeugnissen, beim Textildruck u. in der Hochveredelung von Geweben als Säurespalter, zur Darmkonservierung, als Putzpulverbestandteil, zur Hefezüchtung, zur Edelmetall-Raffination, hauptsächlich aber als Elektrolyt für Trockenbatterien sowie beim *Löten, Beizen, Verzinken u. Verzinnen der Metalle (A. als sog. *Lötstein* od. *Salmiakstein* spaltet in der Hitze HCl ab, das die Oxid-Schichten entfernt). Früher benutzte man A. in der Landwirtschaft als *Düngemittel in Mischung mit Kalk (*Kalkammoniak) od. *Superphosphaten.
Physiologie: A. wirkt als *Expektorans, Salmiakpastillen sind Lakritzpastillen, denen etwas Salmiak beigemischt ist; sie werden als schleimlösendes Hustenmittel verwendet u. schmecken süßlich mit stark salzigem Beigeschmack. A. kann auch zur Behandlung metabol. *Alkalose eingesetzt werden.
Geschichte: Salmiak wurde schon im antiken Ägypten durch Erhitzen von Kamelmist erhalten. In diesem befinden sich Amino-Verb., die nach Umsetzung mit Kochsalz einen weißen, sublimierenden Rauch von NH₄Cl geben. Das Wort Salmiak ist aus Sal ammoniacum, dem angeblichen Salz aus der Oase des Ra Ammon, zusammengezogen (nach neueren Forschungen handelte es sich hier um Kochsalz). Der arab. Chemiker Dschabir ibn Haijan beschrieb schon 760 n. Chr. die Salmiak-Herst. durch Dest. von Haaren. Das bei Zugabe von Ätzalkalien aus A. entweichende Ammoniak-Gas ist der *Salmiakgeist* – heute versteht man hierunter Ammoniakwasser. – *E* ammonium chloride – *F* chlorure d'ammonium – *I* cloruro d'ammonio – *S* cloruro de amonio
Lit.: Gmelin, Syst.-Nr. 23, NH₄, 1936, S. 150–193 ▪ Hommel, Nr. 225 ▪ Kirk-Othmer (4.) **2**, 695ff. ▪ Snell-Hilton **5**, 333–338 ▪ Ullmann (5.) **A 2**, 256–261 ▪ Winnacker-Küchler (4.) **2**, 174. – *[HS 2827 10; CAS 12125-02-9]*

Ammoniumchromat. (NH₄)₂CrO₄, M_R 152,07. Citronengelbe lange Kristallnadeln, giftig, kann Krebs erzeugen, in Wasser sehr leicht lösl. (34 g/100 g Wasser bei 20 °C), D. 1,91; Zers. oberhalb 185 °C. An offener Luft u. beim Trocknen entweicht Ammoniak, wobei etwas Ammoniumdichromat entsteht; bei raschem Erhitzen zerfällt es wie dieses in grünliches voluminöses Chromoxid u. Gase.
Verw.: Sensibilisator für Photo-Gelatineschichten, Textilbeizmittel, chem. Reagenz. – *E* ammonium chromate – *F* chromate d'ammonium – *I* cromato d'ammonio – *S* cromato de amonio
Lit.: Gmelin, Syst.-Nr. 52, Cr, Tl. B, 1962, S. 707–712 ▪ Ullmann (5.) **A 7**, 87. – *[HS 2841 50; CAS 7788-98-9]*

Ammoniumcitrat.

$$\begin{array}{l} CH_2-COONH_4 \\ | \\ HO-C-COOH \\ | \\ CH_2-COONH_4 \end{array}$$

C₆H₁₄N₂O₇, M_R 226,19. Farbloses Pulver, D. 1,48, in Wasser leicht löslich. Dient zur Bestimmung der Phosphate in Düngemitteln. – *E* ammonium citrate – *F* citrate d'ammonium – *I* citrato d'ammonio – *S* citrato de amonio
Lit.: Beilstein E III **3**, 1100 ▪ Merck Index (11.), Nr. 534. – *[HS 2918 15; CAS 3012-65-5]*

Ammoniumdichromat. (NH₄)₂Cr₂O₇, M_R 252,06. Orange, geruchfreie Krist., giftig, LD₅₀ (Ratte oral) 54 mg/kg, kann Krebs erzeugen. D. 2,15, lösl. in Wasser. Zers. bei Erwärmung über 180 °C unter Stickstoff-Entwicklung (Rückstand Cr₂O₃); spontane Zers. durch Schlageinwirkung, weshalb A. zu den explosionsgefährlichen Stoffen gehört. A. reagiert sehr heftig mit organ. Stoffen. Es wirkt reizend auf die Haut u. die Atemwege u. verursacht sog. Chrom-Entzündungen.
Verw.: In pyrotechn. Erzeugnissen, zur Holzkonservierung, in Lithographie- u. Gravierpräparaten. A. wird auch zur Produktion von Cr₂O₃-Pigmenten u. magnet. CrO₂ eingesetzt, ferner zur Herst. von Katalysatoren für organ. Synthesen. – *E* ammonium dichromate – *F* dichromate d'ammonium – *I* dicromato d'ammonio – *S* dicromato de amonio
Lit.: Gmelin, Syst. Nr. 52, Cr, Tl. B, 1962, S. 712–719 ▪ Hommel, Nr. 694 ▪ Ullmann (5.), **A 7**, 87 ▪ Winnacker-Küchler (4.) **2**, 665. – *[HS 2841 50; CAS 7789-09-5]*

Ammoniumdihydrogenphosphat s. Ammoniumphosphate.

Ammoniumeisenalaun s. Ammoniumeisen(III)-sulfat.

Ammoniumeisen(III)-citrat (Eisenammoniumcitrat). Nicht stöchiometr. zusammengesetzte Verb., die die Komponenten Fe, NH₃ u. Citronensäure enthält. Im Handel sind verschieden gefärbte Produkte, z. B. *A. braun* (16,5–18,5% Fe) u. *A. grün* (14,5–16% Fe). Die A. sind zerfließliche Krist., die sich unter dem Einfluß von Luftfeuchtigkeit u. Licht zersetzen; sie sind in Wasser leicht, in Ethanol dagegen kaum löslich. Sie finden in der photograph. u. Lichtpaustechnik sowie medizin. als Fe-Lieferant bei Anämie Verwendung. – *E* ammonium ferric citrate – *F* citrate d'ammonium et de fer(III) – *I* ferro(III)-citrato d'ammonio – *S* citrato de amonio y hierro(III)
Lit.: Beilstein E III **3**, 1103 ▪ Gmelin, Syst.-Nr. 59, Fe, Tl. B, 1929–1932, S. 1022–1024 ▪ Kirk-Othmer **12**, 24 ▪ Merck Index (11.), Nr. 541. – *[HS 2918 15; CAS 1185-57-5]*

Ammoniumeisen(III)-oxalat [Ammoniumtrioxalatoferrat(III)].

$C_6H_{12}FeN_3O_{12}$, M_R 374,02. Doppelsalz aus Ammoniumoxalat u. Eisenoxalat, das aus Eisen(III)-Salzlsg. nach Zusatz von überschüssigem Ammoniumoxalat in Form von grünen, luftbeständigen, lichtempfindlichen, leichtlösl. Krist., D. 1,78, Schmp. 160–170 °C (Zers.), ausfällt (Trihydrat, verliert bei 100 °C 3 H_2O). Bei Belichtung der Lsg. wird die Oxalsäure zu Kohlensäure oxidiert, wobei das 3-wertige Eisen in die zweiwertige Form übergeht. Diese Reaktion läßt sich zur *Aktinometrie verwenden. A. eignet sich auch für Lichtpausen u. zur Aluminium-Färbung; es soll vor Licht geschützt aufbewahrt werden. – *E* ammonium ferric oxalate – *F* oxalate d'ammonium et de fer(III) – *I* ferro(III)-ossalato d'ammonio – *S* oxalato de amonio y hierro(III)

Lit.: Beilstein E III 2, 1568 ▪ Gmelin, Syst.-Nr. 59, Fe, Tl. B, 1929–1932, S. 1020–1021 ▪ Kirk-Othmer 14, 368 ▪ Ullmann (4.) 17, 480. – [HS 2917 11; CAS 13268-42-3 (Trihydrat)]

Ammoniumeisen(II)-sulfat (Mohrsches Salz, Ferroammoniumsulfat). $(NH_4)_2[Fe(SO_4)_2]$, M_R 284,04. Als Hexahydrat krist. Doppelsalz aus Ammoniumsulfat u. Eisen(II)-sulfat, schwach bläulich-grüne, in Wasser leichtlösl. Krist., D. 1,86, die viel luftbeständiger sind als reines Eisen(II)-sulfat u. daher von *Mohr zur Einstellung der Kaliumpermanganat-Lsg. (s. Oxidimetrie) auf einen bestimmten Eisenwert vorgeschlagen wurden. A. ist lichtempfindlich u. wird dementsprechend in der photograph. Ind. u. in der *Dosimetrie verwendet. – *E* ammonium ferrous sulfate – *F* sulfate d'ammonium et fer(II) – *I* solfato di ferro(II) e d'ammonio – *S* sulfato de amonio y hierro(II)

Lit.: Gmelin, Syst.-Nr. 59, Fe, Tl. B, 1952, S. 1001–1008. – [HS 2833 30; CAS 7783-85-9 (Hexahydrat)]

Ammoniumeisen(III)-sulfat (Ammoniumeisenalaun). $NH_4Fe(SO_4)_2$, M_R 266,00. Das als Dodecahydrat krist. A. bildet farblose bis (durch Mn-Spuren) blaßviolett gefärbte Krist., D. 1,71, Schmp. 37 °C, die in Wasser sehr leicht, in Ethanol nicht lösl. sind. A. entsteht beim Zusammengeben stöchiometr. Mengen Eisen(III)-sulfat u. Ammoniumsulfat u. anschließendem Abkühlen; es hat in der Textil-Ind. als Beizmittel beim Färben u. Drucken Verw. gefunden u. medizin. wie alle *Alaune als adstringierendes Mittel bei Blutungen. – *E* ammonium ferric sulfate – *F* sulfate d'ammonium et fer(III) – *I* solfato d'ammonio e di ferro (III) – *S* sulfato de amonio y hierro(III)

Lit.: Gmelin, Syst.-Nr. 59, Fe, Tl. B, 1929–1932, S. 1010 f. ▪ Ullmann (4.) 10, 424. – [HS 2833 30; CAS 7783-83-7 (Dodecahydrat)]

Ammoniumfluoride. Beide A. sind giftige u. ätzende Stoffe. (a) *Neutrales A.* (NH_4F, M_R 37,04): Farblose, zerfließende, Glas-ätzende Kristallnadeln, in Wasser sehr leicht lösl., D. 1,32, zerfällt beim Erhitzen in NH_3 u. HF.

Herst.: Durch Einleiten von NH_3 in Flußsäure bis zur neutralen Reaktion u. Eindampfen.

(b) *Ammoniumhydrogenfluorid* [Ammoniumbifluorid, Mattsalz, $(NH_4)HF_2$, M_R 57,05]: Farblose, leichtlösl. Additionsverb. aus NH_4F u. HF, D. 1,50, Schmp. 125 °C. Herst. durch Reaktion von Ammoniak mit Fluorwasserstoff.

Verw.: Zum Glasätzen, zum Desinfizieren von Brennerei- u. Brauerei-Zubehör, im Holzschutz, in der Aluminium-Glänzerei, zur Glasreinigung u. Entfernung von Kesselstein, zu Spezialgläsern, als Schutzstoff im Formsand beim Mg-Guß, als Metallbeize, zum Aufschließen von Silicaten u. zum Ablösen von Negativschichten in der Photographie. – *E* ammonium fluorides – *F* fluorures d'ammonium – *I* fluoruri d'ammonio – *S* fluoruros de amonio

Lit.: Brauer 1, 177 f. ▪ Gmelin, Syst.-Nr. 23, NH_4, 1938, S. 145 ff. ▪ Hommel Nr. 261, 805 ▪ Kirk-Othmer (4.) 11, 287–290 ▪ Ullmann (5.) A 11, 329. – [HS 2826 11; CAS 12125-01-8; 1341-49-7 (Ammoniumhydrogenfluorid)]

Ammoniumformiat. $HCOONH_4$, CH_5NO_2, M_R 63,06. Farblose, monokline, zerfließliche Krist., D. 1,266, Schmp. 116 °C, Zers. bei 180 °C, lösl. in Wasser u. Alkohol.

Verw.: Zur Abtrennung der unedlen von den edlen Metallen bei der chem. Analyse. Über die Bildung von Aminosäuren aus A. durch Glimmentladungselektrolyse s. *Lit.*[1]. – *E* ammonium formate – *F* formiate d'ammonium – *I* formiato d'ammonio – *S* formiato de amonio

Lit.: [1] Naturwissenschaften 64, 484 f. (1977).
allg.: Beilstein E IV 2, 18 ▪ Gmelin, Syst.-Nr. 23, NH_4, 1936, S. 388–392. – [CAS 540-69-2]

Ammoniumhexachlorostannat s. Zinnchloride.

Ammoniumhydrogencarbonat (Ammoniumbicarbonat, Doppeltkohlensaures Ammonium). $(NH_4)HCO_3$, M_R 79,06. Große glänzende, harte, farblose, fast geruchlose Prismen, gesundheitsschädlich, D. 1,58, zersetzt sich bei etwa 60 °C in CO_2, H_2O, NH_3; in Wasser mit neg. Lösungswärme mäßig, in Alkohol nicht löslich.

Herst.: Man leitet in konz. Ammoniakwasser Kohlendioxid ein. A. ist ein Bestandteil des *Hirschhornsalzes* u. wird als *Backpulver (*ABC-Trieb) verwendet. Weitere Anw. ähnlich wie bei *Ammoniumcarbonat, ferner als Zusatz zum Mischfutter für Milchkühe. – *E* ammonium hydrogen carbonate – *F* hidrogénocarbonate d'ammonium – *I* idrogencarbonato d'ammonio – *S* hidrogenocarbonato de amonio

Lit.: Gmelin, Syst.-Nr. 23, NH_4, 1936, S. 341–348 ▪ Kirk-Othmer (4.) 2, 693 f. ▪ Snell-Hilton 5, 327 ff. ▪ Ullmann (5.) A 2, 261 f. ▪ Winnacker-Küchler (4.) 2, 174 u. 507 ff. – [HS 2836 10; CAS 1066-33-7]

Ammoniumhydrogenfluorid s. Ammoniumfluoride.

Ammoniumhydrogensulfat s. Ammoniumsulfat.

Ammoniumhydrogensulfid. $(NH_4)HS$, M_R 51,11. Leichtlösl., farblose, hautreizende, giftige, alkal. reagierende Krist., D. 1,17, die schon bei gewöhnlicher Temp. in NH_3 u. H_2S zerfallen. A. entsteht, wenn Ammoniakwasser unter Luftausschluß mit Schwefelwasserstoff gesätt. wird; es ist äquimol. Ammoniak-Schwefelwasserstoff-Gasgemisch auf 0 °C gekühlt wird; $NH_3 + H_2S \rightleftharpoons NH_4HS$; die Reaktion ist umkehrbar. Leitet man in eine verd. A.-Lsg. ein weiteres Mol NH_3 ein, so entsteht nicht etwa *Ammoniumsulfid, sondern ein Lsg.-Gemisch von äquimol. Mengen Ammoniak u. Ammoniumhydrogensulfid. Diese Lsg. spielt in der analyt. Chemie als *farbloses Schwefelammonium* eine wichtige Rolle als Metall-Gruppenreagenz. An offener Luft färbt sich die Lsg. infolge der Bildung von Ammoniumpolysulfiden (s. Ammonium-

sulfid) rasch gelb. A. ist ein Reizstoff für die Haut; es durchdringt diese rascher als Schwefelwasserstoff u. diente früher als *Depilatorium. – *E* ammonium hydrogen sulfide – *F* hidrogénosulfure d'ammonium – *I* idrogensolfuro d'ammonio – *S* hidrogenosulfuro de amonio
Lit.: Brauer (3.) **1**, 370f. ▪ Gmelin, Syst.-Nr. 23, NH_4, 1936, S. 247ff. ▪ Kirk-Othmer (4.) **2**, 707. – *[HS 2830 90; CAS 12124-99-1]*

Ammoniumhydroxid s. Ammoniak.

Ammoniumiodid. NH_4I, M_R 144,94. Farbloses, hygroskop. Kristallpulver, D. 2,51, sehr leicht lösl. in Wasser u. Alkohol, färbt sich an Luft u. Licht allmählich gelblich, sofern kein Stabilisator, z. B. Ammoniumhypophosphit, zugesetzt ist, enthält nahezu 90% Iod.
Verw.: In Photochemikalien, in der Medizin als *Expektorans. – *E* ammonium iodide – *F* iodure d'ammonium – *I* ioduro d'ammonio – *S* yoduro de amonio
Lit.: Brauer **1**, 265 ▪ Gmelin, Syst.-Nr. 23, NH_4, 1936, S. 222–236 ▪ Kirk-Othmer (4.) **2**, 695ff. – *[HS 2827 60; CAS 12027-06-4]*

Ammoniummagnesiumphosphat s. Magnesiumammoniumphosphat.

Ammoniummetaphosphat s. Ammoniumphosphate.

Ammoniummolybdate. Sammelbez. für farblose bis gelbliche od. grünliche krist. Verb., von denen das einfachste A., $(NH_4)_2MoO_4$, unter Bildung von Polymolybdaten u. NH_3-Abspaltung verwittert. Zu den höher kondensierten Isopolymolybdaten (s. Isopolysäuren) gehören *Ammoniumdimolybdat* $[(NH_4)_2Mo_2O_7]$, *Ammoniumheptamolybdat* [Ammoniumparamolybdat, $(NH_4)_6Mo_7O_{24} \cdot 4H_2O)$], *Ammoniumoctamolybdat* $[(NH_4)_4Mo_8O_{26} \cdot 5H_2O)]$ u. *Ammoniumdecamolybdat* $[(NH_4)_4Mo_{10}O_{32} \cdot 2H_2O)]$. Die Unterschiede in der Wasserlöslichkeit verschaffen diesen Salzen eine breite Verw. zur Herst. von Katalysatoren sowie zum höchstreinem *Molybdäntrioxid u. Molybdänmetall, als Flammschutzadditiv in Kunststoffen, in der Galvanotechnik, in der Analytik zu Nachw. u. Bestimmung von *Alkaloiden, Phosphorsäure, Arsenaten u. Blei. – *E* ammonium molybdates – *F* molybdates d'ammonium – *I* molibdati ammonici – *S* molibdatos de amonio
Lit.: Angew. Chem. **86**, 894f. (1974) ▪ Gmelin, Syst.-Nr. 53, Mo, 1935, S. 235ff, Erg.-Bd. B 1, 1975, S. 225ff. ▪ Kirk-Othmer (3.) **15**, 686ff. ▪ Ullmann (5.) **16**, 681, 940–945. – *[HS 2841 70; CAS . 2054-85-2 (Ammoniumparamolybdat)]*

Ammoniumnitrat (Ammonnitrat, Ammonsalpeter). NH_4NO_3, M_R 80,05. Durchsichtige, farblose, gewöhnlich rhomb. (A. kommt in 5 Krist.-Modif. vor), an der Luft zerfließende Krist., brandfördernd, D. 1,73, die bei 169,5 °C schmelzen u. beim vorsichtigen Erwärmen auf 200–230 °C in Wasser u. Distickstoffoxid zerfallen: $NH_4NO_3 \to N_2O + 2H_2O$. Je 100 g Wasser lösen bei 0 °C (unter Abkühlung) 118 g, bei 100 °C sogar 871 g NH_4NO_3! Mit flüssigem od. gasf. NH_3 bildet es Additionsverb.; es ist wenig lösl. in Ethanol u. Aceton, etwas besser in Methanol. A. ist ein starkes Oxidationsmittel. Die Zers. nach $2NH_4NO_3 \to 2N_2 + O_2 + 4H_2O$ kann bei höheren Temp. als *Detonation verlaufen. Daher ist seine Handhabung in der BRD durch das Sprengstoffgesetz u. die *TRGS 511 geregelt.

Herst.: Durch Neutralisation von 50–60%iger Salpetersäure mit Ammoniak. Näheres zu den einzelnen Herstellungsverf. s. Winnacker-Küchler, Ullmann u. Kirk-Othmer (*Lit.*).
Verw.: Bis zum 2. Weltkrieg wurde A. vorwiegend als *Sprengstoff hergestellt, der durch *Initialsprengstoffe zur Explosion gebracht werden kann; Detonationsgeschw. 2,73 km/s, Explosionswärme 1571 kJ/kg (vgl. *Lit.*[1]). Bleiblockausbauchung 180 ml. Die Sprengwirkung ist zwar nicht bes. heftig, doch hat dies beim Steinkohlenbergbau gewisse Vorteile, denn die Kohlen werden hierbei nicht als unhandlicher Grieß, sondern in großen Stücken freigelegt, u. die Explosionstemp. ist so niedrig, daß man eine Entzündung von Grubengas od. Kohlenstaub kaum zu befürchten braucht. A. wird daher häufig in sog. *Ammonsalpeter-Sprengstoffen* als Bestandteil von Gesteins- u. *Wettersprengstoffen eingesetzt. Je nach Verw.-Zweck wird das A. in Form von Pulvern, Granulaten od. Sprengschlämmen (*E* slurries, Aufschlämmung von gemahlenem TNT in wäss. A.-Lsg.) angewandt. Statt od. neben *TNT können flüssiges Methylamin, Schwefel, Aluminium- od. Magnesium-Pulver, Heizöl, Alkohole u. a. brennbare Stoffe enthalten sein (vgl. ANC-Sprengstoffe). In *Raketentreibstoffen kann A. als Sauerstoffliefernde Komponente dienen.
In Abwesenheit von brennbarer Materie organ. Ursprungs (z. B. Polyethylen, Papier, Heizöl) erwies sich A. als nicht zu Explosionen neigend (vgl. *Lit.*[2]), u. die bekanntgewordenen Katastrophen mit A. (1947 in Texas City, wo 2 Frachter mit in Papiersäcken abgepacktem A. in Brand gerieten u. explodierten) bzw. mit A.-Ammoniumsulfat-Mischungen (1921 in Oppau, als über 500 Personen den Tod fanden, nachdem 4500 t dieses Gemisches detonierten, weil festgebackenes Material mit Dynamit abgesprengt worden war) sind entweder auf die Anwesenheit organ. Materie od. auf Initialzündung zurückzuführen. Zu A.-Explosionen s. a. *Lit.*[3].
Heute werden ca. 90% der A.-Weltproduktion für *Düngemittel hergestellt. A. ist ein idealer *Stickstoff-Dünger (34% N, keine „Ballastsubstanzen" wie z.B. bei $NaNO_3$, gut abgestimmtes Verhältnis zwischen Ammoniakstickstoff u. Nitratstickstoff, vgl. a. Düngung), doch wird er wegen Explosionsgefahr in der BRD nicht rein, sondern in Mischungen verwendet. Nach dem Sprengstoffgesetz sind nur Mischungen zugelassen, die mindestens 35% inerte Stoffe enthalten. Dazu gehören z. B. *Kaliammonsalpeter, Ammonsulfatsalpeter u. *Kalkammonsalpeter. Auch flüssige Düngemittel basieren meist auf A., dessen Lsg. im allg. noch Harnstoff u./od. freies NH_3 enthält, s. *Lit.*[4]. Ein geringer Teil der A.-Produktion wird zur Gewinnung von Lachgas (s. Stickstoffoxide) für medizin. Zwecke herangezogen. – *E* ammonium nitrate – *F* nitrate d'ammonium – *I* nitrato d'ammonio – *S* nitrato de amonio
Lit.: [1] Nature (London) **195**, 277f. (1962). [2] Chem. Eng. News **1966**, Nr. 19, 55. [3] Chem.-Ztg. **81**, 453ff. (1957). [4] Winnacker-Küchler (3.) **1**, 681.
allg.: Gmelin, Syst.-Nr. 23, NH_4, 1936, S. 93–144 ▪ Hommel, Nr. 28, 121 ▪ Kirk-Othmer (4.) **2**, 698–705 ▪ Snell-Hilton **5**, 338–344 ▪ Ullmann (5.) **A 2**, 243–252 ▪ Winnacker-Küchler (4.) **2**, 169ff. u. 344ff. – *[HS 3102 30; CAS 6484-52-2]*

Ammoniumnitrit. NH_4NO_2, M_R 64,04. Kleine, sehr leicht lösl. Prismen, D. 1,69, die sich schon bei 20 °C, schneller in wäss. Lsg. u. bei höheren Temp., in Stickstoff u. Wasser zersetzen: $NH_4NO_2 \rightarrow N_2 + 2 H_2O$. Bei 60–70 °C zersetzen sich die Krist. explosionsartig. A. findet sich in geringen Spuren in der Luft, wo es wahrscheinlich bei Gewittern während der elektr. Entladungen aus Luftstickstoff u. Wasserdampf entsteht in Umkehrung obiger Gleichung. In den gewitterreichen Tropen kann das Regenwasser daher erhebliche Mengen Nitrit bzw. Nitrat enthalten. A.-Lsg. wird bei der Herst. von *Caprolactam eingesetzt. – *E* ammonium nitrite – *F* nitrite d'ammonium – *I* nitrito d'ammonio – *S* nitrito de amonio
Lit.: Gmelin, Syst.-Nr. 23, NH_4, 1936, S. 85–93 ▪ Kirk-Othmer (4.) **2**, 705 f. ▪ Ullmann (4.) **20**, 353 ▪ Winnacker-Küchler (4.) **2**, 172. – [HS 2834 10; CAS 13446-48-5]

Ammoniumoxalat. $H_4NOOC–COONH_4 \cdot H_2O$, $C_2H_8N_2O_4$, M_R 124,10, Schmp. 133 °C (Zers); Farblose, giftige Krist., die sich mäßig in Wasser lösen. Beim Erhitzen zerfällt es in Ammoniak, Wasser, Kohlendioxid u. Kohlenmonoxid: $(COONH_4)_2 \rightarrow 2 NH_3 + H_2O + CO_2 + CO$. *Verw.:* Zur analyt. Bestimmung von Ca, Pb u. *Seltenerdmetallen, in der Wollfärberei u. in Lichtpausmaterialien. – *E* ammonium oxalate – *F* oxalate d'ammonium – *I* ossalato d'ammonio – *S* oxalato de amonio
Lit.: Beilstein E IV **2**, 1846 ▪ Gmelin, Syst.-Nr. 23, NH_4, 1936, S. 400–407 ▪ Kirk-Othmer **14**, 368 ▪ Snell-Hilton **5**, 344–346. – [CAS 6009-70-7]

Ammoniumperchlorat. NH_4ClO_4, M_R 117,49. Farblose Krist., D. 1,95, leichtlösl. in Wasser, bei gewöhnlicher Temp. beständig u. gegen Schlag ziemlich unempfindlich, explodiert bei Initialzündung od. Erhitzung über 200 °C, z. B. nach: $2 NH_4ClO_4 \rightarrow Cl_2 + 2 O_2 + N_2 + 4 H_2O$ (vgl. *Lit.*[1]). A. wird durch Einwirkung von NH_3 u. HCl auf $NaClO_4$ hergestellt, s. *Lit.*[2]. *Verw.:* In *Sprengstoffen u. *Raketentreibstoffen anstelle von Kaliumperchlorat. – *E* ammonium perchlorate – *F* perchlorate d'ammonium – *I* perclorato d'ammonio – *S* perclorato de amonio
Lit.: [1] Chem. Rev. **69**, 551–590 (1969); Q. Rev. (London) **23**, 430–452 (1969). [2] Chem. Ing. Tech. **34**, 379–386 (1962). *allg.:* Gmelin, Syst.-Nr. 23, NH_4, 1936, S. 196 ff. ▪ Hommel, Nr. 226 ▪ Kirk-Othmer (3.) **5**, 648, 660 f. ▪ Ullmann (5.) **A 6**, 515–520 ▪ Winnacker-Küchler (4.) **2**, 459, 462. – [HS 2829 90; CAS 7790-98-9]

Ammoniumperoxodisulfat s. Ammoniumpersulfat.

Ammoniumpersulfat (Ammoniumperoxodisulfat). $(NH_4)_2S_2O_8$, M_R 228,19. Farblose, in Wasser leicht lösl. (58,2 g/100 g Wasser bei 20 °C) monokline Krist., brandfördernd u. gesundheitsschädlich, D. 1,98, Schmp. 120 °C (Zers.). Trocken aufbewahrt gut haltbar, bei Anwesenheit von Feuchtigkeit od. in warmer, wäss. Lsg. Zers. unter Abgabe von Ozon-haltigem Sauerstoff. Wie die anderen Peroxodisulfate (s. Peroxodischwefelsäure) wirkt A. stark oxidierend. *Herst.:* Durch anod. Oxid. gesätt. Lsg. von $(NH_4)_2SO_4$. *Verw.:* Als Oxidationsmittel, Polymerisationskatalysator, Mittel zum Ätzen gedruckter Schaltungen, zur Oberflächenbehandlung von Metallen, als Blondierverstärker in der Haarkosmetik, als Desodorans, in der chem. Analyse zur Trennung von Mn u. Cr, in der Photographie als Abschwächer. – *E* ammonium persulfate – *F* persulfate d'ammonium – *I* persolfato d'ammonio – *S* persulfato de amonio
Lit.: Brauer **1**, 354 f. ▪ Gmelin, Syst.-Nr. 23, NH_4, 1936, S. 301 ff. ▪ Hommel Nr. 808 ▪ Kirk-Othmer (3.) **17**, 16 ff. ▪ Snell-Hilton **5**, 346 ff. ▪ Ullmann (4.) **17**, 721 ff. ▪ Winnacker-Küchler (4.) **2**, 589 ff. – [HS 2833 40; CAS 7727-54-0]

Ammoniumphosphate. Sammelbez. für die Ammonium-Salze der verschiedenen *Phosphorsäuren, s. a. Phosphate. Die 3 Orthophosphate gehen beim Erhitzen unter NH_3-Abgabe in *Polyphosphorsäure über. (a) *Prim. A.* (Ammoniumdihydrogenphosphat, $NH_4H_2PO_4$, M_R 115,03) erhält man, wenn Ammoniakwasser so lange mit Phosphorsäure neutralisiert wird, bis Methylorange gerade von Gelb nach Rot umschlägt. Es bildet farblose, wasserlösl., piezoelektr. Krist. u. wird in der Hefe-Fermentation (als N- u. P-Quelle) sowie in *Flammschutzmitteln verwendet.
(b) *Sek. A.* [Diammoniumhydrogenphosphat, $(NH_4)_2HPO_4$, M_R 132,07], farblose Krist. mit salzigem, kühlendem Geschmack, gut lösl. in Wasser, unlösl. in Alkohol, die als grobkrist. Niederschlag beim Einleiten von NH_3-Gas in die gekühlte Lsg. von *prim. A.* entstehen. *Sek. A.* ist das techn. wichtigste A. u. dient als ballastfreies *Düngemittel, das sowohl durch seinen Ammoniumstickstoff-Gehalt als auch durch seinen Phosphat-Gehalt wirkt; es findet sich in vielen Volldüngern (s. a. Düngung).
Weitere *Verw.:* Bei der Züchtung von Hefe als N- u. P-Quelle, als Flammschutzmittel für Papier, Textilien u. Baustoffe, auch zum Imprägnieren von Zündhölzern, in wäss. Lsg. zur – gleichzeitig düngenden – Bekämpfung von Wald- u. Steppenbränden, als Katalysator für Aminoplaste, zur Chromfärbung von Wolle, zur Beseitigung von Säuren auf Metall, als Flußmittel beim Löten von Zinn, Kupfer, Messing u. Zink u. als Bestandteil von Spezialgläsern u. Emailsorten.
(c) *Tert. A.* (Triammoniumphosphat, $(NH_4)_3PO_4$, M_R 146,07) erhält man u. a., wenn auf das *sek.* Phosphat gasf. Ammoniak einwirkt; es ist jedoch in festem Zustand instabil u. zerfällt unter NH_3-Abgabe.
(d) Zu *Ammoniumpolyphosphaten* $[(NH_4PO_3)_n]$ mit n=20–1000, M_R ca. 2000-100 000) gelangt man durch vorsichtige Kondensation der Orthophosphate in NH_3-Atmosphäre bei 200–400 °C. Die Polyphosphate sind weiße, schwach sauer reagierende, Wasser-unlösl. Produkte, die als Flammschutzmittel für Anstriche, Kunstharze u. Holz Verw. finden. *Metall-Ammoniumphosphate* (Me=Mg, Fe, Zn, Mn, Cu, Co, Mo) sind wirksame, langanhaltende Pflanzendünger, s. *Lit.*[1]. – *E* ammonium phosphates – *F* phosphates d'ammonium – *I* ifosfati d'ammonio – *S* fosfatos de amonio
Lit.: [1] Nachr. Chem. Tech. **10**, 263 (1962). *allg.:* Gmelin, Syst-Nr. 23, NH_4, 1936, S. 418–436 ▪ Kirk-Othmer (3.) **17**, 444; **10**, 58 ff. ▪ Raney, Ammonium Phosphates 1969, Park Ridge: Noyes 1969 ▪ Ullmann (4.) **18**, 332 f., 349–554 ▪ Winnacker-Küchler (4.) **2**, 240–247, 354 ff. – [HS 2835 29; CAS 7722-76-1, 7783-28-0]

Ammoniumpolyphosphate s. Ammoniumphosphate.

Ammoniumrhodanid s. Ammoniumthiocyanat.

Ammoniumsulfamat (Ammoniumsulfamidat, Ammoniumamidosulfat). $NH_4SO_3–NH_2$ M_R 114,12, Schmp.

Ammoniumsulfat

131–132 °C, leicht lösl. in Wasser (195 g/100 g Wasser bei 20 °C), LD_{50} (Ratte oral) 3900 mg/kg (WHO), MAK 15 mg/m^3. Verw. als *Flammschutzmittel bei Textilwaren u. Papieren sowie als nicht-selektives *Herbizid gegen Gehölze u. ein- u. mehrjährige Unkräuter auf Nichtkulturland u. im Forst sowie zum *Sulfonamid-Nachweis im Blut. – *E* ammonium sulphamate, AMS – *F* sulfanilate d'ammonium – *I* solfamato d'ammonio – *S* sulfamato de amonio
Lit.: Farm ▪ Gmelin, Syst.-Nr. 23, NH_4, 1936, S. 310 f. ▪ Kirk-Othmer (4.) **21**, 949–958 ▪ Pesticide Manual ▪ Ullmann (4.) **7**, 529; **22**, 312 f. ▪ Winnacker-Küchler (4.) **2**, 188 f. – *[HS 2842 90; CAS 7773-06-0]*

Ammoniumsulfat (Ammonsulfat). $(NH_4)_2SO_4$, M_R 132,13. Wasserhelle, nicht hygroskop., scharf salzig schmeckende, rhomb. Krist., D. 1,77, in Wasser leicht, in Alkohol u. Aceton schwer löslich. Die wäss. Lsg. reagiert annähernd neutral. Beim Erhitzen von festem A. über 100 °C bildet sich unter Abgabe von NH_3 *Ammoniumhydrogensulfat* $(NH_4)HSO_4$, M_R 114,10. Nach *Ammoniumnitrat ist A. das techn. wichtigste Ammonium-Salz.
Herst.: Im Laboratorium durch Neutralisation von verd. Schwefelsäure mit Ammoniakwasser u. vorsichtiges Eindampfen, in der Technik durch Einleiten von NH_3 in 80%ige Schwefelsäure od. von NH_3 u. CO_2 in eine $CaSO_4$-Suspension, wobei A. als Lsg. abgetrennt u. aufgearbeitet wird.
Verw.: A. ist ein wichtiger *Stickstoff-Dünger, der auch mit Ammoniumnitrat (als *Ammonsulfatsalpeter), jedoch nicht mit Kalidüngern, Thomasmehl u. Rhenaniaphosphat gemischt eingesetzt wird. Weiter wird A. zur Herst. von *Ammoniumalaun, von *Flammschutzmitteln u. zur Eiweißfällung genutzt. – *E* ammonium sulfate – *F* sulfate d'ammonium – *I* solfato d'ammonio – *S* sulfato de amonio
Lit.: Gmelin, Syst.-Nr. 23, NH_4, 1936, S. 261–293 ▪ Hommel, Nr. 807 ▪ Kirk-Othmer (4.) **2**, 706 f.; **10**, 452 f. ▪ McKetta **6**, 89 ff. ▪ Snell-Hilton **5**, 350 ff. ▪ Ullmann (5.) **A 2**, 253 ff. ▪ Winnacker-Küchler (4.) **2**, 172 ff. – *[HS 3102 21; CAS 7783-20-2; 7803-63-6 Ammoniumhydrogensulfat]*

Ammoniumsulfid. $(NH_4)_2S$, M_R 68,14. Farblose Krist., die nur unterhalb –18 °C beständig sind u. sich in Wasser zersetzen, wobei sich *Ammoniumhydrogensulfid, NH_3 u. *Ammoniumpolysulfide bilden, die der Lsg. eine gelbe Farbe verleihen. A. ist nur als Lsg. im Handel.
Verw.: In photograph. Entwicklern, in der Textil-Ind. u. um eine *Patina auf Bronze zu erzeugen. Außerdem dient es als Extraktionsmittel für Schwefel aus *Gasreinigungs-Anlagen, vgl. *Lit.*[1]. In der analyt. Chemie benutzt man A.-Lsg. als *Gruppenreagenz* zur Abtrennung der Metallsulfide von Fe, Co, Ni, Mn u. Zn (sog. *Ammonsulfid-Gruppe*, vgl. Trennungsgänge) von denen der *Schwefelwasserstoff-Gruppe. – *E* ammonium sulfide – *F* sulfure d'ammonium – *I* solfuro d'ammonio – *S* sulfuro de amonio
Lit.: [1] Winnacker-Küchler (3.) **2**, 13.
allg.: Gmelin, Syst.-Nr. 23, NH_4, 1936, S. 246 ▪ Kirk-Othmer (4.) **2**, 707. – *[HS 2813 90; CAS 12135-76-1; 12124-99-1 (Ammoniumhydrogensulfid)]*

Ammoniumthiocyanat (Ammoniumrhodanid). NH_4SCN, M_R 76,12. Farblose, hygroskop., in Wasser u. Alkohol leicht lösl. Tafeln od. Blättchen, gesundheitsschädlich, D. 1,3, Schmp. 149 °C, wird aus NH_4OH u. Schwefelkohlenstoff unter Druck hergestellt. Oberhalb von 70 °C lagert sich A. teilw. in *Thioharnstoff um (Analogie zu Ammoniumcyanat → *Harnstoff).
Verw.: Korrosionsinhibitor, Stabilisator für photograph. Entwickler, Vulkanisationsbeschleuniger, in der Färbetechnik für Chemiefasern, in Herbiziden, in der analyt. Chemie zum Nachw. von Eisen(III)-Ionen u. zur Trennung des Hafniums von Zirkon. – *E* ammonium thiocyanate – *F* thiocyanate d'ammonium – *I* tiocianato d'ammonio – *S* tiocianato de amonio
Lit.: Ammonium Thiocyanate (FS), Groß-Gerau: Baker 1969 ▪ Beilstein EIV **3**, 319 ▪ Gmelin, Syst.-Nr. 23, NH_4, 1936, S. 372 ff. ▪ Snell-Hilton **5**, 352 ff. ▪ Ullmann (5.) **A 5**, 186 ▪ Winnacker-Küchler (4.) **2**, 198. – *[HS 2838 00; CAS 1762-95-4]*

Ammoniumthiosulfat. $(NH_4)_2S_2O_3$, M_R 148,20. In Wasser, nicht aber in Alkohol lösl. Krist., Schmp. 150 °C (Zers.), wird in zunehmendem Maße anstelle von Natriumthiosulfat als Schnellfixiersalz zur Herst. von Fixierbädern in der Film-, Photo- u. Röntgentechnik benutzt. – *E* ammonium thiosulfate – *F* thiosulfate d'ammonium – *I* tiosolfato d'ammonio – *S* tiosulfato de amonio
Lit.: Gmelin, Syst.-Nr. 23, NH_4, 1936, S. 304 ff. ▪ Kirk-Othmer (3.) **22**, 983 f. ▪ Ullmann (4.) **21**, 106 ff. ▪ Winnacker-Küchler (4.) **2**, 85 f. – *[HS 2832 30; CAS 7783-18-8]*

Ammoniumtrioxalatoferrat(III) s. Ammoniumeisen(III)-oxalat.

Ammoniumvanadat. (Ammonium-metavanadat), NH_4VO_3, M_R 116,98. Farbloses od. gelbliches Kristallpulver, giftig, in kaltem Wasser wenig, in heißem u. verd. Ammoniakwasser leichter lösl., unlösl. in konz. NH_4Cl-Lsg., D. 2,326, Schmp. 210 °C (Zers.). A. nimmt O_2 leicht auf u. gibt ihn ziemlich leicht wieder ab, daher als O_2-Überträger verwendbar, z. B. um Anilin in Anilinschwarz zu überführen.
Verw.: Rohmaterial für Katalysatoren (V_2O_5), zum Färben u. Bedrucken von Wollgeweben, zur Herst. von Vanadiumschwarz, unzerstörbaren Tinten, Photoentwicklern, Lüstern auf Töpfereien, Sikkativen u. dgl., zur mikroskop. Färbung von Hämatoxylin, zum Lichtpausverf., als Reagenz. – *E* ammonium vanadate – *F* vanadate d'ammonium – *I* vanadato d'ammonio – *S* vanadato de amonio
Lit.: s. Vanadium. – *[HS 2841 90; CAS 7803-55-6]*

Ammonolyse. Bez. für eine der *Hydrolyse analoge Reaktion, die techn. zur Herst. von *Aminen aus Ammoniak u. einem Alkohol angewendet wird. In der Regel erhält man ein Gemisch aus prim., sek. u. tert. Aminen, das durch Dest. od. Extraktion aufgearbeitet werden muß.

$$R-OH + NH_3 \xrightarrow[-H_2O]{Kat.} R-NH_2 + R_2NH + R_3N$$

Anstelle der Alkohole können auch Alkylhalogenide der A. unterworfen werden; setzt man statt Ammoniak Amine ein, so spricht man von Aminolyse. – *E* ammonolysis – *F* ammoniolyse – *I* ammonolisi – *S* amonólisis
Lit.: Kirk-Othmer (3.) **2**, 289; **4**, 830.

Ammonoxidation. Bez. für ein Verf. zur Herst. von *Nitrilen durch Umwandlung von Methyl- in Cyano-

Gruppen; *Beisp.*: Methan gibt Blausäure (*Andrussow-Verfahren), Propen gibt Acrylnitril (*Sohio-Verfahren), die Xylole geben Phthalodinitrile. Dabei werden die Kohlenwasserstoffe bei ca. 300–600 °C in Ggw. von Metalloxiden als Katalysatoren mit Ammoniak u. Luft od. Sauerstoff zur Reaktion gebracht:

$$R-CH_3 + NH_3 + 1{,}5\,O_2 \rightarrow R-CN + 3\,H_2O$$

Manchmal wird die A. auch als *oxidative *Ammonolyse* bezeichnet. – *E* ammoxidation – *F* ammoxydation – *I* ammossidazione – *S* amonoxidación
Lit.: Kirk-Othmer (3.) 15, 893 ▪ Ullmann (5.) A 1, 178; A 13, 236.

Ammonsalpeter s. Ammoniumnitrat.

Ammonsulfatsalpeter (Montansalpeter). Farbloses, gelbliches od. rötlich-braunes Pulver. Dieses enthält ein Doppelsalz aus Ammoniumnitrat u. Ammoniumsulfat [$2\,NH_4NO_3 \cdot (NH_4)_2SO_4$] mit 26% Reinstickstoff; etwa ¾ des Stickstoffs liegen als Ammoniumstickstoff, ¼ als Nitratstickstoff vor. A. ist ein wichtiger *Stickstoff-Dünger, der bei ausreichendem Kalk-Gehalt des Bodens hohe Erträge sichert. Man bringt ihn als Krumendünger kurz vor od. bei der Bestellung auf die Felder od. streut ihn im frühen Frühjahr auf die noch ruhenden Wintersaaten (200–300 kg/ha; er soll trocken gelagert u. nicht mit Kalkdüngern, Thomasmehl u. Rhenaniaphosphat gemischt werden). Bor.-A. enthält zusätzlich 0,2–0,3% Bor. – *E* ammonium nitrate sulfate – *F* nitrosulfate d'ammonium – *I* nitrosolfato d'ammonio – *S* nitrosulfato de amonio
Lit.: Hommel, Nr. 121 ▪ Kirk-Othmer (3.) 10, 47 ff. ▪ Ullmann (5.) A 10, 347 ▪ Winnacker-Küchler (4.) 2, 345 f. – *[HS 3102 29]*

Amobarbital.

Internat. Freiname für 5-Ethyl-5-(3-methylbutyl)-barbitursäure, $C_{11}H_{18}N_2O_3$, M_R 226,28, Schmp. 156–158 °C; LD_{50} (Maus s.c.) 212 mg/kg. Es wurde als Hypnotikum von E. Layraud (1922) u. Eli Lilly (1932) patentiert u. ist in Anlage III B der Btm-VO gelistet. – *E* = *F* = *S* amobarbital – *I* amobarbitale
Lit.: ASP ▪ DAB 10 ▪ Florey 19, 27–58 ▪ Hager (5.) 7, 224 ▪ Pharm. Ztg. 138, 205 (1993). – *[HS 2993 51; CAS 57-43-2 (A.); 64-43-7 (Natriumsalz)]*

Amöben (von griech: amoibos = wechselnd). Sammelbez. für in Gewässern, in Sümpfen u. auf Wasserpflanzen frei lebende, häufig parasitierende u. pathogene Einzeller (*Protozoen), von denen einige Vertreter im Menschen für Lebererkrankungen u. bes. für *Amöbenruhr (A.-Dysenterie, Tropenruhr, Amöbiasis)* verantwortlich sind. Die Prophylaxe besteht in Hygiene u. Sterilisation von Getränken, Obst u. Gemüse. Zur Therapie von A.-Erkrankungen dienen **Amöbizide* sowie *Darmantiseptika* (*Antidiarrhoika) vom Typ der 8-*Chinolinole, Dichloracetamide u. Phenanthrolinchinone. A. (= Wurzelfüßer) enthalten 2 Ordnungen: Amoebina (Nacktamöben) u. Testacea (Schalenamöben). – *E* amoebae, amebas – *F* amibes – *I* amebe – *S* amebas

Amöbizide. Von *Amöben u. *...zid abgeleitete Bez. für *Chemotherapeutika gegen Amöben, insbes. *Entamoeba histolytica*. Bei der Chemotherapie muß die Lokalisation u. das Entwicklungsstadium der Erreger berücksichtigt werden. Mittel der Wahl sind *Nitroimidazole (z. B. *Metronidazol); Ausweichpräp. ist z. B. *Chloroquin; zur Therapie u. Prophylaxe einer Darminfektion können auch Hydroxychinoline gegeben werden (s. Clioquinol). – *E* am(o)ebicides – *F* amibicides – *I* amebicidi – *S* amebicidas
Lit.: Arzneimittelchemie III, 159–168 ▪ Mutschler (7.), S. 724 ▪ Progr. Drug Res. 18, 353–364 (1974) ▪ Ullmann (5.) A 5, 211 ff.

Amorces s. pyrotechnische Erzeugnisse, Zündblättchen.

Amorolfin.

Internat. Freiname für (±)-*cis*-2,6-Dimethyl-4-[2-methyl-3-(4-*tert*-pentylphenyl)-propyl]morpholin, $C_{21}H_{35}NO$, M_R 317,52, Sdp. 134 °C (4,68 Pa). Es wurde 1978 u. 1980 als top. Breitspektrum-*Antimykotikum von Hoffmann-La Roche (*Loceryl® Creme/Nagellack) patentiert. – *E* = *F* amorolfine – *I* = *S* amorolfina
Lit.: ASP ▪ Hager (5.), 7, 230. – *[CAS 78613-35-1; 78613-38-4 (Hydrochlorid)]*

Amorph. Von griech.: amorphos = ungestalt abgeleitetes Adjektiv zur Zustandsbeschreibung von homogenen *Festkörpern, deren mol. Bausteine nicht in Kristallgittern (s. Kristallstrukturen) angeordnet sind. Anders als bei einer krist. Substanz, bei der neben einer Nahordnung zwischen den Bausteinen (d. h. konstante Abstände zu den nächsten Nachbaratomen u. -mol.) auch eine Fernordnung (regelmäßige Wiederholung eines Basisgitters) existiert, liegt im a. Zustand lediglich eine mehr od. minder ausgeprägte Nahordnung vor. Physikal. Eigenschaften a. Substanzen sind in allen Raumrichtungen gleich. Im Gegensatz zum anisotropen krist. Festkörper sind a. Stoffe also isotrop. Die Beugung von Röntgen-, Elektronen- u. Neutronenstrahlen am a. Festkörper führt z. B. bei Pulveraufnahmen nach Debye u. Scherrer (s. Röntgenstrukturanalyse) zu diffusen Interferenzringen (Halos) bei kleinen Beugungswinkeln. Krist. Substanzen hingegen ergeben scharfe Linien. Alle a. Stoffe streben unterschiedlich stark den energet. günstigeren krist. Zustand an. Techn. Bedeutung haben *amorphes Silicium u. *amorphe Metalle erlangt; s. a. Aggregatzustände u. Glaszustand. – *E* amorphous – *F* amorphe – *I* = *S* amorfo

Amorphe Metalle. Auch als *metall. Gläser* bezeichnete Festkörper, die keine krist., sondern *amorphe Struktur besitzen. Im Gegensatz zu amorphen Halbleitern (s. amorphes Silicium), die eine tetraedr. Grundstruktur besitzen, wachsen a. M. als ungeordnete dichte Kugelpackung (engl. DRPHS = *d*ense *r*andom

Amorphes Silicium

*p*acking of *h*ard *sp*heres) auf. Da keine Kristallfehler, wie Korngrenzen od. Versetzungen vorkommen, zeichnen sich diese Stoffe durch hohe Härte bei guter Duktilität, ideales weichmagnet. Verhalten, hohe katalyt. Reaktivität u. gute Korrosionsbeständigkeit aus. Außerdem lassen sich im amorphen Zustand Metallegierungen in einem breiteren Konzentrationsbereich bilden, als die entsprechenden krist. Legierungen. Im allg. werden a. M. durch schnelles Abschrecken aus der Schmelze od. Dampfphase erzeugt[1]. Damit sich keine Kristallisationskeime bilden, ist eine Abkühlrate von 10^6 K/s od. mehr notwendig, was z. B. durch Auftreffen des flüssigen Metallstrahles auf eine kalte, rotierende Trommel od. Metalldampfabscheidung erreicht wird. Neue Verf. ermöglichen es, a. M. auch durch Festkörperreaktionen od. mechan. Legieren zu erzeugen[2]. – *E* amorphous metals – *F* métal amorphe – *I* metalle amorfi – *S* metales amorfos

Lit.: [1] Weißmantel u. Hamann, Grundlagen der Festkörperphysik, S. 241, Heidelberg: Barth 1995. [2] Phys. Bl. **44**, 247 (1988).
allg.: Bergmann u. Schaefer, Lehrbuch der Experimentalphysik, Bd. 6, Festkörper, Berlin: de Gruyter 1992 ▪ Kittel, Einführung in die Festkörperphysik, München: Oldenbourg 1988.

Amorphes Silicium (Kurzz. a-Si). Während die meisten Halbleiterelemente in einem sehr kostenintensiven Verf. aus krist. Silicium hergestellt werden (hierzu werden große Einkrist. bis zu 20 cm Durchmesser u. 1 m Länge gezogen, die dann in dünne Scheiben zersägt werden), ist man bestrebt, kostengünstigeres a-Si für elektron. Bau-Elemente zu benutzen. Es zeigte sich jedoch, daß das reine a-Si aufgrund der Unregelmäßigkeiten in der amorphen Struktur über eine relativ große Anzahl unabgesätt. Valenzelektronenbindungen verfügt, die die elektron. Eigenschaften dominieren (sie führen zu einer hohen Zustandsdichte in der Energielücke des Halbleiters). Erst die Absättigung der freien Bindungen („dangling bonds") durch Wasserstoff führt zu einem Material (dem sog. a-Si:H, H-Anteil ca. 5–15 at%), das elektron. dem krist. Silicium äquivalent ist. Es ist durch den Einbau von Phosphor bzw. Bor leicht u. gut dotierbar u. stellt das Grundmaterial für die Dünnschicht-Elektronik dar. Durch Einbau von Kohlenstoff bzw. Germanium kann die Bandlücke der resultierenden a-Si$_{1-x}$C$_x$: H- bzw. a-Si$_{1-x}$Ge$_x$: H-Leg. stufenlos zwischen 1 eV u. 3 eV variiert werden. Die Herst. von a-Si:H u. auf ihm basierenden amorphen Leg. erfolgt vorzugsweise durch plasmaaktivierte chem. Dampfabscheidung (PECVD), z. B. aus einer Glimmentladung von Silan (SiH$_4$), durch therm. induzierte *CVD (s. Aufdampfen u. dünne Schichten) bzw. durch reaktives Sputtern in einer Wasserstoffatmosphäre. Die Herst.-Temp. liegen mit 200–300 °C wesentlich unter denen von krist. Silicium. Ein Erhitzen auf T >400 °C treibt den Wasserstoff aus u. reduziert die elektron. Qualität u. Verwendbarkeit sehr schnell. Auf der Basis von a-Si:H-Dünnschichtmaterial werden heute u. a. folgende Produkte hergestellt: Dünnschichtsolarzellen (Dicke ≈ 0,5 µm), Dünnschichttransistoren u. IC-Anordnungen, Photorezeptoren für die Elektrophotographie, großflächige Photosensoren, Detektoren für Röntgen- od. Teilchenstrahlung (Röntgenbildwandler) u. *CCD (Charge Coupled Devices). – *E* amorphous silicon – *F* silicium amorphe – *S* silicio amorfo

Lit.: Madan u. Taylor, Amorphous Semiconductors, Encycl. of Physical Science and Technology, Bd. 1, S. 599, San Diego: Academic Press 1992 ▪ Street, Hydrogenated Amorphous Silicon, Cambridge: University Press 1991 ▪ Stutzmann u. Brandt, Amorphe Halbleiter, Stuttgart: Teubner 1996.

Amosit s. Amphibole u. Asbest.

Amox... Anlautender Wortbestandteil von (z. T. durch Wz. geschützten) Handelsnamen für *Amoxicillin enthaltende, antibiot. wirksame Präparate.

Amoxicillin.

Internat. Freiname für das 4-Hydroxy-Derivat des *Ampicillins 6-[Amino-(4-hydroxyphenyl)-acetamido]-penicillansäure, $C_{16}H_{19}N_3O_5S$, M_R 365,40. Es wurde 1964 als Breitspektrum-Antibiotikum von Beecham (Augmentan®) erstmals patentiert, es gibt viele weitere Patente zu Herstellungsverf. u. Salzen; es ist generikafähig.
Vorteile des A. gegenüber *Ampicillin liegen in der besseren Resorbierbarkeit (80–90% zu 35–50%) bei oraler Gabe. Anderseits ist A. schlecht wasserlösl., so daß bei parenteraler Gabe u. Niereninsuffizienz die Substanz in der Niere auskrist. kann, was eine Verlängerung der Infusions-Abstände nötig macht. – *E* amoxicillin – *F* amoxicilline – *I* amossicillina – *S* amoxicilina

Lit.: ASP ▪ DAB 10 ▪ Florey **7**, 19–41; **23**, 1–52 ▪ Hager (5.) **7**, 232–235. – [HS 2941 10; CAS 26787-78-0]

AMP. 1. Abk. für *Adenosin-5'-monophosphat. – 2. Abk. für *2-Amino-2-methyl-1-propanol.

AMPAC. Programmpaket, das Computerprogramme zu einigen der am weitesten verbreiteten *semiempirischen Verfahren (z. B. *AM1 od. *MNDO-Verfahren) enthält. Es kann über den „Quantum Chemistry Programme Exchange" (s. QCPE) bezogen werden.
Lit.: QCPE Bull. **6**, 24 (1986).

AMPA-Rezeptor s. Glutamat-Rezeptoren.

AMP Cosmetic Grade™, AMP-95™ u. AMP-90™. Handelsbez. der ANGUS Chemie GmbH für einen Aminoalkohol (2-Amino-2-methyl-1-propanol), der als Lösungsbeschleuniger, Emulgierhilfsmittel, Stabilisator, Neutralisationsmittel, Puffer u. Bestandteil von säurehärtenden Katalysatoren in vielen Bereichen einsetzbar ist.

AMPD s. 2-Amino-2-methyl-1,3-propandiol.

Ampere (Kurzz. A). Nach dem französ. Physiker u. Mathematiker André Marie Ampère (1775–1836) benannte SI-*Basiseinheit für die elektr. Stromstärke. Früher war 1 A definiert als die Stromstärke, die aus einer wäss. Silbernitrat-Lsg. in einer Sekunde 1,1180 mg Silber abscheidet. Nach der zur Zeit geltenden Definition fließt die Stromstärke 1 A, wenn zwischen zwei, im Vakuum parallel im Abstand von 1 m befindlichen, geradlinige unendlich lange Leiter, von vernachlässigbar kleinem kreisförmigem Querschnitt, eine elektrodynam. Kraft von $2 \cdot 10^{-7}$ N je Meter Leiterlänge wirkt. In der Praxis wird 1 A über das Ohmsche Gesetz (R = U/I) durch 1 A = 1 V/1 Ω realisiert. Hierbei wird die Spannung U durch Reihenschaltung von 1400 Josephson-Elementen (*Josephson-Effekt) mit einer real erreichbaren Genauigkeit von $\Delta U/U = 10^{-12}$ erzeugt; die Darst. des elektr. Widerstandes R erfolgt durch den Klitzing-Effekt (*Quanten-Hall-Effekt) mit $\Delta\Omega/\Omega = 10^{-8}$. Mit der Einheit *Coulomb ist das A. verknüpft nach 1 C = 1 As (*Amperesekunde*). – *E* = *I* ampere – *F* ampère – *S* amperio

Ampère, André Marie (1775–1836), Prof. für Physik u. Chemie an der Ecole Centrale von Bourg-en-Bresse u. der Ecole Polytechnique in Paris. Er entdeckte den Zusammenhang zwischen elektr. Strom u. Magnetismus u. entwickelte daraus die „Ampèrsche Schwimmregel" für die Bewegungsrichtung des Stromes. 1826 entdeckte er das quant. Gesetz der Wechselwirkung elektr. Ströme. Unabhängig von *Avogadro fand er drei Jahre nach ihm das *Avogadrosche Gesetz, das deshalb noch heute in Frankreich Avogadro-Ampère-Gesetz heißt.
Lit.: Pötsch, S. 12.

Amperometrie. Bez. für die Messung des Stromes, der zwischen zwei in eine Lsg. eintauchenden Elektroden fließt, in Abhängigkeit von der Konz. eines gelösten Stoffes[1]. Unter der *amperometr. Titration* versteht man ein Verf. der *Elektroanalyse zur Bestimmung oxidierender bzw. reduzierender Substanzen. Gemessen werden hierbei die Menge der Titrationslsg. u. derjenige Ionen-Diffusionsstrom, der zwischen einer Referenzelektrode u. einer Meßelektrode fließt (Quecksilber-Tropfelektrode od. rotierende Platin-Elektrode). Die Spannung muß während der A. konstant gehalten werden. Am Endpunkt der Redoxtitration ändert sich der Diffusionsstrom sprunghaft, u. die Konz. der zu bestimmenden Ionen ergibt sich durch graph. Auswertung von Stromstärke gegen Vol. der Titrationslsg.; s. a. Dead Stop-Titration, Voltammetrie u. Polarographie. – *E* amperometric titration – *F* ampérométrie – *I* amperometria – *S* amperometría
Lit.: [1] Pure Appl. Chem. **45**, 81–97 (1976).
allg.: Kirk-Othmer **7**, 762 ff. ▪ Kraft u. Fischer, Indikation von Titrationen, Berlin: De Gruyter 1972 ▪ Snell-Hilton **1**, 122–141 ▪ Townshend, Encyclopedia of Analytical Science, Vol. 1, 90–99, London: Academic Press 1995 ▪ Ullmann (4.) **5**, 651–684.

Amphetamin.

$H_5C_6-CH_2-CH-CH_3$
            $|$
            NH_2

Internat. Freiname für 1-Phenyl-2-propanamin (β-Phenylisopropylamin od. α-Methylphenethylamin), $C_9H_{13}N$, M_R 135,21. Amin-artig riechende, scharf schmeckende Flüssigkeit, D. 0,913, Schmp. 27 °C, Sdp. 200–203 °C, wenig lösl. in Wasser, lösl. in Alkohol, Ether, Säuren. A. ist ein α-*Sympathikomimetikum, das auf das ZNS anregend wirkt. Es wurde gegen Depressionen, *Fettsucht (in *Appetitzüglern) u. Müdigkeit (als *Weckamin u. Analeptikum) verwendet. A. untersteht in der BRD dem Betäubungsmittelgesetz, da die euphorisierende Wirkung *Sucht induzieren kann; es zählt heute zu den *Rauschgiften; z.Z. ist in der BRD kein A.-Präp. im Handel. Aufgrund seiner psychomotor. anregenden Wirkung ist A. auch zum *Doping mißbraucht worden, was sich z. B. durch enzymat. Analyse nachweisen läßt. In gleicher Weise wie A. wirken Derivate (*Amphetamine*) wie Amphetaminil, Methamphetamin u. Methylphenidat, während bei anderen ggf. *Halluzinogen-Effekte im Vordergrund stehen (DOM od. *STP); zu Nachw.-Verf. s. *Lit.*[1]. – *E* amphetamine – *F* amphétamine – *I* = *S* anfetamina
Lit.: [1] J. Chromatogr. Sci. **10**, 275–282 (1972).
allg.: Arzneimittelchemie I, 356–363 ▪ Beilstein E IV **12**, 2586 ▪ Handb. Exp. Pharmacol. **45**, 3–304 (1977) ▪ Handb. Psychopharmacol. **11**, 1–98 (1978) ▪ Science **218**, 487 (1982) ▪ Ullmann (5.) A **2**, 314–318. – *[HS 292149; CAS 156-34-3]*

Amphetaminil s. Amfetaminil.

Amphi- (von griech.: amphi = auf beiden Seiten). Veraltetes, heute durch systemat. Bez. ersetztes Präfix zur Kennzeichnung bestimmter Isomerenstrukturen, z. B. bei *Naphthalin die 2,6-Disubstitution, bei *Benzildioxim die (*E,Z*)-Konfiguration; s. a. ambi... – *E* = *F* amphi... – *I* = *S* anfi...

Amphibiengifte. Sammelbez. für ausschließlich der Verteidigung u. dem Schutz vor Mikroorganismen dienende *Toxine, die von Fröschen, Kröten, Lurchen etc. durch Hautdrüsen sezerniert werden. Zu den A. gehören einige der stärksten bekannten Gifte (*Batrachotoxin u. *Tetrodotoxin). Die chem. Zusammensetzung läßt kein einheitliches Prinzip erkennen; man findet unter den A. Steroide, Peptide, biogene Amine u. Alkaloide, vgl. Krötengifte u. Salamander-Alkaloide. – *E* amphibian venoms – *F* toxines des amphibiens – *I* veleni anfibi – *S* toxinas de los anfibios
Lit.: Habermehl, Gift-Tiere u. ihre Waffen, S. 125–144, Berlin: Springer 1994 ▪ Mebs, Gifttiere, S. 175–180, Stuttgart: Wiss. Verlagsges. 1992 ▪ Teuscher u. Lindequist, Biogene Gifte, Stuttgart: G. Fischer 1994.

Amphibole (griech.: amphibolos = zweideutig). Zu den Ino-*Silicaten zählende Mineral-Gruppe, deren Kristallstrukturen als Grundbausteine Doppelketten (*Bänder*) aus $[(Si,Al)O_4]$-Tetraedern (s. die Abb.) enthalten, auf die die vorherrschenden prismat., stengeligen, nadeligen u. faserigen Ausbildungen der Krist. u. Aggregate zurückzuführen sind.

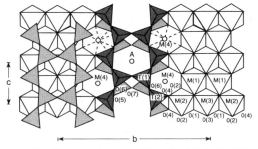

Abb.: Kristallstruktur eines monoklinen Amphibols, Projektion auf die b-c-Ebene (s. Kristallsysteme); nach *Lit.*[2] (S. 1054, Figur 2).

Chem. Zusammensetzung: Sie kann durch die *allg. Formel* $A_{0-1}B_2C_5[(OH,F)_2/T_8O_{22}]$ beschrieben werden. Die *A-Position* (Gitterplatz A in der Abb.) bleibt oft

Amphibolin®

Tab.: Nomenklatur u. Mineralzusammensetzungen der Amphibol-Gruppe.

Magnesium-Eisen-Mangan-Amphibole (rhomb. od. monoklin)		
Anthophyllit	$(Mg, Fe^{2+})_7[(OH, F)_2/Si_8O_{22}]$	rhomb.; weiß, grau, braun, grün
Gedrit	$(Mg, Fe^{2+})_5Al_2[(OH, F)_2/Si_6Al_2O_{22}]$	rhomb.; grauweiß, gelblichbraun
Cummingtonit	$(Mg, Fe^{2+}, Mn)_7[(OH)_2/Si_8O_{22}]$	monoklin; dunkelgrün, braun
Grunerit	$>70\% \ Fe_7[(OH)_2/Si_8O_{22}]$	monoklin; grau, bräunlichgrün, braun
Calcium-Amphibole (monoklin)		
*Tremolit	$Ca_2Mg_5[(OH, F)_2/Si_8O_{22}]$	farblos, weiß, grau
Aktinolith	$Ca_2(Mg, Fe^{2+})_5[(OH, F)_2/Si_8O_{22}]$	blaß- bis dunkelgrün
*Hornblenden	$(Na, K)_{0-1}(Ca, Na)_2(Mg, Fe^{2+}, Fe^{3+}, Al)_5[(OH, F)_2/(Si, Al)_2Si_6O_{22}]$	grün bis schwarz
Edenit	$NaCa_2(Mg, Fe)_5[(OH)_2/Si_7AlO_{22}]$	grau, bläulichgrün, schwarz
Pargasit	$NaCa_2(Mg, Fe)_4Al[(OH)_2/Si_6Al_2O_{22}]$	dunkelgrün
Natrium-Calcium-Amphibole (monoklin)		
Richterit	$NaCaNaMg_5[(OH)_2/Si_8O_{22}]$	hellbraun bis sattgelb
Alkali-Amphibole (monoklin)		
Glaukophan	$Na_2(Mg, Fe)_3Al_2[(OH)_2/Si_8O_{22}]$	blau, dunkel- bis schwarzblau
Riebeckit	$Na_2(Mg, Fe^{2+})_3Fe_2^{3+}[(OH)_2/Si_8O_{22}]$	blauschwarz
Arfvedsonit	$Na_3Fe_4^{2+}(Al, Fe^{3+})[(OH)_2/Si_8O_{22}]$	blauschwarz

unbesetzt od. wird von Na^+ od. K^+ besetzt. Die *Position B* auf den 6- bis 8fach koordinierten *M(4)-Plätzen* (s. Abb.) kann von Na^+, Ca^{2+}, Mg^{2+}, Fe^{2+} u. auch von Mn^{2+} u. Li^+ (s. dazu Lit.[1]) eingenommen werden; die *Position C* können Mg^{2+}, Fe^{2+}, Mn^{2+}, Al^{3+}, Fe^{3+}, Zn^{2+}, Cr^{3+} u. Ti^{4+} auf den oktaedr. (6fach) koordinierten Gitterplätzen *M(1), M(2), M(3)* einnehmen; Si^{4+} auf den Tetraeder-Positionen *T(1)* u. *T(2)* kann z. T. durch Al^{3+} ersetzt werden, s. dazu Lit.[2] $(OH)^-$ kann durch F^-, Cl^- (s. dazu Lit.[3]) u. auch O^{2-} z. T. ersetzt werden. Zur Kristallchemie der A. s. Lit.[4]

Nomenklatur, Minerale: In der älteren Lit. werden *(ortho-)rhomb. A.* (Ortho-A., Kristallklasse mmm-D_{2h}) u. *monokline A.* (Klino-A., Kristallklasse 2/m-C_{2h}) unterschieden; nach Lit.[5] werden die A. heute nach den vorherrschenden Kationen auf den B-Positionen eingeteilt, s. die Tabelle. Als *A.-*Asbest ausgebildete faserige Abarten gibt es von Anthophyllit, Grunerit (*Amosit*), Tremolit, Aktinolith u. dem Riebeckit nahestehenden *Krokydolith* (*Krokydolith-Asbest, Blauasbest*).

Vork.: Verbreitet in *magmatischen u. *metamorphen Gesteinen; z. T. gesteinsbildend, z. B. in den dunkelgrünen bis schwarzen, Hornblende u. Plagioklas (*Feldspäte) als Hauptbestandteile enthaltenden (metamorphen) *Amphiboliten* u. den im Bereich der *Hochdruckmetamorphose auftretenden, Glaukophan als Hauptbestandteil enthaltenden, tiefblauen bis grünlichblauen *Glaukophanschiefer* (Glaukophanite, Blauschiefer). – *E = F* amphiboles – *I* anfiboli – *S* anfiboles

Lit.: [1] Am. Mineral. **78**, 733–745 (1993); **79**, 443–451 (1994). [2] Eur. J. Mineral. **7** 1049–1063 (1995). [3] Am. Mineral. **78**, 746–752 (1993). [4] Fortschr. Mineral. **57**, 28–67 (1979). [5] Am. Mineral. **63**, 1023–1052 (1978).

allg.: Deer et al., S. 223–275 ▪ Matthes, Mineralogie (4.), S. 125–129, Berlin: Springer 1993 ▪ Ramdohr-Strunz, S. 371 ff., 725–733 ▪ Veblen (Hrsg.), Amphiboles and other Hydrous Pyriboles – Mineralogy (Reviews in Mineralogy, Vol. 9 A), Washington (D.C.): Mineralogical Society of America 1981 ▪ Veblen u. Ribbe (Hrsg.), Amphiboles, Petrology and Experimental Phase Relations (Reviews in Mineralogy, Vol. 9 B), Washington (D.C.): Mineralogical Society of America 1982.

Amphibolin®. Fassadenfarbe u. hochstrapazierfähige Innenfarbe auf der Basis von wäss. Polyacryl- u. Polymethacryl-Mischpolymerisat-Dispersion. *B.:* Caparol.

Amphibolit s. Amphibole.

Amphipathische Helix (amphiphile Helix, Plural: a. Helices). In der Biochemie versteht man unter a. H. eine α-*Helix, die sowohl *hydrophile als auch *lipophile Eigenschaften hat. In der *Aminosäure-Sequenz der a. H. wiederholen sich alle 3–4 Aminosäure-Reste, d. h. bei einem Umlauf der Peptid-Kette um die Helix, die Eigenschaften der Aminosäure-Seitenketten, u. zwar in der Weise, daß auf gegenüberliegenden Längsseiten der a. H. Seitenketten entgegengesetzter Polarität (Hydrophilie/Lipophilie) hervorstehen. *Proteine, die a. H. enthalten, sind meist mit *Lipiden assoziiert, wie Apolipoproteine (s. Lipoproteine), bestimmte Polypeptid-Hormone (z. B. *Glucagon), -Gifte (z. B. *Melittin) u. -Antibiotika sowie Membran-Proteine. Andere a. H. beteiligen sich an intra- u. intermol. Protein-Protein-Wechselwirkungen. So erkennt z. B. *Calmodulin a. H. in Proteinen, die es bindet[1]. *Signalpeptide für mitochondrialen Import bestehen ebenfalls aus a. Helices[2]. – *E* amphipathic helix – *F* hélice amphipathique – *I* elice anfipatica – *S* hélice anfipática

Lit.: [1] Trends Biochem. Sci. **15**, 59–64 (1990). [2] Alberts et al., Molekularbiologie der Zelle, 3. Aufl., S. 671 f., Weinheim: VCH Verlagsges. 1995.
allg.: J. Lipid Res. **33**, 141–166 (1992) ▪ Proteins **8**, 103–117 (1990).

Amphiphil (von *amphi-). Adjektiv. Bez. für Mol., die sowohl *hydrophile als auch *lipophile Eigenschaften besitzen; *Beisp.:* *Tenside. – *E* amphiphilic – *F* amphiphile – *I = S* anfifilo

Amphiprotisch (von *amphi-). Von Brønsted[1] eingeführter Begriff, der synonym zu *amphoter verwendet wird. A. Lsm. sind solche, die Protonen sowohl aufnehmen als auch abgeben können. – *E* amphiprotic – *F* amphiprotique – *I* anfiprotico – *S* anfiprótico

Lit.: [1] Ber. Dtsch. Chem. Ges. **61**, 2049 (1928).

Amphisept®. Alkohol. Einreibepräp. auf der Basis von Ethylalkohol zur hygien. u. chirurg. Hände-Desinfektion. *B.:* Th. Goldschmidt AG.

Amphisilan®. Weiße, matte Fassadenfarbe auf Siliconharz-Basis. *B.:* Caparol.

Amphocerin®. Grundlage für Cremes u. Salben vom Typ W/O; Emulgator für Cremes u. Salben vom Typ W/O mit gutem Anschmelzvermögen. Gemisch aus Wachsestern u. höhermol. Fettalkoholen. *B.:* Henkel.

Ampholyte. Von *ampho*tere Elektro*lyte* abgeleitete Bez. für Verb., die sowohl saure als auch bas. hydrophile Gruppen besitzen u. sich also je nach Bedingung sauer od. bas. verhalten. A. auf der Basis von aliphat. Polyaminen mit Carboxy-, Sulfo- od. Phosphono-Seitenketten dienen z. B. als Träger bei der *Elektrophorese, andere [*Beisp.:* R–NH–(CH$_2$)$_n$–COOH] in der Kosmetik als *Amphotenside. – *E = F* ampholytes – *I* anfoliti – *S* anfolitos
Lit.: vgl. Amphotenside.

Ampho-Moronal®. Creme, Lutschtabl., Tabl. u. Suspension mit *Amphotericin B sowie A. Salbe (enthält zusätzlich Triamcinolonacetonid) gegen Candida-Mykosen. *B.:* Heyden

Amphotenside. Sammelbez. für eine auch *amphotere od. amphotyt. *Tenside genannte Stoffgruppe mit mehreren funktionellen Gruppen, die in wäss. Lsg. ionisieren können u. dabei – je nach Bedingungen des Mediums – den Verb. anion. od. kation. Charakter verleihen [vgl. DIN 53900 (07/1972)]. In der Nähe des *isoelektrischen Punktes (um pH 4) bilden die A. innere Salze, wodurch sie in Wasser schwer- od. unlösl. werden. A. werden in *Ampholyte u. *Betaine unterteilt, wobei letztere in Lsg. als *Zwitterionen vorliegen[1]. In der kosmet. Ind. spielen insbes. A. vom Betain-Typ als Netz-, Schaum- u. Emulgiermittel eine Rolle, während ihrer Anw. in *Waschmitteln der hohe Preis entgegensteht. Einige Anw. zeichnen sich darüber hinaus durch bakterizide Eigenschaften aus. – *E* amphoteric tensides – *F* tensioactifs amphotères – *I* anfotensioattivi – *S* tensioactivos anfóteros
Lit.: [1] J. Soc. Cosmet. Chem. **11**, 13 f. (1960). *allg.:* Falbe, Surfactants in Consumer Products, S. 114 f., Berlin: Springer 1987 ■ Seifen, Öle, Fette, Wachse **108**, 373 f. (1982) ■ Ullmann **22**, 497 ■ Winnacker-Küchler **7**, 128 ■ vgl. a. Tenside, Betaine. – [HS 3402 19]

Amphoter (von griech.: amphoteros = beiderlei). Mit *amphiprotisch synonyme Bez. für die Eigenschaft von Stoffen, sowohl *Akzeptor als auch *Donator für Protonen zu sein; *Beisp.:* *Aluminiumhydroxid:

$$Al^{3+} + 3 OH^- \rightleftarrows Al(OH)_3 \rightleftarrows AlO_3^{3-} + 3 H^+.$$

A. Stoffe verhalten sich demnach gegenüber stärkeren Säuren wie Basen, gegenüber stärkeren Basen wie Säuren. A. sind auch die Hydroxide u./od. Oxide von As, Cr, Cu, Mn, Pb, Sb, Sn, Ti, Zn u. die Aminosäuren ($2 H_2N$–R–COOH $\rightleftarrows H_3N^+$–R–COOH + H_2N–R–COO$^-$). Vereinigt die Aminosäure die a. Eigenschaften im gleichen Mol., spricht man vom *Zwitterion. Nach einer Definition von Gauguin[1] sind allg. alle Substanzen a., die gleichzeitig als *Donator u. *Akzeptor reagieren können. Deshalb spricht man (selten) auch von a. *Halbleitern; s. a. Ampholyte u. Amphotenside. – *E* amphoteric – *F* amphotère – *I* anfotero – *S* anfótero
Lit.: [1] Anal. Chim. Acta **2**, 175–204 (1948).

Amphoterge®. *Amphotenside von Lonza.

Amphotericin B.

Internat. Freiname für eine zu den *Makroliden u. den *Polyenen gehörende Verb., $C_{47}H_{73}NO_{17}$, M_R 924,09, aus Kulturlsg. von *Streptomyces nodosus*. Gelbe Krist., Schmp. >170 °C (Zers.), in Wasser unlösl., in Säuren, Laugen u. als Desoxycholsäure-Natriumsalz lösl., LD$_{50}$ (Maus i.p.) 88, (Maus i.v.) 4 mg/kg. Das Grundgerüst des A. ist ein 38-gliedriger, siebenfach ungesätt. Lacton-Ring mit Methyl- u. Hydroxy-Substituenten, einer Carboxy-Gruppe u. einem glykosid. gebundenen Aminozucker. A. wirkt als Antimykotikum insbes. gegen *Candida*-Arten (eine Gruppe von Wuchs-*Hefen), kann ggf. aber auch nephrotox. Nebenwirkungen haben. Es wurde 1959 von Olin Mathieson patentiert u. ist von Bristol Myers Squibb (Ampho-Morona®) im Handel. – *E* amphotericin B – *F* amphotéricine B – *I = S* anfotericina B
Lit.: ASP ■ Florey **6**, 1–42 ■ Hager (5.) **7**, 237 ■ Pharm. Unserer Zeit **5**, 161–169 (1976) ■ Ullmann (5.) **A 2**, 532; **A 3**, 78. – [HS 294190; CAS 1397-89-3]

Ampicillin.

Internat. Freiname für das partial-synthet. Penicillin-Derivat 6-[D-(–)-Amino-phenylacetamido]-penicillansäure, $C_{16}H_{19}N_3O_4S$, M_R 349,40; Zers. bei 199–202 °C; $[\alpha]_D^{23} +287,9°$ (H$_2$O); Monohydrat: 202 °C; $[\alpha]_D^{21} +281°$ (H$_2$O); Sesquihydrat: 199–202 °C; $[\alpha]_D^{20} +283,1°$ (H$_2$O); L(+)-Form: 205 °C; $[\alpha]_D^{20} +209°$ (c 0,2/H$_2$O); außerdem werden das Natrium- u. Kaliumsalz verwendet. Es wurde 1961 als erstes Derivat der 6-Aminopenicillansäure, das auch gegen zahlreiche Gram-neg. Bakterien wirksam ist, als Breitspektrum-Antibiotikum von Beecham patentiert. Es gibt viele weitere Patente zu Herstellungsverf. u. Salzen; heute ist A. generikafähig.
Anw.: Bei Infektionen der Atem-, Harn- u. Gallenwege, bei Otitis media, Pertussis u. A.-empfindlichen Septikämien. Nicht wirksam ist A. gegen Penicillinase-bildende Keime, aber es ist säurestabil u. kann deshalb oral gegeben werden. Allerdings beträgt die Resorptionsrate bei oraler Gabe durch Ionisierung im Darm nur ca. 40%, daher hat man Prodrugs (z. B. *Bacampicillin, ein Ethoxycarbonyloxyethyl-ester u. *Pivampicillin, ein Pivaloyloxymethyl-ester) entwickelt, die fast vollständig resorbiert u. schnell in A. u. Ester gespalten werden. Das A.-Derivat *Amoxicillin, das eine zusätzliche phenol. Hydroxy-Gruppe hat, weist eine viel höhere Resorptionsquote auf u. sollte deshalb bei oraler Gabe dem A. vorgezogen werden.

Amplifikation

– *E* ampicillin – *F* ampicilline – *I* ampicillina – *S* ampicilina
Lit.: ASP ▪ DAB 10 ▪ Florey 2, 1–61 ▪ Hager (5.) 7, 240–246.
– *[CAS 7177-48-2 (Trihydrat); 69-52-3 (Natriumsalz); 23277-71-6 (Kaliumsalz)]*

Amplifikation. Bez. für die Erhöhung der *Gendosis in Zellen durch Produktion zusätzlicher Kopien von Gensequenzen od. *Plasmiden. A. kann erreicht werden durch spezielle Wachstumsbedingungen, z. B. in sich schnell vermehrenden Bakterienzellen im Bereich des Replikationsursprungs (s. Origin of replication, ori), bei Stämmen mit bes. ausgeprägter *Induktion, die längere Zeit unter selektiven Bedingungen gezüchtet werden, v. a. durch *Klonieren von Genen auf Multicopy-*Plasmiden. Bis zu 2000 Plasmid-Kopien pro Zelle können durch die *Chloramphenicol-A. erzielt werden: In Ggw. von Inhibitoren der Protein-Synth., wie Chloramphenicol od. *Spectinomycin, stoppt die Replikation der chromosomalen *DNA, da instabile Proteine permanent nachsynthetisiert werden müssen, während die *Replikation bestimmter Plasmide weiterläuft. – *E* = *F* amplification – *I* amplificazione – *S* amplificación
Lit.: J. Bacteriol. **138**, 270 (1979) ▪ Microbiol. Rev. **47**, 231 (1983) ▪ Symp. Soc. Gen. Microbiol. **31**, 49 (1981) ▪ Timmis u. Pühler, Plasmids of Medical, Environmental and Commercial Importance, S. 459–470, Amsterdam: Elsevier 1979.

Ampropylfos. Common name für (*RS*)-1-Aminopropylphosphonsäure.

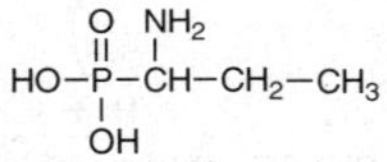

$C_3H_{10}NO_3P$, M_R 139,09, Schmp. 264–270 °C, LD_{50} (Ratte oral) >5000 mg/kg, von Rhône-Poulenc 1990 eingeführtes *Fungizid gegen Pilzerkrankungen im Getreide. – *E* = *F* ampropylfos – *I* = *S* ampropilfos
Lit.: Perkow. – *[CAS 16606-64-7]*

Ampullen (von latein: ampulla = Salbenfläschchen). Bez. für kleine, zugeschmolzene Glasgefäße zur sterilen Aufbewahrung von Arzneimitteln, die zur *Injektion bestimmt sind. Die Einschnürung am Hals weist häufig eine Bruchrille auf; das Füllvolumen liegt zwischen 1 u. 30 ml. An das Glas werden bestimmte Voraussetzungen gestellt, s. die *Lit.*; A. wurden 1886 von Limousin eingeführt. – *E* = *F* ampoules – *I* ampolle – *S* ampollas
Lit.: DAB 10 (Allg. Tl., VI.2.1 Glasbehältnisse) ▪ Sucker et al., Pharmazeutische Technologie, Stuttgart: Thieme 1991 ▪ Voigt, Pharmazeutische Technologie, S. 459–465, Berlin: Ullstein Mosby 1995.

AMRA®. Oberflächenschutz- u. Gleitmittel, flüssig; verhindert Verkratzen od. Abreiben lackierter Erzeugnisse; lufttrocknende Lacke u. Einbrennlacke werden verbessert. *B.*: Langer & Co.

Amrinon.

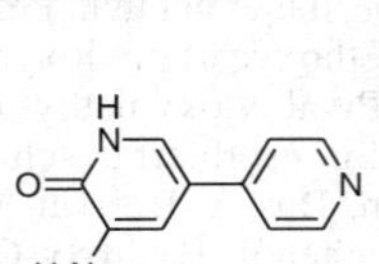

Internat. Freiname für 5-Amino-3,4′-bipyridin-6(1*H*)-on, $C_{10}H_9N_3O$, M_R 187,20, Zers. bei 294–297 °C. Es wurde als Phosphodiesterase-Hemmer mit pos. inotroper u. vasodilatator. Wirkung 1977 von Sterling Drug patentiert u. ist von Sanofi-Winthrop (Wincoram®) im Handel. – *E* = *F* = *I* amrinone – *S* amrinona
Lit.: ASP ▪ Hager (5.) **7**, 247–249 ▪ Life Sci. **22**, 1139–1148 (1978). – *[HS 2933 79; CAS 60719-84-8]*

AMS s. Ammoniumsulfamat.

Amsacrin.

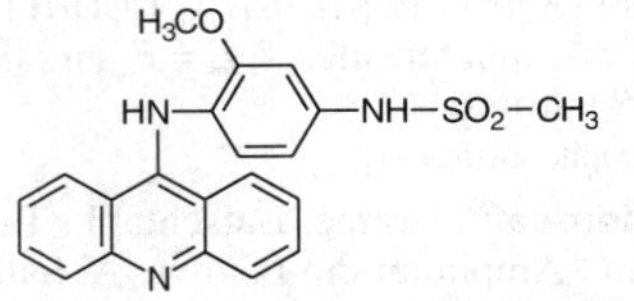

Von der WHO vorgeschlagener Freiname für *N*-[4-(9-Acridinylamino)-3-methoxyphenyl]methansulfonamid, $C_{21}H_{19}N_3O_3S$, M_R 393,46. Es wurde 1975 von B. F. Cain et al. als Cytostaticum entwickelt. Es ist von Goedecke (Amsidyl®) im Handel. Verwendet werden auch das Hydrochlorid: Schmp. 197–199 °C, LD_{50} (Maus) 60 mg/kg, u. das Methansulfonat, Schmp. 292–293 °C, LD_{50} (Maus) 24 mg/kg. – *E* = *F* amsacrine – *I* = *S* amsacrina
Lit.: Hager (5.) **7**, 250 ▪ Pharmacother. **5**, 78–90 (1985). – *[HS 2935 00; CAS 54301-15-4]*

Amsidyl®. Infusionslsg. mit *Amsacrin gegen akute myeloische u. lymphat. Leukämie. *B.*: Gödecke.

amu. Abk. für engl. *atomic mass unit* (Atommassenkonstante); s. Atomgewicht. 1 amu = 1,6605402 · 10^{-27} kg.

Amuno®. Kapseln, Suppositorien, Gel u. Suspension mit *Indometacin gegen Gelenkerkrankungen u. zur Schleimhautabschwellung, A. M. zusätzlich mit Magnesiumhydroxid u. Aluminiumhydroxid-Magnesiumcarbonat-Trockengel. *B.*: MSD, Sharp & Dohme

Amycine (Niphimycine, Scopafungine). Analoge des Polyen-Typ-Antibiotikums Scopafungin, isoliert aus *Streptomyces* sp.

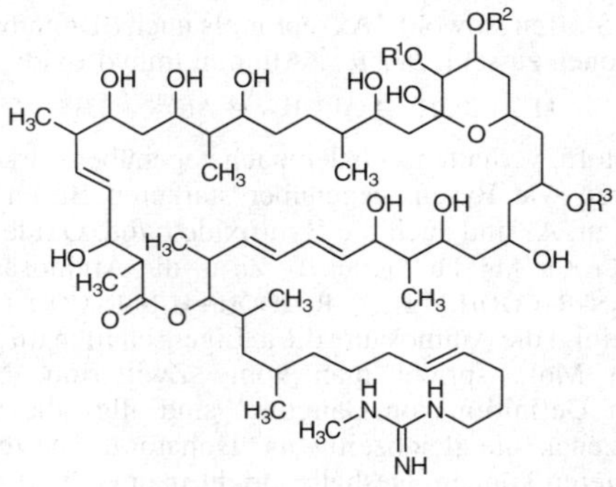

Amycin A (R^1 od. R^2 u. R^3 = CO–CH$_2$–COOH): 18 (od. 19)-*O*-Carboxyacetyl-scopafungin, $C_{62}H_{105}N_3O_{21}$, M_R 1228,52. Die Substanz bildet einen farblosen Schaum, die Position einer der Carboxyacetyl-Gruppen ist nicht gesichert. A. A ist antimikrobiell wirksam gegen Gram-pos. Bakterien.

Amycin B (R^1, R^2, R^3 = H): 23-*O*-De(carboxyacetyl)-scopafungin, C$_{56}$H$_{101}$N$_3$O$_{15}$, M$_R$ 1056,43. Die Substanz bildet einen farblosen Schaum. A. B ist antimikrobiell wirksam gegen Gram-pos. Bakterien u. Pilze. – *E* amycins – *F* amycine – *I* amicine – *S* amicina
Lit.: J. Antibiot. **43**, 639–647 (1991). – *[HS 294190; CAS 116296-63-0 (A. A); 129313-99-1 (A. B)]*

Amygdalin (Mandelsäurenitril-gentiobiosid).

C$_{20}$H$_{27}$NO$_{11}$, M$_R$ 457,43, [α]$_D$ –40,6° (H$_2$O). Als Trihydrat (orthorhomb. Säulen) schmilzt A. bei 200 °C, in wasserfreier Form bei 220 °C; in siedendem Wasser u. Ethanol ist es leicht löslich. Das Glykosid A. (Name von griech. amygdalis = Mandelkern) findet sich v. a. in den Kernen von bitteren Mandeln u. den Kernen vieler Steinobstsorten (Aprikosen, Kirschen, Pflaumen, Pfirsichen), aber auch in Äpfeln. Durch verd. Säuren wird A. in zwei Mol. Glucose, Benzaldehyd u. Blausäure gespalten. Die gleiche Spaltung tritt auch ein, wenn man die Amygdalin-haltigen Pflanzenteile mit Wasser vermischt an der Luft stehen läßt, denn das Enzym *Emulsin bewirkt die obige Spaltung ebenfalls, wenn auch stufenweise: Zunächst spaltet das im Emulsin enthaltene Enzym *Glucosidase A (A.-Lyase, Amygdalase) einen Glucose-Rest ab, dann erst spalten die Enzyme *Glucosidase B u. Hydroxynitrilase (Prunase) das Restmol. in die oben genannten Bestandteile. Der im Boden entstehende Benzaldehyd wirkt z. B. auf die Keimung von Pfirsichen als *Hemmstoff. Neben dem schon 1930 entdeckten A. gibt es noch eine große Anzahl ähnlicher sog. cyanogener Glykoside, die bei Hydrolyse Blausäure freisetzen können.
Analytik: A. wird über das freisetzbare Cyanid bestimmt[1,2]. Der bei der Hydrolyse aus A. freigesetzte Benzaldehyd ist wegen seiner Aromaeigenschaften ein Qualitätsmerkmal für Steinobstsäfte u. Steinobstbranntwein (s. Spirituosen). *RSK-Werte für Sauerkirschensaft max. 5 mg HCN/kg Gesamtsäure; bei Steinobstbranntwein ist die Blausäure des A. an der Bildung von Urethan (Ethylcarbamat) beteiligt[3]. – *E* amygdalin – *F* amygdaloside – *I* = *S* amigdalina
Lit.: [1] J. Assoc. Off. Anal. Chem. **67**, 188ff. (1984). [2] Acta Chem. Scand., Ser. B **37**, 739ff. (1983). [3] Schweiz. Z. Obst-Weinbau **122**, 602–607 (1986).
allg.: Beilstein E V **17/8**, 118 ▪ Macholz u. Lewerenz, Lebensmitteltoxikologie, S. 217ff., Berlin: Akademie 1989 ▪ Merck-Index (11.), Nr. 629. – *[HS 293890; CAS 29883-15-6]*

Amyl... Veraltete Bez. für *Pentyl..., manchmal auch für *Isopentyl oder unspezifizierte C$_5$H$_{11}$-Reste; der Name leitet sich von griech.: amylon = Stärkemehl ab, da sich bei der Stärkegärung geringe Mengen Amylalkohol (s. Pentanole) bilden. Die meisten der in früheren Aufl. hier befindlichen Eintragungen sind jetzt unter dem systemat. Namen zu finden. – *E* = *F* amyl... – *I* amilico – *S* amil...

Amylacetat s. Essigsäurepentylester.

Amylalkohole s. Pentanole.

Amylasen (Diastasen, EC 3.2.1.1, 3.2.1.2 u. 3.2.1.3). Zu den *Hydrolasen gehörende Enzyme, die *Stärke (*Amylopektin u. *Amylose, vgl. die Abb. bei Stärke) u. *Glykogen entweder direkt od. über Dextrine zu Maltose u. Glucose abzubauen vermögen. Man unterscheidet zwischen α-, β- u. γ-A.; die beiden letzteren faßt man auch als saccharogene (verzuckernde) A. zusammen.
Außerdem zählt man A. zu den *Waschmittelenzymen, die durch Abbau des stärkehaltigen Schmutzes zur Reinigung von Textilien beitragen. A. werden – meist zusammen mit *Proteasen – auch in sog. niederalkal. Reinigern für das maschinelle Geschirrspülen eingesetzt.
α-A.: Die durch Chlorid-Ionen aktivierbaren α-A. (1,4-D-Glucan-4-Glucanohydrolasen), die im Mund (die A. des *Speichels wurde früher *Ptyalin* genannt) u. in Verdauungsdrüsen von Mensch u. Tieren, in Malz, Bakterien u. Pilzen vorkommen, spalten Stärke zunächst in größere Bruchstücke (*Dextrine), dann in *Oligosaccharide. Sie senken die Viskosität von Stärkelsg. (verflüssigende A., 1 g α-A. spaltet 3 t Stärke/h!). Die α-A. haben je nach Herkunft verschiedene M$_R$ (15 000–97 000), pH-Wirkungsbereiche (3,5–9), Temp.-Optima (45 bis 90 °C), Inaktivierungstemp. (60–100 °C) u. unterschiedliche Spaltprodukte. Die techn. aus Bakterien, Pilzen, Pankreasdrüsen u. gekeimtem Getreide (Malz) gewonnenen α-A. werden industriell in Waschmitteln, zur Entschlichtung von textilen Geweben u. zur Herst. von *Bier, Alkohol, Stärkesirup, Glucose u. Hefegebäck eingesetzt.
β-A.: Bei der Brot-, Bier- u. Alkohol-Herst. benötigt man auch die – nur in Pflanzen vorkommenden u. aus Mehl, Malz, Süßkartoffeln u. Sojabohnen isolierten – β-A. (1,4-D-Glucan-Maltohydrolasen), M$_R$ 50 000–210 000, die aus Stärke, rascher jedoch aus Dextrinen, Maltose freisetzen.
γ-A.: Während α- u. β-A. nur 1,4-glykosid. Bindungen zu spalten vermögen, trennt die aus Pilzen, Hefen od. Bakterien isolierbare sog. γ-A. (*Glucoamylase, Amyloglucosidase*, 1,4-D-Glucan-Glucohydrolase) auch 1,6-glykosid. Bindungen unter Freisetzung von D-Glucose. – *E* = *F* amylases – *I* amilasi – *S* amilasas – *[CAS 9000-85-5 (α-A.); 9000-91-3 (β-A.); 9023-08-0 (γ-A.)]*

Amylene s. Pentene.

Amylenhydrat s. Pentanole.

Amylin (Insel-Amyloid-Polypeptid, IAPP).

Lys–Cys–Asn–Thr–Ala–Thr–Cys–Ala–Thr–Gln–Arg–Leu–Ala–Asn–Phe–Leu–Val–His–Ser–Ser–Asn–Asn–Phe–Gly–Ala–Ile–Leu–Ser–Ser–Thr–Asn–Val–Gly–Ser–Asn–Thr–Tyr–NH$_2$

Aminosäure-Sequenz des Amylins (Mensch)

37 Aminosäure-Reste enthaltendes *Peptid (M$_R$ 3903,3), das zusammen mit *Insulin in den Langerhansschen Inseln der Bauchspeicheldrüse sezerniert wird. Wie das strukturverwandte *Calcitonin-Gen-zugehörige Peptid hemmt A. die *Glykogen-Synth. im Skelettmuskel. Beim Insulin-unabhängigen Diabetes mellitus kommt es zur Hypersekretion u. Ablagerung von A. als *Amyloid. – *E* amylin – *F* amyline – *I* = *S* amilina

Amyloglucosidase s. Amylasen.

Amyloid (griech.: stärkemehlartig). Von R. Virchow eingeführte Bez. für ein faseriges *Glykoprotein, das bei bestimmten Erkrankungen (Amyloidosen) extrazellulär in verschiedenen Organen des Körpers abgelagert wird. Es besteht aus ca. 10 nm dünnen, bis zu 1 μm langen, unverzweigten, aus Filamenten aufgebauten Fibrillen. Die chem. Zusammensetzung des A. ist je nach Form u. Entstehung der Amyloidose unterschiedlich. So ist eine mit AL (amyloid light chain) bezeichnete Form der N-terminalen Region des variablen Fragmentes der *Immunglobulin-Leichtkette homolog. Diese Proteine variieren in ihrem M_R zwischen 5000 u. 25 000. Weitere Formen sind das A. A (AA), ein Protein mit einem M_R von 8500, das aus 76 Aminosäuren besteht, das A. F, M_R 14 000, das als Präalbumin identifiziert wurde, A. E u. A. S, die jeweils bei unterschiedlichen Krankheiten gefunden werden konnten. Ein weiteres Protein mit einem M_R von 4000, das β-A., wird bei der *Alzheimerschen Krankheit in den befallenen Hirnregionen abgelagert. – *E* amyloid – *F* amyloïde – *I* = *S* amiloide
Lit.: Riede u. Schaefer, Allgemeine und spezielle Pathologie, S. 61–64, Stuttgart: Thieme 1995.

β-Amyloid-Vorläuferprotein (APP). In den Plasmamembranen (s. Cytoplasma) von Nervenzellen vorkommendes *Protein, das auch sezerniert wird. Aufgrund unterschiedlichen *Spleißens entstehen mind. fünf verschiedene Formen des APP mit 563–770 Aminosäure-Resten (AFP-563, APP-695, APP-714, APP-751 u. APP-770).
Funktion: Die biolog. Funktion ist unklar, obwohl u. a. folgende Einzeltatsachen bekannt sind: In Membrangebundener Form bildet es – ähnlich einem *Rezeptor – einen Komplex mit einem *G-Protein[1]. APP übt Einfluß auf das Nervenwachstum aus. In der extrazellulären Region, dem größten Teil des Membran-durchspannenden Mol., befindet sich eine Domäne mit der Aktivität eines Inhibitors für *Serin-Proteasen; die sezernierte Form des APP-751 ist ident. mit *Protease-Nexin II. Im C-terminalen Bereich befindet sich eine Gelatinase-Inhibitor-Domäne[2]. Außerdem besteht Ähnlichkeit des Amino-terminalen (extrazellulären) Bereichs mit Faktor XI_a der *Blutgerinnung. APP bindet das Heparansulfat (s. Heprin) der *Basalmembran.
Pathologie: Nach abnormaler proteolyt. Spaltung lagert sich ein hydrophobes 39–43 Aminosäure-Reste langes Spaltstück als *Amyloid-Peptid* (β-Amyloid-Protein, Aβ, βA4; M_R 4000) in extrazellulären Plaques im Gehirn von Patienten der *Alzheimerschen Krankheit ab. – *E* β-amyloid precursor protein – *F* protéine precurseur du β-amyloïde – *I* proteina precursore del β-amiloide – *S* proteína precursora de β-amiloide
Lit.: [1] Nature (London) **362**, 14f., 75–79 (1993). [2] Nature (London) **362**, 839–841 (1993).
allg.: Biol. Chem. Hoppe-Seyler **374**, 1–8 (1993) ▪ Cell **75**, 1039ff. (1993) ▪ FASEB J. **9**, 366–370 (1995) ▪ Trends Biochem. Sci. **19**, 42–46 (1994) ▪ Trends Neurosci. **16**, 403–409 (1993).

Amylopektin (Stärkegranulose). Hauptbestandteil der Stärke (vgl. die schemat. Abb. dort) mit einer Schwankung in Abhängigkeit von der betrachteten Pflanze von 1% (hybrid waxy maize) bis 85% (hybrid amylo maize), Kartoffeln ca. 22%, Reis 19% (Rest: *Amylose). A. ist in kaltem Wasser unlösl., quillt jedoch in heißem u. bildet einen *Kleister, der beim Abkühlen fest wird. A. ist ein stark verzweigtes *Polysaccharid mit M_R zwischen 10^7 u. $20 \cdot 10^7$. Infolge der α-1,6-glucosid. Bindungen zwischen den α-1,4-Glucopyranosyl-Mol. widersteht es weitgehend dem Angriff des Enzyms β-*Amylase, da es nur bis zu den sog. Grenzdextrinen spaltet (s. Dextrine). Die α-Amylase dagegen baut A. zu Maltose, Glucose u. Isomaltose ab. Mit Iod-Kaliumiodid-Lsg. (*Lugolsche Lösung) gibt A. eine braunviolette Färbung; im elektr. Feld wandert es dank eines geringen Gehalts an Phosphat-Gruppen (ca. 0,075% P) zur Anode. Zur Verw. s. Stärke. – *E* amylopectin – *F* amylopectine – *I* = *S* amilopectina
Lit.: Dempun Kagaku **33**, 80 (1986) ▪ Grisebach, Biochem. Plants Bd. 3, S. 171–197, New York: Academic Press 1980 ▪ Prog. Biotechnol. **1985**, 45–54, 55–60 ▪ Whistler u. BeMiller (Hrsg.), Industrial Gums (3.), S. 579ff., San Diego: Academic Press 1993. – [HS 391390; CAS 9037-22-3]

Amylose. Von *Amylopektin umhüllter Bestandteil der *Stärke, deren Gehalt an A. ca. 20–30% beträgt. A. ist wasserlösl. u. gibt mit Iod-Kaliumiodid-Lsg. (*Lugolsche Lösung) eine charakterist. Blaufärbung (Bildung von Einschlußverb., für das Eintreten der Färbung sind Iodid-Ionen in Spuren erforderlich, Bildung von I_5^--Ionen: $I – I \cdots I^- \cdots I – I$). Im Mol.-Aufbau unterscheidet sich A. von Amylopektin durch die unverzweigte Struktur, die einen Abbau zu Oligosacchariden sowohl durch α- wie durch β-*Amylase gestattet u. durch die schraubenförmige Konformation[1], die für die Bildung von *Einschlußverbindungen mit Alkoholen etc. verantwortlich ist. Das durchschnittliche M_R beträgt 50 000–150 000, nach anderen Angaben ca. 10^6. Zur Verw. s. Stärke. – *E* = *F* amylose – *I* amilosi – *S* amilosa
Lit.: [1] Brew. Dig. **54**, 32–43 (1979).
allg.: ACS Symp. Ser. **141**, 459–482 (1980) ▪ New Food Ind. **24**, 82 (1982) ▪ Römpp Lexikon Lebensmittelchemie, S. 52. – [HS 110819, 391390]

Amylum. Latein. Bez. für *Stärke, z.B. *A. oryzae* = Reisstärke, *A. tritici* = Weizenstärke.

Amyrine.

α-A. (Urs-12-en-3 β-ol), Schmp. 186 °C (Nadeln) u. β-A. (Olean-12-en-3 β-ol), Schmp. 197,5 °C (Nadeln), $C_{30}H_{50}O$, M_R 426,73, sind pentacycl. *Triterpene, die im Latex von Gummibäumen (in Form ihrer Acetate) vorkommen. Sowohl α-A. als auch β-A. besitzen das gleiche Grundgerüst, das man sich vom *Picen abgeleitet vorstellen kann; sie sind einfach ungesätt. Alko-

hole mit vier angulären Methyl-Gruppen u. 2 geminalen Methyl-Gruppen an Ring A. δ-A. (Schmp. 212,5 °C, zur Isolierung s. *Lit.*[1]) u. ε-A. (Schmp. 194–196 °C)[2] sind Doppelbindungsisomere des β-Amyrins. Das gesätt. Grundgerüst des α-A. wird *Ursan, das des β-A. *Oleanan genannt, s. a. Triterpene. – *E* amyrins – *F* amyrines – *I* amirine – *S* amirinas
Lit.: [1] Z. Naturforsch. Teil C **29**, 362 (1974). [2] Helv. Chim. Acta **28**, 209, 211 (1945).
allg.: Beilstein E III **6**, 2894 (ε-A.) u. E IV **6**, 4191 (α-A.), 4195 (β-A.), 4196 (δ-A.) ▪ Merck-Index (11.), Nr. 653 (α-A.) u. 654 (β-A.). – *Synth.:* J. Am. Chem. Soc. **94**, 8229 (1972). – *[CAS 638-95-9 (α); 559-70-6 (β)]*

…an. Suffix zur Kennzeichnung des gesätt. Charakters von offenkettigen u. cycl. Kohlenwasserstoffen (IUPAC-Regeln A-1, -11, -31.1, *Beisp.:* Pentan, Cyclooctan, Bicycloheptan), von anderen kovalenten Elementhydriden (IUPAC-Regeln R-2, *Beisp.:* Triazan, Disilazan) sowie zur Bez. für gesätt. monocycl. Heterocyclen (IUPAC-Regel R-2.3.3, vgl. heterocyclische Verbindungen, *Beisp.:* *Oxiran, Azepan). – *E* = *F* …ane – *I* = *S* …ano

ana (griech. = auf, hinauf, wider, gegen, entsprechend). In vielen Bedeutungen auftretender Wortbestandteil, s. die folgenden Beispiele. Auf ärztlichen Rezepten heißt „ana" (auch aa od. $\overline{aa}$), daß von jedem Bestandteil einer Mischung gleich viel genommen werden soll. Kursiv gesetzt, ist *ana*- ein veraltetes, heute durch systemat. Bez. ersetztes Präfix zur Kennzeichnung der 1,5-Disubstitution am *Naphthalin. – *E* = *F* = *I* = *S* ana

Anabasin [Neonicotin, 2-(3-Pyridyl)-piperidin].

$C_{10}H_{14}N_2$, M_R 162,23, D. 1,046, Schmp. 9 °C, Sdp. (101,1 kPa) 270–272 °C, n_D^{20} 1,5430, $[\alpha]_D^{20}$ –78° (c 1/Benzol), natürliche (S)-(–)-Form. Als Hauptalkaloid in *Anabasis amphylla* (Chenopodiaceae), jedoch auch in *Nicotiana*-Arten vorkommendes flüssiges *Tabak-Alkaloid. A. besitzt Nicotin-ähnliche Giftwirkung, ist lösl. in Wasser u. den meisten organ. Lsm. u. wird als Insektizid verwendet. – *E* = *F* anabasine – *I* = *S* anabasina
Lit.: Beilstein E V **23**, 96 f. ▪ J. Org. Chem. **54**, 4261 ff. (1989) (Synth.) ▪ Merck-Index (11.), Nr. 655 ▪ Sax (8.), Nr. AON 875. – *[HS 293990; CAS 13078-04-1]*

Anabiose (Kryptobiose, latentes Leben) s. abiotisch.

Anabolika. Von griech.: anabole = Aufwerfung abgeleitete Bez. für Stoffe, die im Organismus die Eiweiß-Synth. anregen (Anabolismus). Zur Anw. kommen im allg. *Androgenen, insbes. vom *Testosteron abstammende synthet. Steroide (*anabole Steroide*), bei denen die androgene Wirkung durch chem. Abwandlungen weitgehend unterdrückt ist. *Beisp.:* *Metenolon-acetat, *19-Nortestosteron-decanoat. A. werden therapeut. bei Eiweißmangelzuständen (durch Tumore, Osteoporose, Ernährung etc.) eingesetzt; in mißbräuchlicher, verbotener Weise auch von Leistungssportlern in der Trainingsphase (gilt beim Wettkampf als *Doping). Zum Einsatz von A. in der Nutztiermast s. *Lit.*[1]; ein veterinärmedizin. verwendetes *nichtsteroides A.* ist Zeranol. – *E* anabolic agents – *F* agents anaboliques – *I* anabolizzanti – *S* anabólicos
Lit.: [1] Chem. Labor Betr. **30**, 133–138, 182–190 (1979).
allg.: Anabolic Agents in Animal Production (Environm. Quality Safety Suppl. 5), Stuttgart: Thieme 1976 ▪ Arzneimittelchemie II, 268–272 ▪ Helwig-Otto II/31–49 ▪ s. a. Androgene.

Anacardsäure (2-Hydroxy-6-pentadecadienylbenzoesäure).

$H_3C-(CH_2)_{14}$ — [Struktur: Benzolring mit COOH und OH]

$C_{22}H_{32}O_3$, M_R 344,49, Schmp. 34–37 °C; Inhaltsstoff der *Cashew-Nuß (*Anacardium occidentale*, Steinfrucht, „Elefantenlaus"), gut lösl. in Alkohol, Ether u. Petrolether, unlösl. in Wasser. A. besitzt molluscizide u. antifung. Wirkung. – *E* anacardic acid – *F* acide anacardique – *I* acido anacardico – *S* ácido anacárdico
Lit.: J. Agric. Food Chem. **34**, 979 (1986) ▪ J. Liquid Chrom. **3**, 1497 (1980) ▪ Justus Liebigs Ann. Chem. **1995**, 2209–2220 (Synth.). – *[HS 291829]*

Anacidität (Subacidität) s. Acidität.

Anaconda-Verfahren s. Zink.

Anacyclin®. Antikonzeptionsmittel (Tabl.) mit *Lynestrenol u. *Ethinylestradiol. *B.:* Geigy, Pharma

Anämie (Blutarmut). Verminderung des Gehaltes an Blutfarbstoff (*Hämoglobin) u. roten Blutzellen (*Erythrocyten) im Blut, wobei die Hämoglobin-Konz. bei Männern 14, bei Frauen 12 g/dl unterschreitet. Die A. äußert sich u. a. durch Blässe, Müdigkeit, Herzklopfen bei Anstrengung u. Kopfschmerzen. Je nach Ursache unterscheidet man die A. durch verminderte Bildung der Erythrocyten von der durch vermehrten Zellabbau hervorgerufenen. Die häufigste Form der A. ist die *hypochrome A.* bei Eisenmangel (s. a. Hypochromie). Mit *Hyperchromie geht die sog. *perniziöse A.* einher, die bei atroph. *Gastritis durch fehlenden od. funktionell defekten *Intrinsic factor auftritt. A. durch vermehrten Abbau der Erythrocyten (*hämolyt. A.*) entstehen z. B. bei Milz-Vergrößerung, durch chem.-physikal. Einwirkungen, Enzym-Defekte u. instabile Hämoglobin-Formen. – *E* anemia – *F* anémie – *I* = *S* anemia
Lit.: Begemenn u. Rastetter, Klinische Hämatologie, Stuttgart: Thieme 1992 ▪ Siegenthaler, Differentialdiagnose innerer Krankheiten, Stuttgart: Thieme 1993.

Anaerobe Biologie. Verf. der *biologischen Abwasserbehandlung mittels *anaerobem Abbau. Insgesamt wird nur wenig Energie freigesetzt, die zu wenigen Prozent in die Biomassenproduktion einfließt; der größte Teil der Energie bleibt im gebildeten Methan gespeichert. In den letzten Jahren gewinnt die a. B. bei der Reinigung organ. hochbelasteter Abwässer aus der Lebensmittel-Ind., dem Brauereigewerbe u. der Zellstoff-Ind. größere Bedeutung. – *E* anaerobic biology – *F* biologie anaérobie – *I* biologia anaerobica – *S* biología anaerobia
Lit.: s. anaerober Abbau.

Anaerobe Klebstoffe. A. K. sind *Klebstoffe, die unter Luftabschluß u./od. in Ggw. von Metallen aushärten, in Anwesenheit von Sauerstoff aber unbegrenzt flüssig bleiben. Sie basieren meistens auf monomeren Dimethacrylsäureestern von Diolen, z. B. *Polyethylenglykolen, u. können zur Viskositätseinstellung Polymere u. für ein beschleunigtes Abbinden Initiatorsyst. enthalten. Ein bevorzugtes Anwendungsgebiet für a. K. ist u. a. die Schraubensicherung. – *E* anaerobic adhesives – *F* adhésifs anaérobes – *I* adesivi anaerobici – *S* adhesivos anaerobios
Lit.: Adhäsion **12**, 391 (1968) ▪ Encycl. Polym. Sci. Eng. **1**, 570f. ▪ Skeist, S. 560 ▪ Ullmann (4.) **14**, 243.

Anaerobe Kunststoffe. Als a. K. werden *Kunststoffe bezeichnet, die bei der Polymerisation von flüssigen Monomeren, z. B. Dimethacrylaten, unter anaeroben Bedingungen, d. h. in Abwesenheit von freiem Sauerstoff, gebildet werden (s. a. anaerobe Klebstoffe).
Lit.: Batzer **1**, 7.

Anaerober Abbau. Unter a. A. versteht man die Umwandlung organ. Stoffe durch Mikroorganismen (*Anaerobier) unter Sauerstoff-Ausschluß (*anaerobe Bedingungen*). Die Anaerobier verwenden an Stelle von Sauerstoff Verb. anderer Elemente in einer höheren Oxidationsstufe als terminalen Elektronen- od. H-Akzeptor. Werden Elektronen auf anorgan. Verb. (NO_3^-; NO_2^-; SO_4^{2-}; S; CO_3^{2-}) übertragen, spricht man von *anaerober Atmung*. Bei der Übertragung von Wasserstoff auf organ. H-Akzeptoren spricht man von *Gärung. Der Abbau organ. Stoffe zu *Kohlendioxid, *Methan u. Wasserstoff setzt sich aus vier Abbauphasen (s. Abb.) mit jeweils einer spezialisierten Bakteriengruppe (acidogene, acetogene, methanogene Bakterien) zusammen.
Unter Umweltbedingungen findet a. A. statt im Schlamm/Sediment eutropher Gewässer, dem Hypolimnion eutropher Seen, aber auch in Tierdärmen. Die auf diese Weise jährlich gebildete Menge von ca. 10^9 t Methan trägt als klimawirksames Spurengas zu ca. 20% zum sog. *Treibhauseffekt bei. Der a. A. findet Anw. bei der *Klärschlamm-Stabilisierung (auch als *Faulung* bezeichnet) u. zur Abwasserreinigung in der *anaeroben Biologie. Der a. A. kann durch verschiedene Ursachen gestört werden. Hierzu gehören v. a. die Giftwirkung von *Schwermetallen wie Kupfer, Chrom u. Nickel sowie von anderen Verb., Temp.-Änderungen u. pH-Abfall. – *E* anaerobic degradation – *F* dégradation anaérobie – *I* degradazione anaerobica – *S* degradación anaerobia (anaeróbica)
Lit.: ECETOC (Hrsg.), Techn. Rep. 28, Evaluation of Biodegradation, Brussels: ECETOC 1988 ▪ Korrespondenz Abwasser **37**, 1247–1251 (1990); **41**, 101–107 (1994) ▪ Mudrack u. Kunst, Biologie der Abwasserreinigung (3.), Stuttgart: Fischer 1991 ▪ Spektrum Wiss. **1990**, Nr. 9, 72–81.

Anaerobier. Anaerobier (Gegensatz *Aerobier) sind Organismen (einige endoparasit. lebende wirbellose Tiere, wie Spulwürmer, Leberegel, einige Pilze u. Bakterien), die unter Sauerstoff-Ausschluß (anaerobe Bedingungen) leben u. keinen mol. Sauerstoff als terminalen Elektronen-/H-Akzeptor verwenden. Unter anaeroben Bedingungen laufen viele spezielle Stoffwechselwege ab. Man unterscheidet nach den terminalen H-Akzeptoren zwischen *Gärungen* (Alkohol, Propionsäure, Milchsäure, Buttersäure, Methan-Bildung, Butandiol, Isopropanol), bei denen Wasserstoff auf organ. H-Akzeptoren, u. *anaeroben Atmungen*, bei denen die Elektronen auf anorgan. Verb. (NO_3^-; NO_2^-; SO_4^{2-}; S; CO_3^{2-}) übertragen werden:

$$8[H] + SO_4^{2-} \rightarrow H_2S + 2H_2O + 2OH^-$$

Obligate mikrobielle Anaerobier werden durch Sauerstoff geschädigt od. abgetötet, es bedarf deshalb spezieller Kultivierungsmethoden. Anaerobe Biotope in der Natur sind der Schlamm von Gewässern, Hypolimnion-Schichten von Seen u. Tierdärme. In der Technik findet man anaerobe Fermentationen bei der Faulgasgewinnung in der Abwassertechnik, bei der Alkohol- u. Carbonsäure-Produktion. – *E* anaerobes – *F* anaérobies – *I* anaerobi – *S* anaerobios
Lit.: Schlegel (7.), S. 267ff.

Anaerocult®. Präp. für die *Anaerobier-Anzucht in der Mikrobiologie. *B.:* Merck.

Anaerotest®. Teststäbchen zur Kontrolle der anaeroben Atmosphäre in der Mikrobiologie. *B.:* Merck.

Anästhesin®. Salbe, Puder, Suppositorien, Pastillen, Creme mit *Benzocain als Lokalanästhetikum. *B.:* Dr. Ritsert GmbH & Co. KG

Anaesthesulf® P. Lotion mit *Polidocanol u. Zinkoxid gegen Juckreiz insbes. bei nässenden Hauterkrankungen. *B.:* Dr. Ritsert GmbH & Co. KG

Anästhetika. Von griech. anaisthesia = Unempfindlichkeit abgeleiteter, wenig gebräuchlicher Oberbegriff für *Analgetika, *Lokalanästhetika u. *Narkotika; s. a. Schmerzmittel. – *E* an(a)esthetics – *F* anesthésiques – *I* anestetici – *S* anestésicos
Lit.: Arzneimittelchemie I, 196–220 ▪ Ullmann (5.) **A 2**, 289–301.

Anafranil®. Antidepressivum (Ampullen, Dragées) mit *Clomipramin. *B.:* Geigy, Pharma

Anagyrin (Monolupin, Rhombinin).

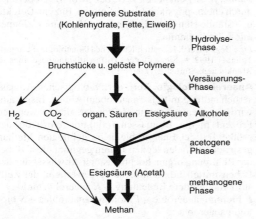

Abb.: Schema des mehrstufigen anaeroben Abbaus (nach Mudrack u. Kunst, *Lit.*).

$C_{15}H_{20}N_2O$, M_R 244,34, schwach gelbliches Gas, Sdp. (1,60 kPa) 260–270 °C, $[\alpha]_D^{25}$ –168° (c 5/C_2H_5OH), lösl. in Alkohol, Chloroform u. Wasser. Lupinan-Alkaloid aus den Samen von *Anagyris foetida* (Leguminosae). – *E* anagyrine – *F* angyrine – *I* = *S* anagirina
Lit.: Merck Index (11.), Nr. 660. – *[HS 2939 90]*

Analcim. $Na[AlSi_2O_6] \cdot H_2O$; zu den *Zeolithen gehörendes, gewöhnlich als kub. (Krist.-Klasse m3m-O_h; Struktur s. *Lit.*[1]) eingestuftes, aber auch tetragonales u. rhomb.[2], monoklines[3] od. triklines Mineral. Makroskop. kub., dem *Leucit ähnliche, meist farblose, weiße od. rosafarbige, glasglänzende Krist., radialstrahlige Aggregate u. körnige Massen; H. 5–5,5, D. 2,2–2,3. A. bildet *Mischkristalle mit *Wairakit*, $Ca[Al_2Si_4O_{12}] \cdot 2H_2O$.
Vork.: In verschiedener geolog. Umgebung u. danach weiter unterteilt[4]; z. B. in Südtirol, Island u. Schottland; in Nevada u. Wyoming/USA. Zur Diskussion, ob A. in *magmatischen Gesteinen prim. (*I-Typ-A.*) od. sek. durch Umwandlung von prim. Leucit (*X-Typ-A.*) entstanden ist, s. *Lit.*[5,6]. – *E* = *F* analcime, analcite – *I* analcime, analcite – *S* analcima
Lit.: [1] Z. Kristallogr. **135**, 240–252 (1972). [2] Am. Mineral. **63**, 448–460 (1978). [3] Z. Kristallogr. **184**, 63–69 (1988). [4] Eur. J. Mineral. **6**, 285–289 (1994). [5] Am. Mineral. **78**, 225–232 (1993). [6] Eur. J. Mineral. **6**, 627–632 (1994).
allg.: Deer et al. (2.), S. 515–519 ▪ Gottardi u. Galli, Natural Zeolites, S. 76–100, Berlin: Springer 1985 ▪ Lapis **5**, Nr. 10, 5–7 (1980). – *[CAS 1318-10-1]*

Analeptika. Von griech.: analambanein = wiederherstellen abgeleitete Bez. für anregende, wiederbelebende u. stärkende Arzneimittel, die über eine direkte od. reflektor. Stimulierung des ZNS Atmung, Blutkreislauf u. psych. Aktivität fördern. Sie werden heute nur noch in Ausnahmefällen verwendet. *Beisp.:* *Campher, *Lobelin, *Pentetrazol sowie *Coffein, *Amphetamine u. a. *Weckamine. Letztere sind häufig Bestandteile von *Appetitzüglern u. eher den *Psychoanaleptika* zuzuordnen (s. Psychopharmaka). In höheren Dosen führen A. zu Krämpfen. Die ebenfalls stark analept. wirkenden *Strychnin u. *Picrotoxin werden wegen ihrer hohen Toxizität nicht mehr als A. verwendet. – *E* analeptics – *F* analeptiques – *I* analettici – *S* analépticas
Lit.: Arzneimittelchemie I, 348–366 ▪ Ullmann (5.) **A 2**, 267.

Analgetika. Von griech.: an = nicht, ohne u. algedon = Schmerz abgeleitete Bez. für *Schmerzmittel, die Analgesie (Schmerzlosigkeit) hervorrufen. Durch ihren Angriffsort unterscheiden sie sich von *Anästhetika u. *Narkotika.
Man unterteilt die – früher auch Antineuralgika genannten – A. in die in ihrer Wirkung dem *Morphin ähnlichen starken A., die die Erregbarkeit der Schmerzzentren im ZNS dämpfen od. aufheben (Hypnoanalgetika), u. in die nicht-opioiden „kleinen" A., die auch *Antipyretika- u. *Antiphlogistika-Eigenschaften haben. Letztere hemmen die *Cyclooxygenase u. damit die körpereigene Synth. von Schmerzmediatoren (*Prostaglandine u. a.). Die Morphin-ähnlichen A.[1], zu denen neben *Opium-Alkaloiden u. deren Derivaten u. a. 4-Phenylpiperidin-Derivate (*Pethidin), 3,3-Diphenylpropylamin-Derivate (*Methadon), *Fentanyl-Derivate, *Tramadol u. *Nefopam gehören, können als ausgesprochene *Betäubungsmittel außer Atemdepression auch Euphorie u. Abhängigkeit (vgl. a. Sucht) erzeugen. Sie sind nämlich – ähnlich den körpereigenen *Endorphinen u. *Enkephalinen u. a. Opioidpeptiden – reine Agonisten an den Opiat-Rezeptoren. Zu Einzelheiten hinsichtlich ihrer verschiedenen Wirkkomponenten s. Opiate. Die Hoffnung, starke A. ohne Sucht-Potential zu entwickeln, hat sich bisher nicht erfüllt. Über Nachweismeth. für die narkot. A., bei denen ein Mißbrauch als Rauschmittel gegeben ist, s. *Lit.*[2].
Die analget. Wirkung der nicht-opioiden A. reicht für sehr starke Schmerzen nicht aus. Die wichtigsten Gruppen dieser A. sind Derivate der *Salicylsäure (z. B. *Acetylsalicylsäure), des Anilins (z. B. *Paracetamol), der Anthranilsäure (*Mefenaminsäure), des Pyrazols (*Metamizol, *Phenazon, *Propyphenazon) u. von (Hetero)arylessig- u. -propionsäuren (*Indometacin, *Diclofenac, *Ibuprofen, *Naproxen u. a.). Ihre Nebenwirkungen bestehen vorrangig in einer durch die Wirkungsweise bedingten Red. der Magenu. Darmschleimhaut-Protektion. Aus unterschiedlichen Gründen sind *Aminophenazon u. *Phenacetin in der BRD nicht mehr zugelassen. Letzteres ist in Kombinationspräp. häufig durch seinen Metaboliten Paracetamol ersetzt. – *E* analgesics – *F* analgésiques – *I* analgesici – *S* analgésicos
Lit.: [1] Pharm. Ztg. **137**, 87–103 (1993). [2] J. Chromatogr. Sci. **10**, 275–282 (1972).
allg.: Arzneimittelchemie I, 153–196 ▪ Mutschler (7.), S. 182–209 ▪ Ullmann (5.) **A 2**, 269–288 ▪ Zenz u. Jurna, Lehrbuch der Schmerztherapie, Stuttgart: Wissenschaftliche Verlagsges. 1993.

Analgin®. Ampullen u. Suppositorien mit *Metamizol-Natrium gegen starke Schmerzen. *B.:* Med phano.

Analogrechner. Rechenanlage, die mit kontinuierlich veränderlichen Größen arbeitet, indem mathemat. Zusammenhänge durch physikal. Vorgänge dargestellt werden; so werden z. B. viele mathemat. Operationen wie Addieren, Integrieren usw. in elektron. Schaltkreisen mit Operationsverstärkern realisiert[1]. In der Chemie macht man von A. Gebrauch zur Berechnung u. Simulation von Regelkreisen (s. Regelung); durch Signalumwandlung in *digitale* Daten läßt sich der Anwendungsbereich der A. erweitern (s. a. Datenverarbeitung). – *E* analog computer – *F* calculateur analogique – *I* calcolatore analogico – *S* ordenador analógico
Lit.: [1] Davidse, Analog Electronic Circuits, in Encycl. of Physical Science and Technology Bd. 1, S. 613, San Diego: Academic Press 1992 ▪ s. a. Datenverarbeitung.

Analysator s. optische Aktivität.

Analyse (von griech.: analysis = Auflösung). Im weitesten Sinne Bez. für die Zerlegung eines Ganzen in seine Teile. In der Chemie umfaßt der Begriff nicht nur die Bestimmung von Art u. Menge der Bestandteile eines Stoffes (s. analytische Chemie), sondern auch deren Abtrennung aus *Gemischen (s. Trennverfahren). Bedingt die A. zwar oft die Aufspaltung einer Verb. in einfachere Stoffe, so ist sie doch nicht der genau umgekehrte Vorgang der *Synthese, da ihr Ziel nicht die Gewinnung einfacherer Stoffe aus komplizierten,

Analysenlampe

sondern – zwar oft mittels dieses Prozesses – deren Aufklärung nach Art u./od. Menge ist. – *E* analysis – *F* analyse – *I* analisi – *S* análisis
Lit.: s. analytische Chemie.

Analysenlampe (Quarzlampe, UV-Lampe). Lichtquelle zur Erzeugung von *Ultraviolettstrahlung der Wellenlängen 254 nm u./od. 313 u. 366 nm; die dazu benötigte *Quecksilber-Dampflampe befindet sich in einem geschlossenen Gehäuse, das eine mit einem UV-durchlässigen Filterglas versehene Austrittsöffnung hat.
Verw.: Zur Sichtbarmachung ungefärbter, aber lumineszierender Substanzen in der Chromatographie (bes. in der *Dünnschichtchromatographie), in der forens. Chemie, zur Analyse von Geheimtinten, Edelsteinen etc. – *E* quartz lamp – *F* lampe de quartz – *I* lampada analitica – *S* lámpara de cuarzo

Analysenrein s. chemische Reinheit.

Analytische Chemie. Bez. für das Teilgebiet der reinen u. angewandten Chemie, das sich mit der Bestimmung von Art (qual. Analyse) u. Menge (quant. Analyse) der Bestandteile eines Stoffes od. Gemisches befaßt. Dazu werden im allg. Analysenverf. angewendet, die Probenahme, Probenvorbereitung, ggf. Stofftrennung u. Bestimmung beinhalten. Die Bestimmung kann mit chem. (chem. Analyse), physikal. (physikal. Analyse) u. auch biochem. (biochem. Analyse) Meth. erfolgen. Je nach Probemenge empfiehlt DIN 32630 (10/1994) die Verw. von Begriffen wie Makro-, Halbmikro-, Mikro- u. Submikroverfahren. Eine Liste der in der a.C. gebräuchlichen Trivialnamen für Reagentien etc. findet sich in *Lit.*[1]. – *E* analytical chemistry – *F* chimie analytique – *I* chimica analitica – *S* química analítica
Lit.: [1] Pure Appl. Chem. **50**, 339–370 (1978).
allg.: Bock, Methoden der Analytischen Chemie, Bd. 1: Trennmethoden, Tl. 1, 1974; Bd. 2: Nachweis- u. Bestimmungsmethoden, Tl. 1, 1980; Tl. 2, 1984; Tl. 3, 1987, Weinheim: Verl. Chemie ▪ Christian, Analytical Chemistry, New York: Wiley 1986 ▪ Latscha u. Klein, Analytische Chemie, Berlin: Springer 1984 ▪ Naumer u. Heller (Hrsg.), Untersuchungsmethoden in der Chemie, Einführung in die moderne Analytik, 2. Aufl., Stuttgart: Thieme 1990 ▪ Schwedt, Taschenatlas der Analytik, Stuttgart: Thieme 1992 ▪ Schwedt, Analytische Chemie, Stuttgart: Thieme 1995.

Ananas. Scheinfrucht der Bromeliaceae *Ananassa comosus*. Das farblose bis goldgelbe Fruchtfleisch schmeckt säuerlich-süßlich u. hat ein vorzügliches Aroma. A. kommt in Mittelamerika, Südafrika, Indonesien, Philippinen, Australien u. auf Hawaii vor. Das Fruchtfleisch der A. besteht aus 85,3% Wasser, 0,4% Eiweiß, 0,2% Fett, 0,2% Mineralsubstanz, 13,0% Kohlenhydraten (davon 11,9% Zucker), 0,72% Carbonsäuren (davon 87% Citronensäure, 13% Apfelsäure), 24 mg Vitamin C. An Enzymen enthält A. *Bromelain, ein Proteine-spaltendes Endopeptidasen-Gemisch (vgl. Peptidase), zu dessen Gewinnung die A. auch dient, sowie *Amylase, *Peroxidase, *Invertase. Die Färbung wird von *Carotin u. *Xanthophyll verursacht, wobei Carotin dominiert. In den flüchtigen Duftsubstanzen wurden ca. 60 Stoffe nachgewiesen. Als Hauptaromaträger erwiesen sich γ- u. δ-Lactone, 4-Allylphenol, 2-(Methylthio)-propionsäureester, bes. aber *Furaneol, ein Hydroxyfuranon; zur Zusammensetzung eines künstlichen A.-Aromas s. *Lit.*[1]. – *E* pineapple – *F* ananas – *I* ananasso, ananas – *S* ananás, piña americana
Lit.: [1] Hager **7b**, 34.
allg.: Braun-Frohne (5.) S. 18 ▪ Brücher, Tropische Nutzpflanzen, S. 297–313, Berlin: Springer 1977 ▪ Franke, Nutzpflanzenkunde, Stuttgart: Thieme 1992 ▪ Hager **3**, 73 ff. ▪ Pahlow, Das große Buch der Heilpflanzen, S. 378, 383, München: Gräfe & Unzer 1987. – [HS 0804 30]

Anaphorese s. Elektrophorese.

Anaphrodisiaka [Ant(i)aphrodisiaka]. Bez. für Präp. zur Dämpfung der Libido, die *Sedativa u. *Androgene (A. für Frauen) bzw. *Gestagene od. *Antiandrogene (A. für Männer) enthalten können. Bes. geeignet bei männlicher Hypersexualität ist *Cyproteron. Die Antiandrogene sind zudem potentielle Pharmaka zur Therapie von Prostatatumoren, von *Akne u. *Hirsutismus. – *E* anaphrodisiacs – *F* anaphrodisiaque – *I* anafrodisiaci – *S* anafrodisíacos
Lit.: Pharm. Unserer Zeit **17**, 33–50 (1988).

Anaphylaxie. Bez. für die sehr rasch auftretende allerg. Sofortreaktion Typ 1 nach Gell u. Coombs, s. a. Allergie.

Anaplerotische Reaktionen (von griech.: anaplerosis = Ergänzung). Bez. für *Auffüllungsreaktionen*, die für das Funktionieren von *Stoffwechsel-Cyclen notwendig werden können. Wenn z. B. Oxalessigsäure aus dem *Citronensäure-Cyclus für anderweitige biochem. Synth. abgezweigt wird, müssen a.R. für die Nachlieferung dieses wichtigen Intermediärproduktes sorgen. – *E* anaplerotic reactions – *F* réactions anaplérotiques – *I* reazioni anaplerotiche – *S* reacciones anaplerótícas

Anastrazol.

Internat. Freiname für 2,2′-[5-(1*H*-1,2,4-Triazol-1-ylmethyl)-1,3-phenylen]bis(2-methylpropionitril), $C_{17}H_{19}N_5$, M_R 293,37, Schmp. 81–82 °C. A. ist z. Z. als Aromatase-Hemmer zur Behandlung des Mammakarzinoms von Zeneca (Arimidex®) in der klin. Prüfung. – *E* anastrazole – *F* = *S* anastrazol – *I* anastrazolo
Lit.: Drugs of the Future **20**, 30 ff. (1995). – [CAS 120511-73-1]

Anatas. Eine der drei TiO_2-Modif. (vgl. Rutil), Krist.-Klasse 4/mmm-D_{4h}, Struktur s. *Lit.*[1]. Meist bipyramidale blauschwarze, honiggelbe, braune od. hyazinthrote tetragonale Krist. mit metallartigem bis fettigem Diamantglanz; H. 5,5–6, D. 3,8–3,9.
Vork.: Auf alpinen Klüften, z. B. Schweiz, Kärnten, Brasilien. Auch als Neubildung in Tonen, Sandsteinen u. Schiefern.
Verw.: Synthet. hergestellt für Weißpigmente, s. Titandioxid; als Katalysator. – *E* = *F* anatase – *I* anatasia – *S* anatasa

Lit.: [1] Acta Crystallogr., Sect. B **47**, 462–468 (1991).
allg.: Deer et al. (2.), S. 552f. ▪ Lapis **5**, Nr. 5, 5–7 (1980) ▪ Ramdohr-Strunz, S. 538. – [HS 261400; CAS 1317-70-0]

Anatexis s. Metamorphose.

Anatomische Präparate s. Konservierung.

Anatoxine.

Anatoxin a

Anatoxin a(s)

Von verschiedenen Stämmen des Cyanobakteriums *Anabaena flos-aquae* („Blaualgen") gebildete Toxine, die in offenen Gewässern häufig zur Vergiftung von Tieren führen.

1. *A. a* {1-(9-Azabicyclo[4.2.1]non-2-en-2-yl)ethanon}: $C_{10}H_{15}NO$, M_R 165,24, Öl, in der Natur kommt die (1R)-(+)-Form vor. Schmp. des N-Acetyl-Derivates 117–118 °C; ein Alkaloid aus *A. flos-aquae*. Das Neurotoxin A. tötet Mäuse innerhalb von 2 bis 5 min u. wird daher auch als Very Fast Death Factor (VFDF) bezeichnet, LD_{min} (Maus, i.p.) 0,25 mg/kg. Die Wirkung beruht auf einer Blockierung der postsynapt. Depolarisierung in Muskelzellen.

Synth.[1]: Aus L-Glutamin über ein 2,5-difunktionalisiertes Homotropan od. partialsynthet. durch Ringerweiterung von Cocain.

2. *A. a(s)* {(S)-2-Amino-4,5-dihydro-1-[(hydroxymethoxyphosphinyl)oxy]-N,N-dimethyl-1H-imidazol-5-methanamin}: $C_7H_{17}N_4O_4P$, M_R 252,21; zersetzt sich in bas. Lsg. u. langsam bei der Lagerung bei −20 °C. Es ist ein hochwirksames Neurotoxin [LD_{50} (Maus) 20–40 µg/kg], das die Cholin-Esterase hemmt[2]. Die Isolierung gelang aus kultivierten u. gesammelten Cyanobakterien durch Extraktion mit Ethanol/Essigsäure, Gelfiltration u. RP-HPLC. – *E* anatoxins – *F* anatoxine – *I* anatossine – *S* anatoxinas

Lit.: [1] J. Org. Chem. **54**, 4261, 4654 (1989); **55**, 5025–5033 (1990); J. Am. Chem. Soc. **111**, 8021 (1989); J. Chem. Soc., Chem. Commun. 1995, 831, 1461; Tetrahedron Asymmetry **3**, 1263–1270 (1992). [2] Toxicon **26**, 750 (1988).
allg.: Acta Chem. Scand. Ser. B **43**, 917 (1989) ▪ Beilstein E V 21/7, 269 (A.a.) ▪ Gazz. Chim. Ital. **123**, 329 (1993) ▪ J. Am. Chem. Soc. **111**, 8021–8023 (1989) ▪ Nachr. Chem. Tech. Lab. **39**, 159 (1990) ▪ Pharm. Unserer Zeit **23**, 301f. (1994) [Review zu A.-a(s)] ▪ Tetrahedron Lett. **36**, 8867 (1995) (abs. Konfig.). – [CAS 64314-16-5, 64285-06-9 (A. a); 103170-78-1 (A. a(s)]

Anaxagoras aus Klazomenai (500 vor Chr. – 428 vor Chr.), Naturphilosoph, der in Athen lehrte u. zum Freundeskreis von Perikles gehörte. In seinem Hauptwerk „Über die Natur" stellte er seine Auffassung dar, daß die Vielfalt an Erscheinungen nur durch Mischen u. Trennen von Teilchen entstehe, von denen es eine unendliche Anzahl gibt. Feuer, Wasser u. Erde entstehen dieser Auffassung zufolge durch Koagulation der Teilchen.

Lit.: Pötsch, S. 12.

Anbluten s. Ausbluten.

Ancamide. *Epoxidharz-*Härter der Air Products and Chemicals Inc. **B.:** Nordmann, Rassmann GmbH & Co.

Ancamine®. Epoxidharz-Härter u. Epoxy-Additive der Air Products and Chemicals Inc. **B.:** Nordmann, Rassmann GmbH & Co.

Ancarez®. Flexibilisierer für Epoxy-Syst. der Air Products and Chemicals Inc. **B.:** Nordmann, Rassmann GmbH & Co.

Anchimere Hilfe (von griech.: anchi = nahe bei u. meros = Teil). Von *Winstein geprägte Bez. für die Beobachtung, daß bestimmte nucleophile *Substitutionen (X → Y) schneller als erwartet u. unter Erhalt der Konfiguration ablaufen. Man spricht in diesem Zusammenhang von einem Nachbargruppen-Mechanismus (*Nachbargruppen-Effekt), der eine zweifache Substitution mit Inversion beinhaltet u. davon, daß die benachbarte Gruppe eine a. H. auf die Substitution ausübt. Wird die a. H. nicht von Atomen mit freiem Elektronenpaar (z. B. Z=O), sondern von einer C,C-Doppel- od. Einfachbindung bzw. einer C,H-Bindung ausgeübt, so wird die Zwischenstufe der Substitution als nichtklass. *Carbokation bezeichnet (z. B. 7-Norborneyl-Kation). A. H. bei radikal. ablaufenden Reaktionen ist ebenfalls möglich[1].

7-Norborneyl-Kation

Lit.: [1] Angew. Chem. **91**, 185–192 (1979).
allg.: Capon u. McManus, Neight Group Participation, New York: Plenum 1976 ▪ March (4.), S. 312–326.

Anchor®. Epoxidharz-Härter u. Beschleuniger der Air Products and Chemicals Inc. **B.:** Nordmann, Rassmann GmbH & Co.

Anchorin CII s. Annexine.

Anchosen. Erzeugnisse aus frischen, gefrorenen od. tiefgefrorenen Sprotten, Heringen od. anderen Fischen. Sie werden unter Verw. von Zucker, aus Erzeugnissen der Stärkeverzuckerung, u. mit Kochsalz, auch mit Gewürzen u. mit Salpeter biolog. gereift, od. auch sonst auf verschiedene Weise schmackhaft gemacht, z. B. süßsauer zubereitet. Sie sind mit Aufgüssen, Soßen, Cremes, Öl od. auch mit pflanzlichen Zutaten versehen, auch unter Verw. von *Konservierungsmitteln u. D-*Gluconsäure-5-lacton. A. werden hergestellt als:

– *Kräutersprotten (Anchovis)*, bestehend aus Sprotten, die mit Gewürzen gereift sind;

– *Appetitsild*, bestehend aus ausgenommenen, der Länge nach parallel zur Rückengräte geteilten, enthäuteten u., soweit wie techn. möglich, entgräteten Kräutersprotten;

– *Kräuterhering* u. *Matjesfilet* (Matjeshering), bestehend aus Hering, dessen Fettgehalt im verzehrbaren Anteil mind. 12% beträgt;

– *Heringsfilet nach Matjesart gesalzen*, bestehend aus Heringsfilets mit einem Fettgehalt im verzehrbaren Anteil von mind. 10%, die nach einem bes. Verf., unter Zusatz von Genußsäuren u. anderen Zutaten, hergestellt sind;
– *Graved Lachs* od. *Graved Makrele* etc., bestehend aus anderen Fischen, die mit Salz, Zucker u. Kräutern gereift sind.
Der Salzgehalt in A. beträgt weniger als 20% im Fischgewebewasser (weniger als 14% im Fischfleisch). Die Haltbarkeit der A. beträgt bei 2–8°C, je nach Produktart, 12–22 Wochen. – *E* sugar cured fish – *F* poissons traités avec sucre – *I* pesce in salamoia con zucchero – *S* pescado curado con azúcar

Anchusasäure s. Alkannin.

Ancistrocladus-Alkaloide. Gruppe von Naphthylisochinolin-Alkaloiden aus in trop. Regenwald in Afrika u. Asien vorkommenden Lianen der Gattungen *Ancistrocladus* (Ancistrocladaceae) u. aus *Triphyophyllum peltatum* (Dionchophyllaceae). Wichtigstes Alkaloid ist Ancistrocladin.

Ancistrocladin
1

Ancistrocladiddin
2

Ancistrocladisin
3

Ancistroclin
4

Ancistrotectorin
5

Tab.: Daten von Ancistrocladus-Alkaloiden.

Nr.	Summenformel	M_R	Schmp. [°C]	$[\alpha]_D$	CAS
1	$C_{25}H_{29}NO_4$	407.51	265–267	–20,5° (CHCl$_3$)	32221-59-3
2	$C_{25}H_{27}NO_4$	405.49	245–247	–149,7° (CHCl$_3$)	52659-52-6
3	$C_{26}H_{29}NO_4$	419.52	178–180	–16,1° (HCl/CHCl$_3$)	41787-65-9
4	$C_{26}H_{31}NO_4$	421.54	277–278	+61,7° (CHCl$_3$)	82189-88-6
5	$C_{26}H_{31}NO_4$	421.54	134–140	0° (CHCl$_3$)	98985-59-2

Ancistrocladidin zeigt gute, dem *Papaverin vergleichbare spasmolyt. Aktivität.
Synth.: Es sind mehrere Synth. bekannt, darunter eine enantioselektive Totalsynth.[1–3]. Biosynthet. sind die A.-A. Polyketide. – *E* ancistrocladus alkaloids – *F* alcaloide de l'ancistrocladus – *I* alcaloidi dell'ancistrocladus – *S* alcaloides de las ancistrocladaceas
Lit.: [1] Angew. Chem. **98**, 917–919 (1986); **101**, 1725 f. (1989). [2] Justus Liebigs Ann. Chem. **1985**, 2105–2134. [3] J. Chem. Soc., Perkin Trans. 1 **1991**, 2773–2781.
allg.: Beilstein E V **21/6**, 211, 219 ■ J. Nat. Prod. **48**, 529 (1985) ■ Manske **29**, 141–184 – *[HS 293990]*

Ancistroclin s. Ancistrocladus-Alkaloide.

Ancistrotectorin s. Ancistrocladus-Alkaloide.

Anco®. Filmtabl., Granulat, Suppositorien u. Dragées mit *Ibuprofen gegen rheumat. u. a. Schmerzen. *B.:* Kanoldt

Ancotil®. Infusionslsg. mit *Flucytosin gegen generalisierte Candidamykosen. *B.:* Hoffmann-La Roche.

Ancrod. Internat. Freiname für ein Fibrinogen-spaltendes Enzym aus dem Gift der malay. Grubenotter (*Agkistrodon rhodostoma*). Das früher *Arvin* genannte A. ist ein Glykoproteid (M_R etwa 35 400), das Blutgerinnsel auflöst u. durchblutungsfördernd wirkt. Es ist von Knoll (Arwin®) im Handel. – *E* = *F* ancrod – *I* = *S* ancrodo
Lit.: Chem. Unserer Zeit **10**, 33–41 (1976) ■ Hager (5.) **7**, 256. – *[HS 350790; CAS 9046-56-4]*

ANC-Sprengstoffe. Oberbegriff für handhabungssichere, pulverförmige Ammonsalpeter-Gesteinssprengstoffe ohne Sprengöl. Der Name ist abgeleitet von *Ammoniumn*itrat u. *C* für Kohlenstoff-Verb.; als letztere werden feste Stoffe wie Kohle od. Holzmehl u. flüssige Stoffe wie Mineralöl eingesetzt. – *[HS 360200]*

Andalusit. $Al_2[O/SiO_4]$ od. $Al_2O_3 \cdot SiO_2$, mit [AlO_6]-Oktaedern u. [AlO_5]-Koordinationspolyedern in der Struktur; mit *Kyanit u. *Sillimanit trimorphes Mineral; zu den Stabilitätsbeziehungen der 3 Al_2SiO_5-Minerale s. Lit.[1]. A. bildet meist matte, rosafarbige, graue od. gelbliche, eingewachsene, prismat., rhomb. Krist., Krist.-Klasse mmm-D_{2h}; auch stengelig, strahlig od. körnig. H. 7,5, D. 3,1–3,2. A. mit kreuzförmiger Anordnung kohliger od. toniger Einschlüsse wird *Chiastolith* genannt.
Vork.: In *metamorphen Gesteinen, z. B. Fichtelgebirge, Bayr. Wald, Tirol, Andalusien/Spanien (Name!).
Verw.: A. aus Südafrika, Frankreich, Spanien u. Indien für hochfeuerfeste keram. Massen. – *E* = *I* andalusite – *F* andalousite – *S* andalucita
Lit.: [1] Am. Mineral. **78**, 298–315 (1993).
allg.: Harben u. Bates, Industrial Minerals, Geology and World Occurrence, S. 246–251, London: Industrial Minerals Division of Metal Bulletin Plc 1990 ■ Kerrick, The Al_2SiO_5 Polymorphs (Reviews in Mineralogy, Vol. 22), Washington (D.C.): Mineralogical Society of America 1990 ■ Lapis **10**, Nr. 4, 8–11 (1985) ■ Ramdohr-Strunz, S. 673 ff. – *[HS 250850; CAS 12183-80-1]*

Anderson, Carl David (1905–1991), Prof. für Physik, California Inst. of Technology. *Arbeitsgebiete:* Kosm. Strahlung, Entdeckung des Positrons (1932) u. der Mesonen (1937), Nobelpreis für Physik 1936.

Lit.: Nobel Lectures, Physics, 1922–1941, S. 353–377, Amsterdam: Elsevier 1965.

Anderson, Philip Warren (geb. 1923), Prof. für Theoret. Physik, Princeton, Cambridge u. Bell Telephone Lab., Murray Hill (N. J.) USA. *Arbeitsgebiete:* Magnetismus u. Stromleitung insbes. bei amorphen Festkörpern, Gläsern u. Halbleitern, magnet. Isolatoren, Antiferromagnetismus, flüssiges ^{3}He. Nobelpreis 1977 für Physik (zusammen mit *Mott u. van *Vleck).
Lit.: Naturwiss. Rundsch. **30**, 458f. (1977) ▪ Umschau **77**, 783f. (1977).

Andesin s. Feldspäte.

Andesit. Dem *Diorit äquivalentes, graues, grünlichschwarzes od. rötlichbraunes vulkan. Gestein mit Plagioklas (*Feldspäte), *Augit, *Hypersthen, *Hornblende, *Biotit, Alkalifeldspat u. *Quarz als Hauptmineralen.
Vork.: Z. B. Eifel, Euganäen, Karpaten; in vielen Faltengebirgsgürteln rings um den Pazifik, z. B. Anden (Name!), Rocky Mountains. A. wird als Werkstoff im Säureschutzbau verwendet. – *E* andesite – *F* andésite – *I* andesiti – *S* andesita
Lit.: Hall, Igneous Petrology, S. 391–417, Harlow (England): Longman Scientific & Technical 1987 ▪ Wimmenauer, Petrographie der magmatischen u. metamorphen Gesteine, S. 183–191, Stuttgart: Enke 1985.

Andienungspflicht s. Anschluß- und Benutzungszwang.

Andradit s. Granate.

Androcur®. Tabl. mit *Cyproteron-acetat zur Triebdämpfung bei männlicher Hypersexualität u. gegen Androgenisierungserscheinungen wie Hirsutismus etc. bei der Frau. *B.:* Schering

Androgene (von griech.: aner = Mann u. ... *gen). Bez. für die zu den *Steroiden gehörenden, in Hoden u. Nebennierenrinde produzierten Sexualhormone, die die Ausbildung der prim. u. sek. männlichen Geschlechtsorgane bewirken u. die Spermiogenese (Bildung von Spermien) fördern. Wichtigstes A. ist *Testosteron, das im Organismus in *Androsteron übergeht; beiden liegt, wie auch synthet. A., das Androstan-Gerüst zugrunde. Die natürlichen A. besitzen außerdem *anabole Wirkung,* die sich durch chem. Abwandlung auf Kosten der androgenen Wirkung verstärken läßt, s. Anabolika. A. üben ihre spezif. Wirkungen aus, indem sie an im Zellkern befindliche *Rezeptoren binden u. die *Transkription beeinflussen.
Verw.: Zur Therapie spezif. Mangelerscheinungen u. klimakter. Symptome beim Mann, sowie als *Estrogen-Antagonisten bei der Therapie des Brustkrebses. Dabei kann es allerdings zu verstärkter Behaarung (*Hirsutismus) u. a. *Virilisierungserscheinungen* kommen. Aufgrund der antagonist. Wirkung bestimmter Progesteron-Derivate (z. B. *Cyproteron) werden diese als *Antiandrogene* bezeichnet u. gegen Hirsutismus der Frau od. Hypersexualität beim Mann eingesetzt. Zur Geschichte s. *Lit.*[1]. – *E* androgens – *F* androgènes – *I* androgeni – *S* andrógenos
Lit.: [1] Spektrum Wiss. **1995/4**, 82–88.
allg.: Rogozkin, Metabolism of Anabolic-Androgenic Steroids, Boca Raton: CRC Press 1991. – *[HS 293799]*

Andromedotoxin (Rhodotoxin, Asebotoxin, Grayanotoxin I).

$C_{22}H_{36}O_7$, M_R 412,52, Schmp. 267–270 °C, $[\alpha]_D^{20}$ –8,8° (C_2H_5OH), lösl. in Ethanol u. heißem Wasser, unlösl. in Ether, stark giftiger [LD_{50} (Maus i. p.) 1,3 mg/kg] terpenoider Inhaltsstoff (*Aconitin-ähnlich) aus Ericaceen. – *E* andromedotoxin – *F* andrométoxine – *I* andromedotossina – *S* andromedotoxina
Lit.: Hager (5.) **3**, 72 ▪ Karrer, Nr. 3678–3680. – *[HS 293990; CAS 4720-09-6]*

5α-Androstan.

$C_{19}H_{32}$, M_R 260,46. Schmp. 50–50,5 °C (5β-A.: Schmp. 79 °C). Systemat. Bez. für den früher als *Testan* bezeichneten gesätt. Kohlenwasserstoff, der das Grundgerüst der *Androgene enthält. Die physiol. aktiven A.-Derivate[1] sind zumeist an den C-Atomen 3, 11 u. 17 durch Hydroxy- od. Carbonyl-Gruppen substituiert; *Beisp.:* *Testosteron (17β-Hydroxy-4-androsten-3-on) u. die folgenden Stichwörter. Zur Nomenklatur (IUPAC-Regeln 2 S-1 bis 2 S-11) s. *Lit.*[2] – *E* = *F* androstane – *I* 5α-androstano – *S* 5α-androstano
Lit.: [1] Negwer (6.), S. 957–959, 961. [2] Pure Appl. Chem. **31**, 283–322 (1972).
allg.: Beilstein E IV **5**, 1211 ▪ Merck Index (11.), Nr. 668. – *[CAS 438-22-2]*

Androstanolon.

Internat. Freiname für das anabol wirksame 17β-Hydroxy-5α-androstan-3-on, $C_{19}H_{30}O_2$, M_R 290,45. – *E* = *F* = *I* androstanolone – *S* androstanolona
Lit.: Hager (5.) **7**, 257–259. – *[HS 293799; CAS 521-18-6]*

5-Androsten-3β,17β-diol.

$C_{19}H_{30}O_2$, M_R 290,45. Farbloses, in Wasser nicht, doch in Methanol lösl. Pulver, Schmp. 184 °C. A. wird als anaboles u. schwach androgenes Steroid, zur Herst. von *Testosteron etc. verwendet. – *E* 5-androstene-3β,17β-diol – *F* 5-androstène-3β,17β-diol – *I* 5-androstene-3β,17β-diolo – *S* 5-androsteno-3β,17β-diol
Lit.: Beilstein E IV **6**, 6395. – *[CAS 521-17-5]*

Androsteron (3α-Hydroxy-5α-androstan-17-on).

$C_{19}H_{30}O_2$, M_R 290,43. Farbloses geruchloses Kristallpulver, Schmp. 185 °C, schwerlösl. in Wasser, lösl. in Alkohol, Ether, Chloroform, wird von *Digitonin nicht gefällt. A. ist ein Stoffwechselprodukt des in den männlichen Keimdrüsen gebildeten *Testosterons u. wird allmählich mit dem Harn ausgeschieden, woraus es 1931 erstmals von *Butenandt isoliert wurde. – $E = I$ androsterone – F androstérone – S androsterona
Lit.: Beilstein E IV **8**, 542. – *[HS 293799; CAS 53-41-8]*

Androtermone s. Termone.

Andrussow-Verfahren. Zur Herst. von Blausäure nach der Gleichung:

$CH_4 + NH_3 + 1,5 O_2 \rightarrow HCN + 3 H_2O + 480 kJ/$
(1000 °C, Pt/Rh-Katalysatoren)

dienendes Verf. der *Ammonoxidation von Methan. – E Andrussow process – F réaction d'Andrussow – I processo Andrussow – S método de Andrussow
Lit.: Kirk-Othmer (4.) **7**, 757 ▪ Ullmann (4.) **9**, 658; (5.) **A 8**, 161 f. ▪ Winnacker-Küchler (3.) **7**, 699 f.; (4.) **2**, 191.

Anellierung (von latein.: anellus = kleiner Ring). Die häufig anzutreffenden Schreibweisen „Annelierung, Annellierung" sind grammatikal. falsch, aber offensichtlich in anderen Sprachen üblich. Im engeren Sinne Bez. für die Abgabe von *Aromatizität in *kondensierten Ringsystemen an ankondensierte Ringe, im erweiterten Sinne Bez. für die Anfügung eines weiteren Ringes an einen od. mehrere schon vorhandenen, vgl. a. Anellierungsname. Wichtige A.-Reaktionen sind *Cyclisierungen, die *Diels-Alder-Reaktion u. a. *Cycloadditionen, die Kondensation mit Maleinsäureanhydrid u. die *Robinson-Anellierung. *Anellierte Ringsyst.* bezeichnet man heute meist als *kondensierte Ringsysteme; näheres auch zur Benennung s. dort u. bei Ringsysteme. – $E = F$ an(n)el(l)ation, annulation – I anellazione – S fusión, anillación

Anellierungsname (Fusionsname, Verschmelzungsname). Namenstyp für *kondensierte Ringsysteme (IUPAC-Regeln A-2 ff., B-3; 3S-10.2 für Steroide[1]), der die *Anellierung weiterer Ringe an ein zulässiges Basis-*Ringsystem mit Anellierungspräfixen beschreibt, die meist auf „o" enden. *Beisp.:* *Benz(o)…, *Naphth(o)…, *Acenaphth(o)…, *Furo…, Pyrrolo…; *Endung* „-a": Cycloprop(a)…, Cyclobut(a)… etc. u. Anthra (die eingeklammerten „o" bzw. „a" dürfen vor Vokal wegfallen; *Beisp.*: Benz[cd]azulen, Cycloprop[6,7]estran). – E fusion name – F nom de fusion – I nome dell'anellazione (della fusione) – S nombre de fusión
Lit.: [1] Pure Appl. Chem. **61**, 1783–1822 (1989).

Anemometrie. Von griech.: anemos = Wind u. metrein = messen abgeleitete allg. Bez. für die Messung von *Strömungs-Geschwindigkeiten von Flüssigkeiten u. Gasen. – E anemometry – F anémométrie – I anemometria – S anemometría

Lit.: Profos, Handbuch der industriellen Meßtechnik, 4. Auflage, S. 669–680, Essen: Vulkan-Verlag 1987 ▪ s. a. Strömung.

Anemonin(e).

Anemonin   Protoanemonin   Zooanemonin

1. A. $C_{10}H_8O_4$, M_R 192,17; Nadeln od. Prismen, Schmp. 157–158 °C, wasserdampfflüchtig. Inhaltsstoff von Hahnenfußgewächsen (Ranunculaceen), wie *Ranunculus thora, Anemone pulsatilla, A. altaica, A. alpina* u. *Clematis recta*. A. ist das Dimere des wasserdampfflüchtigen, leicht polymerisierenden *Proto-A.* [Isomycin, 5-Methylen-2(5H)-furanon], $C_5H_4O_2$, M_R 96,09, blaßgelbes Öl, Sdp. 45 °C (195 Pa), aus dem es beim Trocknen gebildet wird. Beide Stoffe besitzen antibakterielle, antipyret., sedative[1] u. insektizide[2] Wirkung gegen *Drosophila melanogaster* (Taufliege), wobei Proto-A. aktiver als A. ist. Proto-A. wirkt stark schleimhautreizend. LD_{50} 150 mg/kg (Maus, i.p.).

2. *Zooanemonin* [4-(Carboxymethyl)-1,3-dimethyl-1H-imidazolium-Zwitterion], $C_7H_{10}N_2O_2$, M_R 154,17, extrem hygroskop. Verb. aus der Muschel *Arca noae* u. der Seeanemone *Anemonia sulcata*. – E anemonin (1.), anemonine (2.) – F anémonine – $I = S$ anemonina
Lit.: [1] J. Ethnopharmacol. **24**, 185–191 (1988). [2] Indian J. Exp. Biol. **31**, 85 (1993).
allg.: An. Quim. Ser. C **85**, 5 (1989) (Synth.) ▪ Beilstein E V **17/9**, 371 (Proto-A.); **19/5**, 101 f. (A.); **25/4**, 131 (Zoo-A.) ▪ Bull. Chem. Soc. Jpn. **55**, 1584–1587 (1982) (Biosynth.); **65**, 2366–2370 (1992) (Synth.) ▪ Merck-Index (11), Nr. 674 ▪ R.D.K. (3.), S. 957. – *[CAS 508-44-1; 90921-11-2 (A.); 108-28-1 (Proto-A.); 584-91-8 (Zoo-A.)]*

Aneroid-Barometer s. Barometer.

Aneron®. Wz. von Merck für Hochvakuum-Öle für Pumpen. *B.:* Merck.

Anethol [1-Methoxy-4-(1-propenyl)benzol].

$C_{10}H_{12}O$, M_R 148,20. (*E*)-A. bildet nach Anis riechende u. süßlich schmeckende Krist., D. 0,9883, Schmp. 22 °C, Sdp. 81 °C (306,6 Pa), n_D^{20} 1,5615. Das (*Z*)-Isomere schmilzt bei −22 °C, D. 0,9878, Sdp. 79 °C (306,6 Pa), n_D^{20} 1,5546. Beide sind in Wasser nicht, in organ. Lsm. leicht löslich. A. ist in vielen ether. Ölen enthalten, bes. im Anisöl (80–90%), aus dem es durch Ausfrieren gewonnen wird. (*Z*)-A. ist mit LD_{50} 93 mg/kg (Ratte, i.p.) bzw. 150 mg/kg (Ratte, oral) toxischer als (*E*)-A. mit LD_{50} 900 mg/kg (Ratte, i.p.) bzw. 2090 mg/kg (Ratte, oral).
Wirkung: A. ist für die in den süd- u. westlichen USA verbreiteten Maiswurzelstecher *Diabrotica undecimpunctata* u. *D. virgifera* ein Lockstoff (s. Semiochemikalien)[1].
Synth.: Durch Umlagerung von *Estragol[2]; Biosynth. aus L-Phenylalanin → *p*-Cumarsäure[3].
Verw.: Natürliches u. synthet. A. findet in der Herst. von Likören (Anisette usw.), kosmet. Präparaten,

Anisaldehyd, Geschmacksstoffen u. in der Farbphotographie Verw. (Sensibilisator). – *E* anethole – *F* anéthol – *I* anetolo – *S* anetol

Lit.: [1] J. Chem. Ecol. **13**, 959–975 (1987). [2] Synth. Commun. **10**, 225–231 (1980). [3] Tetrahedron Lett. **1974**, 1567f.
allg.: Beilstein E IV **6**, 3796 ▪ Gildemeister **3d**, 417 ▪ Merck-Index (11.), Nr. 675 ▪ Ullmann (5.) **A 11**, 195f. – *Toxikologie:* Sax (8.), Nr. PMQ 750, PMR 000. – *[HS 2909 30; CAS 104-46-1; 4180-23-8 (E); 25679-28-1 (Z)]*

Anetholtrithion.

Kurzbez. für 5-(4-Methoxyphenyl)-3*H*-1,2-dithiol-3-thion, $C_{10}H_8OS_3$, M_R 240,35. Es wurde 1940, 1942 u. 1944 von Böttcher als Cholereticum patentiert u. ist von Plantorgan (Mucinol®) im Handel. – *E* anethole trithione – *F* anéthotrithione – *I* anetoltritione – *S* anetoltritiona

Lit.: ASP. – *[HS 2934 90; CAS 532-11-6]*

Aneuploidie. Numer. Chromosomen-Aberration. Durch Fehler bei der Aufteilung der *Chromosomen in der *Meiose od. *Mitose kommen ein od. mehrere Chromosomen in der Zelle nicht, wie normalerweise, diploid vor (z. B. Trisomie, Monosomie). – *E* aneuploidy – *F* aneuploidie – *I* anaeuploidia – *S* aneuploidía

Lit.: Gottschalk, Allgemeine Genetik, Stuttgart: Thieme 1994.

Aneurin s. Thiamin u. Vitamine (B_1).

Anexate®. Ampullen mit *Flumazenil als *Benzodiazepin-Antagonist. *B.:* Hoffmann-La Roche.

ANF. Abk. für *atrionatriuretischer Faktor.

Anfinsen, Christian B. (geb. 1916), Prof. für Biochemie, Harvard, Dept. Biology, Johns Hopkins Univ., Baltimore, MD u. NIH (Nat. Inst. of Health), Bethesda, MD (USA). *Arbeitsgebiete:* Biochemie der Proteine, Struktur von Polypeptiden, biolog. aktive Konformation von Enzymen, insbes. der Ribonuclease; für diese Untersuchungen (s. *Lit.*) erhielt A. den Nobelpreis für Chemie 1972 (zusammen mit S. *Moore u. W. H. *Stein) sowie für Untersuchungen der Struktur u. Funktion von Enzymen in thermophilen Bakterien.
Lit.: Angew. Chem. **85**, 1065–1074 (1973) ▪ Pötsch, S. 13.

ang s. Angular.

Angass®. Tabl. u. Suspension als *Antacidum mit Dibismut-tris(tetraoxodialuminat-decahydrat) u. Bismutnitratoxid. *B.:* Medice.

Angelicasäure s. Methyl-2-butensäuren.

Angelicin s. Furocumarine.

Angelika(wurzel-, samen-)öl. *Wurzelöl:* gelbes bis bräunliches Öl, D_{25}^{25} 0,850–0,880, n_D^{20} 1,4735–1,4870, $[\alpha]_D^{20}$ 0° bis +46°; lösl. in 1 Vol. Tl. 90% Ethanol. *Samenöl:* gelbliches Öl, D_{25}^{25} 0,853–0,876, n_D^{20} 1,4800–1,4880, $[\alpha]_D^{20}$ +4° bis +16°; lösl. in 4 Vol. Tl. 90% Ethanol. Grüner, würziger, leicht moschusartiger, erdig-pfeffriger Duft; eigentümlicher süßlich-aromat., leicht bitterer Geschmack.

Herst.: Durch Wasserdampfdest. aus den Wurzeln od. Samen von *Angelica archangelica* L.; Ausbeute 0,3–0,4%. Hauptanbaugebiete sind Deutschland, Frankreich, Belgien u. die Niederlande.

Zusammensetzung[1]: Hauptbestandteile sind Monoterpenkohlenwasserstoffe wie α-*Pinen (ca. 20%), α-*Phellandren (ca. 20%), 3-*Caren (ca. 10%), Limonen (ca. 10%) u. β-*Phellandren (ca. 20%). Für die typ. Moschusnote ist das makrocycl. Lacton *15-Pentadecanolid (ca. 1%) verantwortlich.

Verw.: Wegen der mühsamen Gewinnung (schlechte Ausbeute, lange Destillationsdauer) gehören A.-öle zu den kostbareren natürlichen Rohstoffen; sie werden daher nur in sehr geringen Dosierungen eingesetzt, z. B. bei der Parfümherst. in Herrennoten u. zur Aromatisierung von Likören. – *E* angelica root/seed oil – *F* huile d'angélique – *I* olio essenziale dell'angelica – *S* esencia de Angélica (raíz, semilla)

Lit.: [1] Perfum. Flavor. **1** (6), 31 (1976); **6** (3), 46 (1981); **7** (2), 35 (1982); **14** (4), 41 (1989); J. Essent. Oil Res. **3**, 229 (1991); **5**, 447 (1993); J. Agric. Food Chem. **42**, 1979, 2235 (1994).
allg.: Arctander, S. 63, 65 ▪ Bauer et al. (2.), S. 135 ▪ Gildemeister **6**, 481 ▪ H&R, S. 139. – *Toxikologie:* Food Cosmet. Toxicol. **12**, 821 (1974); **13**, 713 (1975). – *[HS 3301 29; CAS 8015-64-3]*

Angeli-Rimini-Reaktion. Eine für *Aldehyde spezif. Nachw.-Reaktion: Durch Umsetzung mit substituierten Hydroxylaminen werden die Aldehyde in *Hydroxamsäuren umgewandelt, die mit Eisen(III)-chlorid eine charakterist. blutrote Färbung geben. – *E* Angeli-Rimini reaction – *F* réaction de Angeli-Rimini – *I* reazione di Angeli-Rimini – *S* reacción de Angeli-Rimini

Angeregte Zustände s. Anregung, Atombau u. Photochemie.

Angewandte Chemie (Prakt. Chemie). Häufig verwendete, jedoch nicht durch eine Definition klar abgegrenzte Bez. für alle Bereiche der *Chemie, die nicht zur *Reinen Chemie zählen. Vielfach wird A. C. als Synonym für *Industrielle Chemie od. *Technische Chemie bzw. als gemeinsamer Oberbegriff von *chemische Technologie u. chem. *Verfahrenstechnik verwendet. Die *IUPAC drückt (ohne eine Definition zu geben) den Unterschied zwischen „Reiner Chemie" u. „A. C." bereits in ihrem Namen aus; auch existiert eine „Schweizer Gesellschaft für Analyt. u. Angewandte Chemie". Andererseits behandeln Zeitschriften, die die Bez. A. C. im Titel führen (z. B. „Angewandte Chemie", „Journal für Prakt. Chemie") viele od. sogar vorwiegend Themen aus dem Bereich der Reinen Chemie. Ein „Institut für Angewandte Chemie" wurde durch Zusammenfassung einiger Forschungsbereiche der ehem. Akademie der Wissenschaften der DDR mit Sitz in Berlin-Adlershof gegründet. Es soll praxisnahe Forschung mit den Schwerpunkten Katalyse, Sorptionsprozesse u. Einschlußverb. sowie Spezialpolymere betreiben[1]. Es wird zunächst je zur Hälfte vom Bundesforschungsministerium u. vom Land Berlin grundfinanziert u. beschäftigte 1995 ca. 220 Mitarbeiter[2]. – *E* applied chemistry – *F* chimie appliquée – *I* chimica applicata – *S* química aplicada

Lit.: [1] Nachr. Chem. Tech. Lab. **41**, 1129 (1993). [2] ibid. **43**, 1166 (1995). *Inst.:* Institut für Angewandte Chemie Adlershof e. V. (ACA), Rudower Chaussee 5, Geb. 12.5, 12484 Berlin.

Angiografin®. Röntgenkontrastmittel zur Angiographie mit dem *Meglumin-Salz der *Amidotrizoesäure. **B.:** Schering.

Angiographie. Von griech.: angeion = Gefäß u. graphein = schreiben abgeleitete Bez. für die röntgenolog. Darst. von Blutgefäßen nach Injektion von *Röntgenkontrastmittel – **E** angiography – **F** angiographie – **I** angiografia – **S** angiografía

Angionorm®. Kapseln u. Tropfen mit *Dihydroergotamin-mesilat gegen Hypotonie u. orthostat. Kreislaufstörungen. **B.:** Farmasan.

Angiotensinamid. Internat. Freiname für ein blutdrucksteigerndes, synthet. Octapeptid, $C_{49}H_{70}N_{14}O_{11}$, M_R 1031,18, das in seiner Zusammensetzung dem *Angiotensin II* entspricht, allerdings mit Asn statt Asp. – **E** = **F** angiotensinamide – **I** angiotensinammide – **S** angiotensinamida
Lit.: Hager (5.) **7**, 761 ▪ s. Angiotensine. – *[HS 293329; CAS 53-73-6]*

Angiotensine (von griech.: angeion = Gefäß u. latein.: tensus = Spannung). Bez. für einige niedermol. Peptide, die eine wichtige Rolle in der Regulation von Blutdruck, Kreislauf, Diurese usw. spielen.
Bildung: In der Leber wird u. a. ein globuläres Protein *Angiotensinogen* gebildet u. ins Blutplasma abgegeben, dessen 14 *N*-terminale *Aminosäuren (AS; zu den im Folgenden verwendeten Abk. s. dort) den physiolog. aktiven Teil darstellen. Diese können durch *Trypsin als Tetradecapeptid (Peptid aus 14 AS) freigesetzt werden. Wenn das aus der Niere bei niedrigem Blutdruck ausgeschüttete, durch *Pepstatin A hemmbare) Enzym Renin (EC 3.4.23.15) auf Angiotensinogen od. auf das oben genannte Tetradecapeptid einwirkt, wird das biolog. inaktive Decapeptid (10 AS) A. I freigesetzt; bei Mensch, Pferd u. Schwein findet sich Ile, beim Rind Val als 5. AS.

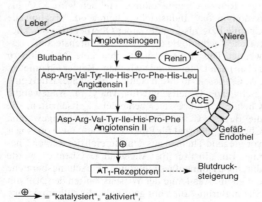

⊕→ = "katalysiert", "aktiviert",
----→ = "schüttet aus", "bewirkt"
Abb.: Schema der Angiotensin-Aktivierung u. -Wirkung.

Durch das Membran-gebundene *Angiotensin-Konversions-Enzym* (ACE, EC 3.4.15.1) od. durch eine *Chymase werden das Carboxy-terminale Dipeptid (2 AS: His-Leu) abhydrolysiert; das verbleibende Octapeptid (8 AS) ist A. II, das an zwei verschiedene *Rezeptoren (AT_1 u. AT_2) bindet (s. Abb.).

Physiolog. Wirkungen: Die physiolog. Bedeutung von AT_2 ist noch nicht zweifelsfrei bekannt. Zu den durch den AT_1-Rezeptor vermittelten Wirkungen gehören die Stimulation der Produktion von *Aldosteron, *Endothelin, *transformierendem Wachstumsfaktor β (TGF-β) u. *Vasopressin, die Steigerung der Wachstumsrate glatter Muskelzellen sowie die Erhöhung der synapt. Transmission (Nervenleitung). Über Endothelin ergibt sich ein vasokonstriktor. (Gefäß-verengender), über Aldosteron u. Vasopressin ein antidiuret. (Wasserrückhaltender) Effekt, die zusammengenommen zu einer Steigerung des Blutdrucks (*Hypertonie) führen. Genet. Varianten des Angiotensinogens od. des ACE können eine Prädisposition zu chron. Bluthochdruck erzeugen. Das *Renin-Angiotensin-System* wird daher als Risikofaktor für Herzkranzgefäß-Leiden u. (im Zusammenhang mit TGF-$β^1$) Nierenschäden angesehen; deren Prävention u. Therapie wird durch Renin- u. ACE-Inhibitoren u. AT_1-Antagonisten angestrebt.

A. II wird durch Angiotensinase (EC 3.4.99.3), die die Tyr-Ile-Bindung spaltet, od. durch Angiotensinase C (EC 3.4.16.2), die das Carboxy-terminale Phe freisetzt, inaktiviert. Durch Angiotensinase A (EC 3.4.11.7) entsteht aus A. II das um die Amino-terminale AS Asp verkürzte Heptapeptid (7 AS) A. III, das kaum AT_1-Aktivität aufweist. Ein künstliches Analogon ist *Angiotensinamid. Antagonist. Wirkungen, allerdings über einen eigenen Rezeptor, gehen vom *atrionatriuretischen Faktor aus. – **E** angiotensins – **F** angiotensines – **I** angiotensine – **S** angiotensinas
Lit.: [1] Annu. Rev. Physiol. **57**, 279–295 (1995).
allg.: Annu. Rev. Physiol. **54**, 227–241 (1992) ▪ Brain Res. Rev. **17**, 227–262 (1992) ▪ Curr. Biol. **3**, 124ff. (1993) ▪ Saavedra u. Timmermans, Angiotensin Receptors, New York: Plenum Press 1994 ▪ Star u. Whalley, ACE Inhibitors, New York: Raven Press 1994.

Anglesit. $PbSO_4$; bis 5 cm große, tafelige, prismat. od. dipyramidale, oft glasklare („Bleiglas"), weiße bis graue rhomb. Krist., Krist.-Klasse mmm-D_{2h}; oft als derbe Krusten um *Bleiglanz; H. 2,5–3, D. 6,3–6,4; Diamant-, Fett- od. Glasglanz.
Vork.: In Verwitterungszonen von Bleiglanz-haltigen Lagerstätten, z.B. Insel Anglesey/England (Name!), Leadhills/Schottland, Monte Poni/Sardinien, Touissit/Marokko; im Ofenbruch von Bleihütten. – **E** = **I** anglesite – **F** anglésite – **S** anglesita
Lit.: Lapis **16**, Nr. 7/8, 8–11 (1991) („Steckbrief") ▪ Ramdohr-Strunz, S. 600. – *[HS 260700; CAS 14594-79-7]*

Angorawolle (Kurzz.: Ak). Bez. für die Haare des Angora-*Kaninchens*. Die Haare der Angora-*Ziege* heißen dagegen *Mohair; vgl. a. Wolle. Zu den nach der türk. Stadt Ankara benannten, auf Langhaarigkeit gezüchteten Haustierrassen gehören auch die Angora-*Katzen*. – **E** angora wool – **F** laine angora – **I** lana d'angora – **S** lana de Angora – *[HS 510210]*

ANG-RA®. Flächen-Stabilisierungsmittel für die Wolle-verarbeitende Textil-Industrie. **B.:** Rotta.

Ångström-Einheit (Kurzz. Å, selten auch AE). Nach dem schwed. Physiker A. J. Ångström (1814–1874) benannte Längeneinheit (1 Å = 10^{-10} m = 0,1 nm = 100 pm); obwohl die A.-E. zur Angabe von Kernabständen u. Wellenlängen noch häufig gebraucht wird,

ist sie seit 1.1.1978 als *Einheit nicht mehr zugelassen. Sie sollte nicht dort eingeführt werden, wo sie nicht schon in Gebrauch ist. – *E* Angstrom unit – *F* unité Angström – *I* unità angström – *S* unidad Angström
Lit.: IUPAC Größen, Einheiten u. Symbole in der Physikalischen Chemie, Weinheim: VCH Verlagsges. 1996.

Anguläre Gruppen. Bez. für die in den Verknüpfungspunkten („Winkeln", latein. anguli) gesätt. *kondensierter Ringsysteme fixierten Gruppen; *Beisp.:* Die C-18- u. C-19-Methyl-Gruppen in *Steroiden u. die C-25- bis C-28-Methyl-Gruppen der *Triterpene. Infolge *sterischer Hinderung sind Substitutionsreaktionen an a. G. meist gar nicht od. nur schwer durchzuführen. – *E* angular groups – *F* groupes angulaires – *I* gruppi angolari – *S* grupos angulares

Angular (Abk.: *ang-*). Veraltete Bez. für eine gewinkelte Anordnungsform von *kondensierten Ringsystemen; Gegensatz: *linear (*lin-*). Beispielsweise ist Anthracen linear, Phenanthren angular anelliert. – *E* = *S* angular – *F* angulaire – *I* angolare

ANGUS Chemie GmbH. Huyssenallee 5, 45128 Essen. Tochterfirma der ANGUS Chemical Company, Buffalo Grove, IL 60089 (USA). *Produktion:* Chemikalien auf Basis von Nitroparaffinen u. -Derivaten.

Angustmycin.

A. A

A. C

A. A: 9-(6-Desoxy-D-*erythro*-hex-5-en-2-ulofuranosyl)-adenin, Decoyinin. $C_{11}H_{13}N_5O_4$, M_R 279,26, farblose Krist., Schmp. 183,5–185 °C (156–159 °C Zers.). Bas. Nucleosid-Antibiotikum, das aus *Streptomyces hygroscopicus* isoliert wurde. Die Substanz besitzt antibakterielle u. Antitumor-Aktivität.
A. C: 9-β-D-Psicofuranosyl-adenin, Psicofuranin, $C_{11}H_{15}N_5O_5$, M_R 297,27, farblose Krist., Schmp. 212–214 °C (Zers.). Bas. Nucleosid-Antibiotikum, das aus *Streptomyces hygroscopicus* u. *Micromonospora echinospora* isoliert wurde. – *E* angustmycin – *F* angustmycine – *I* = *S* angustmicina
Lit.: Beilstein E V **26/16**, 542 (A. A), 552 (A. C) ▪ *J. Am. Chem. Soc.* **81**, 1767 (1959) (A. C) ▪ *J. Org. Chem.* **41**, 1836 (1976) (A. A). – [HS 294190; CAS 2004-04-8 (A. A); 1874-54-0 (A. C)]

Anhalamin, Anhalonidin, Anhalonin s. Anhalonium-Alkaloide.

Anhalonium-Alkaloide. Gruppe von Tetrahydroisochinolin-Alkaloiden aus den mexikan. Kakteenarten *Anhalonium* (*Lophophora*) *williamsii* (Peyotl) u. *lewinii*, die bis zu 5 % enthalten. A.-A. sind lösl. in Wasser, Ethanol, Chloroform u. bilden mit Säuren gut krist. Salze. Wichtigster Vertreter ist Anhalonin. Salsolidin kommt in *Salsola richteri* (Chenopodiaceae) vor. Es zeigt antihypertensive Aktivität. Lophophorin (*N*-Methylanhalonin) ist der am stärksten giftige Vertreter dieser Gruppe; LD_{50} (Kaninchen, i.v.)

	R^1	R^2	R^3	R^4
Anhalamin (1)	H	H	OH	OCH_3
Anhalonidin (2)	H	CH_3	OH	OCH_3
Anhalonin (3)	H	CH_3	$O-CH_2-O$	
Carnegin (4)	CH_3	CH_3	H	OCH_3
Lophophorin (5)	CH_3	CH_3	$O-CH_2-O$	
Pellotin (6)	CH_3	CH_3	OH	OCH_3
Salsolidin (7)	H	CH_3	H	OCH_3

Tab.: Daten von Anhalonium-Alkaloiden.

Nr.	Summenformel	M_R	Schmp./Sdp. [°C]	$[\alpha]_D$	CAS
1	$C_{11}H_{15}NO_3$	209,25	189–191		643-60-7
2	$C_{12}H_{17}NO_3$	223,27	160–161	–21,2°	3851-33-0
3	$C_{12}H_{15}NO_3$	221,26	85–86	–56,3° ($CHCl_3$)	519-04-0
4	$C_{13}H_{19}NO_2$	221,30	262–263/ 170 (133 Pa)	–24,9°	490-53-9
5	$C_{13}H_{17}NO_3$	235,28	Öl, 140–145/ (2,6 Pa)	–47,3° ($CHCl_3$)	17627-78-0
6	$C_{13}H_{19}NO_3$	237,30	100,5	–11,1° (C_2H_5OH)	83-14-7
7	$C_{12}H_{17}NO_2$	207,27	53–53,5/ 140 (133 Pa)	–24,9°	38520-68-2

15–20 mg/kg, physiolog. Wirkung s. Meskalin. Auch Anhalonidin ist hoch toxisch. Zur Synth. s. *Lit*[1]. Biosynth. aus Tyrosin u. Dopa[2]. – *E* anhalonium alkaloids – *F* alcaloide de l'anhalonium – *I* alcaloidi dell'anahalonium – *S* alcaloides del anhalonium
Lit.: [1] *Tetrahedron Lett.* **29**, 6949 f. (1988); *J. Org. Chem.* **55**, 1086–1093 (1990); *J. Chem. Soc., Perkin Trans.* 1 **1992**, 309 f. [2] Mothes et al., S. 195–197.
allg.: Hager (5.) **5**, 707–712 ▪ Manske **4**, 8–14; **21**, 255–327; **31**, 1–28; **41**, 1–40 ▪ Merk-Index (11.), Nr. 682 ff. ▪ R.D.K. (4.), S. 470 ff., 629, 774, 916 ▪ Ullmann (5.) **A 1**, 368. – [HS 293990]

Anharmonischer Oszillator. Ein A. O. besitzt ein Spektrum von Eigenwerten (s. Eigenwertproblem), die nicht äquidistant liegen. Weit verbreitete *Potentialfunktionen für den eindimensionalen A. sind das *Morsepotential od. ein *Polynom höheren Grades (häufig verwendet werden Polynome 4. Grades) in der Auslenkungskoordinate $\Delta r = r - r_e$, wobei r den momentanen *Kernabstand u. r_e den Gleichgewichtskernabstand bedeuten. – *E* anharmonic oscillator – *I* oscillatorio non armonico – *S* oscilador inarmónico

Anharmonizität. Begriff aus der *Schwingungsspektroskopie. Unter A. versteht man die Abweichungen vom Modell des *harmonischen Oszillators, s. a. anharmonischer Oszillator u. Anharmonizitätskonstante. – *E* anharmonicity – *F* anharmonicité – *I* non armonizzità – *S* inarmonicidad

Anharmonizitätskonstante. Die *Schwingungstermenergien G(v) eines zweiatomigen Mol. (v ist die *Schwingungsquantenzahl) lassen sich oft gut durch einen Ausdruck der Form $G(v) = \omega_e \cdot (v + 1/2) - \omega_e x_e \cdot$

anhydr

$(v+1/2)^2$ beschreiben. Den Parameter $\omega_e x_e$ bezeichnet man hierbei als A.; der Parameter ω_e ist die *Wellenzahl für eine *harmonische Schwingung. Das Verhältnis $\omega_e x_e/\omega_e$ liegt meistens zwischen 0,01 u. 0,05. – *E* anharmonicity constant – *F* constante d'anharmonicité – *I* costante di non armonizzità – *S* constante de anarmonicidad

Lit.: Herzberg, Molecular Spectra and Molecular Structure (3 Bände), Princeton: Van Nostrand 1950, 1945, 1966.

anhydr. Abk. für latein.: anhydricus = wasserfrei.

Anhydride. Unter A. versteht man heute fast ausschließlich *Säureanhydride. Diese entstehen, wenn man geeigneten Säuren – insbes. *Oxosäuren u. *Carbonsäuren – durch Erwärmen, chem. Einwirkung od. Behandlung mit *Trockenmitteln (z. B. Phosphorpentoxid, das selbst ein A. ist) Wasser entzieht. Man gelangt so zu den *Oxiden, die natürlich auch auf anderen Wegen als dem der Dehydratisierung der *Mineralsäuren erhältlich sind. So ist z.B. Schwefeltrioxid (SO_3) das A. der Schwefelsäure (H_2SO_4), Schwefeldioxid das A. der Schwefligen Säure, Kohlendioxid (CO_2) das A. der Kohlensäure (H_2CO_3), Phosphorpentoxid (P_2O_5) das A. der Phosphorsäure (H_3PO_4) u. Stickstoffpentoxid (N_2O_5) das A. der Salpetersäure (HNO_3), die verschiedenen Chloroxide lassen sich als A. der Oxosäuren des Chlors formulieren usw. Bei einer Reihe von mehrbasigen Säuren können aus der voll hydratisierten Form stufenweise partielle A. erhalten werden, z. B. bei Schwefelsäure, Phosphorsäure, Kieselsäure usw., s. Säuren u. vgl. Ortho-, Meta-, Pyr(o)... sowie Isopolysäuren. Bei Wasseraustritt aus 2 verschiedenen anorgan. Säuren können *gemischte Anhydride* – sog. *Heteropolysäuren – entstehen, z. B. *12-Molybdatophosphor- u. *12-Wolframatophosphorsäure. Bei strenger Analogie müßte man bei organ. Säuren die *Ketene als A. auffassen, doch bezeichnet man z. B. als *Essigsäureanhydrid (Acetanhydrid, $H_3C-CO-O-CO-CH_3$) das Dehydratisierungsprodukt aus 2 Mol. Essigsäure; näheres – auch über die präparativ wichtigen *gemischten A.* – s. bei Säureanhydride.

In Analogie zu den Säure-A. kann man auch *Basen-A.* formulieren, doch hat sich die Bez. nicht eingebürgert; *Beisp.* für Basen-A. wären CaO [gibt $Ca(OH)_2$], Na_2O (gibt 2NaOH), AlOOH [gibt $Al(OH)_3$] (s. Säure-Base-Begriff). In eingeengtem Sinne spricht man von A. auch bei *Disacchariden, s. Zuckeranhydride. – *E* = *F* anhydrides – *I* anidridi – *S* anhídridos

Anhydrit. $CaSO_4$, s.a. Calciumsulfat, farblose bis weiße, bläuliche od. durch Beimengungen grau, rötlich od. braun gefärbte, körnige bis dichte, seltener spätige od. faserige Massen; auch als würfelähnliche bis tafelige, gut spaltbare, glasglänzende rhomb. Krist.[1]; H. 3,5 (*Gips 1,5–2), D. 2,9–3 (bei Gips 2,3). Krist.-Klasse mmm-D_{2h}, zur Krist.-Struktur s. *Lit.*[1]; H. 3,5 (*Gips 1,5–2), D. 2,9–3 (bei Gips 2,3). *Anhydritstein* kann *Ton, *Quarz, Bitumen u. Carbonate usw. als Verunreinigungen enthalten; er kann massig, knollig, faserig gebändert od. feinschichtig ausgebildet sein. Im *b*inären System $CaSO_4$–H_2O treten 3 A.-Phasen auf: A.-III (*lösl. A.*), A.-II (*Roh-A., natürlicher A.*) u. oberhalb von 1180 °C A.-I (*Hochtemp.-A.*), s. dazu Ullmann (*Lit.*).

Vork.: Hauptsächlich sedimentär; mit Kali- u. Steinsalz vergesellschaftet in *Evaporiten, z.B. Hannover, Südharz, Berchtesgaden, Nordbayern als Bestandteil der Schwarzen Raucher (*Lagerstätten) im Ostpazifik. Derzeit wird A. in Strand-Sabkhas (Salzmarschen), z.B. am Pers. Golf, gebildet. Bei der Flußsäure-Herst. fällt *synthet. A.* an, der als Baustoff Verw. findet; A. tritt ferner als Beiprodukt bei der Rauchgasentschwefelung auf.

Verw.: Natürlicher u. synthet. A. zur Herst. eines rasch wirkenden Bindemittels (*Anhydritbinder*, DIN 4208, 03/1984). Im chem. Labor u. in der Ind. als *Trockenmittel (*Drierite). Im dtsch. Kohlenbergbau zum Abdämmen von Strecken („*Bergbau-A.*"). – *E* = *F* anhydrite – *I* anidrite – *S* anhidrita

Lit.: [1]Acta Crystallogr., Sect. B **31**, 2164 f. (1975); B **36**, 2881–2890 (1980); Eur. J. Mineral. **1**, 721 f. (1989). *allg.:* Füchtbauer (Hrsg.), Sedimente u. Sedimentgesteine (Sediment-Petrologie Tl. II) (4.), S. 457–467, Stuttgart: Schweizerbart 1988 ■ Pohl, Lagerstättenlehre (4.), S. 264–266, Stuttgart: Schweizerbart 1992 ■ Ramdohr-Strunz, S. 596 f. ■ Ullmann (5.) A **4**, 555–561, 573; A **17**, 266. – [*HS 2520 10; CAS 14798-04-0*]

Anhydro... Präfix zur Bez. der *Dehydratisierung der Stammverb., bei Naturstoffen bes. für *Diole, die zu cycl. *Ethern dehydratisiert sind (IUPAC-Regel C-44.1). *Beisp.:* *Zuckeranhydride (IUPAC/IUB-Regel 2-Carb-26), Anhydro-Nucleoside, -Makrolide u. -Alkaloide. – *E* = *F* anhydro... – *I* anidro... – *S* anhidro...

Anhydrobasen, -säuren s. Säure-Base-Begriff.

Anhydrobiose s. Wasser.

Anhydrosorbit s. Sorbitane.

Anhydrozucker s. Anhydro... u. Zuckeranhydride.

Anid. Produktname für eine Polyamid-Endlosfaser aus *Adipinsäure u. Hexamethylendiamin aus der ehemaligen UdSSR.

Lit.: Großes Textil-Lexikon, S. 41, Stuttgart: DVA 1965.

Aniflazym®. Tabl. mit Serrapeptase gegen Entzündungen nach Operationen u. Verletzungen. **B.:** Madaus; Takeda.

Anilazin. Common name für 2,4-Dichlor-6-(2-chloranilino)-1,3,5-triazin.

$C_9H_5Cl_3N_4$, M_R 275,52, Schmp. 159–160 °C, LD_{50} (Ratte oral) >4000 mg/kg (Bayer), von Ethyl Corp. 1955 vorgestelltes u. von Bayer 1974 eingeführtes nicht-system. Blatt-*Fungizid mit protektiver Wirkung gegen Pilzinfektionen im Gemüse-, Kartoffel- u. Getreideanbau sowie gegen verschiedene Rasenkrankheiten. – *E* = *F* anilazine – *I* = *S* anilazina

Lit.: Farm ■ Perkow ■ Pesticide Manual. – [*HS 293 69; CAS 101-05-3*]

Anile s. Azomethine u. Schiffsche Basen.

Anilide. Den *Amiden entsprechende Derivate der allg. Formulierung $R-CO-NH-C_6H_5$, die sich von Carbonsäuren durch Ersatz der OH-Gruppe durch den Ani-

lin-Rest ableiten. Die Benennung kann durch das Suffix ...anilid erfolgen (IUPAC-Regel C-825); *Beisp.*: *Acetanilid ($H_3C-CO-NH-C_6H_5$). Umgekehrt können die A. als *N*-Acylaniline aufgefaßt werden. Sie entstehen aus *Anilin mit wasserfreien Carbonsäuren, Carbonsäurechloriden u. -anhydriden. Da die meisten A. gut krist. Verb. sind, dienen sie häufig zur Charakterisierung von Carbonsäuren. – *E* = *F* anilides – *I* anilidi – *S* anilidas
Lit.: s. Amide.

Anilin (Phenylamin, Aminobenzol). $H_5C_6-NH_2$, C_6H_7N, M_R 93,13. Ölige, farblose bis umberfarbene bräunliche Flüssigkeit, D. 1,023, Schmp. $-6\,°C$, Sdp. $184\,°C$, FP. $76\,°C$ c.c., Explosionsgrenzen in Luft 1,3–11 Vol.-%. A. ist ein starkes Blutgift. Es verändert den Blutfarbstoff (*Methämoglobin-Bildung) u. zerstört die roten Blutkörperchen (*Hämolyse); Gefahr der Hautresorption. Größere A.-Mengen rufen Lähmungen od. Tod durch Atemstillstand hervor. Stoff mit begründetem Verdacht auf krebserzeugendes Potential (Gruppe III B, MAK-Werte-Liste 1995), MAK-Wert 2 ppm, BAT-Wert für A. (ungebunden): 1 mg/l, Untersuchungsmaterial Harn; A. (aus Hämoglobin-Konjugat freigesetzt): 100 µg/l, Untersuchungsmaterial Blut. LD_{50} (Ratte oral) 250 mg/kg, wassergefährdender Stoff, WGK 2; zur Pharmakokinetik s. *Lit.*[1]. In Wasser ist A. mäßig, in Alkohol, Ether, Schwefelkohlenstoff, fetten u. ether. Ölen leicht lösl.; es vermag manche sonst schwerlösl. Stoffe (Indigo, Schwefel) aufzulösen. A. ist das vom Produktionsumfang, von den Einsatzgebieten u. von der Zahl der Folgeprodukte her das wichtigste aromat. Amin. Mit Säuren gibt A. aufgrund seiner bas. Eigenschaft Salze, z. B. mit HCl das sog. *Anilin-Salz* (Anilin-Hydrochlorid, M_R 129,59, farblose, in Wasser leicht lösl. Krist., D. 1,22, Schmp. $198\,°C$, Sdp. $245\,°C$), das u. a. als Reagenz auf *Lignin dient. Die Acylierung von A. u. seinen Kernsubstitutionsprodukten (Aniline) führt zu *N*-Acylanilinen (*Anilide). Mit Alkali- u. Erdalkalimetallen kann A. *Metallamid-ähnliche Verb. bilden, z. B. H_5C_6-NHNa. (Übersicht über Folgeprodukte des Anilins s. Winnacker-Küchler u. Kirk-Othmer, *Lit.*). Zu den Bindungsverhältnissen des A. s. die Abb. der Grenzstrukturen bei *Resonanz.
Herst.: Techn. wird A. durch Red. von Nitrobenzol, entweder mit Eisenfeilspänen u. HCl od. durch katalyt. Gasphasen-Hydrierung hergestellt. A. kann ebenfalls durch Ammonolyse von Chlorbenzol od. Phenol hergestellt werden. Techn. A. ist als sog. *Anilinöl* im Handel, reinstes, z. B. zur Herst. von *Anilinblau verwendetes A. wird als *Blauöl* od. *Blauanilin* bezeichnet, dagegen besteht das zur Fuchsin-Fabrikation verwendete *Rotanilin* od. *Rotöl* aus einem Gemisch von etwa gleichen Tl. A., *o*- u. *p*-Toluidin.
Verw.: A. ist eine der wichtigsten Schlüsselsubstanzen der aromat. Chemie; Verbrauchsaufschlüsselung s. Tab. (aus Weissermel-Arpe, *Lit.*). A., seine Salze u. seine halogenierten u. sulfonierten Derivate dürfen in kosmet. Mitteln nicht verwendet werden.
Geschichte: A. wurde 1826 von Unverdorben bei der Kalkdest. des Indigo entdeckt u. als „Krystallin" bezeichnet; 1843 erkannte A. W. Hofmann, daß dieser Stoff ident. war mit dem „Kyanol" Runges (1834), dem „Anilin" Fritzsches (1841) u. dem „Benzidam" Zinins (1841). Fritzsches Bez. Anilin hat sich durchgesetzt; sie geht auf „Anil" (portugies. Wort für Indigo) zurück, weil Fritzsche das A. durch Erhitzen von Indigo u. Kalilauge erhielt. – *E* = *F* aniline – *I* = *S* anilina
Lit.: [1] Gesundheitsschädliche Arbeitsstoffe, Weinheim: Verl. Chemie 1972–1995.
allg.: Beilstein E IV **12**, 223 ■ Hommel, Nr. 31 ■ Rippen ■ Ullmann **3**, 644 ff.; (4.) **7**, 395, 566 ff.; (5.) **2**, 303 ■ Weissermel-Arpe (4.), S. 405 ff. ■ Winnacker-Küchler (3.) **4**, 170–184; (4.) **6**, 208 ff. – [HS 2921 41; CAS 62-53-3; G 6.1]

Anilinblau (Spritblau, Triphenylfuchsin).

$C_{38}H_{32}ClN_3$, M_R 566,15. Braunrotes, krist. Pulver, das sich in Wasser kaum, in Alkohol leichter löst (daher Spritblau); säureechter, wenig lichtechter, heute nicht mehr zur Textilfärbung gebrauchter blauer Farbstoff. Monosulfonsaure Alkalimetallsalze des A. sind wasserlösl. (*Alkaliblau) u. werden als blaue Druckfarbstoffe, die trisulfonsauren Salze (*Wasserblau) zum „Bläuen" von Wäsche u. Papier u. die tetrasulfonsauren Salze als *Tintenblau benutzt. – *E* aniline blue – *F* bleu d'aniline – *I* blu d'anilina – *S* azul de anilina
Lit.: Beilstein E IV **13**, 2292 ■ s. a. Farbstoffe. – [HS 3204 17]

Anilingelb s. 4-Aminoazobenzol.

Anilinharze s. Aminoplaste.

Tab.: Anilin-Verwendung (in Gew.-%).

Produkt	USA		Westeuropa		Japan	
	1980	1992	1979	1992	1980	1992
Isocyanate (MDI)	62	74	65	73	52	78
Kautschuk-Chemikalien	22	14	22	16	31	10
Farbstoffe, Pigmente	4	3		6	9	4
Hydrochinon	3	–	13	5	8	–
Verschiedenes (z. B. Pharmazeutika, Pestizide)	9	9				8
Gesamtverbrauch [in Mio. t]	0,29	0,47	0,30	0,64	0.07	0,15

Anilino... Bez. für die Atomgruppierung –NH–C₆H₅ in systemat. Namen organ. Verb. (IUPAC-Regel C-811.4). – *E* = *F* = *I* = *S* anilino...

Anilinöl s. Anilin.

3-Anilinophenol.

$C_{12}H_{11}NO$, M_R 185,23. Hellgraue, geruchsfreie, hautreizende Krist., D. 1,13–1,16, Schmp. 78–81 °C, Sdp. 250–260 °C (13 hPa); schwer lösl. in Wasser u. Kohlenwasserstoffen, sehr leicht lösl. in Alkoholen, Ethern, Estern, Ketonen u. Chlorkohlenwasserstoffen. A. entsteht beim Erhitzen von Resorcin mit Anilin u. wäss. Phosphorsäure.
Verw.: Zwischenprodukt bei der Herst. von Azo-, Phenazin- u. Phenoxazin-Farbstoffen. – *E* 3-hydroxydiphenylamine – *F* 3-hydroxydiphénylamine – *I* 3-anilinofenolo – *S* 3-anilinofenol
Lit.: Beilstein E III **13**, 944. – *[HS 2922 29; CAS 101-18-8]*

Anilin-Punkt. Temp., bei der sich ein homogenes Gemisch aus Anilin u. Mineralöl-Kohlenwasserstoffen beim Abkühlen in zwei Phasen trennt. Da Aromaten, Naphthene u. Paraffine sich unterschiedlich gut in Anilin lösen, gibt der A.-P. einen Anhalt für die Zusammensetzung eines Benzins nach DIN 51 775 (07/1978) bzw. dunklen Mineralöles nach DIN 51 787 (07/1978). – *E* aniline point – *F* point d'aniline – *I* punto d'anilina – *S* punto de anilina

Anilinrot s. Säurefuchsin.

Anilinsalz s. Anilin.

Anilinschwarz (C. I. Pigment Black 1).

Bez. für eine Gruppe schwarzer Pigmente, die meist direkt auf der Baumwollfaser (seltener auf Seide) durch Oxid. von Anilin-Salz mit Hilfe von Kaliumchlorat, Dichromaten usw. bei Anwesenheit von Kupfer-, Vanadium- od. Eisen-Salzen (Sauerstoff-Überträger) erzeugt werden. A. gehört zu den echtesten u. schönsten schwarzen Farbstoffen; es enthält Phenazin-Gruppierungen, die kettenförmig angeordnet sind [1] u. wird in der Textildruckerei angewendet. – *E* aniline black – *F* noir d'aniline – *I* nero d'anilina – *S* negro de anilina
Lit.: [1] Winnacker-Küchler (3.) **4**, 254 f.
allg.: Beilstein E II **12**, 78 ▪ Ullmann (4.) **8**, 231 f. ▪ Zollinger, Color Chemistry, S. 83, 431, 2. Aufl., Weinheim: VCH Verlagsges. 1991. – *[HS 3204 17; CAS 13 007-86-8]*

Anilinsulfonsäuren s. Aminobenzolsulfonsäuren.

...anilsäure. Veraltete Endung bei Trivialnamen von zweibasigen Säuren, bei denen eine der Säurehydroxyl-Gruppen durch den *Anilino-Rest ersetzt ist (IUPAC-Regel C-431.3); *Beisp.:* Carbanilsäure (H_5C_6–NH–COOH), Malonanilsäure (H_5C_6–NH–CO–CH_2–COOH). Anthranilsäure u. Sulfanilsäure sind triviale Bez. anderen Ursprungs. – *E* ...anilic acid – *F* acide ...anilique – *I* àcido ...anilico – *S* ácido ...anílico

Animalisieren. Wollähnlichmachen von *Cellulose-Fasern durch dünne Überzüge von Eiweißstoffen (Casein, Pflanzen- u. Fisch-Eiweiß), Kunstharzen, organ. Basen u. dgl. Durch A. können Cellulose-Fasern mit Wollfarbstoffen färbbar gemacht werden. – *E* animalizing – *F* animaliser – *I* animalizzare – *S* animalizar
Lit.: Rath, Lehrbuch der Textilchemie, S. 218 f., Berlin: Springer 1972.

Anionbasen s. Säure-Base-Begriff.

Anionen. Sammelbez. für alle *Ionen, die in wäss. Lsg. neg. Ladung tragen u. somit unter dem Einfluß des elektr. Feldes zur Anode (s. Elektroden) wandern würden. Zu den A. gehören die Säurerest- u. die Hydroxyl-Ionen, also z. B. die SO_4^{2-}, Cl^-, PO_4^{3-}, NO_3^-, HCO_3^-, H_3C–COO^- u. OH^--Ionen, als Sonderfall das *Hydrid-Ion (H^-) u. in der organ. Chemie die *Carbanionen. Formal entstehen A. aus elektr. neutralen Stoffen, indem diese Elektronen aufnehmen – was in der organ. Chemie auch zu Radikal-Anionen führen kann (vgl. *Lit.*[1]) – od. Kationen (im allg. *Protonen) abgeben; näheres s. bei Säure-Base-Begriff u. Ionen. – *E* = *F* anions – *I* anioni – *S* aniones
Lit.: [1] Angew. Chem. **87**, 797–808 (1975).
allg.: Williams, Handbook of Anion Determination, London: Butterworth 1979.

Anionenaustauscher s. Ionenaustauscher.

Anionen-Austausch-Protein s. Bande 3.

Anionische Farbstoffe s. Säurefarbstoffe.

Anionische Polymerisation. A. P. ist eine *Polymerisation, die über die schrittweise Addition von Monomermol. an ein neg. Zentrum abläuft. Die neg. Ladung wird dabei von der addierten Monomereinheit übernommen. Der a. P. zugänglich sind Monomere mit elektronenanziehenden Gruppen, z. B. Ester u. Nitrile der (Meth)*acrylsäure od. *Vinylketone, bzw. solche, die neg. Ladungen durch *Resonanz stabilisieren (Styrol, Butadien, Isopren u. a.). Als Starter der a. P. werden *Initiatoren [Wasser, tert. Amine, Alkoholate, (erd)alkalimetallorgan. Verb., Alkalimetalle] unterschiedlicher Basizität eingesetzt, die sich an den zu polymerisierenden Monomeren orientieren. Über a. P. hergestellte Polymere mit resonanzstabilisierter anion. Endgruppe bleiben auch nach Verbrauch der Monomeren reaktiv (s. lebende Polymere). Die a. P. erlaubt Polymere mit sehr enger Molmassenverteilung zu synthetisieren. – *E* anionic polymerization – *F* polymérisation de type anionique – *I* polimerizzazione anionica – *S* polimerización aniónica
Lit.: Adv. Polym. Sci. **86**, 87–143, 145–173 (1988) ▪ Elias **1**, 372–392 ▪ Encycl. Polym. Sci. Eng. **2**, 1–43 ▪ Houben-Weyl E **20**, 114–134.

Anionoide Reaktion s. nucleophile Reaktionen.

Anionsäuren s. Säure-Base-Begriff.

Aniontenside (anion. *Tenside, Anionics). Grenzflächenaktive Verb. aus einem – ggf. substituierten – Kohlenwasserstoffgerüst mit einer od. mehreren anion. Kopfgruppen, die in wäss. Lsg. dissoziieren, an Grenzflächen adsorbieren u. oberhalb der kritischen Micellbildungskonzentration zu neg. geladenen *Micellen aggregieren. *Beisp.* für A. sind *Seifen (anion. Kopfgruppe: –COONa), *Alkylbenzolsulfonate, *Alkansulfonate, Methylestersulfonate u. *α-Olefinsulfonate (–SO$_3$Na), *Alkylsulfate u. Alkylethersulfate (–OSO$_3$Na). A. sind die wirtschaftlich bedeutendste Tensidklasse. Zur Anw. der A. vgl. *Lit.*[1], zum biolog. Abbau, zur Toxikologie u. Dermatologie *Lit.*[2]; zur Analytik *Lit.*[3]. – ***E*** anionic surfactants, anionics – ***F*** tensides anioniques – ***I*** tensioattivi anionici – ***S*** tensioactivos aniónicos

Lit.: [1] Falbe, Surfactants in Consumer Products, Berlin: Springer 1987. [2] Gloxhuber, Künstler, Anionic Surfactants: Biochemistry, Toxicology, Dermatology, New York: Dekker 1992. [3] Schmitt, Analysis of Surfactants, New York: Dekker 1992. *allg.:* Kosswig u. Stache, Die Tenside, München: Hanser 1993 ■ Stache, Anionic Surfactants – Organic Chemistry, New York: Dekker 1996.

Aniracetam.

Internat. Freiname für 1-*p*-Anisoyl-2-pyrrolidinon, C$_{12}$H$_{13}$NO$_3$, M$_R$ 219,24, Schmp. 121–122 °C; LD$_{50}$ (Ratte, Maus) ~4500, >5000 mg/kg. Es wurde 1979 u. 1983 von Hoffmann-La Roche (Draganon®) patentiert u. ist zur Zeit als Nootropikum u. gegen die *Alzheimersche Krankheit in der klin. Prüfung. – ***E*** = ***I*** = ***S*** aniracetam – ***F*** aniracétam – *[HS 293 79; CAS 72432-10-1]*

Anis.

Graubraune, 3–6 mm lange, bis 2,5 mm dicke, fein behaarte, würzig riechende Früchte des einjährigen, in Europa, Rußland u. Nordafrika weit verbreiteten, 30–50 cm hohen Doldenblütlers *Pimpinella anisum* (Apiaceae). *Zusammensetzung:* 2–3% *Anisöl, 8–11% fettes Öl, 3,5–5,5% Zucker, 11–13% Wasser, 6–18% Stickstoff-haltige Substanzen, 12–15% *Cellulose, 6–10% Aschengehalt. Außerdem wurden im A. noch die *Flavonoide Quercetin, Luteolin u. Apigenin gefunden, die als Glykoside verschiedener Zucker vorliegen. *Verw.:* Ähnlich wie der – botan. allerdings *nicht* verwandte – *Sternanis als Gewürz in der Feinbäckerei, zur Spirituosenherst. (in Bitter- u. Kräuterlikören, „Danziger Goldwasser") u. dgl., in Tees usw. als mildes *Expektorans u. *Carminativum. – ***E*** anise, aniseed – ***F*** anis – ***I*** anice – ***S*** anís

Lit.: Braun-Frohne (5.) S. 184f. ■ DAB 10 ■ Hager (5.) 4, 694ff. ■ Wichtl, S. 62ff. ■ s. a. Anisöl. – *[HS 0909 10]*

p-Anisaldehyd (4-Methoxybenzaldehyd). Xn

C$_8$H$_8$O$_2$, M$_R$ 136,14. Farbloses, nach blühendem Weißdorn (Cumarin-ähnlich) riechendes Öl, schwer lösl. in Wasser, leicht lösl. in Alkohol u. Ether, D. 1,123, Schmp. +2 °C, Sdp. 248 °C, LD$_{50}$ (Ratte oral) 1510 mg/kg, wassergefährdender Stoff, WGK 1 (Selbsteinst.); empfindlich gegen Licht, Luft, Wärme, Al, Fe, Alkalien, Säuren. In Cassiablüten, Anis-, Sternanis- u. Fenchelöl verbreitet, wird techn. durch Oxid. von Anethol mit Natriumdichromat u. Schwefelsäure od. durch Formylierung von Anisol hergestellt u. kann auch durch Oxid. von 4-Methoxytoluol mit K$_2$S$_2$O$_8$ in Ggw. von Ag$^+$-Salzen erhalten werden[1]. Durch Elektrooxid. von 4-Methoxytoluol entsteht ebenfalls A. (BASF 1979). A. ist ein in Seifen, Schminken u. Pudern vielverwendeter Riechstoff u. wird auch zur Synth. von Antihistaminika u.a. Pharmazeutika verwendet. A. dient als Glanzzusatz beim galvan. *Verzinken. – ***E*** *p*-anisaldehyde – ***F*** aldéhyde anisique – ***I*** aldeide *p*-anisico (del *p*-anice) – ***S*** *p*-anisaldehído

Lit.: [1] Parfüm. Kosmet. 55, 358 (1974).
allg.: Beilstein E IV 8, 252 ■ Kirk-Othmer (4.) 1, 928 ■ Ullmann (4.) 20, 244; (5.) A 11, 199 ■ Winnacker-Küchler (4.) 6, 228. – *[HS 2912 49; CAS 123-11-5]*

p-Anisalkohol (4-Methoxybenzylalkohol).

C$_8$H$_{10}$O$_2$, M$_R$ 138,17. Farblose Kristallmasse bzw. Flüssigkeit mit feinem Blumengeruch, D. 1,113, Schmp. 25 °C, Sdp. 259 °C, in Wasser unlösl., in Alkohol u. Ether löslich, LD$_{50}$ (Ratte oral) 1200 mg/kg, wassergefährdender Stoff, WGK 2 (Selbsteinst.). A. kann durch Red. von *p*-Anisaldehyd hergestellt werden. *Verw.:* Als Riechstoff, in organ. Synth. z.B. zum Schutz von Hydroxylgruppen, zur Veretherung, Veresterung. – ***E*** anise alcohol – ***F*** alcool anisique – ***I*** alcool *p*-anisico – ***S*** alcohol anísico

Lit.: Beilstein E IV 6, 5909 ■ Ullmann (4.) 20, 243; (5.) A 11, 198. – *[HS 2909 49; CAS 105-13-5]*

Anisatin.

R = OH : Anisatin
R = H : Neoanisatin

(–)-A., C$_{15}$H$_{20}$O$_8$, M$_R$ 328,32, Schmp. 227–228 °C (aus H$_2$O), [α]$_D^{20}$ –28° (c 2/Dioxan) u. *Neoanisatin*, C$_{15}$H$_{20}$O$_7$, M$_R$ 312,32, Schmp. 237–238 °C (aus H$_2$O), [α]$_D^{25}$ –25° (c 1/Dioxan) sind sesquiterpenoide Krampfgifte aus dem japan. Sternanis (*Illicium anisatum*, japan. Name Shikimi). Es sind nicht-kompetitive Antagonisten des Neurotransmitters GABA (γ*Aminobuttersäure). Sie zählen mit einer LD$_{100}$ (Maus i.p.) von 1 mg/kg zu den stärksten bekannten pflanzlichen Giften (*Picrotoxinähnliche Wirkung). – ***E*** anisatin – ***F*** anisatine – ***I*** anisatina – ***S*** anisatín

Lit.: Aust. J. Chem. 41, 1071 (1988) ■ Beilstein E V 19/7, 14 (Neoanisatin), 92 (A.) ■ J. Am. Chem. Soc. 112, 9001 (1990) ■ Tetrahedron 24, 199–229 (1968). – *[CAS 5230-87-5 (A.); 15589-82-9 (Neoanisatin)]*

Anisidine (Methoxyaniline).

Anisidino

C_7H_9NO, M_R 123,15.
o-A.: Gelbliche Flüssigkeit, färbt sich an der Luft braun, Schmp. 5 °C, Sdp. 225 °C, LD_{50} (Ratte oral) 2000 mg/kg, wassergefährdender Stoff, WGK 2 (Selbsteinst.). *o-A.* gilt als Stoff, der sich im Tierversuch eindeutig als krebserzeugend erwiesen hat (Gruppe III A 2, MAK-Werte-Liste 1995). *o-A.* kann aus 1-Methoxy-2-nitrobenzol durch Red. hergestellt werden.
m-A.: Gelbliche Flüssigkeit, Schmp. –1 °C, Sdp. 251 °C, wassergefährdender Stoff, WGK 2 (Selbsteinst.).
p-A.: Farblose bis graubraune krist. Masse od. Schuppen, Schmp. 57 °C, Sdp. 246 °C, LD_{50} (Ratte oral) 1400 mg/kg, wassergefährdender Stoff, WGK 2 (Selbsteinst.), MAK-Wert: 0,1 ppm (MAK-Werte-Liste 1995). *p-A.* kann durch Red. von 1-Methoxy-4-nitrobenzol hergestellt werden. Alle A. wirken hautreizend, Gefahr der Hautresorption, Methämoglobin-Bildung.
Verw.: Chem. Zwischenprodukte bei der Herst. von Azofarbstoffen u. Pharmazeutika. – *E* = *F* anisidines – *I* anisidine – *S* ansidínas
Lit.: Beilstein E IV 13 806, 953, 1015 ▪ Giftliste ▪ Hommel, Nr. 656, 656a ▪ Kirk-Othmer (3.) 2, 317f.; (4.) 2, 438 ▪ Ullmann (4.) 18, 231, 233; (5.) A 2, 308. – [HS 2922 22; CAS 90-04-0 (o); 536-90-3 (m); 104-94-9 (p); G 6.1]

Anisidino... (z. B *o*-Anisidino... = 2-Methoxyanilino...). Bez. für die Atomgruppierung –NH–C_6H_4–OCH_3 in systemat. Namen. (IUPAC-Regel C-811.4). – *E* = *F* = *I* = *S* anisidino...

Aniso... Von griech.: anisos = ungleich od. latein.: anisum = Anis abgeleitete Vorsilbe mit entsprechender Bedeutung. – *E* = *F* = *I* = *S* aniso...

Anisodesmisch. Von *aniso... u. griech.: desmos = Band, Bindung abgeleitetes Adjektiv, das besagt, daß in einer *Kristallstruktur die Bindungen zwischen den Bausteinen – z. B. zwischen Anionen u. Kationen – ungleichwertig sind, was z. B. Auswirkung auf die *Härte fester Körper hat. *Gegensatz:* isodesmisch. Es sei darauf hingewiesen, daß man im Dtsch. auch die Schreibweise *anisodemisch* antrifft. – *E* anisodesmic – *F* anisodesmique – *I* anisodesmico – *S* anisodésmico

Anisöl (Anissternöl). Durch Wasserdampfdest. der zerkleinerten Früchte von Sternanis (*Illicium verum*) u. *Anis (*Pimpinella anisum*) gewonnenes ether. Öl; die Ausbeute an A. beträgt je nach Qualität der Früchte etwa 1,5–6%. Oberhalb 20 °C ist A. eine stark lichtbrechende, farblose süßlich schmeckende Flüssigkeit (D. 0,99). Hauptbestandteil: 80–90% *Anethol, ferner Methylchavicol, 4-Methoxyacetophenon u. andere. Über Sesquiterpene aus A. s. *Lit.*[1].
Verw.: Zur Anethol-Gewinnung, Likörbereitung, zur Vertreibung von Läusen u. als Hustenmittel. – *E* anise oil – *F* esence d'anis – *I* essenza d'anice – *S* esencia de anís
Lit.: [1] Helv. Chim. Acta 57, 849 (1974).
allg.: Hager 7b, 12 ▪ Janistyn 2, 16 f. ▪ Kirk-Othmer 16, 319 f. ▪ Ullmann (4.) 20, 266; (5.) A 11, 216 ▪ s. a. Anethol u. Anis. – [HS 3301 29]

Anisol (Methylphenylether, Methoxybenzol). H_5C_6–OCH_3, C_7H_8O, M_R 108,14. Angenehm riechende, farblose leicht entflammbare Flüssigkeit, D. 0,98, Schmp. –37 °C, Sdp. 156 °C, FP. 43 °C c. c. Dämpfe u. Flüssigkeit reizen Augen, Haut u. Atemwege, LD_{50} (Ratte oral) 3700 mg/kg, wassergefährdender Stoff, WGK 2, unlösl. in Wasser, lösl. in Alkohol u. Ether. A. ist aus Phenol u. Dimethylsulfat synthetisierbar.
Verw.: Als Lsm., Wärmeübertragungsmittel (zwischen 150 u. 260 °C), Zwischenprodukt für die Synth. organ. Verb., z. B. von Arzneimitteln u. Riechstoffen. – *E* anisole – *F* = *S* anisol – *I* anisolo
Lit.: Beilstein E IV 6, 548–553 ▪ Brauer, Gefahrstoff-Sensorik, Landsberg: Edomed 1988 ▪ Hommel, Nr. 503 ▪ Ullmann (4.) 18, 225; A 19, 355 ▪ Winnacker-Küchler (4.) 6, 243. – [HS 2909 30; CAS 100-66-3; G 3]

Anisotope Elemente (Reinelemente). Bez. für Elemente, die (fast ausschließlich) aus einem einzigen natürlichen Isotop bestehen, wie z. B. Be, F, Na, Al, P, Mn, Co, As, I, Au; s. chemische Elemente. – *E* anisotopic elements – *F* éléments anisotopes – *I* elementi anisotropi – *S* elementos anisótopos

Anisotrope Flüssigkeiten s. Flüssige Kristalle.

Anisotropie. Von *aniso... u. ...*trop abgeleitete Bez. für ungleiches Verhalten bei Richtungsänderungen. Man spricht von A., wenn bei einem Stoff in den verschiedenen Richtungen des Raumes physikal. u. chem. Kräfte verschiedenartig wirken. So sind z. B. bei vielen Krist. Spaltbarkeit, Härte, Wärmeausdehnung, Elastizität, Auflösungs- u. Wachstumsgeschw., elektr. Leitfähigkeit, Lichtbrechung usw. in den verschiedenen Richtungen des Raumes ungleich ausgeprägt. Die A. hat ihre Ursache in der gitterförmigen Anordnung der Atome bzw. Ionen in den *Kristallen. Die als *flüssige Kristalle bezeichneten *anisotropen Flüssigkeiten* (z. B. Cholesterin-Derivate, Lecithine, Seifen) haben fast immer langgestreckte, an beiden Enden verschiedenartig gebaute Moleküle.
Das Gegenteil von anisotrop ist *isotrop*; isotrope Stoffe haben in allen Richtungen die gleichen Eigenschaften. Hierher gehören die festen, amorphen Stoffe (z. B. Gläser, Harze), die meisten Flüssigkeiten u. die Gase. In viskosen Flüssigkeiten od. Kolloiden läßt sich jedoch durch Strömung künstlich A. erzeugen, die als *Strömungsdoppelbrechung in Erscheinung tritt, vgl. a. Kolloidchemie. – *E* anisotropy – *F* anisotropie – *I* anisotropia – *S* anisotropía
Lit.: Dreyer, Materialverhalten anisotroper Festkörper, Wien: Springer 1974 ▪ Prog. Inorgan. Chem. 22, 309–408 (1977) ▪ Stüwe, Mechanische Anisotropie, Wien: Springer 1974 ▪ Wever, Anisotropy Effects in Superconductors, London: Plenum 1977.

Anisoyl... (z. B. *p*-Anisoyl... = 4-Methoxybenzoyl...). Bez. für die Atomgruppierung –CO–C_6H_4–OCH_3 in systemat. Namen (IUPAC-Regel C-411.1). – *E* = *F* anisoyl... – *I* = *S* anisoil...

***p*-Anissäure** s. 4-Methoxybenzoesäure.

Anisyl... Bez. für die Atomgruppierungen –C_6H_4–O–CH_3 u. –CH_2–C_6H_4–O–CH_3. Die IUPAC-Regeln empfehlen eindeutige systemat. Bez., z. B. 4-Methoxyphenyl... bzw. 4-Methoxybenzyl... statt *p*-Anisyl... – *E* = *F* anisyl... – *I* = *S* anisil...

Ankerit (Braunspat). Ca(Mg,Fe^{2+},Mn)[CO_3]$_2$; dem *Dolomit sehr ähnliches (aber höhere Dichte, bis 3,8), farb-

loses, graues, gelbliches od. bräunliches Mineral; H. 3,5–4; zur Struktur s. *Lit.*[1–3].
Vork.: Verbreitet; in Erz-*Gängen, z. B. Siegerland; als Verdrängungsprodukt von *Kalken, z. B. Eisenerz/Steiermark; in *Karbonatiten, z. B. Fen-Gebiet/Norwegen, Kanada; in *Sedimentgesteinen. A. wird in der Eisenverhüttung verwendet. – *E* ankerite, ferroan dolomite – *F* ankérite – *I* ancherite – *S* ankerita
Lit.: [1] Tschermaks Mineral. Petrogr. Mitt. **24**, 279–286 (1977). [2] Am. Mineral. **77**, 412–421 (1992). [3] Phys. Chem. Miner. **17**, 527–539 (1991).
allg.: Deer et al. (2.), S. 649 ff. ▪ Ramdohr-Strunz, S. 573 ▪ s. a. Dolomit. – *[CAS 12172-74-6]*

ANKYLOS®. Implantate zur Verw. in der Zahnmedizin. *B.:* Degussa.

Ankyrin (Goblin, Syndein). Zunächst in *Erythrocyten gefundenes integrales *Membran-Protein vom M_R 215 000 (Mensch) – 260 000 (Huhn) mit der Fähigkeit, *Spectrin u. *Bande-3-Protein gleichzeitig zu binden u. somit das *Cytoskelett an der Zellmembran zu verankern (daher Name von griech ankyra = Anker). A. kommt jedoch auch in anderen Zelltypen vor, u. zwar auch an *Tubulin gebunden. Ein sich in A. 22mal wiederholender Sequenzbereich kommt in ähnlicher Form (*ankyrin-like repeats*) auch in verschiedenen *Transkriptionsfaktoren (bzw. deren Vorläufern) u. *Rezeptoren vor[1]. Genet. Defekt des A. kann zu *Sphärozytose* (Kugelzellenanämie) führen[2]. – *E* ankyrin – *F* ancyrine – *I* = *S* ancirina
Lit.: [1] Trends Biochem. Sci. **17**, 135–140 (1992). [2] Nature (London) **345**, 736 ff. (1990).
allg.: Alberts et al., Molekularbiologie der Zelle, 3. Aufl., S. 581, Weinheim: VCH Verlagsges. 1995 ▪ Eur. J. Biochem. **211**, 1–6 (1993) ▪ Science **258**, 955–964 (1992).

ANL. Abk. für *Argonne National Laboratory.

Anlagen. Im Sinne des *Bundes-Immissionsschutzgesetzes sind A. 1. Betriebsstätten u. sonstige ortsfeste Einrichtungen, – 2. Maschinen, Geräte u. sonstige ortsveränderliche techn. Einrichtungen sowie Fahrzeuge u. – 3. Grundstücke, auf denen Stoffe gelagert od. abgelagert od. Arbeiten durchgeführt werden, die Emissionen verursachen können, ausgenommen öffentliche Verkehrswege. Weitere A. u. ihre Genehmigungsverf. s. *Lit.*[1]. – *E* plant – *F* installations – *I* impianti
Lit.: [1] Römpp Lexikon Umwelt, S. 61–64.
allg.: Bundes-Immissionsschutzgesetz – BImSchG vom 14.5.1990 (BGBl. I, S. 880), zuletzt geändert durch VO vom 19.7.1995 (BGBl. I, S. 930).

Anlagensicherheit. A. beschreibt den sicheren Zustand einer Anlage. Sie ist gegeben, wenn das mit dem Zustand u. Betrieb verbundene Risiko für Mensch, Umwelt u. Sachgüter kleiner ist als das allg. akzeptierte Restrisiko. A. beschreibt die Tätigkeit zur Erreichung eines sicheren Anlagenzustandes. Sie wird erzeugt durch alle techn. u. organisator. Maßnahmen, die in einer Anlage durchzuführen sind, um Gefährdungen, die von den Stoffen u. Anlagenteilen (Apparaten, Maschinen od. sonstigen techn. Einrichtungen) ausgehen (Stofffreisetzung, Explosionen u. Brände), zu verhindern u. zu begrenzen. A. wird erreicht, wenn die vorhandenen Gefährdungspotentiale verfahrenstechn. so weit wie sinnvoll machbar reduziert werden, wenn die verbleibenden Gefährdungspotentiale durch die geeignete Auswahl von Verfahrensparametern inaktiviert werden, wenn die Aktivierung der Gefährdungspotentiale durch Fehler u. Störungen vermieden wird u. wenn durch Gestaltung von Verf. u. Anlagen gewährleistet wird, daß Fehler nicht gleich zu einem großen Schadensereignis führen.
A. wird beeinflußt durch die Gestaltung des Verfahrens, – durch die Auslegung der zugehörigen Anlagenteile, – durch sicherheitstechn. Ausrüstung der Anlage, – durch geeignete Aufstellung u. Anordnung der techn. Einrichtungen, – durch die fachgerechte Überwachung u. Bedienung der Anlage, – durch wiederkehrende Prüfungen an überwachungsbedürftigen Anlagen durch unabhängige Sachverständige, sowie durch die Instandhaltung.
Lit.: Arbeitssicherheitsgesetz vom 12.12.1973 (BGBl. I, S. 1885), zuletzt geändert durch Gesetz vom 18.2.1986 (BGBl. I, S. 265) ▪ Bundesimmissionsschutzgesetz vom 14.5.1990 (BGBl. I, S. 880) ▪ Chemikaliengesetz vom 16.9.1980 (BGBl. I, S. 1718), zuletzt geändert am 14.3.1990 (BGBl. I, S. 521) ▪ Druckbehälterverordnung vom 27.2.1980 (BGBl. I, S. 173, 184), geändert am 21.4.1989 (BGBl. I, S. 843) ▪ Elex-VO vom 27.2.1980 (BGBl. I, S. 214) ▪ Gerätesicherheitsgesetz vom 24.6.1968 (BGBl. I, S. 717), zuletzt geändert durch Gesetz vom 18.2.1986 (BGBl. I, S. 265) mit den nachgeschalteten VO ▪ Reichsversicherungsordnung vom 19.7.1911 in der Fassung der Bekanntmachung vom 15.12.1924 ▪ Störfallverordnung vom 19.5.1988 (BGBl. I, S. 625) ▪ Unfallverhütungsvorschriften (zu erhalten bei den jeweiligen Berufsgenossenschaften od. beim Carl Heymanns Verl., Köln) ▪ VO über brennbare Flüssigkeiten vom 27.2.1980 (BGBl. I, S. 173, 229), zuletzt geändert am 3.5.1982 (BGBl. I, S. 569) ▪ Wasserhaushaltsgesetz vom 23.9.1986 (BGBl. I, S. 1529).

Anlagerungsverbindungen s. Molekülverbindungen.

Anlassen. Allg. ist A. eine *Wärmebehandlung, die nach einem *Härten od. einer anderen Wärmebehandlung durchgeführt wird, um bestimmte Eigenschaften zu erreichen[1]. Konkret ist A. ein Verf. der *Wärmebehandlung* metall. Werkstoffe, durch das Versprödungserscheinungen (Härtung) aus einem vorausgehenden Fertigungsgang ganz od. teilw. rückgängig gemacht werden. Ursache der Versprödung: 1. Umwandlung mit unterdrückter Diffusion (*Martensit) infolge *Abschreckens, od. 2. *Verfestigung durch Kaltverformung. A. ist im ersten Fall Teil des *Vergütens. Instabile Gefügezustände werden aufgrund therm. Aktivierung durch Diffusionsprozesse in (teil-)stabile Strukturen umgewandelt. Im zweiten Fall werden Versprödungserscheinungen, die als Folge von Kaltformvorgängen auftreten, z. T. aufgehoben.
Das Erreichen der erwünschten Effekte – Verminderung der Härte, Anhebung der Zähigkeit – hängt dabei von der Höhe der Anlaßtemp. u. der Dauer des Anlaßvorganges ab. – *E* tempering – *F* recuit – *I* ricuocere – *S* revenido
Lit.: [1] DIN/EN 10052 (01/1994).

Anlaßfarben. Beim *Anlassen bilden sich dünne Schichten transparenter Metalloxide auf der Metalloberfläche, die durch *Interferenz des reflektierten Lichts zu Farbeffekten führen. Diese werden als A. od. Anlauffarben bezeichnet. In erster Näherung hängen die dabei entstehenden Farben von der Oxidschichtdicke ab, u. sind damit eine Funktion von Anlaßtemp. u. Anlaßdauer. Für unlegierten *Stahl gilt etwa folgende Farbskala bei kurzzeitiger Erwärmung in normaler Umgebung, s. Tabelle.

Tab.: Zusammenstellung der Anlaßfarben.

blank	bis 200 °C	purpurrot	bis 275 °C
hellgelb	bis 220 °C	violett	bis 285 °C
gelb	bis 230 °C	kornblumenblau	bis 295 °C
braun	bis 245 °C	hellblau	bis 310 °C
braunrot	bis 255 °C	graublau	bis 325 °C
rot	bis 265 °C	metallgrau	bis 330 °C

Sehr dicke, nicht transparente, graue Oxidschichten werden als *Zunder bezeichnet. – E tempering colour, heat tint – F couleur de revenu

Anlaufen. 1. Nach DIN 55945 (12/1988) ist A. „die unerwünschte Veränderung des Aussehens der Oberfläche einer *Beschichtung infolge äußerer Einflüsse, verursacht durch Trübung innerhalb des Films od. an seiner Oberfläche"
2. Bei der *Korrosion von Metallen (z. B. Silber, Kupfer, Messing, Stahl) bezeichnet A. die Reaktion mit Gasen unter Bildung dünner Schichten, die Interferenzfarben hervorrufen od. den Glanz herabsetzen, s. DIN 50900, Tl. 1 (04/1982). Ein bekanntes Beisp. sind die sulfid. schwarzen, irisierenden Anlaufschichten auf Silber. – E 1. blooming, 2. tarnishing – F ternissure – I appannarsi – S 1. florecido, 2. deslustre

Anlauffarben s. Anlaßfarben.

Anlaufschichten s. Deckschicht.

AnM s. 9-Anthrylmethyl...

Annabergit (Nickelblüte). $Ni_3[AsO_4]_2 \cdot 8H_2O$; meist apfelgrünes, überwiegend erdige, flockige od. mikrokrist. Überzüge od. Beschläge auf Nickel-haltigen Erzmineralien bildendes, monoklines Mineral; Krist.-Klasse $2/m-C_{2h}$, H 1,5–2,5, D. 3,1–3,2.
Vork.: Z. B. Schneeberg u. Annaberg (Name!) im Erzgebirge, Richelsdorf/Hessen u. Lavrion/Griechenland, Nevada/USA. – $E = F = I$ annabergite – S annabergita
Lit.: Lapis **20**, Nr. 6, 3–11 (1995) („Steckbrief") ▪ Ramdohr-Strunz, S. 644. – [HS 253090; CAS 15079-06-8]

Annalin. Gefälltes *Calciumsulfat zur Verw. in der Papierindustrie.

AnnaNox®. Marke für rekrist. SiC u. SiSiC, korrosionsbeständiger Hochtemp.-Werkstoff für Chemie, Metallurgie u. Apparatebau. *B.:* AnnaWerk.

Annasicon®. Marke für Nitrid-gebundenes SiC, hochfeuerfester Spezialwerkstoff zum Auskleiden von metallurg. u. prozeßtechn. Anlagen. *B.:* AnnaWerk.

Annatto. Im anglamerikan. Schrifttum übliche Bez. für den als Lebensmittelfarbstoff zugelassenen echten *Orlean, der als wichtigstes Pigment *Bixin enthält. – $E = F = I$ annatto – S achiote
Lit.: Cereal Foods World **30**, 271 (1985).

AnnaWerk. Kurzbez. für die 1857 gegr. Firma Anna-Werk Keramische Betriebe GmbH, Postfach 1144, 96466 Rödental. *Produktion:* Brennhilfsmittel für die Keram. Ind., hochfeuerfeste Spezialerzeugnisse, Baukeramik für Wohn- u. Industriebau.

Annealing (Strangpaarung; irreführende Bez.: *Anellierung). In der *Gentechnologie beschreibt A. die Vereinigung einer kurzen Einzelstrang-DNA bekannter Sequenz mit einem einzelsträngigen DNA-Matrizenmolekül. Durch Basenpaarung können sich Hybridmol. zwischen DNA/DNA od. DNA/RNA ausbilden. Eine A. ist z. B. für eine DNA-Strangsynth. durch eine Matrizen-abhängige DNA-Polymerase nötig. – E annealing

Annehmbare tägliche Aufnahme s. ADI.

Annel(l)ierung. In der Lit. häufig anzutreffende, falsche Schreibweise für *Anellierung.

Annexine. Familie eukaryont. Calcium- u. *Phospholipid(PL)-bindender Proteine mit verschiedenen, zum Teil noch nicht klar definierten Funktionen.
Struktur: Alle A. haben eine entwicklungsgeschichtlich konservierte *Domäne aus etwa 70 *Aminosäure-Resten, die sich 4- od. 8mal im Mol. wiederholt [1]. Die größten Unterschiede in der Struktur, die wahrscheinlich die unterschiedlichen Funktionen bedingen, finden sich in den Amino-terminalen Regionen, wo auch *Phosphorylierungs-Stellen auftreten können. Von den A. I u. V wurden Raumstrukturen bestimmt [2].
Nomenklatur: Da die A. in verschiedenen funktionellen Zusammenhängen entdeckt wurden, kam es zu häufigen Mehrfach-Benennungen. Eine Übersicht gibt die Tab. auf S. 203.
Funktion: Da die A. in Anwesenheit von Calcium(II)-Ionen neg. geladene PL u. *Membranen binden, könnten sie am Vesikel-Transport beteiligt sein. Die Fähigkeit zu oligomerisieren bildet möglicherweise bei A. II die Grundlage für dessen Membran-fusionierende Aktivität. Die A. V u. VII bilden *in vitro* Spannungs-abhängige *Calcium-Kanäle, *in vivo* jedoch liegen sie im *Cytosol gelöst vor. A. XII bildet ein Hexamer mit zentraler pos. geladener Pore, das ein Membran-durchspannender Anionen-Kanal sein könnte. Die A. I–VI hemmen *in vitro* *Phospholipase A_2, u. zwar wahrscheinlich indirekt dadurch, daß sie deren Substrate, die PL, binden. Eine in der Folge gedrosselte Freisetzung von *Arachidonsäure, einer Vorstufe der *Prostaglandine, aus den PL könnte die beobachtete entzündungshemmende Wirkung der A. I u. V erklären. Andere Funktionen, die mit A. in Verb. gebracht wurden, sind: *Zell-Adhäsionsmoleküle (A. V: bindet *Collagen), Signalüberträger für *Wachstumsfaktoren (A. I u. II), *Virus-*Rezeptoren, Inhibitoren (A. V) u. Substrate (A. I, II, IV, XII) der *Protein-Kinase C, Hemmstoffe der *Blutgerinnung (A. V), verschiedene Aktivitäten im Zellkern sowie Regulatoren der *Endo- u. *Exocytose (A. I, II, IV, VII) [3]. – E annexins – F annexines – I annessine – S anexinas
Lit.: [1] Trends Genet. **10**, 241–246 (1994). [2] Prot. Sci. **2**, 448–458 (1993); J. Mol. Biol. **223**, 683–704 (1992). [3] Trends Biochem. Sci. **19**, 231 f. (1994); Science **258**, 924–931 (1992). *allg.:* Annu. Rev. Biophys. Biomol. Struct. **23**, 193–213 (1994) ▪ Biochim. Biophys. Acta **1197**, 63–93 (1994) ▪ Cell. Signal. **5**, 357–365 (1993) ▪ Nature (London) **378**, 446 f., 512 ff. (1995) ▪ Structure **3**, 233–237 (1995).

Annihilation s. Positronen u. Zerstrahlung.

Annit s. Glimmer.

Annivit s. Fahlerze.

Tab.: Nomenklatur der Annexine.

Annexin	Synonyme	M_R
I	Calpactin II, Chromobindin 9, Lipocortin I, p35	38 600
II	Calpactin I-schwere Kette, Chromobindin 8, Lipocortin II, p36, Protein I	38 500
III	35-α-Calcimedin, Calphobindin III, Inosit-1,2-cyclophosphat-2-Hydrolase, Lipocortin III, Plazentales antikoagulantes Protein III	36 200
IV	35-β-Calcimedin, 32,5k-Calelectrin, Chromobindin 4, Endonexin I, Lipocortin IV, Plazentales antikoagulantes Protein II, Plazentales Protein PP4-X, Protein II	35 700
V	Anchorin CII, 35-γ-Calcimedin, 35k-Calelectrin, Calphobindin I, Endonexin II, Inhibitor der Blutgerinnung, Lipocortin V, Plazentales antikoagulantes Protein I, Plazentales Protein PP4, Vaskuläres Antikoagulans α	35 800
VI	67-Calcimedin, 67k-Calelectrin, Calphobindin II, Chromobindin 20, Lipocortin VI, p68, Protein III, Synhibin	75 700
VII	Synexin	50 200
VIII	Vaskuläres Antikoagulans β	36 700
IX	*Drosophila-melanogaster*-Annexin	
X	*Drosophila-melanogaster*-Annexin	35 600
XI	Calcyclin-assoziiertes Annexin 50	53 900
XII	*Hydra-vulgaris*-Annexin	35 000
XIII	Darm-spezifisches Annexin	35 300

Annona. Gattung der Annonaceae (Rahmapfelgewächse), eine der größten Familien der Magnolien-artigen Gewächse mit 120 Gattungen u. ca. 2000 Arten. Weltweit in trop. Regenwäldern verbreitet. A. enthält im Handel befindliche Früchte, darunter die *Cherimoya*; zu Inhaltsstoffen s. Annonine.

Annonine. Zu den Inhaltsstoffen der Annonaceae (s. Annona) gehören u. a. die seit 1982 bekannten Mono- bzw. Ditetrahydrofuranfettsäure-lactone, eine Substanzklasse mit derzeit über 90 bekannten Vertretern (Beisp. s. Abb. unten u. Tab. S. 204). Nach der Anzahl u. Position der Tetrahydrofuran-Ringe unterscheidet man drei Strukturtypen: Mono- u. benachbarte sowie nicht benachbarte Ditetrahydrofurane. Die Isolierung, Strukturaufklärung u. Synth. wird intensiv betrieben[1], da die Verb. oftmals ausgeprägte cytotox. sowie insektizide Eigenschaften besitzen.

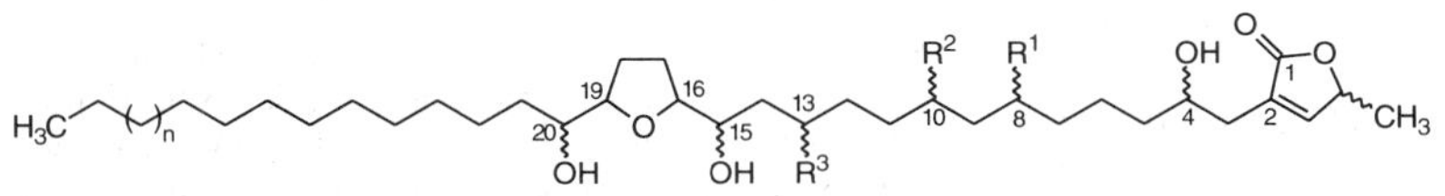

n = 1; $R^1 = R^3$ = OH, R^2 = H : Annomonicin
n = 1; $R^1 = R^3$ = H, R^2 = OH; (15R,16R,19R,20R) : Annonacin
n = 4; $R^1 = R^2 = R^3$ = H; (15R,20R) : Annonastatin

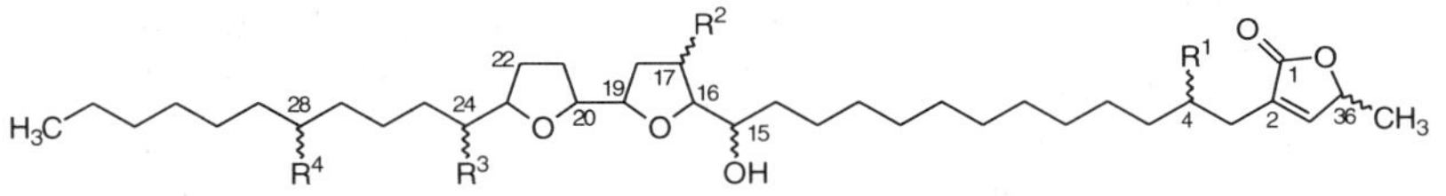

$R^1 = R^2$ = H, $R^3 = R^4$ = OH; (15R,16R,19R,20R,23R,24S,28S,36S) : Annonin I
$R^1 = R^3$ = OH, $R^2 = R^4$ = H : Asimicin
$R^1 = R^2 = R^4$ = H, R^3 = O—CO—CH$_3$; (15S,16S,19S,20S,23S,24R,36S) : Uvaricin

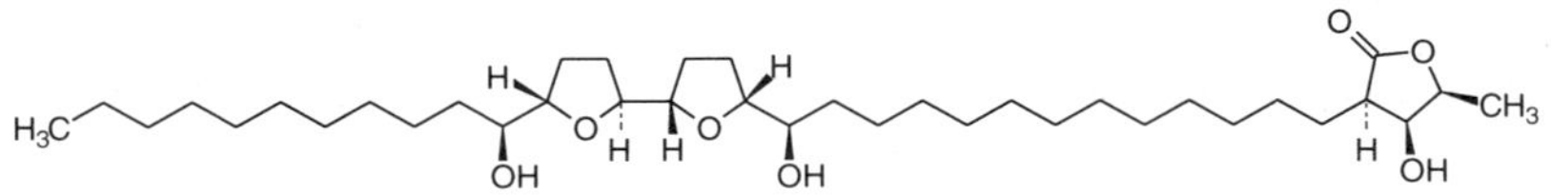

Laherradurin

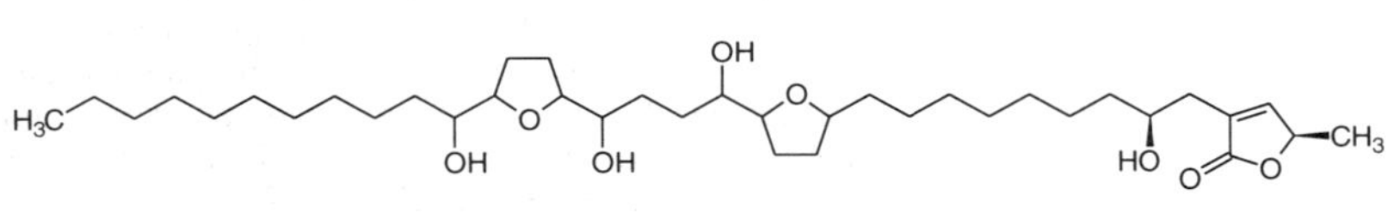

Bullatalicin

Abb.: Vertreter der Annonine.

Annuell

Tab.: Daten u. Vork. von Annoninen.

Annonine	Summen-formel	M_R	Schmp. [°C]	opt. Aktivität	Vork.	CAS
Annomonicin	$C_{35}H_{64}O_8$	612,89	45–48	$[\alpha]_D^{20}$ +4° (c 1/CH_3OH)	Annona montana	128741-22-0
Annonacin	$C_{35}H_{64}O_7$	596,89	Wachs	–	Annona densicoma, Goniothalamus giganteus	111035-65-5
Annonastatin	$C_{38}H_{70}O_6$	622,97	amorph	$[\alpha]_D^{25}$ +15° (c 1,1/CH_2Cl_2)	Annona squamosa	129138-50-7
Annonin I (Squamocin)	$C_{37}H_{66}O_7$	622,93	–	$[\alpha]_D^{22}$ +14,9° (c 0,94/CH_3OH)	Annona squamosa, Uvaria narum	120298-30-8
Asimicin[a]	$C_{37}H_{66}O_7$	622,93			Annona squamosa	102989-24-2
Rolliniastatin 1			Wachs 81–83	$[\alpha]_D$ +25,2° (c 1/CH_2Cl_2)	Asimina triloba, Rollina mucosa	111056-97-4
Rolliniastatin 2			Wachs 73–76	$[\alpha]_D^{27}$ +5,3° (c 0,27/$CHCl_3$)		121917-13-3
Bullatacin			Krist. 69–70	$[\alpha]_D^{23}$ +13° (c 0,004/$CHCl_3$)		123123-32-0
Uvaricin	$C_{39}H_{68}O_7$	648,96	wachsartiger Feststoff ~25°	$[\alpha]_D^{25}$ +11,3° (CH_3OH)	Uvaria acuminata	82064-83-3
Laherradurin	$C_{37}H_{68}O_7$	624,94	85–86		Annona cherimolia	125276-75-7
Bullatalicin	$C_{37}H_{66}O_8$	638,93	amorph 120–121	$[\alpha]_D$ +13,25° (c 4,0/C_2H_5OH)	Annona bullata	125882-64-6

Wirkung: Die A. hemmen den Elektronentransport in den Mitochondrien, indem sie die Aktivität der NADH-Ubichinon-Reduktase (Komplex I) herabsetzen.
Biosynth.: A. sind Derivate von höheren, ungesätt. Fettsäuren. – *E* annonins – *F* = *I* annonine – *S* annoninas
Lit.: [1] Acc. Chem. Res. **28**, 359–365 (1995); Helv. Chim. Acta **76**, 2433–2444 (1993); Nat. Prod. Rep. **12**, 9f. (1995); Synthesis **1995**, 1448–1464 (Rev.); Tetrahedron **50**, 8479–8490 (1994). *allg.:* J. Nat. Prod. **53**, 237–278 (1990) (Review). – *Pharmakologie:* Biochem. J. **301**, 161–167 (1994); Cancer Chemother. Pharmacol. **34**, 166–170 (1994); Eur. J. Biochem. **219**, 691–698 (1994).

Annuell. *Lebensform-Typus von Pflanzen, die ihren Lebenszyklus vom Keimen bis Fruchten in einer Vegetationsperiode vollenden; überdauert werden ungünstige *Umweltfaktoren durch Dauerformen. Annuelle treten v. a. in ariden (trockenen, vgl. Aridität) Gebieten nach Regenfällen od. auf offenen, durch den Menschen od. Katastrophen entstandenen Flächen auf. – *E* annual – *F* annuel – *I* piante annuali – *S* anual
Lit.: Nultsch, Allgemeine Botanik (10.), Stuttgart: Thieme 1996.

Annulene. Monocycl. konjugierte *Polyene der allg. Formel $(CH)_{2m}$ nennt man nach einem Vorschlag von *Sondheimer[1] Annulene (von latein. an(n)ulus = Ring). Die in eckige Klammer vorangestellte Ziffer gibt die Anzahl der Ringglieder an; nach dieser Nomenklatur wäre Benzol als [6]Annulen zu bezeichnen. A. können grob in zwei Klassen unterteilt werden:
1. m ist ungeradzahlig u. die Anzahl der π-Elektronen beträgt 4n+2 (*aromatische Verbindungen gemäß der *Hückel-Regel).

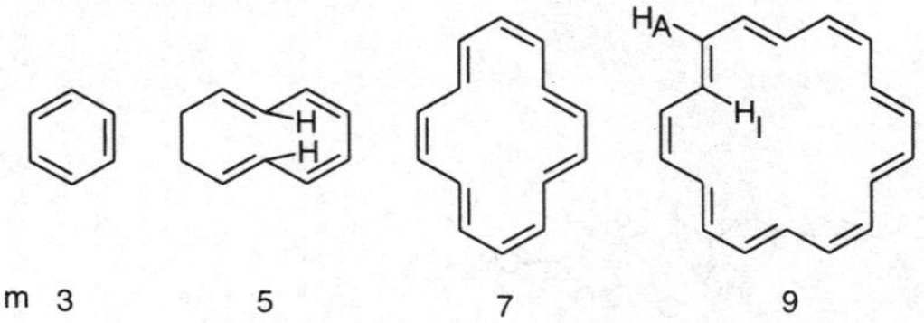

2. m ist geradzahlig u. die Anzahl der π-Elektronen beträgt 4n (Antiaromaten, vgl. Antiaromatizität).

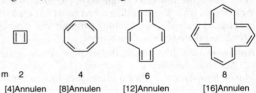

m 2 4 6 8
[4]Annulen [8]Annulen [12]Annulen [16]Annulen

Herst.: Für die Herst. der höheren A. (m>4), deren Eigenschaften im Zusammenhang mit den Kriterien für *Aromatizität interessant sind, stehen mehrere Verf. zur Verfügung, wobei die oxidative Kupplung von terminalen Alkinen (Eglinton-Kupplung) über makrocycl. Polyenine (*Cycloalkine) (Sondheimer-Meth.) u. die *Valenzisomerisierung im Syst. *Norcaradien/*1,3,5-Cycloheptatrien (Vogel-Meth.) an hervorragender Stelle zu nennen sind. Letztere Meth. eignet sich bes. zur Herst. überbrückter A., z.B. dem 1,6-Methano[10]annulen.

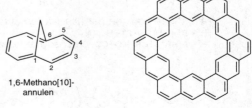

1,6-Methano[10]-annulen

Kekulen

Eigenschaften: Bei A. steht die Frage nach der *Aromatizität im Vordergrund (*nichtbenzoide aromatische Verbindungen). [10]Annulen ist infolge ster. Hinderung der inneren Wasserstoffe instabil, während das 1,6-Methano-Derivat klar ein Aromatizitäts-Kriterium (diamagnet. *Ringstrom) erfüllt. Als Prototyp der nichtbenzoiden Annulene gilt [18]Annulen, dessen äußere Protonen (H_A) bei tiefen u. dessen innere Pro-

tonen (H_i) bei hohem Feld im ^{1}H-NMR-Spektrum absorbieren, wie es das erwähnte Ringstromkriterium verlangt (s. NMR-Spektroskopie).
Die antiaromat. A., z. B. [4]Annulen (*Cyclobutadien) u. [8]Annulen (*Cyclooctatetraen), sind bes. interessant. [16]Annulen weicht dem antiaromat. Zustand (s. Antiaromatizität) durch eine geringe Abweichung von der Planarität aus. A.-Derivate sind ebenfalls bekannt. Zu nennen sind *Dehydroannulene, anellierte Annulene* (s. Anellierung), *ion. Annulene* – als einfachster Vertreter ist das *Cyclopropenylium-Kation anzusehen –, A.-Ketone (*Annulenone*) u. a. Von Kekulen hatte man das Auftreten sog. annulenoider *Aromatizität erwartet, was jedoch nicht zutraf[2]. – *E* annulenes – *F* annulènes – *I* annuleni – *S* anulenos
Lit.: [1] J. Am. Chem. Soc. **84**, 260–269 (1962). [2] Angew. Chem. **90**, 383 ff. (1978).
allg.: Barton u. Ollis **1**, 361–410 ▪ Chimia **28**, 163–172 (1974) ▪ Houben-Weyl **5/1 d**, 527–607 ▪ Pure Appl. Chem. **7**, 363–388 (1963); **28**, 331–353, 355–398 (1971) ▪ s. a. Aromatizität u. nichtbenzoide aromatische Verbindungen.

Anode. Von griech.: anodos = Aufgang abgeleitete Bez. für die pos. geladene Elektrode einer elektrolyt. Zelle, einer Entladungsröhre od. Elektronenröhre. Beim Stromdurchgang durch einen Elektrolyten wandern die *Anionen an die A. u. werden dort entladen, wobei ggf. *anodische Oxidation stattfindet. In der Technik häufig verwendete A.-Materialien sind neben Edelmetallen u. den in der *Galvanotechnik verwendeten *Nichteisenmetallen Blei, Graphit u. Kunstkohle. – *E = F* anodes – *I* anodi – *S* ánodos
Lit.: s. Elektrochemie, Elektroden.

Anodenschlamm s. Edelmetalle.

Anodische Oxidation. Allg. der an der *Anode eines Elektrolysekreises verlaufende Prozeß des Entzugs von Elektronen aus Ionen od. Atomen, die dadurch oxidiert werden; *Gegensatz:* *kathodische Reduktion. Der bei *Elektrolyse von Säure- u. Salzlsg. an der Anode stattfindende Sekundärprozeß, wenn das entladene „Anion" (z. B. SO_4) nicht existenzfähig ist, führt bei unangreifbarer Anode zum Freiwerden von gasf. Sauerstoff durch Oxid. von OH^--Ionen. Bei starker Vereinfachung der tatsächlich ablaufenden Elementarprozesse kann man nun annehmen, daß der unmittelbar nach der Ionenentladung vorliegende Sauerstoff atomar u. somit chem. bes. wirksam ist; er vermag z. B. bestimmte als Anoden eingesetzte Metalle zu oxidieren. Dies nutzt man z. B. zur Herst. von oxid. Schutzschichten auf Metallen, v. a. Leichtmetallen, aus (sog. *Anodisieren*). Die *Deckschichten, die durch Umwandlung der obersten Metallschichten entstehen u. bis zu 40 μm Dicke erreichen können, sind zunächst mikroporös u. daher mit organ. Farbstoffen leicht anfärbbar. Sie müssen noch einer Nachverdichtung (Heißwasser-, Dampf-, Metallsalz-Nachverdichtungsverf.) unterzogen werden u. erfüllen dann dekorative u. funktionelle Aufgaben; näheres s. bei Aluminium. Eine Spezialform der a. O. ist das *Eloxieren* (s. Eloxal-Verfahren) von Al, aber auch Magnesium u. Zink lassen sich gut anodisieren[1]. Auch in der Synth. von organ. Stoffen ist die a. O. eine nützliche Methode. Eine Vielzahl organ. Verb., z. B. ungesättigte Kohlenwasserstoffe, Aromaten, Amide, Carbonsäuren (*Kolbe-Synthese) kann anod. oxidiert werden. – *E* anodic oxidation – *F* oxydation anodique – *I* ossidazione anionica – *S* oxidación anódica
Lit.: [1] Bockris et al., Modern Aspects of Electrochemistry, Bd. 20, S. 401–503, New York: Plenum Press 1989.
allg.: Diggle u. Vijh, Oxides and Oxide Films (4 Bd.), New York: Dekker 1972–1976 ▪ Houben-Weyl **4/1 b** ▪ Kirk-Othmer **13**, 300 ff. ▪ Ross et al., Anodic Oxidation, New York: Academic Press 1975 ▪ Trost – Fleming **7**, 781–813 ▪ Weinberg, Technique of Electroorganic Synthesis (Techn. Chem. 5/1), S. 535–792, New York: Wiley 1974 ▪ Winnacker-Küchler (3.) **6**, 624 f. ▪ s. a. Elektrochemie, Oxidation.

Anodisieren. In der Technik übliche Bez. für die Umwandlung der Oberflächenschichten von Metallen in oxid. *Deckschichten durch *anodische Oxidation. – *E* anodizing – *F* anodisation – *I* anodizzazione – *S* anodización
Lit.: s. anodische Oxidation u. Aluminium.

Anol. In der Technik übliche Kurzbez. für *Cyclohexanol.

Anomales Wasser s. Wasser.

„a"-Nomenklatur s. Austauschname, Aza..., Cyclophan-Nomenklatur u. Hantzsch-Widman-System.

Anomere. Begriff aus der Chemie der *Kohlenhydrate, mit dem man die beiden *Epimeren* an C-1 der furanosiden od. pyranosiden *Aldosen u. *Ketosen (als α- bzw. β-A.) kennzeichnet (vorläufige IUPAC-Regel Carb-22). Näheres s. bei Aldosen. Die Kennzeichnung der A. mittels α od. β wird in gleichem Sinne wie die der *Glykoside benutzt. – *E* anomers – *F* anomères – *I* anomeri – *S* anómeros
Lit.: s. Kohlenhydrate u. Monosaccharide.

Anon. In der Technik übliche Kurzbez. für *Cyclohexanon.

Anorexigene s. Appetitzügler.

Anorganische Chemie. Bez. für dasjenige Teilgebiet sowohl der *Reinen als auch der *Angewandten Chemie, das sich mit dem chem. Verhalten der Elemente u. ihrer Verb. befaßt, die im wörtlichen Sinne des Begriffs A. C. dem Bereich der unbelebten Natur zuzurechnen sind, im Gegensatz zur *Organischen Chemie, in die die Verb. des Kohlenstoffs behandelt werden, die nach ursprünglicher Auffassung nur von Lebewesen (Organismen) aufgebaut werden können. Nachdem es 1828 F. *Wöhler mit der Harnstoff-Synth. erstmals gelang, eine körpereigene Substanz aus anorgan. Material herzustellen, ließ sich diese Grenzziehung nicht mehr aufrecht erhalten. Zu einer befriedigenden Begriffsabgrenzung führt auch die Alternative „biolog. od. nicht-biolog." noch „C-haltig od. C-frei". Heute werden die Chemie des Kohlenstoffs u. einiger seiner einfach gebauten Verb. ohne C–H-Bindung, nämlich die *Chalkogenide (z. B. CO, CO_2, CS_2) u. deren Derivate, die *Carbide, *Metallcarbonyle sowie auch die Koordinationsverb. mit einfach gebauten organ. Verb. als Liganden zur A. C. gerechnet.
Die Übergänge zur Organ. Chemie sind fließend, wie sich auch an der Behandlung dieser u. a. Verb. sowohl im *Gmelin als auch im *Beilstein zeigt. Die *metall-

organischen Verbindungen lassen sich als Brücke zwischen Anorgan. u. Organ. Chemie auffassen. Die Benennung der anorgan. Verb. erfolgt in systemat. Weise nach den IUPAC-Regeln („Red Book"), vgl. a. Nomenklatur.
Nur ca. 2% aller bekannten chem. Verb. sind anorgan. Natur. Dennoch beschäftigt sich ein beträchtlicher Teil aller Chemie-Publikationen mit anorgan. Verbindungen. Diese überspannen den weiten Bereich von Grundchemikalien, die jährlich im 10–100 Mio. Tonnen-Maßstab hergestellt werden, z.B. Ammoniak, Chlor, Natronlauge, Soda, Schwefelsäure – bis hin zu Spezialitäten, z.B. magnet. Aufzeichnungsmaterialien, Halbleiter, moderne Hochleistungskeramik, für die zur Erzielung spezieller Eigenschaften oft komplizierte Herstellungsverf. erforderlich sind.
In der anorgan. Forschung tritt neben die bisher dominierenden Fragestellungen der Molekülchemie der Hauptgruppenelemente u. der Komplexchemie der Übergangsmetalle immer stärker die Arbeitsrichtung der Festkörperchemie in den Vordergrund; als Beisp. sei die Entwicklung der Hochtemp.-Supraleiter seit 1986 genannt. Einen Überblick über Forschungsthemen der A.C. vermitteln die Jahresübersichten der Ztschr. Nachr. Chem. Tech. Lab. – *E* inorganic chemistry – *F* chimie minérale, chimie inorganique – *I* chimica anorganica – *S* química inorgánica
Lit.: Büchner et al. ▪ Heyn et al., Anorganische Synthesechemie, Berlin: Springer 1986 ▪ Irgolic u. Martell, Environmental Inorganic Chemistry, Weinheim: Verl. Chemie 1985 ▪ v. Liebscher (Hrsg.), Nomenklatur der Anorganischen Chemie, Weinheim 1993 ▪ Rooymans u. Rabenau, Crystal Structure and Chemical Bonding in Inorganic Chemistry, Amsterdam: North-Holland 1975 ▪ Williams, A Theoretical Approach to Inorganic Chemistry, Berlin: Springer 1979 ▪ Zahlreiche weitere Titel, insbes. von Lehrbüchern in: Führer durch die technische Literatur, Hannover: Weidemanns Buchhandlung (jährlich). – *Handbücher u. Serien:* Bailar et al., Comprehensive Inorganic Chemistry (5 Bd.), Oxford: Pergamon 1973 ▪ Brauer ▪ Emeleus u. Sharpe (Hrsg.), Advances in Inorganic Chemistry (bis 1986: ... and Radiochemistry), San Diego: Academic Press (seit 1959) ▪ Gmelin ▪ Lippard (Hrsg.), Progress in Inorganic Chemistry, New York: Wiley (seit 1959) ▪ Mellor, Preparative Inorganic Reactions, New York: Wiley (seit 1964) ▪ Royal Soc. of Chemistry, Annual Reports, Section A Inorganic Chemistry, London: Burlington House (seit 1904) ▪ Seiler u. Sigel (Hrsg.), Handbook on the Toxicity of Inorganic Compounds, New York: Dekker 1988 ▪ Traité de Chimie Minérale ▪ Zuckerman (Hrsg.), Inorganic Reactions and Methods, Weinheim: Verl. Chemie (seit 1986).

Anorganische Pigmente s. Pigmente.

Anorganische Polymere. Gruppe von Polymeren, deren Hauptketten keine Kohlenstoff-Atome enthalten, sondern aus Aluminium- u./od. Bor-, Phosphor-, Sauerstoff-, Schwefel-, Silicium-, Stickstoff- u. Zinn-Atomen aufgebaut sind. A.P., z.B. *Poly(bornitride), *Polyphosphate, *Polyphosphazene, *Poly(silane), *Poly(siloxane), *Poly(sulfazene) u. *Polysulfide besitzen z.T. eine sehr gute Wärmebeständigkeit bei mäßiger Elastizität. – *E* inorganic polymers – *F* polymères inorganiques – *I* polimeri inorganici – *S* polímeros inorgánicos
Lit.: Elias **2**, 308 ff. ▪ Encycl. Polym. Sci. Eng. **8**, 138 ff. ▪ Houben-Weyl **E 20**, 2210 ff. ▪ Mark, Allcock u. West, Inorganic Polymers, Englewood Cliffs N.J.: Prentice-Hall, 1992.

Anorganischer Kautschuk. Bez. für Polymere mit Kohlenstoff-freier Hauptkette. Sie besitzen eine sehr hohe Wärmebeständigkeit bei mäßiger Elastizität (s.a. anorganische Polymere, Phosphornitridchloride). – *E* inorganic rubber – *F* caoutchouc anorganique – *I* caucciù anorganico – *S* caucho inorgánico
Lit.: Batzer, **1**, S. 7.

Anorganisches Benzol s. Borazine.

Anorthit s. Feldspäte.

Anorthoklas s. Feldspäte.

Anorthosit s. Gabbros.

Anosmie s. Geruch.

Anotop®. Marke der Anotec Separations Ltd. für anorgan. Membran-Einmalfilter mit 10 bzw. 25 mm Durchmesser, die sich gegenüber herkömmlichen Membranen durch erhöhte Lsm.-Beständigkeit u. Temperaturstabilität auszeichnen. *B.:* Merck.

ANOXAN®. Fluß-, Löt- u. Schmelzmittel für Metalle. *B.:* Degussa.

ANP. Abk. für *a*trio*n*atriuret. (Poly-)*P*eptid, s. atrionatriuretischer Faktor.

Anpassung s. Adaptation.

Anpassungsbreite s. Ökologische Potenz.

Anquamide®, Anquamine®. Wäss. Epoxidharzhärter der Air Products and Chemicals Inc. *B.:* Nordmann, Rassmann GmbH & Co.

Anregung. In der *Quantenmechanik Übergang eines Syst. von einem Zustand niedriger Energie (E_1) in einen Zustand höherer Energie (E_2). Die dafür notwendige Energie $\Delta E = E_2 - E_1$, genannt *Anregungsenergie*, ist abhängig vom Syst. (z.B. Atomkern, Atom od. Mol.) u. den Zuständen zwischen denen der Übergang stattfindet. Energien im Bereich von MeV u. GeV werden durch Teilchenbeschleuniger (*Cyclotron) erreicht, während Übergänge bei niedrigeren Energien durch elektromagnet. Strahlung (*Laser, *Maser, *Mikrowelle) induziert werden. Die Abb. auf S. 207 gibt eine Übersicht, bei welchen Energien A. in den unterschiedlichen Syst. erreicht wird (s.a. Spektroskopie). Startet die A. nicht von einem Zustand, der auf Grund der Temp. besetzt ist (*Boltzmann'sches Energieverteilungsgesetz), sondern durch eine vorangegangene A. besetzt wurde, spricht man von *Zwei-Stufen-Anregung* bzw. im allg. Fall von Mehr-Stufen-Anregung. Mit der hohen Photonendichte heutiger Laser sind u.a. 12-Photonen-Anregung möglich. – *E* = *F* excitation – *I* eccitazione – *S* excitación
Lit.: Zeitschriften u. Serien: Creation and Detection of the Excited State (Hrsg.: Lamola u. Ware), New York: Dekker (seit 1971) ▪ Excited States (Hrsg.: Lim), New York: Academic Press (seit 1973) ▪ s.a. Photochemie.

Anreicherung. 1. Bez. für physikal. od. chem. Verf. zur Erhöhung der Konz. eines Stoffes. Zur A. werden Unterschiede in den chem. u./od. physikal. Eigenschaften der Einzelkomponenten eines Stoffgemisches ausgenutzt. Bei der Isotopen-A. bedient man sich z.B. der Gasdiffusion, der Gaszentrifuge, der Trenndüse u. elektromagnet. Separation sowie therm. Diffusion u. chem. Austausch. A.-Verf. von Mikrogramm- bis zum

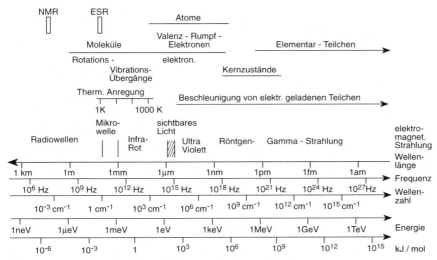

Abb.: Anregung u. Energiebeträge im elektromagnetischen Spektrum.

Tonnen-Maßstab spielen eine Rolle in der *chem. Technologie* (in *Trennverfahren wie *Affinitätschromatographie u. a. chromatograph. Methoden, Ionenaustausch, Flotation, Schlämmen, Windsichten, Eindampfen, Extraktion, Destillation usw.), in der *Kerntechnik* (z. B. bei der A. von ^{235}U gegenüber ^{238}U; s. Lit.[1]) u. in der *Metallurgie* (von aktuellem Interesse ist die A. durch bakterielles *Auslaugen von Erzen). Ebenso wird A. in der *Spurenanalyse benötigt. Gegensatz der A. ist die *Abreicherung. – 2. s. Wein. – *E* concentration, enrichment – *F* enrichissement – *I* arricchimento – *S* concentración

Lit.: [1] Simnad, Nuclear Reactor Materials and Fuels, in Encycl. of Physical Science and Technology, Bd. 11, S. 327–372, San Diego: Academic Press 1992.
allg.: Mizuike, Enrichment Techniques for Inorgan. Trace Analysis, Berlin: Springer 1983.

Anreicherungskultur. Meth. zur Isolierung bestimmter Gruppen von Mikroorganismen aus einer komplexen Kultur. Durch geschickte Auswahl der Kulturbedingungen (aerobe/anaerobe Bedingungen, Kohlenstoff- od. Stickstoffquelle, Licht, Temp., pH-Wert, selektive Antibiotika) wird das Wachstum eines Mikroorganismus bzw. einer stoffwechselphysiolog. Gruppe von Mikroorganismen gegenüber konkurrierenden, in der Population vorhandenen Organismen begünstigt. Durch Verdünnung bzw. Vereinzelung können aus einer A. leicht Reinkulturen erhalten werden. Als Impfmaterial sind bes. natürliche A. gut geeignet (z. B. halophile Bakterien in Salinen). – *E* enrichment culture – *F* culture d'enrichissement – *I* coltura arricchita – *S* cultivo de enriquecimiento
Lit.: Schlegel (7.), S. 202 ff.

Ansamycine. Von *Prelog[1] aus latein.: ansa = Henkel abgeleitete Bez. für antibiot. wirksame *makrocyclische Verbindungen, die eine Lactam-Gruppe enthalten, im allg. aber zu den *Makroliden gerechnet werden; *Beisp.:* Geldanamycin, Rifamycin u. Rifabutin, von Pharmacia (Mycobutin®), im Handel. – *E* ansamycins – *F* ansamycine – *I* ansamicine – *S* ansamicinas

Lit.: [1] Helv. Chim. Acta **56**, 2279–2287 (1973).
allg.: Acc. Chem. Res. **5**, 57–64 (1972) ▪ Fortschr. Chem. Forsch. **72**, 21–49 (1977) ▪ Ullmann (5.) **A 2**, 496 f.

Ansa-Verbindungen.

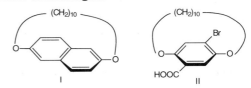

Von *Lüttringhaus eingeführte, heute jedoch meist durch den Namen *Cyclophane ersetzte Bez. für aromat. Verb., die von einer aliphat. Kette wie von einem Henkel (latein.: ansa) überbrückt werden. A.-V., wie II, können als opt. *Antipoden auftreten u. sind auch als Naturstoffe bekannt[1], s. a. Ansamycine. – *E* ansa compounds – *F* composés du type ansa – *I* composti ansa – *S* compuestos tipo ansa
Lit.: [1] Chem. Ber. **108**, 3675 (1975).
allg.: Justus Liebigs Ann. Chem. **550**, 67–98 (1942) ▪ s. a. Phan-Nomenklatur.

Anschluß- und Benutzungszwang (Überlassungspflicht, Andienungspflicht). Nach dem bis Oktober 1996 geltenden *Abfallgesetz war der Besitzer von *Abfällen verpflichtet, seine Abfälle dem Entsorgungspflichtigen zu überlassen (Überlassungspflicht). Die Entsorgungspflichtigen – meist Landkreise u. kreisfreie Städte – waren ihrerseits verpflichtet, die in ihrem Gebiet angefallenen Abfälle zu entsorgen (Entsorgungspflicht); der Abfallbesitzer hatte somit einen Anspruch auf die Entsorgung seiner Abfälle. Auf diesem bundesrechtlich festgelegten Syst. von Überlassungspflicht, Entsorgungsanspruch u. Entsorgungspflicht basiert der im kommunalen Satzungsrecht (s. Abfallrecht) verankerte A.- u. B., der die Art u. Weise, wie der Abfallbesitzer seiner Überlassungspflicht nachzukommen hat, regelt.

Nach Inkrafttreten des *Kreislaufwirtschafts- und Abfallgesetzes sind Abfallerzeuger u. -besitzer

grundsätzlich selbst zur Entsorgung ihrer Abfälle verpflichtet. Durch die Festlegung von an bestimmte Voraussetzungen geknüpfte Überlassungspflichten für Abfälle zur Beseitigung bleiben die bisherigen Überlassungs- u. Entsorgungspflichten in eingeschränkter Form jedoch erhalten.
Sowohl nach früherem als auch nach heutigem Abfallrecht können die öffentlich-rechtlichen Entsorgungsträger die Übernahme von Abfällen, die nicht zusammen mit dem *Hausmüll beseitigt werden können (s. Sonderabfall) ablehnen. In diesem Fall ist der Besitzer solcher Abfälle für deren Beseitigung selbst verantwortlich. Landesrecht kann dazu verpflichten, Sonderabfälle einer lar desoffiziellen Ges. anzudienen od. zu überlassen. Im Unterschied zur Überlassung, bei der die Abfälle „körperlich" zur Verfügung gestellt werden u. in den Besitz der entsorgungspflichtigen Körperschaft übergehen, versteht man unter Andienung das Anbieten von Abfällen an einen Dritten, der über die weitere Entsorgung entscheidet. – *E* duty of use of waste disposal facilities – *F* obligation d'assemblage et d'utilisation – *I* obbligo die collegamento e usufrutto – *S* obligación de conexión y utilización
Lit.: Birn, Kreislaufwirtschafts- u. Abfallgesetz in der betrieblichen Praxis, Loseblatt-Ausgabe, Kap. 2.3 – § 13, § 15 – § 18, Augsburg: WEKA ▪ von Köller, Leitfaden Abfallrecht, 4. Aufl., S. 105 ff., Berlin: E. Schmidt 1993.

Anschütz, Ludwig (1889–1954), Sohn von Richard A., Prof. für Organ. Chemie, Würzburg. *Arbeitsgebiete:* Organ. Phosphor-Verbindungen.
Lit.: Chem. Ber. **90**, 14–18 (1957).

Anschütz, Richard (1852–1937), Vater von Ludwig A., Prof. für Organ. Chemie, Bonn. *Arbeitsgebiete:* Mehrbas. Säuren, höhere aromat. Kohlenwasserstoffe, Wirkungsweise des AlCl₃, organ. Phosphor-Verb., Salicylsäure-Derivate u. a., Autor eines Lehrbuchs der Organ. Chemie (Richter-Anschütz) u. einer Kekulé-Biographie.
Lit.: Pötsch, S. 14.

Anschwemmfiltration s. Filtration.

Anserin (*N*-Alanyl-3-methyl-L-histidin, 3-Methylcarnosin).

$C_{10}H_{16}N_4O_3$, M_R 240,26, $[\alpha]_D^{23}+11,4°$ (c 5/H₂O), Nadeln, Schmp. 240–242 °C (Zers.), hygroskop., lösl. in Wasser, wenig lösl. in Alkohol. Erstmals in Gänsemuskeln (latein.: anser = Gans), später auch in anderen Vögeln u. Krokodilen gefundenes Dipeptid aus β-Alanin u. N^3-Methyl-L-histidin. – *E* anserine – *F* ansérine – *I* = *S* anserina
Lit.: Beilstein E V **25/16**, 430 ▪ Guggenheim, Die biogenen Amine (4.), S. 439 f., 502, Basel: Karger 1951 ▪ J. Org. Chem. **29**, 1968 (1964) (Synth.). – *[CAS 10030-52-1; 584-85-0 (L-Form)]*

Anstrich. Nach DIN 55 945 (12/1988) ist A. „eine aus *Anstrichstoffen hergestellte *Beschichtung. Bei mehrschichtigen Anstrichen spricht man auch von einem *A.-Aufbau* („*A.-Syst.*"). Zur näheren Kennzeichnung des A. sind z. B. folgende Benennungen gebräuchlich: (a) nach Art des *Bindemittels: z. B. Alkydharz-A., Chlorkautschuk-A., Dispersionsfarben-A.; – (b) nach Art des zu beschichtenden Untergrundes: z. B. Holz-A., Beton-A.; – (c) nach Art der Anw. im A.-Aufbau: z. B. Grund-A., Deck-A.; – (d) nach Art des zu beschichtenden Objekts: z. B. Fenster-A., Schiffs-A., Brücken-A.; – (e) nach Art der Funktion des A.: z. B. Korrosionsschutz-A., Brandschutz-A. Hat der Anstrichstoff eine zusammenhängende Schicht gebildet, so spricht man auch von einem *Anstrichfilm* (naß od. trocken)". Die A. werden auf Licht-, Hitze-, Wasser-, Öl-, Säure- u. Laugenechtheit geprüft; hierbei macht man meist Gebrauch von Vorrichtungen zur *Bewitterung. – *E* coating – *F* peinture – *I* pittura – *S* pintura
Lit.: s. Anstrichstoffe.

Anstrichstoffe (Anstrichmittel). Nach DIN 55 945 (12/1988) wird ein A. definiert als „flüssiger bis pastenförmiger Beschichtungsstoff, der vorwiegend durch Streichen od. Rollen aufgetragen wird". A. sind aufgebaut aus *Bindemittel, *Lösungsmittel od. Dispergiermittel, *Farbmittel (*Pigmenten od. *Farbstoffen), *Füllstoffen, ggf. a. *Trockenstoffen bzw. *Sikkativen, *Weichmachern u. a. *Additiven (z. B. *Fungiziden). Die A. ergeben nach dem Auftrag auf einen Untergrund nach physikal. u./od. chem. *Trocknung einen festen *Anstrich. A. können benannt werden nach Art ihres Bindemittels [Kurzz. vgl. DIN 55 950 (04/1978)], wobei sie nach DIN 55 945 (12/1988) soviel von diesem Bindemittel enthalten müssen, daß dessen charakterist. Eigenschaften im A. u. im Anstrich vorhanden sind. Weitere Unterteilungen s. Anstrich, Beschichtung, Lacke. Die A. u. Anstriche müssen vielfältigen Prüfbedingungen genügen, wie sie z. B. in DIN-Normen festgelegt sind [vgl. DIN Katalog, Sachgruppe 5900, Berlin: Beuth (jährlich)]. Im Jahre 1994 wurden in der BRD ca. 1,74 Mio. t A. u. Verdünnungen im Wert von ca. 8,12 Mrd. DM hergestellt (Statist. Bundesamt). – *E* paints – *F* peintures et vernis – *I* vernice – *S* pinturas
Lit.: Kirk-Othmer (3.) **6**, 427–481; **16**, 742–761 ▪ Kittel, Lehrbuch der Lacke und Beschichtungen (mehrbändig), Berlin: Colomb (seit 1971) ▪ Ullmann (4.) **15**, 589–726; (5.) **A 18**, 359–544 ▪ s. a. Beschichtung, Lacke. – *Zeitschriften:* farbe u. lack, Hannover: Vincentz (seit 1927) ▪ Journal of Coatings Technology, Philadelphia: Fed. Soc. Coatings Technol. (seit 1928). – *Organisationen u. Inst.:* Deutsche Ges. für Lackforschung, 70569 Stuttgart ▪ Fachgruppe Anstrichstoffe u. Pigmente in der GDCh ▪ FATIPEC ▪ Forschungsinst. für Pigmente u. Lacke, 70569 Stuttgart ▪ Hauptverband der deutschen Maler- u. Lackierhandwerks, 60327 Frankfurt ▪ Verband der Lackindustrie, 60329 Frankfurt ▪ Verband der Mineralfarbenindustrie, 60329 Frankfurt.

Antabus®. Tabl. mit Disulfiram zur Behandlung des chron. Alkoholismus; zu notwendigen Vorsichtsmaßnahmen s. ggf. a. Tetraethylthiuramdisulfid u. Alkoholismus. **B.:** Tosse.

Antacida. Bez. für Stoffe, die einer Hyperacidität des Magensafts (Sodbrennen, s. a. Acidität) entgegenwirken sollen. Geeignete Verb. sind u. a. *Magnesiumhydroxid, *Magnesiumoxid, *Magnesiumcarbonat u. *Magnesiumsilicat, *Aluminiumhydroxide u. *Alu-

miniumphosphat sowie *Magnesiumaluminiumsilicate. Von der Verw. der früher benutzten NaHCO₃ u. CaCO₃ sollte abgesehen werden. – *E* antacids – *F* antacide – *I* antacidi – *S* antiácidos
Lit.: Helwig-Otto II/38 ff. ▪ Mutschler (7.), S. 536 f.

Antagonisten (griech.: Gegenspieler). Bez. für Organe od. Stoffpaare (*Agonist/Antagonist), welche einander entgegengesetzte Wirkung ausüben. In der Anatomie beschreibt sie Muskelpaare, bei denen sich der eine Muskel ausdehnt, während sich der andere zusammenzieht, wie z. B. Beuge- u. Streckmuskel im Ellenbogengelenk.
In der Pharmakologie kommen A.-Paare bei unterschiedlichen Substanzklassen vor. Man unterscheidet hier verschiedene Arten von Antagonismen. So werden Substanzen, die *Rezeptoren für ihre physiolog. Bindungspartner (Liganden) blockieren, als kompetitive A. bezeichnet. Sie konkurrieren mit dem Agonisten um den Rezeptor, bleiben aber, am Rezeptor gebunden, ohne eigene Wirkung. Der Effekt eines kompetitiven A. kommt durch das Ausbleiben der Agonisten-Wirkung zustande (z. B. *Histamin/Histamin-Rezeptorenblocker). Der nicht kompetitive Antagonismus kommt durch die Reaktion des A. mit Teilen des Rezeptors zustande, ohne daß der Platz des Agonisten dadurch besetzt wird. Der Effekt ist die Verhinderung der Wirkung des Agonisten. Ein nicht kompetitiver Antagonismus besteht z. B. zwischen *Serotonin u. *Methysergid. Beim funktionellen Antagonismus handelt es sich um den Angriff zweier Rezeptor-Ligand-Paare mit gegensinniger Wirkung auf das gleiche Effektorsystem. Ein solcher Antagonismus besteht bei den A. *Adrenalin u. *Acetylcholin an der glatten Muskulatur. – *E* antagonists – *F* antagonistes – *I* antagonisti – *S* antagonistas
Lit.: Forth et al. (6.).

Antagosan®. Ampullen u. Infusionslsg. mit *Aprotinin gegen postoperative Blutungen. *B.:* Hoechst.

Antamanid.

L-Pro—L-Phe—L-Phe—L-Val—L-Pro
|
L-Pro—L-Phe—L-Phe—L-Ala—L-Pro

Antitox. Cyclodecapeptid aus dem grünen Knollenblätterpilz (*Amanita phalloides*), Antidot für *Phalloidin, $C_{64}H_{78}N_{10}O_{10}$, M_R 1147,38, Schmp. 172 °C, opt. aktiv. – *E* = *I* antamanide – *F* antiamanite – *S* antamanida
Lit.: Struktur: J. Am. Chem. Soc. **112**, 2908 (1990). – Synth.: An. Quim., Ser. C **80**, 118–122 (1984). – Wirkung: CRC Crit. Rev. Biochem. **5**, 185–260 (1978) ▪ s. a. Amanitine. – [CAS 16898-32-1]

Antara® 430. Emulsion eines Copolymerisates aus *Styrol u. *1-Vinyl-2-pyrrolid(in)on, Trübungsmittel mit hoher Stabilität für alle tensid. Produkte für die Körperpflege u. Haushaltsreinigung. *B.:* ISP.

Antarafacial s. Sigmatrop.

Antares®. Tabl. mit Kava-Kava-Wurzelextrakt (standardisiert auf Kavapyrone, s. Kavain) als pflanzliches *Psychopharmakon. *B.:* Krewel Meuselbach.

Antarktisches Ozonloch. Mit dem *Ozonloch bezeichnet man die temporäre drast. Verringerung der Ozon-Konz. in der unteren Stratosphäre (s. Atmosphäre) zwischen ~12 u. 22 km Höhe im antarkt. Frühling. Es bildet sich im August/September u. füllt sich im November/Dezember wieder auf. Von 1979 bis 1995 sind die Minimalwerte der Ozondicke im Oktober von etwa 250 DU (Dobson Unit, s. Dobson-Einheit) auf 90 DU abgesunken. Ursache ist die chem. Ozon-Zerstörung durch Chlor- u. Brom-Radikale, die während des Polarwinters über heterogene Prozesse an den sog. *Polaren Stratosphär. Wolken* freigesetzt werden. Die schnelle Zunahme der Ozon-Zerstörungsgeschw. hängt mit der Zunahme der anthropogenen, in die Atmosphäre gebrachten Halogenkohlenwasserstoffe (*Freon, *Halone, *Methylbromid, *FCKW) zusammen. – *E* Antarctic ozone hole – *F* trou d'ozone antarctique – *I* buco dell'ozono antartico – *S* agujero de ozono antártico
Lit.: Environ. Pollut. **83**, 69 (1994) ▪ Geophys. Res. Lett. **22**, 3227 (1995) ▪ Groedel u. Crutzen, Chemie der Atmosphäre, Heidelberg: Spektrum 1994 ▪ Nachr. Chem. **43**, 1164 (1995) ▪ New Sci. (30. Sept. 1995) ▪ Sci. Am. **258**, 20 (1988).

Antaron® V. Copolymere des *1-Vinyl-2-pyrrolidons mit langkettigen α-*Olefinen, die als Filmbildner, Dispergiermittel u. Hydrophobierungsmittel für z. B. Ruß od. Pigmente in Lippenstiften, Hautpflegemitteln, Kunststoffen, Farben, Lacken u. Klebstoffen einsetzbar sind. *B.:* ISP.

Antazolin.

$$\underset{H}{N}\!\!\diagdown\!\!\underset{}{\overset{}{\underset{}{\diagup}}}\!\!C\!\!-\!\!CH_2\!\!-\!\!N\!\!\diagup\!\!\overset{C_6H_5}{\underset{CH_2-C_6H_5}{}}$$

Internat. Freiname für 2-(*N*-Benzylanilinomethyl)-4,5-dihydro-imidazol, $C_{17}H_{19}N_3$, M_R 265,36, Schmp. 120–122 °C; verwendet wird auch das Sulfat. Es wurde 1948 als Antihistaminikum von Ciba patentiert. – *E* = *F* antazoline – *I* = *S* antazolina
Lit.: DAB 10 ▪ Hager (5.) **7**, 765 ff. – [HS 2933 29; CAS 91-75-8 (A.); 24359-81-7 (Sulfat)]

Antennen-Komplexe (Lichtsammel-Komplexe). Supramol. Komplexe aus *Protein-gebundenen Pigmenten (Antennen-Pigmente, Lichtsammel-Pigmente, akzessor. Pigmente) in den Thylakoid-Membranen der Chloroplasten der grünen Pflanzen sowie in photosynthetisierenden Bakterien. Die A.-K. dienen der Lichtabsorption zum Zweck der *Photosynthese. Bei Cyanobakterien u. Rotalgen befinden sich A.-K. auf der Membran statt in ihr u. werden als *Phycobilisomen* bezeichnet.

Pigmente: Während an den Reaktionszentren als Pigment nur je 1–2 Mol. (Bakterio)-*Chlorophyll bzw. *Phäophytin beteiligt sind, wirken jeweils zahlreiche (ca. 100–1000) Mol. verschiedener Pigmente an der Ausbildung eines A.-K. mit, u. ihre chem. Natur variiert je nach Organismus, s. Tabelle auf S. 210.
Durch Variation in den Anteilen der verschiedenen Pigmente sind die Organismen in der Lage, ihr photosynthet. Wirkungsspektrum an das Strahlungsangebot ihres Standorts anzupassen. Die absorbierte Lichtenergie wird in ca. 100 ps über fortschreitend längerwellig absorbierende Pigment-Mol. zu den *photosynthet. Reaktionszentren* weitergereicht, wo die Lichtre-

Tab.: Vorkommen von Antennen-Pigmenten in verschiedenen Organismen.

Organismen	Antennen-Pigmente	absorbiertes Licht
photosynthetisierende Bakterien	Bakteriochlorophylle a, b u. c (s. Chlorophyll)	violett – infrarot
Cyanobakterien (Blaualgen) u. Rotalgen	Phycocyanin Phycoerythrin Allophycocyanin (s. Phycobiline)	orange grün rot
Höhere Pflanzen	*Chlorophylle a, b u. c	violett – orange
alle genannten	*Carotinoide	blaugrün

aktionen der Photosynth. stattfinden. Die Licht-Absorptionseigenschaften an sich ident. Pigment-Mol. werden durch Wechselwirkung mit Proteinen verändert[1].
Protein-Anteil: Höhere Pflanzen: In unmittelbarer Nähe des Photosystems II befinden sich die lichtsammelnden Chlorophyll-Proteine CP43 u. CP47, deren Struktur noch nicht genau bekannt ist. Das *Lichtsammel-Chlorophyll-a/b-Protein*[2] der grünen Pflanzen (light harvesting complex of photosystem II, LHC II, M_R 25000–27000), das häufigste Membran-Protein der Chloroplasten, durchspannt die Thylakoid-Membran mit 3 α-Helices (s. Helix) u. bindet mind. je 12 Mol. Chlorophyll sowie 2 Carotinoid-Moleküle.
Photosynthetisierende Bakterien: Bei Bakterien sind die photosynthet. Reaktionszentren unmittelbar vom Komplex LH1 umgeben, der in Kontakt mit den LH2-Komplexen tritt. Von letzteren ist die Raumstruktur bekannt[3]; sie bestehen aus je 9 Membran-durchspannenden α- u. β-Polypeptid-Untereinheiten, die in 2 konzentr. Kreisen angeordnet sind u. zwischen sich Bakteriochlorophyll (18 Mol. B850+9 Mol. B800) u. Carotinoid (9 Mol.) gebunden haben.
Cyanobakterien u. Rotalgen: Die *Phycobilisomen* der Cyanobakterien u. Rotalgen sind kompliziert gebaute periphere (der Membran aufsitzende) Komplexe (M_R 7–15 Mio.) aus Phycobiliproteinen (M_R 17000–22000) u. Linker-Polypeptiden, von denen nur ein Teil Farbstoffe bindet u. die dem Zusammenhalt des Komplexes u. seiner Verankerung auf der Membran dienen[4]. – *E* antenna complexes – *F* complexes d'antenne – *I* complessi d'antenna – *S* complejos de antena
Lit.: [1] Nature (London) **355**, 848 ff. (1992). [2] Lawlor, Photosynthese, S. 42–62, Stuttgart: Thieme 1990. [3] Curr. Biol. **5**, 826 ff. (1995); Nature (London) **374**, 517–521 (1995). [4] J. Bacteriol. **175**, 575–582 (1993).
allg.: Annu. Rev. Genet. **29**, 231–288 (1995) ▪ Trends Biochem. Sci. **21**, 44–49 (1996).

Antepan®. Ampullen, Tabl. u. Sprühflüssigkeit mit synthet. Thyroliberin (Protirelin) zur Schilddrüsendiagnostik. *B.:* Henning Berlin.

Anthelmintika. Von anti- u. griech.: helmis = Wurm (s. Würmer) abgeleitete Bez. für Wurmmittel. Andere Bez. sind Helminthagoga (von griech.: agein = führen, treiben), Vermifuga u. Vermizide (von lat.: vermis = Wurm u. fuga = Flucht bzw. ...zid). Die A. wirken gegen tier- u. humanpathogene *Parasiten aus den Gruppen der: 1. *Trematoden (Saugwürmer; s. a. Schistosomiasis). Mittel der Wahl ist *Praziquantel. – 2. *Nematoden (Faden- od. Rundwürmer; patholog. bedeutsam sind Ascaris-, Ancylostoma-, Necator-, Onchocerca-, Trichinella- u. Trichuris-Arten). Mittel der Wahl gegen Ascariden ist *Pyrantel-embonat; weitere wichtige Stoffe sind *Diethylcarbamazin, *Mebendazol, *Pyrviniumchlorid u. *Thiabendazol. *Ivermectin wird insbes. bei der trop. Onchocercose (river blindness; s. Filariasis) eingesetzt. – 3. Cestoden (Bandwürmer, Taenien). Mittel der Wahl ist *Niclosamid.
Außer Ivermectin sind die heute gebräuchlichen A. vollsynthet. Stoffe. Sie weisen sehr unterschiedlichen chem. Bau auf u. greifen in unterschiedlicher Weise in den Stoffwechsel der Parasiten ein. Sie wirken sehr gut gegen die eigentlichen Würmer; problemat. ist immer noch die Therapie in Fällen, in denen der Mensch Zwischenwirt ist (z. B. Trichinose; Fuchsbandwurm). Die früher benutzten Farnextrakte (grüne bis braungrüne, widerlich schmeckende, ether. Extrakte aus grob gepulverten Farnwurzeln in Rizinusöl) od. *Santonin, *Ascaridol, *Chenopodiumöl, *Gentianaviolett sind heute als A. wegen ihrer Nebenwirkungen nicht mehr in Gebrauch. – *E* anthelmintics – *F* anthelmintiques – *I* antelmintici – *S* antihelmínticos
Lit.: Arzneimittelchemie III, 199–229 ▪ Mutschler (7.), S. 733–737 ▪ Pharm. Unserer Zeit **4**, 78–88 (1975) ▪ Ullmann (5.) **A 2**, 329–342.

Anthocyane. Durch Marquart (1835) geprägte, von griech.: anthos = Blüte u. kyanos = blau abgeleitete Bez. für eine Gruppe von chem. verwandten, in der Pflanzenwelt sehr verbreiteten blauen, violetten u. roten *Farbstoffen (Benzopyrylium-Salzen), die im Zellsaft von Blüten (*Blütenfarbstoffe) sowie Früchten, gelegentlich auch in Sproßachsen u. Blättern der Pflanzen gelöst sind u. die für diese charakterist. Färbungen hervorrufen. Der Gehalt an A. ist häufig gering. Chem. betrachtet sind A. Glykoside der eigentlichen Chromophore, den *Anthocyanidinen. Die Vielfalt der bis zu 300 beschriebenen Strukturen leitet sich wie bei anderen Flavonoid-Klassen durch vielfältige Glykosidierungsgrade mit verschiedenen Hexosen u. Pentosen sowie zusätzlichen Acylierungen mit aliphat. u. aromat. Säuren ab. Die Grundstruktur stellt das Flavyliumsalz des Aglykons (Anthocyanidin) dar. Als Sekundärstrukturen entstehen in Abhängigkeit vom pH-Wert in wäss. Lsg. verschiedene chinoide Basen sowie Carbinol- u. Chalkon-Pseudobasen (s. Anthocyanidine). Bei pH-Werten oberhalb von 3 bilden sich farblose chinoide Basen, über die es durch Wasser-Addition am C-2 zur Pyran-Ringöffnung kommen kann. Die pH-abhängige Farbgebung der Anthocyane ist ein augenfälliges Indiz für Tautomerien der Anthocyanidin-Struktur. In saurer wäss. Lsg. zeigen isolierte Anthocyane eine rot bis rot-violette Farbe, die bei schwachem Laugenzusatz in ein blaue bis blau-grüne Farbe umschlägt. Die Farbgebung der A. kann neben dem pH-Wert auch durch Komplexbildung mit Metallen beeinflußt werden[1]. Weitere Strukturebenen der A. entstehen durch Glykosidierungen sowie Acylierungen, z. B. der blaue Blütenfarbstoff der Prunkwinde (*Ipomea tricolor*, Convolvulaceae) das „Heavenly Blue

Anthocyamidin (HBA)":

Biosynth.: Die Glykosidierungen der Anthocyanidine werden durch spezif. Nucleotidzucker-abhängige Glykosyltransferasen katalysiert. In Glucosidierungsreaktionen fungiert UDP-Glucose als Glykosyl-Donator. In Acylierungsreaktionen werden die Coenzym A-Thioester der aliphat. u. aromat. Säuren akzeptiert. Bei Veresterungsreaktionen mit Hydroxyzimtsäuren können auch die entsprechenden 1-*O*-Acylglucoside als Acyl-Donatoren fungieren.
Verw.: A. spielen für die Lebensmittelfärbung (E 163) eine bedeutende Rolle. Die Verwandtschaft der Glykoside zu ihren *Aglykonen drückt sich häufig auch im Namen aus: erstere enden meist auf ...in, letztere entsprechend auf ...idin; *Beisp.*: Päonin: Päonidin. Bekannte, meist in eigenen Stichwörtern behandelte A. sind *Chrysanthemin, *Cyanin, Delphinin, *Fragarin, Hirsutin, *Idaein, *Keracyanin, Malvin u. Oenin (*Malvidinchlorid), Päonin, *Pelargonin, Petunin, Primulin, Protocyanin, Tuberin, Violanin etc. – *E* anthocyanins – *F* anthocyanines – *I* antocianogeni – *S* antocianinas
Lit.: [1] Ann. N. Y. Acad. Sci. **471**, 155–173 (1986); Chem. Unserer Zeit **29**, 97f. (1995); Zechmeister **52**, 113–158 (1987). *allg.*: Beilstein E V 17, 18 u. 21 ▪ Blaue Liste, S. 155 ▪ Harborne, The Flavonoids: Advances in Research, S. 135–188, London: Chapman & Hall 1982; Advances in Research since 1988, S. 1–22, 565–588, London: Chapman & Hall 1994 ▪ Karrer, Nr. 1702–1759, 4464–4506 ▪ Schweppe, S. 394–406 ▪ Zechmeister **20**, 165–199; **52**, 113–158. – *Biosynthese*: Grisebach, Biosynthesis of Anthocyanins, New York: Academic Press 1982. – *Verw.*: J. Food Biochem. **11**, 201–247 (1987) ▪ Markakis, Anthocyanins as Food Colours, New York: Academic Press 1982 ▪ Römpp Lexikon Lebensmittelchemie, S. 59f.

Anthocyanidine. A. sind die Aglykone der *Anthocyane. Gemeinsam ist allen bekannten A. als Grundgerüst das in C-4' hydroxylierte 2-Phenylchromen. Die Primärstruktur der A. ist das Flavylium-Kation.

In Abhängigkeit vom pH-Wert einer wäss. Lsg. liegen die A. in verschiedenen Sekundärstrukturen vor.

Flavylium-Kation (pH 1-2; rot)

Chinoide Base (pH 6-6,5; rot-violett)

Carbinol-Pseudobase (pH ca. 4,5; farblos)

Chalkon-Pseudobase (pH > 7; farblos)

In schwach saurer od. neutraler wäss. Lsg. liegen die Carbinol- u. Chalkon-Pseudobasen im Verhältnis 4:1 vor [1]. Die Farbe der A. wird neben dem pH-Wert auch durch Bildung von Chelat-Komplexen mit Metall-Ionen beeinflußt [2].
Die A. leiten sich von drei Grundstrukturen ab, dem Pelargonidin, Cyanidin u. Delphinidin, die sich durch ihre unterschiedliche Substitution im B-Ring voneinander unterscheiden. Neben 6 allg. verbreiteten A. (Basis- u. verbreitete methoxylierte Strukturen in der nachfolgenden Tab.) u. 3 Desoxyanthocyanidinen kennt man mind. 9 weitere, selten auftretende A., die sich durch seltene Hydroxy- u. Methoxy-Substitutionsmuster auszeichnen.
Isoliert werden die A. gewöhnlich als Flavyliumchloride, die man auch als *Oxonium-Salze auffassen kann.
Vork.: *Pelargonidin*: Scharlachpelargonien (*Pelargonium zonale*), Schwarze Johannisbeeren (*Ribes nigrum*), blaurote Skabiosenblüten (*Centaurea scabiosa*),

Tab.: Substitutionsmuster der Anthocyanidine.

Anthocyanidin	Substitutionsmuster					
	C-3	C-5	C-6	C-7	C-3'	C-5'
Basisstrukturen						
Pelargonidin	OH	OH	H	OH	H	H
Cyanidin	OH	OH	H	OH	OH	H
Delphinidin	OH	OH	H	OH	OH	OH
Verbreitete methoxylierte Strukturen						
Päonidin	OH	OH	H	OH	OCH$_3$	H
Petunidin	OH	OH	H	OH	OCH$_3$	OH
Malvidin	OH	OH	H	OH	OCH$_3$	OCH$_3$
3-Desoxy-Strukturen						
Apigeninidin	H	OH	H	OH	H	H
Luteolinidin	H	OH	H	OH	OH	H
Tricetinidin	H	OH	H	OH	OH	OH

bläuliche Kartoffelblüten, Kapuzinerkresse u. Sommerastern; *Cyanidin:* Kirschen, Kornblumen, Mohn, Pflaumen, Preiselbeeren, rote Blätter der Roßkastanie, Holunderbeeren, Begoniablätter u. -blüten, Berberisfrüchte, rote Weißdornbeeren, Blätter u. Stiele von *Geranium robertianum*, Zapfen von Pinus-Arten, Zwetschgen, Eiben, rote Rosen (häufigstes A. in Europa); *Delphinidin:* Rittersporn, violette Stiefmütterchen, Eisenhut, *Aster amellus*, Campanula- u. *Clematis*-Arten, Lavendel, Lein, Ehrenpreis, Ligusterbeeren, weinrote Wicken; *Apigenin: Gesneria*-Blüten; *Päonidin:* Päonien, blauviolette Stiefmütterchen; *Petunidin:* Gartenpetunie; *Malvidin:* Wilde Malve, Primula-Arten, blaue Weintrauben; *Hirsutidin:* Primula hirsuta; *Tuberidin:* violettgefärbte Kartoffeln.
Biosynth.: Die Flavylium-Struktur der A. entsteht durch Dehydratisierung von Leukoanthocyanidinen (monomere Flavan-3,4-diole), die mit den sog. kondensierten Gerbstoffen (oligomere Flavan-3-ole, vgl. Catechin(e), Epicatechin u. Flavonoide) zu den Proanthocyanidinen zählen[3]. Um die Konstitutionsaufklärung der A. haben sich v. a. Karrer, Robinson u. Willstätter verdient gemacht. – *E = F* anthocyanidines – *I* antocianidine – *S* antocianidinas
Lit.: [1] Harborne, The Flavonoids: Advances in Research since 1988, S. 499–535, London: Chapman & Hall 1994. [2] Chem. Unserer Zeit **29**, 97 f. (1995). [3] Can. J. Chem. **68**, 755 (1990); vgl. a. Anthocyane.
allg.: Römpp Lexikon Lebensmittelchemie, S. 59 f.

Anthophyllit s. Amphibole.

Anthoxan®. Riechstoff, krautig, Kampfer-Note; enthält 4-Isopropyl-5,5-dimethyl-1,3-dioxan. **B.:** Henkel.

Anthracen (griech. anthrax = Kohle).

$C_{14}H_{10}$, M_R 178,23. Farblose od. schwach gelbliche, sublimierende Krist. Blättchen. D. 1,25, Schmp. 218 °C, Sdp. 340 °C, in Wasser nicht, in Alkohol, Ether, Chloroform u. kaltem Benzol wenig, in siedendem Benzol ziemlich leicht löslich. In reinstem Zustand fluoresziert A. violett u. zeigt Photoleitfähigkeit[1]; es ist triboelektr. u. triboluminiszent (s. Triboelektrizität u. -lumineszenz); es ist nicht carcinogen. Durch Oxidationsmittel wird A. leicht oxidiert u. in *Anthrachinon übergeführt. Bei Belichtung in Ggw. von Sauerstoff bildet A. ein *Epidioxid (Endoperoxid, O_2-Brücke zwischen C-9 u. C-10), in Abwesenheit von O_2 dimerisiert es an den gleichen C-Atomen (die Numerierung der A.-Atome weicht von der für *kondensierte Ringsysteme gültigen ab). In *Dien-Synth. reagiert A. in 9, 10-Stellung mit Dienophilen wie Maleinsäureanhydrid; aus A. u. Dehydrobenzol entsteht *Triptycen. Mit organ. Nitro-Verb. wie Pikrinsäure, Trinitrobenzol u. -toluol bildet A. stabile, rot gefärbte *Charge-transfer-Komplexe.
Vork.: Die techn. weitaus wichtigste A.-Quelle ist der *Steinkohlenteer (enthält 0,5–2% A.), wo es als letztes, höchstsiedendes Teerdestillat zwischen ca. 280 °C u. 400 °C zusammen mit *Phenanthren, *Acenaphthen, *Fluoren, *Acridin, 9H-*Carbazol usw. destilliert. Diese letzte Fraktion der Teerdest. wird als *Anthracenöl* bezeichnet; bei der Abkühlung erstarrt es zu einem Kristallbrei, der ca. 40% A., 20% Carbazol u. 35% Phenanthren enthält. A. ist über Anthrachinon das Ausgangsmaterial für die wichtigen *Alizarin- u. *Indanthren®-Farbstoffe; in reinster Form wird es in *Szintillationszählern eingesetzt. A. wurde für die ersten Xerographie-Versuche (s. Elektrophotographie) verwendet. Eine metallorgan. Verb. von Mg mit A. kann zur Herst. von Magnesiumhydrid dienen. – *E* anthracene – *F* anthracène – *I* antracene – *S* antraceno
Lit.: [1] Naturwissenschaften **54**, 505–513 (1967).
allg.: Beilstein E IV **5**, 2281–2292 ▪ Franck u. Stadelhofer, Industrielle Aromatenchemie, S. 355–374, Berlin: Springer 1987 ▪ Ullmann (4.) **7**, 577 f.; (5.) **A 2**, 343 ff. ▪ Winnacker-Küchler (3.) **3**, 84; **4**, 128; (4.) **5**, 478 f. – [CAS 120-12-7]

Anthracen-9-ol s. 9-Anthrol.

Anthrachinon (9,10-Anthracendion).

Tab.: Struktur des Anthrachinons u. der Anthrachinon-Derivate.

	R^1	R^2	R^3	R^4	R^5	R^6
Anthrachinon	H	H	H	H	H	H
Alizarin	OH	OH	H	H	H	H
*Chinizarin	OH	H	H	OH	H	H
*Chrysazin	OH	H	H	H	H	OH
*Hystazarin	H	OH	OH	H	H	H
*Purpurin	OH	OH	H	OH	H	H
*Chrysophansäure	OH	H	CH_3	H	H	OH
*Chinalizarin	OH	OH	H	H	OH	OH
*Flavopurpurin (+ OH an C-6)	OH	OH	H	H	H	H

$C_{14}H_8O_2$, M_R 208,22. Rhomb., schwach gelblich-grüne, geruchlose Nadeln, D. 1,42, Schmp. 285 °C, Sdp. 377 °C, sublimiert; in Wasser unlösl., Alkohol u. Ether schwerlösl., leichtlösl. in heißem Benzol. Kontakt des Stoffes mit den Augen u. der Haut ruft Reizung hervor, wird auch über die Haut aufgenommen, wassergefährdender Stoff, WGK 1 (Selbsteinst.). A. besitzt keinen echten Chinon-Charakter, sondern nimmt eine Mittelstellung zwischen Chinonen u. Diketonen ein. Die wichtigste Reaktion des A. ist die leichte Reduzierbarkeit mit Natriumdithionit u. NaOH zu Anthrahydrochinon (9,10-Anthracendiol), M_R 210,22, braune Krist., Schmp. 180 °C. Dieser Redoxprozeß bildet die Grundlage für die *Küpenfärberei bei A.-Farbstoffen. A. wird von Oxidationsmitteln, konz. Schwefel- od. Salpetersäure nur schwer angegriffen, läßt sich jedoch nitrieren u. v. a. sulfonieren (vgl. Anthrachinonsulfonsäuren).
Vork.: Hydroxylierte A.-Derivate wie *Alizarin u. *Purpurin in der Krappwurzel (zur Biosynth. s. *Lit.*[1]). In einigen Drogen (*Beisp.:* Aloe, Sennesblätter, Faulbaumrinde) sind glucosid. od. andersartig gebundene methylierte Dihydroxy- bzw. Trihydroxy-A. (*Anthraglykoside) enthalten, welche die abführende Wir-

kung hervorrufen. In Flechten sind Chlor-haltige Hydroxy-A. aufgefunden worden [2]. Zum allg. Vork. von A.-Derivaten in der Pflanzenwelt s. *Lit.*[3].
Herst.: Durch Oxid. von *Anthracen, durch *Diels-Alder-Reaktion von 1,4-Naphthochinon u. 1,3-Butadien (Verf. nach Kawasaki od. Bayer), durch *Friedel-Crafts-Reaktion von Phthalsäureanhydrid mit Benzol in Ggw. von $AlCl_3$, nach einem BASF-Verfahren aus Styrol.
Verw.: Ausgangsprodukt für viele Farbstoffe (*Alizarin-Farbstoffe, *Anthrachinon-Farbstoffe), wirkt als Vogelrepellent, findet Verw. in der Papier-Industrie. – $E = F$ anthraquinone – I antrachina – S antraquinona
Lit.: [1] Z. Naturforsch. Teil B **22**, 865 (1967). [2] Tetrahedron Lett. **1968**, 1149 ff.; Naturwissenschaften **65**, 439 f. (1978). [3] Naturwissenschaften **58**, 585–598 (1971).
allg.: Beilstein E IV **7**, 2556 ▪ Hommel, Nr. 1287 ▪ Houben-Weyl **7/3c** ▪ Kirk-Othmer (4.) **2**, 801–812 ▪ Ullmann (4.) **7**, 579 ff.; **9**, 6; (5.) **A 2**, 347–354 ▪ Weissermel-Arpe (4.), S. 354 ff. ▪ Winnacker-Küchler (3.) **4**, 209 ff.; (4.) **6**, 267 f. – *[HS 2914 61; CAS 84-65-1]*

Anthrachinonblau. Synonym für Indanthrenblau RS, s. Indanthren-Farbstoffe. – *[HS 3204 15]*

Anthrachinon-Farbstoffe. Bez. für eine umfangreiche Gruppe von sehr lichtechten Farbstoffen sehr verschiedenartiger Konstitution, die sich von *Anthrachinon durch Substitution od. durch Ankondensierung weitere Ringsyst. (z.B. Acridone, Carbazole, Thiazole, Thiophen-Derivate, Azine, kondensierte Ringsysteme u. dgl.) ableiten. Die A.-F., deren Synth. meist über *Anthrachinonsulfonsäuren verläuft, bilden die wichtigsten Vertreter der *Küpenfarbstoffe, *Indanthren-Farbstoffe, Chromier- u. *Beizenfarbstoffe (Alizarin); auch einige wichtige *Alizarin-, *Dispersions-, *Reaktivfarbstoffe gehören hierher. Einen Überblick über die Entwicklung der A.-F.-Chemie gibt *Lit.*[1]. – E anthraquinone dyes – F colorant d'anthraquinone – I coloranti all' antrachinone – S colorante antraquinónico
Lit.: [1] Endeavour **35**, 134–140 (1976).
allg.: Kirk-Othmer **2**, 501–533; **15**, 586 f.; **20**, 188–191 ▪ Ullmann **3**, 662–732; **11**, 696 f.; (4.) **7**, 585 ff. ▪ Winnacker-Küchler (3.) **4**, 270–292 ▪ Zollinger, Color Chemistry, 2. Aufl., Weinheim: VCH Verlagsges. 1991. – *[HS 3204 15]*

Anthrachinon-Pulver. Stellmittelfreies *Anthrachinon in Feinpulverform; Anw. als Ätzverstärker beim Ätzdruck auf Cellulose-Fasern, Ätz- u. Ätzreservedruck auf Synthese-Fasern. ***B.:*** BASF. – *[HS 2914 61]*

Anthrachinonsulfonsäuren. Derivate des *Anthrachinons, in dem eine od. mehrere SO_3H-Gruppen an Stelle von H getreten sind. Wenn Anthrachinon mit rauchender Schwefelsäure auf 160 °C erhitzt wird, entstehen überwiegend in β-Stellung zu den Carbonyl-Gruppen substituierte Verb., während man in Ggw. von Quecksilber-Salzen hauptsächlich α-A. erhält; die theoret. möglichen Isomeren wurden alle hergestellt. Die A. sind Zwischenprodukte bei Farbstoffsynthesen. – E anthraquinonesulfónic acids – F acides anthraquinone-sulfoniques – I acidi antrachinonsolfonici – S ácidos antraquinonsulfónicos
Lit.: Beilstein E IV **11**, 670–679 ▪ Kirk-Othmer (3.) **2**, 729–733 ▪ Ullmann (5.) **A 2**, 357 ▪ s.a. Anthrachinon-Farbstoffe.

Anthracycline. Von *Brockmann geprägte Bez. für die z.T. antibiot. wirksamen Glykoside der Anthracyclinone, einer Gruppe von Anthrachinon-Derivaten mit linear ankondensiertem Cyclohexan-Ring; wichtigste Vertreter: *Daunorubicin u. *Doxorubicin u. *Aclarubicin. Sie führen zu DNS- u. RNS-Strangbrüchen u. werden insbes. zur Behandlung der lymphat. Leukämie eingesetzt. Prinzipiell sind die A. wie auch die *Tetracycline Tetracen-Derivate. – E anthracyclines – F anthracycline – I antracicline – S antraciclinas
Lit.: Ullmann (5.) **A 2**, 485 ▪ Zechmeister **21**, 121–182.

Anthraglykoside. *Glykoside, bei denen die Aglykone Derivate des *Anthrachinons, des *Anthrons bzw. des Bianthrons sind; *Beisp.:* Aloin (s. Aloe), *Frangulin, *Sennoside. Sie sind die Wirkstoffe abführender Drogen (Aloe, Frangula, Senna u.a.). Wirkform sind die Aglykone, die im Dickdarm durch Schleimhautreizung u. nachfolgende Peristaltikanregung u. Verminderung der Wasser-Rückresorption laxierend wirken. – E anthraglycosides – I antraglicosidi – S antraglicósidos
Lit.: Dtsch. Apoth. Ztg. **131**, 1459–1466 (1991) ▪ Pharm. Ztg. **138**, 3891–3902 (1993).

Anthrahydrochinon s. Anthrachinon.

Anthramycine.

Pyrrolo[1,4]benzodiazepin-Antibiotika mit Antitumor-Wirkung aus *Streptomyces*-Arten. Hauptvertreter der Gruppe ist *Anthramycin* ($C_{16}H_{17}N_3O_4$, M_R 315,33, blaßgelbe Prismen, Schmp. 188–194 °C, lösl. in heißem Methanol u. Wasser, $[\alpha]_D^{25}$ +930 °C (c 1,0/DMF); epimerisiert in Lösung. Zur Isolierung s. *Lit.*[1], zur Biosynth. s. *Lit.*[2], zur Synth. s. *Lit.*[3]. Weitere Beisp. sind *Abbeymycin* [$C_{13}H_{16}N_2O_3$, M_R 248,28, Schmp. 142–144 °C (Zers.), s. *Lit.*[4]] u. *Sibiromycin* ($C_{24}H_{33}N_3O_7$, M_R 475,54) u. *Tomaymycin* ($C_{16}H_{20}N_2O_4$, M_R 304,35), s. *Lit.*[5]. – E anthramycins – F antramycines – I antramicine – S antramicinas
Lit.: [1] J. Am. Chem. Soc. **87**, 5791 (1968). [2] Tetrahedron Lett. **1976**, 1419. [3] J. Chem. Soc., Chem. Commun. **1982**, 741. [4] J. Antibiot. **40**, 145 (1987). [5] J. Am. Chem. Soc. **110**, 2992 (1988).
allg.: J. Antibiot. **30**, 349 (1977) ▪ J. Org. Chem. **53**, 482–487 (1988) ▪ Pharm. Res. **1984**, 52. – *[HS 2941 90; CAS 4803-27-4 (Anthramycin)]*

Anthranilate. Bez. für Salze u. Ester der o-*Aminobenzoesäure (*Anthranilsäure*).

Anthranilsäure s. Aminobenzoesäure.

Anthranilsäuremethylester s. Aminobenzoesäureester.

Anthranthron-Pigmente s. Indanthren®-Farbstoffe.

Anthrasol®-Farbstoffe. Licht- u. waschechte Leuko-Küpenfarbstoffe für Fasern aus Cellulose, auch mit Polyester-Anteilen. ***B.:*** Dystar Textilfarben GmbH & Co. Deutschland KG.

Anthrazit. Von griech.: anthrax = Kohle abgeleiteter Name für die älteste u. zugleich magerste Kohlensorte; er ist aus Bärlappgewächsen, Farnen u. Schachtelhalmen der Steinkohlenzeit (Karbon, s. Erdzeitalter) hervorgegangen. A. hat eine glänzend-tiefschwarze Farbe, muscheligen Bruch; zur Zusammensetzung s. die Tab. bei Kohle.
Vork.: Ruhrgebiet, Belgien, England, ehem. UdSSR, USA (Pennsylvania). – $E = F$ anthracite – I antracite – S antracita
Lit.: s. Kohle u. Steinkohle.

9-Anthrol (Anthracen-9-ol, 9-Hydroxyanthracen).

$C_{14}H_{10}O$, M_R 194,23; orangefarbene, in Lsg. stark fluoreszierende Blättchen, Schmp. 120 °C, Enol-Form des *Anthrons. – $E = F$ anthrol – I antrolo – S antrol
Lit.: s. Anthron. – *[HS 2907 19; CAS 529-86-2]*

Anthron [9(10H)-Anthracenon].

$C_{14}H_{10}O$, M_R 194,23. Farblose Nadeln, Schmp. 155 °C, unlösl. in Wasser, lösl. in Alkohol u. Benzol. A. kann durch Red. von *Anthrachinon hergestellt werden u. wird zur Bestimmung von Kohlenhydraten (Zuckern, Stärke etc.) in Körperflüssigkeiten verwendet[1]. A. ist ein wichtiges Zwischenprodukt bei der Herst. von *Benzanthron. Zur *Keto-Enol-Tautomerie des A. s. *Lit.*[2]. – $E=F$ anthrone – I antrone – S antrona
Lit.: [1] J. Biochem. Biophys. Methods **4**, 227 (1981). [2] Tetrahedron **24**, 4779 (1968).
allg.: Beilstein E IV **6**, 4930 ▪ Kirk-Othmer (4.) **2**, 803 ▪ Ullmann (4.) **7**, 580, 619; (5.) **A 2**, 348 ▪ Winnacker-Küchler (3.) **4**, 210, 284 f. – *[HS 2914 30; CAS 90-44-8]*

Anthropogen. Von griech.: anthrôpos = Mensch hergeleitet, bezeichnet a. alles den Menschen betreffende, durch den Menschen verursachte od. hergestellte; zu den a. gebildeten Stoffen zählen z. B. viele *Pflanzenschutzmittel, *Kunststoffe od. *FCKW. Verschiedene Stoffe, die bisher ausschließlich für a. Ursprungs gehalten wurden, werden offensichtlich auch in der Natur produziert; dazu zählen u. a. viele Organohalogene, sogar Chlorfluorkohlenwasserstoffe. Als Gegensatz wird häufig „natürlich" (im Sinne von nicht a.) verwendet; Abgrenzungsschwierigkeiten entstehen, wenn der Mensch natürliche Vorgänge indirekt beeinflußt. – E anthropogenic – I antropogeno – S antropógeno

9-Anthrylmethyl...

Bez. für die Atomgruppierung (s. Abb.), die als *Schutzgruppe (gebräuchliche Abk.: AnM) für Carbonsäuren, Phenole, Thiophenole u. Thiole dienen kann. Sie läßt sich durch Behandeln mit Natriumme-thanthiolat bei –20 °C schonend wieder abspalten. – E 9-anthrylmethyl... – F 9-anthrylméthyle – $I = S$ 9-antrilmetil...
Lit.: J. Am. Chem. Soc. **96**, 590 f. (1974) ▪ s. a. Schutzgruppen.

Anti- (griech.: gegen). Fach- u. umgangssprachlich viel verwendete Vorsilbe in Begriffen mit der Bedeutung „gegen", „entgegengesetzt", vgl. die folgenden Beispiele. In der *Stereochemie wird *anti-* (Gegensatz: *syn-) als kursiv gesetzte, bei der alphabet. Einordnung übergangene Vorsilbe gebraucht zur Bez. von *Diastereoisomeren, in denen bestimmte Atome od. Gruppen auf den entgegengesetzten Seiten einer Ebene liegen, bes. wenn das geläufigere Präfix *trans- bereits für die Kennzeichnung anderer stereochem. Gegebenheiten belegt ist. Die Bez. mit *anti-/syn-* ist bei *Oximen durch besser definiertes (*E)-/(*Z)- zu ersetzen (IUPAC-Regel E-2.2.2.; vgl. a. Stereochemie) u. nur noch bei *Diastereoisomerie an *Brücken empfohlen (s. die Abb. bei Bicyclo[...]...). Über die Verw. von *anti-* in der *Kernphysik s. Antimaterie. – $E = F = I = S$ anti-

Antiabsetzmittel s. Absetzverhinderungsmittel.

Antiadiposita. Bez. für Mittel gegen *Fettsucht (*Adipositas*). Zu den auf verschiedene Weise wirkenden A. kann man die *Abführmittel rechnen, denn sie verhindern die optimale Ausnutzung aufgenommener Nahrung, ferner *Diuretika, die eine Entwässerung der Gewebe besorgen, sowie quellfähige, unverwertbare Stoffe wie *Methylcellulose, *Alginate usw., die ein Gefühl der Sättigung vermitteln, ohne nährend zu wirken. Die bekannteste Gruppe der A. ist die der sog. *Appetitzügler od. *Anorexigene* (von griech.: anorexia = Appetitlosigkeit) vom *Amphetamin-Typ wie z. B. Norephedrin, die die Hemmung des Appetits (des Wunsches nach Nahrungsaufnahme) an zentraler Stelle bewirken. – E antiadipogenics – F antilipogènes – I antiadiposità – S antiadipógenos
Lit.: Hamacher u. Borukessel, Selbstmedikation, Bd. 3, S. 67–75, Stuttgart: Wiss. Verlagsges. 1996 ▪ s. Fettsucht.

Antiallergika. Bez. für *Allergien bekämpfende Medikamente; z. T. wird sie gleichbedeutend mit *Antihistaminika gebraucht. – E antiallergics – F antiallergiques – I antiallergici – S antialérgicos

Antiandrogene. Stoffe, die *Androgene kompetitiv an deren Rezeptoren verdrängen u. dadurch u. a. Spermiogenese u. Libido unterdrücken. Sie werden bei Prostatakarzinomen[1] u. männlicher Hypersexualität verwendet sowie bei Frauen zur Behandlung von *Hirsutismus. *Beisp.:* *Cyproteron u. (nicht-steroidal) *Flutamid. – E antiandrogens – F antiandrogènes – I antiandrogeni – S antiandrógenos
Lit.: [1] Denis (Hrsg.), Antiandrogens in Prostata Cancer, Berlin: Springer 1996.
allg.: Auterhoff, Knabe u. Höltje, Lehrbuch der Pharmazeutischen Chemie, S. 572 ff., Stuttgart: Wiss. Verlagsges. 1994 ▪ s. a. Androgene.

Antiarin (α- u. β-Antiarin). $C_{29}H_{42}O_{11}$, M_R 566,65. Aus dem – als Pfeilgift verwendeten – Milchsaft des *Upas-Baumes (*Antiaris toxicaria*) isolierte *Cardenolid-Glykoside. α-A. (Schmp. 238–240 °C, Zers.) enthält

Antiarose (D-6-Desoxygulose), β-A. L-Rhamnose als Zuckerteil am Antiarigenin ($C_{23}H_{32}O_7$, M_R 420,50,

[chemical structure]

Schmp. 242°C). – *E* antiarin – *F* antiarine – *I* = *S* antiarina

Lit.: Beilstein E III/IV **18**, 3417 f. ▪ J. Pharm. Pharmacol. **29**, 17 (1977) ▪ Karrer, Nr. 2258 ff. ▪ Lewin, Die Pfeilgifte, S. 73–78, Hildesheim: Gerstenberg 1984. – *[HS 2938 90; CAS 23605-05-2 (α-A.); 639-13-4 (β-A.)]*

Antiaromatizität. Von Breslow eingeführter Begriff für die Eigenschaft von ebenen *Ringsystemen mit 4n π-Elektronen, die im Vgl. zu den entsprechenden offenkettigen od. cycl. Mol. mit isolierten Doppelbindungen destabilisiert sind. Die Ursache der A. läßt sich bereits aus dem einfachen Hückel-MO-Modell (*HMO-Theorie) ableiten (s. dort u. Hückel-Regel). Der Prototyp eines Polyens, dem A. zugeschrieben wird, ist *Cyclobutadien ([4]-Annulen). – *E* antiaromaticity – *F* antiaromaticité – *I* antiaromaticità – *S* antiaromaticidad

Lit.: Acc. Chem. Res. **6**, 393–398 (1973) ▪ Angew. Chem. **80**, 573–578 (1968) ▪ Pure Appl. Chem. **28**, 111–130 (1971) ▪ s. a. Aromatizität.

Antiarrhythmika. Arzneistoffe zur Behandlung von (tachykarden) Rhythmusstörungen, also schnellen Unregelmäßigkeiten des Herzschlags. Sie verlangsamen die Erregungsweiterleitung durch Blockade von Natrium- u./od. Kaliumionen-Kanälen. Strukturell sind sie den *Lokalanästhetika ähnlich u. weisen ebenfalls ein aromat. Syst. in einem bestimmten Abstand (ca. fünf Kohlenstoff-Bindungslängen) von einer bas. Aminfunktion auf. *Einteilung (chem.):* 1. Chinidin-Typ (*Chinidin, *Ajmalin, Procainamid u. a.); – 2. Lidocain-Typ (*Lidocain, *Mexiletin u. a.); – 3. *Amiodaron-Typ; für eine pharmakolog. Einteilung s. *Lit.*[1]. – *E* antiarrhythmic drugs – *F* produits antiarrhythmiques – *I* antiaritmici – *S* drogas antiarrítmicas

Lit.: [1] J. Clin. Pharmacol. **24**, 129–147 (1984).
allg.: Auterhoff, Knabe u. Höltje, Lehrbuch der Pharmazeutischen Chemie, S. 635–639, Stuttgart: Wiss. Verlagsges. 1994 ▪ Breithardt et al., Antiarrhythmic Drugs, Berlin: Springer 1995 ▪ Dtsch. Apoth. Ztg. **132**, 557–562 (1992); **133**, 2444 ff. (1993).

Antiarthritika. Selten gebrauchte Bez. für Mittel gegen *Arthritis, *Gicht, auch *Rheuma (s. a. Antirheumatika). – *E* antiarthritics – *F* antiarthritiques – *I* antiartritici – *S* antiartríticos

Antiasthmatika. Bez. für Mittel gegen *Asthma (Bronchialasthma), Emphysem-Bronchitiden u. spast. Zustände des Bronchialtraktes. Die Behandlung kann kausal od. symptomat. erfolgen. Bei allerg. bedingtem Asthma ist – neben einer Allergenkarenz – manchmal eine kausale Behandlung durch Hyposensibilisierung möglich (s. Allergie), indem die verantwortlichen Allergene subcutan injiziert werden. Für eine symptomat. Therapie sind die folgenden Stoffe im Einsatz:
1. Inhibitoren der Mediatorfreisetzung, die die Ausscheidung von Histamin, Leukotrienen etc. aus den Mastzellen verhindern: *Cromoglicinsäure, *Ketotifen, *Nedocromil u. a.
2. Stoffe, die eine Bronchospasmolyse bewirken (β-*Sympath(ik)omimetika; Xanthine; *Parasympath(ik)olytika; *Antihistaminika).
3. *Glucocortico(stero)ide, die unspezif. Entzündungsreaktionen unterdrücken u. als A. inhaliert werden (z. B. *Beclometason).
4. *Expektorantien. – *E* antiasthmatics – *F* antiasthmatiques – *I* antiasmatici – *S* antiasmáticos

Lit.: Internist **36**, 546–559 (1995) ▪ Pharm. Ztg. **137**, 249–258 (1992); **138**, 3073–3084 (1993) ▪ s. a. Asthma.

Antiattraktantien s. Attraktantien u. Repellentien.

Antiausschwimmittel s. Ausschwimmen.

Antibabypillen. Umgangssprachliche Bez. für *Antikonzeptionsmittel.

Antibakterielles Spektrum. Gruppe experimentell ermittelter Testkeime, gegen die ein *Antibiotikum wirksam ist. Das a. S. kann mit dem Strichtest ermittelt werden. Dabei werden auf eine Agarplatte Suspensionen der Testkeime in Form von radialen Strichen aufgetragen. In die Mitte der Testplatte legt man ein mit einer Lsg. des zu prüfenden Antibiotikums getränktes Stück Filterpapier. Nach der Inkubation sieht man im Diffusionshof des Antibiotikums eine unterschiedlich starke Hemmung des bakteriellen Wachstums.

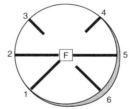

Abb.: Strichtest zur Erfassung des Wirkungsspektrums eines Antibiotikums. F = mit einer Antibiotika-Lsg. getränktes Filterpapier, 1–6 = radial ausgestrichene Teststämme; bei 3, 4 u. 6 sieht man eine Wachstumshemmung im Diffusionshof des Antibiotikums.

– *E* antibacterial spectrum – *F* spectre antibactérien – *I* spettro antibatterico – *S* espectro [anti]bacteriano

Lit.: Schlegel (7.), S. 365.

Antibasen s. Lewis-Säure u. Säure-Base-Begriff.

Antibeschlagmittel s. Beschlagverhinderungsmittel.

Antibindend s. chemische Bindung u. Molekülorbitale.

Antibiose (Antibiosis). Von griech.: anti = gegen u. bios = Leben. Chem. Wechselwirkung zwischen Mikroorganismen – in weiterem Sinne auch zwischen anderen Organismen – bei denen eine *Art (od. ein Organismus) durch die Ausscheidungen einer anderen Art (des Antibionten) gehemmt od. abgetötet wird[1]. Wichtige antibiot. wirksame Exkrete bzw. Exometabolite sind *Antibiotika, Säuren (z. B. bei den Milch-

Antibiotika

säurebakterien[2]) u. die *Allelopathika (s. a. Allelopathie). Gegensatz: Probiose, *Symbiose. – $E = S$ antibiosis – F antibiose – I antibiosi
Lit.: [1] Lexikon der Biologie 1, S. 203, Freiburg: Herder 1988. [2] Schlegel (7.), S. 363.

Antibiotika. Von *Waksman 1941 geprägte[1], von *anti... u. griech.: biotikos = zum Leben gehörige abgeleitete Bez. für niedermol. Sekundärmetabolite von Mikroorganismen, die in geringen Konz. das Wachstum anderer Mikroorganismen hemmen od. sie abtöten, wobei es sich nicht um Enzyme handelt. Diese klass. Definition von A. ist heute weitgehend abgelöst worden durch eine erweiterte Begriffsbestimmung – synonym mit *Antiinfektiva* – u. schließt chem. od. biosynthet. hergestellte Derivate sowie antibiot. wirksame Substanzen aus Pflanzen u. Tieren mit ein. Im engeren Sinne werden in der Pharmazie u. Medizin unter A. normalerweise Natur- u. synthet. Stoffe verstanden, die bei *bakteriellen* Infektionskrankheiten eingesetzt werden. *Antimykotika, *Fungizide, Mittel gegen *Protozoen u. *Virostatika sind unter den jeweiligen Stichworten behandelt, ebenso die als *Cytostatika od. zur *Immunsuppression eingesetzten Antitumor-Antibiotika.
Wachstumshemmungen von Mikroorganismen auf andere Organismen, sog. *Antibiosen*, waren lange bekannt. Das wohl berühmteste Beisp. ist die 1929 von Fleming beobachtete Wachstumshemmung von Staphylokokken durch eine Laborkontamination, ein Penicillin-bildendes *Penicillium notatum*[2]. Aber erst der gestiegene Bedarf an Chemotherapeutika gegen Wundinfektionen im Zweiten Weltkrieg führte zur Entwicklung eines produktionsreifen Penicillin-Verfahrens. Damit begann die Ära der A.-Forschung, mit der die meisten bakteriellen Infektionskrankheiten für den Menschen beherrschbar wurden. Man schätzt, daß in der BRD die Mortalität durch Infektionskrankheiten von 20% (1929) auf 1% (1989) zurückging dank A., Impfstoffen u. Hygiene.
Herkunft: Inzwischen sind durch gezieltes *Screening über 10 000 A. gefunden worden; die meisten sind mikrobiellen Ursprungs (Bakterien, insbes. Streptomyceten u. Actinomyceten; niedere Pilze, insbes. *Penicillium*- u. *Cephalosporium*-Arten), aber auch in Flechten, Algen, Gefäßpflanzen u. (in geringerem Ausmaß) tier. Organismen sind entsprechende Verb. gefunden worden. Viele therapeut. verwendete Stoffe werden durch *Fermentation hergestellt u. daraus wiederum viele semisynthet. Abwandlungsprodukte. Die Bedeutung der A.-Bildung für die Produzentenstämme selbst ist noch unklar.
Einteilung: A. können nach Wirkungs-Spektrum, Wirkungs-Mechanismus, Produzentenstamm, biosynthet. Ableitung od. nach der chem. Struktur klassifiziert werden. Üblicherweise werden A. nach ihrer Struktur in Gruppen eingeteilt, innerhalb von Gruppen nach pharmakolog. Gesichtspunkten. Man unterscheidet: β-*Lactam-Antibiotika (*Penicilline, *Cephalosporine, Monobactame, *Carbapeneme u. a.); *Aminoglykoside (z. B. *Streptomycin); *Tetracycline; *Chloramphenicol; *Makrolid-Antibiotika (z. B. *Erythromycin); *Lincomycine; *Fosfomycin; *Fusidinsäure; *Polymyxine; *Vancomycine u. *Teicoplanin.

Synthet. A. – häufig als *Chemotherapeutika bezeichnet – sind: *Sulfonamide; Diaminopyrimidin-Verb. (z. B. *Trimethoprim); Nitrofurane, Nitroimidazole; Chinolone (*Gyrasehemmer); *Tuberkulostatika (*Isonicotinsäurehydrazid, *Ethambutol, *Protionamid, *p-Aminosalicylsäure u. a. neben A. im engeren Sinne wie *Rifampicin u. *Streptomycin); *Lepra-Therapeutika (*Dapson, *Clofazimin, *Thiambutosin u. a.).
Nach ihrer Wirkung unterscheidet man Breitband-A. mit einem weiten Spektrum gegen die verschiedensten Organismen im Gegensatz zu den Engspektrum-A., die selektiv gegen bestimmte Erregergruppen wirksam sind. Die Wirksamkeit wird *in vivo* od. *in vitro* über die MHK festgestellt u. oftmals in durch Standards definierten Internat. Einheiten angegeben; zwischen beiden Werten können wegen der unterschiedlichen Verteilung eines A. im Organismus große Unterschiede bestehen.
Einige A. (*Chlortetracyclin, *Natamycin, *Nisin) werden je nach nat. Gesetzgebung zur Nahrungsmittel-*Konservierung eingesetzt. Als Fütterungs-A. werden Penicilline, *Tylosin, Sulfonamide u. *Virginiamycin eingesetzt; sie führen in der Tierhaltung durch Infektionsprophylaxe zu verbesserter Futterverwertung u. schnellerer Gewichtszunahme. Veterinärmedizin. werden im wesentlichen die gleichen A.-Stoffgruppen verwendet wie in der Humanmedizin (Penicilline, Erythromycin, Sulfonamide; nur veterinär-medizin. wird *Tylosin eingesetzt). Wegen der Gefahr der Herauszüchtung resistenter Bakterienstämme ist die Verw. von Chloramphenicol an Tieren verboten, die für die Lebensmittelherst. gehalten werden.
A. als Hilfsmittel der Biochemie u. Molekularbiologie haben entscheidend zur Aufklärung bestimmter Zellfunktionen beigetragen[3].
Wirkungsmechanismen: A. hemmen reversibel das Wachstum von Mikroorganismen od. töten diese ab. Die wichtigsten Angriffsorte in der Zelle sind die Zellwand-Biosynth. (Penicilline, Cephalosporine, Vancomycin, *Cycloserin u. a.), die Cytoplasmamembran, vgl. Zelle (z. B. Polyen- u. *Polypeptid-Antibiotika), sodann *Transkription (Rifampicin, *Actinomycine u. a.), *Translation (z. B. Tetracycline, Chloramphenicol, Streptomycin, Erythromycin, Lincomycin) u. *Replikation (z. B. *Novobiocin, *Mitomycin) od. im Atmungsstoffwechsel durch Entkopplung der oxidativen Phosphorylierung (Antimycin, *Valinomycin). Aufgrund dieser Wirkungsmechanismen sind eine Reihe von A. für den Menschen extrem tox.; aber auch die therapeut. genutzten A. haben in den meisten Fällen Nebenwirkungen.
Ein weiteres Problem unter der A.-Therapie ist die Zunahme der Resistenzentwicklung[4], v. a. bei Gram-neg. Bakterien. Neben Mehrfachresistenzen tritt häufig Kreuzresistenz auf, d. h. aus der Resistenzentwicklung gegen ein A. folgt die gleichzeitige Resistenz gegen ein od. mehrere A. mit gleichem Wirkungsmechanismus od. Eindringungsweg, ohne daß der Erreger mit diesen A. in Berührung gekommen ist. Insbes. wenn die Gene für die A.-Resistenz auf Plasmiden lokalisiert sind, kommt es zu einer schnellen Verbreitung die-

ser Informationen in den Bakterienpopulationen, was v. a. im Krankenhaus ein Problem darstellt (Hospitalismus). Mitverursacht wurde die rasche Resistenzzunahme durch die Praxis früherer Jahre, A. zu häufig bei Bagatellerkrankungen anzuwenden sowie dasselbe A. in der Humantherapie u. als Fütterungs-A. einzusetzen.
Herst.: Die Herst. der A. ist so verschieden wie die Stoffe selbst. Batch-Fermentationen erfolgen bis zum 300000 l-Maßstab. Bei einer Reihe von A. ist die Produktion mit immobilisierten Zellen in Erprobung. V. a. bei β-Lactam-A.[5] werden heute fast ausschließlich semisynthet. Verb. zur Therapie eingesetzt. In der Verordnungshäufigkeit lagen 1994 in der BRD die Tetracycline (25%) vor den Penicillinen (21%), Aminopenicillinen u. Cephalosporinen (18%), Makroliden u. Clindamycin (15%), Sulfonamiden (13%) u. Gyrase-Hemmern (8%) bei einem Gesamtumsatz von fast 1,5 Mrd. DM[6].
Trotz der Vielzahl bekannter A. wird die kostenintensive A.-Forschung fortgesetzt; denn die Eigenschaften natürlicher A. sind für die therapeut. Anw. in vielen Fällen nicht optimal. Angestrebte Verbesserungen sind: Höhere Aktivität bei unveränderter od. verminderter Toxizität, geringere Nebenwirkungen, breiteres antimikrobielles Spektrum, höhere Selektivität gegen bestimmte Erreger, verbesserte pharmakokinet. Eigenschaften. Zur Überwindung des Resistenzproblems bleibt auch bei sorgfältiger Therapie nur der Einsatz neuer Antibiotika. Verbessserte A. können durch Modif. bekannter Verb. über chem. Derivatisierung, *Protoplastenfusion od. *Gentechnologie erhalten werden. A. mit neuen Grundkörpern sind derzeit nur aus dem Screening zu erwarten, v. a. durch Verw. neuer Testanordnungen, aber auch durch Überprüfung bisher nicht untersuchter Mikroorganismen-Gruppen. – *E* antibiotics – *F* antibiotiques – *I* antibiotici – *S* antibióticos
Lit.: [1] J. Hist. Med. **1973**, 284ff. [2] Brit. J. Exp. Med. **10**, 226–236 (1929). [3] Gräfe, Biochemie der Antibiotika, Heidelberg: Spektrum Akademie Verl. 1992. [4] Pharm. Ztg. **138**, 915–921 (1993). [5] Pieroth, Penicillinherstellung – von den Anfängen bis zur Großproduktion, Stuttgart: Wissenschaftliche Verlagsges. 1992. [6] Schwabe u. Paffrath, Arzneiverordnungsreport '95, Stuttgart: G. Fischer 1995.
allg.: Alexander et al., Antibiotika u. Chemotherapeutika, Stuttgart: Wissenschaftliche Verlagsges. 1994 ■ Antibiotics and Chemotherapeutics (Serie), Freiburg: Karger (1995: 47 Bände) ■ Helwig-Otto I/6-1 ■ Krohn et al., Antibiotics and Antiviral Compounds – Chemical Synthesis and Modification, Weinheim: VCH Verlagsges. 1993 ■ Pharm. Ztg. **141**, 259–266 (1996) ■ Petrausch (Hrsg.), Lexikon der Tierarzneimittel, Berlin: Delta Medizin. Verlagsges. (Fortsetzungswerk) ■ Simon u. Stille, Antibiotika-Therapie in Klinik u. Praxis, Stuttgart: Schattauer 1993. – *[HS 2941 10-90]*

Antibiotikaresistenz-Marker. Bakterieller Genomabschnitt, der zur *Resistenz gegenüber einem bestimmten Antibiotikum (s. Antibiotika) führt. Man benutzt Resistenzgene oft als Marker für *Plasmid-*Vektoren. Man erkennt die Bakterien mit dem eingeschleusten Plasmid daran, daß sie auf Nähragar mit dem entsprechenden Antibiotikum wachsen. – *E* antibiotic resistance marker – *F* marqueur de la résistance aux antibiotiques – *I* marcatore resistente agli antibiotici – *S* marcador de la resistencia a los antibióticos

Lit.: Winnacker (Hrsg.), Gene u. Klone, S. 179ff., Weinheim: Verl. Chemie 1985.

Antiblock(ing)mittel. Bez. für Substanzen, die das Verkleben (Blocking) z. B. thermoplast. Polymerfolien mit sich selbst od. anderen Materialien durch kalten Fluß od. elektrostat. Aufladung reduzieren od. verhindern. A. wirken wie Gleit- od. Trennmittel u. werden in Form trockener Pulver (Mehl, Talk, Aerosil®), Filme (*Polytetrafluorethylen, *Paraffin-Wachse) od. Flüssigkeiten (Silikonöl, s. Silicone) eingesetzt. – *E* antiblocking agents, adherents – *F* agents anti-blocking – *I* agente antiblocco – *S* agente separador, antibloqueador
Lit.: Kirk-Othmer (3.) **1**, 1 ff.

ANTIBUBBLE LT®. Für Lsm.-haltige Lacke, die beim Spritzen, Streichen, Rollen od. Gießen zur Blasenbildung neigen. Ebenfalls für Einbrennlacke mit kurzen Ablüftungszeiten. *B.:* Langer & Co.

Anticapsin s. Chlorotetain.

Antichlor. Bez. für Verb., die die geringen, nach der Chlorbleiche zäh an Geweben, Ledern od. Papierbrei haftenden Spuren von Chlor u. Unterchloriger Säure unschädlich machen. In der Regel verwendet man zu diesem Zweck Natriumthiosulfat, gelegentlich aber auch andere Stoffe, wie z. B. Natriumperborat u. dgl. – *E* antichlor – *F* antichlore – *I* = *S* anticloro

Anticholinergika. Synonyme Bez. für *Parasympathikolytika.

Anticholium. Ampullen mit *Physostigmin-Salicylat als Antidot bei Vergiftungen mit *Parasympathikolytika wie tricycl. Antidepressiva, Atropin, Antihistaminika, Phenothiazine, Alkohol etc. *B.:* Dr. F. Köhler Chemie GmbH.

Anticinit®. Spezialflußmittel mit hoher Reinigungswirkung für die Tauchverbleiung u. Tauchverzinnung. *B.:* Th. Goldschmidt AG.

Anticlinal s. Ferrocen u. Konformation.

Anticoagulin s. Schlangengifte.

Anticodons s. Codons u. genetischer Code.

Anticonceptiva s. Antikonzeptionsmittel.

Antidepressiva (Thymoleptika). *Arzneimittel, die depressive Symptome zu bessern vermögen.
Einteilung: Die Behandlung mit A. richtet sich vorrangig gegen Symptome, die im Vordergrund des Krankheitsbildes stehen, sog. Zielsymptome, die grob zu drei Syndromen gebündelt werden können: 1. das ängstlich agitierte Syndrom; es wird vornehmlich mit A. vom *Amitriptylin-Typ behandelt; – 2. das Syndrom der Vitalverstimmung, behandelt mit A. vom *Imipramin-Typ; – 3. das psychomotor. gehemmte Syndrom, behandelt mit A. vom *Desipramin-Typ. Allerdings ist das Wirkungsspektrum der einzelnen A. nicht exakt abgrenzbar. Chem. sind die Mehrzahl der A. carbo- od. heterocycl. Siebenringen mit zwei ankondensierten Benzol-Ringen u. Aminopropyl-Seitenkette.
Wirkungsmechanismen: A. hemmen den aktiven neuronalen Rücktransport von *Noradrenalin u. *Serotonin (tricycl. A.) od. nur von Serotonin (*Trazodon,

*Fluoxetin u. a.) od. sie hemmen die *Monoaminoxidase [*Tranylcypromin u. der reversible MAO-A-Hemmer (RIMA-Hemmer) *Moclobemid]. L-Tryptophan wirkt wegen seines Abbaus zu Serotonin schwach stimmungsaufhellend; zu Lithium-Präparaten s. dort. Über Zukunftsperspektiven bei A. s. *Lit.*[1]. – *E* = *F* antidepressants – *I* antidepressivi – *S* antidepresivos
Lit.: [1] J. Med. Chem. **38**, 4615–4633 (1995).
allg.: Breyer-Pfaff u. Gaertner, Antidepressiva, Stuttgart: Wiss. Verlagsges. 1987 ▪ Dtsch. Apoth. Ztg. **131**, 495 ff. (1991) ▪ Goodman u. Gilman, The Pharmacological Basis of Therapeutics, S. 383 ff., New York: Pergamon Press 1990 ▪ Helwig-Otto II/46–56 ▪ Langer u. Heimann, Psychopharmaka, Wien: Springer 1983 ▪ Mutschler (7.), S. 152–160 ▪ Pharm. Ztg. **137**, 2967 ff. (1992) ▪ Prog. Drug Res. **11**, 121 (1968) ▪ Ullmann (5.) **A 22**, 353–364 ▪ s. a. Psychopharmaka.

Antideuteron. 1965 entdecktes Antiteilchen (s. Antimaterie) des *Deuterons, bestehend aus einem *Antiproton u. einem *Antineutron. – *E* anti-deuteron – *F* antideutéron – *I* antideuterone – *S* antideuterón
Lit.: s. Antimaterie.

Antidiabetika. Bez. für Präp. gegen *Diabetes (Zuckerkrankheit). Beim Gesunden genügt das körpereigene, im sog. Inselapparat des Pankreas gebildete *Insulin, den Blutzucker-Gehalt in physiol. Grenzen zu halten. Die Therapie des Diabetes benötigt in jedem Fall eine spezif. Diät.
Beim *Typ-I-Diabetes*[1] mit totalem Ausfall der Hormonproduktion („juveniler Diabetes") muß Insulin gegeben werden; seit 1987 wird hauptsächlich Humaninsulin verordnet.
Beim *Typ-II-Diabetes*[2] („Altersdiabetes") mit verminderter Ansprechbarkeit von Körperzellen auf Insulin[3] werden zusätzlich zur Diät oft A. eingesetzt, die die Hormonproduktion stimulieren. Sulfonylharnstoffe wie insbes. *Glibenclamid sind derzeit Mittel der Wahl. Von den ebenfalls blutzuckersenkend wirkenden Biguaniden, die jedoch bei ungünstiger Stoffwechsellage eine – ggf. tödlich verlaufende – Lactat-*Azidose hervorrufen können, ist in der BRD nur noch das *Metformin im Handel. Seine Verw. ist beschränkt auf die Behandlung bes. übergewichtiger Diabetiker; es wirkt hemmend auf die Glucose-Resorption, die *Gluconeogenese u. die Resynthese von Glykogen u. hat insgesamt eine Verlangsamung der Zellatmung zur Folge. Zu den oralen A. ist auch der α-Glucosidase-Inhibitor *Acarbose zu rechnen, der den Abbau von Oligosacchariden im Darm u. damit die Resorption von Glucose hemmt. Allg. muß die Therapie mit A. gut überwacht werden, da es bei bestimmten Stoffwechsellagen u. U. zu Hypoglykämie bis zum hypoglykäm. Schock kommen kann. – *E* antidiabetic agents – *F* antidiabétiques – *I* antidiabetici – *S* antidiabéticos
Lit.: [1] Dtsch. Apoth. Ztg. **134**, 719–728 (1994). [2] Dtsch. Apoth. Ztg. **134**, 1337–1344 (1994). [3] Nature (London) **373**, 384 f. (1995).
allg.: Arzneimittelchemie II, 183–197 ▪ Dtsch. Apoth. Ztg. **134**, 935 ff. (1994) ▪ Prog. Drug Res. **30**, 281–344 (1986) ▪ Ullmann (5.) **A 3**, 1–7 ▪ s. a. Diabetes u. Insulin.

Antidiarrhoika. *Arzneimittel zur Behandlung von Durchfallerkrankungen. Die Therapie kann symptomat. erfolgen durch Flüssigkeits- u. Elektrolytersatz[1], durch Adstringentien wie *Tannine od. durch Hemmung der Darm-Peristaltik mit Stoffen, die an den Opiatrezeptoren im ZNS angreifen (*Opium, *Diphenoxylat, *Loperamid). Kausal werden bei Diarrhoen, die durch Toxine im Darm bedingt sind, Adsorbentien gegeben, insbes. *Aktivkohle. Bei infektionsbedingten Diarrhoen ist eine Therapie mit Antibiotika angezeigt; von Hydroxychinolinen wird heute abgeraten (s. Clioquinol). Bei Colitis ulcerosa u. Morbus Crohn – chron. Darmentzündungen – werden 5-Aminosalicylsäure-Derivate wie *Mesalazin u. *Sulfasalazin gegeben. – *E* antidiarrhoics, antidiarrhoeals – *F* médicaments antidiarrhétiques – *I* antidiarroici – *S* antidiarreicos
Lit.: [1] Pharm. Ztg. **135**, 1102 f. (1990).
allg.: Helwig-Otto II/38–67 ▪ Mutschler (7.), S. 548–550 ▪ Pharm. Ztg. **137**, 2251–2257 (1992) ▪ s. a. Obstipantien.

Antidiuretika. Seltene Bez. für Präp., die die Ausscheidung von *Harn (*Diurese*) reduzieren; *Gegensatz:* *Diuretika. Die wichtigsten A. sind *Vasopressin u. Derivate dieses Hormons, bei denen dessen pressor. Wirkung weitgehend unterdrückt ist. – *E* antidiuretics – *F* antidiurétiques – *I* antidiuretici – *S* antidiuréticos
Lit.: s. Vasopressin.

Antidot (von griech.: antidoton = Gegengabe). Bez. für Gegenmittel bei *Vergiftungen, die die Wirkung von *Giften od. auch *Arzneimitteln aufheben. Als ältestes A. gilt der noch im Mittelalter verwendete *Theriak. Aufzählungen von A. gegen verschiedene Chemikalien sind zu finden z. B. im Hommel, Braun-Dönhardt, Perkow, in der Giftliste u. bes. der Roten Liste in einer eigenen Rubrik. – *E* = *F* antidote – *I* antidoto – *S* antídoto
Lit.: s. Gifte, Toxikologie u. Vergiftungen.

Antidotum Thallii Heyl®. Kapseln mit Eisen(III)-hexacyanoferrat(II) gegen Thallium-Vergiftungen. *B.:* Heyl.

Antidröhnmassen s. Schalldämmstoffe.

Antielektronen s. Positronen.

Antiemetika. Bez. für Präp. gegen Brechreiz, der als häufiges Symptom innerer Erkrankungen sowie im Gefolge von Kinetosen (Reisekrankheit) auftritt. Er wird durch das Brechzentrum im ZNS aufgrund von Impulsen aus dem Verdauungstrakt od. aus dem Gleichgewichtsorgan ausgelöst. Zum Einsatz kommen bei Kinetosen *Parasympath(ik)olytika (insbes. *Scopolamin) u. H_1-*Antihistaminika (z. B. *Dimenhydrinat); bei Schwangerschaftserbrechen Phenothiazine (z. B. *Triflupromazin); bei Nausea Benzamide (z. B. *Metoclopramid); u. bei Übelkeit aufgrund Zytostatika- od. Bestrahlungs-Behandlung $5-HT_3$-Antagonisten (s. Serotonin), z. B. *Ondansetron. – *E* antiemetics – *F* antiémétiques – *I* antiemetici – *S* antieméticos
Lit.: Arzneimittelchemie II, 304 ff. ▪ Helwig-Otto I/9-1 ▪ Mutschler (7.), S. 268 f. ▪ Pharm. Ztg. **136**, 2327–2336 (1991) ▪ Ullmann (5.) **A 3**, 9 ff.

Antienzyme (Antizyme). Proteine, die *Enzyme inhibieren. Dazu zählen einerseits die pflanzlichen u. tier. *Inhibitoren (v. a. von *Proteinasen, z. B. α_1-*Antitrypsin, aber auch von anderen Enzymen, z. B. das A. der Ornithin-Decarboxylase[1]), andererseits gegen Enzyme gerichtete *Antikörper mit inhibierender Wir-

kung. Ist das A. beträchtliche Zeit an das Enzym gebunden, kann im Grenzfall von ihm als regulator. Untereinheit (s. Enzyme) gesprochen werden. – $E = F$ antienzymes – I antienzimi – S antienzimas
Lit.: [1] Trends Biochem. Sci. **21**, 27 ff. (1996).

Antiepileptika (Antikonvulsiva). A. dienen der symptomat. Behandlung der verschiedenen Formen der *Epilepsie. Sie erhöhen die Krampfschwelle zentraler Neurone; ihre sedativen u. hypnot. Nebenwirkungen sind daher nicht völlig zu unterdrücken. Strukturell handelt es sich bei den in der Therapie verwendeten Stoffen um:
1. Substituierte cycl. Harnstoff-Derivate wie Desoxybarbiturate (*Primidon), *Barbiturate, *Hydantoine, *Oxazolidinone u. Succinimide; – 2. *1,4-Benzodiazepine; – 3. *Sultiam; – 4. *Carbamazepin (z. Z. am häufigsten verordnet); – 5. γ-*Aminobuttersäure-Derivate (s. a. GABA-Rezeptoren) wie *Valproinsäure u. Gabapentin; – 6. Carbamate wie *Meprobamat u. Felbamat. Zu Einzelheiten der Anw. bei den verschiedenen Epilepsieformen s. die *Lit.* – E antiepileptics – F antiépileptiques – I antiepilettici – S antiepilépticos
Lit.: Arzneimittelchemie I, 242–254 ▪ Mutschler (7.), S. 252–260 ▪ New Engl. J. Med. **323**, 1468–1474 (1990) ▪ Pharm. Ztg. **140**, 3227–3236 (1995) ▪ Ullmann (5.) **A 3**, 13–22 ▪ s. a. Epilepsie.

Antiestrogene s. Estrogene.

Antifebrile Mittel s. Antipyretika.

Antifebrin s. Acetanilid.

Antiferroelektrika s. Ferroelektrika.

Antiferromagnetika s. Ferromagnetika.

Antifertilitätsmittel s. Antikonzeptionsmittel.

Antifibrinolytika. *Arzneimittel, die die Auflösung von *Fibrin hemmen. Sie sind u. a. bei bestimmten Schockformen, Operationen im Urogenitalbereich, bei Überdosierung von *Fibrinolytika indiziert. Verwendet werden: das *Kinin *Aprotinin sowie niedermol. synthet. Lysin-Analoga wie *p*-(Aminomethyl)benzoesäure u. *Tranexamsäure. Die Wirkung beruht auf einer Hemmung der Umwandlung von *Plasminogen zu *Plasmin. – E antifibrinolytics – F produits antifibrinolitiques – I antifibrolitici – S antifibrinolíticos
Lit.: Auterhoff, Knabe u. Höltje, Lehrbuch der Pharmazeutischen Chemie, S. 605 f., Stuttgart: Wiss. Verlagsges. 1994 ▪ Helwig/Otto I/19–37.

Antifiebermittel s. Antipyretika.

Antifilz-Ausrüstung s. Filzfreiausrüstung.

ANTIFLOAT®. Flüssiges u. pulverförmiges Antiausschwimmittel. *B.:* Langer & Co.

Antifoulingfarben. Von E fouling = Bewuchs am Schiffsrumpf abgeleitete Bez. für *Schiffsanstriche, die den Algenbewuchs verhindern sollen. A. enthalten im allg. Kolophonium, Harzester od. modifizierte Hartharze in Kombination mit Teer od. Bitumina, geringe Mengen Chlorkautschuk, chloriertes Polypropylen u. Vinylharze. Charakterist. für A. ist der Gehalt an *algizid, *fungizid u. *molluskizid wirkenden Verb. auf der Basis von Pb-, Sn-, Cu-, As-, Sb-, Bi- u. Hg-organ. Verb., deren Art u. Menge von den Fahrrouten der Schiffe in trop. od. a. Gewässern abhängt. – E antifouling coatings – F peintures antisalissure – I coloranti antifouling – S pinturas antivegetativas
Lit.: s. Anstrichstoffe u. Schiffsanstriche.

Antifrogen®. Frost- u. Korrosionsschutz-Medium für Kühl-, Solar- u. Wärmepumpen-Anlagen sowie Warmwasser-Heizungen. *B.:* Hoechst.

Antifungol®. Creme, Lösung, Spray, Vaginal-Tabl. u. -Creme mit dem Mykotikum *Clotrimazol. *B.:* Hexal.

Θ-Antigen s. Thy-1-Antigene.

Antigen-Antikörper-Reaktion (AAR). Die Wechselwirkung zwischen *Antigenen u. *Antikörpern besteht in einer nichtkovalenten Bindung zwischen den hypervariablen Regionen des Antikörpers u. einer auf Grund ihrer räumlichen Anordnung passenden Erkennungsstelle (Determinante, Epitop) des Antigens, die zur Bildung von *Immunkomplexen* führt. Die Bindung beruht hauptsächlich auf Wechselwirkungen zwischen ion. u. polaren Gruppen der beteiligten Makromol., in zweiter Linie spielen *Van-der-Waals-Kräfte u. hydrophobe Wechselwirkungen mit (vgl. Proteine). Während der Bindung erfährt die Raumstruktur der Reaktionspartner eine Anpassung (E induced fit, vgl. Enzyme) [1]. Da Antigene meist mehrere Determinanten u. Antikörper zwei Bindungsstellen besitzen, führt die Fällung (*Präzipitation*) mit einem polyklonalen Antiserum (s. Antikörper) zur Ausbildung von dreidimensional vernetzten Komplexen. Bei unlösl. Antigenen (z. B. Zellen) spricht man von *Agglutination*. Der biolog. Sinn der AAR ist einerseits die Neutralisation von *Toxinen, andererseits die Aktivierung des *Komplement-Syst. u. nachfolgende Abtötung (*Lyse*) od. *Phagocytose (durch *Makrophagen) von Fremdzellen.
Während normalerweise die AAR sehr spezif. ist, kommt es bei (meist verwandten) Antigenen mit ähnlichen Determinanten u. U. zur *Kreuzreaktion*, d. h. zur Reaktion des Antikörpers mit zwei verschiedenen Antigenen, wenn auch im allg. mit unterschiedlicher Affinität. Die Kreuzreaktivität zwischen Proteinen u. von ihnen abgeleiteten Teilpeptiden findet u. a. in der Entwicklung von *Impfstoffen Anwendung.
Die Spezifität der AAR wird auf vielfältige Weise analyt. genutzt, z. B. beim *Immunoassay, bei der *Immunelektrophorese, beim *Immunoblot u. bei den *Immunfluoreszenz-Techniken. Präparativ ist die AAR bei der *Affinitätschromatographie von Nutzen. – E antigen-antibody reaction – F réaction de l'antigène et l'anticorps – I reazione antigene-anticorpo – S reacción antígeno-anticuerpo
Lit.: [1] Curr. Biol. **2**, 254 ff. (1992); Science **255**, 959–965 (1992).
allg.: Curr. Opin. Immunol. **5**, 50–55 (1993) ▪ Experientia **47**, 1129–1138 (1991) ▪ FASEB J. **9**, 9–16 (1995) ▪ Nature (London) **365**, 859–863 (1993) ▪ Padlan, Antibody-Antigen Complexes, Georgetown: Landes 1994.

Antigene (von *Antisomatogen*, d. h. Antikörper-Bildner). Bez. für Stoffe, die nach Einführung in den Organismus von Menschen u. Tieren eine spezif. *Immunantwort* hervorrufen. Diese äußert sich entweder in der Bildung von *Antikörpern (*humorale* Immunantwort) u. der Entwicklung einer zellvermittelten *Immunität (*zelluläre* Immunantwort) od. einer spezif. *immunolog.*

Toleranz. Je nachdem, ob zur Ausbildung der Immunantwort die Beteiligung von T-*Lymphocyten (T-Zellen) erforderlich ist, spricht man von Thymus-abhängigen bzw. -unabhängigen Antigenen.
Antigenität: Voraussetzung für eine Immunantwort (für die *Immunogenität* des A.) ist im allg., daß das A. vom Organismus als fremd erkannt wird, daß es ein M_R von mind. 1000 besitzt u. daß es der Stoffklasse der *Proteine od. *Polysaccharide, seltener *Desoxyribonucleinsäuren od. *Lipide angehört. Komplexere Strukturen wie z. B. Bakterien, Viren od. Erythrocyten (partikuläre A.) sind jedoch im allg. noch wirksamere Antigene. Fremdsubstanzen, die für sich alleine keine Immunantwort stimulieren, wohl aber nach chem. Bindung an immunogene Makromol., werden *Haptene genannt. Für die immunogene Wirksamkeit von A. ist weiterhin die Form der Verabreichung (ein- od. mehrmalige Gabe, Dosis, intrakutan od. intravenös, mit od. ohne *Adjuvans) mitbestimmend. Wiederholter Befall durch gleiche A. beschleunigt die Immunantwort u. kann im ungünstigsten Fall zu einer spezif. Überempfindlichkeit führen (*Allergie, hier werden die A. oft Allergene genannt). Bei Anwesenheit großer od. chron. persistierender A.-Mengen kann es zur Bildung lösl. *Immunkomplexe kommen, die wiederum *anaphylakt. Reaktionen* (*Anaphylaxie) auslösen können.
Toleranz: Ob es zur Induktion von Toleranz gegen ein A. (dann auch Tolerogen genannt) kommt, hängt neben den obengenannten Faktoren auch vom Reifezustand des Tieres ab. So wird die natürliche Toleranz gegen körpereigene A. (*Auto-A.*, vgl. Autoimmunität) auf deren Vorhandensein u. Präsentierung im immunolog. unreifen Individuum zurückgeführt. Im erwachsenen Organismus kann man vorübergehende Toleranz gegen Fremd-A. z. B. durch bes. niedrige od. hohe Dosen von A. od. durch gleichzeitige Gabe von Immunsuppressiva (s. Immunsuppression) experimentell erzeugen. Fortdauernde Aufnahme von Thymus-abhängigen A. in den Verdauungstrakt kann zur sog. oralen Toleranz führen, d. h. bei nachfolgender parenteraler Verabreichung erfolgt keine Immunisierung.
Humorale Immunantwort: B-Lymphocyten (B-Zellen) binden A. direkt mit Hilfe von *Immunglobulin-Mol. als *Rezeptoren an ihrer Oberfläche u. werden u. a. dadurch stimuliert, sich zu vermehren u. zu Plasmazellen weiterzuentwickeln. Die Bildung von gegen A. gerichteten *Antikörpern erfolgt in den Plasmazellen von hauptsächlich Milz, Lymphknoten, Lunge u. Knochenmark (pro Plasmazelle bis zu 30 000 Mol. Antikörper pro min). A. u. Antikörper verbinden sich in der *Antigen-Antikörper-Reaktion zu Komplexen, was *in vivo* im günstigen Fall zu einem immunolog. Schutz des Organismus vor Infektionen führt (*Immunität). Die *Affinität, Spezifität (s. spezifisch) u. *Valenz der A. gegenüber Antikörpern sind auf bestimmte, an der Oberfläche liegende Mol.-Bereiche, die *A.-Determinanten* od. *Epitope*, zurückzuführen. Bei Wechselwirkungen von multivalenten A.-Mol. mit Antikörpern kommt es wegen Platzmangels u. Überlappung der Epitope zu ster. Behinderung; man definiert dann eine scheinbare Affinität od. *Avidität.*
Zelluläre Immunantwort: Hierbei kommt es zu einer A.-spezif. Aktivierung u. Vermehrung von T-Lymphocyten (T-Zellen), die ihrerseits als Effektor-T-Zellen durch Ausschüttung von *Interleukinen bei der Stimulation der B-Zellen helfen müssen od. als cytotox. T-Zellen Krankheitserreger direkt bekämpfen, s. a. Immunsystem. Die Erkennung der A. durch den T-Zell-Rezeptor (*Antigen-Rezeptor* der T-Lymphocyten) erfolgt jedoch nicht direkt, sondern erst nach der Prozessierung u. Präsentierung der A. auf der Oberfläche anderer Zellen (z. B. Makrophagen).
A.-Prozessierung u. -Präsentierung[1]*:* Je nachdem, ob *Histokompatibilitäts-Antigene (MHC-Mol.) der Klasse I od. II beteiligt sind, unterscheidet man bei Protein-A. zwei verschiedene Wege. *Klasse-I-Weg:* Intrazelluläre (körpereigene od. virale) Proteine werden durch Proteasomen (s. Proteasen) im *Cytoplasma zu Obligopeptiden gespalten u. durch gewisse *ABC-Transporter-Proteine (*Transporter der Antigen-Prozessierung*, TAP) ins *endoplasmatische Retikulum transportiert. Dort binden die Peptide an MHC der Klasse I u. werden zusammen mit diesen über den *Golgi-Apparat zur Zelloberfläche transportiert. *Klasse-II-Weg:* Dabei kommt es zur Aufnahme (*Endocytose) extrazellulärer Proteine in *Endosomen der A.-präsentierenden Zelle u. zur Spaltung durch endosomale *Proteinasen (z. B. *Kathepsin B). Die Spaltpeptide treffen in einem noch nicht genau bekannten *Kompartiment auf dem Weg zwischen Golgi-Apparat u. Zelloberfläche auf die MHC-Mol. der Klasse II u. beladen diese, indem sie die *invariante Kette* ersetzen, ein Polypeptid, das im ER an die MHC II bindet. *Beide Wege:* Die Wechselwirkung dieser MHC-Peptid-Komplexe mit dem *Antigen-Rezeptor* der T-Lymphocyten führt zur Aktivierung der Letzteren. Zur Präsentierung eines Lipid-A. durch CD1 s. *Lit.*[2].
Besonderheiten: Kommt es neben der spezif. Immunantwort durch bestimmte A. zu einer zusätzlichen unspezif. Stimulierung der T-Zell-Vermehrung, so spricht man von *Superantigenen[3].
Hervorzuheben sind auch die A. der Infektionserreger, deren *Variabilität* in manchen Fällen (z. B. Grippe, Schlafkrankheit[4], AIDS[5]) der Entwicklung von *Impfstoffen entgegensteht, sowie *Blutgruppensubstanzen, die die Blutgruppen bei Menschen u. Tieren festlegen. Bei den *Tumor-Antigenen unterscheidet man zwischen den im Blut zirkulierenden *Tumor-assoziierten A.*, die als *Tumormarker die serolog. Diagnose von Tumoren gestatten, sowie den *Tumor-spezif. Oberflächen-A.*, die als potentielle Angriffspunkte der Tumor-Bekämpfung (*Tumor-Abstoßungs-A.*[6]) dienen können. – *E* antigens – *F* antigènes – *I* antigeni – *S* antígenos

Lit.: [1] Curr. Opin. Immunol. **5**, 27–34 (1993); Spektrum Wiss. **1994**, Nr. 10, 48–56. [2] Nature (London) **372**, 615f., 691ff. (1994). [3] Curr. Biol. **1**, 315ff. (1991). [4] Science **264**, 1872f. (1994). [5] Nature (London) **354**, 453–459 (1991). [6] Annu. Rev. Immunol. **12**, 337–365 (1994).
allg.: FASEB J. **9**, 37–42 (1995) ▪ van Regenmortel, Structure of Antigens, Boca Raton: CRC Press 1992 ▪ Roitt et al., Kurzes Lehrbuch der Immunologie (3.), Stuttgart: Thieme 1995.

Antigen-Präsentierung s. Antigene.

Antigen-Rezeptor s. Immunsystem.

Antigorit s. Serpentin.

Antihämophiler Faktor (Antihämophiles Globulin). Bez. für den Faktor VIII der Blutgerinnungskaskade (*Blutgerinnung), dessen Fehlen zu einer krankhaften Blutungsneigung, der *Hämophilie A, führt. Zur Behandlung dieser Krankheit wird A. F. als intravenöse Infusion verabreicht. – *E* antihemophilic factor – *F* facteur antihémophile – *I* fattori antiemofili – *S* factore antihemofílico

Antihautmittel. Bez. für Präp., die die unerwünschte Hautbildung bei streichfertigen *Anstrichstoffen, *Lacken usw. während der Lagerung verhindern. Man setzt die A. meist in Mengen von 0,2 – 2% dem Lack zu. Die nichtflüchtigen A. enthalten als wirksamen, meist als *Radikalfänger dienenden Bestandteil oft Guajakol, 4-*tert*-Butylbrenzcatechin, Hydrochinon u. a. Phenol-Derivate, Oxime u. a. *Antioxidantien. – *E* antiskinning agents (ASKA) – *F* agents antipeaux – *I* agente antipelle – *S* agentes antipiel
Lit.: s. Anstrichstoffe.

Antihidrotika. Von griech.: idros = Schweiß abgeleitete Bez. für *Schweißverhütungsmittel* (Antisudorifika, Antiperspirantien, Antitranspirantien), die – im Gegensatz zu den *Desodorantien, die im allg. eine mikrobielle Zers. von bereits gebildetem *Schweiß verhindern – die Absonderung von Schweiß überhaupt verhindern sollen. Verw. finden *Adstringentien, vornehmlich Al-Verbindungen. Die früher vielfach eingesetzten, stark sauer wirkenden Salze Aluminiumsulfat od. -chlorid sind weitgehend durch Aluminiumhydroxidchlorid u. -alkoholate ersetzt worden. Ein als *Spray einsetzbares A. kann z. B. die Zusammensetzung haben: 3,5 Tl. Aluminiumhydroxidchlorid, 5,0 Tl. Hautüberfettungsmittel, 1,0 Tl. Parfümöl, 0,5 Tl. kolloidale Kieselsäure, 90,0 Tl. Treibmittel. Cellulose-Pulver läßt sich als Träger für Al-Salze einsetzen. Die Al-Salze bewirken an den behandelten Hautflächen eine Schweißhemmung durch oberflächliche Verstopfung der Schweißdrüsenkanäle infolge von Al-Mucopolysaccharid-Niederschlägen.
Andere antihydrot. Substanzen sind wegen tox. allergisierender od. kosmet. Probleme wenig geeignet (z. B. *Parasympath(ik)olytika; *Zirkonium-Salze; *Salbei; *Formaldehyd, *Glutaraldehyd). Rezepturen für A. findet man z. B. auch in *Lit.*[1]. – *E* antiperspirants – *F* antisudoraux – *I* antisudoriferi – *S* antisudorantes
Lit.: [1] Janistyn **3**, 680 – 707.
allg.: Charlet, Kosmetik für Apotheker, S. 80 – 82, Stuttgart: Wiss. Verlagsges. 1989 ▪ s. Schweiß, Desodorantien, Hautpflegemittel, Kosmetika.

Antihistaminika. Bez. für Präp., die die Wirkung des Histamins abschwächen od. aufheben. Häufig wird die Bez. Antiallergika synonym mit A. verwendet, denn bei Allergien u. allerg. Krankheiten (Nesselsucht, Heufieber, Asthma), *Anaphylaxie, Verbrennungskollaps, traumat. Schock u. dgl. wird peripher im Übermaß *Histamin ausgeschüttet, das Erweiterung der feinen Blutgefäße, Krämpfe der glatten Muskulatur usw. hervorrufen kann. Neben der Antihistamin-Wirkung zeigen die meist oral verabreichten A. noch *Atropin-ähnliche spasmolyt. Effekte, antiemet., lokalanästhet., antibakterielle (*in vitro*), fungistat., juckreizstillende, sekretionshemmende u. ultraviolettabsorbierende Eigenschaften. Daher verwendet man die A. auch gegen Reisekrankheiten, Erbrechen, Juckreiz, Pilzerkrankungen u. als Sonnenschutzmittel. Seit der Entdeckung des ersten A.[1] hat man zahlreiche Verb. mit Antihistamin-Wirkung entdeckt; davon sind einige Dutzend als *Arzneimittel geeignet. Die synthet. A. unterteilt man nach ihrem Angriffsort in:
H_1-Rezeptor-A.[2], meist Derivate des Ethylendiamins, des Ethanolamins od. des Propylamins, wobei die jeweiligen N-Atome Alkyl- u./od. Aryl-substituiert sein können (z. B. *Pheniramin, *Promethazin, *Terfenadin; andere Struktur: *Loratadin). Bei diesen steht infolge Hemmung der H_1-Rezeptoren die antiallerg. Wirkung im Vordergrund. Einige (insbes. *Diphenhydramin) werden wegen ihrer sedierenden Wirkung auch als *Antiemetika u. Schlafmittel eingesetzt.
H_2-Rezeptoren-A.[3] vom Typ des *Cimetidins u. *Ranitidins verringern durch kompetitive Hemmung der H_2-Rezeptoren die Magensaft-Sekretion u. fördern die Kontraktion der Uterusmuskulatur. Sie werden vornehmlich bei Ulcus-Krankheiten eingesetzt. Die Auffindung u. Charakterisierung weiterer Subtypen von Histamin-Rezeptoren (insbes. *H_3-Rezeptoren*[4]) gibt Anlaß zu der Erwartung, daß eine Erweiterung der Therapiemöglichkeiten u. Erhöhung der Selektivität durch den Einsatz entsprechender Agonisten u. Antagonisten erfolgen wird[5]. – *E* = *F* antihistamines – *I* antiistaminici – *S* antihistamínicos
Lit.: [1] C. R. Soc. Biol. **124**, 547 ff. (1937). [2] Prog. Drug. Res. **39**, 35 – 126 (1992). [3] J. Med. Chem. **24**, 913 – 920 (1981). [4] Prog. Drug. Res. **39**, 127 – 166 (1992). [5] Actual. Chim. Ther. **20**, 9 – 38 (1993).
allg.: Arzneimittelchemie I, 406 – 420 ▪ Pharm. Ztg. **136**, 1494 (1991) ▪ Ullmann (5.) **A 2**, 321 – 327, 420 – 429.

Antihormone s. Hormone.

Antihypertonika (Antihypertensiva, Hypotensiva). Bez. für Präp. gegen überhöhten Blutdruck (*Hypertonie), die auf verschiedene Weise wirksam sein können.
1. Am *Sympathikus angreifende Stoffe: a) α_1-selektive Adrenorezeptorenblocker [hydrierte Mutterkorn-Alkaloide, Chinazolin-Derivate (z. B. *Prazosin), *Phenoxybenzamin, *Labetalol]. – b) Beta-Rezeptoren-Blocker, die sich chem. vom 3-Amino-1,2-propandiol ableiten (*Atenolol, *Metoprolol, *Propranolol u. v. a.). – c) *Antisympath(ik)otonika, die postsynapt. α_2-Adrenorezeptoren im ZNS erregen u. dadurch den Sympathikustonus erniedrigen [Imidazoline (z. B. *Clonidin), *Guanethidin, *Reserpin].
2. *Diuretika, die den Blutdruck zunächst durch Steigerung der Natriumionen-Ausscheidung u. in der Folge durch Herabsetzung der Ansprechbarkeit der glatten Gefäßmuskulatur auf vasokonstriktor. Reize erniedrigen.
3. Calcium-Kanalblocker, die den Einstrom von Ca-Ionen in die Zellen der glatten Muskulatur hemmen u. dadurch vasodilatierend u. blutdrucksenkend wirken (Dihydropyridine wie *Nifedipin u. v. a., *Verapamil, Benzothiazepine wie *Diltiazem).
4. ACE-Hemmer, die das Angiotensin-Converting-Enzym hemmen (s. Angiotensin, Renin) u. dadurch die Bildung von Angiotensin II, einer der stärksten blutdrucksteigernden Substanzen unterdrücken. Die Sub-

stanzen wurden aus der Struktur des ACE-Substrats, Angiotensin I, entwickelt; z. B. *Captopril, *Enalapril, *Lisinopril u. a.
5. Angiotensin-II-Antagonisten [1]: das Imidazol-Derivat Losartan [2]. u. – 6. Vasodilatoren mit direktem Angriff an der glatten Muskulatur; einige dieser Substanzen spalten NO (s. Stickstoffoxide) ab u. entfalten dadurch ihre Wirkung (z. B. *Nitroprussidnatrium, *Dihydralazin). – *E* hypotensors, antihypertensive agents – *F* hypotenseurs – *I* antiipertonici – *S* hipotensores

Lit.: [1] J. Med. Chem. 39, 626–656 (1996). [2] Dtsch. Apoth. Ztg. 135, 4216f. (1995).
allg.: Arzneimittelchemie II, 68–86 ▪ Empfehlungen zur Hochdruckbehandlung, Heidelberg: Dtsch. Liga zur Bekämpfung des hohen Blutdrucks 1994 ▪ Mutschler (7.), S. 481–492 ▪ Pharm. Unserer Zeit **6**, 60–64 (1977) ▪ Ullmann (5.) **A 4**, 235–261.

Antihypotonika (Antihypotensiva, Hypertensiva). Bez. für Präp. gegen zu niedrigen Blutdruck (*Hypotonie). Als blutdrucksteigerndes Mittel (A.) eignet sich bes. *Dihydroergotamin zur Steigerung des Venentonus, sodann *Sympathikomimetika, die sich chem. vom Phenethylamin ableiten, z. B. *Norfenefrin, *Etilefrin u. dgl. – *E* hypertensors – *F* hypertenseurs – *I* antiipotonici – *S* hipertensores

Lit.: Helwig-Otto I/S. 30–140 ▪ Med. Welt **26**, 588–591 (1975) ▪ Mutschler (7.) S. 439f. ▪ Ullmann (5.) **A 4**, 229–234.

Anti-icing-Mittel (De-icer, Vereisungsinhibitoren). Von engl. icing = Vereisen abgeleitete Bez. für *Additive, die bei *Benzin u. a. *Motorkraftstoffen ein Vereisen des Vergasers bei hoher Luftfeuchtigkeit u. niedrigen Außentemp. (um +5 °C) verhindern. Als Zusätze, die gefrierpunktserniedrigend u. oberflächenaktiv wirken, eignen sich Alkohole, Glykole u. Glykolether, Formamide u. Imidazoline, Ammonium-Salze von Phosphorsäureestern etc., von denen schon geringe Mengen (50–100 ppm) die erwünschte Wirkung haben. – *E* anti-icing additives – *F* antigels – *I* additivo antigelo – *S* anticongelantes

Lit.: Kirk-Othmer (3.) **11**, 668f. ▪ Ullmann (4.) **12**, 209f., 586; (5.) **A 3**, 209; **A 16**, 733 f.

Antiidiotypische Antikörper s. Antikörper.

Antiinfektiva. Oberbegriff für *Arzneimittel zur Behandlung mikrobieller Infektionen; s. Antibiotika, Antimalariamittel, Antimykotika, Chemotherapeutika. – *E* antiinfective agents – *F* produits antiinfectieux – *I* agenti antiinfettivi – *S* desinfectantes

Lit.: Heizmann, Trautmann u. Marre, Antiinfektiöse Chemotherapie, Stuttgart: Wiss Verlagsges. 1996.

Antiisotypie s. Isotypie.

Antikatalyse. Wenig gebräuchliche Bez. für die Unterbindung von Zerfallsprozessen durch zugesetzte *Inhibitoren; näheres s. Katalyse.

Antikataraktikum N. Tabl. u. Augentropfen mit Uridin-5'-monophosphat-Dinatriumsalz gegen Linsen- u. Glaskörper-Trübungen. *B.:* Ursapharm.

Antiker Purpur s. Indigo.

Antikleber s. Antiblock(ing)mittel, Rieselhilfen u. Trennmittel.

Antiklopfmittel (Klopfbremsen). Bez. für die den Ottomotor-Kraftstoffen in kleinsten Mengen zugesetzten Substanzen, um ihre *Octanzahl zu erhöhen u. das *Klopfen* des Motors zu verhindern. Als wirksamste A. wurden überwiegend *Alkylblei*-Verb., wie z. B. Tetraethylblei (*Bleitetraethyl od. TEL nach der engl. Bez. tetraethyllead abgekürzt) u. Tetramethylblei (*Bleitetramethyl TML) eingesetzt. Ihre Antiklopfwirkung ist auf ein Abfangen von *freien Radikalen zurückzuführen, die sich bei der *Verbrennung des Kraftstoffs über intermediäre Peroxide bilden. Durch den Abbruch der *Kettenreaktion wird die explosionsartige *Selbstentzündung des Gasgemisches außerhalb der Flammenfront u. damit das *Klopfen* des Motors verhindert. Wegen der Umweltbelastung durch tox. Blei-Verb. wurde in der BRD der max. Blei-Gehalt von *Otto-Kraftstoffen* durch das Benzin-Blei-Gesetz vom 5. 8. 1976 von 0,635 g Pb/l in mehreren Stufen herabgesetzt. Außerdem machen die für die weitere Abgasentgiftung eingesetzten, gegen Blei-haltige Abgase äußerst empfindlichen *Katalysatoren die Verw. bleifreier Kraftstoffe erforderlich. Daher haben andere die Octanzahl erhöhende *Additive – wie z. B. Methyl-*tert*-butylether (MTBE) u. *tert*-Butylalkohol (TBA) – zunehmend an Bedeutung gewonnen. Die bleifreien Kraftstofftypen „Normal", „Super" u. „Super Plus" dürfen gemäß DIN-EN 228 (05/1993) max. 13 mg Pb/l enthalten. Für verbleiten Superkraftstoff sind max. 0,15 g Pb/l zulässig gemäß DIN 51 600 (01/1988). – *E* antiknock compounds – *F* anti-détonants – *I* antidetonante – *S* antidetonantes

Lit.: Kirk-Othmer (3.) **11**, 655–659, 664–668 ▪ Ranney, Fuel Additives, Park Ridge: Noyes 1974 ▪ Ullmann (4.) **17**, 54f.; (5.) **A 16**, 729ff. ▪ Whitcomb, Non-Lead Antiknock Agents for Motor Fuels, Park Ridge: Noyes 1975 ▪ Winnacker-Küchler (4.) **5**, 143f. ▪ s. a. Benzin, Motorkraftstoffe.

Antikoagulantien. Stoffe, die die *Blutgerinnung hemmen od. verhindern. Sie wirken dadurch bei Erkrankungen mit verstärkter Gerinnungsneigung, bei denen sie zum Einsatz kommen, in erster Linie vorbeugend, verhindern Thrombosen bzw. lösen Blutgerinnsel auf. Außerdem werden sie für die Haltbarmachung von Blutkonserven benötigt. Man unterscheidet bei den A. im engeren Sinne das sofort wirksame *Heparin, welches direkt bestimmte Faktoren der Blutgerinnung hemmt, von den Vitamin K-Antagonisten (*Cumarin-Derivate u. *1,3-Indandione). Diese hemmen die von der Anwesenheit von Vitamin K abhängigen Produkte bestimmter Gerinnungsfaktoren in der Leber u. setzen mit ihrer Wirkung daher erst langsam ein. Weitere gerinnungshemmende Mittel sind die *Fibrinolytika, die eine direkte od. indirekte Aktivierung des fibrinolyt. Syst. hervorrufen, so daß Fibrin-haltige Gerinnsel aufgelöst werden. Zur Anw. kommen die Enzyme *Streptokinase, *Urokinase u. Gewebs-Plasminogenaktivator (t-PA). Eine weitere Möglichkeit, die Entstehung von Blutgerinnseln zu beeinflussen, ist der Einsatz von Thrombocyten-Aggregationshemmern wie *Acetylsalicylsäure u. des Prostacyclin-Derivats *Iloprost. Ein seltener eingesetztes Verf. ist die Senkung des Fibrinogen-Spiegels im Blut durch das Enzym *Ancrod. – A. sind als Rodentizide sehr gut geeignet, s. dort. – *E* anticoagulants – *I* anticoagulanti – *S* anticoagulantes

Lit.: Mutschler (7.), S. 369–381 ▪ Pharm. Unserer Zeit **24**, 125–129 (1995) ▪ Ullmann (5.) **A 4**, 219 ff.; **A 23**, 214–218.

Antikörper. Bez. für bestimmte *Glykoproteine mit Schutzwirkung, die in *Blut, *Lymphe u. Körpersekreten als Folge einer *Immunisierung* durch *Antigene auftreten u. mit diesen eine *Antigen-Antikörper-Reaktion* eingehen. Sie sind neben dem sog. *Komplement-Syst. die stoffliche Grundlage der *humoralen* Immunantwort. An dieser Stelle sollen v. a. die *in vivo* auftretenden polyklonalen A. besprochen werden. Zu monoklonalen Antikörpern s. dort, zu katalyt. A. s. Abzyme. Die A. gehören zu den *Immunglobulinen* (Ig, s. a. dort), u. zwar hauptsächlich zur IgG-Klasse. A.-haltige Seren (s. Serum) werden als *Antiseren* bezeichnet.
Bildung: A. werden von *Plasmazellen* des lymphat. Gewebes, die von B-*Lymphocyten (B-Zellen) abstammen, sezerniert. Nach der *Klon-Selektions-Theorie* besitzt der Organismus ein reichhaltiges Repertoire an B-Zellen, von denen jede an ihrer Oberfläche einen spezif. *Rezeptor für eines der verschiedenen Antigene trägt. Bei Kontakt mit dem Antigen werden genau diejenigen B-Zellen zur Vermehrung u. Differenzierung in Plasmazellen (u. sog. *Gedächtniszellen*) angeregt, deren Rezeptor das Antigen zu binden vermag. Den T-*Lymphocyten kommt hierbei eine regulator. Rolle zu, die sie durch Ausschüttung spezieller Botenstoffe, der sog. *Lymphokine* wahrnehmen. Bei einer Folgeimmunisierung mit demselben Antigen sorgen die Gedächtniszellen für eine schnellere Ausschüttung einer größeren Menge von Antikörpern. Die A.-Vielfalt erklärt sich auf der Stufe der *Gene durch die Kombination einer begrenzten Anzahl translokabler genet. Elemente, die auf unterschiedliche Weise zu einem Cistron (Gen) zusammengesetzt werden. Darüberhinaus spielen somat. Mutationen in hypervariablen Regionen eine Rolle. Kontrolle der *Transkription sorgt dafür, daß in jeder B-Zelle nur ein A. exprimiert wird.
Spezifität u. Reaktivität: Da ein *Antigen mehrere Epitope aufweist, an die jeweils unterschiedliche A. binden können, kommt es *in vivo* immer zur Bildung eines Gemisches von A. unterschiedlicher Spezifität (*polyklonale A.*), auch wenn mit einem einheitlichen Antigen immunisiert wurde. Umgekehrt spricht man von *monoklonalen Antikörpern bei solchen von einheitlicher Mono- od. Bispezifität. Zu neueren Immunisierungsmeth. zur Gewinnung von A. s. *Lit.*[1].
A. können, da sie Proteine sind, in fremden Organismen als Antigene wirken u. Immunantwort auslösen. Ist dies unter verschiedenen Individuen derselben Art der Fall, nennt man die auslösenden Determinanten *allotypisch*. Die Antigen-Bindungsregion (s. unten) eines A. kann jedoch als sog. *Idiotyp* auch in ein u. demselben Individuum zur Bildung von A. (*anti-idiotyp. A.*) führen[2]. Daß dies im allg. der Fall u. ein wichtiges Prinzip der Regulation des Immunsyst. sei, nimmt die *Netzwerk-Theorie* an. A. gegen körpereigene Mol., die v. a. bei Autoimmunerkrankungen auftreten, werden als *Auto-A.* bezeichnet (s. Autoimmunität). A., die Modellverb. von Reaktions-Übergangszuständen binden, wirken katalyt., s. Abzyme.

Struktur: A.(IgG)-Mol. (M_R 150 000) bestehen aus je zwei großen (H, von *E h*eavy = schwer, ca. 450 Aminosäure-Reste) u. zwei kleinen (L, von *E l*ight = leicht, ca. 210 Aminosäure-Reste) Polypeptid-Ketten, die durch *Disulfid-Brücken verbunden sind. Sowohl die H- als auch die L-Ketten verfügen über einen C-terminalen konstanten Teil u. einen N-terminalen variablen Bereich, der für die Spezifität verantwortlich ist u. auf dem sich die Antigen-Bindungsstellen (auch: hypervariable Bereiche od. Komplementarität-bestimmende Regionen, engl. Abk.: CDR) befinden. Die H-Ketten sind mit Kohlenhydraten verknüpft.

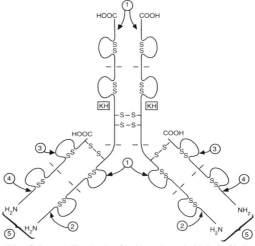

Abb.: Schemat. Darst. der Struktur eines A.-Mol. (IgG). Legende: 1 = H-Kette (konstanter Tl.), 2 = H-Kette (variabler Tl.), 3 = L-Kette (konstanter Tl.), 4 = L-Kette (variabler Tl.), 5 = Bindungsort für *Antigene od. *Haptene, KH = Kohlenhydrat, –S–S– = *Disulfid-Brücken

*Röntgenstrukturanalysen zeigen, daß das IgG-Mol. aus $2 \times (4+2)$ globulären *Domänen besteht, deren Faltung durch je eine Disulfid-Brücke stabilisiert wird, u. in der Gesamterscheinung an ein Y od. T erinnert (mit den variablen Bereichen an den Enden der Queräste). In der Gelenkregion (*E* hinge region), d. h. im Bereich, wo sich das Mol. gabelt bzw. knapp daneben, befinden sich an den H-Ketten spezif. Spaltstellen für die Proteinasen *Papain bzw. *Pepsin. Strukturell verwandte Proteine werden in der Ig-Superfamilie zusammengefaßt (verschiedene Rezeptoren, Oberflächenantigene, *Histokompatibilitäts-Antigene, *Zell-Adhäsionsmoleküle u. a.).
Geschichte: Die A. wurden 1890 durch von *Behring u. Kitasato entdeckt, 1893 durch *Ehrlich erstmals isoliert, aber erst gegen 1959 näher charakterisiert, insbes. durch R. R. *Porter u. *Edelman (1972 Nobelpreis für Medizin). – *E* antibodies – *F* anticorps – *I* anticorpi – *S* anticuerpos

Lit.:[1] Nachr. Chem. Tech. Lab. **40**, 604 (1992). [2] FASEB J. **9**, 43–49 (1995).
allg.: Acc. Chem. Res. **26**, 421–427 (1993) ▪ Mol. Immunol. **31**, 169–217 (1994) ▪ Roitt et al., Kurzes Lehrbuch der Immunologie, (3.), Stuttgart: Thieme 1995 ▪ Zanetti u. Capra, The Antibodies, Bd. 1, Longhorne: Harwood 1995.

Antikörper-Engineering s. monoklonale Antikörper.

Antikonvulsiva s. Antiepileptika.

Antikonzeptionsmittel (Anti-, Kontrazeptiva, Antifertilitätsmittel, Empfängnisverhütungsmittel). Im weiteren Sinne Bez. für Mittel, die eine Schwangerschaft verhindern sollen. Verwendet werden:
1. Intrauterin applizierte Mittel [Pessare; *E* intrauterine pessary device (IUP, IUD)] bestehen aus Kunststoff, z. T. mit Kupfer-Auflagen, z. T. mit Gestagenhaltigen Zusätzen.
2. Intravaginal-Präp. sind als Gelee, Schaum, Spray, Zäpfchen od. Kugeln (Ovula) im Handel. Meist enthalten sie spermizide *Nonoxinole.
3. Im engeren Sinne werden unter A. hormonale Kontrazeptiva verstanden. Die „Pille" wurde in den 50er Jahren von *Pincus entwickelt. Man unterscheidet heute folgende Haupttypen:
a) Einphasenpräp.: 21 Tage lang wird eine Estrogen-Gestagen-Kombination eingenommen.
b) Zweiphasenpräp.: In der ersten Cyclusphase werden nur *Estrogene (Sequenzmeth.) od. Estrogene zusammen mit einem niedrig dosierten *Gestagen (Zweistufenmeth.), in der zweiten Phase eine Estrogen-Gestagen-Kombination wie unter a) eingenommen.
c) Dreiphasenpräp.: Die Präp. enthalten für die ersten sechs Tage eines Cyclus eine niedrige Estrogen- u. Gestagendosis, für die anschließenden fünf Tage eine erhöhte Estrogen- u. Gestagen-Menge u. für die restlichen zehn Tage eine wieder erniedrigte sowie nochmals gesteigerte Gestagendosis. Damit sollen die Hormonschwankungen während des weiblichen Cyclus simuliert werden. Die Wirkungsweise[1] dieser synthet. *Ovulationshemmer (a–c) besteht darin, daß sie die präovulator. Hormonausscheidung im Hypophysenvorderlappen unterdrücken. Der Ausscheidungsgipfel des *Lutropins u. der Eisprung unterbleiben. Weiterhin wird durch die Gestagene der Zervixschleim eingedickt u. dadurch die Spermienaszension verlangsamt sowie durch die Estrogene der Endometriumaufbau unterdrückt u. somit die Einnistung des befruchteten Eies erschwert.
d) Sog. „Minipillen" enthalten nur niedrig dosierte Gestagene. Diese verhindern u. a. die Verflüssigung des Schleimpfropfes im Muttermundkanal, was zur Folge hat, daß das Sperma nicht zum Ei wandern kann.
e) Die „morning-after pill" enthält sehr hochdosierte Estrogene, die die Nidation des befruchteten Eies verhindern sollen (vgl. Konzeption).
Als Estrogene kommen bei den ca. 50 auf dem Markt befindlichen A. nur 17α-*Ethinylestradiol u. sein 3-Methylether (*Mestranol) zur Verw., denen auf der Gestagen-Seite verschiedene Steroide gegenüberstehen, z. B. *Chlormadinonacetat, *Desogestrel, *Gestoden, *Lynestrenol, *Norethisteron u. sein Acetat u. *Norgestrel. Bei der Synth. der *Steroidhormone geht man heute noch vorwiegend von Naturstoffen aus (Steroid-Sapogenine wie *Diosgenin, *Phytosterine wie *Sitosterin u. *Stigmasterin).
Die oralen (hormonellen) A. verhüten relativ zuverlässig eine Empfängnis. Eine neuere Umfrage[2] unter 10 000 Frauen ermittelte ungewollte Schwangerschaften bei 10% der Pillenbenutzerinnen. Häufige Nebenwirkungen sind eine Erhöhung des *Thrombose-Risikos, die Zunahme von *Mykosen, *Hypertonie, insgesamt erhöhtes Risiko kardiovaskulärer Komplikationen etc.
Die Suche nach A. auf anderer Basis hat trotz vieler Bemühungen bisher nicht zum Erfolg geführt. Entsprechend verwendete *Prostaglandine gehören zu den *Abortiva. Eine den Ovulationshemmern analoge Stoffgruppe, die beim Mann die Spermatogenese hemmen könnte, ohne gleichzeitig unerwünschte Nebenwirkungen zu zeigen, ist bisher ebenfalls nicht aufgefunden worden. Auf *Gossypol gesetzte Hoffnungen, das die Spermatogenese reversibel hemmt, haben sich wegen dessen Toxizität nicht erfüllt. A. für Hunde sind auf der Basis von *Megestrol-acetat u. Miboleron im Handel. Über die Möglichkeit einer immunolog. Konzeptions-Verhütung, die den Einsatz der hormonellen A. erübrigen würde, s. *Lit.*[3] – *E* contraceptives – *F* antifertilisants – *I* agente anticoncepiente – *S* anticonceptivos

Lit.: [1] Gynäkologie **25**, 231–240 (1992). [2] Forsch. Praxis **198**, 12–16 (1995). [3] Nachr. Chem. Tech. Lab. **36**, 1328f. (1988). *allg.:* Arzneimittelchemie II, 247–260 ■ Mutschler (7.), S. 319–331 ■ Ullmann (5.) **A 7**, 461–469.

Antil®. Polyoxyethylenpropylen-glykoldioleat, Verdickungsmittel für wäss. Tensid-Lsg. u. Lösungsvermittler für ether. Öle. *B.:* Th. Goldschmidt AG.

Antilack. Handelsnamen der Kettlitz-Chemie für Trennmittel zur Behandlung von unvulkanisierten Gummimischungen. *B.:* Kettlitz-Chemie GmbH & Co. KG.

Antilux®. Licht-, Ozon- u. Bewetterungs-Schutzwachse auf der Basis ausgewählter Paraffin-Fraktionen in Kombination mit Mikrowachsen. *B.:* Rhein Chemie Rheinau GmbH.

Antimalariamittel. Bez. für Präp. gegen *Malaria. Entsprechend den unterschiedlichen Entwicklungsstadien der Erreger werden Gewebe-Schizontozide (*Primaquin, *Pyrimethamin, *Sulfonamide), Hypnozoitozide (Primaquin), Blut-Schizontozide (Chinoline wie *Chloroquin, *Mefloquin, *Chinin), Gametozide (Primaquin) u. Sporontozide (Primaquin, Pyrimethamin) unterschieden. Derzeit ist kein Arzneistoff bekannt, der alle Formen gleich stark schädigt. Zur Malariaprophylaxe wird v. a. Chloroquin (0,3 g einmal wöchentlich) eingesetzt; wegen der bes. in Südostasien aufgetretenen Resistenzen muß man immer häufiger auf Mefloquin u. a. zurückgreifen. – *E* antimalarials – *F* antimalariens – *I* agente antimalarico – *S* antimálaricos

Lit.: Arzneimittelchemie III, 141–157 ■ Mutschler (7.), S. 715–722 ■ Pharm. Ztg. **139**, 4307–4313 (1994) ■ Prog. Drug. Res. **28**, 197–232 (1984).

Antimarkownikoff-Addition s. Markownikoff-Regel.

Antimaterie. Materie, die ausschließlich aus *Antiteilchen besteht, d. h. ein Atomkern ist aus *Antiprotonen u. *Antineutronen aufgebaut, somit neg. geladen, um den die pos. geladenen Antielektronen (*Positronen) die Atomhülle bilden. 1995 gelang erstmals die Erzeugung von Antiwasserstoff[1]. Antiprotonen wurden mit hoher kinet. Energie in das starke elektr.

Feld (zwischen Elektronenhülle u. Atomkern) von Xe-Atomen gebracht, wodurch zwei Photonen u. daraus ein Elektron-Positron-Paar entstand. Sofern die Energie u. die Flugrichtung von Positron u. Antiproton übereinstimmte, bildeten sie Antiwasserstoffatome, die nachfolgend durch mehrere Detektoren u. a. auch durch e^--e^+-Vernichtungsstrahlung nachgewiesen wurden. In zukünftigen Experimenten sollen die Antiwasserstoffatome spektroskop. untersucht werden, um die Symmetrie zwischen Materie u. A. experimentell zu überprüfen.

In einem Raum frei von normaler Materie ist A. stabil; deshalb wurde über die Existenz u. den Nachw. anderer galakt. Syst. diskutiert, die nur aus A. bestehen[2]. Es ist möglich zwischen normaler Materie u. A. zu unterscheiden (CP-Verletzung beim Zerfall neutraler K-Mesonen, näheres s. u. a. *Lit.*[3]. Trifft A. auf normale Materie wandelt sich die Masse der Teilchen (*Einsteins Masse-Energie-Gleichung) u. die ihrer entsprechenden Antiteilchen vollständig in Strahlungsenergie (*Vernichtungsstrahlung) um; z.B. Elektron u. Positron ergeben zwei (Impulserhaltung) γ-Quanten (s. Gammastrahlen, jedes mit der Energie von 0,511 MeV. Mit der passenden Energie zusammengebracht, können Elektron u. Positron auch ein stabiles Syst. ergeben (*Positronium). – *E* antimatter – *F* antimatiere – *S* antimateria

Lit.: [1] Phys. Bl. **52**, 100 (1996); Phys. Unserer Zeit **26**, 228 ff. (1995); Spektrum Wiss. **1996**, 24 ff. [2] Lerner u. Trigg (Hrsg.), Encycl. of Physics, Weinheim: VCH Verlagsges. 1991. [3] Musiol et al., Kern- u. Elementarteilchenphysik, S. 849 ff., Weinheim: VCH Verlagsges. 1988.

allg.: Alfvén, Worlds – Antiworlds, San Francisco: Freeman 1967 ▪ Alfvén, Kosmologie u. Antimaterie, Frankfurt: Umschau 1969 ▪ Bild Wiss. **7**, 656–663 (1970) ▪ Ekspong u. Nilsson, Antinucleon-Nucleon Interactions, Oxford: Pergamon 1977 ▪ Franke, Lexikon der Physik, S. 75, Stuttgart: Franckh 1969 ▪ Umschau **68**, 611–622 (1968).

Antimere s. Enantiomere.

Antimetabolite. Verb. mit struktureller Ähnlichkeit zu natürlichen *Metaboliten. Sie werden mit diesen verwechselt u. hemmen dadurch den Stoffwechsel. Dabei unterscheidet man Mechanismen der *nichtkompetitiven* u. der *kompetitiven* Hemmung. *Beisp.* für A.: 4-*Aminobenzoesäure ist für viele Bakterien ein natürlicher Wuchsstoff (Metabolit), das chem. ähnliche Sulfanilamid wirkt dagegen als Wachstums-*Hemmstoff (A.). Die A. sind für die *Chemotherapie u. die *Schädlingsbekämpfung (Hexachlorcyclohexan ist z.B. A. zum lebenswichtigen Inosit, Mutterkornalkaloide sind A. zu Serotonin) von großer Wichtigkeit (vgl. a. Antagonisten). In der Genetik spielen A. der Nucleinsäure-Bausteine, z.B. Bromuracil u. *Arabinonucleoside, als *Mutagene eine Rolle (s. Basenanaloge). Zahlreiche A. des Nucleinsäure-Stoffwechsels, zu denen auch einige *Antibiotika gehören, werden daher auch als *Cytostatika bei der Behandlung von *Krebs eingesetzt[1,2] z.B. *Methotrexat als Folsäure-Antagonist; Purin- u. Pyrimidinbasen-Mimetika wie *Fluorouracil, *6-Purinthiol, *Cytarabin; A. des letzteren Typs werden auch als *Virostatika eingesetzt (*Aciclovir, *Zidovudin u. a.). Einen Überblick über die Verw. von A. als Arzneimittel enthält *Lit.*[3]. – *E* antimetabolites – *F* antimétabolites – *I* antimetaboliti – *S* antimetabolitos

Lit.: [1] Hematol. Oncol. Clin. North. Am. **9**, 397–413 (1995). [2] Cancer Treat. Res. **73**, 201–216 (1994). [3] Pharm. Unserer Zeit **1**, 81–89 (1972).

allg.: Anabri, Innovative Antimetabolites in Solid Tumors, Berlin: Springer 1994 ▪ Auterhoff, Knabe u. Höltje, Lehrbuch der Pharmazeutischen Chemie, S. 846 ff., Stuttgart: Wiss. Verlagsges. 1994 ▪ Ullmann (5.) **A 5**, 2–10.

Antimikrobielle Ausrüstung. Bez. für die Ausrüstung von *Textilien mit *antimikrobiellen Wirkstoffen, die durch ihre Wirkung gegen Bakterien u. Pilze Textilien vor Befall u. Zerstörung durch diese Organismen schützen. Anionaktive Stoffe (z. B. Fettalkoholsulfate, Alkylarylsulfonate) wirken gegen Gram-pos. Bakterien; bes. wichtig sind die *quartären Ammonium-Verbindungen vom Typ der *Benzalkoniumchloride. Weitere Präp. für die a. A. sind z. B. Halogenphenole, Halogensalicylanilide, Phenolmercuriacetat u. dgl.; s. a. Antimykotika. – *E* antimicrobial finishing – *F* équipement antimicrobien – *I* appretto antimicrobico – *S* acabado antimicrobiano

Lit.: Lindner, Tenside-Textilhilfsmittel-Waschrohstoffe (3 Bd.), S. 2599–2607, Stuttgart: Wiss. Verlagsges. 1964–1971 ▪ Rath, Lehrbuch für Textilchemie, S. 152 ff., Berlin: Springer 1972 ▪ Ullmann (4.) **23**, 93; (5.) **A 26**, 333 f.

Antimikrobielle Wirkstoffe (Mikrobizide). Sammelbez. für Mittel zur Bekämpfung von Mikroorganismen (s. Mikrobiologie). A. W. finden als *Desinfektions- u. *Konservierungsmittel, *Chemotherapeutika u. *Antibiotika Verwendung. Je nach antimikrobiellem Spektrum u. Wirkungsmechanismus unterscheidet man zwischen *Bakteriostatika (Stoffe mit reversibler Wachstumshemmung) u. *Bakteriziden (bakterienabtötende Substanzen), bei den *Antimykotika zwischen Fungistatika u. Fungiziden (s. dort) etc. – *E* antimicrobials – *F* antimicrobiens – *I* anitimicrobici – *S* antimicrobianos

Antimitotika s. Mitosehemmer.

Antimon (chem. Symbol Sb, von latein.: Stibium, vgl. unten). Zu den *Halbmetallen gehörendes Element der 5. Hauptgruppe (*Stickstoff-Gruppe) der 5. Periode des *Periodensystems; Ordnungszahl 51, Atomgew. 121,75. Natürliches Sb besteht zu 57,25% aus dem Isotop 121 u. zu 42,75% aus dem ebenfalls stabilen Isotop 123, daneben kennt man z.Z. noch 30 künstliche radioaktive Isotope ^{112}Sb–^{136}Sb mit HWZ zwischen 0,82 s u. 2,7 a. Sb steht im Periodensyst. unter *Arsen, es tritt in den Wertigkeiten +5, +3, 0 u. –3 auf u. bildet 2 allotrope Modifikationen.

Das stabile sog. *graue* Sb ist ein silberweißes glänzendes, sehr sprödes, leicht pulverisierbares Metall. D. 6,684, Schmp. 630 °C, Sdp. 1753 °C. Die Schmelze hat bei 640 °C die D. 6,49. Die elektr. Leitfähigkeit erreicht nur etwa 3,7% von der des Silbers. Kristallform rhomboedr. (Kristallgitter wie bei As aus Wabenschichten mit 3-wertigem Sb aufgebaut). Der Sb-Dampf besteht nach Dichte-Bestimmungen aus Sb_2- u. Sb_4-Molekülen.

Sog. *schwarzes*, amorphes, den elektr. Strom nicht leitendes Sb entsteht durch Aufdampfen von Sb auf gekühlte Flächen; es entspricht dem roten *Phosphor u. dem schwarzen *Arsen. Wegen der Größe der Sb-

Atome ist hier die Bindung zwischen den einzelnen Atomen so schwach, daß sich das amorphe Netzwerk schon bei 0 °C in das Kristallgitter des grauen Sb umzuwandeln beginnt. Eine dem farblosen Phosphor u. gelben Arsen entsprechende feste Modif. aus Sb_4-Mol. gibt es nicht.
Das sog. *gelbe* Sb ist ein Mischpolymerisat aus Sb u. Wasserstoff u. ist somit dem gelben Phosphorwasserstoff analog. Bei 20 °C ist Sb an der Luft beständig, dagegen verbrennt es beim Erhitzen über den Schmp. zu farblosem, flücht gem Antimontrioxid. In Salzsäure u. verd. Schwefelsäure ist Sb unlösl., dagegen wird es von Salpetersäure zu Sb_2O_3 od. Sb_2O_5 oxidiert.
Physiologie: Die St-Verb. wirken – ins Blut gespritzt – fast ebenso giftig wie die verwandten Arsen-Verb. (MAK von Sb: 0,5 mg/m^3 gemessen als Gesamtstaub). Trotzdem kommen Sb-Vergiftungen viel seltener vor, da die Sb-Salze die Magen- u. Darmwände viel schwerer durchwandern als die Arsen-Verbindungen. Außerdem rufen die eingenommenen Sb-Verb. einen starken Brechreiz hervor (*Brechweinstein*), weshalb sie bald wieder aus dem Körper ausgeschieden werden.
Vork.: Ungefähr 10^{-4} Gew.-% der obersten 16 km Erdkruste bestehen aus Sb; es steht damit hinsichtlich der Häufigkeit der Elemente in der Nähe von *Europium u. *Terbium u. ist somit seltener als manche *Seltenerdmetalle, aber doch häufiger als die *Edelmetalle. Die Erstarrungsgesteine u. Sandsteine enthalten durchschnittlich 1 g Sb je t, die Meteoriten etwas mehr. Sb wird gelegentlich auch in Form von Allemontit od. *Dyskrasit, in gediegenem Zustand vorgefunden. Die wichtigsten Sb-Mineralien sind: *Grauspießglanz* (*Antimonit), *Weißspießglanz* (Antimonblüte, *Valentinit), *Senarmontit, Antimonblende* (*Kermesit, Rotspießglanz, Sb_2S_2O). Die Sb-Lagerstätten schließen sich oft an Eruptionsgesteinsgänge an, die von Tiefengesteinsmassen ausstrahlen. Die größten Vork. an abbauwürdigen Sb-Erzen besitzen Südafrika, China u. Bolivien. Weitere Sb-haltige Minerale sind: *Rotgültigerze, *Wolfsbergit, *Zinckenit, *Livingstonit, *Jamesonit.
Nachw.: Die Lötrohrprobe ergibt einen farblosen, gegen den Saum bläulichen Beschlag, der nicht so flüchtig ist wie der durch Arsen erzeugte. Beim Marsh-Test (s. Arsenik) erhält man einen Metallspiegel, der durch Natriumhypochlorit-Lsg. nicht aufgelöst wird. Im Analysengang wird Sb durch H_2S als in Ammoniumcarbonat-Lsg. unlösl., in Schwefelammonium-Lsg. lösl. orangefarbenes Sulfid ausgefällt. Aus Sb-Salzlsg. wird das Element durch metall. Zink als schwarzer Überzug ausgeschieden. Die Reaktion mit Silberdiethyldithiocarbamat od. Rhodamin B kann zur kolorimetr., die mit Thionalid zur gravimetr. Bestimmung von Sb-Spuren dienen, s. *Lit.*[1]. Ein qual. Mikro-Nachw. ist mit Rb- bzw. Cs-Chlorid möglich[2].
Herst.: Vorwiegend wird Sb auf pyrometallurg. Wege aus sulfid. Erzen hergestellt. Nach einem heute kaum noch praktizierten Verf. bildet sich aus Antimonit mit Eisen leichtschmelzendes Sb u. schwerschmelzendes Eisensulfid: $Sb_2S_3 + 3Fe \rightarrow 2Sb + 3FeS$. Od. man röstet das Sb-Sulfid an der Luft, wobei Sb-Oxid entsteht, das man durch Erhitzen mit Kohle zu metall. Sb reduziert. Reineres, 99,9%iges Sb erhält man durch elektrolyt.

Raffination, noch reineres durch Red. von $SbCl_3$ mit H_2. Einen Überblick über moderne Herst.-Meth. findet man bei McKetta bzw. Winnacker-Küchler (*Lit.*). Sb-Metall wird häufig unter der Bez. *Antimon regulus* gehandelt. Die Förderung an Sb-Erzen (gesamt 110 700 t) verteilte sich 1994 laut Metallstatistik (1995) auf die Hauptförderländer (Angaben in 1000 t Sb-Inhalt): VR China (82,4), Bolivien (7,1), Rußland (7,0), Südafrika (4,5), Kirgisien (2,5), Mexiko (1,8), Australien (1,7) u. Tadschikistan (1,0).
Verw.: Metall. Sb ist meist so spröde, daß man es mit dem Hammer zertrümmern od. im Mörser pulverisieren kann. Infolge seiner Sprödigkeit läßt sich Sb weder hämmern noch walzen, weder ziehen noch prägen; es kommt daher fast nie in reinem Zustand, sondern nur als Leg.-Bestandteil (Sb wird v. a. *Blei-Leg. u. *Zinn-Leg. zur Erhöhung der Härte zugesetzt, z. B. in *Letternmetall u. *Schrot) od. in Form von Verb. zur Anwendung. Chem. reines Sb findet zur Thermometer-Fixpunktbestimmung, reinstes in der Halbleitertechnik Verwendung. Einige *Antimon-Präparate haben medizin. Bedeutung.
Geschichte: Metall. Sb war schon früh den Chinesen u. Babyloniern bekannt. Im Mittelalter wurde das Sb bes. z. Z. des Paracelsus als Mittel gegen alle möglichen Gebrechen gepriesen. In dem berühmten Buch „Triumphwagen des Antimonii" (s. a. Valentinus) findet sich bereits eine Beschreibung der Sb-Herst. u. Umschmelzung des Sulfids mit Fe u. Angaben über seine Verw. in Glockenleg., Schriftmetall usw. – Der Ursprung des Namens „Antimon" ist unklar; möglicherweise kommt es aus dem Arabischen. Das Symbol ist aus dem latein. *stibium* abgeleitet, womit früher das Element, jedoch in der Regel seine sulfid. Erze bezeichnet wurden. – *E* antimony – *F* antimoine – *I* = *S* antimonio
Lit.: [1] Fries u. Getrost, S. 32–40. [2] Chem. Labor Betr. **26**, 190–194 (1975).
allg.: Brauer (3.) **1**, 584 f. ■ British Geological Survey, World Mineral Statistic 1990–1994, Nottingham: Keyworth 1995 ■ Gmelin, Syst.-Nr. 18, Sb, Tl. A, 1942–1950, Tl. B, 1943–1949 ■ Hommel, Nr. 913 ■ Kirk-Othmer (4.) **3**, 367–381 ■ McKetta **3**, 347–387 ■ Mining Annual Review, S. 117 ff., London: Mining Journal Ltd. 1988 ■ Patai (Hrsg.), The Chemistry of Organic Arsenic, Antimony & Bismuth Compounds, Chichester: Wiley 1994 ■ Smith, The Chemistry of Arsenic, Antimony & Bismuth, Oxford: Pergamon 1975 ■ Snell-Hilton **6**, 39–70 ■ Ullmann (5.) **A 3**, 55–76 ■ Winnacker-Küchler (4.) **4**, 490 ff. – *[HS 811000; CAS 7440-36-0]*

Antimonate. Bez. für Salze der hypothet. Antimonsäuren $SbO(OH)$ u. $H[Sb(OH)_6]$. Natriumantimonat(III) entsteht z. B. nach $Sb_2O_3 + 2 NaOH \rightarrow 2 NaSbO_2 + H_2O$. – *E* = *F* antimoniates – *I* antimonati – *S* antimoniatos
Lit.: Gmelin, Syst.-Nr. 18, Sb, 1943–1949, S. 367–370, 388–391. – *[HS 284190]*

Antimonblende s. Kermesit.

Antimonbutter s. Antimonchloride.

Antimonchloride. *Antimon(III)-chlorid* (Antimonbutter), $SbCl_3$, M_R 228,11. Reines $SbCl_3$ ist bei 20 °C eine weiche, farblose, hygroskop., die Haut stark reizende, rauchende Masse, D. 3,14, Schmp. 73 °C, Sdp. 223 °C, subl. zu langen rhomb. Kristallen.

SbCl₃ ist in wenig Wasser ohne Hydrolyse lösl., ferner in Alkohol, Ether, Benzol, Dioxan, Chloroform, Aceton u. Schwefelkohlenstoff, es löst Halogen-Verb. von As, Bi, Sn, ferner HgCl₂, KCl, NH₄Cl usw.
Herst.: Aus den Elementen u. durch Destill. einer Lsg. von gepulvertem Antimonsulfid in heißer, konz. Salzsäure. Geschmolzenes SbCl₃ wirkt als ionisierendes Wasser-ähnliches Lsm., s. *Lit.*[1]. Daneben löst SbCl₃ auch eine große Reihe von Polymeren (vgl. *Lit.*[2]).
Verw.: In der Medizin als Ätzmittel, als Reagenz für Vitamin A u. allg. als Sprühreagenz für die Chromatographie, als Katalysator für organ. Synth., Gerbhilfsmittel, zum Beizen von Geweben u. zum Brünieren von Gewehrläufen.
Antimon(V)-chlorid (Antimonpentachlorid) SbCl₅, M_R 299,02, entsteht, wenn SbCl₃ mit Cl₂ behandelt wird. Meist gelbliche, rauchende, Haut u. Schleimhäute ätzende Flüssigkeit, D. 2,346, Schmp. 4 °C, siedet nur unter vermindertem Druck unzersetzt, wird durch Wasser hydrolysiert. Da es leicht Chlor abspaltet, dient es bei organ. Synth. als Chlorierungsmittel. Eine 20%ige Lsg. in Tetrachlormethan od. Chloroform findet als Anfärbereagenz in der Dünnschichtchromatographie Verwendung. – *E* antimony chlorides – *F* chlorures d'antimoine – *I* cloruri d'antimonio – *S* cloruros de antimonio
Lit.: [1] Z. Anorg. Allg. Chem. **299**, 252–270 (1959). [2] Polym. Lett. **3**, 81 (1965).
allg.: Brauer (3.) **1**, 587–589 ▪ Gmelin, Syst.-Nr. 18, Sb, Tl. B, 1943–1949, S. 408–454 ▪ Hommel, Nr. 452, 994 ▪ Kirk-Othmer (4.) **3**, 387 ff., 391 ▪ Snell-Hilton **6**, 48 ▪ Ullmann (5.) A **3**, 67 f. – *[HS 2827 39; CAS 10025-91-9 (III); 7647-18-9 (V); G 8]*

Antimonfahlerz s. Fahlerze.

Antimonfluoride. *Antimon(III)-fluorid* (Antimontrifluorid), SbF₃, M_R 178,75. Graufarblose, hygroskop., giftige, hautreizende Krist., D. 4,38, Schmp. 292 °C, sublimiert, in Wasser leicht löslich.
Herst.: Durch Einwirkung von wasserfreiem HF auf Sb₂O₃.
Verw.: Als Fluorierungsmittel, als Beize beim Färben (ersetzt *Brechweinstein), bei der Herst. von keram. Erzeugnissen.
Antimon(V)-fluorid (Antimonpentafluorid), SbF₅, M_R 216,74. Farblose, viskose, hautätzende Flüssigkeit, D. 2,99, Schmp. 7 °C, Sdp. 149,5 °C, lösl. in KF, wird durch Wasser hydrolysiert.
Herst.: Durch Einwirkung von Fluor auf SbF₃.
Verw.: Zur Herst. von Carbokationen, als Fluoridionenakzeptor, für superacide Medien (s. a. Supersäuren, magische Säure). – *E* antimony fluorides – *F* fluorures d'antimoine – *I* fluoruri d'antimonio – *S* fluoruros de antimonio
Lit.: Brauer **1**, 191; (3.) **1**, 216 f. ▪ Gmelin, Syst.-Nr. 18, Sb, Tl. B, 1943–1949, S. 394–405 ▪ Hommel, Nr. 916 ▪ Kirk-Othmer (4.) **3**, 387, 390 f. ▪ Ullmann (5.) A **3**, 68. – *[HS 2826 19; CAS 7783-56-4 (III); 7783-70-2 (V)]*

Antimonglanz s. Antimonit.

Antimonhydroxid s. Antimonoxide.

Antimonide. Verb. vom Typ M^I₃Sb; Na₃Sb, K₃Sb, Li₃Sb haben salzartige Eigenschaften, andere haben mehr den Charakter von *intermetallischen Verbindungen (z. B. SnSb, NiSb), die z. T. Halbleiter-Eigenschaften aufweisen (die A. von In u. Al). – *E* antimonides – *F* antimoniures – *I* antimonidi – *S* antimoniuros
Lit.: Brauer (3.) **2**, 963 f. ▪ Kirk-Othmer (4.) **3**, 385. – *[HS 2851 00]*

Antimonit (Antimonglanz, Grauspießglanz, Stibnit). Sb₂S₃; bleigraue, bes. auf frischen Spaltflächen stark metallglänzende, gelegentlich bunt angelaufene, stengelige od. strahlige bis spießige rhomb. Krist., büschelige Aggregate od. derbe Massen; Krist.-Klasse mmm-D_{2h}. H. 2, D. 4,6–4,7, Strichfarbe dunkelbleigrau.
Vork.: Auf hydrothermalen Erzgängen, z. B. Wolfsberg/Harz, Spanien, Siebenbürgen/Rumänien; bis > 10 cm lange Krist. aus der Provinz Henan/China.
Verw.: Wichtigstes Erz zur Gewinnung von *Antimon; Hauptförderländer sind die VR China u. Bolivien. Im arab. Kulturraum gepulvert als Schminke. – *E* antimonite, stibnite – *F* = *I* antimonite – *S* antimonita
Lit.: Anthony et al., Handbook of Mineralogy, Vol. 1, S. 498, Tucson (Arizona): Mineral Data Publishing 1990 ▪ Lapis **6**, Nr. 9, 5 ff. (1981) ▪ Ramdohr-Strunz, S. 450 f. – *[HS 2617 10; CAS 1317-86-8 (Stibnit)]*

Antimonkaliumtartrat s. Brechweinstein.

Antimon-organische Verbindungen. Bez. für metallorg. Verb., in denen *Antimon direkt an Kohlenstoff gebunden ist – hierher gehören also nicht die als *Antimon-Präparate eingesetzten Verb. vom Typ des *Brechweinsteins u. *Stibophens, in denen Sb Alkoholat- u. Phenolat-artig gebunden vorliegt. Organ. Derivate des 3-wertigen Sb werden nach der IUPAC-Regel D5.11 *Stibine genannt. Durch Erhöhung der Koordinationszahl auf 4 erhält man *Stibonium-Salze mit dem Kation R₄Sb⁺ (R = Alkyl- od. Aryl-Rest). *Stibonium-Ylide* der Struktur (R₃Sb⁺⁻CR₂) sind ebenfalls bekannt. Von den Derivaten des 5-wertigen Sb seien beispielhaft die Halogenide [R$_n$Sb(V)X$_{5-n}$] u. Antimonsäuren z. B. *Stibonsäuren* [R–SbO(OH)₂] genannt. Bekannt sind auch Stibine der Art RSbX₂ od. R₂SbX (X = Halogen). Auch aromat. Verb. mit Sb als Ringglied [(*Stibabenzol* (C₅H₅Sb)] wurden synthetisiert s. *Lit.*[1].
Herst.: A.-o. V. können direkt durch Reaktion des Elementes mit Alkyl- od. Arylhalogeniden hergestellt werden. Ein anderer, breit anwendbarer Zugang zu A.-o. V., besteht in der Ummetallierung, indem man eine *Lithium-organische Verbindung od. *Grignard-Verbindung mit einem Antimonhalogenid umsetzt; z. B:

$$3\,H_5C_6\text{-Li} + SbCl_3 \xrightarrow{-LiCl} (H_5C_6)_3Sb$$

Zur Herst. der Sb(V)-Säuren benutzt man die modifizierte Barth- od. Scheller-Reaktion (vgl. a. Sandmeyer-Reaktion); z. B.:

$$H_5C_6\text{-}N_2^+X^- + SbCl_3 + H_2O \xrightarrow{CuCl} H_5C_6\text{-SbO(OH)}_2$$

Distibine der Form Ar₂Sb–SbAr₂ (Ar=aromat. Rest) erhält man durch Red. von Verb. des Typs Ar₂SbX.
Eigenschaften: Sb(III)-Verb. werden leicht oxidiert u. sind damit gute Reduktionsmittel. Trialkylstibine entflammen spontan an der Luft. Stibonsäuren sind polymer. – *E* organoantimony compounds – *F* composé or-

Antimonoxide

ganique d'antimoine – *I* antimonuri organici – *S* compuestos de organoantimonio

Lit.: [1] Angew. Chem. 87, 269–283 (1975); Acc. Chem. Res. 11, 153–157 (1978).
allg.: Houben-Weyl 13.8 ■ Kirk-Othmer (3.) 2, 116–123, (4.) 3, 394–405 ■ Patai, The Chemistry of Arsenic, Antimony and Bismuth Compounds, Chichester: Wiley 1994 ■ Wilkinson-Stone-Abel (2.) 2, 321–347 ■ Ullmann (5.) **A 3**, 70 f.

Antimonoxide. *Antimon(III)-oxid* (Antimontrioxid), Sb_2O_3, M_R 291,50. Farbloses, wasserunlösl., sublimierendes kub. od. rhomb. Kristallpulver, das sich in der Hitze gelb färbt u. bei Abkühlung wieder farblos wird, D. 5,2–5,3, Schmp. 656 °C, Sdp. 1456 °C. In der MAK-Liste 1995 ist Sb_2O_3 als im Tierversuch krebserzeugender Stoff aufgeführt (III A 2).
Herst.: Durch einen Röstprozeß aus sulfid. Antimonerzen; beim Zersetzen von *Brechweinstein-Lsg. mit verd. Salz- od. Schwefelsäure bei 0 °C zunächst als gelartiger Niederschlag entstehendes *Antimonhydroxid*, $Sb(OH)_3$, wandelt sich beim Stehen an der Luft allmählich, beim Erwärmen schneller, in krist. Sb_2O_3 um. A. kommt in der Natur als *Weißspießglanz* (*Valentinit, Antimonblüte) u. als *Senarmontit vor. Sb_2O_3 läßt sich durch Erhitzen im Wasserstoffstrom od. durch Glühen mit Kohle leicht zu Antimonmetall reduzieren; es gibt mit HCl Antimon(III)-chlorid, mit Alkalilaugen *Antimonate(III). Sb_2O_3 wird z. B. als *Trübungsmittel an Stelle von Zinn(II)-oxid bei farblosem Email verwendet. Große Mengen von Sb_2O_3 verwendet man als *Flammschutzmittel für Kunststoffe (PVC usw.).
Antimon(V)-oxid (Antimonpentoxid), Sb_2O_5, M_R 323,50, entsteht bei der Oxid. von Sb mit konz. Salpetersäure. Gelbliches, in Wasser sehr schwer lösl., sauer reagierendes Pulver, D. 3,8. Zur Krist.-Struktur des Sb_2O_5 s. *Lit.*[1]. Es spaltet beim Erhitzen O_2 ab u. geht bei 950–1000 °C in das *Antimon(IV)-oxid* (Antimontetroxid), Sb_2O_4 M_R 307,50, über. Farblose, beim Erhitzen gelb werdende, unschmelzbare Krist., die bei 1050 °C verdampfen, D. 6,6 (rhomb. α-Sb_2O_4, <1130 °C) bzw. 6,7 (monoklines β-Sb_2O_4, >1130 °C), unlösl. in Wasser, verd. Säuren u. Laugen, lösl. in konz. H_2SO_4 u. Salzsäure. – *E* antimony oxides – *F* oxydes d'antimoine – *I* ossidi d'antimonio – *S* óxidos de antimonio

Lit.:[1] Angew. Chem. 90, 141 (1978).
allg.: Brauer (3.) 1, 593 ff. ■ Gmelin, Syst.-Nr. 18, Sb, Tl. B, S. 349–365, 371–380 ■ Hommel, Nr. 926 ■ Kirk-Othmer (4.) 3, 385 ff. ■ McKetta 3, 378–385 ■ Snell-Hilton 6, 52 f. ■ Ullmann (5.) **A 3**, 69. – *[HS 2825 80; CAS 1309-64-4 (III); 1332-81-6 (IV); 1314-60-9 (V)]*

Antimon-Präparate. Bez. für therapeut. verwendete Antimon-Verb., die pharmakolog. den entsprechenden Arsen-Verb. (s. Arsen-Präparate) ähneln. Von den einfacheren Sb-Verb. hatte früher der *Brechweinstein einige Bedeutung, der je nach der Dosierung als *Expektorans od. *Emetikum wirkt. Die innerliche Anw. von anorgan. A.-P. geht auf Paracelsus zurück. Sie setzte sich im 17. Jh. trotz vieler Widerstände (ihr Verbot durch die medizin. Fakultät der Pariser Universität wurde 1666 aufgehoben) durch. Auch im 18. Jh. wurde noch ihre schweißtreibende u. Brechwirkung geschätzt, doch bereits im 19. Jh. wurden sie kaum noch angewendet[1]. Heute werden in sehr seltenen Fällen noch organ. A.-P. in der *Chemotherapie von *Protozoen-Erkrankungen wie *Leishmaniosen, früher auch *Schistosomiasis – verwendet wie z. B. *Stibophen u. *Stibocaptat im humanmedizin. u. dessen Pentakalium-Analoges im veterinärmedizin. Bereich. Wie bei den organ. Arsen-Verb. sind auch bei den entsprechenden Sb-Verb. diejenigen wirksamer, in denen dreiwertiges Sb vorliegt; diejenigen mit fünfwertigem Sb sind aber weniger tox. (z. B. Stibogluconat). Die Wirkung kommt durch eine Hemmung der parasitären Phosphofructokinase zustande. – *E* antimonials – *F* antimoniaux – *I* preparati d'antimonio – *S* preparados de antimonio

Lit.:[1] Oehme, Die Fabrikation der wichtigsten Antimon-Präparate mit besonderer Berücksichtigung des Brechweinsteins u. Goldschwefels, Leipzig 1884.
allg.: Arzneimittelchemie III, 46 f. ■ Hager (4.) **6 b**, 538–549.

Antimonsilber s. Dyskrasit.

Antimonsulfide. *Antimon(III)-sulfid* (Antimontrisulfid), Sb_2S_3, M_R 339,68, reizend, WGK 3, in der Natur als *Grauspießglanz* (*Antimonit) verbreitet. Leitet man in eine angesäuerte Lsg. von Sb^{3+}-Ionen H_2S-Gas, so fällt eine instabile, schön orangerote Form des Antimontrisulfids aus (D. 4,15), die beim Erhitzen unter Luftabschluß in den stabileren, grauen Grauspießglanz übergeht.
Antimon(V)-sulfid (Antimonpentasulfid, Goldschwefel), Sb_2S_5, M_R 403,80. Wasser-unlösl. orangefarbenes Pulver, D. 4,12, wird durch Erhitzen auf 220 °C, durch Kochen mit Wasser u. unter dem Einfluß des Sonnenlichts in Sb_2S_3 u. Schwefel gespalten.
Herst.: Durch Zusammenschmelzen der Elemente od. durch Zers. von *Natrium(tetra)thioantimonat(V) mit verd. Schwefelsäure:

$$2 Na_3SbS_4 + 3 H_2SO_4 \rightarrow Sb_2S_5 + 3 Na_2SO_4 + 3 H_2S.$$

Verw.: Für Zündhölzer u. pyrotechn. Artikel, als Pigmente, Sb_2S_3 auch zur Vulkanisation, was die rote Farbe der Gummiartikel bedingt; s. a. Antimonzinnober. – *E* antimony sulfides – *F* sulfures d'antimoine – *I* solfuri d'antimonio – *S* sulfuros de antimonio

Lit.: Gmelin, Syst.-Nr. 18, Sb, 1943–1949, S. 503–539 ■ Hommel Nr. 228, 1166 ■ Kirk-Othmer (4.) 3, 391 f. ■ Snell-Hilton 6, 53 f. ■ Ullmann (5.) **A 3**, 69 f. – *[HS 2830 90; CAS 1345-04-6 (III); 1315-04-4 (V)]*

Antimonwasserstoff (Stiban, Stibin). SbH_3, M_R 124,77. Farbloses, übelriechendes, sehr giftiges (MAK 0,5 mg/m³) Gas, das bei –18 °C flüssig u. bei ca. –90 °C fest wird, Litergew. 5,685 g, D. am Sdp. 2,2. SbH_3 ist in Wasser wenig, in Alkohol u. Schwefelkohlenstoff besser löslich. Die Herst. erfolgt aus Magnesiumantimonid Mg_3Sb_2 u. HCl.
Verw.: Zur n-Dotierung von Silicium-*Halbleitern. – *E* antimony hydride – *F* hydrure d'antimoine – *I* idruro d'antimono – *S* hidruro de antimonio

Lit.: Brauer 1, 540 f.; (3.) 1, 585 ff. ■ Gmelin, Syst.-Nr. 18, Sb, Tl. B, 1943–1949, S. 335–347 ■ Hommel Nr. 914 ■ Kirk-Othmer (4.) 3, 384 ■ Ullmann (5.) **A 3**, 70. – *[HS 2850 00; CAS 7803-52-3]*

Antimonylkaliumtartrat s. Brechweinstein.

Antimonzinnober (Antimonkarmin). Rotes Antimonoxidsulfid, $2 Sb_2S_3 \cdot S b_2O_3$, das entsteht, wenn man eine

klare Lsg. von Antimontrichlorid in wäss. Natriumthiosulfat erwärmt. Der A. wurde früher viel als rotes Pigment verwendet. – *E* antimonial cinnabar – *F* cinabre d'antimoine – *I* cinabro d'antimono – *S* cinabrio de antimonio
Lit.: Gmelin, Syst.-Nr. 18, Sb, Tl. B, 1943–1949, S. 540. – [HS 2830 90]

Antimycin A$_1$.

A_1: R = CO–CH$_2$–CH(CH$_3$)$_2$, n = 5
A_2: R = CO–CH$_2$–CH$_2$–CH$_3$, n = 5
A_3: R = CO–CH$_2$–CH(CH$_3$)$_2$, n = 3
A_4: R = CO–CH$_2$–CH$_2$–CH$_3$, n = 3
A_5: R = CO–CH$_2$–CH(CH$_3$)$_2$, n = 1
A_6: R = CO–CH$_2$–CH$_2$–CH$_3$, n = 1

$C_{28}H_{40}N_2O_9$, M_R 548,63, Schmp. 149–150 °C. Farblose Krist., unlösl. in Wasser, lösl. in Ethanol, Aceton u. Ether. Aus einem Streptomyces-Stamm isoliertes Antibiotikum, das gegen pflanzenschädigende Pilze, Milben, Fliegen, Motten, Mehlkäfer u. dgl. durch Hemmung der *Atmungskette wirkt. Allen Antimycinen gemeinsam ist ein 9-gliedriger Ring mit 2 Lacton-Gruppierungen. Zur Konstitutionsaufklärung s. *Lit.*[1]. – *E* antimycin A$_1$ – *F* antimycine A$_1$ – *I* = *S* antimicina A$_1$
Lit.: [1] J. Am. Chem. Soc. **83**, 1639–1646 (1961).
allg.: Adv. Appl. Microbiol. **16**, 56 (1973) ▪ Drugs Pharm. Sci. **22**, 629 (1984) ▪ J. Antibiot. **25**, 373 (1972). – [HS 2941 90; CAS 642-15-9]

Antimykotika (von Myko...). Bez. für Präp. gegen Erkrankungen, die durch Pilze hervorgerufen werden. Man unterscheidet dabei *äußere Mykosen*, insbes. der Haut (Dermatomykosen, Hautflechten), im Zwischenfinger- bzw. Zehenbereich (Interdigitalmykosen) u. der Mund- u. Genitalschleimhäute (z. B. Candida-, Soor-Kolpitis) u. *innere (System-)Mykosen*, z. B. der Niere od. Lunge. Schwer zu behandeln sind immer noch Systemmykosen, da es kein gut bioverfügbares, untox. A. gibt.
Folgende Stoffgruppen kommen zum Einsatz: 1. Hemmstoffe der *Ergosterin-Biosynth. a) Azole, z. B. *Clotrimazol, *Miconazol u. *Ketoconazol; wirken fungistat. über eine Hemmung der C-14-Demethylase; b) Allylamine, z. B. *Naftifin u. *Terbinafin, hemmen die Squalen-Epoxidase; c) Morpholine, z. B. *Amorolfin, hemmen die Δ^{14}-Reductase u. Δ^7-Δ^8-Isomerase.
2. Antimykot. wirksame *Antibiotika: a) Polyen-Antibiotika, z. B. *Amphotericin B u. *Nystatin, die die Pilzmembraneigenschaften verändern; b) *Griseofulvin, ein Spindelgift (s. Mitosehemmer).
3. *Flucytosin, das nur gegen Cytosindesaminase-bildende Pilze wirksam ist, z. B. einige Hefen.
4. *Desinfektionsmittel zur lokalen Anw., z. B. Iod, *Invertseifen, *Sulbentin, *Gentianaviolett u. a. – Präp. gegen Pilzbefall im *techn. Bereich* u. im *Pflanzenschutz* nennt man *Fungizide. – *E* antimycotics – *F* antimycoïnes – *I* antimicosici – *S* antimicóticos

Lit.: Arzneimittelchemie III, 184–199 ▪ Dtsch. Apoth. Ztg. **134**, 1149–1164 (1994) ▪ Mutschler (7.), S. 705–715 ▪ Pharm. Ztg. **139**, 267–274 (1994) ▪ Ullmann (5.) **A 3**, 77–90.

Antineuralgika. Nicht mehr gebräuchliches Synonym für Mittel gegen Nervenschmerzen (s. Analgetika).

Antineutrino. Antiteilchen (s. Antimaterie) zu *Neutrinos. – *E* = *F* = *I* = *S* antineutrino

Antineutron. *Elementarteilchen der *Antimaterie mit der Masse des *Neutrons, jedoch entgegengesetztem *Spin u. pos. magnet. Moment. – *E* = *F* antineutron – *I* antineutrone – *S* antineutrón

Anti-Onkogene s. Tumor-Suppressor-Gene.

Antioxidantien (Oxidationsinhibitoren). Organ. Verb. von sehr verschiedenartigem Bau, die unerwünschte, durch Sauerstoff-Einwirkungen u. a. oxidative Prozesse bedingte Veränderungen in den zu schützenden Stoffen hemmen od. verhindern. A. werden z. B. benötigt in Kunststoffen u. Kautschuk (zum Schutz gegen *Alterung, vgl. a. Alterungsschutzmittel), Fetten (Schutz vor *Ranzigkeit), Ölen, Viehfutter, Autobenzin u. Düsentreibstoffen (Verharzung), Transformatoren- u. Turbinenöl (Schlammbildung), Aromastoffen (Bildung unerwünschter Aromakomponenten; "off-flavour"), Anstrichstoffen (Hautbildung) usw. Als A. wirksam sind u. a. durch ster. hindernde Gruppen substituierte Phenole, Hydrochinone, Brenzcatechine u. aromat. Amine sowie deren Metall-Komplexe. Für Fette u. a. Lebensmittel eignen sich *Tocopherol, *BHA, *BHT, Octyl- u. Dodecylgallat sowie Ascorbin-, Milch-, Citronen- u. Weinsäure bzw. deren Salze; beim Einsatz von A. in Lebensmitteln sowie in Körperpflegemitteln ist in der BRD die VO über die Zulassung von *Zusatzstoffen zu Lebensmitteln vom 22. 12. 1981 in der Fassung vom 20. 12. 1993 bzw. die Kosmetik-VO vom 16. 12. 1977 einschließlich ihrer bis jetzt (1995) Änderungs-VO zu beachten. Im Rahmen der EU-Gesetzgebung wird künftig die Miscelleneous-Richtlinie maßgebend sein. Für techn. Artikel werden neben den Phenolen auch organ. Sulfide, Polysulfide, Dithiocarbamate, Phosphite u. Phosphonate eingesetzt. Die Verw. der Phenol-Derivate ist wegen mangelnder biolog. Abbaubarkeit eingeschränkt (Umweltrisiko).
Die Wirkung der A. besteht meist darin, daß sie als *Radikalfänger für die bei der *Autoxidation auftretenden *freien Radikale wirken. Diese entziehen z. B. den Hydrochinonen ein H-Atom der Hydroxy-Gruppe, wodurch diese in *Semichinon-Radikale verwandelt werden. Durch Disproportionierung bilden sich aus 2 solchen Semichinon-Radikalen je 1 Chinon u. 1 Hydrochinon zurück. Das ursprüngliche Radikal hat sich durch Aufnahme des H-Atoms stabilisiert, womit die *Kettenreaktion der Autoxidation abgebrochen worden ist. Zur Toxikologie der Lebensmittel-A. s. *Lit.*[1,2]. – *E* antioxidants – *F* antioxydants – *I* antiossidanti – *S* antioxidantes

Lit.: [1] Crit. Rev. Food Sci. Nutr. **29**, 273–300 (1990). [2] Food Chem. Toxicol. **28**, 743 ff. (1990).
allg.: Belitz-Grosch (4.), S. 197 ff., 441 ff. ▪ Hudson (Hrsg.), Food Antioxidants, London: Elsevier 1990 ▪ Römpp Lexikon Lebensmittelchemie, S. 63 ▪ Ullmann (4.) **8**, 19–45; (5.) **A 3**, 91–111.

Antiozonantien. Bez. für solche *Alterungsschutzmittel, die Polymere (Kautschuk, Kunststoffe u. dgl.) gegen die Einwirkung von Ozon schützen. – $E = F$ antiozonants – I antiozonanti – S antiozonantes
Lit.: Kirk-Othmer (3.) **3**, 142–148 ▪ Ullmann (4.) **8**, 22; (5.) A 3, 72; A 23, 380–391 ▪ s. a. Stabilisatoren.

Antiparkinsonmittel s. Parkinsonismus.

Antiperiplanar s. Konformation.

Antiperniziosa-Faktor s. Vitamine (B_{12}).

Antiperspirantien s. Antihidrotika.

Antiphlogistika. Von griech.: phlogizein = in Brand setzen abgeleitete Bez. für *entzündungshemmende Mittel*. Diese werden in erster Linie gegen *Arthritis (Antiarthritika)* u. *Rheuma (vgl. Antirheumatika) angewandt. Die Wirkung der A. beruht auf einer Hemmung der Prostaglandin-Biosynth. (s. dort) durch Inhibition der Cyclooxygenase [I]. Wichtige Stoffklassen der A. sind: *Glucocortico(stero)ide, Salicylsäure-Derivate (insbes. *Acetylsalicylsäure), Anthranilsäure-Derivate (insbes. *Mefenamin- u. Flufenaminsäure), *Phenylbutazon-Derivate u. Arylessigsäure-Derivate (*Ketoprofen, *Naproxen, insbes. *Indometacin). A. haben zusätzlich mehr od. weniger ausgeprägt die Eigenschaften von *Analgetika, *Antirheumatika u. *Antipyretika. Antiphlogist. Wirkung zeigen auch die Inhaltsstoffe von Kamille (*Chamazulen u. *Bisabolol) u. Beinwell (*Allantoin). – E antiphlogistics, antiinflammatory agents – F antiphlogistiques – I antiflogistici – S antiflogísticos, antiinflamatorios
Lit.: [1] Dtsch. Apoth. Ztg. **134**, 3815 ff. (1994)
allg.: FASEB J. **1**, 89–96 (1987) ▪ Helwig-Otto I/14-1 ▪ Nature (London) **367**, 215 f. (1994).

Antipilling-Ausrüstung. Ein Verf. der *Textilveredlung gegen das sog. *Pillen.

Antipoden (opt. Antipoden). Veraltete Bez. für *Enantiomere.

Antiport (Kurzwort aus griech.: *anti* – entgegen u. Trans*port*). Prozess eines gekoppelten *Transports (vgl. dagegen Uniport) von 2 verschiedenen Mol.- od. Ionenarten in *Gegenrichtung* durch eine Biomembran (Gegenteil: *Symport). Meist ist ein freiwillig in Richtung eines Konzentrationsgefälles ablaufender Diffusionsvorgang stöchiometr. mit einem energieverbrauchenden Transport verknüpft. Die hierfür verantwortlichen Membranproteine nennt man Antiporter od. Exchanger (Beisp.: *Bande 3; Na^+/H^+-Antiporter – s. Lit.[1]). – $E = F$ antiport – I antiporto – S antiporte
Lit.: [1] Biochim. Biophys. Acta **1185**, 129–151 (1994).

Antiproton. 1955 entdecktes *Antiteilchen (s. Antimaterie) zum *Proton. Das A. besitzt die gleiche Masse wie das Proton (m = 1,6726231 · 10^{-27} kg) u. hat betragsmäßig die gleiche Ladung, allerdings mit entgegengesetztem, neg. Vorzeichen (q=–1,60217733 · 10^{-19} C). Im Labor ist es gelungen, aus A. u. *Positronen Atome der *Antimaterie herzustellen. – $E = F$ antiproton – I antiprotone – S antiprotón

Antipyretika (antifebrile Mittel). Von griech.: pyretos = Fieber abgeleitete Bez. für *fiebersenkende Mittel*; zur Entstehung des *Fiebers s. a. Pyrogene. Als A. wirken die meisten peripher wirksamen *Analgetika, *Antiphlogistika, z. B. die Derivate des Acetanilids (*Phenacetin, seit 1986 in der BRD nicht mehr zugelassen, häufig ersetzt durch *Paracetamol), der Salicylsäure (*Acetylsalicylsäure) u. des *Phenazons. Der antipyret. Effekt kommt durch Hemmung der *Prostaglandin-Synth. zustande, die u. a. über cAMP als *second messenger den Stoffwechsel von Zellen im Thermoregulationszentrum des Hypothalamus verändern. – E antipyretics – F antipyrétiques – I antipiretici – S antipiréticos
Lit.: Mutschler (7.), S. 174–187 ▪ Ullmann (5.) A 2, 269–288.

Antireflexbeläge. In der *Glas-Technik eine Bez. für Beläge zum Entspiegeln von opt. Gläsern zur Verminderung der Reflexion an Oberflächen; s. a. Vergüten. A. bestehen aus einer dünnen Oxidschicht, deren Brechungsindex kleiner ist als der des Glases: Das an freien Glasoberflächen reflektierte Licht wird dann durch *Interferenz in A. weitgehend ausgelöscht. Die Dicke der A. sollte dafür etwa ein Viertel der Wellenlänge des Lichtes mit max. Reflexionsverminderung betragen. A. schützen Gläser zusätzlich vor atmosphär. Einflüssen u. steigern die Kratzfestigkeit. A. werden erzeugt durch Aufdampfen dünner Schichten von Leichtmetallfluoriden, *Kryolith, *Siliciummonoxid, Cerdioxid u. dgl. – E coating – F traitement antireflet – I strato antiriflesso – S capa antirreflectora o antirreflejo

Antirheumatika. *Arzneimittel, die gegen Krankheiten des rheumat. Formenkreises eingesetzt werden. Rheumatismus umfaßt eine große Anzahl von schmerzhaft-entzündlichen, funktionsbeeinträchtigenden u. degenerativen Erkrankungen des Muskel- u. Skelettsystems. Als Ursache werden Infektionen, Autoimmun-Prozesse u. a. diskutiert. Eine kausale Behandlung ist nicht möglich. Im Rahmen einer symptomat. Therapie werden eingesetzt:
– 1. Nichtsteroidale A., die antiphlogist. u. analget. wirken (insbes. *Pyrazol-Derivate wie *Phenylbutazon u. *Oxyphenbutazon; Arylessig- u. -propionsäuren wie *Indometacin, *Diclofenac, *Ibuprofen, *Ketoprofen u. a.; *Oxicame wie *Piroxicam). – 2. *Glucocortico(stero)ide. – 3. Basistherapeutika bei chron.-entzündlichen Formen [Gold(I)-Präparate; D-*Penicillamin; *Chloroquin; Immunsuppressiva u. a.]. – 4. *Orgotein. – 5. Bei rheumat. Fieber infolge Streptokokken-Infektion: *Antibiotika. – 6. Zur äußerlichen Anw. hyperämisierende Stoffe wie *etherische Öle, *Nicotin- u. *Salicylsäureester. – E antirheumatics – F antirhumatismaux – I antireumaci – S antirreumáticos
Lit.: Helwig-Otto I/14-1 ▪ Mutschler (7.), S. 209–218 ▪ Pharm. Ztg. **139**, 1079–1088; 1583–1588 (1994) ▪ Ullmann (5.) A 3, 33–53.

Antisäuren s. Säure-Base-Begriff.

Antisaprobität. Von griech.: anti = gegen, sapros = faul u. bios = Leben hergeleiteter Begriff für *Abwässer, der tox., in der gegebenen Konz. von Bakterien nicht abbaubare Stoffe enthalten (s. a. biologischer Abbau, Saprobien-Syst., Saprobien-Index, Saprobionten). – E antisaprobity – F antisaprobité – I antisaprobità – S antisaprobidad

Antiscabiosa (von latein.: scabies = Krätze). Bez. für Mittel gegen die von *Milben (Krätzemilbe) hervorgerufene *Krätze* (= *Räude* bei Tieren); verwendet werden v. a. *Benzoesäurebenzylester, *Crotamiton, γ-*Lindan u. *Mesulfen. – *E* anti-scabies agents – *F* antiscabieux – *I* antiscabbiosi – *S* antiescabiosos
Lit.: Mutschler (7.), S. 534.

Antischall s. Schall.

Antischaummittel s. Schaumverhütungsmittel u. Entschäumer.

Antischuppenmittel s. Schuppen.

Antisense-Nucleinsäuren. Einsträngige, meist kurzkettige synthet., in Bakterien aber auch natürlich vorkommende *Nucleinsäuren od. *Oligonucleotide (*Antisense-Oligonucleotide*), die Sequenzen von Messenger-*Ribonucleinsäuren (mRNA) komplementär sind. Da die mRNA als Übertrager der genet. Information bei der Biosynth. der *Proteine fungieren, kann so die Expression (Ausprägung) von *Genen gezielt unterbunden werden (*antisense knockout*). In gewissen Fällen soll die Wirkung der A.-N. jedoch auf direkte Bindung an die Gene unter Ausbildung dreisträngiger *Desoxyribonucleinsäuren (DNA-Tripel-Helix) zurückzuführen sein[1]. Um die A.-N. resistenter gegen Abbau durch im Organismus vorhandene *Nucleasen zu machen, kann das Grundgerüst chem. abgewandelt werden, z. B. durch Ersatz der veresterten Phosphorsäure durch Methylphosphonsäure od. Thiophosphorsäure. Zu kleinen nucleolären RNA (snoRNA), die zu ribosomalen RNA (rRNA) komplementär sind, s. *Lit.*[2].
Anw.: Potentiell sind synthet. A.-N. z. B. zur Abtötung leukäm. Zellen in Verb. mit autologer Knochenmarkstransplantation, als Krebstherapeutika, Immunsuppressiva u. zur Bekämpfung von Virus-Infektionen geeignet. Probleme stellen jedoch noch das Einbringen der A.-N. in die Zielzellen u. die Ausschaltung unspezif. Effekte dar. In der Molekularbiologie zur Erforschung der Auswirkungen bestimmter Gene. – *E* antisense nucleic acids – *F* acides nucléiques antisens – *I* acidi nucleici antisenso – *S* ácidos nucleicos antisentido
Lit.: [1] Science **270**, 575 ff. (1995). [2] Trends Biochem. Sci. **20**, 261–264 (1995).
allg.: Agrawal, Antisense Therapeutics, Totowa: Humana Press 1996 ▪ Crooke u. Lebleu, Antisense Research and Applications, Boca Raton: CRC Press 1993.

Antiseptika. Von griech.: sepsis = Fäulnis abgeleitete Bez. für *keimtötende* (*germizide*) *Mittel*, mit denen man Wunden, Haut u. Schleimhäute sowie Instrumente u. a. medizin. verwendete Gegenstände behandelt, um Keimfreiheit (*Asepsis*) zu erzielen. Der Begriff „A." überschneidet sich mit *Bakterizide, *Desinfektionsmittel, *Fungizide etc. (vgl. a. antimikrobielle Wirkstoffe). – *E* antiseptics – *F* antiseptiques – *I* antisettici – *S* antisépticos

Antiserum (Plural: Antisera). Bez. aus der *Serologie für ein *Serum von Mensch od. Tier, das spezif. *Antikörper gegen das zur *Immunisierung verwendete *Antigen enthält. A. findet Verw. zur Bekämpfung von Infektionskrankheiten, zur Immunsuppression bei Transplantationen, zur medizin. u. forens. Diagnostik (*Serodiagnostik) aufgrund der *Antigen-Antikörper-Reaktion, zur Enzymanalyse; s. a. *Lit.*[1]. – *E* antiserum – *F* antisérum – *I* antisiero – *S* antisuero
Lit.: [1] Pharm. Unserer Zeit **4**, 118–129 (1975).
allg.: s. Antikörper, Immunologie, Serologie. – [HS 3002.10]

ANTISETTLE® CVP. Universelles Thixotropiermittel (s. Thixotropie), kann in nahezu alle organ. Flüssigkeiten u. Bindemittel eingearbeitet werden; verleiht Anstrichmitteln bes. lacktechn. Vorzüge u. ist auch für kosmet. u. pharmazeut. Produkte geeignet. *B.:* Langer & Co.

Antiskinning Agent s. Antihautmittel.

Antisnagging-Ausrüstung. Ein Verf. der *Textilveredlung gegen das Herauslösen einzelner Garnschlaufen.

Antisol® FL. Polyanion. Cellulose (PAC), Spülungsmittel für Tief- u. Brunnenbohrungen. *B.:* Wolff-Walsrode.

Antistatika. Präp. zur Verhinderung der durch Reibung entstehenden *elektrostatischen Auflagung bei Textilien, Kunststoffen, Maschinen u. dgl. Beispielsweise sind *Synthesefasern gute Isolatoren; dies führt bei mechan. Reibung (z. B. in der Wirkerei u. Weberei, aber auch beim Kleidungsgebrauch) zu starken elektr. Auflagungen, die die Fasern u. Gewebe „aneinanderkleben" lassen. Kunststoffe u. dgl. haben häufig die nachteilige Eigenschaft, Staub- u. Schmutzteilchen durch elektrostat. Auflagung anzuziehen u. festzuhalten. Autoreifen reiben sich an der Straßenoberfläche, u. der Lack des Wagens reibt sich an der vorbeiströmenden Luft bei Wärme u. Trockenheit, mit dem Erfolg stat. Auflagung gegenüber der Erde. Auch bei Maschinen (z. B. Förderbändern), Geräten u. Apparaturen u. den damit hergestellten Ind.-Erzeugnissen tritt während des Produktionsprozesses oft eine Auflagung mit stat. Elektrizität ein, die zu einer Wertminderung der Erzeugnisse, zu Störungen der Produktionsvorgänge u. in explosionsgefährdeten Betrieben zu schweren Unfällen führen kann. Alle diese Nachteile werden durch Herbeiführen des Ladungsausgleichs, z. B. durch Erdung der Maschinen, Einarbeiten leitender Fasern in textile u. a. Bodenbeläge u. v. a. durch Anw. von A. weitgehend vermieden. Man ist heute bestrebt, waschbeständige A. zu entwickeln, die der *Chemiefaser schon in frühen Phasen ihrer Verarbeitung beigegeben werden (antistat. Textilausrüstung, s. Textilveredlung). Kunststoffartikeln werden die A. vor der Formgebung, Kautschuken vor der Vulkanisation in Form der Ruße beigemischt. Nachträglich lassen sich Kunststoffgegenstände (Sitzmöbel, Schallplatten) mit A. behandeln, z. B. in Sprayform. Ein großer Teil der *grenzflächenaktiven Stoffe (*Tenside) ist als A. verwendbar. Diese können nichtionogen, kationaktiv od. anionaktiv sein; *Beisp.:* Ethoxylate (Polyglykolether) von Fettalkoholen, Fettsäuren u. Alkylphenolen, Alkylsulfate u. -phosphate, quart. Ammonium-Verb. etc. Die Mehrzahl dieser A. wirkt dadurch, daß auf den zu schützenden Gegenständen ein hydrophiler Überzug erzeugt wird, der für die Ableitung der Ladungen sorgt. Für manche Zwecke (z. B. in *Teppichen) empfiehlt sich auch der Einbau elektr. leitender Fasern in die Gewebe. – *E* antistatic agents – *F* antistatiques – *I* antistatici – *S* antiestáticos

Lit.: Chwala/Anger, Handbuch der Textilhilfsmittel, S. 289–302, Weinheim: Verl. Chemie 1977 ▪ Kirk-Othmer (3.) **3**, 149–183 ▪ Lindner, Tenside-Textilhilfsmittel-Waschrohstoffe (3 Bd.), S. 2589–2599, Stuttgart: Wiss. Verlagsges. 1964–1971 ▪ Ullmann (4.) **23**, 7ff.; (5.) **A 20**, 501ff.

Antistax®. Creme mit Weinblätter-Dickextrakt, Kapseln u. Tropfen zusätzlich mit *Aesculin zur Venentherapie. *B.:* Pharmaton.

Anti-Stokes-Linien s. Lumineszenz u. Raman-Spektroskopie.

Anti-Stokes-Raman-Laser. Nichtlinearer (Laserähnlicher) opt. Prozeß zur Erzeugung kohärenter, durchstimmbarer Strahlung im ultravioletten Wellenlängenbereich. Funktionsweise: Durch einen vorangegangenen Anregungs- od. Dissoziationsprozess wird ein bezüglich Ein-Photonen-Übergängen metastabiles Niveau, in der Abb. mit „2" gekennzeichnet, stärker besetzt als das Grundniveau 1 u. so die für den Betrieb eines Lasers notwendige Besetzungsinversion (*Laser) erzeugt; hier für einen Zweiphotonenübergang. Durch das Einstrahlen eines Pumplichtfeldes der Frequenz $v_p \approx v_{23} = (E_3-E_2)/h$ (E_i = Energie des i-ten Niveaus, h = Plancksches Wirkungsquantum) wird der Übergang 2→3 induziert, worauf dann den Laserübergang 3→1 (Anti-Stokes-Raman-Übergang) in den Grundzustand 1 gelangt. Da die Frequenz v_p der Pumpwelle um die Übergangsfrequenz v_{23} abgestimmt werden kann u. für die Frequenz v_{as} des Laserlichtes stets gilt $v_{as}=(E_2-E_1)/h+v_p$, ist somit die Frequenz v_{as} abstimmbar.

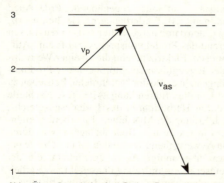

Abb.: Übergänge beim Anti-Stokes-Raman-Laser.

Beisp.: Photodissoziation von Thalliumiodid (TlI) ergibt Thallium im $6p\ ^2P_{3/2}$-Niveau, Pumpen mit $\lambda=535$ nm (gepulster Laser, 40 mJ pro Puls) induziert den Übergang nach $7s\ ^2S_{1/2}$, danach erfolgt der Laserübergang in das $6p\ ^2P_{1/2}$-Niveau, wobei Licht der Wellenlänge $\lambda=377$ nm (4 mJ pro Puls) emittiert wird. – *E*=*F*=*I* anti stokes raman laser – *S* láser anti-Stokes-Raman

Lit.: Laser Optoelektr. **20**, 69 (1988) ▪ IEEE, J. Quantum Electronics QE-28, 342 (1992).

Antisudorifica s. Antihidrotika.

Antisymmetrieforderung. Die *Wellenfunktion eines Mehrelektronensyst. (z.B. Mehrelektronenatom od. -mol.) muß antisymmetr. sein bezüglich der Vertauschung der Koordinaten (Orts- u. Spinkoordinaten) zweier Elektronen. Diese auf W. *Pauli Wolfgang 1900–1958 Sohn von W. Pauli zurückgehende Forderung (*Pauli-Prinzip) gilt auch für alle übrigen Teilchen mit halbzahligem *Spin (*Fermionen). Eine *Slater-Determinante erfüllt automat. die A., da Vertauschen zweier Zeilen (od. Spalten) das Vorzeichen der Determinante ändert. – *E* antisymmetry requirement – *F* postulat d'antisymétrie – *I* richiesta dell'antisimmetria – *S* principio de asimetría

Antisympath(ik)otonika. *Arzneimittel, die den Sympathikustonus durch Angriff an zentralen, ganglionären od. postganglionären präsynapt. Rezeptoren herabsetzen. Da sie dadurch den Blutdruck senken, werden sie als *Antihypertonika eingesetzt. Hauptvertreter sind die Imidazolin-Derivate *Clonidin u. Analoga sowie *Methyldopa. A. sind von *Sympath(ik)olytika zu unterscheiden, die periphere Sympathikus-Rezeptoren blockieren. – *E* centrally acting drugs that decrease sympathetic tone – *F* antisympathotoniques – *I* antisimpatotonici – *S* drogas que reducen el tono simpático

Lit.: Mutschler (7.), S. 294ff.

Antiteilchen. *Elementarteilchen, das in Masse (Ruheenergie), Spin, Isospin u. Lebensdauer mit dem entsprechenden Elementarteilchen übereinstimmt, sich aber bei der Ladung, dem magnet. Dipolmoment (bei *Fermionen auch in der *Parität) bei gleichem Absolutbetrag im Vorzeichen unterscheidet. Im allg. gibt es zu jedem Elementarteilchen ein entsprechendes Antiteilchen, s. Antimaterie. – *E* antiparticles – *F* antiparticules – *I* antiparticelle – *S* antipartículas

Lit.: Bergmann u. Schaefer, Lehrbuch der Experimentalphysik, Bd. 4, Teilchen, Berlin: de Gruyter 1992 ▪ Musiol et al., Kern- u. Elemtarteilchenphysik, Weinheim: VCH Verlagsges. 1988.

Antithrombin III. Bez. für das α_2-Globulin des Blutplasmas, M_R 50 000, das als Proteinase-Hemmer u. Heparin-Cofaktor die Wirkung von *Thrombin u. dem *Blutgerinnungs-Faktor X hemmt u. daher therapeut. bei erblichem od. erworbenem A.-III-Mangel u. als Antikoagulans bei Thrombosen, Hämodialyse u. Plasmapherese eingesetzt wird. Es sind Präp. von Alpha, Behringwerke, Immuno u. Kabi Pharmacia im Handel.

Lit.: ASP ▪ DAB **10** ▪ Florey **12**, 215–276 ▪ Ullmann (5.) **A 4**, 206, 213, 220. – [*HS 3002 10; CAS 53-73-6*]

Antitoxine. Bez. für spezif. *Antikörper, die durch Immunisierung mit *Toxinen od. mit aus diesen hergestellten atox. Produkten (*Toxoide*) im Serum von Menschen od. Tieren gebildet werden. Die A. (*Gamma-Globuline) werden z.B. durch Fällungsreaktion aus dem Serum gewonnen u. in dieser Form (*Antiserum) zur Schutz- u. Heilbehandlung angewandt (*passive *Immunisierung*). – *E* antitoxins – *F* antitoxines – *I* antitossine – *S* antitoxinas

Antitranspirantien s. Antihidrotika.

α_1-Antitrypsin. Zur Superfamilie der *Serpine gehörendes Serum-Protein (*Antienzym), das trotz seines Namens Anti-*Elastase-Aktivität besitzt. Bei Verlust dieser Inhibitor-Aktivität infolge eines genet. Defekts kommt es zum Abbau des Struktur-Proteins

*Elastin u. infolgedessen zu Lungen-Emphysem[1]. Eine bestimmte Mutante (Z) des α_1-A. neigt zu Polymerisation u. lagert sich in der Leberzelle ab, ihrem Entstehungsort, was zu frühkindlicher Zirrhose führen kann[2]. – *E* α_1-antitrypsin – *F* α_1-antitrypsine – *I* = *S* α_1-antitripsina
Lit.: [1] Endres, Lungenemphysem u. Proteasen-Inhibitor, Stuttgart: Thieme 1991. [2] Nature (London) **357**, 605–707 (1992).

Antituberkulotika. Neuere Bez. für *Tuberkulostatika.

Antitussiva. Von latein.: tussis = Husten abgeleitete Bez. für Mittel, die den Hustenreiz stillen, indem sie die reflektor. Erregbarkeit des Hustenzentrums im Großhirn (Medulla oblongata) herabsetzen. Die wichtigsten A. sind *Codein, *Dihydrocodein, Noscapin (*Narcotin), *Normethadon, *Clobutinol, *Oxeladin, *Pipazetat u. *Pentoxyverin. Strukturelle Gemeinsamkeiten bestehen nicht – einige der genannten sind *Morphin-Abkömmlinge, andere Dialkylaminoethoxyethylester od. andere. A. sollten nicht zusammen mit *Expektorantien gegeben werden. Bei *Bronchitis werden sie mit *Bronchoļytika eingesetzt. – *E* antitussives – *F* antitussifs – *I* antitossicchianti – *S* antitusivos
Lit.: Arzneimittelchemie II, 315–321 ▪ Schweiz. Med. Wochenschr. **118**, 1067–1072 (1988) ▪ Ullmann (5.) **A 8**, 13–21.

Antivaricosa. Wenig gebräuchliche Bez. für Mittel gegen *Varizen u. *Hämorrhoiden.

Antivirale Stoffe s. Virostatika.

Antivitamine. Eigentlich entbehrliche Bez. für Stoffe, die als *Antimetaboliten einzelner Vitamine (näheres s. dort) diese durch *kompetitive Hemmung inhibieren; *Beisp.:* *Avidin ist ein A. für *Biotin. – *E* antivitamins – *F* antivitamines – *I* antivitamine – *S* antivitaminas
Lit.: Zechmeister **9**, 88–113 ▪ s. a. Vitamine.

Antiwasserstoff. Dem Wasserstoffatom entsprechendes Atom aus einem den Kern bildenden Antiproton u. einem *Positron. 9 Teilchen des A. konnten kürzlich bei *CERN zweifelsfrei nachgewiesen werden[1]; s. a. Elementarteilchen u. Antimaterie.
Lit.: [1] Spektrum Wiss. **1996**, Nr. 3, 24–28.

Antjar s. Upas.

Antox®. Beizmittel von CHEMETALL für Stahl, Zink u. Aluminium auf Basis von Mineralsäuren zur Entfernung von Korrosionsprodukten auf den Werkstücken. Beizpasten; flüssige Beizmittel für Tauch- u. Spritzanlagen u. zum manuellen Auftrag; Beizmittel für Al vor dem Punktschweißen.

Antra®. Magensaftresistente Kapseln u. Trockensubstanz zur Infusion mit *Omeprazol zur *Ulcus- u. *Gastritis-Therapie. *B.:* Astra.

Antracol®. *Fungizid auf der Basis von *Propineb zur Anw. im Wein-, Hopfen-, Kartoffel-, Tabak- u. Gemüseanbau. *B.:* Bayer.

Antron®. Marke für Teppichfasern u. -filamente aus Polyamid 6.6. *B.:* DuPont.

Antschar, Antschee s. Upas.

Antu. Common name für (1-Naphtyl)-thioharnstoff. T+

$C_{11}H_{10}N_2S$, M_R 202,27, Schmp. 198 °C, MAK 0,3 mg/m³, LD_{50} (Ratte) 6–8 mg/kg, wurde 1945 als spezif. *Rodentizid zur Bekämpfung der Wanderratte eingeführt, gegen Hausratten u. Mäuse reicht die Toxizität nicht aus.
Lit.: Farm ▪ Perkow. – *[HS 2930 90; CAS 88-88-4]*

Anusol®. Hämorrhoidal-Suppositorium u. -Salbe mit anorgan. u. organ. Bismut-Verb., Zinkoxid u. Perubalsam. *B.:* Warner Wellcome.

Anvitoff®. Kapseln u. Ampullen mit *Tranexamsäure gegen Blutungen verschiedener Genese. *B.:* Knoll.

AO. Abk. für *Atomorbital.

Aok®. Sortiment von Kosmetikserien für verschiedene Hauttypen, bestehend aus Reinigungs- u. Pflegeprodukten. *B.:* Henkel.

AO-Verfahren s. Wasserstoffperoxid.

AOX. Die Summe der Konz. aller aus einer Wasserprobe an Aktivkohle adsorbierbaren organ. Halogen-Verb. der Elemente Chlor, Brom u. Iod (AOX), ausgedrückt als mg/l Chlorid. Die Bestimmung des AOX-Wertes ist durch DIN 38409 Teil 14 (1985) genormt.
Eine Zuordnung des AOX zu definierten Einzelverb. ist meist nicht möglich. Nach einigen Untersuchungen stammt jedoch der größte Teil der anthropogenen AOX-verursachenden Substanzen in Abwässern u. Oberflächenwässern aus den Bleichereiabwässern der Zellstoffind., die hauptsächlich hochmol. Chlorlignine, Chlorphenole u. geringe Mengen flüchtige *Chlorkohlenwasserstoffe enthalten[1]. AOX entsteht nicht nur durch den techn. Einsatz von Chlor, sondern auch durch Einsatz anderer Oxidationsmittel in Ggw. von Chloriden, durch Verbrennung von Biomasse u. v. a. durch Biosynth.[2]. Im Jahre 1987 betrugen die AOX-Werte im Rhein u. einigen seiner Nebenflüsse bis zu 30 µg/l, teilw. allerdings auch bis über 100 µg/l, wobei sowohl diffuse als auch punktförmige Quellen am AOX-Eintrag beteiligt waren. Die dtsch. chem. Ind. hat im Zeitraum von 1986–1994 ihre AOX-Einleitungen in den Rhein von 1500 t/a auf 340 t/a vermindert. Der AOX-Gehalt des Rheines resultiert heute überwiegend aus natürlichen Quellen.
AOX von Abwässern ist ein Parameter nach dem *Abwasserabgabengesetz. Zur Differenzierung zwischen AOX-bildenden Halogeniden s. *Lit.*[3]. – *E* AOX (adsorbable organic halides) – *F* = *I* = *S* AOX
Lit.: [1] Vom Wasser **72**, 199–210 (1989). [2] Chem. Unserer Zeit **27**, 32–41 (1993). [3] Vom Wasser **85**, 59–67 (1995). *allg.:* Korrespondenz Abwasser **40**, 1503–1510 (1993).

ap. Abk. für antiperiplanar.

Apalcillin. Internat. Freiname für ein Aminopenicillin, $C_{25}H_{23}N_5O_6S$, M_R 521,55, mit breitem antibiot. Wirkungsspektrum gegen Gram-neg. Erreger. Es wurde 1973, 1975 u. 1977 (Natriumsalz) von Sumitomo patentiert. – *E* apalcillin – *F* apalcilline – *I* apalcillina – *S* apalcilina

Lit.: Arzneim.-Forsch. **32**, 1131 (1982) ▪ ASP ▪ Hager (5.) **7**, 272 ff. – *[HS 2941 10; CAS 63469-19-2]*

Apamin.

Cys—Asn—Cys—Lys—Ala—Pro—Glu—Thr—Ala—Leu—Cys—Ala—Arg—Arg—Cys—Gln
H$_2$N—His ← Gln

$C_{79}H_{131}N_{31}O_{24}S_4$, M_R 2027,34 bicycl. Polypeptid mit *Disulfid-Brücken, das zu ca. 2% i. Tr. des *Bienengiftes enthalten ist. Das aus 18 Aminosäuren bestehende A. ist das kleinste neurotox. Polypeptid. Es greift selektiv am ZNS an, spielt jedoch bei der Vergiftung für Warmblüter nur eine untergeordnete Rolle. – *E* = *F* apamine – *I* = *S* apamina

Lit.: Eaker u. Wadsröm, Natural Toxins, S. 481–486, New York: Pergamon Press 1980 ▪ Eur. J. Biochem. **196**, 639–645 (1991). – *[CAS 24345-16-2]*

Aparene®. Marke der Gujarat Apar Polymers Ltd., Indien, für *NBR. *B.*: Nordmann, Rassmann GmbH & Co.

Apatef®. Trockensubstanz für Injektions- u. Infusionsflüssigkeit mit *Cefotetan-Dinatrium gegen schwere Infektionen *B.*: Zeneca.

Apatit, $Ca_5[(F,OH,Cl)(PO_4)_3]$. Wichtigstes u. häufigstes Phosphat-Mineral, mit 38–42% P_2O_5; heute unterteilt in *Fluorapatit* $Ca_5[F/PO_4)_3]$ (häufigster A.), *Hydroxylapatit* $Ca_5[OH/(PO_4)_3]$, *Chlorapatit* $Ca_5[Cl/(PO_4)_3]$ u. *Carbonatapatit* bzw. *Carbonat-Fluor-A.* $Ca_5[(F,OH)/(PO_4,CO_3,OH)_3]$. Ca^{2+} kann z. T. ersetzt werden durch Na^+, Sr^{2+}, Mn, Seltenerd-Elemente (SEE, v. a. Ce^{3+}, s. dazu *Lit.*[1,2]), U, Th ▪. Pb. Mn u. SEE sind für die bei fast allen A. auftretende Kathodo-*Lumineszenz (*Lit.*[2]) u. für die *Fluoreszenz vieler A. im ultravioletten Licht verantwortlich. P kann z. T. durch Si, As, S u. V ersetzt werden. A. krist. hexagonal-dipyramidal, Kristallklasse 6/m-C_{6h}, in der Natur selten auch monoklin, z. B. einige natürliche ternäre [d. h. F+Cl+(OH) enthaltende] A. (s. *Lit.*[3]); zur Kristallstruktur von Fluor-, Chlor- u. Hydroxyl-A. s. *Lit.*[4]; zur Kristallchemie der A. s. *Lit.*[5]. A. ist grün, weiß, gelb, blau, braun, rot, violett usw.; er bildet nadelige, lang- bis kurzsäulige od. tafelige Krist., derbe körnige, faserige, strahlige, traubig-nierige od. erdige Aggregate u. Knollen, *Oolithe u. Krusten. Bruch muschelig, glasbis wachsartiger Glanz; H. 5, D. 3,16–3,22.

Vork.: In Gesteinen aller Bildungsbereiche als meist <1% ausmachender Nebengemengteil. Gute Krist. von Fluor-A. z. B. in Ontario/Kanada, Durango/Mexiko, Panasqueira/Portugal u. auf alpinen Klüften, z. B. St. Gotthard/Schweiz. *Bauwürdige Phosphat-Lagerstätten* (mit >20% P_2O_5) gibt es als Anreicherungen in *magmatischen Gesteinen (z. B. Palabora/Südafrika u. die A.-*Nephelin-Erze der Kola-Halbinsel/Rußland), als Derivate von *Guano (z. B. Insel Nauru/Pazifik u. Weihnachtsinsel/Ind. Ozean; heute fast ohne Bedeutung) u. als marine (seltener lacustrine) *Sedimente (*Phosphorite*). Etwa 85% der jährlich über 150 Mio. t betragenden Weltförderung an Phosphat-Gesteinen entfallen auf die grauweißen, grünlichen od. bräunlichen, hart- bis weicherdigen, konglomerat. bis feinkörnigen, z. T. auch knolligen Phosphorite, z. B. in Florida u. North Carolina/USA, Kasachstan, Marokko, Tunesien; sie enthalten neben feinkörnig rekrist. Carbonat-Fluor-A. (*Francolith*, *Kollophan*) oft auch Knochenreste, Fischzähne, *Quarz, *Feldspäte, *Calcit u. *Ton.

Hydroxylapatit ist der Hauptbestandteil des Zahnschmelzes der *Zähne[6] u. der festen Substanz der *Knochen (ca. 51–59%, s. *Lit.*[7]). Die winzigen Hydroxyl-A.-Krist. besitzen große Oberflächen, z. B. von 60–100 m^2/g bei Knochensubstanz u. 1–10 m^2/g bei Zahnschmelz[8]. Für Fluor ist Hydroxyl-A. ein natürlicher Ionenaustauscher[9]. Auch in manchen *Gallensteinen ist A. als Bestandteil gefunden worden, s. *Lit.*[10]. Zur Herst. *N*-haltiger A. s. *Lit.*[11]; s. a. Calciumphosphate.

Verw.: Etwa 90% der Phosphatgesteine für die Herst. von Düngemitteln, der Rest zur Herst. von Phosphorsäure, elementarem Phosphor, Detergentien u. Futtermittel-Zusätzen. In der Biokeramik für Zahn-, Gelenku. Knochenersatz. Selten als Edelstein. – *E* = *F* = *I* apatite – *S* apatito

Lit.: [1] Am. Mineral. **76**, 1165–1173 (1991). [2] Am. Mineral. **72**, 801–811 (1987). [3] Am. Mineral. **75**, 295–304 (1990). [4] Am. Mineral. **74**, 870–876 (1989). [5] Mineral. Mag. **57**, 709–719 (1993). [6] Naturwissenschaften **60**, 353 (1973); **65**, 436 (1978). [7] J. Mater. Sci. **11**, 1691 (1976). [8] Chem. Biosurfaces **2**, 663–729 (1972). [9] Naturwissenschaften **46**, 555 f. (1959). [10] Naturwissenschaften **48**, 521 (1961). [11] C. R. Acad. Sci. Ser. C **281**, 307 (1975).

allg.: Deer et al., S. 663–669 ▪ Elliot, Structure and Chemistry of the Apatites and other Calcium Orthophosphates, Amsterdam: Elsevier 1994 ▪ Nriagu u. Moore (Hrsg.), Phosphate Minerals, S. 37, 44, 54 f., 131 f., 215–300, 330–375, Berlin: Springer 1984 ▪ Pohl, Lagerstättenlehre (2.), S. 283–288, Stuttgart: Schweizerbart 1992 ▪ Ullmann (5.) **A 19**, 422–426, 434, 508 ff.; **A 22**, 610. – *[CAS 1306-05-4 (Fluor-A.); 1306-06-5 (Hydroxyl-A.); 1306-04-3 (Chlor-A.); 12415-02-0 (Carbonat-A.)]*

Apec®. Thermoplast. Hochwärme-formbeständiger (zwischen 150 u. 184 °C) Kunststoff auf der Basis aromat. Polyestercarbonate. Wird für techn. Teile in der Autoelektrik, Lichttechnik, Elektro- u. Elektronik-Ind., medizin. Technik u. bei Haushaltsgeräten verwendet. *B.*: Bayer.

Apéritifs. Von französ.: apéritif = abführend, appetitanregend abgeleitete Bez. für appetitanregende, stimmungshebende, *alkoholische Getränke wie z. B. manche Weine, Süßweine, bittere Spirituosen, Cocktails, die meist vor einer Mahlzeit genossen werden. A. werden aus Weinen od. Ethanol unter Verw. von Auszügen aus Bitterdrogen u. von Destillaten aus Schalen von Citrusfrüchten hergestellt. – *E* aperitifs – *F* apéritifs – *I* aperitivi – *S* aperitivos

Apex®. W-PVC-Granulate für alle Anwendungen. *B.*: Krahn.

Apfel. Frucht des in zahlreichen Sorten kultivierten Apfelbaumes (*Pyrus malus*, Rosaceae), die vielfache Verw. als Tafelobst, für *Apfelsaft, -kraut, -mus etc. sowie zur Gewinnung von *Pektinen, Obstessig u. Branntweinen findet. Nach dem Lebensmittelgesetz müssen Tafeläpfel bestimmten Güteklassen entsprechen. 100 g eßbare Anteile enthalten durchschnittlich 86 g Wasser, 0,3 g Eiweiß, 0,3 g Fett, 12,1 g Kohlenhydrate, 0,9 g Cellulose, 0,4 g Mineralstoffe (1,8 mg Na, 137 mg K, 8 mg Ca, 11 mg P) u. 12 mg Vitamin-C. Der Vitamin-C-Gehalt schwankt bei den einzelnen Sorten zwischen 0 u. 60 mg. Die Rotfärbung mancher Äpfel ist durch *Anthocyane (Idaein) u. dgl. bedingt. Bei der Reifung u. Lagerung nehmen Wasser-, Säure- u. Dextrin-Gehalt ab; Stärke, Pektine u. Polyosen werden ganz od. z. T. in Zucker verwandelt. Die im A. enthaltenen Carbonsäuren sind hauptsächlich *Äpfelsäure u. wenig *Citronensäure. Der wachsartige Überzug des A. besteht aus linearen Kohlenwasserstoffen wie n-Heptacosan ($C_{27}H_{56}$) u. n-Nonacosan ($C_{29}H_{60}$). Optimale Lagerungsbedingungen: 5 °C, eine Atmosphäre aus 5% CO_2, 2–3% O_2, Rest N_2; die Reifung beim Lagern wird durch kleine Mengen Ethylen beschleunigt, das als Fruchtreifungshormon gilt, s. a. Pflanzenwuchsstoffe. – *E* apple – *F* pomme – *I* mela – *S* manzana

Lit.: Franke, Nutzpflanzenkunde, Stuttgart: Thieme 1992. – [HS 0808 10]

Apfelaroma. Das z. T. sehr unterschiedliche Aroma einzelner Apfelsorten ist in erster Linie auf quant. Unterschiede in der Aromastoffzusammensetzung zurückzuführen[1]. Schlüsselverb. sind (+)-2-Methylbuttersäureethylester u. a. 2-Methylbuttersäureester, neben Buttersäureethyl- u. -hexylester, Essigsäurehexylester, 2-Hexenylacetat u. β-*Damascenon. Eine bes. Rolle für das A. spielen (*E*)-*2-Hexenal, (*E*)-2-Hexenol u. *Hexanal. Es sind Spurenaromastoffe im intakten Apfel. Werden die Fruchtzellen zerstört, so nehmen die C_6-Körper durch enzymat. Abläufe konzentrationsmäßig stark zu. Sie sind die Hauptaromakomponenten des Saftes. Das Aroma frischer Äpfel u. das Aroma von Apfelsaft sind deshalb stark verschieden. Einen Vgl. des A. verschiedener Apfelsorten findet man in *Lit.*[1]. – *E* apple flavour – *F* arôme des pommes – *I* aroma malico – *S* aroma de manzana

Lit.: [1] Lebensm.-Wiss. Technol. **8**, 34 (1975); Synthesis **1995**, 1263–1266.
allg.: Erwerbsobstanbau **33**, 36–41 (1991) ▪ Phytochem. Anal. **2**, 184 (1991); **5**, 32 (1994).

Apfelsäure s. Äpfelsäure.

Apfelsaft. Als A. bezeichnet man den *Fruchtsaft von ausgepreßten Äpfeln (s. a. Süßmoste). Dieser wird entweder nur durch Zentrifugieren von gröberen Partikeln befreit u. dann als *naturtrüber A.* gehandelt, od. er wird auf enzymat. Wege (Zusatz von Polygalacturonase u. Absitzenlassen des Pektins) od. durch Zugabe von Gelatine u. Gerbsäure *geklärt* (s. a. Klären). Handelsüblicher A. wird heute meist aus A.-Konzentrat durch Rückverdünnung mit entionisiertem Wasser hergestellt. Der Zusatz von Vitamin C verringert das Braunwerden. 100 g A. enthalten durchschnittlich 88 g Wasser, 0,1 g Eiweiß, 11 g Kohlenhydrate, 0,2 g Mineralstoffe, 1 mg Na, 100 mg K, 6 mg Ca, 9 mg P, 1 mg Vitamin C. Die üblichen Analysendaten für A. sind den *RSK-Werten zu entnehmen. Zum Aroma von A. s. Apfelaroma, wobei (*E*)-2-Hexenal u. das entsprechende Hexanol eine wichtige Rolle spielen. Eingedickter A. wird als *Apfelkraut* bezeichnet. – *E* apple juice – *F* jus de pommes – *I* succo di mele – *S* jugo de manzana

Lit.: Kirk-Othmer **10**, 167–178 ▪ Recommended International Standard for (Concentrated) Apple Juice Preserved Exclusively by Physical Means (CAC/RS 48–1971 bzw. 63/64–1972), Roma: FAO 1973 ▪ Umschau **69**, 308 (1969).

Apfelsinen s. Orangen.

APG®. Alkylpolyglucoside für die Herst. kosmet. Tensid-Präparate u. Waschcremes. *B.:* Henkel.
Lit.: Cosmet. Toiletries **110**, Nr. 4, 23–29 (1995).

APHA s. Farbzahl.

Aphidicolin (Tetradecahydro-3,9-dihydroxy-4,11b-dimethyl-8, 11a-methano-11a*H*-cyclohepta[*a*]naphthalin-4,9-dimethanol).

$C_{20}H_{34}O_4$, M_R 338,49, Schmp. 227–233 °C, $[\alpha]_D$ + 12° (CH_3OH); antibiot. u. antiviral wirkendes *Diterpen aus *Cephalosporium aphidicola* u. a. Niederen Pilzen. A. ist ein spezif. Inhibitor der DNA-Polymerase. A. antagonisiert die cytotox. Wirkung von *Camptothecin.
Verw.: In der Biochemie zur Untersuchung der Zelldifferenzierung. – *E* aphidicolin – *F* aphidicoline – *I* = *S* afidicolina
Lit.: Biosynth.: J. Chem. Soc., Perkin Trans. 1 **1984**, 2751; **1985**, 2705. – *Synth.:* Helv. Chim. Acta **71**, 872 (1988) ▪ J. Org. Chem. **53**, 4929 (1988); **36**, 5379 (1995) ▪ Tetrahedron Lett. **36**, 5379 (1995). – [CAS 38966-21-1]

Aphizide (von latein.: aphis = Blattlaus u. ...zid). Bez. für *Pflanzenschutzmittel gegen Blattläuse. – *E* aphicides – *F* aphicide – *I* aficidi – *S* aficidas

Aphrodin s. Yohimbin.

Aphrodisiaka. Von griech.: aphrodisia = Liebesgenuß abgeleitete Bez. für Anregungsmittel zur Steigerung des Sexualtriebes. Als Wirkungsmechanismen kommen in Frage: Abbau von Hemmungen (z. B. Alkohol, Rauschmittel), hormonelle Prozesse (Sexualhormone) od. Reizung des Urogenitaltraktes (durch Steigerung der Durchblutung, z. B. *Yohimbin od. durch Hautreiz, z. B. *Cantharidin). Die Mehrzahl der im Handel befindlichen sog. A. sind eigentlich *Tonika u. *Roborantien. – *E* aphrodisiacs – *F* aphrodisiaques – *I* afrodisiaci – *S* afrodisíacos
Lit.: J. Chem. Educ. **57**, 341 f. (1980) ▪ Lehmann, Kulturgeschichte u. Rezepte der Liebesmittel, Heidenheim: Hoffmann 1955 ▪ Wedec, Dictionary of Aphrodisiacs, New York: Philos. Library 1961.

Aphthitalit s. Glaserit.

API. Abk. für *American Petroleum Institute.

Apigenin [5,7-Dihydroxy-2-(4-hydroxyphenyl)-chromen-4-on, Versulin]. $C_{15}H_{10}O_5$, M_R 270,24, gelbe Nadeln, Schmp. 352 °C. A. ist ein als Aglykon weit verbreitetes *Flavonoid. A. ist z.B. das *Aglucon von Apiin (Formel s. dort) u. Apigenin-7-glucosid; mäßig lösl. in heißem Alkohol, unlösl. in Wasser. – *E* apigenin – *F* apigénine – *I* = *S* apigenina
Lit.: Beilstein E V **18/4** 575 ▪ Ullmann (5.) **A 12**, 586. – [CAS 520-36-5]

Apigeninidin s. Anthocyanidine.

API-Grad. Konventionelles Maß für die *Dichte in den USA.

Apiin (4′,5,7-Trihydroxyflavon-7-apioseglucosid).

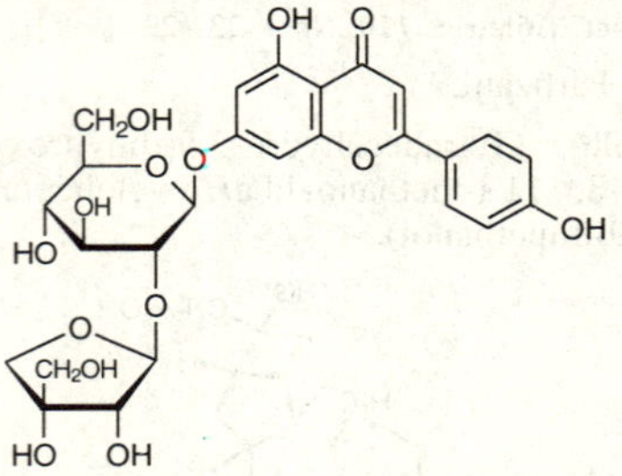

$C_{26}H_{28}O_{14}$, M_R 564,50. Blaßgelbe Nadeln, Schmp. 236 °C, 183 °C (Dihydrat), lösl. in heißem Wasser u. Alkohol. A. ist das Glykosid von *Apigenin mit *Apiose u. *Glucose. Es kommt in Sellerie (*Apium graveolens*), Petersilie u. Compositenblüten vor (*Anthemis nobilis* u. *Chrysanthemum*-Arten) u. regt die Nierentätigkeit an; in großen Dosen wirkt es abortiv. – *E* apiin – *F* apiine – *I* apiina – *S* apiína
Lit.: Beilstein E V **18/4**, 579 ▪ Hager (5.) **4**, 293 f., 297 f. ▪ Karrer, Nr. 1449. – [HS 2938 90; CAS 26544-34-3]

Apiol [1-Allyl-2,5-dimethoxy-3,4-(methylendioxy)-benzol, 5-Allyl-4,7-dimethoxy-1,3-benzodioxol].

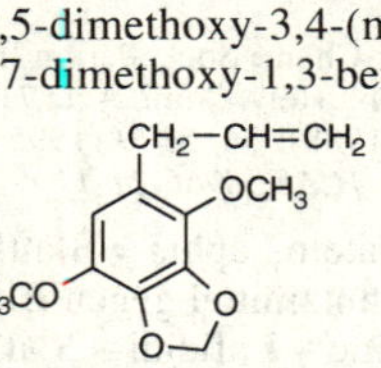

$C_{12}H_{14}O_4$, M_R 222,24, schwach nach Petersilie riechende Nadeln, Schmp. 29 °C, Sdp. 294 °C, D. 1,015, n_D^{20} 1,537, unlösl. in Wasser, lösl. in Alkohol, Ether.
Vork.: In Petersilie, Dill u. Citronenmelisse.
Wirkung: Diuret., abortiv u. synergist. mit Insektiziden. Das isomere *Dillapiol* [1-Allyl-2,3-dimethoxy-4,5-(methylendioxy)-benzol] ist in Dillsamen (über 7 g je kg) enthalten. – *E* = *F* apiole – *I* apiolo – *S* apiol
Lit.: Beilstein E V **19/3**, 307 ▪ Karrer, Nr. 246. – [HS 2932 90; CAS 523-80-8]

Apiose (D-Apiose).

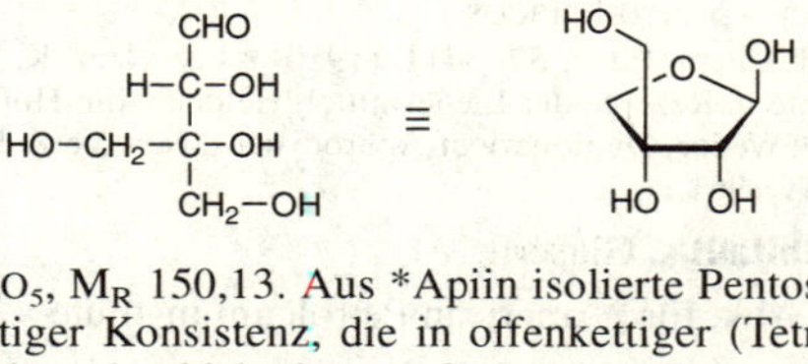

$C_5H_{10}O_5$, M_R 150,13. Aus *Apiin isolierte Pentose sirupartiger Konsistenz, die in offenkettiger (Tetrahydroxyisovaleraldehyd) u. furanosid. Form (β-D-*erythro*-Tetrofuranose) vorliegen kann. – *E* = *F* apiose – *I* apiosi – *S* apiosa
Lit.: Beilstein E IV **1**, 4258 ▪ Carbohydr. Chem. Biochem. **31**, 135 (1975) ▪ Merck Index (11.), Nr. 768. – [HS 2940 00]

AP-Kautschuk s. EPM.

Aplasmomycin (Pentamycin).

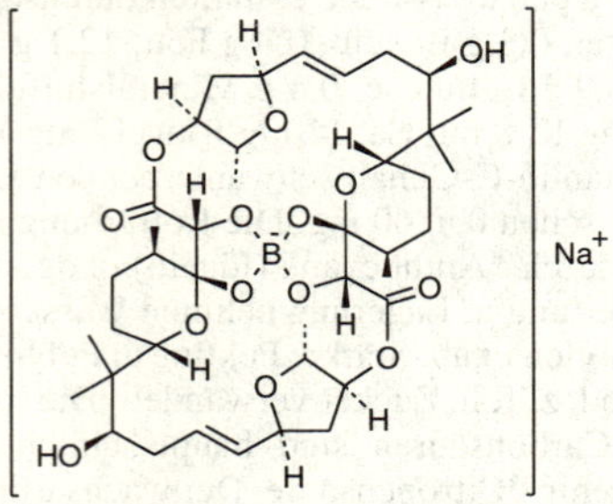

$C_{40}H_{60}BNaO_{14}$, M_R 798,71, Nadeln, Schmp. 283–285 °C (Zers.), $[\alpha]_D^{22}$+225° (c 1,2/CHCl$_3$). Sehr lipophiles, Bor-haltiges Antitumor-Antibiotikum (Kalium-Ionophor) aus *Streptomyces*-Stämmen gegen Gram-pos. Keime [1] mit insektizider u. akarizider Wirkung. A. ist ein symmetr. Dimer, strukturverwandt mit *Boromycin, einem weiteren organ. Bor-haltigen Naturstoff.
Verw.: In der Tierernährung als Wachstumsförderer bei Wiederkäuern. – *E* aplasmomycin – *F* aplasmomycine – *I* = *S* aplasmomicina
Lit.: [1] Antimicrob. Agents Chemother. **19**, 519 (1981). allg.: *Biosynth.*: Floss et al., in Corcoran, Antibiotics IV, S. 203–210, New York: Springer 1981 ▪ J. Antibiot. **33**, 1316 (1980). – *Struktur*: J. Antibiot. **30**, 714 (1977). – *Synth.*: J. Am. Chem. Soc. **104**, 6816, 6818 (1982); **108**, 8105 (1986) ▪ Tetrahedron **46**, 3469–3488 (1990) ▪ Tetrahedron Lett. **25**, 3671 (1984). – [CAS 61230-25-9]

Aplit s. Ganggesteine.

Aplysi...

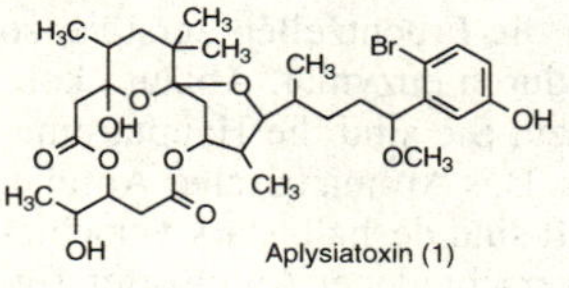

Aplysiatoxin (1)

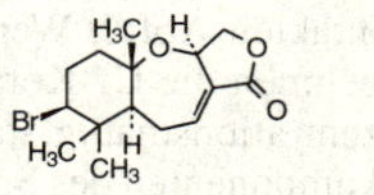

Aplysistatin (2)

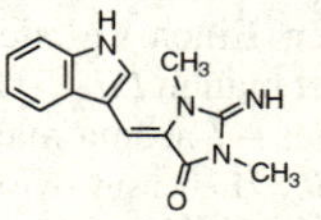

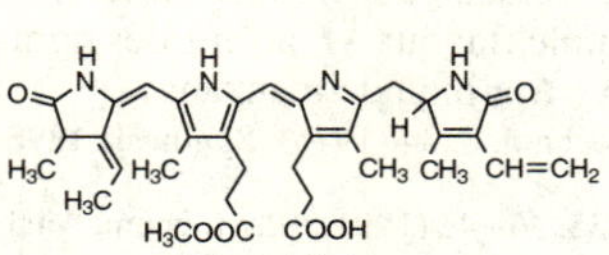

Aplysioviolin (3)

Aplysinopsin (4)

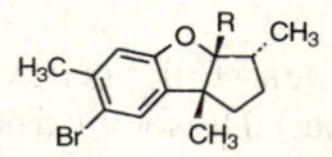

R = CH$_3$: Aplysin (5)
R = CH$_2$OH : Aplysinol (6)
R = CHO : Aplysinal (7)

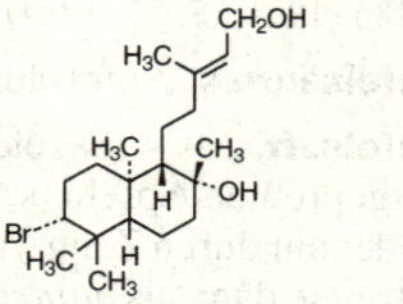

Aplysin 20 (8)

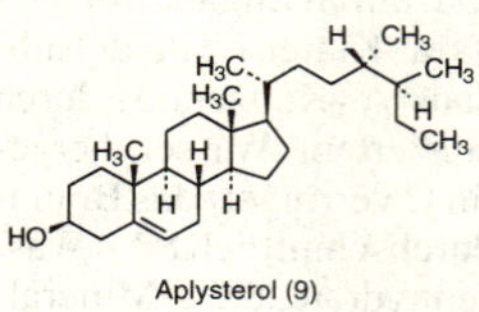

Aplysterol (9)

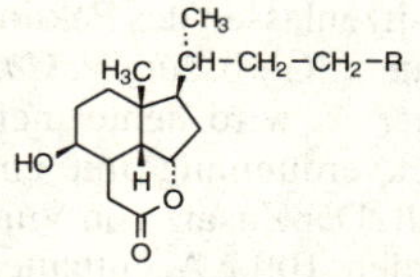

R = CH$_2$–CH(CH$_3$)$_2$: Aplykurodine A (10)
R = CH=C(CH$_3$)$_2$: Aplykurodine B (11)

Tab.: Daten von Aplysi...-Verbindungen.

Nr.	Summen-formel	M_R	Schmp. [°C]	$[\alpha]_D$	CAS
1	$C_{32}H_{47}BrO_{10}$	671,62			52659-57-1
2	$C_{15}H_{21}BrO_3$	329,23	173–175	$[\alpha]_D^{25}$ –375° (c 1,0/CH_3OH)	62003-89-8
3	$C_{33}H_{38}N_4O_6$	586,69	310–315 grüne Krist.		18097-67-1
4	$C_{14}H_{14}N_4O$	254,29	232–233 gelbe Nadeln		63153-56-0
5	$C_{15}H_{19}BrO$	295,22	85–86	$[\alpha]_D^{27}$ –85° ($CHCl_3$)	6790-63-2
6	$C_{15}H_{19}BrO_2$	311,22	158–160	$[\alpha]_D^{19}$ –56° ($CHCl_3$)	6790-64-3
7	$C_{15}H_{17}BrO_2$	309,20			64052-99-9
8	$C_{20}H_{35}BrO_2$	387,40	146–147	$[\alpha]_D^{15}$ –78° (c 1/CH_3OH)	17941-22-9
9	$C_{29}H_{50}O$	414,72	135–136	$[\alpha]_D^{20}$ –25° ($CHCl_3$)	38636-49-6
10	$C_{20}H_{34}O_3$	322,49	138	$[\alpha]_D^{20}$ –44° (c 1/$CHCl_3$)	
11	$C_{20}H_{32}O_3$	320,47	130	$[\alpha]_D^{20}$ –36° (c 1/$CHCl_3$)	

Aus Meeresschnecken der Familie Aplysiidae (Seehasen) sind eine Reihe strukturell sehr unterschiedlicher Stoffe isoliert worden, z. B. das stark giftige *Aplysiatoxin*, ein Tumor-Promotor (s. a. Review in *Lit.*[1]), zur Synth. s. *Lit.*[2]; das cytostat. wirksame *Aplysistatin*[3]; *Aplysianin*, ein Glykoprotein mit einem M_R von ca. 250 000 mit starker Antitumor-Wirkung[4]; der violette, tintenartige Abwehrstoff *Aplysioviolin*[5]; *Aplysinopsin*[6] aus Meeresschwämmen des Großen Barriereriffs, das Antitumor-Wirkung besitzt; *Aplysin* aus *Aplysia kurodai*, lösl. in Chloroform, zur Synth. s. *Lit.*[7]; *Aplysin 20*[8]; *Aplysinal*[9]; *Aplysinol*, lösl. in Chloroform[10]; *Aplysterol*[11] u. die *Aplykurodine A* u. *B*[12].
Lit.: [1] Acc. Chem. Res. **10**, 33 (1977); Pure Appl. Chem. **41**, 1 (1975); Adv. Cancer Res. **49**, 223 (1987). [2] J. Am. Chem. Soc. **110**, 5768–5779 (1988) (Totalsynth.). [3] J. Am. Chem. Soc. **99**, 262 (1977); Tetrahedron Lett. **1980**, 2787. [4] Cancer Res. **47**, 5649 (1987). [5] Lightner in Dolphin, The Porphyrins, New York: Academic Press 1979. [6] Tetrahedron Lett. **1977**, 61. [7] J. Org. Chem. **45**, 3989 (1980). [8] Bull. Chem. Soc. Jpn. **44**, 2560 (1971). [9] Phytochemistry **16**, 1062 (1977). [10] Tetrahedron Lett. **1976**, 4219. [11] J. Chem. Soc. Chem. Commun. **1973**, 825; Tetrahedron Lett. **1978**, 4373. [12] Tetrahedron Lett. **27**, 1153 (1986).
allg.: Beilstein E V **17/4**, 306 (Aplysinol) u. E V **17/10**, 254 (Aplysinal) ▪ Scheuer I **1**, 74 f.; **4**, 18, 73, 123.

APME. Abk. für die 1976 gegr. *A*ssociation of *P*lastics *M*anufacturers in *E*urope, den Interessenverband von europ. Kunststoff-Produzenten mit Sitz in Av. E., Van Nieuwenhuyse 4, B-1160 Brüssel, in der 50 Firmen Mitglieder sind, die mehr als 90% der westeurop. Kunststoffproduktion auf sich vereinigen.
Lit.: Kunstst. Plast. **23**, Nr. 2, 6f. (1976).

Apo... (griech.: entstehend aus, von). Präfix zur Kennzeichnung von bestimmten Verwandtschaftsgraden zwischen Verb., wobei die Apoverb. meist ein Abbauprodukt der Stammverb. ist; *Beisp.:* *Apomorphin* enthält 1 H_2O weniger als Morphin, Apoborneol enthält eine Methyl-Gruppe weniger als Borneol. In der Nomenklatur der *Carotinoide[1] bedeutet z. B. 6'-Apo-carotin-6'-al, daß ein Kettenende (C-Atome 1' bis 5') durch Wasserstoff ersetzt ist, vgl. das folgende Stichwort. – *E = F = I = S* apo...
Lit.: [1] Pure Appl. Chem. **41**, 405–431 (1975).

Apocarotinal. Kurzbez. für 8'-Apo-carotin-8'-al.

$C_{30}H_{40}O$, M_R 416,65. Der auch synthet. zugängliche rote Naturfarbstoff ist ebenso wie der Ethylester der zugehörigen Carbonsäure (*Apocarotinester*) als Lebensmittel-Farbstoff (E 160 e bzw. E 160 f) zugelassen. – *E = S* apocarotenal – *F* apocaroténale – *I* apocarotenale
Lit.: Bertram, Farbstoffe in Lebensmitteln u. Arzneimitteln, S. 67, Stuttgart: Wiss. Verlagsges. 1989 ▪ Dtsch. Apoth. Ztg. **127**, 499–508 (1987) ▪ s. Carotinoide.

Apocynaceen-Alkaloide. Gruppe von *Alkaloiden der Pflanzenfamilie Apocynaceae.
Lit.: Reviews: Alkaloids (London) **1977**, 268 ▪ Nat. Prod. Rep. **3**, 443 (1986). – *[HS 2939 90]*

Apoenzyme s. Enzyme.

Apoferritin s. Ferritin.

Apolar. Als Gegensatz zu *polar zu verstehendes u. in gleichem Sinn wie „unpolar" gebrauchtes Adjektiv, das z. B. in Begriffskombinationen wie *apolare Bindung* (s. chemische Bindung), *unpolarer* od. *apolarer Rest* (z. B. bei *Tensiden), *unpolare* od. *apolare Verb*. vorkommt. Zu letzteren kann man alle Verb. zählen, die sich weder elektrolyt. zerlegen lassen noch ein permanentes elektr. *Dipolmoment aufweisen. Im weiteren Sinne rechnet man in der Praxis zu den apolaren Verb. auch solche, bei deren Mol. sich einander entgegengerichtete Bindungsdipolmomente nahezu vollständig kompensieren, was bei vielen organ. Verb. der Fall ist. Bes. häufig spricht man von *unpolaren* od. *apo-*

Apolipoproteine

laren *Lösungsmitteln (*Beisp.:* Benzol, Cyclohexan, Heptan). – *E* = *S* apolar – *F* apolaire – *I* apolare

Apolipoproteine s. Lipoproteine.

Apollo-Programm. Amerikan. Mondlandeprogramm mit bemannten Raumkapseln, das am 20.7.1969 zur ersten Landung von Menschen auf dem Mond führte. Die Beiträge der Chemie zur Raumfahrt lassen sich dabei in folgende Hauptkategorien aufteilen: Entwicklung von *Raketentreibstoffen u. *Raketenwerkstoffen u. *Hitzeschilden (*Ablationskühlung), Stromerzeugung mit *Brennstoffzellen u. biochem. Forschung zur Sicherung des Lebensunterhalts (z. B. mit *Algen). – *E* apollo mission – *F* apollo programme – *I* missione Apollo – *S* programa Apolo
Lit.: Oicles, Spaceflights, Human, in Encycl. of Physical Science and Technology Bd. 15, S. 567, San Diego: Academic Press 1992.

Apomorphin (5,6,5a,7-Tetrahydro-6-methyl-4*H*-dibenzo[*de,g*]chinolin-10,11-diol).

$C_{17}H_{17}NO_2$, M_R 267,33. Hexagonale Platten, die sich an der Luft grün verfärben, Schmp. 195°C (Zers.), stark giftig, LD_{50} (Maus i.p.) 160 mg/kg, lösl. in Ethanol, Aceton u. Chloroform. Das *Aporphin-Alkaloid A. entsteht beim Erhitzen von *Morphin mit konz. Salzsäure, wobei Wasser abgespalten wird. A.-Hydrochloridhemihydrat ist in Wasser u. Ethanol, nicht aber in Chloroform u. Ether löslich.
Verw.: A. ist das stärkste *Emetikum (Brechmittel), das bis heute bekannt wurde; es wirkt auf das Brechzentrum des ZNS, höhere Dosen (20 mg) schädigen das Atemzentrum. – *E* = *F* apomorphine – *I* = *S* apomorfina
Lit.: Beilstein E V **21**/5 333 ▪ Eur. J. Pharmacol. **219**, 67–74 (1992) (Pharmakolog. Wirkung) ▪ Hager (5.) **7**, 277 ▪ J. Org. Chem. **46**, 2830 (1981) (Synth.) ▪ Manske **2**, 17 f. – [HS 2939 10; CAS 314-19-2]

Aponal®. Dragées, Tabl., Tropfen u. Ampullen mit *Doxepin gegen Depressionen. *B.:* Boehringer Mannheim/AWD.

Apophylit. $KCa_4[(F,CH)/Si_8O_{20}] \cdot 8 H_2O$; zu den Phyllo-*Silicaten gehörendes, durchsichtiges bis durchscheinendes, farbloses, weißes, grünliches od. rosafarbenes tetragonales Mineral, Krist.-Klasse 4/mmm-D_{4h}; nach der Redefinition[1] Bez. für *Mischkristalle mit den Endgliedern *Fluor*-A. [(OH)=0 bzw. F>OH; Krist.-Struktur s. *Lit.*[2]] u. *Hydroxy*-A. [F=0 bzw. (OH)>F; Krist.-Struktur s. *Lit.*[1]]; K⁺ kann weitgehend durch Na⁺ (mit Übergang zu rhomb. Symmetrie) u. bis zu 25% durch NH_4^+ ersetzt werden[3]. A. bildet überwiegend glas- bis diamantartig, auf Spaltflächen perlmuttartig glänzende, quadrat. prismat. bis würfelige od. tafelige, oft durch Pyramiden begrenzte Krist. u. blättrige Aggregate, H. 4,5–5, D. 2,36–2,37.
Vork.: In Blasenräumen vulkan. Gesteine, v. a. in *Basalten, z. B. Bombay, Poona, Nasik/Indien, Brasilien, Seiser Alm/Südtirol; in Erzgängen, z. B. Guana-juato/Mexiko. – *E* = *F* apophyllite – *I* apofillite – *S* apofilita
Lit.: [1] Am. Mineral. **63**, 196–202 (1978); Mineral. Rec. **9**, 95 ff. (1978). [2] Acta Crystallogr., Sect. B **43**, 517–523 (1987). [3] Mineral. Mag. **54**, 567–577 (1990).
allg.: Anthony et al., Handbook of Mineralogy, Vol. 2, Tl. 1, S. 259, 358, Tucson (Arizona): Mineral Data Publishing 1995 ▪ Lapis **6**, Nr. 3, 5 ff. (1981) ▪ Ramdohr-Strunz, S. 739 f. – [CAS 58572-15-9]

Apoproteine. Bez. für den Protein-Anteil von konjugierten Proteinen (früher Proteide genannt, s. a. Konjugate). Im Fall von Enzymen spricht man von *Apoenzymen*. Die Gegenstücke der A., die *Holoproteine*, enthalten z. B. *prosthetische Gruppen wie Metalle (*Metallproteine) od. Coenzyme (*Holoenzyme*), z. T. aber auch erhebliche Anteile von Kohlenhydraten (*Glykoproteine), Lipiden (*Lipoproteine), Nucleinsäuren (*Nucleoproteine) od. dgl. – *E* apoproteins – *F* apoprotéines – *I* apoproteine – *S* apoproteínas

Apoptose (physiolog. Zelltod, programmierter Zelltod). Im Gegensatz zur Nekrose *gezielter* Untergang bestimmter unerwünschter od. geschädigter Zellen vielzelliger Organismen, ein aktiver Prozeß der Zelle selbst (sozusagen Selbstmord auf Befehl). Zusammen mit der Proliferation (Zellvermehrung) ist die A. das normale Mittel zur Konstanthaltung der Zellzahl (Zell-Homöostase).
Beisp.: Beim *Immunsystem sterben autoreaktive B- u. T-*Lymphocyten durch A. ab; dadurch werden Immunreaktionen gegen den eigenen Körper verhindert. Im Nervensyst. unterliegen unnütze Nervenzellen der A., die nicht mit anderen *Neuronen über *Synapsen verbunden sind. Virus-infizierte Zellen können, da für den Organismus gefährlich, durch A. getötet werden[1]. Ausschaltung von Krebszellen kann unter bestimmten Bedingungen durch A. erfolgen. Nicht zuletzt bei der Embryonalentwicklung spielt die A. eine wichtige Rolle immer dort, wo bestimmte Gewebeteile nicht mehr gebraucht werden[2].
Regulation: Bei der A. von T-Lymphocyten (T-Zellen) sind deren Antigen-Rezeptor sowie Wechselwirkungen des Zelloberflächenproteins Fas (CD95, APO-1) mit dem Fas-Liganden-Protein (FasL) von Bedeutung[3]. Die weiteren Signalwege sind noch nicht vollständig aufgeklärt, doch sind die *Protein-Kinasen ERK u. JNK[4] sowie das Calcium-bindende Protein ALG-2[5] daran beteiligt. Alternativ kann bei T-Zellen auch *Tumornekrose-Faktor die A. auslösen; *Ceramide dienen als intrazelluläre Signalüberträger[6]. Im Endeffekt kommt es zur Fragmentierung des *Chromatins, des Zellkerns u. der gesamten Zelle, die dann von anderen Zellen phagocytiert (einverleibt) wird.
Auch die Produkte der *myc*- u. *bak*-Gene können unter bestimmten Umweltbedingungen A. auslösen, während Bcl-2 sie verhindert, wobei Bcl-2 aufgrund seiner Strukturähnlichkeit zu Bak mit diesem in Konkurrenz zu treten scheint[7]. Zu Bcl-2-Protein-bindenden Proteinen s. *Lit.*[8]. Bei starker Schädigung der *Desoxyribonucleinsäuren wirkt *p53 als Auslöser für den programmierten Tod.
Zum Zusammenhang der A. mit dem Zellcyclus u. zur Betrachtung der A. als inkomplette Zellteilung s. *Lit.*[9].

Zur Rolle des Calciums bei der A. s. *Lit.*[10]. – *E* = *S* apoptosis – *F* apoptose – *I* apoptosi
Lit.: [1] Science **270**, 1189 ff. (1995); Spektrum Wiss. **1996**, Nr. 1, 35 f. [2] Curr. Biol. **3**, 705 ff. (1993); **5**, 373 f. (1995). [3] Curr. Opin. Immunol. **7**, 382–388 (1995). [4] Science **270**, 1326–1331 (1995). [5] Science **271**, 521–525 (1996). [6] Trends Biochem. Sci. **20**, 73–77 (1995). [7] Nature (London) **374**, 733–739 (1995). [8] Curr. Biol. **5**, 622 ff. (1995). [9] J. Cell. Biochem. **58**, 160–180 (1995). [10] Adv. Second Messenger Phosphoprotein Res. **30**, 255–280 (1995).
allg.: Der programmierte Zelltod (Video), Heidelberg: Spektrum Akadem. Verlagsges. 1995 ▪ Kuchino u. Müller, Apoptosis, Berlin: Springer 1996 ▪ Science **267**, 1445–1462 (1995) ▪ Trends Genet. **11**, 101–105 (1995).

Aporphin-Alkaloide. Gruppenbez. für Alkaloide, denen das Aporphin-Gerüst (Dibenzo[*de,g*]chinolin), vgl. die Abb. bei Boldin, zugrunde liegt. Die A.-A., deren wichtigster Vertreter das *Apomorphin* ist, werden deshalb auch im allg. zu den *Isochinolin-Alkaloiden gestellt. Weitere A.-A. sind z. B. *Glaucin, *Bulbocapnin u. *Isocorydin. – *E* apomorphine alkaloids – *F* alcaloides apomorphiniques – *I* aporfin-alcaloidi – *S* alcaloides aporfínicos
Lit.: Alkaloids N.Y. **24**, 153–251 (1985) ▪ Alkaloids: Chem. Biolog. Perspect. **5**, 133–270 (1987) (Review) ▪ J. Nat. Prod. **46**, 761–835 (1983) ▪ Manske **4**, 119–145; **9**, 2–37 ▪ Nat. Prod. Rep. **2**, 227 (1985) u. **3**, 345 (1986) (Review) ▪ Tetrahedron **40**, 4795 (1984) (Biosynth., Review); **51**, 5341 (1995). – [HS 2939 90]

apoth(ecaries weight) s. Apothekergewicht.

Apotheke (griech.: Warenlager). Von einem approbierten *Apotheker geleiteter Gewerbebetrieb, in dem *Arzneimittel zubereitet werden [die heute nur noch selten praktizierte Herst. nach ärztlichem *Rezept wird in der sog. *Offizin* (von latein.: officina = Werkstatt) vorgenommen] bzw. als fertige, von der *pharmazeutischen Industrie hergestellte Medikamente vorrätig gehalten u. verkauft werden. Unter Leitung u. Verantwortung der *Apotheker* können die in der A. anfallenden Tätigkeiten von *Apotheker-Assistenten(innen), pharmazeut.-techn. Assistenten(innen)* u., soweit sie keine pharmazeut. Vorbildung erfordern, von *Apothekenhelfern(innen)* ausgeführt werden. Grundlagen für den Betrieb von A. sind heute u. a. das *Apothekengesetz* u. die *Apothekenbetriebsordnung* (s. Apotheker), das *Arzneimittelgesetz* (vom 24.8.1976, BGBl. I, S. 2445, 2448, letzte Änderung vom 19.10.1994, BGBl. I, S. 3018). Weitere Bestimmungen u. wesentliche Nachschlagewerke s. *Lit.* bei Apotheker u. Arzneimittel.
Die Entstehung der A. dürfte im Zusammenhang mit Drogen- u. Gewürzhandel, aber auch aus ärztlichen Arzneidepots erfolgt sein. Kloster-A. entwickelten sich unabhängig. Kodifizierung u. Reglementierung erfolgten allmählich ab dem 13. Jahrhundert. Über „Privilegien", Niederlassungs- u. Ausbildungsvorschriften griff u. greift die staatliche Obrigkeit in verschiedener Weise in den Status des Apothekers u. der A. ein. Zur Historie: Deutsches Apotheken-Museum im Heidelberger Schloß, Friedrichstr. 3, 69117 Heidelberg. 1994 gab es in der BRD ca. 20 900 öffentliche u. ca. 660 Krankenhaus-Apotheken. Das Umsatzvol. der öffentlichen A. betrug 1994 ca. 33,3 Mrd. DM. – *E* pharmacy (amerikan. auch drugstore) – *F* pharmacie – *I* = *S* farmacia

Apotheker. Berufsbez. für eine durch staatliche Approbation zu pharmazeut. Tätigkeiten berechtigte Person (*Pharmazeut*). Die Verantwortlichkeit des A. ist in der BRD geregelt durch das *Apothekengesetz* (vom 20.8.1960, BGBl. I, S. 697, i. d. F. vom 23.7.1988, BGBl. I, S. 1077), die *Apothekenbetriebsordnung* (vom 9.2.1987, BGBl. I, S. 547), die *Bundes-Apothekerordnung* (vom 5.6.1968, BGBl. I, S. 601, zuletzt geändert durch das Gesetz zur Umsetzung der Apothekerrichtlinien der EG (85/432/EWG u. 85/433/EWG) in dtsch. Recht vom 23.7.1988, BGBl. I, S. 1077), die *Approbationsordnung für A.* (vom 19.7.1989, BGBl. I, S. 1489). Zu den Aufgaben des A. zählen u. a. die Herst. u. Prüfung von *Arzneimitteln, die Abgabe von Arzneimitteln nach ärztlichem *Rezept od. im Rahmen der Selbstmedikation, die Information u. Beratung von Kunden, Patienten sowie von zur Ausübung der Heilkunde, Zahnheilkunde od. Tierheilkunde berechtigten Personen, soweit dies aus Gründen der Arzneimittelsicherheit erforderlich ist (§ 20 der Apothekenbetriebsordnung). Der Verkehr mit *Betäubungsmitteln im Rahmen des Apothekenbetriebs ist geregelt durch das *Betäubungsmittelgesetz* (vom 28.7.1981, BGBl. I, S. 681, i. d. F. vom 9.9.1992, BGBl. I, S. 1593). Die Approbation als A. ist an die Absolvierung eines Hochschulstudiums der *Pharmazie sowie eine prakt. Ausbildung gebunden. Die *Approbationsordnung* wurde in Angleichung an das geltende EG-Recht novelliert, seit 1989 gilt folgende Gliederung der Ausbildung: Hochschulstudium der Pharmazie von 8 Semestern in 2 Abschnitten, während des 1. Abschnitts eine 12-wöchige Famulatur; im Anschluß an die universitäre Ausbildung ein 12-monatiges Praktikum in einer *Apotheke. 1994 gab es in der BRD insgesamt ca. 48 000 approbierte A., davon 20 900 Leiter u. 21 000 angestellte A. in öffentlichen Apotheken, 1900 A. in Krankenhausapotheken u. ca. 4600 A. in Ind., Verwaltung, Fachorganisationen u. Wissenschaft. Gleichzeitig gab es ca. 11 000 Studenten(innen) der Pharmazie. – *E* pharmacist (amerikan. auch druggist) – *F* pharmacien – *I* farmacista – *S* farmacéutico
Lit.: DAB 10 ▪ Dinnendahl u. Fricke (Hrsg.), Arzneistoffprofile, Basisinformation über arzneiliche Wirkstoffe (11. Ergänzungslieferung), Frankfurt: Govi 1996 ▪ Ebel u. Roth (Hrsg.), Lexikon der Pharmazie, Stuttgart: Thieme 1987 ▪ Pfeil et al. Apothekenbetriebsordnung, Kommentar mit Textsammlung (Fortsetzungswerk), Frankfurt: Govi 1992 ▪ Rote Liste, Verzeichnis von Fertigarzneimitteln, Aulendorf: Cantor (jährlich) ▪ Schiedermair u. Pohl, Gesetzeskunde für Apotheker (12. Aufl.), Frankfurt: Govi 1993 ▪ Wilson, Blanke u. Gebler (Hrsg.), Apotheken- und Arzneimittelrecht, Gesamtausgabe – Fortsetzungswerk, Frankfurt: Govi seit 1953, Erg. 2–3× jährlich. – *Zeitschriften u. Serien:* Apotheker-Jahrbuch, Stuttgart: Wiss. Verlagsges. (seit 1949) ▪ Archiv der Pharmazie, Weinheim: Verl. Chemie (seit 1822) ▪ Arzneimittelforschung, Aulendorf: Cantor (seit 1951) ▪ Deutsche Apotheker-Zeitung, Stuttgart: Dtsch. Apotheker-Verl. (seit 1822) ▪ Krankenhauspharmazie, Stuttgart: Dtsch. Apotheker-Verl. (seit 1980) ▪ Die Pharmazeutische Industrie, Aulendorf: Cantor (seit 1939) ▪ Pharmazeutische Zeitung, Frankfurt: Govi (seit 1856) ▪ Pharmazie in unserer Zeit, Weinheim: VCH Verlagsges. (seit 1972) ▪ Progress in Drug Research, Basel: Birkhäuser (seit 1959). – *Organisationen:* Arbeitsgemeinschaft für pharmazeutische Verfahrenstechnik (APV), Kurfürstenstr. 59, 55118 Mainz ▪ Bundesapothekerkammer (BAK), Ginnheimer Str. 26, 65760 Eschborn ▪ Bundesverband der Pharmazeutischen Industrie

(BPI), Karlstr. 21, 60329 Frankfurt ▪ Bundesverband Deutscher Krankenhausapotheker (ADKA), Englschalkingerstr. 77, 81925 München ▪ Bundesvereinigung Deutscher Apothekerverbände (ABDA), Ginnheimer Str. 26, 65760 Eschborn ▪ Deutscher Apothekerverband, Ginnheimer Str. 26, 65760 Eschborn ▪ Deutsche Gesellschaft für Geschichte der Pharmazie (DGGP), Graf-Moltke-Str. 46, 28211 Bremen ▪ Deutsche Pharmazeutische Gesellschaft (DPhG), Birkenwaldstr. 44, 70191 Stuttgart ▪ Federation Internationale Pharmaceutique (FIP), Andries Bickerweg 5, NL 2517 JL Den Haag.

Apothekergewicht (Medizinalgew.). Bis zum Jahre 1868 waren in allen Staaten der BRD die folgenden Gew.-Größen für Arzneimittel in Gebrauch: 1 Gran = 0,0609 g (abgerundet 0,06 g), 1 Skrupel = 20 Gran = 1,218 g (aufgerundet 1,25 g), 1 Drachme = 3 Skrupel = 3,654 g (abgerundet 3,65 g), 1 Unze = 8 Drachmen = 29,232 g (aufgerundet 30,0 g), 1 Medizinal-Pfund (Libra) = 12 Unzen = 350,784 g. Das Medizinal-Pfund wich in einigen dtsch. Staaten von dem angegebenen Wert für Preußen nach höheren Werten (bis ca. 420 g) ab. Für das engl. A. gilt das *Troy-System mit *E* grain, scruple, dram u. *ounce; zur Umrechnung vgl. Lit.. – *E* apothecaries' weight – *F* poids officinal – *I* peso farmaceutico – *S* peso farmacéutico
Lit.: Hager (4.) **1**, 16–20 ▪ Handbook **56**, F-293-316.

Apothionein s. Metallothionein.

APP s. β-Amyloid-Vorläuferprotein.

Apparate. Allg. Bez. für aus feststehenden u. beweglichen Teilen zusammengesetzte (zweckbedingte) Vorrichtungen zur Verrichtung einer gewünschten Tätigkeit. *Chem. A.* sind A. mit vorzugsweiser Verrichtung eines Stoffumsatzes *physikal. A.* solche mit vorzugsweiser Verrichtung von Stoff- od. Energie-Umformungen, vgl. a. Reaktionsapparate. *Apparaturen* sind Kombinationen von mehreren A. bzw. von A. mit Maschinen, wobei der Hauptvorgang in einem A. erfolgt (vgl. *Lit.*[1]). Die mit der Entwicklung der chem. A. (zur Zukunft des Apparatebaus s. *Lit.*[2]) befaßten *Chemiker, Verfahrenstechniker, *Ingenieure etc. werden in der BRD betreut von der *DECHEMA u. vom Fachnormenausschuß Chem. Apparatebau im *DIN. Preisindizes für chem. Anlagen findet man in der Zeitschrift Chemische Industrie (Düsseldorf: Handelsblatt, monatlich); s. a. Chemische Industrie, Laboratorien u. Technologie sowie Technische Chemie u. Verfahrenstechnik. – *E* apparatus(es), equipment – *F* appareils – *I* apparecchi – *S* aparatos
Lit.: [1]Henglein, Grundriß der Chemischen Technik, S. 30, Weinheim: Verl. Chemie 1968. [2]Chem. Ind. (Düsseldorf) **29**, 711 ff. (1977).
allg.: ACHEMA-Jahrb., Frankfurt: DECHEMA (3-jährlich, z.B. 1976, 1979, 1982 1985, 1988, 1991, 1994) ▪ Aktuelle Werkstoff- u. Verarbeitungsfragen des Apparatebaus, Frankfurt: DECHEMA 1986 ▪ Apparatetechnik 1, Leipzig: Grundstoffind. 1977 ▪ DECHEMA-Monographien, Weinheim: Verl. Chemie, z. Z. ca. 110 Bände ▪ Kirk-Othmer ▪ McKetta u. Pollermann, Bauelemente der Physikalischen Technik, Berlin: Springer 1972 ▪ Rechnergestütztes Einwickeln u. Konstruieren im Chemie-Apparatebau, Fankfurt: DECHEMA 1974 ▪ Ullmann (5.) B1–B4 ▪ Winnacker-Küchler (4.) **1**–7.

APPE. Abk. für die Vereinigung der Petrochemikalienhersteller Europas, die größte u. wichtigste Sektorgruppe innerhalb =CEFIC. Hauptanliegen ist die kohärente Vertretung der europ. Petrochemieind., deren Sprachrohr sie ist. In der Überzeugung, daß eine starke Petrochemie unerläßlich ist, um die Zukunft zahlreicher nachgeordneter Ind.-Zweige zu sichern, bemüht sich die APPE um die Förderung der Kenntnisse über die wirtschaftliche u. soziale Rolle dieser Basisindustrie.

Appetenzverhalten. Suchverhalten. Aktives Anstreben einer auslösenden Reizsituation. A. ist zielstrebig in dem Sinne, daß es den Ablauf einer Endhandlung od. das Erreichen eines Individuums, eines Objektes od. eines Ortes (z. B. des Brut- u. Laichplatzes) als Ziel anstrebt. Manchmal besteht das A. nur aus einfachen Orientierungs- u. Einstellbewegungen (*Taxis). In der Regel handelt es sich um eine relativ plast. Folge verschiedener Einzelhandlungen, an der in wechselnder Zusammensetzung sowohl Erbkoordinationen als auch erlernte Verhaltensanteile beteiligt sein können. – *E* appetitive behaviour – *F* comportement appétant – *I* comportamento di appetenza – *S* comportamento de apetencia
Lit.: Franck, Verhaltensbiologie, Stuttgart: Thieme 1985.

Appetit s. Ernährung.

Appetitanregende Mittel s. Orexigene u. Stomachika.

Appetitzügler (Abmagerungsmittel, Hungerzügler). Umgangssprachliche Bez. für eine Gruppe von Stoffen, die Hungergefühl u. Verlangen nach Nahrung herabsetzen, also *Anorexie* (Appetitlosigkeit, von griech.: an = ohne u. orexis = Appetit) erzeugen u. die zur Unterstützung von Abmagerungskuren bei *Fettsucht eingesetzt werden (vgl. Antiadiposita). Die Mehrzahl der im Handel befindlichen, inzwischen meist rezeptpflichtigen A. ist auf *Amphetamin aufgebaut; z. B. Norephedrin u. Norpseudoephedrin (s. Ephedrin). Da Amphetamin u. viele seiner Derivate (*Weckamine) wegen ihrer *Sympathikomimetika- u. *Analeptika-Eigenschaften nicht nur hungerzügelnde, sondern ganz allg. anregende bis euphorisierende Wirkung aufweisen, ist ihre Anw. sehr problemat. (*Sucht-Gefahr). Auch andere als A. wirksame Substanzen wie Schilddrüsen-Hormone haben für eine Anw. als A. zu starke Nebenwirkungen. – *E* anorectics, appetite-suppressing agents – *F* anorexigènes – *I* anoressizzante – *S* inhibidores del apetito
Lit.: Arzneimittelchemie I, 366ff. ▪ Dtsch. Apoth. Ztg. **126**, 978 ff., 1089ff. (1986); **127**, 1616 f. (1987).

Appleton, Sir Eduard Victor (1892–1965), Prof. für Physik, London, Cambridge u. Edinburgh. *Arbeitsgebiet:* Untersuchung der Ionosphäre, Entwicklung der Radarortung von Flugzeugen; erhielt 1947 den Nobelpreis für Physik für Untersuchungen der oberen Atmosphären-Schichten.

Applikation. Bez. für die Verabreichungsart von *Arzneimitteln, z. B. *enteral od. *oral (peroral) bzw. *parenteral (subkutan, perkutan, intravenös, intramuskulär) durch Inhalation, lokal, rektal usw. – *E = F* application – *I* applicazione – *S* aplicación

Appretur. Ursprünglich bezeichnete A. (von französ.: apprêter = zubereiten) die Behandlung von textilem Material (*Appretieren*) mit *Appreturmitteln,* um Griff u. Aussehen der *Textilien zu beeinflussen. Auch mechan. Behandlungen, u. a. Sengen, Scheren u. Dekatieren, fielen unter diesen Begriff. Dagegen blieb der Begriff *Ausrüstung* solchen Arbeitsverf. vorbehalten, bei denen den Textilien, meist unter chem. Veränderung der Faser, bestimmte Gebrauchseigenschaften verliehen werden. Da diese Gliederung wegen fließender Übergänge unzweckmäßig geworden ist, werden heute alle derartigen Verf. unter dem Begriff *Ausrüstung* zusammengefaßt (s. a. Textilhilfsmittel, Textilveredlung). – *E* finishing, dressing – *F* apprêt – *I* apprettatura – *S* apresto

Lit.: Chwala/Anger, Handbuch der Textilhilfsmittel, S. 421–431, Weinheim: Verl. Chemie 1977 ▪ Rath, Lehrbuch der Textilchemie, S. 105–109, Berlin: Springer 1972 ▪ Ullmann (4.) **9**, 251; **23**, 77 ▪ Winnacker-Küchler (4.) **7**, 144.

Apraclonidin.

Internat. Freiname für das *p*-Amino-Derivat des *Clonidins, $C_9H_{10}Cl_2N_4$, M_R 245,11, Schmp. >230 °C, dessen Hydrochlorid 1985 als *Ophthalmikum/Glaukomtherapeutikum von Alcon (Iopidine® 0,5%) patentiert wurde. – *E* = *F* apraclonidine – *I* = *S* apraclonidina – *[CAS 66711-21-5]*

Aprical®. Kapseln u. Lsg. mit *Nifedipin als Ca-Antagonist bei Angina pectoris. *B.*: Rentschler.

Aprikosen (Marillen). Früchte (Steinobst) des aus Armenien od. China stammenden Aprikosenbaums (*Prunus armeniaca*, Rosaceae), der heute bes. im Mittelmeergebiet, Ungarn, Südafrika, Australien, USA (Kalifornien, Utah) angebaut wird. 100 g genießbare Anteile enthalten durchschnittlich 85,3 g Wasser, 0,9 g Eiweiß, 0,1 g Fett, 12,4 g Kohlenhydrate, 0,7 g Rohfaser, 0,63 g Mineralstoffe (1,5 mg Na, 302 mg K, 14,2 mg Ca, 24 mg P), 1,15 mg *Carotin (verursacht Färbung), 7 mg Vitamin-C. Als Aroma-Bestandteile enthalten A. höhergliedrige Lactone.
Verw.: Frischobst, Konserven, Marmeladen, Gelees, Dörrobst, zur Herst. von Branntwein u. Likör. Die Kerne enthalten ca. 50% Öl, das gelegentlich gewonnen wird, außerdem *Amygdalin. Sie werden als Mandelersatz zur Herst. von *Persipan verwendet. – *E* = *F* apricots – *I* albicocche – *S* albaricoques

Lit.: Franke, Nutzpflanzenkunde, Stuttgart: Thieme 1992. – *[HS 0809 10]*

Aprindin.

Internat. Freiname für *N*-(3-Diethylaminopropyl)-*N*-phenyl-2-indanamin, $C_{22}H_{30}N_2$, M_R 322,49. Es wurde 1971 u. 1975 als Antiarrhythmikum von Christiaens patentiert. Verwendet wurde das Hydrochlorid, Schmp. 120–121 °C, das aber wegen möglichen Auftretens von Agranulocytose aus dem Handel genommen wurde. – *E* = *F* aprindine – *I* = *S* aprindina

Lit.: Arzneim.-Forsch. **23**, 519 (1973) ▪ ASP ▪ Hager (5.) **7**, 282 ff. – *[HS 2921 59; CAS 37640-71-4; 33237-74-0 (Hydrochlorid)]*

Aprobarbital.

Internat. Freiname für 5-Allyl-5-isopropylbarbitursäure, $C_{10}H_{14}N_2O_3$, M_R 210,23, Schmp. 140–141,5 °C; LD_{50} (Maus i.p.) 200 mg/kg. Es wurde 1923 als Hypnotikum u. Sedativum von Hoffmann-La Roche patentiert. Verwendet wurde auch das Natriumsalz. – *E* = *F* = *S* aprobarbital – *I* aprobarbitale

Lit.: Pharm Ztg. **137**, 1737 (1992). – *[HS 2933 51; CAS 77-02-1 (A.); 125-88-2 (Natriumsalz)]*

Aprotinin. Internat. Freiname für ein bas. Polypeptid $C_{284}H_{432}N_{84}O_{79}S_7$, M_R 6511,49; aus 58 Aminosäuren mit 3 *Disulfid-Brücken, UV_{max} (pH 5,9): 280 nm; isoelektr. Punkt pH 10,5; LD_{50} (Maus i. v.) $2,5 \times 10^6$ i.E. Kallikrein/kg. A. ist ein in Pankreas, Lunge, Leber, Milz u. Ohrspeicheldrüse vorkommender Inhibitor für *Proteinasen wie Plasmin, Trypsin, Chymotrypsin u. a. Kininogenasen, vgl. Kallikreine.
Verw.: Zur Therapie der Pankreatitis, bei starken Blutungen u. bei Schock-Zuständen stehen Präp. von den Behringwerken (Beriplast®), Bayer (Trasylol®), Hoechst (Antagosan®) u. Immuno (Tissucol®) zur Verfügung. – *E* aprotinin – *F* aprotinine – *I* = *S* aprotinina

Lit.: DAB 10 ▪ Dudziak et al., Proteolyse u. Proteinaseinhibition in Herz- u. Gefäßchirurgie, Stuttgart: Schattauer 1985 ▪ Hager (5.) **7**, 287 ▪ Pharm. Unserer Zeit **6**, 31–41 (1977) ▪ Pharm. Ztg. **139**, 4238 (1994). – *[HS 2934 90; CAS 9087-70-1]*

Aprotische Lösungsmittel. Bez. für *nichtwäßrige Lösungsmittel, die kein ionisierbares Proton im Mol. enthalten. *Apolare a. L.* sind aliphat. u. aromat. sowie halogenierte Kohlenwasserstoffe, tert-Amine u. Kohlenstoffdisulfid; sie sind durch niedrige *Dielektrizitätskonstanten ($E_T < 15$) niedrige *Dipolmomente ($\mu < 2,5$ D) u. niedrige E_T^N-Werte (0,0–0,3) charakterisiert.
Dipolare a. L. sind Ketone, *N,N*-disubstituierte Amide, Nitroalkane, Nitrile, Sulfoxide, Sulfone. Diese besitzen große Dielektrizitätskonstanten ($E_T > 15$), Dipolmomente ($\mu > 2,5$ D) u. E_T^N-Werte im Bereich von 0,3–0,5.
Die wichtigsten dipolaren a. L. sind Aceton, Acetonitril, *N,N*-Dimethylacetamid, *N,N*-Dimethylformamid, Dimethylsulfoxid, Hexamethylphosphorsäuretriamid. – *E* aprotic solvents – *F* solvants aprotiques – *I* solventi aprotici – *S* disolventes apróticos

Lit.: Reichardt, Solvents and Solvent Effects in Organic Chemistry (2.), Weinheim: VCH Verlagsges. 1988 ▪ s. a. nichtwäßrige Lösungsmittel

Apsomol®. Dosieraerosol, Retardkapseln u. Infusionslsg. mit dem Bronchodilatator *Salbutamol-Sulfat. *B.*: Farmasan.

Aqua (latein.: Wasser). Bez. für Wasser (Abk.: Aq) bes. in pharmazeut. Präp. u. in der Pharmazie; *Beisp.*: Aqua communis (Aq. comm., *Trinkwasser), Aq. demineralisata (entmineralisiertes, mittels Ionenaustauscher elektrolytfrei gemachtes Wasser), Aq. destillata (Aq. dest., destilliertes Wasser), Aq. bidest. (zweifach dest. Wasser), Aq. purificata (nach EuAB: Gereinigtes Wasser, das aus Trinkwasser durch Dest., mittels Ionenaustauscher od. nach anderen Meth. hergestellt ist). In der Apothekersprache verwendete man daneben auch Aq. fortis (Salpetersäure), Aq. regia (Königswasser), Aq. chlorata (Chlorwasser), Aq. hydrosulfurata (Schwefelwasserstoff), Aq. calcariae (Kalkwasser), Aq. amygdalarum amararum (Bittermandelwasser), Aq. plumbi (Bleiacetat-Lsg.). – $E = F = I = S$ aqua

Lit.: Gmelin, Syst.-Nr 3, 0, (1963), (1964).

Aqua... Bez. für Wasser als Ligand in Komplexen (IUPAC-Regel 7.322); *Beisp.:* s. bei Ammin-Salzen u. Koordinationslehre Komplex gebundenes H_2O kann gegen H_2O-Mol. aus dem Lsm. ausgetauscht werden (vgl. *Lit.*). Früher wurde H_2O als Ligand Aquo... genannt.

Lit.: Coord. Chem. Rev. 7, 1–10 (1971).

Aquacobalamin s. Cobalamine.

Aquakultur. Von latein.: aqua = Wasser u. cultura = Anbau abgeleitete Bez. für die Zucht wirtschaftlich bedeutender, im Wasser lebender Pflanzen u. Tiere unter bestmöglichen ökolog. Bedingungen (z.B. *Algen zur *Agar-Gewinnung, Forellen-, Karpfen- u. Austernzucht), s. Hydrokultur. – E hydroculture – F aquaculture – I acquacotura – S aguacultura

Aqualose®. Marke von Westbrook Lanolin für wasserlösl., alkoxylierte *Lanolin-Derivate für kosmet. Zwecke. *B.:* Parmentier.

Aquamarin. Edelstein-Varietät von *Beryll, die durch Spuren von Fe^{2+} blaßblau bis kräftig dunkelblau („meerwasserblau", Name!) gefärbt ist. Grünliche A. (Fe^{3+} auf Plätzen von Al^{3+}) können teilw. durch Erhitzen auf etwa 400–450°C in die begehrten blauen Farben überführt werden; D. 2,6–2,8. *Vork.:* Teils prim. in *Pegmatiten, teils sek. in *Seifen. Hauptförderländer sind Brasilien, Madagaskar, Nigeria u. Pakistan. – E aquamarine – F aigue-marine – I aquamarina – S aguamarina

Lit.: Eppler, Praktische Gemmologie (5.), S. 191–204, Stuttgart: Rühle-Diebener 1994 ▪ Lapis 3, Nr. 4, 16f. (1978) ▪ s.a. Beryll. – *[HS 7103 10; CAS 1327-51-1]*

Aquamerck®. Fertigtests für die Wasser-Analytik. *B.:* Merck.

Aquametrie. Von Mitchell u. Smith 1948 eingeführte Bez. für die Meth. zur quant. Bestimmung von *Wasser auf chem. (z.B. durch Titration mit *Karl-Fischer-Reagenz) od. physikal. Wege (z.B. durch Bestimmung der Dielektrizitätskonstante). – E aquametry – F aquamétrie – I acquametria – S acuametría

Lit.: Z. Lebensm. Unters. Forsch. (European Food Science) 43, 42–49 (1992) ▪ Mitchell u. Smith, Aquametry, 2. Aufl., Tl. III, New York: Wiley 1980 ▪ Wieland, Wasserbestimmung durch Karl-Fischer-Titration, Darmstadt: GIT 1985.

AQUAPERM®. Marke von Lehmann & Voss für wasserbasierende, semipermanente Formentrennmittel für die Gummi-, Epoxid-, Phenolharz-, UPE-, PU- u. Thermoplastverarbeitung.

Aquaphor®. Tabl. mit *Xipamid zur Diurese bei Ödemen u. Hypertension. *B.:* Beiersdorf Lilly.

Aquaporine. In pflanzlichen u. tier. Zell-*Membranen vorkommende Gruppe strukturell verwandter *Proteine, die Wasser-selektive Kanäle (Poren) ausbilden. Ionen od. Metaboliten können die A. nicht passieren. *Im einzelnen:* Das A. 1 (*channel-forming integral protein*, CHIP, M_R 28000, aus vier gleichen Untereinheiten bestehend, von denen eine einen großen Kohlenhydrat-Rest trägt u. deren Polypeptid-Ketten wahrscheinlich sechsmal die Membran durchspannen) in den Plasmamembranen von *Erythrocyten u. Epithelzellen der proximalen absteigenden, Tubuli der *Nieren ermöglicht die Rückresorption von Wasser aus dem Primärfiltrat der Nieren-Glomerula. In den Sammelrohren der Niere kommt dagegen das A. 2 (*collecting duct water channel*, CD-WCH) vor, dessen Präsenz in der Membran durch *Vasopressin reguliert wird [1]. Das *Tonoplasten-intrinsische Protein* (TIP) u. das *Plasmamembran-intrinsische Protein* (PIP) in Pflanzenzellen machen deren Vakuolen- bzw. Plasma-Membran durchlässig für den Transpirationsstrom des Wassers u. erlauben den osmot. Ausgleich.

Aufgrund ihrer Aminosäure-Sequenz gehören die A. zur MIP-Familie u. besitzen 6 Membran-durchspannende *Domänen. In der Membran liegen sie tetramer vor. Der Prototyp MIP dieser Familie, das *major intrinsic protein* der Augenlinse, ist jedoch kein Aquaporin. – E aquaporins – F aquaporines – I aquaporine – S acuaporinas

Lit.: [1] Science 264, 92ff. (1994).

allg.: Biochim. Biophys. Acta 1197, 291–309 (1994) ▪ Spektrum Wiss. 1996 Nr. 2, 24ff. ▪ Trends Biochem. Sci. 19, 421–425 (1994).

Aquapred®. Augentropfen mit *Chloramphenicol- u. *Prednisolon-hemisuccinat, Ohrentropfen mit Chloramphenicol, Dexamethason, Naphazolin u. 1,2-Propandiol bei infektiösen Entzündungen. *B.:* Winzer.

AQUAPROX®. Wasser- u. Kühlwasser-Konditionierungsmittel. *B.:* Protex-Extrosa.

Aquaquant®. Fertigtests mit integriertem 10-Stufen-Farbkomparator für die Wasser-Analytik. *B.:* Merck.

Aquarellfarben (Wasserfarben). Bez. für wasserlösl., meist in Form von Tabl. od. in Tuben gehandelte Farbmittel. Die Farbigkeit der A. wird durch anorgan. u. organ. *Pigmente mit Korndurchmessern von ca. 0,2 μm hervorgerufen, die durch Bindemittel wie *Gummi arabicum, *Dextrin, *Gelatine, *Leim, *Tragant od. synthet. Produkte zusammengehalten werden; je nach Beschaffenheit des Untergrunds können zur besseren Haftung noch Netzmittel beigemischt sein. Den Tubenfarben wird zur Feuchterhaltung oft noch etwas *Glycerin beigemischt. Durch Zusatz von Wachsseifen läßt sich die Wasserfestigkeit des Leimes u. der Glanz der Aquarelle erhöhen. Einen Oberflächenschutz für fertige Aquarelle erzielt man mit speziellen *Aquarellbilderlacken*, z.B. auf der Basis von *Sandarak, *Mastix u. Dickterpentin in Ethanol. Stärker deckende, auch auf dunklem Untergrund brauchbare A. sind die *Gouachefarben. – E water colors – *F* couleurs à l'aquarelle – *I* colori all'acquerello – *S* colores acuarelas – *[HS 3213 10–90]*

Aquaretic®. Tabl. mit *Amilorid-Hydrochlorid u. *Hydrochlorothiazid gegen Hypertonie u. Ödeme. *B.:* Azuchemie Dr. med. R. Müller GmbH & Co.

AQUASLIP®. Wäss. Wachsemulsionen für Lacke u. Druckfarben. *B.:* Langer & Co.

Aquasoft®. Hydrophilierende u. weichmachende Textil-Avivagen auf der Basis von kation. Fettsäure-Kondensationsprodukten. *B.:* Henkel.

Aquastop-Roth®. Geräte, die bei Rohrbruch, Abgleiten eines Schlauches usw. automat. Strom- u. Wasserzufuhr stoppen od. nur die Stromzufuhr, z. B. bei Destillationsanlagen, unterbrechen. *B.:* Roth.

Aquatex®. Wäss. Eindeckmittel für die Mikroskopie. *B.:* Merck.

Aquavit (von latein. aqua vitae = Lebenswasser). Vorwiegend mit Kümmel aromatisierter Branntwein, der eiskalt getrunken, bes. in Skandinavien populär ist. – *E* = *F* = *S* aquavit – *I* acquavite

Aquayamycin.

$C_{25}H_{26}O_{10}$, M_R 486,48, orange Nadeln, Schmp. 200–203 °C, $[\alpha]_D^{24}$ +149° (c 1/Dioxan), Isotetracenon-Antibiotikum aus *Streptomyces misawanensis*, das auch Antitumor-Eigenschaften besitzt; es ist das Aglykon von *Vineomycin A$_1$. – *E* aquayamycin – *F* aquayamycine – *I* acquaiamicina – *S* acuaiamicina
Lit.: Beilstein EV 18/5, 715 ▪ Chem. Pharm. Bull. **32**, 4350 (1984) ▪ J. Org. Chem. **58**, 2547–2551 (1993) (Biosynth.). – *[HS 2941 90; CAS 26055-63-0]*

Aquo... Früher statt *Aqua... benutztes Präfix zur Bez. von H_2O als Ligand in Komplexen.

Aquodrei®-Verfahren. Von Messer Griesheim entwickeltes Verf. zur Trinkwasser-Aufbereitung u. Abwasser-Behandlung mit Ozon.

Aquolumineszenz s. Lumineszenz.

Aquotisierung. Verdrängungsreaktion bei Komplexen (s. Koordinationslehre), wobei H_2O ein anderes Mol. als Ligand ersetzt; *Beisp.:*

$[Co(NH_3)_4(H_2O)(NO_3)]^{2+} \xrightarrow[-NO_3^-]{+H_2O} [Co(NH_3)_4(H_2O)_2]^{3+}$

– *E* aquation – *F* aquotisation – *I* acquotizzazione – *S* acuación

Aquo-Trinitrosan®. Infusions- u. Injektionsflüssigkeit mit *Glycerintrinitrat gegen akuten Herzinfarkt u. schwere Angina-pectoris-Anfälle. *B.:* Merck.

Aquoxide. Nach Glemser[1] gehören zu den A. alle anorgan. Verb., die sich experimentell od. formal aus Oxid u. Wasser ableiten lassen. Man unterscheidet bei den A. wegen der Verschiedenartigkeit der Bindung des Wassers folgende 4 Hauptgruppen: Echte *Hydroxide* sind A., die OH-Gruppen enthalten [*Beisp.:* $Al_2O_3 + 3H_2O \rightarrow 2Al(OH)_3$]. – *Oxidhydrate*, bei denen das Wasser als H_2O-Mol. an das Oxid gebunden ist, hat man bis jetzt nur in festem Zustand gefunden (*Beisp.:* $WO_3 + H_2O \rightarrow WO_3 \cdot H_2O$). – *Oxonium-Salze* enthalten das Wasser in Form von H_3O^+-Gruppen (*Beisp.:* $Cl_2O_7 + 3H_2O \rightarrow 2H_3O^+ClO_4^-$). – *Oxidaquate* sind feste A. aus Oxid u. H_2O, die nicht-stöchiometr. Mengen an H_2O in beweglicher Form als Adsorptions-Kapillarwasser enthalten (*Beisp.:* $SnO_2 + xH_2O \rightarrow SnO_2 \cdot aq$). Zwischen den einzelnen Gruppen sind pH- u. Temp.-abhängige Übergänge möglich. – *E* = *F* aquoxides – *I* acquossidi – *S* acuóxidos
Lit.: [1] Angew. Chem. **73**, 785–805 (1961).
allg.: Fortschr. Chem. Forsch. **2**, 273–310 (1951) ▪ Schwarzmann, Hydroxide, Oxidhydrate u. Oxide, Darmstadt: Steinkopff 1976.

ar-. Kursiv gesetztes, für *Alkylbenzole, *...phenone, partiell hydrierte *polycyclische aromatische Kohlenwasserstoffe, *Aniline u. a. Verb. übliche Stellungsbez. bei unbestimmter Substitution am aromat. Teil; Gegensätze: *aliph-* (aliphat.), *ac-* (alicycl.), *N-* (Amino-Gruppe). *Beisp.:* *ar*-Nitrotoluol, *ar*-Chlortralin, *ar*-Methylanilin. – *F* Ar... – *S* ar-

Ar. 1. Chem. Symbol für *Argon. – 2. Gebräuchliche Abkürzung für *Aryl... auch in Strukturformeln.

AR. Kurzz. für Ardein, s. Erdnüsse.

ARA-A s. Adeninarabinosid.

Arabinit s. Arabit.

arabino-. Kursiv gesetzte Bez. für *Arabinose-artige *Konfiguration von 3 Stereozentren, s. Schema bei Aldopentosen u. Kohlenhydrate. – *E* = *F* = *I* = *S* arabino-

Arabinofuranosylpurinamin s. Adeninarabinosid.

Arabinogalaktan. $[(C_6H_8O_4)(C_6H_{10}O_5)_6]_x$, M_R 72000–92000. *Polysaccharide aus L-Arabinose u. D-Galactose. Man unterscheidet die Pektin-A. (Typ I) u. die stark verzweigten Arabinosyl-3,6-D-galactane (Typ II). Typ II ist gut wasserlösl. u. kommt in Rinden, Blättern, Stämmen u. Früchten vor. Ein bekanntes A. von Typ II ist der *Lärchengummi*, dessen wäss. Lsg. ausgeprägte oberflächenaktive Eigenschaften hat, weshalb es als Emulgator, Stabilisator, Fixier- u. Bindemittel sowie als Zuckersatz in der Lebensmittel- u. Aromen-Ind. dient. – *E* arabinogalactan – *F* arabinogalactane – *I* arabinogalattano – *S* arabinogalactano
Lit.: Aspinal, The Polysaccharides, Bd. 2, S. 130, New York: Academic Press 1993. – *[HS 1301 90; CAS 9036-66-2]*

Arabinonucleoside (Arabinoside). Nucleoside, die anstelle der D-*Ribose der *Ribonucleoside die isomere D-*Arabinose enthalten. A. wie *Adeninarabinosid (Vidarabin) u. *Cytosinarabinosid (Cytarabin) sind *Antimetaboliten, *Virostatika u. *Cytostatika. Uracil- u. Thymin-A. kommen jedoch in einigen Schwämmen natürlich vor. – *E* arabinonucleosides – *F* arabinonucléosides – *I* arabinonucleosidi – *S* arabinonucleósidos – *[HS 2934 90]*

Arabinose (β-L-Arabinose).

Arabinoxylane

$C_5H_{10}O_5$, M_R 150,13. Süß schmeckende rhomb. Prismen, Schmp. 158–160 °C, in Wasser sehr leicht, in Alkohol od. Ether fast nicht lösl.; $[\alpha]_D^{20}$ –190° (c 2/H_2O); ihre wäss. Lsg. zeigen *Mutarotation. A. reduziert Fehlingsche Lösung.
Vork.: β-L. A.: Als β-L-Arabinofuranose Baustein vieler Polysaccharide (*Hemicellulosen); β-D-A.: als β-D-Arabinopyranose in bakteriellen Polysacchariden. – *E* = *F* arabinose – *I* arabinosi – *S* arabinosa
Lit.: Beilstein E IV **1**, 4215f. ■ Karrer, Nr. 583, 584 ■ J. Chromatogr. **132**, 172 ff. (1977). – [HS 2940 00; CAS 28697-53-2 (D(–)); 87-72-9 (L(+))]

Arabinoxylane s. Polyosen.

Arabit (Arabinit, fälschlich auch Lyxit).

$$\begin{array}{c} CH_2-OH \\ HO-C-H \\ H-C-OH \\ H-C-OH \\ CH_2-OH \end{array}$$

$C_5H_{12}O_5$, M_R 152,15. Wasserlösl., süß schmeckende Prismen, Schmp. 103 °C (D-Form) bzw. warzenartige Krist., Schmp. 102 °C (L-Form): D-A. ist in Flechten u. Pilzen häufig anzutreffen. Fehlingsche Lsg. wird nur von der D-Form reduziert. – *E* arabinit, arabitol – *F* arabite, arabitol – *I* arabitolo – *S* arabita, arabitol
Lit.: Beilstein E IV **1**, 2832 ■ Karrer, Nr. 147. – [CAS 488-82-4 (D(+)); 7643-75-6 (L(–))]

arabo- s. arabino-.

Arachidonsäure (5,8,11,14-Eicosatetraensäure).

$C_{20}H_{32}O_2$, M_R 304,47. Vierfach ungesätt. Fettsäure, in Leber, Hirn, tier. Fetten, Drüsen u. dgl. vorkommend, Flüssigkeit, n_D^{20} 1,4825, Sdp. 169–171 °C (20 Pa). A. wird zusammen mit Linolsäure u. Linolensäure zu den *essentiellen *Fettsäuren (früher *Vitamin F) gerechnet. Die enzymat. Oxid. der A. führt zu einer Vielzahl biochem. bedeutender Verb. wie den *Prostaglandinen, *Thromboxanen, *Prostacyclinen, *Leukotrienen u. *Lipoxinen, die unter der Bezeichnung *Eicosanoide zusammengefaßt werden. Man spricht in diesem Zusammenhang auch von der *A.-Kaskade*, um den vielfältig verzweigten A.-Metabolismus zu beschreiben[1]. A. wird aus *Phospholipiden infolge von Zellmembranschädigungen jeglicher Art freigesetzt. Abhängig von der Gewebeart wird sie dann von verschiedenen Enzymen metabolisiert. Z. B. bildet sich in den Blutplättchen Thromboxan A_2 u. in den Gefäßendothelien Prostacyclin, welche ein weitgehend entgegengesetztes Wirkungsspektrum haben. Es bilden sich Gruppen von Abkömmlingen: Die *Prostaglandine* einschließlich des Prostacyclins u. des Thromboxans durch Cyclooxigenasen, die *Leukotriene* u. offenkettigen Hydroxy- u. Hydroperoxysäuren durch Lipoxygenasen u. die *Lipoxine* durch Epoxigenasen. In ähnlicher Weise wie bei der A. läuft auch der Stoffwechsel der 5,8,11,14,17-Eicosapentaensäure ab, die vorwiegend in Meereswirbeltieren gefunden wird. – *E* arachidonic acid – *F* acide arachidonique – *I* acido arachidonico – *S* ácido araquídico
Lit.: [1] Chem. Eng. News **1982**, Nr. 8, 30 f.
allg.: Beilstein E IV **2**, 1802 ■ Dunn et al. (Hrsg.), Arachidonic Acid Metabolism, Auckland (New Zealand): Adis Press Ltd. 1987 ■ Fischer et al., Arachidonic Acid Metabolism and Tumor Promotion, Boston: Nijhoff 1985 ■ Lands, Biochemistry of Arachidonic Acid Metabolism, Boston: Nijhoff 1985 ■ Marnett, Arachidonic Acid Metabolism and Tumor Initiation, Boston: Nijhoff 1985. – *Reviews:* Ann. Rep. Prog. Chem., Sect. B **83**, 331 (1987) ■ Med. Sci. Res. **15**, 1485 (1987). – [HS 2916 19; CAS 506-32-1]

Arachin. Protein aus Erdnüssen, M_R 170 000 (monomer), 330 000 (dimer). A. bildet zwei Fraktionen A. A u. A. B; es findet Verw. in der experimentellen Biochemie zur Untersuchung der *Aflatoxin-Wirkung. A. wird mit allerg. Reaktionen auf Erdnüsse in Verbindung gebracht[1]. – *E* arachin – *I* arachina
Lit.: [1] Chem. Ind. (London) **1995**, 299 ff.
allg.: Biochem. Int. **11**, 477 (1985).

Arachinsäure (Eicosansäure). $H_3C-(CH_2)_{18}-COOH$, $C_{20}H_{40}O_2$, M_R 312,54. Fettglänzende Blättchen, in Wasser unlösl., in weiten organ. Lsm. lösl., D^{100} 0,824, Schmp. 75 °C, Sdp. 328 °C. Die A. gehört zu den höheren *Fettsäuren, sie kommt mit Glycerin verestert in geringen Mengen in Fetten vor, z. B. in Erdnußöl, *Kakaobutter, Olivenöl u. *Rapsöl. – *E* arach(id)ic acid – *F* acide arachidique – *I* acido arachinico
Lit.: Beilstein E IV **2**, 1275 ■ Karrer, Nr. 707. – [HS 2915 90; CAS 506-30-9]

Arachne. Bez. für *Textilverbundstoffe, bei denen mit einem speziellen Herst.-Verf. tschech. Herkunft Faservliese (s. Vliesstoffe) in Gewebe od. Gewirke kontinuierlich eingearbeitet werden. – *E* = *S* arachne – *F* arachné – *I* aracne
Lit.: Lenzinger Ber. **43**, 55–64, 122–129 (1977) ■ Kirk-Othmer (3.) **16**, 120 ■ Ullmann (4.) **12**, 35.

arachno-. Von griech.: arachne = Spinne, Spinnennetz abgeleitetes, kursiv gesetztes Präfix, das nach IUPAC-Regel I-11.3 *Borane u. *Carborane mit offener Netzstruktur kennzeichnet (B_nH_{n+6} u. ä.). – *E* = *F* arachno- *I* = *S* aracno-

Aräometer (von griech.: araios = dünn u. metrein = messen). Die auch als *Senkwaagen, Densimeter* od. *Spindeln* bezeichneten A. sind mit Gewichtsskalen versehene Glasröhren, die unten eine mit Blei-Schrot gefüllte Erweiterung haben, damit sich das Instrument beim Eintauchen in Flüssigkeit senkrecht stellt, s. Abbildung. Die A. dienen zur Feststellung des spezif. Gew. (D.) von Flüssigkeiten; je tiefer sie in diesen einsinken, um so geringer ist deren D., deshalb steigen die Zahlen auf der Skale von oben nach unten. Da bei den meisten Lsg. die D. mit der Konz. steigt (bei Ammoniak-Lsg. z. B. ist es umgekehrt), ist die Einsinktiefe des A. bei echten Lsg. umgekehrt proportional der Konzentration. Die *DIN-Spindel* gibt auf der Skale direkt das spezif. Gew. an.
Bei der früher sehr verbreiteten *Baumé-Spindel* war der 0-Strich an der Höhe, bis zu der die Spindel in reinem Wasser einsank, der 10-Strich an der Stelle, bis zu der sie in 10%ige Kochsalz-Lsg. tauchte. Die Baumé-Skale zeigt 67 Grade; der 67. Grad entspricht dem spezif. Gew. 1,867. Hat man bei einer Flüssigkeit

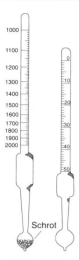

Abb.: Aufbau eines Aräometers.

n *Baumé-Grade gemessen, so errechnet sich das spezif. Gew. nach der Formel D. = 144,3/144,3 − n. Analog gibt es für andere, heute oft nur noch histor. Interesse beanspruchende A. Umrechnungsformeln zwischen Dichte u. n der jeweiligen Grade: *Balling-A.*: D. = 200/200 − n; *Barkometer*: D. = 1 + n/1000; *Beck-A.*: D. = 170/170 − n; *Brix-A.*: D. = 400/400 − n; *Cartier-A.*: D. = 136,8/126,1 − n; *Gay-Lussac-Volumeter*: D. = 100/n; *Stoppani-A.*: D. = 166/166 − n; *Twaddell-A.*: D. = 1 + n/200. Die obigen Formeln gelten − außer im Falle des Volumeters von Gay-Lussac − nur für Lsg., die schwerer sind als Wasser; bei Anw. auf Flüssigkeiten von niedrigerer D. als Wasser ist in den Formeln lediglich das Vorzeichen von n umzukehren (also stets +n statt −n). Die Verw. eines A. ist in der Regel an den Gebrauch einer Tab. gebunden, die für die betreffende Lsg. die Wertepaare D./Konz. enthält. Umrechnungstab. findet man z.B. in *Lit.*[1] u.a. *Tabellenwerken. Es gibt auch Spezial-A., bei denen direkt die jeweiligen Konz. aufgezeichnet sind, z.B. *Saccharometer* für Zucker-Lsg., die an der Skale den Zucker-Gehalt angeben (s. Oechsle Grad), *Alkoholometer*, an denen man den Alkohol-Gehalt unmittelbar in Vol.-% (od. Tralles-Graden) ablesen kann, *Milcharäometer* (*Galaktometer*), die über den Fett- od. Wasser-Gehalt Aufschluß geben, A. für Akkumulatorensäure, an denen man den Ladezustand einer Blei-Batterie direkt ablesen kann usw. Maßgebend für Konstruktion u. Eichung der A. sind eine Reihe von DIN-Normen, die im DIN-Katalog (Berlin: Beuth) unter der Sachgruppe 39 aufgeführt sind. − *E* hydrometer, areometer − *F* aréomètre − *I* areometro − *S* areómetro
Lit.: [1] Handbook **56**, F-3.
allg.: Kirk-Othmer **6**, 758f., 770 ■ Ullmann **2/1**, 745.

Aragonit. $CaCO_3$; farbloses, weißes, gelbliches, graues, bräunliches od. rötliches Mineral, H. 3,5−4, D. 2,95 (größer als bei *Calcit), rhomb. Modif. des *Calciumcarbonats; Krist.-Klasse mmm-D$_{2h}$. Ca ist von 9 Sauerstoff-Atomen als nächsten Nachbarn umgeben; zur Struktur von A. s. *Lit.*[1]. Bei höheren Drücken ist A. wegen seiner höheren D. die stabile Modif. des $CaCO_3$; zur A./Calcit-Umwandlung s. Reeder (*Lit.*) u. Matthes (*Lit.*). A. bildet glasglänzende, prismat. bis nadelige Krist. mit oft spitzen Enden, nadelig-strahlige Krist.-Gruppen u. Zwillinge od. pseudohexagonale Drillinge (z.B. in Gips u. Tonen in Marokko u. Aragonien/Spanien, Name!); auch derb in stengeligen, strahligen, faserigen, krustenartigen, erbsenartig kugeligen („*Pisolith*") Aggregaten od. stalaktit. od. korallenartig. Bruch muschelig mit Fettglanz; lösl. in Salzsäure unter Aufbrausen.
Vork.: In Hohlräumen vulkan. Gesteine, Maroldsweisach/Bayern; als Sinterabsatz (*Kalke) heißer Quellen in Mexiko, Böhmen („*Sprudelstein*") u. „*Erbsenstein*" von Karlsbad); korallenartig als „*Eisenblüte*" in Eisenerz/Steiermark u. Mexiko. Biogen gebildet als Bestandteil der *Perlen sowie der Schalen u. Skelette von Muscheln, Schnecken, Ammoniten, Korallen, Schwämmen u. Algen, z.T. zusammen mit Calcit.
Verw.: A. aus Quellsintern wird unter irreführenden Bez. wie „*Onyxmarmor*", „*Mexikan. Onyx*" zu Schalen u.a. kunstgewerblichen Gegenständen verschliffen. − *E* = *F* = *I* aragonite − *S* aragonita
Lit.: [1] Tschermaks Mineral. Petrogr. Mitt. **35**, 127−131 (1986).
allg.: Deer et al., S. 653ff. ■ Eur. J. Mineral. **4**, 389−393 (1992) ■ Matthes, Mineralogie (4.), S. 82ff., Berlin: Springer 1993 ■ Phys. Chem. Miner. **20**, 1−18 (1993) ■ Reeder (Hrsg.), Carbonates (Reviews in Mineralogy, Vol. 11), S. 145−225, Washington (D.C.): Mineralogical Society of America 1983 ■ Schröcke-Weiner, Mineralogie, S. 533−537, Berlin: de Gruyter 1981. − [HS 2530 90; CAS 14791-73-2]

Araldit®. Marke von Ciba-Geigy für *Epoxidharze. Gieß- u. Imprägnierharze in der Elektrotechnik, Harze für den Oberflächenschutz u. Elektronik, Laminierharze, Preßmassen, Klebstoffe sowie Modell- u. Werkzeugharze. *B.*: Ciba-Geigy.

Aralkyl... Aus *Aryl... u. *Alkyl... gebildete Gruppenbez. für durch Aryl-Gruppen substituierte Alkyl-Reste, z.B. H_5C_6−CH_2−CH_2− (Phenylethyl-); vgl. dagegen Alkylaryl... − *E* = *F* aralkyl... − *I* aralchil... − *S* aralquil...
Lit.: Houben-Weyl **5/1a**, 404−690.

Aramide. Bez. für *Polyamide aus aromat. Diaminen u. aromat. Dicarbonsäuren, die neben Amid- auch Imid-Gruppen enthalten können (DIN 60001, Tl. 3, Entwurf 04/1987). A. zeichnen sich durch hohe therm. u. chem. Beständigkeit, Festigkeit u. Elastizität sowie durch gute Flammfestigkeit u. Formstabilität aus. Sie eignen sich daher zur Herst. von Präzisionsformteilen wie Lagern, Dichtungen, Zahnräder u.ä. sowie von techn. Fasern, die z.B. zur *Faserverstärkung von Reifen, Transportbändern, Treibriemen, Hochdruckschläuchen usw. bzw. zur Fertigung temperaturbeanspruchter Textilien od. techn. Gewebe geeignet sind. − *E* = *F* aramides − *I* arammidi − *S* aramidas
Lit.: Elias **2**, 213 ■ Encycl. Polym. Sci. Eng. **11**, 381−409 ■ Encycl. Polym. Sci. Technol. **52**, 84−112 ■ Houben-Weyl **E 20**, 1527−1534.

Aramina s. Urena.

Araroba s. Chrysarobin.

Arasorb®. Absorptionsmittel der Arakawa Chemical Industries, Ltd., Japan. *B.*: Nordmann, Rassmann GmbH & Co.

Arbeitsbereich. Unter A. versteht man den räumlichen Bereich an einem Arbeitsmittel od. einer betrieblichen Einrichtung, der von den Beschäftigten von den Arbeitsplätzen aus erreicht werden kann. Gefahrenstellen in A. müssen durch sicherheitsgerechte Gestaltung der Arbeitsmittel od. der Einrichtung, durch Begrenzung der wirksamen Energie od. durch andere Schutzmaßnahmen vermieden werden.
Nach § 24 Arbeitsstätten-VO muß für jeden Arbeitnehmer an seinem Arbeitsplatz mind. eine freie Bewegungsfläche von 1,5 m² zur Verfügung stehen. Die freie Bewegungsfläche soll an keiner Stelle weniger als 1,00 m breit sein. – *E* work area
Lit.: DIN 31001 Tl. 1 (04/1983) ▪ UVV „Allg. Vorschriften" (VBG 1) in der Fassung vom 1.4.1992 ▪ UVV „Kraftbetriebene Arbeitsmittel" (VBG 5) in der Fassung vom 1.1.1993 (Bezugsquelle für Unfallverhütungsvorschriften: Carl Heymanns Verl. Köln, Jedermann-Verl. Heidelberg) ▪ VO über Arbeitsstätten (ArbStättV) vom 20.3.1975 (BGBl. I, S. 729) zuletzt geändert durch VO vom 1.8.1983 (BGBl. I, S. 1057).

Arbeitsbereichsanalyse. Ist das Auftreten eines od. verschiedener gefährlicher Stoffe in der Luft am Arbeitsplatz nicht sicher auszuschließen, so ist zu ermitteln, ob die *MAK, die *TRK od. der *BAT unterschritten od. die Auslöseschwelle überschritten sind. Dazu ist die TRGS 402 „Ermittlung u. Beurteilung der Konz. gefährlicher Stoffe in der Luft in Arbeitsbereichen" heranzuziehen. Die A. steht im Mittelpunkt der TRGS 402. Hierbei wird geprüft, ob in den Arbeitsbereichen die zulässigen Grenzwerte eingehalten od. nicht eingehalten sind; ggf. wird die Einhaltung mit Hilfe von Maßnahmen zur Konzentrationssenkung herbeigeführt. Die A. erfolgt in folgenden Arbeitsschritten:
1. Schritt: Auflistung der eingesetzten u./od. entstehenden Gefahrstoffe, mit denen im Betrieb Umgang besteht, mit den zulässigen Grenzwerten; – 2. Schritt: Ermittlung aller Daten über die betrieblichen Verhältnisse (z.B. Arbeitsprozeß, Arbeitsschritte, techn. Schutzmaßnahmen) zur Beurteilung der Expositionssituation; – 3. Schritt: Festlegung der Meßpunkte, der Meßmethodik u. der Zahl der Messungen sowie die Durchführung der Messungen; – 4. Schritt: Ermittlung des Befundes durch Beurteilung der Messungen, Dokumentation des Ergebnisses u. evtl. Veranlassung von Maßnahmen zur Konzentrationsabsenkung bei Nichteinhaltung des Grenzwertes sowie Festlegung des Kontrollmeßplanes. – *E* occupational exposure analysis
Lit.: TRGS 402 „Ermittlung u. Beurteilung der Konzentrationen gefährlicher Stoffe in der Luft in Arbeitsbereichen" (BArbBl. 11/1986, S. 92; geänderte Fassung BArbBl. 10/1988, S. 40).

Arbeitsgemeinschaft... s. ADUC (Lehrstuhlinhaber), AGF (Großforschungseinrichtungen), AIF (Industrielle Forschungsvereinigungen), AKI (Kunststoffind.).

Arbeitskreis lebensmittelchemischer Sachverständiger (Abk. ALS). Der Arbeitskreis der Länder u. des *Bundesgesundheitsamt ist eine Einrichtung der Bundesgesundheitsministerkonferenz, er koordiniert im Rahmen der amtlichen Lebensmittelüberwachung lebensmittelchem., -technolog. u. warenkundliche Fragestellungen bei *Lebensmitteln, *Zusatzstoffen, *Kosmetika u. *Bedarfsgegenständen aus lebensmittelchem. Sicht; Veröffentlichung von Stellungnahmen des ALS im Bundesgesundheitsblatt.

Arbeitsmedizin. A. ist die Lehre von den Wechselbeziehungen zwischen Arbeit u. Beruf einerseits, sowie dem Menschen, seiner Gesundheit u. seinen Krankheiten andererseits. Sie beruht auf dem Studium der phys. u. psych. Reaktionen des Menschen auf Arbeit u. Arbeitsumwelt. Diese Reaktionen werden mit modernen Meth. objektiviert u. qualifiziert. Aufgabe der A. ist es, das Verhältnis zwischen Mensch u. Arbeit zu harmonisieren. Durch Vorsorge u. hygien. Maßnahmen wird versucht, Schäden am Leben u. Gesundheit zu verhüten. Aufgetretenen gesundheitlichen Störungen aller Art soll durch den Einsatz moderner Früh- u. Feindiagnostik u. umfassender Therapie in Praxis u. Klinik entgegengewirkt werden. Das trifft auch speziell für die Erkennung u. Behandlung der bisher anerkannten *Berufskrankheiten am Arbeitsplatz zu. Dem Geschädigten soll die Wiederanpassung durch Rehabilitation an seine Arbeitsumwelt erleichtert werden. Wo dies nicht möglich ist, soll durch eine objektive u. sachkundige Wertung u. fachgerechte Begutachtung eine optimale Entschädigung erwirkt werden.
Ziel der A. ist es: 1. das körperliche, geistige u. soziale Wohlbefinden der Arbeitnehmer in allen Berufen im größtmöglichen Ausmaß zu fördern u. aufrechtzuerhalten, – 2. zu verhindern, daß die Arbeitnehmer infolge ihrer Arbeitsbedingungen in irgendeiner Weise an ihrer Gesundheit Schaden nehmen, – 3. sie bei ihrer Arbeit gegen die Gefahren zu schützen, die sich durch das Vorhandensein gesundheitsschädlicher Stoffe ergeben können, – 4. den einzelnen Arbeitnehmer einer Beschäftigung zuzuführen, die seiner physiolog. u. psycholog. Eignung entspricht, u. ihm diese Beschäftigung zu erhalten.
Wichtige ergänzende Teil- od. Sondergebiete der A. sind *Arbeitsphysiologie, Arbeitspathologie* sowie *Arbeitstoxikologie, Arbeitshygiene* u. *Arbeitspsychologie*. Das Aufgabengebiet der A. hat zusätzlich mancherlei Berührungspunkte zu vielen Nachbardisziplinen, die sich – aus differenten Ausgangspositionen u. mit anderen Meth. – ebenfalls der Erhaltung od. Wiederherst. der Gesundheit arbeitender Menschen widmen. Das gilt für die *Arbeitswissenschaft* (Ergonomie) ebenso wie für den *techn. Arbeitsschutz*. Es trifft auch für die Sozialmedizin, Sozialhygiene u. für die soziolog. Medizin zu. – *E* occupational medicine – *F* médicine du travail – *I* medicina del lavoro – *S* medicina del trabajo
Lit.: Arbeitsmedizin Aktuell, Stuttgart: Fischer 1988.

Arbeitsmedizinischer Dienst. Nach dem Arbeitssicherheitsgesetz kann der Unternehmer die arbeitsmedizin. Versorgung seines Betriebes außer durch Bestellung eines Betriebsarztes auch sicherstellen, indem er einen überbetrieblichen a.D. (BAD) beauftragt. Zahlreiche Berufsgenossenschaften haben den BAD 1975 eingerichtet, um die arbeitsmedizin. Betreuung von Klein- u. mittelständ. Betrieben sicherzustellen. Die Mitglieder der Berufsgenossenschaften können

die Leistungen des BAD in Anspruch nehmen. Über 170 arbeitsmedizin. Zentren sorgen bundesweit für die betriebsärztliche Versorgung der Arbeitnehmer. – *E* services of industrial medicine
Lit.: Arbeitssicherheitsgesetz vom 12.12.1973 (BGBl. I, S. 1885), geändert durch Jugendarbeitsschutzgesetz vom 12.4.1976 (BGBl. I, S. 965).

Arbeitsmedizinische Vorsorgeuntersuchungen. Trotz techn., organisator. u. persönlicher Maßnahmen kann nicht in allen Fällen mit letzter Sicherheit ausgeschlossen werden, daß Gesundheitsschädigungen durch biolog., chem. od. physikal. Arbeitsstoffe verursacht werden können. Durch a. V. sollen eventuelle gesundheitliche Auswirkungen rechtzeitig erkannt u. Folgeschäden, z.B. in Form von Berufskrankheiten, vermieden werden. Eine Hilfestellung bei der Beantwortung der Frage, ob arbeitsmedizin. Untersuchungen erforderlich sind, geben die Auswahlkriterien für spezielle arbeitsmedizin. Vorsorge (ZH 1/600). Die a. V. bestehen aus – Erstuntersuchungen vor Aufnahme der gefährdenden Tätigkeit; – Nachuntersuchungen während der gefährdenden Tätigkeit in bestimmten Fristen u. – nachgehenden Untersuchungen nach Aufgabe der gefährdenden Tätigkeit im Fall des Umgangs mit krebserzeugenden Stoffen.
Die Untersuchungen sind von einem durch den jeweils zuständigen Landesverband ermächtigten Arzt unter Beachtung der Berufsgenossenschaftlichen Grundsätze für a. V. durchzuführen. – *E* industrial medical provisional examinations
Lit.: Arbeitssicherheitsgesetz vom 12.12.1973 (BGBl. I, S. 1885), geändert durch Jugendarbeitsschutzgesetz vom 12.4.1976 (BGBl. I, S. 965); § 708 Abs. 1 Nr. 3 der Reichsversicherungsordnung (RVO) vom 15.12.1924 (RGBl., S. 779), zuletzt geändert durch Gesetz vom 27.1.1987 (BGBl. I, S. 481) ▪ Berufsgenossenschaftliche Grundsätze für arbeitsmedizinische Vorsorgeuntersuchungen (Bezugsquelle: Gentner Verl. Stuttgart) ▪ UVV „Arbeitsmedizinische Vorsorge" (VBG 100) in der Fassung vom 1.10.93 ▪ UVV „Betriebsärzte" (VBG 123) in der Fassung vom 1.1.1996 ▪ UVV „Betriebsärzte, Sicherheitsingenieure u. andere Fachkräfte für Arbeitssicherheit" (VBG 122) in der Fassung vom 1.10.1994 (Bezugsquelle für Unfallverhütungsvorschriften: Carl Heymanns Verl. Köln, Jedermann-Verl. Heidelberg).

Arbeitsplatzgefährdungsanalyse. Ziel der A. ist das Aufdecken der im Betrieb vorhandenen Gefahren u. das Feststellen der zu Gefährdungen führenden Sicherheitsmängel entweder durch Arbeitsplatzbesichtigung u. Arbeitsablaufuntersuchungen od. durch Analyse des Unfallgeschehens. – *E* analysis of hazards at workplace

Arbeitsplatzkonzentration s. BAT, MAK, MIK u. TRK.

Arbeitsplatzrichtwerte. Zur konkreten Umsetzung der Vorschriften des 3. Abschnitts der Gefahrstoff-VO über Schutzmaßnahmen beim Umgang mit Gefahrstoffen in die Praxis sind eindeutige Beurteilungsmaßstäbe nötig. Sie ergeben sich aus Grenzwerten, wie sie z.B. die Senatskommission zur Prüfung gesundheitsschädlicher Arbeitsstoffe der Dtsch. Forschungsgemeinschaft erstellt. Für ca. 500 gefährliche Stoffe liegen Grenzwerte vor. In der Praxis wird jedoch eine viel größere Zahl von Gefahrstoffen gehandhabt, für die keine Grenzwertempfehlungen vorliegen. Um diesen Mangel zu beheben, hat der Bundesminister für Arbeit u. Sozialordnung den Ausschuß für Gefahrstoffe (AGS) mit der Entwicklung eines Konzepts zur Aufstellung vorläufiger A. (ARW) beauftragt. Das Ziel besteht darin, möglichst schnell für viele Stoffe A. zu setzen, um mit dieser pragmat. Vorgehensweise bald eine Verbesserung des stofflichen Arbeitsschutzes zu erreichen. Die vorläufigen A. besitzen die gleiche Rechtsverbindlichkeit wie die MAK-Werte der TRGS 900. – *E* occupational exposure guide value
Lit.: Bundesarbeitsblatt **1991**, Nr. 3, 69.

Arbeitsschutz. Unter A. versteht man alle Maßnahmen zum Schutz der Mitarbeiter vor berufsbedingten Gefahren u. schädigenden Belastungen (Über- u. Unterforderung). Hierzu zählen sowohl plötzlich eintretende Ereignisse (Unfälle) als auch dauerhafte Belastungen der Mitarbeiter gegenüber schädlichen chem. u. physikal. Einwirkungen (z.B. Lärm). A. ist ein Teil der *Arbeitssicherheit. Maßnahmen des A. sind:
– Unfalluntersuchungen (-analyse u. Ermittlung von Maßnahmen zur zukünftigen Unfallverhütung)
– Bewertung von Arbeitsplätzen hinsichtlich Gefährdungen durch *Gefahrstoffe (Arbeitsbereichsüberwachung) u. physikal. Einwirkungen
– Untersuchung der Arbeitsabläufe
– Gestaltung des Arbeitsplatzes
– verfahrens- u. sicherheitstechn. Überprüfungen
– Aus- u. Weiterbildung auf dem Gebiet der Sicherheit u. des Gesundheitsschutzes
– Sicherstellung der arbeitsmedizin. Vorsorge
– Entwicklung u. Durchführung von Motivationskonzepten.
– *E* safety provisions for workers – *F* protection du travail – *I* protezione del lavoro – *S* protección contra accidentes del trabajo
Lit.: s. Arbeitssicherheit.

Arbeitsschutzgesetz. Hauptgründe für die geplante Neustrukturierung des bestehenden Arbeitsschutzrechts sind 1. das Fehlen übergreifender, für alle Tätigkeitsbereiche (z.B. gewerbliche Wirtschaft, Bergbau, öffentlicher Dienst) u. Beschäftigungsgruppen (Arbeitnehmer in der Privatwirtschaft u. im öffentlichen Dienst) geltender gesetzlicher Bestimmungen zum betrieblichen Arbeitsschutz; – 2. eine Vereinheitlichung u. bessere Überschaubarkeit des Arbeitsschutzrechts u. – 3. die Umsetzung von EG-Richtlinien in dtsch. Recht.
Zur Zeit (Mai 1996) liegt ein Entwurf eines „Gesetzes zur Umsetzung der EG-Rahmenrichtlinie zum Arbeitsschutz u. weiterer EG-Arbeitsschutz-Richtlinien" der Bundesregierung vor. Mit diesem Gesetz sollen 1. die EG-Rahmenrichtlinie 89/391/EWG des Rates über Maßnahmen zur Verbesserung der Sicherheit u. des Gesundheitsschutzes der Arbeitnehmer bei der Arbeit u. – 2. die EG-Richtlinie 91/383/EWG des Rates zur Ergänzung der Maßnahmen zur Verbesserung der Sicherheit u. des Gesundheitsschutzes von Arbeitnehmern mit befristetem Arbeitsverhältnis od. Leiharbeitsverhältnis sowie weitere Richtlinien, die spezielle Sachgebiete des Arbeitsschutzes regeln, in dtsch. Recht umgesetzt werden.
Die Umsetzung erfolgt durch ein Artikelgesetz. Artikel 1 übernimmt inhaltsgleich die Regelungen der Rahmenrichtlinie in ein neues Arbeitsschutzgesetz. Die weiteren Artikel enthalten die zur Anpassung an das EG-Recht notwendigen Änderungen des Arbeits-

Arbeitssicherheit

sicherheitsgesetzes, des Betriebsverfassungsgesetzes u. des Arbeitnehmerüberlassungsgesetzes. Das Gesetz enthält Ermächtigungen für die Umsetzung der Einzelrichtlinien durch Rechtsverordnungen der Bundesregierung.
Als Alternative zum Gesetzentwurf der Bundesregierung fordert der Bundesrat ein Arbeitsschutzgesetzbuch, in dem alle Arbeitsschutzvorschriften zusammengefaßt sind.

Arbeitssicherheit. A. ist ein anzustrebender gefahrenfreier Zustand bei der Berufsausübung u. damit das Ziel aller Bemühungen des *Arbeitsschutzes.
Teilziele der A. sind z. B.:
– die Stärkung des Gefahrenbewußtseins der Beschäftigten
– die Stärkung des Sicherheitsbewußtseins der Beschäftigten
– die Eignung der Beschäftigten für sicherheitsgerechtes Verhalten
– die sicherheitsgerechte Gestaltung der persönlichen Umwelt z. B. durch entsprechende Organisation
– die Funktions- u. Gestaltungssicherheit der Gegenstände
– die Vermeidung schädigender Einflüsse von Gegenständen auf die Umwelt des Betriebes (z. B. Schadstoffemissionen)
– die Verringerung der Unfallfolgen
In Kleinbetrieben ist der Unternehmer für die A. zuständig u. verantwortlich. In größeren Unternehmen wird er von Fachkräften für A. unterstützt u. beraten. Die Fachkraft für A. ist der Unternehmensleitung direkt zu unterstellen. Werden mehrere Fachkräfte für A. bestellt, so ist es zweckmäßig, eine leitende Fachkraft für A. zu benennen. Die Aufgaben der Fachkräfte für A. sind in § 6 des Arbeitssicherheitsgesetzes festgelegt.
Aufgrund ihrer komplexen Natur tangiert A. viele Fachgebiete. Sie befaßt sich sowohl mit techn. als auch mit psycholog., medizin., soziolog., volks- u. betriebswirtschaftlichen, chem. u. physikal. Fragestellungen.
Die Verantwortung für die A. beinhaltet die Verpflichtung, alle zum Schutz der Beschäftigten erforderlichen Maßnahmen durchzuführen. Sie sind in einer Vielzahl von Vorschriften u. Regelwerken unterschiedlicher Rechtsqualität zusammengestellt. – *E* occupational safety – *F* sécurité du travail – *I* sicurezza del lavoro – *S* seguridad en el trabajo

Lit.: Arbeitsschutzrecht (Auswahl): Arbeitsschutzsicherheitsgesetz vom 12.12.1973 (BGBl. I S. 1885), zuletzt geändert durch Gesetz vom 18.2.1986 (BGBl. I S. 265) ▪ Arbeitsstätten-VO vom 20.3.1975 (BGBl. I S. 729), zuletzt geändert am 1.8.1983 (BGBl. I S. 1057) ▪ Arbeitsstättenrichtlinien (Bekanntmachungen des BMA, veröffentlicht im Bundesarbeitsblatt) ▪ Berufskrankheiten-VO vom 20.6.1968 (BGBl. I S. 721), zuletzt geändert am 22.3.1988 (BGBl. I S. 400) ▪ Chemikaliengesetz vom 16.9.1980 (BGBl. I S. 1718), zuletzt geändert am 14.3.1990 (BGBl. I S. 521) ▪ Gefahrstoff-VO vom 19.9.1994 (BGBl. I S. 2557) ▪ Gerätesicherheitsgesetz vom 24.6.1968 (BGBl. I S. 717), zuletzt geändert durch Gesetz vom 18.2.1986 (BGBl. I S. 265) mit den nachgeschalteten VO ▪ Unfallverhütungsvorschriften (zu erhalten bei den jeweiligen Berufsgenossenschaften od. beim Carl Heymanns-Verl., Köln) ▪ Skiba, Taschenbuch Arbeitssicherheit, Bielefeld: Schmidt 1985 ▪ Technische Regeln, DIN-Normen, VDE-Bestimmungen.

Arbeitsunfall. Ein A. liegt vor, wenn eine versicherte Person bei einer versicherten Tätigkeit durch ein zeitlich begrenztes Ereignis, das nicht auf einer „inneren Ursache" beruht, körperlich geschädigt wird. Versichert sind alle Tätigkeiten, die sich aus der Erfüllung arbeitsvertraglicher Aufgaben aus der Befolgung von Anweisungen eines Vorgesetzten bzw. im Zusammenhang mit der Ausführung von sonstigen, dem Betrieb dienlichen Arbeiten ergeben. Als zeitlich begrenzt ist nach der Rechtsprechung ein Ereignis anzusehen, das entweder plötzlich eintritt od. innerhalb einer Arbeitsschicht zu einem Körperschaden führt. Ein A. liegt dann nicht vor, wenn eine der genannten Voraussetzungen fehlt. – *E* work accident
Lit.: Reichsversicherungsordnung (RVO), § 548 Abs. 1 vom 15.12.1924 (RGBl., S. 779), zuletzt geändert durch Gesetz vom 27.1.1987 (BGBl. I, S. 481).

Arber, Werner (geb. 1929), Prof. für Mikrobiologie, Univ. Basel. *Arbeitsgebiete:* Molekularbiologie, Genet. Biochemie, Mikrobielle Evolution, Entdeckung der sog. Restriktionsenzyme. Hierfür Nobelpreis 1978 für Medizin od. Physiologie (zusammen mit D. *Nathans u. H. *Smith).
Lit.: Kürschner (16.), S. 60 ▪ Nachr. Chem. Tech. Lab. **26**, 711 f. (1978) ▪ Pötsch, S. 14.

Arbestab N®. Nickeldiisononyldithiocarbamat, Antioxidant für Kunststoffe u. für Chlor-haltige Synthesekautschuke. *B.:* Krahn.

Arbid®. Filmtabl. u. Tropfen gegen Schnupfen mit *Diphenylpyralin-Hydrochlorid. *B.:* Bayer Pharma Deutschland.

ARBOCEL®. Cellulose-Fasern für techn. Anwendungsgebiete wie chem. reagierende Durchschreibpapiere, Filtration, bituminöse u. bauchem. Produkte, Schweißelektroden-Herst., Trägerstoffe, Kunststoffsektor usw. *B.:* Rettenmaier.

Arborescin.

$C_{15}H_{20}O_3$, M_R 248,32, Krist., Schmp. 145 °C, $[\alpha]_D^{20}$ +64° (c 0,72/CHCl$_3$). Sesquiterpen aus *Artemisia arborescens* u. a. Compositen, wurde im klass. Griechenland als Kontrazeptivum verwendet. – *E* arborescin – *F* arborescine – *I* = *S* arborescina
Lit.: Beilstein E V **19/4**, 278 ▪ J. Org. Chem. **47**, 3903 (1982) (Synth.) ▪ Phytochemistry **24**, 1003 (1985) (Derivate). – [CAS 6831-14-7]

Arborizide (von latein.: arbor = Baum u. ...zid). Bez. für *Herbizide gegen Gehölze. – *E* aboricides – *F* arboricide – *I* arboricidi – *S* arboricidas

Arborol. Bez. für *dendritische Polymere, deren Zweige am Ende Alkohol-Gruppen tragen; A. bilden in Wasser lösl. *Micellen. [27]Arborol-*Beisp.*: 1,3,5-$C_6H_3\{CH_2-C[CO-NH-C(CH_2-OH)_3]_3\}_3$. – *E* = *F* arborol – *I* arborolo – *S* arborolas
Lit.: J. Am. Chem. Soc. **108**, 849 (1986).

Arbusov-Michaelis-Reaktion s. Michaelis-Arbusov-Reaktion.

Arbutin (Hydrochinon-mono-D-glucopyranosid, Ericolin, Ursin).

$C_{12}H_{16}O_7$, M_R 272,25. Bitter schmeckende Nadeln, die in einer instabilen, bei 165 °C schmelzenden, u. in einer stabilen Form, Schmp. 200 °C, vorliegen; in heißem Wasser gut lösl., $[\alpha]_D^{18}$ −60,34° (H_2O). Durch Emulsin od. verd. Säuren tritt Spaltung in Hydrochinon u. Glucose ein. A. ist verbreitet in den Blättern von Ericaceen u. Pirolaceen, bes. in *Bärentrauben-Arten. *Verw.*: Als Farbstabilisator in der photograph. Industrie. – *E* arbutin – *F* arbutine – *I* arbutino – *S* arbutina
Lit.: Beilstein E V **17/7**, 110 ▪ Hager (5.) **4**, 327 ff., 497 f.; **7**, 291 ff. ▪ Karrer, Nr. 204. – *[HS 2938 90; CAS 497-76-7]*

Arbuzov, Boris Alexandrovich (geb. 1903), Direktor (1958–1971) des nach seinem Vater benannten Arbuzov-Inst. für Organ. u. Physikal. Chem. in Kasan (ehem. UdSSR). Direktor des Butlerow-Inst. für chem. Forschung der Univ. Kasan (1960–1988). *Arbeitsgebiete*: Terpene, ungesätt. organ. Kohlenwasserstoffe, Phosphor-organ. Verb., stereochem. Untersuchungen, Konformationsanalyse der organ. Verb. mit verschiedenen physikal. Methoden.
Lit.: Poggendorff **7b/1**, 110–117 ▪ Zh. Obshch. Khim. **33**, 3455–3460 (1963).

Arcasin®. Tabl. u. Saft mit *Penicillin V-Kaliumsalz gegen Infektionen auch bei Wunden. *B.*: Engelhard.

Arcatom-Verfahren. Bez. für ein 1924 von *Langmuir entwickeltes *Schweißverfahren mit atomarem Wasserstoff. Dieser wird in einem H_2-Strahl erzeugt, der einen *Lichtbogen zwischen zwei Wolfram-Elektroden passiert (*Langmuir-Fackel*, vgl. a. Plasmabrenner u. Hochtemperaturchemie). Beim Auftreffen der H-Atome auf das – stromlos bleibende – metall. Werkstück entstehen dort durch *Rekombination der H-Atome Temp. bis zu 4000 °C, unter denen man auch schwer schmelzende Metalle, wie Wolfram, Molybdän, Tantal usw. verschweißen kann. Gleichzeitig wirkt der heiße Wasserstoff als reduzierendes *Schutzgas, das eine oberflächliche Oxid. des Metalls verhindert. – *E* arcatom welding – *F* soudage Arcatom – *I* processo di saldatura Arcatom – *S* soldadura Arcatom
Lit.: s. Schweißverfahren.

Archaea (von griech.: archaios = alt, ursprünglich). Bez. für eine Gruppe von *Prokaryonten, die nach neueren phylogenet. Vorstellungen (vgl. Ontogenese) neben den übrigen Prokaryonten (Eubakterien einschließlich Cyanobakterien) u. den *Eukaryonten ein eigenes drittes Urreich darstellen. A. repräsentieren eine ursprüngliche Form von Lebewesen, die sich nicht von den Bakterien ableiten. Die A. umfassen lithoautotrophe (vgl. Lithotrophie u. Autotrophie) u. heterotrophe (s. Heterotrophie) *Aerobier u. *Anaerobier. Nach dem derzeitigen Stand unterscheidet man 3 Gruppen, die *methanogenen, die *halophilen (Wachstum in bis zu 5 M NaCl-Lsg.) u. die *thermoacidophilen* (s. Thermophilie) Bakterien (Wachstum bis 110 °C). A. bewohnen extreme Biotope, wie Faulschlämme, heiße vulkan. Quellen od. alkal. Gewässer, Tiefsee (1800–3700 m), Salzseen od. Salz-Gewinnungsanlagen. Von den Eubakterien unterscheiden sich die A. in einer Reihe von Merkmalen: Die Zellwandstrukturen der A. sind heterogen (Pseudomurein, Proteine, Glykoproteine, Heteropolysaccharide), allen A. fehlt *Muraminsäure, ein typ. Bauelement der eubakteriellen Zellwand. Die Cytoplasmamembranen enthalten Glycerinether mit C_{20}- u. C_{40}-Isoprenoiden anstelle von Fettsäureglycerinestern. Neben speziellen Biosynthesewegen u. ungewöhnlichen *Coenzymen liegen die Hauptunterschiede im Aufbau der DNA-abhängigen RNA-Polymerase, bei der tRNA sowie in der Nucleinsäure-Sequenz der ribosomalen Nucleinsäuren; die 16S rRNA-Daten wurden auch als Grundlage für eine mol. *Taxonomie benutzt. A. gewinnen zunehmend an prakt. Bedeutung in der *Biotechnologie, z. B. zur Gewinnung hitzestabiler Enzyme, zur Erzlaugung direkt in den Lagerstätten od. zur Isolierung von Inhaltsstoffen u. *Sekundärmetaboliten. – *E* archaebacteria – *F* archaées – *I* arcaibatteri – *S* arcabacterias
Lit.: Eur. J. Biochem. **173**, 473 (1988) ▪ Forum Mikrobiol. **10**, 209 (1987); **11**, 82 (1988) ▪ J. Mol. Evol. **11**, 245 (1978) ▪ Kandler u. Zillig, Archaebacteria '85, Stuttgart: Fischer 1986 ▪ Schlegel (7.), S. 114 ff. ▪ Syst. Appl. Microbiol. **7**, 278 (1986).

Archaebakterien s. Archaea.

Archäometrie. Interdisziplinäre Wissenschaft zwischen Archäologie u. Naturwissenschaften mit dem Ziel, Materialien u. Herstellungstechniken der in der Menschheitsgeschichte gefertigten Kultur- u. Gebrauchsgüter kennenzulernen. – *E* archaeometry – *F* archéométrie – *I* archaeometria – *S* arqueometria
Lit.: Chem. Unserer Zeit **16**, 47–56 (1982) ▪ Fortschr. Mineral. **55**, 197–280 (1978) ▪ Herrmann (Hrsg.), Archäometrie, Berlin: Springer 1994 ▪ Mommsen, Archäometrie, Stuttgart: Teubner 1986 ▪ Riederer, Echt u. falsch, Berlin: Springer 1994.

Archaikum s. Erdzeitalter.

Archimedes (geb. 287 vor Chr. in Syrakus, gestorben 212 vor Chr. in Alexandria), bedeutendster Mathematiker, Physiker u. Mechaniker der Antike. Berühmt sind seine Bewegungsmaschinen [„gib mir einen Punkt (außerhalb der Erde), wo ich stehen kann, u. ich werde die Erde bewegen"]. Er entdeckte das spezifische Gewicht, wies die Strahlenbeugung nach, u. in der Mechanik fand er das Gesetz des Schwerpunktes, das Hebelgesetz, befaßte sich mit der Mechanik des Flaschenzugs, der Schraube sowie mit der schiefen Ebene. Das vielzitierte „heureka" (griech.) „ich habe es gefunden", soll er gerufen haben, als er im Bad das hydrostat. Grundgesetz fand, nach dem ein in eine Flüssigkeit getauchter Körper so viel Gew. verliert, wie das Gew. der von ihm verdrängten Flüssigkeit beträgt.

Archimedisches Prinzip s. Mohrsche Waage.

Arcyria-Farbstoffe. Die roten Fruchtkörper der Schleimpilze *Arcyria denudata*, *Arcyria nutans* u. verwandter Myxomyceten enthalten Pigmente vom Bisindolylmaleinimid-Typ. Hauptpigmente sind *Arcyriarubin B* ($C_{20}H_{13}N_3O_3$, M_R 343,34, rote Krist., Schmp.

Ardein

154–155 °C) u. *Arcyriarubin C* ($C_{20}H_{13}N_3O_4$, M_R 359,34, rote Krist., Schmp. 205–206 °C), die mäßig

R = H : Arcyriarubin B (1)	R^1, R^2 = H : Arcyriaflavin A (3)
R = OH: A,C (2)	R^1 = OH, R^2 = H : Arcyriaflavin B (4)
	R^1, R^2 = OH : Arcyriaflavin C (5)

antibiot. wirksam sind. Weiterhin finden sich *Arcyriaverdin C* ($C_{20}H_{11}N_3O_5$, M_R 373,32, grüne Krist., Schmp. >300 °C), *Arcyriaflavin A* ($C_{20}H_{11}N_3O_2$, M_R 325,33, blaßgelbe Krist., Schmp. >300 °C), *Arcyriaflavin B* ($C_{20}H_{11}N_3O_3$, M_R 341,33, blaßgelbe Krist., Schmp. 350 °C) u. *Arcyriaflavin C* ($C_{20}H_{11}N_3O_4$, M_R 357,33, blaßgelbe Krist., Schmp. 350 °C), die nur wenig in organ. Lsm. lösl. sind, sowie die roten *Arcyroxepine* u. *Arcyroxocine*. – *E* arcyria pigments – *F* colorants de l'arcyria – *I* pigmenti d'arciria – *S* colorantes de arciria
Lit.: Angew. Chem. **92**, 463 (1980), engl.: **19**, 459 ▪ Atta-ur-Rahman, Studies in Natural Product Chemistry, Bd. 12, S. 365–410, Amsterdam: Elsevier 1993 (Review) ▪ Zechmeister **51**, 216f. (1987). – *Synth.:* Tetrahedron **44**, 2887 (1988) ▪ Tetrahedron Lett. **36**, 2689 (1995). – [CAS 73697-62-8 (1); 73697-69-9 (2); 73697-64-0 (4); 73697-65-1 (5)]

Ardein s. Erdnüsse.

Ardenne, Manfred von (geb. 1907), Prof. für Physik, Direktor des Forschungsinst. Manfred von Ardenne, Dresden, Weißer Hirsch. *Arbeitsgebiete:* Elektronen- u. Ionenstrahltechnologie, Vakuumbedampfung, Fernsehen, Braunsche Röhre, Rasterelektronenmikroskop, biomedizin. Technik, Krebs-Mehrschritt-Therapie, Hyperthermie.
Lit.: Kürschner (16.), S. 60 ▪ Poggendorff **7 a/1**, 50ff.

Arecaidin s. Arecolin.

Arecolin (1-Methyl-1,2,5,6-tetrahydropyridin-3-carbonsäuremethylester). T ☠

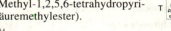

R = H : Arecaidin
R = CH_3 : Arecolin

$C_8H_{13}NO_2$, M_R 155,20. Stark bas., mit Wasser, Alkohol u. Ether mischbares giftiges Öl, Sdp. 209 °C, n_D^{20} 1,4302. Hauptalkaloid der *Betelnuß* (*Areca catechu*). A. ist als starkes *Parasympathikomimetikum für die stimulierende Wirkung der Betelnuß verantwortlich; bei der Zubereitung des Betels wird A. durch CaO zu einem großen Teil zur freien Säure, dem ungiftigen *Arecaidin* ($C_7H_{11}NO_2$, M_R 141,17, Schmp. 232 °C) hydrolysiert.
Verw.: Veterinärmedizin. gegen Bandwürmer. – *E* arecoline – *F* arécoline – *I* = *S* arecolina
Lit.: Beilstein E V **22/1**, 322 ▪ Burrows, in Jucker, Progress in Drug Research, Bd. 17, S. 108–210, Basel: Birkhäuser 1973. – [HS 29390; CAS 300-08-3; 6018-28-6 (Arecaidin)]

Aredia®. Trockensubstanz zur Injektion mit *Pamidronsäure-Dinatriumsalz gegen tumorinduzierte Hypercalcämie. *B.*: Ciba Cancer Care.

Arelix®. Ampullen, Tabl. u. Kapseln mit *Piretanid zur Diurese bei kardialen, renalen u. hepatogenen Ödemen. *B.*: Hoechst.

Arelon®. Herbizid auf der Basis von *Isoproturon, A. P zusätzlich mit *Mecoprop, gegen einjährige Ungräser u. zweikeimblättrige Unkräuter in Wintergetreide. *B.*: Hoechst Schering AgrEvo GmbH.

Arena-Nomenklatur s. Cyclophan-Nomenklatur.

Arene s. Aromaten, aromatische Verbindungen.

Arenit s. Sandsteine.

Arenoxide. Unsystemat. Bez. für *Epoxide, die sich von *aromatischen Verbindungen (*Arenen*) ableiten u. die zu einer Reihe von *Valenzisomerisierungen befähigt sind; *Beisp.*: Benzoloxid ⇌ *Oxepin. A. treten als Primärprodukt bei der – ggf. mit *NIH-Verschiebung verbundenen – biolog. Oxid. von aromat. Verb. zu Phenolen auf. A. wirken alkylierend auf Nucleoside in der DNA od. RNA bzw. auf essentielle Proteine, bevor sie hydrolysiert werden. Es gilt als sicher, daß die *Carcinogenese, die durch aromat. *Kohlenwasserstoffe verursacht wird, nicht durch die aromat. Verb. selbst, sondern durch die *in vivo* von *Cytochrom-P_{450} katalysierte Oxid. zu A. herrührt. Ein gut untersuchtes Beisp. ist die *Metabolisierung von *Benzo[*a*]pyren, die zu einem A. führt, das die Amino-Gruppe in DNA-*Guanin alkyliert[1].

– *E* arene oxides – *F* oxydes d'arènes – *I* arenossidi – *S* óxidos de arenos
Lit.: [1] Trends Biochem. Sci. **4**, 213 (1979).
allg.: Angew. Chem. **79**, 429–446 (1967) ▪ Nachr. Chem. Tech. **21**, 264ff. (1973); **27**, 94f. (1979) ▪ Science **185**, 573f. (1974) ▪ Pharm. Unserer Zeit **5**, 177–188 (1976) ▪ Weissberger **26**, 1–14; **42/3**, 197–282 ▪ s.a. Carcinogene, Carcinogenese.

Aresin®. Herbizid auf der Basis von *Monolinuron gegen Samenunkräuter im Acker-, Gemüse-, Obst-, Wein- u. Zierpflanzenbau. A. Kombi enthält zusätzlich *Dinoseb-acetat zur Verw. in Hülsenfrüchten u. Getreide. *B.*: Hoechst Schering AgrEvo GmbH.

Arex-Verfahren. Von *Leuna, *Schwedt u.a. entwickeltes Verf. zur Extraktion von *Aromaten (BTX) aus Pyrolysebenzin mittels *N*-Methyl-caprolactam. – *E* Arex process – *F* processus Arex – *I* processo Arex – *S* procedimiento Arex
Lit.: Chem. Tech. (Leipzig) **29**, 573 (1977).

ARF (ADP-Ribosylierungs-Faktor, Arf-Protein). Zu den *kleinen GTP-bindenden Proteinen (Ras-Superfamilie) gehörendes *Protein (M_R 21000), das beim innerzellulären *Vesikel-Verkehr in *Endo- u. *Exocytose eine auf mol. Ebene noch nicht vollständig verstandene Rolle spielt u. das Einhüllen von Vesikeln mit *Clathrin u. COP (s. Coatomer) reguliert. ARF selbst ist nur aktiv, wenn es Guanosin-5'-triphosphat (GTP, s. Guanosinphosphate) gebunden hat. Bei Kontakt mit einem spezif. *GTPase-aktivierenden Protein (*ARF-*

GAP) wird GTP hydrolysiert, u. ARF verfällt in den inaktiven Zustand. Die Bindung von ARF an die Vesikel-Membran wird durch *Brefeldin A inhibiert. ARF hat außerdem die Eigenschaft, Cholera-Toxin[1] u. *Phospholipase D[2] zu aktivieren u. kann durch das Toxin auch ADP-ribosyliert werden, vgl. ADP-Ribosylierung. – *E* ARF – *F* = *I* ARF – *S* ARF (factor de ribosilación del ADP)
Lit.: [1] Curr. Topics Cell. Regul. **32**, 49–72 (1992). [2] Science **263**, 523 ff. (1994).
allg.: J. Biol. Chem. **270**, 12 327 ff. (1995) ▪ Trends Biochem. Sci. **20**, 147 ff. (1995).

Arg. Abk. für L-*Arginin (neben R).

ARGALVAN®. Einbrennpräp. für Silberüberzüge auf Porzellan u. Keramik; in der Elektrotechnik als Unterlage für galvan. Metallisierung. *B.:* Degussa.

Argatroban.

Internat. Freinamen für (2*R*,4*R*)-4-Methyl-1-[N^2-(3-methyl-1,2,3,4-tetrahydro-8-chinolinsulfonyl)-L-arginyl]-2-piperidincarbonsäure, $C_{23}H_{36}N_6O_5S$, M_R 508,64; Schmp. 188–191 °C; Monohydrat: Schmp. 176–180 °C, $[\alpha]_D^{27}$ +76,1° (c 1/0,2 N Salzsäure). Es wurde 1980/1981 als synthet. Thrombin-Inhibitor von Mitsubishi Chem. Ind. patentiert. Es ist zur Zeit von Texas Biotechnologie (Novastan®) in der klin. Prüfung, um zusätzlich mit Thrombolytika wie *Streptokinase bei Patienten mit Herzinfarkt eingesetzt zu werden. – *E* = *F* = *I* argatroban – *S* argatrobán – [*CAS 74863-84-6*]

Argentan. Veraltete Bez. für eine Untergruppe der als *Neusilber bezeichneten Cu-Zn-Ni-Legierungen. Erstmals erzeugt wurde diese silberähnliche, glänzende Leg. aus ca. 50–70% Cu, 13–35% Zn, 10–33% Ni u. weiteren Anteilen von Pb, Sn, Fe u. Mn in China als *Pakfong. In Europa bürgerte sich wegen des silbrigen Glanzes der Name A. ein, wobei zwischen A. English (62% Cu, 18% Ni), A. Français (45% Cu, 35% Ni) u. A. Vienna (56% Cu, 23% Ni, 21% Zn) unterschieden wurde. Für bes. Zwecke u. hohe Anforderungen wurde Zn durch Ag ersetzt (A. Fontenay). Anw. fanden die Leg. für Tafelbesteck, Beschläge, Repräsentationsteile, Metallteile sowie Präzisionsteile in Uhren u. opt. Instrumenten. – *E* = *F* argentan – *I* argentana – *S* argentán
Lit.: DIN 17663 (12/1983).

Argentit (Silberglanz). Ag_2S; dunkelbleigraues, kub. Krist. (Krist.-Klasse m3m-O_h) bildendes od. derbes, schneid- u. prägbares Silber-Erzmineral mit 87% Ag; H. 2–2,5, D. 7,2–7,3. Auf frischer Schnittfläche Metallglanz, aber bald matt, schwärzlich anlaufend. A. ist die oberhalb 173 °C entstehende Form des Ag_2S; unterhalb 173 °C bildet es den monoklinen *Akanthit*, der oft zahn-, haar- od. dornförmig (griech.: akantha = Dorn), als *Silberschwärze* auch rußartig pulvrig auftritt.
Vork.: In hydrothermalen Silber-Lagerstätten, z.B. Freiberg u. Schneeberg/Sachsen, Chile, Korea, Mexiko; als Silberträger im *Bleiglanz. – *E* = *F* = *I* argentite – *S* argentita
Lit.: Anthony et al., Handbook of Mineralogy, Vol. 1, S. 1, Tucson (Arizona): Mineral Data Publishing 1990 ▪ Lapis **11**, Nr. 7/8, 8 ff. (1986) ▪ Ramdohr-Strunz, S. 421 f. – [*HS 2616 90*; *CAS 1332-04-3*]

Argentometrie s. Fällungsanalyse.

Argentopyrit s. Sternbergit.

Argentox®-Verfahren. Verf. zur Herst. kolloider Silber-Lsg. (Partikelgröße 7,5 nm) durch Red. von Silber-Salzen in Schutzkolloiden. Die Silber-Lsg. dienen zur *Silberung (s. a. Oligodynamie).

Arginase (EC 3.5.3.1). In der Leber Harnstoff-bildender Tiere vorkommende *Hydrolase, die im *Harnstoff-Cyclus L-*Arginin in L-*Ornithin u. *Harnstoff umwandelt. Damit ist A. ein wichtiges Glied bei der Entgiftung des bei *Desaminierung freiwerdenden Ammoniaks. A. ist tetramer (M_R 118 000) u. enthält 4 Mn^{2+}-Ionen, bei deren Entfernung sie reversibel in 4 inaktive Untereinheiten zerfällt; sie kann durch L-*Lysin u. L-Ornithin gehemmt werden. Trotz einer hohen Spezifität für L-Arginin wird auch das strukturell sehr ähnliche L-*Canavanin durch A. gespalten.
Verw.: Zur Bestimmung von L-Arginin. – *E* = *F* arginase – *I* arginasi – *S* arginasa – [*HS 3507 90*]

L-Arginin [Kurzz. R od. Arg, (*S*)-2-Amino-5-guanidinovaleriansäure, Name von latein.: argentum = Silber, da zuerst als Silber-Salz gefällt].

$C_6H_{14}N_4O_2$, M_R 174,20. Farblose, opt. aktive Krist., Schmp. 238 °C (Zers.), in Wasser gut lösl. mit stark bas. Reaktion; wäss. Lsg. absorbieren CO_2. Arg bildet mit Säuren z. T. schwerlösl. Salze wie Nitrate, Pikrate, etc., desgleichen mit Silber-Salzen. Durch Kochen mit Alkali od. Einwirkung von *Arginase wird es zu L-*Ornithin u. *Harnstoff hydrolysiert. Als halb-*essentielle Aminosäure entsteht Arg im *Harnstoff-Cyclus* aus L-Ornithin, *Carbamoylphosphat u. L-Aspartat über Argininosuccinat u. dient dabei der Entgiftung des Körpers von Ammoniak. Der letzte Schritt, die Zerlegung des Argininosuccinats zu Arg u. Fumarat wird durch Argininosuccinatlyase (EC 4.3.2.1) katalysiert. Arg ist der Vorläufer des *Neurotransmitters u. *second messenger Stickstoffmonoxid (s. Stickstoffoxide) u. nimmt auch in der Biosynth. der *Guanidin-Derivate eine zentrale Stellung ein. Als proteinogene Aminosäure ist Arg weit verbreitet. Es findet sich in fast allen Proteinen, in bes. Maß in *Histonen u. *Protaminen. Die Guanidinium-Gruppe von Arg kann in Proteinen als Protonen-Donator bis zu 5 Wasserstoff-Brückenbindungen ausbilden u. wirkt in einigen Fällen stabilisierend auf die Protein-Struktur[1]. In freier Form kommt Arg in vielen Pflanzen, z.B. Rotalgen,

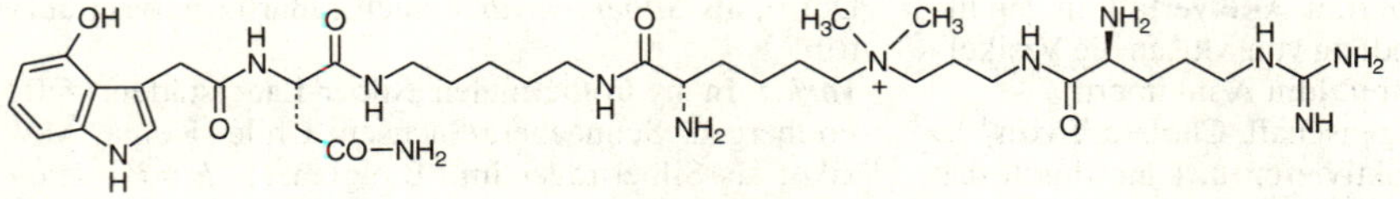

L-Argininphosphat

Argiopinin I

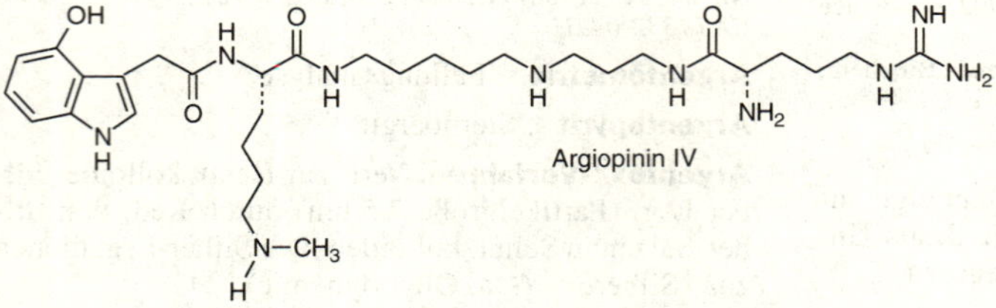

Argiopinin IV

Buchweizen, Kürbisgewächsen u. Nadelhölzern vor u. dient dort – bes. in Keimlingen u. a. Speicherzellen – als *Reservestoff für Stickstoff. In Bakterien steht die Arg-Biosynth. unter der Kontrolle des Arg-Repressors[2]. – *E* = *F* L-arginine – *I* = *S* L-arginina
Lit.: [1] Protein Sci. **3**, 541–548 (1994). [2] Microbiol. Rev. **58**, 631–640 (1994).
allg.: Beilstein E IV **4**, 2648. – *[HS 2925 20; CAS 74-79-3]*

L-Argininphosphat s. Kreatinphosphat.

Argiopinine. Neurotox. *Polyamine aus dem Gift von *Argiope*-Spinnen [1] (s. Formel oben u. Tab). Die eine terminale Amino-Gruppe der Polyamin-Kette ist mit einem N^2-(4-Hydroxy-3-indolylacetyl)-L-asparaginyl- od. N^2-(4-Hydroxy-3-indolylacetyl)-N^6-methyl-L-Lysyl-Rest substituiert (bei den Pseudoargiopininen fehlt die 4-Hydroxy-Gruppe); während die andere einen L-Arginyl-Rest trägt. Unterschiede bestehen im Aufbau der Polyamin-Kette. Die A. blockieren Glutamat-Rezeptoren u. die damit verknüpften Ca-Ionen-Kanäle[2] (Formel siehe oben).
– *E* argiopinins – *I* = *F* argiopinine – *S* argiopininas

Tab.: Daten von Argiopininen.

Argiopinine	Summenformel	M_R	CAS
A. I	$C_{36}H_{63}N_{12}O_6^+$	759,97 (Ion)	117233-41-7
A. II	$C_{35}H_{60}N_{12}O_6$	744,94	117233-42-8
A. III (Argiotoxin-659, Formel s. dort)	$C_{31}H_{53}N_{11}O_5$	659,83	111944-83-3
A. IV	$C_{31}H_{54}N_{10}O_4$	630,83	117233-43-9
A. V	$C_{32}H_{56}N_{10}O_4$	644,86	117233-44-0
Pseudo-A. I	$C_{36}H_{63}N_{12}O_5^+$	743,97 (Ion)	117255-12-6
Pseudo-A. II	$C_{35}H_{60}N_{12}O_5$	728,94	117233-45-1
Pseudo-A. III	$C_{19}H_{27}N_5O_3$	373,46	117233-46-2

Lit.: [1] Toxicon **27**, 541–549 (1989). [2] Pharmacol. Ther. **52**, 245–268 (1991).
allg.: J. Chem. Ecol. **19**, 2411–2451 (1993).

Argiotoxine. Acylpolyamine aus dem Gift verschiedener *Argiope*-Spinnen (Araneidae, Radnetzspinnen)[1,2]. Die Zahl hinter dem Namen gibt die Molmasse des entsprechenden Toxins an. Wie alle bisher bekannten Acylpolyamine blockieren die A. den Ca^{2+}-abhängigen Glutamat-Rezeptor nichtkompetitiv. – *E* argiotoxins – *F* argiotoxine – *I* argiotossine – *S* argiotoxina

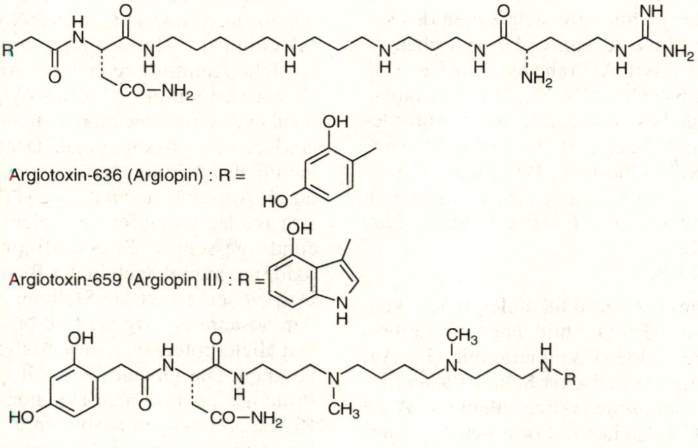

Argiotoxin-636 (Argiopin) : R =

Argiotoxin-659 (Argiopin III) : R =

Argiotoxin-494 : R = H
Argiotoxin-650 : R = Arginyl

Tab.: Daten von Argiotoxinen.

Argiotoxine	Summenformel	M_R	CAS
A.-480	$C_{23}H_{40}N_6O_5$	480,61	
A.-494	$C_{24}H_{42}N_6O_5$	494,63	
A.-503	$C_{25}H_{41}N_7O_4$	503,65	
A.-517	$C_{26}H_{43}N_7O_4$	517,67	
A.-622	$C_{28}H_{50}N_{10}O_6$	622,77	108687-78-1
A.-636 (Argiopin)	$C_{29}H_{52}N_{10}O_6$	636,80	105029-41-2
A.-645	$C_{30}H_{51}N_{11}O_5$	645,81	
A.-650	$C_{30}H_{54}N_{10}O_6$	650,82	
A.-673	$C_{32}H_{55}N_{11}O_5$	673,86	111924-44-8
Argiotoxin-659 s. Argiopinin III.			

Lit.: [1] Brain Res. **448**, 30–39 (1988). [2] Bioorg. Khim. **12**, 1121–1124 (1989).
allg.: J. Chem. Ecol. **19**, 2411–2451 (1993) ■ Pharmacol. Ther. **52**, 245–268 (1991). – *Synth.:* Biochem. Biophys. Res. Commun. **148**, 678–683 (1987) ■ Bioorg. Khim. **14**, 704 ff. (1988) ■ Tetrahedron **49**, 5777–5790 (1993) ■ Tetrahedron Lett. **28**, 6015–6018 (1988); **29**, 6223–6226 (1989).

Argipressin s. Vasopressin.

AR-Glas. Pipetten von Schott.

Argobase®. Marke von Westbrook Lanolin für ein Sortiment von *W/O-Emulgatoren auf der Basis von Wollwachs, Wollwachs-Alkoholen, langkettigen Fettalkoholen u. ggf. Cholesterin u. a. Sterinen zur Verw. in Cremes, Ölen u. a. Hautpflegemitteln. *B.:* Parmentier.

ARGODE®. Anoden für galvan. Zwecke. *B.:* Degussa.

Argomix®. Argon/Sauerstoff-Schutzgasgemische für die Fein-(A.D)- u. Grobblech-Schweißung (A.S). *B.:* Messer Griesheim GmbH.

Argon (von griech.: argos = untätig; chem. Symbol Ar), Ordnungszahl 18. Atomgew. 39,948. Gasf., einatomiges, nullwertiges chem. Element aus der 0. Gruppe (*Edelgase) u. 4. Periode des *Periodensystems, Schmp. −189,2 °C, Sdp. −185,88 °C, Litergew. 1,664 g (20 °C, 101,3 kPa), krit. Temp. −122,5 °C, krit. Druck 4896 kPa, krit. D. 0,536, Tripelpunkt −190,45 °C. Natürliches, d. h. atmosphär. Ar besteht zu 99,60% aus dem Isotop 40 u. zu 0,337 bzw. 0,063% aus den stabilen Isotopen 36 bzw. 38; Ar-Proben aus stark Heliumhaltigen natürlichen Gasquellen zeigen jedoch meist stärkere Abweichungen vom Isotopenverhältnis. Ar entsteht z. T. aus dem ^{40}K-Isotop. Hierauf basiert die *Kalium-Argon-Methode zur *Altersbestimmung von Gesteinen. Eine Abwandlung dieser Meth. ist die sog. ^{39}Ar-^{40}Ar-Technik (vgl. *Lit.*[1]). Bekannt sind die radioaktiven Isotope 35, 37, 39, 41 u. 42 mit HWZ zwischen 1,83 s u. 265 a. Ar ist etwas lösl. in Wasser (bei 0 °C 5,6 g u. bei 60 °C 3,01 g pro 100 ml). Bisher sind keine echten *Edelgas-Verbindungen von Ar bekannt; es bildet ein Hydrat, dessen Dissoziationsdruck bei 0 °C $1,06 \cdot 10^4$ kPa beträgt, sowie ein ziemlich stabiles *Clathrat mit Hydrochinon, in dem jedoch keine echte chem. Bindung vorliegt.
Vork.: Ar ist das bei weitem häufigste Edelgas: Die Luft enthält durchschnittlich 0,93 Vol.-% Ar, u. der Mensch atmet täglich ca. 20 l Ar ein u. aus! Auch in Quellwasser ist gelöstes Ar zu finden; bes. reich an Ar sind die Gase von Quellen, die aus größerer Tiefe stammen (Geysire, Wildbad, Taunus). In der Technik gewinnt man das Ar aus *flüssiger Luft (*Luftzerlegung*, s. Winnacker-Küchler, *Lit.*).
Verw.: Wegen seiner geringen Wärmeleitfähigkeit u. chem. Trägheit in Mischung mit 10–20% Stickstoff zur Füllung von Glühlampen, im Gemisch mit anderen Edelgasen zur Füllung von Entladungsröhren, um bestimmte Farbeffekte zu erzielen, in Geiger-Zählrohren häufig im Gemisch mit Methan. Ar wird v. a. als *Schutzgas beim Elektroschweißen von Stahl, Cu, Al, Mg u. bei der Ti-Herst. verwendet, s. Argonarc-Verfahren. Auch bei der Schmelzraffination von NE-Metallen kann es vorteilhaft eingesetzt werden (ASR-Verf., s. *Lit.*[2]). Radioaktives ^{41}Ar dient zur Feststellung von Undichtigkeiten in Gasleitungen u. zur Untersuchung der Leistungsfähigkeit von Belüftungsanlagen, s. z. B. *Lit.*[3].
Geschichte: Ar wurde 1894 von den Engländern *Ramsay u. Lord *Rayleigh John William Strutt als Bestandteil der atmosphär. Luft entdeckt, nachdem ihnen der Dichte-Unterschied zwischen dem für reinen N_2 gehaltenen, nach Entfernung des O_2 aus der Luft verbliebenen Restgas (1,2572 g/l) u. dem durch Zers. von Ammoniumnitrit erhaltenen chem. reinen N_2 (1,2506) aufgefallen war. Allerdings war die Existenz von Ar (bzw. der anderen, in der Luft auftretenden Edelgase) schon mehr als ein Jh. vorher von Cavendish vermutet worden, als diesem stets ein reaktionsträger Rest verblieb, wenn er die Bestandteile der Luft in chem. Bindung (O_2 in Wasser, N_2 mit O_2 in Salpetersäure) überführte. – $E = F = I$ argon – S argón
Lit.: [1] Umschau **75**, 359–367 (1975). [2] Gas Aktuell **16**, 27–32 (1978). [3] Umschau **65**, 189 (1965).
allg.: Argon, 1971: International Thermodynamic Tables of the Fluid State, London: Butterworth 1972 ■ Encycl. Gaz., S. 85–114 ■ Gmelin, Syst.-Nr. 1, He, Ne, Ar, Kr, Xe, Rn, 1926, S. 127–166, Edelgasverbindungen 1970, S. 16 ■ Hommel, Nr. 386 ■ Winnacker-Küchler (4.) **3**, 570 f., 621 ff., 626 ■ s. a. Edelgase. – [HS 2804 21]

Argonarc®-Verfahren. Ein zum *WIG-Schweißen zählendes *Schweißverfahren, bei dem reinstes Argon als Schutzgas dient. Man kann nach dem A.-V. z. B. Ti, Zr, Ta, Nb, W, Mo, korrosions- u. hitzebeständige Stähle u. dgl. schweißen.

Argonne National Laboratory (ANL). Vom US-Department of Energy (DOE) u. der Universität von Chicago 1946 gemeinsam gegründetes Forschungszentrum mit Sitz in 9700 South Cass Avenue, Argonne (Illinois) 60439. *Arbeitsgebiete:* Kernreaktoren, Werkstoff-Wissenschaften, Mathematik, Physik, Hochenergie- u. Kernphysik, Chemie, Strahlenchemie, Biologie, Umweltforschung. INTERNET-Adresse: http://www.anl.gov

Argonol®. Marke von Westbrook Lanolin für ein Sortiment von flüssigen Wollwachs-Estern u. -Alkoholen für kosmet. Produkte. *B.:* Parmentier.

ARGOWAX®. Marke von Westbrook Lanolin für raffinierte Wollwachs-Alkohole als Emulgatoren für *W/O-Salbengrundlagen. *B.:* Parmentier.

Argun®. Filmtabl. u. Suppositorien mit *Lonazolac-Ca gegen rheumat. u. a. Schmerzen. *B.:* Merckle.

ARGUNA®. Galvan. Edelmetallbäder u. -salze, Chemikalien für galvan. Zwecke. *B.:* Degussa.

ARGUNA-FORM®. Galvan. Edel- u. Unedelmetallbäder, Salze für Galvanik, Galvanisierapparate. *B.:* Degussa.

ARGUNODE®. Anoden für galvan. Zwecke. *B.:* Degussa.

Aridität (Trockenheit, Dürre). Von latein.: aridus = trocken hergeleitete Bez. für Klimate (s. Klima), in denen die mögliche Verdunstung die Niederschläge auf Dauer übertrifft. – *E* aridity – *F* aridité – *I* aridità – *S* aridez
Lit.: Walter u. Breckle, Ökologie der Erde, Stuttgart: Fischer 1983.

Ariel®. Phosphat-haltiges u. Phosphat-freies Universalwaschmittel in Pulverform u. flüssiger Form von Procter & Gamble.

Arilin®. Filmtabl. u. Vaginalzäpfchen mit *Metronidazol gegen bakterielle Infektionen, Trichomoniasis u. ä. *B.:* Wolff.

Arine. Bez. für reaktive *Zwischenstufen, die formal durch Eliminierung zweier, in der Regel benachbarter Wasserstoff-Atome aus einem aromat. Ring entstehen. A. enthalten zwei *Orbitale u. zwei Elektronen koplanar zum aromat. Ring; der einfachste Vertreter ist das *Dehydrobenzol (im engl. Sprachgebrauch oft auch als benzyne bezeichnet). A. mit Heteroatomen im Ring nennt man *Hetarine [1]. Die Herst. der A. erfolgt durch konzertierte od. stufenweise Abspaltung zweier geeigneter Reste von dem aromat. Vorläufer.

z. B. X = Halogen, Y = H
X = $\overset{+}{N}\equiv N$, Y = COO^-

Die Reaktionsfähigkeit der A. (Additionen, Cycloadditionen etc.) ist zuerst von G. *Wittig 1940 entdeckt worden [2]. Nicht zu den eigentlichen A. rechnet man die *Cycloalkine. – *E* = *F* arynes – *I* arini – *S* arinos
Lit.: [1] Angew. Chem. **73**, 341 (1961). [2] Angew. Chem. **69**, 245–251 (1957).
allg.: Abramovitch, Reactive Intermediates, Vol. 2, S. 367–526, New York: Plenum Press 1982 ▪ Hoffmann, Dehydrobenzene and Cycloalkynes, Weinheim: Verl. Chemie 1967 ▪ Houben-Weyl **5, 2b**, S. 613–648 ▪ Jones u. Moss, Reactive Intermediates, Vol. 1, S. 1–26, New York: Wiley 1978.

Aristochol®. Granulat u. Tropfen mit Schöllkraut- u. Aloe-Extrakt, Kapseln zusätzlich mit javan. Gelbwurz gegen Krämpfe bei Gallenblasen- u. Magen-Darm-Erkrankungen. *B.:* Steiner/Berlin.

Aristoflex®. Spezielle Polymerisate für Haarlack-Kompositionen (Haarfestiger). *B.:* Hoechst.

Aristolochiasäuren.

Aristolochiasäure I

Derivate der 10-Nitro-1-phenanthrencarbonsäure. Die wichtigste Verb. A. I ($C_{17}H_{11}NO_7$, M_R 341,28, gelbe, bittere Nadeln, Schmp. 281–286 °C) aus *Aristolochia*-Arten sowie der chines. Droge Fang-chi (*Asarum canadense* var. *reflexum*) hemmt Phospholipase A2, wirkt cytotox. u. hemmt die Blutplättchenaggregation. Deshalb wurde die Osterluzei bereits in der Antike zu Arzneimittelzwecken verwendet, in der BRD ist sie seit 1982 aber nicht mehr zur Wundheilung od. in Akneprä. zugelassen. A. I ist seit 1993 als Ursache einer Nierenerkrankung bekannt (Chines. Heilkräuter-Nephropathie), die durch Verwechslung des chines. Heilkrautes *Stephania tetrandra* mit *Aristolochia Fang-chi* ausgelöst wird (Verw. für Schlankheitskuren). Die Einnahme des Extraktes führte zu Carcinomen u. Nierenversagen u. machte Transplantationen erforderlich [1]. Ebenfalls weit verbreitet sind A. D ($C_{17}H_{11}NO_8$, M_R 357,28, weinrote Krist., Schmp. 254–259 °C) u. deren 6-Glucosid, Aristolosid. A. werden von Raupen auf A.-haltigen Pflanzen angereichert u. schützen später die Schmetterlinge (*Pachlioptera aristolochiae*, *Battus archidamas*) vor Feinden.
Biosynth.: Oxidativer Abbau von Aporphin-Vorläufern. – *E* aristolochic acids – *F* acides aristocholiques – *I* acidi aristolochici – *S* ácidos aristolóquicos
Lit.: [1] Dtsch. Apoth. Ztg. **136**, 1768 (1996).
allg.: Beilstein E V **19/7**, 611 f. ▪ Biochim. Biophys. Acta **1001**, 1 (1989) ▪ Hager (5.) **4**, 158, 378, 853 ff., 1018 ▪ J. Nat. Prod. **45**, 657 (1982) ▪ Sax (8.), AQY 125, AQY 250. – [CAS 313-67-7 (A. I); 17413-38-6 (A. D); 84014-70-0 (6-Glucosid)]

Aristoteles (384 vor Chr.–322 vor Chr.), Philosoph u. Naturgelehrter. Neben seiner philosoph. Lehre übten auch seine naturphilosoph. u. naturwissenschaftlichen Schriften großen Einfluß auf die folgenden Jh. aus. Er beherrschte die gesamte wissenschaftliche Forschung seiner Zeit, die er durch seine Schüler u. sog. Doxographen zusammentragen ließ. Er beschrieb nach eigenen Experimenten die Herst. von Bronze, von Zink-haltigen Kupferleg., die Verw. von Arsensulfid als Haarfärbemittel sowie die Eigenschaften von Salz u. Soda.
Lit.: Pötsch, S. 15.

Aristotelia-Alkaloide. *Indol-Alkaloide aus *Aristotelia*-Arten (Elaeocarpaceae) (ca. 50 Verb.), z. B. Aristotelin {$C_{20}H_{26}N_2$, M_R 294,44, Schmp. 164 °C; $[\alpha]_D$ +16° (CH_3OH), besitzt hypotensive Eigenschaften u. reduziert den Puls} u. *Peduncularin* ($C_{20}H_{24}N_2$, M_R 292,42, Schmp. 155–157 °C).

(+) Aristotelin   (–) Peduncularin

– *E* aristotelia alkaloids – *F* alcaloides aristotéliques – *I* alcaloidi dell'aristotelia – *S* alcaloides de la aristotelia
Lit.: Beilstein E V **23/18**, 381; **2319**, 110 ▪ Chimia **45**, 329–341 (1991) ▪ J. Am. Chem. Soc. **111**, 2588 (1989) ▪ J. Org. Chem. **58**, 564 (1993) ▪ Manske **24**, 113–152. – [CAS 57103-59-0 (Aristotelin); 34964-75-5 (Peduncalarin)]

Arkofix®. Hochveredlungsmittel für Textilien. A. CA: Carbamat-Reaktant für die Wash-and-Wear-Ausrüstung, A. NG-Typen: 1,3-Bis(hydroxymethyl)-4,5-dihydroxy-2-imidazolidinon-Reaktantharze für die Permanentpress-Ausrüstung, A. NM: Melamin-Formaldehyd-Verb. für die Knitterfestausrüstung. *B.:* Hoechst.

Arkomon®. Oleoylsarkosid als Rohstoff für bes. hautverträgliche Wasch- u. Reinigungsmittel u. zur Erhöhung des Fadenschlusses (A. A konz.), als Korrosions-Schutzmittel für Mineralöle (A. SO). *B.:* Hoechst.

Arkon®. Hydriertes Kohlenwasserstoff-Harz der Arakawa Chemical Industries, Ltd., Japan. *B.:* Nordmann, Rassmann GmbH & Co.

Arkopal® N. Nonylphenol-Polyglykolether als nichtion. *Tenside von Hoechst.

Arkophob® NPZ. Kation. Hydrophobierungsmittel für Textilien auf Paraffin-Zirkonsalz-Basis. *B.:* Hoechst.

Arkopon®. Kondensationsprodukte des *N*-*Methyltaurins mit Fettsäuren als anionaktive hautverträgliche Rohstoffe für Wasch- u. Reinigungsmittel. *B.:* Hoechst.

Arkosen s. Sandsteine.

Arkostat® KR. Kunstharze als waschbeständige Antistatika für Synthesefasern. *B.:* Hoechst.

Arktischer Kautschuk s. AC-Kautschuk.

Arlen®. Marke der Mitsui, Japan, für Polyamid 6 T. *B.:* Nordmann, Rassmann GmbH & Co.

Arlevert®. Tabl. mit *Cinnarizin u. *Dimenhydrinat gegen Schwindel verschiedener Genese. *B.:* Hennig.

Arlypon®. Emulgatoren, Lösungsvermittler u. Spezial Compounds für techn. Anwendungen. *B.:* Grünau.

Armalcolit s. Mondgestein.

Armaturen (von latein.: armatura = Bewaffnung, Ausrüstung). Summar. Bez. für Ausrüstungsstücke bei *Apparaten, Maschinen-, Kessel-, Rohrleitungsanlagen, Schalt- u. Meßgerätetafeln, insbes. Absperr- u. Drosselvorrichtungen für Rohrleitungen, wie *Schieber* u. *Hähne, Ventile* u. *Klappen.* Jede Armatur muß dabei unverwechselbar, d.h. mit bes. Kennzeichen versehen sein. *Labor-Armaturen* umfassen Hähne, Ventile, Steckdosen zur Entnahme u. Regulierung von Gasen, Flüssigkeiten, Feststoffen u. Energie. – *E = F* armatures – *I* armature – *S* accesorios

Armstrong, Neil A. (geb. 1930), Prof. für Luft- u. Raumfahrttechnologie, Cincinnati (Ohio). Kommandant der Apollo 11. Er landete mit E. Aldrin am 20.7.1969 mit der Mondfähre „Eagle" auf dem Mond, den er am 21.7.1969 als erster Mensch betrat. Mit dieser ersten bemannten Mondlandung begann die Kosmo-Chemie.
Lit.: Neufeldt, S. 289 ▪ Who's Who, S. 52.

Arnaudons Grün s. Chrom(III)-phosphat.

Arnds Legierung. In der analyt. Chemie analog *Devardasche Legierung zur Red. verwendete Leg. aus ca. 65% Cu u. 35% Mg. – *E* Arnd's alloy – *F* aliage d'Arnd – *I* lega d'Arnd – *S* aleación de Arnd

Arndt, Fritz (1885–1969), Prof. für Organ. Chemie, Breslau u. Istanbul. *Arbeitsgebiete:* Aufstellung des Mesomeriebegriffs [1], chem. Bindung, Claisen-Kondensation, Halochromie, Synth. u. Reaktion von Diazoketonen (vgl. Arndt-Eistert-Reaktion), heterocycl. Verb. usw.
Lit.: [1] J. Chem. Educ. **36**, 336–339 (1959).
allg.: Chem. Ber. **108**, 1–64 (1975) ▪ Kürschner (11), S. 53f. ▪ Nachr. Chem. Tech. **3**, 150 (1955) ▪ Neufeldt, S. 159 ▪ Pötsch, S. 16f. ▪ Strube et al., S. 159, 177.

Arndt-Eistert-Reaktion. Von *Arndt u. Eistert 1927 aufgefundene Reaktionssequenz zur Synth. homologer Carbonsäuren auf dem Wege:

$$R-\overset{O}{\underset{Cl}{C}} + 2\,CH_2N_2 \xrightarrow[-N_2]{-CH_3Cl} R-\overset{O}{\underset{CH=N_2}{C}} \xrightarrow{-N_2}$$

$$R-CH=C=O \xrightarrow{H_2O} R-CH_2-\overset{O}{\underset{OH}{C}}$$
Keten

Das aus der Reaktion des Säurechlorids mit Diazomethan hervorgehende Diazoketon verliert beim Erhitzen, Belichten od. in Ggw. von Katalysatoren seinen Stickstoff, u. das nach *Wolff-Umlagerung des intermediären *Carbens entstandene *Keten geht unter Wasseranlagerung in das nächsthöhere *Homologe der Ausgangscarbonsäure über. – *E* Arndt-Eistert reaction – *F* réaction d'Arndt-Eistert – *I* reazione d'Arndt-Eistert – *S* reacción de Arndt-Schulz
Lit.: Org. React. **1**, 38–62 (1942) ▪ s.a. Diazo-Verbindungen u. Carbonsäuren.

Arndt-Schulz-Gesetz. Von R. Arndt (1835 bis 1900) u. H. Schulz (1835–1932) aufgestellte Regel, wonach schwache Reize biolog. Prozesse anregen u. beschleunigen, starke dagegen bremsen u. hemmen sollen. – *E* Arndt-Schulz law – *F* loi de Arndt et Schulz – *I* legge d'Arndt-Shultz – *S* ley de Arndt-Schulz

Arnica Kneipp® Salbe. Venenmittel mit Arnikaöl, Kamillenöl u. *Heparin. *B.:* Kneipp.

Arnika (Flores arnicae). Orangegelbe, schwach würzig riechende, etwas bitter schmeckende Blüten des *Bergwohlverleihs* (Arnica montana, Asteraceae), einem Kraut trockener Matten der subalpinen bis alpinen Region. A. enthält 0,2–0,4% ether. Öl, Bitterstoffe, bes. *Sesquiterpen-Lactone (*Helenalin u. Derivate), Flavon-glykoside (Astragalin, Isoquercitrin) u. andere. Aus A.-Blüten od. -Wurzeln gewonnene ölige (*Arnikaöle*), alkohol. Auszüge (*Arnikatinktur*) u. Salben mit A. werden wegen ihrer durchblutungsfördernden Wirkung äußerlich bei Prellungen, Blutergüssen usw. sowie in Haarpflegemitteln angewandt. Innerlich wirkt A. günstig bei Magen-Darmstörungen, Mund- u. Rachenentzündungen, in konz. Form jedoch haut- u. schleimhautreizend. Die Anw. als Herztonikum sollte unterbleiben, da evtl. das Herz geschädigt wird. – *E* arnica, mountain tobacco – *F = I* arnica – *S* árnica
Lit.: DAB 10 u. Komm. ▪ Hager (5.) **4**, 342–357 ▪ Wichtl (2.) **5**, 65–69. – [HS 1211 90]

Arnipol®. Marke der Pasa S.A., Argentinien, für *NBR. *B.:* Nordmann, Rassmann GmbH & Co.

Arnolds Base s. 4,4'-Methylenbis(*N,N*-dimethylanilin).

Arnon, Daniel I. (geb. 1910), Prof. für Pflanzenphysiologie, Univ. California, Berkeley. *Arbeitsgebiete:* Entdeckung des Spurenelementcharakters von Molybdän u. Vanadium in grünen Pflanzen, Photosynth., Rolle des *Ferredoxins im Stoffwechsel der Pflanzen. *Lit.:* Who's Who in America 1995, S. 117.

Arogensäure s. Prätyrosin.

Aromastoffe s. Aromen.

Aromaten. Schlüsselprodukte der umfangreichen u. vielseitigen A.-Chemie sind *Benzol, *Toluol, o-, m- u. p-*Xylol u. Ethylbenzol. Benzol, Toluol u. Xylol werden im techn. Sprachgebrauch als *BTX*-A.-Fraktion zusammengefaßt. Vergleichsweise geringe Bedeutung haben die *kondensierten Aromaten *Naphthalin u. *Anthracen. Allg. gehören die A. mit zu den wichtigsten chem. Rohstoffen, die z.Z. zu 30% in allen *Kunststoffen u. ca. 70% in allen *Synthesefasern vertreten sind. Die A. werden bevorzugt aus *Kohle (*Steinkohlenteer) od. *Erdöl durch therm. od. katalyt. Verf. gewonnen *Reformatbenzin u. *Pyrolyse-*Benzin sind die wichtigsten Quellen, aus denen die A. z. B. durch *azeotrope Dest. od. durch Extraktion mit *Ethylenglykolen, Sulfolanen, Morpholinen u. a. gewonnen werden. 1992 betrug die A.-Erzeugung in der BRD 4,31 Mio t (davon ca. 37% Benzol). – *E* aromatics, aromatic hydrocarbons – *F* hydrocarbures aromatiques – *I* aromatici – *S* hidrocarburos aromáticos
Lit.: Weissermel-Arpe (4.), S. 337–434 ▪ s. a. aromatische Verbindungen.

Aromaten-Übergangsmetall-Komplexe. Seit der Entdeckung des *Ferrocens (1951), dem ersten A.-Ü.-K., sind hunderte von Verb. bekannt geworden, in denen *Aromaten u. *aromatische Verbindungen mit Metallatomen zu Komplexen von der Art der *Sandwich-Verbindungen zusammengetreten sind. *Übergangsmetall-Zentralatom u. *Liganden sind über π-Bindungen miteinander verknüpft, wobei das Metallatom die Doppelbindungen der aromat. Liganden zur Auffüllung seiner Elektronenschalen bis zur Edelgaskonfiguration heranzuziehen sucht. Verb. vom Typs ML_2 (M = Metall, L = *Ligand) kennt man außer mit – ggf. substituiertem – *Cyclopentadienyl mit zahlreichen aromat. Ringsyst.; *Beisp.:* Bis(η^6-benzol)chrom(0), [(C$_6$H$_6$)$_2$Cr], (s. Chrom-organische Verbindungen). Bis(η^6-benzol)chrom(1+)-Kation, [(C$_6$H$_6$)$_2$Cr$^+$] u. Komplexe mit Tropylium-, Cyclopropenium-, Cyclooctatetraen-Ionen, mit Inden-, Pyridin-, Thiophen- u. a. Systemen. Bes. Verdienste um Synth. u. Strukturaufklärung der A.-Ü.-K. haben sich die Chemie-Nobelpreisträger des Jahres 1973 E. O. *Fischer u. G. *Wilkinson erworben, vgl. *Lit.*[1]. Die Nomenklatur der A.-Ü.-K. richtet sich nach den IUPAC-Regeln 7.4 der anorgan. Chemie bzw. den Regeln D-2.5 der organ. Chemie (vgl. *Lit.*[2]). Zu den A.-Ü.-K. sind auch solche Verb. zu zählen, in denen die Elektronenlücken der Zentralatome teilw. durch andere Liganden aufgefüllt sind; *Beisp.:* Tricarbonyl(η^5-thiophen)chrom(0), s. a. Carbonylkomplexe u. Koordinationslehre. – *E* arenetransition metal complexes – *F* complexes aromatiques-métaux de transition – *I* complessi metallaromatici di transizione – *S* complejos aromáticos-metales de transición
Lit.: [1] Nachr. Chem. Tech. **21**, 499 ff. (1973); Chem. Labor Betr. **25**, 1–5 (1974). [2] IUPAC Inform. Bull. Appendices **31**, 25–29 (1973).
allg.: Hartley u. Patai (Hrsg.), The Chemistry of the Metalcarbon Bond, 4 Bd., New York: Wiley 1982–1987 ▪ Thayer, Organometallic Chemistry, Weinheim: VCH Verlagsges. 1988 ▪ s. a. Metall-organische Verbindungen, Übergangsmetalle.

Aromatherapie s. Aromen, Riechstoffe.

Aromatische Verbindungen (Arene). Ursprünglich verstand man unter a. V. wohlriechende (latein.: aroma = Wohlgeruch) Stoffe, die aus Balsamen, Harzen u. a. Naturstoffen gewonnen wurden. Später, bes. in der Blütezeit der präparativen aromat. Chemie, der zweiten Hälfte des 19. Jh., hat man diesen Begriff auf alle Benzol-Derivate, d. h. auf alle isocycl. Kohlenstoff-Verb. mit der bes. stabilen symmetr. Elektronenanordnung des *Benzols, ausgedehnt. Allerdings erwies sich auch diese Definition als zu eng, denn zu den a. V. gehören nicht nur die eigentlichen *Aromaten u. Verb. wie Anilin, Anthracen, Naphthalin, Nitrobenzol, Phenol, sondern auch *heterocyclische Verbindungen wie Pyridin, Furan, Thiophen, Phenanthrolin, Borazin (*Heteroaromaten*) u. die *nichtbenzoiden aromatischen Verbindungen (s. Abb. 1). Ein größeres Verständnis für die *Aromatizität organ. Verb. begann erst mit den theoret. Arbeiten E. *Hückels (*Hückel-Regel). Zu dem Bedeutungswandel des Begriffs „aromat." u. der Einführung von Bez. wie *pseudoaromat., antiaromat.* (vgl. Antiaromatizität), *quasiaromat.* u. *homoaromat.* s. Aromatizität. Als Sammelbez. sollten jedoch Begriffe wie *Arene* (für mono- u. polycycl. Kohlenwasserstoffe sowie *kondensierte Ringsysteme) u. *benzoid* für Abkömmlinge des Benzols, also Verb. mit *Benzol-Ringen, beibehalten werden.

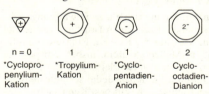

Abb. 1: Nichtbenzoide a. V. gemäß der Hückel-Regel (4n + 2 – π-Elektronen).

Vork.: In der Natur sind a. V. ubiquitär. Sie finden sich in *Steinkohle, in *Fossilien-Material u. im *Boden, in Pflanzen (z. B. als *Blütenfarbstoffe, *Alkaloide u. *etherische Öle), im menschlichen u. tier. Körper (als aromat. *Aminosäuren, *Hormone, *Neurotransmitter etc.). Viele a. V. üben einen schädigenden Einfluß auf den lebenden Organismus aus. Insbes. muß bei dem Umgang mit *Benzol u. *polycyclischen aromatischen Kohlenwasserstoffen mit äußerster Vorsicht vorgegangen werden, da diese Stoffe als krebserzeugend erkannt worden sind. Da a. V. als Gewässer- u. Luftverunreinigungen aus Autoabgasen, industrieller Produktion, *Pestizid-Rückständen usw. prakt. ubiquitär sind, kommt ihrer Carcinogenität u. ihrer reduzierten Emission in die Umwelt entscheidende Bedeutung zu (s. a. Luftverunreinigung, Rückstände in Lebensmitteln). Der *biologische Abbau der a. V. verläuft häufig über *Arenoxide, u. auch kondensierte Ringsyst. lassen sich mikrobiol. abbauen. Die Analytik der a. V. macht Gebrauch von der UV-, IR- u. NMR-Spektroskopie, von der Fluorimetrie, von Gaschromatographie u. Flüssigkeitschromatographie.

Herst.: Zur industriellen Herst. von a. V. s. unter Aromaten. Ein wichtiger synthet. Zugang zu a. V. ist die von *Reppe gefundene *Trimerisierung von *Alkinen in Ggw. von Übergangsmetall-Katalysatoren. Spezif. a. V. werden in der Regel durch Substitution an dem bereits vorhandenen Aromaten-Gerüst hergestellt. Bei der Biosynth. der a. V. aus C_2-Bausteinen werden im allg. die Stufen der *Shikimi-, Chorismin- u. *Prephensäure durchlaufen. Andere Biosynth. gehen von *Mevalonsäure aus. Das aromat. Syst. ist zur *Delokalisierung von Ladung befähigt. Dadurch wird z. B. das Phenolat-Anion ($H_5C_6O^-$) stabilisiert, woher sich die gegenüber aliphat. Alkoholen (pK_A 16) erhöhte *Acidität von Phenolen (pK_A 10) erklärt. Auch das *einsame Elektronenpaar des Amin-Stickstoffs bei Anilin wird in das aromat. Syst. einbezogen, was für die Ladungsverminderung am N u. damit für eine Erniedrigung der *Basizität der aromat. Amine verantwortlich ist.

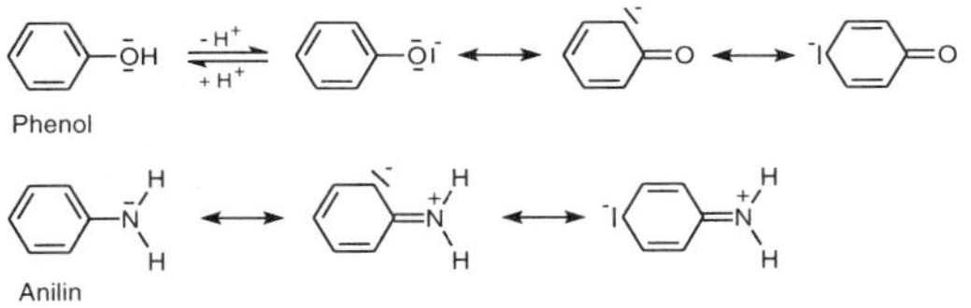

Andererseits sind die a. V. aufgrund des Angebots an π-Elektronen für elektrophile *Substitutionen bes. geeignet (s. Abb. 2). Substitutionsreagenzien finden sich in *Lit.*[1] (s. a. Substitution). Man bezeichnet das Verhalten des Benzols, nicht durch *Addition, sondern durch Substitution zu reagieren, als *regenerativ*. Bereits vorhandene Substituenten am aromat. Ring beeinflussen die Einführung weiterer Gruppen in charakterist. Weise, indem ihre Elektronen-Donator- bzw. -Akzeptor-Eigenschaften durch *induktiven od. mesomeren Effekt dafür sorgen, daß bestimmte Substituenten bevorzugt in *ortho-* u. *para-*Stellung, andere in *meta-*Stellung zum schon vorhandenen Rest in die a. V. eintreten (s. Hammett-Gleichung). (Un)gesätt. cycl. Syst. gehen durch Eliminierung u. chinoide durch Red. meist leicht in aromat. Verb. über (*Aromatisierung*). Die Einführung des aromat. Restes in andere Verb. bezeichnet man als *Arylierung*. Übergangsmetallkomplexe mit Aren-Liganden (*Aren-Komplexe*) spielen eine wichtige Rolle in der metallorgan. Chemie z. B. bei der *Birch-Pearson-Reaktion, s. a. *Lit.*[2] Man kennt heute ca. 2 Mio. a. V., d. h. etwa 30% aller bekannten org. Verb. gehören hierher, darunter zahlreiche Pharmazeutika, s. *Lit.*[3], Riechstoffe, Kunststoffe, Farbstoffe, Pestizide, Lsm., Sprengstoffe usw. – *E* aromatic compounds – *F* composés aromatiques – *I* composti aromatici – *S* compuestos aromáticos

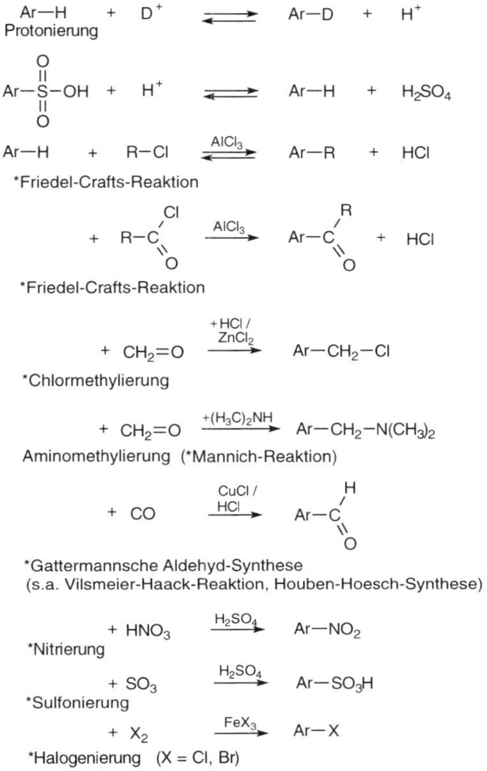

Abb.: 2. Typ. elektrophile Substitutionen an aromat. Verbindungen.

Lit.: [1] Angew. Chem. **92**, 147–168 (1980). [2] Angew. Chem. **104**, 253–268 (1992). [3] Pharm. Unserer Zeit **5**, 177–188 (1976).
allg.: Barton-Ollis, **1**, 241–360 ▪ Houben-Weyl, **5/2 b**, 1–612 ▪ Kirk-Othmer (3.) **4**, 264–277; (4.) **4**, 590–605 ▪ McKetta **3**, 389–395 ▪ Rodd's Chemistry of Carbon Compounds, 2nd Ed. Vol. III A – III H (1971–1979), First Suppl. III A – III H (1983–1988), Second Suppl. III B – III H (1995), Amsterdam: 1971–1995 ▪ Ullmann (5.) **A 13**, 253 ff. ▪ Winnacker-Küchler (4.) **6**, 143 ff. ▪ zur Krebsgefährdung s. Carcinogene.

Aromatisierung. 1. Bei Lebensmitteln u. Körperpflegemitteln Bez. für die Einführung alleiniger od. zusätzlicher Geruchs- u. Geschmacksnoten durch Aromastoffe, s. Aromen.
2. In der organ. Chemie Bez. für die Überführung einer (un)gesätt. in eine aromatische Verbindung, s. dort. – *E* = *F* aromatisation – *I* aromatizzazione – *S* aromatización

Aromatizität. Für den Chemiker bedeutet der Begriff aromat., daß eine ungesätt. Verb., die eigentlich wie andere *Cycloalkene reagieren sollte, stabil u. gegenüber Additionsreagenzien unreaktiv ist. Am Prototyp der aromat. Verb., dem *Benzol, dessen Struktur eines der Hauptprobleme der organ. Chemie im 19. Jh. darstellte, glaubte man durch Annahme einer bestimmten Struktur, Kriterien für die bes. Eigenschaften der *aromatischen Verbindungen gefunden zu haben. In der Folgezeit wurden jedoch durch den chem. Fortschritt die ursprünglich von *Kekulé formulierten

Aromatizität

Kriterien immer mehr modifiziert, so daß allg. anwendbare Kriterien für die A. bzw. den aromat. Zustand schwierig zu finden sind. Ein erstes insbes. von *Erlenmeyer vertretenes Kriterium für A. war, anzunehmen, daß aromat. Verb. im Gegensatz zu Alkenen keine Additions-, sondern meist unter verschärften Bedingungen Substitutionsreaktionen eingehen.

Ein *quantenmechan.* Ansatz zur Definition der A., der sich als äußerst fruchtbar erwiesen hat, gelang E. *Hückel 1931, der die von *Hund u. a. vorgenommene Separierung von *Molekül-Orbitalen in σ- u. π-*Orbitale* auf das Benzol-Problem anwandte. Danach wurden 6 der Elektronen den π-Orbitalen u. die restlichen 24 *Valenzelektronen* den σ-Orbitalen zugeordnet. Die σ-Orbitale sollten demnach das Benzol-Gerüst festlegen u. die Eigenschaften des Benzols wurden im wesentlichen den π-Orbitalen zugeschrieben. Berechnungen der Orbitalenergien u. der Elektronen-Konfigurationen, die dann im Prinzip für alle *planaren monocyclisch-konjugierten regelmäßigen Polyene* wie z. B. *Cyclobutadien od. *Cyclooctatetraen durchgeführt werden konnten, zeigten, daß es zwei Typen gibt, nämlich solche mit [4n]-Elektronen, z. B. Cyclobutadien, bei denen die obersten halb besetzten Mol.-Orbitale zwei entartete *nicht bindende Orbitale* u. solche mit [4n+2]-Elektronen, z. B. Benzol, bei denen die höchst besetzten Orbitale zwei *voll besetzte*, entartete, *bindende Orbitale* sind (*Hückel-Regel). Zudem sollte Benzol einen niedrigeren Energieinhalt als ein hypothet. Cyclohexatrien, bei dem keine Wechselwirkung der Doppelbindungen miteinander zugelassen wurden, besitzen, während die Berechnung für Cyclobutadien eine Energiegleichheit mit dem Modellsyst. ergab. Der MO-Ansatz kann auch auf geladene Polyene wie z. B. das Cyclopentadienyl-Anion od. das Cycloheptatrienylium(Tropylium)-Kation (*nichtbenzoide aromatische Verbindungen*), auf Heteropolyene, bei denen ein C-Atom durch Heteroelemente ersetzt ist wie z. B. *Pyridin od. *Pyrrol (*heterocyclische Verbindungen) u. auf größere monocycl. Polyene (*Annulene) übertragen werden.

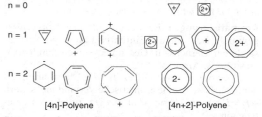

[4n]-Polyene   [4n+2]-Polyene

Später wurden von J. *Dewar mit Hilfe von *self consistent field (SCF)-Berechnungen die Kriterien dahingehend modifiziert, daß Polyene mit [4n+2]-Elektronen durch Konjugation stabilisiert, solche mit [4n]-Elektronen dagegen destabilisiert werden. Derartige Syst. werden als antiaromat. bezeichnet (s. *Antiaromatizität*). Dewar hat auch vorgeschlagen, anstelle der hypothet. nicht delokalisierten, cycl. Polyene die entsprechenden existierenden acycl. Polyene als Modellsubstanzen zu benutzen. Der SCF-Ansatz ist in diesem Falle dem üblichen Hückel-Ansatz vorzuziehen, der für den Vgl. acycl. mit aromat. Polyen unbefriedigende Ergebnisse liefert; die Energieberechnungen also liefern Energiewerte, die besagen, ob ein cycl. Polyen energet. höher od. tiefer liegt als das entsprechende acycl. Polyen u. liefern damit eine energet. Grundlage, Mol. als aromat., nicht aromat. u. anti-aromat. einzuordnen.

Die Berechnung des Energieinhaltes aromat. Mol. mit Hilfe der Bildungswärmen führt zu dem Begriff er *Resonanzenergie*, der sich für Benzol als Differenz aus den Bildungswärmen der Verbrennungsprodukte CO_2 u. H_2O u. den additiven Bildungswärmen für 6 C–H-, 3 C–C- u. 3 C=C-Bindungen zu 164 kJ/mol (39 kcal/mol) ergibt. Dieser Wert entspricht damit der Stabilisierungsenergie des delokalisierten Benzols mit 6 äquivalenten C–C-Bindungen gegenüber dem lokalisierten mit 3 C–C- u. 3 C=C-Bindungen. Einen ähnlichen Wert – 151 kJ/mol (36 kcal/mol) – erhält man durch Vgl. der Hydrierwärmen von Benzol mit Cyclohexen. Der Vgl. von Benzol mit dem acycl. Polyen 1,3,5-Hexatrien ergibt eine Resonanzenergie von 84 kJ/mol (20 kcal/mol), ein im Verhältnis zu dem Wert für das hypothet. Cyclohexatrien deutlich geringerem Wert für die Resonanzstabilisierung.

Ein weiteres A.-Kriterium ist die Bindungsalternierung, das besagt, daß in aromat. Verb. alle C–C-Bindungen gleich lang sind, während in nicht aromat. Verb. alternierend C–C-Einfach- u. C=C-Doppelbindungen vorliegen. So zeigen *Benzol, *Naphthalin, *Anthracen, *Pyren u. [18]-*Annulen keine Bindungsalternanz, während [16]-*Annulen eine solche aufweist.

Aromat. Protonen zeigen im NMR-Spektrum im Vgl. zu olefin. Protonen eine Verschiebung zu niedrigem Feld. Verantwortlich dafür ist die kreisförmige Bewegung der π-Elektronen (*Ringstrom*), die eine diamagnetische *Anisotropie hervorrufen. Da es eine Korrelation zwischen den chem. Verschiebungen u. dem Beitrag des Ringstromes zu der Anisotropie gibt, kann das NMR-Kriterium zur Bestimmung der A. herangezogen werden. Die Meth. ist bes. für die Untersuchung der höheren *Annulene vorteilhaft, bei denen sowohl äußere als auch innere Protonen auftreten; erstere werden Tieffeld, letztere dagegen Hochfeld verschoben.

Polycycl. Systeme (*kondensierte Ringsysteme*) können schlecht nach der einfachen Hückel-Regel in aromat. od. nicht aromat. Verb. klassifiziert werden, da entweder ein gesamtes Ringsyst. od. isolierte Teilringe an der aromat. Konjugation teilnehmen können. Eine Lösung bietet hier die *PMO-Theorie*, die auf den Eigenschaften nicht bindender Orbitale in *alternierenden Kohlenwasserstoffen beruht. So besitzen Naphthalin u *Azulen jeweils 10 π-Elektronen; die PMO-Theorie sagt aber für Naphthalin gegenüber Azulen größere A. voraus. Die A. aromat. Syst. kann selbst bei substituierten Benzolen erheblich gestört sein, wenn eine nicht planare Anordnung, wie z. B. in den *Paracyclophanen[1], vorliegt.

Alle Kriterien für A. treffen wohl nur auf Benzol zu; bei allen anderen Verb. sind einige Kriterien erfüllt, andere dagegen nicht, je nach ausgewähltem Gesichtspunkt. Um den Begriff der A. sind Bez. wie *Homo-A., Quasi-A., Pseudo-A.* u. a. angesiedelt, die ebenfalls den genannten Kriterien unterworfen werden können. – *E* aromaticity – *F* etat aromatique – *I* aromaticità – *S* aromaticidad

Lit.: [1] Chem. Unserer Zeit **10**, 114–120 (1976).
allg.: Bergmann u. Pullman, Aromaticity, Pseudoaromaticity, Antiaromaticity, New York: Academic Press 1971 ■ Garrat, Aromaticity, New York: Wiley 1986.

Aromen. Unter Aroma (latein. = Wohlgeruch) versteht man sowohl einen sensor. Eindruck als auch die Stoffe (Aromastoffe), die diesen Eindruck hervorrufen. Nach DIN 10950 (11/1973) ist Aroma der „olfaktor. Gesamteindruck (vgl. Olfaktion) flüchtiger Stoffe einer Probe. Er unterscheidet sich vom *Geruch dadurch, daß viele dieser Stoffe erst beim Kauen, durch die Wärme der Mundhöhle usw. freigesetzt werden u. dann über die Rachen-Nasen-Verb. zur Empfindung beitragen". Aromen u. *Essenzen werden heute als „konz. Zubereitungen von Geruchsstoffen od. Geschmacksstoffen, die ausschließlich dazu bestimmt sind, Lebensmitteln einen bes. Geruch od. Geschmack, ausgenommen einen lediglich süßen, sauren od. salzigen *Geschmack, zu verleihen", gleichgesetzt.
Wichtige A.-Träger sind die (hier einzeln od. unter den *Gewürzen behandelten) *etherischen Öle, z. B. *Anisöl, *Bittermandelöl, *Fenchelöl, *Kümmelöl usw., ferner Abmischungen einzelner, im allg. synthet. hergestellter – man spricht hier von „naturident." – Komponenten dieser Öle. Inzwischen gibt es eine unüberschaubare Zahl natürlicher u. naturident. A. für Nahrungsmittel u. pharmazeut. Produkte. Als solche kommen v. a. in Betracht: Kohlenwasserstoffe, Heterocyclen, Alkohole, Aldehyde, Ketone, Acetale, Ester, Phenole u. Phenolether sowie Sulfide u. Thiole. Einen Überblick über die Vielfalt von Gewürzen bzw. Lebensmitteln gibt *Lit.*[1]. Mit Hilfe moderner analyt. Meth., insbes. der Gaschromatographie ist es gelungen, z. B. im *Kaffee-Aroma 600–700 Einzelverb. nachzuweisen. Ähnlich eingehend wurden *Kakao-, *Tee- u. *Tabak-Aromen untersucht, die A. von Früchten, *Brot, *Reis, *Fleisch, *Fisch u. a. Lebensmitteln, von *Wein, Bier u. a. *alkoholischen Getränken etc. Oft entwickeln sich die spezif. A. erst im Laufe eines Reifeprozesses, vgl. die Gegenüberstellung der Most.-A. u. der Wein-A. derselben Rebsorte, andere Beisp. sind die A.-Entwicklung beim Braten od. Rösten (bei Fleisch sind bisher über 740 verschiedene A.-Stoffe., die beim Kochen entstehen, gefunden worden). Im allg. sind A., die aufgrund chem. Reaktionen (vgl. Maillard-Reaktion) u./od. enzymat. Prozesse bei der Lebensmittelbehandlung entstehen, viel komplizierter zusammengesetzt als die A. pflanzlicher Lebensmittel. Z. B. fand man im Luftraum (*E* head-space) von Fleischkonserven 95 Verb., die für einen Fehlgeruch (*E* off-flavor) verantwortlich waren. Andererseits können solche A.-Fehler erwünscht sein, z. B. bei *Käse[2]. Der intensivste bisher bekannte Aromastoff ist 1-*p*-*Menthen-8-thiol, das in Sub-ppm-Mengen in Pampelmusen vorkommt[3]. Die geruchliche u. geschmackliche Untersuchung von Stoffen auf ihre A.-Qualitäten ist das Arbeitsgebiet der *Sensorik (sensor. od. organolept. Analyse). Interessanterweise gibt es eine Reihe von Stoffen, die – ohne ein ausgeprägtes Eigen-A. zu besitzen – den Eindruck anderer A. verstärken (*Geschmacksverstärker). Die A. finden im Haushalt u. Gewerbe vielfältige Anw. zur Aromatisierung von Lebensmitteln, Futtermitteln sowie von Tabakerzeugnissen usw. Auch *Mund- u. Zahnpflegemittel sowie Arzneimittel werden aromatisiert, um störende Geschmacksnoten zu überdecken bzw. um Produkte z. B. für Kinder attraktiver zu machen. Nicht zu den A. rechnet man die *Riechstoffe, die v. a. für die *Parfüm- u. *Kosmetika-Ind. von Bedeutung sind. Zur pharmakolog. Anw. von Aromastoffen (Aromatherapie) s. *Lit.*[4].
– *E* flavors – *F* arômes – *I* aromi – *S* aromas
Lit.: [1] Chem. Unserer Zeit **24**, 82–89 (1990). [2] Science **213**, 1238 (1981). [3] Helv. Chim. Acta **65**, 1785 (1982). [4] Pharm. Unserer Zeit **14**, 8 (1985).
allg.: Chem. Unserer Zeit **19**, 22 (1985) ■ Flavor and Fragrance Materials, Worldwide Ref. List (14.), Wheaton: Allured 1987 ■ Mohrt, Dictionary of Perfums (9.), Paris: Ed. Sermadiras 1988 ■ Ohloff ■ Schreier u. Winterhalter (Hrsg.), Progress in Flavour Precursor Studies, Wheaton: Allured 1993 ■ Teranishi et al., Flavor Research, New York: Dekker 1971, 1981; Flavor Chemistry: Trends and Developments, ACS Symp. Ser., Nr. 388, Washington: ACS 1989 ■ Teranishi et al. (Hrsg.), Flavor Precursors, ACS Symp. Ser., Nr. 490, Washington: ACS 1992 ■ Torrey, Fragrances and Flavors: Recent Developments, Park Ridge: Noyes 1980 ■ Ullmann (5.) **A 11**, 141–250. – *Zeitschriften:* Chemical Senses and Flavor, Dordrecht: Reidel (seit 1973) ■ International Flavours and Food Additives, London (seit 1970) ■ Riechstoffe, Aromen, Kosmetika, St. Peter-Ording: Westkünsten-Verl. (seit 1951).

Aroxyle. Bez. für Aryl-substituierte *Sauerstoff-Radikale vom Typ des *Phenoxyls.

Aroyl... s. Acyl....

Arp s. Actin-verwandte Proteine, Centractin.

Arpol®. Marke der Pasa S.A., Argentinien, für SBR. *B.:* Nordmann, Rassmann GmbH & Co.

Arrak s. Spirituosen.

Arrestine. A. sind *Proteine, die phosphorylierte u. Liganden-aktivierte *G-Protein-abhängige *Rezeptoren binden u. dadurch den *Signaltransduktions-Prozeß unterbrechen. Bei anhaltender Stimulierung durch den Ligand wird der Rezeptor durch spezif. *Protein-Kinasen [z. B. Rhodopsin-Kinase, β-adrenerge Rezeptor-Kinasen (βARK)] phosphoryliert u. anschließend durch das A. so lange aus dem Verkehr gezogen (*Desensibilisierung*), bis er durch – im einzelnen bis jetzt wenig charakterisierte – *Protein-Phosphatasen wieder dephosphoryliert wird (*Regenerierung*). Dieser Anpassungsvorgang ist z. B. beim $β_2$-*Adrenozeptor, beim Rezeptor des plättchenaktivierenden Faktors (*PAF), beim *Thyrotropin-Rezeptor, bei *Rhodopsin u. bei Geruchs-Rezeptoren bekannt. Das am besten bekannte A. (M_R 48000) ist das des Rhodopsins; es ist zunächst als *retinales S-Antigen entdeckt worden. – *E* arrestins – *F* arrestines – *I* arrestine – *S* arrestinas
Lit.: Alberts et al., Molekularbiologie der Zelle, 3. Aufl., S. 911 f., Weinheim: VCH Verlagsges. 1995 ■ Curr. Biol. **3**, 683 ff. (1993) ■ Protein Science **3**, 1355–1361 (1994) ■ Stryer (5.) ■ Vitamins and Hormones **51**, 193–234 (1995).

Arretierung. Vorrichtung zur mechan. Fixierung beweglicher Teile bei empfindlichen Geräten, z. B. bei *Waagen, ggf. auch zur automat. Wege. – *E* locking – *F* blocage – *I* blocco

Arrhenius, Svante August (1859–1927), Prof. für Physik, Stockholm. *Arbeitsgebiete:* Theorie der elektrolyt. Dissoziation, Geophysik, Kosmologie, Reakti-

onskinetik (s. Arrheniussche Gleichung), Aktivitätskoeff.; A. benutzte als erster die Bez. *Immunchemie (1907). Er erhielt den Nobelpreis für Chemie 1903 für seine Arbeiten zur elektrolyt. Dissoziation.
Lit.: Chem. Ind. (London) **1959**, 245–249 ▪ Krafft, S. 31 ▪ Neufeldt, S. 75, 86 ▪ Pötsch, S. 17f. ▪ Strube **2**, 66ff., 71, 194 ▪ Strube et al., S. 116, 123, 126, 142, 151.

Arrheniussche Gleichung. Von *Arrhenius 1889 aufgestellte Beziehung zwischen *Reaktionsgeschwindigkeitskonstante u. Temp. bei chem. Reaktionen: $k = A \cdot e^{(-E_A/R \cdot T)}$, wobei k die Reaktionsgeschwindigkeitskonstante, A der präexponentielle Faktor od. *Frequenzfaktor, E_A die Arrheniussche *Aktivierungsenergie, R die *Gaskonstante u. T die *absolute Temperatur sind. In logarithm. Form, die sich besonders gut zur Bestimmung der Parameter A u. E_A aus experimentellen Daten eignet (Ausgleichsrechnung), lautet die A.: $\ln k = \ln A - E_A / R \cdot T$, d.h. der natürliche Logarithmus der Reaktionsgeschwindigkeitskonstante ist eine lineare Funktion der reziproken abs. Temp. Die A. läßt sich quant. auf viele Reaktionen in der Gasphase u. in kondensierten Phasen anwenden; mitunter treten aber deutliche Abweichungen auf, wenn man Reaktionen über einen größeren Temp.-Bereich untersucht. – *E* Arrhenius' equation – *F* équation d'Arrhenius – *I* formula d'Arrhenius – *S* ecuación de Arrhenius
Lit.: Ebisch et al., Chemische Kinetik, Weinheim: Verl. Chemie 1980 ▪ Nicholas, Chemical Kinetics, London: Harper u. Row 1976 ▪ Pilling u. Smith, Modern Gas Kinetics, Oxford: Blackwell Scientific Publications 1987.

Arrowroot. Ursprünglich bezeichnete man mit A. nur die Wurzelstärke aus *Maranta (Pfeilwurz), heute jedoch auch anderer trop. Pflanzen wie A. aus Cannaceen, Tahiti-A. aus *Tacca pinnatifida*; *Tapioka wird gelegentlich als brasilian. A. bezeichnet. A. wird wegen ihrer leichten Verdaulichkeit zur Kinder- u. Rekonvaleszenzernährung verwendet. – *E = I* arrowroot – *F* arrow-root – *S* arrurruz
Lit.: Franke, Nutzpflanzenkunde (5.), S. 77 ff., Stuttgart: Thieme 1992. – [*HS 1108 19*]

ARS (autonomously replicating sequences). Bez. aus der Hefe-*Molekularbiologie für eine DNA-Sequenz mit einem chromosomalen Replikationsursprung (*origin), der die autonome *Replikation eines *Plasmids in Hefezellen (wahrscheinlich im Nucleoplasma) erlaubt. Die ARS-Sequenz kann aus der Hefe selbst od. von anderen niederen *Eukaryonten stammen. Bei der Konstruktion von Hefe-*Klonierungssystemen führt der Einbau von ARS-Sequenzen in bakterielle Plasmide zu *Vektoren, mit denen hohe *Transformations-Häufigkeiten erzielt werden (s. YRp-Vektoren), die jedoch extrem instabil sind. Durch zusätzlichen Einbau des *Centromers vom Hefe-Chromosom III verhält sich das Hybridplasmid (YCp-Vektor, s. auch Plasmid) wie ein zirkuläres Minichromosom, das stabil vererbt wird. – *E* autonomously replicating sequences
Lit.: Curr. Genet. **6**, 153 (1982) ▪ Gene **7**, 141 (1979); **15**, 157 (1981) ▪ Mol. Gen. Genet. **183**, 306 (1981) ▪ Nature (London) **287**, 504 (1980); **282**, 39 (1979) ▪ Proc. Natl. Acad. Sci. USA **77**, 4559 (1980).

Arsa... Präfix, das nach IUPAC-Regel R-2 in *Austauschnamen u. vor Vokal zu Ars... gekürzt, im *Hantzsch-Widman-System den Ersatz einer CH-Gruppe durch ein Arsen-Atom anzeigt (*Beisp.*: Arsabenzol = Arsinin[1] C_5H_5As), in Namen für Ketten u. Ringe alternierender Heteroatome dagegen die Einheit –AsH–; *Beisp.*: Triarsazan = H[–AsH–NH]$_2$–AsH$_2$, Cyclotetraarsoxan = cyclo-[–AsH–O–]$_4$. – *E = F = I = S* arsa...
Lit.: [1] J. Am. Chem. Soc. **104**, 425 (1982); J. Mol. Struct. **78**, 169 (1982).

Arsabenzol s. Arsa....

Arsan s. Arsenwasserstoff.

Arsane s. Arsine.

Arsanilsäure s. 4-Aminophenylarsonsäure.

Arsen (chem. Symbol As; zur Herkunft des Namens s. unten). Ordnungszahl 33, Atomgew. 74,9216. Zu den *Halbmetallen zählendes chem. Element der 5. Hauptgruppe des *Periodensystems. Natürliches As besteht ausschließlich aus dem einzigen stabilen Isotop 75 (*anisotopes Element); daneben sind radioaktive Isotope ^{67}As–^{86}As mit HWZ zwischen 0,9 s u. 80,3 d bekannt. As kommt wie andere Elemente der Stickstoff-Gruppe in verschiedenen allotropen Modif. vor. Die stabile Form ist das metall. sog. *graue As*, das den elektr. Strom leitet. Beim Abschrecken von As-Dampf (vgl. Brauer, *Lit.*) entsteht das metastabile, nichtleitende u. nichtmetall. *gelbe As*$_4$, krist. aus Schwefelkohlenstoff in kub., stark lichtbrechenden, knoblauchartig riechenden Kriställchen, D. 1,97, das schon bei 20 °C, bes. schnell bei Lichteinwirkung, in graues As übergeht. Bei Abkühlung von As-Dampf an 100–200 °C warmen Flächen bildet sich amorphes, glasartiges, nichtleitendes *schwarzes As*, D. 4,7–5,1, das sich oberhalb 270 °C in das metall. As umwandelt. Das graue As ist eine undurchsichtige, stahlgraue, metall. glänzende, spröde, rhomboedr. krist. Masse von der D. 5,73 u. der H. 3–4. Es sublimiert bei 613 °C, ohne zu schmelzen; geschmolzenes As erhält man im geschlossenen Rohr bei 817 °C u. 2750 kPa Druck. Ähnlich wie bei manchen Nichtmetallen sind die As-Dämpfe nicht einatomig, sondern sie haben bis etwa 800 °C die Formel As$_4$, u. oberhalb 1700 °C bilden sich As$_2$-Moleküle.

Im festen, grauen As sind die As-Atome in einem Schichtengitter angeordnet. In seinen Verb. tritt As in den Wertigkeiten +5, +3 u. –3 auf, wobei die +3wertige die beständigste Stufe ist. As verbrennt an der Luft bei 180 °C mit bläulicher Flamme zu einem weißen Rauch von *Arsentrioxid* (As$_2$O$_3$), wobei Knoblauchgeruch auftritt; mit Chlor entsteht unter Feuererscheinungen *Arsentrichlorid* (AsCl$_3$). Durch konz. Salpetersäure wird graues As zu *Arsensäure* (H$_3$AsO$_4$), durch verd. Salpetersäure, konz. Schwefelsäure od. siedenden Alkalilaugen zu *Arseniger Säure* (H$_3$AsO$_3$) oxidiert. Mit Schwermetallen legiert sich As sehr leicht u. erhöht deren Sprödigkeit schon bei geringen Konz. erheblich; die *Arsenide haben techn. Bedeutung. Zahlreiche *Arsen-organische Verbindungen sind bekannt, von denen einige in *Arsen-Präparaten Verw. finden.

Physiologie: As ist ubiquitär in allen organ. Geweben. Im menschlichen Organismus tritt es zusammen mit *Thallium auf (im Blut bis zu 0,008 mg%); es wurde als regelmäßiger Bestandteil in fast allen Organen nachgewiesen. Die biolog. Bedeutung des As als *Spurenelement ist noch nicht völlig geklärt; sie beruht wohl hauptsächlich auf seiner Inhibitor-Wirkung für freie Thiol-Gruppen bestimmter Enzymsyst. u. äußert sich in der Steigerung der physiolog. Hämolysevorgänge, der Bildung von Blutzellen, der Hemmung der Oxid. u. der Senkung des *Grundumsatzes infolge Hemmung der Schilddrüse. As soll eine Erhöhung des Umsatzes von Kohlenhydraten bei Tieren u. Pflanzen bewirken; hier ist evtl. die Ursache zu suchen für das in manchen Alpengegenden verbreitete *Arsenikessen*. Die Toxizität von As u. seinen Verb. ist sehr unterschiedlich. Sind metall. As u. die schwerlösl. Sulfide nahezu ungiftig, so sind die leicht resorbierbaren Verb. insbes. des 3-wertigen As hoch tox.: *Arsenik war jahrhundertelang als Mordgift bekannt, u. nicht selten suchte sich durch *Mithridatismus od. mit *Ziegensteinen (s. *Lit.*[1]) zu schützen, wer Vergiftungen befürchtete. Akute Intoxikationen, die v.a. auf einer Blockade der Thiol-Gruppen der Kapillaren beruhen, haben blutige Brechdurchfälle, Graufärbung u. Erschlaffung der Haut, Kreislauf-Kollaps u. Atemlähmung zur Folge. Die Inhalation von As-Dämpfen verursacht Schleimhautreizung (*Arsenschnupfen*), in schweren Fällen Lungenödeme, die von *Arsenwasserstoff Hämolyse u. schwere Störungen der Leber- u. Nierenfunktion. Chron. As-Vergiftungen äußern sich in Hautkribbeln, Kopfschmerzen, polyneurit. Erscheinungen u. ggf. Bildung bösartiger Tumoren. As u. seine Verb. gelten daher als krebserregende Arbeitsstoffe, für die kein MAK-Wert, sondern ein TRK-Wert von 0,1 mg/m^3 festgesetzt wurde. Auch in Pflanzenschutzmitteln ist die Anw. von As-Verb. in der BRD seit 1974 verboten, u. nach der Höchstmengen-VO von 1976 dürfen in pflanzlichen Lebensmitteln keine As-Verb. vorhanden sein. Die Toxizität 5-wertiger As-Verb. ist im allg. geringer, da diese im Organismus erst in die 3-wertigen überführt werden müssen. As lagert sich bevorzugt in Haut u. Haaren ab, wo es mit den Thiol-Gruppen des *Keratins reagiert; es ist in Leichen auch noch nach Jahren nachweisbar.

Nachw.: In stark HCl-saurer Lsg. wird As durch H_2S als gelbes Arsensulfid gefällt. Altbekannte qual. Nachw.-Meth. sind *Marsh-Test* (s. Arsenik), *Bettendorf-Test u. *Gutzeit-Test sowie die Kakodyl-Reaktion (s. Arsine). Spektralphotometr. läßt sich As mit Silberdiethyldithiocarbamat od. Toluoldithiol bestimmen[2]. Zum qual. Mikronachw. s. *Lit.*[3]. Kleinste Mengen können mit I_2/Luminol[4] od. durch Atomabsorptionsspektrometrie bestimmt werden[5]. Über rasche u. genaue Bestimmungen von As neben Phosphor s. *Lit.*[6] u. zur Mikrobestimmung von As in Elementarschwefel s. *Lit.*[7]. In Trink- u. Brauchwasser lassen sich Spuren durch Pulspolarographie[8], im Boden mit *Prüfröhrchen (s. *Lit.*[9]) bestimmen.

Vork.: Ungefähr $5,5 \cdot 10^{-4}$ % der obersten Erdkruste bestehen aus As, das damit in der Häufigkeit in der Nähe von Beryllium u. Germanium steht. As kommt in Form des *Scherbenkobalts (Fliegenstein) gediegen vor u. bildet *intermetallische Verbindungen mit Antimon (Allemontit) u. Kupfer (Whiteneyit). Am häufigsten sind die Sulfide Realgar (As_2S_2), Auripigment (As_2S_3), *Arsenopyrit (FeSAs, wichtigstes Arsenmineral), *Cobaltin [(Co,Fe)AsS], Lichtes *Rotgültigerz (Ag_3AsS_3), *Gersdorffit, ferner Arsenkupfer (Cu_3As), *Löllingit, *Enargit, *Rammelsbergit, *Safflorit, *Sperrylith. Als Verwitterungsprodukt der Arsensulfide ist das Arsenoxid (As_2O_3, Arsenblüte, Arsenolith) aufzufassen. Daneben ist As in der ganzen Erdkruste spurenweise verteilt; so findet man es z.B. in Erstarrungsgesteinen (durchschnittlich 5 g je t), im Schwefel der Vulkane, in Steinkohlen, im Meerwasser, in Mineralwässern, in Fauna u. Flora. Metalle, die aus sulfid. Erzen hergestellt wurden, enthalten fast immer Spuren von As, die sich schwer entfernen lassen.

Die Weltförderung an As-Erzen belief sich 1994 auf rund 36 000 t, gerechnet als As_2O_3. In der Produktionsstatistik (World Mineral Statistics, Nottingham: Keyworth 1995) nimmt China (ca. 13 000 t) den ersten Platz ein vor Mexiko (5900 t), Chile (3900 t) u. Namibia (2800 t). In Belgien, Rußland, Kasachstan u. auf den Philippinen wurden je ca. 2000 t produziert.

Herst.: Die gängigen Herst.-Verf. für As aus seinen Erzen beruhen auf der Flüchtigkeit des Metalls u. der meisten seiner Verbindungen. In Freiberg u. Schlesien wurden Arsenkies u. Löllingit (FeSAs bzw. $FeAs_2$) in liegenden Tonröhren erhitzt u. das bei Rotglut entweichende As in tönernen Vorlagen aufgefangen. Durch Subl. unter Luftabschluß läßt sich As von vielen Verunreinigungen befreien. Zur Herst. von hochreinem As wird As_2O_3 in $AsCl_3$ übergeführt, dessen Red. mit H_2 As in Halbleiterqualität liefert. Näheres zu den verschiedenen Herst.- u. Reinigungsmeth. s. *Lit.*[10]. Die Hauptmenge des As fällt als Nebenprodukt bei der Gewinnung bzw. Reinigung von Cu, Pb, Co u. Au an.

Verw.: Als Leg.-Bestandteil zur Erhöhung der Härte z.B. von Blei-Leg. für Flintenschrot, von Cu-Sn-Leg. für Spiegel, von Kupfer für Hochtemp.-Beanspruchung etc. Hochreines As dient zur Herst. von GaAs- u. InAs-Halbleitern. In der Glasind. dienen As-Verb. als Läuterungs- u. Entfärbungsmittel.

Geschichte: As-Sulfide (Auripigment) werden schon von *Aristoteles u. Dioskurides erwähnt; man hielt diese für eine Art Schwefel u. benutzte sie, um Silber goldartig zu färben, als gelbe Malerfarbe u. als Enthaarungsmittel. Die Alchimisten betrachteten das As als „Bastardmetall" („Arsenikkönig"). Nachdem bereits im Mittelalter im Hüttenrauch Arsenik gefunden wurde, stellte Brandt 1733 die ersten genaueren Untersuchungen über das As an. Die As-Herst. ist erstmals bei M. *Albertus um 1250 beschrieben. – Der Ursprung des Namens Arsen ist unklar. Er geht entweder auf die griech. Bez. arsenikon zurück, die von Dioskurides im 1. Jh. erstmals für das As-Mineral Auripigment (As_2S_3) verwendet wurde od. leitet sich von griech.: arsenikos = männlich ab; der Name soll so wahrscheinlich auf die Flüchtigkeit u. Möglichkeit des Niederschlages in metall. Form hinweisen od. auf die therapeut. Wirkung der As-Präp. (diese war auch be-

Arsenate

reits Dioskurides bekannt). – *E* arsenic, auch black arsenic – *F* arsenic – *I* arsenico – *S* arsénico
Lit.: [1]Chem. Unserer Zeit **13**, 96 (1979). [2]Fries-Getrost, S. 41–45. [3]Chem. Labor. Betr. **26**, 233f. (1975). [4]Talanta **24**, 297 (1977). [5]Int. Lab. 1977, Nr. 3, 65–74. [6]Mikrochim. Acta **1965**, 830. [7]Chem.-Ztg. **91**, 416–419 (1967). [8]Z. Anal. Chem. **261**, 29 (1972). [9]Geol. Jahrb. **1976**, 85–91. [10]Wanderer, Verhüttung von arsenhaltigen Rohstoffen u. die Abtrennung des Arsen, Metall. Archiv 994.
allg.: Brauer (3.) **1**, 567ff. ■ Friberg et al. (Hrsg.), Handbook on the Toxicology of Metals, Vol. 2, (2.) Amsterdam: Elsevier 1986 ■ Gmelin, Syst.-Nr. 17, As, 1952 ■ Kirk-Othmer (4.) **3**, 624–633 ■ Patai (Hrsg.), The Chemistry of Organic Arsenic, Antimony & Bismuth Compounds, Chichester: Wiley 1994 ■ Smith, The Chemistry of Arsenic, Antimony and Bismuth, Oxford: Pergamon 1975 ■ Ullmann (5.) **A 3**, 113–141 ■ Umweltbundesamt, Umwelt- u. Gesundheitskriterien für Arsen (Tl. 1) u. Umweltbelastung durch Arsen in der BRD (Tl. 2), Berlin: Schmidt 1983 ■ Winnacker-Küchler (4.) **4**, 488ff. ■ s. a. Arsenorganische Verbindungen u. Arsen-Präparate. – *[HS 2804 80; CAS 7440-38-2]*

Arsenate s. Arsensäure.

Arsenazo I, II, III. Trivialnamen für Arsonsäure-haltige Bis-Azo-Derivate der Chromotropsäure als Indikatoren für die Komplexometrie (A.I u. A.II) bzw. Reagenzien auf *Thorium(A.I u. A.III), *Uran u. *Zirkon (A.III). – *E* = *I* = *S* arsenazo – *F* arsènazo
Lit.: Z. Chem. **18**, 168–172 (1978).

Arsenblüte s. Arsenik.

Arsenbutter s. Arsentrichlorid.

Arsendisulfid s. Arsensulfide.

Arsenfahlerz s. Fahlerze.

Arsenfluoride. *Arsen(III)-fluorid* (Arsentrifluorid), AsF_3, M_R 131,92. Farblose, giftige, T ☠ leichtbewegliche Flüssigkeit, D. 2,73. Schmp. –8,5 °C. Sdp. 63 °C, raucht, zersetzt Glas, wird von Wasser hydrolysiert, lösl. in Ethanol, Ether, Benzol. Solange Feuchtigkeit ausgeschlossen wird, ist es geeignet als Fluorierungsmittel.
Arsen(V)-fluorid (Arsenpentafluorid), AsF_5, T ☠ M_R 169,91. Giftiges, farbloses Gas, Sdp. –53 °C, das an der Luft infolge Hydrolyse raucht; es wird aus den Elementen direkt hergestellt. Es kann – in Menger von 5–10% zugesetzt – die elektr. Leitfähigkeit von Polyacetylen um mehr als 7 Zehnerpotenzen erhöhen u. damit in die Nähe des Leitvermögens von Kupfer bringen[1]. Die Einlagerungsverb. AsF_5/Graphit erreicht die elektr. Leitfähigkeit von Silber[2]. – *E* arsenic fluorides – *F* fluorures d'arsenic – *I* ifluoruri d'arsenico – *S* fluoruros de arsénico
Lit.: [1]Phys. Rev. Lett. **39**, 1098 (1977). [2]Phys. Today **30**, Nr. 7, 18 (1977).
allg.: Brauer (3.) **1**, 215f. ■ Gmelin, Syst.-Nr. 17, As, 1952, S. 360–365 ■ Kirk-Othmer (4.) **3**, 636f. ■ McKetta **3**, 402. – *[HS 2812 90; CAS 7784-35-2 (III); 7784-36-3 (V)]*

Arsenide. Verb. aus *Arsen u. einem Metall; T ☠ meist durch Zusammenschmelzen von stöchiometr. Mengen der pulverisierten Bestandteile herstellbar. So gibt es z. B. Zinkarsenid (Zn_3As_2), Kupferarsenid (Cu_3As_2) usw.; in neuerer Zeit haben *Galliumarsenid u. *Indiumarsenid erhebliche Bedeutung als *Halbleiter gewonnen. Natürliche A. sind z. B. $FeAs_2$, $NiAs_2$, $CoAs_2$. – *E* arsenides – *F* arséniures – *I* arseniuri – *S* arseniuros
Lit.: Brauer (3.) **2**, 961–963 ■ Kirk-Othmer (4.) **3**, 625, 629–631, 635f. – *[HS 2851 00]*

Arsenige Säure. Nur in wäss. Lsg. bekannte, T ☠ sehr schwache Säure, die in ihrer Stärke etwa der *Borsäure entspricht. Sie ist ein *amphoterer Elektrolyt: Beim Eindampfen der Lsg. scheidet sich ihr Anhydrid (As_2O_3) aus. Die Formel wird mit H_3AsO_3 (*ortho*-Form) bzw. $HAsO_2$ (*meta*-Form) angegeben. Ihre Salze heißen *Arsenate(III)* (früher *Arsenite*); man unterscheidet Verb. vom Typ $M^I H_2AsO_3$, $M^I_2 HAsO_3$ u. $M^I_3 AsO_3$, obwohl sich die meisten Salze nicht von der *ortho*-Säure, sondern von der *meta*-Form $HAsO_2$ ableiten, so z. B. Kupferarsenat(III), $Cu(AsO_2)_2$. Ähnlich wie bei den Phosphaten sind die Alkaliarsenate(III) leichtlösl., die Erdalkaliarsenate(III) schwerlösl. u. die Schwermetallarsenate(III) (z. B. Ag_3AsO_3) unlöslich. Die Ca- u. Cu-Arsenate spielten früher in der Schädlingsbekämpfung, bes. im Weinbau (Kupferarsenbrühe), eine Rolle. – *E* arsenous acid – *F* acide arsénieux – *I* acido arsenioso – *S* ácido arsenioso
Lit.: Gmelin, Syst.-Nr. 17, As, 1952, S. 278–326 ■ Kirk-Othmer (4.) **3**, 638. – *[HS 2811 29; CAS 13464-58-9]*

Arsenik [Arsentrioxid, Weißarsenik, As(III)- T+ ☠ oxid]. As_2O_3, M_R 197,84. Wichtigste, sehr giftige Arsen-Verb., krebserzeugend beim Menschen [Gruppe III A 1 der MAK-Werte-Liste (1995)], ätzend, tritt in mehreren Modif. auf. Das A. des Handels besteht aus weißen, porzellanartigen Stücken od. aus weißem Pulver, D. 3,7–3,87; es ist leichtlösl. in Salzsäure u. Alkalien; in 15 Tl. siedendem Wasser löst es sich langsam auf, sublimiert beim Erhitzen. A.-Dampf ist farb- u. geruchlos, er besteht zunächst aus As_4O_6-Mol., die bei höheren Temp. in As_2O_3-Mol. zerfallen. In der Natur kommt A. als monokliner *Claudetit* (vermutlich bei Grubenbränden entstanden) u. in Form von kub. *Arsenblüte* (Arsenolith) als weißer od. gelblicher, mehlartiger Überzug auf verwitternden As-Erzen vor.
Herst.: Man röstet z. B. Arsenkies nach der Gleichung $2 FeAsS + 5 O_2 \rightarrow Fe_2O_3 + 2 SO_2 + As_2O_3$ u. reinigt den in langen, gemauerten Kanälen kondensierten *Hüttenrauch (As_2O_3) durch wiederholtes Sublimieren. Zu Toxizität u. physiolog. Wirkung des A. s. bei Arsen.
Nachw.: Der sehr empfindliche A.-Nachw. nach Marsh (1836) wird folgendermaßen ausgeführt: Man bringt in die Woulffsche Flasche (s. Abb.) Arsen-freies Zink, verd. Arsen-freie Schwefelsäure u. die auf A. zu prüfende Substanz (z. B. Mageninhalt von Vergifteten nach Zerstörung der organ. Substanz durch Abrauchen mit konz. H_2SO_4 od. HNO_3). In der Woulffschen Flasche wird As_2O_3 durch den aus Zink u. Schwefelsäure freiwerdenden Wasserstoff in gasf. *Arsenwasserstoff verwandelt ($As_2O_3 + 12 H \rightarrow 2 AsH_3 + 3 H_2O$), der zusammen mit dem Wasserstoff das Rohrsyst. verläßt. Wenn der Wasserstoff alle Luft verdrängt hat, kann man das ausströmende Gas hinter B anzünden. Bei großem A.-Gehalt brennt die Flamme bläulich fahl, u. eine in die Flamme gehaltene Porzellanschale erhält bräunlichschwarze Flecken. – Vorsicht! Abzug! Arsenwasserstoff ist äußerst giftig. Erhitzt man nun die Röhre in A so entsteht spätestens innerhalb 15–20 min an der

kühleren, verengten Stelle B ein in Natriumhypochlorit-Lsg. lösl., metall. schwarzer *Arsenspiegel*, falls die Untersuchungssubstanz A. od. andere As-Verb. enthielt. Dieser sog. *Marsh-Test* ist äußerst empfindlich; man soll damit noch 0,0001 mg Arsen nachweisen können. Ein auf prinzipiell gleiche Weise entstehender Spiegel von *Antimon würde sich in NaOCl-Lsg. nicht lösen. Zur Identitätsprüfung von A. s. *Lit.*[1], u. über As-Bestimmung in Arzneibuchpräp. u. Feinchemikalien s. *Lit.*[2].

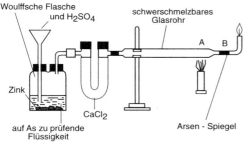

Abb.: Arsenik-Nachweis nach Marsh.

Verw.: A. ist das wichtigste Ausgangsprodukt für alle übrigen As-Verb. u. As-Metall. Es wird für Katalysatoren, bestimmte Spezialgläser u. Vernickelungsbäder gebraucht. Obwohl A. in größeren Mengen ein heftiges Gift ist, wurde es in kleinen Dosen früher häufig als Roborans angewendet, vgl. Arsen-Präparate. Ferner wurde A. zur Konservierung von Vogelbälgen u. zur Herst. von Schädlingsbekämpfungsmitteln, auch für Rodentizide, gebraucht, doch ist dieser Verbrauch seit dem Verbot der Anw. As-haltiger Pflanzenschutzmittel in vielen Ländern stark zurückgegangen.
Geschichte: A. wird schon seit über 1000 a als Mäusegift verwendet, deshalb bezeichnen es die Bewohner Westafrikas, des Iraks u. Andalusiens seit langem als *Mäusepulver*. Außerdem war es in früheren Zeiten ein beliebtes Mordgift, bis es durch den oben beschriebenen Marsh-Test gelang, selbst Spuren noch nach langer Zeit in Leichenteilen nachzuweisen, vgl. a. Arsen. Die erste Reinherst. des Arseniks erfolgte etwa 700 n. Chr. durch arab. Chemiker. Der arab. Arzt Abu Bekr er Razi (850–923 n. Chr.) empfahl A. als Heilmittel bei Blutarmut, Nerven- u. Hautkrankheiten. – *E* arsenic trioxide, white arsenic – *F* anhydride arsénieux – *I* triossido d'arsenico – *S* trióxido de arsénico

Lit.: [1] DAB 10. [2] Arch. Pharm. (Weinheim, Ger.) **295**, 779–801 (1962).
allg.: Brauer (3.) **1**, 580 ■ Gmelin, Syst.-Nr. 17, As, 1952, S. 236–271 ■ Hommel, Nr. 812 ■ Kirk-Othmer (4.) **3**, 637f. ■ Snell-Hilton **6**, 230–234 ■ Ullmann (5.) A**3**, 115–121, 126 ■ s. a. Arsen. – *[HS 2811 29; CAS 1327-53-3; G 6.1]*

Arsenite s. arsenige Säure.

Arsenkies s. Arsenopyrit.

Arsennickel s. Nickelin.

Arseno... In Analogie zu *Azo... gebildetes Präfix für die Atomgruppierung –As=As– in systemat. Namen von organ. Verb.; *Beisp.:* Arsenobenzol[1] (=Diphenyldiarsen), H_5C_6–As=As–C_6H_5, Schmp. 212 °C, cycl. trimere Struktur (Hexaphenyl-cyclohexaarsan), Grundkörper einer Reihe von Pharmazeutika wie *Salvarsan u. Neosalvarsan (vgl. Arsen-Präparate). – *E* = *I* arseno – *F* arséno... – *S* arsénico
Lit.: [1] Beilstein E III **16**, 1157, E IV **16**, 1196.

Arsenobenzol s. Arseno...

Arsenolith s. Arsenik.

Arsenopyrit (Arsenkies, Giftkies, Mißpickel). FeAsS (FeAs$_{1,1}$S$_{0,9}$ bis FeAs$_{0,9}$S$_{1,1}$); wichtigstes Arsen-Mineral, mit ca. 46% As. Monokline (Krist.-Klasse 2/m-C$_{2h}$), flach pseudo-oktaedr. bis prismat., oft *Zwillinge bildende, metallglänzende, zinnweiße bis stahlgraue Krist., Struktur u. Struktur-Defekte s. *Lit.*[1]; auch körnig. od. als derbe kompakte Massen; H. 5,5–6, D. 6; Strich schwarz. T ☠

Vork.: In Gold-Lagerstätten (hier z. T. selbst Gold-haltig), z. B. New Brunswick/Kanada, Taiwan; in Zinnerz-Lagerstätten, z. B. Panasqueira/Portugal; ferner in Boliden/Schweden, Parral/Mexiko. – *E* arsenopyrite – *F* arsénopyrite – *I* arsenopirite – *S* arsenopirita
Lit.: [1] Z. Kristallogr. **179**, 335–346 (1987).
allg.: Anthony et al., Handbook of Mineralogy, Vol. 1, S. 28, Tucson (Arizona): Mineral Data Publishing 1990 ■ Ramdohr-Strunz, S. 463 ff. – *[CAS 1303-18-0]*

Arsen-organische Verbindungen. Sammelbez. für organ. Verb. mit As als Heteroatom. Die Mehrzahl der A.-o. V. ist heute nur von theoret. Interesse zum Studium der Bindungsverhältnisse u. der Analogien innerhalb der Stickstoff-Gruppe (vgl. *Lit.*[1]). Zu den A.-o. V., deren Nomenklatur sich nach den vorläufigen IUPAC-Regeln D-5 richtet, gehören vor allem die Derivate des Arsenwasserstoffs (*Arsine), *Arsoniumsalze* [R_4As]$^+$, *Arsensäuren* z. B. *Arsonsäuren* [R–AsO(OH)$_2$] u. die heterocycl. Verb. mit As im Ring, z. B. die *Arsole. Nach IUPAC-Regel B-1.1 Gruppenbez., *Arsabenzole* (= *Arsinine*)[2] u. Phenarsazin (vgl. Adamsit u. Arsa...). Die älteste A.-o. V. ist das 1760 von Cadet de Gassicourt hergestellte *Kakodyloxid* (vgl. Arsine).
Herst.: As(III)-Verb. erhält man in der Regel direkt aus dem Element u. einem Alkyl- od. Arylhalogenid od. durch Ummetallierung aus einer *Lithium-organische Verbindung od. *Grignard-Verbindung; z. B.

$$H_3C–MgI + AsCl_3 \xrightarrow{3MgICl} (H_3C)_3As.$$

Zur Herst. der Arsen(V)-säuren eignen sich u. a. die Bart, Scheller-Reaktion od. *Béchamp-Arsonylierung.
Eigenschaften: As(III)-Verb. sind luftempfindlich u. entzünden sich z. T. spontan. Mit *Alkylhalogeniden lassen sie sich zu *Arsonium-Salzen* quaternisieren. *Arsine* könen als *Lewisbasen u. schwache Donatoren fungieren. Zahlreiche Übergangsmetallkomplexe mit A.-o. V. sind bekannt[3]. *Arsonsäuren* sind in Wasser relativ starke Säuren (pK$_1$~2,7).
Eine Reihe von A.-o. V. eignet sich als Arzneimittel (s. Arsen-Präparate), andere, wie die *Methanarsonsäure-Salze, als Herbizide. Im 1. Weltkrieg wurden A.-o. V. (Adamsit, Clark I u. II, Lewisit) als *Kampfstoffe eingesetzt. – *E* organoarsenic compounds – *F* composés organoarseniés – *I* composti organoarseniosi – *S* compuestos organoarsénicos

Arsenoso...

Lit.: [1] Angew. Chem. **87**, 269–283 (1975); J. Am. Chem. Soc. **95**, 928 (1973). [2] Acc. Chem. Res. **11**, 153–157 (1978). [3] Herberhold, Metal-Complexes 2/1, S. 407–428, Amsterdam: Elsevier 1972.
allg.: Houben-Weyl **13/8** ▪ Kirk-Othmer (4.) **3**, 640–653 ▪ Patai, The Chemistry of Arsenic, Antimony and Bismuth Compounds. Chichester: Wiley 1994 ▪ Smith, The Chemistry of Arsen, Antimony and Bismuth, Oxford: Pergamon Press 1973 ▪ Ullmann (4.) **8**, 58 ff.; (5.) **A 3**, 131 ff. ▪ Wilkinson-Stone-Abel, **2**, 681–707; (2.) **2**, 321–347.

Arsenoso... Bez. für die hypothet. Atomgruppierung –AsO; wahre Strukturen: Polymere u. cycl. Oligomere.

Arsenoxide s. Arsenik u. Arsenpentoxid.

Arsenpentoxid [Arsen(V)-oxid]. As_2O_5, M_R 229,84. Weiße, amorphe od. glasige durchsichtige Substanz, giftig u. nach MAK-Werte Liste 1995 krebserzeugend beim Menschen (Gruppe III A 1), D. 4,1. A. zerfließt in feuchter Luft unter Bildung von Arsensäure u. zerfällt beim Glühen vollständig in Arsentrioxid u. Sauerstoff. As_2O_5 wird erhalten durch Entwässern der *Arsensäure über höhermol. kondensierte Arsenate u. Arsenoxide, vgl. Lit.[1].
Verw.: In der Herst. farbiger Gläser, von Metallklebern u. Fungiziden. – *E* arsenic pentoxide – *F* pentoxyde d'arsenic – *I* pentossido d'arsenico – *S* pentóxido de arsénico
Lit.: [1] Adv. Inorg. Chem. Radiochem. **4**, 1–75 (1962).
allg.: Gmelin, Syst.-Nr. 17, As, 1952, S. 273–277, 331 ▪ Hommel, Nr. 1149 ▪ Kirk-Othmer (4.) **3**, 638 ▪ Ullmann (5.) **A 3**, 127 f. – [HS 2811 29; CAS 1303-28-2; G 6.1]

Arsen-Präparate. Bez. für therapeut. verwendete Arsen-Verbindungen. Hierzu gehörten früher *Arsenik u. die Kaliumarsenat(III) enthaltende Fowlersche Lösung, die Roborantien-, möglicherweise aber auch carcinogene Wirkung zeigen soll. Arsen(III)-iodid (AsI_3) wurde innerlich bei Brustkrebs, Lepra, Impetigo u. syphilit. Hautausschlägen, Arsentrisulfid (As_2S_3) äußerlich als Ätzmittel angewandt. Größer ist die Bedeutung der *Arsen-organischen Verbindungen. Die Wissenschaft der *Chemotherapie nahm ihren Anfang, als P. *Ehrlich fand, daß gewisse organ. As-haltige Verb. gegen *Protozoen-Infektionen wie *Schlafkrankheit, *Syphilis, *Trichomonaden u. *Ruhr (s. Amöben) wirksam sind. Sein *Arsphenamin (*Salvarsan®, Formel auf dem 200-DM-Schein) wird nicht mehr verwendet, aber das ZNS-gängige *Melarsoprol[1] noch heute gegen *Trypanosomen eingesetzt. Die A. wirken durch Blockierung der Protein-SH-Gruppen; im allg. haben 4-Aminophenylarsen-Verb. trypanozide, 4-Hydroxyphenylarsen-Verb. spirillizide Wirkung. Nebenwirkung der As-Therapie sind allerg. Frühreaktionen, die sich durch Blutandrang im Kopf, Übelkeit u. Exantheme äußern, u. Spätreaktionen, die mit Leberschädigung, Dermatitis u. Schäden am ZNS einhergehen können. Ein Antidot bei A.-Vergiftungen ist *Dimercaprol. – *E* arsenicals – *F* arsénicaux – *I* preparati arsenicali – *S* arsenicales
Lit.: [1] Merck-Index (11.), Nr. 5694.
allg.: Arzneimittelchemie III, 42–46, 142, 160 f., 176, 180 ▪ Hager (4.) **3**, 233–253 ▪ Kirk-Othmer (3.) **3**, 263 f. ▪ Negwer (6.), S. 1666 ▪ Ullmann (5.) **A 3**, 132–141 ▪ Winnacker-Küchler (3.) **4**, 621–623.

Arsensäure. H_3AsO_4. Entsteht in wäss. Lsg., wenn As_2O_3 mit konz. Salpetersäure od. anderen starken Oxidationsmitteln behandelt wird; in festem Zustand nur als Hemihydrat ($H_3AsO_4 \cdot 1/2 H_2O$, M_R 150,95) bekannt. Werden die Wasserstoff-Atome ganz od. teilw. durch Metalle ersetzt, so entstehen die den Phosphaten entsprechenden *Arsenate(V)*. Mit Silbernitrat-Lsg. bilden lösl. Arsenate einen schokoladebraunen Niederschlag von Silberarsenat, Ag_3AsO_4. Dadurch lassen sie sich von Phosphaten unterscheiden. Dinatriumhydrogenarsenat(V) (Na_2HAsO_4), Calciumarsenat [$Ca_3(AsO_4)_2$] u. Bleiarsenat [$Pb_3(AsO_4)_2$] waren bis zum Verbot (vgl. bei Arsen) Bestandteil vieler Schädlingsbekämpfungsmittel in Obstbau, Land- u. Forstwirtschaft. – *E* arsenic acid – *F* acide arsénique – *I* acido arsenico – *S* ácido arsénico
Lit.: Brauer (3.) **1**, 580 f. ▪ Gmelin, Syst.-Nr. 17, As, 1952, S. 327–358 ▪ Hommel, Nr. 1165, 1178 ▪ Kirk-Othmer (4.) **3**, 638 ▪ McKetta **8**, 403 f. ▪ Ullmann (5.) **A 3**, 128 f. – [HS 2811 19; CAS 7774-41-6 (Hemihydrat)]

Arsenspiegel s. Arsenik.

Arsensulfide. *Arsensulfid*, As_4S_4, M_R 427,93, im Dampfzustand ab 800 °C beginnende, ab 1000 °C vollständige Dissoziation in As_2S_2. Arsenmineral (*Realgar*, *Rubinrot*, *Rauschrot*; der mittelalterliche Name *Sandarak* wurde wegen der Verwechslungsmöglichkeit mit dem gleichnamigen Baumharz aufgegeben). Auch künstlich herstellbare rote glasige Masse, unzersetzt destillierbar, D. 3,51, Schmp. 307 °C, Sdp. 565 °C, verbrennt mit bläulichweißem Licht zu *Arsenik u. Schwefeldioxid (griech. *Weißfeuer). As_4S_4 wird in der Pyrotechnik u. der Gerberei-Ind. verwendet.
Arsen(III)-sulfid (Arsentrisulfid), As_2S_3, M_R 246,02. Monokline Krist., schön goldgelb, D. 3,43, Schmp. 320 °C, siedet unter Luftabschluß bei 707 °C, an der Luft Verbrennung. In der Natur kommt As_2S_3 als *Auripigment* (*Rauschgelb*) vor; die vom latein. abgeleiteten Namen *Opermant* od. *Orpiment* können auch (giftige) Mischbildungen aus As_2O_3 u. As_2S_3 kennzeichnen. As_2S_3 kann durch Schmelzen von stöchiometr. Mengen As u. Schwefel-Pulver od. durch Einleiten von Schwefelwasserstoff in eine angesäuerte Arsenik-Lsg. hergestellt werden, was beim qual. *Trennungsgang der *Schwefelwasserstoff-Gruppe analyt. genutzt wird. As_2S_3 ist in Wasser u. Säuren unlösl.; wird von Alkalisulfid-Lsg. u. Schwefelammonium zu Thioarsenaten(III) ($M^I_3AsS_3$) od. Thioarsenaten(V) ($M^I_3AsS_4$) gelöst. Auripigment war schon im Altertum bekannt; es wurde wie auch Realgar als Schminke u. Haarentfernungsmittel verwendet. Heute wird es zur Herst. IR-durchlässiger Gläser, in Photohalbleitern u. als Pigment (Königsgelb) benutzt.
Arsen(V)-sulfid (Arsenpentasulfid), As_4S_{10}, M_R 620,29. Citronengelbes Pulver, entsteht beim Erhitzen von stöchiometr. Mengen As- u. Schwefel-Pulver unterhalb 500 °C od. durch Einleiten von H_2S in Arsensäure-Lösung. Bei Temp. ab 95 °C tritt Zerfall in Arsentrisulfid u. Schwefel ein. Wird ebenfalls als Pigment verwendet. Als viertes Arsensulfid sei *Tetraarsentrisulfid*, As_4S_3, erwähnt. – *E* arsenic sulfides – *F* sulfures d'arsenic – *I* isolforati rossi d'arsenico – *S* sulfuros de arsénico

Lit.: Brauer (3.) **1**, 582 ▪ Gmelin, Syst.-Nr. 17, As, 1952, S. 415–455 ▪ Hommel, Nr. 915 ▪ Kirk-Othmer (4.) **3**, 639 f. ▪ Ramdohr-Strunz, S. 482 f. ▪ Ullmann (5.) A **3**, 129 f. – *[HS 2813 90; CAS 12279-90-20 (As_4S_4); 1303-33-9 (As_2S_2); 12255-89-9 (As_2S_3); 1303-34-0 (As_4S_{10}); 1303-41-9 (As_4S_3)]*

Arsentrichlorid [Arsen(III)-chlorid, Arsenbutter]. $AsCl_3$, M_R 181,28. Farblose, sehr giftige, ölige, in feuchter Luft infolge Hydrolyse [$AsCl_3 + 3 H_2O \rightarrow As(OH)_3 + 3 HCl$] rauchende Flüssigkeit, die bei 131 °C siedet u. bei −13 °C zu weißglänzenden Kristallnadeln erstarrt; D. 2,16. $AsCl_3$ löst sich in Ether, Tetrachlorkohlenstoff, Chloroform u. fetten Ölen u. ist Lsm. für Phosphor, Schwefel u. Iod.
Herst.: Aus As u. Chlor-Gas od. aus As_2O_3 u. Chlorwasserstoff bei 180–200 °C.
Verw.: Zur Herst. von *Kampfstoffen, *Arsen-Präparaten, Insektengiften sowie in der keram. Ind. u. in der Elektronik. A. in reinster Form wird als *nichtwäßriges Lösemittel u. – in HCl gelöst – als Standard-Lsg. für die *AAS gebraucht. Bei tiefen Temp. sind auch *Arsen(V)-chlorid* ($AsCl_5$) u. *Arsenoxidtrichlorid* ($AsOCl_3$) stabil. – *E* arsenic trichloride – *F* trichlorure d'arsenic – *I* tricloruro d'arsenico – *S* tricloruro de arsénico
Lit.: Brauer (3.) **1**, 572 f. ▪ Gmelin, Syst.-Nr. 17, As, 1952, S. 415–455 ▪ Hommel, Nr. 811 ▪ Kirk-Othmer (4.) **3**, 636 f. ▪ McKetta **3**, 402 ▪ Snell-Hilton **6**, 234 ▪ Ullmann (5.) A **3**, 130. – *[HS 2812 10; CAS 7784-34-1; G 6.1]*

Arsentrioxid s. Arsenik.

Arsenwasserstoff (Arsin, Arsan). AsH_3, M_R 77,95. Farbloses, brennfähiges, unangenehm knoblauchartig riechendes, äußerst giftiges Gas, das 2,7 mal schwerer ist als Luft u. bei −62 °C flüssig wird; Schmp. −117 °C. Der bei der Einwirkung von verd. Schwefelsäure auf Arsenide od. von naszierendem Wasserstoff auf Arsenik entstehende AsH_3 verbrennt mit fahlblauer Flamme zu Arsentrioxid u. Wasser, vgl. den Marsh-Test bei Arsen. A. ist so giftig, daß ein paar Atemzüge in A.-haltiger Luft zum Tode führen können; MAK 0,05 mg/m³; zur physiol. Wirkung s. Arsen.
Verw.: A. wird zum *Dotieren von Silicium-Halbleitern verwendet. Die organ. Derivate des AsH_3 heißen *Arsine, im Beilstein ab dem 5. Ergänzungswerk Arsane. – *E* arsenic hydride – *I* idruro d'arsenico, idrogeno arsenicale – *S* hidruro de arsénico
Lit.: Brauer (3.) **1**, 569–571 ▪ Braun-Dönhardt (2.), S. 61 ▪ Encycl. Gaz. S. 115–120 ▪ Gmelin, Syst.-Nr. 17, As, 1952, S. 201–233 ▪ Hommel, Nr. 32 ▪ Kirk-Othmer (4.) **3**, 635 f. ▪ Merkblatt G 2 zur Verhütung von Erkrankungen mit Arsenwasserstoff, Weinheim: Verl. Chemie 1968 ▪ Ullmann (5.) A **3**, 130 f. – *[HS 2850 00; CAS 7784-42-1; G 2]*

Arsine (Arsane). 1760 erhitzte Cadet de Gassicourt *Arsenik mit Kaliumacetat u. erhielt eine Mischung aus äußerst unangenehm riechendem u. selbstentzündlichem Kakodyl (*Tetramethyldiarsin*) u. *Kakodyloxid (Oxybis-dimethylarsin) (*Cadet'sche Flüssigkeit*). Kakodyl (von griech. kakos = schlecht, übel) war das erste Glied in der Reihe der *Arsen-organischen Verbindungen, die in ihrem Reaktionsverhalten den analogen *Phosphor-organischen Verbindungen ähneln; die Substitutionsprodukte des *Arsenwasserstoffes werden nach vorläufiger IUPAC-Regel D-5.11 als A. bezeichnet (in Analogie zu den *Aminen u. *Phosphinen).

Da Arsen im Gegensatz zu Stickstoff stark metall. Charakter zeigt, haben die A. keine od. nur sehr schwache bas. Eigenschaften; sie bilden meist äußerst unangenehm riechende, farblose, z. T. selbstentzündliche, giftige, schleimhautreizende Flüssigkeiten. Zur Herst. u. Eigenschaften s. Arsen-organische Verbindungen. – *E* = *F* arsines – *I* arsini – *S* arsinas
Lit.: s. Arsen-organische Verbindungen.

Arsinige Säure. Name der Stammverb. H_2As-OH (IUPAC-Regeln D-5.2, I-9.10.1, R-3.3); nur in Derivaten (Ester, Halogenide, Amide) bekannt; meist As-substituiert. – *E* arsinous acid – *F* acide arsinieux – *I* àcido arsinioso – *S* ácido arsinoso

Arsinin s. Arsa...

Arsino... (Arsanyl...). Bez. für die Atomgruppierung $-AsH_2$ in systemat. Namen (IUPAC-Regel D-5.1). – *E* = *F* = *I* = *S* arsino...

Arsinsäure. Name der Stammverb. $H_2As(O)-OH$ (IUPAC-Regeln D-5.5, I-9.10.2, R-3.3). *Beisp.:* *Dimethylarsinsäure. – *E* arsinic acid – *F* acide arsinique – *I* àcido arsinico – *S* ácido arsínico

Arso... Bez. für die hypothet. Atomgruppierung $-AsO_2$; wahre Strukturen: Polymere u. cycl. Oligomere.

Arsole.

Z = N : Pyrrol
P : Phosphol
As : Arsol

Nach IUPAC-Regel B-1.1 Gruppenbez. für analog zu *Pyrrol u. *Phosphol aufgebaute, aber nicht aromat.[1] *Arsen-organische Verbindungen. – *E* = *F* = *S* arsoles – *I* arsoli
Lit.: [1] Angew. Chem. **85**, 140 f. (1973).

Arsonige Säure. Name der Stammverb. $HAs(OH)_2$ (IUPAC-Regeln D-5.2, I-9.10.1, R-3.3); nur in Derivaten (Ester, Halogenide, Amide) bekannt; meist As-substituiert. – *E* arsonous acid – *F* acide arsonieux – *I* àcido arsonioso – *S* ácido arsonoso

Arsonium-Salze. Analog den Ammonium-Salzen aufgebaute Verb., die nur in Form organ. Derivate bekannt sind; *Beisp.:* Tetramethylarsoniumiodid. – *E* arsonium salts – *F* sels arsonium – *I* isali d'arsonio – *S* sales de arsonio

Arsono... Präfix für die *Arsonsäure-Gruppe $-AsO(OH)_2$ in systemat. Namen.

Arsonsäure. Name der Stammverb. $HAs(O)(OH)_2$ (IUPAC-Regeln D-5.5, I-9.10.2, R-3.3). *Beisp.:* *4-Aminophenylarsonsäure. – *E* arsonic acid – *F* acide arsonique – *I* àcido arsonico – *S* ácido arsónico

Arsonylierung s. Bart-, Rosenmund-Reaktion u. Béchamp-Arsonylierung.

Arsphenamin.

Kurzbez. für 3,3′-Diamino-4,4′-dihydroxyarsenobenzol; $C_{12}H_{14}As_2Cl_2N_2O_2$, M_R 439,00; LD_{100} (Ratte, i. v.)

140 mg/kg. Hellgelbes, etwas hygroskop. Pulver, das an der Luft oxidiert. Es ist giftig u. löst sich in Wasser, Alkohol u. Glycerin, kaum jedoch in Chloroform u. Ether. Heute weiß man, daß es sich um ein Gemisch von linearen u. cycl. Oligomeren handelt. Es wurde 1909 von Paul Ehrlich synthetisiert, 1911 von Hoechst (Salvarsan®) gegen Syphilis patentiert. – *E* arsphenamine – *F* arsphénamine – *I* arsfenammina – *S* arsfenamina – [HS 293 i 00; CAS 139-93-5]

Art (Spezies). Taxonom. Bez. für die Gesamtheit aller Lebewesen, die über mehrere Generationen genet. verbunden u. (bei sexueller Fortpflanzung) untereinander fortpflanzungsfähig sind. Die Organismen einer A. haben demnach gemeinsame Vorfahren, sind Träger eines gemeinsamen, weitgehend einheitlichen Genpools u. bilden eine Fortpflanzungsgemeinschaft (biolog. Artbegriff, Biospezies) bzw. stimmen in wesentlichen Merkmalen untereinander u. mit ihren Nachkommen überein (Morphospezies). Als *Sammelart* (Großart, Coenospezies, Comparium, Conspezies) werden sehr nahe miteinander verwandte A. zusammengefaßt, wenn ein gelegentlicher Genaustausch möglich ist. Von *Aggregat* od. *Kollektivart* spricht man, wenn einzelne A. einer Gattung nur durch den Fachmann u. mit erheblichem Aufwand (Chromosomen-Zählung u. a.) unterschieden werden können. Als *Formenkreis*, Collectio formarum, Rassenkreis od. polytyp. A. bezeichnet man in verschiedenen geograph. Gebieten lebende Organismen einer A., die sich in ihrem Erscheinungsbild unterscheiden, aber gegenseitig befruchtungsfähig sind. Die Lokalarten werden gelegentlich auch als Semispezies, die A. als Superspezies bezeichnet. Der Begriff Formart hingegen darf nur auf fossile A. angewendet werden, die mangels aussagekräftiger Fossilien nicht in ein (auf Verwandschaftsverhältnissen beruhendes) taxonom. Syst. einzuordnen sind.
Die A. ist das grundlegende Taxon zur Klassifizierung der Lebewesen. Allerdings ist die A. in vielen Fällen nicht leicht abgrenzbar, z. B. bei sehr heteromorphen Geschlechtern od. Generationswechseln, wo die einzelnen Generationen u. Geschlechter erst durch aufwendige Züchtungen einander zugeordnet werden können u. histor. oft verschiedene Artnamen tragen (z. B. viele Pilze) od. bei Clines, wo durch unvollständige Durchmischung Merkmalsgradienten entstehen, so daß zwar alle Nachbarn untereinander kreuzbar sind, nicht aber räumlich entfernter aufgewachsene Verwandte. Abgrenzungsschwierigkeiten treten auch auf bei Organismen, die wesentliche Eigenschaften als Reaktion auf Umwelteinflüsse verlieren od. verändern können, z. B. *Algen, die Chloroplasten verlieren u. als heterotrophe Organismen weiterleben (Flagellaten); s. a. Ökotyp.
Ein wissenschaftlicher Artname setzt sich in der üblichen binären Nomenklatur aus der Gattungsbez. u. der eigentlichen Bez. der A. zusammen; der Artname leitet sich in der Regel aus dem Latein. od. Griech. her. Die Artbez. sollte den Autor nennen, der die A. – in der Regel in latein. Sprache – erstmalig beschrieben hat, z. B. L. = Carl von Linné (Linnaeus). – *E* species – *F* espèce – *I* specie – *S* especie
Lit.: Science **241**, 1441–1449 (1988).

ARTALLOY®. Zahnfüllmassen u. Abdruckmassen. *B.:* Degussa.

ARTDENT®. Edelmetall-Leg. für den festsitzenden Zahnersatz. *B.:* Degussa.

Arteether (Artemisinin) s. Qinghaosu

Artelac®. Augentropfen mit (2-Hydroxypropyl)methyl-Cellulose gegen Austrocknung des Auges. *B.:* Mann.

Artemisia s. Beifuß.

Artemisin (8-Hydroxysantonin).

$C_{15}H_{18}O_4$, M_R 262,31, Krist., Schmp. 202–203 °C, $[\alpha]_D^{23}$ –84,9° (c 3/C_2H_5OH). Sesquiterpen aus verschiedenen *Artemisia*-Arten (Compositae) neben *Santonin (s. a. Zitwer), von bitterem Geschmack. A. wird als Ausgangsverb. für Naturstoffsynth. verwendet. – *E* artemisin – *F* artémisine – *I* = *S* artemisina
Lit.: Beilstein E V **18/3**, 304 ▪ J. Org. Chem. **57**, 3610 (1992). – [CAS 481-05-0]

Artemisinin s. Qinghaosu.

Artendichte (Artdichte, Artenabundanz). Auf die Flächen- od. Raumeinheit bezogene Anzahl der Organismenarten in einem Lebensraum (Mittelwert mehrerer Zählungen). Die A. hängt hauptsächlich von der Anzahl der *ökologischen Nischen in einem *Biotop u. damit von der Vielgestaltigkeit eines *Ökosystems ab. Die Veränderung von Biotopen durch natürliche od. anthropogene Prozesse (z. B. Erdrutsche, geänderte Bewirtschaftung, Grundwasserabsenkung, Straßenbau, Abwasserbelastung eines Gewässers) führt in der Regel zu einer Änderung der Artenzahl u. damit auch der Artendichte. Eine dadurch verursachte Abnahme wird als *Artenfehlbetrag* bezeichnet; s. a. Abundanz. – *E* density of species – *F* densité des espèces – *I* densità delle specie – *S* densidad de las especies

Artendiversität. Bez. für die Artenstruktur u. -vielfalt innerhalb von Organismen-Gemeinschaften hinsichtlich Anzahl u. Bedeutung von *Arten u. Individuen. Die Artenzahl in Relation zur Gesamtzahl aller Individuen wird als Artenreichtum, -mannigfaltigkeit od. -varietät bezeichnet u. durch (mehrere) Diversitätsindizes mathemat. beschrieben (s. *Lit.*). *Ökosysteme mit konstanten, günstigen *abiotischen Umweltfaktoren (Wasser, Temp. etc.) haben eine größere A. als Ökosyst., die period. Störungen durch Mensch od. Natur ausgesetzt sind od. dauernd ungünstige Umweltfaktoren aufweisen. Die A. korreliert häufig mit der Stabilität von Ökosyst., d. h. in einem Ökosyst. höherer A. wirken sich Störungen (einer Art) weniger (augenfällig) aus als in einem Ökosyst. niedriger A. (s. a. Abundanz). – *E* diversity of species – *F* diversité des espèces – *I* diversità di specie – *S* diversidad de especies
Lit.: Odum, Grundlagen der Ökologie (2.), S. 220–253, Stuttgart: Thieme 1983 ▪ Römpp Lexikon Umwelt, S. 72 f. ▪

Stugren, Grundlagen der allgemeinen Ökologie (4.), S. 109 ff., Stuttgart: Fischer 1986.

Artenfehlbetrag s. Artendichte.

Artenschutz. Gesamtheit der Maßnahmen zum Schutz, zur Pflege u. Förderung der wildlebenden Tier- u. Pflanzenwelt in ihrer natürlichen u. histor. gewachsenen Vielfalt, möglichst unter natürlichen Selektionsbedingungen. Konkreter Gegenstand des A. sind: 1. Individuen als Einzelvorkommen in ihrem Lebensraum od. als Gegenstand des A. im eigentlichen Sinne bei Restriktionen für Handel, Haltung, Import usw. – 2. Populationen, ihr Lebensraum (bei Tieren: Aktionsraum) u. Elemente ihres Lebensraumes. – 3. Lebensgemeinschaften (*Biozönosen), in der Regel Teillebensgemeinschaften als einzelne Artengruppen, z. B. Vegetationseinheiten (Phytozönosen), Insektengemeinschaften (Entomozönosen), ökolog. Lebensformtypen (Watt- u. Wasservögel). Als restriktiven A. bezeichnet man z. B. Verbote der Verfolgung u. Inbesitznahme von Tieren u. Pflanzen nach dem *Bundesnaturschutzgesetz. Die Bundesartenschutz-VO enthält Arten, die in *Roten Listen gefährdeter Pflanzen u. Tiere aufgeführt sind. Dem A. dient auch die Bestandslenkung, die über unmittelbare Eingriffe in Bestände von Tieren u. Pflanzen eine Entwicklung bestimmter Arten, Artengruppen od. ganzer Gesellschaften anstrebt. Hierher zählen auch Maßnahmen der Wiedereinbürgerung einzelner Individuen zur Wiederbelebung verschollener Pflanzen- u. Tierarten. Für die EU gelten Richtlinien über die Erhaltung wildlebender Vögel[1] u. Tier- u. Pflanzenarten[2] sowie die VO über die Einfuhr von Walerzeugnissen[3]. Über A.-Programme wird ein „planender A." erreicht. Der internat. A. basiert z. B. auf den Übereinkommen von Ramsar (1971, Feuchtgebiete), Bern (1979 europ. wildlebende Tiere u. Pflanzen), Washington[4] (1973, A., insbes. Handel) u. Bonn (1979, wandernde Wildtiere). – *E* species protection, wildlife conservation – *F* protection des espèces – *I* protezione della specie – *S* protección de especies

Lit.: [1] Amtsblatt der EG L 103, S. 1 (1979), zuletzt geändert im Amtsblatt der EG L 115, S. 41 (1991). [2] Amtsblatt der EG L 206, S. 7 (1992). [3] Amtsblatt der EG L 39, S. 1 (1991). [4] Römpp Lexikon Umwelt, S. 785.
allg.: Bundesartenschutz-VO vom 19.12.1986 (BGBl. I, S. 2705) in der Fassung vom 18.9.1989 (BGBl. I, S. 1677, berichtigt S. 2011), geändert 9.7.94 (BGBl. I, S. 1523) ▪ Naturwissenschaften **81**, 283–292 (1994).

Arteoptic®. Augentropfen mit *Carteolol-Hydrochlorid gegen erhöhten Binnendruck u. Glaukom. *B.:* Ciba Vision.

Arteriosklerose (griech.: skleros = hart). Bez. für eine mit Verdickung u. Verhärtung einhergehende chron. Erkrankung der arteriellen Gefäßwand. Die verbreitetste Form der A. ist die *Atherosklerose*, die die häufigste Todesursache in den westlichen Ind.-Nationen darstellt. Die Gefäßwand-Veränderungen führen durch Lipid-Einlagerung, Bindegewebsvermehrung u. Verkalkung mit unregelmäßiger Verteilung zur Wandinstabilität, Gefäßverengung u. zur Ablagerung von Gerinnseln. Je nach bevorzugter Lokalisation sind Durchblutungsstörungen im Gehirn (cerebrovasculäre Insuffizienz, Schlaganfall), im Herzen (coronare Herzerkrankung, Herzinfarkt) u. in den peripheren Arterien (arterielle Verschlußkrankheit) die Folge. Theorien zur Entstehung der A. beinhalten die chem., mechan. od. immunolog. Störung der Integrität der Gefäßinnenwand, Störung der Wachstumskontrolle von glatten Muskelzellen der Gefäßwand u. Beeinträchtigung des Abbaus gealterter Zellbestandteile. Als ursächliche Bedingungen der A.-Entstehung gelten Faktoren, die häufig mit der A. korreliert sind, die sog. *Risikofaktoren*. Nach diesem Konzept erhöhen abgesehen von Alter u. genet. Faktoren vor allem *Hyperlipidämie, *Hypertonie, Zigarettenrauchen, erhöhter Blutzuckerspiegel, *Diabetes mellitus, *Fettsucht u. phys. Inaktivität das Erkrankungsrisiko. Eine Behandlung der A. selbst ist nicht möglich, das Ziel ärztlicher Bemühungen ist die Vorbeugung durch Verminderung der Risikofaktoren. – *E* arteriosclerosis – *F* artériosclérose – *I* arteriosclerosi – *S* arteriosclerosis

Lit.: Gross et al., Lehrbuch der Inneren Medizin, S. 367–373, Stuttgart: Schattauer 1994 ▪ N. Engl. J. Med. **314**, 488 (1986) ▪ Riede u. Schaefer, Allgemeine u. spezielle Pathologie, S. 437–460, Stuttgart: Thieme 1995.

Arterkennung. Unter A. versteht man in der Verhaltenskunde (Ethologie) den Austausch angemessener Reize zwischen den Geschlechtern zur Sicherung der Paarung artgleicher Individuen u. zur Verhinderung der Kreuzung von Individuen verschiedener Arten. Die Kenntnis der arteigenen Merkmale kann entweder auf einer angeborenen Grundlage od. auf frühe Lernerfahrung (z. B. durch sexuelle Prägung) beruhen. – *E* species recognition – *F* reconnaissance des espèces – *I* riconoscimento della specie – *S* reconocimiento de especies

Lit.: Immelmann, Wörterbuch der Verhaltensforschung, Berlin: Parey 1982 ▪ Krebs u. Davies, Einführung in die Verhaltensökologie, Stuttgart: Thieme 1984.

Artesan Pharma GmbH, Wendlandstr. 1, 29439 Lüchow. Herst. chem.-pharm. Präparate.

Artglass®. Lichthärtender Polyglas-Verblendwerkstoff für die Kronen- u. Brückentechnik (Zahnersatz). Das Syst. umfaßt Pasten, Opaker, Colorfluids, Bearbeitungshilfen u. andere. *B.:* Heraeus Kulzer GmbH.

Arthaxan®. Tabl. u. Tabs mit *Nabumeton gegen schmerzhafte Gelenkentzündungen. *B.:* SmithKline Beecham.

Arthemether s. Qinghaosu.

Arthrex®. Ampullen, Retardkapseln, Gel, Suppositorien u. Mantelabl. mit *Diclofenac-Natrium zur Rheumatherapie. *B.:* BASF Generics.

Arthritis (Gelenkentzündung, griech.: arthron = Gelenk). Die diversen Arthritiden haben unterschiedliche Ursachen u. kommen im Rahmen verschiedener Erkrankungen vor. Man unterscheidet nach dem Verlauf akute A. von chronischer. Zur A. führen u. a. Verletzungen u. bakterielle Infektionen (*Tuberkulose, Gonorrhoe, *Syphilis), Stoffwechselerkrankungen (*Gicht) u. Systemerkrankungen wie z. B. die *Rheumatoide Arthritis*. In der akuten Phase einer Gelenkentzündung findet sich eine Schwellung des Gelenkes durch die Vermehrung des Gelenkinhaltes mit serösem od. eitrigem Erguß. Gewebswucherungen, Erguß u.

Ausfällungen von *Fibrin führen zur Gelenkkapseldehnung, dadurch zu Schmerzen u. Bewegungseinschränkung. Im chron. Verlauf entstehen durch andauernde u. auf andere Gewebe übergreifende Entzündung flächenhafte Knorpelveränderungen u. schließlich Knochendefekte. Aus den Knochendefekten mit Gelenkflächen-Unregelmäßigkeiten folgen zunehmend Fehlstellungen, die, zusammen mit der Beeinträchtigung der Knorpelheilung, zu degenerativen Veränderungen führen. Die Behandlung der A. richtet sich nach ihrer Ursache, symptomat. kommen entzündungshemmende Schmerzmittel wie *Acetylsalicylsäure od. *Indometacin zur Anwendung. – E arthritis – F arthrite – I artrite – S artritis

Lit.: Gross et al., Lehrbuch der Inneren Medizin, S. 799–825, Stuttgart: Schattauer 1994 ▪ Hettenkofer, Rheumatologie, Stuttgart: Thieme 1989.

Arthrobacter (von griech.: arthron = Gelenk; bakteria = Stab). Gattung der coryneformen *Bakterien. Es gibt 15 A.-Arten; diese sind alle Gram-pos. u. obligat aerob. Die Zellen zeigen auf komplexen Nährmedien einen Stäbchen-Kokkus-Wachstumscyclus, wobei die Stäbchen eine starke Verzweigungstendenz aufweisen. A. bildet keine Endosporen, übersteht aber eine mehrmonatige Austrocknung. Die Stäbchen sind (bis auf wenige begeißelte Arten) unbeweglich. Nach der Gentechnik-Sicherheits-VO 1990 gehören alle Arten von A. zur Risikogruppe 1.
Vork.: A. ist mengenmäßig der vorherrschende Vertreter der *autochthonen Bodenmikroflora. Wegen seiner ausgesprochenen Trockenresistenz ist er leicht aus trockenen, humusreichen Böden zu isolieren.
Biotechnolog. Anw.: A. wird zur Oxid. von Kohlenwasserstoffen, zur Bildung von Aminosäuren aus Hexosen od. Acetat, zur selektiven 1,2-Dehydrierung von Hydrocortison zu *Prednisolon u. als Produzent von *Glucose-Isomerase eingesetzt. – $E = F = S$ Arthrobacter – I artrobatteri

Lit.: Schlegel (7.), S. 102.

Arthropoden. Von griech.: arthron = Gelenk, Glied u. pous = Fuß abgeleitete Bez. für wirbellose Tiere mit gegliedertem Körper, Chitinpanzer u. gegliederten Beinen bzw. Füßen (*Gliederfüßler*), zu denen z. B. die *Insekten, *Spinnen, *Krebse u. Tausendfüßler gehören. – E arthropods – F arthropodes – I artropodi – S antrópodos

Articain (früher Carticain).

Internat. Freiname für das Lokalanästhetikum Methyl[4-methyl-3-(2-propylaminopropionamido)-2-thiophencarboxylat], $C_{13}H_{20}N_2O_3S$, M_R 284,37, Sdp. 162–167 °C (39 Pa). Es wurde 1969 u. 1974 von den Farbwerken Hoechst (Ultracain®) als Lokalanaesthetikum patentiert. Verwendet wird auch das Hydrochlorid, Schmp. 177–178 °C, LD_{50} (Maus i. v.) 37 mg/kg. – E articaine – F articaïne – I articaina – S articaína

Lit.: ASP ▪ Hager (5.) **7**, 297. – *[HS 2934 90; CAS 23964-58-1]*

ARTIFIX®. Zahntechn. u. zahnärztliche Instrumente u. Apparate. *B.:* Degussa.

Artischocken (von arab.: alcharsof). Noch nicht aufgeblühte Blütenköpfe der in Nordafrika heim. u. in Südeuropa vielfach kultivierten *Cynara scolymus* (Korbblütler), deren fleischiger Blütenboden u. dicke, schuppige Kelchblätter ein beliebtes Gemüse darstellen. A. enthalten in der Trockensubstanz ca. 9,4% *Inulin, den Bitterstoff *Cynaropikrin* (ein *Sesquiterpenlacton) sowie die ebenfalls bitter schmeckenden, aber für den süßen Nachgeschmack verantwortlichen *Cynarin u. *Chlorogensäure u. weitere Caffeoylchinasäuren (Herrmann, *Lit.*). Aufgrund der appetit- u. verdauungsfördernden, leicht diuret. u. insbes. der choleret. Wirkung werden A. auch pharmazeut. genutzt, z. B. in *Chologoga. – E artichokes – F artichauts – I carciofi – S alcachofas

Lit.: Braun-Frohne (5.) S. 90 ▪ Franke, Nutzpflanzenkunde, Stuttgart: Thieme 1992 ▪ Herrmann, Exotische Lebensmittel, S. 88, 90 ff., Berlin: Springer 1983 ▪ Pahlow, Das große Buch der Heilpflanzen, S. 378 f., München: Gräfe & Unzer 1987. – *[HS 1211 90]*

ARTODONT®. Implantate zur Verw. in der Zahnmedizin, vorgefertigte Aufbauteile u. Verbindungsteile. *B.:* Degussa.

Arubendol®. Dosieraerosol mit *Salbutamol, Tabl. mit Salbutamolsulfat gegen Bronchospasmen u. Asthma. *B.:* Klinge, Isis Pharma.

Arutimol®. Augentropfen mit *Timolol-Hydrogenmaleat zur Glaukomtherapie. *B.:* ankerpharm.

Arvin s. Ancrod.

Arwin®. Ampullen mit *Ancrod gegen arterielle Durchblutungsstörungen. *B.:* Knoll.

ARW-Wert s. Arbeitsplatzrichtwerte.

Aryl... Allg. Bez. für aromat. (Kohlenwasserstoff-) Reste, z. B. Phenyl- (C_6H_5-), Naphthyl- ($C_{10}H_7$-), Anthryl- ($C_{14}H_9$-). Freie Aryl-Radikale sind kurzlebig, aber gut untersucht; *Beisp.:* *Phenyl... – $E = F$ aryl... – $I = S$ aril...

Lit.: Adv. Free Radical Chem. **6**, 65–153 (1980) ▪ Prog. React. Kinet. **3**, 369–402 (1966).

Arylierung. Unter A. versteht man die Einführung eines *Aryl-Restes in organ. Verbindungen. Hierzu bieten sich verschiedenen Meth. an, von denen v. a. die *radikal. A.* großes Interesse gefunden hat (s. Giese *Lit.*), z. B. Addition von Diazonium-Salzen (sog. *Meerwein-Reaktion; vgl. *Lit.*[1]) an ungesätt. Systeme. Auch N-, O-, P- u. S-Verb. lassen sich arylieren, doch spricht man hier meist weniger von A. als umgekehrt von *Substitution an *aromatischen Verbindungen. – $E = F$ arylation – I arilazione – S arilación

Lit.: [1] Org. React. **11**, 189–260 (1960); **24**, 225–259 (1976). *allg.:* Giese, Radicals in Organic Synthesis: Formation of Carbon–Carbon Bonds, Oxford: Pergamon Press 1986 ▪ Houben-Weyl **E 19/A** ▪ Org. React **17**, 155–211 (1969) ▪ Russ. Chem. Rev. **44**, 552–560 (1975).

Arzneibuch s. DAB, EuAB u. Pharmakopöen.

Arzneibücher s. Pharmakopöen.

Arzneiformen. Im gleichen Sinne wie *Darreichungsformen gebrauchte Bez. für die verschiedenen,

in Einzelstichwörtern behandelten Formen, in denen *Arzneimittel verabreicht werden. A. vom *Apotheker nach Rezept werden auch *galen. Präparate* od. *Galenika* (von *Galenos) genannt.
Die A. lassen sich wie folgt untergliedern[1]: *Aerosole; Augenpräp.; Blutzubereitungen; *Emulsionen u. *Mikroemulsionen; gentechn. hergestellte Arzneimittel; *Granulate; Parenteralia; *Kapseln; Lösungen; *Pellets; Präp. mit modifizierter Wirkstoff-Freigabe (Retard-A. u. A. mit verbesserter Wirkstoff-Freigabe); Pulver; Radiopharmaka; *Salben, *Cremes, Gele, *Pasten; *Impfstoffe u. Immunsera; Suspensionen; Tabl., überzogene Tabl.; therapeut. Syst. (z. B. wirkstoffhaltige Pflaster); spezielle Verpackungen; Zäpfchen, Vaginalpräparate; pflanzliche Zubereitungen u. Drogen.
Die Herst. geeigneter A. unter den Aspekten der leichten Einnehmbarkeit u. der genauen Dosierbarkeit ist ein Arbeitsgebiet der pharmazeutischen Technologie (Galenik). Mit dem Einfluß der A. auf Art, Richtung, Stärke u. Dauer der Wirkung von Pharmaka beschäftigt sich die *Biopharmazie[2]. – *E* administration forms – *F* forme d'administration – *I* forme d'amministrazione – *S* formas de administración
Lit.: [1] Hager (5.) **2**, 622–1045. [2] Pfeifer, Pflegel u. Borchert, Biopharmazie, Berlin: Ullstein Mosby 1995.
allg.: List et al., Arzneiformenlehre, Stuttgart: Wiss. Verlagsges. 1985 ▪ Sucker et al., Pharmazeutische Technologie, Stuttgart: Thieme 1991 ▪ Ullmann (5.) **A 19**, 241–271 ▪ Voigt, Pharmazeutische Technologie, Berlin: Ullstein Mosby 1995 ▪ s. a. Arzneimittel.

Arzneimittel. Am 1.1.1978 ist das zweite Arzneimittelgesetz (2. AMG) vom 24.8.1976 (BGBl. I, S. 2445; Neufassung vom 19.10.1994, BGBl. I, S. 3018 vom 27.10.1994) in Kraft getreten. Es definiert A. als „Stoffe u. Zubereitungen aus Stoffen, die dazu bestimmt sind, durch Anw. am od. im menschlichen od. tier. Körper Krankheiten, Leiden, Körperschäden od. krankhafte Beschwerden zu heilen, zu lindern, zu verhüten od. zu erkennen, die Beschaffenheit, den Zustand od. die Funktionen des Körpers od. seel. Zustände erkennen zu lassen, vom menschlichen od. tier. Körper erzeugte Wirkstoffe od. Körperflüssigkeiten zu ersetzen, Krankheitserreger, Parasiten od. körperfremde Stoffe abzuwehren, zu beseitigen od. unschädlich zu machen od. die Beschaffenheit, den Zustand od. die Funktion des Körpers od. seel. Zustände zu beeinflussen" (§ 2). „Stoffe im Sinne dieses Gesetzes sind chem. Elemente u. chem. Verb. sowie deren natürlich vorkommende Gemische u. Lsg., Pflanzen, Pflanzenteile u. Pflanzenbestandteile in bearbeitetem od. unbearbeitetem Zustand, Tierkörper, auch lebender Tiere, sowie Körperteile, -bestandteile u. Stoffwechselprodukte von Mensch u. Tier in bearbeitetem od. unbearbeitetem Zustand, Mikroorganismen einschließlich Viren sowie deren Bestandteile u. Stoffwechselprodukte" (§ 3). Das Gesetz kennt außerdem den Rechtsbegriff von Gegenständen u. Stoffen, die als A. *gelten* (u. a. Sera u. Impfstoffe); die früher hierzu zählenden medizin. Geräte, Hilfsmittel u. Verbandstoffe sind inzwischen in einem eigenen Regelwerk erfaßt (Medizinproduktegesetz vom 2.8.1994, BGBl. I, S. 1963).

Die Gesamtzahl der in der BRD angebotenen A. betrug 1994 ca. 50 000 (1978: 145 000), dabei ist jede Darrichungsform u. Dosierung einzeln gezählt. Die *Rote Liste 1996 führt 8888 A. von 482 pharmazeut. Unternehmen in 11 714 Darreichungsformen (s. Arzneiformen) auf, die etwa 95% der dtsch. A.-Produktion repräsentieren. Diese 8888 A. enthalten ca. 2900 verschiedene Wirkstoffe u. teilen sich auf in 6638 chem. definierte Präp., ca. 1202 Präp. pflanzlicher Herkunft (Phytotherapeutika, s. Phytopharmaka), 449 Organpräparate u. 599 homöopath. Präp. (s. Homöopathie). Die A. der letztgenannten Gruppen sind im Chemie-Lexikon nicht im einzelnen behandelt, wohl aber die Organe selbst u. viele Phytopharmaka u. Heilpflanzen.
Die Herst. der A. erfolgt heute fast ausnahmslos in den Unternehmen der pharmazeut. Ind., der Vertrieb der Fertig-A. (früher Arzneispezialitäten genannt) in den *Apotheken u. z. T. auch in Drogerien. Die überwiegende Zahl der A. ist apothekenpflichtig, etwa die Hälfte von diesen rezeptpflichtig; etwa 5% der Präp. der Roten Liste sind freiverkäuflich.
Die Abgrenzung der A. gegenüber *Kosmetika sowie Lebensmitteln wird durch das Arzneimittel- u. das *Lebensmittelgesetz vorgenommen. Die veterinärmedizin. Anw. von A. wird durch das AMG (10. Abschnitt), das Futtermittelgesetz vom 2.2.1975 in der Fassung vom 12.1.1987 (BGBl. I, S. 138) u. a. VO geregelt[1].
Ein A. besteht aus einem od. mehreren Wirkstoffen sowie nicht arzneilich wirkenden Hilfsstoffen, die erforderlich sind, damit das Pharmakon die gewünschte Wirkung am Zielort im Organismus entfalten kann. Beisp. für derartige Hilfsstoffe, die bei der Herst. der *Arzneiformen eingesetzt werden: Tablettensprengmittel, Salbengrundlagen, Ionenaustauscher od. auch Polymere für Depotpräp., Aerosoltreibgase, Aromatisierungsmittel usw. Reinherst. des od. der Wirkstoffe, Ermittlung der Zusammensetzung u. Konstitution sowie ggf. die Synth. sind die Arbeitsgebiete der *pharmazeutischen Chemie; Gewinnung, Beschreibung u. Identifizierung pflanzl. u. tier. Drogen die der *pharmazeutischen Biologie. Mit der Herst. geeigneter Arzneiformen u. deren biolog. Verfügbarkeit im Organismus beschäftigen sich die pharmazeutische Technologie (Galenik) u. *Biopharmazie. Die *Pharmakologie untersucht den Transport des Wirkstoffs durch den Körper, seine Resorption, Verteilung u. Ausscheidung (*Pharmakokinetik), seine Wechselwirkung mit dem Zielorgan (*Pharmakodynamik) u. *Biotransformation.
Zur Untersuchung der A. u. ihrer Metabolite (Produkte des enzymat. Abbaus) ist eine gut ausgebaute Analytik unerläßlich[2]. Prüfvorschriften für A. u. ihre Inhaltsstoffe enthalten die nat. u. internat. *Pharmakopöen, z. B. *DAB, USP etc.
Weitergehende Kontrollfunktionen üben staatliche Inst. wie das Bundesinstitut für Arzneimittel u. Medizinprodukte (aus dem *Bundesgesundheitsamt hervorgegangen), das *Paul-Ehrlich-Institut, die *FDA u. a. Stellen aus. Die Weltgesundheitsorganisation (*WHO) ist auf dem A.-Gebiet nur koordinierend tätig.
Die Herst. der A. erfolgt hauptsächlich in der *pharmazeutischen Industrie. Nur diese kann den immensen

Arzneimittelabhängigkeit, -mißbrauch

Aufwand zur Entwicklung neuer Wirkstoffe heute noch erbringen. Die A.-Eigenherst. durch den *Apotheker ist stark zurückgegangen; denn nach dem 2. AMG muß der A.-Hersteller nicht nur einen Wirksamkeitsnachw. für A. erbringen, sondern auch für evtl. Schäden haften, die sich aus dem Gebrauch der A. ergeben.

Intensiv untersucht werden gegenwärtig insbes. die chem. Details der Wechselbeziehungen zwischen der Struktur von Mol. u. ihrer Wirkung. Für allg. Überblicke über die A.-Forschung s. die *Lit.*; aktuelle Trends in *Lit.*[3]. An die gezielte Synth. potentieller Wirkstoffe schließt sich eine Vielzahl von Prüfgängen an, ehe ein Medikament unter seinem *Freinamen od. *INN (als sog. Generics) od. unter *Marken tatsächlich in den Handel kommt, vgl. auch pharmazeutische Industrie. Von 1961 bis 1990 wurden in der ganzen Welt „nur" 2071 neue Wirkstoffe in die medizin. Therapie eingeführt[4], was dennoch den Forschungsaufwand deutlich macht, wenn man bedenkt, daß nur 1 von 6000 synthetisierten Substanzen alle Tests besteht. Die Entwicklung eines neuen A. kostet durchschnittlich 250 Mio. DM. Im Jahre 1992 belief sich der Forschungs- u. Entwicklungsaufwand der dtsch. Pharma-Ind. auf 4,4 Mrd. DM. Von 1961–1990 wurden 498 Pharmaka in den USA u. 270 in Deutschland entwickelt. Die Erprobungszeit eines neuen A. verbraucht von den 20 Jahren, für die ein Patentschutz (s. Patente) gewährt wird, bereits 8 Jahre, das Zulassungsverf. bei nat. Kontrollbehörden u. die Bekanntmachung durch Werbemaßnahmen (geregelt durch das Heilmittelwerbegesetz vom 11.7.1965 in der Fassung vom 19.10.1994, BGBl. I, S. 3068 vom 27.10.1994) jeweils 2 weitere Jahre, so daß dem Hersteller für die wirtschaftliche Nutzung nur ca. 8 Jahre verbleiben. Zu den unterschiedlichen Pharmapatent-Genehmigungsverf. in einzelnen Ländern s. Patente. 1993 wurden in der BRD pharmazeut. Erzeugnisse im Wert von ca. 31 Mrd. DM produziert; davon werden ca. 50% exportiert. Der Weltmarkt für Pharmaprodukte betrug 1994 schätzungsweise 370 Mrd. DM zu Hersteller-Abgabepreisen. Wichtige A.-Produktionsländer der westlichen Welt sind außerdem die USA mit (1993) 100, Japan mit 85, Frankreich mit 31 u. Großbritannien mit 25 Mrd. DM Produktionswert. Der Anteil der Ausgaben der gesetzlichen Krankenversicherungen an Arzneien, Verbandstoffen etc. betrug 1994 ca. 12% (abs.: ca. 29 Mrd. DM) der Gesamtausgaben. Der A.-Verbrauch ist in der BRD in den letzten Jahren kontinuierlich gesunken, 1994 betrug er durchschnittlich 2,8 Einzeldosierungen pro Person u. Tag; Antiinfektiva, Herz-Kreislaufmittel, Analgetika u. Psychopharmaka sind die am häufigsten benötigten A.-Gruppen. Nach Erfahrungssätzen verwendet ein Arzt in seiner Praxis zwischen 300 u. 500 Spezialitäten. Auf die in der BRD führenden 500 Präp. entfielen 1994 56% des A.-Umsatzes, auf 1000 73% u. auf 2000 89%[5]. Allerdings handelt es sich bei den restlichen A. meist um solche zur Behandlung seltener Krankheiten; sie sind also auch notwendig. Die WHO hat eine Liste von ca. 200 A. aufgestellt[6], die für die Basisversorgung – bes. in Entwicklungsländern – als unerläßlich betrachtet werden. – Zur Geschichte der A.-Herst. u. A.-Verw. s. Apotheke, Pharmazie, Chemotherapie; s.a. Arzneimittel-Nebenwirkungen u. Arzneimittelsucht. – *E* drugs, pharmaceuticals – *F* médicaments, produits pharmaceutiques – *I* farmaco, medicinale – *S* medicamentos, productos farmacéuticos

Lit.: [1]Hager (5.) **1**, 715–788 (Tierarzneimittel). [2]Florey; Surmann, Quantitative Analyse von Arzneimitteln u. Arzneizubereitungen, Stuttgart: Wiss. Verlagsges. 1987. [3]Pharm. Unserer Zeit **24**, 34–44 (1995). [4]Pharm. Ind. **55**, 14–21 (1993). [5]Schwabe u. Paffrath, Arzneiverordnungsreport 94, Stuttgart: Fischer 1995. [6]Schaaber et al., Unentbehrliche Arzneimittel, Frankfurt: medico international 1993.

allg.: Arzneimittelchemie ■ Fricke, Neue Arzneimittel, Stuttgart: Wiss. Verlagsges. (jährlich) ■ Hager ■ Helwig/Otto ■ Herrmann u. Franke, Computer Aided Drug Design in Industrial Research, Berlin: Springer 1995 ■ Kleemann et al., Arzneimittel. Fortschritte 1972 bis 1985, Weinheim: Verl. Chemie 1987 ■ Kloesel u. Cyran, Arzneimittelrecht-Kommentar, Stuttgart: Dtsch. Apotheker Verl. (Fortsetzungswerk) ■ Langbein et al., Bittere Pillen, Köln: Kiepenheuer & Witsch 1993 ■ Pharma Daten '95, Frankfurt: Bundesverband der Pharmazeut. Industrie 1995 ■ Pharm. Unserer Zeit **17**, 161–176 (1988) ■ *Rote Liste ■ Scribas Tabelle der verschreibungspflichtigen Mittel, Stuttgart: Dtsch. Apotheker Verl. (Fortsetzungswerk) ■ Sneader, Drug Development: From Laboratory to Clinic, New York: Wiley 1986 ■ Ullmann (5.) **A 19**, 273–291; **B 1**, 12–94.

Arzneimittelabhängigkeit, -mißbrauch s. Arzneimittelsucht.

Arzneimittel-Nebenwirkungen. Umgangsprachliche Bez. für nach der Einnahme eines *Arzneimittels evtl. auftretende Effekte, die meist unerwünscht sind, in Einzelfällen aber auch die Hauptwirkung unterstützen können. In harmloseren Fällen kommt es nur zur Beeinträchtigung im Wohlbefinden des Patienten, in gravierenderen Fällen auch zu tox. A.-N., *Allergien od. zu Schädigungen des Kindes im Mutterleib durch *Mutagene u. *Teratogene[1]. *Beisp. für A.-N.:* *Aminophenazon, *Biguanide, *Phenacetin, *Thalidomid. In einigen wichtigen Fällen hat die zufällig beobachtete Nebenwirkung eines Wirkstoffs durch Strukturabwandlung zu wertvollen Arzneistoffen geführt[2], z.B. gingen die *Antidiabetika vom Sulfonylharnstoff-Typ aus bakteriostat. *Sulfonamiden hervor. Mit den A.-N. sind auch Wechselwirkungen von Arzneimitteln untereinander u. mit Nahrungsbestandteilen zu diskutieren, bes. mit Alkohol[3].

A.-N. werden sich nie ausschließen lassen, da erstens Patienten individuell sehr unterschiedlich auf Arzneimittel reagieren (bes. hinsichtlich allerg. Reaktionen) u. zweitens Krankheitsgeschehen zu komplex sind, als daß sie sich durch ein Arzneimittel od. andere Therapie völlig ohne Komplikationen beherrschen ließen. Um die manifestierten A.-N. zu erfassen, hat der Bundesverband der Pharmazeut. Ind. seine Mitgliedsfirmen verpflichtet, der Arzneimittelkommission der Dtsch. Ärzteschaft alle ihnen mitgeteilten Fälle zu melden. – *E* side effects of drugs – *F* effets indésirables des médicaments – *I* effetti indesiderati dei medicinali – *S* efectos indeseables de los medicamentos

Lit.: [1]Dtsch. Apoth. Ztg. **134**, 2617–2629 u. 2903–2910 (1994). [2]Pharm. Unserer Zeit **4**, 17–20 (1975). [3]Pharm. Unserer Zeit **4**, 41–49 (1975).

allg.: Ammon, Arzneimittelneben- u. -wechselwirkungen, Stuttgart: Wiss. Verlagsges. 1991 ■ Bork, Kutane Arzneimittelnebenwirkungen, Stuttgart: Schattauer 1985.

Arzneimittelsucht. Bez. für einen Zustand mit *Sucht-Komponenten (*Arzneimittelabhängigkeit* od. *-gewöhnung*), in dem der Mensch die Selbstkontrolle gegenüber *Arzneimitteln verloren hat u. sie nicht mehr zur Erzielung einer Heilwirkung gebraucht, sondern zur Erreichung eines rauschähnlichen Zustands mißbraucht (*Arzneimittelmißbrauch*) od. auch nur im Sinne einer mißverstandenen Selbstmedikation exzessiv gebraucht; zu statist. Daten hierüber sowie pharmakolog. Aspekten der A. s. *Lit.*[1]. Im allg. handelt es sich bei den ggf. A. auslösenden Mitteln nicht nur um auf das ZNS wirkende Stoffe wie *Betäubungsmittel, *Weckamine u. a. Psychoanaleptika (s. Psychopharmaka), sondern auch um Beruhigungs- u. *Schlafmittel, in deren Abhängigkeit psych. labile Menschen geraten können; zur Typologie der Abhängigkeiten (psych. u./od. phys.) s. *Lit.*[2] u. Sucht. Übrigens werden im engl. Sprachgebrauch mit „drugs" (*Drogen*) nicht nur Arzneimittel, sondern auch die *Halluzinogene u. a. *Rauschgifte erfaßt. – *E* drug addiction, drug dependence – *F* toxicomanie – *I* mania dei farmaci – *S* farmacodicción, toxicomanía

Lit.: [1] Österr. Apoth.-Ztg. **42**, 661–665 (1988). [2] Fortschr. Med. **95**, 1751 ff. (1977).
allg.: Harris (Hrsg.), Problems of Drug Dependence 1991, Rockville (MD): National Institute on Drug Abuse 1992 ▪ Mutschler (7.), S. 83 ▪ Watson (Hrsg.), Drugs of Abuse and Neurobiology, Boca Raton: CRC Press 1992.

Arzneispezialitäten s. Arzneimittel.

as-. Kursiv gesetzte Abk. für asymmetrisch. *Beisp.*: *as*-Indacen (*angulares Cyclopent[*e*]inden); *as*-*Triazin, *as*-*Trichlorbenzol (veraltet für 1,2,4-Triazin, 1,2,4-Trichlorbenzol). Gegensätze: *s*-, *sym*- u. *v*-, *vic*-.

As. Chem. Symbol für *Arsen.

ASA. 1. Von der American Standards Association in ASA-Graden angegebene Lichtempfindlichkeit photograph. Materials. Eine Verdopplung der Empfindlichkeit entspricht einer Verdopplung des ASA-Wertes u. einer Erhöhung des DIN-Wertes um 3; s. a. Photographie. 2. Nach DIN 7728, Tl. 1 (01/1988), Kurzz. für Acrylnitril-Styrol-Acrylester-Copolymere.

Asa foetida (Asant, Stinkasant, Teufelsdreck). Eingetrockneter Milchsaft der Wurzelköpfe einiger Doldenblütler (*Ferula asa-foetida, Ferula nartex* usw.). A. enthält Schwefel-haltige Verb. (Knoblauchduft), Ester der *Ferulasäure, *Pinen, *Vanillin, Harze u. a. (s. *Lit.*). A. wird in der Homöopathie verwendet. – *E* asafetida – *I* assafetida – *S* asa fétida
Lit.: Collect. Czech. Chem. Commun. **37**, 1166 (1972) ▪ Hager (5.) **1**, 671 ▪ J. Essent. Oil Res. **1991**, 241–256 ▪ Tetrahedron Lett. **29**, 1557 (1988). – [*HS 1301 90*]

Asamela s. Afrormosia.

Asant s. Asa foetida.

Asarone. 1. α-A. [Asarin, Asarumkampher, 1,2,4-Trimethoxy-5-(*E*)-1-propenylbenzol], $C_{12}H_{16}O_3$, M_R 208,26, Nadeln, Schmp. 62 °C, Sdp. 296 °C, unlösl. in Wasser, lösl. in Alkohol. A. kommt in der Hasel- od. Brechwurz (*Asarum europaeum*) vor u. ist der Hauptwirkstoff des *Kalmusöls; es wirkt Cholesterin-senkend, haut- u. brechreizend, abortiv, hat narkot. Eigenschaften u. kann zu Atemlähmung führen.

	R^1	R^2
α-A.:	H	CH_3
β-A.:	CH_3	H

γ-A.

2. β-A. [1,2,4-Trimethoxy-5-(*Z*)-1-propenylbenzol], gelbliches Öl, D. 1,082, Sdp. 163 °C (16 mbar), in Kalmusöl u. *Acorus sp.* enthalten, wirkt als *Chemosterilans für Insekten.[1]
3. γ-A. (Eu-, Isoasaron, Sekishon, 1-Allyl-2,4,5-trimethoxybenzol), Öl, Schmp. 25 °C, zeigt bei Insekten fraßhemmende Eigenschaften. – *E = F = S* asarones – *I* asaroni

Lit.: [1] Nature (London) **270**, 512 (1977); Z. Naturforsch., Teil B **35**, 1449 (1980).
allg.: Angew. Chem. **95**, 629 (1983) (Synth.) ▪ Arch. Pharm. (Weinheim) **314**, 972 (1981) ▪ Beilstein E IV **6**, 7476 ▪ Hager (5.) **3**, 100 ff.; **4**, 377–395 ▪ Ullmann (5.) **A 11**, 218. – [*CAS 2883-98-9 (α); 5273-86-9 (β); 5353-15-1 (γ)*]

Asasantin®. Kapseln mit *Acetylsalicylsäure u. *Dipyridamol bei Herz-, Gefäßoperationen u. Thrombosen. *B.*: Thomae.

Asbest (von griech.: asbestos = unlöschbar). Bez. für eine Gruppe von extrem faserigen (Faserdurchmesser bis herab zu 2 μm) silicat., dem *Serpentin (Chrysotil-A.) u. den *Amphibolen (Amphibol-A.) zugehörigen Mineralien. 95% der Weltförderung an A. entfallen auf Chrysotil-A. (D. 2,5–2,6), mit bedeutenden Lagerstätten in Quebec/Kanada, Brasilien, Ural/Rußland, Kasachstan, Südafrika, Simbabwe, Griechenland (Zadani) u. Italien (Balangero); von den Amphibol-A. haben nur der dem Riebeckit nahestehende *Krokydolith-A.* (*Blau-A.*, D. ca. 3,4; Hauptvork. in der Kapprovinz/Südafrika) u. der dem Grunerit (s. Amphibole) zugehörige *Amosit-A.* (*Braun-A.*; D. ca. 3,2; Hauptvork. in Transvaal/Südafrika) Bedeutung; weitere Amphibol-A. gibt es von Anthophyllit, *Tremolit u. Aktinolith.
Die bes. Eigenschaften von A. sind Beständigkeit gegen Feuer, extreme Hitze, Säure u. damit gegen Umwelteinflüsse sowie hohe Zugfestigkeit. Deshalb wurde er z. B. für feuerfeste Bauteile u. für Armierung von Bauplatten eingesetzt.
Durch Bearbeitung u. Zerstörung A.-haltiger Produkte, aber auch durch klimat. Einflüsse, Alterung u. Zerfall kann A.-Staub an die Atemluft abgegeben werden. A. in Form von Feinstaub kann bis in die Lungenbläschen gelangen u. im Bereich von Lunge sowie Zwerch-, Rippen- u. Bauchfell zu schweren Erkrankungen wie *Asbestose u. Krebs führen; als bes. gesundheitsgefährdend gilt Krokydolith-A., vgl. *Lit.*[1]; zur Identifizierung von A.-Fasern im menschlichen Lungengewebe mit dem Elektronenmikroskop s. *Lit.*[2].
A.-haltige Produkte sind:
a) schwach gebundene A.-Produkte (Rohdichte < 1000 kg/m³; A.-Gewichtsanteil > 60%)
– A.-haltige Leichtbauplatten
– A.-haltige Dichtungsschnüre u. -ringe

Tab.: Einstufung Asbest-haltiger Gefahrstoffe als krebserzeugende Gefahrstoffe.

Krebserzeugender Gefahrstoff	Gruppen		
	I (sehr stark gefährdend)	II (stark gefährdend)	III (gefährdend)
	Massengehalt im Gefahrstoff in %		
Asbest: Chrysotil	≥ 2	<2–0,2	<0,2–0,02

– Spritz-A./A.-haltiger Spritzputz
– A.-Massen auch in loser Form
– Verstopfmassen, Kissen
b) fest gebundene A.-Produkte (Rohdichte > 1000 kg/m³; A.-Gewichtsanteil < 15%)
– A.-haltige Dichtungen u. Dichtungsmaterialien (IT-Dichtungen)
– A.-Zementdach- u. Fassadenplatten
– A.-Zementrohre
– sonstige A.-Zementprodukte
(Einzelheiten s. TRGS 519)

Beim Umgang mit A. u. A.-haltigen Gefahrstoffen sind – soweit mit Feinstaub zu rechnen ist – bes. Schutzmaßnahmen zu treffen. Diese können sein:
Organisator. Schutzmaßnahmen
– Beschäftigungsbeschränkungen
– Vorsorgeuntersuchungen
– Betriebsanweisungen gem. § 20 GefStoffV
– Unterweisung der Beschäftigten
– Arbeitsplan (Abbruch-, Sanierungs- u. Instandhaltungsarbeiten)
– Freigabe des Arbeitsbereiches
Techn. Schutzmaßnahmen
– räumliche Abtrennung des Arbeitsbereiches
– Durchfeuchten der asbesthaltigen Materialien
– Absaugen von Fasern an der Entstehungsstelle
– Absaugen der Raumluft
– Reinigung des Arbeitsbereiches
Persönliche Schutzausrüstung
– Atemschutz
– Schutzkleidung

Alle Arbeiten mit A. od. A.-haltigen Materialien, bei denen eine Feinstaubexposition besteht bzw. zu erwarten ist, sind der zuständigen Behörde unverzüglich, spätestens 14 d vor Aufnahme der Arbeiten anzuzeigen. Ist das Auftreten von A.-Staub od. A.-haltigem Feinstaub in der Luft am Arbeitsplatz nicht sicher auszuschließen, so ist zu ermitteln, ob die Technische Richtkonzentration unterschritten od. die Auslöseschwelle überschritten wird. A.-haltige Abfälle sind zu sammeln u. in geeigneten, entsprechend gekennzeichneten geschlossenen Behältern ohne Gefahr für Mensch u. Umwelt zu beseitigen. – *E* asbestos – *F* asbeste – *I* = *S* asbesto

Lit.: [1] Am. Mineral **80**, 1093–1103 (1995). [2] Naturwissenschaften **77**, 433–435 (1990).
allg.: Guthrie u. Mossman (Hrsg.), Health Effects of Mineral Dusts (Reviews in Mineralogy, Vol. 28), Washington (D.C.): Mineralogical Society of America 1993 ▪ Harben u. Bates, Industrial Minerals, Geology and World Deposits, S. 1–9, London: Industrial Minerals Division of Metal Bulletin Plc 1990 ▪ Merkblatt „Bearbeitung von Asbestzementerzeugnissen", ZH 1/512 (10/1983) ▪ Pohl, Lagerstättenlehre (4.), S. 241–245, Stuttgart: Schweizerbart 1992 ▪ Sicherheitsregeln für staubimmittierende handgeführte Maschinen u. Geräte zur Bearbeitung von Asbestzementerzeugnissen, ZH 1/616 (04/1985) ▪ Sicherheitsregeln für das Entfernen von Asbest, ZH 1/513 (01/1986) ▪ TRGS 519 (03/1995) Asbest, Abbruch-, Sanierungs- od. Instandhaltungsarbeiten ▪ s. a. Serpentin, Amphibole.

Asbestose. Durch *Asbest-Staub hervorgerufene Staublungenerkrankung. Jahrelanger, meist beruflicher Umgang mit Asbest führt über Inhalation von Asbest-Fasern zu einer chron. Entzündung des Lungengewebes. Diese geht einher mit Verlust von Lungenkapillaren, Epithelschäden u. Bindegewebsvermehrung in der Wand der Lungenbläschen. Die Veränderungen führen zur Lungenfunktionsstörung mit Sauerstoff-Unterversorgung der Organe u. über eine Erhöhung des Lungengefäßwiderstandes zur Herzbelastung. Im Zusammenhang mit Asbest-Umgang treten gehäuft Tumoren des Rippenfells (Pleuramesotheliom) u. der Lunge (Bronchialcarcinom) auf, letztere v. a. bei zusätzlicher Belastung durch Zigarettenrauchen. Die A. ist nicht heilbar u. gilt als eine Berufserkrankung im Sinne der Berufskrankheiten-VO. Vorbeugend wirkt die Minderung der Staubkonz. am Arbeitsplatz. – *E* = *S* asbestosis – *F* asbestose – *I* asbestosi
Lit.: Cotes et al., Work-Related Lung Disorders, Boston: Blackwell Scientific 1987 ▪ Gross et al., Lehrbuch der Inneren Medizin, S. 435, Stuttgart: Schattauer 1994.

Asbestzement. Hitzebeständiger Baustoff aus *Asbest-Fasern u. Zement, auch mit Kieselsäure-haltigen Zusätzen, der unter hohem Druck zu Dachplatten, Tafeln u. Welltafeln verpreßt wurde. Auch Rohre u. andere Formstücke wurden daraus hergestellt. Die Erzeugnisse, die außerdem noch Farbstoffe enthalten od. durch farbige Überzüge gefärbt sein können, dienten als Material für Bedachungen, Wandverkleidungen, Druck-, Abwasser- u. Abgasrohre. Wegen der cancerogenen Wirkung von Asbest-Fasern (Einstufung A1 nach *TRGS 900, MAK Werte-Liste 1988) ist die Verw. von A. stark eingeschränkt. Der TRK-Wert beträgt 0,025 mg/m³ u. $0,5 \cdot 10^6$ F/m³. Die Ind. hat Ersatzprodukte mit umweltverträglichen mineral. u. synthet. Fasern entwickelt. – *E* asbestos cement – *F* amianteciment – *I* cemento d'amianto – *S* cemento de asbesto, cemento amiantado
Lit.: Kirk-Othmer (3.) **4**, 704 f.; **21**, 607 f. ▪ Ullmann (4.) **8**, 74, 328, 330; (5.) **A 3**, 161.

Ascarele (Askarele). Veralteter Trivialname für *Chlorbiphenyle (s. PCB).
Lit.: Kirk-Othmer (3.) **5**, 844–848.

Ascaridol (1,4-Epidioxy-2-*p*-menthen).

$C_{10}H_{16}O_2$, M_R 168,24. Monoterpenperoxid, D. 1,01, Schmp. 3 °C, Sdp. 113–114 °C (2,6 kPa), racemisch. Sehr leicht lösl. in organ. Lsm., in Wasser kaum löslich. Als *Endoperoxid ist es unbeständig u. zerfällt beim Erhitzen auf über 130 °C u. bei Behandlung mit Säuren explosionsartig. A. ist der wirksame Hauptbestandteil des *Chenopodiumöls (Wurmsamen-Öl).

Verw.: (Histor.) gegen Fadenwürmer, Spülwürmer. – *E* ascaridole – *F* = *S* ascaridol – *I* ascaridolo
Lit.: Beilstein E V **19/1**, 319. – [HS 290960; CAS 512-85-6]

Asche. Kurzbez. für die 1877 gegr. Asche AG, Fischers Allee 49–59, 22763 Hamburg, seit 1970 eine 100%ige Tochterges. von Schering, die Arzneimittel u. -spezialitäten entwickelt u. herstellt. *Daten* (1995): 402 Beschäftigte, 19 Mio. DM Kapital, 123 Mio. DM Umsatz.
Tochterges.: Menadier.

Asche. Bez. für die bei der restlosen Verbrennung (*Veraschen*) von organ. Substanzen zurückbleibenden anorgan. Bestandteile (s. a. Flugasche, Holzasche, Kelp od. Varec). In der *Gravimetrie ist A. der unter bestimmten Versuchsbedingungen erhaltene Verbrennungsrückstand von Filtrierpapier, dessen Gew. von dem des veraschten Niederschlags subtrahiert werden muß. – *E* ashes – *F* cendre – *I* cenere – *S* ceniza
Lit.: Hintzsche, Das Aschenbild tierischer Gewebe u. Organe, Berlin: Springer 1956 ▪ Humphries, Mineral Components and Ash Analysis, in Mod. Meth. Pflanzenanalyse 1, Berlin: Springer 1956 ▪ Niessen, Combustion and Incineration Processes, New York: Dekker 1978.

Asche Basis Creme/Salbe. Wirkstofffreie Salbengrundlage (weißes Vaselin, dickflüssiges Paraffin, Stearylalkohol, Polyoxylstearat, Acrylsäurepolymerisat, Editinsäure, Dinatriumsalz Benzylalkohol) zur Intervallbehandlung bei Cortisontherapie mit Kaban® Creme/Salbe.

Ascinin®. Butanon-oxim bzw. Phenol-Derivat als Lackhilfsmittel für ölhaltige Bindemittel, wirkt hautverhindernd, härtesteigernd, glanzverbessernd, beseitigt Verlaufstörungen u. hemmt Gelatinierung z. B. bei styrolisierten Alkydharzen. *B.:* Bayer.

Asclepain s. Papain.

Ascomyceten (von griech.: askos = Schlauch; mykes = Pilz). Mit ca. 20000 Arten größte Klasse der Abteilung der *Pilze. Unterklassen der A. sind die Endomycetidae (hefeartige A.), die keine Fruchtkörper bilden (z. B. *Hefen) u. die Euascomycetidae (echte A.), die schlauchförmige Fruchtkörper (Ascocarpien) besitzen. Zu den echten A. gehören z. B. die biotechnol. wichtigen Gattungen *Aspergillus* u. *Penicillium*.
Die meisten A. bilden ein stark verzweigtes Mycel. Sie leben überwiegend terrestr. u. bilden daher keine begeißelten Fortpflanzungszellen. Die vegetative Vermehrung durch Nebenfruchtformen erfolgt durch Konidiosporen, die z. T. auf speziellen Trägern entstehen, od. durch Oidiosporen. Der Entwicklungscyclus der A. beinhaltet meistens zwischen Plasmogamie u. Karyogamie (Zellkernverschmelzung) eine dikaryot. Phase. *Vork.:* Die A. leben als *Saprophyten, die teilw. koprophil sind (auf tier. Fäkalien wachsen) od. als *Parasiten, die oft Pflanzenkrankheiten verursachen (z. B. echter *Mehltau-Pilz). – *E* Ascomycetes, ascomycetous fungi – *F* ascomycètes – *I* ascomiceti – *S* ascomicetos
Lit.: Präve (4.), S. 35–41 ▪ Schlegel (7.), S. 181–187.

Ascorbigen s. L-Ascorbinsäure.

L-Ascorbinsäure {(*R*)-5-[(*S*)-1,2-Dihydroxyethyl]-3,4-dihydroxy-5*H*-furan-2-on, Vitamin C}.

L-Ascorbinsäure (R=H)   Dehydro-L-ascorbinsäure

Ascorbigen A   Ascorbigen B

$C_6H_8O_6$, M_R 176,13. Farblose, rechtsdrehende, sauer schmeckende Krist., D. 1,65, Schmp. 192 °C (Zers.), Schmp. der (±)-A. 169 °C, leicht lösl. in Wasser, gut in Alkohol, unlösl. in Ether, Petrolether, Chloroform, Benzol sowie in Fetten u. fetten Ölen. L-A. ist ein *Endiol u. wirkt als *Redukton stark reduzierend. L-A. ist wärmeempfindlich u. wird insbes. in Ggw. von Schwermetall-Spuren (bes. Cu) sowie in alkal. Milieu durch Licht u. Luftsauerstoff zersetzt, in reinem, trockenem Zustand ist sie dagegen relativ beständig gegen Licht, Luft u. Wärme. Mit Metallen bildet L-A. als vinyloge Säure stabile Salze. Mit ihren alkohol. Hydroxy-Gruppen bildet sie mit Fettsäuren Ester, z. B. *L-Ascorbylpalmitat*[1] [O^6-Palmitoyl-L-A.; Abb. s. L-A., aber R=H_3C–$(CH_2)_{14}$–CO–; Schmp. 116–117 °C; lösl. in Fetten, Ölen u. organ. Lsm.].

Nachw.: Durch Redox-Titration, durch Polarographie, durch Dünnschichtchromatographie, durch Photometrie nach Dehydrierung zu *Dehydro-L-ascorbinsäure*[2] [$C_6H_6O_6$, M_R 174,11, Schmp. 225 °C (Zers.), liegt im Krist. als dimeres Kondensationsprodukt des inneren Hemiacetals vor] u. deren Überführung in das Osazon mittels 2,4-Dinitrophenylhydrazin od. nach Kupplung mit diazotiertem 2-Nitroanilin. Bestimmung in biolog. Proben s. *Lit.*[3].

Vork.: In allen höheren Pflanzen u. Tieren, bes. reichlich in *Acerola, Citrusfrüchten, Hagebutten, Sanddorn, Erdbeeren, Schwarzen Johannisbeeren, Spinat, Paprikaschoten, Meerrettich, Petersilie, Leber. In Kohlgemüse ist L-A. in Form von *Ascorbigen*[4] [$C_{15}H_{15}NO_6$, M_R 305,28, Schmp. 65 °C (Ascorbigen A) bzw. 70 °C (Ascorbigen B)] gebunden. Dieses zerfällt beim Erhitzen in Ggw. verd. Säuren in L-A. u. Indol, weshalb z. B. gekochter Kohl mehr L-A. enthalten kann als das Rohgemüse. Allerdings geht ein mitunter beträchtlicher Teil der in Nahrungsmitteln enthaltenen L-A. bei der Lagerung od. Zubereitung verloren. Im menschlichen Körper ist L-A. unterschiedlich konz. (jeweils in mg/kg): Gehirn 150, Hypophyse 150, Augenlinse 250, Nebenniere 400, Pankreas 150, Leber 150, Niere 50 u. Herzmuskel 50. Der Gehalt ist bei der Geburt am höchsten u. sinkt im Alter ab. Im Serum liegen ca. 20% der L-A. als Dehydro-L-ascorbinsäure vor. Das peroral verabreichte Vitamin C passiert den Magen unverändert; es wird durch die Darmwand

aufgenommen u. im Körper durch Oxid. teilw. abgebaut.
Stoffwechselverhalten: Bei Tieren geht die *Biosynth.* von D-Glucose aus u. verläuft über D-Glucuronsäure, L-Gulonsäure-lacton u. 2-Oxo-L-gulonsäure-lacton. In Pflanzen finden zwei kompliziertere, miteinander konkurrierende Synthesefolgen statt, die von D-Glucose u. D-Galactose ausgehen. Für Menschen, Affen, Meerschweinchen, fliegende Säugetiere, Wanderheuschrecken u. andere Insekten ist L-A. aufgrund eines Defekts der L-Gulono-lacton-Oxidase (EC 1.1.3.8) essentiell, d.h. ein *Vitamin, das nicht synthetisiert werden kann. Die typ. L-A.-Mangelerscheinung ist der *Skorbut, von dem die A. ihren Namen hat. Die *Aufnahme* in die Zellen erfolgt möglicherweise durch Hexose-Transporter[5]. Der *Abbau* erfolgt über 2,3-Di-oxo-L-gulonsäure zu Oxalsäure u. L-Threonsäure, die wiederum zu L-Weinsäure oxidiert wird.
Herst.: Nach einem ursprünglich von *Reichstein 1934 entwickelten mikrobiolog. Verf. wird D-Glucose zunächst zu Sorbit hydriert u. dieser bakteriell zu L-Sorbose oxidiert. Diese Ketose wird über ihr Bis-*O*-isopropyliden-Derivat in das der 2-Oxo-L-gulonsäure u. dieses mit Säuren in L-A. überführt. Diese bis heute unübertroffene Synth. wird techn. mit Ausbeuten von 66% (über alle Stufen zusammen) angewendet.
Verw.: Als Antioxidans für techn., v.a. aber für lebensmitteltechn. Zwecke. Zur Physiologie u. Geschichte s. Vitamine (C). – ***E*** L-ascorbic acid – ***F*** acide L-ascorbique – ***I*** acido L-ascorbico – ***S*** ácido L-ascórbico
Lit.: [1] Beilstein E III/IV **18**, 3052. [2] Beilstein E V **18/5**, 41. [3] Anal. Biochem. **204**, 1–14 (1992). [4] Merck-Index (11.), Nr. 856. [5] Nature (London) **364**, 79ff. (1993).
allg.: Beilstein V **18/5**, 26 ff. ▪ Harris, Ascorbic Acid, Biochemistry and Biomedical Cell Biology, New York: Plenum 1966. – *[HS 2936 27; CAS 50-81-7]*

L-Ascorbylpalmitat s. L-Ascorbinsäure.

Ascotoxin s. Brefeldine.

AS-Dur. Preßformengips; Marke von Giulini Chemie.

...ase. Endung in den Namen von *Enzymen (z.B. Amylase, Protease, Lipase usw.), ursprünglich hergeleitet von Diastase. – ***E*** = ***F*** ...ase – ***I*** ...asi – ***S*** ...asa

ASE. Nach DIN 7723 (12/1987) Abk. für Alkansulfonsäureester als Weichmacher, s. Alkansulfonate.

Asepsis s. Antiseptika.

Asgoviscum®. Kapseln u. Tropfen mit Herba Visci alb., Fructus Crataegi u. Bulbus-allii-sat.-Extrakt gegen Altersherz. ***B.:*** Rhein-Pharma.

Ashland-Südchemie-Kernfest GmbH. Reisholzstr. 16–18, 40721 Hilden. Die 1929 gegr. Firma ist eine Tochterges. der Ashland Chemical (50%) u. der Südchemie (50%). *Daten* (1995): 180 Beschäftigte. *Produktion:* Kunstharze als Gießerei-, Papier-, Gummi- u. Anstrichhilfsmittel.

Asialoglykoprotein-Rezeptor (ASGP-R). In Plasma- u. *Endosomen-Membran eingebettetes *Glykoprotein, das als *Lektin komplexe *Oligosaccharide, u. zwar solche mit endständigen D-*Galactose-Einheiten bindet. Es besteht aus mehreren Untereinheiten zweier ähnlicher Typen, die einzeln nur geringe Affinität zu D-Galactose besitzen, in der richtigen Zusammenstellung u. Anordnung aber die entsprechenden Oligosaccharide od. Glykoproteine sehr fest binden.
Funktion: Der ASGP-R ist in Leberzellen lokalisiert u. dient der Aufnahme anomal glykosylierter Proteine (ASGP) aus dem Blut. Die durch ASGP-R-vermittelte *Endocytose in die Endosomen aufgenommenen ASGP werden in *Lysosomen abgebaut, während der ASGP-R zur Plasmamembran zurückgeführt wird. – ***E*** asialoglycoprotein receptor – ***F*** récepteur aux asialoglycoprotéines – ***I*** recettore delle asialoglicoproteine – ***S*** receptor de las asialoglicoproteínas
Lit.: Adv. Enzymol. **66**, 41–83 (1993) ▪ Biochemistry (USA) **29**, 10009–10018 (1990) ▪ Stryer (5.), S. 358f. ▪ Trends Biochem. Sci. **16**, 374ff. (1991).

Asiaticosid.

*Saponin-ähnliches Triterpen-glykosid, $C_{48}H_{78}O_{19}$, M_R 959,14; Nädelchen aus 60%igem Methanol, Schmp. 230–233 °C, unlösl. in Wasser, lösl. in Alkohol, Pyridin; $[\alpha]_D^{20}$ –14° (C_2H_5OH). Es wurde isoliert aus den Blättern der Asiat. Wassernabels, *Centella asiatica* (*Hydrocotyle asiatica*, Umbelliferae). A. leitet sich von α-*Amyrin ab u. wirkt wundheilend. – ***E*** = ***F*** = ***I*** asiaticoside – ***S*** asiaticósido
Lit.: Hager (5.) **7**, 303. – *[HS 2938 90; CAS 16830-15-2]*

Asilomar-Konferenz. Von P. Berg u. J.D. Watson im Februar 1975 im kaliforn. Asilomar initiierte Tagung. Ergebnisse der Konferenz: Vorläufiger Verzicht auf gentechn. Experimente mit menschlichen *Onkogenen, Einführung bestimmter Sicherheitsstämme u. Sicherheitsvektoren bei Experimenten mit potentiellen Krankheitserregern, Notwendigkeit der Einführung physikal. Sicherheitsmaßnahmen. Folgen der Konferenz waren der Erlaß von Richtlinien zum Arbeiten mit rekombinantem Genmaterial in den USA am 23. Juni 1976 u. in der BRD am 15. Februar 1978.
Lit.: Zilinskas u. Zimmermann, The Gene-Splicing Wars, New York: MacMillan Publ. 1986.

Asimov, Isaak (geb. 1920), Prof. für Biochemie, Medical School, University Boston. *Arbeitsgebiete:* Enzymaktivierung u. Enzymologie von Krebsgeweben. Seit 1938 auch Autor von Science-Fiction-Stories. Seine Forschungsarbeiten gab er 1958 auf, um sich völlig dem Schreiben von Lehrbüchern, populär-

wissenschaftlichen Sachbüchern, sowie von Science-Fiction-Romanen widmen zu können.
Lit.: Pötsch, S. 18.

Asinger, Friedrich (geb. 1907), Prof. für Techn. Chemie u. Petrochemie, Halle, Dresden u. Aachen. *Arbeitsgebiete:* Petrolchemie, Substitutionsreaktionen an Paraffinen u. Olefinen, Tenside, chem. Technologie, S-N-Heterocyclen. Ehrendoktor der TH „Carl Schorlemmer" Leuna-Merseburg 1991.
Lit.: Kürschner (16.), S. 74 ▪ Nachr. Chem. Tech. Lab. **25**, 409 f. (1977); **39**, 58 (1991) ▪ Poggendorff **7 a/1**, 61 f. ▪ Pötsch, S. 18 f.

ASKA. Abk. für *E* anti*s*kinning *a*gent = *Antihautmittel.

Askariden s. Anthelmintika.

ASKOBOND. Zweikomponentenkleber für Soforthärtung. *B.:* Ashland-Südchemie-Kernfest GmbH.

ASKOMELT. Schmelzkleber mit Soforthärtung. *B.:* Ashland-Südchemie-Kernfest GmbH.

ASKONING®. Fertigsande für das Croning-Verfahren. *B.:* Ashland-Südchemie-Kernfest GmbH.

ASKOPOX®. Werkzeugharze auf Epoxidharz-Basis; Oberflächenharze, Gießharze u. Laminierharze bzw. Mehrzweckharze zur Herst. von Modellen aller Art. *B.:* Ashland-Südchemie-Kernfest GmbH.

ASKOPUR®. Werkzeugharze auf PU-Basis; Oberflächen- u. Gießharze zur Herst. von Kernkästen. *B.:* Ashland-Südchemie-Kernfest GmbH.

ASKOPUR®-Schnellgießharze. Zur Herst. von Modellen, Hilfsnegativen, Kontrollabgüssen. *B.:* Ashland-Südchemie-Kernfest GmbH.

ASKURAN®. Kalthärtende Furan-Harze zur Herst. von Kernen u. Formen für alle Gußarten. Für Stahlguß u. Pinholes-empfindliche Grauguß N2-freie, N2-arme Spezialtypen. Die Verw. von regeneriertem Altsand bis zu 100% bei einem Binderanteil von 0,7–1,2% wird mit diesen No-Bake-Harzen ermöglicht. Die A. FR-Serie ist Formaldehyd-reduziert u. entwickelt bei der Verarbeitung nur geringe Mengen an Formaldehyd. Daher bes. umweltfreundlich am Arbeitsplatz. *B.:* Ashland-Südchemie-Kernfest GmbH.

Asn. Neben Asp(NH_2) u. N Kurzz. für L-*Asparagin.

Asp. Neben D Kurzz. für L-*Asparaginsäure.

ASP®. 1. Auf *Kaolin basierende Füllstoffe für Anstrichmittel, Gummi u. Kunststoffe. – 2. Im Waschprozeß aufbereitete, inerte Aluminiumsilicat-Pigmente, teilw. oberflächenbeschichtet. *B. (1.)*: Chemie-Mineralien AG & Co. KG; *(2.)* Langer & Co.

Asparagin [2-Aminobernsteinsäure-4-amid, Kurzz. der L-Form ist Asn, Asp(NH_2) od. N].

$$H_2N-CO-CH_2-\underset{H}{\overset{NH_2}{C}}-COOH$$

$C_4H_8N_2O_3$, M_R 132,12, D. 1,543, Schmp. der opt. aktiven Verb. 234–236 °C, Schmp. des Racemats 182–183 °C. In der Natur kommt A. v. a. in der L-Form, sehr selten auch in der D-Form vor. Farblose Krist., in heißem Wasser gut, in Alkoholen, Ether u. Benzol nicht löslich. L-A. gehört zu den nichtessentiellen *Aminosäuren u. ist Bestandteil der meisten *Peptide u. *Proteine. Es findet sich bes. reichlich in Spargel (latein.: asparagus) u. in den Keimlingen von Schmetterlingsblütlern (Trockensubstanz von Lupinenkeimlingen enthalten 20–30% L-A.) sowie in Kartoffeln. Unter dem Einfluß von Asparagin-Synthetase (EC 6.3.1.1 u. 6.3.1.4) wird L-A. aus Ammoniak u. L-*Asparaginsäure synthetisiert, zu der es mit Hilfe von *Asparaginase wieder hydrolysiert werden kann. Auch überträgt es in zahlreichen biochem. Reaktionen seinen Amid-Stickstoff auf andere Substrate, wodurch es neben L-*Glutamin als Stickstoff-Reserve angesehen werden kann. – *E = F* asparagine – *I = S* asparagina
Lit.: Beilstein E IV **4**, 3004 ff. – [HS 2924 10; CAS 5794-24-1 (D), 70-47-3 (L)]

Asparaginase (EC 3.5.1.1). In prakt. allen Organismen verbreitetes, zu den *Amidasen gehörendes tetrameres Enzym (M_R ca. 133 000), das L-*Asparagin unter Wasseraufnahme u. Ammoniak-Abspaltung in L-*Asparaginsäure überführt. – *E = F* asparaginase – *I* asparaginasi – *S* asparaginasa – [HS 350790]

Asparaginsäure (2-Aminobernsteinsäure, Kurzz. der L-Form ist Asp od. D).

$$HOOC-CH_2-\underset{H}{\overset{NH_2}{C}}-COOH$$

$C_4H_7NO_4$, M_R 133,10. Farblose Blättchen od. Stäbchen, D. 1,66, Schmp. 270 °C (Zers.), in Wasser schwer, in Alkoholen nicht löslich. Die nichtessentielle *Aminosäure L-A. findet sich z. B. im Maiseiweiß zu 1,8, im Casein der Kuhmilch zu 1,4, im Pferdehämoglobin zu 4,4, im Wollkeratin zu 5–10%. Sie ist synthet. zugänglich aus Malein- od. Fumarsäure u. Ammoniak unter Druck u. durch anschließende Raccemattrennung od. – im Maßstab von ca. 1000 t/a – enzymat. mit *Aspartase* (L-Aspartat-Ammoniak-Lyase, EC 4.3.1.1). In Nicht-Wirbeltieren eliminiert das Enzym Ammoniak aus L-A. u. erzeugt Fumarsäure. Zu Oxalessigsäure läßt sich L-A. durch Transaminierung umsetzen; im *Harnstoff-Cyclus bildet sie mit L-Citrullin L-Argininosuccinat. Da aus letzterem L-Arginin eliminiert wird u. das Kohlenstoff-Gerüst der A. als Fumarsäure hervorgeht, kommt die Reaktionssequenz einer Amino-Gruppenübertragung auf L-Citrullin gleich. Purine bedürfen zu ihrer Biosynth. einer ganz analogen Stickstoff-Übertragung aus L-A.; Pyrimidine werden *in vivo* von L-A. u. *Carbamoylphosphat aus synthetisiert (s. Aspartat-Transcarbamoylase). Ebenso wie andere Aminodicarbonsäuren bildet L-A. nicht nur Peptide, sondern auch *Isopeptide, bei denen die Peptid-Kette über die endständige Carboxy-Gruppe weitergeknüpft wird.
Verw.: In Infusionslsg. zur parenteralen Ernährung, in Form der K- u. Mg-Salze (*Aspartate*) in Geriatrika, zur Prophylaxe u. Therapie von Koronarerkrankungen, in Leberschutzpräp. u. als Bestandteil von Süßstoffen (Aspartame®). – *E* aspartic acid – *F* acide aspartique, acide asparaginique – *I* acido aspartico – *S* ácido aspártico, ácido asparagínico
Lit.: Beilstein E IV **4**, 2998 ff. – [HS 2922 49; CAS 56-84-8]

Aspartame (L-Aspartyl-L-phenylalaninmethylester, E 951, APM).

$$H_5C_6-CH_2-CH-NH-CO-CH-NH_2$$
$$\quad\quad\quad\quad\quad | \quad\quad\quad\quad | $$
$$\quad\quad\quad\quad CO-OCH_3 \quad CH_2-COOH$$

$C_{14}H_{18}N_2O_5$, M_R 294,31, weißes, krist., in Wasser u. den meisten organ. Lsm. lösl. Pulver ohne punktuellen Schmp.; ein von Ajinomoto u. Searle entwickelter *Süßstoff mit ca. 200mal stärkerer Süßkraft als *Saccharose, der bei weitmaßiger Betrachtungsweise inzwischen die Nr. am Weltsüßstoffmarkt ist. Andere Hersteller sind neben der Montsanto-Tochter Nutrasweet die Firmen Holland Sweetener, Miwon u. Enzymologa[1]. A. zeichnet sich durch eine zuckerähnliche aber sehr lang anhaltende Süße aus. Problemat. ist die geringe Stabilität bei Verarbeitung u. Lagerung von Lebensmitteln[2]. Hinsichtlich Geschmack u. Stabilität läßt sich A. durch Mischen mit Acesulfam (z. B. 1:1 blend) optimieren.
Verw.: A. findet vorzugsweise für Produkte mit niedrigem Wassergehat od. mit geringer Haltbarkeitsdauer, in denen sich der hydrolyt. Abbau weniger bemerkbar macht, aber auch in einigen Limonaden-Getränken Anwendung. Problemat. bei der Verw. von A. kann dessen begrerzte Wasserlöslichkeit sowie deren mikrobiolog. Abbau (z. B. in Joghurt) sein.
Herst.: Nach gängigen Verf. der Peptid-Synthese[3].
Recht: A. ist gemäß ZZulV für die meisten Lebensmittel zugelassen, denen Süßstoffe zugesetzt werden dürfen (s. Süßstoffe) u. darüber hinaus im Rahmen von Ausnahmegenehmigungen auch für bestimmte diätet. Lebensmittel. Sein Gehalt an Phenylalanin ist kenntlich zu machen.
Toxikologie: *ADI-Wert 40 mg/kg (1987 SCF). Unverträglichkeitsreaktionen sind in der wissenschaftlichen Lit. beschrieben, scheinen jedoch selten zu sein[4].
Analytik: Neben DC- ist eine Reihe von HPLC-Meth. zur Bestimmung von A. sowie seinen Neben- u. Abbauprodukten in Lebensmitteln veröffentlicht[5-7]. Die neuesten Verf. umfassen die photometr. Methanol-Bestimmung nach enzymat. Hydrolyse[8] bzw. die HPLC[9] sowie Meth. auf der Basis von Biosensoren[10,11]. –
E aspartam – *F* méthylester de L-asparyl-L-phénylalanine – *I* aspartame – *S* aspartamo
Lit.: [1]Chem. Ind. (London) **1993**, 108. [2]Ernährung/Nutrition **17**, 546 ff. (1993); J. Agric. Food Chem. **43**, 2608–2612 (1995). [3]Collins et al. (Hrsg.), Chirality in Industry, S. 237–247, London: Wiley 1992. [4]Ann. Allergy **61**, 63–69 (1988). [5]J. Assoc. Off. Anal. Chem. **76**, 275–282 (1993). [6]Z. Lebensm. Unters. Forsch. **193**, 344 ff. (1991); Dtsch. Lebensm. Rundsch. **91**, 171 ff. (1995). [7]Bundesgesundheitsamt (Hrsg.), Amtliche Sammlung von Untersuchungsverfahren nach § 35 LMBG, Nr. L 57.22.9, Berlin: Beuth seit 1980. [8]Analyst **115**, 435 f. (1990). [9]J. AOAC **76**, 275–282 (1993). [10]Microchem. J. **48**, 60–64 (1993). [11]GIT Fachz. Lab. **36**, 199–204 (1992). *allg.:* Akt. Ernähr.-Med. **18**, 331–337 (1993) ▪ J. Agric. Food Chem. **43**, 1969–1976 (1995) ▪ Krutosikova u. Uher, Natural and Synthetic Sweet Substances, S. 155–187, New York: Horwood 1992 ▪ Marie u. Piggott (Hrsg.), Handbook of Sweeteners, Glasgow: Blackie 1991 ▪ O'Brien, Nabors u. Gelardi (Hrsg.), Alternative Sweeteners (2.), S. 39–69, New York: Dekker 1991 ▪ von Rymon-Lipinski u. Schieweck (Hrsg.), Handbuch Süßungsmittel, S. 425–444, Hamburg: Behr 1991. – *[CAS 22389-47-0]*

Aspartate. Bez. für Salze u. Ester der *Asparaginsäure. A. dient z. B. als Gegenion in Kalium u. Magnesium-A., die zwecks Elektrolytsubstitution unterstützend bei manchen Herzkrankheiten gegeben werden. – *E = F* aspartates – *I* aspartati – *S* aspartatos
Lit.: s. Asparaginsäure. – *[HS 2922 49]*

Aspartat-Proteinasen (Aspartat-Endopeptidasen, EC 3.4.23). *Proteinasen, die im aktiven Zentrum zwei für die Katalyse essentielle L-*Asparaginsäure-Reste enthalten u. mit wenigen Ausnahmen durch *Pepstatin gehemmt werden. Weitere Inhibitoren s. *Lit.*[1].
Beisp.: *Pepsine, Chymosin (s. Lab), die *Kathepsine D u. E, *Renin sowie auch einige pflanzliche u. retrovirale Proteinasen. – *E* aspartic proteinases – *F* protéinases aspartiques – *I* proteinasi aspartiche – *S* proteinasas aspárticas
Lit.: [1]Med. Res. Rev. **13**, 731–778 (1993).

Aspartat-Transcarbamoylase (Carbamoylphosphat: L-Aspartat-Carbamoyltransferase, EC 2.1.3.2, Abk.: ATCase). Zu den *Transferasen gehörendes Enzym, das den ersten Schritt der Pyrimidin-Biosynth. katalysiert, nämlich die Übertragung des Carbamoyl-Restes aus *Carbamoylphosphat auf die α-Amino-Gruppe von L-Asparaginsäure. Als erstes Enzym einer für die *Nucleinsäure-Biosynth. wichtigen Reaktionskette unterliegt es der alloster. (s. Allosterie) Regulation durch verschiedene *Nucleotide (Vorstufen der Nucleinsäuren) u. wird deshalb auch als Schlüsselenzym bezeichnet. So hemmt Cytidin-5'-triphosphat (s. Cytidinphosphate; sog. Rückkopplungshemmung, *E feed-back inhibition*) seine eigene Synth.; *Adenosin-5'-triphosphat als Purinnucleotid hat aktivierende Wirkung, da beim Einbau von Purinen in *Desoxyribonucleinsäuren gleichzeitig Pyrimidinnucleotide zur Basenpaarung gebraucht werden. ATCase besitzt eine M_R von 306 000 u. die Stöchiometrie r_6c_6, d. h. es besteht aus 6 katalyt. Untereinheiten c (M_R je 34 000) u. 6 regulator. Untereinheiten r (M_R je 17 000). Durch Behandlung mit Quecksilber-Verb. trennt sich der native Komplex in katalyt. aktive Trimere (c_3), die aber nicht mehr der Regulation durch Nucleotide unterliegen, u. Dimere (r_2), die Adenosin- od. Cytidinnucleotide zu binden vermögen, aber nicht katalyt. wirken. – *E* aspartate transcarbamoylase – *F* aspartate-transcarbamoylase – *I* aspartato transcarbamoilasi – *S* aspartato de transcarbamoilasa
Lit.: Le Maire et al., Laboratory Guide to Biochemistry, Enzymology and Protein Physical Chemistry: A Study of Aspartate Transcarbamoylase, New York: Plenum Press 1991. – *[HS 3507 90]*

Aspecton®. Saft mit Thymian-Fluidextrakt, Tropfen zusätzlich mit Gypsophila-Saponin, Balsam mit Camphor, Thymian- u. Eukalyptus-Öl gegen Bronchitiden u. Reizhusten. *B.:* Krewel Meuschbach.

Asperdiol (7,8-Epoxy-3,11,15-cembratrien-2,18-diol).

$C_{20}H_{32}O_3$, M_R 320,47, Nadeln, Schmp. 109–110 °C, $[\alpha]_D^{20} -87°$ (CHCl$_3$), cycl. Diterpen aus *Eunicea asperula*, strukturverwandt mit den Cembranen[1]. – *E* = *F* = *S* asperdiol – *I* asperdiolo
Lit.: [1] Tetrahedron Lett. **1977**, 1295.
allg.: Beilstein E V **17/5**, 242 ▪ J. Am. Chem. Soc. **108**, 6389 (1986) (Synth.) ▪ J. Org. Chem. **51**, 858 (1986) ▪ Scheuer I **2**, 189 f. – *[CAS 64180-67-2]*

Aspergillus. Die ca. 150 Arten von A. (Gießkannenschimmel) gehören zu der Klasse der Ascomycetales, Unterklasse Euascomycetales, deren Hauptfruchtform der Ascus (ein schlauchartiges Gebilde, in dem die Ascosporen gebildet werden) ist, in dem für die sich die geschlechtliche Fortpflanzung Karyogamie (Verschmelzung der Kerne), *Meiose u. meist auch die *Mitose stattfindet; der Ascus enthält 8 Ascosporen. Das vielkernige Mycel ist verzweigt u. mit Konidienträgern als Nebenfruchtform besetzt. Von den Konidienträgern schnüren sich zur asexuellen Vermehrung die braunen, schwarzen od. grünen Konidien in der typ. Gießkannenform ab. Die A. gehören zu den fünf wichtigsten Boden-Pilzen u. sind v. a. am *Chitin- u. *Cellulose-Abbau beteiligt. Sie können Krankheitserreger sein (*A. fumigatus* verursacht z. B. Broncho-Pneumomykosen u. Hautmykosen), weiterhin sind *Allergien bekannt. In der Lebensmittel-Ind. sind *A. flavus*, *A. parasiticus* u. *A. oryzae* als Schimmel z. B. auf Brot u. Getreide verantwortlich für die *Aflatoxin-Bildung (krebserregend). A. produzieren *Antibiotika (*A. fumigatus*, Fumigatin; *A. flavus*, Aspergillsäure), sie werden zur *Biotransformation bei der Steroid-Umsetzung eingesetzt u. sind wichtige Produzenten von *Exoenzymen (α-Amylasen, wie Takadiastase, Takaamylase mit *A. niger* u. *A. oryzae*; Invertase durch *A. oryzae*) u. organ. Säuren (*A. niger* u. *A. wentii*, Citronensäure; *A. niger*, Glukonsäure; *A. itaconicus*, Itaconsäure). Daneben werden A. als Modellorganismen für genet. Untersuchungen von Pilzen eingesetzt. – *E* = *F* aspergillus – *I* aspergillo – *S* aspergilos
Lit.: Crueger (3.) ▪ Präve et al. (4.) ▪ Schlegel (7.), S. 185 ▪ Weide u. Aurich, Allgemeine Mikrobiologie, Stuttgart: Gustav Fischer 1979.

Asperlicin.

A. B, $C_{31}H_{29}N_5O_4$, M_R 535,60, Krist., Schmp. 211–213 °C. A. wurde neben anderen Verb. des gleichen Typs (A. C, D, E) aus *Aspergillus alliaceus* isoliert. A. ist ein potenter *Cholecystokinin (CCK)-Antagonist. – *E* asperlicin – *I* asperlicina
Lit.: J. Antibiot. **41**, 878, 882–891 (1988) (Biosynth.) ▪ J. Med. Chem. **29**, 1941 (1986) (Synth.) ▪ J. Org. Chem. **52**, 1644 (1987) (Synth.) ▪ Proc. Natl. Acad. Sci. USA **83**, 4918, 4923 (1986) ▪ Science **230**, 177 (1985) ▪ Surgery (St. Louis) **102**, 163 (1987). – *[CAS 52461-05-9]*

Asphalte. Nach DIN 55 946 Tl. 1 (12/1983) versteht man unter A. ein „natürlich vorkommendes od. techn. hergestelltes Gemisch aus *Bitumen od. bitumenhaltigen Bindemitteln u. Mineralstoffen sowie gegebenenfalls weiteren Zuschlägen u./od. Zusätzen". *Naturasphalte* entstehen durch Verdunstung leichtflüchtiger Bestandteile des Erdöls u. oxidative Polymerisation der schwererflüchtigen Rückstände, wobei der Mineralstoff-Gehalt schwankt. *Asphaltite* sind Natur-A. von großer Härte mit sehr niedrigem Gehalt an Mineralstoffen (z. B. *Rafaelit, *Gilsonit. syr. A.). *Asphaltgesteine* sind Natur-A. mit hohem Gehalt an Mineralstoffen (A.-Kalkstein u. A.-Sande). Natürliche A. findet man z. B. in Cuba, Kalifornien, Colorado, Argentinien, Syrien, auf der Insel Trinidad (40%ig, Asphaltsee), am Toten Meer, in Venezuela u. in Alberta, Kanada (*Ölsande); eine dtsch. Lagerstätte ist in Vorwohle bei Hannover. Künstlicher A. entsteht, wenn man durch die Destillationsrückstände von Erdöl Luft od. Wasserdampf bläst; dieses *Oxidationsbitumen* (ältere Bez. sind *Petrolasphalt* u. *geblasenes Bitumen*) wird in geschmolzenem Zustand in Eisen-Trommeln gefüllt, wo er erstarrt; vor Gebrauch muß er durch Erwärmen wieder verflüssigt werden. Gewöhnlicher A. bildet feste, braunschwarze bis schwarze, matte bis fettglänzende Stücke von muscheligem bis halbmuscheligem Bruch, D. 1–1,2, Schmp. 70–150 °C, die in Benzol, Chloroform, Schwefelkohlenstoff u. Terpentinöl lösl. sind. Reine A. sind Gemenge von hochmol. Kohlenwasserstoffen mit geringen Mengen von Sauerstoff-, Schwefel- u. Stickstoff-Verbindungen. Der natürliche Trinidad-Rohasphalt enthält z. B. 82% Kohlenstoff, 10% Wasserstoff, 6% Schwefel u. rund 1% Stickstoff. Künstliche A. sind Produkte der Petrochemie u. enthalten kaum Mineralstoffe; sie sind nach obiger DIN als Bitumen zu bezeichnen. Doch werden A. u. Bitumen häufig als Synonyma verwendet. Bitumen gilt als Carcinogen (s. Abschnitt III B der MAK-Liste).
Verw.: Asphaltite geben in Benzol, Terpentinöl u. dgl. gelöst, gute wasserbeständige Asphalt-, Grundier-, Isolier- u. Lederlacke zur Verw. in der Bau-, Elektro-, Farben- u. Lack-Industrie. Da A. bei gewöhnlichen Temp. ziemlich fest sind u. von Wasser nicht beeinflußt werden, dienen sie in großem Umfang zum „Asphaltieren" von Straßen (in Gemenge mit Sand, Kies, Schotter) u. zur Herst. von Dachpappen.
Geschichte: Das Wort A. bedeutet griech. Erdpech u. ist wahrscheinlich altbabylon. Ursprungs. A. wurden bereits vor rund 5000 Jahren von Babyloniern u. Sumerern zur Abdichtung von Bauwerken verwendet. In Deutschland wurde 1838 erstmals eine Straße asphaltiert (Hamburg, Jungfernstieg); zur Geschichte der A. im Straßenbau vgl. *Lit.*[1]. – *E* asphalts – *F* asphaltes – *I* asfalti – *S* asfaltos
Lit.: [1] ADAC-Motorwelt **1971**, Nr. 3, 116–122.
allg.: Hommel, Nr. 33 ▪ Introduction to Asphalt, College Park: Asphalt Institute 1982 ▪ Kirk-Othmer (3.) **3**, 284–327; (4.) **3**, 689–724 ▪ McKetta **3**, 419–493; **4**, 1–23 ▪ Ullmann (4.) **8**, 527 f.; (5.) **A 3**, 169 ff. ▪ s. a. Bitumen. – Serie: Asphalt Paving Technology Proceedings, Minneapolis: Assoc. Asphalt Paving Technologists (seit 1971). – *[G 3]*

Asphaltene. Nach DIN 51 595 (12/1978) Bez. für solche Bestandteile rohen Erdöls, die beim Lösen mit dem 30fachen Vol. Heptan bei 18–28 °C ausfallen u. in Benzol lösl. sind; s. a. Bitumen. – *E* asphaltenes – *F* asphaltènes – *I* asfalteni – *S* asfaltenos
Lit.: Bunger u. Li, Chemistry of Asphaltenes (Adv. Chem. Ser. 195), Washington: ACS 1981 ▪ Ullmann (4.) **8**, 531; **10**, 647.

Aspicilin [(5R,6S,7R,18S)-5,6,7-Trihydroxy-18-methyl-oxacyclooctadec-3t-en-2-on].

$C_{18}H_{32}O_5$, M_R 328,45, Plättchen, Schmp. 153–154 °C, $[\alpha]_D^{20}$ +32°. Inhaltsstoff aus den Krustenflechten *Aspicilia calcarea* u. *A. gibbosa*. – *E* aspicilin – *F* aspiciline – *I* = *S* aspicilina
Lit.: Beilstein E V 18/4, 258. – *Synth.*: Justus Liebigs Ann. Chem. **1995**, 1185 ▪ Tetrahedron Lett. **36**, 2607 (1995).

Aspidosperma-Alkaloide.

R[1], R[2] = H : Aspidospermidin
R[1] = OCH$_3$; R[2] = CO–CH$_3$
: Aspidospermin

Tabersonin

Gruppe von über hundert monoterpenoiden *Indol-Alkaloiden aus *Aspidosperma*-Arten (Hundsgiftgewächse), aber auch vielen anderen Pflanzengattungen sowie entsprechenden Zellkulturen. Wichtige Vertreter sind: *Quebrachamin, *Yohimbin, *Aspidospermin* ($C_{22}H_{30}N_2O_2$, M_R 354,49, Nadeln od. Prismen, Schmp. 208 °C), *Aspidospermidin* ($C_{19}H_{26}N_2$, M_R 282,43, Krist., Schmp. 119–121 °C), *Eburnamonin, *Tabernanthin, *Tabersonin*[1] {$C_{21}H_{24}N_2O_2$, M_R 336,43, Schmp. 196 °C, als Hydrochlorid, $[\alpha]_D$ 310° (CH$_3$OH)}, *Vincamin, *Vindolin. – *E* aspidosperma alkaloids – *I* alcaloidi dell' aspidosperma
Lit.: [1] Beilstein E V 23/12, 283.
allg.: Manske **11**, 205; **17**, 200 ▪ Pelletier (Hrsg.), Alkaloids, Chemical and Biological Perspectives, Bd. 9, Oxford: Pergamon 1995. – *Reviews*. Chem. Heterocycl. Compd. **25**, 331 (1983) ▪ Thomson, The Chemistry of Natural Products, S. 326 f., New York: Chapman & Hall 1985; (2. Aufl.) S. 219, London: Blackie 1993. – *Synth.-Review*: Chem.-Ztg. **110**, 95 (1986). – [HS 2939 90; CAS 466-49-9 (Aspidospermin); 2912-09-6 (Aspidospermidin); 4429-63-4 (Tabersonin)]

Aspik. Angesäuerte u. pikant gewürzte Gallerte (Herst. aus bindegewebsreichem Fleisch od. aus Gelatinepulver) mit eingelegten Fisch-, Fleisch-, Geflügel-, Gemüse- u./od Wildstücken. – *E* = *F* = *I* aspic – *S* jalea

Aspirin®. Aus *Acetylspirsäure* (Spirsäure = Salicylsäure) abgeleitete Marke (nicht in den USA, Frankreich u. England) für *Acetylsalicylsäure als Analgetikum u. Antirheumatikum, A. plus C zusätzlich mit Vitamin C. *B.*: Bayer.

Aspisol®. Trockensubstanz in Injektionsflaschen mit DL-*Lysin-mono-(acetylsalicylat) u. *Glycin gegen Schmerzen u. Übertemperatur. *B.*: Bayer.

Asplit®-Kitte. Chem. härtende Kunstharz-gebundene Kitte; beständig gegen wechselnd saure u. alkal. Beanspruchung, flüssigkeitsdicht, spülfest, von hervorragender mechan. Festigkeit; als Verlege- u. Verfugematerial in Verbindung mit Platten od. Steinen, fugenlose Spachtelbeläge u. Schutzüberzüge; werden in der chem. Ind., Energie-Erzeugung, Schornsteinbau, Zellstoff-, Papier-, Lebensmittel-, Getränke-, Textil- u. Abwasser-Ind. eingesetzt. *B.*: Permatex GmbH.

Asp(NH$_2$). Neben Asn u. N Kurzz. für L-*Asparagin.

ASR-Verfahren s. Argon

ASS. Gebräuchliche Abk. für *Acetylsalicylsäure, auch in Handelspräp. mit dieser; s. Rote Liste.

Assil®. Klebstoffe auf Polyurethan-Basis zum Verkleben von Untertapeten, Styropor, Hartschaumplatten, Paneelen u. Zierprofilen, als Montagekleber für Paneelen u. Zierleisten sowie gebrauchsfertige Polyurethanschäume zum Befestigen von Türfuttern u. Fenstern, zum Dämmen, Füllen u. Isolieren. *B.*: Henkel.

Assimilation (von latein.: Angleichung). Im allgemeinsten Sinne ist A. die Aufnahme von Nahrungsstoffen in den Organismus u. deren Einbau in die lebendige Substanz od. in die Struktur des Körpers (Anabolismus). *Autotrophe Organismen* (z. B. *Pflanzen, viele *Bakterien u. *Algen, s. Autotrophie u. Chemolithotrophie) synthetisieren organ. Materie aus anorgan. Bausteinen. Die wichtigsten Prozesse sind die *Kohlenstoff-A.* – zusammenfassend behandelt unter der bekannteren Bez. *Photosynthese – u. die *Stickstoff-A.*, womit man den Einbau von aus Nitrat, Nitrit, Ammoniak od. Luftstickstoff stammendem Stickstoff meint, s. Stickstoff-Fixierung. *Heterotrophe Organismen* (z. B. Tiere, *Pilze, die meisten *Bakterien) betreiben A. aus organ. Substanzen der Nahrung (Proteine, Fette, Kohlenhydrate) im Rahmen von Umbauprozessen, deren Energiebedarf aus der *Dissimilation gedeckt wird. – *E* = *F* assimilation – *I* assimilazione – *S* asimilación
Lit.: s. Photosynthese u. Stickstoff-Fixierung.

Assimilatorische Sulfat-Reduktion. Bez. für die in Zusammenhang mit Aufnahme u. Verwertung von Sulfat stattfindende Red. von Sulfat zu Sulfid, die in vielen Bakterien u. Pflanzen stattfindet. Sulfid dient der Biosynth. z. B. von Schwefel-haltigen *Aminosäuren (*Cystein) od. *Thiohydroxamsäuren, Vorstufen der Senfölglykoside (*Glucosinolate).
In Pflanzen wird in die Zellen – in der Regel über Transportsyst. – aufgenommenes Sulfat mit ATP (*Adenosin-5'-triphosphat) gebunden („aktiviert"), Katalysiert wird diese Reaktion durch eine ATP-Sulfurylase (Sulfat-Adenylyl-*Transferase); es entsteht APS (Adenosin-5'-phosphosulfat=5'-Adenylylsulfat), ein Anhydrid aus Adenylsäure (s. Adenosinphosphate) u. Schwefelsäure. APS kann seinerseits durch Adenylsulfat-Kinase zu PAPS (3'-Phosphoadenosin-5'-phosphosulfat, „aktives Sulfat") phosphoryliert werden. PAPS dient als Ausgangssubstanz für die Biosynth. von

Sulfatestern (*Agar-Agar, *Carrageen u. a.) u. vermutlich auch von biogenen Sulfonsäuren sowie als Speicher von Sulfat für biochem. Umsetzungen; es kann durch eine 3′-Nucleotidase in APS umgewandelt werden. Eine APS-Sulfotransferase überträgt eine Sulfonyl-Gruppe von APS auf eine Thiol-Gruppe eines Proteins, die als Träger der Sulfon-Gruppe im Sulfat-Reduktase-Enzymkomplex (Sulfat-Reduktase) dient. Nach Umsetzung mit reduzierten *Ferredoxin od. NADPH + H⁺ (s. Nicotinamid-adenin-dinucleotid), katalysiert durch eine Thiosulfonat-Reduktase wird die Thiol-Gruppe auf O-Acetylserin übertragen, wobei Cystein entsteht (Schema s. Richter, Lit.). Auch fast alle *Bakterien sind zu a. S. befähigt. – *E* assimilative sulphate reduction – *F* sulfate-réduction assimilative – *I* sofatriduzione assimilatore – *S* reducción de sulfato asimiladora

Lit.: Richter, Stoffwechselphysiologie der Pflanzen, S. 415 ff, Stuttgart: Thieme 1988 ▪ Schlegel (7.), S. 10 f., 335 f. ▪ Wagner, Pharmazeutische Biologie, 2. Drogen und ihre Inhaltsstoffe, Stuttgart: Fischer 1980.

Association Internationale de la Savonnerie... s. A.I.S.E.

Assoziation. Von latein. associare = verbinden hergeleitet. 1. Bez. für einen Sonderfall der *Aggregation, nämlich die Vereinigung von mehreren gleichartigen Mol. zu größeren Komplexen (*Aggregaten*, *Molekülverbindungen); das Produkt der A. ist ein *Assoziat*. Man kennt – meist dimere – Assoziate bes. bei *Säuren* [vgl. *Lit.*[1]; z. B. Essigsäure (H_3C–$COOH$)$_2$], *Oxiden* [z. B. (P_2O_5)$_2$, (SO_3)$_2$, (As_2O_3)$_2$, usw.], *Sulfiden* [z. B. (P_2S_5)$_2$], *Halogeniden* [z. B. ($FeCl_3$)$_2$, ($AlBr_3$)$_2$] u. Hydroperoxiden[2]. So besteht z. B. Fluorwasserstoff noch bei +32 °C aus zwei Mol., hat also die Formel (HF)$_2$, u. erst beim Erhitzen über 80 °C entsteht monomol. HF. Die Assoziate werden durch *zwischenmolekulare Kräfte zusammengehalten. Das bekannteste Assoziat ist *Wasser, das als (H_2O)$_n$ vorliegt. Von Bedeutung ist die A. auch bei Polymeren, in der *Kolloidchemie (*Assoziationskolloide*) u. bei *Tensiden (vgl. Micellen). – 2. In der Vegetationskunde bezeichnet A. einer Pflanzengemeinschaft mit meiner (regelmäßig auftretenden) *Charakterart (s. Art) u. typ. Begleitpflanzen, die in einer bestimmten Häufigkeit (*Stetigkeit) auftreten[3]. Im Gegensatz dazu bezeichnet *Aggregation generell eine (zufällige) Ansammlung von *Organismen. – *E* = *F* association – *I* associazione – *S* asociación

Lit.:[1] Quart. Rev. **7**, 255–278 (1953). [2] Russian Chem. Rev. **41**, 565–573 (1972). [3] Odum, Grundlagen der Ökologie (2.), S. 607, Stuttgart: Thieme 1983.

Assoziative Verdicker s. Verdickungsmittel.

ASTA Medica. Weismüllerstr. 45, 60314 Frankfurt, gegr. 1919; seit 1978 mit 67%, seit 1983 zu 100% zur Degussa AG gehörig; 40 Tochterges. im In- u. Ausland. *Daten* (1994/95): 5759 Beschäftigte, 305 Mio. DM Kapital, 1404 Mio. DM Umsatz. *Produktion:* Pharmazeut. Spezialitäten u. Wirkstoffe.

Astacin (EC 3.4.24.21). Zink-Ionen-haltige Metall-Proteinase (s. Metall-Proteasen; M_R 22 600), Verdauungsenzym des Flußkrebses, das *Oligopeptide spaltet. A. ist der Prototyp der A.-Proteinfamilie sekretor.

od. Plasmamembran-gebundener Metall-Proteinasen, zu der unter anderem das *Knochen-Morphogeneseprotein 1, *Choriolysine* [Proteinasen (EC 3.4.24.66 u. 3.4.24.67, M_R 25 000), die Tiefseefisch-Embryonen zum Auflösen der Eihaut u. zum Schlüpfen dienen] u. *Meprine gehören. Begrenzte Strukturähnlichkeiten bestehen auch zu *Collagenasen u. a. Zink-Proteasen, weshalb die Superfamilie der *Metzinkine* definiert wurde[1]. – *E* astacin – *F* astacine – *I* = *S* astacina

Lit.:[1] Protein Sci. **4**, 823–840 (1995).
allg.: Eur. J. Biochem. **214**, 215–231 (1993) ▪ Nature (London) **358**, 164 ff. (1992) ▪ Protein Sci. **4**, 1247–1261 (1995).

Astat (von griech.: astatos = unbeständig; Symbol At). Radioaktives Element aus der Gruppe 7 B (*Halogene) u. der 6. Periode des Periodensystems, Ordnungszahl 85. Z. Z. sind 28 Isotope der Massenzahlen 196–219 mit HWZ zwischen 0,11 μs u. 8,3 h bekannt. Die 3 längstlebigen Isotope ^{209}At, ^{210}At u. ^{211}At (HWZ 5,4 h, 8,3 h u. 7,2 h) erhält man durch α-Beschuß von Bismut, z. B. ^{209}Bi (α, 2n) ^{211}At. Die Isotope ^{215}At u. ^{217}At – ^{219}At kommen in sehr geringen Spuren in Uran- u. Thorium-Mineralien vor; für die Lithosphäre wird eine Menge von ca. 70 mg angegeben; At ist damit das seltenste aller in der Natur gefundenen Elemente. Wegen der kurzen Lebensdauer seiner Isotope basieren alle Kenntnisse über chem. u. physikal. Eigenschaften auf Untersuchungen im Tracer Maßstab von 10^{-12} bis 10^{-16} g. Die größten bisher auf einmal hergestellten Mengen betrugen ca. 50 μg. At ist das schwerste Halogen, hat jedoch deutlich metall. Eigenschaften. In dieser Hinsicht ähnelt es eher dem *Polonium als dem *Iod. Aus der Elektronenkonfiguration (Modell s. bei Atombau) werden der Schmp. 244 °C u. der Sdp. 309 °C abgeschätzt. Die Existenz von At_2-Mol. konnte noch nicht nachgewiesen werden. At ist relativ flüchtig u. in organ. Lsm. gut löslich. In seinen Verb. kann es in den Oxidationsstufen –1, 0, +1, +3, +5 u. +7 auftreten. In Ggw. der freien Halogene (X = Cl, Br, J) bilden sich Interhalogenverb. AtX, die mit Tetrachlormethan zu extrahieren sind. In wäss. Phase liegen AtX_2^--Anionen vor. Organ. At-Verb. können durch Substitutionsreaktionen unter Verw. von Iod als Nichtisotopen-Träger synthetisiert u. gas- od. flüssigkeitschromatograph. identifiziert werden.

Physiologie: Im Organismus wird At, ähnlich wie Iod, in der Schilddrüse angereichert u. – in kolloidaler Form appliziert – in der Leber gespeichert. Eine Anzahl organ. At-Verb. finden in der Nuclearmedizin zur lokalen Bestrahlung bösartiger Erkrankungen Verw., sowie in Form markierter Präp. als Radiopharmaka zur Diagnose.

Von seinen Entdeckern (Corson, MacKenzie u. Segré), die 1940 At erstmals künstlich erzeugten, wurde der die ältere Bez. *Eka-Jod* ersetzende Name Astatin eingeführt; frühere Namen waren auch Alabamin u. Helvetium. – *E* astatine – *F* astate – *I* = *S* astato

Lit.: Downs u. Adams, The Chemistry of Chlorine, Iodine and Astatine, Oxford: Pergamon 1975 ▪ Gmelin, Syst.-Nr. 8 a, Astatine 1985 ▪ Radiochim. Acta **47** (2–3), 163–168 (1989) ▪ Ullmann (4.) **20**, 19. – [HS 284440; CAS 5755-38-1 (^{209}At); 18830-37-0 (^{210}At); 15755-39-2 (^{211}At)]

Astatin s. Astat

Astaxanthin [(3S,3'S)-3,3'-Dihydroxy-β,β'-carotin-4,4'-dion, Crustaxanthin].

$C_{40}H_{52}O_4$, M_R 596,85, violette Platten, Schmp. 215–216 °C (Zers.). A. ist ein zur Gruppe der *Xanthophylle gehörendes *Carotinoid, das als roter Farbstoff im Tierreich, bes. bei Krebsen u. Stachelhäutern, weit verbreitet ist. A. kommt aber auch in Vogelfedern u. in der Fuß- u. Beinhaut des Flamingos u. a. Vögel – bedingt durch das Fressen von Krebsen – vor. A. liegt nativ entweder in freier Form, als Ester (z. B. Dipalmitat) od. als Chromoprotein vor. Im Panzer des Hummers (*Astacus*) liegt A. in einem Protein-Komplex vor, einem blau-schwarzen Farbstoff, aus dem durch Kochen A. freigesetzt u. zu dem ebenfalls roten Astazin oxidiert wird. – *E* astaxanthin – *F* astaxanthine – *I* = *S* astaxantina

Lit.: Acta Chem. Scand., Ser. B **28**, 730 (1974) ▪ Beilstein E IV **8**, 3318 ▪ Helv. Chim. Acta **64**, 2405 (1981) ▪ Phytochemistry **15**, 1003 (1976). – [HS 3203 00; CAS 6094-35-5]

Astemizol.

Internat. Freiname für 1-(4-Fluorbenzyl)-*N*-[1-(4-methoxyphenethyl)-4-piperidyl]-1*H*-benzimidazol-2-ylamin, $C_{28}H_{31}FN_4O$, M_R 458,58, Schmp. 149,1 °C. A. wurde 1979 u. 1980 von Janssen (Hismanal®) als Antihistaminikum patentiert. – *E* astemizole – *F* astémizole – *I* astemizolo – *S* astemizol

Lit.: Florey **20**, 173–208 ▪ Hager (5.) **7**, 307 f. ▪ Pharm. Ztg. **138**, 1566, 3075 (1993). – [HS 2933 39; CAS 68844-77-9]

Asteraceen (ältere Bez.: Compositae). Botan. Bez. für die Pflanzengruppe der Korbblütler mit ca. 25 000 Arten, zur Ordnung Asterales gehörig. *Beisp.:* Kamille, Sonnenblume, Gänseblümchen, Zichorie, Löwenzahn, Beifuß, Astern, Chrysanthemum-Arten, Artischocken, Wermut, Pyrethrum, Mariendistel, Arnika, Topinambur usw. Die krautigen Pflanzen enthalten meist ether. Öle, Balsame od. Milchsäfte (*Kautschuk) sowie nichtflüchtige Bitterstoffe. Charakterist. ist das Vork. von *Polyinen, *Sesquiterpen-Lactonen u. Diterpenen sowie die Speicherung von Polyfructosanen (s. Inulin) anstelle von Stärke. – *E* asteraceae – *F* astéracées – *I* asteracee – *S* asteraceas

Lit.: Hegi, Illustrierte Flora von Mitteleuropa, Bd. 6, Tl. 3 u. 4, Berlin: Blackwell 1979 u. 1987 ▪ Heywood et al., Biology and Chemistry of the Compositae (Symposium), London: Academic Press 1977 ▪ Mabry u. Wagenitz (Hrsg.), Research Advances in the Compositae, Wien: Springer 1990 ▪ Naturwissenschaften **67**, 588–594 (1980) ▪ Seaman et al., Diterpenes of Flowering Plants: Compositae, Berlin: Springer 1990.

Asterane. Nicht-systemat., aber sehr illustrative Bez. für eine Klasse von organ., auf meist ziemlich kompliziertem Weg synthetisierbare, sternförmige (Name!), polycycl. *Käfigverbindungen. Man kann sich die A. aus miteinander kondensierten wannenförmigen Cyclohexan-Ringen gebildet vorstellen, deren

Seitenkanten 3-, 4-, 5- etc. Ringe darstellen; die Abb. zeigt Pentasteran ($C_{15}H_{20}$); entsprechend spricht man von *Triasteran (C_9H_{12}), Tetraasteran ($C_{12}H_{16}$, s. Abb. dort). – *E* asterane – *I* asterani – *S* asteranos

Asterin s. Chrysanthemin.

Asterismus (Sterneffekt). Bez. für bes. bei manchen rund geschliffenen natürlichen u. auch synthet. hergestellten *Saphiren u. *Rubinen zu beobachtende sternförmige Lichtfiguren, die durch Streuung des Lichtes an Syst. von orientiert eingelagerten extrem dünnen Fasern od. Nadeln anderer Minerale (z. B. *Rutil TiO_2 bei *Sternrubin* u. a. Sternkorunden) erzeugt werden. – *E* asterism – *F* astérisme – *I* = *S* asterismo

Lit.: s. Edelsteine.

Asterogenol s. Asterosaponine.

Asteroide s. Kosmochemie

Asterosaponine.

R = O : Asteron
R = OH, H : Asterogenol

*Saponine aus Echinodermata (Stachelhäuter), dem einzigen Tierstamm, in dem die im Pflanzenreich sehr weit verbreiteten Saponine gefunden wurden. Die Echinodermata lassen sich in fünf Klassen gliedern: Die *Seelilien* (Crinoida), *Seegurken* (Holothuroida), *Echinoidea* (Seeigel, Sanddollars, Herzigel), *Ophiuroidea* (brittle stars, basket stars) u. die *Seesterne* (Asteroidea). Die A. sind verantwortlich für das ungewöhnliche Abwehrverhalten einiger Meeresorganismen, wenn sie mit Seesternen in Berührung kommen (vgl. Imbricatin). Beim Verzehr von Seesternen verursachen die A. Übelkeit u. Brechreiz. Bei der sauren Hydrolyse der Seestern-Saponine erhält man eine Vielzahl von steroidalen Verb., die zum Teil Artefakte der ursprünglich vorhandenen Aglykone sind. Das am häufigsten publizierte A.-Aglykon ist *Asteron* ($C_{21}H_{32}O_3$, M_R 332,48, Krist., Schmp. 196–198 °C), das leicht isomerisiert. Aus dem europ. Seestern *Asteria rubens* konnte *Asterogenol* ($C_{21}H_{34}O_3$, M_R 334,50, Krist., Schmp. 263–264 °C) isoliert werden. Neben diesen wurden auch C_{27}-Steroide, zum Teil in der Seitenkette epoxidiert, gefunden. Neben diesen Steroidaglykonen besitzen die A. eine Sulfat-Gruppe u. eine Oligosaccharid-Einheit. Eine Übersicht der Verb. findet sich in *Lit.*[1]. – *E* asterosaponins – *F* astérosaponine – *I* asterosaponine – *S* asterosaponina

Lit.: [1] Scheuer I **5**, 287–389; II **2**, 60–86; Pharmazie **42**, 2 (1987).

Asthenosphäre s. Erde u. Plattentektonik.

Asthma. Bez. für im allg. anfallsweise auftretende Atemnot. Die wichtigsten Formen sind das durch Pumpversagen des Herzens (*Herzinsuffizienz) mit Rückstau des Blutes in die Lungen hervorgerufene *A. cardiale* (Herzasthma) u. das *A. bronchiale* (Bronchialasthma), das durch Überempfindlichkeit des Bronchialsyst. mit Erhöhung des Widerstandes in den feinen Bronchialästen zustandekommt. Durch Verkrampfung der Bronchialmuskulatur, durch Schleimhautschwellung u. durch die vermehrte Produktion zähen Schleimes werden die Luftwege verengt, dadurch kommt es zur Behinderung v. a. der Ausatmung. Die Auslösung des A. bronchiale kommt durch verschiedene Faktoren zustande. Häufig ist A. durch *Allergien bedingt. Aber auch Pharmaka wie *Acetylsalicylsäure, Infektionen, Luftverschmutzung, Stäube am Arbeitsplatz, körperliche Belastung u. psych. Faktoren können zur Entstehung u. Auslösung von A. bronchiale führen. Die Behandlung richtet sich nach der Ursache des A., symptomat. werden *Sympath(ik)omimetika, *Anticholinergika u. Methylxanthine als Bronchodilatatoren (*Broncholytika), *Corticosteroide zur Verminderung der entzündlichen Symptome u. *Cromoglicinsäure zur Vorbeugung bei allerg. A. bronchiale eingesetzt. Vorübergehend werden auch Mucolytika [s. Muc(o)...] in der Asthmatherapie angewendet. – *E* asthma – *F* asthme – *I* = *S* asma

Lit.: Armour u. Black, Mechanisms in Asthma: Pharmacology, Physiology and Treatment, Progr. in Clinical and Biological Res. Vol. 263, New York: Allan R. Liss 1988 ▪ Gross et al., Lehrbuch der Inneren Medizin, S. 414–419, Stuttgart: Schattauer 1994.

ASTM. Abk. für *American Society for Testing and Materials.

Aston, Francis William (1877–1945), Prof. für Physik, Cambridge (England). *Arbeitsgebiete:* Massenspektrometrie, Entdeckung zahlreicher Isotope, Gesetz der Ganzzahligkeit. Nobelpreis für Chemie 1922.
Lit.: Krafft, S. 108 ▪ Neufeldt, S. 140 ▪ Nobel Lectures Chemistry 1922–1941, S. 3–22, Amsterdam: Elsevier 1966 ▪ Poggendorf **7 b/1**, 148 f. ▪ Pötsch, S. 19 ▪ Strube **2**, 194 ▪ Strube et al., S. 117, 120, 156, 161, 202 f.

Astra®-Farbstoffe. Sortiment von kation. wasserlösl. Farbstoffen für Bunt- u. Kohlepapiere, Farbbänder, Tinten, Stempelfarben, Transparentlacke. *B.:* Bayer.

Astraflex®. Bas. Farbstoffe für den Flexo-Druck. *B.:* Bayer.

Astragal®. Egalisiermittel zum Färben kation. Farbstoffe auf Polyacrylnitril-Fasern. *B.:* Bayer.

Astrakanit (Blödit). $Na_2Mg(SO_4)_2 \cdot 4H_2O$; farbloses bis weißliches, durch Beimengungen auch rötliches od. bläulichgrünes Mineral; bildet glasglänzende monokline Krist., Krist.-Klasse $2/m$-C_{2h}, u. körnige bis dichte Aggregate; H. 2,5, D. 2,2–2,3; leicht lösl. in Wasser. *Vork.:* Bei Bad Ischl u. Hallstatt/Österreich, bei Astrachan (Name!) an der Wolga-Mündung, im Soda Lake in Californien, in Chile; in kohligen Chondriten (*Meteorite). – *E* astrakhanite – *F* astrakanite – *I* astracanite – *S* astrakanita

Lit.: Schröcke-Weiner, Mineralogie, S. 590 f., Berlin: de Gruyter 1981. – *[HS 2520 10; CAS 15083-77-9]*

Astralon®. Preßtafeln u. -folien aus PVC hart u. PVAC hart für Druck-, Zeichen- u. Kopiertechnik, Skalen, Schilder usw. *B.:* HT TROPLAST AG.

Astrazon®-Farbstoffe. Sortiment von kation. *Farbstoffen (Polymethin-Farbstoffen) zum Färben von Polyacrylnitril-Fasern. *B.:* Bayer.

Astrochemie s. Kosmochemie

Asulam. Common name für Methyl[(4-aminophenyl)sulfonyl]carbamat.

$$H_2N-\!\!\left\langle\!\!\bigcirc\!\!\right\rangle\!\!-SO_2-NH-COOCH_3$$

$C_8H_{10}N_2O_4S$, M_R 230,24, Schmp. 142–144 °C (Zers.), LD_{50} (Ratte oral) >4000 mg/kg (WHO), von May & Baker 1968 eingeführtes selektives system. *Herbizid gegen Ungräser u. Unkräuter, insbes. Ampfer-Arten u. Adlerfarn, im Zuckerrohranbau, auf Grünland u. auf Nichtkulturland. – *E* = *I* = *S* asulam – *F* asulame
Lit.: Farm ▪ Perkow ▪ Pesticide Manual. – *[HS 2935 00; CAS 3337-71-1]*

Asuntol®. Kontakt- u. Fraßinsektizid zur Ektoparasiten-Bekämpfung (s. Parasiten) bei Nutztieren im Bade-, Sprüh- u. Aufgießverfahren. *B.:* Bayer.

Asx. Neben B Kurzz. für L-*Asparaginsäure od. L-*Asparagin, falls keine Unterscheidung getroffen werden kann.

asym-. In der Nomenklatur anorgan. Komplexverb. benutzte, nicht mehr empfohlene, kursiv gesetzte Bez. für eine asymmetr. Fixierung von Liganden. – *E* = *F* asym- – *I* = *S* asim-

Asymmetrie. In bezug auf einzelne chem. Mol. bedeutet der Begriff A. das Fehlen jeglicher *Symmetrie-Elemente* (Spiegelebenen, Symmetrieachsen, Symmetriezentren): Räumliche Darst. asymmetr. Mol. (vgl. die Abb. bei Chiralität, Enantiomerie, Diastereomerie) lassen sich durch Symmetrieoperationen nicht miteinander zur Deckung bringen. A. ist keine notwendige Bedingung für das Auftreten *optischer Aktivität, da opt. Aktivität nicht nur bei A., sondern auch bei *Dissymmetrie (s. z.B. die Abb. bei Atropisomerie) u. bei *Pseudoasymmetrie gegeben ist. Näheres, auch zur Entstehung der A. von Mol., s. bei Chiralität u. vgl. die folgenden Stichwörter. – *E* asymmetry – *F* asymétrie – *I* asimmetria – *S* asimetría

Asymmetriepotential. Beitrag zum Elektrodenpotential einer *Glaselektrode. Das A. wird durch unterschiedliche Eigenschaften der inneren u. äußeren Quellschicht der Glasmembran hervorgerufen. Für das gesamte Elektrodenpotential E einer Glaselektrode gilt:

$$E = R \cdot T/F \cdot \ln(pH_{innen} - pH_{außen}) + \Delta\varphi_{Diff.} + \Delta\varphi_{As.}$$

Hierbei sind R die *Gaskonstante, F die *Faraday-Konstante, T die *absolute Temperatur, pH_{innen} u. $pH_{außen}$ die pH-Werte der Innen- bzw. Außenlösung (s. die Abb. bei Glaselektrode), $\Delta\varphi_{Diff.}$ das *Diffusionspotential u. $\Delta\varphi_{As.}$ das A. – *E* asymmetric potential

Asymmetrische Atome. Ein pyramidales Atom mit vier verschiedenen Substituenten wird als a. A. bezeichnet.

Asymmetrische Einheit

Dieser Begriff wurde ursprünglich von van't *Hoff für das asymmetr. C-Atom (X=C, Symbol: *C) verwendet

u. in der Folgezeit auch auf andere pyramidale Atome (Si, Ge, N, P, As, Sb, S) ausgeweitet; s. a. Stereoisomerie. – *E* asymmetric atoms – *F* atomes asymetriques – *I* atomi asimmetrici – *S* átomos asimétricos
Lit.: Eliel u. Wilen, Stereochemistry of Organic Compounds, S. 1192, New York: Wiley 1994 ▪ Hauptmann u. Mann, Stereochemie, S. 58–63, Heidelberg: Spektrum Akadem. Verl. 1996 ▪ Houben-Weyl E 21 a, 1 ff.

Asymmetrische Einheit. Kleinster Teilbereich einer Elementarzelle, der zur Beschreibung einer *Kristallstruktur erforderlich ist. Der vollständige Elementarzelleninhalt ergibt sich durch Anw. der Symmetrieoperationen der betreffenden *Raumgruppe. – *E* asymmetric unit – *F* unité asymétrique – *I* unità asimmetrica – *S* un dad asimétrica

Asymmetrische Induktion. Mit diesem Begriff soll ausgedrückt werden, in welchem Ausmaß bei einer stereoselektiven Synth. ein Überschuß von einem Stereoisomeren über ein anderes erreicht werden kann. – *E* asymmetric induction – *F* induction asymétrique – *I* induzione asimmetrica – *S* inducción asimétrica
Lit.: s. asymmetrische u. stereoselektive Synthese.

Asymmetrische Synthese. Ursprünglich von E. *Fischer (1894) u. W. Marckwald (1904) vorgeschlagene Bez. für Reaktionen, bei denen Verb. mit mind. einem Chiralitätszentrum erzeugt werden, wobei ein Stereoisomeres über das andere überwiegt. Entsteht ein Diastereomeres im Überschuß, so spricht man von einer *diastereoselektiven Synthese, während im Falle von einem Enantiomerenüberschuß von einer *enantioselektiven Synthese gesprochen wird. Der Begriff a. S. ist, obwohl in der Lit. häufig anzutreffen, unscharf definiert u. sollte besser durch enantioselektive u. diastereoselektive Synth. mit dem Oberbegriff stereoselektive Synth. ersetzt werden. – *E* asymmetric synthesis – *F* synthèse asymetrique – *I* sintesi asimmetrica – *S* sintesis asimétrica
Lit.: Aitken u. Kilényi, Asymmetric Synthesis, London: Blackie Academic & Professional 1992 ▪ Eliel u. Wilen, Stereochemistry of Organic Compounds, S. 835 ff., New York: Wiley 1994 ▪ Hauptmann u. Mann, Stereochemie, S. 213, Heidelberg: Spektrum Akadem. Verl. 1996 ▪ HoubenWeyl E 21 a–f ▪ Römpp Lexikon Biotechnologie, S. 79 ▪ s. a. diastereoselektive u. stereoselektive Synthese.

Asymmetrische Umwandlung. Bez. für die Umwandlung einer Stereoisomerenmischung – gewöhnlich einer 1:1-Mischung – in einen Überschuß eines Enantiomeren od. in ein reines Enantiomeres. – *E* asymmetric transformation – *F* conversion asymétrique – *I* trasformazione asimmetrica – *S* transformación asimétrica
Lit.: s. asymmetrische u. stereoselektive Synthese.

at. Seit 1. 1. 1978 nicht mehr zulässiges Kurzz. für die techn. *Atmosphäre.

...at. Endung in den Namen der Salze u. *Ester von *Oxosäuren u. organ. Säuren; *Beisp.:* Natriumacetat, Kaliumnitrat, Calciumphosphat, Phenylacetat; s. a. at-Komplexe. – $E = F$ ...ate – $I = S$ ...ato

At. Chem. Symbol für *Astat.

ata s. Atmosphäre (Druckmaß).

ATA®. Tensid-haltiges Scheuerpulver mit natürlichem Reinigungsmineral als Abrasivstoff für stark verschmutzte Flächen u. Gegenstände. Flüssiges Scheuermittel mit natürlichem Reinigungsmineral für empfindliche Oberflächen. *B.:* Henkel.

Atacamit. $Cu_2(OH)_3Cl$; bas. Kupferchlorid-Mineral mit nahezu 60% Cu. Gras- bis schwärzlichgrüne, glasglänzende, prismat., rhomb. Krist. (Krist.-Klasse mmm-D_{2h}) od. stengelige, strahlige od. körnige Aggregate; H. 3–3,5, D. 3,75; Strich apfelgrün; Struktur s. *Lit.*[1]. A. ist künstlich herstellbar, wenn Kupferblech mit verd. Salzsäure od. Salmiak-Lsg. längere Zeit in Berührung gebracht wird.
Vork.: In *Oxidationszonen von Kupfer-Lagerstätten, z. B. westliche USA, Mexiko, Chile (u. a. Atacama-Wüste, Name!), Australien. In der *Patina antiker Bronzegegenstände. – $E = F = I$ atacamite – *S* atacamita
Lit.: [1] Acta Crystallogr., Sect. C **42**, 1277–1280 (1986).
allg.: Gmelin, Syst.-Nr. 60, Cu, Tl. A, 1955, S. 171 ▪ Ramdohr-Strunz, S. 493. – *[HS 2603 00; CAS 1306-85-0]*

Ataktische Polymere. Nach IUPAC-Nomenklaturregeln für Polymere regelmäßig aufgebaute Polymere, deren Mol. alle möglichen Formen der konfigurativen Grundeinheiten in gleicher Zahl u. in statist. Verteilung enthalten. Gegensatz: *isotaktische* Polymere, vgl. a. die Abb. dort u. bei Taktizität. – *E* atactic polymers – *F* polymères atactiques – *I* polimeri atattici – *S* polímeros atácticos
Lit.: Elias (4.), S. 63 ▪ Odin, Principles of Polymerization (2.), S. 568 ff., New York: Wiley 1981.

Ataraktika s. Tranquilizer.

Atarax®. Dragees mit *Hydroxyzin-Dihydrochlorid als Tranquilizer bei Angst-, Spannungs-, Erregungszuständen usw. *B.:* UCB.

Atavismus. A. bezeichnet bei Tieren das Auftreten von Merkmalen einer stammesgeschichtlich älteren Art. Von den Rudimenten u. der Erscheinung der Rekapitulation unterscheidet sich der A. in zweierlei Hinsicht: Erstens tritt er nicht regelmäßig, sondern nur gelegentlich bei einzelnen Individuen auf, zweitens handelt es sich um Merkmale, die zwischenzeitlich – mitunter viele Generationen lang – verschwunden waren u. danach plötzlich wieder auftauchen. A. ist v. a. aus dem Bereich der *Morphologie bekannt, z. B. die gelegentliche Ausbildung eines zweiten od. dritten Hufes am Fuß von Einhufern od. eines zweiten Flügelpaares bei Dipteren (Zweiflüglern). Sie entstehen durch *Mutation od. durch Störungen während der Embryonalentwicklung, treten aber manchmal auch bei Bastarden zwischen nah verwandten Arten auf. – *E* atavism – *F* atavisme – *I* atavismo

Ataxite s. Meteoriten.

ATCase. Kurzz. für *Aspartat-*Transcarbamoyl*ase*.

ATCC (American Type Culture Collection). Abk. für eine internat. Kulturensammlung, die Bakteriophagen, Pilz- u. Pflanzenviren, Bakterien, myzelbildende Pilze u. Hefen enthält. *Adresse:* ATCC, Selling and Marketing Department, 12301 Park Lawn Drive, Rockville, MD 20852, USA. Tel.: 301/881/2600.

Ateban®-Marken. Sortiment von Waschmitteln; enthalten ein Gemisch aus *Alkylarensulfonat u. *Fettalkoholpolyglykolether bzw. *Phosphorsäureester. *B.:* Dr. Th. Böhme KG.

Atebin®. Selbstvernetzende Kunststoff-Dispersionen als permanentes, griffgebendes Appreturhilfsmittel für die Griff- u. Formaldehyd-frei-Ausrüstung sowie Steifausrüstung von Geweben u. Gewirken aller Faserarten. *B.:* Dr. Th. Böhme KG.

Ateblanc®. Bleichhilfsmittel für Textilien. *B.:* Dr. Th. Böhme KG.

Atefix®. Textile Faserschutzmittel der Dr. Th. Böhme KG.

Ategal®. Entfettungsmittel für Metalle. *B.:* Dr. Th. Böhme KG.

Atehexal®. Filmtabletten mit dem Beta-Blocker *Atenolol, A. comp zusätzlich mit *Chlortalidon gegen Hypertonie. *B.:* Hexal.

Atemalkohol-Bestimmung s. Blutalkohol u. Ethanol.

Atemfilter. Die in Verbindung mit *Atemschutzgeräten zu verwendenden A. haben die Aufgabe, die einzuatmende Luft von *Atemgiften zu befreien. *Gasfilter* entfernen Schadgase durch physikal. Bindung (*Adsorption) od. durch chem. Umsetzung (Chemiesorption od. katalyt. Umwandlung) am Filtermaterial; dieses besteht aus einer od. mehreren Schichten körnigen Materials, z. B. *Aktivkohle, durch welche die Einatemluft hindurchströmt. *Partikelfilter* sind in der Regel Flächengebilde (Vliese) aus natürlichen od. künstlichen Fasern. Sie reinigen die Einatemluft von Partikeln (Schwebstoffe u. Aerosole, wie Stäube, Rauche, Nebel usw.). *Gasfilter* werden unterteilt in *Gasfiltertypen* nach ihrem hauptsächlichen Anwendungsbereich u. in *Gasfilterklassen* nach ihrem Aufnahmevermögen. Gasfiltertypen werden durch Kennbuchstaben u. Kennfarben nach DIN 3181 (02/1994) gekennzeichnet (*A, braun:* organ. Gase u. Dämpfe, z. B. von Lsm.; *B, grau:* anorgan. Gase u. Dämpfe, z. B. Cl_2, H_2S, HCN; *E, gelb:* SO_2, HCl; *K, grün:* NH_3). Darüber hinaus werden Spezial-Gasfiltertypen eingesetzt (z. B. *schwarz:* CO; *rot:* Hg-Dampf; *blau:* Nitrose Gase; *orange:* radioaktives Iod).
Gasfilter dürfen nur bis zu höchstzulässigen Schadgaskonz. verwendet werden (Gasfilter-*Klasse 1:* bis 0,1 Vol.-%, *2:* bis 0,5 Vol.-%, *3:* bis 1 Vol.-%). Die Gebrauchsdauer der Gasfilter ist neben Größe u. Typ des Filters stark von äußeren Bedingungen abhängig, wie Art u. Konz. des Schadstoffes, Luftbedarf des Geräteträgers in Abhängigkeit von der Schwere der Arbeit u. persönlicher Disposition, Feuchtigkeit u. Temp. der Luft. *Partikelfilter* werden nach DIN 3181 entsprechend ihrem unterschiedlichen Rückhaltevermögen gegenüber Partikeln in die *Partikelfilterklassen P1, P2* u. *P3* unterteilt (*Beisp.:* Partikelfilter DIN 3181-P2 ist ein Partikelfilter mit mittlerem Rückhaltevermögen, Anw. gegen Partikel von mindergiftigen Stoffen, höchstzulässige Schadstoffkonz.: 10faches des MAK- bzw. TRK-Wertes). Der Anwendungsbereich der Partikelfilter ist insbes. abhängig von der Art u. der Konz. des Schadstoffs. Zum Schutz gegen Gas-Partikel-Gemische werden *Kombinationsfilter* eingesetzt. Kombinationsfilter bestehen aus einem Gasfilter- u. einem Partikelfilter-Teil. – *E* respiration filter – *F* filtres respiratoires – *I* filtri respiratore – *S* filtros respiratorios
Lit.: Atemschutz-Merkblatt, ZH 1/134, des Hauptverbandes der gewerblichen Berufsgenossenschaften ▪ Brauer, Handbuch Atemschutz, Landsberg/Lech: Ecomed 1985.

Atemgifte. Sammelbez. für meist narkot. od. ätzend wirkende Gase u. Dämpfe od. Schwebstoffe, die über die Atemwege in den Organismus gelangen. – *E* respiratory poisons – *F* poisons respiratoires – *I* iveleni respiratori – *S* venenos respiratorios

Atemschutzgeräte. Bieten Schutz gegen das Einatmen von gesundheitsschädlichen Stoffen sowie vor Sauerstoff-Mangel. A. werden nach ihrer Wirkungsweise unterteilt in *Filtergeräte* u. *Isoliergeräte*. Die Auswahl der jeweils benötigten A. richtet sich nach den Einsatzbedingungen. Filtergeräte können je nach Filterart (*Atemfilter) spezif. Schadstoffe aus der Umgebungsatmosphäre zurückhalten. Voraussetzung für den Einsatz von Filtergeräten ist, daß die Umgebungsluft mindestens 17 Vol.-% Sauerstoff enthält. Isoliergeräte sind unabhängig von der Umgebungsatmosphäre. Man unterscheidet ortsabhängige Isoliergeräte (*Schlauchgeräte*) u. freitragbare ortsunabhängige Isoliergeräte (*Behältergeräte* mit Druckluft: Preßluftatmer) u. *Regenerationsgeräte*, in denen die ausgeatmete Luft im Gerät regeneriert wird. Der *Atemanschluß* ist ein Teil des A. u. stellt die Verbindung zum Geräteträger her. Es werden folgende Atemanschlüsse unterschieden: Vollmasken, Halbmasken, Mundstücksgarnituren, filtrierende Halbmasken, Atemschutzhauben, Atemschutzhelme u. Atemschutzanzüge. – *E* respirators – *F* appareils respiratoires – *I* apparecchi protettivi di respirazione – *S* aparatos respiratorios, respiradores
Lit.: Atemschutz-Merkblatt, ZH 1/134, des Hauptverbandes der gewerblichen Berufsgenossenschaften.

Atenolol.

$(H_3C)_2CH-NH-CH_2-\underset{OH}{\underset{|}{CH}}-CH_2-O-\langle\bigcirc\rangle-CH_2-\underset{O}{\underset{\|}{C}}-NH_2$

Internat. Freiname für den β-Rezeptorenblocker 4-[(2-Hydroxy-3-isopropylaminopropoxy)-phenyl]-acetamid, $C_{14}H_{22}N_2O_3$, M_R 266,34. Krist. aus Ethylacetat, Schmp. 146–148 °C, LD_{50} (Ratte, oral) 2000, (Maus, oral) 3000, (Ratte, i. v.) 98,7, (Maus, i. v.) 59,24 mg/kg. Es wurde 1970, 1972 u. 1974 als Antihypertonikum u. Antiarrhythmikum von I.C.I. (Tenormin®, jetzt Zeneca) patentiert u. ist Generika-fähig. – *E = S* atenolol – *F* aténolol – *I* atenololo
Lit.: ASP ▪ DAB 10 ▪ Florey 13, 1–26 ▪ Hager (5.) 7, 309 ff. – [HS 292429; CAS 29122-68-7]

Atensol®. Weichmachungsmittel für die Textilausrüstung aus Lösemitteln. *B.:* Dr. Th. Böhme KG.

Atesan®. Weichmittel für Leder, Waschmittel für Pelze. *B.:* Dr. Th. Böhme KG.

ATE-Verfahren. Abk. für Anthrasol-Thermosol-Entwicklungsverfahren. Ein Verf., um Mischgewebe aus *Polyester- u. *Cellulosefasern mit *Anthrasol®-Farbstoffen kontinuierlich zu färben.

Atewet. Netzmittel für die Metall-Vorbehandlung. *B.:* Dr. Th. Böhme KG.

Athenstaedt. Kurzbez. für die Firma Athenstaedt GmbH & Co. KG, Zum Panrepel 11, 28307 Bremen. *Produktion:* Arzneigrundstoffe, Fertigarzneimittel.

at-Komplexe. Von G. *Wittig [1] von ...*at abgeleitete Bez. für Verb. der allg. Struktur $M_{(n-z)}[ZR_n]$, wobei z die Wertigkeit von Z u. n die Anzahl der an Z gebundenen Liganden repräsentiert u. die Komplex-Einheit $[ZR_n]^{(n-z)-}$ ein ein- od. mehrfach neg. geladenes Ion ist, dem ein kation. Partner (etwa ein elektropos. Metall) gegenübersteht; *Beisp.:* *Natriumtetraphenylborat (z=3, n=4), Lithiumtetraethylaluminat (z=3, n=4). At-K. mit organ. Alkyl-Liganden zerfallen unter *Hydrid-Eliminierung.

$$R_3B-\overset{|}{\underset{|}{C}}-H \longrightarrow \overset{\backslash}{/}Cl + R_3B + H^+$$

$$R_3Al-\overset{|}{\underset{|}{C}}-\overset{|}{\underset{|}{C}}-H \longrightarrow \overset{\backslash}{/}C=C\overset{/}{\backslash} + R_3Al + H^+$$

Die „Gegenspieler" der at-K. sind die *Onium-Verbindungen. – *E* ate-complexes – *F* complexes „ate" – *I* complessi... ato – *S* ato-complejos, complejos ato

Lit.: [1] Angew. Chem. **70**, 65–71 (1958). *allg.:* Q. Rev. Chem. Soc. **20**, 191–210 (1966) ■ Wittig, Über at-Komplexe als reaktionslenkende Zwischenprodukte, Köln: Westdtsch. Verl. 1966.

ATLAS®. Spezialkunststoffe auf Lsm.-Basis. A.-Gießmassen sind Zweikomponentenharze für den Modell- u. Formbau auf Methacrylat-, Epoxid- u. Polyester-Basis. *B.:* Degussa.

Atlasspinner. Der A. aus der Gattung *Attacus* erreicht eine Flügelspannweite von ca. 25 cm, womit er einer der größten Schmetterlinge der Erde ist. Er gehört zu über 1200 zumeist trop. u. überwiegend auffallend großen Arten der Familie Saturniidae (Augenspinner, Pfauenspinner). Der dtsch. Familienname weist auf die bei den meisten Arten sehr ausgeprägten Augenflecken auf den Flügeln hin, über deren Bedeutung (bei plötzlichem Vorzeigen abschreckende Wirkung z.B. gegenüber Vögeln?) nichts Sicheres bekannt ist. Die stattlichen Fühler signalisieren bes. Orientierungsleistung: Die schweren, flugträgen Weibchen sind mit abdominalen Duftdrüsen ausgestattet; duftaktive unbegattete Weibchen locken eine Anzahl von flugtüchtigen Männchen zur Paarung an. Die Spinnfäden der Puppen-Kokons einiger Arten können als Naturseide Verw. finden (z.B. Tussahseide von *Antheraea* sp.). In Mitteleuropa kommt nur ein halbes Dutzend Arten vor, z.B. das Kleine Nachtpfauenauge (*Eudia pavonia*), das Große Wiener Nachtpfauenauge (*Saturnia pyri*) als größter Schmetterling dieser Region mit einer Flügelspannweite bis 14 cm u. der mit der Futterpflanze der Raupe, dem Götterbaum, aus Ostasien eingeführte u.

südlich der Alpen fliegende Ailanthus-Spinner (*Philosamia cynthia*). – *E* satin-bombyx – *I* bombicidi atlanti – *S* falena atlas

atm. Seit 1.1.1978 nicht mehr zulässiges Symbol für die physikal. *Atmosphäre.

Atmolyse. Bez. für die Trennung eines Gasgemisches durch Ausnutzung der unterschiedlichen *Diffusions-Geschw. der Einzelgase durch eine poröse Wand (Grahamsches Gesetz). Eine bekannte Anw. ist die Anreicherung von $^{235}UF_6$ durch A. (vgl. Isotope u. Uran). – *E* atmolysis – *F* atmolyse – *I* atmolisi – *S* atmolisis

Atmophile Elemente. Bez. für solche *chemischen Elemente, die in der Erd-*Atmosphäre angereichert sind; hierher gehören Wasserstoff, Kohlenstoff (in Form von Kohlendioxid), Stickstoff, Sauerstoff u. die Edelgase (s.a. Geochemie). – *E* atmophilic elements – *F* éléments atmophiles – *I* elementi atmofili – *S* elementos atmófilos

ATMOSBAG™. Marke von ALDRICH für Arbeiten in kontrolliertr Atmosphären-Kammer. Der PE-Beutel, welcher je nach Bedarf zwei- od. vierhändig erhältlich ist, bietet optimale Arbeitsbedingungen für luft- u. feuchtigkeitsempfindliche Stoffe, sowie Arbeiten mit tox., immunolog. u. mikrobiolog. Studien.

Atmosphäre (von griech.: atmos = Dampf, Dunst u. sphaira = Kugel). 1. In der *Geochemie Bez. für die Lufthülle der Erde, in der *Kosmochemie auch für gasf. Umhüllungen von Planeten u.a. Himmelskörpern.

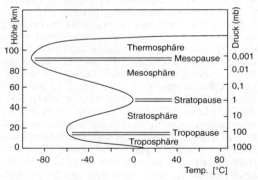

Abb. 1: Vertikale Temperaturverteilung u. Einteilung der Erdatmosphäre.

Die Einteilung der ird. A. sowie ihre Temperaturverteilung u. die Druckabnahme in Abhängigkeit von der Höhe sind in Abb. 1 dargestellt. Die chem. Hauptbestandteile der gegenwärtigen ird. A. sind Stickstoff, Sauerstoff u. Argon, die in trockener *Luft mit den Vol.-Anteilen 78,08% N_2, 20,95% O_2 u. 0,95% Argon (hauptsächlich Ar-40) enthalten sind. Da die Dichte der A. mit steigender Höhe abnimmt (s. barometrische Höhenformel), ist die Hauptmenge der Gesamtmasse der A. von $5,13 \cdot 10^{18}$ kg in den unteren 15 km konzentriert. Der Gehalt an Wasserdampf variiert von ~7% über den trop. Ozeanen bis zu 10^{-6} in der oberen Atmosphäre. Kohlendioxid ist nahezu gleichmäßig in der A. verteilt; sein Anteil ist in den letzten 100 Jahren von 0,028% auf fast 0,036% gestiegen (hauptsächlich

Tab.: Spurengase in der Atmosphäre (aus *Lit.*[1]).

Spurengas	Vol.-Konz.	Verteilung	Hauptquellen [10^6 Tonnen/Jahr]		Hauptsenken [10^6 Tonnen/Jahr]		Verweilzeit
Methan CH_4	1,7 ppm steigend	gleichmäßig	Reisanbau Haustiere Feuchtgebiete, Sümpfe Verbrennung von Biomasse weitere anthropogene Quellen	75 100 60 90 50	Reaktion mit OH in die Stratosphäre	340 60	9 a
Wasserstoff H_2	0,6 ppm	gleichmäßig	Oxid. von Methan Oxid. von natürlichen Kohlenwasserstoffen Verbrennung von Biomasse anthropogen	30 20 15 17	Reaktion mit OH Aufnahme im Erdreich	11 80	2 a
Kohlenmonoxid CO	0,1 ppm		anthropogen Verbrennung von Biomasse Oxid. von Methan Oxid. von natürlichen HC Kohlenwasserstoffen	640 1000 600 900	Reaktion mit OH in die Stratosphäre Aufnahme im Erdreich	2000 110 390	2,5 Monate
Ozon O_3	15–50 ppb	niedrig am Äquator, zu den Polen hin ansteigend	von der Stratosphäre Photochemie	600 1300	trockene Ablagerung Photochemie	650 1300	2 Monate
Distickstoffmonoxid N_2O	0,3 ppm, steigend	gleichmäßig	Emission vom Erdreich Emission von Ozeanen anthropogen	10 25 2	in die Stratosphäre	15	30 a
Stickoxide $NO_2 + NO$	30 ppt 300 ppt 5 ppb 50 ppb	Meer Land, unbewohnt Land, ländlich Land, Stadt	anthropogen Verbrennung von Biomasse Blitzlampen Emission aus dem Erdreich	20 12 8 8	Umwandlung in HNO_3 trockene Ablagerung	27 16	1 d
Ammoniak NH_3	100 ppt 5 ppb	Meer Land, ländlich	Haustiere Verbrennung von Biomasse Emission aus dem Erdreich	25 6 18	Trockene Ablagerung Konversion in NH_4^+-Aerosole u. nasse Ablagerung	12 45	5 d
Carbonilsulfid COS	500 ppt	gleichmäßig	Emission vom Erdreich u. den Meeren	≤1	in die Stratosphäre Reaktion mit OH u. O-Atomen	0,2 0,1	≥5 a
Schwefelwasserstoff H_2S	5–90 ppt 25–150 ppt	Meer Land, ländlich im Stadtbereich höher	Emission vom Erdreich Emissionen von Meeren anthropogen	4 0,5 ?	Reaktion mit OH	?	4 d
Dimethylsulfid CH_3SCH_3	5–70 ppt	Meer im Stadtbereich höher	Emission vom Erdreich Emissionen von Meeren	3 70	Reaktion mit OH	?	0,6 d
Schwefeldioxid SO_2	29–90 ppt 200 ppt 4 ppb 30 ppb	Meer Land, unbewohnt Land, ländlich Land, Stadtbereich	anthropogen Vulkanismus Oxid. von Schwefelverb.	200 15 50	trockene Ablagerung Oxid. zu SO_4^{2+}-Aerosol u. nasse Ablagerung	170 80	4 d
Isopren C_5H_8	0,6–2,5 ppb	Land, ländlich Oberflächenluft	Blattemission, Laubbäume	350	Reaktion mit OH	?	0,2 d
Terpen $C_{10}H_{16}$	0,03–2 ppb	Land, ländlich Oberflächenluft	Blattemission, Nadelbäume	480	Reaktion mit OH	?	0,4 d
Methylchlorid CH_3Cl	0,6 ppb	gleichmäßig	Meeresemission Verbrennen von Biomasse	3,0 0,4	Reaktion mit OH in die Stratosphäre	2,6 >0,1	2 a
Tetrachlorkohlenstoff CCl_4	130 ppt ansteigend	gleichmäßig	mehrere anthropogene Quellen		in die Stratosphäre in die Ozeane	0,04 0,03	40 a
Trichlorfluormethan $CFCl_3$	180 ppt ansteigend	gleichmäßig	anthropogen	0,06	in die Stratosphäre	0,06	65 a
Dichlorfluormethan CF_2Cl_2	290 ppt ansteigend	gleichmäßig	anthropogen	0,04	in die Stratosphäre	0,03	150 a

Atmung

durch die Verbrennung fossiler Energieträger, s. Kohlendioxid). Die 17 wichtigsten Spurengase sind, zusammen mit den jeweiligen Hauptquellen u. Senken sowie den Erzeugungs- u. Abbauraten u. der mittleren Verweilzeit, in der Tab. aufgeführt. Weitere Details sind z. T. bei den Einzelstichworten der chem. Komponenten u. bei *Luftverunreinigung aufgeführt.
Neben Kohlendioxid zählt bes. Methan aufgrund seines großen *Absorptionsquerschnittes im infraroten Spektralbereich zu den Gasen, die über den *Treibhauseffekt zu einer globalen Erwärmung der Erde führen. Die Abb. 2 zeigt, wie stark der Anstieg der Methankonz. in der A. mit dem Anwachsen der Weltbevölkerung korreliert[2]. Die in die A. gelangten *Chlorkohlenwasserstoffe (s. a. Frigene) spalten durch photochem. Prozesse Chlor-Radikale ab, die zu einer Verringerung der schützenden *Ozonschicht führen (s. antarktisches Ozonloch u. Ozonloch).

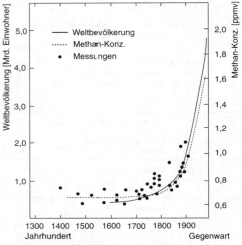

Abb. 2: Zeitlicher Anstieg des Methan-Gehaltes.

2. Im Meßwesen war bis zum 31.12.1977 die A. als Maßeinheit für den *Druck gültig. Dabei war die *physikal. A.* (Abk. *atm*) definiert durch den mittleren Druck der Lufthülle in Meereshöhe, der dem Druck einer Quecksilber-Säule von 76 cm Höhe bei einer D. von 13,5951 g/cm^3 bei der Normfallbeschleunigung $g=980{,}665$ cm/s^2 entspricht. 1948 wurde die Definition: 1 atm=1 013 250 dyn/cm^2=101 325 Pa (*Pascal)=1,01325 bar (*Bar)=760 *Torr.
In der Technik verwandte man im allg. die *techn. A.* (auch *metr.* od. *neue A.* genannt, Abk.: at): 1 at=1 kp/cm^2 (*Kilopond)=98 066,5 Pa (*Pascal)=0,98066 bar; entsprechend war 1 atm = 1,033227 at. In techn. Abhandlungen wird gelegentlich noch die Abk. „atü" (*A. Überdruck*) verwendet; diese bedeutet den von Manometern gemessenen Überdruck u. nicht den abs. Druck, der in „ata" (*A. absolut*) angegeben wird; 1 atü=2 ata (bezüglich der Schwierigkeiten, die sich aus dem Rechnen mit ata u. atü ergaben vgl. *Lit.*[1]).
Nach dem Gesetz über Einheiten im Meßwesen vom 2.7.1970 sind alle genannten Bez. seit dem 1.1.1978 nicht mehr zulässig. Als abgeleitete *SI-Einheiten für den Druck od. die mechan. Spannung gelten ausschließlich das *Pascal* u. das *Bar*, das den zehnten Teil des Megapascal (MPa) darstellt;

$$1\text{ Pa}=1\text{ N/m}^2=10^{-5}\text{ bar}=0{,}01\text{ mbar}=9{,}8691\cdot 10^{-6}\text{ atm}$$
$$=10{,}1970\cdot 10^{-6}\text{ at}$$

(Symbol N = *Newton).
Diese Einheit ist auf jede flächen- bzw. querschnittsbezogene Kraft anwendbar, da sie nicht mehr mit dem „Luftdruck" od. *atmosphär. Druck* in Zusammenhang steht. Für Umrechnungen im Vakuumbereich gilt 1 Torr=1 mm Hg=1,333 mbar. – *E* atmosphere – *F* atmosphère – *I* atmosfera – *S* atmósfera

Lit.: zu 1: [1] Warneck, Atmospheric Composition and Chemistry, Encycl. of Physical Science and Technology, Bd. 2, S. 265–272, San Diego: Academic Press 1992. [2] Enquête-Kommission „Vorsorge zum Schutz der Erdatmosphäre" des Deutschen Bundestages, Schutz der Erde, Bonn: Economia 1991.
allg.: Groedel u. Crutzen, Chemie der Atmosphäre, Heidelberg: Spektrum 1994 ■ Schnelle, Atmospheric Diffusion Modeling u. Panofsky, Atmospheric Turbulences u. Leith, Atmosphere, Numerical Simulation sowie Stull, Atmospheric Boundary Layer, in Encycl. of Physical Science and Technology, Bd. 2, San Diego: Academic Press 1992 ■ s. a. Einheiten.

Atmung (von althochdtsch.: atum = Hauch, Geist). Bez. für die Vorgänge, die im lebenden Organismus sowohl der *Pflanzen – hier spricht man von *Lichtatmung*[1] – als auch der Tiere bei der für den aeroben Abbau von organ. Stoffen notwendigen Sauerstoff-Aufnahme (u. gleichzeitigen Kohlendioxid-Abgabe) ablaufen. Die A.-Vorgänge gliedern sich 1. in die *äußere A.*, Gasaustausch zwischen umgebendem Medium (Luft, Wasser) u. Körperflüssigkeit, eigentliche A.; – 2. in die über die *Atmungskette verlaufende *innere A.* (Gasaustausch zwischen Körperflüssigkeit u. Zellen) u. – 3. in die sog. *Zellatmung*, d. h. die *Stoffwechsel-Vorgänge bei der biolog. Oxid. innerhalb der *Zellen. Die A. ist im Prinzip ein Diffusionsprozeß u. dient der Gewinnung von Energie (vgl. Bioenergetik); ihre Endprodukte sind CO$_2$ u. Wasser, in Spuren auch Ammoniak. Während *Pflanzen das energieliefernde Substrat für die A. mit Hilfe der *Photosynthese selbst aufbauen, ist der tier. Organismus auf die Zufuhr von Nährstoffen angewiesen.
Die O$_2$-Aufnahme erfolgt bei Tieren mit relativ kleiner Körpermasse wie *Protozoen u. *Würmern durch die feuchte Hautoberfläche, bei größeren durch spezielle A.-Organe mit großer Oberfläche, z. B. bei wasserbewohnenden Weichtieren, *Krebsen u. *Fischen durch Kiemen, bei den Wirbeltieren (mit weitgehender Ausnahme der Fische) durch Lungen u. bei den *Insekten u. Tausendfüßlern durch Tracheen. Die Ausscheidung des bei Oxid. freiwerdenden Kohlendioxids erfolgt meist durch die gleichen Organe. Bei Menschen, Säugetieren u. Vögeln (Lungenatmern) wird Luft mit rund 78% (Vol.-%) Stickstoff u. 21% Sauerstoff in die sehr feinen, von Blutgefäßen umsponnenen Lungenbläschen eingeatmet. Ein Teil des Sauerstoffs (gewöhnlich etwa 5%) wandert durch Diffusion in das Blut der Lunge, das gleichzeitig von seinem Kohlensäure-Überschuß einige Prozente in die Lungenbläschen abgibt, so daß die ausgeatmete Luft nur noch etwa 16% Sauerstoff, dafür aber rund 4% Kohlendioxid enthält.

Der aus der Lunge ins *Blut übertretende Sauerstoff wird vom *Hämoglobin absorbiert u. komplex gebunden, das dann den *Transport des O_2 zu den atmenden Geweben übernimmt (näheres s. bei Blut u. bei Hämoglobin). Über die *Atmungskette erfolgt dann der Enzym-gesteuerte, energieliefernde Oxidationsprozeß, der durch folgende schemat. stark vereinfachte Gleichung wiedergegeben werden kann:

$$C_6H_{12}O_6 + 6O_2 \rightarrow 6CO_2 + 6H_2O + 2872 \text{ kJ/mol}.$$

Außer den Kohlenhydraten als wichtigsten Verbrennungssubstraten sowie Fetten u. Proteinen vermag der Körper z. B. auch Alkohol, Essigsäure, Milchsäure usw. zu verbrennen (*veratmen*). A.-Störungen können auf Schädigungen des Atemzentrums im Gehirn, Eingriffe in das Enzym-System u. auf Störungen im *Respirationstrakt* (Nasen-Rachenraum, Kehlkopf, Luftröhre, Bronchien u. Lunge) zurückgehen; als Auslöser kommen z. B. Stäube u. Dämpfe (Luftverunreinigungen), entzündliche Prozesse, Allergien (*Asthma) u. Durchblutungsstörungen in Frage. – *E* = *F* respiration – *I* respirazione – *S* respiración
Lit.: [1] Umschau **79**, 210–217 (1979).
allg.: Schmidt u. Thews, Physiologie des Menschen, Berlin: Springer 1995 ▪ s. a. Atmungskette.

Atmungsferment s. Cytochrom-c-Oxidase.

Atmungskette. Eine energieliefernde Reaktionskette des *Stoffwechsels, durch die in *Mitochondrien Wasser aus mol. Sauerstoff u. chem. gebundenem Wasserstoff (sog. Reduktionsäquivalenten) gebildet wird. Diese Reduktionsäquivalente stammen z. B. aus *Glykolyse, *Citronensäure-Cyclus u. *Fettsäure-Abbau u. werden von *Nicotinamid-Adenin-Dinucleotid (NAD; oxidierte Form: NAD^+, reduzierte Form: NADH) od. von *Flavinnucleotiden über verschiedene Stufen auf Sauerstoff übertragen – man spricht dabei auch anschaulich von einem Elektronenfluß. Dieser wird – im Fall von NADH als Quelle – von drei Enzymkomplexen der inneren Mitochondrienmembran (NADH-Dehydrogenase, *Cytochrom-c-Reductase, *Cytochrom-c-Oxidase) gesteuert, die die freiwerdende Energie (insgesamt 220 kJ pro Mol gebildeten Wassers) zum Pumpen von Wasserstoff-Ionen durch diese Membran benützen u. z. T. in einem Konzentrationsgefälle zwischenspeichern. Dieses wiederum liefert die Energie für die Synth. von *Adenosin-5'-triphosphat (ATP; s. a. Bioenergetik, oxidative Phosphorylierung). Die Zahl der gebildeten ATP-Mol. pro verbrauchtem Sauerstoff-Atom, der P/O-Quotient, beträgt dabei drei, entsprechend einer Energieausnutzung von 92 kJ. Ein P/O-Quotient von nur zwei wird gemessen, wenn die NADH-Dehydrogenase umgangen wird durch Einschleusen von reduzierten Flavinnucleotiden (an Succinat-Dehydrogenase gebunden), da die Reduktionsäquivalente in diesem Fall auf dem Niveau von *Ubichinon (s. unten) in die A. eintreten.
Im ersten Schritt fließen die Reduktionsäquivalente von NADH auf *Ubichinon (Coenzym Q, kurz: Q), katalysiert durch NADH-Dehydrogenase (NADH: Ubichinon-Oxidoreductase, Komplex I, EC 1.6.5.3), ein Eisen- u. Schwefel-haltiges Flavoprotein aus ca. 25 Polypeptid-Ketten (M_R 850 000). Es enthält *Flavinmononucleotid als *prosthetische Gruppe. Ubichinon ist

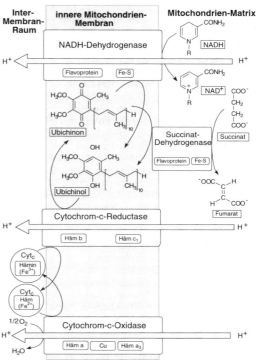

Abb.: Redox-Reaktionen (Elektronen-Transport) u. Komplexe der mitochondrialen Atmungskette. Der Elektronenfluß erfolgt von oben nach unten (zunehmendes Redoxpotential der Überträger) u. treibt drei Pumpen, die H^+-Ionen durch die innere Mitochondrien-Membran pumpen. Abk.: Cu = Cu^+ bzw. Cu^{2+} (je nach Redoxzustand); Cyt = Cytochrom; NAD^+, NADH = Nicotinamid-Adenin-Dinucleotid (oxidierte bzw. reduzierte Form); R = Adenosindiphosphoribosyl; Fe–S = Eisen-Schwefel-Cluster.

dank einer *hydrophoben *isoprenoiden Kohlenwasserstoff-Kette in der Lage, innerhalb der Lipid-Membran frei zu diffundieren. Seine reduzierte Form, Ubichinol od. QH_2, wird vom *Cytochrom-*c*-Reductase-Komplex oxidiert unter Übertragung der Elektronen auf *Cytochrom c, das nur lose mit der Membran assoziiert ist. Der letzte Schritt besteht aus der Redoxreaktion zwischen reduziertem Cytochrom c u. Sauerstoff an der Kupfer enthaltenden *Cytochrom-*c*-Oxidase. Alle als Cytochrome bezeichneten Enzyme u. Zwischenträger besitzen *Häm neben den genannten prosthet. Gruppen. Beim hier nicht behandelten Komplex II handelt es sich um ein *Succinat-Dehydrogenase-Syst. (Succinat:Ubichinon-Oxidoreductase, EC 1.3.5.1; ein Nicht-Häm-Eisen-Protein), das Reduktionsäquivalente von Bernsteinsäure (Succinat) u. a. Substraten über $FADH_2$ (reduzierte Form von FAD, *Flavin-Adenin-Dinucleotid) in die A. auf Ubichinon überträgt. In die A. greifen an verschiedenen Stellen Hemmstoffe ein wie Amytal, *Rotenon, Piericidin (NADH-Dehydrogenase), *Antimycin A (Cytochrom-c-Reductase) sowie Cyanide, Azide u. Kohlenmonoxid (Cytochrom-c-Oxidase). Zur Evolution der A. s. Lit.[1]. – *E* respiratory chain – *F* chaîne respiratoire – *I* catena respiratoria – *S* cadena respiratoria
Lit.: [1] Trends Biochem. Sci. **20**, 443–448 (1995).

allg.: Biochem. J. **284**, 1–13 (1992) ▪ James u. Mathews, Understanding the Biochemistry of Respiration, Cambridge: Cambridge University Press 1991 ▪ Stryer (5.), S. 413–429.

ATO. Firmenzeichen der Elf Atochem S.A., Cedex 42, 92091 Paris-La Défense 10, eine 100%ige Tochterges. der Elf Aquitaine-Gruppe, Aktienges. nach der klass. französ. Rechtsform. *Daten* (1994): Umsatz 53,3 Mrd. FF, davon 66% außerhalb Frankreichs, ca. 35 000 Beschäftigte. *Tochter- u. Beteiligungsges.:* Alphacan (100%), Appryl (51%), Aspen Polymères (50%), Ato-Haas (51%), CECA (100%), Dorlyl (50%), Elf Atochem Agri S.A. (100%), Grande Paroisse (81%), MLPC (67%), Naphtachimie (50%), NorsoHaas (50%), Oxochimie (50%), Oxysynthèse (50%), Resinoplast (100%), Sodap (100%), Soplaril (62,5%), Elf Atochem Deutschland GmbH (100%), Elf Atochem España S.A. (99%), Elf Atochem UK Ltd (100%), Elf Atochem Italia S.r.l. (100%), Elf Atochem Holland B.V. (100%). *Produktion:* Industrie- u. Feinchemikalien: Fluor-Produkte für die Ind., Lsm., Feuerlöschmittel, funktionelle Fluor-Derivate, Hydrophobierungs- u. Oleophobierungsmittel, perfluor. erte Verb., Schwefelchemikalien, Feinchemikalien, Rizinusöl-Derivate, Organika u. Oxo-Verb., organ. Peroxide, organ. Synth.-Zwischenprodukte. Spezialitätenchemie: Adsorbentien u. Filterhilfsmittel (Aktivkohlen, Molekularsiebe), Leime u. Klebstoffe, Formaldehyd, Kunststoff- u. Kautschukadditive, Galvanisierung u. Oberflächenbehandlungsmittel, Additive für Papier u. Verbundstoffe, Wasseraufbereitungsmittel, Vinyl-Compounds. Techn. Polymere: Polyamid 6, 11 u. 12, Polyetherblockamid, halbaromat. Polyamide, Fluorpolymere, thermoplast. Leg., Copolyamid-Schmelzklebstoffe u. -Folien, Polybutadien. Funktionelle Polymere: Ethylen-Copolymere EVA, EDA, EVOH, Coextrusionsbinder, Ultrafeinpulver, Superabsorber, Acryl- u. Vinylemulsionen, Kunststoffverarbeitungsmittel. Petrochemie u. Standardkunststoffe: Olefine, Aromaten, Polyolefine, Polystyrol, Chlorchemie u. PVC, nachchloriertes PVC, Düngemittel, anorgan. Grundchemikalien.

Atom (von griech.: atomos = unteilbar, unzerschneidbar). Ein A. ist das kleinste elektr. neutrale Teilchen eines *chemischen Elementes, durch dessen Eigenschaften das charakterist. chem. u. physikal. Verhalten des Elementes bestimmt wird. Stabile A. sind mit chem. Mitteln nicht weiter teilbar, doch mit physikal. können sie in *Elementarteilchen gespalten werden. Instabile A. zerfallen spontan in Bruchstücke (s. Radioaktivität). Ein A. besteht aus einem pos. geladenen *Atomkern* (dieser wiederum aus *Nukleonen, d. h. *Protonen u. *Neutronen) u. einer gleich stark neg. geladenen Atomhülle aus *Elektronen, deshalb im allg. als *Elektronenhülle* bezeichnet; diese bestimmt das chem. Verhalten u. die opt. Eigenschaften des A.; näheres s. bei Atombau. Z. Z. sind 111 verschiedene A.-Arten bekannt, wovon einige (s. Transurane) nur eine kurze Lebensdauer haben. Die A.-Art wird durch die Zahl der Protonen im Atomkern (Kernladungszahl od. Ordnungszahl genannt) bestimmt. A., bei denen die Kerne die gleiche Anzahl von Protonen, aber eine unterschiedliche Anzahl von Neutronen besitzen, nennt man *Isotope der gleichen A.-Art. Die Masse eines A. liegt zwischen 10^{-27} u. 10^{-25} kg, der Durchmesser (vgl. Atomradius) meistens zwischen 10^{-10} u. $4 \cdot 10^{-9}$ m. Trotz ihrer geringen Größe lassen sich einzelne Atome z. B. mit dem von *Binnig u. *Rohrer entwickelten Raster-Tunnel-Mikroskop (s. Raster-Tunnelmikroskopie)[1] sichtbar machen od. in Fallen einsperren u. spektroskop. untersuchen[2].

Geschichte: Der Atombegriff wurde im 5. u. 4. vorchristlichen Jh. von den griech. Naturphilosophen Leukipp(os) (um 470 v. Chr.) u. seinem Schüler Demokrit(os) (460–371 v. Chr.) geprägt; bes. der letztgenannte gilt als Begründer der *Atomistik*. Nach atomist. Auffassung bestehen die makroskop. Körper aus unsichtbar kleinen, unteilbaren, unveränderlichen, verschieden dicht gelagerten u. nur in Gestalt u. Größe unterscheidbaren Teilchen, den Atomen. Mit diesem Bild vermochte Demokrit u. a. die unterschiedliche Dichte der Stoffe zu erklären. Danach dauerte es allerdings mehr als zwei Jahrtausende, bis aus dieser spekulativen Atomistik ein Teil einer exakten Naturwissenschaft wurde. Die Atomistik im Sinne einer modernen Naturwissenschaft wurde zuerst für die Materie, später für die Elektrizität u. schließlich für die Energie entdeckt. Als Begründer der *Atomtheorie* kann J. *Dalton betrachtet werden, der seine Vorstellungen 1802 der Literarischen u. Philosophischen Gesellschaft von Manchester vorstellte u. sie 3 Jahre später veröffentlichte. Nach Daltons Theorie setzt sich alle Materie aus unteilbaren Atomen zusammen, wobei alle Atome eines gegebenen Elements ident. in ihrer Masse u. ihren chem. Eigenschaften sind. Atome verschiedener Elemente können sich miteinander in einfachen, ganzen Zahlen verbinden u. damit chem. Verb. bilden (s. Daltonsche Gesetze u. Proustsches Gesetz). Wenn eine Verb. sich zersetzt, sind die so wiedergewonnenen Atome unverändert u. können wieder dieselbe Verb. od. andere Verb. bilden. Mit der Entwicklung der kinet. Gastheorie (*Clausius, J. C. *Maxwell u. *Boltzmann; vgl. a. Gasgesetze) erfuhr die Atomtheorie in der 2. Hälfte des 19. Jh. eine weitere Stütze, zudem auch durch die von *Arrhenius entwickelten Vorstellungen zur elektrolyt. Dissoziation. Die Atomistik der Elektrizität wurde 1833 durch M. *Faraday entdeckt (s. Faradaysche Gesetze), der aufgrund der quant. Auswertung von Elektrolysevorgängen auf die Existenz von „Atomen" der Elektrizität schloß; ihre Masse u. Ladung konnten allerdings erst mehr als 70 Jahre später bestimmt werden. Allg. Anerkennung fand die Atomtheorie zu Beginn dieses Jh. v. a. durch die Experimente mit *Kathodenstrahlen (*Elektronen) u. Kanalstrahlen (s. Massenspektrometrie), die *Spektroskopie u. die Beugung von Röntgenstrahlen an Krist. sowie die zur gleichen Zeit entwickelten theoret. Modelle (s. Atommodelle). Der alte Atombegriff konnte allerdings nicht mehr aufrechterhalten werden, da sich die A. als zusammengesetzte Syst. erwiesen. –
$E = F$ atom – I atomo – S átomo
Lit.: [1] Sci. Am., Aug. **1985**, S. 40; Phys. Bl. **42**, 369 (1986). [2] von Baeyer, Das Atom in der Falle, Forscher erschließen die Welt der kleinsten Teilchen, Reinbek: Rowohlt 1993.

Atomabsorptionsspektroskopie (Abk.: AAS). Bez. für ein auch *Atomabsorptions-Analyse* od. *-Flammenspektrometrie* genanntes Verf. der *Absorptiometrie, das allerdings aus der *Flammenspektroskopie – also einem Verf. der Atom-Emissionsspektroskopie – entwickelt wurde u. teilw. die gleichen apparativen Hilfsmittel benutzt; zur Definition von Emissions- u. Absorptionsspektren s. a. Spektroskopie. Die AAS nutzt das Phänomen der Resonanz-A., deren Erscheinungsformen bereits seit den Arbeiten von *Fraunhofer u. *Kirchhoff bekannt sind, deren prakt. analyt. Anw. jedoch erst möglich ist, seit die instrumentellen Voraussetzungen dafür geschaffen sind [1]. Das Prinzip der AAS ist einfach u. aus der Abb. deutlich zu erkennen: Grundlage bildet das Gesetz, daß ein durch ein angeregtes Atom emittiertes Lichtquant von einem nicht angeregten Atom des gleichen Elements absorbiert werden kann. Man läßt deshalb die Analysenprobe auf irgendeine Weise verdampfen u. schickt durch diesen Dampf das Licht desjenigen Elementes, das man bestimmen will, also z. B. gelbes, von einer Natrium-Kathode herrührendes Licht, wenn man Natrium bestimmen will. Im Beisp.-Fall wird ein Teil des Natrium-Lichtes von den – z. B. durch therm. *Dissoziation von Natriumchlorid gebildeten – Natrium-Atomen im Dampf absorbiert. Die meßbare Extinktion ist entsprechend dem *Lambert-Beerschen Gesetz proportional der Konz. der freien Na-Teilchen u. damit der Konz. dieses Elementes in der zerstäubten Lösung.

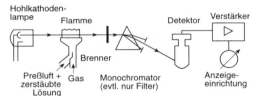

Abb.: Schema der Maßanordnung für die AAS.

Zur Bestimmung benutzt man ein sog. Absorptions-Flammenphotometer, das aus einer monochromat. Lichtquelle (sog. *Hohlkathodenlampen, bei denen eine zusätzliche Entladungsstrecke die Lichtemission erhöht), einem Brenner mit Zerstäuber, einem Monochromator od. Filter, einem Detektor u. einer Anzeigevorrichtung besteht. Als Brenngase kommen Gemische aus Luft mit H_2 od. Propan/Butan od. Acetylen bzw. aus Lachgas u. Acetylen in Frage. Mit der heute bequem u. handhabenden, sehr rasch arbeitenden automatisierbaren AAS[2] lassen sich – mit unterschiedlicher Empfindlichkeit – Spuren aller metall. Elemente außer Cer u. Thorium auch in biol. Material[3] quant. erfassen, nicht aber die Nichtmetalle, da deren Resonanzlinien im Vakuum-UV liegen. Für Routineuntersuchungen bedient man sich kommerziell erhältlicher Metallsalze von Carbonsäuren in Ölen od. anorgan. Metallsalze in Wasser enthaltender Standardlsg. (AAS-Standards) zur Aufstellung von Eichkurven. Bei der sog. *flammenlosen AAS* erreicht man die *Zerstäubung u. *Atomisierung des Probenmaterials durch Verw. elektr. beheizter Graphitöfen od. Kohlestäbe, durch *Kathodenzerstäubung. Zur Überführung in gasf. Hydride od. a. Verf., s. die zusammenfassenden, auch Störfälle behandelnden Aufsätze in Lit.[4]. Den Stand der AAS-Technik schildert der Begründer Walsh[5]. Eine mit der AAS verwandte Meth. ist die der *Atomfluoreszenzspektroskopie*[6], die jedoch keine vergleichbare Anw. gefunden hat. Zur Terminologie der AAS u. verwandter Techniken s. Lit.[7]. – *E* atomic absorption spectroscopy – *F* spectroscopie d'absorption atomique – *I* spettroscopia dell'assorbimento atomico – *S* espectroscopía de absorción atómica

Lit.: [1] Spectrochim. Acta **7**, 108–117 (1955); J. Opt. Soc. Am. **45**, 583 ff. [2] Chem. Tech. **6**, 61 ff., (1977). [3] Endeavour **32**, 106–111 (1973); Pharm. Unserer Zeit **6**, 8–12 (1977). [4] Int. Lab. **1974**, Nr. 3, 51–64; **1977**, Nr. 1, 57 ff.; **1976**, Nr. 4, 11–19; **1977**, Nr. 1, 15–24; Chem. Labor Betr. **24**, 301–310, 348–355 (1973); **27**, 172 ff., 274 ff., 311 ff., 358 ff. (1976); Angew. Chem. **86**, 542–552 (1974). [5] Pure Appl. Chem. **49**, 1621–1628 (1977). [6] Rec. Chem. Prog. **29**, 25–45 (1968); Chem. Br. **8**, 428 ff. (1972); Sychra et al., Atomic Fluorescence Spectroscopy, New York: Van Nostrand Reinhold 1975. [7] Pure Appl. Chem. **45**, 105–123 (1976).

allg.: Analyt.-Taschenb. **8**, 38–91; **10**, 190–248 ■ Welz, Atomabsorptionsspektrometrie, 3. Aufl., Weinheim: Verl. Chemie 1983 ■ Welz, Atomspektrometrie, in Naumer u. Heller (Hrsg.), Untersuchungsmethoden in der Chemie, Einführung in die moderne Analytik, 2. Aufl., S. 222–235, Stuttgart: Thieme 1990.

Atomabstand s. Gleichgewichtsgeometrie.

Atomare Einheiten. Wählt man den Bohrschen Radius (s. Atombau)

$$a_0 = \frac{4 \cdot \pi \cdot \varepsilon_0 \cdot \hbar^2}{m_e \cdot e^2}$$

als Einheit der Länge, die Elektronenruhemasse m_e als Einheit der Masse, die Elementarladung e als Einheit der Ladung u. $\hbar$, die *Plancksche Konstante geteilt durch $2 \cdot \pi$ als Einheit der Wirkung, so erhält man ein in sich konsistentes Syst. für alle physikal. Größen, dessen Verw. die Formeln der *Quantenchemie erheblich vereinfacht. Häufiger auftretende a. E. u. ihre *SI-Äquivalente sind in der Tab. unten angegeben. – *E* atomic units – *F* unités atomiques – *I* unità atomiche – *S* unidad atómica

Lit.: [1] J. Phys. Chem. Ref. Data **17**, 1795 (1988).

Atombatterien s. Energie-Direktumwandlung u. Radionuklide.

Atombau. Kenntnis vom Aufbau der *Atome erhielt man v. a. durch die *Atomspektroskopie, die auf *Kirchhoff u. *Bunsen (1860) zurückgeht, u. durch

Tab.: Häufiger auftretende atomare Einheiten.

Größe u. Dimension	Atomare Einheit	SI-Äquivalent (s. Lit.[1])
Länge (L)	a_0 (Bohr)	$0{,}529177249(24) \times 10^{-10}$ m
Masse (M)	m_e (Elektronenruhemasse)	$9{,}1093897(54) \times 10^{-31}$ kg
Ladung (Q)	e (Elementarladung)	$1{,}60217733(49) \times 10^{-19}$ C
Wirkung ($M \times L^2/T$)	$\hbar = h/2\pi$	$1{,}05457266(63) \times 10^{-34}$ Js
Energie ($M \times L^2/T^2$)	E_h (Hartree) $= \hbar^2/(m_e \times a_0^2)$	$4{,}3597482(26) \times 10^{-18}$ J
Zeit (T)	$\hbar/E_h$	$2{,}4188843 \times 10^{-17}$ s

Atombau

Streuexperimente mit geladenen Teilchen wie *Elektronen durch *Lenard od. *Alpha-Teilchen durch Sir E. *Rutherford. Die spektroskop. Untersuchungen zeigten, daß Atome aus scharfen Linien bestehende Spektren besitzen (*Linienspektren*). Eine Linie entspricht dem Übergang zwischen 2 *diskreten Energiezuständen* des Atoms, wobei ein Lichtquant od. *Photon aufgenommen bzw. abgegeben wird, je nachdem ob das Spektrum in *Absorption bzw. *Emission aufgenommen wird. Der Aufbau des Rutherfordschen Streuversuches ist schemat. in Abb. 1 dargestellt.

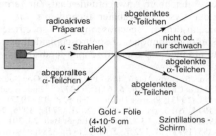

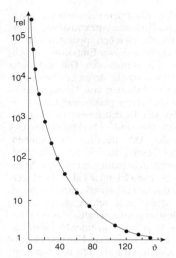

Abb. 2: Ergebnisse der Rutherford-Streuexperimente für die Streuung von α-Teilchen mit einer Energie von 5,5 MeV an einer Goldfolie (Geiger u. Marsden, 1913). Aufgetragen ist die relative Intensität I_{rel} (differentieller Wirkungsquerschnitt) in willkürlichen Einheiten als Funktion des Ablenkungswinkels ϑ (in Grad). Die durchgezogene Kurve entspricht der Rutherfordschen Streuformel (s. Text).

Abb. 1: Schemat. Darst. des Rutherfordschen Versuchs der Durchstrahlung von Goldfolien mit α-Strahlen, der zum Nachw. des lockeren Aufbaues der Materie u. der Konz. von pos. Ladung u. Masse im Atomkern führte.

Die Quelle der α-Teilchen (doppelt pos. geladene Helium-Kerne) war radioaktives *Polonium, das in einen Bleiblock eingeschlossen war, aus dem die α-Teilchen durch eine Blende austraten. Der Strahl von α-Teilchen wurde auf eine dünne Goldfolie gelenkt. Mit Hilfe eines Szintillationsschirms wurde die durchgelassene Strahlungsintensität gemessen. Der größte Teil der α-Strahlung passierte die Goldfolie mit keiner od. nur geringer Ablenkung, d. h. die meisten α-Teilchen wurden in Vorwärtsrichtung gestreut. Aber Rutherford u. seine Mitarbeiter *Geiger u. Marsden konnten 1911 auch wenige α-Teilchen beobachten, die zu größeren Winkeln hin abgelenkt wurden, u. höchst selten prallte sogar ein α-Teilchen an der Folie ab u. wurde mit Hilfe eines Schirms nachgewiesen, der auf der Seite der Quelle angeordnet war (Rückwärtsstreuung). Die Abhängigkeit der relativen Intensität der α-Strahlung in Abhängigkeit vom Ablenkungswinkel ϑ ist in Abb. 2 dargestellt.

Die experimentellen Daten lassen sich über einen weiten Bereich des Ablenkungswinkels quant. durch die *Rutherfordsche Streuformel* beschreiben, wonach die Intensität der Streustrahlung mit wachsendem Ablenkungswinkel mit $1/\sin^4(\vartheta/2)$ abnimmt. Die Auswertung dieser Streuexperimente ergab folgende Vorstellungen über den Bau eines Atoms: Das Atom hat einen *pos. geladenen Kern* der Ladung Ze (Z: *Ordnungszahl, e: *Elementarladung), der prakt. die ganze Masse des Atoms enthält u. einen Radius von ca. $5 \cdot 10^{-15}$ m besitzt. Rückwärtsstreuung erhält man nur, wenn ein α-Teilchen einem Kern sehr nahe kommt, d. h. wenn der *Stoßparameter von der Größenordnung des Kerndurchmessers wird. Da ein Atom elektr. neutral ist, bewegen sich um den Kern Z Elektronen der Ladung –e. Die Begegnung der masse- u. energiereichen α-Teilchen mit den leichten Elektronen führt zu keiner merklichen Ablenkung der α-Teilchen. Die Größe der Elektronenhülle u. damit die Gesamtgröße des Atoms kennt man z. B. aus Streuversuchen mit *Atomstrahlen od. der Röntgenbeugung an Krist. (M. F. T. von *Laue, Friedrich u. Knipping, 1912). Der Radius eines Atoms (s. Atomradius) liegt meistens zwischen $4 \cdot 10^{-11}$ m u. $2 \cdot 10^{-10}$ m. Die folgende Diskussion bezieht sich auf die Elektronenhülle, die v. a. die chem. Eigenschaften eines Atoms bestimmt. Einige Eigenschaften von Atomkernen sind am Ende dieses Stichworts aufgeführt.

Elektronenhülle: Alle Versuche, die experimentellen Befunde über die Struktur der Atome mit den Meth. der klass. Mechanik u. Elektrodynamik befriedigend zu erklären, sind fehlgeschlagen (s. Atommodelle). Es war vielmehr die Entwicklung einer grundlegenden neuen physikal. Theorie, der *Quantenmechanik, notwendig, um die Phänomene im atomaren Bereich quant. beschreiben zu können. Von den beiden äquivalenten Formulierungen, der histor. etwas älteren *Matrizenmechanik von *Heisenberg (1925) u. der *Wellenmechanik von *Schrödinger (1926) ist hierbei letztere zur Beschreibung chem. Probleme besser geeignet u. wird bei den folgenden Darlegungen Anw. finden. Exakt lösbar sind mit der Schrödingerschen Wellenmechanik lediglich Einelektronatomprobleme wie das Wasserstoff-Atom, das für die Theorie des A. eine zentrale Stellung einnimmt, da die hier erhaltenen Konzepte sich auch näherungsweise auf Mehrelektronenatome anwenden lassen. Die Elektronenstruktur des Wasserstoff-Atoms wird durch die folgende zeitunabhängige *Schrödingergleichung beschrieben:

$$\left[-\frac{\hbar^2}{2\mu}\Delta\psi(\underline{r}) - \frac{e^2}{4\pi\varepsilon_0 r}\right]\psi(\underline{r}) = E\psi(\underline{r}).$$

Hierbei sind $\hbar$ die *Plancksche Konstante (h) geteilt durch 2π, μ ist die reduzierte Masse $\mu = m_e m_p/(m_e + $

m_p); m_e u. m_p sind die Elektronenruhemasse bzw. Protonenruhemasse, Δ ist der *Laplace-Operator, ψ die *Wellenfunktion, e die Elementarladung, $\underline{r}$ der Abstandsvektor zwischen Elektron u. Proton u. r seine Länge, ε_0 die elektr. Feldkonstante u. E ein Energieeigenwert des Wasserstoff-Atoms zu der Eigenfunktion ψ. Da die Coulomb-Kraft zwischen Elektron u. Proton nur von r abhängt, liegt ein kugelsymmetr. Problem vor, welches man zweckmäßig in *Kugelkoordinaten* od. *sphär. Polarkoordinaten* löst (s. Abb. 3).

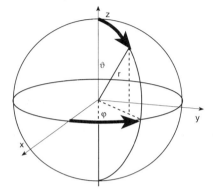

Abb. 3: Definition der sphär. Polarkoordinaten (Kugelkoordinaten). Zwischen den kartes. Koordinaten x, y u. z u. den Kugelkoordinaten r, ϑ u. φ gelten folgende Beziehungen: $x = r \sin\vartheta \cos\varphi$; $y = r \sin\vartheta \sin\varphi$ u. $z = r \cos\vartheta$.

Die Lösung der Schrödingergleichung unter Berücksichtigung der Bedingung, daß die Wellenfunktion ψ auf 1 normiert ist u. damit ihr Betragsquadrat im Sinne von *Born als Aufenthaltswahrscheinlichkeitsdichte interpretiert werden kann, liefert ein Syst. von diskreten Energiewerten (sog. Eigenwerte) für die gebundenen Zustände des Wasserstoff-Atoms. Als gebunden bezeichnet man hierbei einen Zustand, dessen Energie geringer ist als die Energie des Syst. „ruhendes Elektron + ruhendes Proton bei unendlich großem Abstand". Die Energieeigenwerte des Wasserstoff-Atoms hängen nur von einer natürlichen Zahl n ab (n = 1,2,3,...), die man als *Hauptquantenzahl* bezeichnet:

$$a_0 = \frac{4 \cdot \pi \cdot \varepsilon_0 \cdot \hbar^2}{m_e \cdot e^2}$$

R_H ist hierbei die Rydbergkonstante mit dem Zahlenwert 109 677,584 cm^{-1} u. c die Vakuumlichtgeschwindigkeit. Die tiefste Energie hat das Wasserstoff-Atom im elektron. *Grundzustand* (n = 1); sie beträgt $-2{,}179 \cdot 10^{-18}$ J od. $-13{,}60$ eV. Die betragsmäßig gleich große pos. Energie muß man zuführen, um das Elektron aus dem Wasserstoff-Atom abzulösen – man bezeichnet sie als *Ionisationsenergie. Ein Energieniveauschema des Wasserstoff-Atoms findet man in Abb. 4.

Für Werte der Hauptquantenzahl n, die größer od. gleich 2 sind, haben wir *angeregte Zustände* vorliegen. Wasserstoff-Atome in angeregten Zuständen kann man durch Energiezufuhr, z. B. durch *Absorption elektromagnet. Strahlung, aus Grundzustandsatomen erzeugen. Sie haben eine endliche Lebensdauer, die bei niedrigen Anregungszuständen im Bereich von 10^{-8} s liegt. Durch stufenweise Anregung von Wasserstoff-Atomen

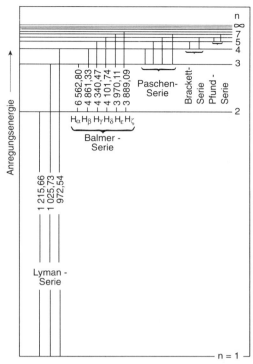

Abb. 4: Termschema des Wasserstoff-Atoms. Übergänge zwischen verschiedenen Energiezuständen, deren Energie allein von der Hauptquantenzahl n abhängt, werden zu Serien zusammengefaßt. Die bei der Lyman- u. Balmer-Serie eingetragenen Zahlen bedeuten die Wellenlängen der entsprechenden Spektrallinien in Å (Å=10^{-10} m).

mit Laserlicht in einem Atomstrahl kann man auch Atome mit einer großen Hauptquantenzahl von bis zu etwa 300 erzeugen. Solche Atome, die man *Rydberg-Atome* nennt, kommen auch im Weltraum vor, wie durch radioastronom. Untersuchungen gezeigt werden konnte. Rydberg-Atome haben ungewöhnliche Eigenschaften. Sie sind enorm groß; ihr Durchmesser kann bis zu etwa 10^{-5} m betragen (dies entspricht etwa der Größe eines Bakteriums). Zudem haben sie eine lange Lebensdauer, die im Bereich einer Sekunde liegen kann. Die zu n = 1 gehörende Lösungsfunktion der Schrödingergleichung (Eigenfunktion) hat folgende analyt. Gestalt: $\psi_1(\underline{r}) = (\pi a_0^3)^{-1/2} e^{-r/a_0}$, wobei $a_0 = 0{,}52917706 \cdot 10^{-10}$ m der Bohrsche Radius ist (s. a. atomare Einheiten u. Atommodelle). Da sie nur von r abhängt, ist sie kugelsymmetrisch. Sie stellt das wellenmechan. Analogon zu der innersten Kreisbahn der Bohrschen Theorie (s. Atommodelle) dar; man nennt sie daher auch ein *Atomorbital. Das als Aufenthaltswahrscheinlichkeitsdichte interpretierbare Betragsquadrat $|\psi_1|^2 = (\pi a_0^3)^{-1} e^{-2r/a_0}$ ist am Ort des Protons am höchsten u. fällt exponentiell mit zunehmendem r ab. Fragt man nach der Wahrscheinlichkeit dW, das Elektron in einer Kugelschale der Dicke dr beim Radius r anzutreffen, dann muß man $|\psi_1|^2$ noch mit dem Vol. der zugehörigen Kugelschale, $4\pi r^2$ dr, multiplizieren:

$$dW = |\psi_1|^2 4\pi r^2 \, dr = 4\pi r^2 (\pi a_0^3)^{-1} e^{-2r/a_0} \, dr.$$

Atombau

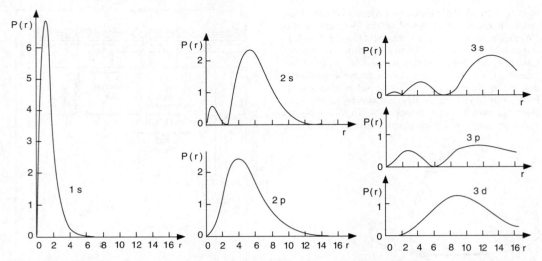

Abb. 5: Radiale Wahrscheinlichkeitsdichte $P(r)=4\pi r^2 R^2(r)$ für verschiedene Zustände des Wasserstoff-Atoms. $R(r)$ ist hierbei der normierte Radialanteil der jeweiligen Wellenfunktion; er hängt von den Quantenzahlen n (Hauptquantenzahl) u. l (Bahnimpulsquantenzahl) ab. $P(r)$ u. r sind in *atomaren Einheiten angegeben; $P(r)$ hat die Dimension einer reziproken Länge.

Die Funktion $P(r) = dW/dr$ bezeichnet man als *radiale Wahrscheinlichkeitsdichte* od. *radiale Verteilungsfunktion*. Sie hat ihr Maximum bei $r = a_0$ (s. Abb. 5), also beim Radius der ersten Bohrschen Bahn; dies entspricht der wellenmechan. Interpretation des *Bohrschen Radius*.
Die Eigenfunktionen des Wasserstoff-Atoms bis zu einschließlich n = 3 sind in Tab. 1 angegeben.
Sie sind zueinander *orthogonal*, d. h. das Überlappungsintegral $\int \psi_i^*(\underline{r}) \psi_j(\underline{r}) d\underline{r}$ ist gleich Null für $i \neq j$ [ψ_i^* ist die zu ψ_i konjugiert-komplexe Funktion, die man aus ψ_i erhält, indem man die Einheit der imaginären Zahl i durch –i ersetzt]. Die Integration erfolgt über den ganzen Raum der Variablen von ψ_i^* u. ψ_j, d. h. $0 \leq r < \infty, 0 \leq \vartheta \leq \pi$ u. $0 \leq \varphi \leq 2\pi$, wenn mit Kugelkoordinaten gearbeitet wird.
Die Orthogonalität der Eigenfunktionen u. das Pauli-Prinzip sind die wesentlichen Prinzipien, die für die elektron. Struktur von Atomen u. Mol. verantwortlich sind. Die Kennzeichnung der Eigenfunktionen des Wasserstoff-Atoms erfolgt mit Hilfe von 3 Quantenzahlen. Neben der Hauptquantenzahl n, die alleine die Energie eines Zustandes festlegt, sind dies die *Bahndrehimpulsquantenzahl* od. *Nebenquantenzahl* l u. die *magnet. Quantenzahl* m_l. Sie können die folgenden Werte annehmen: l = 0, 1, 2, ... (n–1) u. $-l \leq m_l \leq l$. Somit gibt es zu jedem Wert n der Hauptquantenzahl n verschiedene Werte der Bahndrehimpulsquantenzahl u. zu jedem Wert l der Bahndrehimpulsquantenzahl 2·l+1 verschiedene Werte für die magnet. Quantenzahl. Insgesamt gibt es zu jedem Wert n der Hauptquantenzahl u. damit zu einem bestimmten Energiewert n^2 verschiedene Eigenfunktionen mit einer bestimmten Kombination aus l u. m_l. Solche Eigenfunktionen, die zum gleichen Energieeigenwert gehören, bezeichnet man als *entartet*. Die Bahndrehimpulsquantenzahl wird auch häufig durch einen kleinen latein. Buchstaben symbolisiert, wobei l = 0, 1, 2, 3 usw. die Buch-

Tab. 1: Die Eigenfunktionen des Wasserstoff-Atoms zu $n \leq 3$ ($r = r/a0$).

Symbol	Quantenzahlen				ψ
	n	l	m_l		
1 s σ	1	0	0	$\dfrac{1}{\sqrt{\pi}}$	$e^{-\rho}$
2 s σ	2	0	0	$\dfrac{1}{4\sqrt{2\pi}}$	$(2-\rho)\,e^{-\rho/2}$
2 p π	2	1	−1	$\dfrac{1}{8\sqrt{\pi}}$	$\rho \times e^{-\rho/2} \sin\vartheta \times e^{-i\varphi}$
2 p σ	2	1	0	$\dfrac{1}{8}\sqrt{\dfrac{2}{\pi}}$	$\rho \times e^{-\rho/2} \cos\vartheta$
2 p π	2	1	+1	$\dfrac{1}{8\sqrt{\pi}}$	$\rho \times e^{-\rho/2} \sin\vartheta \times e^{+i\varphi}$
3 s σ	3	0	0	$\dfrac{1}{81\sqrt{3\pi}}$	$(27-18\rho+2\rho^2)\,e^{-\rho/3}$
3 p π	3	1	−1	$\dfrac{1}{81\sqrt{\pi}}$	$(6-\rho)\,\rho\,e^{-\rho/3} \sin\vartheta \times e^{-i\varphi}$
3 p σ	3	1	0	$\dfrac{1}{81}\sqrt{\dfrac{2}{\pi}}$	$(6-\rho)\,\rho\,e^{-\rho/3} \cos\vartheta$
3 p π	3	1	+1	$\dfrac{1}{81\sqrt{\pi}}$	$(6-\rho)\,\rho\,e^{-\rho/3} \sin\vartheta \times e^{i\varphi}$
3 d δ	3	2	−2	$\dfrac{1}{162\sqrt{\pi}}$	$\rho^2\,e^{-\rho/3} \sin^2\vartheta \times e^{-2i\varphi}$
3 d π	3	2	−1	$\dfrac{1}{81\sqrt{\pi}}$	$\rho^2\,e^{-\rho/3} \sin\vartheta \cos\vartheta \times e^{-i\varphi}$
3 d σ	3	2	0	$\dfrac{1}{81\sqrt{6\pi}}$	$\rho^2\,e^{-\rho/3} (3\cos^2\vartheta - 1)$
3 d π	3	2	+1	$\dfrac{1}{81\sqrt{\pi}}$	$\rho^2\,e^{-\rho/3} \sin\vartheta \cos\vartheta \times e^{i\varphi}$
3 d δ	3	2	+2	$\dfrac{1}{162\sqrt{\pi}}$	$\rho^2\,e^{-\rho/3} \sin^2\vartheta \times e^{2i\varphi}$

staben s, p, d, f usw. zugeordnet werden. Letztere sind aus der Spektroskopie übernommen u. entsprechen den Anfangsbuchstaben der engl. Ausdrücke sharp (scharf), principal (hauptsächlich), diffuse (zerstreut) u. fundamental (grundlegend). Ein Elektron in einem 4p-Zustand wird also durch die Hauptquantenzahl n = 4 u. die Bahndrehimpulsquantenzahl l = 1 beschrieben. Die magnet. Quantenzahl m_l wird auch durch entsprechende kleine griech. Buchstaben symbolisiert; hierbei werden m_l = 0, 1, 2, 3, ... die Buchstaben σ, π, δ, φ, ... zugeordnet. Neg. Werte von m_l erhalten einen Querstrich (s. Tab. 1).

Wie aus Tab. 1 ersichtlich ist, ist ein Teil der Eigenfunktionen des Wasserstoff-Atoms *reell*, ein anderer *komplex*. Reelle Eigenfunktionen liegen vor, wenn m_l = 0 ist, komplexe, wenn m_l von Null verschieden ist. Die Chemiker operieren üblicherweise mit reellen kartes. Atomorbitalen, die man durch geeignete Linearkombination aus den komplexen Eigenfunktionen erhalten kann. Z. B. erhält man ein reelles Atomorbital in x-Richtung, indem man aus den komplexen Funktionen $\psi_{2p\pi}$ u. $\psi_{2p\bar\pi}$ die Linearkombination $\psi_{2p}x = (2)^{-1/2}$ ($\psi_{2p\pi} + \psi_{2p\bar\pi}$) bildet; bei entsprechender Linearkombination mit entgegengesetztem Vorzeichen erhält man eine $\psi_{2p}y$-Funktion. Die Funktion $\psi_{2p\sigma}$, die bereits reell ist, da sie zu m_l = 0 gehört, ist ident. mit dem kartes. Atomorbital $\psi_{2p}z$. Die Atomorbitale mit l = 0 (*s-Orbitale*) sind kugelsymmetrisch. Das s-Orbital zu n = 1, d. h. das 1s-Orbital, hat am Ort des Kerns seinen größten Wert u. hat überall einen endlichen Wert. Die s-Orbitale mit n ≥ 2 haben n − 1 *kugelförmige Knotenflächen*, d. h. Flächen, auf denen die Wellenfunktion den Wert Null hat. Das Auftreten solcher Knotenflächen hängt eng mit der Orthogonalität der Atomorbitale zusammen. Atomorbitale mit l ≠ 0 haben nur n − l − 1 kugelförmige Knotenflächen. Daneben haben sie l *Knotenebenen*. Z. B. hat die Funktion $\psi_{2p\sigma} \equiv \psi_{2p}z$ in der x, y-Ebene überall den Wert Null, d. h. diese Ebene bildet eine Knotenebene für dieses Orbital. Graph. Darstellungen einiger Atomorbitale findet man in Abb. 6 (s. auch Lit.[1]).

Als theoret. Maß für die Größe eines Wasserstoff-Atoms in einem bestimmten, durch die Quantenzahlen n, l u. m_l gekennzeichneten Zustand, kann man den *Erwartungswert von r (mittlerer Radius des entsprechenden Atomorbitals) verwenden, d. h. die Größe $\bar r_{n,l,m_l} = \int \psi^*_{n,l,m_l} r \psi_{n,l,m_l} d\underline{r}$. Hierfür wird folgender Ausdruck berechnet:

$$\bar r_{n,l,m_l} = n^2 \left\{ 1 + \frac{1}{2}\left[1 - l(l+1)/n^2\right]\right\} a_0 .$$

Der mittlere Radius eines Wasserstoff-Atomorbitals hängt somit nicht von der magnet. Quantenzahl m_l ab. Er hängt am stärksten, nämlich quadrat., von der Hauptquantenzahl n ab (dies bedingt die Größe von Rydberg-Atomen mit großem n), aber nur relativ schwach von l. Z. B. beträgt $\bar r$ für ein 3s-Orbital 13,5 a_0 u. für ein 3p-Orbital 12,5 a_0. Allg. besagt die Formel, daß der mittlere Radius eines Atomorbitals bei gegebenem n mit zunehmendem l abnimmt, d. h. ein nd-Orbital ist z. B. weniger stark ausgedehnt als ein np-Orbital. Ähnliche Verhältnisse liegen bei Mehrelektronenatomen vor u. bestimmen die Schalenstruktur dieser Atome.

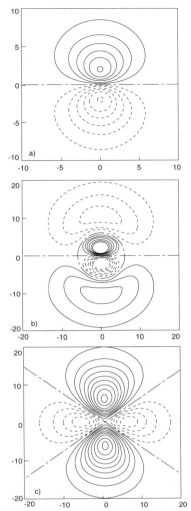

Abb. 6: Höhenliniendiagramme von Wasserstoff-Atomorbitalen. 6a) 2p$_\sigma$-Orbital, 6b) 3p$_\sigma$-Orbital u. 6c) 3d$_\sigma$-Orbital (s. a. Tab. 1). Pos. Werte sind durch durchgezogene Kurven, neg. durch gestrichelte Kurven dargestellt. Auf den gestrichpunkteten Kurven haben die Atomorbitale den Wert Null („Knotenflächen").

Neben den 3 genannten Quantenzahlen gibt es noch eine 4. Quantenzahl, die bei Einelektronenatomen wie dem Wasserstoff-Atom für den Chemiker keine große Bedeutung hat, bei Mehrelektronenatomen aber sehr wichtig ist. Es ist dies die *Spinquantenzahl* m_s, die die Werte ±1/2 annehmen kann (näheres s. Spin). Sie ist die Quantenzahl zu dem *Eigendrehimpuls* od. *Spin* des Elektrons, der kein klass. Analogon besitzt u. damit streng genommen keiner anschaulichen Darst. zugänglich ist. Auf das Vorhandensein des Spins schlossen Uhlenbeck u. Goudsmit aus einer sorgfältigen Analyse der Spektren der Alkali-Atome. *Dirac konnte 1928 zeigen, daß der Spin des Elektrons eine notwendige Konsequenz einer relativist. Quantentheorie ist. Die Existenz des Elektronenspins ist beim Wasserstoff-Atom dafür verantwortlich, daß infolge von Spin-Bahn-

Atombau

Wechselwirkung die Zustände mit l≠0 nicht mehr (2·l+1)-fach entartet sind. Für ein Elektron in einem p-Zustand können Spin u. Bahndrehimpuls miteinander koppeln u. es erfolgt eine Aufspaltung in 2 Komponenten (bezeichnet als $^2P_{3/2}$ u. $^2P_{1/2}$; die erstere Komponente ist zweifach entartet, die letztere nichtentartet). Näherungsweise kann man die bei der quantenmechan. Behandlung des Wasserstoff-Atoms erhaltenen Ergebnisse auch auf Mehrelektronenatome übertragen. Dabei hat man zusätzlich das *Pauli-Prinzip zu berücksichtigen. Dieses wurde zuerst als *Ausschließungsprinzip* von Pauli in einer speziellen Form formuliert, um das Fehlen einiger Linien im Spektrum des Helium-Atoms zu erklären. Danach kann ein gegebenes Atomorbital höchstens von 2 Elektronen besetzt werden. Wenn 2 Elektronen dasselbe Orbital besetzen, dann müssen ihre Spins antiparallel gerichtet sein, d.h. die Spinquantenzahlen müssen die Werte +1/2 bzw. -1/2 haben. Diese spezielle Formulierung ist für die hier gegebenen Betrachtungen ausreichend; bezüglich einer allgemeineren Formulierung s. Antisymmetrieforderung u. Pauli-Prinzip. 2 Elektronen mit antiparallelem Spin, die dasselbe Orbital besetzen u. damit zu einem *Singulett-Spinzustand gekoppelt sind, nennt man auch *gepaarte Elektronen*. Die Bildung von Elektronenpaaren nimmt eine Schlüsselrolle ein bei dem Versuch, den Aufbau komplizierter Atome (u. damit auch das *Periodensystem) u. die Mol.-Bildung einigermaßen anschaulich zu erklären.

Ein durch die Quantenzahlen n = 1, l = 0 u. m_l = 0 charakterisiertes 1s-Orbital kann mit max. 2 Elektronen besetzt werden. Die entsprechende Elektronenkonfiguration $1s^2$ beschreibt den elektron. Grundzustand von Zweielektronenatomen wie dem Helium-Atom. Hier hat die Kernladungszahl Z den Wert 2 u. die beiden Elektronen erfahren eine stärkere Anziehung durch den zweifach pos. geladenen Helium-Kern als beim Wasserstoff-Atom, wo der Kern ein Proton mit Z = 1 ist. Allerdings wird das eine Elektron durch das andere von der vollen Kernladung etwas abgeschirmt. Jedes der beiden Elektronen spürt also im Mittel nur eine *effektive Kernladungszahl* Z_{eff}, die kleiner als die Kernladungszahl Z ist. Nach den Regeln von *Slater (s. Atommodelle u. Slatersche Regeln) hat Z_{eff} beim Helium-Atom den Wert 1,7. Ab-initio-Rechnungen nach dem *SCF-Verfahren unter Verw. eines minimalen *Basissatzes von *Slater-Funktionen (vgl. Lit.[2]) liefern einen sehr ähnlichen Wert von 1,6875. Die Gesamtenergie des Helium-Atoms im elektron. Grundzustand ergibt sich nach den Slaterschen Regeln zu

$$E = 2\frac{(2-0.3)^2}{2}$$ at. E. (s. atomare Einheiten) od.

-78,64 eV (s. Elektronenvolt), während der experimentelle Wert, der von genaueren Rechnungen reproduziert wird, -79,00 eV beträgt.

Das nächste Atom ist das Lithium-Atom mit Z = 3, bei dem im elektron. Grundzustand 2 Elektronen das 1s-Orbital besetzen u. das dritte Elektron das 2s-Orbital besetzt, das energet. deutlich höher liegt. Hier liegt also die Elektronenkonfiguration $1s^2 2s^1$ vor. Nach den Slaterschen Regeln spürt das Elektron im 2s-Orbital eine effektive Kernladung von 1,30 e (s. Tab. 2). Für die *Orbitalenergien des 1s- bzw. 2s-Orbitals gilt nach Slater (in atomaren Einheiten): $\varepsilon_{1s} = -1,445$ u. $\varepsilon_{2s} = -0,2125$. Wegen dieser beträchtlichen Energiedifferenz kann man bezüglich vieler Eigenschaften das Lithium-Atom u. die übrigen Alkali-Atome (Na, K, Rb, Cs u. Rn) näherungsweise als effektive Einelektronenprobleme behandeln. Dabei werden die inneren Elektronen u. der Atomkern zu einer Einheit zusammengefaßt, die man als *Atomrumpf* bezeichnet.

Explizit behandelt wird das *Valenzelektron* od. *Leuchtelektron*, dessen Verhalten die opt. Eigenschaften des jeweiligen Alkali-Atoms bestimmt. Beim Lithium-Atom u. den anderen Alkali-Atomen ist die Entartung zwischen s- u. p-Orbitalen zur gleichen Hauptquantenzahl aufgehoben, was allerdings in dem einfachen Slaterschen Modell nicht berücksichtigt wird. Für das

Tab. 2: Effektive Kernladungszahlen für die leichten Atome[a].

	H							He
1 s	1							1,70
	(1,000)							(1,6875)

	Li	Be	B	C	N	O	F	Ne
1 s	2,70	3,70	4,70	5,70	6,70	7,70	8,70	9,70
	(2,6906)	(3,6848)	(4,6795)	(5,6727)	(6,6651)	(7,6579)	(8,6501)	(9,6421)
2 s	1,30	1,95	2,60	3,25	3,90	4,55	5,20	5,85
	(1,2792)	(1,9120)	(2,5762)	(3,2166)	(3,8474)	(4,4916)	(5,1276)	(5,7584)
2 p			2,60	3,25	3,90	4,55	5,20	5,85
			(2,4214)	(3,1358)	(3,8340)	(4,4532)	(5,1000)	(5,7584)

	Na	Mg	Al	Si	P	S	Cl	Ar
1 s	10,70	11,70	12,70	13,70	14,70	15,70	16,70	17,70
	(10,6259)	(11,6089)	(12,5910)	(13,5745)	(14,5578)	(15,5403)	(16,5239)	(17,5075)
2 s	6,85	7,85	8,85	9,85	10,85	11,85	12,85	13,5
	(6,5714)	(7,3920)	(8,2136)	(9,0200)	(9,8250)	(10,6288)	(11,4304)	(12,2304)
2 p	6,85	7,85	8,85	9,85	10,85	11,85	12,85	13,85
	(6,8018)	(7,8258)	(8,9634)	(9,9450)	(10,9612)	(11,9770)	(12,9932)	(14,0082)
3 s	2,20	2,85	3,50	4,15	4,80	5,45	6,10	6,75
	(2,5074)	(3,3075)	(4,1172)	(4,9032)	(5,6418)	(6,3669)	(7,0683)	(7,7568)
3 p			3,50	4,15	4,80	5,45	6,10	6,75
			(4,0656)	(4,2852)	(4,8864)	(5,4819)	(6,1161)	(6,7641)

[a] Die oberen Werte wurden nach den Slaterschen Regeln berechnet; die eingeklammerten unteren sind Lit.[2] entnommen.

Lithium-Atom beträgt die Anregungsenergie, um ein Elektron aus dem 2s-Orbital in ein 2p-Orbital anzuheben, 1,848 eV. Aufgrund von *Spin-Bahn-Kopplung ist der angeregte Zustand in die beiden Unterniveaus $^2P_{1/2}$ u. $^2P_{3/2}$ aufgespalten. Eine quantenmechan. Rechnung nach *Störungstheorie 1. Ordnung ergibt für die Energie der Zustände mit den Quantenzahlen l, s u. j (j ist die Quantenzahl für den gesamten Drehimpuls des Elektrons):

$$E_{l,s,j} = \frac{1}{2} hc\lambda [j(j+1) - l(l+1) - s(s+1)].$$

Den Parameter λ bezeichnet man als *Spin-Bahn-Kopplungskonstante*. Beim Lithium-Atom hat sie einen kleinen Wert von 0,225 cm^{-1}. In der Reihe der Alkali-Atome nehmen ihre Werte rasch zu; beim Kalium-Atom hat sie bereits einen Wert von 38,47 cm^{-1}.
Gemäß dem *Aufbauprinzip werden mit zunehmender Kernladungszahl u. Elektronenzahl die Atomorbitale nach aufsteigender Orbitalenergie besetzt. Die Bestimmung der Elektronenkonfiguration für den Grundzustand eines beliebigen Atoms erfordert damit die Kenntnis der energet. Reihenfolge der Atomorbitale, die nach spektroskop. Untersuchungen u. quantenchem. Rechnungen folgendermaßen aussieht:

1s < 2s < 2p < 3s < 3p < 4s ≈ 3d < 4p < 5s ≈ 4d < 5p < 6s ≈ 5d ≈ 4f
< 6p < 7s ≈ 6d ≈ 5f < 7p

Das Zeichen ≈ ist hierbei so zu interpretieren, daß – in Abhängigkeit von Elektronen- u. Kernladungszahl – die durch es verknüpften Atomorbitale energet. miteinander konkurrieren u. es nicht von vornherein klar ist, welches eine tiefere Orbitalenergie besitzt. Wenn ein Satz von Atomorbitalen mit gleicher Orbitalenergie (entartete Orbitale) zur Verfügung steht, dann werden diese Orbitale zunächst nur einfach besetzt, solange der Satz noch unbesetzte Orbitale enthält. Z.B. werden beim Kohlenstoff-Atom mit 6 Elektronen 4 Elektronen mit antiparallelem Spin in dem 1s- u. dem 2s-Orbital untergebracht. Die beiden weiteren Elektronen besetzen 2 verschiedene 2p-Orbitale. Nach den *Hundschen Regeln werden die Spins dieser Elektronen zu einem *Triplett gekoppelt, da dies energet. günstiger ist. Die Elektronenkonfiguration des Kohlenstoff-Atoms im Grundzustand lautet somit $1s^2 2s^2 2p^2$ u. das zugehörige Termsymbol ist ^3P, wobei die in P-Zuständen auftretende Spin-Bahn-Kopplung nicht berücksichtigt wurde. Mit den 7 beim Stickstoff-Atom zur Verfügung stehenden Elektronen werden das 1s- u. das 2s-Orbital je doppelt besetzt u. die 3 entarteten 2p-Orbitale einfach. Dies führt zu einer kugelförmigen Ladungsverteilung, die dem Stickstoff-Atom eine gewisse Stabilität verleiht. Die 3 Elektronen in den drei 2p-Orbitalen haben parallel ausgerichtete Spins, weswegen der Grundzustand des Stickstoff-Atoms ein ^4S-Zustand ist. Beim Sauerstoff-Atom mit einer um 1 erhöhten Kernladungszahl ist ein p-Orbital doppelt besetzt, die beiden übrigen nur einfach. Diese Situation ist energet. weniger günstig aufgrund erhöhter Elektronenabstoßung, was sich in einer gegenüber dem Stickstoff-Atom verringerten 1. Ionisierungsenergie äußert. Wie beim Kohlenstoff-Atom ist der Term des elektron. Grundzustands ^3P. Geht man weiter zum Fluor-Atom, so überwiegt der Effekt der erhöhten Kernladung u. die 1. Ionisierungsenergie nimmt wieder zu. Beim darauffolgenden Neon-Atom sind alle 2p-Orbitale doppelt besetzt, womit die L-Schale abgeschlossen ist. Die zugehörige Elektronenkonfiguration lautet demnach $1s^2 2s^2 2p^6$. Dies ist eine sehr stabile Konfiguration. Die 1. Ionisierungsenergie des Neon-Atoms beträgt 21,56 eV und ist damit deutlich größer als beim Sauerstoff-Atom (13,62 eV) u. beim Fluor-Atom (17,43 eV). Die Elektronenkonfigurationen der verschiedenen Atome in ihren elektron. Grundzuständen sind in der Tab. 3 (S. 296 f.) angegeben. Die einzelnen Perioden des *Periodensystems sind hierbei durch Querstriche abgegrenzt.

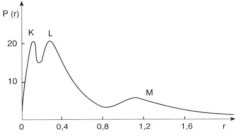

Abb. 7: Radiale Dichtefunktion P(r) = $4\pi^2 r^2 \rho(r)$, des Argon-Atoms (in atomaren Einheiten. Die Funktion $\rho(r)$ ist hierbei die *Elektronendichte, die beim Argon-Atom nur von der Radialkoordinate r, dem Abstand vom Kern, abhängt. Man erkennt deutlich die *Schalenstruktur*: K-, L- u. M-Schale haben ihre Maxima bei deutlich unterschiedlichen r-Werten.

Wie Abb. 7 am Beisp. des Argon-Atoms zeigt, haben Mehrelektronenatome eine deutlich ausgeprägte Schalenstruktur. Aus dem Schalenbau der Elektronenhülle ergeben sich nicht nur die – sich im Periodensyst. ausdrückende – Periodizität der chem. Eigenschaften, sondern auch eine Reihe von physikal. Eigenschaften, soweit sie durch die äußeren Elektronen bestimmt sind, wie z.B. Atomvol., linearer Ausdehnungskoeff., elektr. Leitfähigkeit, Schmp. u. Ionisierungsspannung. Andererseits lassen sich aus der Existenz der nicht abgeschlossenen inneren Schalen eine Reihe von chem. u. physikal. Fakten erklären, so u.a. das Auftreten von mehreren Wertigkeiten insbes. bei *Übergangsmetallen, die Bildung farbiger Ionen u. das Auftreten von Paramagnetismus.

Atomkern: Der Atomkern vereinigt fast die gesamte Atommasse in sich u. ist mit einem Durchmesser von ca. 10^{-14} m nur etwa 1/10000 so groß wie das gesamte Atom. Somit wird das Vol. eines Atoms von der Elektronenhülle, seine Masse jedoch vom Atomkern bestimmt. Der Atomkern ist aus *Nukleonen, d.h. pos. geladenen *Protonen u. elekt. neutralen *Neutronen aufgebaut, die durch sehr kurzreichweitige *Kernkräfte (Wirkungsradius der Kernkräfte ca. 10^{-15} m) zusammengehalten werden (s.a. Kernmodelle). Die Dichte der Kernmaterie ist nahezu konstant u. mit ca. 10^{14} g/cm^3 ungeheuer groß (die Dichte ird. Materie steigt nur wenig über 20 g/cm^3). Noch etwas größere Dichten liegen bei Pulsaren (rasch rotierende Neutronen-*Sternen) vor, die aus extrem dicht gepackten Neutronen aufgebaut sind. Bei leichten stabilen Atomkernen ist die Protonenzahl Z ungefähr gleich der Neutronenzahl N; schwerere Kerne haben einen Neutronenüberschuß. Die Summe A = Z + N nennt man die *Massenzahl*. Die Kernmassen sind nahezu ganzzahlige Vielfache der Protonen- bzw. Neutronenmasse; Abweichungen hiervon (sog. *Massendefekt) liegen daran, daß beim Aufbau der Kerne die Bindungsenergie freigesetzt wird (s.a. Einsteins Masse-Energie-Gleichung). Es gibt stabile Atomkerne u. solche, die sich spontan umwandeln od. spontan spalten (s. Radioaktivität). Bes. stabil sind die „doppelt-geraden"

Tab. 3: Elektronenkonfiguration der Atome.

Ordnungs-zahl	Element	Schale																
		K	L		M			N				O				P		Q
		1s	2s	2p	3s	3p	3d	4s	4p	4d	4f	5s	5p	5d	5f	6s	6p 6d	7s
1	H	1																
2	He	2																
3	Li	2	1															
4	Be	2	2															
5	B	2	2	1														
6	C	2	2	2														
7	N	2	2	3														
8	O	2	2	4														
9	F	2	2	5														
10	Ne	2	2	6														
11	Na	2	2	6	1													
12	Mg	2	2	6	2													
13	Al	2	2	6	2	1												
14	Si	2	2	6	2	2												
15	P	2	2	6	2	3												
16	S	2	2	6	2	4												
17	Cl	2	2	6	2	5												
18	Ar	2	2	6	2	6												
19	K	2	2	6	2	6		1										
20	Ca	2	2	6	2	6		2										
21	Sc	2	2	6	2	6	1	2										
22	Ti	2	2	6	2	6	2	2										
23	V	2	2	6	2	6	3	2										
24	Cr	2	2	6	2	6	5	1										
25	Mn	2	2	6	2	6	5	2										
26	Fe	2	2	6	2	6	6	2										
27	Co	2	2	6	2	6	7	2										
28	Ni	2	2	6	2	6	8	2										
29	Cu	2	2	6	2	6	10	1										
30	Zn	2	2	6	2	6	10	2										
31	Ga	2	2	6	2	6	10	2	1									
32	Ge	2	2	6	2	6	10	2	2									
33	As	2	2	6	2	6	10	2	3									
34	Se	2	2	6	2	6	10	2	4									
35	Br	2	2	6	2	6	10	2	5									
36	Kr	2	2	6	2	6	10	2	6									
37	Rb	2	2	6	2	6	10	2	6			1						
38	Sr	2	2	6	2	6	10	2	6			2						
39	Y	2	2	6	2	6	10	2	6	1		2						
40	Zr	2	2	6	2	6	10	2	6	2		2						
41	Nb	2	2	6	2	6	10	2	6	4		1						
42	Mo	2	2	6	2	6	10	2	6	5		1						
43	Tc	2	2	6	2	6	10	2	6	5		2						
44	Ru	2	2	6	2	6	10	2	6	7		1						
45	Rh	2	2	6	2	6	10	2	6	8		1						
46	Pd	2	2	6	2	6	10	2	6	10								
47	Ag	2	2	6	2	6	10	2	6	10		1						
48	Cd	2	2	6	2	6	10	2	6	10		2						
49	In	2	2	6	2	6	10	2	6	10		2	1					
50	Sn	2	2	6	2	6	10	2	6	10		2	2					
51	Sb	2	2	6	2	6	10	2	6	10		2	3					
52	Te	2	2	6	2	6	10	2	6	10		2	4					
53	I	2	2	6	2	6	10	2	6	10		2	5					
54	Xe	2	2	6	2	6	10	2	6	10		2	6					

Tab. 3: (Fortsetzung)

Ordnungs-zahl	Element	Schale K	L		M			N				O				P			Q
		1s	2s	2p	3s	3p	3d	4s	4p	4d	4f	5s	5p	5d	5f	6s	6p	6d	7s
55	Cs	2	2	6	2	6	10	2	6	10		2	6			1			
56	Ba	2	2	6	2	6	10	2	6	10		2	6			2			
57	La	2	2	6	2	6	10	2	6	10		2	6	1		2			
58	Ce	2	2	6	2	6	10	2	6	10	1	2	6	1		2			
59	Pr	2	2	6	2	6	10	2	6	10	3	2	6			2			
60	Nd	2	2	6	2	6	10	2	6	10	4	2	6			2			
61	Pm	2	2	6	2	6	10	2	6	10	5	2	6			2			
62	Sm	2	2	6	2	6	10	2	6	10	6	2	6			2			
63	Eu	2	2	6	2	6	10	2	6	10	7	2	6			2			
64	Gd	2	2	6	2	6	10	2	6	10	7	2	6	1		2			
65	Tb	2	2	6	2	6	10	2	6	10	9	2	6			2			
66	Dy	2	2	6	2	6	10	2	6	10	10	2	6			2			
67	Ho	2	2	6	2	6	10	2	6	10	11	2	6			2			
68	Er	2	2	6	2	6	10	2	6	10	12	2	6			2			
69	Tm	2	2	6	2	6	10	2	6	10	13	2	6			2			
70	Yb	2	2	6	2	6	10	2	6	10	14	2	6			2			
71	Lu	2	2	6	2	6	10	2	6	10	14	2	6	1		2			
72	Hf	2	2	6	2	6	10	2	6	10	14	2	6	2		2			
73	Ta	2	2	6	2	6	10	2	6	10	14	2	6	3		2			
74	W	2	2	6	2	6	10	2	6	10	14	2	6	4		2			
75	Re	2	2	6	2	6	10	2	6	10	14	2	6	5		2			
76	Os	2	2	6	2	6	10	2	6	10	14	2	6	6		2			
77	Ir	2	2	6	2	6	10	2	6	10	14	2	6	7		2			
78	Pt	2	2	6	2	6	10	2	6	10	14	2	6	9		1			
79	Au	2	2	6	2	6	10	2	6	10	14	2	6	10		1			
80	Hg	2	2	6	2	6	10	2	6	10	14	2	6	10		2			
81	Tl	2	2	6	2	6	10	2	6	10	14	2	6	10		2	1		
82	Pb	2	2	6	2	6	10	2	6	10	14	2	6	10		2	2		
83	Bi	2	2	6	2	6	10	2	6	10	14	2	6	10		2	3		
84	Po	2	2	6	2	6	10	2	6	10	14	2	6	10		2	4		
85	At	2	2	6	2	6	10	2	6	10	14	2	6	10		2	5		
86	Rn	2	2	6	2	6	10	2	6	10	14	2	6	10		2	6		
87	Fr	2	2	6	2	6	10	2	6	10	14	2	6	10		2	6		1
88	Ra	2	2	6	2	6	10	2	6	10	14	2	6	10		2	6		2
89	Ac	2	2	6	2	6	10	2	6	10	14	2	6	10		2	6	1	2
90	Th	2	2	6	2	6	10	2	6	10	14	2	6	10		2	6	2	2
91	Pa	2	2	6	2	6	10	2	6	10	14	2	6	10	2	2	6	1	2
92	U	2	2	6	2	6	10	2	6	10	14	2	6	10	3	2	6	1	2
93	Np	2	2	6	2	6	10	2	6	10	14	2	6	10	4	2	6	1	2
94	Pu	2	2	6	2	6	10	2	6	10	14	2	6	10	6	2	6		2
95	Am	2	2	6	2	6	10	2	6	10	14	2	6	10	7	2	6		2
96	Cm	2	2	6	2	6	10	2	6	10	14	2	6	10	7	2	6	1	2
97	Bk	2	2	6	2	6	10	2	6	10	14	2	6	10	9	2	6		2
98	Cf	2	2	6	2	6	10	2	6	10	14	2	6	10	10	2	6		2
99	Es	2	2	6	2	6	10	2	6	10	14	2	6	10	11	2	6		2
100	Fm	2	2	6	2	6	10	2	6	10	14	2	6	10	12	2	6		2
101	Md	2	2	6	2	6	10	2	6	10	14	2	6	10	13	2	6		2
102	No	2	2	6	2	6	10	2	6	10	14	2	6	10	14	2	6		2
103	Lr	2	2	6	2	6	10	2	6	10	14	2	6	10	14	2	6	1	2
104	Unq	2	2	6	2	6	10	2	6	10	14	2	6	10	14	2	6	2	2
105	Unp	2	2	6	2	6	10	2	6	10	14	2	6	10	14	2	6	3	2

Kerne, bei denen sowohl Z als auch N eine gerade Zahl ist. Innerhalb dieser Gruppe am stabilsten sind die „doppelt-magischen" Kerne mit mag. Zahlen sowohl für Z (2, 8, 20, 28, 50, 82, 114, 126, 164 u. 228) als auch für N (2, 8, 20, 28, 50, 82, 126, 184, 196, 228 u. 272). Hierzu gehören z. B. $^{4}_{2}$He mit 2 Protonen u. 2 Neutronen (*Alpha-Teilchen), $^{16}_{8}$O mit jeweils 8 Protonen u. 8 Neutronen od. $^{208}_{82}$Pb mit 82 Protonen u. 126 Neutronen. Fast durchweg instabil sind „doppelt-ungerade" Kerne; Ausnahmen hiervon sind $^{2}_{1}$D mit 1 Proton u. 1 Neutron, $^{6}_{3}$Li, $^{10}_{5}$B u. $^{14}_{7}$N, die alle dieselbe Anzahl von Protonen u. Neutronen haben. Massendefekte u. Bindungsenergien pro Nukleon für einige Atomkerne sind in Tab. 4 (S. 298) angegeben. – *E* atomic structure – *F* structure atomique – *I* struttura atomica – *S* estructura atómica

Lit.: [1] Chemie Unserer Zeit **12**, 23 ff. (1978). [2] J. Chem. Phys. **38**, 2686 (1963).
allg.: Haken u. Wolf, Atom- u. Quantenphysik, 3. Aufl., Berlin: Springer 1987 ▪ Kutzelnigg, Einführung in die Theoreti-

Atombindung

Tab. 4: Massendefekte u. Bindungsenergien pro Nukleon für einige Atomkerne.

Kern[a]	Massendefekt[b]	Bindungsenergien[c]
^1_1H	0,00239	1,112
^3_2He	0,00829	2,573
^4_2H	0,03038	7,074
^6_3Li	0,03434	5,332
$^{12}_6C$	0,09894	7,680
$^{14}_7N$	0,11236	7,476
$^{16}_8O$	0,13701	7,976
$^{63}_{29}Cu$	0,59195	8,752
$^{107}_{47}Ag$	0,98272	8,555
$^{208}_{82}Pb$	1,75683	7,868
$^{238}_{92}U$	1,93426	7,570

[a] vor dem chem. Symbol der Kerne steht als unterer Index die Kernladungs- od. Ordnungszahl Z, als oberer Index die Massenzahl A;
[b] in Einheiten der atomaren Massenkonstante u (u = 1,6605402(10)×10^{-27} kg);
[c] in Mev (1 Mev ≙ 9 64853×10^7 kJ mol^{-1}).

sche Chemie, Bd. 1: Quantenmechanische Grundlagen, korrigierter Nachdruck der 1. Aufl., Weinheim: VCH Verlagsges. 1992 ■ Mayer-Kuckuck, Atomphysik, 3. Aufl., Stuttgart: Teubner 1985.

Atombindung s. chemische Bindung.

Atombombe s. Kernwaffen.

Atomemissionsspektroskopie s. Spektroskopie u. Atomabsorptionsspektroskopie.

Atomenergie s. Kernenergie.

Atomfluoreszenzspektroskopie s. Atomabsorptionsspektroskopie.

Atomforum s. Foratom.

Atomgesetz s. Kernenergie.

Atomgewicht. Unter dem A. versteht man eine *relative Atommasse*. Es ist eine dimensionslose Zahl, die gleich dem Verhältnis der durchschnittlichen Masse je Atom eines Elements zu $\frac{1}{12}$ der Masse eines ^{12}C-Atoms ist. Nach dem dtsch. Einheitengesetz vom 2. 7. 1970 entspricht $\frac{1}{12}$ der Masse eines ^{12}C-Atoms der *atomaren Masseneinheit* u (E atomic mass unit = *amu*). 1 u hat den Wert 1,6605402(10) · 10^{-27} kg (s. *Lit.*[1]). Die Verw. von ^{12}C als Standard hat seit dem 1. 1. 1962 *universelle* Gültigkeit; zuvor gab es eine chem. A.-Skala mit dem natürlichen Isotopengemisch des Sauerstoffs als Standard u. eine physikal. A.-Skala, nach der das A. in bezug auf das Sauerstoff-Isotop 16 angegeben wurde. In beiden Fällen erhielt der Standard das A. 16. Zur Umrechnung diente die Gleichung: physikal. A. = 1,000275 · chem. A.; der Zahlenfaktor wird als *Smythescher Faktor* bezeichnet. Die von der *IUPAC empfohlenen internat. A. von 1993 sind nachfolgend wiedergegeben. Zur Geschichte der A. s. a. *Lit.*[2]. – *E* atomic weight – *F* poids atomique – *I* peso atomico – *S* peso atómico

Lit.: [1] CODATA Bull **1986**, Nr. 63. [2] Szabadváry, History of Analytical Chemistry S. 139–144, Oxford: Pergamon 1966. [3] J. Phys. Chem. Ref. Data **24**, 1561 (1995).

Tab.: Internationale Atomgewichte 1993, bezogen auf den genauen Wert 12 für die relative Atommasse des Kohlenstoff-Isotops ^{12}C (*Lit.*[3]).

Name	Symbol	Ordnungszahl	Atomgewicht[a]	
Actinium	Ac	89	227,0278	[b]
Aluminium	Al	13	26,9811539(5)	
Americium	Am	95	243,0614	[b]
Antimon	Sb	51	121,760(1)	
Argon	Ar	18	39,948(1)	[d]
Arsen	As	33	74,92159(2)	[c,d]
Astat	At	85	209,9871	
Barium	Ba	56	137,327(7)	
Berkelium	Bk	97	247,0703	[b]
Beryllium	Be	4	9,012182(3)	
Bismut	Bi	83	208,98037(3)	
Blei	Pb	82	207,2(1)	[c,d]
Bor	B	5	10,811(5)	[c,d,e]
Brom	Br	35	79,904(1)	
Cadmium	Cd	48	112,411(8)	[d]
Cäsium	Cs	55	132,90543(5)	
Calcium	Ca	20	40,078(4)	[d]
Californium	Cf	98	251,0796	[b]
Cer	Ce	58	140,115(4)	
Chlor	Cl	17	35,4527(9)	
Chrom	Cr	24	51,9961(6)	
Cobalt	Co	27	58,93320(1)	
Curium	Cm	96	247,0703	
Dysprosium	Dy	66	162,50(3)	[d]
Einsteinium	Es	99	252,083	
Eisen	Fe	26	55,845(2)	
Erbium	Er	68	167,26(3)	[d]
Europium	Eu	63	151,965(9)	[d]
Fermium	Fm	100	257,0915	[b]
Fluor	F	9	18,9984032(9)	
Francium	Fr	87	223,0197	[b]
Gadolinium	Gd	64	157,25(3)	[d]
Gallium	Ga	31	69,723(1)	
Germanium	GE	32	72,61(2)	
Gold	Au	79	196,96654(3)	
Hafnium	Hf	72	178,49(2)	
Helium	He	2	4,002602(2)	[c,d]
Holmium	Ho	67	164,93032(3)	
Indium	In	49	114,818(3)	
Iod	I	53	126,90447(3)	
Iridium	Ir	77	192,217(3)	
Kalium	K	19	39,0983(1)	[d]
Kohlenstoff	C	6	12,011(1)	[c]
Krypton	Kr	36	83,80(1)	[d,e]
Kupfer	Cu	29	63,546(3)	[c]
Lanthan	La	57	138,9055(2)	[d]
Lawrencium	Lr	103	262,11	
Lithium	Li	3	6,941(2)	[c,d,e]
Lutetium	Lu	71	174,967(1)	[d]
Magnesium	Mg	12	24,3050(6)	
Mangan	Mn	25	54,93805(1)	
Mendelevium	Md	101	256,094	[b]
Molybdän	Mo	42	95,94(1)	[d]
Natrium	Na	11	22,989768(6)	
Neodym	Nd	60	144,24(3)	[d]
Neon	Ne	10	20,1797(6)	[d,e]
Neptunium	Np	93	237,0482	
Nickel	Ni	28	58,6934(2)	
Niob	Nb	41	92,90638(2)	
Nobelium	No	102	259,1009	
Osmium	Os	76	190,23(3)	[d]
Palladium	Pd	46	106,42(1)	[d]
Phosphor	P	15	30,973762(4)	
Platin	Pt	78	195,08(3)	

Tab.: (Fortsetzung).

Name	Symbol	Ordnungszahl	Atomgewicht [a]	
Plutonium	Pu	94	244,0642	[b]
Polonium	Po	84	208,9824	[b]
Praseodym	Pr	59	140,90765(3)	
Promethium	Pm	61	144,9127	[b]
Protactinium	Pa	91	231,03588(2)	[b]
Quecksilber	Hg	80	200,59(2)	
Radium	Ra	88	226,0254	[b]
Radon	Rn	86	222,0176	[b]
Rhenium	Re	75	186,207(1)	
Rhodium	Rh	45	102,90550(3)	
Rubidium	Rb	37	85,4678(3)	[d]
Ruthenium	Ru	44	101,07(2)	[d]
Samarium	Sm	62	150,36(3)	[d]
Sauerstoff	O	8	15,9994(3)	[c,d]
Scandium	Sc	21	44,955910(9)	
Schwefel	S	16	32,066(6)	[c]
Selen	Se	34	78,96(3)	
Silber	Ag	47	107,8682(2)	[d]
Silicium	Si	14	28,0855(3)	[c]
Stickstoff	N	7	14,00674(7)	[c,d]
Strontium	Sr	38	87,62(1)	[c,d]
Tantal	Ta	73	180,9479(1)	
Technetium	Tc	43	97,9072	[b]
Tellur	Te	52	127,60(3)	[d]
Terbium	Tb	65	158,92534(3)	
Thallium	Tl	81	204,3833(2)	
Thorium	Th	90	232,0381(1)	[d,f]
Thulium	Tm	69	168,9342(3)	
Titan	Ti	22	47,867(1)	
Unnilhexium	Unh	106	263,118	[b]
Unnilpentium	Unp	105	262,114	[b]
Unnilquadium	Unq	104	261,11	[b]
Unnilseptium	Uns	107	262,12	[b]
Uran	U	92	238,0289(1)	[d,e,f]
Vanadium	V	23	50,9415(1)	
Wasserstoff	H	1	1,00794(7)	[c,d,e]
Wolfram	W	74	183,84(1)	
Xenon	Xe	54	131,29(2)	[d,e]
Ytterbium	Yb	70	173,04(3)	[d]
Yttrium	Y	39	88,90585(2)	
Zink	Zn	30	65,39(2)	
Zinn	Sn	50	118,710(7)	[d]
Zirkonium	Zr	40	91,224(2)	[d]

[a] Standardabweichungen in Einheiten der letzten angegebenen Ziffer in Klammern.
[b] Radioaktives Element; angegeben ist das A. des längstlebigen Isotops.
[c] Die unterschiedliche Isotopen-Zusammensetzung in ird. Material läßt keine genauere Angabe des A. zu.
[d] Von diesem Element sind geolog. Vork. mit anomaler Isotopen-Zusammensetzung bekannt, deren A. außerhalb der Fehlergrenzen des hier angegebenen Werts liegen kann.
[e] In Handelsqualitäten kann das A. aufgrund unabsichtlicher od. nicht bekanntgegebener Änderung der Isotopen-Zusammensetzung teilw. beträchtlich von dem hier angegebenen Wert abweichen.
[f] Element ohne stabile Nuklide, aber mit genügend charakterist. Zusammensetzungen aus langlebigen Radionukliden, so daß Angabe eines A. sinnvoll ist.

Atomgewichtsbestimmung. Bez. für die Ermittlung des *Atomgewichts. Für die A. wurden eine Reihe von Verf. ausgearbeitet, die sich jedoch stark in der Genauigkeit der ermittelbaren Werte unterscheiden. 1. *Atomwärmebestimmung:* Da nach der *Dulong-Petitschen Regel die *Atomwärmen aller festen *Elemente etwa 26 $JK^{-1}mol^{-1}$ beträgt, erhält man durch Division der Atomwärmen durch die *spezifische Wärmekapazität eine grobe Abschätzung für das Atomgewicht. – 2. *Gasdichte-Bestimmungsmeth.:* Diese beruht auf dem *Avogadroschen Gesetz, wonach sich die D. der Gase unter gleichen Bedingungen wie die Massen ihrer Mol. verhalten. Man verwendet diese Meth. bei Substanzen, die sich unzersetzt in den Gaszustand überführen lassen. Präzise Atomgew. sind mit Hilfe dieser Meth. nur möglich, wenn man die Abweichungen vom *idealen Gasgesetz bis zu hohem Grad berücksichtigt. – 3. *Äquivalentgewichts-Meth.:* Auf Grund der Definition des Äquivalentgew. erhält man aus dem Produkt von *Äquivalentgewicht u. *Wertigkeit das Atomgewicht. Äquivalentgew. werden als *elektrochemische Äquivalente od. als die Gramm-Menge bestimmt, die 1 *Val Wasserstoff bzw. Sauerstoff od. Chlor zu binden od. aus einer Verb. zu verdrängen vermag. In Verb. mit Meth. 1 ergeben sich hieraus genaue Atomgewichte. – 4. *Massenspektroskop. Meth.:* Die *Massenspektrometrie ist eine sehr präzise Meth. zur Bestimmung von Anzahl, Häufigkeit u. Masse der *Isotope eines Elementes u. damit des Atomgew. (Genauigkeit bis 10^{-6} atomare Masseneinheiten, s. Atomgewicht). – 5. Grundsätzlich läßt sich jede Meth. der *Molmassenbestimmung auch zur A. heranziehen, wenn die Atomgew. der übrigen, das Mol. aufbauenden Elemente u. die stöchiometr. Zusammensetzung der Mol. bekannt sind. – *E* atomic weight determination – *F* détermination du poids atomique – *I* determinazione del peso atomico – *S* determinación del peso atómico
Lit.: s. Massenspektrometrie.

Atomic Force Microscope s. AFM.

Atomisierung. 1. Im engeren Sinne Bez. für die zumindest teilw. Überführung kondensierter Stoffe in den *atomaren* Zustand, z. B. durch Zufuhr therm. Energie, durch *Zerstäuben, *Drahtexplosionen, etc.
2. Im erweiterten Sinne bezeichnet man als A. (*Mikronisieren*) allg. Meth. zur feinen Verteilung von Stoffen, z. B. durch Feinstmahlen, Zerstäuben, Versprühen, Vernebeln etc. in *Aerosolen (*Sprays), in *Pulvern etc. A. von Flüssigkeiten, Dispersionen od. Feststoffen wird zur Intensivierung von z. B. Trocknungs-, Verdampfungs- od. Verbrennungsvorgängen eingesetzt. Die feine Materialverteilung beschleunigt Stoff- u. Wärmeübergangsprozesse u. wird u. a. auch bei chem. Umsetzungen in heterogener Phase genutzt. – *E* = *F* atomisation – *I* atomizzazione – *S* atomización
Lit. (zu 1.): Adv. Organomet. Chem. **15**, 57 – 112 (1977) ▪ Beddow, The Production of Metal Powders by Atomization, London: Heyden 1977 ▪ Blackborow u. Young, Metal Vapour Synthesis in Organometallic Chemistry, Berlin: Springer 1979.

Atomkalotten s. Atommodelle.

Atomkern... s. Kern... u. Atombau.

Atommasse(nkonstante) s. Atomgewicht.

Atommodelle. 1. Bez. für – in A.-Baukasten zusammengestellte od. mit Computergrafik erzeugbare – Atome symbolisierende, aufbaufähige Modelle, die entweder als Atomkalotten od. ähnlich raumfüllend

Atommodelle

od. nur in Stäbchenform als Verbindungslinien der Atommittelpunkte konstruiert sind. Näheres s. bei Kalottenmodelle u. Molekülmodelle. – 2. Bez. für mehr od. weniger anschauliche Modellvorstellungen zur Beschreibung von Aufbau u. Verhalten der Atome, d. h. der Elektronenhülle u. des Atomkerns. Seit dem Aufkommen der Atomistik (s. Atom) betrachtete man die Atome als kugelförmige, gleichmäßig mit Materie erfüllte u. vollkommen elast. Gebilde, die den Gesetzen der klass. Mechanik gehorchen (mechan. A., Kugelmodell, Daltonsches A.). Ein detaillierteres Bild von der Struktur eines Atoms erhielt man durch die Streuung von Elektronen an Atomen (*Lenard, 1903), woraus sich ergab, daß der von einem Atom eingenommene Raum größtenteils leer ist. Sir J. J. *Thomson schlug 1904 ein A. aus einer kugelförmigen pos. Ladungsverteilung u. darin beweglichen neg. Ladungen, den Elektronen, vor (Thomsonsches A.). Der Wiener Physikhistoriker Haas verband die Anregung des Physikers Wien (s. Wien-Gesetz), das von *Planck 1900 postulierte Elementarquantum der Energie aus einer universellen Eigenschaft der Atome abzuleiten, mit dem Thomsonschen A. u. kam damit zu einem bedeutsamen Vorläufer des Bohrschen A., womit er allerdings keinen Anklang fand (näheres s. Lit.[1]). Auf der Grundlage seiner Streuexperimente mit *Alphateilchen formulierte Sir E. *Rutherford 1911 das Rutherfordsche Atommodell. Danach besteht ein Atom aus einem pos. geladenen Atomkern u. einer neg. geladenen Atomhülle. Der Radius des Atomkerns hat die Größenordnung 10^{-15} bis 10^{-14} m; der Radius der Atomhülle beträgt etwa 10^{-10} m. Die Masse des Atoms ist im Atomkern konzentriert; seine Masse ist um einen Faktor von 2000 bis 4000 größer als die der Atomhülle. Die Atomhülle besteht aus neg. geladenen *Elektronen, die auf planetenartigen Bahnen den Atomkern umkreisen. Ein derartiges Atom ist vom Standpunkt der klass. Elektrodynamik aus betrachtet instabil, denn die auf gekrümmten Bahnen beschleunigt bewegten Elektronen sollten ihre Energie in Form von elektromagnetischer Strahlung abgeben, damit kinet. Energie verlieren u. schließlich in den Atomkern stürzen.

Das 1913 aufgestellte Bohrsche Atommodell für das Wasserstoff-Atom nimmt an, daß sich das Elektron auf einer Kreisbahn um den ruhenden Kern bewegt. Dabei herrscht dynam. Gleichgew. zwischen der Coulombkraft u. der Zentrifugalkraft:

$$e^2/4\pi\varepsilon_0 r^2 = m_e r \omega^2 \quad (1).$$

Hierbei sind e die Elementarladung, ε_0 die elektr. Feldkonstante, r der Abstand zwischen Elektron u. Proton, m_e die Elektronenruhemasse u. ω die Kreisfrequenz. Die Gesamtenergie des Wasserstoff-Atoms, die sich aus kinet. Energie des Elektrons $m_e r^2 \omega^2/2$ u. potentieller Energie der Elektron-Kern-Anziehung $e^2/4\pi\varepsilon_0 r$ zusammensetzt, kann man mit Hilfe der Gleichgewichtsbedingung (1) als

$$E = -\frac{1}{2}(e^4 m_e \omega^2)^{1/3}(4\pi\varepsilon_0)^{-2/3} \quad (2)$$

ausdrücken. Um die für das soweit ident. Rutherfordsche A. existierenden Diskrepanzen zu den Gesetzen der klass. Physik zu vermeiden, stellte Bohr in Form von Postulaten Forderungen für das von den Gesetzen der klass. Physik abweichende Verhalten des Elektrons im Atom auf: 1. Es sind nur diskrete Bahnen mit bestimmten Energien E_n erlaubt. Diese Energieterme identifizierte Bohr mit den spektroskop. Werten $E_n = -R h c/n^2$, wobei R die *Rydbergkonstante, h die *Plancksche Konstante, c die Vakuumlichtgeschw. u. n eine natürliche Zahl, die sog. Hauptquantenzahl (s. Atombau) ist. 2. Die Bewegung des Elektrons auf einer solchen Bahn erfolgt strahlungslos. Ein Elektron kann von einer Bahn mit geringerer Bindungsenergie E_n unter Emission elektromagnet. Strahlung auf eine Bahn mit einer größeren Bindungsenergie E_m (m<n) übergehen. Die Frequenz der dabei emittierten Strahlung beträgt

$$\nu = (E_n - E_m)/h = (1/m^2 - 1/n^2) R c \quad (3).$$

Zur Berechnung der Rydbergkonstanten R verwendete Bohr das sog. *Korrespondenzprinzip, wonach die Gesetze der Atomphysik mit wachsendem Bahnradius in diejenigen der klass. Physik übergehen sollen. Für den Übergang zwischen benachbarten Bahnen (n–m=1) bei großem n erhält man damit:

$$\nu = 2 R c/n^3 \quad (4).$$

Diese Frequenz wird mit der klass. Umlauffrequenz $\nu = \omega/2\pi$ aus der Gleichgewichtsbedingung (1) gleichgesetzt, womit man für die Rydbergkonstante folgenden Ausdruck erhält:

$$R = m_e e^4/8\,\varepsilon_0^2\, h^3\, c = 109\,737{,}315\ cm^{-1}$$

(dieser Wert wird üblicherweise als R_∞ bezeichnet). Die Radien der Bohrschen Bahnen ergeben sich zu

$$r_n = n^2 h^2\, 4\pi\varepsilon_0/e^2\, m_e \quad (5).$$

Für die 1. Bohrsche Kreisbahn erhält man hieraus einen Radius von $a_0 = 0{,}5291772 \cdot 10^{-10}$ m (sog. Bohrscher Radius, s. a. atomare Einheiten). Zur quantenmechan. Interpretation des Bohrschen Radius s. Atombau. Die Bohrschen Bahnen bis zur Hauptquantenzahl n=6 sind in Abb. 1 dargestellt.

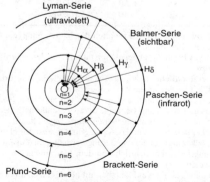

Abb. 1: Bohrsches Atommodell. Das Elektron bewegt sich auf einer durch die natürliche Zahl n (Hauptquantenzahl) gekennzeichneten Kreisbahn um das Proton. Beim Übergang von einer Kreisbahn mit größerem Radius u. höherer Energie wird ein Lichtquant od. *Photon ausgesandt. Übergänge, die auf der gleichen Kreisbahn enden, bilden eine Serie, z. B. gehören zu der *Balmer-Serie Übergänge von Kreisbahnen mit n > 2 auf die Kreisbahn mit n = 2.

Eine genauere Rechnung berücksichtigt die Mitbewegung des Protons, d. h. Elektron u. Proton bewegen sich um ihren Massenschwerpunkt. Die Ergebnisse der Bohrschen Theorie ändern sich dadurch nur insofern, als die Elektronenruhemasse m_e durch die reduzierte Masse $\mu = m_e \, m_p/(m_e+m_p)$ zu ersetzen ist; m_p ist hierbei die Protonenruhemasse. Für die Rydbergkonstante erhält man dann

$$R_H = R_\infty \cdot \mu/m_e = 109\,677{,}584 \text{ cm}^{-1}.$$

Um die bei hoher Auflösung beobachtete Feinstruktur in den Spektren des Wasserstoff-Atoms erklären zu können, erweiterte *Sommerfeld das Bohrsche A., indem er postulierte, daß sich die Elektronen außer auf Kreisbahnen auch auf Ellipsenbahnen bewegen können; zudem berücksichtigte er die von der speziellen Relativitätstheorie geforderte Geschwindigkeitsabhängigkeit der Elektronenmasse (*Bohr-Sommerfeldsches A.*). In diesem A. treten 2 Quantenzahlen auf; neben der Hauptquantenzahl n, die die große Hauptachse der Ellipse bestimmt, ist dies die Nebenquantenzahl k, die die Größe der Nebenachse der Ellipse u. damit ihre Exzentrizität bestimmt. Bohr-Sommerfeldsche Elektronenbahnen für $n = 3$ sind in Abb. 2 dargestellt.

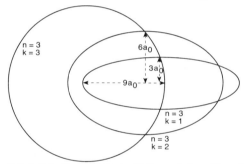

Abb. 2: Bohr-Sommerfeldsche Elektronenbahnen für $n = 3$. Für die große Halbachse gilt $a = n^2 a_0$, für die kleine $b = n k a_0$ (n ist die Hauptquantenzahl, k die Nebenquantenzahl; s. Text). Für $n = k$ liegen somit Kreisbahnen vor.

Nach Sommerfeld soll der Betrag des *Bahndrehimpulses den Wert $k\,h/2\pi$ annehmen; für k gilt die Ungleichung $k \leq n$. Später wurde aus der Sommerfeldschen Nebenquantenzahl k die Bahndrehimpulsquantenzahl l mit $l = k-1$ (s. Atombau). Obwohl das Bohr-Sommerfeldsche A. einige beachtliche Erfolge aufweisen konnte, neben der Erklärung der Spektren von Einelektronenatomen z. B. die von Schwarzschild u. Epstein gegebene Deutung für die experimentell beobachtete Aufspaltung der Spektrallinien des Wasserstoffatoms im elektr. Feld (s. Stark-Effekt), war es theoret. doch recht unbefriedigend. Einerseits wurde die klass. Mechanik außer Kraft gesetzt, da nur ganz bestimmte Bahnen zugelassen wurden, andererseits erfolgte die Bestimmung dieser Bahnen mit den Meth. der klass. Physik. Bragg hat diese widersprüchliche Situation treffend mit den folgenden Worten beschrieben: „Es ist, als würde man montags, mittwochs und freitags die klass. Gesetze, dienstags, donnerstags und samstags die Gesetze der Quantenphysik anwenden." Zudem war der Anwendungsbereich des Bohr-Sommerfeldschen A. doch recht eingeschränkt; weder Mehrelektronenatome noch die *chemische Bindung ließen sich damit befriedigend beschreiben. Dies gelang erst, nachdem die moderne *Quantentheorie eingeführt wurde – durch *Heisenberg in Form der *Matrizenmechanik u. durch *Schrödinger in Form der *Wellenmechanik. Beide Formen sind, wie Schrödinger 1926 zeigen konnte, äquivalent.

Für den Chemiker ist die Schrödingersche Wellenmechanik die geeignetere Darst.; sie bildet die Grundlage des *wellenmechan. Atommodells*. In diesem wird der klass. Begriff der Elektronenbahn, den die ältere Quantentheorie noch enthält, aufgegeben, denn Ort u. *Impuls eines Elektrons können nicht gleichzeitig einen scharfen Wert besitzen (s. Heisenbergsche *Unschärfebeziehung). Die Elektronenbewegung wird durch eine mathemat. Funktion, die sog. *Wellenfunktion* beschrieben. In einfachen Fällen, z. B. für Einelektronenprobleme wie das Wasserstoff-Atom, kann man die Wellenfunktion ψ durch exakte analyt. Lösung der *Schrödingergleichung bestimmen. Das Betragsquadrat von ψ (ψ ist häufig eine komplexe Funktion der Ortskoordinaten des Elektrons) hat nach *Born die Bedeutung einer Aufenthaltswahrscheinlichkeitsdichte. Für Mehrelektronenatome kann man für die Schrödingergleichung keine exakten analyt. Lösungen angeben u. ist somit auf halbempir. Meth. od. auf näherungsweise numer. Lösungen angewiesen. Letztere können inzwischen bei Verw. leistungsfähiger Computer hohe Genauigkeit aufweisen.

Von halbempir. Charakter ist das mehr als 50 Jahre alte *Slatersche A.*, das die analyt. Ergebnisse des Einelektronenproblems übernimmt u. Mehrelektroneneffekte in Form der Abschirmfeldnäherung unter Verw. experimenteller Daten berücksichtigt (näheres s. bei Atombau). Im Mittel berücksichtigt wird die Wechselwirkung zwischen den Elektronen im sog. *Modell der unabhängigen Elektronen* (s. Hartree-Verfahren u. Hartree-Fock-Verfahren), welches annimmt, daß die Bewegung eines speziellen Elektrons nur von der mittleren Verteilung aller übrigen abhängt, womit die sog. *Elektronenkorrelation vernachlässigt wird. Für Atome mit einer sehr großen Elektronenzahl wurde mit dem *Thomas-Fermi-Modell* eine statist. Theorie der Atomhülle entwickelt, die auf elektron. Grundzustände anwendbar ist u. bei der die Energie aus der mittleren *Elektronendichte berechnet wird. Das Thomas-Fermi-Modell eignet sich zur Berechnung von *Ionisationsenergien u. Röntgenniveaus u. findet auch in der *Kernphysik (s. Kernmodelle) Anwendung. – *E* atomic models – *F* modèles atomiques – *I* modelli atomici – *S* modelos atómicos.

Lit.: [1] Angew. Chem. 82, 1–7 (1970).
allg.: Bohr, Atomphysik u. menschliche Erkenntnis, Braunschweig: Vieweg 1985 ▪ Bröcker, dtv-Atlas zur Atomphysik, München: DTV 1976 ▪ Haken u. Wolf, Atom- u. Quantenphysik, 3. Aufl., Berlin: Springer 1987 ▪ Hoyer, Die Geschichte der Bohrschen Atomtheorie, Weinheim: Physik-Verl. 1974.

Atomnummer s. Ordnungszahl.

Atomoptik s. Atomstrahlen.

Atomorbital (Abk.: AO). *Atomare Einelektronenwellenfunktion*, meist mit $\psi(\vec{r})$ bezeichnet, wobei der Vektor $\vec{r}$ die 3 Ortskoordinaten des Elektrons zusammen-

Atomphysik

faßt. Die AO des Wasserstoff-Atoms erhält man durch Lösung der zeitunabhängigen *Schrödingergleichung als Eigenfunktionen des zugehörigen *Hamiltonoperators (näheres s. Atombau). Mol. Einelektronenwellenfunktionen od. *Molekülorbitale (MO) werden meistens durch Linearkombination von AO erhalten [*LCAO-(MO)-Methode u. *Quantenchemie]. Das Betragsquadrat eines AO od. MO, $|\psi(\vec{r})|^2$, ist gleich der *Wahrscheinlichkeitsdichte*, ein Elektron am Ort $\vec{r}$ anzutreffen. – *E* atomic orbital – *F* orbitale atomique – *I* orbitali atomici – *S* orbital atómico

Atomphysik. Bez. für das Teilgebiet der Physik, das sich mit den Vorgängen in der Atomhülle beschäftigt. Die meisten dieser Prozesse finden im Energiebereich bis zu einigen Elektronvolt statt (s. Anregung); bei Innerschalenanregung können auch keV erreicht werden. Die Atomphysik überlappt mit vielen anderen Gebieten der Physik, wie z. B. der Kernphysik (Form u. Veränderungen des Atomkerns beeinflussen die Energieniveaus der Hüllenelektronen), der Festkörperphysik (Bändermodell) der Oberflächenphysik (*Adsorption, *Katalyse), der Laserphysik (*Anregung) u. über die *Molekülphysik auch mit der Chemie (durch die Valenzelektronen in der äußersten Schale ist bestimmt, wie stark ein Atom chem. reaktiv ist u. welche Verb. es mit anderen Atomen eingeht). – *E* atomic physics – *F* physique atomique – *I* fisica atomica (nucleare) – *S* física atómica

Lit.: Pipkin, Atomic Physics, in Encycl. of Physical Science and Technology, Bd. 2, S. 339, San Diego: Academic Press 1992 ■ s. a. Atombau.

Atomradius. Aus Bindungslängen, d. h. den Abständen zwischen Atomkernen (s. Kernabstand), abgeleitete Größe, die ein allerdings nicht streng definierbares Maß für die Größe eines Atoms in einem Mol. od. Krist. darstellt. Das Konzept des A. ist nur dann nützlich, wenn die Bindungslängen in einer additiven Beziehung zueinander stehen, d. h. wenn der zur Bindung A-B gehörige Kernabstand gleich dem arithmet. Mittel der Kernabstände der Bindungen A-A u. B-B ist. Z. B. beträgt der C-C-Abstand in Diamant 154,2 pm u. der Cl-Cl-Abstand im Chlormolekül (Cl$_2$) 198,8 pm. Das arithmet. Mittel der beiden Werte, 176,5 pm, liegt innerhalb der Fehlergrenzen des mittels Elektronenbeugung für Tetrachlormethan (CCl$_4$) ermittelten Wertes von 176,6±0,5 pm.

Man unterscheidet zwischen *kovalenten Atomradien*, wenn die Atome über eine kovalente *chemische Bindung miteinander verknüpft sind, *Ionenradien*, die bei ion. Verb. (z. B. NaCl-Krist.) zu verwenden sind, *metall. Atomradien* u. *van der Waals-Radien*, die angeben, wie dicht sich nichtgebundene Atome im festen Zustand annähern können. Werte für einige Elemente sind in der Tab. angegeben.

Bes. große kovalente Atomradien haben die *Alkalimetalle, die nur ein relativ schwach gebundenes *Valenzelektron in der äußersten Schale besitzen (s. Atombau). Z. B. wird aus dem Gleichgewichts-*Kernabstand des Cs$_2$-Mol. (s. Lit.[1]) der kovalente A. von Cs zu 224 pm berechnet. Dieser Wert ist sogar noch größer als der van der Waals-Radius für Xe, das ein Elektron weniger besitzt; der kovalente A. für Xe liegt bei nur

Tab.: Atomradien für einige Elemente (in 10^{-12} m=pm).

Element	r_{kov}	r_{ion}[b]	r_{vdW}
H	37		120–145
He	(32)		180
Li	134	90 (+1)	180
Be	125	59 (+2)	
B	90	41 (+3)	
C	77		165–170
N	75		155
O	73	126 (−2)	150
F	71	119 (−1)	150–160
Ne	(69)		160
Na	154	116 (+1)	230
Mg	145	86 (+2)	170
Al	130	68 (+3)	
Si	118		210
P	110		185
S	102	170 (−2)	180
Cl	99	167 (−1)	170–190
Ar	(97)		190
K	196	152 (+1)	280
Ca		114 (+2)	
Sc		88 (+3)	
Ti		74 (+4)	
Mn	139		
Fe	125		
Co	126		
Ni	116, 121[c]		160
Cu	111[d]	91 (+1)	140
Zn	120	88 (+2)	140
Ga	120	76 (+3)	190
Ge	122		
As	122		
Se	117	184 (−2)	190
Br	114	182 (−1)	180–200
Kr	110		200
Rb	210[e]	166 (+1)	
Sr		132 (+2)	
Y		104 (+3)	
Ag		108 (+1)	170
Cd		109 (+2)	160
In		94 (+3)	190
Sn	140		220
Sb	143		
Te	135	207 (−2)	210
I	133	206 (−1)	195–212
Xe	130		220

[a] Soweit nicht anders angegeben, sind die Werte entnommen aus: Huheey, Anorganische Chemie, Berlin: De Gruyter 1988. Näheres s. dort.
[b] Die Ionenradien gelten für die Koordinationszahl 6. Die Ladungszahl ist in Klammern angegeben.
[c] Der erstere Wert gilt für die tetraedr., der letztere für die quadrat. Struktur.
[d] Berechnet aus dem Gleichgewichtskernabstand für Cu$_2$ (s. Lit.[1]).
[e] Berechnet aus dem Gleichgewichtskernabstand für Rb$_2$ (s. Lit.[2]).

130 pm. – *E* atomic radius – *F* rayon atomique – *I* raggio atomico – *S* radio atómico

Lit.: [1] Huber u. Herzberg, Molecular Spectra and Molecular Structure, IV, Constants of Diatomic Molecules, New York: Van Nostrand 1979. [2] Chem. Phys. Lett. **121**, 391 (1985).

Atomreaktoren s. Kernreaktoren od. Reaktoren.

Atomrefraktion. Bez. für die bestimmten Atomen zugeordneten *Inkremente, die zur Berechnung der *Molrefraktion* dienen, s. Refraktion. – *E* atomic refraction

– *F* réfractivité atomique, réfraction atomique – *I* refrazione atomica – *S* refracción atómica

Atomspektroskopie. Sehr weitgefaßte Bez. für alle Arten der *Spektroskopie (näheres s. dort), die auf Emissions- u./od. Absorptionsprozesse bei *Atomen – im allg. in der Elektronenhülle, vereinzelt aber auch im Atomkern – zurückgehen; über den empfindlichen Nachw. von Spurenelementen s. Laser-Atomfluoreszenz-Spektrometrie. – *E* atomic spectroscopy – *F* spectroscopie atomique – *I* spettroscopia atomica – *S* espectroscopía atómica
Lit.: Berry, Atomic Spectroscopy, in Encycl. of Physical Science and Technology, Bd. 2, S. 381, San Diego: Academic Press 1992 ▪ s. Atombau u. Spektroskopie.

Atomstrahlen. Bez. für gebündelte Strahlen aus nahezu parallel laufenden, schnell bewegten neutralen *Atomen. Man erhält A., indem man eine gasf. Substanz in einen evakuierten Raum expandieren läßt; verwendet man Substanzen, die bei 20 °C im festen od. flüssigen Zustand existieren, so wird durch Heizen in einem Ofen der notwendige Dampfdruck erzeugt. Hervorgerufen durch die vielen Stöße zwischen den Gaspartikeln, die bei der Expansion durch die Düse stattfinden, gleichen sich die Geschw. der Partikel an; das Gas kühlt sich ab (*adiabatische Abkühlung).

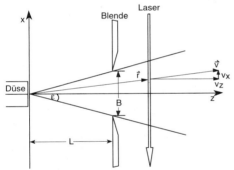

Abb.: Erzeugung von Atomstrahlen.

Von einem *kollimiertem A.* spricht man, wenn durch Loch- od. Schlitzblenden hinter der Düse nur die Atome herausgefiltert werden, die in einen kleinen Raumwinkel $\alpha = 2 \cdot \varepsilon = B/L$ expandieren. Die *Dopplerbreite, die man durch Anregung mit einem senkrecht kreuzenden Laser beobachtet, ist somit um den Faktor $1/\varepsilon$ verringert.
Mit Hilfe von A. konnten *Stern u. Gerlach 1921 erstmals die Richtungsquantelung des Gesamtdrehimpulses von Atomen im Magnetfeld nachweisen (*Stern-Gerlach-Versuch*)[1] u. damit die Bedeutung der Magnetquantenzahl (s. Atombau) demonstrieren. A. dienen – insbes. mit der Technik der *gekreuzten Atomstrahlen* – zur Untersuchung von *Stoßprozessen[2]. Eine weitere Anw. findet man bei der *Rabi-Resonanz-Methode, wie sie z.B. bei der *Atomuhr eingesetzt wird. In neuen Experimenten werden Atome in dem A. durch einen Laser abgebremst, indem z.B. ein Laserstrahl gegen die Ausbreitungsrichtung des A. eingestrahlt wird[3]. Es sind bereits Geschw.-Einengungen gelungen, die einer Temp. von 20 mK entsprechen; werden diese Atome in opt. Fallen gespeichert u. weiter abgekühlt, sind Temp. von 170 nK erreicht worden. Ziel dieser Arbeiten ist es, Atome in abs. Ruhe zu erzeugen, wodurch nicht nur der Dopplereffekt erster Ordnung, sondern auch in höherer Ordnung eliminiert ist u. so z.B. ein Frequenzstandard (*Atomuhr, *Basiseinheiten) im opt. Spektralbereich realisiert werden kann. Mit dem Begriff *Atomoptik* beschreibt man die Änderung der Ausbreitungsrichtung von Atomen in Analogie zur Ablenkung von Lichtstrahlen u. unterscheidet ebenso diffraktive (auf *Beugung u. *Interferenz beruhende) u. refraktive (auf *Brechung beruhende) Elemente. Zur diffraktiven Atomoptik zählen mikrofabrizierte, freitragende Beugungsstrukturen (wie sie z.B. auch in der *Röntgenmikroskopie eingesetzt werden), die ähnlich wie Fresnelsche Zonenplatten wirken[4]. Bei der refraktiven Optik setzt man starke Laserfelder ein, um z.B. den A. einzuschnüren od. abzulenken, bzw. ebene magnet. Hexapole, die vergleichbar zu opt. Linsen wirken[5]; vgl. a. Molekülstrahlen. – *E* atomic beams – *F* faisceaux atomiques, rayons atomiques – *I* raggi atomici – *S* rayos atómicos, haces atómicos
Lit.: [1] Phys. Bl. **25**, 343 ff., 412 f., 472 (1969). [2] Naturwissenschaften **65**, 297–306 (1978). [3] Phys. Bl. **43**, 385 (1987). [4] Phys. Bl. **50**, 45–50 (1994). [5] Phys. Unserer Zeit **27**, 28–33 (1996).
allg.: Scoles, Atomic and Molecular Beam Methods, Oxford: University Press 1988.

Atomuhr. Bez. für einen Frequenzstandard höchster Genauigkeit, bei dem zur Messung der Zeit bestimmte Eigenschwingungen von Atomen od. Mol. ausgenutzt werden. Da diese Eigenschwingungen orts- u. zeitinvariant sind, eignen sie sich zur Definition eines prim. Zeitstandards. Die größte metrolog. Bedeutung besitzt die Cäsium-A., bei der in einem *Atomstrahl beim Durchfliegen zweier Ablenkmagnete ein Hochfrequenzübergang induziert wird; durch Rückkopplung wird die Übergangsfrequenz stabilisiert. Die mit der Cs.-A. erreichte relative Unsicherheit beträgt $\Delta t/t \leq 10^{-14}$. Die 13. Konferenz für Maße u. Gew. definierte im Okt. 1967 die *Sekunde als das 9 192 631 770-fache der Periodendauer der dem Übergang zwischen den beiden Hyperfeinstruktur-Niveaus des Grundzustandes des Nuklides Cäsium-133 entsprechenden Strahlung. Die für die Zeitangabe in der BRD wichtige A. befindet sich in der Physikalisch-technischen Bundesanstalt in Braunschweig. Ähnlich präzise arbeiten die *Rubidiumuhr* (^{87}Rb mit 6,8 GHz) u. der Wasserstoffmaser (1,42 GHz, s. Maser). Kommerzielle A. haben eine Frequenzinstabilität $\Delta f/f$ von einigen 10^{-12}. Die weltweite Vernetzung von Rechenanlagen erfordert heute auch eine Synchronisation der A., bezüglich deren techn. Realisierung s. Lit. – *E* atomic clocks – *F* horloges atomiques – *I* orologi atomici – *S* reloj atómico
Lit.: Naturwiss. Rundsch. **40**, 239 (1987) ▪ Phys. Unserer Zeit **25**, 188–198 (1994); **26**, 60–68 (1995) ▪ Spektrum Wiss. **1993**, Nr. 9, 32–40.

Atomvolumen. Bez. für den von 1 Mol eines bestimmten Elementes bei 0 K eingenommenen Raum. Das A. erhält man als Quotient des *Atomgewichts u. der auf 0 K extrapolierten D. des betreffenden Elements. Trägt man das A. gegen die *Ordnungszahl auf

Atomwärme

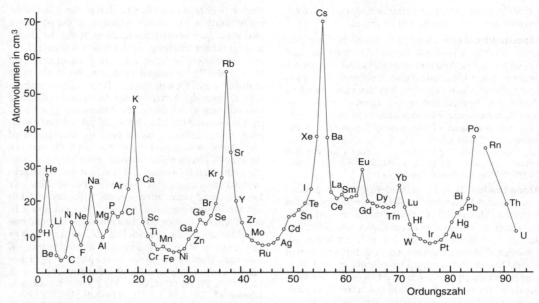

Abb: Atomvolumen-Kurve der Elemente.

(s. Abb.), so erhält man die A.-Kurve, welche Gesetzmäßigkeiten des *Periodensystems der chem. Elemente (z. B. Maxima bei den *Alkalimetallen u. Minima bei den *Übergangsmetallen) erkennen läßt. Die A.-Kurve wurde bereits 1870 von J. L. *Meyer aufgestellt u. für ein Periodensyst. benutzt. Aus dem molaren A. erhält man das Vol. eines einzelnen Atoms durch Division durch die *Avogadrosche Zahl. – *E* atomic volume – *F* volume atomique – *I* volume atomico – *S* volumen atómico

Atomwärme. Bez. für die molare Wärmekapazität (s. Molwärme) eines Elements. – *E* atomic heat – *F* chaleur atomique – *I* calore atomico – *S* calor atómico

Atomwaffen s. Kernwaffen.

Atorvastatin.

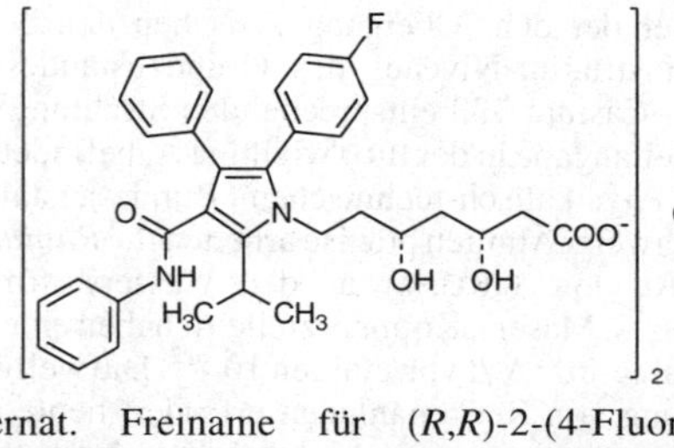

Internat. Freiname für (R,R)-2-(4-Fluorphenyl)-β,δ-dihydroxy-5-isopropyl-3-phenyl-4-(phenylcarbamoyl)-1H-pyrrol-1-heptansäure, $C_{33}H_{35}FN_2O_5$, M_R 558,65. Das Calciumsalz, Schmp. 172–180 °C; LD_{50} (Ratte oral) >5000 mg/kg, ist z. Z. als CSE-Hemmer von der Firma Warner Lambert in der klin. Prüfung. – *E* atorvastatin – *F* atorvastatine – *I* atorvastatina – *S* atorvastatín – *[CAS 134523-03-8]*

Atosil®. Tabl., Tropfen, Sirup u. Ampullen mit *Promethazin-Hydrochlorid zum Sedieren bei Gastritis, Asthma, allerg. Symptomen. *B.:* Bayer.

Atovaquon.

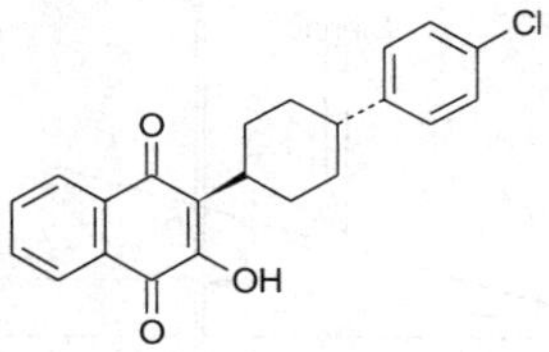

Internat. Freiname für 2-[*trans*-4-(4-Chlorphenyl)cyclohexyl]-3-hydroxy-1,4-naphthochinon, $C_{22}H_{19}ClO_3$, M_R 366,84. Es wurde 1994 als Antiprotozoenmittel zur Akutbehandlung bei *Pneumocystis-carinii*-Pneumonie, wenn Co-trimoxazol nicht vertragen wird, von Wellcome (Wellvone®) ausgeboten. – *E* = *I* atovaquone – *F* atovaquon – *S* atovacún

Lit.: Dtsch. Apoth. Ztg. **135**, 2673 (1995) ▪ Ann. Pharmacotherap. **27**, 1488–1494 (1993). – *[CAS 95233-18-4]*

ATP. Abk. für *Adenosin-5'-triphosphat.

ATPasen s. Adenosintriphosphatasen, ATP-Synthasen.

ATP-binding cassette s. ABC-Transporter-Proteine.

ATP-Synthasen (F_oF_1-ATPasen, EC 3.6.1.3). Enzyme, die die Synth. von *Adenosin-5'-triphosphat (ATP) aus *Adenosin-5'-diphosphat u. anorgan. Phosphat katalysieren. Wegen der überragenden Bedeutung von ATP als Überträger chem. Energie im Stoffwechsel sind ATP-S. als Kopplungsfaktoren bei der Bereitstellung dieser chem. Energie von Interesse. Sie bestehen aus einem Membran-durchspannenden Teil, der F_o genannt wird, u. einem der Membran bzw. dem F_o-Teil aufsitzenden F_1-Teil; beide Teile sind wiederum aus mehreren Untereinheiten aufgebaut. F_1 kann als lösl. Protein von der Membran isoliert werden u. katalysiert dann die Rückreaktion der ATP-Synth., die ATP-Hydrolyse, da diese vom chem. Gleichgew. begünstigt ist.

Daher auch die Bez. F_1-ATPase für den F_1-Teil bzw. F_oF_1-ATPase für die gesamte ATP-Synthase.
Um das für jeden Organismus so wichtige ATP zu synthetisieren, muß das Enzymsyst. mit Energie gespeist werden. Dies geschieht durch den kontrollierten Abbau eines Konzentrationsgefälles von H^+-Ionen (Protonen), das quer zur Membran besteht; für die Kopplung zwischen dem Konzentrationsgefälle (pH-Gefälle) u. der ATP-Synth. ist der F_o-Teil verantwortlich, der als Schleuse für Protonen wirkt, dabei aber die freiwerdende Energie an F_1 weitergibt. Der genaue Mechanismus der Energieübertragung ist noch nicht bekannt. Substanzen, die das pH-Gefälle abbauen od. sonst die Energieübertragung vereiteln, werden Entkoppler genannt.
ATP-S. kommen in sämtlichen Organismen vor; bei *Eukaryonten sind sie in den inneren Membranen der *Mitochondrien u. *Chloroplasten lokalisiert. Das erwähnte Konzentrationsgefälle wird dabei von den Enzymen der *Atmungskette bzw. der *Photosynthese aufrechterhalten; man spricht auch von oxidativer bzw. Photo-*Phosphorylierung (s. a. Bioenergetik, chemiosmotisch). – *E = F* ATP synthases – *I* ATP-sintasi – *S* ATP-sintasas
Lit.: Ann. N. Y. Acad. Sci. **671**, 323–414 (1992) ▪ Biospektrum **1**, 17–21 (1995) ▪ J. Biol. Chem. **268**, 9937ff. (1993) ▪ Nature (London) **370**, 621–628 (1994) ▪ Trends Biochem. Sci. **19**, 284–289 (1994).

ATR s. IR-Spektroskopie.

Atracuriumbesilat.

Internat. Freiname für 2,2'-[1,5-Pentandiylbis(oxycarbonyl-2,1-ethandiyl]bis[1-(3,4-dimethoxybenzyl)-1,2,3,4-tetrahydro-6,7-dimethoxy-2-methylisochinolinium]-bis-benzolsulfonat, $C_{65}H_{82}N_2O_{18}S_2$, M_R 1243,49, Schmp. 85–90 °C. Es wurde als *Muskelrelaxans 1977 u. 1979 von Burroughs Wellcome (Tracrium®) patentiert. – *E* atracurium besylate – *F* bésilate d'atracurium – *I* atracurio besilato – *S* atracuriumbesilato
Lit.: ASP ▪ Hager (5.), **7**, 312. – [CAS 64228-81-5]

Atrament®. Marke von CHEMETALL; Anw. bei Phosphatier-Verf. für Stahl, Zink u. Aluminium für den Korrosionsschutz, insbes. auch in Verbindung mit organ. Deckschichten u. Korrosionsschutzölen.

Atrament®-Stoffe s. Phosphatieren.

Atranorin (Parmelin).

$C_{19}H_{18}O_8$, M_R 374,35, bittere Prismen, Schmp. 195 °C. Depsid aus zahlreichen Flechten mit antibiot. Wirkung. – *E* atranorin – *I* atranorina

Lit.: Acta Crystallogr., Sect. B **38**, 3126 (1982) ▪ Beilstein E IV 10, 3872. – [CAS 479-20-9]

Atrazin. Common name für 2-Chlor-4-ethylamino-6-isopropylamino-1,3,5-triazin.

$C_8H_{14}ClN_5$, M_R 215,69, Schmp. 176 °C, LD_{50} (Ratte oral) ca. 2000 mg/kg (WHO), MAK 2 mg/m³, von Geigy 1958 eingeführtes selektives system. *Herbizid gegen Unkräuter u. Ungräser im Mais-, Zuckerrohr-, Sorghum- u. Ananasanbau sowie in Kombination mit anderen Herbiziden auf Nichtkulturland. – *E = F* atrazine – *I = S* atrazina
Lit.: Büchel, S. 183–185, 187 ▪ Farm. ▪ Perkow ▪ Pesticide Manual. – [HS 293 69; CAS 1912-24-9]

Atrionatriuretischer Faktor [ANF, atrionatriuret. Peptide (ANP), Atriopeptine, natriuret. Peptide Typ A, Cardionatrine].

Ser-Leu-Arg-Arg-Ser-Ser-Cys-Phe-Gly-Gly-Arg-*Met*-Asp-Arg-

Ile-Gly-Ala-Gln-Ser-Gly-Leu-Gly-Cys-Asn-Ser-Phe-Arg-Tyr

Aminosäure-Sequenz der Hauptform des ANF bei Mensch, Hund u. Rind. Bei Ratte, Maus u. Kaninchen steht *Ile* an der Stelle von *Met*.

Sammelbez. für vom Atrium (Herzvorhof) der Säugetiere sezernierte *Peptidhormone mit harntreibender – dabei Natrium-Ionen ausschwemmender (natriuret.) – u. blutdrucksenkender Wirkung; sorgen für die Regulation des Elektrolythaushalts u. des Blutdrucks. Außer in Niere u. Blutgefäßen findet man *Rezeptoren für ANF in der Nebennierenrinde, wo er die Ausschüttung von *Aldosteron hemmt. ANF ist somit Gegenspieler des *Angiotensins. Die im menschlichen Blut zirkulierende Form (M_R 3080,5) besitzt 28 Aminosäure-Reste (AS) u. leitet sich von einem Vorläufer mit 152 AS ab. Ein künstlich auf 15 AS verkleinertes Peptid mit voller Wirksamkeit wurde beschrieben[1]. Die Inaktivierung von ANF erfolgt im Bürstensaum (in den Mikrovilli) der Niere durch Endopeptidase 24.11 (EC 3.4.24.11); vgl. a. natriuretische Peptide. – *E* atrial natriuretic factor – *F* facteur atrial natriurétique – *I* fattore atriale natriuretico – *S* factor auricular natriurético
Lit.: [1] Science **270**, 1657ff. (1995).
allg.: Annu. Rev. Biochem. **60**, 229–255 (1991) ▪ Samson, Atrial Natriuretic Peptides, Boca Raton; CRC Press 1992.

Atrochryson.

$C_{15}H_{14}O_5$, M_R 274,27, hellgrüne Krist., Schmp. 215–218 °C, $[\alpha]_D^{20}$ –8° (CH_3OH). Die (3R)-Verb. wurde aus den Blätterpilzen *Cortinarius atrovirens* (Schwarzgrüner Klumpfuß, Basidiomycetes) u. *C. odoratus*, die (3S)-Verb. aus einer austral. *Dermocybe*-Art isoliert. A. ist die Schlüsselverb. der Biosynth.

zahlreicher natürlicher *Anthrachinone u. Präanthrachinone. – *E* atrochryson – *I* atrocrisone – *S* atrocrisona
Lit.: Zechmeister **51**, 149 (1987). – *[HS 291469; CAS 124903-85-1]*

Atromentin.

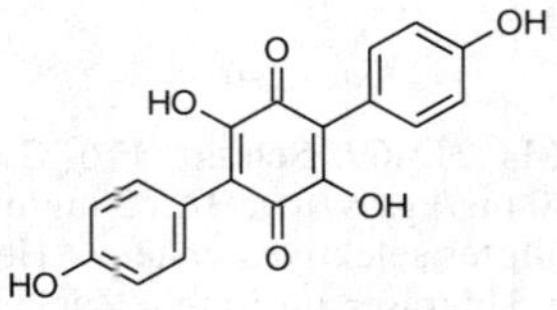

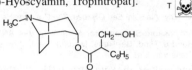

$C_{18}H_{12}O_6$, M_R 324,29, bronzefarbene Tafeln, Schmp. >300 °C. Das *Terphenylchinon A. findet sich in der braunen Huthaut des Samtfußkremplings (*Paxillus atrotomentosus*, Basidiomyceten), hauptsächlich in Form der farblosen *Leucomentine. – *E* atromentin – *I* atromentina
Lit.: Beilstein E IV **8** 3699 ▪ Thomson, Natural Occurring Quinones, Bd. 2, S. 158 ff., New York: Academic Press 1971.

Atropasäure s. Tropasäure.

Atropin [(±)-Hyoscyamin, Tropintropat].   T ☠

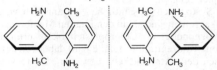

$C_{17}H_{23}NO_3$, M_R 289,37. Prismen, Schmp. 114–116 °C, in organ. Lsm. gut, in Wasser nur wenig löslich. A. gehört wie das sehr ähnlich gebaute *Scopolamin zu den *Tropan-Alkaloiden. A. ist das Racemat des *Hyoscyamins; es bildet sich aus diesem während der Isolierung aus *Tollkirsche (*Atropa belladonna*, Name!), *Mandragora, Stechapfel (*Datura stramonium*) u. *Bilsenkraut-Arten (*Hyoscyamus niger*) durch Behandlung mit Laugen. A. ist ein starkes Gift (letale Dosis für Menschen ca. 100 mg), das wegen seiner pupillenerweiternden Wirkung schon im Altertum Verw. fand. Tollkirschen-Extrakte, in die Augen geträufelt, bewirken durch Pupillenerweiterung einen im Mittelalter bes. bei den Damen erwünschten, mehrere Tage anhaltenden „feurigen Blick".
Verw.: A. wird heute überwiegend in Form seines wasserlösl. *Sulfats* angewendet: $(C_{17}H_{23}NO_3)_2 \cdot H_2SO_4 \cdot H_2O$, M_R 694,82, Schmp. 190–194°. In der Ophthalmologie dient A. als Mydriatikum (*Mydriatika) in verschiedenen Zubereitungen. Bei der Behandlung von Magen-Darm-Erkrankungen wird A. in Stomachika, Spasmolytika u. Ulkustherapeutika eingesetzt, wobei Kombinationspräparate überwiegen. Auf das ZNS wirkt A. zunächst erregend, dann lähmend. Es beeinflußt wie andere Tropan-Alkaloide die Symptome der Parkinson-Krankheit günstig. A. wirkt weiterhin lokalanästhesierend. Es wird als Antidot bei Vergiftungen mit parasympathomimet. Verb., wie Nervengasen u. Organophosphor-Insektiziden[1] od. *Pilocarpin gegeben. Die höchste bei A.-Sulfat zulässige Einzeldosis beträgt 0,5–1 mg. Weiterhin wird es in der Veterinärmedizin verwendet. – *E = F* atropine – *I = S* atropina

Lit.: [1] Braun-Frohne (6.), S. 88–93; Hager (5.) **3**, 112; **7**, 318. *allg.:* Beilstein E V **21/1**, 236 ▪ Braun (4.), S. 29–33, 79 f., 135 ▪ Kirk-Othmer (4.) **12**, 388 ▪ Manske **6**, 145–177; **9**, 269–303 ▪ Sax (8.), S. 311 ▪ Ullmann (5.) **A 1**, 360 f. ▪ Wirth, Die Tollkirsche u. andere medizinisch angewandte Nachtschattengewächse, Wittenberg: Ziemsen 1975. – *[HS 293990; CAS 51-55-8]*

Atropisomerie. Von R. *Kuhn geprägte Bez. für einen bes. von Christie u. Kenner 1922 entdeckten Fall von *Stereoisomerie, bei der die *Dissymmetrie der Mol. *Chiralität durch Behinderung der freien *Rotation, also durch *sterische Hinderung von Mol.-Teilen hervorgerufen wird (Auftreten von Rotameren, s. Isomerie); vgl. die Abb. der opt. *Antipoden von 2,2'-Diamino-6,6'-dimethyl-1,1'-biphenyl.

Spiegelebene

A. ist ein bes. Fall der *Axialchiralität* (s. Chiralität), der nicht auf *ortho*-substituierte *Biphenyl-Derivate* beschränkt ist, sondern auch bei *Triptycen-Derivaten, *Allenen, *Cyclohexylidenen u. Spiranen (s. Spiro-Verbindungen) beobachtet werden kann.

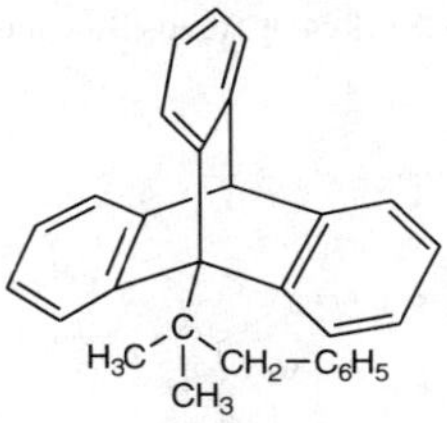

Triptycen-Derivat 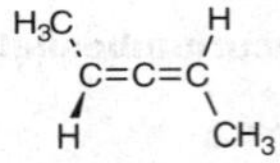   Allen

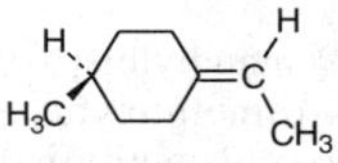

Cyclohexyliden-Derivat    Spiran-Derivat

Bei allen Atropisomeren verschwindet die *optische Aktivität, die oft sehr groß ist, wenn durch Temp.-Erhöhung die innere Beweglichkeit im Mol. vergrößert wird, so daß die Energiebarriere (70–90 kJ/mol) für die gegenseitige Umwandlung überwunden wird. Die zumeist NMR-spektroskop. bestimmten Werte gestatten Ausagen über die Größe u. Wirkungsbereiche der, die gehinderte Rotation hervorrufenden, Substituenten. – *E* atropisomerism – *F* atropisomérie – *I* atropisomeria – *S* atropisomería
Lit.: Angew. Chem. **88**, 67–74 (1976); **102**, 1006–1019 (1990) ▪ Chem. Unserer Zeit **17**, 21–30 (1983) ▪ Hauptmann u. Mann, Stereochemie, S. 63, Heidelberg: Spektrum Akadem. Verlagsges. 1996 ▪ Landor, The Chemistry of Allenes, Bd. 3, S. 579–678, New York: Academic Press 1982 ▪ Patai, The Chemistry of Allenes and Related Compounds, Part 1, S. 99–154, Chichester: Wiley 1980 ▪ Top. Stereochem. **14**, 1–81 (1983) ▪ s. a. Chiralität, Stereochemie.

Atroscin s. Scopolamin.

Atrovent®. Dosier-Aerosol, Lsg. u. Kapseln mit *Ipratropiumbromid bei Bronchitis u. Asthma. *B.:* Boehringer-Ingelheim.

Attachment. Anlagerung eines *Elektrons an ein neutrales Atom od. Mol. unter Bildung eines *Anions. Die hierbei frei werdende Energie wird durch Strahlung od. einen dritten Stoßpartner abgeführt; sie kann auch zur *Dissoziation des Anions verwendet werden (*dissoziatives A.*). Das A. ist ein wichtiger Prozeß in der Ionosphäre. Dissoziatives A. (auch dissoziative Rekombination genannt) spielt eine wichtige Rolle bei der Bildung von Neutralmol. in interstellaren Wolken (s. Kosmochemie). – *E* attachment – *F* liaison – *I* attaccamento – *S* disposición

attachment-site (att site, att-Stelle). Anheftungsstelle im Phagen- u. Bakterien-Genom, an dem Rekombinationsvorgänge zur Integration od. zum Ausschneiden einiger *temperenter Phagen stattfinden. Bei den recht komplizierten Vorgängen sind u. a. zwei Strukturelemente beteiligt: attB (a.-s. im Bakterienchromosom) u. attP (a.-s. in der Phagen-DNA), wobei eine bestimmte Nucleotid-Sequenz, die Kernsequenz, in den a.-s. von Phagen- u. Bakterien-DNA ident. ist. Bei der Integration von *Transposonen u. *Plasmiden sind ebenfalls a.-s.-Regionen beteiligt. – *E* attachment site – *F* site de liaison – *I* luogo di collegamento – *S* sitio de adhesión
Lit.: Stickberger, Genetics, New York: Macmillan 1985.

Attacote®/Attaclay®/Attasorb®. Pulverförmige Trägerstoffe für Schädlings-Bekämpfungsmittel auf der Basis von *Attapulgit. *B.:* Chemie-Mineralien KG; Engelhard.

Attagel®. Verdickungs- u. Thixotropiermittel (s. *Thixotropie) auf der Basis von *Attapulgit zur Anw. in wäss. u. organ. Systemen. *B.:* Chemie-Mineralien KG; Engelhard.

Attapulgit (Palygorskit). Vereinfacht $(Mg,Al)_2[(OH)/Si_4O_{10}] \cdot 4H_2O$; Si kann z. T. durch Al ersetzt sein, ferner können A. Fe, Mn, Ti, Na, K u. Ca enthalten. Dem *Sepiolith ähnliches, monoklines od. rhomb., zu den Phyllo-*Silicaten gehörendes *Tonmineral mit Faserstruktur[1]; mit teilw. zeolith. gebundenem Wasser, das sich durch Trocknen leicht entfernen läßt. Feinstkörnige nadelige Massen, die ähnlich wie *Bentonite ein hohes Adsorptions- u. Ionenaustauschvermögen besitzen u. zur Gruppe der *Bleicherden gerechnet werden. Zu A. gehört ein Tl. der als Bergholz u. Bergleder bezeichneten Substanzen.
Vork.: In Böden; in *Sedimenten. Die bedeutendsten Lagerstätten befinden sich in Georgia (u. a. Attapulgus, Name!) u. Florida/USA, Senegal u. Spanien; weitere in China, Indien, Australien, der Ukraine u. im Jemen.
Verw.: Als Verdickungs- u. Thixotropierungsmittel, zum Bleichen, als Adsorptionsmittel; für Bohrspülungen in Salz- u. Brackwasser; als Antibackmittel u. Trägermaterial für Insektizide, Herbizide u. Katalysatoren; als Katzenstreu; pharmazeut. ähnlich wie *Kaolin als Sorptions- u. Dispergierungsmittel, Pudermittel u. in *Antacida. – *E = F* attapulgite, palygorskite – *I* attapulgite – *S* atapulgita
Lit.: [1] Can. Mineral. **30**, 61–73 (1992).
allg.: Bailey (Hrsg.), Hydrous Phyllosilicates (Reviews in Mineralogy, Vol. 19) (2.), S. 631–674, Washington (D.C.): Mineralogical Society of America 1991 ▪ Jasmund u. Lagaly (Hrsg.), Tonminerale u. Tone, S. 64 ff., 173, 203, 361 f., 468 f., Darmstadt: Steinkopff 1993 ▪ Singer u. Galan (Hrsg.), Palygorskite-Sepiolite. Occurrences, Genesis and Uses (Developments in Sedimentology 37), Amsterdam: Elsevier 1984 ▪ s. a. Ton, Tone, Sedimente, Sedimentgesteine. *– [HS 2508 20; CAS 12174-11-7 (Palygorskit)]*

Attenuator. Spezielle Form eines *Terminators der *Transkription, dessen Stärke je nach Vorhandensein des zu bildenden Endprodukts der Biosynth. steuerbar ist. Die Regulation durch Attenuation ist bei der Biosynth. von *Aminosäuren in Bakterien beteiligt an der Kontrolle der *Genexpression u. wurde von Yanofsky zunächst für das Tryptophan-*Operon beschrieben, gilt aber auch für die Biosynth. von Histidin, Phenylalanin, Leucin, Isoleucin, Valin u. Threonin. Zwischen *Promotor-Operator-Region u. der codierenden Region des 1. Strukturgens liegt eine *Leader-Sequenz, die mit dem A. einen Sequenzabschnitt enthält, der durch Änderung in der Sekundärstruktur die Transkription abstoppen kann: Direkt nach Beginn der *Transkription der Leader-Sequenz setzt die *Translation ein. In der mRNA des Leaders tritt eine Häufung von *Codons für die Aminosäure auf, für deren Biosynth.-Enzyme das Operon codiert. Bei limitierender Aminosäure-Konz. in der Zelle stoppt das *Ribosom in diesem Bereich aufgrund der fehlenden Aminoacyl-tRNA. Diese favorisiert die Bildung einer von zwei möglichen Sekundärstrukturen im A.-Transkript, die der RNA-Polymerase die Transkription der Strukturgene erlaubt. Bei Aminosäure-Überschuß läuft die Synth. des Leaderproteins bis zu einem Stop-Codon. Die alternative Sekundärstruktur wird ausgebildet, wobei die A.-Sequenzen zur doppelsträngigen Terminator-Struktur paaren können; damit bricht die Transkription ab, bevor die Strukturgene abgelesen sind [s. auch Proteine (Biosynth.)]. – *E* attenuator – *F* atténuateur – *I* attenuatore – *S* atenuador
Lit.: Knippers, Molekulare Genetik, Stuttgart: Thieme 1995 ▪ Nature (London) **289**, 751 (1981) ▪ Proc. Natl. Acad. Sci. USA **74**, 4365 (1977); **75**, 4281 (1978).

Atto... (Kurzz.: a). Von norweg.: atten = achtzehn abgeleiteter Vorsatz zur Bez. des 10^{-18}-fachen Betrages einer physikal. Einheit. – *E = F = I = S* atto...

Attraktantien (Lockstoffe). Von latein.: attrahere = heranziehen abgeleitete Bez. für Stoffe, die eine Bewegung von *Organismen in Richtung zur Stoffquelle bzw. zur höheren Konz. hin bewirken. A. dienen in der Kommunikation zwischen Organismen verschiedener *Arten, zwischen Organismen derselben Art vermitteln *Pheromone. Tierblütige Pflanzen erzeugen zur Anlockung von Bestäubern A.; z. B. die Edelkastanie (*Castanea sativa*) Trimethylamin, Aasblumen (*Stapelia*) u. der Aronstab (*Arum maculatum*) andere Amine, eine Vielzahl von Blütenpflanzen *Terpene, *Aromaten, aliphat. *Alkohole, *Ester u. Ketone. *Carnivore Pflanzen locken Beute mit A. an; so bildet *Sarracenia flava* (wie *Conium maculatum*, der *Schierling) *Coniin, das „mäuseartig" riecht u. auf manche Insekten als Attraktans wirkt. Schließlich wirken einige Stoffe, die eigentlich der Abwehr von *Parasiten od. Räubern dienen (*Repellentien), als A. auf Organismen, die sich z. B. durch biochem. Entgiftungsmechanismen angepaßt haben (s. a. Adaptation), z. B. wirkt das von Kohl-

Attrappe

pflanzen produzierte *Allylisothiocyanat auf verschiedene Kohlweißlinge als A. u. veranlaßt diese, auf dieser von anderen Schmetterlingen gemiedenen Pflanze Eier abzulegen. – *E* attractants – *F* attractifs – *I* attraenti – *S* atrayentes
Lit.: Schlee (2.), S. 34, 285 ff., 372.

Attrappe. Der Begriff A. wird in der Verhaltensforschung in einem anderen Sinn verwendet als im täglichen Sprachgebrauch, wo man darunter die möglichst naturgetreue Nachbildung eines Gegenstandes versteht. In der Ethologie gibt es auch völlig „unnatürliche" A.: Sie bezeichnen alle Nachbildungen, die zur Prüfung von Verhaltensreaktionen eines Tieres verwendet werden, um die Eigenschaften der für das betreffende Verhalten wichtigen Schlüsselreize u. Auslöser zu ergründen. So werden z.B. nur Nachbildungen von Teilen eines anderen Tieres geboten (Schnabel-A., Kopf-A.), od. es werden verschiedene Merkmale des nachzuahmenden Objektes verändert (vergrößert, verkleinert, in anderer Form od. Farbe dargeboten). Selbst völlig unnatürliche Gegenstände (z.B. farbige Holzscheiben, -kugeln od. -würfel) werden als A. eingesetzt. Auch Tonbandaufnahmen von Lautäußerungen od. künstliche Düfte können als (akust. bzw. olfaktor.) A. dienen (Laut- bzw. Klang-A.). Bei ihnen kann man ebenfalls einzelne Merkmale des natürlichen Vorbildes verändern, um damit die wirksamen Eigenschaften der angebotenen Reize zu prüfen. A.-Versuche spielen in der Methodik der Verhaltensforschung seit ihren Anfängen eine wichtige Rolle.
Neben den experimentellen A. gibt es auch „natürliche" Attrappen. Manche parasit. Tierarten haben im Laufe ihrer Stammesgeschichte Merkmale anderer Arten, die dort eine bestimmte Auslöserwirkung haben, imitiert, um bei ihren „Wirten" die gleiche Wirkung zu erzielen (*Mimikry, Verhaltensmimikry). So sind die Rachen-Zeichnungen junger Witwenvögel genaue Kopien der Zeichnung der jeweiligen Prachtfinken-Art, von der sie als Brutschmarotzer ihre Jungen aufziehen lassen (Brutparasitismus). Larven mancher Käfer-Arten, die in Ameisennestern leben, sondern *Pheromone ab, die die Pheromone der Ameisenlarven imitieren u. die gleichen Brutpflegehandlungen auslösen (A.-Pheromone). – *E* dummy, stimulus model – *F* leurre – *I* imitazione – *S* objeto simulado
Lit.: Franck, Verhaltensbiologie, Stuttgart: Thieme 1985.

atü s. Atmosphäre.

...atum. Latein. Endung für ...*id.

ATVPRENE®. Marke der ATV PROJECTS INDIA LTD., Indien, für SBS-Kautschuk. *B.:* Nordmann, Rassmann GmbH & Co.

Au. Chem. Symbol für *Gold.

Auberginen (Eierfrüchte). Birnen-ähnlich geformte, meist violette (auch grüne u. farblose) Früchte des wahrscheinlich aus Indien stammenden, seit dem Mittelalter auch im Mittelmeerraum kultivierten *Nachtschattengewächses *Solanum melongena*. 100 g eßbare A.-Substanz enthält 92,4 g Wasser, 1,2 g Eiweiß, 0,2 g Fett u. 5,6 g Kohlenhydrate; Nährwert 25 kcal (105 kJ). Die A. werden im allg. gedünstet, gebacken etc. als Gemüse, z.T. auch als Salat verzehrt. – *E* eggplants – *F* aubergines – *I* melanzane – *S* berenjenas
Lit.: Franke, Nutzpflanzenkunde, Stuttgart: Thieme 1992. – *[HS 0709 30]*

Aucubigenin s. Aucubin.

Aucubin (Rhinanthin, Aucubinosid).

$C_{15}H_{22}O_9$, M_R 346,33, Nadeln, Schmp. 182–183 °C (Zers.), $[\alpha]_D$ –162° (H_2O), lösl. in Wasser, Ethanol, unlösl. in Chloroform. *Iridoid-Glucosid aus *Aucuba japonica* u. vielen anderen Pflanzen, bes. Scrophulariaceae. Das Aglucon heißt *Aucubigenin* ($C_9H_{12}O_4$, M_R 184,19, Öl). – *E* aucubin – *F* aucubine – *I = S* aucubina
Lit.: Beilstein E V **17/7**, 518 ▪ Justus Liebigs Ann. Chem. **1990**, 715 ff. (abs. Konfiguration). – *[HS 2938 90; CAS 479-98-1]*

Audit s. Sicherheitsaudit.

Auer BD 96. Preßluftatmer (Atemschutzgerät) der Auergesellschaft GmbH.

Auer Ex-ALARM. Überwachungsanlagen zur Warnung vor zündfähigen Gas-/Dampf-/Luft-Gemischen. *B.:* Auergesellschaft GmbH.

Auer-Gas-Tester® (I u. II). In Verbindung mit *Prüfröhrchen zu verwendendes Gerät zur qual. u. quant. Bestimmung von schädlichen u. tox. Gasen u. Dämpfen. *B.:* Auergesellschaft GmbH.

Auergesellschaft GmbH. Thiemannstr. 1, 12059 Berlin. Gründungsjahr 1892. Dtsch. Tochterges. der Mine Safety Appliances Company (MSA), Pittsburgh, PA 15230, USA. Niederlassungen in Deutschland in Essen, Frankfurt, Hamburg, München; Vertretung durch MSA-Ges. in zahlreichen Ländern. *Daten* (1995): 750 Beschäftigte, 19 Mio. DM Kapital, ca. 130 Mio. DM Umsatz. *Produktion u. Vertrieb:* persönliche Schutzausrüstung u. Gasmeßgeräte zum Erkennen von Gefahren durch brennbare u. tox. Gase.

Auerlicht s. Gasglühkörper.

Auer Perspecta. Arbeitsschutzbrillen-Programm der Auergesellschaft GmbH.

Auer-Prüfröhrchen®. Sortiment von *Prüfröhrchen für Gase u. Dämpfe. Die Konz. des Meßstoffes ist der Länge der aufgrund chem. Reaktion verfärbten Schicht äquivalent; von einer aufgedruckten Skala läßt sich die Konz. ablesen (Angabe meist in ppm od. vol %). Es gibt A. für mehr als 100 verschiedene Gase u. Dämpfe. *B.:* Auergesellschaft GmbH.

Auer 3 S. Atemschutzmaske der Auergesellschaft GmbH.

Auer-Toximeter®. In Verbindung mit *Prüfröhrchen zu verwendendes Gerät zur automat. Bestimmung der Konz. von schädlichen Gasen u. Dämpfen, auch zur kontinuierlichen Luftüberwachung. *B.:* Auergesellschaft GmbH.

Auer von Welsbach, Carl (1858–1929), Chemiker, Erfinder u. Industrieller in Wien. *Arbeitsgebiete:* Isolierung von Seltenen Erden aus brasilian. Monazitsand, Entdeckung von Lutetium, Neodym u. Praseodym, Erfindung des Auerglühstrumpfs (*Gasglühkörper), der Metallfadenlampe u. des Cereisens für Feuerzeuge.
Lit.: Neufeldt, S. 78, 116 ▪ Pötsch. S. 20 ▪ Strube **2**, 169 f., 193 ▪ Strube et al., S. 140 f.

Aufbauprinzip. Regeln zur Ermittlung der *Elektronenkonfiguration eines Mehrelektronenatoms mit der niedrigsten Gesamtenergie. Die *Atomorbitale werden hierbei nach zunehmender Orbitalenergie unter Berücksichtigung des *Pauli-Prinzips u. bei entarteten od. fastentarteten Orbitalen auch der *Hundschen Regeln besetzt. Für die Orbitalenergien der energet. tiefsten Atomorbitale gilt die Reihenfolge: $1s<2s<2p<3s<3p$. Die Elektronenkonfiguration für den Grundzustand des Fluor-Atoms lautet daher $1s^22s^22p^5$. Das A. läßt sich auch auf Mol. anwenden; anstelle der Atomorbitale sind dann *Molekülorbitale zu verwenden.
– *E* build up principle – *F* principe de constitution – *I* principio aufbau – *S* principio de la estructura

Aufbereitung. Bez. für die Behandlung von *Rohstoffen, Rohstoffresten od. *Abfällen, die im allg. der *Anreicherung erwünschter Komponenten od. der *Reinigung dient. A.-Verf. sind daher im allg. *Trennverfahren. Derartige Prozesse spielen z. B. im *Bergbau* eine wichtige Rolle, denn die in der Natur vorgefundenen *Erze sind zumeist mit Ton, Kalk, Sand, Wasser u. a. wertlosen, allg. als *Gangart* bezeichneten Materialien mehr od. weniger verunreinigt. Durch die A. soll die Gangart möglichst weitgehend ausgeschieden werden, so daß man für den eigentlichen Verhüttungsprozeß ein hochprozentiges, verhältnismäßig reines Erz zur Verfügung hat. Ein sehr wichtiges A.-Verf. ist die *Sink-Schwimm-Aufbereitung (s. a. Flotation); in anderen Fällen werden trockene Trennmethoden (Klauben, *Sieben, *Windsichten), *Aufschlämmen, magnet. Trennverf. (z. B. beim Magneteisenstein) od. Vorerhitzung (Vergasung von Kristallwasser, Kohlendioxid usw.) angewendet. Unter *Wasseraufbereitung* versteht man in der Wasserversorgung sämtliche Verf., durch die die Beschaffenheit des *Wassers dem jeweiligen Verw.-Zweck angepaßt werden kann, s. a. Abwasser u. Trinkwasser u. vgl. a. *Lit.*[1]. Bes. Bedeutung im Hinblick auf die zunehmende Rohstoffverknappung u. den *Umweltschutz hat die *Wiederaufbereitung* (Rückgewinnung, s. Recycling) von *Altmaterial wie *Altmetall, *Altöl, *Altreifen u. a. *Abfällen, von *Kunststoffen (vgl. *Lit.*[2]), von *Textilien od. *Papier. Spezielle Techniken erfordert die A. von *radioaktiven Abfällen in der *Kerntechnik, wenn verbrauchte *Brennelemente auf *Kernbrennstoffe u. Metalle aufgearbeitet werden, s. *Lit.*[3]. – *E* treatment, regeneration, dressing – *F* traitement – *I* preparazione – *S* tratamiento
Lit.: [1] Chem. Tech. (Heidelberg) **6**, 127–134 (1977); **16**, 98 ff. (1987). [2] Chem. Ind. (Düsseldorf) **26**, 24 ff. (1974). [3] DECHEMA-Monogr. **75**, 469–484 (1974); Chem. Ind. (Düsseldorf) **29**, 684–694 (1977).
allg.: Aufbereitung feiner u. feinster Körnungen, Leipzig: Grundstoffind. 1975 ▪ Beiträge zur Aufbereitung u. Verarbeitung fester mineralischer Rohstoffe, Leipzig: Grundstoffind. 1978 ▪ Kirchberg, Beiträge zur Aufbereitungstechnik, Leipzig: Grundstoffind. 1977 ▪ Meyer u. Hartmann, Geotechnologische Verfahren der Rohstoffgewinnung-Wertstoffgewinnung durch Auflösung u. Auslaugung, Leipzig: Grundstoffind. 1977 ▪ Schubert, Aufbereitung fester mineralischer Rohstoffe (2. Bd.), Leipzig: Grundstoffind. 1975, 1978 ▪ Ullmann (5.) **B 2** ▪ Winnacker-Küchler (4.) **4**, 63 ff.

Aufbügelstoffe. Bez. für ggf. gerauhte, mit Pulverbeschichtung od. Klebstrichen auf Dispersionsbasis imprägnierte bzw. beschichtete u. durch Bügeln aufzubringende Gewebe, die als Futter zur Strukturbesserung von Ledern od. Kunststoffen in der Schuhwaren-, Täschner- u. ä. Ind. verwendet werden. – *E* ironing fabrics – *F* substances d'application – *I* stoffe applicabili – *S* material termosellado

Aufdampfen (Bedampfen). Verf. zur Herst. von Überzügen aus Metallen, Oxiden od. Salzen auf Metallen, Kunststoffen (s. Kunststoffmetallisierung) u. dgl. durch therm. *Verdampfen im Vakuum (elektr. mit Elektronenstrahlen, durch *Kathodenzerstäubung od. *Drahtexplosion, ggf. mit Hilfe von *Laser-Strahlen). Über die chem. Reaktion beim A. s. *Lit.*[1]. Die Schichten erreichen gewöhnlich Stärken von 0,1 bis 1 µm. Zur Technik des A. u. den Anw.-Möglichkeiten s. *Lit.*[2].
– *E* vapor deposition – *F* revêtement au vide – *I* evaporamento – *S* deposición en fase vapor
Lit.: [1] Angew. Chem. **87**, 227–244 (1975). [2] Kontakte (Merck) **1975**, Nr. 2, 23–31; **1976**, Nr. 1, 33–38; Metalloberfläche **38**, 248–255 (1984); Surf. Coat. Technol. **27**, 1–21 (1986); **31**, 297–302 (1987).
allg.: Annu. Rev. Materials Sci. **3**, 317–326 (1973) ▪ Haskell u. Byrne, in Herman, Treatise on Materials Science and Technology, Bd. 1, New York: Academic Press 1972 ▪ Schiller u. Heisig, Bedampfungstechnik in der Elektronik, Berlin: Verl. Technik 1976 ▪ Schiller u. Heisig, Bedampfungstechnik, Stuttgart: Wiss. Verlagsges. 1975 ▪ Winnacker-Küchler (4.) **4**, 689 f.

Aufglasurpigmente s. keramische Pigmente.

Aufguß s. Infusum.

Aufheller s. optische Aufheller.

Aufhellungsmittel für Mikroskopie. Bez. für Flüssigkeiten, die zu mikroskop. Präp. auf den Objektträger gegeben werden, um deren Durchsichtigkeit zu erhöhen; *Beisp.:* Glycerin, Kalilauge, Diaphanol, Schulzesches Mazerationsgemisch, *Eau de Javelle, wäss. Milchsäure, alkohol. Lsg. von *Phloroglucin. – *E* brightening agents – *F* éclaircissants, éclaircisseurs – *I* agente schiarante per la microscopia – *S* aclaradores

Aufkohlung. Eine auch als *Zementation, Einsatzhärtung od. Carburierung bezeichnete, von der Oberfläche ausgehende Eindiffusion von Kohlenstoff in metall. Werkstoffe (vornehmlich *Stahl od. Stahlguß) bei hohen Temperaturen. Die mit der Eindiffusion von C verbundene Eigenschaftsbeeinflussung des Werkstoffes wird techn. ausgenutzt, um bei Stahl in Randschichtbereichen durch *Vergüten hohe Härten zu erreichen. Hierzu wird das zu behandelnde Bauteil in einer festen, flüssigen od. gasf. Umgebung mit hohen C-Aktivitäten ausgelagert (eingesetzt). Die Eindiffusion von C u. die sich daraus ergebenden Effekte hängen dabei vom zu behandelnden Werkstoff u. von der Umgebung sowie von der A.-Temp. u. A.-Dauer ab. Angestrebt werden Einsatztemp. zwischen 850 u. 950 °C, bei denen

Aufladung

der *Austenit als Hochtemp.-*Modifikation des Eisens stabil ist, da dieser – im Gegensatz zum *Ferrit als Tieftemp.-Modifikation – einen 100fach höheren Gehalt an C lösen kann. Zur A. werden im allg. Einsatzstähle hinzugezogen. Nach erfolgter A. verhält sich die Randschicht wie ein Stahl mit entsprechend hohem C-Gehalt u. kann daher einer Vergütung zur Verbesserung der Festigkeitseigenschaften u. des Verschleißverhaltens unterzogen werden. Unter bes. Bedingungen ist die Synergie des Eindiffundierens von C u. N techn. interessant; s. a. Carbonitrieren. A. kann allerdings auch als unerwünschter Begleiteffekt auftreten, wenn C hoher Aktivität bei hohen Temp. vorliegt (*Beisp.:* Crackprozesse in der Petrochemie). C dringt dann in das Gefüge ein u. führt zu Versprödungen, inneren Spannungen u. schließlich zum Versagen. – *E* carburization – *F* carburation – *I* carburazione – *S* carburación

Lit.: DIN/EN 10052 (01/1994) ▪ DIN 1654 Tl. 3 (10/1989) ▪ DIN 17210 (09/1986).

Aufladung s. elektrostatische Aufladung.

Auflage. Die in der Praxis wichtigste Nebenbestimmung einer Genehmigung ist die A., durch die ein Tun, Dulden od. Unterlassen vorgeschrieben wird. Dazu gehören insbes. Begrenzungen der *Emissionen u. *Immissionen, Reststoffverwertungsgebot od. sonstige Verpflichtungen in bezug auf Errichtung, Beschaffenheit, Unterhaltung, Wartung od. Betrieb einer Anlage. Auch Beschränkungen der Produktion kommen in Betracht. Bestimmte Emissions- u. Immissionsmessungen können vorgeschrieben werden. A. können auch Pflichten umfassen, die nach einer Betriebseinstellung zu erfüllen sind.

Zu unterscheiden ist zwischen den *echten A.* u. *modifizierenden A.*, die keine zusätzlichen Pflichten hinzufügen, sondern den Genehmigungsgegenstand begrenzen. Häufig ist in der Praxis eine modifizierende A. gemeint, so z. B. wenn in der Anlagengenehmigung Emissions- u. Immissionsbegrenzungen geregelt werden. – Anders als die echten A. sind die modifizierenden A. nicht selbständige, der Genehmigung hinzugefügte Verwaltungsakte. Echte A. sind isoliert anfechtbar; bei erfolgreicher Anfechtung tritt keine Wirkung für die Genehmigung ein. Steht hingegen die Nebenbestimmung, z. B. eine modifizierende A., mit dem Gesamtinhalt der Genehmigung in einem untrennbaren Zusammenhang, kann sie niemals allein angefochten od. aufgehoben werden. In der Regel ist der Betreiber dann auf die Verpflichtungsklage angewiesen. Von A. zu unterscheiden sind andere Nebenbestimmungen: Bedingung, Befristung, Widerrufsvorbehalt, Auflagenvorbehalt. Eine *Bedingung* bzw. eine *Befristung* liegt vor, wenn die Wirksamkeit der Genehmigung vom Eintritt eines künftigen Ereignisses (aufschiebende/auflösende Bedingung) bzw. von einem bestimmten Zeitablauf (Befristung) abhängig gemacht wird.

Mit einem A.-Vorbehalt (nur bei Teilgenehmigung) behält sich die Behörde vor, der Genehmigung später weitere A. hinzuzufügen. – Kein A.-Vorbehalt in diesem Sinne ist der einer Genehmigung beigefügte Vorbehalt, später eine bestimmte A. anzufügen. Ein solcher unechter A.-Vorbehalt (Konkretisierungsvorbehalt) wird in Grenzfällen, insbes. bei neuartigen Anlagen, angebracht sein. – *E* legal requirements – *F* obligation – *I* condizione legale – *S* imposición legal

Lit.: Feldhaus, Bundesimmissionsschutzrecht, Kommentar, Wiesbaden: Dtsch. Fachschriften-Verl. 1991 ▪ Jarass, Bundes-Immissionsschutzgesetz, Kommentar, S. 172, München: Beck 1983 ▪ Pütz u. Buchholz, Die Genehmigungsverfahren nach dem Bundesimmissionsschutzgesetz (4.), S. 315, Berlin: Schmidt 1991 ▪ Sellner, Immissionsschutzrecht u. Industrieanlagen (2.), S. 157, München: Beck 1988.

Auflaufen. Begriff aus der Landwirtschaft, unter dem man die *Keimung der Nutzpflanzen, d. h. das Sichtbarwerden der ersten Blätter versteht. Sinngemäß spricht man von vor- od. nachauflaufendem *Pflanzenschutz. – *E* emergence – *F* émergence – *I* emergenza – *S* emergencia, despunte

Auflaufkrankheiten. Meist durch *Pilze verursachte Pflanzenerkrankungen an Keim- u. Jungpflanzen. Entseuchung des Bodens durch Dämpfung od. Desinfektion (s. Pflanzenschutz).

Auflösung. In der analyt. Chemie synonym zu *Trennschärfe* benutzter Begriff, um den Grad räumlicher Trennung benachbart liegender Substanzen auf Chromatogrammen (vgl. Chromatographie) zu kennzeichnen. Eine verwandte Bedeutung hat A. in der *Photographie. – *E* resolution – *F* résolution – *I* risoluzione – *S* resolución

Lit.: Z. Anal. Chem. **234**, 1 – 10 (1968).

Aufrahmen s. Flotation.

Aufsatz (Destillier-, Fraktionier-A.) s. Destillation.

Aufschlämmen (Schlämmen). Bez. für ein *Trennverfahren (vgl. Aufbereitung) für Gemische aus Feststoffen unterschiedlicher Dichte u./od. Teilchengröße durch Ausnutzen der unterschiedlichen *Sedimentations-Geschw. der Teilchen in einer Flüssigkeit. A. spielt eine Rolle beim Goldwaschen aus goldhaltigen Sanden, bei der Herst. von Schlämmkreide u. von sog. *Sprengschlämmen* (s. Sprengmittel). – *E* slurrying – *F* suspension – *I* defangazione – *S* suspensión

Aufschluß. In der *chemischen Analyse bedeutet A. das Überführen schwerlösl. Substanzen (z. B. Bariumsulfat, Silicate, Oxide) in säure- od. wasserlösl. Verb., um sie im üblichen Analysengang nachweisen od. bestimmen zu können. Das A.-Mittel richtet sich nach dem aufzuschließenden Stoff (bas. A.-Mittel für saure, saure für bas. Stoffe, Oxidationsmittel für reduzierende, Reduktionsmittel für oxidierende Verb.), vgl. die Übersicht in *Lit.*[1]. Schwerlösl. Erdalkalimetallsulfate schmilzt man mit der vierfachen Menge eines Gemisches aus gleichen Teilen wasserfreier Soda u. Pottasche, wobei z. B. Bariumcarbonat u. Natriumsulfat entstehen: $BaSO_4 + Na_2CO_3 \rightarrow BaCO_3 + Na_2SO_4$.

Die erkaltete Schmelze wird mit Wasser gut ausgewaschen, wobei sich Natriumsulfat, Kaliumsulfat u. die unzersetzten Alkalimetallcarbonate herauslösen, während z. B. Bariumcarbonat im Rückstand verbleibt u. nach Auflösen in verd. Essigsäure od. Salpetersäure auf die übliche Weise nachgewiesen werden kann. Viele Silicate schließt man mit Flußsäure od. Ammoniumfluorid u. wenig verd. Schwefelsäure, Oxide

durch Schmelzen mit Alkalimetall-Hydrogensulfaten auf. Meist werden die A.-Arbeiten in Platin-Gefäßen vorgenommen, da die aggressiven Reagentien Porzellan angreifen würden. Bei organ. Proben, biolog. Materialien, Polymeren u. Lebensmitteln werden zur Elementbestimmung A. verschiedener Art angewandt. Neben Schmelz-A. werden Naß-A. (mit oxid. Säuren) u. A. durch Verbrennen häufig eingesetzt. Schmelz-A. können offen od. auch in Druckgefäßen ausgeführt werden. Naß-A. werden überwiegend in Druckgefäßen (*Bombenaufschlüsse) durchgeführt. Neben der konventionellen Heizung durch Wärmeübertragung werden Mikrowellen-Anregung u. auch UV-Licht angewendet. Bei der Mikrowellen-Anregung besticht die kurze Aufheizzeit im Vgl. zur konventionellen Heizung. Für Verbrennungs-A. werden Schöninger-Kolben (*Schöniger-Bestimmung) u. Wickboldt-Apparaturen (*Wickbold-Methoden) verwendet. Auch die Verbrennung im Sauerstoff-Strom ist möglich. Für Spurenelement-Bestimmung eignet sich als A.-Meth. die Kalt-Plasma-Veraschung. Hierbei wird Sauerstoff-Plasma als reagierendes Mittel durch ein Hochfrequenzfeld erzeugt. In der *Metallurgie benutzt man zum A. armer *Erze meist Verf. der *Hydrometallurgie. Eine neuere Entwicklung ist die Laugung (s. Auslaugen) sulfid. Erze mit Hilfe spezieller *Bakterien. – *E* decomposition – *F* décomposition, fusion – *I* decomposizione – *S* descomposición, fusión
Lit.: [1] Lernen + Leisten, Beilage zu Chem. Labor Betr. **1972**, 57–63.
allg.: Bock, Aufschlußmethoden der anorganischen u. organischen Chemie, Weinheim: Verl. Chemie 1972 ▪ Kingston u. Jassie (Hrsg.), Introduction to Microwave Sample Preparation, Washington: ACS 1988 ▪ Pure Appl. Chem. **61**, 1139–1146 (1989) ▪ Sulcec u. Povondra, Application of Decomposition in Inorganic Analysis, Boca Raton: CRC Press 1989.

Aufschluß von Mikroorganismen. Zur Isolierung von Inhaltsstoffen aus Mikroorganismenzellen müssen im Regelfall die Zellwand u. -membran zerstört werden. Der A. v. M. kann mechan. (durch *Ultraschall, Drucksprung od. Zermahlen in einer Kugelmühle), chem. (durch Plasmolyse od. Einwirkung von organ. Lsm.) od. enzymat. (durch zellwandlösende Enzyme) erfolgen. Das Verf. sollte so gewählt werden, daß die biolog. Aktivität der zu isolierenden Substanzen möglichst wenig verändert wird. – *E* microorganism cell breakage (disruption) – *F* fractionnement cellulaire de microorganismes – *I* decomposizione di microorganismi – *S* rotura celular de microorganismos
Lit.: Adv. Biochem. Eng./Biotechnol. **40**, 19–66 (1989) ▪ Biotech-Forum **3**, 68 (1986) ▪ Process Biochem. **23**, 12–16 (1988).

Aufschwimmen. Nach DIN 55945 (12/1988) Bez. für das Anreichern von *Pigmenten an der Oberfläche eines Beschichtungsstoffes (*Anstrichstoffes) od. einer *Beschichtung (bei *Metalleffekt-Pigmenten ist dieses Phänomen erwünscht u. wird auch „leafing" genannt). Der Begriff A. ist nicht zu verwechseln mit *Ausschwimmen. – *F* flottation – *S* flotar en la superficie, quedarse encima
Lit.: Sponsel et al., Lexikon der Anstrichtechnik, 8. Aufl., Bd. 1, S. 28, München: Callwey 1987.

Aufsticken. Veraltete Bez. für *Nitridieren. Einbringen von (atomarem) Stickstoff in *Stahl zur Beeinflussung von Eigenschaften wie *Härte u. Verschleißbeständigkeit.

Auftausalze s. Streusalz.

Auftragsforschung (Vertragsforschung). Bez. für *Forschung, die von wirtschaftlich unabhängigen Inst. in fremdem Auftrag gegen Honorar ausgeführt wird; die Ergebnisse der A. gehen in den Besitz des Auftraggebers über. Die A. ist bes. für kleine u. mittlere Unternehmen (*KMU) wichtig, die keine eigenen Forschungs- u. Entwicklungs-Abteilungen haben, um neue Erkenntnisse zu gewinnen od. in die betriebliche Praxis (Produkte u. Verf.) umzusetzen. Auftragnehmer sind z. B. Hochschulen, Großforschungseinrichtungen (*AGF) od. sonstige staatlich unterstützte (z. B. *Fraunhofer-Gesellschaft, *Max-Planck-Gesellschaft) od. private Forschungsstätten. Auftragsforschung kann vom BMBF u. den Bundesländern bezuschußt werden; Information u. Antragstellung bei *AIF. Viele Forschungsinst. u. Hochschulen haben inzwischen, wie auch die Ind.- u. Handelskammern, Technologie-Transferstellen bzw. eine Innovationsberatung eingerichtet, um den Kontakt zwischen Wissenschaft u. Wirtschaft zu fördern. – *E* contract research – *F* recherche contractuelle, recherche sous contract – *I* incarico di ricerca, ricerca commissionata – *S* investigación por contrato
Lit.: Förderfibel des BMBF, Bonn: 1995.

Auftrittpotential s. Ionisation.

Aufwachsverfahren. Ein von van Arkel u. de *Boer 1924 entwickeltes Verf. zur Herst. reinster Metalle (Cr, Hf, Re, Ta, Th, Ti, V, Zr). Nichtmetalle (B, Si) u. Verb. (ZrN) durch Hitzezers. der betreffenden Iodide an einem elektr. beheizten feinen Wolframdraht in einer abgeschlossenen Pyrexglasapparatur. Das A. ist eine typ. chem. *Transport-Reaktion. – *E* filament growth method – *F* dépôt en phase vapeur – *I* processo di crescita
Lit.: Kirk-Othmer (3.) **9**, 753; **22**, 994; **23**, 680; **24**, 873 ▪ Rolsten, Iodide Metals and Metal Iodides, New York: Wiley 1961.

Aufziehen. 1. Aufnahme des Farbstoffes durch die Faser beim Färben (*Affinität) unter mehr od. weniger hoher Erschöpfung des Färbebades. – 2. Aufnadeln der Ware auf einem Sternreifen. – 3. Auftrennen der Schlauchnähte bei Wirkwaren (vgl. Wirken) u. im Schlauch genähten Webwaren. – *E* uptake – *F* monter – *I* avvolgere – *S* fijar, montar, absorber

Auge. Bez. für das von Lichtreizen erregbare Sinnesorgan, das mit Hilfe von Sinneszellen Informationen über die Umwelt vermittelt. Im Gegensatz zu diffus verstreuten Lichtsinneszellen gewährleistet das A. ein hohes visuelles Leistungsvermögen. Je nach Organismus u. seiner Lebensweise sind in der Natur unterschiedliche Augenformen verwirklicht. So unterscheidet man *Gruben- u. Becheraugen*, die aus einer unterschiedlich tief eingesenkten Sehzellenschicht bestehen (z. B. bei Würmern u. Schnecken) sowie *Loch- u. Blasenaugen* (z. B. bei Kopffüßern), bei denen das Licht durch ein kleines Loch einfällt u. auf eine ausgeweitete Sehzellenschicht fällt, was bereits Bild- u. Entfernungssehen möglich macht. *Linsenaugen*, bei denen durch eine dem Sinnesepithel vorgelagerte Linse Ab-

bildungseigenschaften u. Lichtausbeute verbessert werden, treten in unterschiedlichen Formen auf. Bei den Augen der Spinnen u. Ocellen der Insekten liegt allen Sehzellen eine Linse dicht auf. Bei den *Komplexaugen* der Arthropoden bedecken die zahlreichen Linsen der Einzelaugen (Ommatidien) das Sinnesepithel. Bei Kopffüßern u. Wirbeltieren, also auch beim Menschen, liegt die Linse in der Öffnung einer Kammer, deren Wand von Sinnesepithel bedeckt ist. Das menschliche Auge liegt, von den sechs äußeren Augenmuskeln gehalten u. bewegt, in der knöchernen Augenhöhle des Schädels. Es besteht aus dem Augapfel, dessen Durchmesser etwa 2,5 cm beträgt u. dem an seinem hinteren Ende austretenden u. zum Gehirn ziehenden Sehnerven. Außen ist der *Augapfel* von einer elast. Bindegewebsschicht, der *Lederhaut* (Sclera), umgeben. Diese geht am vorderen Teil des Auges in die durchsichtige *Hornhaut* (Cornea) über. Die Cornea ist stärker gewölbt u. stellt die Stelle dar, an der einfallendes Licht am stärksten gebrochen wird. Unterhalb der Sclera kleidet die *Aderhaut* (Chorioidea) den Augapfel aus. Sie bildet nach vorne hin unterhalb der Cornea einen pigmentierten, mit glatter Muskulatur versehenen Ring, die *Regenbogenhaut* (Iris), dessen innerer Durchmesser (Pupille) durch Muskelaktivität blendenartig veränderbar ist. Die innerste der drei übereinanderliegenden Wandschichten ist die *Netzhaut* (Retina), die Sinneszellenschicht, die von der *Aderhaut* durch eine Lage von dunkel pigmentierten Zellen zur Lichtabschirmung getrennt ist. Die Netzhaut enthält die als *Photorezeptoren dienenden farbempfindlichen Zapfen u. Hell-Dunkel-empfindlichen Stäbchen, die die als Licht (Photonen) auftreffenden Reize in nervale Energie umwandeln (Transduktion, s. a. Sehprozeß). Die lichtempfindlichen Stäbchen liegen vorwiegend in der Peripherie der Netzhaut u. dienen dem Dämmerungssehen (skotop. Sehen), während die weniger helligkeitsempfindlichen Zapfen mehr zentral gelegen sind u. das Tages- u. Farbensehen (photop. Sehen) vermitteln. Die Stelle des schärfsten Sehens ist der sog. *gelbe Fleck*, ein 1,5 mm^2 großes pigmentiertes Netzhautareal, das nur aus Zapfen besteht u. exakt in der Sehachse liegt. Die Nervenfasern aus der Netzhaut sammeln sich im Sehnerven u. ziehen in Richtung Gehirn. An der Austrittstelle des Sehnerven aus dem Augapfel fehlen die Sehzellen der Netzhaut, so daß sich hier ein etwa 1,5 mm breiter *blinder Fleck* befindet.
Der von den drei Hüllen umgebene Raum wird durch die Iris u. die dahinter durch elast. Haltebänder (Zonulafasern) an einer Verdickung der Aderhaut, dem Ciliarkörper aufgehängten Linse in drei Abschnitte geteilt. Zwischen Cornea u. Iris befindet sich die *vordere Augenkammer*, zwischen Iris u. Linse die *hintere Augenkammer*. Der dritte u. größte Teil wird vom *Glaskörper* ausgefüllt, einer durchsichtigen weichen Gallertkugel aus Kollagenfibrillen, Hyaluronsäure u. Wasser. Einfallendes Licht tritt vor dem Auftreffen auf die Sinneszellschicht der Netzhaut durch mehrere lichtbrechende Oberflächen. Die normale Gesamtbrechkraft des Auges beträgt beim Blick in die Ferne 58,6 Dioptrien (dpt). Die stärkste Brechung der Lichtstrahlen geschieht schon am Übergang Luft/Cornea (42 dpt). Die Linse kann durch ihre Aufhängung am Ciliarkörper Form u. Brechkraft verändern, je nach Entfernung des betrachteten Objektes (Akkommodation). Auf die Ferne eingestellt ist der Ciliarmuskel entspannt, die Zonulafasern ziehen die Linse in die Länge, flachen sie ab u. verringern dadurch ihre Brechkraft. Bei Naheinstellung kontrahiert sich der Ciliarmuskel u. die Linse wölbt sich durch den Zug ihrer eigenen Elastizität, was ihre Brechkraft vergrößert. Die Bewegungen des Augapfels geschehen durch sechs äußere Augenmuskeln. Die Koordination der Augenmuskelbewegungen führt dazu, daß beim Umhersehen der fixierte Gegenstand jeweils auf die Stelle schärfsten Sehens abgebildet wird.
Mit der Erforschung u. Behandlung der Erkrankungen des Auges wie z. B. der Hornhauttrübung, der Linsentrübung (Katarakt, grauer Star), der Erhöhung des Augeninnendruckes (Glaukom, grüner Star), der Entzündungen (Retinitis, Iritis) od. des Schielens u. der Weit- u. Kurzsichtigkeit befaßt sich die Augenheilkunde (Ophthalmologie). Zu den therapeut. Prinzipien zählen die chirurg. Eingriffsmöglichkeiten z. B. bei Hornhaut- od. Linsenersatz, die Verw. verschiedener Laserstrahlen zur Operation im Bereich des hinteren Augenabschnittes u. der Einsatz verschiedener Medikamente zur lokalen (*Ophthalmika) od. system. Anwendung. – *E* eye – *F* yeux – *I* occhio – *S* ojo
Lit.: Grehn u. Leydhecker, Augenheilkunde, Heidelberg: Springer 1995 ▪ Horn, Vergleichende Sinnesphysiologie, Stuttgart: Fischer 1982 ▪ Maurice, The Eye, Orlando: Academic Press 1984 ▪ Moses u. Hart, Adlers Physiology of the Eye, St. Louis: C. V. Mosby Comp. 1987 ▪ Schmidt, Neuro- u. Sinnesphysiologie, Heidelberg: Springer 1995.

Augenduschen. Sicherheitsvorrichtung für Laboratorien zum Anschluß an das Trinkwassernetz. Im Fall einer Kontamination od. Verätzung der Augen ist es mit Hilfe der A. möglich, beide Augen gleichzeitig mit ausreichend Frischwasser zu spülen. – *E* eye-wash station – *F* lavage ophtalmique – *I* attrezzatura per il lavaggio degli occhi – *S* lavado de ojos
Lit.: DIN 12 899, Tl. 2 (07/1990).

Augenkosmetika (Augenpflegemittel). Sammelbez. für – teilw. schon seit Jahrtausenden übliche – Mittel, die die *Augen ausdrucksvoller erscheinen lassen sollen. Auch heute noch stellen die A. überwiegend dekorative Kosmetika dar. Da sie mit der Augenschleimhaut in Berührung kommen können, muß ihre Verträglichkeit für diesen Anw.-Bereich gesichert sein. Durch sorgfältige Konservierung muß Keimfreiheit gewährleistet sein, damit keine Krankheitserreger auf das empfindliche Auge übertragen werden. Die Zulassung der jeweiligen Produktinhaltsstoffe ist geregelt durch die Kosmetik-VO vom 16. 12. 1977 (BGBl. I, S. 2589, vom 21. 12. 1977) einschließlich der bis jetzt (1995) 22 Änderungs-VO. Applikationsorte sind Augenwimpern, Augenbrauen u. Augenlider. Man unterscheidet Wimperntuschen, (Mascara – von arab.: mas-cha-ra = Possenreißer), Augenbrauenstifte, Lidschatten, Eyeliner, Eye-fix, Augencremes, Augenmake-up-Entferner. Anw.- u. Rezepturbeisp. vgl. Umbach (*Lit.*). – *E* eye cosmetics – *F* cosmetics pour les yeux – *I* cosmetici degli occhi – *S* cosméticos para los ojos

Lit.: Kirk-Othmer (3.) **7**, 145, 162 ▪ Ullmann (4.) **12**, 439 ▪ Umbach, Kosmetik, 2. Aufl., S. 319–325, Stuttgart: Thieme 1995.

Augenreizstoffe s. Tränenreizstoffe.

Augenschutz. Die Augen sind in vielen Arbeitsbereichen u. bei zahlreichen Tätigkeiten schädigenden Einflüssen ausgesetzt. Man unterscheidet nach mechan., opt., chem. u. therm. Einwirkungen. In vielen Fällen ist auch mit dem Zusammentreffen mehrerer Schädigungen zu rechnen.
Mechan. Schädigungen werden in erster Linie durch Splitter, Späne u. Staub verursacht. Opt. Schädigungen sind auf die örtliche Erwärmung des Auges durch die den Augapfel treffende Strahlungsenergie zurückzuführen. UV-Strahlung führt zu Hornhaut- u. Bindehautentzündungen. Infrarotstrahlung verursacht bei hoher Intensität Verbrennung der Netzhaut. Bes. gefährlich sind Laserstrahlen wegen ihrer enorm hohen Energiebündelung. Chem. Schädigungen können durch feste, flüssige od. gasf. Stoffe hervorgerufen werden. Säurespritzer auf der Hornhaut verursachen Geschwüre mit Narbenbildung, während wenige Tropfen Laugen zur Trübung der gesamten Hornhaut führen. Therm. Schädigungen der Augen werden v. a. bei extremen Temperatureinwirkungen hervorgerufen. Als geeignete Augenschutzgeräte gelten nur solche, die zum Schutz des Benutzers den Festigkeits- u. opt. Anforderungen der als anerkannte Regeln der Technik geltenden Normen entsprechen. Diese Geräte tragen am Tragkörper u. an den Sichtscheiben das DIN-Zeichen u. den Kennbuchstaben des Herstellers; darüber hinaus muß auf den Sichtscheiben noch das Kurzz. für die Scheibenart, bei Sichtscheiben mit Filterwirkung die Schutzstufe angegeben sein.
Für jeden Beschäftigten, der bei der Arbeit A. tragen muß, soll ein eigenes Augenschutzgerät zur Verfügung stehen. – *E* eye protection

Lit.: Regeln für den Einsatz von Augen- u. Gesichtsschutz (ZH 1/703) (Ausgabe April 1995) (Bezugsquelle für ZH-1-Schriften: Carl Heymanns Verl. Köln) ▪ UVV „Allg. Vorschriften" (VBG 1) in der Fassung vom 1. 4. 1992 (Bezugsquelle für Unfallverhütungsvorschriften: Carl Heymanns Verl. Köln, Jedermann-Verl. Heidelberg).

Augentonikum Stulln® N. Tropfen mit *Digitalin u. Retinolpalmitat gegen Akkommodationsschwäche. *B.:* Pharma Stulln.

Augentrost. Zu den Rachenblütlern (Scrophulariaceae) zählendes Kraut (*Euphrasia*-Spezies – sehr unterschiedliche Einteilung der Arten) mit farblosen, purpurn gestreiften Blüten, das auf Wiesen, Weiden u. an Wegrändern vorkommt. u. neben Gerbstoffen Iridoid-Glykoside wie *Aucubin* sowie harzartige aromat. Substanzen enthält. Der Aufguß des A.-Krautes wird äußerlich zu Augenbädern u. Umschlägen bei Entzündungen u. Ermüdungserscheinungen des Auges, innerlich gegen Magenbeschwerden verwendet. – *E* eyebright – *F* euphraise, casse-lunettes – *I = S* eufrasia

Lit.: Hager (4.) **4**, 886 ff. ▪ Wichtl (2.), S. 70 f. – *[HS 1211 90]*

Auger, Pierre Victor (1899–1993), Prof. für Atomphysik, Univ. Paris. *Arbeitsgebiete:* Physik, kosm. Strahlung, Weltraumforschung, Entdecker des nach ihm benannten A.-Effekts (vgl. Auger-Spektroskopie), Wissenschaftstheorie.

Lit.: Neufeld, S. 151 ▪ Poggendorff **7 b/1**, 159–161.

Auger-Effekt. Eine Form der Präionisation (s. Autoionisation), die 1925 von dem franz. Physiker Pierre *Auger (1899) entdeckt[1] u. von G. Wentzel[2] als ein strahlungsloser Übergang theoret. beschrieben wurde. Wird ein Atom in einem tiefliegenden Energieniveau mit der Bindungsenergie E_1 (z. B. K- od. L-Schale) ionisiert, so wird das erzeugte Loch durch ein Elektron aus einem höheren Energieniveau (Bindungsenergie E_2) wieder aufgefüllt. Die dabei freiwerdende Energie kann als charakterist. *Röntgenstrahlung (mit $h \cdot \nu = E_1 - E_2$) emittiert werden od. sie wird strahlungslos auf ein Elektron eines höheren Energieniveaus (Bindungsenergie E_3) übertragen, das dann (als *Auger-Elektron*) das Atom verläßt u. dabei die Energie $E_A = E_1 - E_2 - E_3$ besitzt. Da die Energien E_1, E_2 u. E_3 charakterist. für das angeregte Atom sind, kann durch Ausmessen der kinet. Energie E_A der Auger-Elektronen die Atomart bestimmt werden (s. Auger-Spektroskopie).

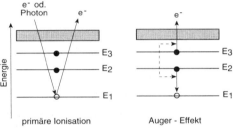

Abb.: Präionisation u. Auger-Effekt.

Auger-Elektronen werden durch das Element-Symbol u. drei weitere Buchstaben gekennzeichnet; so bedeutet z. B. Mg-K,LM : prim. Ionisation der K-Schale (E_1), Startniveau des auffüllenden Elektrons war L-Schale (E_2) u. Ausgangsniveau des Auger-Elektrons war die M-Schale (E_3). – *E* Auger effect – *F* effet Auger – *I* effetto Auger – *S* efecto Auger

Lit.: [1] J. Phys. Radium **6**, 205 (1925). [2] Z. Phys. **43**, 524 (1927). *allg.:* Bergmann u. Schaefer, Lehrbuch der Experimentalphysik, Bd. 4, Teilchen, Berlin: de Gruyter 1992.

Auger-Spektroskopie (Auger-Elektronen-Spektroskopie, AES). Bez. für ein Verf. der Sekundärelektronen-Spektroskopie, das auf den *Auger-Effekt zurückgeht. Durch Ausmessen der kinet. Energie der Auger-Elektronen werden bestimmt: (a) die *Energieniveaus* der inneren Schalen von Atomen (*Atombau). Um die ungestörten Energiewerte zu bestimmen, führt man diese Messungen sinnvollerweise mit Atomen durch, die frei von Wechselwirkungen mit anderen Atomen sind, d. h. in der Gasphase od. noch besser in einem Atomstrahl. Details über Experimente sowie die Theorie von Auger-Übergängen s. *Lit.*[1].
(b) das *chem. Element.* Die Energie der Auger-Elektronen ist vorrangig durch die Atomart bestimmt; der Einfluß chem. Bindungen macht sich als Verschiebung u. Verbreiterung von Linien im Energiespektrum bemerkbar. Da die Auger-Elektronen nur aus einer geringen Tiefe einer Festkörperoberfläche austreten, ist die AES eine sehr leistungsfähige Meth., um dünnste

Oberflächenschichten zu analysieren. Sie wird eingesetzt, um u. a. Oberflächen-Ausscheidungen od. Adsorptionsschichten auch von sehr niedriger Fremdstoffkonz. zu bestimmen. Hierbei kann die Oberfläche bis zu einer Tiefe von ca. 1 nm mit einer lateralen Auflösung von 100 nm u. einer Nachweisempfindlichkeit von unterhalb 1%-Anteil analysiert werden (vgl. Lit.[2]). Zur Messung der kinet. Energie der Auger-Elektronen wird meist ein elektrostat. Analysator (Zylinderspiegelanalysator, Cylindrical Mirror Analyzer, CMA) mit nachgeschaltetem Elektronenmultiplier (EM) verwendet. Die Abb. zeigt den prinzipiellen Aufbau einer AES-Apparatur zur Oberflächenanalyse[3].

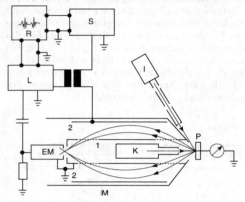

Abb.: Schema einer Anordnung zur Auger-Elektronenspektrometrie mit Zylinderspiegelanalysator (CMA). P Probe, 1 u. 2 Zylinderelektroden des CMA, K koaxiale Elektronenkanone, EM Elektronenmultiplier, L phasenempfindlicher Verstärker (Lockin), S Sägezahngenerator zum Durchfahren des Energiespektrums, R X-Y-Schreiber od. Oszillograph, M magnet. Abschirmung, I Ionenkanone zur Probenreinigung od. zum Probenabtrag bei Tiefenprofilanalysen.

– *E* Auger (electron) spectroscopy – *F* spectroscopie d'électrons Auger – *I* spettroscopia di Auger – *S* espectroscopía de electrones Auger
Lit.: [1] Mehlhorn, in Crasemann (Hrsg.), Atomic Inner Shell Physics, New York: Plenum 1985. [2] Phys. Unserer Zeit **20**, 35 (1989). [3] Oechsner, in Kohlrausch 2, Praktische Physik, Kap. 104, Stuttgart: Teubner 1985.
allg.: Briant, Auger Electron Spectroscopy, in Encycl. of Physical Science and Technology, Bd. 2, S. 395, San Diego: Academic Press 1992 ■ Henzler u. Göpel, Oberflächenphysik des Festkörpers, Stuttgart: Teubner 1994 ■ Trigg (Hrsg.), Encycl. of Applied Physics **2**, S. 297, Weinheim: VCH Verlagsges. 1991 ■ s. a. Oberflächenchemie u. Spektroskopie.

Augite s. Pyroxene.

Augmentan®. Tabl., Trocken-Saft, Tropfen u. Ampullen mit Trockensubstanz mit *Amoxicillin u. *Clavulansäure-Kaliumsalz gegen bakterielle Infektionen. *B.:* SmithKline Beecham.

Aunativ®. Injektionslsg. mit Hepatitis B Immunglobulin vom Menschen zur Prophylaxe u. Frühbehandlung von Hepatitis B. *B.:* Pharmacia.

Auramin {C.I. Basic Yellow 2, Bis-[4-(dimethylamino)-phenyl]-methylenimin-Hydrochlorid}.

$C_{17}H_{21}N_3 \cdot HCl$, M_R 303,83. Gelbes Pulver, Schmp. 136 °C (des freien Amins), in kaltem Wasser wenig, in heißem Wasser leicht lösl.; A. färbt tanningebeizte Baumwolle u. wirkt bakterientötend; A. ist nicht carcinogen[1].
Verw.: Zur Fluoreszenzfärbung von Tuberkelbazillen, in Druckfarben u. dgl. – *E* = *F* auramine – *I* = *S* auramina
Lit.: [1] Naturwissenschaften **60**, 523 f. (1973).
allg.: Beilstein E IV **14**, 256 ■ Ullmann **18**, 688 ■ Winnacker-Küchler (3.) **4**, 237 f. – *[HS 3204 13; CAS 2465-27-2]*

Auranofin.

Internat. Freiname für (2,3,4,6-Tetra-*O*-acetyl-1-thio-β-D-glucopyranosato)(triethylphosphin)gold, $C_{20}H_{34}AuO_9PS$, M_R 678,48; farblose Krist., Schmp. 110–111 °C, LD_{50} (Ratte, oral) 265, (Maus, oral) 310 mg/kg. Es wurde 1971 u. 1972 von SKF als Antirheumatikum patentiert u. ist von SmithKline Beecham (Ridaura®) im Handel. – *E* auranofin – *F* = *I* auranofine – *S* auranofina
Lit.: ASP ■ Hager (5.) **7**, 323 ff. – *[HS 2843 30; CAS 34031-32-8]*

Aurate. Salze der Goldsäure mit der allg. Formel $M[AuO_2]$ (M = einwertiges Metall); zur Krist.-Struktur von $Na_6[Au_2O_6]$ s. *Lit.* – *E* = *F* aurates – *I* aurati – *S* auratos
Lit.: Naturwissenschaften **63**, 387 (1976).

Aureobasidine (Basifungine). Gruppe von bisher 22 cycl. Depsipeptid-Antibiotika aus Kulturen der Hefe *Aureobasidium pullulans*[1]. Die Hauptkomponente A. A zeigt *in vitro* u. *in vivo* eine gute fungizide Wirkung gegen humanpathogene Pilze, z. B. *Candida albicans, Cryptococcus* spec., *Histoplasma* spec., weshalb es klin. als Antimykotikum geprüft wird[2]. Es wirkt vermutlich als β-1,3-Glucan-Synth.-Inhibitor (Biosynth. der Pilz-Zellwand).

A. A: $C_{60}H_{92}N_8O_{11}$, M_R 1101,44, Schmp. 155–157 °C (Stäbchen), 128–130 °C (Dihydrat), $[\alpha]_D^{20}$ −247° (c 0,2/CH_3OH), LD_{50} (Maus p.o.) 230, (Maus i.v.) >1000 mg/kg. Zwei Totalsynth. des Naturstoffes wurden beschrieben[3], doch ist die synthet. Herst. im Vgl.

zur fermentativen für die wirtschaftliche Nutzung zu aufwendig. – *E* aureobasidins – *F* auréobasidine – *I* aureobasidine – *S* aureobasidinas
Lit.: [1] J. Antibiot. (Tokyo) **44**, 919–924, 925–933, 1187–1198, 1199–1207 (1991); **46**, 1347–1354 (1993); **48**, 525 ff. (1995); J. Chem. Soc. Chem. Commun. **1992**, 1231 ff.; J. Org. Chem. **59**, 570–578 (1994). [2] J. Antibiot. (Tokyo) **46**, 1414–1420 (1993). [3] Chem. Lett. **1993**, 1873 ff.; Tetrahedron **52**, 4327–4346 (1996). – *[CAS 127785-64-2]*

Aureolen. A. sind schmale, meist farblose Ränder, die beim Drucken von *Ätzen um das gedruckte bzw. geätzte Muster herum entstehen; sie sind u. a. darauf zurückzuführen, daß die verwendete Verdickung den Farbstoff bzw. die *Ätze nicht genügend festhielt, sondern beim Fixieren (Dämpfen) auslaufen ließ. – *E* halo, ring marks – *F* auréoles – *I* aureole – *S* aureolas

Aureolsäure s. Mithramycin.

Aureomycin®. Salbe, Dentalpaste, Spray u. Augensalbe mit *Chlortetracyclin-Hydrochlorid gegen infektiöse Prozesse; Vaginaltabl. zusätzlich mit *Nystatin. *B.:* Novalis.

Aurichalcit. $(Zn,Cu)_5[(OH)_3/CO_3]_2$; zu Rosetten u. Krusten verwachsene, spangrüne bis himmelblaue, meist nadelige, oft seidenartig glänzende rhomb. Krist. (Krist.-Klasse 222-D_2), Ausblühungen od. erdige Anflüge, H. 2, D. 3,6–4,2.
Vork.: In *Oxidationszonen, z. B. Arizona/USA, Mapimi/Mexiko, Iran, Lavrion/Griechenland. – *E* = *F* aurichalcite – *I* auricalcite – *S* auricalcita
Lit.: Lapis **4**, Nr. 5, 6 f. (1979) ▪ Schröcke-Weiner, Mineralogie, S. 548, Berlin: de Gruyter 1981. – *[CAS 12172-81-5]*

Aurin [*p*-Rosolsäure, 4-(4,4′-Dihydroxybenzhydryliden)-2,5-cyclohexadienon].

$C_{19}H_{14}O_3$, M_R 290,32. Zu den *Triarylmethan-Farbstoffen gehörende Verb., tiefrote Krist., Zers. bei 308–310 °C, in Ethanol, Säuren u. Laugen gut, in Ether, Chloroform wenig u. in Benzol nicht löslich.
Herst.: Durch Erhitzen von Phenol, Oxal- u. Schwefelsäure od. Phenol, Ameisensäure u. $SnCl_2$.
Verw.: Indikator, Zwischenprodukt bei der Herst. von Farbstoffen. – *E* aurin – *F* aurine – *I* = *S* aurina
Lit.: Beilstein E IV **8**, 2646 ▪ Kirk-Othmer **20**, 693. – *[CAS 603-45-2]*

Aurintricarbonsäure-Ammoniumsalz (Aluminon).

$C_{22}H_{23}N_3O_9$, M_R 473,44. Gelblichbraunes Pulver, in Wasser leicht lösl., dagegen schwer bis unlösl. in Ethanol, Ether, Aceton u. Chloroform. A. bildet mit Al, Cr, Fe, Be, Ga stark farbige Lacke, die zum Nachw. dieser Metalle dienen können. – *E* ammonium aurintricarboxylate – *F* acide aurine-tricarbonique sel d'ammonium – *I* sale aurintricarbossilato d'ammonio – *S* aurintricarboxilato de amonio
Lit.: Beilstein E IV **10**, 4161 ▪ Fries-Getrost, S. 16 ff. – *[HS 2918 90; CAS 569-58-4]*

Auripigment (Rauschgelb). As_2S_3; zitronen- bis orangegelbes *Arsensulfid-Mineral, Krist.-Klasse 2/m-C_{2h}; Struktur [1] mit As_2S_3-Schichten. Kurzprismat. Krist.; meist derb als grobspätige, blättrige od. faserige, auf Spaltflächen perlmuttglänzende Massen od. Anflüge; H. 1,5–2, D. 3,4–3,5, Strich gelb, schneidbar. A. ist in Wasser u. Säuren unlösl., wird beim Erhitzen rot u. schmilzt leicht.
Vork.: Fast immer zusammen mit *Realgar, aus dem A. oft durch Zers. hervorgeht; z. B. Getchell/Nevada, Allchar/Mazedonien, Solfatara bei Neapel.
Verw.: Im Altertum als Schminke u. Haarentfernungsmittel; heute zur Herst. IR-durchlässiger Gläser, in Photohalbleitern u. als Pigment (Königsgelb). – *E* = *F* orpiment – *I* orpimento – *S* oropimente, arsénico amarillo
Lit.: [1] Z. Kristallogr. **136**, 48–65 (1972).
allg.: Anthony et al., Handbook of Mineralogy, Vol. 1, S. 366, Tucson (Arizona): Mineral Data Publishing 1990 ▪ Lapis **5**, Nr. 3, 6 f. (1980) ▪ Ramdohr-Strunz, S. 483 ▪ Ullmann (5.) **A 3**, 129 f. – *[HS 2530 90; CAS 12255-89-9]*

AUROLUX®. Zahnfüllmittel, Geräte u. Instrumente für die Zahnmedizin. *B.:* Degussa.

AUROMER® u. AURON®. Gold-haltiger Füllstoff für Edelmetall-haltigen Hohlschmuck. *B.:* Degussa.

Aurore®. Fungizid gegen Getreidekrankheiten auf Basis von Trebuconazol u. *Tridemorph. *B.:* Bayer.

Aurorix®. Filmtabl. mit dem Monoaminoxidase-Hemmer *Moclobemid gegen Depressionen. *B.:* Roche.

AUROSINT®. Edelmetall-Leg. u. Werkstoffe für zahnärztliche u. zahntechn. Zwecke. *B.:* Degussa.

Aurothioglucose.

$C_6H_{11}AuO_5S$, M_R 392,18. Gelbe, leicht Thiol-artig riechende Krist., in Wasser unter Zers. lösl., daher in öliger Suspension verwendet, wirkt gegen Rheumatismus, Polyarthritis usw. Es ist von Tosse (Aureotan®) im Handel. Nach einer Untersuchung der IARC soll A. carcinogen für Tiere wirken [1]. – *E* = *F* aurothioglucose – *I* aurotioglucosio – *S* aurotioglucosa
Lit.: [1] IARC Monogr. **13**, 39–45 (1977).
allg.: ASP ▪ Hager (5.) **7**, 326 ▪ Ullmann (5.) **A 3**, 49. – *[HS 2843 30; CAS 12192-57-3]*

Aurothiopolypeptid. An Keratin gebundenes Gold zur Behandlung von Rheumatismus u. Polyarthritis. Es ist von SmithKline Beecham (Auro-Detoxin®) im Handel. – *E* = *F* aurothiopolypeptide – *I* aurotiopolipeptide – *S* aurotiopolipéptido
Lit.: ASP ▪ Hager (5.) **7**, 327.

Aurum. Latein. Name für *Gold.

AURUNAFORM®. Galvan. Edel- u. Unedelmetallbäder, Chemikalien für galvan. Zwecke, Galvanisierapparate, Oberflächenveredelung von Metallen. *B.:* Degussa.

AURUNA® u. AURUNA-COLOR®. Galvan. Edelmetallbäder u. -salze, Chemikalien für galvan. Zwecke. *B.:* Degussa.

AURUNODE®. Anoden für galvan. Zwecke. *B.:* Degussa.

Ausbeute. Bez. für die Menge eines Endproduktes, das als Ergebnis einer chem. Reaktion od. eines Syst. solcher Reaktionen anfällt. Zur Berechnung der – auch *Bildungsgrad* genannten – A. muß man die *Stöchiometrie der Reaktionen kennen. Damit ergibt sich die *stöchiometr.* A. als der Bruchteil der theoret. zu erwartenden *Endprodukt*-Menge, der tatsächlich gebildet wurde bzw. der (nach ggf. verlustreichen Trennoperationen) tatsächlich isoliert wurde; im letzteren Falle spricht man auch von *techn. Ausbeute.* Allg. Formulierung:

$$\text{Ausbeute}_E = (\nu_A/\nu_E) \cdot (n_E\text{Anfang} - n_E\text{Ende})/n_A\text{Anfang}.$$

Hierin bedeuten n_A = Menge des Ausgangsmaterials, n_E = Menge des Endprodukts, ν = *stöchiometrischer Faktor. Die A. wird in der Regel in Prozent ausgedrückt, wobei „100%" vollständigen Übergang von Ausgangs- zu Endprodukt bedeuten würde. Häufig wird die A. mit dem *Umsatz verwechselt; dieser ist zwar bei einfachen chem. Reaktionen ident. mit der A., jedoch, ebenso wie der *Durchsatz, auf das *Ausgangsmaterial* (*Edukt) bezogen. Gerechtfertigt ist hingegen die Bez. *umsatzbezogene A.,* wenn nämlich rückgewonnenes, nicht umgesetztes Ausgangsmaterial vor der Berechnung abgezogen wird. Naturgemäß ist die umsatzbezogene höher als die stöchiometr. Ausbeute. – *E* yield – *F* rendement – *I* rendimento – *S* rendimiento

Lit.: Ullmann (5.) **B 4** ▪ Winnacker-Küchler (4.) **1**, 318 ff. ▪ s. a. Stöchiometrie.

Ausblühen. Bez. für die Erscheinung, daß bestimmte Komponenten (z. B. Pigmente, Füllstoffe, Salze, Stabilisatoren) einer Mischung (z. B. Mauersteine, Kautschuk, Kunststoffe) allmählich (z. B. durch *Verwitterung, Lsg. od. *Alterung des Materials) in gelöster Form zur Oberfläche wandern u. dort nach Verdunstung des Lsm. einen sich ständig erneuernden Belag bilden. Ein bekanntes Beisp. für A. ist der sog. Mauersalpeter; s. a. Ausschwitzen. – *E* = *F* efflorescence – *I* efflorescenza – *S* eflorescencia

Ausbluten. Bez. für das *Durchschlagen von *Farbmitteln, z. B. aus einer Schicht eines *Anstriches in eine andere [vgl. DIN 55945 (10/1973)]. Bei Kunststoffen ist A. od. *Farbbluten* die meist durch die lösende Wirkung von Weichmachern verursachte *Migration der darin enthaltenen Farbstoffe in eine andersfarbige Unterlage[1]. Bei Textilien spricht man von A., wenn Färbungen beim *Waschen auslaufen, wobei andere Wäschestücke *anbluten,* d. h. Flecke bekommen können. – *E* bleeding – *F* migration – *I* dissanguamento – *S* sangramiento

Lit.: [1] DEFAZET **30**, Nr. 2, 57–64 (1976).

Ausdehnen. Volumenänderung, die von der Art des Stoffes, der Temp. u. der Temperaturerhöhung abhängt. Unter der *linearen* A. versteht man die Längenänderung ΔL, die ein fester Körper (z. B. ein Stab) bei der Temperaturerhöhung ΔT erfährt. Sie wird in erster Näherung durch $\Delta L/L = \alpha \cdot \Delta T$ beschrieben, wobei der lineare Ausdehnungskoeff. α in der Größenordnung von $10^{-6}/°C$ ist (Aluminium: $23,8 \cdot 10^{-6}/°C$, Quarzglas: $4,5 \cdot 10^{-7}/°C$). Es gibt Stoffe, deren lineare Ausdehnungskoeffizienten in einem begrenzten Temperaturbereich ident. Null ist (Glaskeramik, Zerodur). Sie werden bes. zum Bau von opt. Instrumenten verwendet. Die Volumenausdehnung wird durch $\Delta V/V = \chi \Delta T$ beschrieben. Bei Festkörpern gilt für *kub. Ausdehnungskoeff.* od. Volumenausdehnungskoeff. näherungsweise $\chi = 3 \cdot \alpha$. Für ideale Gase erhält man aus dem allg. Gasgesetz $\chi = \dfrac{1}{273,15°C}$. – *E* = *F* expansion, extension – *I* esponsione – *S* expansión

Lit.: Handbook of Chemistry and Physics, Boca Raton, Florida: CRC Press 1994 ▪ Kohlrausch, Praktische Physik, Bd. 3, Stuttgart: Teubner 1986 ▪ *Landolt-Börnstein.

Ausethern. Extraktion von Substanzen aus meist wäss. Lsg. mit Ether (s. Ausschütteln). – *E* extraction with ether – *F* extraction par l'éther – *I* estrazione con l'etere – *S* extracción con éter

Ausfällen (Fällen, Präzipitieren). Bez. für die Meth., einen gelösten Stoff durch Zusätze geeigneter Substanzen ganz od. teilw. als unlösl. *Niederschlag in Form von Krist., Flocken od. Tröpfchen auszuscheiden, wobei es gleichgültig ist, ob durch das Fällungsmittel seine chem. Zusammensetzung verändert wird od. nicht. *Beisp.:* Aus einer gesätt. wäss. Kochsalzlsg. kann das Kochsalz etwa durch Zusatz von Alkohol (dieser vermag Kochsalz nicht zu lösen) od. durch konz. Salzsäure (Zufügung weiterer Cl-Ionen, wodurch der durch das *Löslichkeitsprodukt vorgegebene Wert überschritten wird, s. Massenwirkungsgesetz) ausgefällt werden. Silbernitrat-Lsg. (gibt unlösl. Silberchlorid nach: $AgNO_3 + NaCl \rightarrow AgCl + NaNO_3$) fällt selektiv die Chlorid-Ionen aus. Beim A. aus homogener Lsg. entsteht das Fällungsmittel erst durch chem. Reaktion im Reaktionsmedium. Fällungsreaktion aller Art spielen bes. in der *Fällungsanalyse eine wichtige Rolle, wobei auch Erscheinungen wie *Mitfällung, *Okklusion u. *Übersättigung beachtet werden müssen. Zur Terminologie des A. s. *Lit.*[1]. Bei der *Fällungspolymerisation werden bes. reine Produkte erhalten. – *E* precipitation – *F* précipitation – *I* precipitazione – *S* precipitación

Lit.: [1] Pure Appl. Chem. **37**, 463–468 (1974).
allg.: Precipitation (Faraday Discuss, 61), London: Chem. Soc. 1976 ▪ Snell-Hilton **3**, 216 ▪ Vasserman, Methoden der chemischen Fällung (russ.), Leningrad: Khimiya 1977 ▪ Winnacker-Küchler (3.) **2**, 150–155, 214 f.; (4.) **1**, 613 ff.; **6**, 328, 551 f.

Ausflockung (Flockung, Koagulation). Bez. für die Umwandlung eines *Sols in ein *Gel, vgl. Kolloidchemie. Die A. kann erfolgen durch Zusatz von Elektrolyten, *Polyelektrolyten u. entgegengesetzt geladenen Kolloiden (Schulze-Hardy-Regel; die *Hofmeisterschen Reihen geben die Reihenfolge für die Koagulationsfähigkeit verschiedener Ionen an), durch

Erhitzen od. a. Maßnahmen. In der Technik erreicht man die A. oft durch *Aussalzen. Techn. od. wissenschaftlich bedeutungsvolle Koagulationsprozesse finden u. a. statt bei der Herst. organ. Farblacke, bei der Butter- u. Käsebereitung u. der Papierleimung. Beim *Klären von Abwasser erreicht man die – bes. hier als *Flockung* bezeichnete – Abscheidung von Feststoffen durch Zusatz von Chemikalien wie z. B. Eisen- od. Aluminiumsalzen u. a. *Flockungsmitteln, die Flocken adsorbieren. Die Flocken wirken durch *Adsorption u./od. *Okklusion der suspendierten od. kolloid gelösten Bestandteile des Wassers; *Beisp.* s. *Lit.*[1]. In Fluß-Deltas werden die Tonkolloide der Flüsse durch die Meersalze (Elektrolyte) ausgeflockt. – *E* flocculation – *F* floculation – *I* coagulazione, flocculazione – *S* floculación

Lit.: [1] Chem. Anlagen + Verfahren 1977, Nr. 11, 87f.
allg.: Encycl. Polym. Sci. Technol. **7**, 64–77; (2.) **7**, 211–233 ▪ Gutcho, Waste Treatment with Polyelectrolytes and Other Flocculants 1977, Park Ridge: Noyes 1977 ▪ Kirk-Othmer (3.) **10**, 489–523 ▪ Walther u. Winkler, Wasserbehandlung durch Flockungsprozesse, Berlin: Akademie-Verl. 1981 ▪ Vom Wasser **62**, 191–201 (1984) ▪ s. a. Kolloidchemie.

Ausfrieren. Bez. für ein zum Konzentrieren von Lsg. u. zum Reinigen v. Trocknen von Lsm. (z. B. *tert*-Butylalkohol, Eisessig) benutztes *Trennverfahren. Man macht sich dabei die Tatsache zunutze, daß beim Abkühlen von flüssiger Lsg. zunächst reines Lsm. auskristallisieren kann, wodurch die Lsg. konzentrierter wird. A.-Prozesse sind auch bei *Gefriertrocknung u. *Zonenschmelzen beteiligt. – *E* freeze separation – *F* separation cryogénique – *I* congelazione – *S* separación por congelación

Lit.: Ullmann (5.) **B 2**, 3–43; **B 3**, 19–33 ▪ Zief u. Wilcox, Fractional Solidification, Bd. 1, New York: Dekker 1967 ▪ Winnacker-Küchler (4.) **2**, 492 ▪ s. a. Trennverfahren.

Ausgangsmaterial (Ausgangsstoff). Bez. für den od. die Stoffe, die durch chem. *Reaktionen in einem od. mehreren Schritten in möglichst hoher *Ausbeute in *Endprodukte übergeführt werden sollen. Ein nützliches Synonym für A. ist *Edukt*. – *E* starting material – *F* matière première – *I* materia prima – *S* material de partida

Ausgleichsvermögen. Eigenschaft eines Farbstoffs, aus dem Färbebad von vornherein die Materialunterschiede dadurch auszugleichen, daß der Farbstoff gleichmäßig aufzieht. Ist nicht gleichzusetzen mit Egalisier- od. Migrationsvermögen eines Farbstoffes; vgl. Migration. – *E* compensating power – *F* pouvoir égalisateur – *I* potere di compensazione

Aushärten. Mit unterschiedlicher Bedeutung benutzter Begriff für das Erreichen der endgültigen Festigkeit 1. bei der *Härtung von Stahl, – 2. bei der *Härtung von Kunststoffen u. Klebstoffen, – 3. bei Zement u. Beton (hier spricht man von *Erhärten*). – *E* 1. hardening, 2. cure – *F* trempe – *I* indurimento, invecchiamento – *S* endurecimiento, curado

Ausimont. Viale Lombardia, 20-20021 Bollate (Italien); Ges. der Montecatini mit Niederlassungen in Bussi, Spinetta Marengo u. Porto Marghera (Italien), Thorofare/NJ (USA), Orange/TX (USA) u. Chiba (Japan). *Produktion*: Werkstoffe, die mit Fluorid behandelt sind: Kunststoffe, Elastomere, Fluide; Flockungs- u. Oxidationsmittel, die als De-inken-Agenzien u. in der Abwasserreinigung, sowie als Persäure zum Bleichen verwendet werden; Detergentien.

Auskleidung. Schutz von Innenflächen durch geeignete resistente Beläge in Form von Folien, Blechen, Platten od. Steinen. – *E* lining – *F* revêtement – *I* rivestimento – *S* revestimiento

Auskochen. Bez. für die *Sterilisation von Geräten durch siedendes Wasser sowie für die Extraktion, z. B. von Pflanzeninhaltsstoffen, durch siedendes Lsm., s. Decoctum. Vgl. a. Anlassen. – *E* scalding out – *F* lessivage – *I* bollitura – *S* esterilización por ebullición

Auslaufbecher s. Viskosimetrie.

Auslaugen. Bez. für die *Extraktion eines Stoffes aus festen Gemengen durch geeignete Lsm. (v. a. Wasser, vgl. Auskochen). In neuerer Zeit erlangt die *Laugung* mit Hilfe von *Bakterien (*Bioleaching*) sowohl in der *Hydrometallurgie zur *Aufbereitung u. zum *Aufschluß armer Erze als auch in der Erdöl-Gewinnung aus *Ölsanden u. -schiefern wegen der zunehmenden Rohstoff-Verknappung immer mehr an Bedeutung. – *E* leaching – *F* lessivage – *I* lisciviazione – *S* lixiviación, extración sólido-líquido

Lit.: Chem. Eng. (London) **370**, 321 ff. (1981) ▪ Hartmann u. Meyer, Geotechnische Verfahren der Rohstoffgewinnung – Werkstoffgewinnung durch Auflösung u. Auslaugung (Freiberger Forsch.-H. A 573), Leipzig: Grundstoffind. 1977 ▪ Murr et al., Metallurgical Applications of Bacterial Leaching Phenomena, New York: Academic Press 1978 ▪ Naturwissenschaften **70**, 403–411 (1983) ▪ Prog. Ind. Microbiol. **16**, 77–118 (1982) ▪ Rosenquist, Principles of Extractive Metallurgy (2.) New York: McGraw-Hill 1983 ▪ Ullmann (5.) **B 3**, 7 ff. ▪ Winnacker-Küchler (4.) **4**, 382 ff., 397 ff.

Auslese s. Selektion.

Auslöseschwelle. In der TRGS 101 „Begriffsbestimmungen" wird „A." wie folgt definiert: „A. ist der Grenzwert, bei gesplitteten Grenzwerten der niedrigere Wert, sofern nicht im Einzelfall andere Regelungen getroffen werden". – *E* action level

Lit.: TRGS 101, Begriffsbestimmungen, Bundesarbeitsblatt **1995**, Nr. 7–8, 53.

Auspuffgase s. Abgase.

Ausrüstung s. Appretur, Textilhilfsmittel u. Textilveredlung.

Aussalzen. Bez. für die durch *Salzeffekte bedingte Ausscheidung einer Substanz aus einer Lsg. od. Dispersion durch Zusatz von festen od. gelösten Salzen; *Beisp.:* A. der Seife aus dem Seifenleim durch Zusatz von Natriumchlorid, Koagulation (*Ausflockung) von Kolloiden, Brechen von *Emulsionen, Entmischung von homogenen Flüssigkeitsgemischen. Häufig benutzte Salze zum A. sind die Alkalimetall- u. Erdalkalimetallchloride u. -sulfate, Ammoniumchlorid u. dgl.; viele organ. Farbstoffe werden durch A. mit Natriumacetat od. -chlorid gereinigt. *Direktfarbstoffe werden durch A. aus ihren Lsg. ausgeschieden, wodurch sie sich auf der Faser niederschlagen. – *E* salting out – *F* relargage, salaison – *I* salatura – *S* saladura separativa, precipitación por sales

Ausscheidungsgesteine s. Evaporite.

Ausschließungsprinzip s. Pauli-Prinzip u. Atombau.

Ausschlußchromatographie s. Gelchromatographie.

Ausschütteln. V. a. in Laboratorien häufig angewandte Form der *Extraktion, genauer der *Flüssig-Flüssig-Extraktion, von gelösten Verb., indem man deren Lsg. in einem geeigneten Schüttelgefäß (*Scheidetrichter*, s. Abb.)

Abb.: Scheidetrichter.

wiederholt mit einem reinen Lsm. durchschüttelt, in dem sich die betreffende Verb. gut löst, das sich aber mit deren ursprünglichem Lsm. nicht (od. zumindest nur sehr wenig) mischt. Es stellt sich dabei – ähnlich wie bei der *Gegenstromverteilung – ein *Verteilungs-Gleichgew. der zu extrahierenden Substanz zwischen beiden Lsm. ein; zur Terminologie der Verteilung s. Lit. – *E* shaking out – *F* extraction à ampoule à décantation – *I* scotimento – *S* extracción en el embudo de decantación

Lit.: IUPAC Inform. Bull. Appendices 34 (1974).

Ausschwimmen. Nach DIN 55 945 (12/1988) Bez. für das sichtbare Entmischen der *Pigmente im Beschichtungsstoff (*Anstrichstoff) od. in der *Beschichtung bei der Filmbildung. Dem unerwünschten A. begegnet man mit *Antiausschwimmitteln*, wie z. B. Soja-*Lecithin, Siliconöl u. dergleichen. Der Begriff A. ist nicht zu verwechseln mit *Aufschwimmen. – *F* démélage – *S* separación por disgregación

Lit.: Sponsel et al., Lexikon der Anstrichtechnik, 8. Aufl., Bd. 1, S. 30, München: Callwey 1987.

Ausschwitzen. Bez. für die Absonderung flüssiger od. fester Beläge auf Anstrichen od. Kunststoffen infolge *Migration von Weichmachern u. dgl. an die Oberfläche, s. a. Ausblühen. – *E* sweating, exudation – *F* exsudation – *I* essudazione – *S* exudación

Aussprache. Im dtsch. Sprachraum ist die A. chem. Wörter durch die Anweisungen des Duden (Bd. 6: Aussprachewörterbuch) festgelegt; weitere Hinweise auf Betonungen findet man in „Jansen-Mackensen, Rechtschreibung der techn. u. chem. Fremdwörter, Weinheim: Verlag Chemie 1959" sowie in „Siebs, Deutsche Hochsprache, Berlin: de Gruyter 1969". – *E* pronunciation – *F* prononciation – *I* pronuncia – *S* pronunciación

Lit.: Für die korrekte A. engl. chem. Wörter vgl. Ind. Eng. Chem., News Ed. 12, Nr. 10, 202 ff. (1934) u. engl. Wörterbücher.

Austauscharme Wetterlage s. Inversion, Smog.

Austauschchromatographie s. Chromatographie u. Ionenaustauschchromatographie.

Austauscher s. Ionenaustauscher u. Wärmeaustauscher.

Austauschname (Ersetzungsname, Verdrängungsname). Bez. aus der organ.-chem. *Nomenklatur für einen Namen, der den Ersatz von Kohlenstoff durch ein Heteroatom (s. Aza..., Oxa..., Thia... etc., vgl. Hantzsch-Widman-System u. heterocyclische Verbindungen) od. von Sauerstoff durch S (*Thio...), Se, Te kennzeichnet. *Beisp.*: 8-Azabicyclo[3.2.1]octan (= Nortropan), *Thioharnstoff. Zum Austausch von Kohlenstoff gegen Ringsyst. s. Cyclophan-Nomenklatur. – *E* replacement name – *F* nom par replacement – *I* nome di scambio – *S* nombre por reemplazamiento

Austauschreaktionen. Bez. für Reaktionen, bei denen ein Atom od. eine Atomgruppe innerhalb eines Mol. durch ein anderes Atom od. eine Atomgruppe ersetzt wird, wie z. B. in der organ. Chemie bei der sog. *Substitution. Ein Spezialfall der A. ist die früher *Automerisierung genannte *Topomerisierung, ein auch präparativ interessanter Sonderfall die *Metathese. Recht häufig sind A. (*Verdrängungsreaktionen*) auch bei *Liganden von Komplexen. Untersuchungen mit Schwerem Wasser, *Deuterium, Radio-Indikatoren u. dgl. haben gezeigt, daß die Atome des gleichen, in verschiedenen Verb. vorkommenden Elements oft ihre Plätze wechseln. Löst man z. B. NaOH in Schwerem Wasser (D_2O), so findet man nach dem Eindampfen, daß im NaOH ein Teil (bis zur Einstellung eines Gleichgew.) des H u. D (Deuterium) ersetzt ist, gleichzeitig findet man einen entsprechenden Teil von H in dem vorher reinen D_2O. Mit Hilfe solcher Isotopen-A. lassen sich leicht *deuterierte Verbindungen herstellen u. auch Tritiierungen durchführen (*Wilzbach-Technik*). Man bezeichnet diese auf *Isotopie-Effekten beruhenden H/D-A. oft als *Scrambling*. Die A. lassen sich NMR-spektroskop. verfolgen. Bei festen Körpern mit Unregelmäßigkeiten im Krist.-Gitter können benachbarte Atome bzw. Ionen öfters ihre Plätze wechseln; aufgrund dieser *Platzwechselreaktionen* sind sogar (bes. bei höherer Temp. etwas unterhalb der Schmp.) langsame chem. Reaktionen zwischen den Bestandteilen feiner Pulvergemische möglich. Bes. Formen von A. findet man bei *Ionenaustauschern u. beim Austausch von Elementarteilchen bei *Kernreaktionen. – *E* exchange reactions, scrambling – *F* réactions d'échange – *I* reazione di scambio – *S* reacciones de intercambio

Austenit. Nach dem engl. Forscher Sir W. C. Roberts-Austen benannte Gefügestruktur. *Allg.*: Kub. flächenzentrierter (kfz) Gittertyp der Metalle der Eisen-Gruppe (Fe, Co, Ni) u. Mn sowie ihren Leg. mit größter *Packungsdichte. Insbes. gekennzeichnet durch hohe Anzahl an Gleitsyst. u. damit verbunden hoher Verformbarkeit.

Speziell: kfz-Modifikation (Hochtemp.-Phase, γ-Phase) des Eisens mit Stabilitätsbereich zwischen 723 u. 1392 °C sowie max. Lösungsvermögen für Kohlenstoff von 2% bei 1147 °C (s. Eisen-Kohlenstoff-System). Durch Zusatz der gleichfalls kfz-kristallisierenden Legierungselemente Mn, Ni, Co wird dieser Bereich erweitert (s. Schaeffler-Diagramm u. austenitische Stähle), durch Zusatz der kub. raumzentriert (krz) kristallisierenden Elemente Cr, Mo, W dagegen eingeengt (s. ferritische Stähle). Ab etwa 40% Ni ist die A.-Phase der Leg. zwischen 20 °C u. dem Schmp. stabil, d. h. im Gegensatz zu Fe tritt keine Phasenum-

wandlung im Festkörperzustand mehr ein. Diese Leg. ist daher nicht umwandlungshärtbar. Ein stabil austenit. Zustand wird ebenfalls erreicht durch den Zusatz von gleichzeitig mehr als 18% Cr u. mehr als 8% Ni zu Eisen; s. a. nichtrostende Stähle u. austenitische Stähle. – *E = I* austenite – *F* austénite – *S* austenita
Lit.: s. austenitische Stähle.

Austenitische Stähle. Stähle mit austenit. Gittertyp (γ-Phase) bei 20 °C. Wichtigste Gruppe der *Stähle für einen Einsatz bei chem. (korrosiver) Beanspruchung (*nichtrostende Stähle) u. bei Hochtemp.-Beanspruchung (hitzebeständige Stähle).
Ausgehend von der Basiszusammensetzung 18% Cr, 8% Ni, Rest Fe (s. Austenit, VA-Stähle) wurde eine Vielzahl von a. S. mit Cr-Gehalten zwischen 18 u. 30% u. gleichzeitig Ni-Gehalten zwischen 8 u. 30% sowie nennenswerten Anteilen an beständigkeitsrelevanten Legierungselementen wie Mo, Si, Cu, N (u. Mn) u. stabilisierenden Zusätzen wie Ti u. Nb entwickelt. A. S. wandeln sich zwischen 20 °C u. Schmelztemp. nicht um u. sind daher nicht umwandlungshärtbar. Der allg. in Stählen vorhandene, im Falle einer Wärmeeinbringung (*Wärmebehandlung od. Schweißung) unvorteilhafte C-Gehalt kann durch bes. sekundärmetallurg. Maßnahmen in a. S. auf Werte <0,01% abgesenkt od. durch Stabilisierungselemente in Form unschädlicher Carbide stabil abgebunden werden. Bei sehr hohen Gehalten an Legierungselementen – u. hier bes. Mo – hat sich umgangssprachlich die Bez. Superaustenite (Wirksumme >50) eingebürgert. Struktur- u. legierungsbedingt neigen a. S. bei Vorliegen mechan. Zugspannungen in bestimmten wäss. Umgebungen zur Rißbildung (*Spannungsrißkorrosion). Abhilfe ist möglich durch die Wahl *ferritischer bzw. ferritisch-austenitischer Stähle. A. S. sind nicht magnetisierbar. – *E* austenitic steel – *F* aciers austénique – *I* acciai austenitici – *S* aceros austeníticos
Lit.: DIN 17440 (07/1985) ▪ EN 10088 Tl. 1–3 (08/1995) ▪ Gramberg et al., Kleine Stahlkunde für den Chemieapparatebau, 2. Aufl., S. 167, Düsseldorf: Stahleisen 1993 ▪ Werkstoffkunde Stahl, Bd. 2, S. 385, Berlin/Düsseldorf: Springer/Stahleisen 1985.

Australite s. Tektite.

Austrittsarbeit. Die Elektronenaustrittsarbeit W einer einheitlichen Oberfläche eines Metalls ist gleich der Differenz der potentiellen Energie eines Elektrons zwischen dem *Vakuumniveau* u. dem *Ferminiveau*. Das Vakuumniveau ist hierbei gleich der Energie eines ruhenden Elektrons in großer Entfernung von der Oberfläche; das Ferminiveau ist das *elektrochemische Potential der Elektronen im Metall. Die A. entspricht der Energieschwelle für *Photoemission* am abs. Null-

punkt. Ist $h \cdot \nu$ die Energie des einfallenden Photons, so gilt für die A. $W = h \cdot \nu - T$, wobei T die kinet. Energie der herausgelösten Elektronen ist. Mittels Photoemission bestimmte Werte für die A. sind in der Tab. angegeben, aus der man ersieht, daß die Orientierung der Kristallfläche den Wert der A. beeinflußt. – *E* work function – *F* énergie de libération – *I* lavoro d'uscita – *S* función de trabajo
Lit.: Kittel, Einführung in die Festkörperphysik, 7. Aufl., München: Oldenbourg 1988.

Auswaage s. Gravimetrie.

Auswahlregeln. Auf Erhaltungssätzen von physikal. Größen basierende Regeln, die angeben, zwischen welchen Zuständen Übergange stattfinden können. In der *Quantenmechanik kann zwischen den Zuständen (1 u. 2) ein Übergang stattfinden, wenn das *Übergangsmatrixelement $\int \vec{\psi}_1^* \cdot \vec{\mu} \cdot \psi_2$ von Null verschieden ist. $\vec{\mu}$ ist hierbei der Übergangsoperator.
In der Atom- u. Molekülspektroskopie wird bei der Absorption od. Emission eines Photons durch einen elektr. Dipolübergang der Übergangsoperator durch $\vec{\mu} = e \cdot \vec{r}$ geschrieben (e = Elementarladung, $\vec{r}$ = Ortsvektor). Dies ist eine Funktion ungerader *Parität, somit müssen die Wellenfunktionen ψ_1 u. ψ_2 von ungleicher Parität sein. Da ferner, in der Korpuskular-Darst. des Lichtes, das Photon den Drehimpuls $p = \hbar/2 \cdot \pi$ besitzt, muß dieser von dem Atom bzw. Mol. aufgenommen bzw. abgegeben werden. Hieraus resultieren Dreh-impuls-Auswahlregeln, die bei Atomen für den Bahndrehimpuls l zu $\Delta l = \pm 1$ führen (für die Hauptquantenzahl n gibt es keine A.). Besitzt ein Atom mehrere Elektronen, so gilt für den Gesamt-Elektronenspin: $\vec{S} = \Sigma s_i : \Delta S = 0$, den Gesamt-Bahndrehimpuls: $\vec{L} = \Sigma l_i : \Delta L = 0, \pm 1$, u. den Gesamtdrehim-puls: $\vec{J} = \vec{L} + \vec{S} : \Delta J = 0, \pm 1$, wobei $J = 0 \rightarrow J = 0$ verboten ist.
Dieses Beisp. gilt für die LS-Kopplung; bei der jj-Kopplung ist $\vec{L}$ nicht definiert u. somit keiner A. unterworfen. Da bei Mol. noch mehr Möglichkeiten existieren, Spin u. Bahndrehimpuls der Elektronen mit dem Drehimpuls des Kerngerüstes zu koppeln (Hundsche Kopplungsfälle, s. Molekülspektren), wird für die Auflistung der A. für Molekülspektren auf die *Lit.*[1] verwiesen.
In der Festkörperphysik bestimmt die Symmetrie des Krist. u. die Parität des Störoperators, ob Übergange zwischen bestimmten Zuständen stattfinden können. A. sind bes. bei opt. Übergangen von Bedeutung.
In der Elementarteilchenspektroskopie sind elektr. Ladung u. Baryonenzahl Erhaltungsgrößen, die sich bei einem Übergang nicht ändern; für die Seltsamkeit S dagegen gilt bei der schwachen Wechselwirkung $\Delta S = \pm 1$. Weitere A. s. z. B. *Lit.*[2]. – *E* selection rules – *F* règle de sélection – *I* regole di selezione – *S* reglas de selección
Lit.: [1] Klessinger u. Michl, Lichtabsorption u. Photochemie organischer Moleküle, Weinheim: VCH Verlagsges. 1989; Herzberg, Spectra of Diatomic Molecules, New York: Van Nostrand Reinhold 1950; Hollas, High Resolution Spectroscopy, London: Butterworths 1982; Kuhn, Atomic Spectra, London: Longmans 1964. [2] Musiol et al., Kern- u. Elementarteilchenphysik, Weinheim: Verl. Chemie 1988.
allg.: Hellwege, Einführung in die Festkörperphysik, Heidelberg: Springer 1988.

Auswahltest s. OECD-Screening-Test.

Tab.: Mittels Photoemission bestimmte Werte für die Austrittsarbeit.

Element	Oberflächenebene	Austrittsarbeit (eV)
Ag	(100)	4,64
	(110)	4,52
	(111)	4,74
Ni	(100)	5,22
	(110)	5,04
	(111)	5,35

**Auswaschen. ** Bez. für ein *Trennverfahren, nämlich die Reinigung eines abgetrennten Niederschlages durch Übergießen auf einem Filter mit geeigneten Flüssigkeiten (Wasser, Alkohol, Ether usw.), die die anhaftenden Verunreinigungen gut, den Niederschlag selbst aber kaum lösen. Erfahrungsgemäß ist A. mit vielen kleinen Flüssigkeitsportionen wirksamer als die einmalige Anw. größerer Flüssigkeitsmengen. Das A. kann auch durch wiederholtes Aufrühren u. *Dekantieren erfolgen. – *E* washing out, rinsing – *F* lavage – *I* lavaggio – *S* lavado
Lit.: Houben-Weyl 1/1, 183–196.

Auswaschung. Verlagerung von Stoffen durch Wasser. In der Ökologie, Bodenkunde u. Technik v. a. im Zusammenhang mit dem Abtransport von Nährstoffen, anderen Mineralien od. Humus durch Boden- od. *Sickerwasser in *Boden u. Abfall gebraucht. Eine Bodenschicht (Horizont), die durch Auswaschung an Humus od. bestimmten Mineralien verarmt ist, wird als Auswaschungshorizont (Eluvialhorizont) bezeichnet, s. a. Erosion. – *E* eluviation, leaching – *F* lessivage – *I* dilavamento – *S* desmonoramiento
Lit.: Korte (3.), S. 37 ff.

Ausziehgrad. Verhältnis des bei dem *Ausziehverfahren auf die Faser aufgezogenen zu dem ursprünglich in der *Flotte vorhandenen Farbstoffanteil in Prozent. – *E* degree of exhaust

Ausziehverfahren. Textilveredlungsverf., bei dem Farbstoffe bzw. Hilfsmittel infolge ihrer *Substantivität zu der applizierten Ware aus der *Flotte auf die Faser ausziehen u. die *Flotte bis zum Erreichen eines Gleichgew. auszieht. Gegenstück zu *Klotzen. – *E* exhaust process – *F* procédé par épuisement – *I* processo d'estrazione – *S* procedimiento de extracción

Auszug s. Extrakte.

Autacoide (Lokalhormone). Im Organismus natürlich vorkommende Substanzen, die in räumlich begrenzten Bereichen als extrazelluläre Signalstoffe (*autokrine*, d. h. auf die sezernierende Zelle selbst wirkende, od. *parakrine*, auf die unmittelbare Umgebung wirkende *Hormone, Gewebshormone, Zellhormone od. *Chalone) wirken. *Beisp.:* extrazelluläres *Adenosin-5'-triphosphat, *Histamin, *Serotonin u. viele andere. – *E* autacoids – *F* autacoïdes – *I* autacoidi – *S* autacoides

Authigen s. allothigen.

Autoabgase s. Abgase u. Kraftfahrzeugabgase.

Autoadhäsion s. Adhäsion.

Autoantigene (Selbst-Antigene) s. Autoimmunität.

Autoantikörper s. Autoimmunität.

Autochthon (der Erde entsprungen, an Ort u. Stelle entstanden; von griech.: chthon = Erde). Bez. für eine Eigenschaft von Mikroorganismen, ohne Nährstoffzufuhr z. B. in humusreichem Boden zu existieren. Als a. Gesteine werden solche Mineralien bezeichnet, die an ihrem Entstehungsort verblieben sind; Gegensatz: zymogen. – *E* autochthonic – *F* autochtone – *I* autoctono – *S* autóctono
Lit.: Schlegel (7.), S. 458.

AUTODEST®-Destillationsanlagen. Geräte u. Zubehör für die analyt. od. präparative Dest. von Erd- u. Kohleölen nach *ASTM. *B.:* Fischer Labor- u. Verfahrenstechnik.

Autökologie s. Ökologie.

Autofining-Verfahren. Älteres Verf. zur Entfernung von N-, O- u. S-Verb. aus Benzin mittels Co/Mo-Katalysatoren.

auto-fix®. Säulen-Halterung für HPLC-Kartuschen. *B.:* Merck.

Autogal®. Schweißpulver von Messer Griesheim GmbH.

Autogenes Schneiden. Ein auch als Brennschneiden bezeichnetes Verf. zum therm. Trennen [1] metall. Werkstoffe, bei dem der Werkstoff zunächst in oxidierender Umgebung verbrannt wird. Als Wärmequelle dient dabei die Flamme eines Gemisches aus Brenngas u. Sauerstoff mit hinreichend hoher Verbrennungsenergie; s. a. autogenes Schweißen. Die Verbrennungsprodukte (Metalloxide) werden durch zusätzlich zugeführten Sauerstoff aus der Schneidfuge ausgeblasen. Wegen erheblicher Oxid. bedürfen die Randbereiche der Schneidfugen im allg. eines anschließenden Trennvorgangs durch Schleifen, Sägen od. Abscheren. Notwendige Bedingungen für das a. S. sind:
1. Die Entzündungstemp. des Metalls muß höher liegen als dessen Schmelzpunkt. 2. Die Schmelztemp. des gebildeten Oxids muß unterhalb der Schmelztemp. des Metalls liegen. 3. Die Wärmeableitung durch das Metall darf nicht zu groß sein. Aus diesen Gründen lassen sich z. B. *nichtrostende Stähle (Bildung hochschmelzender Oxide od. *Kupfer (hohe Wärmeleitfähigkeit) nicht brennschneiden. – *E* autogeneous cutting – *F* découpage autogène – *I* taglio autogeno – *S* corte autógeno
Lit.: [1] DIN 8580 (06/1974); Ruge, Handbuch Schweißtechnik, 2. Aufl., Bd. II, S. 145, Berlin: Springer 1980.

Autogenes Schweißen. Ein auch als Gas(schmelz)-schweißen bezeichnetes Fügeverf., bei dem der örtliche Schmelzfluß der zu verbindenden metall. Teile durch Verbrennung eines Brenngas-Sauerstoff-Gemisches erreicht u. aufrechterhalten wird (s. Schweißen). Als Brenngase kommen dabei Gase mit hohem Heizwert u. hoher Flammentemp. in Frage, vgl. Abb.

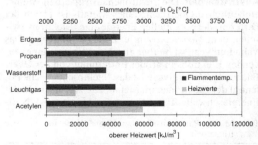

Abb.: Heizwerte u. Flammentemperaturen verschiedener Brenngase.

Abweichend vom *autogenen Schneiden wird kein zusätzlicher Sauerstoff eingeblasen. Der Füge-(Verbindungs-)vorgang kann ohne od. mit Zusatzwerkstoffen erfolgen. Im erstgenannten Fall entsteht die Verb. durch Kontakt u. Vermischung der beiden oberflächig angeschmolzenen zu verbindenden Bauteilkanten (Fu-

gen-, Nahtflanken). Die erstarrte Schweißnaht besteht damit ausschließlich aus aufgeschmolzenem Grundwerkstoff. Im letztgenannten Fall wird in der Flamme zusätzlich zugeführter, artgleicher od. -ähnlicher Schweißdraht abgeschmolzen, der sich mit den oberflächig angeschmolzenen Nahtflanken zu einer Schweißnaht mischt. Metall. Werkstoffe, die zur Bildung hochschmelzender Oxide aufgrund ihrer Legierungselemente neigen (z. B. *austenitische Stähle) od. die Schweißwärme aufgrund hoher Wärmeleitfähigkeit rasch abführen (z. B. Kupfer), lassen sich nicht od. nur schwierig autogen schweißen. – *E* autogeneous welding, gas welding – *F* soudure autogène – *I* saldatura autogena – *S* soldadura autógena
Lit.: DIN 1910 Tl. 1 (07/1983); Tl. 2 (08/1977) ▪ vgl. autogenes Schneiden.

Autographie. Nach DIN 16544 (04/1988) versteht man in der Reproduktionstechnik unter A. die Übertragung von mit Fettusche hergestellten Zeichnungen od. Schriften für Vervielfältigungen im Flachdruck. – *E* autography – *F* autographie – *I* autografia – *S* autografía

Autohäsion (Eigenklebrigkeit, Konfektionsklebrigkeit, Selbsthaftung). Bez. für den insbes. bei frischgeschnittenem, unvulkanisiertem *Naturkautschuk gefundenen Effekt, daß dieser beim Zusammendrücken zweier Schnittstellen innerhalb von Sekunden irreversibel zusammenklebt. Die Anfangsfestigkeit der Haftung wird dabei durch die zwischen den Oberflächengruppen wirkenden Wechselwirkungskräfte bestimmt. Bei längeren Kontaktzeiten diffundieren dann Polymer-Segmente ineinander u./od. Polymer-Mol. verschlaufen. Das Auftreten der A. setzt somit eine Beweglichkeit der Mol.-Segmente voraus. Krist. Polymere zeigen keine A.
Die A. spielt eine große Rolle bei der Herst. von Gummiartikeln (Reifen, Schweißen von Thermoplasten, Filmgießen aus Polymerdispersionen, Kunstlederherst.). Da die A. synthet. *Kautschuke für viele Anw. ungenügend ist, wird sie durch Zusätze von Klebrigmacherharzen erhöht (z. B. alkylierte Phenol-Novolake). – *E* tack – *F* autocollage – *I* autoadesione – *S* pegajosidad
Lit.: Elias 2, 480.

Autoimmunerkrankungen (Autoaggressionserkrankungen, Autoimmunopathien). Krankheiten, die auf einer Störung im *Immunsystem (s. a. Immunologie) des Organismus beruhen. Anders als im Normalfall richtet sich hierbei die körpereigene Abwehr anstatt gegen körperfremde gegen körpereigene Stoffe (*Autoaggression*). Durch Verlust der normalerweise während der embryonalen Entwicklung erworbenen Fähigkeit des Immunsyst., eigenes Gewebe zu erkennen u. nicht anzugreifen (Immuntoleranz), werden körpereigene Substanzen als Antigene aufgefaßt u. dagegen *Antikörper, die sog. Autoantikörper, gebildet. Durch die anschließende *Antigen-Antikörper-Reaktion kommt es je nach beteiligtem Organsyst. zu verschiedenen Krankheitserscheinungen. So werden Autoimmunprozesse heute u. a. bei der *Rheumatoiden Arthritis, bei einer bestimmten Form der Schilddrüsenentzündung u. bei vorwiegend das Bindegewebe angreifenden Erkrankungen, den sog. Kollagenosen, angenommen. – *E* autoimmune diseases – *F* affections autoimmunes – *I* malattie autoimmune – *S* enfermedades autoinmunes
Lit.: Cruse u. Lewis, Cellular Aspects of Autoimmunity, Basel: Karger 1988 ▪ Roitt et al., Kurzes Lehrbuch der Immunologie, S. 334–345, Stuttgart: Thieme 1995.

Autoimmunität. In der *Immunologie die Fähigkeit des *Immunsystems der Wirbeltiere, körpereigene Komponenten (*Autoantigene*, Selbst-Antigene) zu erkennen u. auf sie zu reagieren. Es wird heute angenommen, daß die A. ein physiolog. Phänomen ist u. nur unter bestimmten Bedingungen zu Autoimmunerkrankungen führt.
Selbst-Toleranz: Da normalerweise Selbst-Toleranz besteht, muß das Immunsyst. gewisse Regulationsmöglichkeiten der Autoreaktivität besitzen. Zur Regulation autoreaktiver B-*Lymphocyten (B-Zellen) sind inzwischen eine Reihe von Mechanismen bekannt[1]. U. a. sterben solche B-Zellinien durch *Apoptose ab, die in unreifem Zustand mit Autoantigenen reagieren. Autoreaktive B-Zellen, die der Apoptose entgehen, können auch in einen Untätigkeitszustand (Anergie) versetzt werden. Entsprechendes gilt für T-Lymphocyten (T-Zellen), von denen sich – nach je einem pos. u. neg. Selektionsprozeß – nur solche weiterentwickeln, deren Rezeptoren gewisse körpereigene Markierungen, die *Histokompatibilitäts-Antigene (MHC), nicht aber sonstige Autoantigene erkennen[2].
Pathologie: Bei *Autoimmunerkrankungen* wird die Toleranz gegen das Selbst durchbrochen, u. es kommt zur Schädigung körpereigenen Gewebes – entweder auf Grund der Bildung von *Autoantikörpern* od. von autoreaktiven T-Zellen.
Die Umgehung der Toleranz kann durch Veränderungen am Zielgewebe ausgelöst werden, z. B. bei plötzlicher, durch Verletzung, Infektion u. dgl. bedingter Freisetzung von Selbst-Antigenen (z. B. Augenlinsen-*Kristallinen, *Myelin), die normalerweise im Innern von Zellen od. Organen so eingeschlossen sind, daß sie mit dem Immunsyst. nicht in Berührung kommen, also auch keine Toleranz induzieren. Zweitens können Selbst-Antigene in veränderter Form (durch teilw. Abbau, Bindung von Drogen, Infektionen) dem Immunsyst. dargeboten werden. Auch Einbringen von Material, das körpereigenen Antigenen verwandt ist (z. B. bei Transplantationen), kann *Kreuzreaktion* (s. Antigen-Antikörper-Reaktion) gegen dieses zur Folge haben. Entsprechend den zahlreichen am Immunsystem im allg. sowie an der Selbsttoleranz im besonderen beteiligten Faktoren kann bei Autoimmunerkrankungen, d. h. beim Versagen der Selbsttoleranz, auch der genet. bedingte Ausfall verschiedener dieser Faktoren zugrunde liegen. Die genauen Ursachen dieser Krankheiten sind in keinem Fall vollständig geklärt. Zum Kreis der Verdächtigen gehören *Cytokine u. kostimulator. Mol., *Protein-Kinasen u. -Phosphatasen, MHC der Klasse I u. II, T-Zell- u. B-Zell-Rezeptoren, um nur einige zu nennen. – *E* autoimmunity – *F* autoimmunité – *I* autoimmunità – *S* autoinmunidad
Lit.: [1] Curr. Biol. **5**, 103 ff. (1995); Curr. Opin. Immunol. **7**, 804–811 (1995). [2] Curr. Opin. Immunol. **5**, 873–879 (1993). *allg.:* Alt u. Vogel, Molecular Mechanisms of Immunological

Self-Recognition, San Diego: Academic Press 1993 ▪ Annu. Rev. Immunol. **11**, 79–104 (1993) ▪ Curr. Opin. Immunol. **7**, 783–852 (1995) ▪ Ollier u. Symmons, Autoimmunität, Heidelberg: Spektrum Akad. Verlagsges. 1995 ▪ Roitt et al., Kurzes Lehrbuch der Immunologie, 3. Aufl., S. 133–142, 334–345, Stuttgart: Thieme 1995.

Autoionisation. Ionisation (d. h. Ablösen eines Elektrons) eines Atoms od. Mol. ohne zusätzliche Energieaufnahme. Wurde das Syst. in einen Energiezustand angeregt, der energet. höher liegt als die Ionisationsschwelle, so kann durch Änderung der Elektronenkonfiguration das Syst. in den energet. niedrigeren Ionenzustand übergehen. Bei Atomen ist dies möglich durch Doppelanregung, d. h. zwei Elektronen befinden sich in energet. angeregten Zuständen. Beim strahlungslosen Übergang eines der Elektronen in das leere, niederenerget. Niveau kann die freiwerdende Energie auf das zweite bereits angeregte Elektron übergehen (Elektron-Elektron-Kopplung), wodurch dieses soviel Energie erhält, daß es das Atom verlassen kann (*Auger-Effekt). Bei Mol. führt neben der Elektron-Elektron-Kopplung (s. *Beisp.* O_2), auch Anregung in einen Rydberg-Zustand (s. Rydberg Atome) u. Elektron-Schwingungskopplung bzw. Elektron-Rotationskopplung zur A. (Beisp.: Li_2). Vgl. die Abb. am Beisp. der A. bei O_2.

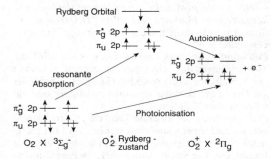

Abb.: Autoionisation bei O_2.

Resonante Absorption: Anregung eines Elektrons: π_u 2p → Rydberg-Zustand
A.: a) Rydberg-Zustand → π_u 2p u.
b) π_g^* 2p → Kontinuum
Photoionisation: Anregung eines Elektrons π_g^* 2p → Kontinuum. – *E* autoionization – *F* autoionisation – *I* autoionizzazione – *S* autoionización

Lit.: Comments At. Mol. Phys. **20**, 171 (1987) ▪ Hollas, High Resolution Spectroscopy, London: Butterworths 1982 ▪ Letokhov, Laser Photoionization Spectroscopy, San Diego: Academic Press 1987.

Autokatalyse. Auf Wilhelm *Ostwald zurückgehende Bez. für eine Form der *Katalyse, bei der ein gebildetes Reaktionsprodukt als *Katalysator auf den Fortlauf der Reaktion wirkt. Ein bekanntes Beisp. ist die Hydrolyse der Ester, deren Reaktionsgeschw. durch die gebildeten Wasserstoff-Ionen beschleunigt wird. – *E* autocatalysis – *F* autocatalyse – *I* autocatalisi – *S* autocatálisis

Lit.: Chem. Soc. Rev. **7**, 297–316 (1978) ▪ Ullmann (5.) **A 5**, 313 ff.

Autoklaven. Von griech.: autos = selbst u. latein.: clavis = Schlüssel abgeleitete Bez. für verschließbare, auf hohen Überdruck geprüfte Metallgefäße mit aufgeschraubtem, durch Bajonettverschluß gesichertem od. aufgepreßtem, dicht schließendem Deckel. In diesem A.-Kopf befinden sich Anschlußmöglichkeiten für eine Berstplatte od. ein Sicherheitsventil, Manometer, Thermometer u. oft auch für einen gasdicht angebrachten Rührapparat. Neben stationären A. mit Innenrührung (auch Magnetrührung) gibt es auch Schüttel-A. u. rotierende Autoklaven. Die Beheizung des A. erfolgt bei Labor-A. (Fassungsvermögen von ca. 100 ml bis zu mehreren Litern) meist elektr., bei größeren A. in der industriellen Verf.-Technik (bis zu mehreren m^3) meist durch Dampf. A., in denen Reaktionen unter Verbrauch von Gasen ablaufen, z. B. Druckhydrierung od. Polymerisation, enthalten zusätzlich einen Einlaß für das gasf. Ausgangsmaterial, das meist von einem Kompressor gefördert wird. In der Mehrzahl der Fälle besteht das Material der A. aus hochlegiertem Stahl (z. B. V 4 A), doch gibt es auch für spezielle Zwecke A. aus Kupfer, Leicht- u. Monelmetall. Anw. finden A. zur Durchführung von Reaktionen, die unter normalem Druck nicht od. nur mit geringer Geschw. od. Ausbeute ablaufen (Hydrierungen, Verseifungen, Polymerisationen, Vulkanisationen) sowie zum Sterilisieren medizin. Geräte u. von Dosenkonserven (s. Konservierung). *Beisp.* für benötigte Druckfestigkeit bei A.: Synth. von Salpetersäure (1–10 bar), Ethanol (65–70 bar), Methanol (50–350 bar), Harnstoff (200–400 bar), Essigsäure (650–700 bar), Ammoniak (200–1000 bar), synthet. Diamanten (ca. 100 000 bar). Über Klein-A. s. *Lit.*[1]. – *E* autoclave, pressure tank – *F* autoclaves – *I* autoclavi – *S* autoclaves

Lit.: [1] Chem. Ztg. **90**, 775 ff. (1966).
allg.: Brauer (3.) **1**, 105 f. ▪ Kirk-Othmer (3.) **12**, 352–416 ▪ Ullmann (4.) **3**, 83 ff.

Autokorrelationsfunktion. Funktion zur Beschreibung von Schwankungsvorgängen, die in der *Molekulardynamik (z. B. bei der Simulation von Flüssigkeiten) eine wichtige Rolle spielt. Die A. einer dynam. Variablen X ist ein Maß dafür, wie stark die momentanen Funktionswerte X(t) mit den zu späteren Zeit τ auftretenden Funktionswerten im Mittel über den gesamten zeitlichen Verlauf der dynam. Variablen korreliert sind. Die A. läßt sich wie folgt definieren:

$$X(\tau) = \lim_{t \to \infty} \frac{1}{t} \int_0^t dt' \, X(t') \cdot (t' - \tau).$$

Eine wichtige A. ist die Geschw.-A. $z(\tau)$, aus der sich der *Selbstdiffusionskoeff.* D (s. Diffusion) gemäß

$$D = \frac{1}{3} \int_0^\infty z(\tau) \, d\tau$$

berechnet. – *E* autocorrelation function – *F* fonction d'autocorrélation – *I* funzione di autocorrelazione – *S* función de autocorrelación

Autokrin s. Autacoide.

Autolyse (griech.: Selbstauflösung). Bez. für die Gesamtheit der Abbauprozesse, die nach dem Tod der Organismen von selbst zur Zerstörung der vorher belebten Substanz führen, u. zwar durch die nun nicht mehr zentral gesteuerten, noch aktiven in den *Lysosomen lokalisierten hydrolyt. *Enzyme (z. B. Glykosidasen, Lipasen, Proteasen). In der Natur wird Zersetzungsarbeit meist von Bakterien geleistet; in diesen Fällen spricht man nicht von A., sondern von Fäulnis u. Verwesungsprozessen. Durch *Konservierung kann eine unerwünschte A., z. B. bei Lebensmitteln, anatom. u. zoolog. Präp., verhindert werden. – *E* autolysis – *F* autolyse – *I* autolisi – *S* autólisis

Automatenlegierungen. Sammelbegriff für metall. Werkstoffe, die sich aufgrund ihrer Zusammensetzung u. ihres Gefüges bes. zur spanenden Bearbeitung (Drehen, Fräsen, Hobeln) in schnellaufenden automat. Fertigungsanlagen eignen. Von Bedeutung ist bes. das Vorhandensein nicht gelöster Legierungselemente (z. B. S u. Pb) bis ca. 0,4% im *Gefüge, die als separate Phasen statist. verteilt vorliegen u. beim Zerspanen den Span kurz brechen lassen; s. a. Automatenstähle. A. gibt es bei *Messing u. *Stahl. Die Optimierung der Spanbarkeit zwingt allerdings zu Kompromissen hinsichtlich der mechan. u. Beständigkeitseigenschaften. – *E* free-cutting alloys – *F* alliages de décolletage – *I* leghe per i distributori automatici – *S* aleaciones para tornos automáticos

Automatenstähle. *Stähle mit den Eigenschaften von *Automatenlegierungen. Hierbei handelt es sich im allg. um niedriglegierte Stähle mit max. 0,4% S, max. 0,1% P u./od. max. 0,35% Pb für Massenteile im Automobil-, Apparate- u. Maschinenbau. Daneben gibt es auch nichtrostende Automatenstähle. Allerdings zwingt die Forderung nach optimalen Zerspanungseigenschaften zu Kompromissen hinsichtlich der mechan. u. Beständigkeitseigenschaften sowie der Schweißeignung. – *E* free-cutting steels – *F* aciers de décolletage – *I* acciaio per i distributori automatici – *S* acero para tornos automáticos
Lit.: DIN 1651 (04/1988) ▪ Werkstoffkunde Stahl, Bd. 2, S. 478, Berlin/Düsseldorf: Springer/Stahleisen 1985.

Automation. Nach IUPAC ist A. die Bez. für den „Gesamtvorgang der Automatisation in allen Bereichen unter Berücksichtigung der sich daraus ergebenden techn., wirtschaftlichen u. sozialen Aspekte". *Automatisierung* od. *Automatisation* wiederum wird definiert als Anw. einer Kombination mechan. u. instrumenteller Vorrichtungen (also von *Mechanisation u. *Instrumentation), die bei der Durchführung eines gewünschten Vorganges menschliche Arbeitskraft, menschliche Fähigkeiten u. sich immer wiederholende menschliche Entscheidungen ersetzt. Solche Syst. werden durch eine *Rückkopplung* (*E* feedback) von Informationen gesteuert, um eine sich selbstprüfende u. sich selbsteinstellende *Apparatur zu ermöglichen. Es sollte also unterschieden werden zwischen *automat.* (ohne Rückkopplung) u. *automatisierten* (mit Rückkopplung) Syst.; hier sollen unter A. allerdings beide Syst. verstanden werden. Zur Terminologie der A. s. a. DIN 19233 (7/1972) u. DIN 19222 (3/1985).
Aus der synthet. Chemie, insbes. der chem. Ind., ist die A. heute nicht mehr hinwegzudenken, denn die *Regelung u. *Steuerung* vielstufiger Prozesse, bei denen eine Vielzahl von Meß- u. Einstellwerten eine Rolle spielt, ist ohne den Einsatz von Automaten nicht mehr möglich, wobei hier an Krackprozesse, an katalyt. Oxid., an Trennoperationen usw. gedacht sei. Lassen sich auch manche einfache Prozesse noch mit mechan. Schaltwerken steuern, so kommen doch die meisten Verf. nicht mehr ohne den Einsatz von *Prozeßrechnern (vgl. Datenverarbeitung) aus, mit deren Hilfe eine Vielzahl von Meßdaten erfaßt u. zur Steuerung von Ventilen, Schiebern, Heiz- u. Kühlsyst., aber auch von automat. Sicherheitseinrichtungen usw. umgewandelt wird (analog/digital-Wandlung, vgl. Analogrechner). Derartige Syst. dienen auch zum *Registrieren der Ergebnisse u. zur *Optimierung der Prozesse. Auch im präparativ-chem. Laboratorium hat die A. bereits ihren festen Platz, wie z. B. bei der *Peptidsynthese mit automat. arbeitenden Geräten (*Festphasen- od. *Merrifield-Technik), aber auch bei Routinesynthesen. Ebenso unentbehrlich wie in der präparativen Chemie ist die A. in der chem. Analytik. Hier ist nicht nur an die A. der *physikalischen Analyse zu denken, sondern auch an automatisierbare Arbeitsgänge bei der *Sequenzanalyse von Peptiden (*Edman-Abbau, *Moore-Stein-Analyse), bei der Analyse von Körperflüssigkeiten in der *Klinischen Chemie, in der Wasseranalyse u. allg. bei der Maßanalyse, z. B. mit *Titrierautomaten. Der Einsatz der EDV (*elektron. *Datenverarbeitung*) erfolgt v. a. in jenen analyt. Verf., die in sehr kurzer Zeit eine Vielzahl von Meßwerten liefern, wie *Gaschromatographie, *HPLC, *Massenspektrometrie, *Röntgenstrukturanalyse u. *Spektroskopie. – *E* = *F* automation – *I* automazione – *S* automación
Lit.: Dessy, The Electronic Laboratory, Washington DC: Am. Chem. Soc. 1985 ▪ Hawk u. Strimaitis, Advances in Laboratory Automation Robotics, Hopkinton: Zymark Corp. 1984 ▪ Hurst u. Mortimer, Laboratory Robotics, New York: VCH Publishers 1987 ▪ Kirk-Othmer (3.) **3**, 863–883; **13**, 485–512 ▪ s. a. Datenverarbeitung, Regelung. – *Inst.:* Institut für Produktionstechnik u. Automatisierung, Stuttgart. – *Ausstellungen:* Ilmac (Internationale Fachmesse für Laboratoriums- u. Verfahrenstechnik, Meßtechnik u. Automatik in der Chemie), CH-4000 Basel ▪ Interkama (Internationaler Kongreß mit Ausstellung für Meßtechnik u. Automatik), Düsseldorf.

Automation von Testsystemen. Durchführung von biolog. Tests mit weitgehender od. vollständiger Automatisierung der einzelnen Arbeitsvorgänge. Man verwendet zur A. v. T. Geräte u. Vorrichtungen, durch die der Bedarf an menschlicher Arbeitskraft u. Entscheidungsfindung minimiert u. der Probendurchsatz maximiert wird. Dadurch wird ein Massen-Screening von Substanz- od. Extrakte-Pools auf bestimmte Eigenschaften hin erst möglich; s. a. Automation. – *E* automation of (biological) assays – *F* automation de systèmes de test – *I* automazione dei sistemi di test – *S* automatización de sistemas de ensayos

Automerisierung. Bez. für eine – heute allg. *Topomerisierung genannte – bes. Art von *Isomerisierung aufgrund intramol. *Austauschreaktionen. *Automere* lassen sich nur durch *Isotopenmarkierung nachweisen, so beispielsweise bei der A. von Naphthalin, das in α-Stellung mit ^{13}C markiert ist.

 ⇌

Pyrolyse bei 1035°C in der Gasphase

Der * bedeutet Markierung mit dem Kohlenstoff-Isotop ^{13}C, das sich mit der *NMR-Spektroskopie leicht nachweisen läßt. – *E* automerization – *F* automérisation – *I* automerizzazione – *S* automerización
Lit.: Chem. Unserer Zeit **11**, 129 (1977).

Autopflegemittel. Sammelbez. für Produkte zur Reinigung u. Pflege von Lack, Zierteilen, Scheiben etc. von Kraftfahrzeugen; im erweiterten Sinne könnte man den A. auch Produkte für den Unterbodenschutz, die Hohlraumversiegelung, Rostlöser etc. zurechnen. Gemäß Definition des Industrieverbandes Putz- u. Pflegemittel (IPP), 60329 Frankfurt, werden A. in folgende Gruppen eingeteilt:
A. Lackkonservierer – B. Lackpolituren – C. Lackreiniger – D. Waschkonservierer – E. Shampoos zur Autowäsche – F. Wash-and-Wax-Produkte – G. Polituren für Ziermetalle – H. Schutzfilme für Ziermetalle – I. Kunststoff-Reiniger – K. Teerentferner – L. Entfroster u. Türschloßenteiser – M. Scheibenreiniger (Silikonentferner) – N. Zusatzmittel für Scheibenwaschanlagen – O. Zusatzmittel für Scheibenwaschanlagen mit Frostschutz.
Der IPP hat 1977/78 Qualitätsnormen für diese Produkte veröffentlicht [1], von denen bislang die Gruppen A. bis C. überarbeitet wurden [2]. Je nach Verwendungszweck sind A. in Form von Flüssigkeiten, Pasten od. Sprays im Handel. Im Jahre 1994 wurden in der BRD ca. 45 300 t A. im Wert von ca. 207 Mio. DM hergestellt (Statist. Bundesamt). – *E* car care products – *F* produits d'entretien de voitures – *I* prodotto di manutenzione dell'automobile – *S* productos para el entretenimiento de vehículos
Lit.: [1] Seifen, Öle, Fette, Wachse **103**, 533 f., 563 f., 592 (1977); **104**, 26, 49 f., 77 f., 112, 136, 170, 198, 264 (1978). [2] Seifen, Öle, Fette, Wachse **118**, 92–101 (1992).
allg.: Flick, Household and Automotive Chemical Specialties, Park Ridge: Noyes 1979 ▪ Halpern, Polishing and Waxing Compositions, Chem. Technol. Review, Park Ridge: Noyes 1982 ▪ Ullmann (4.) **20**, 152; (5.) **A 7**, 147.

Autophosphorylierung s. Protein-Kinasen.

Autoprothrombin IIA s. Protein C.

Autoradiographie. Bez. für ein Verf. der *Radiographie, bei dem die räumliche Verteilung einer radioaktiven Komponente in einem Gemenge mittels einer photograph. Emulsionsschicht sichtbar gemacht wird. Das radioaktive Element kann von vornherein im Untersuchungsobjekt vorhanden sein (z.B. als Gesteinseinschluß), od. man aktiviert in dem fertigen Gemisch eine Komponente durch Bestrahlung mit energiereichen Teilchen (vgl. Aktivierungsanalyse). Erhebliche Bedeutung hat die A. bei der Verfolgung von Wachstums- u. *Transport-Vorgängen in Pflanzen u. von *Stoffwechsel-Prozessen im Organismus erlangt. So läßt sich z.B. die Einbaugeschw. von Iod in Iodaminosäuren u. deren Transport durch die Schilddrüsenlymphbahnen durch A. ebenso verfolgen wie die Wirkung bestimmter Düngemittel auf das Wachstum von Nutzpflanzen od. von Schädlingsbekämpfungsmitteln auf Schadinsekten. Weiter spielt die A. eine Rolle bei metallograph. Untersuchungen u. bei der chromatograph. od. elektrophoret. Trennung von Substanzgemischen (vgl. Radiochromatographie). – *E* autoradiography – *F* autoradiographie – *I* autoradiografia – *S* autorradiografía
Lit.: Amlacher, Autoradiographie in Histologie u. Zytologie, Leipzig: Thieme 1974 ▪ Autoradiographie (Inform.-Heft 34), Brüssel: Büro Eurisotop 1973 ▪ Gahan, Autoradiography for Biologists, New York: Academic Press 1972 ▪ Lüttge, Microautoradiography and Electron Probe Analysis, Berlin: Springer 1972 ▪ Rogers, Techniques of Autoradiography, Amsterdam: Elsevier 1979 ▪ Williams, Autoradiography and Immunocytochemistry, Amsterdam: North-Holland 1977 ▪ s.a. Radiographie.

Autoregulating-Factor s. A-Faktor.

Autosampler. Bez. für automat. Probenaufgabegeräte in der instrumentellen Analytik (z.B. *HPLC, *GC, Protein- u. Nucleinsäure-Sequenzanalysatoren). Mit dem A. ist eine genaue Probendosierung u. Mehrfachinjektion mit hoher Zeitersparnis in der Routineanalytik (kontinuierliche Probenabarbeitung) möglich. – *E* auto sampler – *F* passeur d'échantillons – *I* autoregistratore di prove – *S* muestreador automático

Autoshampoo s. Autopflegemittel.

Autosom. Alle *Chromosomen, die nicht Geschlechtschromosomen (Heterosomen) sind. Der Mensch hat 22 A.-Paare u. ein Heterosomenpaar. – $E = F$ autosome – $I = S$ autosoma
Lit.: Gottschalk, Allgemeine Genetik, Stuttgart: Thieme 1994.

Autothrombin I s. Proconvertin.

Autotrophe Organismen (von griech.: autotrophos = sich selbst ernährend). A.O. beziehen ihren Zell-Kohlenstoff aus der CO_2-Fixierung (s.a. Autotrophie). – *E* autotrophic organisms – *F* organismes autotrophes – *I* organismi autotrofi – *S* organismos autótrofos
Lit.: Schlegel (7.), S. 201.

Autotrophie (von griech.: autotrophos = sich selbst ernährend). Bez. für die Ernährungsweise von grünen Pflanzen, *Algen u. vielen *Mikroorganismen, die sich von anorgan. Stoffen (Mineralsalze, Kohlendi-oxid u. dgl.) ernähren. Zur besseren Charakterisierung der Ernährungstypen v.a. bei Mikroorganismen wird neben der Art der Energiegewinnung u. der Kohlenstoff-Quelle auch der Elektronen-Donator berücksichtigt, so daß sich der Begriff *Lithotrophie durchgesetzt hat für Organismen mit der Fähigkeit zur Verwertung von anorgan. Elektronen-Donatoren (H_2, NH_3, H_2S, S, CO, $Fe^{2\oplus}$ u.a.). Der Begriff der A. ist heute weitgehend eingeschränkt auf die Bez. von Organismen, die die überwiegende Menge des Zell-Kohlenstoffs durch Fixierung von Kohlendioxid gewinnen. Die hierfür benötigte Energie wird entweder bei der *Photosynthese aus Licht gewonnen (*Photoautotrophie*) od. aus Redox-Reaktionen (*Chemoautotrophie*). Gegensatz: *Heterotrophie. – *E* autotrophy – *F* autotrophie – $I = S$ autotrofia
Lit.: s. Mikrobiologie.

Autotypie s. Chemigraphie.

Autoxidation. Bez. für die *Oxidation eines Stoffes, die *autokatalyt.* abläuft. Die Peroxygenierung von Kohlenwasserstoffen nach einem Wasserstoff-Abstraktionsmechanismus stellt ein für A. typ. Beisp. dar. Sie kann vereinfacht wie folgt wiedergegeben werden:

$$R\text{-}H + O_2 \longrightarrow R^\bullet + {}^\bullet O\text{-}OH$$

$$R^\bullet + O_2 \longrightarrow R\text{-}O\text{-}O^\bullet$$

$$R\text{-}O\text{-}O^\bullet + R\text{-}H \longrightarrow R\text{-}O\text{-}OH + R^\bullet$$

Stoffe, die vom Luftsauerstoff unmittelbar oxidiert werden, heißen *Autoxidatoren*, die mit Hilfe von Autoxidatoren oxidierbaren Substanzen *Akzeptoren. Für

sich genommen sind die Akzeptoren bei gewöhnlicher Temp. gegen Sauerstoff ziemlich unempfindlich; ihre Oxid. erfolgt erst bei Anwesenheit von Autoxidatoren. Die A. verläuft zumeist als *Kettenreaktion über *Radikale, z. B. über Spezies des Typs R–O–O˙ (Peroxyradikale). Gefördert wird die Radikal-Bildung bes. durch Wärme, Licht sowie Metalle (Co, Cu, Fe, Mn, Ni). Bes. anfällig für die A. sind ungesätt. Verb., die im allg. in der *Allyl-Stellung angegriffen werden. Die Primärprodukte der A. sind *Hydroperoxide u. Peroxide (früher oft als *Moloxide* bezeichnet), die Sekundärprodukte Ketone, Alkohole u. *Epoxide, vgl. hierzu Hocksche Spaltung. Beim Zerfall der A.-Zwischenprodukte läßt sich oft *Chemilumineszenz beobachten[1]. Durch die Unselektivität der Produkte unterscheidet sich die A. von der *Oxygenierung u. insbes. von der *Photooxidation. Reaktionen, bei denen O_2-empfindliche (*autoxidable*) Substanzen auftreten, müssen unter *Schutzgas-Atmosphäre (Stickstoff, Argon usw.) ausgeführt werden. Die Wirkung der A. sind nur in seltenen Fällen erwünscht, z. B. bei *trocknenden Ölen, bei der Oxid. von Cumol u. a. Kohlenwasserstoffen; zur Kinetik der A. s. *Lit.*[2]. Weit häufiger macht sich die A. störend bemerkbar, z. B. bei der *Alterung von Kautschuk u. Kunststoffen, bei der Verharzung von Kraft- u. Schmierstoffen, der *Selbstentzündung organ. Materie, dem Aromaverlust von Riechstoffen u. ether. Ölen u. der Entwicklung der *Ranzigkeit von Fetten u. fetten Ölen. Viele natürliche *Abbau-Prozesse, die generell als *Zersetzung bezeichnet werden, stellen sich demnach als A.-Vorgänge dar, die im allg. jedoch durch den Einsatz von – als *Radikal-Fänger wirkenden – *Antioxidantien u. *Stabilisatoren od. *Alterungsschutzmitteln verhindert od. eingeschränkt werden können.
In lebenden Zellen werden bei der nichtenzymat. Red. von Sauerstoff freie *Sauerstoff-Radikale (Superoxid, Hydroxid, Hydroxyperoxid) gebildet, die Zell- u. Membranproteine denaturieren u. so zum Zelluntergang führen können[3]. Von Leukocyten gebildete freie Radikale dienen der Abtötung von Krankheitserregern. Normalerweise werden sie im Organismus durch ein schützendes Enzymsyst. (Superoxid-Dismutase, Katalase, Glutathion-Peroxidase) neutralisiert. Trotzdem ereignen sich während des Lebens fortwährend kleinere durch freie Radikale bedingte Schäden, die akkumulieren u. so zum Altern beitragen[4]. Eine wichtige Rolle der freien Radikale wird bei der Entstehung von Gewebsschäden nach Durchblutungsstörungen u. bei verschiedenen degenerativen Erkrankungen vermutet; vgl. a. oxidativer Streß. – *E* autoxidation – *F* autoxydation – *I* autossidazione – *S* autooxidación
Lit.: [1] Angew. Chem. **89**, 220–228 (1977). [2] Angew. Chem. **80**, 53–69 (1968); Q. Rev. Chem. Soc. **25**, 265–288 (1971). [3] Forth et al. (6.), S. 329–333. [4] Science **257**, 1220–1224 (1992). *allg.:* Houben-Weyl **E 19/A, 4/1 a**, 72–168 ▪ Kirk-Othmer (3.), **3**, 128–148 ▪ Kochi, Free Radicals, Bd. 2, S. 3–62, New York: Wiley 1973 ▪ s. a. Oxidation.

Autozid-Verfahren. Bez. für eine auch *Sterile Male Technique, Sterile Insect Release Method* od. *Sterilpartner-Verf.* genannte Meth. der biol. *Schädlingsbekämpfung, bei der die Fortpflanzung von Schadinsekten dadurch unterbunden od. zurückgedrängt wird, daß große Mengen von durch ionisierende Strahlung od. *Chemosterilantien sterilisierte Männchen od. *Männchen genet. unverträglicher Herkunft in Konkurrenz zu intakten Männchen treten. Prakt. Anw. fand das A. V. z. B. bei der Bekämpfung der Schraubenwurmfliege, einem in der Viehhaltung in den Südstaaten der USA, in der Karibik u. Zentralamerika auftretenden Ektoparasiten, mit Hilfe von durch Röntgenstrahlung sterilisierten Männchen. Für eine erfolgreiche Anw. des A. V. müssen einige Bedingungen erfüllt sein: Die sexuelle Aktivität der sterilisierten Männchen darf nicht beeinträchtigt sein, die Weibchen dürfen eine Mehrfachbegattung nicht zulassen u. müssen zeitlich in einem gewissen Abstand vor den Männchen schlüpfen, damit letztere den sterilisierten Männchen nicht zuvorkommen können. Außerdem muß der Befall auf ein ökolog. abgrenzbares Gebiet beschränkt sein. Nach anfänglichen Erfolgen wurden bei der Schraubenwurmfliege Resistenzerscheinungen beobachtet, die man darauf zurückführt, daß sich die anfangs sehr geringe Zahl der Weibchen, die eine Mehrfachbegattung zulassen, durch Selektion deutlich erhöht hat. – *E* autocid procedure – *F* méthode autocide – *I* processo autocida – *S* método autocida
Lit.: Wegeler, Chemie der Pflanzenschutz- und Schädlingsbekämpfungsmittel, Bd. 6, S. 488 f., Berlin: Springer 1981.

Autunit (Kalkuranglimmer). $Ca[UO_2/PO_4]_2 \cdot 10-12 H_2O$; bei der Verwitterung von *Uranpecherz (Pechblende) entstehendes gelbes bis zeisiggrünes Mineral mit etwa 60% U_3O_8. Tafelige, vollkommen spaltbare, tetragonale Krist. (Krist.-Klasse 4/mmm-D_{4h}), büschelige Krist.-Gruppen, auch blätt-rig, schuppig; H. 2–2,5, D. 3,1–3,2; im UV-Licht stark grüngelb fluoreszierend.
Vork.: Z. B. Bergen/Vogtland, Erzgebirge, Cornwall/England, Autun/Frankreich (Name!), Mount Spokane/Washington/USA.
Gesundheitsschutz: Radioaktiv, auch kleinste eingeatmete Partikel können Lungenkrebs hervorrufen. – *E* = *F* = *I* autunite – *S* autunita
Lit.: Lapis **16**, Nr. 2, 8–11 (1991) („Steckbrief") ▪ Nriagu u. Moore (Hrsg.), Phosphate Minerals, S. 13, Berlin: Springer 1984 ▪ Ramdohr-Strunz, S. 655. – *[HS 2612 10; CAS 16390-74-2; 12333-86-7]*

Auwers, Karl Friedrich von (1863–1939), Prof. für Organ. Chemie, Marburg. *Arbeitsgebiete:* Naturstoffe, Flavone, cycl. Ketone, Stereochemie.
Lit.: Pötsch, S. 21.

Auwers-Skita-Regel. Die 1920 von K. v. *Auwers u. A. Skita aufgestellte Regel besagt, daß bei *cis-trans*-isomeren *alicyclischen Verbindungen das *cis*-Isomere die höhere Dichte u. den höheren Brechungsindex, dagegen die niedrigere Molrefraktion (vgl. Refraktion) besitzt. Nach einer anderen Formulierung[1] lassen sich bei substituierten Cycloalkanen gleichen Dipolmoments für das Isomere mit der höheren *Enthalpie auch höhere Dichte, Brechungsindex u. Siedepunkt erwarten. Die A.-S.-R. gestattet ed., Aussagen zur *Konformation von Cycloalkanen zu machen. – *E* Auwers-Skita rule – *F* règle d'Auwers et Skita – *I* regola d'Auwers-Skita – *S* regla de Auwers-Skita
Lit.: [1] J. Am. Chem. Soc. **79**, 3443 (1957).

allg.: Eliel, Stereochemie der Kohlenstoffverbindungen, S. 266 ff., Weinheim: Verl. Chemie 1966.

Auxanographischer Test. Meth. zur Ermittlung des Spektrums assimilierbarer Substrate (z. B. Kohlenstoff- od. Stickstoff-Verb.). Die zu testenden Organismen werden dabei in *Agar eingegossen, der frei von assimilierbaren Substraten sein muß. Auf der Oberfläche der Agarplatte werden Krist. der zu prüfenden Verb. placiert. Um die verwertbaren Substanzen herum bildet sich dann eine trübe Wachstumszone aus. – *E* auxanographic test

Auxillase®. Standardisiertes Protease-Konzentrat aus Pflanzen (*Carica papaya*, s. Papaya). *B.:* Merck.

Auxillin®. Marke von Merck für den Pflanzen-Wuchsstoff *Gibberellin.

Auxine. Bez. von natürlich vorkommenden od. synthet. hergestellten Pflanzen-*Wachstumsregulatoren, die in ihrer Wirkung dem natürlichen Pflanzenhormon Auxin (*3-Indolylessigsäure) ähneln, das in geringer Dosierung wachstumsfördernd, bei Überdosierung herbizid wirkt. – *E* auxins – *F* auxines – *I* auxine – *S* auxinas
Lit.: Ullmann (4.) 24, 53 f.

Auxochrome (auxochrome Gruppen). Von O. N. *Witt geprägte, von griech.: auxanein = wachsen u. chroma = Farbe abgeleitete Bez. für Substituenten mit freien Elektronenpaaren, wie NR$_2$, OR, COOH, SO$_3$H usw., die durch ihren Eintritt in *Chromogene (s. a. Chromophore u. Farbstoffe) Farbveränderungen od. Färbbarkeit bewirken können. Die Farbverschiebung kann dabei zu längeren (*bathochrom) od. zu kürzeren Wellenlängen hin (*hypsochrom) erfolgen. Demgegenüber können die von *Wizinger-Aust als *Antiauxochrome* (antiauxochrome Gruppen) bezeichneten Carbonyl- od. die Nitro-Gruppen nur durch *Mesomerie mit A. über das konjugierte Doppelbindungssyst. eines Chromogens Farbverstärkung hervorrufen. Eine moderne Interpretation der Wittschen Farbentheorie s. in *Lit.*[1]. – *E* = *F* auxochrome – *I* auxocromi – *S* auxocromo
Lit.: [1] Chem. Unserer Zeit **12**, 1–11 (1978).
allg.: Chimia **15**, 89–105 (1961) ▪ Zollinger, Color Chemistry, S. 12, 2. Aufl., Weinheim: VCH Verlagsges. 1991 ▪ s. a. Farbstoffe.

Auxotrophe Organismen. Meist Mangel- od. *Defektmutanten von Mikroorganismen. Im Gegensatz zu prototrophen Organismen benötigen a. O. zum Wachstum zusätzliche Substanzen (Suppline), da ein essentieller Stoffwechselweg unterbrochen ist. – *E* auxotrophic organisms – *F* organismes auxotrophes – *I* organismi auxotrofi – *S* organismos auxotrofos

Avadex®. Marke von Monsanto für ein flüssiges Herbizid mit *Diallat bzw. *Triallat (A. BW) gegen Flughafer in Zuckerrüben, Flachs, Weizen u. dgl.

Avamigran®. Filmtabl. u. Suppositorien mit *Ergotamin-Tartrat u. *Propyphenazon gegen Migräne. *B.:* Asta Medica.

Avarol. $C_{21}H_{30}O_2$, M_R 314,45, Krist., Schmp. 148–150°C, $[\alpha]_D$ +6,1°. A. ist neben *Avaron* ($C_{21}H_{28}O_2$, M_R 312,47, Öl) Inhaltsstoff des Meeresschwammes *Dysidea avara* mit interessanten pharmakolog. Eigenschaften, nämlich anti-HIV-Wirkung, antileukäm. u. cytostat. Wirkung, während Nichttumor-

Avarol   Avaron

zellen resistent gegen A. sind. – *E* = *F* = *S* avarol – *I* avarolo
Lit.: Cell. Biochem. Funct. **6**, 123 (1988) ▪ J. Nat. Prod. **52**, 646 (1989); **54**, 92 (1991) ▪ Jpn. J. Cancer Res. **79**, 647 (1988). – *Synth.:* J. Org. Chem. **47**, 1727 (1982) ▪ Tetrahedron **46**, 7971 (1990). – *[CAS 55303-98-5 (Avarol); 55303-99-6 (Avaron)]*

avdp. Abk. für *Avoirdupois.

Avena-Einheit s. Pflanzenwuchsstoffe.

Aventurin (Avanturin, italien.: a ventura = auf gut Glück). Schmuckstein aus *Quarz od. *Feldspat; *A.-Quarz* ist meist infolge Einlagerung feiner Schüppchen von Fuchsit (*Muscovit) kräftig grün, aber auch braunrot od. gelblich gefärbt; Vork. in Indien, Rußland, Brasilien, China u. auf Madagaskar. *A.-Feldspat* (A.-Oligoklas, „Sonnenstein") ist durch eingelagerte Schüppchen von *Hämatit rot gefärbt u. goldgelb schillernd; Vork. in Bamble/Norwegen, Kanada, Indien, Rußland. Rotes *Aventuringlas* („*Goldfluß*") wird durch Einlagerung von kolloidalem Kupfer künstlich hergestellt. – *E* = *F* aventurine – *I* = *S* aventurina
Lit.: Eppler, Praktische Gemmologie (5.), S. 270 f., 340 f., Stuttgart: Rühle-Diebener 1994 ▪ Rykart, Quarz-Monographie (2.), S. 262, Thun: Ott 1995 ▪ s. a. Edelsteine.

Avermectine.

	R^1	R^2	X–Y
A. A 1a	CH$_3$	CH(CH$_3$)–C$_2$H$_5$	CH=CH
A. A 1b	CH$_3$	CH(CH$_3$)$_2$	CH=CH
A. A 2a	CH$_3$	CH(CH$_3$)–C$_2$H$_5$	CH$_2$–CH(OH)
A. A 2b	CH$_3$	CH(CH$_3$)$_2$	CH$_2$–CH(OH)
A. B 1a	H	CH(CH$_3$)–C$_2$H$_5$	CH=CH
A. B 1b	H	CH(CH$_3$)$_2$	CH=CH
A. B 2a	H	CH(CH$_3$)–C$_2$H$_5$	CH$_2$–CH(OH)
A. B 2b	H	CH(CH$_3$)$_2$	CH$_2$–CH(OH)

Gruppe von *Makrolid-Antibiotika aus *Streptomyces avermitilis* mit breitem anthelmint. u. antiarthropod. Wirkungsspektrum in extrem niedriger Dosierung (10 µg/kg). Die A. sind Disaccharid-Derivate von

Tab.: Haupt- u. Nebenkomponenten der Avermectine.

	Summenformel	M_R	CAS
A. A 1 a	$C_{49}H_{74}O_{14}$	887,12	65195-51-9
A. A 1 b	$C_{48}H_{72}O_{14}$	873,09	65195-52-0
A. A 2 a	$C_{49}H_{76}O_{15}$	905,13	65195-53-1
A. A 2 b	$C_{48}H_{74}O_{15}$	891,11	65195-54-2
A. B 1 a	$C_{48}H_{72}O_{14}$	873,09	65195-55-3
A. B 1 b	$C_{47}H_{70}O_{14}$	859,06	65195-56-4
A. B 2 a	$C_{48}H_{74}O_{15}$	891,11	65195-57-5
A. B 2 b	$C_{47}H_{72}O_{15}$	877,08	65195-58-6

pentacycl., 16-gliedrigen Lactonen. Trotz ihrer Makrolid-Struktur hemmen sie die Protein-Biosynth. nicht. Ihnen fehlt antibakterielle u. antifung. Aktivität. Die A. werden in zwei Hauptgruppen aufgeteilt, Gruppe A mit einer Methoxy-Gruppe in 5-Stellung u. B mit einer Hydroxy-Gruppe (vgl. Formel). Bisher wurden acht natürlich vorkommende A. isoliert: Die Hauptkomponenten A_{1a}, A_{2a}, B_{1a} (Abamectin) u. B_{2a} sowie die Nebenkomponenten A_{1b}, A_{2b}, B_{1b} u. B_{2b}, die sich in ihrer biolog. Wirksamkeit nicht unterscheiden. Chem. eng verwandt mit den A. sind die *Milbemycine, die in C-13-Stellung keine α-L-Oleandrosyl-L-oleandrosyl-Gruppe besitzen u. in der Veterinärmedizin angewendet werden. Das A.-Derivat *Ivermectin (22,23-Dihydroavermectin B_1) findet auch als Antiparasitikum in der Humanmedizin Verwendung. Die A. wirken u. a. auf GABA-gesteuerte Chlorid-Ionen-Kanäle im ZNS wirbelloser Tiere. Zur Resistenzproblematik s. Lit.[1]. – *E* avermectins
Lit.: [1] ACS Symp. Ser. **591**, 284–292 (1995).
allg.: ACS Symp. Ser. **591**, 54–73 (1995) ▪ Chem. Soc. Rev. **20**, 211–269, 271–339 (1991) ▪ Stud. Nat. Prod. Chem. **12**, 3–33 (1993). – *[HS 2941 90]*

Aversin®. Flüssige Imprägnier- u. Hydrophobiermittel für die Lederherst. u. Pelzveredelung; können Metallsalze, Kunstharze, Paraffine, Weichmacher, Fluorhaltige Polymere u. Lsm. enthalten. *B.:* Henkel.

Averufin.

$C_{20}H_{16}O_7$, M_R 368,34, orange-rote Latten, Schmp. 280–282 °C, (Zers.). Inhaltsstoff von *Aspergillus*-Arten (*A. versicolor, parasiticus, nidulans, multicolor*) u. phytopathogenen Pilzen. A. ist ein Zwischenprodukt der *Aflatoxin-Biosynthese. – *E* averufin – *F* avérufine – *I* = *S* averufina
Lit.: Beilstein E V **19/7**, 73 ▪ Cole et al., Handbook of Toxic Fungal Metabolites, S. 107, New York: Academic Press 1981 ▪ J. Org. Chem. **50**, 5533 (1985) (Synth.). – *[CAS 14016-029-6]*

Avicel®. Marke der FMC für mikrokrist. *Cellulose; A. PH zur Verw. als Füll-, Binde-, Fließ-, Dispersions-, Sprengmittel u. Trägerstoff bes. bei der Tablettierung in der pharmazeut. Ind.; A. RC ist eine Mischung aus 92% mikrokrist. Cellulose u. 8% *Carboxymethylcellulose als Füllmittel u. Emulsionsstabilisator für kolloidale Pharmazeutika u. Lebensmittel. *B.:* Lehmann & Voss.

Avicenna (latein.), arab. Ibn Sina (980–1037), islam. Denker u. Arzt in Isfahan, Leibarzt, zeitweise auch Wesir an verschiedenen pers. Fürstenhöfen. Der von ihm verfaßte „Canon medicinae" beherrschte jahrhundertelang die medizin. Anschauungen.
Lit.: Sinoue u. Gilbert, Die Straße nach Isfahan, München: Knaur 1994.

Avidin. Tetrameres *Glykoprotein (M_R 66000) aus Hühnereiklar mit vier hochaffinen Bindungsstellen (daher Name von latein. avidus = gierig) für *Biotin (Dissoziationskonstante ca. 10^{-15} M). Diese Eigenschaft macht A. zum Gegenspieler des Biotins: Da der A.-Biotin-Komplex weder verdaut noch resorbiert wird, kann es bei längerer Einnahme von rohem Eiklar zu Mangelerscheinungen (*Avitaminosen) kommen. A. wird in Verbindung mit Biotin zur Immobilisierung von Liganden od. Reaktanden verwendet, so z. B. in *Immunoassays u. a. bio-anal. Detektionssyst., bei der *Affinitätschromatographie u. bei der Sequenzbestimmung von *Desoxyribonucleinsäuren an fester Phase. – *E* avidin – *F* avidine – *I* = *S* avidina
Lit.: Wilchek u. Bayer, Avidin-Biotin Technology, San Diego: Academic Press 1990.

Avidität s. Antigene.

Avilamycine.

Avilamycin C

Ein *Antibiotika-Komplex aus 16 Komponenten, der von *Streptomyces viridochromogenes* gebildet wird. Die A. gehören zur Antibiotika-Klasse der Orthosomycine, die durch eine Oligosaccharid-Struktur u. zwei Orthoester-Gruppierungen charakterisiert sind. Hauptkomponente ist A. C, $C_{61}H_{90}Cl_2O_{32}$, M_R 1406,27, Schmp. 188–189 °C. A. wirken gegen Gram-pos. Bakterien, sie hemmen die Bindung der Aminoacyl-tRNA an die 30S-Untereinheit des bakteriellen *Ribosoms. A. sind in der Tierhaltung als Fütterungsantibiotika in der Prüfung. – *E* avilamycin – *F* avilamycine – *I* avilmicine – *S* avilamicina
Lit.: Helv. Chim. Acta **62**, 1, 7 (1979); **65**, 3 (1982) ▪ J. Antibiot. **39**, 877 (1986) ▪ Tetrahedron **35**, 1207 (1979). – *[HS 2941 90; CAS 69787-80-0 (A. C); 69787-79-7 (A. A)]*

Avitaminosen. Bez. für Erkrankungen, die bei Fehlen der – unten in Klammern angegebenen – Vitamine bei

Menschen u. Tieren auftreten können; leichtere Unterversorgung mit Vitaminen ruft *Hypovitaminosen hervor. Typ. A. sind Epithelschädigungen, Hemeralopie (A), *Beri-Beri, *Pellagra (B), *perniziöse Anämie (B_{12}), *Skorbut (C), *Rachitis (D), Blutungsneigung (K); näheres s. Vitamine. A. können zu Forschungszwecken auch experimentell erzeugt werden, z. B. Biotin-A. mit Hilfe von *Avidin bzw. rohem Hühnereiklar. – *E* avitaminoses – *I* avitaminosi – *S* avitaminosis
Lit.: s. Vitamine.

Avivage (von französ.: aviver = beleben). Arbeitsvorgang bei der Herst. von Garnen u. Geweben, od. bei der Wäsche-Nachbehandlung, bei der diese mit weichmachenden, glättenden Substanzen (*Aviviermitteln* – diese werden teilw. auch zu den *Appreturen gerechnet) behandelt werden, um (bei *Garnen) die Spulfähigkeit zu verbessern[1] u. antistat. Eigenschaften zu erzielen od. (bei *Geweben) den Griff zu verbessern od. Glanz u. Farbbrillanz zu erhöhen. A.-*Präparationen enthalten Öle, quart. Ammonium-Verb., Schichtsilicate, Fettsäure-Derivate, Siliconöle u. a. Der Einsatz avivierender Mittel zur Wäschebehandlung (*Weichspüler) kann in einem auf den Waschprozeß folgenden Weichspülgang erfolgen, od. die A.-Wirkstoffe werden unmittelbar in der Waschmittelrezeptur integriert. – *E* fiber finishing (für Fasern), softening (für Gewebe) – *F* avivage – *I* vivificazione – *S* avivado, avivaje
Lit.:[1] Färber-Kal. **82** 439–447 (1978).
allg.: DIN 61703 (06/1953) ▪ Ullmann (4.) **23**, 10f., 81; (5.) **A 26**, 306 ▪ s. a. Textilveredlung.

AVIVAN®. Universal-Weichgriff- u. *Avivage-Mittel für Textilien aller Art auf der Basis von Fettsäureamiden/-estern u./od. Siliconen. **B.:** Pfersee.

Avivierechtheit. Nach DIN 54029 (08/1984) Bez. für die Beständigkeit von Färbungen u. Drucken auf Textilien jeder Art u. jedes Verarbeitungszustandes gegen die Einwirkung von *Avivage-Mitteln. – *E* brightening fastness – *F* solidité à l'avivage – *I* resistenza (solidità) avvivante – *S* solidez al avivado

Aviviermittel s. Avivage.

Avizide (von latein.: avis = Vogel u. ...zid). Bez. für Mittel zur Bekämpfung von Schadvögeln. Die früher häufige Verw. von tox. Substanzen (z. B. Organophosphaten u. Cyaniden) ist heute in der BRD u. vielen anderen Ländern verboten od. stark eingeschränkt. Statt dessen werden Substanzen eingesetzt, die auf Vögel abstoßend wirken (*Repellentien) od. bei einzelnen Tieren Reaktionen auslösen, die den ganzen Schwarm vertreiben. Zu den A. gehören z. B. 4-*Aminopyridin u. *Anthrachinon. – *E* avicides
Lit.: Farm ▪ Wegler, Chemie der Pflanzenschutz- und Schädlingsbekämpfungsmittel, Bd. 1, S. 584–590, Berlin: Springer 1970.

AVK s. Kunststoffe (*Organisationen*).

Avocado (Avocato). Grünschalige, birnenförmige, ca. 10 cm lange Frucht der aus dem trop. Mittelamerika stammenden, inzwischen auch in subtrop. Gegenden kultivierten *Persea gratissima* (Lauraceae). Je 100 g eßbare Substanz enthält 71,6% Wasser, 1,3% Proteine, 18,6% Fett (der Fett-Gehalt variiert je nach Sorte zwischen 3 u. 30%!), 3,4% Kohlenhydrate, Gesamtasche 1,6%, Ca 47 mg, P 34 mg, Vitamin-Gehalt durchschnittlich bis auf einen relativ hohen Gehalt an B-Vitaminen, Nährwert 170 kcal (712 kJ). Die Blätter enthalten ein ether. Öl mit Pinen, Methylchavicol, Paraffin, Perseit (einem Glycerogalactoheptit) u. Gerbstoffen u. dienen als *Diuretikum, *Carminativum u. *Stomachikum. Daneben enthalten Früchte u. Samen der A. langkettige Aliphaten von ausgesprochen bakteriziden Eigenschaften bei gleichzeitiger Hitzeresistenz. Wegen ihres die Insulin-Produktion hemmenden Gehalts an D-Mannoheptulose soll die A. als Diät-Nahrungsmittel zur Gewichtsreduzierung geeignet sein. Das aus der A. gewonnene eßbare fette Öl enthält Vitamin A, B, C, D, E; D. 0,91, VZ. 193, Unverseifbares 1,6%. Das Öl besteht zu 84–85% aus ungesätt. Fettsäure-, hauptsächlich Ölsäure-glyceriden. A. werden zu Cremes, Hautsalben u. a. Kosmetika verwendet. – *E* avocado, alligator pear – *F* avocat – *I* avocado – *S* aguacate
Lit.: Brücher, Tropische Nutzpflanzen, S. 348ff., Berlin: Springer 1977 ▪ Franke, Nutzpflanzenkunde, Stuttgart: Thieme 1992 ▪ Hager **6a**, 533f.; **7b**, 163 ▪ Herrmann, Exotische Lebensmittel, S. 14, 17–22, Berlin: Springer 1983. – [HS 080440]

Avocadoöl. Das A. zeigt folgende Eigenschaften: VZ 180–193, IZ 71–95, *Unverseifbares 1,6%, D. 0,9132, Schmp. 15 °C.
Die Triacylglyceride weisen folgende Fettsäure-Zusammensetzung auf: *Ölsäure 44–76%, *Linolsäure 8–25%, *Palmitinsäure 10–26%, *Palmitoleinsäure 2–12%. Das Öl gleicht damit dem *Olivenöl, von dem es aber z. B. durch den höheren Gehalt an Palmitoleinsäure analyt. unterschieden werden kann.
Es ist als Speiseöl untergeordneter Bedeutung, findet vorwiegend in der Kosmetik-Ind. Verwendung. A. eignet sich bes. für die Hautpflege[1] u. zeichnet sich durch gutes Eindringen in die Hornhaut, hydratisierende Wirkung u. hohes Spreitvermögen aus. A. enthält einen bisher noch nicht identifizierten Faktor, der das Enzym Lysyloxidase (katalysiert den initialen Schritt der Quervernetzung von Kollagenfasern) hemmt[2]. Die *Tocopherol-Verteilung (Gesamtgehalt 112–203 mg/kg; α-Tocopherol: 79–87%, β-Tocopherol: 1–2%; γ-Tocopherol 10–13%; δ-Tocopherol: 0–8%) erlaubt neben der Fettsäure-Zusammensetzung den Nachw. von Avocadoöl[3]. – *E* avocado oil – *F* huile d'avocat – *I* olio essenziale di avocado – *S* aceite de aguacate, aceite de palta
Lit.:[1] Seifen, Öle, Fette, Wachse **111**, 164 (1985); Pharm. Ztg. **131**, 2279 (1986). [2] J. Agric. Food Chem. **38**, 2164–2168 (1990). [3] Fat Sci. Technol. **93**, 519–526 (1991).
allg.: Food Chem. Toxicol. **29**, 93–99 (1991) ▪ J. Agric. Food. Chem. **38**, 2164–2168 (1990) ▪ Ullmann (5.) **A 10**, 220. – [HS 151590; CAS 8024-32-6]

Avogadro, Amedeo A., Conte di Quaregna (1776–1856), Prof. für Mathemat. Physik, Turin. A. ist einer der Begründer der modernen Molekulartheorie (vgl. Avogadrosches Gesetz).
Lit.: Endeavour **35**, 2 (1976) ▪ Krafft, S. 34f. ▪ Neufeldt, S. 9 ▪ Pötsch, S. 21 ▪ Strube **2**, 32f., 49f., 65, 75 ▪ Strube et al., S. 70, 71.

Avogadro-Konstante (Kurzz. N_A, auch Loschmidtsche Zahl, Kurzz. L). Die A.-K. gibt die Anzahl der Atome bzw. Mol. an, die in einem *Mol eines Stoffes enthalten sind; sie ist als eine der *Fundamentalkonstanten definiert. Durch neue experimentelle Verf. (Bestimmung der Gitterkonstante von Einkrist. mit Hilfe eines Röntgenstrahl-Interferometers, wobei die Translation des Röntgenstrahl-Interferometers durch ein opt. Laser-Interferometer ausgemessen wird, s. *Lit.*[1]), konnte die Meßgenauigkeit der A.-K. in den letzten Jahren deutlich gesteigert werden. Als neuer, 1986 von der CODATA (Task Group on Fundamental Constants) vorgeschlagener Wert gilt: $N_A = 6{,}0221367(36) \cdot 10^{23}$ mol^{-1} (s. *Lit.*[2]). Die relative Unsicherheit $\Delta N_A/N_A = 5{,}9 \cdot 10^{-7}$ ist, verglichen mit der anderer Fundamentalkonstanten, noch relativ hoch. Dies steht einer Rückführung der *Basiseinheit kg auf Einheiten in Quantenmaßen noch im Wege. – *E* Avogadro's constant – *F* constante d'Avogadro – *I* costante d'Avogadro – *S* constante de Avogadro
Lit.: [1] Phys. Bl. **40**, 372 (1984). [2] CODATA Bull. **63**, Nov. 1986; Phys. Bl. **43**, 397 (1987).
allg.: IUPAC, Größen, Einheiten u. Symbole in der Physikalischen Chemie, Weinheim: VCH Verlagsges. 1996.

Avogadro'sches Gesetz. Dieser von *Avogadro 1811 aufgestellte, für ideale *Gase (s. Gasgesetze) geltende Satz lautet: „Die gleichen Vol. aller Gase enthalten bei gleichem Druck u. gleicher Temp. die gleiche Anzahl von Molekülen." Auf einen konkreten Fall angewendet, besagt die Regel, daß z. B. ein Liter Sauerstoff-Gas von 0 °C u. 101,3 kPa Druck ebenso viele Sauerstoff-Mol. enthält, wie sich Kohlendioxid-Mol. im Liter Kohlendioxid-Gas von 0 °C u. 101,3 kPa Druck befinden. Das A. G. ist die Grundlage der *Atom- u. *Molmassenbestimmung von Substanzen, die sich in annähernd idealen Gaszustand bringen lassen. – *E* Avogadro's hypothesis – *F* hypothèse d'Avogadro – *I* legge d' Avogadro – *S* hipótesis de Avogadro
Lit.: Barrow, Physikalische Chemie, Braunschweig: Vieweg 1984 ■ Bergmann u. Schaefer, Lehrbuch der Experimentalphysik, Bd. 1, Berlin: de Gruyter 1990 ■ Lerner u. Trigg (Hrsg.), Encycl. of Physics, Weinheim: VCH Verlagsges. 1991.

Avogadro'sche Zahl. Anzahl der Atome od. Mol. pro cm^3 eines idealen Gases unter *Normalbedingungen ($\cong 2{,}687 \cdot 10^{19}$ cm^{-3}). Oft verwendet wird auch die *Loschmidt-Konstante* (Kurzz. n_o), die die Anzahl der Atome od. Mol. pro m^3 angibt: $n_o = N_A/V_m \cong 2{,}687 \cdot 10^{25}$ m^{-3} mit N_A = *Avogadro-Konstante u. V_m = molares Vol. des Idealen Gases unter Normalbedingungen. – *E* Avogadro's number – *F* nombre d'Avogadro – *I* numero d' Avogadro – *S* número de Avogadro

Avogramm s. Dalton.

Avoirdupois (Abk.: avdp.). Das A.-Syst. ist in den meisten engl.-sprechenden Ländern ein legales Gewichtssyst. für den Handel. Die Grundeinheit ist das Pfund (*pound), das seit seiner ersten Definition im Jahre 1340 über Jahrhunderte hinweg innerhalb von 0,1% konstant blieb. Es existiert folgende Einteilung: das *pound (lb) zu 16 *ounces (oz) od. 7000 grains (gr) = 453,5924 g; 100 lb = 1 *hundredweight (cwt.); 20 cwt = 2000 lb = 1 short ton (sh tn); 2240 lb = 1 (long) ton (tn). Folglich gilt: 1 oz = 28,34952 g, 1 cwt (short) = 45,35924 kg. 1 cwt (long) = 50,80235 kg. Zur Umrechnung in andere Maßeinheiten s. *Lit.* – *E* Avoirdupois system – *F* système de poids avoirdupois – *I* sistema di peso avoirdupois – *S* sistema de pesas avoirdupois
Lit.: Handbook 75, 1–25 (1994).

Avolan®. Egalisiermittel für die Wollfärberei, Aufhellungsmittel für Fehlfärbungen; A. IS ist ein anionaktives Kondensationsprodukt aus *Naphthalinsulfonsäuren mit *Formaldehyd. *B.:* Bayer.

AVS 250®. Härtesalze. *B.:* Degussa.

Awe, Walter (1900–1968), Prof. für Pharmazeut. Technologie, TU Braunschweig. *Arbeitsgebiete:* Alkaloide, Phenylchinolincarbonsäure, Pyrazolon-Derivate, Saponine, Iodazid-Reaktionen, galen. Pharmazie, Arzneimittelanalyse usw.
Lit.: Poggendorff **7 a/1**, 69–70.

Axelrod, Julius (geb. 1912), Prof. für Klin. Forschung, Nat. Inst. Mental Health, Bethesda, Md., USA. *Arbeitsgebiete:* Neurochemie, Adrenalin u. Noradrenalin als Neurotransmitter, Physiologie der Zirbeldrüse, Rolle der Catechol-*O*-Methyltransferase bei der Nervenleitung. Nobelpreis für Physiologie od. Medizin 1970 zusammen mit von *Euler u. *Katz.
Lit.: Nachr. Chem. Tech. **18**, 441 f. (1970) ■ Nobel Prize Lectures Physiology or Medicine 1963–1970, Amsterdam: Elsevier 1972 ■ Pötsch, Ja.

Axerophthol. s. Vitamine (A$_1$).

Axial. Bez. aus der *Konformations-Theorie für die bei der Sesselform des *Cyclohexans – annähernd senkrecht auf der Ringebene stehenden CH-Bindungen bzw. Substituenten. Bei Wannen- od. Twistformen spricht man dagegen von *quasiaxialen* Bindungen, u. bei durch Ringspannung deformierten Sesselformen (z. B. bei Cyclohexen) liegen Substituenten in *pseudoaxialen* Bindungen vor. Näheres s. bei Konformation. – *E* = *F* axial – *I* assiale – *S* axial
Lit.: s. Konformation u. Stereochemie.

Axiale Chiralität s. Chiralität u. Atropisomerie.

Axinit. H(Ca,Fe,Mn,Mg)$_3$[Al$_2$BSi$_4$O$_{16}$]; heute Gruppenbez. für die Minerale *Magnesio-A.* (Ca > 1,5, Mg > Fe), *Ferro-A.* (Ca > 1,5, Fe > Mn), *Mangan-A.* (Ca > 1,5, Mn > Fe) u. *Tinzenit* (Ca < 1,5, Mn > Fe). Meist aufgewachsene, spröde, vorwiegend braune od. violette, glasglänzende, scharfkantige trikline Krist., Krist.-Klasse 1-C$_1$, Struktur s. *Lit.*[1,2]; auch derb, stengelig, spätig; H. 6,5–7, D. 3,2–3,3.
Vork.: Harz, Sauerland, Schweiz, Dauphiné/Frankreich, Ural u. Halbinsel Chukotka/Sibirien, Obira/Japan. – *E* = *F* = *I* axinite – *S* axinita
Lit.: [1] Z. Kristallogr. **140**, 289–312 (1974). [2] Am. Mineral. **64**, 635–645 (1979); **66**, 428 ff. (1981).
allg.: Deer, Howie u. Zussman, Rock-Forming Minerals (2.), Vol. 1 B, S. 603–623, London: Longman Scientific & Technical 1986 ■ Lapis **20**, Nr. 3, 7–11 (1995) ■ Ramdohr-Strunz, S. 691 f. – *[CAS 12251-98-8]*

Axol®. Mono- u. Diglyceride von Speisefettsäuren, verestert mit organ. Säuren; Emulgatoren für Lebensmittel (E 472 a bis e). *B.:* Th. Goldschmidt AG.

Axon s. Neuron.

AY. Nach DIN 55950 (04/1978) Kurzz. für Acryl (-Harz).

Ayahuaska („Ranke der Seele"; Synonym Yage). Berauschender Trank der auf der Grundlage der südamerikan. Rankenpflanzen *Banisteriopsis caapi* Spruce ex Griseb. (Malpighiaceae) u. a. *Banisteriopsis*-Arten zubereitet u. von Indianerstämmen bei okkulten Zeremonien verwendet wird. Als Wirkstoffe wurden *Indolalkaloide, hauptsächlich *Harmin gefunden. – $E = F = I = S$ ayahuasca
Lit.: Pharm. Unserer Zeit **14**, 65–76 (1985) ▪ Schultes u. Hofmann, The Botany and Chemistry of Hallucinogens, Springfield (Ill.): Thomas 1973 ▪ Schultes u. Hofmann, Pflanzen der Götter, Bern: Hallwag 1980.

Aza... Präfix, das nach IUPAC-Regel R-2 in *Austauschnamen u., vor Vokal zu Az... gekürzt, im *Hantzsch-Widman-System den Ersatz einer CH-Gruppe durch ein N-Atom anzeigt (*Beisp.*: *8-Azaguanin; *Azepine, *Azetidine, *Aziridine), in Namen für Ketten u. Ringe alternierender Heteroatome dagegen die Einheit –NH–; *Beisp.*: Disilazan = $SiH_3–NH–SiH_3$, Cyclotriazathian = *cyclo*-[–NH–S–]$_3$. Aza-Austauschnamen gibt man einkernigen *Stickstoff-Heterocyclen mit n > 10 Ringatomen (n = 3 – 10: Hantzsch-Widman-Syst.), für nicht-kondensierte oligocycl. Syst. (s. Bicyclo[..]...), Kryptanden u. Spiro-Verbindungen) u. für Ketten aus C-Atomen u. vielen isolierten Heteroatomen, die sehr unübersichtliche *Substitutionsnamen ergäben; *Beisp.*: $NH_2[-CH_2-CH_2-NH]_4-CH_2-COOH = 14$-Amino-3,6,9,12-tetraazatetradecan-1-säure. Das Präfix *Azonia*... bezeichnet den Ersatz eines C-Atoms durch N^+ in Austauschnamen. Bei kondensierten heterocycl. Verb. wird im allg. ein *Anellierungsname dem Austauschnamen vorgezogen. – $E = F = I = S$ aza...

Azactam®. Trockensubstanz für Injektions- u. Infusions-Lsg. mit *Aztreonam u. *Arginin gegen Infektionen mit aeroben Gram-neg. Bakterien. *B.:* Grünenthal.

Azacyclobutadiene s. Azete.

5-Azacytidin [4-Amino-1-D-ribofuranosyl-1,3,5-triazin-2(1*H*)-on].

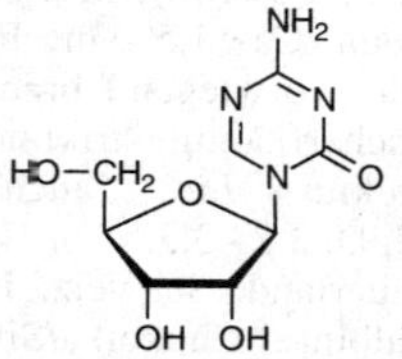

$C_8H_{12}N_4O_5$, M_R 244,21, Schmp. 228–230 °C; $[\alpha]_D^{25}$ + 39° (c 1/H_2O); LD_{50} (Maus, i. p.) 115,9, (Maus, oral) 572,3 mg/kg. Von *Streptoverticillium ladakanus* produziertes, auch synthet. darstellbares Antibiotikum, das als *Antimetabolit des *Cytidins mutagene Eigenschaften hat, aber auch cytostat. wirkt, z. B. bei akuter Leukämie, u. gegen Gram-neg. Bakterien wirksam ist. – *E* 5-azacytidine – *F* azacytidine – $I = S$ 5-azacitidina
Lit.: Adv. Pharmacol. Chemother. **14**, 285–326 (1977) ▪ IARC-Monogr. **26**, 37–46 (1981) ▪ Ullmann (5.) **A 2**, 491; **A 5**, 6. – *[HS 2941 90; CAS 320-67-2]*

Azadirachtin(e).

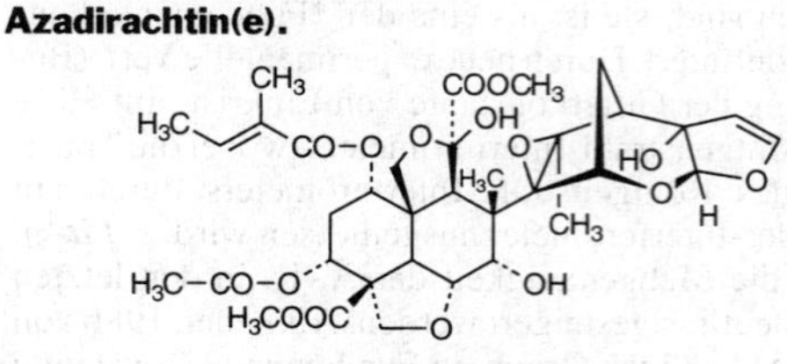

Azadirachtin

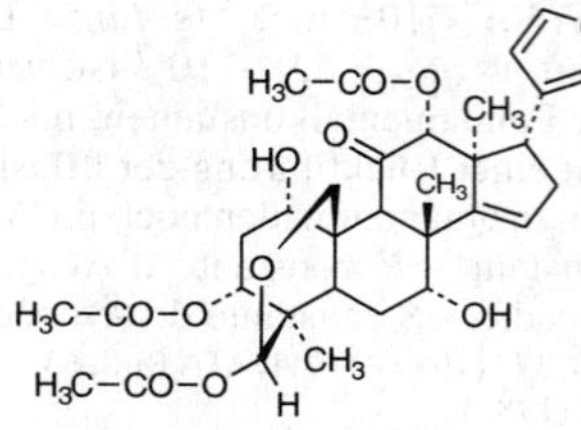

Azadirachtanin

$C_{35}H_{44}O_{16}$, M_R 720,72, Schmp. 155–158 °C, in Lsg. instabil. A. ist ebenso wie *Azadirachtanin* ($C_{32}H_{40}O_{11}$, M_R 600,66, Krist., Schmp. 225–226 °C) ein aus dem ind. Baum *Azadirachta indica* (Neembaum, Ind. Flieder, Paternosterbaum, Meliaceae) isoliertes, hochoxidiertes *Triterpen. A. ist ein sehr wirksames, system. Fraßabschreckungsmittel für Insekten. Es hat *Ecdyson-ähnliche Wirkung u. verursacht Wachstumsstörungen im Larvenstadium der Tiere. Für Säugetiere ist es nicht tox.[1]. – *E* azadirachtin(s) – *F* azadiractine – $I = S$ azadiractina
Lit.: [1] Z. Naturforsch., Teil C **42**, 4 (1987).
allg.: Nat. Prod. Rep. **1993**, 109–157. – *[CAS 11141-17-6 (A.); 98798-58-4 (Azadirachtanin)]*

8-Azaguanin.

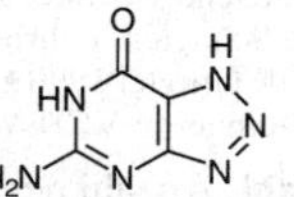

Kurzbez. für das als *Antimetabolit des *Guanins wirkende Cytostatikum 5-Amino-1*H*-[1,2,3]triazolo[4,5-*d*]pyrimidin-7-ol bzw. dessen Oxo-Form, $C_4H_4N_6O$, M_R 152,12; Zers. > 300 °C. – *E* azaguanine – *F* aza-8 guanine – *I* 8-azaguanina – *S* azaguanina
Lit.: Grunberger u. Grunberger, Antibiotics, Bd. 5, Tl. 2, S. 110–123, Berlin: Springer 1979 ▪ Handbook Exp. Pharmacol. **38/2**, 458 (1975). – *[HS 2933 90; CAS 134-58-7]*

Azapropazon.

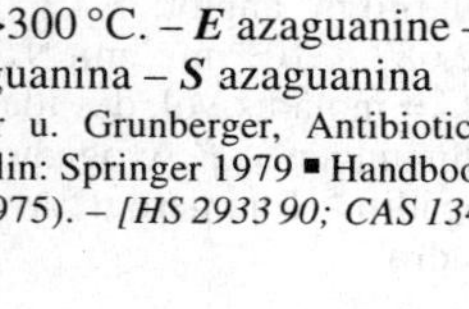

Internat. Freiname für 5-Dimethylamino-9-methyl-2-propyl-1*H*-pyrazolo[1,2-*a*] [1,2,4]benzotriazin-1,3 (2*H*)-dion, $C_{16}H_{20}N_4O_2$, M_R 300,36; Schmp. 228 °C. Verwendet wird auch das Dihydrat, farblose Krist., Schmp. 247–248 °C. Es wurde 1966, 1967 u. 1969 als

Analgetikum u. Antiphlogistikum von Siegfried patentiert u. ist von Du Pont (Tolyprin®) im Handel. – $E=F=I$ azapropazone – S azapropazona
Lit.: ASP ▪ Hager (5.) **7**, 331 ff. – *[HS 2933 90; CAS 13539-59-8]*

Azaron. Stift mit *Tripelennamin-Hydrochlorid gegen Juckreiz nach Insektenstichen. *B.:* Chefaro. – *[HS 3004 90]*

Azaserin (Serin-diazoacetat, *O*-Diazoacetyl-serin).

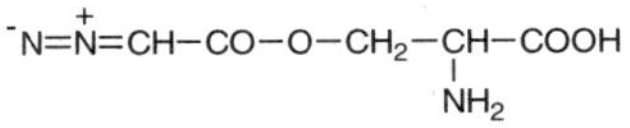

$$^-N{=}\overset{+}{N}{=}CH{-}CO{-}O{-}CH_2{-}\underset{\underset{NH_2}{|}}{CH}{-}COOH$$

$C_5H_7N_3O_4$, M_R 173,13. Hellgelbe bis grünliche Krist., Zers. bei 146–162 °C; $[\alpha]_D^{27,5}$ –0,5° (c 8,46/H_2O); leicht lösl. in Wasser, wenig in Alkoholen u. Aceton; mit Säuren tritt Zers. ein. A. ist ein in opt. aktiver L-Form aus *Streptomyces*-Arten isolierbares, in racem. Form auch synthet. herstellbares *Antibiotikum, das als *Antimetabolit des Glutamins mutagen, bakterizid, fungizid u. cytostat. wirksam ist. Es wurde 1961–1962 von Parke, Davis patentiert, ist in der BRD nicht im Handel. – E azaserine – F azasérine – $I=S$ azaserina
Lit.: IARC Monogr. **10**, 73–77 (1976) ▪ Kirk-Othmer **S**, 85 ▪ Snell-Hilton **5**, 477, 599 ff. – *[HS 2941 90]*

Azatadin.

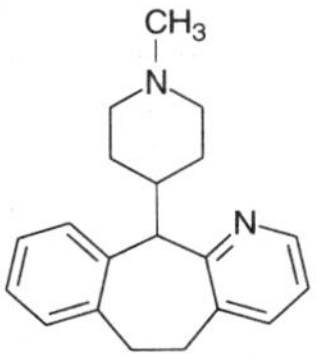

Internat. Freiname für den als *Antihistaminikum wirkenden Serotonin-Rezeptorenblocker 6,11-Dihydro-11-(1-methyl-4-piperidyliden)-5*H*-benzo[5,6]cyclohepta[1,2-*b*]pyridin, $C_{20}H_{22}N_2$, M_R 290,41; Schmp. 124–126 °C. Es wurde 1964 von Scherico, 1967 u. 1968 von Schering patentiert, ist in der BRD nicht im Handel. – $E=F$ azatadine – $I=S$ azatadina
Lit.: Hager (5.) **7**, 334 f. – *[HS 2933 39; CAS 3964-81-6; 3978-86-7 (Maleat)]*

Azathioprin.

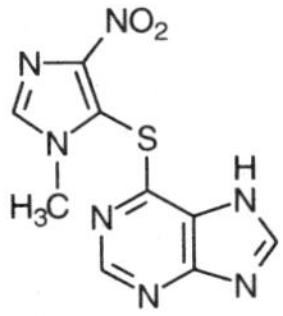

Internat. Freiname für 6-[(1-Methyl-4-nitroimidazol-5-yl)-thio]-purin, $C_9H_7N_7O_2S$, M_R 277,29, Schmp. 243–244 °C. Es wurde 1962 von Burroughs Wellcome (Imurek®, Glaxo Wellcome) als Immunsuppressivum patentiert u. ist Generika-fähig. – $E=F$ azathioprine – $I=S$ azatioprina
Lit.: ASP ▪ DAB **10** ▪ Florey **10**, 29–54 ▪ Hager (5.) **7**, 336. – *[HS 2933 59; CAS 446-86-6]*

6-Azauridin [2-D-Ribofuranosyl-1,2,4-triazin-3,5(2*H*,4*H*)-dion]. $C_8H_{11}N_3O_6$, M_R 245,19, farblose Krist., Schmp. 160–161 °C; $[\alpha]_D^{24}$ –132° (Pyridin). A. ist Antimetabolit des Uridins u. wurde als Cytostatikum u. Antipsoriatikum eingesetzt.

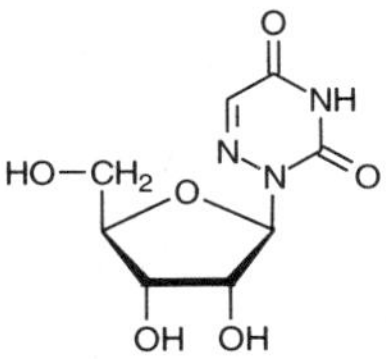

– E 6-azauridine – F aza-6 uridine – $I=S$ 6-azauridina
Lit.: Angew. Chem. **85**, 680–690 (1973) ▪ Florey **10**, 29–53 ▪ Hager (5.) **7**, 339. – *[HS 2933 69; CAS 54-25-1]*

Azelainsäure (Nonandisäure). $HOOC{-}(CH_2)_7{-}COOH$, $C_9H_{16}O_4$, M_R 188,22. Farblose Blättchen od. Nadeln, D. 1,03, Schmp. 106 °C, Sdp. über 360 °C unter Bildung des polymeren Anhydrids, leicht lösl. in siedendem Wasser u. Alkohol. A. entsteht durch Oxid. aus Ricinolsäure, od. durch Ozonolyse von Ölsäure.
Verw.: Zur Herst. von Alkyd-Harzen, Polyamiden, schlagfesten Polyestern, Weichmachern (*Azelaten*) u. Schmierstoffen. Außerdem wird A. seit 1991 als Dermatikum zur Behandlung von Akne von Schering (Skinoren®) angeboten. – E azelaic acid – F acide azélaïque – I acido azelaico – S ácido azelaico
Lit.: ASP ▪ Beilstein E IV **2**, 2055 f. ▪ Hager (5.) **7**, 340 ▪ Kirk-Othmer (4.) **2**, 57 ▪ Ullmann (4.) **10**, 136, 137, 141; (5.) A **8**, 524–531 ▪ Winnacker-Küchler (4.) **6**, 104 f. – *[HS 2917 13; CAS 123-99-9]*

Azelastin.

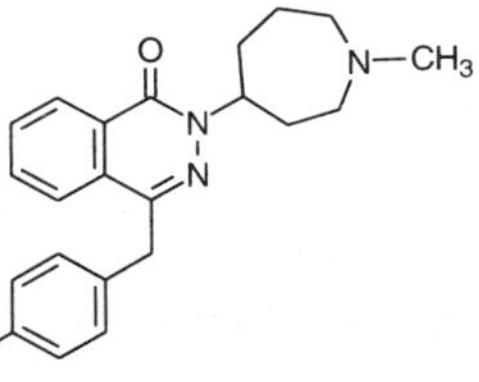

Internat. Freiname für 4-(*p*-Chlorbenzyl)-2-(*N*-methylhexahydroazepin-4-yl)-1(2*H*)-phthalazinon, $C_{22}H_{24}ClN_3O$, M_R 381,91; verwendet wird das Monohydrochlorid, Schmp. 225–229 °C; LD_{50} (Ratte, Maus, i. v.) 26,9, 36,5, (Ratte, Maus, i. p.) 42,8, 56,4, (Ratte, Maus, s. c.) 54,2, 66,5, (Ratte, Maus, oral) 124, 417 mg/kg. Es wurde als *Antiallergikum 1972 u. 1974 von Asta-Werke AG (*Allergodil®) patentiert u. ist auch von Arzneimittelwerk Dresden/Temmler Pharma (Radethazin®) im Handel. – E azelastine – F acélastine – I azelastina – S azelastina
Lit.: ASP ▪ Hager (5.) **7**, 340. – *[HS 2933 90; CAS 59581-89-8; 79307-93-0 (Hydrochlorid)]*

Azelate. Bez. für Salze u. Ester der *Azelainsäure; letztere finden u. a. Verw. als *Weichmacher (Abk. A in Weichmacher-Kurzz.). – E azelates – F azélates – I azelati – S azelatos

Azene s. Nitrene.

Azeotrop. Von griech.: a = nicht, zein = sieden u. tropos = verändert; abgeleitete Bez. für Mischungen von zwei od. mehreren verschiedenen Flüssigkeiten, deren Dampf dieselbe Zusammensetzung wie die flüssige Phase hat. Ein A. verhält sich wie ein reiner Stoff. Eine

Azeotrope Copolymerisation

azeotrope Mischung aus 2 Komponenten nennt man ein *binäres Azeotrop*. Die *Siedekurve* einer binären Mischung, d. h. der *Dampfdruck der Mischung als Funktion des *Molenbruchs einer der beiden Komponenten (sog. p,x-Diagramm, s. *Destillation*), hat bei der Zusammensetzung des A. entweder ein Minimum (sog. *neg. Azeotropie, Beisp.*: HCl/H$_2$O) od. ein Maximum (*pos. Azeotropie, Beisp.*: Ethanol/H$_2$O), wobei letzterer Fall häufiger vorkommt. Diese Extremwerte bezeichnet man als *azeotrope Punkte*. In sehr seltenen Fällen liegt neg. u. negat. Azeotropie im gleichen Syst. vor, z. B. bei C$_6$H$_6$/C$_6$F$_6$. Wenn in einem binären Gemisch die azeotrope Zusammensetzung erreicht ist, ist eine destillative Trennung der Komponenten nicht mehr möglich. Z. B. bildet ein Gemisch aus 95,6% Ethanol u. 4,4% Wasser ein A. mit einem Sdp. von 78 °C. Zur Gewinnung von 100%igem Alkohol setzt man nun diesem *binären* A. noch Benzol zu, wobei sich ein *ternäres* A. bildet. Dieses siedet bei 64,85 °C; beim Kondensieren des Destillats bilden sich 2 Phasen, von denen die untere die Hauptmenge des Wassers neben wenig Ethanol enthält. Durch diese *azeotrope Dest.* (am besten in entsprechend konstruierten *Kolonnen mit Azeotrop-Kolonnenköpfen) läßt sich das Wasser aus dem Gemisch „auskreisen", u. das überschüssige Benzol kann in einer nachgeschalteten Dest. in einer Kolonne vom jetzt wasserfreien Ethanol abgetrennt werden. Mit der azeotropen Dest. ist auch die *Wasserdampfdestillation verwandt. Von bes. Bedeutung ist die Bildung von A. bei der Trennung von Kohlenwasserstoff-Gemischen, z. B. aromat. von aliphat. Erdölbestandteilen. – *E* azeotrope – *F* azéotrope – *I* azeotropi

Lit.: Landolt-Börnstein, Neue Serie, Gruppe IV, Bd. 3, Thermodynamisches Gleichgewicht siedender Gemische, Berlin: Springer 1975 ▪ s. a. Destillation u. Trennverfahren.

Azeotrope Copolymerisation. Polymerisation, bei der *Copolymere gebildet werden, deren Zusammensetzung annähernd der der Mischung der Ausgangsmonomeren entspricht. – *E* azeotropic copolymerization – *F* copolymérisation azéotrope – *I* copolimerizzazione aceotropica – *S* copolimerización azeotrópica

Lit.: Elias, S. 633 ▪ Encycl. Polym. Sci. Eng. **1**, 355.

...azepam. Typ. Endung in Freinamen von *1,4-Benzodiazepinen. – *E*=*F*=*I*=*S* ...azepam

Azepine.

1 *H*-Azepin   3 *H*-Azepin

Gattungsname (IUPAC-Regel B-1.1, zur Ableitung des Namens s. heterocyclische Verbindungen) für dreifach ungesätt. 7-Ringe, die ein Stickstoff-Atom im Ring enthalten. Man unterscheidet 1*H*-A., 2*H*-A., 3*H*-A. u. 4*H*-A., deren Stabilität in der Reihenfolge 3*H*>4*H*>2*H*>1*H* abnimmt. 1*H*-A. sind formal antiaromat. Syst., deren Stabilität durch elektronenziehende Gruppen z. B. Alkoxycarbonyl-Gruppen erhöht werden kann. Kondensierte A. u. Analoga mit 2 N-Atomen (*Diazepine*) sind wertvolle Pharmawirkstoffe, s. 1,4-Benzodiazepine u. Dibenzazepine u. die Abb. dort.

– *E* azepines – *F* azépines – *I* azepine – *S* azepinas

Lit.: Katritzky-Rees **7**, 491–546, 595–619 ▪ Weissberger **43/1** u. **2**.

Azepinostatin s. Balanol.

Azete. Antiaromat. Heterocyclen, die auch als Hetero[4]*Annulene (Aza-*cyclobutadiene) aufgefaßt werden können. Die meisten bekannten A. sind hochreaktive Verb., wie es der antiaromat. Charakter vorgibt. Relativ stabil dagegen ist ein mit drei *tert*-Butyl-Gruppen substituiertes Azet[1]. Es entsteht durch Thermolyse aus einem Cyclopropenyl-Azid.

– *E* azetes – *F* azètes – *I* azeti – *S* azetos

Lit.: [1] Angew. Chem. **98**, 835 (1986).

allg.: Houben-Weyl E **16c** ▪ Nachr. Chem. Tech. Lab. **39**, 9–13 (1991) ▪ s. a. Azetidine.

Azetidin-2-carbonsäure.

C$_4$H$_7$NO$_2$, M$_R$ 101,11, Krist., die sich >200 °C ohne Schmp. schwärzen. Einziges natürlich vorkommendes Azetidin [(S)-(–)-Form]. Es ist in Wurzeln u. Blättern verschiedener Lilienarten, aber auch in den Samen einiger Leguminosen vorhanden. Wirkt keimungshemmend auf Samen, in denen es nicht vorkommt, u. als Prolin-Antagonist[1]. – *E* 2-azetidinecarboxylic acid – *F* acide azétidine-carboxylique-2 – *I* acido azetidin-2-carbossilico – *S* ácido azetidina-2-carboxílico

Lit.: [1] Nature (London) **200**, 148 (1963).

allg.: Beilstein E V **22/1**, 15f. ▪ Chem. Rev. **79**, 331 (1979). – [HS 293390; CAS 2133-34-8]

Azetidine.

Azetidin   Azet   Azetidin-2-on

Nach IUPAC-Regel B-1.1 Gattungsname (zur Ableitung s. heterocyclische Verbindungen) für früher *Trimethylenimine* genannte gesätt. viergliedrige, ein Stickstoff-Atom enthaltende Ringsysteme. Die entsprechenden zweifach ungesätt. Derivate heißen *Azete*, die einfach ungesätt. *Dihydroazete*. A. sind eine gut untersuchte Stoffklasse; von bes. Interesse sind A.-Derivate wie A.-2-one (β-*Lactame), die Bestandteile der *Penicilline u. *Cephalosporine sind. – *E* azetidines – *F* azétidine – *I* azetidine – *S* azetidina

Lit.: Chem. Rev. **79**, 331–358 (1979) ▪ Houben-Weyl **11/2**, 518–528; E **16c**, 729–940j ▪ Katritzky-Rees **7**, 237–284, 341–362 ▪ Weissberger **19**, 885–977; **42/2**, 1–218.

Azetidinone. Carbonyl-Derivate der Azetidine [Abb. s. dort für 2-Azetidinon (β-*Lactam)].

AZ®-Fotoresist. Positiv-Flüssigresist (s. Resists) u. Verarbeitungspräp. für die Herst. von integrierten Schaltungen. *B.:* Hoechst.

Azi... Präfix für die Gruppierung –N=N– bei Verknüpfung beider N-Atome mit *einem* Spiro-Atom (IUPAC-Regel C-931.5). Das Synonym Diazendiyl... od. die Benennung als *Spiro-Verbindung ist ebenso zulässig. – *E*=*F* aci... – *I* azi...

Azidamfenicol.

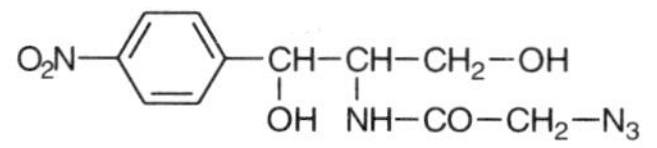

O_2N–⟨⟩–CH–CH–CH$_2$–OH
           | |
          OH NH–CO–CH$_2$–N$_3$

Internat. Freiname für D-(−)-*threo*-2-(Azidoacetamido)-1-(4-nitrophenyl)-1,3-propandiol, $C_{11}H_{13}N_5O_5$, M_R 295,25; Schmp. 107 °C; $[\alpha]_D^{20}$ −20° (c 1,6/Ethylacetat). Es wurde 1959 als partial-synthet., dem *Chloramphenicol verwandtes Antibiotikum von Bayer patentiert u. wird in Augentropfen von Alcon (Thilocanfol® 1%), Ursapharm (Posifenicol® 1%) u. Ankerpharm GmbH (Berlicetin®) eingesetzt. – $E = S$ azidamfenicol – F azidamfénicol – I azidamfenicolo
Lit.: Hager (5.) **7**, 342. – [HS 2941 40; CAS 13838-08-9]

Azide.
Bez. für manchmal auch als Pseudohalogenide (s. Pseudohalogene) bezeichnete Derivate der *Stickstoffwasserstoffsäure (HN_3):
1. Metall-Salze der allg. Formel XN_3. Wie die HN_3 sind auch die meisten A. sehr explosive Substanzen, die durch geringfügige Energiezufuhr von außen (Druck, Schlag, Erwärmung) unter N_2-Entwicklung zerfallen; hierbei zeichnen sich bes. die Schwermetallazide wie z. B. *Bleiazid aus, die deshalb als *Initialsprengstoffe Verw. finden (über Gefahren im Umgang mit A. s. *Lit.*[1]). Die Explosionen finden auch bei völliger Abwesenheit von Sauerstoff statt. Bei der Herst. der einzelnen Metall-A. geht man vom *Natriumazid aus, das mit Schwermetall-Salzen umgesetzt wird.
2. Organ. A. haben die allg. Formel $R-N_3$, wobei R = Alkyl-, Aryl- od. Acyl-Reste sind. Als *funktionelle Gruppe ist die lineare Azido-Funktion einerseits geeignete Vorstufe für die Synth. von *heterocyclischen Verbindungen (durch *1,3-dipolare Cycloaddition), andererseits werden durch Stickstoff-Abspaltung *Nitrene als *reaktive Zwischenstufen erzeugt; weitere Anw. sind der Einsatz von Säureaziden in der *Peptid-Synthese u. in der Synth. von aliphat. *Diazo-Verbindungen durch Diazo-Gruppenübertragung (Regitz u. Maas, *Lit.*)

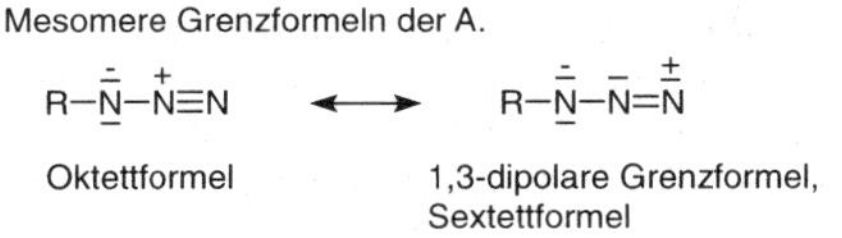

Mesomere Grenzformeln der A.

$R-\overset{-}{N}-\overset{+}{N}\equiv N \longleftrightarrow R-\overset{-}{N}-\overset{\pm}{N}=\overset{\pm}{N}$

Oktettformel   1,3-dipolare Grenzformel, Sextettformel

Organ. A. zersetzen sich häufig *explosionsartig*; bes. heimtück. ist hierbei *Methylazid* (R = CH_3).
Herst.: Sie erfolgt meist durch Anlagerung von HN_3, N_3^- od. Hal-N_3 an ungesätt. Verb. u. durch Austausch anderer funktioneller Gruppen gegen den Azido-Rest. Als dritte Möglichkeit kann der stufenweise Aufbau der Azido-Funktion herangezogen werden; z. B.:

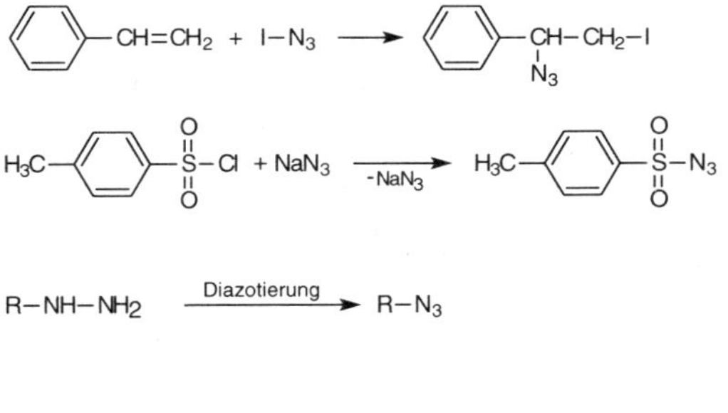

⟨⟩–CH=CH$_2$ + I–N$_3$ ⟶ ⟨⟩–CH–CH$_2$–I
                                              |
                                             N$_3$

H_3C–⟨⟩–S(=O)$_2$–Cl + NaN_3 $\xrightarrow{-NaCl}$ H_3C–⟨⟩–S(=O)$_2$–N$_3$

$R-NH-NH_2 \xrightarrow{\text{Diazotierung}} R-N_3$

Umwandlung: Neben den bereits erwähnten Reaktionen sind A. leicht zu Aminen reduzierbar; Azido-Gruppen tragende Polymere besitzen interessante Eigenschaften für die photograph. Technik. – $E = F$ azides – I azidi – S azidas
Lit.: [1] Nachr. Chem. Tech. **18**, 26 f. (1970).
allg.: Houben-Weyl **10/3**, 777–836; **15/2**, 355–364 ■ Patai, The Chemistry of the Azido Group, New York: Interscience 1971 ■ Patai, The Chemistry of Halides, Pseudo-halides and Azides, Chichester: Wiley 1995 ■ Regitz u. Maas, Diazocompounds, 2. Aufl., Orlando: Academic Press 1986.

Azido...
Bez. für die Atomgruppierung $-N_3$ in organ. *Aziden (IUPAC-Regeln C-941.1, R-5.3.4), als Ligand in Komplexen (Anion der *Stickstoffwasserstoffsäure; Regel I-10.4.5.5) u. bei Austausch von OH gegen N_3 in mehrbasigen anorgan. Säuren [Regel I-9.9.3; *Beisp.:* Azidokohlensäure N_3–COOH, Phosphorazidsäure N_3–PO(OH)$_2$]. – E azido

Azidocillin.

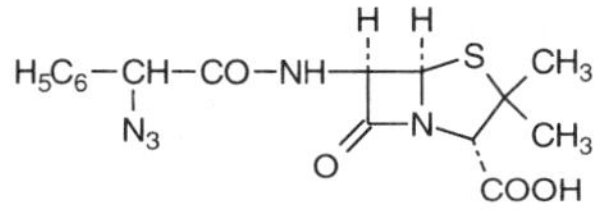

H_5C_6–CH–CO–NH–⟨β-lactam ring with S, CH$_3$, CH$_3$, COOH⟩
        |
        N_3

Internat. Freiname für 6-(D-Azidophenylacetamido)-penicillansäure, $C_{16}H_{17}N_5O_4S$, M_R 375,40. Es wurde 1963 u. 1966 als partial-synthet. Antibiotikum von Beecham patentiert u. ist von Bayer AG Pharma Deutschland (Syncillin®) im Handel. – E azidocillin – F azidocilline – I azidocillina – S azidocilina
Lit.: ASP ■ Hager (5.) **7**, 343 f. – [HS 2941 10; CAS 17243-38-8]

Azidose.
Verschiebung des *Säure-Basen-Gleichgewichts des Blutes in Richtung des sauren Bereiches durch Überschuß von Wasserstoff-Ionen u./od. Mangel an Hydrogencarbonat. Die A. kann zum einen durch eine Lungenfunktionsstörung mit Anstieg des CO_2-Partialdruckes im Blut (*respirator. A.*) entstehen, zum anderen durch Anhäufung nichtflüchtiger Säuren als Folge von Stoffwechselstörungen od. verminderter Ausscheidung über die Nieren sowie durch Verlust Bicarbonat-reicher Körperflüssigkeit, z. B. bei heftigen Durchfällen (*metabol. A.*). Durch Kompensationsmechanismen wie verstärkte Atmung u. Verminderung der Hydrogencarbonat-Ausscheidung über die Nieren wird der pH-Wert des Blutes soweit möglich innerhalb der Normgrenzen gehalten. Die Diagnose erfolgt durch Analyse der Blutgaswerte des arteriellen Blutes, zur Beurteilung des Säure-Basen-Status werden pH, CO_2-Partialdruck u. die Bicarbonat-Konz. unter Standardbedingungen herangezogen. Die Behandlung erfolgt ggf. durch dosierte Zufuhr alkal. Äquivalente, z. B. Natriumhydrogencarbonat, über intravenöse Infusion. – $E = S$ acidosis – F acidose – I acidosi
Lit.: Jones, Blood Gases and Acid-Base Physiology, New York: Thieme 1987 ■ Greiling u. Gressner, Lehrbuch der klinischen Chemie und Pathochemie, S. 501–513, Stuttgart: Schattauer 1995.

Azimsulfuron.
Vorgeschlagener Common name für 1-(4,6-Dimethoxy-2-pyrimidinyl)-3-[1-methyl-4-(2-methyl-2H-tetrazol-5-yl)-1H-pyrazol-5-ylsulfonyl]harnstoff. $C_{13}H_{16}N_{10}O_5S$, M_R 424,39, Schmp. 170 °C, LD_{50} (Ratte oral) >5000 mg/kg, von Du Pont entwickeltes *Herbizid gegen Unkräuter in Reiskulturen.

– *E* = *F* azimsulfuron – *I* azimsulfurone – *S* azimsulfurona

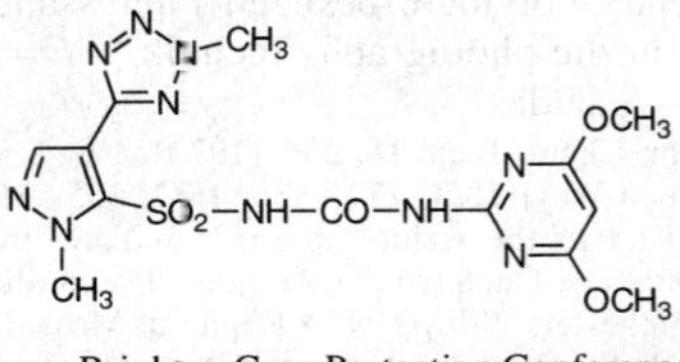

Lit.: Marquez, Brighton Crop Protection Conference – Weeds, Vol. 1, S. 65–72, Farnham, GB: British Crop Protection Council 1995. – *[CAS 120162-55-2]*

Azine. 1. Mißverständlicher Sammelname für Derivate des *Phenazins.
2. Gattungsname für eine Gruppe von heterocycl. sechsgliedrigen Kohlenwasserstoffen, die mind. ein N-Atom im Ring enthalten; bei mehreren N-Atomen im gleichen Ring spricht man von Di-, Triazinen usw. Die Diazine führen eigene Trivialnamen: Pyridazin, *Pyrimidin, *Pyrazin.

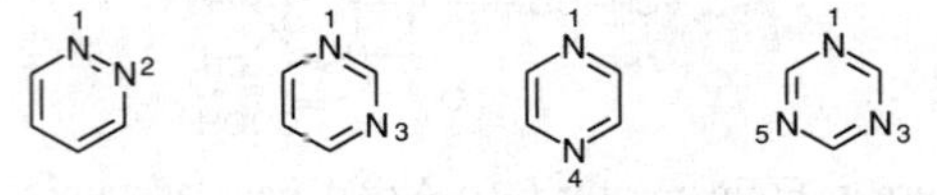

Pyridazin   Pyrimidin   Pyrazin   1,3,5-Triazin

3. Systemat. (IUPAC-Regel C-923.1) Bez. für Kondensationsprodukte von Carbonyl-Verb. mit Hydrazin der allg. Forme. $R^1R^2C=N–N=CR^1R^2$; entsprechend kennt man Ketazine u. Aldazine (R^1 = H). – *E* = *F* azines – *I* azine – *S* azinas

Lit.: zu 2.: Katritzky-Rees **3** ▪ Weissberger **33**. – *zu 3.:* Houben-Weyl **E 14 b**, 640–712 ▪ s. a. Aldehyde u. Ketone.

Azin-Farbstoffe. Mißverständliche Bez. für Farbstoffe auf der Basis von *Phenazin u. *Chinoxalin, s. Safranine (vgl. die Abb. dort), *Induline, *Nigrosine. – *E* azine dyes – *F* colorants aziniques – *I* colorante azinico – *S* colorantes azínicos

Lit.: Kirk-Othmer **2**, 859–868; (3.) **3**, 378–386 ▪ Winnacker-Küchler (3.) **4**, 252 f. ▪ s. a. Phenazin.

Azinphos-ethyl. Common name für *S*-[3,4-Dihydro-4-oxobenzo(*d*)-1,2,3-triazin-3-yl-methyl]-*O*,*O*-diethyldithiophosphat. T ☠

$C_{12}H_{16}N_3O_3PS_2$, M_R 345,37, Schmp. 50 °C, LD_{50} (Ratte oral) ca. 12 mg/kg (Bayer), von Bayer 1958 eingeführtes nicht-system. *Insektizid u. *Akarizid mit breitem Wirkungsspektrum in zahlreichen Kulturen. – *E* = *F* azinphos-ethyl – *I* azinfos-etile

Lit.: Farm ▪ Perkow ▪ Pesticide Manual. – *[HS 2933 69; CAS 2642-71-9]*

Azinphos-methyl. Common name für *S*-[3,4-Dihydro-4-oxobenzo(*d*)-1,2,3-triazin-3-ylmethyl]-*O*,*O*-dimethyldithiophosphat. T ☠

$C_{10}H_{12}N_3O_3PS_2$, M_R 317,32, Schmp. 73 °C, LD_{50} (Ratte oral) ca. 10 mg/kg (Bayer), MAK 0,2 mg/m³, von Bayer 1955 eingeführtes nicht-system. *Insektizid u. *Akarizid mit breitem Wirkungsspektrum in zahlreichen Kulturen. – *E* = *F* azinphos-methyl – *I* azinfos-metile

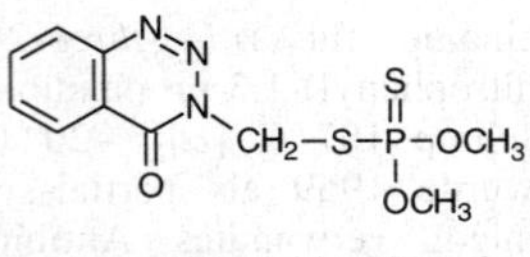

Lit.: Farm ▪ Perkow ▪ Pesticide Manual. – *[HS 2933 69; CAS 86-50-0]*

Azintamid.

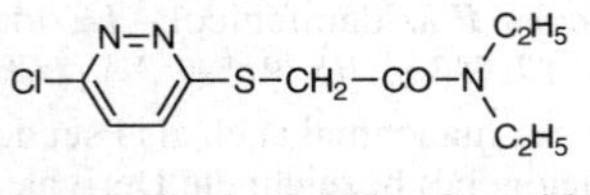

Internat. Freiname für 2-(6-Chlor-3-pyridazinylthio)-*N*,*N*-diethylacetamid, $C_{10}H_{14}ClN_3OS$, M_R 259,75; Schmp. 97–98 °C; LD_{50} (Maus, oral) 2,34, (Ratte, oral) 1,55 g/kg. Es wurde 1964 von Lentia als *Choleretikum patentiert, ist in der BRD nicht im Handel. – *E* = *F* azintamide – *I* azintammide – *S* azintamida

Lit.: ASP ▪ Florey **18**, 1–32 ▪ Hager (5.) **7**, 345. – *[HS 2933 90; CAS 1830-32-6]*

Aziridine.

Systemat. Name (IUPAC-Regel B-1.1; zur Ableitung s. heterocyclische Verbindungen) für gesätt. dreigliedrige Ringverb. mit einem N-Atom. Die ungesätt. Vertreter heißen *Azirine. Die unsubstituierte Stammverb. (*Aziridin*) wird hier unter ihrem älteren Namen *Ethylenimin behandelt.

Vork.: Nur kondensierte A. finden sich in der Natur, z.B. in den antibiot. wirksamen *Mitomycinen.
Herst.: N-substituierte A. lassen sich z. B. durch Cycloaddition von photochem. od. therm. erzeugten *Nitrenen an Olefine od. *Carbenen an *Azomethine herstellen.
Umwandlung: A. sind infolge der *Ringspannung reaktive Verb., die mit einer Vielzahl von Reagenzien reagieren. Dabei erfolgt in der Regel Ringöffnung. Therm. od. photochem. lassen sich A. zu *Azomethin-Yliden* öffnen (s. a. 1,3-dipolare Cycloaddition). Die Ringöffnung gehorcht den *pericyclischen Reaktionen.
*Polyethylenimine erhält man durch kation. initiierte Polymerisation von A.; s. *Lit.*[1].

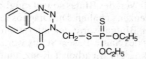

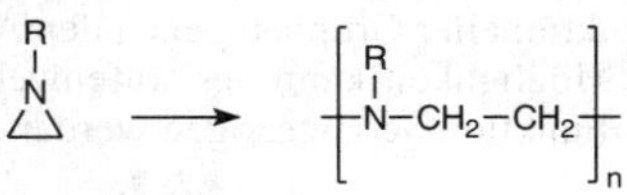

R = H, Alkyl

A. wirken nicht nur als *Mutagene durch Sterilisation von Schadinsekten insektizid (vgl. Autozid-Verfahren), sondern können auch aufgrund ihrer alkylierenden Eigenschaften *Carcinogene sein[2]. – *E* = *F* aziridines – *I* aziridine – *S* aziridina

Lit.: [1] Houben-Weyl **E 20/2**, 1482 f. [2] Nature (London) **294**, 344 (1974).

allg.: Houben-Weyl E 16 c, 370–677 ▪ Angew. Chem. **106**, 625 ff. (1994) ▪ Katritzky-Rees **7**, 47–93 ▪ Weissberger **19/1**, 524–575; **42/1**, 2–214 ▪ s. a. Ethylenimin.

Aziridinone.

Bez. für Carbonyl-Derivate der *Aziridine. Die auch α-*Lactame genannten A. haben seit ihrer Auffindung (1961) dank ihrer großen Reaktivität eine erhebliche Bedeutung als Ausgangsstoffe bei synthet. Prozessen erlangt. – *E* = *F* aziridinones – *I* aziridinoni – *S* aziridinonas

Lit.: Angew. Chem. **80**, 27–37 (1968) ▪ s. a. Aziridine.

Azirine. Nach IUPAC-Regel B-1.1 systemat. Name (zur Ableitung s. heterocyclische Verbindungen) für ungesätt. Stickstoff-haltige Dreiring-Verb.; befindet sich die Doppelbindung zwischen den beiden C-Atomen, so spricht man von 1 *H*-A., andernfalls von 2 *H*-A.; daneben findet man häufig die A.-Nomenklatur, bei der die Lage der Doppelbindung bezeichnet wird. 1 *H*-A. sind antiaromat. Verb. u. deshalb sehr reaktiv. Sie lassen sich höchstens spektroskop. bei tiefen Temp. nachweisen.

Herst.: Für 2 *H*-A. stehen eine Reihe synthet. Meth. zur Verfügung, so z. B. die modifizierte *Neber-Umlagerung u. die Thermolyse u. Photolyse von Vinyl-*aziden.

Umwandlung: 2 *H*-A. sind vielseitige Reagenzien in der organ. Synth., die aufgrund der *Ringspannung, der reaktiven C,N-Doppelbindung u. dem freien Elektronenpaar am Stickstoff als *Nucleophile, Elektrophile, 2 π-Komponenten in therm. *Cycloadditionen u. 4 π-Komponenten in photochem. *Cycloadditionen fungieren können. Letzterer Reaktion der A. geht eine photochem. Ringöffnung zum *Nitril-Ylid* voraus (s. a. 1,3-dipolare Cycloaddition). A. fungieren auch als Bausteine in der Herst. von *Aminosäuren [1].

Analoga mit 2 N-Atomen heißen *Diazirine. – *E* = *F* azirines – *I* azirine – *S* aziranas

Lit.: [1] Angew. Chem. **103**, 271 ff. (1991).
allg.: Houben-Weyl E 16 c, 317–369 ▪ Katritzky-Rees **7**, 47–94 ▪ Synthesis **1975**, 483–495 ▪ Weissberger **19/1**, 562 ff.; **42/1**, 215–332.

Azithromycin.

Internat. Freinamen für 9-Deoxo-9 a-methyl-9 a-aza-9 a-homoerythromycin, $C_{38}H_{72}N_2O_{12}$, M_R 748,99, Schmp. 113–115 °C, $[\alpha]_D^{20}$ –37° (c 1/CHCl$_3$). Es wurde als partial-synthet. *Makrolid-Antibiotikum, verwandt mit *Erythromycin A, 1982 u. 1985 von Sour Pliva patentiert u. 1993 von Pfizer (*Zithromax®) ausgeboten. – *E* azithromycin – *F* acithromycine – *I* = *S* azitromicina

Lit.: Hager (5.), **7**, 346 ▪ Pharm. Ztg. **139**, 1920, 3348 (1994). – [HS 2941 50; CAS 83905-01-5]

Azlactone s. Oxazolone.

Azlocillin.

Internat. Freinamen für (R)-α-(2-Oxoimidazolidin-1-carboxamido)-benzylpenicillin, $C_{20}H_{23}N_5O_6S$, M_R 461,49. Es wurde 1971 u. 1976 als partial-synthet. Breitspektrum-Acylureido-*Penicillin von Bayer (Securopen®) patentiert. – *E* = *F* azlocilline – *I* azlocillina – *S* azlocilina

Lit.: ASP ▪ Hager (5.) **7**, 349 ff. – [HS 2941 10; CAS 37091-66-0; 37091-65-9 (Natriumsalz)]

Azo... Präfix für die Atomgruppierung –N=N– (IUPAC-Regeln C-911 u. C-912). *Ausnahme:* unsubstituiert heißt –N=NH Diazenyl. Die neue IUPAC-Regel R-5.3.3 benutzt konsequent Diazen; *Beisp.:* Phenyldiazenyl... statt *Phenylazo..., Diphenyldiazen statt *Azobenzol, 4,4'-Diazendiylbisphenol statt 4,4'-Dihydroxy-azobenzol; vgl. Azi... u. Azo-Verbindungen. – *E* = *F* = *I* = *S* azo...

Azobenzol. H_5C_6–N=N–C_6H_5, $C_{12}H_{10}N_2$, M_R 182,22. Orangerote, rhomb., gesundheitsschädliche Krist. od. Blättchen, D. 1,203, Sdp. 293 °C, in Wasser fast unlösl., in Alkohol u. Ether leicht löslich, LD_{50} (Ratte oral) 1000 mg/kg, wassergefährdender Stoff, WGK 2 (Selbsteinst.). A. kommt in zwei stereoisomeren Formen vor, nämlich als bei 68 °C schmelzendes *trans-* od. (*E*)-A. u. als labiles *cis-* od. (*Z*.)-A. (Schmp. 71 °C). Wird A. in Lsm. belichtet, so bildet sich ein Gemisch aus (*E*)- u. (*Z*)-A., das chromatograph. an Al$_2$O$_3$-Säuren getrennt werden kann. Zur stereospezif. Synth. von (*Z*)-A. s. *Lit.* [1] u. zur Photochemie des A. s. *Lit.* [2].

Herst.: Aus Nitrobenzol in alkal. Lsg. durch Red. mit Eisen od. auf elektrochem. Wege.

Verw.: Als Zwischenprodukt bei der Herst. von Azofarbstoffen u. Pharmazeutika, früher als Akarizid. Red. von A. führt zu Hydrazobenzol, das unter dem Einfluß von Säuren die sog. *Benzidin-Umlagerung eingeht. A. wurde von Mitscherlich 1832 zum erstenmal hergestellt. – *E* = *I* azobenzene – *F* azobenzène – *S* azobenceno

Lit.: [1] Tetrahedron Lett. **1977**, 141. [2] Chem. Soc. Rev. **1**, 481–494 (1972).
allg.: Beilstein E IV **16**, 7 ▪ Kirk-Othmer (4.) **2**, 431, 499 ▪ Ullmann (4.) **7**, 2, 6; **8**, 243 f.; (5.) **A 1**, 19, 25; **A 17**, 417. – [CAS 103-33-3]

Azobisisobuttersäuredinitril s. Azoisobutyronitril.

Azocyclotin. Common name für Tri(cyclo-hexyl)-1H-[1,2,4-triazol-1-yl]zinn.

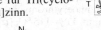

C$_{20}$H$_{35}$N$_3$Sn, M$_R$ 436,2, Schmp. 219 °C, LD$_{50}$ (Ratte oral) ca. 100 mg/kg (Bayer), von Bayer 1977 eingeführtes *Akarizid mit langer Wirkungsdauer gegen alle beweglichen Stadien der Spinnmilben im Wein-, Obst-, Gemüse- u. Baumwollanbau. – *E* = *F* azocyclotin – *I* = *S* azoc clotina
Lit.: Farm ▪ Perkow ▪ Pesticide Manual. – *[CAS 41083-11-8]*

Azodicarbonamid s. Mehlbehandlung.

Azodicarbonsäure-dimethylester s. Diazendicarbonsäure-dimethylester.

Azofarbstoffe. Diese wichtige Gruppe von Farbstoffen umfaßt eine größere Zahl von Verb. als alle anderen Farbstoffklassen zusammen. 1992 betrug der weltweite Verbrauch an Azofarbmittel 580 000 t od. 60% des Farbmittelmarktes. Alle A. haben die allg. Formel R^1–N=N–R^2, wobei die beiden Reste R^1 u. R^2 ident. (s. Azobenzol) od. verschieden sein können. Enthält das Farbstoffmol. 2 Azo-Gruppen, so entsteht ein *Disazofarbstoff*, bei 3 Azo-Gruppen ein *Trisazofarbstoff* usw. Die Vielzahl der A. ist auf Einführung von Alkoxy-, Carboxy-, Sulfo-, Nitro-, Alkyl- u. Aryl-Gruppen, Halogenen u.a. Substituenten in die Arylazo-Kerne zurückzuführen. Der aromat. Kern besteht dabei nicht nur aus Benzol-Derivaten, sondern auch aus Naphthalin-, Anthracen- sowie heterocycl. Derivaten[1].
Herst.: Meist durch Einwirkung einer *Diazonium-Verbindung auf eine Kupplungskomponente, wie ein aromat. Amin, Phenol od. auf die Sulfon- od. Carbonsäure eines Amins, Phenols od. Naphthols, sowie einer Pyridon- od. Pyrazolon-Verb.; als Beisp. s. die Kupplungsreaktion zur Bildung von Buttergelb bei Azo-Verbindungen.
Verw.: Die A. werden unter verschiedenen Gruppenbez. zum Färben von Wolle, Baumwolle, Zellwolle, Seide, Kunstseide, Hanf, Jute, Leinen, Ölen, Fetten, Wachsen, Stroh, Holz, Papier usw. benutzt. Seide u. Wolle können infolge ihres Gehalts an Tyrosin u. Tryptophan mit Diazonium-Verb. Kuppelungsreaktionen unter Bildung von A. eingehen. Nach der Bedarfsgegenstände VO (4. VO zur Änderung der Bedarfsgegenstände VO vom 20. 7. 95; gilt nur in der BRD) ist die Herst., Einfuhr u. das Inverkehrbringen von Bedarfsgegenständen verboten, die dazu bestimmt sind, mit dem menschlichen Körper nicht nur vorübergehend in Berührung zu kommen, wenn sie mit A. gefärbt sind. Dies gilt für A., die nach einer reduktiven Spaltung Amine der Klassen MAK III A1 u. A2 der MAK-Werte-Liste ausbilden. 's. *Lit.*[2], allg. Informationen über Toxizität von A. s. *Lit.*[3]).
Die Verw. von A. zur Färbung von Lebensmitteln ist zurückgegangen. U.a. fanden einige A. schon frühzeitig Verw. als Chemotherapeutika (*Prontosil) u. Mittel gegen Protozoen (z.B. Trypan-Farbstoffe). A. sind vertreten in der Gruppe der Säure-, Direkt-, Reaktiv-, Entwicklungs- u. Dispersionsfarbstoffe sowie bei Chromier- u. Beizenfarbstoffen (wegen der Bildung von Lacken zwischen A. u. Metallsalzen). Die verlackten *Azopigmente* sind im Anw.-Medium unlösl. u. zeichnen sich durch hohe Farbstärke aus[4]. In der *Farbphotographie werden A. für das sog. *Silberfarb-Bleichverf.* verwendet. Zu den A. gehören auch zahlreiche Indikatoren. Als erster Mono-A. wurde 1861 *4-Aminoazobenzol (Anilingelb), als erster Bis-A. 1884 das *Kongorot synthetisiert; s.a. Farbstoffe u. Azo-Verbindungen. – *E* azo dyes – *F* colorants azoïques – *I* azocoloranti – *S* colorantes azoicos
Lit.: [1] Angew. Chem. **71**, 818–824 (1962). [2] Melliand Textilber. **1995**, 993 ff. [3] Zollinger, Color Chemistry, S. 426, 2. Aufl., Weinheim: VCH Verlagsges. 1991. [4] Herbst u. Hunger, Industrial Organic Pigments, Weinheim: VCH Verlagsges. 1993.
allg.: Angew. Chem. **77**, 469–484 (1965) ▪ Kirk-Othmer **2**, 868–910; (3.) **3**, 387–433 ▪ Rys u. Zollinger, Leitfaden der Farbstoffe, Weinheim: Verl. Chemie 1976 ▪ Snell-Hilton **6**, 401–424 ▪ Ullmann **4**, 76–162; **5**, 783–821, E 220 ff.; (4.) **8**, 244 ff. ▪ Winnacker-Küchler (3.) **4**, 293–333, 340–348.

Azoferredoxin s. Nitrogenase.

Azoimid s. Stickstoffwasserstoffsäure.

Azoisobutyronitril [Azobisisobuttersäuredinitril, 2,2′-Azobis(2-methylpropionitril), AIBN].

$$H_3C-\underset{\underset{CN}{|}}{\overset{\overset{CH_3}{|}}{C}}-N=N-\underset{\underset{CN}{|}}{\overset{\overset{CH_3}{|}}{C}}-CH_3$$

C$_8$H$_{12}$N$_4$, M$_R$ 164,21. Farbloses Pulver, D. 1,11, Schmp. 105 °C (Zers.), unlösl. in Wasser, lösl. in organ. Lsm. (Lsg. in Aceton explodieren beim Erwärmen) u. in Vinyl-Monomeren. LDL$_0$ (Ratte oral) 670 mg/kg, wassergefährdender Stoff, WGK 2 (Selbsteinst.), Reizstoff, Methämoglobinbildner, therm. Zers. ab 25 °C. A. kann aus Acetoncyanhydrin u. Hydrazin hergestellt werden. Zerfällt beim Erhitzen unter Stickstoff-Entwicklung u. Bildung von 2 *Radikalen; es vermag deshalb radikal. Reaktionen, bes. *Radikal-Kettenpolymerisationen* auszulösen. Infolge der Toxizität von A. u. dem Zerfallsprodukt Tetramethylbernsteinsäuredinitril nur noch beschränkte Verw. als Blähmittel für Kunststoffe. Über Synth. mit A. s. *Lit.*[1]. – *E* 2,2′-azobisisobutyronitrile – *I* acido azoisobutirronitrilico – *S* 2,2′-azobisisobutironitrilo
Lit.: [1] Synthetica **1**, 48 f.
allg.: Beilstein E IV **4**, 3377 ▪ Kirk-Othmer (4.) **1**, 177, 323 ▪ Ullmann **14**, 115, 559; (4.) **7**, 36; **17**, 330 f.; (4.) A **13**, 185 ▪ Winnacker-Küchler (4.) **6**, 482 f. – *[CAS 78-67-1; G 4.1]*

Azole.

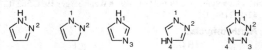

1H-Pyrazol   3H-Pyrazol   Imidazol   4H-1,2,4-Triazol   1H-Tetrazol

Gattungsname (IUPAC-Regel B-1.1) für ungesätt. fünfgliedrige heterocycl. Verb., die im Kern 1–5 Stickstoff-Atome od. neben Stickstoff-Atomen ein od. mehrere andere Heteroatome enthalten (wie z.B. *Oxazole, *Thiazole); neben den aromat. A. kennt man auch Isomere, die nicht aromat. sind (z.B. 3H-Pyrazole), sich aber in der Regel leicht in die Heteroaromaten umwandeln lassen. Die sehr reaktiven u. präparativ nützlichen, an Ringstickstoff-Atomen acylierten A. werden auch als *Azolide* bezeichnet[1]; sie sind gute *Acylierungs-Reagenzien, die unter milden Bedingungen eingesetzt werden können. Zu den Säure- u. Baseneigenschaften der A. s. *Lit.*[2]. – $E = F = S$ azoles – I azoli

Lit.: [1] Angew. Chem. **74**, 407–423 (1962). [2] Adv. Heterocycl. Chem. **41**, 187–274 (1987).
allg.: Katritzky-Rees **4** u. **5** ▪ Schofield et al., Heteroaromatic Nitrogen Compounds: The Azoles, London: Cambridge Univ. Press 1975.

Azolide s. Azole.

Azolitmin s. Lackmus.

Azolon®. Granulierter Methylen-Harnstoff; langsam freigesetzter Dünger für eine Vegetationsperiode bis zu 8 Monaten von Aglukon Spezialdünger GmbH.

Azomethan s. Azo-Verbindungen.

Azomethine. Bez. für Verb. mit der Atomgruppierung $R^1R^2C=N-R^3$, die als substituierte *Imine aufgefaßt werden können; andere Gruppenbez. sind Anile u. *Schiffsche Basen.
Herst.: Allg. Meth. zur Synth. von A. sind die Kondensation von Carbonyl-Verb. mit Aminen od. von Nitroso-Verb. mit *Methylen-Komponenten, die Oxid. von Aminen u. die β-*Eliminierungen an Chloraminen.
Eigenschaften: A. zeigen aufgrund der C,N-Doppelbindung die *syn/anti*-*Isomerie. Von den A. abgeleitet sind die A.-Imine u. -Ylide (s. nachfolgende Stichworte).
Zu den A. gehören einige wichtige Farbstoffe, z. B. die zu den *Polymethin-Farbstoffen rechnenden *Cyanin-Farbstoffe u. *Merocyanine (vgl. die schemat. Abb. dort), die in der Photographie als *Sensibilisatoren Verw. finden. A. spielen auch in der *Farbphotographie eine Rolle, wo sie während des Entwicklungsvorganges durch Kondensation von aromat. Aminen mit Carbonyl-Derivaten entstehen. – E azomethines – F azométhines – I azometini – S azometinos

Lit.: Barton-Ollis **2**, 385–469 ▪ Patai, The Chemistry of the Carbon-Nitrogen Double Bond, S. 149–298, 327–464, 517–559, London: Interscience 1970 ▪ s. a. die Textstichwörter.

Azomethin-Imine. Wie Azomethin-Ylide (vgl. Azomethine) u. *Nitrone gehören A.-I. zu den 1,3-Dipolen des Allyl-Typs mit Stickstoff als Zentralatom (s. 1,3-dipolare Cycloaddition).
Die in der Regel instabilen A.-I. werden durch Einbau

in aromat. *mesoionische Verbindungen [z. B. *Sydnone, (1,2,3-Oxadiazol-5-one)] stabilisiert. – E azomethine imines – F azométhine-imines – I azometin-immine – S azometino-iminas

Lit.: Padwa, 1,3-Dipolar Cycloaddition Chemistry, Bd. 1, S. 733 ff., New York: Wiley 1984 ▪ s. a. mesoionische Verbindungen.

Azomethin-Ylide. Zu den 1,3-Dipolen gehörende Stoffklasse, die aufgrund ihrer Instabilität meist intermediär erzeugt u. mit geeigneten Dipolarophilen unter Bildung von Pyrrol-Derivaten abgefangen wird (s. 1,3-dipolare Cycloaddition). Geeignete Vorstufen sind *Aziridine, die therm. od. photochem. Ringöffnung zu A.-Y. eingehen.

Verkappte A.-Y. sind die zu den *mesoionischen Verbindungen zu rechnenden Münchnone (1,3-Oxazol-5-one). – E azomethine ylides – F azométhine ylures – I azometin-ilidi – S azometino ílidos

Lit.: Padwa, 1,3-Dipolar Cycloaddition Chemistry, Bd. 1, S. 653 ff., New York: Wiley 1984 ▪ s. a. mesoionische Verbindungen.

Azonia... s. Aza....

Azopigmente s. Azofarbstoffe.

Azopolymere. Die in der Lit. oft auch als Azapolymere bezeichneten Verb. enthalten in der Hauptkette Stickstoff-Stickstoff-Doppelbindungen. Das einfachste Polymer dieser Art ist das Polyformaldazin, $(CH_2-N=N-CH_2)_n$, ein N-Analoges des *Polybutadiens. Formaldazin, $CH_2=N-N=CH_2$, polymerisiert dabei sowohl anion. wie auch kation., nicht aber radikalisch. Wie beim Polybutadien existieren sowohl 1,4- als auch 1,2-Strukturen. – E azo polymers – F azapolymère – I azapolimeri – S azapolímeros

Lit.: Elias **2**, 245.

Azorubin s. Echtrot.

Azosemid.

Internat. Freiname für 2-Chlor-5-(1*H*-tetrazol-5-yl)-4-[(2-thienylmethyl)amino]-benzolsulfonamid, $C_{12}H_{11}ClN_6O_2S_2$, M_R 370,83, Schmp. 218–221 °C. Es wurde 1968 u. 1972 als *Diuretikum von Boehringer Mannheim patent ert u. ist von Sanofi Winthrop (Luret®) im Handel. – *E* = *I* azosemide – *F* azosémide – *S* azosemida
Lit.: Hager (5.) **7**, 353. – *[HS 2935 00; CAS 27589-33-9]*

Azotometer. Meßanordnung zur volumetr. Bestimmung von organ. gebundenem Stickstoff. Das A. besteht aus einem graduierten, geeichten, mit 50%igem Kaliumhydroxid gefüllten Meßrohr, das mit einem Gaseinleitungsrohr u. einem Niveaugefäß verbunden ist. Die bei der Stickstoff-Bestimmung nach Dumas (vgl. Elementaranalyse) gebildeten Verbrennungsgase werden bis auf N von der Kaliumhydroxid-Lsg. absorbiert, so daß das Vol. des N anhand des verdrängten Flüssigkeits-Vol. im Meßrohr abgelesen werden kann. Mit modernen, verbesserten A. lassen sich bis zu 0,3 μg N messen. In automat. arbeitenden Geräten zur N-Bestimmung, die allerdings nach einem anderen Verbrennungsprinzip verfahren u. die eine quant. N-Bestimmung innerhalb von ca. 4 min ermöglichen, wird das N-Vol. im A. digital angezeigt od. von einem Drucker ausgedruckt. – *E* nitrometer – *F* azotomètre – *I* azotometro – *S* nitrómetro
Lit.: Chem. Labor Betr. **13**, 194–198 (1962) ■ s.a. Elementaranalyse.

Azo-Verbindungen (Diazene). Bez. für organ. Verb., die die Azo-Gruppe –N=N– enthalten (vgl. Azo...); das unsubstituierte HN=NH ist das *Diimin (s.a. *Lit.*[1]). Die einfachste aliphat. A. ist Azomethan (H_3C–N=N–CH_3), die einfachste aromat. A. das *Azobenzol, die bes. wichtigste Gruppe sind die *Azofarbstoffe. Während die aliphat. A. farblos sind, ist schon Diazendicarbonamid (*Azodicarbonamid*) dank der konjugierten Doppelbindungen gelb gefärbt, u. die aromat. A. sind stark gefärbte Chromophore; über den Zusammenhang zwischen Konstitution u. Farbe der A. s. Zollinger (*Lit.*).
Herst.: Zur Synth. aliphat. od. gemischt aliphat.-aromat. A. geht man von Alkyl-, Aryl- od. Acylhydraziden aus, die mit Halogen-Verb. zu symmetr. bzw. unsymmetr. Hydraziden umgesetzt werden, die mit Hilfe von *N*-Bromsuccinimid, Kaliumdichromat, Brom zu den A. oxidiert werden. Aromat. A. sind über *Kupplungsreaktionen* der *Diazonium-Verbindungen zugänglich; *Beisp.:* die *Kuppelung des Benzoldiazoniumchlorids mit Dimethylanilin unter Bildung von 4-(Dimethylamino)-azobenzol, Buttergelb:

$$[H_5C_6\text{–}\overset{+}{N}\text{≡}N] \, Cl^- \xrightarrow{+ H_5C_6\text{–}N(CH_3)_2}_{- HCl}$$

$$H_5C_6\text{–}N\text{=}N\text{–}\langle\text{Ph}\rangle\text{–}N(CH_3)_2$$

Die Kuppelung findet bevorzugt in *para*-Stellung zum schon vorhandenen Substituenten statt; ist diese Stellung besetzt, dann tritt die Arylazo-Gruppe in die *ortho*-Stellung ein. Natürlich können die *Diazonium-Salze* auch schon SO_3H-, COOH- u.a. Gruppen tragen, wodurch sich die Zahl der Varianten wiederum erhöht. Enthalten die A. weitere Amino-Gruppen, so können diese erneut diazotiert u. gekuppelt werden, wobei *Bisazo-, Trisazo-* etc. Verb. entstehen.
Eigenschaften u. Umwandlung: Die A. können in *cis-* u. *trans-*Formen [nach heutiger Nomenklatur (Z)- u. (E)-Formen] auftreten, die unter Belichtung ineinander umgewandelt werden können (s. Azobenzol). Im allg. sind die (E)-Stereoisomeren thermodynam. stabiler als die (Z)-Formen; Ausnahmen finden sich bei fluorierten Derivaten. Über das Auftreten von *flüssigen Kristallen bei manchen A. s. *Lit.*[2]. Die aliphat. A. besitzen mit Ausnahme des *Azoisobutyronitrils u. des Azodicarbonamids kein großes Interesse. Zur Rolle der A. als Dienophile sind bes. *Diazendicarbonsäure-dimethylester u. sein cycl. Imid 1,2,4-Triazolin-3,5-dion geeignet; letzteres ist eines der reaktivsten Dienophile überhaupt (s. Diels-Alder-Reaktion); über die Herst. von ungewöhnlichen organ. Verb. durch therm. u. photochem. N_2-Abspaltung aus cycl. A. s. *Lit.*[3]. – *E* azo compounds – *F* composés azoïques – *I* composti azoici – *S* compuestos azoicos
Lit.: [1] Chem. Unserer Zeit **7**, 163–170 (1973). [2] Angew. Chem. **86**, 378 f. (1974). [3] Angew. Chem. **92**, 815 ff. (1980).
allg.: Houben-Weyl **10/2**, 757–809; **10/3**, 213–626 ■ Patai, The Chemistry of the Hydrazo, Azo, and Azoxy Groups, 2 Bd. London: Wiley 1975 ■ Zollinger, Diazo Chemistry, 2 Bd., Weinheim: VCH Verlagsges. 1994 u. 1995 ■ s.a. Azofarbstoffe u. die Textstichwörter.

Azoxybenzol. Xn

$$H_5C_6\text{–}\overset{\overset{O}{\uparrow}}{N}\text{=}N\text{–}C_6H_5$$

$C_{12}H_{10}N_2O$, M_R 198,22. Blaßgelbe Kristallnadeln, D. 1,16, Schmp. 36 °C [stabiles *trans-* od. (E)-A.] bzw. 84 °C [labiles *cis-* od. (Z)-A.], in Wasser unlösl., in Ethanol u. Ether löslich. Das techn. durch Red. von Nitrobenzol mit Melasse u. alkohol. KOH erhältliche A. wird in organ. Synth. verwendet. – *E* azoxybenzene – *F* azoxybenzène – *I* azossibenzene – *S* azoxibenceno
Lit.: Beilstein E IV **16**, 10 ■ Kirk-Othmer (4.) **2**, 431, 499 ■ Merck-Index (11.), Nr. 937 ■ Ullmann (5.) **A 17**, 417. – *[HS 2927 00]*

Azoxystrobin. Vorgeschlagener common name für Methyl-(E)-2-{2-[6-(2-cyanophenoxy)-4-pyrimidinyloxy]phenyl}-3-methoxyacrylat.

$C_{22}H_{17}N_3O_5$, M_R 403,39, Schmp. 118–119 °C, LD_{50} (Ratte oral) > 5000 mg/kg, system. *Fungizid aus der neuen Fungizidklasse *Methoxyacrylate gegen Pilzerkrankungen in Getreide, Reis, Obst, Kartoffeln, Tomaten u. Wein. Zur Zeit in Entwicklung bei Zeneca (ICI A5504), Einführung für 1997/98 geplant. – *E* azoxystrobin – *F* asoxystrobine – *I* azossistrobina – *S* azoxiestrobina
Lit.: Pesticide Manual. – *[CAS 131860-33-8]*

Azoxy-Verbindungen.

Gruppenname für organ. Verb., die die Azoxy-Atomgruppierung enthalten. Bei A. liegen ähnliche Bindungsverhältnisse vor wie in *Aminoxiden u. *Nitronen. Die Stickstoff-Atome tragen aromat., in seltenen Fällen auch aliphat. Gruppen. Soll in der Nomenklatur unsymmetr. A. unterschieden werden, an welchem N-Atom sich das Sauerstoff-Atom befindet, so wird dies unter Vorsetzen der Bez. *NNO-* od. *ONN-* vorgenommen (IUPAC-Regel C-913); *Beisp.:* 2,2′,4-Trichlor-*NNO*-azoxybenzol.
Die A. sind gelbe, gut kristallisierende, wasserunlösl. Verb., die sich bei Dest. vielfach zersetzen u. durch Reduktionsmittel in *Azo-Verbindungen umgewandelt werden. Sie bilden sich bei der Red. von aromat. Nitro-Verb. im alkal. Medium:

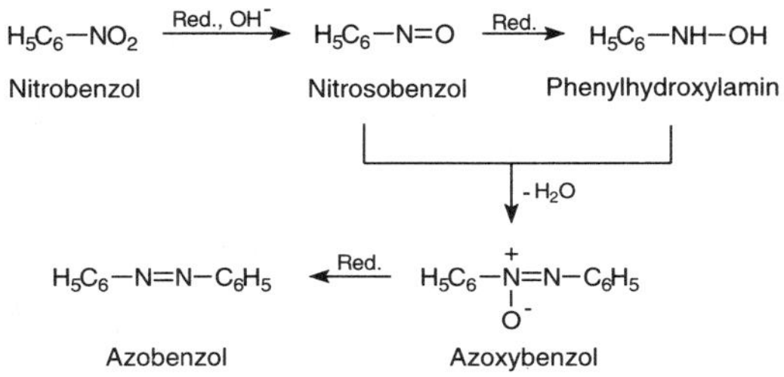

$H_5C_6-NO_2$ $\xrightarrow{Red., OH^-}$ $H_5C_6-N=O$ $\xrightarrow{Red.}$ $H_5C_6-NH-OH$
Nitrobenzol   Nitrosobenzol   Phenylhydroxylamin

$\downarrow -H_2O$

$H_5C_6-N=N-C_6H_5$ $\xleftarrow{Red.}$ $H_5C_6-\overset{+}{N}=N-C_6H_5$
                                           $\underset{O^-}{|}$
Azobenzol   Azoxybenzol

Beim Erwärmen mit konz. Schwefelsäure entstehen *p*-Hydroxyazo-Verb. (*Wallach-Umlagerung*, vgl. die Übersicht in *Lit.*[1]) bei Belichtung *o*-Hydroxyazo-Verb., wobei der Sauerstoff an den der ursprünglichen N–O-Gruppierung entfernteren Ring wandert. Aufgrund ihrer gestreckten Struktur haben manche A. die Eigenschaft *flüssiger Kristalle. Über carcinogene Eigenschaften einiger in der Natur vorkommnder A. wie z. B. *Macrozamin, *Cycasin wird berichtet; s. Carcinogene. – *E* azoxy compounds – *F* composés azoxyques – *I* composti azossidrici – *S* azoxicompuestos
Lit.: [1] Acc. Chem. Res. **8**, 132–139 (1975).
allg.: Houben-Weyl **10/2**, 757–801; **10/3**, 467–544, 745–776 ∎ s. a. Azo-Verbindungen.

Aztec®. Insektizid auf Basis von Tebupirimphos. *B.:* Bayer.

Aztreonam.

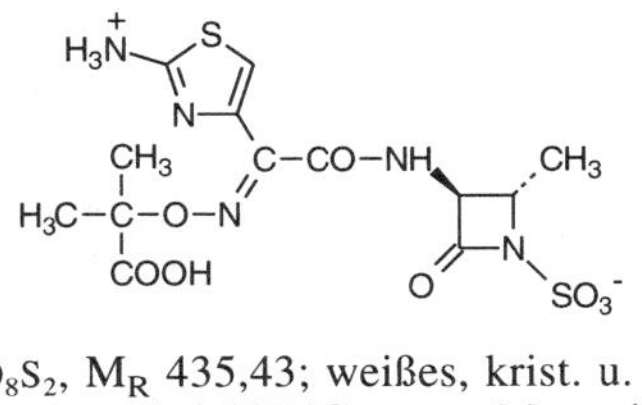

$C_{13}H_{17}N_5O_8S_2$, M_R 435,43; weißes, krist. u. geruchloses Pulver; Zers. bei 227°C, LD_{50} (Maus, i. v.) 3300, (Ratte, i. p.) 6600 mg/kg. Es war das erste vollsynthet. monocycl. β-Lactam-Antibiotikum (Monobactam, s. Penicilline). Es wurde 1981 von Squibb patentiert u. ist von Grünenthal (Azactam®) im Handel. – *E* = *S* aztreonam – *F* aztréonam – *I* aztreoname
Lit.: Florey **17**, 1–40 ∎ Hager (5.) **7**, 354. – [*HS 2941 90; CAS 78110-38-0*]

Azu...® Anlaut. Wortbestandteil für einige Generika-Präp. der Firma Azupharma GmbH, Dieselstraße 5, 70839 Gerlingen.

Azulene (von span.: azul = blau). Gruppenbez. für blaue bis violette, *nichtbenzoide, aromatische Verbindungen (Kohlenwasserstoffe), die sich vom Cyclopentacyclohepten (Bicyclo[5.3.0]deca-1,3,5,7,9-pentaen, s. Nomenklatur) ableiten u. prinzipiell zur Gruppe der *Fulvalene gezählt werden können.

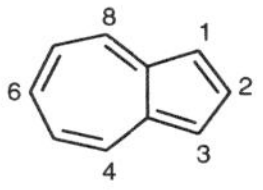

Der Grundkörper, *Azulen*, $C_{10}H_8$, M_R 128,17, bildet intensiv blaue Krist., Schmp. 99°C, die nach Naphthalin, mit dem es isomer ist, riechen. A. ist in Wasser unlösl., dagegen in organ. Lsm. u. Mineralsäuren löslich. Wie viele aromat. Kohlenwasserstoffe bildet auch A. Übergangsmetall-Komplexe mit Ferrocen-Struktur. Auch zu *Cycloadditions-Reaktionen ist A. befähigt[1]. Zur Synth. des A. selbst u. seiner Derivate sind – bes. von *Hafner (*Lit.*[2]) – eine Vielzahl von Meth. entwickelt worden, die im allg. über Hydro-A. verlaufen (s. z. B. *Lit.*[3]). Die *Pfau-Plattner-Synthese geht vom Inden aus. Die meisten der aus Pflanzenbestandteilen isolierten A. entstehen während der Aufarbeitung *etherischer Öle, die sog. *Proazulene* enthalten (*Sesquiterpene mit Hydro-A.-Grundgerüst[4]). Als bes. reich an A. (vor allem Chamazulen) haben sich der röm. *Beifuß u. die *Kamille erwiesen. Im allg. handelt es sich dabei um alkylierte Derivate des Azulens mit der Brutto-Zusammensetzung $C_{15}H_{18}$; am bekanntesten sind *Chamazulen* ($C_{14}H_{16}$), *Guajazulen* u. *Vetivazulen*, die jeweils in 1,4,7- bzw. 2,4,8-Stellung substituierte A. sind. Aufgrund ihrer entzündungshemmenden Wirkung werden diese A. in pharmazeut. u. kosmet. Präp. verwendet. – *E* azulenes – *F* azulènes – *I* azuleni – *S* azulenos
Lit.: [1] Angew. Chem. **88**, 121 ff. (1976). [2] Angew. Chem. **70**, 419–430 (1958); **75**, 1041–1050 (1963). [3] Synthesis **1972**, 517–525; **1977**, 46 ff. [4] Angew. Chem. **85**, 895–907 (1973).
allg.: Beilstein E IV **5**, 1636 ∎ Hager (5.) **1**, 193; **4**, 49; **7**, 357 ∎ Houben-Weyl **5/2c**, 127–418 ∎ Ullmann **7**, 86 ff. ∎ Zechmeister **19**, 32–119 ∎ s. a. etherische Öle, nichtbenzoide aromatische Verbindungen u. a. Textstichwörter. – [*CAS 275-51-4*]

Azulfidine®. Filmtabl., Tabl., Klysma u. Suppositorien mit *Sulfasalazin gegen Darmentzündungen. *B.:* Pharmacia.

Azulon®. Creme, Puder u. Salbe mit standardisiertem Kamillenblütenextrakt gegen Hautentzündungen u. zur Säuglingspflege. *B.:* Asta Medica.

Azuprostat® M. Kapseln mit *β-Sitosterin. *B.:* Azupharma.

Azur®. Schmerztabl. mit *Paracetamol u. *Coffein, A. compositum (Tabl., Suppositorien) mit zusätzlichem Codeinphosphat. *B.:* Steiner Berlin.

Azurit (Kupferlasur). $Cu_3[OH/CO_3]_2$ od. $2CuCO_3 \cdot Cu(OH)_2$; tiefblaue bis schwarzblaue, oft tafelige od. langgestreckte, glasglänzende, monokline Krist. (Krist.-Klasse $2/m$-C_{2h}), kugelige Aggregate, Krusten, Körner; als Anflüge, auch erdig; H. 3,5–4, D. 3,83, Strich blau. Häufig unter Beibehaltung der Krist.-Gestalt in grünen *Malachit umgewandelt, Stoffbilanz s. *Lit.*[1].

Azurit

Vork.: V. a. in *Oxidationszonen sulfid. Kupfererz-Lagerstätten, oft zusammen mit Malachit, z. B. Tsumeb/Namibia, Morenci/Arizona/USA, Altenmittlau/Spessart, Neubulach/Schwarzwald. A. entsteht beim Erhitzen von Kupfernitrat mit Kreide unter Druck.

Verw.: In der Feuerwerkerei für blaue Leuchtsätze, früher auch als Blaupigment. – $E=F$ azurite – I azzurro di rame – S azurita

Lit.: [1] Aufschluß **32**, 1–6 (1981).
allg.: Mineral. Rec. **22**, 65–69 (1991) ▪ Ramdohr-Strunz, S. 577 f. ▪ Ullmann (5.) **A 3**, 165; **A 7**, 477, 573. – *[HS 260300; CAS 1319-45-5]*

B

β (beta). Zweiter Buchstabe des griech. Alphabets. Bei Elementen u. anorgan. Verb. werden hiermit bestimmte Modif. gekennzeichnet (z.B. β-Zinn, β-Zinnsäure), bei organ. Verb. die Stellung der Substituenten. In aliphat. Verb. bezeichnet man mit β die Position des nächsten C-Atoms, gerechnet von einem Bezugs-C-Atom an, das die charakterist. Gruppe (z.B. COOH, NH$_2$) des Mol. trägt; *Beisp.*: H$_2$N–$\overset{\beta}{\text{C}}H_2$–$\overset{\alpha}{\text{C}}H_2$–COOH ($\beta$-Aminopropionsäure = 3-Aminopropansäure, β-Alanin). In endständigen Benzol-Ringen *kondensierter Ringsysteme bezeichnet man die beiden äußeren Positionen mit β (im Naphthalin-Mol. sind dies die Positionen 2, 3, 6 u. 7, s. a. Carboline). In heterocycl. Verb. ist die β-Position diejenige, die das C-Atom einnimmt, das der übernächste Nachbar des Heteroatoms ist (in Pyridin sind dies die Positionen 3 u. 5). Ferner dient β noch zur stereochem. Bez. der *Konfiguration von Atomen in *Ringsystemen, z. B. bei *Anomeren, bei Alkaloiden, Steroiden, Di- u. Triterpenen, zur Unterscheidung von Carotin-Isomeren sowie, bes. bei Naturstoffen, zur Kennzeichnung des als zweites entdeckten Gliedes einer Isomerenreihe u. zur Unterscheidung der Glieder einer Gruppe von Substanzen unbekannter Konstitution. In der Kernphysik ist β das Symbol für β-Teilchen (Elektronen, s. Radioaktivität). In der physikal. Chemie steht β für den Spannungskoeff. $(\partial p/\partial T)_V$, gelegentlich auch für den Stoffübergangskoeff. (statt K_m).

b. Bei *kondensierten Ringsystemen bezeichnet kursives *b* eine Kante zur *Anellierung weiterer Ringe; *Beisp.*: *Benzo[*b*]thiophen. In der physikal. Chemie steht b für eine *van der Waalsche Konstante (vgl. Gasgesetze). In der Kernphysik war b Kurzz. für *Barn.

B. Chem. Symbol für *Bor.

Ba. Chem. Symbol für *Barium.

Baader-Kolben. Erlenmeyer-Kolben mit hohlem Henkel zur Titration dunkelgefärbter Flüssigkeiten insbes. bei der Bestimmung der VZ von Mineralöl-Schmierstoffen nach DIN 51 559 (Tl. 1, 04/1978).

Babbitt-Metalle. Nach dem Erfinder I. Babbitt benannt u. unter dieser Bez. in den USA gebräuchliche Gruppe von Sn-Pb-Sb-Cu-Leg., die als *Gleitlagerwerkstoffe für Gleitlager mit normaler Beanspruchung eingesetzt werden. Wie bei anderen Lagermetallen sind in einer weichen Matrix Teile einer härteren Phase eingebettet, die nach erfolgtem Einlauf des Lagers die Tragfunktion übernehmen. Das ursprüngliche B.-M. enthielt 69% Zn, 19% Sn, 5% Pb, 4% Cu u. 3% Sb. – *E* Babbitt metals – *F* métaux de Babbitt – *I* i metalli di Babbitt – *S* metales Babbitt

Babcock. Kurzbez. für das 1898 gegr. Unternehmen Deutsche Babcock AG, Duisburger Str. 375, 46049 Oberhausen. Daten (1994/95): ca. 34 000 Beschäftigte, 8,3 Mrd. DM Umsatz. Zum Konzern gehören weltweit insgesamt 330 konsolidierte u. nichtkonsolidierte Gesellschaften. Wichtige *Tochter- u. Beteiligungsges.* sind u. a. die Deutsche Babcock-Borsig AG, Berlin (100%), die Babcock-BSH AG, Krefeld (65,5%), die Balcke-Dürr AG, Ratingen (63,2%) u. die Flender AG, Bocholt (75,5%). Wesentliche *Arbeitsgebiete*: Energie- u. Umwelttechnik, Ind.- u. Systemtechnik, Maschinen- u. Anlagenbau, Antriebstechnik, Handel.

Babingtonit s. Pyroxenoide.

Babix® Inhalat. Tropfen mit Eukalyptus- u. Fichtennadel-Öl. Sie werden als Expectorans bei Säuglingen auf ein Kleidungsstück in der Nähe der Atmungsorgane getropft. *B.*: Mickan.

Babo, Clemens Heinrich Lambert von (1818–1899), Prof. für Chemie. *Arbeitsgebiete*: Bestimmung des Dampfdrucks von Wasser u. Lsg., Herst. von Cholin durch Spaltung von Sinapin. Einführung verschiedener Chemikergeräte, z. B. des Babo-Trichters (s. Luftbad).

Lit.: Pötsch, S. 21 f. ▪ Poggendorff **1**, 83 ▪ Strube et al., S. 127.

Babylax®. Miniklistier mit Glycerin gegen Verstopfung bei Säuglingen u. Kindern. *B.*: Dentinox.

Bacampicillin.

H$_5$C$_6$–CH–CO–NH–[β-lactam ring]–S–C(CH$_3$)(CH$_3$)–CO–O–CH(CH$_3$)–O–CO–O–C$_2$H$_5$
           |
           NH$_2$

Internat. Freiname für den antibiot. wirksamen 1-(Ethoxycarbonyloxy-)-ethylester des *Ampicillins (C$_{21}$H$_{27}$N$_3$O$_7$S, M_R 465,52). Verwendet wird das Hydrochlorid: C$_{21}$H$_{28}$ClN$_3$O$_7$S; M_R 501,98; weiße Krist. aus Aceton-Petrolether, Zers. bei 171–176 °C; $[\alpha]_D^{20}$ +161,5° (auch +173° angegeben); LD$_{50}$ (Maus): (oral) 8529, (i. p.) 16, (s. c.) 9475, (i. v.) 184 mg/kg. Es wurde 1972, 1975 u. 1976 als Antibiotikum von Astra (Penglobe®) patentiert u. ist auch von Upjohn (Ambacamp®) im Handel. – *E* = *F* bacampicilline – *I* bacampicillina – *S* bacampicilina

Lit.: ASP ▪ DAB 10 ▪ Hager (5.) **7**, 359 ff. – *[HS 2941 10; CAS 37661-08-8]*

Bacca (latein. = Beere). Bez. für offizinell genutzte Beeren; Beisp.: *Baccae myrtillorum* (Heidelbeere).

Bacfor®. Marke der französ. Firma Sidobre-Sinnova für ein Sortiment von hochkonz. Benzalkonium-Salzen zur Verw. in Desinfektionsmitteln, Algiziden sowie als Antistatikum. *B.:* Henkel.

Bacillaceae s. Bacillus.

Bacillus (Gattung der Bacillaceae). B. sind endosporenbildende, Gram-pos., stäbchenförmige, kettenbildende *Bakterien, die meist aerob, mit wenigen Ausnahmen auch fakultativ anaerob wachsen. Neben den meist *mesophilen* Arten (Wachstum bei 20–37 °C) gibt es *psychrophile* (Wachstum unter 0 °C) u. *thermophile* (Wachstum bei 60–75 °C). Die Sporen sind teilweise extrem hitzeresistent, *B. stearothermophilus*-Sporen lassen sich bei 120 °C erst nach 15 Min. abtöten. B. sind als Bodenbewohner u. in der Sporenform auch in der Luft weit verbreitet. Da B. schon seit langem in großtechn. Produktionsverf. eingesetzt sind u. *Proteine (Enzyme wie Proteasen, α-Amylasen u. β-Lactamasen) ins Medium ausscheiden, wurden B. intensiv zur Entwicklung von Klonierungstechniken zur Expression heterologer Proteine (s. Gentechnologie) untersucht. Techn. wird B. zur Produktion von Proteasen, Amylasen u. Antibiotika (Peptid-A.) eingesetzt. Weiterhin wird *B. thuringiensis* mit seinen insektenpathogenen Endo- u. Exotoxinen für die biolog. Schädlingsbekämpfung verwendet. Neben vielen harmlosen Arten sind Schädlinge bekannt: *B. anthracis* (Milzbrand), *B. cereus* (Milchprodukte-Verderber), *B. polymyxa* (Gemüse-Verderber), *B. larvae* (Faulbrut bei der Honigbiene). – *E* Bacillus – *F* bacille – *I* bacillo – *S* bacilo

Lit.: s. Mikrobiologie.

Bacillus thuringiensis. Gram-pos. Bakterienart, die bei der Auflösung des Sporangiums zusammen mit den Sporen δ-Endotoxine freisetzt. Es handelt sich um Protoxine, die erst im Darm von Insekten durch Proteolyse tox. werden. B. t. wird unter verschiedenen Handelsnamen als biolog. Schädlingsbekämpfungsmittel eingesetzt u. zeigt nach bisherigen Untersuchungen bei Mensch u. Säugetieren keine tox. od. infektiöse Wirkung.

Lit.: Naturwiss. Rundsch. **43**, 538, 540 (1990) ▪ TIBS **15**, 2 (1990).

Bacilysin s. Chlorotetain.

Bacitracin. Internat. Freiname für einen Peptidantibiotika-Komplex mit breiter Wirkung gegen Grampos. Erreger, v. a. *Staphylokokken u. Penicillin- u. Sulfonamid-resistente *Streptokokken. B. wurde 1943 von Johnson et al. aus *Bacillus subtilis* u. *B. licheniformis* isoliert. Kommerzielles B. ist ein Gemisch aus mind. 9 Bestandteilen mit B. A als Hauptkomponente (70%). B. A hat folgende Konstitution (zur Nomenklatur s. Aminosäuren):

$C_{66}H_{103}N_{17}O_{16}S$, M_R 1422,71. Farbloses hygroskop. Pulver von sehr bitterem Geschmack, in Wasser, Alkoholen leicht, in Ether, Chloroform u. Aceton nicht löslich. B. wurde 1959 von Merck patentiert u. ist meist in Kombination mit *Neomycin generikafähig zur lokalen Anw. (Wundinfektionen, Verbrennungen, Hauttransplantationen).

Wirkungsmechanismus: Bei der Zellwandsynth. wirkt B. als Inhibitor der Biosynth. von *Murein durch Hemmung der Dephosphorylierung von C_{55}-Isoprenylpyrophosphat zum aktiven Carrier. In der Tierhaltung findet B. breite Anw. als Fütterungsantibiotikum in Form von Zn-Salz od. B. methylendisalicylat. – *E* bacitracin – *F* bacitracine – *I* = *S* bacitracina

Lit.: Biochem. J. **61**, 534 (1955) ▪ Drugs Pharm. Sci. **22**, 665 (1984) ▪ Hahn, Antibiotics, Vol. 5, S. 1–17, New York: Springer 1979 ▪ J. Am. Chem. Soc. **77**, 731, 3123 (1955); **88**, 2025 (1966) ▪ Pharmacol. Ther. **16**, 199 (1982). – [HS 2941 90; CAS 1405-87-4; 22601-59-8 (B. A); 1402-99-9 (B. B); 1403-00-5 (B. C); 1403-01-6 (B. D); 1403-02-7 (B. E); 22601-63-4 (B. F); 1403-03-8 (B. G)]

Backen s. Backwaren u. Brot.

Backhefe. Bei diesen Mikroorganismen handelt es sich um physiolog. Rassen der Hefe *Saccharomyces cerevisiae* (Saccharomycetaceae, *Ascomyceten), die sich durch Sprossung vermehren. Seit mehr als 2000 Jahren wird *Hefe zur Lockerung von Teigen für Backerzeugnisse eingesetzt u. seit Beginn des 19. Jh. wird B. gezielt industriell erzeugt.

Erzeugung: Die Produktion von B. im industriellen Maßstab erfolgt in 150–200 m³ großen Rührreaktoren als *Fed-batch-Fermentation unter aeroben Bedingungen überwiegend mit *Melasse als Kohlenstoff-Quelle. Die Produktivität des Fermenters wird entscheidend bestimmt vom Sauerstoff-Eintrag u. damit von der Art der Belüftung. Ziel ist eine möglichst lagerstabile B. mit guten Gäreigenschaften, wobei abhängig von den Backgewohnheiten in verschiedenen Ländern unterschiedliche Anforderungen gestellt werden[1].

Anw. in der Backwaren-Ind.: B. setzt unter anaeroben Bedingungen im Teig enthaltene vergärbare Zucker unter Bildung von Kohlendioxid um. Dies führt zur Lockerung („Aufgehen") von Mehlteig. Durch den Eigengeschmack der B. sowie durch Nebenprodukte der Gärung erhalten die Backwaren einen charakterist. Eigengeschmack u. -geruch. In der BRD werden etwa 60% der B. in Weizenmehlteigen u. 40% zur Herst. von Sauerteigen, insbes. aus Roggenmehl, verbraucht. Abhängig von der Rezeptur wird der Teig bis zu 6% an B. bezogen auf die Mehlmenge beigegeben. Die optimale Gärtemp. liegt bei 30–32 °C.

Eingesetzt werden frische B. mit einem Wassergehalt von etwa 70%, in zunehmendem Maße auch sog. Trockenhefe mit einem Wassergehalt von 8–12%, die besser lagerfähig u. für den Übersee- u. Tropenversand geeignet ist.

Frische B. ist eine cremefarbene Masse lebender Hefezellen, die bei Kühltemp. um 4 °C etwa 5 Wochen haltbar ist. Das enthaltene Wasser ist überwiegend intrazellulär gebunden.

Biotechnolog. Anw.: Neben der Verw. in der Backwaren-Ind. wird B. zur Gewinnung von *Ergosterin eingesetzt (bis zu 10% der Biotrockenmasse unter optimalen Bedingungen). Das Provitamin Ergosterin wird durch UV-Bestrahlung in das biolog. aktive Vitamin D_2 umgewandelt. Des weiteren wird B. u. a. als *Biokatalysator bei der Herst. von *Carotinoiden (*Lit.*[2]) u. (–)-*Ephedrin (*Lit.*[3]) genutzt. – *E* baker's yeast – *F* levure de boulangerie (panification) – *I* lievito – *S* levadura de panificación

Lit.: [1] Römpp Lexikon Biotechnologie, S. 93. [2] Präve et al. (4.), S. 719. [3] Präve et al. (4.), S. 737.
allg.: Demain u. Solomon (Hrsg.), Biology of Industrial Microorganisms, S. 511–536, London: Benjamin Cummings (1985). – [HS 2102 10]

Backhilfsmittel s. Brot.

Backkohlen s. Fettkohle.

Backpulver. Zur Teiglockerung bei der Herst. von *Backwaren bestimmte Stoffe, aus denen während der Teigbereitung u./od. während des Backvorgangs Gase (meist Kohlendioxid) frei werden; aromatisierte B. enthalten zusätzlich Aromastoffe. Es werden u. a. als Triebmittel verwendet:
1. *ABC-Trieb*: Besteht aus reinem *Ammoniumhydrogencarbonat, das in der Backhitze nach: $NH_4HCO_3 \rightarrow CO_2 + NH_3 + H_2O$ zerfällt. Da Ammoniak vom Teig auch in der Hitze leicht gebunden wird, eignet sich der ABC-Trieb v. a. für scharf auszubackende Flachgebäcke.
2. *Hirschhornsalz*: Dieses besteht aus Ammoniumhydrogencarbonat u. Ammoniumcarbonat u. wird wie 1. eingesetzt.
3. *Pottasche*: *Kaliumcarbonat wird ebenso wie 1. u. 2. v. a. in der Lebkuchenbäckerei verwendet. In dem süßen Teig vermehren sich säurebildende Mikroorganismen, u. die Säure entwickelt aus der Pottasche CO_2.
4. *Natron* (*Natriumhydrogencarbonat): Dieses gibt beim Erhitzen ebenfalls CO_2 ab: $2 NaHCO_3 \rightarrow Na_2CO_3 + H_2O + CO_2$, wobei aber übelschmeckende Soda entsteht. Natron selbst hat als Triebmittel daher heute nur noch geringe Bedeutung. In den handelsüblichen B. wird es mit *Säureträgern* wie $Na_2H_2P_2O_7$, $Ca(H_2PO_4)_2$, Na-Al-Phosphaten od. mit Weinsäure, Weinstein, Citronensäure, Adipinsäure, Bernsteinsäure u. a. Carbonsäuren kombiniert. Ein Zusatz von Mehl, Stärke od. $CaCO_3$ verhindert eine vorzeitige Reaktion zwischen $NaHCO_3$ u. dem Säureträger. – *E* leavening agents, baking powders – *F* lévures minérales – *I* lievito in polvere – *S* levadura en polvo

Lit.: Belitz-Grosch (4.), S. 651.

Backsteine. Umgangssprachliche Bez. für Mauerziegel, s. Ziegel.

Backwaren. Bez. für *Lebensmittel, die durch *Backen* (Hitzeeinwirkung) eines *Teiges gewonnen werden, der aus *Getreide-*Mehl mit Hilfe von Flüssigkeiten u. Lockerungsmitteln (z. B. *Backpulvern, *Hefen) hergestellt wird; zur Technologie der B.-Herst. s. *Lit.*[1,2]. Außer *Brot als weitaus wichtigster B. – dort ist der Backprozeß näher beschrieben – kennt man *Fein*- u. *Dauerbackwaren*. Diese müssen auf 90 Tl. Mehl mind. 10 Tl. Zucker u./od. Fette enthalten, die auch der Fertigware anhaften können. Nicht mehlartige *Backzutaten* sind u. a. Honig, Eier, Milchprodukte, Früchte u. Obstwaren, Schokolade, Kakao, Mandeln, Gewürze, Aromen, Citrusfruchtanteile usw. Zur Lockerung dienen Hefe, Backpulver, Luft, Wasserdampf, Eiweißschnee. Zu den wichtigsten *Feingebäck*-Arten zählen Kuchen, Torten, Wind-, Blätter-, Mürbeteig-B., Butter- u. Milchgebäcke, Hefe-B. u. Teegebäck. *Dauergebäcke* – zu diesen gehören Kekse, Laugengebäck, Lebkuchen u. ä. Gebäcke, Makronen, Waffeln, Biskuit u. v. a. – dürfen durch längere Lagerung in ihrer Genußfähigkeit nicht beeinträchtigt werden. *Diät-B.* werden z. B. für Diabetiker unter Verw. von *Zuckeraustauschstoffen u. *Süßstoffen hergestellt, für Kinder unter Verw. von aufgeschlossenen Getreideerzeugnissen (z. B. für Zwieback); Näheres s. bei diätetische Lebensmittel. Unzweckmäßig behandelte B. können von *Mykotoxine bildenden *Schimmelpilzen befallen werden. Um dies zu verhindern, kann man spezielle gärschonende *Konservierungsmittel wie grobkrist. *Sorbinsäure (Panosorb®) einsetzen. – *E* bakeries, bakery products – *F* produits de boulangerie – *I* dolci – *S* productos de panadería

Lit.: [1] Belitz-Grosch (4.), S. 640 ff. [2] Deutsche Landwirtschaftsges. (Hrsg.), Brot u. Feine Backwaren S. 10 ff., Frankfurt: DLG 1985.

Baclofen.

$H_2N-CH_2-CH-CH_2-COOH$ mit Phenylring und Cl-Substituent

Internat. Freiname für 4-Amino-3-(4-chlorphenyl)-buttersäure, $C_{10}H_{12}ClNO_2$, M_R 213,66, Schmp. 206–208 °C, auch 189–191 °C angegeben; LD_{50} (Maus, i. v.) 45, (Maus, s. c.) 103, (Maus, oral) 200, (Ratte, i. v.) 78, (Ratte, s. c.) 115, (Ratte, oral) 145 mg/kg. Es wurde 1968 als Muskelrelaxans von Ciba (Lioresal®, Geigy Pharma), 1970 von Daiichi patentiert u. ist Generika-fähig. – *E* baclofen – *F* baclofène – *I* baclofene – *S* baclofeno

Lit.: ASP ■ DAB 10 ■ Florey 14, 527–548 ■ Hager (5.) 7, 364–367. – [HS 2922 49; CAS 1134-47-0]

Bacon, Francis (1561–1626), engl. Philosoph u. Staatsmann. Nach seiner Auffassung bestand die wesentliche Aufgabe der Naturwissenschaften darin, die Natur zu beherrschen („Wissen ist Macht"). Er schrieb der Wissenschaft vor, sie dürfe nur von Einzelerfahrungen zu allg. Sätzen gelangen. In seinem Werk „Nova Atlantis" entwarf er einen techn. u. wissenschaftlich durchstrukturierten Zukunftsstaat.

Lit.: Pötsch, S. 23.

Bacon, Roger (1214–1292). Experiment u. Beobachtung galten ihm als Prinzip jeder wissenschaftlichen Arbeit. Damit zählte B. zu den ersten Wissenschaftlern, die eine Verbindung zwischen Theorie u. Praxis schufen. Wegen seiner experimentellen Arbeiten ließ ihn der Franziskanerorden, dem er seit 1250 angehörte, unter strenge Aufsicht stellen. Zu seinen naturwissenschaftlichen Hauptwerken zählen „Opus maius", „Opus minus", „Opus tertium" sowie „Epistola de secretis operibus artis et naturae".

Lit.: Pötsch, S. 23.

Bacon-Zelle. Nach ihrem Entdecker benannte *Brennstoffzelle, die mit Wasserstoff u. Sauerstoff betrieben wird. Näheres s. Knallgaselement.

Bacteriocine. *Polypeptid-Antibiotika, die von Bakterien extrazellulär gebildet werden können. Die meisten der bisher bekannten B. hemmen nur nahe verwandte Arten der Produzenten, was bei Fermentationsprozessen mit Milchsäurebakterien zu Säuerungsstörungen führen kann. Eines der bekanntesten, *Nisin, verhindert das Auskeimen von Bakteriensporen. – Wegen des essentiellen Anteils an Protein werden B. von *Proteasen rasch inaktiviert, sie sind also in Ggw. von Proteolyten nicht wirksam. Auf Grund des eingeschränkten Wirkungsspektrums u. der relativ geringen Stabilität haben B. bisher keine allzu große Verbreitung in der Lebensmitteltechnologie gefunden. – E bacteriocins – F bactériocines – I batteriocini – S bacteriocinas

Lit.: Krämer, Lebensmittelmikrologie, 2. Aufl., S. 182, Stuttgart: Ulmer 1995 ▪ Lück u. Jager, Chemische Lebensmittelkonservierung (3.), S. 216–221 u. 261f., Berlin: Springer 1995.

Bactident®. Reagenzien für die Mikrobiologie. **B.:** Merck.

Bacto®. Traditionelle Produktlinie von *Difco mit hohem Standardisierungsgrad u. hoher Reproduzierbarkeit. **B.:** Difco.

Bactoreduct. Kindersirup u. Tabl. mit *Trimethoprim u. *Sulfamethoxazol (Co-Trimoxazol) gegen bakterielle Infektionen. **B.:** Azupharma.

Bactrim®. Ampullen, Tabl. u. Sirup mit *Trimethoprim u. *Sulfamethoxazol (Co-Trimoxazol) gegen bakterielle Infektionen der Atemwege, des Magen-, Darm- u. Urogenitaltraktes, der Haut etc. **B.:** Hoffmann-La Roche.

Baculoviren. Familie von DNA-*Viren (Baculoviridae), die ausschließlich *Invertebraten, bevorzugt Insekten infizieren. Während der Infektion produzieren sie ihr Hüllprotein, *Polyhedrin*, in außergewöhnlich großen Mengen. Die Produktion startet 3–4 d nach der Infektion u. dauert 4–5 d an, bis die befallenen Zellen lysieren u. der Wirtsorganismus abstirbt. B. lassen sich gut in Insekten-*Zellkulturen vermehren. Das Gen für die Polyhedrin-Synth. kann dabei durch Fremdgene ersetzt werden, die vorzugsweise für pflanzliche, tier. od. humane Proteine codieren, die in Mikroorganismen schlecht od. gar nicht hergestellt werden können. Das B.-Expressions-System (*Genexpression) hat zudem den Vorteil, daß das Glykosylierungs-Muster der Fremd-Proteine weitgehend dem der Primaten entspricht u. so bio-log. aktive rekombinierte Protein-Wirkstoffe gewonnen werden können. – E baculoviruses – $F = I = S$ baculovirus

Lit.: Glick u. Pasternak, Molekulare Biotechnologie, S. 134–138, Heidelberg: Spektrum 1995.

Baddeleyit (Brazilit, Zirkonerde). ZrO_2; oft Hafnium (1–2%), Uran u. Thorium enthaltendes, gelb, braun od. schwarz gefärbtes, monoklines (Krist.-Klasse 2/m-C_{2h}), techn. wichtiges *Zirconiumdioxid-Mineral; meist körnig, faserig („Zirkon-*Glaskopf") od. als lose Körner in *Seifen; H. 6,5, D. 5,7–6,0. Zu Spurenelement-Gehalt u. Isotopen-Zusammensetzung von B. s. *Lit.*[1]

Vork.: Brasilien, Sri Lanka; auf dem Mond; wichtige Lagerstätten[2] in Phalaborwa/Transvaal/Südafrika u. Kovdor/Kola/Rußland.

Verw.: Herst. von Zr-Verb.; für feuerfeste Werkstoffe (als kub. stabilisiertes ZrO_2), Schleifmittel („Zirkonkorunde") u. Spezialkeramiken (u.a. keram. Farbkörper); wegen der U- u. Pb-Gehalte zur *Altersbestimmung; s.a. Zirconiumdioxid. – $E = F$ baddeleyite – I baddeleite – S baddeleyta

Lit.: [1] Mineral. Petrol. **53**, 155–164 (1995). [2] Erzmetall **43**, 152–155 (1990).

allg.: Gmelin, Syst.-Nr. 42, Zr, 1958, S. 43f. ▪ Schröcke – Weiner, Mineralogie, S. 469–471, Berlin: de Gruyter 1981 ▪ s.a. Zirconiumdioxid. – [HS 2615 10; CAS 12036-23-6]

Badena®. Sortiment von Weichmachungsmitteln für die Textilveredlung auf der Basis von Fettsäure-Kondensationsprodukten u.a. Derivaten. **B.:** Rotta.

Badesalze (Badetabletten) s. Hautpflegemittel.

Badezusätze. Dem Badewasser in flüssiger od. fester Form (Pulver, Tabl.) zuzufügende Zusätze, die meist neben waschaktiven Substanzen (*Tensiden) noch Rückfetter, Öle, Pflanzenextrakte, Emulgatoren, natürliche Wirk- u. Duftstoffe, Kosmetikfarbstoffe u. ggf. Konservierungsstoffe enthalten. Beliebte Duftnoten sind Phantasiedüfte (Brise bleu, Coniflor, Zitrusnoten, Kräuter). – E bathing additives – F additifs de bain – I sali (preparati) per bagno – S productos para baño

Lit.: Ärztl. Kosmetologie, **16**, 130f. (1986). – [HS 3307 30]

Badezusätze CLR. Wirkstoffe für Schaum-, Creme-, Cremeschaum- u. Duschbäder. **B.:** CLR.

Badione.

R = H : Badion A
R = OH : Badion B

Schokoladenbraune Farbstoffe aus der Huthaut des Maronenröhrlings (*Xerocomus badius*), des Flockenstielige Hexenröhrlings (*Boletus erythropus*) u.a. Boleten. Die B. entstehen biosynthet. aus zwei Pulvinsäure-Einheiten. Behandelt man das unter der braunen Huthaut liegende Fleisch mit *Xerocomsäure, bildet sich *Badion A* ($C_{36}H_{18}O_{16}$, M_R 706,53, schwarzbraune, metall. glänzende Krist., Zers. >250 °C). Beim flockenstieligen Hexenröhrling bildet sich analog *Badion B* ($C_{36}H_{18}O_{18}$, M_R 738,53) aus *Variegatsäure. Beide B. enthalten ein Kalium-Ion, das komplex gebunden ist. Die Fähigkeit, Alkali-Ionen zu komplexieren, ist auch der Grund für die erhöhte Radioakti-

vität dieser Boleten nach der Emission von ^{137}Cs durch den Reaktorunfall in Tschernobyl[1] (s. Cäsium). – *E* badiones – *F* badione – *I* badioni – *S* badionas
Lit.: [1] Angew. Chem. **101**, 495 (1989).
allg.: Angew. Chem. **96**, 435 (1984) ▪ Zechmeister **51**, 55 (1987). – *Synth.:* Angew. Chem. **97**, 716 (1985). – *[HS 3203 00; CAS 90295-66-2 (B. A); 9748-15-2 (B. B)]*

Bäder s. Balneologie u. Heizbäder.

Baekeland, Leo Hendrik (1863–1944), Chemiker, Erfinder des *Bakelits, Industrieller in Belgien u. USA. *Arbeitsgebiete:* Phenoplaste, photograph. Papiere, elektrolyt. Zelle.
Lit.: J. Chem. Educ. **41**, 224–226 (1964) ▪ Neufeldt, S. 116 ▪ Pötsch, S. 24 ▪ Strube, S. 163 ▪ Strube et al., S. 183.

Baekeland-Verfahren s. Phenolharze.

Bändereisenerze s. gebänderte Eisensteine.

Bändermodell (Energiebändermodell) s. chemische Bindung, elektrischer Leiter u. Halbleiter.

Bänderung s. Sedimente u. Gefüge.

Bärenfang. Honiglikör mit mind. 25 kg Bienenhonig auf 100 l Fertigerzeugnis u. mind. 30% vol. Ethanol-Gehalt.

Bärenklau. B. (Gattung *Heracleum*) ist eine taxonom. Einheit der Doldengewächse im Pflanzenreich. Der Wiesen-B. (*Heracleum sphondylium*), auch Gemeiner B. genannt, ist ein in Europa weit verbreitetes, etwa 50 bis 150 cm hohes Kraut mit kantig gefurchten Stengeln, die meist, ebenso wie die gelappten Blätter, borstig behaart sind. Für den Menschen phototox. als Gifte wirken die Furocumarin-Pflanzeninhaltsstoffe *Pimpinellin, Isopimpinellin u. *Bergapten. Vorwiegend durch den Stengelsaft treten Rötungen der Haut, Schwellungen u. Blasenbildung auf; dies wird bei starker Lichteinwirkung (Sonne!) u. hoher Luftfeuchtigkeit verstärkt. Als erste Hilfe sind die betroffenen Stellen zu waschen (nicht kratzen!), dann ein Arzt aufzusuchen. Lokale Behandlung erfolgt mit abschwellenden u. antiphlogist. Mitteln. Sich bildende Blasen trocknen ein, bleiben aber oft viele Jahre ähnlich Brand-Narben als Flecken sichtbar. Ähnlich im Aussehen, aber oft über 3 m hoch, ist der Riesen-B. (Herkulesstaude) *Heracleum montegazzianum.* Diese Pflanze wurde Ende des 19. Jh. als Zierpflanze für große Gartenanlagen aus dem Kaukasus in Mitteleuropa eingeführt. Sie ist heute vielfach verwildert anzutreffen. Ihre Giftwirkung ist ähnlich der des Wiesen-B., aber noch intensiver. Nicht nur aus gesundheitlicher Sicht ist die Herkulesstaude eine „Problempflanze", sondern auch aus ökologischer. Die über 0,5 m breiten riesigen Blätter beschatten durch ihre Anordnung den Boden u. verhindern damit Wachstum u. Entwicklung anderer, standorttyp. Arten (vermutlich erfolgt die Vegetationsblockade auch über Gifte). Jede Pflanze kann bis zu 10 000 Samen pro Jahr hervorbringen, die sehr widerstandsfähig u. noch nach Jahren keimfähig sind. Die Verbreitung der Samen erfolgt über Mähgut, Mähgeräte, Fahrzeugreifen, Gewässer (Bäche, Gräben), Kompost, Erdmassen, Gärtnereien u. Staudenliebhaber. Dies alles ermöglicht eine schnelle, am jeweiligen Wuchsort konkurrenzlose Verbreitung u. Entwicklung ausgedehnter Herde schon aus Einzelpflanzen in kürzester Zeit. Die rübenförmige Hauptwurzel weist trotz ihres enormen Umfangs nicht das z. B. zur Ufersicherung erforderliche große u. verästelte Wurzelwerk auf, so daß der Boden v. a. während des Winterhalbjahres nach dem Absterben der oberird. Pflanzenteile einer sonst nicht standorttyp. Erosion unterliegt. Die Schäden durch die Herkulesstaude als Neophyten sind gerade entlang von Gewässern, aber auch auf Weiden u. Äckern erheblich. – *F* berce spondyle – *I* = *S* acanto
Lit.: Altmann, Giftpflanzen – Gifttiere, Merkmale, Giftwirkung, Therapie, München: BLV Verlagsges. 1995 ▪ Frohne u. Pfänder, Giftpflanzen, Stuttgart: Wiss. Verlagsges. 1987 ▪ Hiller u. Bickerich, Giftpflanzen, Stuttgart: Enke 1988 ▪ Kern, Herkulesstaude: Gefahr für Gesundheit, Wirtschaft u. Naturhaushalt; Bekämpfungshinweise, Nassau: Ges. für Naturschutz u. Ornithologie Rheinland-Pfalz e. V. 1995.

Bärentraube. Immergrünes Heidekrautgewächs (*Arctostaphylos uva-ursi* (L.) Spreng., Ericaceae) mit weißrötlichen Blütentrauben u. roten Beerenfrüchten (Sand-, Mehl- od. Moosbeere), das in trockenen Kiefernwäldern u. Bergheiden wächst u. dessen Blätter die *Hydrochinon-Glykoside *Arbutin u. Methylarbutin sowie *Gerbstoffe u. *Flavone enthalten. Das im Organismus aus den Glykosiden abgespaltene Hydrochinon wird als *Konjugat (mit Glucuron- od. Schwefelsäure) ausgeschieden u. in alkal. Harn (ggf. durch Einnahme von $NaHCO_3$ erreichbar) wieder freigesetzt, worauf die antibakterielle Wirkung der B. beruht. *B.-Blätter* (als Tee) wirken harndesinfizierend u. wassertreibend, aber nicht als echte *Diuretika. – *E* bearberry – *F* busserole, arctostaphyle – *I* uva orsina – *S* uvaduz
Lit.: DAB 10 u. Komm. ▪ Hager (5.) **4**, 328–338 ▪ Wichtl (2.), S. 72 ff. – *[HS 1211 90]*

Bärlappsporen s. Lycopodium.

van Baerle. Kurzbez. für die 1838 gegr. Firma van Baerle Chem. Fabrik GmbH & Co., Postfach 1363, 64575 Gernsheim/Rhein. *Produktion:* Natron- u. Kaliwassergläser, Magnesium-silicat, Kieselsäuren, Carboxymethylcellulose, gewerbl. Wasch- u. Reinigungsmittel, Feuerschutz- u. Hydrophobiermittel. *Silinwerk* van Baerle u. Co. GmbH, 6084 Gernsheim/Rhein. *Produktion:* Baustoffchem. Prod., Silikatfarben- u. Putze, Wärmedämmsyst., Betonsanierungsmittel.

Bärlocher. Kurzbez. für die 1823 gegr. Firma Bärlocher GmbH, Riesstraße 16, 80992 München, an der Henkel zu 48% beteiligt ist. *Produktion:* Stabilisatoren, Metallseifen, Gleitmittel u. a. Hilfsstoffe für die kunststoffverarbeitende Ind., die Pharmazie, die Lackverarbeitung u. den Bautenschutz.

Baerns, Manfred (geb. 1934), Prof. für Techn. Chemie, Ruhr-Universität Bochum. *Arbeitsgebiete:* Grundlagen u. Anw. der heterogenen Katalyse (Kohlenwasserstoff-Oxid., C_1-Chemie) u. der chem. Reaktionstechnik (Auslegung von Reaktoren u. Simulation des Reaktorverhaltens).
Lit.: Kürschner (16.), S. 99 ▪ Wer ist Wer? (33.), S. 41.

Baerolub LAS®. Amidwachse als vorwiegend äußeres Gleitmittel für Thermoplaste, beste Antiblocking-Eigenschaften, Oberflächenglanz, Trockenschmierstoff, stark hydrophob. *B.:* Krahn.

Baeyer, Adolf von (1835–1917), Prof. für Organ. Chemie, Univ. München. Schüler von *Bunsen u. *Kekulé. *Arbeitsgebiete:* Indigo, Harnsäure, Phthaleine (Phenolphthalein, Fluoreszein), Nitroso-Verb., Acetylene, Hydroaromaten, Terpene, Peroxide, Oxonium-Salze, Carbonium-Verbindungen. Nobelpreis für Chemie 1905 für seine Arbeiten über Farbstoffe u. hydroaromat. Verbindungen.
Lit.: Bugge, Das Buch der großen Chemiker, Bd. 2, S. 321–335, Weinheim: Verl. Chemie 1961 ▪ Chem. Labor Betr. **18**, 306–311 (1967) ▪ Krafft, S. 37f. ▪ Neufeldt, S. 54, 58, 59, 61, 63, 103, 364, 380, 386 ▪ Pötsch, S. 24 ▪ Schmorl, A. v. Baeyer, Stuttgart: Wiss. Verlagsges. 1958 ▪ Schuster, Wissenschaft u. Technik (Schriftenreihe Archiv BASF 14), S. 46–74, Ludwigshafen: BASF 1977 ▪ Strube, S. 158ff. ▪ Strube et al., S. 176f.

Baeyer-Reaktionen. Mit dem Namen A. von *Baeyer sind verknüpft: 1. Die Phenol-Formaldehyd-Polykondensation (Bildung von *Phenolharzen). – 2. Die *Indigo-Synth. nach Baeyer-Drewsen, bei der 2-Nitrobenzaldehyd mit Aceton zu Indigo umgesetzt wird; diese Reaktion spielt techn. keine Rolle mehr, kann aber als *Nachweisreaktion* für 2-Nitroaldehyde dienen. – 3. Die *Baeyer-Villiger-Oxidation. – 4. Der *Baeyer-Test. – *E* Bayer reaction – *F* reaction de Baeyer – *I* reazione di Baeyer – *S* reacción de Baeyer

Baeyer-Spannung. *Cycloalkane werden nach *Prelog u. H. C. *Brown in vier Klassen eingeteilt: *Kleine Ringe* (3- u. 4-gliedrig), *Gewöhnliche Ringe* (5-, 6- u. 7-gliedrig), *Mittlere Ringe* (8- bis 11-gliedrig) u. *Große Ringe* (12- u. höher-gliedrig). Kleine u. mittlere Ringe weisen eine abnorm hohe Verbrennungswärme auf, im Vgl. mit den Werten entsprechender offenkettiger Alkane. Die bes. hohen Verbrennungswärmen der kleinsten Ringe wird durch die *Baeyer'sche Spannungstheorie* erklärt, wonach die Abweichung der Bindungswinkel X vom Normal-Tetraeder-Winkel 109°28′ die Spannung verursacht. Diese *Winkel-* od. *B.-S.* wird durch den Wert 1/2(109°28′–X) ausgedrückt.

Tab.: Bayer-Spannung u. Verbrennungswärmen verschiedener Cycloalkane.

	△	□	⬠	⬡
X[°]	60	90	108	120
Spannung 1/2 (109°28′-X)	24°44′	9°44′	0°44′	(–5°16′)
Verbrennungswärme pro CH₂-Gruppe [kJ/mol]	697,4	686,5	664,3	658,9
Differenz zur Verbrennungswärme pro CH₂-Gruppe für n-Alkane [kJ/mol]	38,5	27,6	5,4	0

Die Theorie der B.-S. versagt für größere Ringe, da sie von ebenen Ringen ausgeht, was bereits beim Cyclopentan nicht mehr der Fall ist. S. auch unter Konformations-Theorie, Pitzer-Spannung u. Transannulare-Spannung. Zur Geschichte der Baeyer'schen Spannungstheorie s. *Lit.*[1]. – *E* Baeyer Strain – *F* tension de Baeyer – *I* tensione di Baeyer – *S* tensión de Baeyer

Lit.: [1] Chem. Ztg. **97**, 582–592, 573–582 (1973).
allg.: s. Konformation, Stereochemie.

Baeyer-Test. 1. Feststellung des ungesätt. Charakters einer organ. Verb. durch Entfärbung einer verd. Kaliumpermanganat-Lsg. in sodaalkal. od. saurem Medium.
2. Nachw. von Thiophen in Benzol durch Bildung blauen Indophenins nach Reaktion mit Isatin in konz. Schwefelsäure.
3. Nachw. von Resorcin durch Bildung eines roten Harzes nach Reaktion mit Benzaldehyd in konz. Schwefelsäure. – *E* Baeyer test – *F* test de Baeyer – *I* test di Baeyer – *S* prueba de Baeyer

Baeyer-Villiger-Oxidation. Die Oxid. von Ketonen mit *Persäuren wie Peroxybenzoesäure, 3-Chlorperoxybenzoesäure (MCPBA), Peroxyessigsäure, Trifluorperoxyessigsäure liefert Carbonsäureester.

$$R^1\text{-}C(=O)\text{-}R^2 + H\text{-}O\text{-}O\text{-}C(=O)R^3 \longrightarrow \left[\begin{array}{c}R^1\text{-}C(OH)(O\text{-}O\text{-}C(=O)R^3)\text{-}R^2\end{array}\right] \longrightarrow R^1\text{-}C(=O)\text{-}OR^2 + R^3\text{-}C(=O)\text{-}OH + H^+$$

Mit Bis(trimethylsilyl)peroxid können auch ungesätt. Ketone oxidiert werden[1]. Cycl. Ketone liefern bei der B.-V.-O. Lactone. Die Wanderungsgeschw. nimmt in der Reihenfolge der Reste mit tert.-C > sek.-C > prim.-C > CH₃ ab; die Wanderung erfolgt unter Erhalt der Konfiguration. Die B.-V.-O. läßt sich stereoselektiv auch mit Enzymen durchführen[2]. – *E* Baeyer-Villiger oxidation – *F* oxydation de Baeyer-Villiger – *I* ossidazione di Baeyer-Villiger – *S* oxidación de Baeyer-Villiger

Lit.: [1] J. Org. Chem. **47**, 902f. (1982). [2] Angew. Chem. **100**, 342–352 (1988).
allg.: Laue-Plagens, S. 23–27; Hassner-Stumer, S. 13 ▪ March (4.), S. 1098f. ▪ Org. React. **9**, 73–106 (1957); **43**, 251–798 (1993) ▪ Tetrahedron **37**, 2697ff. (1981) ▪ Trost-Fleming **7**, 671–686.

Bafixan®. Sortiment flüssiger Dispersionsfarbstoffe für den Transferpapierdruck auf Textildruckmaschinen. *B.:* BASF.

Bagasse. Zuckerrohr-Rückstände, aus denen die *Saccharose herausgelöst wurde. Die B. enthält ca. 40–60% *Cellulose, ca. 20–30% *Pentosane u. ca. 20% *Lignin i. Tr. u. wird überwiegend als Brennstoff in der Zuckerfabrikation vor Ort eingesetzt. Unter günstigen Transportbedingungen ist die B. verwendbar als Rohstoff zur Papier- u. Pappe-Herst.; durch Hydrolyse der Pentosane können *Furfural u. *Lävulinsäure gewonnen werden. In den USA wird B. nach Minderung des Lignin-Gehaltes durch HD-Dampf-Behandlung u. Mischung mit Melasse u. Stickstoff-Verb. als Viehfutter verwendet. Jährlich fallen ca. 60–70 Mio. t B. an. – *E* = *F* bagasse – *I* marame, ‚marocca' – *S* bagazo
Lit.: Kirk-Othmer (3.) **3**, 434–438 ▪ Ullmann (5.) **A 18**, 605.

Bahndrehimpuls. Drehimpuls, der der Bahnbewegung von Teilchen (z. B. Elektronen der Elektronenhülle eines Atoms) zugeordnet wird. Bei Einelektronenatomen, z. B. dem Wasserstoffatom, wird die Größe des B. durch die *Drehimpulsquantenzahl l beschrieben (s. Atombau), die Werte zwischen 0 u. n−1 annehmen kann (n: Hauptquantenzahl). Ein Elektron mit l>0 erfährt zusätzlich zum attraktiven *Coulombpotential ein repulsives *Zentrifugalpotential. – *E* angular momentum – *F* moment angulaire orbital – *I* momento torcente orbitale – *S* momento angular orbital

Bahnmetall. Von der Deutschen Bahn entwickelte Gruppe von *Gleitlagerwerkstoffen zum Einsatz in Gleitlagern von Schienenfahrzeugen. Zinn-freie Blei-Leg. höherer Festigkeit mit Zusätzen an Alkali- u. Erdalkalimetallen. – *E* train bearing metal – *F* métal blanc, métal antifriction – *I* metallo ferroviario – *S* metal blanco para ferrocarriles

Baikalsee. Der B. liegt in der südlichen Taiga von Mittel-Sibirien in Ostasien, nicht weit von der Nordgrenze der Mongolei entfernt. Der Name Baikal kommt von mongol. „Bai-kul" u. bedeutet „reicher, heiliger See". Das Alter des B. wird auf ca. 25 Mio. Jahre geschätzt. Höhe über dem Meeresspiegel 455 m, max. Tiefe 1637 m, Gesamtlänge 635 km (auf die Fläche der BRD projiziert etwa von Karlsruhe bis Greifswald reichend), max. Breite 80 km, minimale Breite 23 km, Uferlänge ca. 2000 km, Fläche ca. 31 500 km^2 (größer als die Fläche Belgiens). Das Wasservol. beträgt 23 000 km^3, was etwa 22% des gesamten Süßwasservorrats der Erde entspricht. Das Einzugsgebiet ist mit 540 000 km^2 fast so groß wie Frankreich. Die Anzahl der Zuflüsse beträgt 333, als Abfluß existiert mit der nach Irkutsk fließenden Angara nur ein einziger. Die Durchmischung des oberflächennahen Wassers ist dimikt., die Jahresdurchschnittstemp. bei 0 bis 50 m 7 °C, unterhalb 200 m Tiefe konstant 3,6 °C. Die max. Wassertemp. (August bis September) beträgt 10 °C. Im Gebiet des B. kommen ca. 2500 Tier- u. Pflanzenarten vor. Von diesen sind ca. 960 Tierarten u. ca. 400 Pflanzenarten endem. (ca. 60%), d. h. sie kommen auf der gesamten Erde nur am B. vor. Die Stabilität des Ökosyst. B. ist durch unbekümmerten Umgang mit der Natur, durch ehrgeizige Industrieprojekte (Holzverarbeitungs- u. Cellulose-Ind., Bergbau u. Chemie-Ind.) u. Holzflößerei mit Zunahme von Bevölkerung u. Verkehr stark gefährdet. Große Schutzprogramme wie Verlagerung von Ind. aus dem B. Aufbau von umweltschonender Leichtind., Ausweisung von großen Schutzzonen bis hin zu Totalreservaten u. die Etablierung eines Internat. Zentrums für B.-Forschung (v. a. Hydrologie, Hydrobiologie, Klimatologie, Limnologie, Ökosystemprozesse, Fernerkundung) sollen diese einmalige Region der Erde erhalten helfen. – *E* lake Baikal – *F* lac Baikal – *I* lago di Bajkal – *S* lago Baikal

Bakelite®. Vom Namen des Erfinders *Baekeland abgeleitete Marke, die bereits 1909 für die Bakelite GmbH in Deutschland, etwas später auch für die *UCC in den USA für Phenoplaste u. daraus hergestellte Formmassen geschützt wurde. Nach den beiden Weltkriegen hat die *Bakelite AG in der BRD seit 1968 unter dem Oberbegriff Bakelite®-Kunststoffe die von ihr produzierten Duroplaste (Phenoplaste, Aminoplaste, Epoxid-, Furan- u. Polyesterharze) zusammengefaßt. *B.:* Bakelite AG.

Bakelite AG. Kurzbez. für die 1910 gegr. Bakelite GmbH (heute AG), Postfach 7154, 58609 Iserlohn, eine 100%ige Tochterges. der Rütgerswerke AG. *Produktion:* Phenol-, Alkylphenol-, Kresol-, Xylenol- u. Resorcinharze (Phenoplaste), Melamin- u. Harnstoffharze (Aminoplaste), Epoxid-, Furan-, Phenoxy- u. Polyesterharze sowie duroplast. Formmassen hieraus, Polyurethangießharz-Formulierungen sowie Alterungsschutzmittel.

Bakelite®-Furanharze. Bindemittel für Gießereisande u. Säurebau. *B.:* Bakelite AG.

Baker s. Mallinckrodt Baker.

Baker spe® 12G- und 24G-System. Vak.-Extraktionssyst. für die gleichzeitige Vorbereitung von 12 od. 24 flüssigen Proben mittels *Bakerbond spe®-Trennsäulen. Besteht aus einer Vak.-Einheit aus Glas mit Lueranschlüssen im Deckel, einem Probensammelgestell für unterschiedlichste Probengläschen u. einem Feinregulierventil mit Manometer. *B.:* Mallinckrodt Baker.

Bakerbond®. Bez. für eine Familie von Sorbentien u. Säulen für die Chromatographie auf der Grundlage von Silicagel. *B.:* Mallinckrodt Baker.

Bakerbond® ABx. Mischbett-Ionenaustauscher auf Wide-Pore-*Silicagel-Basis für die einstufige Reinigung aller Klassen von Antikörpern aus biolog. Matrices. *B.:* Mallinckrodt Baker.

Bakerbond spe®-Trennsäulen. SPE steht für *Solid Phase Extraction* = Festphasenextraktion für die Probenvorbereitung. Es handelt sich um chromatograph. Säulen aus Polypropylen od. Glas mit Volumina von 1–8 ml. Zwischen 2 Fritten sind Sorbentien gepackt. Sie dienen zum Anreichern von Probenbestandteilen aus flüssigen Matrices od. zum Clean-up flüssiger Proben vor der analyt. Bestimmung. Jede Packung enthält ein ausführliches Analysenzertifikat. *B.:* Mallinckrodt Baker.

Bakerbond® Wide-Pore. Bez. für Chromatographie-Träger mit unterschiedlichsten funktionellen Gruppen auf Basis von *Silicagel mit 275–500 Å Porenweite. Dient v. a. zur Aufreinigung von Proteinen, Peptiden, Oligonucleotiden aus biolog. Matrices. *B.:* Mallinckrodt Baker.

Baker-Nathan-Effekt s. Hyperkonjugation.

Bakterien (von griech.: bacterion = Stäbchen). Umfangreiche, schon aus dem Präkambrium bekannte Gruppe von einzelligen Mikroorganismen. B. besitzen keinen echten Zellkern u. werden daher als *Prokaryo(n)ten bezeichnet. Unter diesen unterscheidet man heute die *Archaea von allen übrigen B. (*Eubakterien). Die erste mikroskop. Darst. der B. gelang A. van Leeuwenhoek (1676); nach dem Einsetzen der wissenschaftlichen Bakteriologie in der ersten Hälfte des 19. Jh. erschienen 1857 L. Pasteurs Arbeiten über die Milchsäure- u. Alkohol-Gärung; der Durchbruch gelang R. Koch mit der Entdeckung der Erreger von Milzbrand (1876)- Tuberkulose (1882) u. Cholera (1883).

Allg. Merkmale: Grundformen der B. sind Kugeln (Kokken), Stäbchen (Bacillen, Pseudomonaden) od.

Bakterien 348

gekrümmte Stäbchen (Spirillen, Vibrionen). Abweichungen finden sich u. a. bei den coryneformen B. (keulenförmig, Form variabel) od. den mycelbildenden *Streptomyceten (s. a. Actinomyceten). Der Durchmesser von Mikrokokken beträgt 0,5 µm, stäbchenförmige B. sind bis zu 1 µm breit bei einer Länge bis zu 5 µm, Mycel von Actinomyceten hat einen Durchmesser von 1 µm.
B. vermehren sich in der Regel durch Zweiteilung (binäre Spaltung), seltener durch *Knospung od. *Sprossung. Der Teilung geht eine Replikation des B.-Chromosoms voraus. Die für eine Teilung benötigte Zeit (Generationszeit) liegt unter optimalen Bedingungen zwischen 10 min u. mehreren Stunden. Viele B. bleiben nach der Teilung in charakterist. Aggregaten miteinander verbunden: Kugelförmige B. bilden Paare (Diplokokken), Ketten (Streptokokken), Trauben (Staphylokokken), Platten od. Pakete (Sarcinen); auch stäbchenförmige B. treten als Paare od. in Ketten auf. Hierbei handelt es sich nicht um echte Vielzelligkeit; eine beginnende Zelldifferenzierung findet sich jedoch bei den Actinomyceten mit Substrat- u. Luftmycel (für Ernährung bzw. Sporenbildung) od. bei der Fruchtkörperbildung der Myxobakterien durch das koordinierte Zusammenwirken vieler Einzelzellen. B. haben als Prokaryonten keinen von einer Kernmembran umgebenen Zellkern, sondern eine an das Cytoplasma angrenzende Kernregion (Kernäquivalent). Das B.-Chromosom besteht in der Regel aus einem ringförmig geschlossenen Strang (0,25 – 3 mm Länge) (bekannte Ausnahme: Streptomyceten); *Histone fehlen. Bei *E. coli* hat das Chromosom ein M_R von $2,8 \times 10^9$ entsprechend 4×10^6 Nucleotid-Paaren od. ca. 3500 Strukturgenen, von denen die meisten kartiert sind. Daneben enthalten viele B. *Plasmide (M_R $5-100 \times 10^6$). Das B. *Haemophilus influenzae* ist mit 1830121 Basenpaaren u. vermutlich 1749 Genen das erste Lebewesen, von dem die gesamte DNA-Sequenz bekannt wurde.
Eine echte Sexualität tritt bei B. nicht auf; die folgenden parasexuellen Mechanismen sind nachgewiesen: Konjugation (Übertragung einsträngiger DNA von einer Donor- zu einer Rezipientenzelle unter Plasmid-Beteiligung), *Transformation (Aufnahme kurzer DNA-Sequenzen durch eine kompetente Empfängerzelle) u. *Transduktion (Übertragung eines DNA-Fragments mittels Phagen). Im Vgl. zu Eukaryonten zeigen B. eine geringere Kompartimentierung der Zelle (s. Zellen). Organellen, wie Mitochondrien od. Chloroplasten fehlen. *Atmung u. *Photosynthese sind in der Cytoplasmamembran lokalisiert. Die *Ribosomen gehören dem 70S-Typ an. B.-Zellen sind mit wenigen Ausnahmen (Mycoplasmen) von einer Zellwand umgeben, deren charakterist. Heteropolymer das *Murein ist (Ausnahme s. Archaea). Der Zellwand können Kapseln od. Schleimscheiden aufgelagert sein. Bewegungsorganellen beweglicher B. sind die Geißeln (Aufbau aus einer einzigen Fibrille). Bewegliche B. zeigen oft eine *Taxis, z. B. *Chemotaxis, Aerotaxis, *Phototaxis, *Magnetotaxis. Auf glatter Oberfläche kommt es auch zu gleitender Fortbewegung (*Myxobakterien, *Mycoplasmen, *Cyanobakterien).

Stoffliche Zusammensetzung: Der Wassergehalt der Frischmasse liegt bei 70 – 85%; der prozentuale Anteil der Trockenmasse ist abhängig von der Menge der Reservestoffe (Lipide, Polysaccharide, Polyphosphate, Schwefel). Die Trockensubstanz der B. besteht hauptsächlich aus Polymeren (% Trockengew.): Protein 50, Zellwand 10 – 20, RNA 10 – 20, DNA 3 – 4, Lipide 10. Die elementare Zusammensetzung der B.-Zelle (% Trockengew.): Kohlenstoff 50, Sauerstoff 20, Stickstoff 14, Wasserstoff 8, Phosphor 3, Schwefel 1, Kalium 1, Natrium 1, Calcium 0,5, Magnesium 0,5, Chlor 0,5, Eisen 0,2.

Klassifikation: B. im weitesten Sinne wurden zunächst aufgrund ihrer Zellwand u. der Aufnahme gelöster Nährstoffe dem Pflanzenreich zugeordnet u. als *Schizomycetes (Spaltpilze) bezeichnet. Zusammen mit den Schizophyceen (Spaltalgen od. Cyanobakterien) wurden sie als Prokaryonten zusammengefaßt. Die heute zur Verfügung stehenden molekularbiolog. Meth., wie die Analyse der Basenzusammensetzung der DNA (mol% GC) bzw. der Sequenz von 16S- od. 5S-rRNA u. die daraus ermittelten Ähnlichkeitskoeff., ermöglichen eine bessere Feststellung der verwandtschaftlichen Beziehungen zwischen verschiedenen B. u. damit die Erstellung eines phylogenet. Stammbaums. Allerdings ist ein solches generelles Klassifizierungsschema noch nicht vollständig verfügbar, so daß noch eine als Übergangslösung anzusehende Einordnung der B. herangezogen werden muß. So werden in *Lit.*[1] aufgrund einiger schnell bestimmbarer taxonom. Kriterien 25 B.-Gruppen unterschieden. Merkmale zur Charakterisierung u. Identifizierung sind: *Morpholog. Merkmale* (Form, Begeißelung, Sporenbildung), Färbeverhalten (*Gram-Färbung, Säurefestigkeit); *physiol.-biochem. Merkmale* (Sauerstoff-Bedarf, Art der Energiegewinnung, verwertbare Nährstoffe, Temp.- u. pH-Optima, Standort, symbiont. od. parasit. Beziehungen, Zellwand-Aufbau, Reservestoffe u. a.); *serolog. Differenzierung; Antibiotika-Empfindlichkeit; Pathogenität*. Analysen der Basenzusammensetzung von DNA (mol % GC) bzw. der Sequenz von 16S- od. 5S-rRNA u. die daraus ermittelten Ähnlichkeitskoeff. (S_{AB}-Werte) lieferten mittlerweile erste Daten zum Aufstellen eines „natürlichen" (phylogenet.) Stammbaums.

Vork.: Aufgrund ihrer vielfältigen Stoffwechsel-Aktivitäten u. ihrer Anpassungsfähigkeit sind B. fast überall bis in die extremsten Standorte nachweisbar (im Trinkwasser bis zu 100 B./ml; in verschmutzter Luft mehrere Mio./m³; in Gartenerde 1 – 5 Mrd./g). Viele Arten besiedeln die unterschiedlichsten Biotope, andere wachsen nur unter ganz bestimmten Umweltbedingungen, z. B. in heißen Quellen, in Salzseen usw. (s. Archaea). Zusammen mit Pflanzen, Tieren od. Menschen leben B. in Form des *Kommensalismus, d. h. B. verwerten Nahrung u./od. Ausscheidungen des Wirts ohne diesen zu beeinträchtigen (z. B. Mund-, Haut-, Vaginal-, Darmflora), in *Symbiose (z. B. Pansenorganismen zum Cellulose-Abbau, Leucht-B. bei Fischen, *Knöllchen-Bakterien zur *Stickstoff-Fixierung bei Leguminosen). Andererseits sind viele parasitär lebende B. pathogen für höhere Organismen u. verantwortlich für schwere *Infektions-Krankheiten wie Cholera, Diphtherie, Pest, Pocken, Tuberkulose, Typhus u. andere. Viele Krankheitserreger gehören zu den *Staphylokokken u. *Streptokokken, *Salmonellen können Typhus, Paratyphus u. *Lebensmittelvergiftungen hervorrufen, *Treponema pallidum* ist der Erreger der *Syphilis u. selbst das zur normalen Darmflora gehörende u. zu Forschungszwecken häufig gezüchtete B. *Escherichia coli* kann außerhalb des Darms pathogen werden. Im allg. sind die aus B. freiwerdenden Endotoxine bzw. Exotoxine für das Krankheitsgeschehen verantwortlich. Das Auftreten durch B. hervorgerufener *Seuchen ist seit der Entwicklung der *Chemotherapie, z. B. mit *Sulfonamiden, u. der Entdeckung der *Antibiotika – zumindest in der zivilisierten Welt – sehr selten geworden. Allerdings treten bei vielen B. in zunehmendem Maße *Resistenz-Erscheinungen gegenüber den Antibiotika auf (s. dort), denen man durch Modifizierung bekannter od. Auffinden neuer Strukturen zu begegnen sucht. Ein Abtöten der B. erreicht man durch *Sterilisation (Verf. s. dort), eine Keimzahlverminderung durch *Desinfektionsmittel, *Ultraviolettstrahlung u. anderes. Natürliche Feinde mancher B. sind spezif. Bakteriophagen (s. Phagen), einige B. verfügen über Stoffwechselprodukte (*Bakteriocine), die für verwandte B.-Stämme tox. sind.

Stoffwechsel u. Wachstum: B. können fast alle natürlichen Substrate abbauen u. haben damit eine entscheidende Rolle im globalen Substanzkreislauf; einige Spezialisten sind außerdem fähig zum Abbau von *Xenobiotika. Die meisten B. gewinnen Energie durch den Abbau organ. Substrate (Chemoorganotrophie), einige durch Oxid. anorgan. Substrate (*Chemolithotrophie) od. durch Nutzbarmachung der Lichtenergie (*Phototrophie). Details über Katabolismus (Abbaustoffwechsel zur Energiegewinnung), Anabolismus (Biosynth.-Stoffwechsel) u. Amphibolismus (Intermediärstoffwechsel) der B. sind den einschlägigen Lehrbüchern der Biochemie u. Mikrobiologie zu entnehmen. Das Temp.-Optimum der meisten B. liegt zwischen 20–45 °C (*Mesophilie). Kälte tötet B. selten ab (Reinkulturen sind im eingefrorenen od. gefriergetrockneten Zustand jahrelang lebensfähig), schränkt aber das Wachstum ein, was man sich bei der Kältekonservierung (s. Konservierung) von Lebensmitteln zunutze macht. Bei einigen B. findet Wachstum bis unter 0 °C statt (*Psychrophilie) bzw. über 60 °C (*Thermophilie), extrem thermophile Organismen finden sich bei den Archaebakterien mit Wachstum bei Temp. über 100 °C. Der Salz-Gehalt des Substrats beeinflußt ebenfalls das B.-Wachstum: B. aus Leitungswasser vermehren sich optimal in einer 3%igen Salz-Lsg., halophile Organismen (Archaea, Halobakterien) leben in Salz-Gewinnungsanlagen (bis zu 30% NaCl). Das pH-Optimum der B. liegt normalerweise im neutralen, meist im leicht alkal. Bereich; nur wenige B. sind säuretolerant (*Lactobacilli, Acetobacter*), obligat acidophile B. wachsen z. T. bei pH-Werten unter 1,0 (z. B. Schwefel-oxidierende Thiobacillen), alkalophile B. im pH-Bereich zwischen 10–11. Von zentraler Bedeutung für das B.-Wachstum ist der O_2-Gehalt (s. Aerobier, Anaerobier). Licht wird von phototrophen B. zur Energiegewinnung genutzt, auf andere Organismen dagegen wirkt es schädigend. Wasser-Gehalt des Substrats u. Kohlendioxid-Gehalt der Atmosphäre sind weitere Parameter, die das B.-Wachstum beeinflussen.

Verw.: B. richten großen Schaden an als Erreger von Krankheiten bei Mensch, Tier u. Pflanze beim Verderb von Nahrungsmitteln, als Verursacher von Nahrungsmittelvergiftungen od. durch Zersetzen von Werkstoffen, werden aber auch seit Jahrtausenden zur Herst., Verbesserung u. Haltbarmachung von Nahrungsmitteln eingesetzt u. sind heute von enormer wirtschaftlicher Bedeutung in vielen biotechnolog. Prozessen. Bei Nahrungs- u. Futtermitteln sind Milchsäure-Gärungen (Sauermilchprodukte, Käse, Sauerteig, Sauerkraut, Rohwurst, wie Salami, Silage) u. Essigsäure-Fermentationen zu nennen. Primärmetabolite, wie organ. Säuren, Aminosäuren, Vitamine, Alkohole, Nucleoside u. Nucleotide werden fermentativ, seltener durch *Biotransformation mit Hilfe von B. hergestellt, ebenso wie Enzyme, Einzellerprotein (*Single Cell Protein) u. extracelluläre Polysaccharide. Sekundärmetabolite wie Antibiotika (*Aminoglykoside, *Makrolide, *Tetracycline, *Ansamycine, Glykopeptide wie *Vancomycin), Tumor-therapeutika (*Anthracycline) u. a. niedermol. Arzneimittel (*Acarbose, *FK 506) sowie Produkte für die Landwirtschaft (*Polyether, *Avermectine) werden aus Actinomyceten, insbes. aus Streptomyceten, gewonnen. B. finden weiterhin Anw. in der Biotransformation (Steroid-Umwandlungen, Vitamin C-Synth. u. a.), als Bioinsektizide (*Bacillus thuringiensis*), zur Abwasser- u. Abluftreinigung (*Kläranlagen, Biofilter, bei der Erzlaugung (*mikrobielle Laugung) u. a. (s. a. Biotechnologie). Aufgrund kurzer Wachstumszeiten, vorhandener Daten über Biosynthesewege u. deren Regulation u. der relativ einfachen Organisation des genet. Materials lassen sich bakterielle Prozesse durch *Stammentwicklung u. im *Scale up erfolgreich zu wirtschaftlichen Verf. optimieren; aus den genannten Gründen eignen sich B. außerdem als Rezipienten bei der Klonierung eigener od. fremder DNA zur *Amplifikation bestimmter Gen-Sequenzen od. zur Expression heterologer Proteine (s. Gentechnologie). – *E* bacteria – *F* bactéries – *I* batteri – *S* bacterias

Lit.: ¹Holt, Bergey's Manual of Systematic Bacteriology, 9. Aufl., Baltimore: Williams & Wilkins seit 1984.
allg.: Brock u. Madigan, Biology of Microorganisms (6.), Englewood Cliffs, USA: Prentice-Hall 1991 ▪ Schlegel (7.) ▪ Weide u. Aurich, Allgemeine Mikrobiologie, Stuttgart: Gustav Fischer 1979; s. a. Biotechnologie, Mikrobiologie.

Bakteriencellulose. Neben *Cellulose aus land- u. forstwirtschaftlich erzeugten Naturprodukten (*Baumwolle, *Zellstoff) wird neuerdings Cellulose auch bakteriell im *Bioreaktor gewonnen. Die B. wird dabei aus Glucose, Stärkesirup u. anorgan. Salzen durch einen speziellen, rührempfindlichen Stamm des Gram-neg. Bakteriums *Acetobacter* in 180 000-l-Fermentern erzeugt. B. besteht aus extrem feinen, nur 0,1 μm dicken u. stark miteinander vernetzten Cellulosefasern mit großer spezif. Oberfläche.

Verw.: B. eignen sich für die Beschichtung von Druckpapieren; sie sind kostengünstiger als *Stärke u. *Latex. B. sind auch als Flotationsmittel für Erzkonzentrate u. als Hydraulik-Flüssigkeiten bei der Erdölge-

winnung brauchbar. – *E* bacterial cellulose – *F* cellulose d'origine bactérielle – *I* cellulosa batterica – *S* celulosa bacteriana
Lit.: Elias 2, 290.

Bakterien-Filter. Bez. für feine Filter, die *Bakterien zurückhalten u. so keimfreie Filtrate liefern. Als Filtermaterial werden Membranen u. a. aus Polycarbonaten, Polysulfonen od. Teflon benutzt mit Porengrößen von 0,65 – 0,01 μm. B.-F. werden z. B. angewendet zur sterilen Zudosierung von Vitamin-Lsg., Seren od. Nährmedien bei der Züchtung von Zellkulturen im *Bioreaktor. Mit B.-F. kann auch Luft sterilisiert werden. B.-F. mit Asbest- od. Kieselgur-Füllung werden als *Berkefeld-Filter bezeichnet. – *E* bacterial filter – *F* filtres à bactéries – *I* filtri per batteri – *S* filtro para bacterias

Bakterientest. *Biotest zur Ermittlung möglicher tox. Wirkungen von Wasser, Abwasser od. chem. Verb. u. deren Gemischen auf Bakterien. Innerhalb der aquat. Lebensgemeinschaft sind die Mehrzahl der Bakterien *Destruenten, im Unterschied zu den Sekundärkonsumenten (*Fischtest) Primärkonsumenten (*Daphnientest) u. *Produzenten (*Algentest). Durch ihre Fähigkeit, organ. Verb. abzubauen, insbes. in den biolog. Reinigungsstufen von *Kläranlagen, aber auch im nachfolgenden Fließgewässer (Vorfluter), kommt diesen Bakterien bes. ökolog. Bedeutung zu. Eine Ausnahme in dieser Hinsicht stellen die marinen Leuchtbakterien (Leuchtbakterientest) dar.
Meth.: Man unterscheidet Tests auf *akute *Toxizität* nach kurzer Einwirkungszeit (30 min) u. Tests auf *chron. Toxizität* nach längerfristiger Einwirkungsdauer (16 h; *Reproduktionstest*, da Zellteilungen stattfinden).
Zur Chemikalienprüfung wird der *Sauerstoff-Zehrungs-Hemmtest* nach Robra u. der *Pseudomonas-Zellvermehrungs-Hemmtest* nach Bringmann-Kühn eingesetzt[1]. Zur Prüfung auf *Mutagenität werden bestimmte Bakterienstämme von *Escherichia coli* u. *Salmonella typhimurium* verwendet[2].
Zur Beurteilung von *Abwässern prüft man diese z.B. mit dem Sauerstoff-Zehrungs-Hemmtest[1]. Prakt. alle Tests für die *biolog. Abbaubarkeit sind Bakterientests. – *E* bacterial inhibition test – *F* essai bactérien – *I* test batterico – *S* examen de bacterias
Lit.: [1] Römpp Lexikon Umwelt, S. 88. [2] Amtsblatt der EG II L 383 A, S. 157 – 162.

Bakterien-Toxine (Bakteriotoxine, Bakterien-Gifte). Giftstoffe pathogener Bakterien auf der Basis von Proteinen. B.-T. werden unterteilt in Exotoxine (Ektotoxine) u. Endotoxine. – *E* bacteriotoxins – *F* bactériotoxines – *I* tossine batteriche – *S* toxinas bacterianas
Lit.: Teuscher u. Lindequist, Biogene Gifte (2.), S. 549 – 563, Stuttgart: Fischer 1994.

Bakteriochlorophylle. Hauptpigmente der phototrophen Bakterien der Ordnungen Chlorobineae (grüne Bakterien) u. Rhodospirillineae (Purpurbakterien). Sie sind dem *Chlorophyll in Höheren Pflanzen sehr ähnlich u. werden dort beschrieben. – *E* bacteriochlorophylls – *F* bactériochlorophylles – *I* batterioclorofille – *S* bacterioclorofilas

Lit.: Angew. Chem. **101**, 849 (1989) ▪ Brockmann in Dolphin, The Porphyrins, New York: Academic Press 1978/79 ▪ Chimia **41**, 277 – 292 (1987) ▪ Thomson, The Chemistry of Natural Products, New York: Chapman & Hall 1985. – *[HS 3203 00]*

Bakteriocine. Von *Bakterien gebildete, antibiot. wirkende hochmol. Proteine, die verwandte Bakterienstämme abtöten od. im Wachstum hemmen, ohne den Produzenten selbst zu schädigen. Die B.-Synthese wird von *Plasmiden (bakteriociner Faktor) codiert. Wirkorte der B. sind u. a. DNA, Protein-Synthese u. Cytoplasmamembran. Am besten untersucht sind die *Colicine aus *Escherichia coli*; weitere B. werden beschrieben bei *Agrobacterium tumefaciens* (Agrocine), *Bacillus megaterium* (Megacine), *Clostridium botulinum* (Boticine), *Pseudomonas aeruginosa* (Pyocine) u. a. – *E* bacteriocins – *F* bactériocines – *I* batteriocine – *S* bacteriocinas
Lit.: Annu. Rev. Microbiol. **36**, 125 (1982).

Bakteriologie s. Bakterien.

Bakteriologische Kriegsführung s. Biologische Waffen.

Bakteriophäophytine. Durch Entfernung des zentralen Magnesium(II)-Ions aus *Bakteriochlorophyllen entstehende Porphyrin-Derivate (vgl. Phäophytine, Chlorophyll). B. sind am Elektronentransport in bakteriellen photosynthet. Reaktionszentren beteiligt (s. Photosynthese). – *E* bacteriopheophytins – *F* bactériophéophytines – *I* batteriofeofitine – *S* bacteriofeofitina

Bakteriophagen s. Phagen.

Bakteriorhodopsin. Membranprotein halophiler Bakterien mit dem *Rhodopsin-ähnlichen 11-*cis*-*Retinal als Chromophor. Die zu den *Archaea gehörenden Arten der Gattung *Halobacterium* (z. B. *H. halobium*) enthalten B. in der sog. Purpurmembran: Ca. 50% der Cytoplasmamembran besteht aus kreisförmigen Pigmentbereichen, in denen B.-Mol. als α-helikale Kettenabschnitte mehrfach die Membran durchsetzen. B. dient der Zelle als Lichtsensor u. zur ATP-Bildung durch Photophosphorylierung (s. Phosphorylierung). – Bei der Entwicklung von *Biochips u. *Biosensoren wird u. a. B. als lichtempfindliches Pigment eingesetzt. – *E* bacteriorhodopsin – *F* bactériorhodopsine – *I* batteriorodopsina – *S* bacteriorrodopsina
Lit.: Biol. Unserer Zeit **25**, 380 – 389 (1995) ▪ Brock u. Madigan, Biology of Microorganisms (6.), S. 799, Englewood Cliffs, USA: Prentice-Hall 1991 ▪ Q. Rev. Biophys. **24**, 425 – 478 (1991).

Bakteriostatika. Bez. für Substanzen, die das Wachstum von *Bakterien *hemmen* od. verhindern; hierzu gehören *Antibiotika wie *Gramicidin, *Chloramphenicol u. a., Chemotherapeutika (s. Chemotherapie) wie *Sulfonamide sowie spezielle *Antimetabolite. Kennzeichnend für B. (im Gegensatz zu *Bakteriziden) ist, daß das Bakterienwachstum nach Entfernung der B. wieder einsetzt, während von *Desinfektionsmitteln eine keimtötende Wirkung verlangt wird. – *E* bacteriostatics – *F* bactériostats – *I* batteriostatici – *S* bacteriostáticos
Lit.: Bakterien u. Bakterizide.

Bakterizide. Bez. für zu den *Mikrobiziden (früher *Biozide*) gehörende Stoffe mit *Bakterien *abtötender* Wirkung. Im Unterschied zu den *Bakteriostatika setzt nach Entfernung der B. das Wachstum u. die Vermehrung der Bakterienzellen nicht wieder ein. Die bakterizide Wirkung von Ethanol, Phenolen, Kresolen, Seifen u. oberflächenaktiven Stoffen (*Tensiden) beruht auf der Zerstörung der Zellmembran der Bakterien, andere B. wirken über die Schädigung der Enzyme des Grundstoffwechsels, der Protein- od. Nucleinsäure-Synthese. Als natürliche B. können manche *etherische Öle dienen. Die B. werden in festem, flüssigem od. gasf. Zustand als *Desinfektionsmittel u. zur *Sterilisation der Oberflächen von Geräten u. Instrumenten, Kleidung, Wunden (*Antiseptika), als *Konservierungsmittel, *Chemotherapeutika u. *Antibiotika eingesetzt. – *E* bactericides – *F* bactéricides – *I* battericidi – *S* bactericidas

Lit.: Franklin u. Snow, Biochemistry of Antimicrobial Action, London: Chapman & Hall 1981 ▪ Hammond u. Lambert, Antibiotics and Antimicrobial Action, London: Arnold 1978 ▪ Kirk-Othmer (3.) **2**, 782–808 ▪ Ullmann (4.) **10**, 41–58 ▪ Wallhäußer, Praxis der Sterilisation, Desinfektion, Konservierung (5.), Stuttgart: Thieme 1995.

BAL s. Dimercaprol.

Balanol (Azepinostatin).

$C_{28}H_{26}N_2O_{10}$, M_R 550,52, Schmp. 180 °C (Zers.), $[\alpha]_D^{23}$ –111,0° (c 0,1/CH_3OH). Hexahydroazepin-Derivat aus dem Hyphomyceten *Verticillium balanoides*.

Wirkung[1]: Inhibitor der *Protein-Kinase-C im unteren nanomol. Bereich, potenter als *Staurosporin u. damit pharmazeut. von großem Interesse, bes. im Hinblick auf die neue Struktur u. den damit verbundenen synthet. Möglichkeiten. Bereits seit längerem bekannt ist ein Regioisomeres von B., das antifung. wirksame *Ophiocordin*[2] ($[\alpha]_D$ +70° (c 1/CH_3OH), aus dem Pilz *Cordyceps ophioglossoides*. – *E* = *F* = *S* balanol – *I* balanolo

Lit.: [1] J. Chem. Soc., Perkin Trans. 1 **1995**, 2355–2362. [2] Chem. Ber. **113**, 2221 (1980).
allg.: Chem. Eur. J. **1**, 454–466 (1995) (Synth.-Review) ▪ J. Am. Chem. Soc. **115**, 6452f. (1993) (Isolierung).

Baldrian (*Valeriana officinalis* L. s.l., Valerianaceae). Über 1 m hoch werdende Pflanze mit rötlichen bis weißen Trugdolden-Blüten. Kommt in den gemäßigten Zonen Europas u. Asiens an feuchten Standorten vor u. wird schon seit alten Zeiten kultiviert. Die Wurzeln enthalten *Gerbstoffe, Enzyme, Gummen, Schleimstoffe, Stärke, Zucker, *Baldrianöl (0,4–0,6%) sowie die nicht Wasserdampf-flüchtigen Valepotriate (0,5–2,0%). Dies sind monoterpenoide *Iridoide mit dem Hauptbestandteil *Valtrat, denen eine äquilibrierende, d. h. sowohl *Thymoleptika- wie auch *Tranquilizer-Wirkung zukommt. Sie sind sehr empfindlich u. lassen sich bes. schonend durch überkrit. Fluid-Extraktion isolieren. In B.-Tee, -Tinktur od. -Wein sind sie nicht enthalten. Deren sedierende Wirkung ist wohl lipophilen Sesquiterpenen wie Valeranon zuzuschreiben. B.-Auszüge werden seit dem 5. Jh. n. Chr. gegen Schlafstörungen, Herzbeschwerden, Krämpfe, Koliken usw. sowie als Klistier gegen Würmer verwendet; in größeren Dosen rufen B.-Extrakte jedoch zentrale Lähmungen hervor. B. ist noch heute Bestandteil von Nervenberuhigungs- u. Schlafmitteln (B.-Präp.). B.-Wurzeln enthalten auch *Terpen-Alkaloide mit Pyridin-Gerüst wie Actinidin[1], denen die Katzen anregende Wirkung des B. zugeschrieben wird[2]. – *E* valerian – *F* valériane – *I* = *S* valeriana

Lit.: [1] Tetrahedron Lett. **1966**, 445ff.; J. Chem. Soc., Perkin Trans. 1 **1981**, 1909ff. [2] Bull. Chem. Soc. Jpn. **32**, 315f. (1959); Chem. Abstr. **54**, 21 226 (1960); s. aber Chem. Abstr. **67**, 10 216 (1967).
allg.: DAB 10 u. Komm. (B.-Tinktur, B.-Wurzel, B.-Wurzeltrockenextrakt) ▪ Hager (5.) **7**, 1067–1095 ▪ Dtsch. Apoth. Ztg. **136**, 751–759 (1996) ▪ Wichtl (2.), S. 79–82 ▪ s. a. Valtrat. – *[HS 121 190]*

Baldrian-Dispert®/stark. Dragees mit *Baldrian-Trockenextrakt als pflanzliches Sedativum. *B.:* Lyssia.

Baldrianöl. Ether. Öl aus den Wurzeln des *Baldrians; der europ. Baldrian (*Valeriana officinalis*) enthält ca. 0,3–0,7%, der ind. (*V. wallichii*) 0,1 bis 3% ether. Öl etwas anderer Zusammensetzung (Kessylalkohole). B. ist eine gelbliche Flüssigkeit, D. 0,93–0,96, in Alkohol sehr leicht löslich. Europ. B. enthält hauptsächlich Valerian- u. Isovaleriansäure, Bornylester, daneben Sesquiterpene wie Valeranon, Valerenol, Valerenal sowie die für die sedative Wirkung verantwortlichen Valepotriate (s. Valtrat). Der unangenehme Geruch, den gealtertes B. annimmt, rührt von auf enzymat. Wege gebildeter *Isovaleriansäure her, die Katzen erregende Wirkung von Alkaloiden (s. Baldrian).

Verw.: Badepräp., Seifenparfüms, Parfüms, pharmazeut. Präp. (*Baldrian-Präparate*). – *E* valerian oil – *F* éssence de valériane – *I* olio di valeriana – *S* esencia de valeriana

Lit.: Ullmann (5.) **A 11**, 243 ▪ s. Baldrian. – *[HS 330 129]*

Baldriparan®/stark. Dragees mit *Baldrian- u. Hopfen-Trockenextrakt, B. stark zusätzlich mit Melissen-Extrakt. *B.:* Much.

Balke, Siegfried (1902–1984), Prof. für Organ. Chemie, München. *Arbeitsgebiete:* Kernenergie, Verfahrenstechnik, Wirtschafts- u. Wissenschaftspolitik.

Lit.: Chem. Ztg. **91**, 299 (1967) ▪ Nachr. Chem. Tech. **1**, 196 (1953); **10**, 167 (1962); **20**, 211 (1972).

Balkis®. Saft u. Kapseln mit an Ionenaustauschern gebundenem *Etilefrin u. *Chlorphenamin gegen Erkältungen u. Heuschnupfen. B. Nasentropfen, Nasenspray u. -gel enthalten *Xylometazolin-Hydrochlorid zur Schleimhautabschwellung. *B.:* Dolorgiet.

Ballas s. Diamanten.

Ballaststoffe. Für den Menschen unverdauliche Nahrungsbestandteile wie *Cellulose, *Lignin, *Keratine,

Balling-Grade

*Pentosane, *Agar-Agar. Wichtigster Ballaststoff ist die Cellulose, die neben Lignin u. Pentosanen in pflanzlichen Zellwänden vorkommt, die ihrerseits häufig Bestandteil von pflanzlichen Fasern sind; daher auch die Bez. Faserstoffe, mit der in diesem Zusammenhang die B. gemeint sind. Diese polymeren Ballaststoffe können nicht im menschlichen Verdauungssyst. enzymat. in Oligo- od. Monomere gespalten (die ihrerseits oft nutzbar wären) u. als solche resorbiert werden; sie passieren daher das Verdauungssyst. weitgehend unverändert. Als sog. „lösl." B. bezeichnet man Verb. wie Fructo- od. Galactooligosaccharide (z. B. *Inulin). Diese erlauben die Herst. klarer B.-haltiger Getränke. Vermutlich aufgrund mechan. Reizung der Darmwände u. ihrer Eigenschaft, schädliche Stoffwechselprodukte zu binden, sind B. für die Verdauung wichtig (Anregung der Darmperistaltik). Faserreiche Nahrung wird als Ursache für relativ seltenes Auftreten von Darmkrebs in Afrika od. bei bestimmten Bevölkerungsgruppen angegeben. Zur Analytik s. *Lit.*[1-3].
– *E* fibres – *F* ballast, (substances de) lest – *I* sostanze di zavorra – *S* fibra dietética)
Lit.: [1] GIT Fachz. Lab. 1992, 205–210. [2] Schulze u. Bock, Aktuelle Aspekte der Ballaststoff-Forschung, Hamburg: Behrs 1993. [3] J. Food Sci. **58**, 929 ff. (1993).
allg.: Schweizer u. Edwards, Dietary Fiber – A Component of Food, Berlin: Springer 1992.

Balling-Grade s. Aräometer.

Ballistischer Mörser s. Explosivstoffe.

Ballons. Bauchige Glasbehälter mit kurzem, engem Hals, meist gegen Beschädigung durch Weiden-, Kunststoff- od. Metallkörbe geschützt. – *E* carboys – *F* ballons – *I* palloni – *S* bombonas

Balmer-Serie. Bez. für eine Serie von Spektrallinien des Wasserstoffatoms (s. a. Spektroskopie), von denen 4 im sichtbaren Bereich liegen. Johann Jakob Balmer (1825–1898) fand 1884/85 durch mühsames mathemat. Probieren die scg. *Balmer-Formel* (s. a. Atombau u. Atommodelle): $\bar{v} = R_H \cdot (1/4 - 1/m^2)$ mit m = 3, 4, 5, ... (R_H: Rydbergkonstante des Wasserstoffatoms; sie hat den Wert 109 677,5€7 cm^{-1}). Den der B.-S. entsprechenden Teil des Emissionsspektrums atomaren Wasserstoffs zeigt die Abb., man sieht eine Seriengrenze, zu der die Wellenzahl $\bar{v}_\infty = R_H/4$ gehört, an die sich ein Kontinuum anschließt.

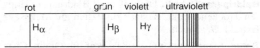

Abb.: Teil des Emissionsspektrums von H_2 (entspricht der B.-S.).

Die Bedeutung der Balmer-Formel liegt darin, daß sie als empir. Formel weitere später beobachtete Spektrallinien richtig vorhersagte. Zudem kann sie leicht verallgemeinert werden u. damit alle Übergänge zwischen gebundenen Zuständen des Wasserstoff-Atoms beschreiben. Eine erste theoret. Begründung erfuhr die Balmer-Formel durch das Bohrsche Atommodell. Emissionslinien aus der B.-S. findet man auch in diffusen Emissionsnebeln, z. B. dem Orionnebel M42[1].
– *E* Balmer series – *F* série de Balmer – *I* serie di Balmer – *S* serie de Balmer

Lit.: [1] Scheffler, Interstellare Materie, Braunschweig: Vieweg 1988.
allg.: Haken u. Wolf, Atom- und Quantenphysik, 3. Aufl., Berlin: Springer 1987.

Balneologie (Bäderkunde, griech.: balneion = warmes Bad). Lehre von der Anw. natürlicher Heilmittel wie Bade-, Trink- u. Kneippkuren in den Heilbädern u. Kurorten, auch Oberbegriff für die gesamte Kurortmedizin. Zu den Aufgaben der B. zählen die Vorbeugung von Krankheiten durch Verminderung von Risikofaktoren, die stationäre Frührehabilitation (Anschlußheilbehandlung) u. die Behandlung chron. Erkrankungen. In der balneotherapeut. Praxis kommen Mineralwässer (Solebäder), Spurenstoffbäder (Iod-, Schwefel- u. Radonwässer) u. gasführende Quellen (Kohlensäurewässer) zur Anwendung.
Lit.: Deutscher Bäderverband, Grundlagen der Kurortmedizin u. ihr Stellenwert im Gesundheitswesen der Bundesrepublik Deutschland, Kassel: Meister 1987 ▪ Schimmel, Lehrbuch der Naturheilverfahren, Stuttgart: Hippokrates 1990.

Balneum Hermal®. Sojabohnenöl zur Balneotherapie bei Hauterkrankungen mit trockener u. juckender Haut. B. H. Plus zusätzlich mit Polidocanol; B. H. F enthält Erdnuß-Öl u. Paraffin. *B.:* Hermal.

Balsa-Holz (von span.: balsa = Floß). Sehr leichtes (D. 0,05–0,3!), farbloses, korkartiges Holz von *Ochroma*-Arten (Bombacaceae) aus den Regenwaldgebieten des trop. Mittel- u. Süd-Amerika. Sehr rasch-wüchsiger Baum, erreicht in 5 Jahren schon 30 cm Durchmesser. *Verw.:* Wärmeisolierung, Schwimmkörper, Flugzeugmodelle, Papierfabrikation, Verbundplatten, Füllstoff für Kunstharze. – *E* balsa wood – *F* (bois de) balsa – *I* balsa, legno di balsa – *S* madera de balsa – [HS 440724]

Balsame. B. sind Oleoresine, die in merklicher Menge Benzoe- u. Zimtsäure bzw. deren Derivate (Ester) enthalten u. sich durch einen charakterist. Geruch auszeichnen, der durch die Kombination von Benzoe- u. Zimtsäureestern mit etwas Vanillin entsteht. Typ. B. sind *Perubalsam, *Tolubalsam u. *Benzoeharz. Als bibl. B. von Gilead (Mekka-B.) wurde bes. im Mittelalter das Harz aus *Commiphora opobalsamum* (Burseracaceae) bezeichnet[1]. – *E* balsams – *F* baumes – *I* balsami – *S* balsamos
Lit.: [1] Gildemeister **5**, 652.
allg.: Ullmann (5.) **A 11**, 224 ▪ s. Harze. – [HS 130190]

Balsamterpentinöl s. Terpentinöl.

Baltane CF®. 1,1,1-*Trichlorethan, sonderstabilisiert für die Metallentfettung. *B.:* Elf Atochem.

Baltimore, David (geb. 1938), Prof. für Mikrobiologie, MIT, Cambridge (USA). *Arbeitsgebiete:* Molekularbiologie, Virologie, Cancerogenese durch Viren. Für die Entdeckung der Transkription von Tumorviren-RNA in DNA erhielt B. den Nobelpreis für Physiologie od. Medizin 1975 (zusammen mit *Dulbecco u. *Temin).
Lit.: Nachr. Chem. Tech. **23**, 461 f. (1975).

Balzarena. Die B. ist ein Ort, der von einem od. von mehreren Männchen einer Tierart allein zum Zweck der Balz u. Kopulation benutzt wird. Weibchen suchen, durch das Balzverhalten des/der Männchen angelockt, die B. auf, um sich hier begatten zu lassen. B. sind bei Tier-Arten bekannt, die in Promiskuität leben. Mehrere Insekten-Arten, z. B. Libellen u. Taufliegen (*Drosophila* spec.), maulbrütende Fische, viele Frösche u. einige wenige Säugetier-Arten (z. B. Antilopen, Fledermäuse) benutzen B., am häufigsten allerdings Vögel. Hier nutzen die Männchen die B. entweder allein (z. B. Auerhahn) od. zu mehreren (z. B. Birkhahn, viele Kolibri-Arten) (Gruppenbalz). In manchen Fällen wird die B. mit bes. Konstruktionen od. Ausstattungen versehen, wie z. B. bei den oft „ausgeschmückten" Lauben der Laubenvögel Australiens u. Neu Guineas. – *E* lek, display territory – *F* aire de rut – *I* luogo della copulazione – *S* época de celo

Lit.: Bezzel u. Prinzinger, Ornithologie, Stuttgart: Ulmer 1990.

Balzers u. Leybold. Die B.-u.-L.-Gruppe umfaßt acht Business Units, die in rund 45 Ges. weltweit auf den Gebieten Vak.- u. Oberflächentechnik tätig sind. Sie ist Teil des schweizer. Oerlikon-Bührle-Konzerns. Balzers Aktienges. in FL-9496 Balzers. *Daten* (1995): ca. 6500 Beschäftigte, ca. 1500 Mio. CHF Umsatz. *Produktion:* Pumpen, Komponenten u. Instrumente zur Vak.-Erzeugung u. Messung; Geräte zur Lecksuche u. Dichtigkeitsprüfung; Massenspektrometer; Beschichtungsanlagen für Anw. in der Optik, Ophthalmik, Elektronik, Datenspeicherung, Displaytechnik, Architekturglas- u. Folienbeschichtung sowie im Verschleißschutz; Beschichtungsmaterialien (Aufdampfmaterialien u. Targets), Einkristallziehanlagen; Compact Disc-Produktions- u. Mastering-Syst.; opt. Dünnschicht-Komponenten; Verschleißschutzschichten für Werkzeuge u. Präzisionsbauteile; naturwissenschaftlich-techn. Lehrgeräte u. Lehrsysteme.

BAM. Abk. für *Bundesanstalt für Materialforschung und -prüfung.

Bambec®. Tabl. mit *Bambuterol gegen Asthma u. Bronchitis. *B.:* pharma-stern.

Bamberger, Eugen (1857–1932), Prof. für Organ. Chemie, Univ. Zürich. *Arbeitsgebiete:* Guanidin-Derivate, Entdeckung von Reten u. Pyren, Natrium u. Amylalkohol als Reduktionsmittel, Cyanursäure, Red. von Nitrobenzol zu Nitrosobenzol u. *N*-Phenylhydroxylamin u. Umlagerung des letzteren zu 4-Aminophenol unter dem Einfluß von Säuren (*Bamberger-Reaktion*).

Lit.: Pötsch, S. 26 ▪ Strube et al., S. 158.

Bamberger-Reaktion. Die von E. *Bamberger gefundene Umsetzung von aromat. Hydroxylaminen zu 4-Amino-phenolen, die im allg. rasch zu *Chinonen weiter oxidiert werden. Die *Umlagerung geschieht unter dem Einfluß von Säuren u. ist eng mit der *Hofmann-Martius-Reaktion verwandt.

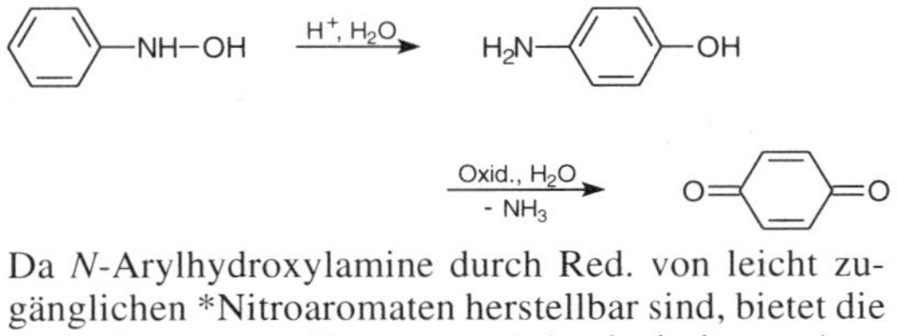

Da *N*-Arylhydroxylamine durch Red. von leicht zugänglichen *Nitroaromaten herstellbar sind, bietet die B.-R. einen guten Zugang zu 1,4-substituierten Aromaten bzw. Chinonen. – *E* Bamberger reaction – *F* réaction de Bamberger – *I* reazione di Bamberger – *S* reacción de Bamberger

Lit.: March (4.), S. 674 ▪ Hassner-Stumer, S. 17.

Bambuterol.

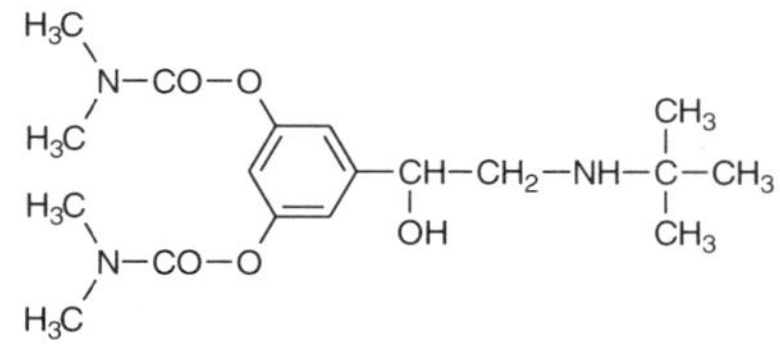

Internat. Freinamen für (±)-1-[3,5-Bis(dimethylcarbamoyloxy)phenyl]-2-(*tert*-butylamino)ethanol, $C_{18}H_{29}N_3O_5$, M_R 367,45. Verwendet wird das Hydrochlorid, Schmp. 200 °C; LD_{50} (Maus oral) 400–600 mg/kg, (Ratte oral) 800–1600 mg/kg. Es wurde 1982 u. 1984 als Bronchodilatator von AB Draco patentiert u. ist von pharma-stern GmbH (Bambec®) im Handel. – *E* bambuterol – *F* bambutérol – *I* bambuterolo – *S* bambuterol

Lit.: ASP. – *[HS 2924 29; CAS 81732-65-2; 81732-46-9 (Hydrochlorid)]*

Bamethan.

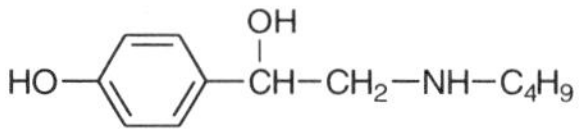

Internat. Freinamen für 2-Butylamino-1-(4-hydroxyphenyl)-ethanol, $C_{12}H_{19}NO_2$, M_R 209,29, Schmp. 123,5–125 °C, pK_a 10,2, pK_b 5,0; ein peripher wirkendes Vasodilatans. Verwendet werden auch das Hydrochlorid u. das Sulfat. Es ist von Eurim Pharm (Emasex®-A) im Handel. – *E* bamethan – *F* baméthan – *I=S* bametano. *B.:* Boehringer-Ingelheim.

Lit.: Hager (5.) **7**, 367 f. – *[HS 2922 50; CAS 3703-79-5 (B.); 5716-20-1 (Sulfat)]*

Bamford-Stevens-Reaktion. Durch die alkal. Spaltung von Aldehyd- od. Keton-tosylhydrazonen lassen sich *Alkene herstellen, wobei als Basen z. B. Alkyllithium-Verb. (s. a. Shapiro-Reaktion) od. Natrium in Ethylenglykol (B.-S.-R. im ursprünglichen Sinne) Verw. finden. Ein Dianion-Mechanismus od. das Durchlaufen einer Diazoalkan- u. *Carben- bzw. *Carbokationen-Zwischenstufe werden als Mechanismus diskutiert. Unter geeigneten Bedingungen lassen sich die Diazoalkane isolieren, so z. B. im Falle der *Diazocarbonyl-Verbindungen. Als bes. geeignet für die Synth. von Aryldiazoalkanen sind die 2,4,6-Triisopropyl-phenylsulfonylhydrazone[1].

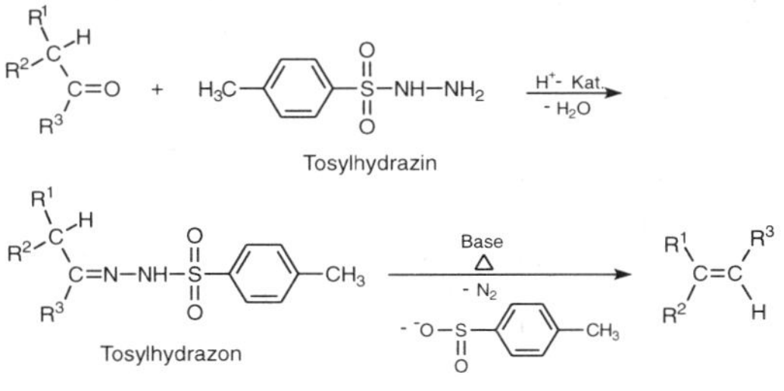

Bamifyllin 354

– *E* Bamford-Stevens reaction – *F* reaction de Bamford-Stevens – *I* reazione di Bamford-Stevens – *S* reacción de Bamford-Stevens
Lit.: [1] Synthesis **1982**, 419 f.
allg.: Acc. Chem. Res. **16**, 55–59 (1983) ▪ Hassner-Stumer, S. 18 ▪ J. Chem. Soc. **1952**, 4735 ▪ Laue-Plagens, S. 27 ff. ▪ March (4.), S. 1020 ▪ Org. React. **23**, 405–507 (1976) ▪ s. a. Carbene u. Diazo-Verbindungen.

Bamifyllin.

Internat. Freiname für 8-Benzyl-7-(2-[ethyl-(2-hydroxyethyl)-amino]-ethyl)-theophyllin, $C_{20}H_{27}N_5O_3$, M_R 385,47, Schmp. 80–80,5 °C. Verwendet wird das Hydrochlorid: Schmp. 185–186 °C; LD_{50} (Maus, oral) 246, (Maus, i. p.) 89, (Maus, i. v.) 67, (Ratte, oral) 1139, (Ratte, i. p.) 131, (Ratte, i. v.) 65 mg/kg. Es wurde 1961 als Bronchodilator von Christaens patentiert. – *E* = *F* bamifylline – *I* bamifillina – *S* bamifilina
Lit.: Hager (5.) **7**, 369 f. – *[HS 2939 50; CAS 2016-63-9 (B.); 20684-06-4 (Hydrochlorid)]*

Bamipin.

Internat. Freiname für 4-(*N*-Benzylanilino)-1-methylpiperidin, $C_{19}H_{24}N_2$, M_R 280,41, ein Antihistaminikum, Schmp. 115 °C. Es wurde 1954 von Knoll (Soventol®) patentiert u. ist Generika-fähig. – *E* = *F* bamipine – *I* = *S* bamipina
Lit.: Hager (5.) **7**, 370 f. – *[HS 2933 39; CAS 4945-47-5]*

Bananen (Pisangfrüchte). Früchte trop. Musaceen-Arten, die meist unreif geerntet werden; die Reifung der B. läßt sich durch *Ethylen beschleunigen. Typ. B.-Schädlinge sind Pilze, gegen die Thiabendazol eingesetzt wird, sowie Nematoden. In 100 g genießbaren Anteilen sind durchschnittlich enthalten: 76 g Wasser, 1,1 g Eiweiß, 0,2 g Fett, 20 g Kohlenhydrate (zum großen Teil als sog. B.-*Stärke, Amylum musae), 0,9 g Rohfaser, 0,9 g Mineralstoffe, 1,8 mg Na, 370 mg K, 0,55 mg Fe, 11 mg C-Vitamin, 9 mg Citronensäure, Spuren von Serotonin, Nährwert 356 kJ (85 kcal). Überreife B. enthalten Substanzen (Ester), die leichte Rauschzustände erzeugen sollen; in Ostafrika werden alkohol. Getränke aus B. hergestellt. Die getrockneten Inhaltsstoffe von B.-Schalen besitzen, in angeteigter Form, gute Gleitmittel-Eigenschaften. Das B.-Aroma ist sehr komplex zusammengesetzt; die Tab. in *Lit.*[1] führt 184 Komponenten auf, darunter Alkohole, Carbonsäuren, Ester u. Ketone. Hauptaromaträger ist Isopentylacetat (s. Essigsäurepentylester) (*Bananenöl*). Ein künstliches B.-Aroma ist in *Lit.*[2] beschrieben. – *E* bananas – *F* bananes – *I* banane – *S* plátanos
Lit.: [1] Hager **5**, 910. [2] Hager **7b**, 100.

allg.: Brücher, Tropische Nutzpflanzen, S. 358–370, Berlin: Springer 1977 ▪ Franke, Nutzpflanzenkunde, Stuttgart: Thieme 1992 ▪ Hager **3**, 55; **5**, 909 ff.; **7b**, 34. – *[HS 0803 00]*

Bancora-Verfahren. Bez. für die *Filz- u. *Krumpffrei-Ausrüstung von Wolle durch Aufbringen von Polyamiden (vgl. *Lit.*).
Lit.: Z. Gesamte Textilind. **69**, 82–87 (1967).

Bande 3 (Anionen-Austausch-Protein). In großer Zahl vertretenes integrales *Erythrocyten-*Membran-Protein (M_R 90000–100000, *Glykoprotein, einzelne Polypeptid-Kette, Sequenz bekannt), so benannt nach seiner elektrophoret. Beweglichkeit, das über *Ankyrin u. *Spectrin mit dem Membranskelett (s. Cytoskelett) verbunden sein kann, aber auch mit bestimmten anderen Proteinen wechselwirkt. Es besitzt außerdem Anionen-Transport-Aktivität u. tauscht Hydrogencarbonat-gegen Chlorid-Ionen aus (*Antiport). Dadurch wird der Transport von Kohlenstoffdioxid in den Erythrocyten ermöglicht.
Lit.: Alberts et al., Molekularbiologie der Zelle, 3. Aufl., S. 582 f., Weinheim: VCH Verlagsges. 1995 ▪ Annu. Rev. Biophys. Biophys. Chem. **18**, 397 ff. (1989) ▪ Salhany, Erythrocyte Band 3 Protein, Boca Raton: CRC Press 1990.

Bande 4.1 (Protein 4.1, Synapsin). In *Erythrocyten aufgefundenes Protein (M_R 75000–80000), benannt nach seiner relativen Wanderungsgeschw. in der *Elektrophorese. B. 4.1 unterstützt die Bindung von *Actin an *Spectrin, verbindet aber auch die Actin-Filamente des *Cytoskeletts mit dem Membranprotein *Glykophorin. Die Bindung an Glykophorin wird durch Phosphatidylinosit-4,5-bisphosphat (s. Phosphoinositide) moduliert. Als „actin capping protein" behindert es das Wachstum von F-*Actin am „pointed end".
Lit.: Curr. Opin. Cell Biol. **6**, 136–141 (1994) ▪ Science **258**, 955–964 (1992).

Bandenspektrum s. Spektroskopie.

Bandsilicate s. Silicate.

Bandwürmer (Cestoden) s. Anthelmintika, Parasiten u. Würmer.

Banka-Zinn s. Zinn.

Bantex®. Zink-Salz des *2-Mercaptobenzothiazols als Vulkanisationsbeschleuniger. *B.:* Flexsys.

Banting, Sir Frederic Grant (1891–1941), Prof. für Medizin. Forschung, Univ. Toronto, Canada. *Arbeitsgebiet:* Reinherst. des *Insulins; Nobelpreisträger für Medizin 1923.
Lit.: Nobel Lectures Physiology or Medicine 1922–1941, S. 45–70, Amsterdam: Elsevier 1966 ▪ Poggendorff **7b/1**, 234–235 ▪ Strube et al., S. 121, 173.

Baptitoxin s. Cytisin.

Bar (Zeichen bar). Metr. Maßeinheit des *Druckes: 1 bar = 10^5 Pa = 10^5 N/m² = 750,06 Torr = 1,01972 at = 0,98692 atm. B. ist keine SI-Einheit u. sollte nicht dort eingeführt werden, wo sie nicht schon in Gebrauch ist[1], s. a. Atmosphäre.
Lit.: [1] IUPAC: Größen, Einheiten u. Symbole in der Physikalischen Chemie, Weinheim: VCH Verlagsges. 1996.

Baragel®. Marke der RHEOX Inc. für *Montmorillonit-Derivate als Geliermittel für Schmierfette. *B.:* RHEOX GmbH.

Baralgin® M. Tabl., Tropfen, Ampullen u. Suppositorien gegen Spasmen im Verdauungs- u. Harntrakt u. gegen Kopfschmerzen, enthalten *Metamizol-Natrium-Monohydrat. *B.:* Albert-Roussel Pharma.

Barazan®. Filmtabl. mit *Norfloxacin gegen bakterielle Infektionen der ableitenden Harnwege. *B.:* Dieckmann.

Barberfalle. Nach seinem Erfinder Barber benannte Bodenfalle, mit der auf der Erdoberfläche umherlaufende (epigä.) Kleintiere gefangen werden können, um das Vorhandensein od. Fehlen von Tierarten festzustellen u. daraus ökolog. Bewertungen der Fanggebiete abzuleiten (z. B. für tierökol. Forschung, bei faunist. Gutachten, Umweltverträglichkeits-Prüfungen, Eingriffs- u. Ersatzmaßnahmen, Unterschutzstellungsverf. u. ä.). Zum Fang werden Trinkgläser, aus Bruchgründen besser Plastik-Trinkbecher randbündig mit dem umgebenden Erdboden eingegraben. Laufaktive Tiere, z. B. Laufkäfer, Kurzflügelkäfer u. verschiedene Spinnengruppen, können nach Hineinfallen in trocken belassene B. lebend gefangen werden (häufige Kontrolle u. Entleerung nötig). Meist wird die B. zu etwa einem Drittel mit Fang- u. Konservierungsflüssigkeiten (z. B. 4%ige Formalin-Lsg., Pikrinsäure-Lsg., verd. Ethylenglykol) gefüllt u. eine Leerung des Inhalts alle zwei Wochen vorgenommen. Auf ein Schutzdach gegen Regen über der B.-Öffnung wird wegen der Änderung des Mikrohabitats u. Mikroklimas (Beschattung, Erwärmung, geringere Luftzirkulation u. ä.) u. damit wegen der Beeinflussung des Normalverhaltens der potentiellen Fangtiere in der Regel verzichtet. B. werden meist in mehreren Stück pro Kontrollfläche bei etwa 14tägiger Leerung über mehrere Monate (je nach Fragestellung u. Zielsetzung) ausgebracht. – *E* barber trap – *F* piège de Barber – *I* trappola di Barber – *S* trampa de Barber
Lit.: Mühlenberg, Freilandökologie (3. Aufl.), Heidelberg: Quelle u. Meyer 1993.

Barbexaclon.

Internat. Freiname für das antiepilept. wirksame Salz des *Phenobarbitals mit 1-Cyclohexyl-N-methyl-2-propanamin, $C_{12}H_{12}N_2O_3 \cdot C_{10}H_{21}N$, $(C_{22}H_{33}N_3O_3)$, M_R 387,52, Schmp. 138–139 °C, $[\alpha]_D^{26}$ –14,74° (c 1/H_2O). B. ist unter Knoll (Maliasin®) im Handel u. in Anlage III C der Btm-VO gelistet. – *E* = *F* barbexaclone – *I* barbessaclone – *S* barbexaclona
Lit.: ASP ▪ Hager (5.) **7**, 371 f. – *[HS 2933 51; CAS 4388-82-3]*

Barbier-Wieland-Reaktion. Bez. für den Abbau einer Carbonsäure zu dem nächst niedrigeren Homologen (Umkehrung der *Arndt-Eistert-Reaktion). Dazu wird die Carbonsäure zunächst in den Methylester überführt, der mit Phenylmagnesium-halogenid zu einem tert. Alkohol umgesetzt wird. Dehydratisierung zu einem 1,1-Diphenylalken u. nachfolgende Oxid. mit CrO_3 od. $NaIO_4$–RuO_4 liefert die homologe Carbonsäure in guten Ausbeuten. Mit bestimmten Oxidationsmitteln, z. B. $NaIO_4$–OsO_4, kann die Oxid. auf der Aldehyd-Stufe stehen bleiben u. ist damit direkt mit der *Ozonolyse vergleichbar.

$$R-CH_2-COOCH_3 \xrightarrow{+ 2 H_5C_6-Mg-X} R-CH_2-\underset{C_6H_5}{\overset{OH}{\underset{|}{\overset{|}{C}}}}-C_6H_5$$

$$\xrightarrow{-H_2O} R-CH=\overset{C_6H_5}{\underset{C_6H_5}{C}} \xrightarrow{Oxid.} R-COOH + O=\overset{C_6H_5}{\underset{C_6H_5}{C}}$$

– *E* Barbier-Wieland reaction – *F* réaction de Barbier-Wieland – *I* reazione di Barbier-Wieland – *S* reacción de Barbier-Wieland
Lit.: Hassner-Stumer, S. 20.

Barbital.

Freie, internat. Kurzbez. für 5,5-Diethylbarbitursäure, $C_8H_{12}N_2O_3$, M_R 184,19, Schmp. 188–192 °C (zeigt *Polymorphie mit 11 Modif.), LD_{50} (Maus, oral) 600 mg/kg. Schwach bitter schmeckende Nadeln, in heißem Wasser, Ethanol u. Ether mäßig, in anderen organ. Lsm. leicht löslich. B. war lange Zeit unter dem Namen *Veronal* als Schlafmittel u. Sedativum im Handel. Heute dienen B. u. sein Natrium-Salz fast nur noch als Puffersubstanzen. Es ist in der Anlage III C der Btm-VO gelistet. – *E* = *F* = *S* barbital – *I* barbitale
Lit.: DAB 10 ▪ Hager (5.) **7**, 372–376 ▪ Pharm. Ztg. **137**, 833 u. 1737 (1992) ▪ s. a. Barbiturate. – *[HS 2933 51; CAS 57-44-3]*

Barbiturate. Sammelbez. für Derivate der *Barbitursäure, die sich als *Sedativa, *Schlafmittel, *Antiepileptika u. als *Injektionsnarkotika eignen. Während Barbitursäure nicht einschläfernd wirkt [sie liegt aufgrund ihrer relativ hohen Acidität im Organismus dissoziiert vor u. kann daher die Blut-Hirn-Schranke (vgl. Hirnsubstanz) nicht überwinden], setzt eine starke Schlafwirkung ein, wenn die beiden H-Atome am C-5-Atom durch Alkyl-, Cycloalkyl- u. Aryl-Gruppen ersetzt werden (Steigerung der Lipophilie). In Rattenversuchen wurde gezeigt, daß die Schlafwirkung mit der Zahl der C-Atome in den Alkyl-Resten bis zu C_5H_{11} steigt[1]. Mittlerweile kennt man mehrere tausend B., von denen allerdings nur ca. 25 als Schlafmittel genutzt werden; ihre Verw. hat wegen ihrer Toxizität stark nachgelassen (abgesehen von *Phenobarbital als Antiepileptikum). Die Namen, auch die Freinamen, enden meist auf -tal bzw. -barbital. Die Synth. der B. geht von den entsprechenden disubstituierten Malonsäureestern aus, die mit Harnstoff od. Dicyandiamid kondensiert werden. Durch Einsatz von Thioharnstoff sind pharmakol. wirksame *Thiobarbiturate zugänglich. Alle B. reagieren in wäß. Lsg. infolge Enolisierung (bzw. Lactam-Lactim-Tautomerisierung) schwach sauer, sie sind in kaltem Wasser schlecht, in heißem etwas besser löslich. In ärztlich verordneten Dosen verursachen die B. einen mehr od. weniger tiefen Schlaf, wobei Atmung, Kreislauf u. Stoffwechsel kaum beeinflußt werden. Bei größeren Dosen erfolgt – thera-

Barbitursäure

peut. nach Injektion – Narkose. Sehr große Mengen (bei B.-Vergiftungen) rufen Bewußtlosigkeit, Atem- u. Herzstillstand hervor. B. sind alloster. Modulatoren des *GABA-Rezeptors u. setzen dadurch die Erregbarkeit zentraler *Neuronen herab[2]. Von einer Reihe von B. ist bekannt, daß sie zur Gewöhnung (s. Sucht) führen können; Alkohol potenziert in gefährlicher Weise die B.-Wirkung. Zum Nachw. von B. sind zahlreiche Meth. entwickelt worden, z. B. die *Zwikker-Reaktion, Dünnschicht- u. Gaschromatographie, Radioimmunoassay u. Massenspektroskopie. – $E = F$ barbiturates – I barbiturici – S barbituratos, barbitúricos

Lit.: [1] J. Am. Chem. Soc. **45**, 243–249 (1923). [2] Progr. Drug Res. **34**, 261–286 (1990); Doble u. Adam, The GABA A/B Receptor as a Target for Psychoactive Drugs, Berlin: Springer 1996.

allg.: Arzneimittelchemie **I**, 223–232 ▪ Beilstein E V **24/9**, 78 ff. ▪ Hager (4.) **2**, 190–224 ▪ Ullmann (5.) **A 2**, 294 ff.; **A 3**, 15. – *[HS 293351]*

Barbitursäure (Pyrimidin-2,4,6-trion).

$R^1 = R^2 = H$: B.
$R^1 = R^2 = C_2H_5$: *Barbital
$R^1 = R^2 = CH_2-CH=CH_2$: *Allobarbital
$R^1 = C_2H_5$, $R^2 = C_6H_5$: *Phenobarbital
$R^1 = C_2H_5$, $R^2 = $ ⟨cyclohexenyl⟩ : *Cyclobarbital
$R^1 = C_2H_5$, $R^2 = (CH_2)_2-CH(CH_3)_2$: *Amobarbital
$R^1 = C_2H_5$, $R^2 = CH(CH_3)-C_3H_7$: *Pentobarbital
$R^1 = C_2H_5$, $R^2 = C_7H_{11}$: *Heptabarbital
$R^1 = CH=CH_2$, $R^2 = CH(CH_3)-C_3H_7$: *Vinylbarbital
$R^1 = CH_2-CH=CH_2$, $R^2 = CH(CH_3)-C_3H_7$: *Secobarbital
$R^1 = CH_2-CH=CH_2$, $R^2 = CH_2-CH(CH_3)_2$: *Butalbital

Abb.: Barbitursäure u. Derivate.

$C_4H_4N_2O_3$, M_R 128 09. Farblose, bitter schmeckende Prismen, Schmp. 248 °C (Zers.), die sich in kaltem Wasser wenig, in heißem etwas besser lösen u. schwach sauer reagieren, was auf die Enol-Form (*Pyrimidin-2,4,6-triol*) zurückgeht. Wenn beide H-Atome an C-5 durch Alkyl- bzw. Aryl-Reste (mind. Ethyl-Gruppen) ersetzt werden, gelangt man zu den als *Schlafmittel wirksamen *Barbituraten, von denen einige wichtige Vertreter abgebildet sind; die verwandten *Thiobarbiturate enthalten ein S statt eines O an C-2. Weitere Derivate s. bei Dialursäure. Die erste Herst. von B. erfolgte durch von *Baeyer 1863; der Name B. ist von Barbara, einer Jugendfreundin A. von Baeyers hergeleitet[1].

Verw.: Zu organ. Synth. u. Pentosan-Bestimmung. – E barbituric acid – F acide barbiturique – I acido barbiturico – S ácido barbitúrico

Lit.: [1] Willstätter, Aus meinem Leben, S. 112, Weinheim: Verl. Chemie 1949.

allg.: Beilstein E V **24/9**, 78 ff. ▪ Hager **5**, 71 ▪ J. Chem. Educ. **28**, 524 ff. (1951). – *[HS 293351; CAS 67-52-7]*

Barchlor®. Alkylchloride ($C_8 - C_{18}$) von Lonza.

Barcroft, Joseph (1873–1947), Prof. für Physiologie, Univ. Cambridge (England). *Arbeitsgebiete:* Atmungsfunktion des Blutes, Rolle des Hämoglobins, lebensgefährliche Selbstversuche (im 2. Weltkrieg) zur Wirkung von O_2-Mangel u. Giftgasen.

Bardac®. Mikrobizide Dialkyldimethylammoniumchloride ($C_8 - C_{10}$) von Lonza.

Bardeen, John (1908–1991), Prof. für Physik, Univ. Illinois. *Arbeitsgebiete:* Halbleiterphysik, Entwicklung des Transistors (hierfür Nobelpreis für Physik 1956 zusammen mit *Brattain u. *Shockley), Entwicklung der Theorie der Supraleitung (*BCS-Theorie*), hierfür 2. Nobelpreis für Physik 1972 zusammen mit L. N. *Cooper u. *Schrieffer).

Barene. Bes. im russ. Schrifttum verwendete Bez. für *Carborane.

Barger, George (1878–1939), Prof. für Medizin. Chemie, Univ. Edinburgh. *Arbeitsgebiete:* Konstitution u. Synth. von Thyroxin, Methionin, Glykoside, Alkaloide.

Lit.: Poggendorff **6**, 124; **7 b/1**, 241 f. ▪ Pötsch, S. 28.

Barifine. Marke der Sakai Chemical, Japan, für ultrafeines Bariumsulfat. *B.:* Nordmann, Rassmann GmbH & Co.

Barium (chem. Symbol Ba, von griech.: barys = schwer). Metall. Element der 2. Hauptgruppe des *Periodensystems (*Erdalkalimetall), Ordnungszahl 56, Atomgew. 137,33. Natürliche Isotope (in Klammern Angabe der Häufigkeit): 130 (0,101%), 132 (0,097%), 134 (2,42%), 135 (6,59%), 136 (7,81%), 137 (11,32%), 138 (71,66%). Daneben sind noch 21 radioaktive Isotope u. Isomere zwischen ^{117}Ba u. ^{143}Ba mit HWZ zwischen 0,32 s u. 12,8 d bekannt. In reinem Zustand ist Ba silberglänzend u. leichtentzündlich, D. 3,5, Schmp. 725 ± 5 °C, Sdp. 1640 °C; zweckmäßigerweise wird es unter Toluol aufbewahrt. Das Kristallgitter ist kub. raumzentriert. Ba-Metall ist geschmeidig wie Blei, jedoch etwas härter als dieses (H. 1,2). Ba reagiert bereits bei 20 °C mit Kohlendioxid, Sauerstoff, Stickstoff u. Luftfeuchtigkeit. An der Luft läuft es grau u. schwarz an; beim Erwärmen verbrennt es rasch mit grüner Flamme zu Bariumoxid u. Bariumnitrid. Erhitzen von Ba im H_2-Strom auf 200 °C läßt Bariumhydrid entstehen. Mit Wasser reagiert Ba stärker als Calcium u. Strontium, jedoch schwächer als Natrium unter Bildung von alkal. reagierendem Bariumhydroxid u. Wasserstoff nach:

$$Ba + 2 H_2O \rightarrow Ba(OH)_2 + H_2.$$

Mit Ausnahme der konz. Schwefelsäure lösen fast alle Säuren das Ba leicht auf. Die wasserlösl. Verb. – Ba ist zweiwertig – sind giftig (MAK 0,5 mg/m^3) u. verursachen Muskelkrämpfe u. Herzstörungen. Als *Antidot kommt Na_2SO_4 in Frage, das Ba in unlösl. Bariumsulfat überführt, s. a. *Lit.*[1].

Nachw.: Schwefelsäure fällt aus Bariumsalz-Lsg. unlösl. Bariumsulfat; Ba-Salze verleihen einer nichtleuchtenden Flamme eine grüne Flammenfärbung. Über Ba-Nachw. u. Bestimmung mit Rhodizonsäure, Sulfonazo III u. a. Reagenzien s. *Lit.*[2].

Vork.: Infolge seines sehr unedlen Charakters u. seiner hohen Reaktionsfähigkeit findet sich Ba nirgends in der Natur gediegen, sondern nur in Verb.-Form. Das

wichtigste Ba-Mineral ist der *Schwerspat* (*Bariumsulfat, zur Förderstatistik s. dort), neben dem *Witherit (*Bariumcarbonat) von geringerer Bedeutung ist. Die oberste, 16 km dicke Erdkruste besteht zu 0,04–0,05% aus chem. gebundenem Ba; auch die Granite enthalten durchschnittlich 0,05% Ba. Bei der Spaltung von Uran mit Neutronen in *Reaktoren entsteht ständig auch Ba – jedes 10. Spaltatom ist ein Ba-Isotop, das mit den übrigen Brennelement-Komponenten reagieren kann [3].
Herst.: Man erhitzt Bariumcarbonat mit Kohle, wobei das Bariumoxid entsteht: $BaCO_3 + C \rightarrow BaO + 2CO$. Hierauf wird BaO mit Al od. Si bei 1050–1150 °C im Vak. reduziert. Die Feinreinigung kann durch Vakuumdest. geschehen.
Verw.: Reines od. mit Al u./od. Mg legiertes Ba dient als *Getter in Elektronenröhren u. zur Aktivierung von Elektroden. Daneben ist metall. Ba als Zusatz zu Lagermetallen empfohlen worden, da es ähnlich wie Ca eine kräftige Härtung des Bleis hervorruft. Zur Verw. von Ba-Verb. s. *Lit.*[4].
Geschichte: Sir H. *Davy gelang 1808 die Herst. von Ba-Metall auf elektrolyt. Wege als Amalgam, aus dem Guntz 1901 das reine Metall durch Dest. gewinnen konnte. – *E* barium – *F* baryum – *I* = *S* bario
Lit.: [1] Braun-Dönhardt (3.), S. 68 f. [2] Fries-Getrost, S. 46 f. [3] J. Chem. Thermodyn **8**, 845 (1976). [4] Kunstst. J. **8**, Nr. 10, 30–36 u. Nr. 11, 26–31 (1974).
allg.: Brauer (3.) **2**, 917–930 ▪ Gmelin, Syst.-Nr. 30, Ba, 1932, 1960 ▪ Hommel Nr. 813 ▪ Kirk-Othmer (4.) **3**, 902–908 ▪ McKetta **4**, 50–65 ▪ Snell-Hilton **6**, 532–582 ▪ Ullmann (5.) **A3**, 325–341 ▪ Winnacker-Küchler (4.) **4**, 341 f. – *[HS 2805 22; CAS 7440-39-3]*

Bariumacetat. $(H_3C-CO-O)_2Ba$, $C_4H_6BaO_4$, M_R 255,42, D. 2,47, giftig; lösl. in Wasser, kaum in Alkohol. B. krist. aus wäss. Lsg. je nach Temp. als Trihydrat (unter 24,7 °C), D. 2,02, Monohydrat (zwischen 24,7 u. 41 °C), od. als wasserfreies Salz (über 41 °C). Das Monohydrat bildet farblose, trikline Krist., D. 2,19, die sich bei 110 °C entwässern lassen. B. findet Verw. als Beizmittel in der Drucktechnik u. als Katalysator für organ. Reaktionen. – *E* barium acetate – *F* acétate de baryum – *I* acetato di bario – *S* acetato de bario
Lit.: Beilstein E IV **2**, 114 ▪ Gmelin, Syst.-Nr. 30, Ba, 1932, S. 315–319, Erg.-Bd. 1960, S. 478–489 ▪ Hommel, Nr. 814 ▪ Kirk-Othmer (4.) **3**, 912 f. ▪ s. a. Barium. – *[HS 2915 29; CAS 543-80-6 (wasserfrei); 5908-64-5 (Monohydrat)]*

Bariumcarbonat. $BaCO_3$, M_R 197,34. Farbloses, giftiges, feines Pulver, D. 4,43, das ab 1300 °C in Bariumoxid zerfällt, in Wasser sehr schwer, in Salzsäure u. Salpetersäure unter Bildung von Bariumchlorid bzw. Bariumnitrat löslich. B. kommt in der Natur als *Witherit vor.
Herst.: Aus Bariumsulfat durch Red. mit Kohle bzw. CO bei 1100 bis 1200 °C nach $BaSO_4 + 4CO \rightarrow BaS + 4CO_2$. Aus der wäss. BaS-Aufschwemmung wird B. mit Soda od. CO_2 ausgefällt.
Verw.: In der Glas-Ind., in Fernsehröhren zur Absorption der Röntgenstrahlung, zur Verhinderung des Ausblühens an Ziegeln u. keram. Material, zur Herst. von Bariumferriten, Weißpigmenten (Blancfixe, s. Bariumsulfat) u. a. Ba-Verb., früher auch als Rattengift. Setzt man $BaCO_3$ Glasschmelzen zu, so entstehen schwere, stark lichtbrechende, leicht schmelzende Gläser. – *E* barium carbonate – *F* carbonate de baryum – *I* carbonato di bario – *S* carbonato de bario
Lit.: Gmelin, Syst.-Nr. 30, Ba, 1932, S. 301–309, Erg.-Bd. 1960, S. 461–476 ▪ Hommel Nr. 34 ▪ Kirk-Othmer (4.) **3**, 913–919 ▪ McKetta **4**, 51–63 ▪ Snell-Hilton **6**, 538–545 ▪ Ullmann (5.) **A3**, 334 f. ▪ s. a. Barium. – *[HS 2511 20, 2836 60; CAS 513-77-9]*

Bariumchlorat. $Ba(ClO_3)_2$, M_R 304,23. Giftige, farblose Krist., D. 3,18, Schmp. 414 °C, leicht wasserlösl., gibt beim Erhitzen auf 300 °C etwa 11% Sauerstoff ab, wobei Bariumchlorid u. etwas Perchlorat entstehen. B. wird bei der Einwirkung von Chlor od. Chlorsäure ($HClO_3$) auf Bariumhydroxid gebildet. Das wasserfreie Salz wird aus dem aus wäss. Lsg. als monokline Krist. kristallisierenden Monohydrat, $Ba(ClO_3)_2 \cdot H_2O$, M_R 322,29, durch Erhitzen auf 120 °C erhalten.
Verw.: Im Zeugdruck als Oxidationsmittel. Mit brennbaren Körpern vermischt, verpufft das sauerstoffreiche B. sehr heftig; es findet in der Feuerwerkerei Verw. (grüne Flammenfärbung). – *E* barium chlorate – *F* chlorate de baryum – *I* clorato di bario – *S* clorato de bario
Lit.: Brauer (3.) **1**, 324 ▪ Gmelin, Syst.-Nr. 30, Ba, 1932, S. 213–217, Erg.-Bd. 1960, S. 369–373 ▪ Hommel Nr. 35 ▪ Kirk-Othmer (4.) **5**, 1012 ▪ Ullmann (5.) **A3**, 335. – *[HS 2829 19; CAS 10294-38-9]*

Bariumchlorid. $BaCl_2$, M_R 208,24. Farblose, giftige, kub. od. monokline Krist., D. 3,86, Schmp. 962 °C, in Wasser leicht löslich. Neben dem wasserfreien Salz ist das Dihydrat $BaCl_2 \cdot 2H_2O$, M_R 244,28, D. 3,097 bekannt. Es krist. in monoklinen Krist. u. verliert beim Erhitzen auf ca. 60 °C das erste u. zwischen 100 u. 120 °C das zweite Mol. Kristallwasser. Die Herst. erfolgt aus $BaCO_3$ od. BaS mit HCl.
Verw.: Als Fällungsreagenz zum Nachw. von Schwefelsäure u. Sulfaten, zum Enthärten von Sulfat-haltigen Wässern, als Salzbadschmelze bei der Härtung von Stahl, als Flußmittel, zur Herst. von Blanc fixe (s. Bariumsulfat) u. von organ. Ba-Salzen, als Beizmittel etc. – *E* barium chloride – *F* chlorure de baryum – *I* cloruro di bario – *S* cloruro de bario
Lit.: Brauer **1**, 703 ▪ Gmelin, Syst.-Nr. 30, Ba, 1932, S. 171–207, Erg.-Bd. 1960, S. 324–369 ▪ Hommel Nr. 36 ▪ Kirk-Othmer (4.) **3**, 920 ▪ McKetta **4**, 54, 59 f. ▪ Snell-Hilton **6**, 545 f. ▪ Ullmann (5.) **A3**, 335 f. ▪ s. a. Barium. – *[HS 2827 38; CAS 10361-37-2 (wasserfrei); 10326-27-9 (Dihydrat)]*

Bariumchromat (Barytgelb, Gelber Ultramarin). $BaCrO_4$, M_R 253,32. Gelbe, giftige Krist., D. 4,5, schwer lösl. in Wasser, wird mit Öl, Lack, Leim od. Kalk angerührt als Malerfarbe u. bei der Färbung von keram. Produkten, Porzellan, Glas u. dgl. sowie in der Feuerwerkerei verwendet. – *E* barium chromate – *F* chromate de baryum – *I* cromato di bario – *S* cromato de bario
allg.: Gmelin, Syst.-Nr. 52, Cr, Tl, B, 1962, S. 835–844 ▪ Snell-Hilton **6**, 546–548 ▪ Ullmann (5.) **A7**, 85 f. – *[HS 2841 50; CAS 10294-40-3]*

Bariumfluorid. BaF_2, M_R 175,33. Farblose, würfelförmige Krist., D. 4,83, Schmp. 1290–1355 °C (schwankende Lit.-Angaben), Sdp. 2260 °C, in Wasser wenig löslich.

Verw.: Als Flußmittel bei der Herst. von Leichtmetallen u. deren Leg., zur Herst. von opt. Spezialgläsern u. Fenstern, in der Emailind. als Fluß- u. Trübungsmittel u. zur Imprägnierung der Kohlebürsten für Elektromotoren. – *E* barium fluoride – *F* fluorure de baryum – *I* fluoruro di bario – *S* fluoruro de bario
Lit.: Brauer (3.) **1**, 243 f. ▪ Gmelin, Syst.-Nr. 30, Ba, 1932, S. 165–179, Erg.-Bd. 1960, S. 318–322 ▪ Kirk-Othmer (4.) **11**, 298 ▪ Snell-Hilton **6**, 548 ▪ Ullmann (4.) **11**, 622. – [HS 2826 19; CAS 7787-32-8]

Bariumhydroxid (Barythydrat, Ätzbaryt). Xn
$Ba(OH)_2$, M_R 171,34. In wasserfreiem Zustand farblose, krist. Massen (D. 4,5), giftig, ätzend, Schmp. 407 °C, die oberhalb 600 °C Wasser abspalten, in Wasser leichter lösl. als Calciumhydroxid.
Herst.: Durch Hydratisierung von BaO od. Oxid. von wäss. BaS. Aus der wäss. Lsg. krist. B. als Octahydrat $Ba(OH)_2 \cdot 8H_2O$, M_R 315,46, D. 2,18, Schmp. 78 °C. Wasserfreies B. wird aus dem Octahydrat durch Entwässern oberhalb 108 °C erhalten. Dabei entsteht zunächst das Monohydrat $Ba(OH)_2 \cdot H_2O$, M_R 189,39, D. 3,74. Die bei 20 °C gesätt. wäss., stark alkal. Lsg. von $Ba(OH)_2$ (enthält ca. 40 g/l) wird in der analyt. Chemie unter dem Namen *Barytwasser* als Reagenz auf Kohlendioxid verwendet:

$$Ba(OH)_2 + CO_2 \rightarrow BaCO_3 + H_2O.$$

Verw.: Zur Wasserenthärtung, Glasfabrikation, Freskomalerei, Ölreinigung, Herst. von organ. Ba-Verbindungen. – *E* barium hydroxide – *F* hydroxyde de baryum – *I* idrossido di bario – *S* hidróxido de bario
Lit.: Gmelin, Syst.-Nr. 30, Ba, 1932, S. 106–131, Erg. Bd. 1960, S. 289–296 ▪ Hommel, Nr. 817 ▪ Kirk-Othmer (4.) **3**, 921 ▪ McKetta **4**, 54, 51 f. ▪ Snell-Hilton **6**, 548 ff. ▪ Ullmann (5.) **A 3**, 337 f. – [HS 2816 30; CAS 17194-00-2 (wasserfrei); 22326-55-2 (Monohydrat); 12230-71-6 (Octahydrat)]

Bariumnitrat (Barytsalpeter). $Ba(NO_3)_2$, M_R Xn
261,34. Farblose, giftige, etwas hygroskop., reguläre Oktaeder, D. 3,24, Schmp. 575 °C. Bei höherer Temp. erfolgt zunächst unter Sauerstoff-Abspaltung Bildung von Bariumnitrit, $Ba(NO_2)_2$; erst bei lebhaftem Glühen geht dieses ins Oxid über. Mit organ. Stoffen kann B. explosionsartig reagieren. Die Löslichkeit in Wasser beträgt 9,3 Gew.% bei 25 °C.
Herst.: Durch Auflösung von $BaCO_3$ in Salpetersäure od. durch Umsetzung von Natriumnitrat u. heißem $BaCl_2$.
Verw.: Zur Herst. von Bariumoxid (Erhitzen) u. Bariumperoxid, in der Feuerwerkerei zur Herst. von grün färbenden Leuchtsätzen, für Räuchermittel, Bildröhren, in der Glasindustrie. – *E* barium nitrate – *F* nitrate de baryum – *I* nitrato di bario – *S* nitrato de bario
Lit.: Gmelin, Syst.-Nr. 30, Ba, 1932, S. 149–164, Erg. Bd. 1960, S. 305–316 ▪ Hommel, Nr. 229 ▪ Kirk-Othmer (4.) **3**, 922 ▪ Ullmann (5.) **A 3**, 338 f. ▪ s. a. Barium. – [HS 2834 29; CAS 10022-31-8]

Barium-organische Verbindungen. Sehr kleine, techn. bedeutungslose Gruppe von Verb. mit C-Ba-Bindungen. Im erweiterten Sinne kann man den B.-o. V. auch die Ba-Salze der Carbonsäuren zurechnen, von denen *Bariumstearat, -laurat, -ricinoleat etc. als Schmiermitteladditive u. – ggf. kombiniert mit entsprechenden Cadmium-Salzen – als *PVC-Stabilisatoren dienen, Bariumoctoat auch als Trockenstoff für Anstrichstoffe. Die B.-o. V. gelten je nach Wasserlöslichkeit als giftig. – *E* organobarium compounds – *F* composé organique de baryum – *I* composti organici di bario – *S* compuestos organobáricos
Lit.: s. Barium.

Bariumoxid. BaO, M_R 153,33. Farbloses Xn
Pulver, D. 5,72 (kub.) bzw. 5,32 (hexagonal), giftig, Schmp. ca. 1920 °C, das sich mit Wasser unter lebhafter Wärmeentwicklung zu Bariumhydroxid vereinigt. Es wird techn. durch Erhitzen eines Kohle-Bariumcarbonat-Gemisches auf ca. 1030 °C od. von $BaCO_3$ auf 1300 °C hergestellt, im Labor auch durch Glühen von Bariumnitrat.
Verw.: Als Absorptionsmittel für CO_2 u. Wasser, zur Herst. von Bariumperoxid, Bariumhydroxid, organ. Ba-Salzen, Spezialgläsern u. Oxidkathoden. – *E* barium oxide – *F* oxyde de baryum – *I* ossido di bario – *S* óxido de bario
Lit.: Brauer (3.) **2**, 925 f. ▪ Gmelin, Syst.-Nr. 30, Ba, 1932, S. 74–92, Erg. Bd. 1960, S. 278–289 ▪ Hommel, Nr. 929 ▪ Kirk-Othmer (4.) **3**, 923 ▪ Ullmann (5.) **A 3**, 337 ▪ s. a. Barium. – [HS 2816 30; CAS 1304-28-5]

Bariumperchlorat. $Ba(ClO_4)_2$, M_R 336,23. O
Farblose Krist., D. 2,74, Schmp. 505 °C, lösl. in Wasser u. Alkohol, giftig, kann in Xn
Berührung mit organ. Substanz explodieren.
Verw.: Oxidationsmittel, zur Gastrocknung, zur Ribonuclease-Bestimmung u. zur Sulfat-Titration in Verb. mit Thorin. – *E* barium perchlorate – *F* perchlorate de baryum – *I* perclorato di bario – *S* perclorato de bario
Lit.: Brauer (3.) **1**, 329 ▪ Gmelin, Syst.-Nr. 30, Ba, 1932, S. 218–222, Erg.-Bd. 1960, S. 373–379 ▪ Hommel, Nr. 818. – [HS 2829 90; CAS 13465-95-7]

Bariumperoxid. BaO_2, M_R 169,33. Farbloses, in Wasser schwer lösl., giftiges, in Alkohol u. Ether unlösl. Pulver, das beim Erhitzen Xn
auf über 700 °C Sauerstoff abgibt u. mit verd. Säuren Wasserstoffperoxid bildet. Ähnlich wie letzteres kann auch BaO_2 (mit Wasser aufgeschwemmt) als Oxidations- u. Reduktionsmittel wirken.
Herst.: Man erhitzt Bariumoxid unter 200 kPa Druck mit Luft auf etwa 500 °C.
Verw.: Zur Herst. von Wasserstoffperoxid, in Zündkirschen (mit Mg-Pulver) bei der *Aluminothermie, zur Entfärbung von Bleigläsern, zum Bleichen von Stroh, Seide sowie allg. als Oxidationsmittel. – *E* barium peroxide – *F* peroxyde de baryum – *I* perossido di bario – *S* peróxido de bario
Lit.: Brauer **1**, 828 ▪ Gmelin, Syst.-Nr. 30, Ba, 1932, S. 92–105, Erg. Bd. 1960, S. 296 ff. ▪ Hommel, Nr. 230 ▪ Kirk-Othmer (4.) **3**, 923 f. ▪ Ullmann (4.) **17**, 715 ▪ s. a. Barium. – [HS 2816 30; CAS 1304-29-6]

Bariumplatincyanür s. Bariumtetracyanoplatinat(II).

Bariumpolysulfid s. Bariumsulfid.

Bariumquecksilberiodid s. Bariumtetraiodomercurat(II).

Bariumstearat. $(H_{35}C_{17}-CO-O)_2Ba$, Xn
$C_{36}H_{70}BaO_4$, M_R 704,28. Farblose, krist. Masse, unlösl. in Wasser u. Alkohol, Schmelzbereich 200 °C.

Verw.: Gleitmittel bei der Kunststoff- u. Metallverarbeitung, Stabilisator für PVC, in wasserabstoßenden Präp., zur Schmierfettherst. usw. – *E* barium stearate – *F* stéarate de baryum – *I* stearato di bario – *S* estearato de bario
Lit.: Beilstein E IV **2**, 1214 ▪ Snell-Hilton **6**, 555 ▪ Ullmann (5.) **A 16**, 368 ▪ s. a. Metallseifen. – *[HS 2915 70]*

Bariumsulfat. $BaSO_4$, M_R 233,40. Farblose rhomb. Krist., D. 4,25–4,5, Zers. >1400 °C zu BaO, SO_2 u. O_2. In Wasser, Säuren u. Laugen ist $BaSO_4$ prakt. unlösl.: 100 g Wasser lösen bei 18 °C nur 0,22 mg $BaSO_4$. In heißer, konz. Schwefelsäure steigt die Löslichkeit infolge Hydrogensulfat-Bildung dagegen bis auf 12%. Infolge seiner äußerst geringen Löslichkeit ist $BaSO_4$ im Gegensatz zu anderen Ba-Verb. ungiftig. Um $BaSO_4$ in der chem. Analyse in eine lösl. Verb. überzuführen, wird es längere Zeit (fein gepulvert) in einer Mischung aus Soda u. Pottasche geschmolzen, wobei Bariumcarbonat entsteht, das mit Salzsäure gelöst werden kann. Unter dem Einfluß von Reduktionsmitteln wie Wasserstoff, Kohle, Kohlenoxid usw. geht $BaSO_4$ bei höherer Temp. schließlich in Bariumsulfid über, aus dem techn. alle anderen Ba-Verb. gewonnen werden. B. ist damit die techn. wichtigste Verb. des Bariums.
Vork.: In der Natur kommt B. in Form von großen, durchsichtigen od. durchscheinenden, farblosen od. gelb, grau bis braun gefärbten, glas- bis perlmuttglänzenden, rhomb. Krist. vor, die man ihrer hohen Dichte wegen als *Schwerspat* od. *Baryt bezeichnet (D. 4,5, H. 3–3,5). Eine seltene Erscheinungsform im Sand wird *Wüstenrose* genannt. Die wichtigsten Schwerspatlager in der BRD sind bei Meggen in Westfalen (s. Bergbau-Handbuch, Essen: Glückauf-Verl. 1986). Die Weltförderung an Schwerspat 1986 in Höhe von 4,8 Mio. t verteilte sich wie folgt (Angaben in Kt): VR China (1000), ehem. UdSSR (540), Mexiko (375), Indien (327), Türkei (310), USA (269), BRD (202), Marokko (190), Irland (128), Thailand (142), Frankreich (114), Italien (114), Brasilien (110) (s. *Lit.*[1]).
Herst.: Gefälltes Bariumsulfat erhält man aus Bariumsalzen u. Sulfaten od. Schwefelsäure gemäß $BaCl_2 + H_2SO_4 \rightarrow BaSO_4 + 2 HCl$ als feinteiliges farbloses Pulver, dessen Korngröße durch die Fällungsbedingungen zu steuern ist.
Verw.: Die Hauptmenge des B. wird in der Erdöl-Ind. zur Erzielung eines Bohrschlammes hoher Dichte verbraucht, der die Bohrlöcher durch Flotation von Gesteinsbrocken frei hält. Durch Anrühren von fein gemahlenem, natürlichem Schwerspat od. von gefälltem $BaSO_4$ mit Leinöl od. anderen Bindemitteln erhält man sehr beständige Malerfarben, die allerdings nicht so stark decken wie z. B. *Bleiweiß, dafür aber gegen Schwefelwasserstoff beständig sind u. nicht nachdunkeln – daher die Bez. *Permanentweiß* od. *Blanc fixe.* Als Weißpigment hat gefälltes $BaSO_4$ ebenso wie *Lithopone (ca. 70% $BaSO_4$ + 30% ZnS) stark an Bedeutung zugunsten von *Titandioxid verloren. Die Hauptmenge wird als Füllstoff für Kunststoffe u. Kautschuk, Lacke, Anstriche u. Beschichtungen verwendet. Durch den Zusatz von Blanc fixe werden Kunstdruck- u. Photopapiere (Barytpapiere) außerordentlich gut glättbar; beim Verbrennen derselben bleibt das $BaSO_4$ als weißliche Kruste zurück. In der Textil-Ind. dient $BaSO_4$ als Weißwaren-Appretur, zum Mattieren von Reyon im Druck u. im Weißätzen. $BaSO_4$ eignet sich in Verb. mit Beton (*Barytbeton, Barytzement*) auch als Abschirmmaterial für Atomenergieanlagen, da es einen hohen Absorptionskoeffizienten für γ- u. Röntgenstrahlung aufweist. In zahlreichen *Röntgenkontrastmitteln ist $BaSO_4$ (*Röntgenbaryt*) enthalten. Einen sehr ausführlichen Überblick über Gewinnung, Eigenschaften u. Verw. von $BaSO_4$ in *Lit.*[2]. – *E* barium sulfate – *F* sulfate de baryum – *I* solfato di bario – *S* sulfato de bario
Lit.: [1] World Mineral Statistics 1982–86, Nottingham: Keyworth 1988. [2] Kunstst.-J. **8**, Nr. 10, 30–36 u. Nr. 11, 26–31 (1974).
allg.: Gmelin, Syst.-Nr. 30, Ba, 1932, S. 262–279, Erg.-Bd. 1960, S. 412–449 ▪ Kirk-Othmer (4.) **3**, 924 ▪ Mining Annual Review, S. 116 f., London: Mining Journal Ltd. 1988 ▪ Ramdohr-Strunz, S. 598 ff. ▪ Snell-Hilton **6**, 555–568 ▪ Ullmann (5.) **A 3**, 330 ff. ▪ Winnacker-Küchler (4.) **3**, 396 ff. ▪ s. a. Barium. – *[HS 2511 10, 2833 27; CAS 7727-43-7]*

Bariumsulfid. BaS, M_R 169,39. Farblose, kub. Krist., giftig, D. 4,25, Schmp. 2227 °C, das sich in Wasser unter partieller Hydrolyse auflöst. Aus dieser oxidationsempfindlichen Lsg. krist. beim Abkühlen ein Doppelsalz der Zusammensetzung $Ba(OH)_2 \cdot Ba(SH)_2 \cdot 10 H_2O$. Neben dem wasserfreien Salz ist das Hexahydrat $BaS \cdot 6 H_2O$, M_R 277,48 bekannt, das hexagonal kristallisiert. Zur Herst. erhitzt man eine Mischung aus Schwerspat u. Kohle auf 1200 °C (vgl. Barium), wobei zunächst rohes B. (*Rohschwefelbarium, E black ash*) als rötlich- od. grau-farblose Masse entsteht, aus dem B. mit heißem Wasser extrahiert werden kann. Unreines BaS zeigt Phosphoreszenz, s. Lenard-Phosphore.
Verw.: Zur Herst. der anderen Ba-Verb. (vgl. *Lit.*[2] bei Bariumsulfat), von *Lithopone, *Cadmium-Pigmenten, *Leuchtstoffen, früher in *Depilatorien. Sog. *Bariumpolysulfid* wird im Pflanzenschutz als *Fungizid u. *Akarizid gegen Mehltau u. Spinnmilben eingesetzt. – *E* barium sulfide – *F* sulfure de baryum – *I* solfuro di bario – *S* sulfuro de bario
Lit.: Brauer (3.) **2**, 927 f. ▪ Braun-Dönhardt (3.) S. 68 ▪ Gmelin, Syst.-Nr. 30, Ba, 1932, S. 251–257, Erg. Bd. 1960, S. 404–409 ▪ Hommel, Nr. 37 ▪ Kirk-Othmer (4.) **3**, 924 f. ▪ Ullmann (5.) **A 3**, 329, 332 ff. – *[HS 2830 90; CAS 21109-95-5 (wasserfrei); 66104-39-0 (Hexahydrat)]*

Bariumtetracyanoplatinat(II) (veraltet: Bariumplatincyanür). $Ba[Pt(CN)_4] \cdot 4 H_2O$, M_R 436,48. In Wasser lösl. Krist., D. 3,05, die im durchscheinenden Licht gelbgrün, im auffallenden Licht dagegen blauviolett gefärbt erscheinen. B. lumineszert grünlich beim Auftreffen von Röntgenstrahlen od. kurzwelligem UV-Licht; es wurde daher als Leuchtschirm bei Röntgenbeobachtungen verwendet. In neuerer Zeit tritt es zugunsten billigerer *Leuchtstoffe in den Hintergrund. – *E* barium tetracyanoplatinate(II) – *F* tétracyanoplatinate de baryum (II) – *I* tetracianoplatinato(II) di bario – *S* tetracianoplatinato(II) de bario
Lit.: Beilstein E IV **2**, 80 ▪ Gmelin, Syst.-Nr. 68, Pt, Tl. C, 1940, S. 287–292. – *[HS 2843 90]*

Bariumtetraiodomercurat(II). $Ba[HgI_4]$, M_R 845,54; rötliche, zerfließliche, sehr giftige Krist., die sich in Wasser u. Alkohol leicht lösen. Die konz. wäss. Lsg. von B. wird als Alkaloid-Reagenz in

der Mikrochemie u. in der Mineralogie zur *Sink-Schwimm-Aufbereitung von Mineralgemischen (*Rohrbachs Lösung*, max. D. bei 20°C 3,485) sowie zur Dichtebestimmung von Mineralen verwendet. – *E* barium-tetraiodomercurate(II) – *F* tétraiodomercurate de barium – *I* tetraodomercurato(II) di bario – *S* tetraiodomercurato(II) de bario
Lit.: Mineral. Mag. 2, 248–253 (1978) ▪ Ney, Gesteinsaufbereitung im Labor, S. 96 f., Stuttgart: Enke 1986.

Bariumtitanat. $BaTiO_3$, M_R 233,21, D. 6,08, Schmp. 1625°C. Die im *Perowskit-Gitter krist. Verb. gehört zur Gruppe der *Ferroelektrika u. ist der bedeutendste elektrokeram. Werkstoff mit hoher Dielektrizitätskonstante (10^3–10^4), piezoelektr. u. Halbleiter-Eigenschaften. Die techn. Herst. erfolgt durch die Festkörperreaktion ($BaCO_3 + TiO_2 \to BaTiO_3 + CO_2$) bei 1000°C u. anschließende Mahlung, Formgebung u. Sinterung. Die physikal. Eigenschaften werden u.a. durch teilw. Ersatz von Ba u. Ti durch Fremd-Ionen, Dotierung mit Spuren von Metallen sowie die Korngröße des Titanat-Pulvers beeinflußt.
Verw.: B.-Keramik findet vorwiegend als *Dielektrikum für Kondensatoren Verw., sowie als Kaltleiter, dessen Widerstand mit 50–100°C Temp.-Erhöhung um das 10^3- bis 10^6-fache ansteigt (positive temperature coefficient = PTC-Widerstand), z. B. als Übertemperaturschutz. Für piezoelektr. *Ultraschall- u. Schallschwinger wird meist nicht mehr B., sondern ebenfalls im Perowskit-Gitter krist. Bleititanatzirkonat, $Pb(Ti,Zr)O_3$, verwendet. – *E* barium titanate – *F* titanate de baryum – *I* titanato di bario – *S* titanato de bario
Lit.: Aigner, Ferroelectric Ceramic Oxides, in Modern Oxide Materials, London: Academic Press 1972 ▪ Büchner et al., Industrielle Anorg. Chemie, S. 455 f., Weinheim: Verl. Chemie 1984 ▪ Gmelin, Syst.-Nr. 41, Ti, 1951, S. 433–454 ▪ Kirk-Othmer (4.) **3**, 925 f. ▪ Ullmann (5.) **A 6**, 83 ff.; **A 10**, 316 ff. ▪ Winnacker-Küchler (4.) **3**, 198 ▪ s.a. Ferroelektrika u. Piezoelektrizität. – *[HS 284190; CAS 12047-27-7]*

Barkhausen-Effekt. Nach dem dtsch. Physiker Barkhausen (1881–1956) benannte Erscheinung: Wird ein ferromagnet. Material (s. Ferromagnetika u. Magnetochemie) in ein äußeres Magnetfeld gegeben, so finden bei kleinen Magnetfeldstärken reversible Wandverschiebungen zwischen den magnet. Domänen (*Weiß'sche Bezirke) statt, solange bis jeweils das äußere Magnetfeld kompensiert ist. Bei größeren Magnetfeldstärken kommt es zu irreversiblen, diskontinuierlichen Sprüngen bei den Wandverschiebungen. Diese Sprünge, genauer *Barkhausen-Sprünge*, zeigen sich als kleine Treppe in der Magnetisierungskurve u. lassen sich durch geeignete techn. Anordnungen akust. od. oszillograph. registrieren.
Lit.: Weißmantel u. Hamann, Grundlagen der Festkörperphysik, Heidelberg: Barth 1995.

Barkla, Charles Glover (1877–1944), Prof. für Physik, Univ. London u. Edinburgh. *Arbeitsgebiete:* Entdeckung der für jedes Element charakterist. Röntgenstrahlung, Schätzwerte für die Elektronenzahlen in den Atomen der streuenden Stoffe; Nobelpreis für Physik 1917.
Lit.: Krafft, S. 300 ▪ Neufeldt, S. 124 ▪ Poggendorff **5**, 59–60 ▪ Strube **2**, 80 ▪ Strube et al., S. 117.

Barkometer-Grade s. Aräometer.

Barlene®. Alkyldimethylamine (C_8–C_{18}) von Lonza.

Barn (Kurzz. b). Von der IUPAC vorläufig beibehaltene Flächeneinheit (1 b = 10^{-28} m^2) zur Kennzeichnung des *Wirkungsquerschnitts.
Lit.: IUPAC: Größen, Einheiten u. Symbole in der Physikalischen Chemie, Weinheim: VCH Verlagsges. 1996.

Barnase s. Ribonucleasen.

Barometer. Von griech.: baros = Gewicht abgeleitete Bez. für Geräte zur Messung des *Luftdrucks. Bei *Flüssigkeits-B.* taucht eine oben geschlossene, unten offene, mit einer Flüssigkeit gefüllte Glasröhre in ein mit derselben Flüssigkeit gefülltes, zur Atmosphäre hin offenes Gefäß. Der Luftdruck, der auf die Flüssigkeits-Oberfläche wirkt, hält dem Druck der Flüssigkeits-Säule in der Glasröhre das Gleichgew.; der Höhenunterschied zwischen dem Flüssigkeitsspiegel im offenen Gefäß u. dem Flüssigkeits-*Meniskus in der Glasröhre ist ein Maß für den Luftdruck. Bei dem üblicherweise in B. verwendeten Quecksilber beträgt der Höhenunterschied ca. 760 mm, bei Wasser ca. 10,33 m. Bei *Aneroid-B.* wird der Luftdruck als Maß der elast. Verformung von metall. Hohlkörpern bestimmt, während man sich bei *Siede-B.* (*Hypsometern*) die Abhängigkeit des Sdp. von Flüssigkeiten vom Luftdruck zunutze macht, wobei meist dest. Wasser verwendet wird (einer Luftdruckänderung von 1 Torr = 1 mm Hg = 1,33 mbar entspricht eine Temp.-Änderung von 0,04 °C). Die Kenntnis des Luftdrucks ist unerläßlich bei allen chem. Reaktionen, bei denen Gasvol. bestimmt werden müssen. – *E* barometers – *F* baromètres – *I* barometro – *S* barómetro
Lit.: Kohlrausch, Praktische Physik, Bd. 1, S. 153, Stuttgart: Teubner 1985.

Barometrische Höhenformel. Bei konstanter *absoluter Temperatur T ergibt sich der Luftdruck p_1 in der Höhe h_1 aus dem Luftdruck p_0 in der Höhe h_0 durch $p_1 = p_0 \cdot \exp(-mg(h_1 - h_0)/kT)$ mit g = Erdbeschleunigung = 9,81 m/s^2 (ist ortsabhängig), k = Boltzmann-Konstante, m = Masse der Gasteilchen. Die Formel gilt nur für ideale, bzw. hinreichend verd. Gase. Durch Umstellung der B. H. kann über die Messung des atmosphär. Luftdrucks z. B. die Höhe berechnet werden. – *E* barometric equation – *F* formule barométrique – *I* formula barometrica di livellazione – *S* ecuación barométrica
Lit.: Demtröder, Experimentalphysik, Bd. 1, S. 185, Berlin: Springer 1994 ▪ Kohlrausch, Praktische Physik, Bd. 3, S. 39, Stuttgart: Teubner 1986.

Barquat®. Benzalkoniumchloride (C_{12}–C_{18}) von Lonza.

Barratt-Verfahren. Bez. für eine Meth. zur Abschätzung der Helligkeit von *Harzen durch kolorimetr. Vgl. mit verschiedenen konz. Lsg. von $FeCl_3$ u. $CoCl_2$ in Salzsäure. – *E* Barratt method – *F* méthode de Barratte – *I* processo Barratt – *S* método de Barratt

Barrel (Abk. bbl). 1. Angelsächs. Zählmaß von sehr unterschiedlicher Bedeutung: (a) *für Flüssigkeiten:* 1 B. = 36 imperial *gallons = 163,6 dm^3 (Großbritannien), 1 B. = 31,5 US gallons = 119,237 dm^3; (b) *für Festkörper:* im Gew. je nach Material sowie in Großbritannien u. den USA verschieden, z. B. 1 B. Schieß-

pulver = 45,35 kg, in den USA dagegen 1 B. Schießpulver = 11,34 kg.
2. USA-Raummaß für *Erdöl:* 1 barrel = 42 US gallons = 158,987 dm³. Bei der Umrechnung von bbl in metr. Tonnen ist die D. zu berücksichtigen. Einer metr. Tonne entsprechen z. B. ca. 7,33 bbl Erdöl od. ca. 7,4 bbl Dieselöl od. ca. 8,7 bbl Motorkraftstoff.
Lit.: IUPAC: Größen, Einheiten u. Symbole in der Physikalischen Chemie, Weinheim: VCH Verlagsges. 1996.

Barrelen. Trivialname für den Kohlenwasserstoff Bicyclo[2.2.2]octa-2,5,7-trien.

C_8H_8, M_R 104,15, Schmp. 15–16 °C, geht bei Belichtung in *Cyclooctatetraen u. *Semibullvalen über. –
$E = I$ barrelene – S barreleno
Lit.: Intra-Sci. Chem. Rep. **4**, 23 f. (1970).

Barren. Nach DIN 17600, Tl. 1 (07/1987) ist B. ein Oberbegriff für die Erzeugnisse der Formatgießerei von *Nichteisenmetallen, die zur Warmumformung durch Strangpressen, Schmieden od. Walzen bestimmt sind (Preß-, Schmiede- bzw. Walz-B., nach dem Querschnitt als Flach- bzw. Preßflach-, Rund- od. Vierkant-B.). Die Goldbestände der Notenbanken werden in B.-Gold (zu je 12,5 kg) gehalten, u. Gold-B. sind am Bankschalter auch zu 100, 50, 20 u. 10 g erhältlich. –
E bars, ingots – F lingots, barres – I barre, verghe, lingotti – S barras, lingotes

Barrierekunststoffe. B. sind *Kunststoffe mit sehr geringer Permeabilität für Gase, Dämpfe u. Flüssigkeiten. Sie werden klassifiziert in Produkte mit hoher, mittlerer u. niedriger Barrierewirkung. Zur 1. Klasse rechnet man u. a. *Polyvinylidenchlorid u. Copolymere des Acrylnitrils mit Styrol bzw. Acrylaten, zur 2. *Polyamide, *Polyester u. *Polyvinylchlorid bzw. -fluorid, zur 3. *Polystyrol u. *Polyolefine. Gegenüber einzelnen Stoffen kann die Barrierewirkung eines B. sehr unterschiedlich sein; trockenes *Cellophan z. B. ist zwar ein hervorragender B. für Sauerstoff u. Kohlendioxid, aber ein sehr schlechter für Wasserdampf.
Verw.: B. werden als Folien (in Verbundfolien od. *Laminaten) u. Beschichtungsmaterialien auf dem Verpackungssektor, insbes. im Nahrungsmittel- u. Getränkebereich breit eingesetzt. – E barrier polymers – F produits synthétiques de barrière – I prodotti sintetici di barriera – S polímeros de barrera
Lit.: Encycl. Polym. Sci. Eng. **2**, 176 ff. ▪ Encycl. Polym. Sci. Technol. **S 1**, 65 ff. ▪ Kirk-Othmer (3.) **3**, 480 ff.

Bartgrasöl s. Citronellöl.

Bartholomäus, Anglicus; auch Bartholomew der Engländer (ca. 1205–ca. 1272). Als Lektor an der Franziskanerschule in Magdeburg verfaßte er in den Jahren von 1230 bis 1250 die Enzyklopädie „De proprietatibus rerum" (Von den Eigenschaften der Dinge). Diese Enzyklopädie umfaßt die gesamten naturwissenschaftlichen Kenntnisse der damaligen Zeit.
Lit.: Pötsch, S. 28.

Bartlett, Neil (geb. 1932), Prof. Dr. h. c. mult. für Chemie, Caltech, Berkeley (USA). *Arbeitsgebiete:* Fluor, Festkörper- u. Strukturchemie, unübliche Oxidationsstufen der Elemente, Entdeckung der Edelgas-Verbindungen.
Lit.: Pötsch, S. 29 ▪ Who's Who, S. 113.

Bartlett, Paul Doughty (geb. 1907), Prof. für Organ. Chemie, Harvard-Univ., Cambridge (Mass., USA). *Arbeitsgebiete:* Organ. Reaktionsmechanismen, Radikale, Kettenreaktionen, Dissoziation von Hexaphenylethan, Kinetik u. Chemismus der Polymerisation, Carbonium-Ionen, Autoxid., organ. Peroxide, Cycloadditionen u. Reaktionen des elementaren Schwefels.
Lit.: Chem. Br. **4**, 474 f. (1968) ▪ Chem. Eng. News **41**, Nr. 21, 96 (1963) ▪ Pötsch, S. 29 ▪ Who's Who in America 1995, S. 214.

Barton, Derek Harold Richard (geb. 1918), Prof. am Dept. of Chemistry, Texas A+M Univ., College Station, Tx 11843, USA. *Arbeitsgebiete:* Stereochemie, Konformationsanalyse (hierfür Nobelpreis für Chemie 1969, zusammen mit *Hassel), Alkaloide, Antibiotika, Steroide, Terpenoide, Photochemie, Phenol-Oxid., allg. Naturstoffsynth., Biogenese.
Lit.: Bibliogr. Chemists **1**, 9–28 (1971) ▪ Nachr. Chem. Tech. **17**, 395 (1969) ▪ Nobel Prize Lectures Chemistry 1963–1970, Amsterdam: Elsevier 1972 ▪ Pötsch, S. 29 ▪ Top. Stereochem. **6**, 1–18 (1971).

Barton-Reaktion. Die von *Barton[1] anläßlich der Synth. des *Aldosterons entdeckte Reaktion, bei der spezif. eine Methyl-Gruppe, die in γ-Position zu einer *Hydroxy-Gruppe steht zum Aldehyd oxidiert wird, wobei die Alkohol-Funktion erhalten bleibt. Mit *Nitrosylchlorid als Reagenz, wird über die Stufe des Alkylnitrits, photolyt. ein δ-Hydroxyoxim gebildet, das zu der gewünschten Carbonyl-Verb. hydrolysiert wird. Die Reaktion läuft nur dann ab, wenn sich die Methyl-Gruppe in einer geeigneten ster. Position befindet; in mechanist. Hinsicht ist sie mit der *Hofmann-Löffler-Freytag-Reaktion vergleichbar. Prim. Alkyl-Reste werden zu *Ketonen, sek. zu Nitroso-Verb. oxidiert.

– E Barton reaction – F réaction de Barton – I reazione di Barton – S reacción de Barton
Lit.: [1] J. Am. Chem. Soc. **83**, 4083 f. (1961).
allg.: Adv. Free-Radical Chem. **3**, 83–137 (1969) ▪ Adv. Photochem. **2**, 263–304 (1964) ▪ Aldrichim. Acta **23**, 3 ff. (1990) ▪ Hassner-Stumer, S. 22 ▪ March (4.), S. 1153 f. ▪ Pure Appl. Chem. **16**, 1–15 (1968).

Bart-Reaktion (Bart-Scheller-Reaktion). Synth. von aromat. Arsonsäuren durch Umsetzung von aromat. *Diazonium-Verbindungen mit Trinatriumarsenat(III) (Arsonylierung); vgl. Sandmeyer-Reaktion.

– E Bart reaction – F réaction de Bart – I reazione di Bart
Lit.: Hassner-Stumer, S. 21 ▪ Organikum, S. 567.

Bart-Scheller-Reaktion s. Bart-Reaktion.

Baryonen. Von griech.: barys = schwer abgeleitete Bez. für *Nukleonen u. *Hyperonen, d. h. schwere Elementarteilchen mit halbzahligem *Spin (*Fermionen), die eine mind. ebenso große Masse wie das Proton besitzen. Die B. haben eine *Baryonenzahl* ± 1 u. eine *Leptonenzahl* 0. Sie unterliegen der starken Wechselwirkung u. sind daher *Hadronen; näheres s. bei Elementarteilchen. – $E = F$ baryons – I barioni – S bariones
Lit.: s. Elementarteilchen.

Baryt (Schwerspat).(β-)BaSO$_4$; wichtigstes Barium-Mineral; farblose, weiße od. verschieden gefärbte, glas- bis perlmuttglänzende, tafelige, prismat. od. stengelige, rhomb. Krist., blättrige Krist.-Aggregate; auch schalig, körnig (marmorartig), spätig, faserig u. derb. Krist.-Klasse mmm-D$_{2h}$, Struktur s. *Lit.*[1,2]; H. 3–3,5, D. 4,3–4,7 (Name!), vollkommene Spaltbarkeit. B. bildet Mischkrist. mit *Cölestin.
Vork.: V. a. in hydrothermalen *Gängen, z. B. Dreislar/Sauerland, Oberwolfach/Schwarzwald. In *Sedimentgesteinen als Knollen, *Konkretionen (z. B. Rockenberg/Hessen) u. Kluftfüllungen. *Hauptförderländer* sind: VR China, USA, Indien, Marokko, Mexiko u. die GUS-Staaten.
Verw.: Hauptsächlich in der Erdöl-Ind. zur Erzielung eines Bohrschlammes hoher Dichte, der die Bohrlöcher von Gesteinsbrocken freihält; weitere Verw. s. Bariumsulfat. – $E = F$ baryte, barite – I barite, spato pesante – S barita
Lit.: [1] Am. Mineral. **63**, 506–510 (1978). [2] Z. Kristallogr. **191**, 161–171 (1990).
allg.: Harben u. Bates, Industrial Minerals, Geology and World Deposits, S. 10–18, London: Industrial Minerals Division of Metal Bulletin Plc 1990 ▪ Lapis **13**, Nr. 10, 6–9 (1988) ▪ Ramdohr-Strunz, S. 598 ff. ▪ Ullmann (5.) A **3**, 330 ff. ▪ s. a. Bariumsulfat. – *[CAS 13462-86-7]*

Barytbeton s. Bariumsulfat.

Barytgelb s. Bariumchromat.

Barytpapier s. Bariumsulfat.

Barytwasser s. Bariumhydroxid.

Barytzement s. Bariumsulfat.

Basacel®. Wachstumsregler auf der Basis von *Chlormequatchlorid, Cholinchlorid u. Stickstoff sowie anderen Pflanzennährstoffen für den Zierpflanzenbau. *B.*: BASF.

Basacid®. Anion. Farbstoffe für Tinten, Ink Jets u. spezielle Anwendungsgebiete, z. B. Düngemittel, Pflanzenschutzmittel, Detergentien. *B.*: BASF.

Basacote®. Umhüllter Depot-Volldünger für Container- u. Kübelpflanzen sowie Baum- u. Gehölzpflanzungen. B.-Dünger haben entweder eine Wirkungsdauer von sechs Monaten u. eine Zusammensetzung von 14% N, 10% P$_2$O$_5$, 13% K$_2$O, 2% MgO u. Spurenelementen od. von neun Monaten mit 15% N, 11% P$_2$O$_5$ u. 13% K$_2$O. *B.*: COMPO.

Basagran®. Herbizid auf der Basis von *Bentazon gegen breitblättrige Unkräuter in Getreide, Mais, Erbsen, Kartoffeln u. a. Kulturen. *B.*: BASF.

Basalmembran (Basallamina, Grundmembran). Zu den Ausbildungen der *extrazellulären Matrix gerechnete, dünne, widerstandsfähige Schicht.
Vork.: B. befinden sich zwischen Epithel- u. Bindegewebe, umgeben aber auch Muskel-, Fett- u. Schwannzellen (*Myelin-bildende Zellen).
Struktur: B. bestehen hauptsächlich aus *Collagen Typ IV sowie einem aus Heparansulfat (s. Heparin) gebildeten *Proteoglykan (*Perlecan*) u. enthalten zusätzlich die *Glykoproteine *Laminin u. *Entactin* (*Nidogen*). Dabei bildet das Collagen ein mehrschichtiges Geflecht; auch Laminin lagert sich zu einem zweidimensionalen Netz zusammen. Die beiden Aggregate sind miteinander verwoben, u. für zusätzlichen Zusammenhalt zwischen Collagen u. Laminin sorgen sowohl Entactin als auch Perlecan.
Funktion: Die B. übt wahrscheinlich einen Einfluß auf die *Differenzierung von Zellen aus u. bildet ein Gerüst, an dem Zellen entlangwandern u. sich anlagern können (z. B. bei Wundheilung od. in der Embryonalentwicklung). Dabei koordiniert sie deren räumliche Anordnung (z. B. bei Regeneration von Nerv-Muskel-Synapsen). Sie trennt Epithel- von Bindegewebszellen u. dient in der Niere als Mol.-Filter zwischen Blut u. Primärharn. Verbindungspunkte von B. u. darüberliegenden Epithelzellen werden als Hemidesmosomen (s. Desmosomen) bezeichnet. – E basement membrane – F membrane basale – I membrana basale – S membrana basal
Lit.: Alberts et al., Molekularbiologie der Zelle, 3. Aufl., S. 1167–1173, Weinheim: VCH Verlagsges. 1995 ▪ Bioessays **18**, 123–132 (1996) ▪ Rohrbach u. Timpl, Molecular and Cellular Aspects of Basement Membranes, San Diego: Academic Press 1993.

Basalte. Schon von *Plinius benutzte Gruppenbez. für mehr od. weniger alkalireiche, meist dunkle bis schwarze, überwiegend feinkörnige, in zahlreichen Varianten außerordentlich verbreitete *Vulkanite. Man beobachtet seilartige (Pahoehoe-*Lava), brockenförmige (Aa-Lava), fluidale, Mandelstein-artige, schaumige, kugelige, kissenförmige sowie fünf- od. sechseckig-säulige Ausbildungsformen; D. meist 2,8–3. Wichtige Bestandteile vieler B. sind Plagioklase (*Feldspäte), *Pyroxene, daneben auch *Nephelin, *Olivin u. *Hornblende. Ohne genauere Untersuchung lassen sich oft *Tholeiit-B.* (Tholeiite, früher: Plagioklas-B.) u. *Alkali-B.* nicht von *Tephriten* (Hauptbestandteile Plagioklas, Pyroxen u. Nephelin, <10% Olivin) u. *Basaniten* (>10% Olivin) sowie einigen Übergangstypen unterscheiden; zur Nomenklatur der B. vgl. magmatische Gesteine u. s. das TAS-Diagramm bei Vulkanite. *Dolerit* ist eine häufig benutzte Bez. für mittel- bis grobkörnige B. unterschiedlicher Zusammensetzung; in den USA werden solche B. als *Diabas bezeichnet.
Vork.: Eifel, Rhön, Siebengebirge, Westerwald, Vogelsberg; riesige, zum großen Teil aus Tholeiit-B. bestehende B.-Decken (*Plateau-B., Flut-B.*) z. B. in Island, Indien (Dekkan-Trapp, „*Trapp-B.*") u. im Parana-Becken in Südamerika (750000 km^2). Die sog. *MORB* (= Mid Ocean Ridge Basalts) sind aus Schmelzen erstarrt, die aus Magmenkammern unter den mittelozean. Rücken (*Erde) aufgedrungen sind. Die Laven u.

Aschen von vielen heute noch tätigen Vulkanen haben basalt. Zusammensetzung, z. B. beim Ätna u. bei den Hawaii-Vulkanen (*ozean. Insel-B.*).
Verw.: Zum Straßenbau, im Altertum auch als Baustein u. für Schrifttafeln (Hethiter). Geschmolzene B. lassen sich zu *B.-Glaskeramiken* u. zu *B.-Faserstoffen* verarbeiten, die als Isoliermaterial Bedeutung haben (s. Basaltfasern u. Basaltwolle). – *E* basalts – *F* basaltes – *I* basalti – *S* basaltos
Lit.: Hall, Igneous Petrology (2.), S. 292–347, Harlow (England): Longman Scientific & Technical 1989 ■ Matthes, Mineralogie (4.), S. 210–225, Berlin: Springer 1994 ■ Schmincke, Vulkanismus, S. 27–62, Darmstadt: Wissenschaftl. Buchges. 1986 ■ Wilson, Igneous Petrogenesis, London: Unwin Hyman 1989, 466 ff. (zahlreiche Zitate der B.-Typen) ■ Wimmenauer, Petrographie der magmatischen u. metamorphen Gesteine, S. 191–207, Stuttgart: Enke 1985.

Basaltfasern. Durch Schmelzen von *Basalt gewonnene *Mineralfasern [1], meist in Form von Wolle (*Basaltwolle).
Lit.: [1] Chem. Eng. News **52**, Nr. 17, 18 (1974).
allg.: Kirk-Othmer (3.) **11**, 819 f. ■ Ullmann (4.) **11**, 364 f.; **21**, 405 f.; (5.) **A 23**, 702.

Basaltwolle. Langfaserige Wolle aus *Basaltfasern, die von Feuchtigkeit, Säuren u. Laugen nicht angegriffen wird u. Temp. bis 900 °C aushält. B. wird als *Schall- u. *Wärmedämmstoff in der Bautechnik, bei der Herst. von Hochöfen, Lokomotiven, feuerfesten Kleidungsstücken usw. verwendet. – *E* basalt wool – *F* laine de basalte – *I* lana basaltica – *S* lana basáltica
Lit.: s. Basaltfasern.

Basamid®. *Dazomet in Granulatform zur Bodenentseuchung. *B.:* BASF.

Basammon® stabil 27. Dünger für landwirtschaftliche Kulturen auf der Basis von Ammonsulfatsalpeter mit Nitrifikations-Inhibitor *Cyanoguanidin. B. enthält 27% Gesamt-N; davon 18,0% NH_4-N, 7,4% NO_3-N. 1,6% Dicyandiamid (Ensan). Durch den Zusatz von Dicyandiamid wird der NH_4-Stickstoff des Düngers über einen gewissen Zeitraum vor Umwandlung u. somit im Boden weitgehend vor Verlagerung u. Auswaschung geschützt. *B.:* BASF, COMPO.

Basanit s. Basalte.

Basazol®. Bas. Flüssig- u. Pulverfarbstoffe für die Färbung bevorzugt holzhaltiger Papiere. *B.:* BASF.

Basel (Unfall) s. Schweizerhalle.

Basen. Von latein. basis = Sockel, Grundlinie hergeleitete Bez., weil Metalloxide u. -hydroxide bei der *Neutralisation als nichtflüchtige „Grundlage" für die Fixierung von flüchtigen Säuren unter Salz-Bildung dienen; die Bez. B. wurde erstmals 1666 von Otto *Tachenius verwendet. Im herkömmlichen Sinne Bez. für alle Verb., die mit *Säuren durch Neutralisation *Salze bilden od. in wäss. Lsg. Hydroxid-Ionen abspalten (d. h. die Wasserstoff-Ionenkonz. des Wassers verringern). Nach *Brønsted nehmen B. von Wasser-Mol. *Protonen auf (sind also *Protonenakzeptoren*) u. bewirken dadurch die Bildung von Hydroxid-Ionen; *Beisp.:*

$NH_3 + H_2O \rightarrow NH_4^+ + {}^-OH$, od. $ClO^- + H_2O \rightarrow HClO + {}^-OH$.

Er unterscheidet daher zwischen *Neutral-B.* (z. B. NH_3), *Anion-B.*, z. B. ClO^- u. ^-OH (das Hydroxid-Ion ist die stärkste Anion-B. im wäss. Syst.) u. *Kation-B* (z. B. $[Fe(OH)_2(H_2O)_4]^+$).
G. N. *Lewis definiert B. als *Elektronenpaar-Donatoren*, u. entsprechend bezeichnet man ^-OH, NH_3, Ether u. a. Verb. mit *einsamen Elektronenpaaren als *Lewis-Basen. Auf den Brønstedschen u. Lewisschen Vorstellungen aufbauend, hat *Pearson 1963 das sog. *HSAB-Prinzip entwickelt, demzufolge man „harte" u. „weiche" Säuren u. Basen unterscheiden soll; s. Säure-Base-Begriff.
Die wäss. Lsg. der B. (*Laugen) zeigen *alkalische Reaktion:* Ihr *pH liegt zwischen 8 u. 14, sie bläuen roten Lackmus. u. röten farbloses Phenolphthalein. Hierzu gehören die Hydroxide (z. B. Bariumhydroxid, Calciumhydroxid, Kaliumhydroxid, Natriumhydroxid), die in wäss. Lsg. in freie Metall- u. Hydroxid-Ionen dissoziieren, ferner die sog. Anhydrobasen, die wie die Oxide (z. B. Bariumoxid, Calciumoxid, Silberoxid als sog. *Basenbildner*) u. Ammoniak mit Wasser Hydroxid-Ionen abgebende Hydrate bilden.
Neben diesen *Alkalien gibt es noch eine Anzahl von festen Stoffen, die bei der Auflösung in Wasser ebenfalls alkal. reagieren, ohne (in der festen Verb.) ^-OH zu besitzen; hierher gehören z. B. die Salze schwacher Säuren wie Kaliumcyanid, Kaliumcarbonat, Natriumcarbonat, Trinatriumphosphat usw. In diesen Fällen ist die alkal. Reaktion auf *Protolyse zurückzuführen. Üblicherweise spricht man – je nach Anzahl der OH-Gruppen im B.-Mol. – von *einwertigen* (z. B. NaOH), *zweiwertigen* [z. B. $Ca(OH)_2$] usw. B.; in der älteren *Lit.* findet man auch noch die Bez. einsäurig, zweisäurig etc.
Die unedelsten Metalle (oft ebenfalls *Basenbildner* genannt) bilden die stärksten B., d. h. diese spalten bei der Auflösung in Wasser infolge vollständiger *elektrolytischer Dissoziation die meisten ^-OH-Ionen ab. Zu den starken B. gehören Kalilauge, Natronlauge, Barium-, Calcium- u. Strontiumhydroxid, zu den mittelstarken Silberoxid (bildet mit Wasser ein – allerdings nicht rein herstellbares – Hydroxid, AgOH), zu den schwachen dagegen Ammoniumhydroxid, Magnesiumhydroxid usw. Eine ausführliche Aufstellung der Basenstärke (*Basizität*) von B. findet sich bei Perrin (*Lit.*). In Lsg. reagieren Metallhydroxide mit 3 od. mehr OH-Gruppen meist *amphoter od. gar sauer. Verschiedene Schwermetallhydroxide (z. B. Eisenhydroxid) sind in Wasser jedoch so wenig lösl., daß man in ihren wäss. Aufschwemmungen auch mit den empfindlichsten Reagenzien keine Hydroxid-Ionen nachweisen kann. Trotzdem werden auch diese Stoffe als B. (im weiteren Sinn) bezeichnet, da sie mit Säuren Salze bilden können. Einwertige B. können mit einwertigen Säuren nur neutrale, mehrwertige B. dagegen auch *bas.* *Salze bilden, wenn die Neutralisation unvollständig ist. Neutralisations-, Protolyse- u. Pufferungsvorgänge spielen sich ständig im lebenden Organismus ab, s. Säure-Basen-Gleichgewicht.
Zu den organ. B. rechnet man Kohlenstoff-Verb., die neben Kohlenstoff u. Wasserstoff noch andere Elemente, v. a. N, seltener As, O, P, S od. Sb enthalten u. mit anorgan. od. organ. Säuren salzartige Verb. geben können. Zu den wichtigsten organ. B. zählen die *Amine (z. B. *Triethylamin) u. die N-haltigen heterocycl.

Basen-Analoge 364

Verb. (z. B. *Piperidin, *Morpholin); insbes. gehören hierzu die *Alkaloide. Bes. starke wenig nucleophile organ. Basen sind z. B. *Proton-Sponge, *1,5-Diazabicyclo[4.3.0]non-5-en, *Hünig-Base (Diethylisopropylamin), das Kalium-Salz des 1,3-Propandiamins u. das Lithium-Salz u. Diisopropylamin (LDA). Eine sog. „Superbase" ($pK_A = 41,2$ in CH_3CN) stellt das von Verkade entwickelte Phosphin-Derivat dar (s. Abb.)[1].

Der Begriff „Base" spielt in der Chemie auch in anderen Zusammenhängen eine Rolle, z. B. bei den Pyrimidin- u. Purinbasen der DNA od. RNA, u. weiter als Grundlage bei *Cremes u. *Salben (*Salbengrundlagen), bei *Parfüms (als Fonds u. *Fixateure) u. dgl. – $E = F$ bases – I basi – S bases

Lit.: [1] Angew. Chem. **105**, 934 (1993); J. Org. Chem. **59**, 4931 (1994).
allg.: Nachr. Chem. Tech. Lab. **38**, 1214–1226 ▪ Perrin, Dissociation Constants of Organic Bases in Aqueous Solution (mit Erg.-Bd.), London: Butterworth 1965, 1972 ▪ Tanabe, Solid Acids and Bases, New York: Academic Press 1971 ▪ Zumkley, Wasser-, Elektrolyt- u. Säure-Basen-Haushalt, Stuttgart: Thieme 1977 ▪ s. a. Acidität u. Textstichwörter.

Basen-Analoge. B. sind *Antimetabolite, die aufgrund ihrer Strukturähnlichkeit anstelle der natürlichen *Pyrimidin- [Cytosin (C), Thymin (T) bzw. Uracil (U)] od. *Purin-Basen [Adenin (A), Guanin (G)] in *replizierende DNA od. RNA eingebaut werden können. B. tautomerisieren häufiger als natürliche Basen; die dadurch ausgelösten kurzfristigen Änderungen der Paarungseigenschaften verursachen beim Einbau od. bei der *Replikation den Austausch eines AT- gegen ein GC-Basenpaar od. vice versa (Transitionen), was zu *Punktmutationen führt. Die wichtigsten in der Bakterien- u. Phagengenetik zur Mutationsauslösung eingesetzten B. sind 2-Aminopurin od. *5-Bromuracil (BU). BU liegt im Normalzustand in der Keto-Form (BU_k) vor u. wird anstelle von Thymin eingebaut. Geht es bei einer späteren Replikation in die Enol-Form (BU_e) über, paart es anstelle von Adenin mit Guanin, d. h. nach einer weiteren Replikation liegt eine AT → GC-Transition vor (Replikationsfehler). Wird BU_e anstelle von Cytosin eingebaut, paart es nach Übergang in die normale BU_k-Form wie Thymin mit Adenin, d. h. es kommt zur GC → AT-Transition (*Einbaufehler*). – E base analogues – F analogues basiques – I analoghi di basi – S bases análogas

Lit.: Lewin, Gene, S. 50, Weinheim: VCH Verlagsges. 1988.

Basenexponent, -konstante s. pK-Wert.

Basenpaarung s. Desoxyribonucleinsäuren.

Basenstärke s. Basizität.

BASF. Kurzbez. für die BASF AG, 67056 Ludwigshafen; Gründung 1865 von Friedrich Engelhorn; I.G. Farbenindustrie AG 1925; Neugründung im Zuge der IG-Entflechtung 30. 1. 1952. Mitarbeiter (1995) 106 565 weltweit; Stammkapital (1995) 17 925 Mio. DM, Jahresumsatz (1995) 46 229 Mio. DM.

Wesentliche *Tochter- u. Beteiligungsges.*: Europa: BASF Antwerpen N.V., Antwerpen, Belgien; BASF Española S.A., Barcelona, Spanien; BASF France S.A., Levallois-Perret, Frankreich; BASF Italia Spa, Cesano Maderno, Italien; BASF Lacke+Farben AG, Münster; BASF Magnetics GmbH, Ludwigshafen; BASF Peintures+Encres S.A., Clermont, Frankreich; BASF plc, Cheadle, Großbritannien; BASF Schwarzheide GmbH, Schwarzheide; BASF Vernici e Inchiostri Spa, Cinisello Balsamo, Italien; Comparex Informationssysteme GmbH, Mannheim; Elastogran GmbH, Lemförde; Knoll AG, Ludwigshafen; Rheinische Olefinwerke GmbH, Wesseling; Wintershall AG, Celle/Kassel. Außerdem Ges. in Nord- u. Südamerika, Asien u. im Pazif. Raum. Wichtige Standorte (weltweit): Die bedeutendsten Standorte in Europa sind: Ludwigshafen (Deutschland), Antwerpen (Belgien), Tarragona (Spanien) u. Seal Sands (Großbritannien). In Übersee konzentriert sich die BASF auf Länder u. Märkte mit einem bes. hohen Wachstumspotential. Wichtige Produktionsstandorte sind Geismar u. Freeport (USA) sowie Guaratinguetá (Brasilien).

Tab.: Produktionsprogramm der BASF.

Arbeitsgebiete	Produkte (Beisp.)
Gesundheit u. Ernährung	Arzneimittel, Feinchemikalien, insbes. Vitamine, Dünge- u. Pflanzenschutzmittel
Farbmittel u. Veredlungsprodukte	Farbstoffe, Pigmente, Veredlungsmittel, Prozeßchemikalien, Lacke, Farben, Drucksysteme, Dispersionen
Chemikalien	Grundchemikalien, Katalysatoren, Industriechemikalien, Weichmacher, Lösemittel, Leime, Zwischenprodukte, Spezialchemikalien, Waschmittelrohstoffe, Kfz-Chemikalien u. Additive
Kunststoffe u. Fasern	Polyolefine, Polyvinylchlorid, Polystyrol, Techn. Kunststoffe, Schaumstoffe, Polyurethan-Grundprodukte u. -Systeme, PUR-Elastomere, Faserprodukte
Öl u. Gas	Erdöl, Mineralölprodukte, wie Heizöl u. Kraftstoffe, Erdgas
Informationssysteme	Audio- u. Videobänder sowie -cassetten, Datenmedien, kompatible Großrechner u. Peripheriegeräte

BASF Reaktivreserve flüssig. Reservierungsmittel für Weiß- u. Buntreservedrucke bei Reaktiv- u. Echtfärbesalzfonds; Basis: Salz einer stickstoffhaltigen Sulfonsäure. *B.*: BASF.

BASF Schwarzheide GmbH. Schipkauer Str. 1, 01986 Schwarzheide. Tochterges. der BASF AG. Gründungsjahr: (1935) 1990 BASF Schwarzheide GmbH. *Produktion*: Chem. Grundstoffe, Polyetherole, Polyesterole, Isocyanate, Polyurethanrohstoffe, -dispersionen u. -syst., Wasserbasislacke.

BASF-Wachse. Umfangreiches Sortiment von Polyolefinwachsen, oxidierten Polyethylenwachsen, Montanwachsen, Esterwachsen, partiell verseiften Esterwachsen u. Polyvinyletherwachsen zur Herst. chem.-techn. Produkte, z. B. von Druckfarben, Kunststoffen, Lacken, Papieren, Textilhilfsmitteln, Formtrenn- u.

Gleitmitteln, Imprägnier- u. Hydrophobiermitteln sowie für Polituren u. Oberflächenpflegemittel. **B.:** BASF.

BASI. Abk. für *Bundesarbeitsgemeinschaft für Arbeitssicherheit.

Basidiomyceten (Hut- od. Ständerpilze). Am höchsten entwickelte Klasse der *Pilze mit mehr als 30 000 Arten, die sich sowohl vegetativ als auch sexuell fortpflanzen können. Im allg. leben B. terrestr. als *Saprophyten od. *Parasiten von Pflanzen, sehr selten von Tieren. Zu den Saprophyten gehören die eßbaren Arten sowie die meisten Holz-zerstörenden Basidiomyceten. Unter den Parasiten sind insbes. die Rost- u. Brandpilze als Erreger von Pflanzenkrankheiten zu nennen. Viele B. leben als Symbionten (*Symbiose) in Wurzeln (Mykorrhiza-Pilze). Die B. werden nach Art ihrer Basidien, die die Sporen tragen, untergliedert.

Tab.: Systemat. Untergliederung der Basidiomyceten (Klasse Basidiomycetales) u. ihre Eigenschaften.

Unterklassen	Ordnungen (Auswahl)
Holobasidio-mycetidae	• Exobasidiales (Endoparasiten) • Poriales (Holz-abbauende Braunfäule- u. Weißfäule-Pilze) • Agaricales (Speisepilze, Giftpilze, Holz-abbauende Pilze, Antibiotika-Bildner)
Heterobasidio-mycetidae	• Uredinales (Rostpilze) • Ustilaginales (Brandpilze)

Biotechnolog. Verw.: Die Braun- u. Weißfäule-Pilze gewinnen Bedeutung beim *Recycling von Holz, Stroh u. a. Cellulose- bzw. Lignin-haltigen *Abfällen durch enzymat. Abbau der Polymere, insbes. mit *Ligninasen. Die B. werden dazu als Mycel-Kulturen zur Biomasse-Produktion im *Bioreaktor gezüchtet. Einige Ordnungen der B. bilden, wie sich im Rahmen von Arbeiten zum *Biologischen Screening in den letzten Jahren gezeigt hat, in Mycelkulturen im Fermenter eine Vielzahl von *niedermol. Wirkstoffen* (*Sekundärmetabolite, z. B. *Strobilurine, *Oudemansine), die sich von denen unterscheiden, die unter *in vivo* Bedingungen bei Ausbildung des kompletten Basidiosporen-tragenden Ständerpilzes synthetisiert werden. – *E* basidiomycetes – *F* basidiomycètes – *I* basidiomiceti – *S* basidiomicetos

Lit.: Esser, Kryptogamen, Berlin: Springer 1986 ■ Esser u. Lemke (Hrsg.), The Mycota, Vol. I: Growth, Differentiation and Sexuality (Wessels, Meinhardt, Hrsg.), Vol. II: Genetics and Biotechnology (Kück, Hrsg.), Berlin: Springer 1994, 1995 ■ Wainwright, Biotechnologie mit Pilzen, Berlin: Springer 1995.

Basifungine s. Aureobasidine.

Basileum. Imprägnier-, Grundier- sowie Bekämpfungsmittel für Holz auf Lsm.- u. Wasserbasis. Ausgezeichnet mit dem Gütezeichen RAL-Holzschutzmittel. **B.:** DESOWAG GmbH.

Basilikum (Basilienkraut). Im Vorderen u. Mittleren Orient heim., auch in gemäßigten Klimaten kultiviertes Kraut (*Ocimum basilicum* L., Lamiaceae) von angenehm aromat. Geruch u. würzigem Geschmack, dessen getrocknete Blüten od. Früchte in Form von Tee als *Carminativum angewandt werden, während man als Küchengewürz, z. B. in Salaten, Fleisch- u. Fischgerichten, zu Leberwurst u. Gewürzessig, möglichst die frischen Blätter verwendet. Aus frischem Kraut od. Blüten läßt sich durch Wasserdampfdest. *Basilikumöl* in 0,2–0,4%iger Ausbeute isolieren, dessen Zusammensetzung je nach Herkunft u. Varietät sehr unterschiedlich ist, z. B. mit 68% Linalool, 14% Methylcinnamat u. 4% Methylchavicol od. mit 62% Eugenol, 18% Ocimen u. 4% Perillaalkohol od. mit 67% Citral u. 25% Geraniol. – *E* basil – *F* basilic – *I* basilico – *S* albahaca, alfábega

Lit.: Hager (4.) **6 a**, 288–292 ■ Melchior u. Kastner, Gewürze, S. 217ff., Berlin: Parey 1974 ■ Wichtl (2.), S. 83f. – *[HS 121190]*

Basilit. Umfangreiches Sortiment von Holzschutzmitteln auf der Basis von Alkalidichromaten, -fluoriden u. -fluorosilicaten, sowie auf der Basis von quaternären Ammonium-Verb. in Verbindung mit Verdichtungsmitteln u. Emulgatoren. Zugelassen vom Dtsch. Inst. für Bautechnik, Berlin. **B.:** DESOWAG GmbH.

Basilius Valentinus s. Valentinus.

Basis. Der Begriff B. wird in vielen Bereichen der Mathematik, der Naturwissenschaften u. der Technik mit unterschiedlicher Bedeutung verwendet.
In der *Quantenmechanik u. der *Gruppentheorie bezeichnet man als B. od. B.-Funktionen die zu einem bestimmten entarteten Energieeigenwert gehörigen Eigenzustände od. *Wellenfunktionen.
In der *Kristallographie bezeichnet man als B. die Anordnung der Atome in der Einheitszelle. Die CsCl-Struktur hat z. B. eine würfelförmige primitive Einheitszelle mit einer B., die aus einem Cl-Atom in einer Würfelecke u. einen Cs-Atom in der Würfelmitte besteht.
In der Halbleitertechnik bezeichnet man die Steuerelektrode von Bipolartransistoren als B. (s. Transistor). – *E* basis – *F* = *I* = *S* base

Basische Farbstoffe s. kationische Farbstoffe.

Basische Reaktion s. alkalische Reaktion u. pH.

Basische Salze s. Salze.

Basisches Myelin-Protein s. Myelin.

Basiseinheiten. Auch SI-Einheiten (nach Système International d'Unités) benannter Satz von sieben Einheiten, auf die alle dimensionsbehafteten Größen zurückzuführen sind. Im Einzelnen sind dies:
Sekunde (Kurzz. s) für die Zeit (experimentelle relative Unsicherheit (e. r. U.): 10^{-14}, definiert durch Hyperfeinstruktur-Übergang von Cs-133 mit 9,192 631 770 GHz, s. Atomuhr).
Meter (Kurzz. m) für die Strecke (e. r. U.: 10^{-9}, definiert durch die Lichtgeschw. mit c = 299 792 458 m/s.
Kilogramm (Kurzz. kg) für die Masse (realisiert durch Kilogramm-Prototyp im Bureau International des Poids et Mesures, relative Wägungen können mit e. U. von 10^{-9} kg durchgeführt werden; z. Z. noch nicht an ein Quantenmaß gekoppelt s. Avogadro-Konstante).

Ampere (Kurzz. A) für den Strom (e.r.U.: 10^{-6}, wird in der Praxis durch *Josephson-Effekt u. *Quanten-Hall-Effekt realisiert).
Kelvin (Kurzz. K) für die Temp. (e.r.U.: 10^{-6}, festgelegt durch den *absoluten Nullpunkt u. den Tripelpunkt von Wasser).
Mol (Kurzz. mol) für die Stoffmenge (e.r.U.: 10^{-6}, Stoffmenge, die aus ebensovielen Atomen bzw. Mol. zusammengesetzt ist, wie Atome in 0,012 kg des Nuklides Kohlenstoff-12 enthalten sind.) sowie
Candela (Kurzz. cd) für die Lichtstärke (e.r.U.: $5 \cdot 10^{-3}$, näheres s. dort) s. ferner Einheiten u. Fundamentalkonstanten. – *E* basic units – *F* unités de base – *I* unità di base – *S* unidades básicas
Lit.: IUPAC: Größen, Einheiten u. Symbole in der Physikalischen Chemie, Weinheim: VCH Verlagsges. 1996.

Basis-Infusionslösung. Flaschen mit Kalium- u. Magnesiumchlorid u. Fructose gegen K- u. Mg-Mangel, als Träger-Lsg. für andere Arzneimittel. *B.:* Mulli.

Basissatz. In der *Quantenchemie versteht man unter dem B. meistens den Satz von Funktionen (*Basisfunktionen*), nach dem atomare od. mol. Einelektronenfunktionen (*Atomorbitale bzw. *Molekülorbitale) entwickelt werden. Bei Rechnungen an mehratomigen Mol. werden z.Z. meistens *kartes. Gaußfunktionen* der Form $x^i \cdot y^j \cdot z^k \exp[-\alpha \cdot (\vec{r}-\vec{r}_0)^2]$ verwendet. Hierbei sind x, y u. z die kartes. Koordinaten des Elektrons, i, j u. k sind natürliche Zahlen od. Null, α ist ein adjustierbarer Parameter u. $\vec{r}_0$ ist der Ortsvektor zum Aufpunkt der Basisfunktion. Die Exponentialparameter (α-Werte) werden im allg. aus Atomrechnungen nach dem *Energievariationsprinzip erhalten (für spezielle Mol.-Eigenschaften wie stat. Dipolpolarisierbarkeiten sind allerdings andere Kriterien angemessen). – *E* basis set – *F* ensemble de base – *I* equazione di base – *S* funciones bases

Basizität. 1. Allg. Bez. für die Fähigkeit einer anorgan. od. organ. Verb., als *Protonenakzeptor* bzw. *Elektronenpaardonator* (als *Base) zu wirken. – 2. Maß für die *Basenstärke* (Konz. der Hydroxid-Ionen) einer Lsg., ausgedrückt durch die üblichen Konz.-Maße (Normalität, Molarität, Molalität usw.), durch den *pH bzw. durch den *pK-Wert. Unter der B. einer *Säure* (Basigkeit) verstand man früher die Anzahl der H-Atome eines Säuremol., die bei der Neutralisation u. Salzbildung durch Metallatome ersetzbar sind (ein-, zwei- u. mehrbasige *Säuren). – 3. V.a. in der englischsprachigen Lit. wird mit (potentieller) B. („basicity" im Gegensatz zu „basic capacity") einer Verb. häufig ihr Gehalt an neutralisierbaren Hydroxy-Gruppen im Mol. verstanden. – Gegensatz: *Acidität. – *E* basicity, basic capacity – *F* basicité – *I* basicità – *S* basicidad
Lit.: s. Acidität, Basen.

Basketen (von *E* basket = Korb).

Trivialname für eine sog. *Käfigverbindung, einen polycycl. Kohlenwasserstoff, $C_{10}H_{10}$, M_R 130,19, Schmp. 59 °C. – *E* = *I* basketene – *F* baskétène – *S* basketeno

Basler Übereinkommen s. Abfallverbringung.

Basocoll® CM. Hilfsmittel in der Papier-Herst. zur Effektverbesserung von Harzleim. *B.:* BASF.

Basocoll® OV. Zur Erhöhung der Wasser- u. Naßriebfestigkeit von Pigmentstrichen in der Papierstreicherei. *B.:* BASF.

Basodexan®. Creme u. Salbe mit *Harnstoff gegen trockene, rauhe Haut, zur Nachbehandlung von Hautentzündungen. *B.:* Hermal.

Basofil®. Stapelfaser auf der Basis von *Melaminharz für techn. Textilien mit hohen Anforderungen an Brand- u. Hitzeschutz. *B.:* BASF.

Basonat®. *Isocyanate als Härtungskomponenten für die Lack- u. Klebstoff-Ind. sowie für bauchem. Erzeugnisse. *B.:* BASF.

Basonyl®. Kation. Farbstoffe zur Herst. von Tinten, Tageslichtleucht-Pigmenten, Hektopapieren u. Farblacken, zum Färben von Pflanzenschutzmitteln, Düngemitteln u.ä. *B.:* BASF.

Basophile s. Leukocyten.

Basophilie. Im allg. Sinne Bez. für eine Affinität zu Basen, im bes. für die Eigenschaft, mit kation. Farbstoffen anfärbbar zu sein. – *E* basophily – *F* basophilie – *I* = *S* basofilia

Basoplast®. Synthet. Masse u. Oberflächenleimungsmittel für Papier u. Karton. Das Sortiment umfaßt Copolymerisate auf der Basis von *Styrol u. *Acrylsäure-Derivaten sowie Dialkyldiketen-Dispersionen. *B.:* BASF.

Basopor®. Harnstoff-Formaldehyd-Vorkondensat zur Verarbeitung in wäss. Schäumen. Im Schaummittel vorhandene saure Katalysatoren bewirken Weiterkondensation zu einem farblosen, sehr leichten (D. 0,005–0,015), schwer entflammbaren, gut isolierenden Schaumstoff (früher *Iporka®*). *B.:* BASF.

Basotect®. Offenzelliger, flexibler Schaumstoff aus Melamin-Formaldehyd. Kondensationsprodukt (D. 0,010) mit hohem Wärmedämmvermögen u. hoher Schallabsorption, schwer entflammbar ohne Zusatz von Flammschutzmitteln, temperaturbeständig bis 180 °C. *B.:* BASF.

Basov, Nikolai Gennadievich (geb. 1922), Prof. für Experimentelle u. Theoret. Physik, Physikal. Inst., Academy of Sciences, Moskau. *Arbeitsgebiete:* Quantenradiophysik, Laserfusion, Stimulation chem. Reaktionen durch Laser-Radiation u. Elektro-Ionisation. 1964 erhielt er zusammen mit A.M. Prokhorov u. Ch. *Townes den Physik-Nobelpreis für grundlegende Untersuchungen auf dem Gebiet der Quantenelektronik.

Basovit®. Anion. Lebensmittel- u. Kosmetik-Farbstoffe für Faserschreibertinten, Detergentien, Pflanzenschutzmittel u. Saatgut. *B.:* BASF.

Bassorin s. Tragant.

Basta®. Nichtselektives Kontakt-Herbizid auf der Basis von *Glufosinat-ammonium in Plantagenkulturen, Obst-, Weinbau, Baumschulen u. nicht landwirtschaftlich genutzten Flächen. *B.:* Hoechst Schering AgrEvo GmbH.

Bastadine. Gruppe makrocycl. Bromtyrosin-Tetramere (bisher ca. 20 Strukturen) aus dem Meeresschwamm *Ianthella basta*[1], z. B. die Hauptkomponente B. 5, $C_{34}H_{27}Br_5N_4O_8$, M_R 1019,13, gelbe Nadeln, Schmp. 250 °C (Zers.).

Die B. aktivieren *Ryanodin-abhängige Calcium-Kanäle[2] u. wirken gegen Gram-pos. Bakterien. Die Biosynth. erfolgt durch oxidative Phenol-Kupplung aus Tyrosin. – *E* bastadins – *F* bastadine – *I* gastadine – *S* bastadinas
Lit.: [1] Aust. J. Chem. **34**, 765–786 (1981). [2] J. Biol. Chem. **269**, 23 236–23 249 (1994). – *[CAS 79067-75-7 (B. 5)]*

Bastardisierung s. Hybridisierung.

Bastfasern. Gruppenbez. für die aus Pflanzenstengeln von Faserpflanzen gewonnenen Textilfasern. Gemäß DIN 60001 Tl. 1 (10/1990) gehören hierzu *Flachs (Leinen), *Hanf, *Jute, *Sunn, *Kenaf, *Urena, *Rosella u. *Ramie. B. sind zusammengesetzte Fasern, bei denen immer eine größere Anzahl von Einzelzellen zu Faserbündeln vereinigt sind. Im Gegensatz zu den B. u. den verwandten *Hartfasern besteht z. B. die *Baumwolle lediglich aus einzelligen Haaren. – *E* bast fibers – *F* fibres libériennes – *I* fibre di rafia – *S* fibras de líber, fibras de tallo
Lit.: Encycl. Polym. Sci. Eng. **7**, 16–25 ▪ Kirk-Othmer (3.) **10**, 189 ff.; (4.) **10**, 733–737 ▪ Ullmann (4.) **9**, 251 ff.; (5.) **A 5**, 398 f.

Bastian. Kurzbez. für die Arzneimittelfirma Bastian-Werk GmbH, August-Exter-Straße 4, 81245 München.

Bastnäsit. $(M_{SE})[F/CO_3]$, M_{SE} = *Seltenerdmetalle; wichtigstes Mineral für die Gewinnung von *Cer u. a. *Seltenen Erden, mit den Abarten *Bastnäsit-(Ce)*, Ce[F/CO₃], *Bastnäsit-(Y)*, (Y,Ce)[F/CO₃] u. *Bastnäsit-(La)*, (La,Ce)[F/CO₃]; *Hydroxyl-B.* enthält (OH,F). Glasbis fettglänzende weiße, gelblichgraue od. rötlichbraune tafelige Krist., rosettenförmige Aggregate od. körnig od. derb; Krist.-Klasse 6̄2m-D_{3h}, Struktur s. *Lit.*[1]; H. 4–4,5, D. 4,8–5,2.
Vork. (s. a. *Lit.*[2]): Wichtigste Lagerstätten: Mountain Pass/Californien u. Bayan Obo/Innere Mongolei; weitere Vork. in China, Burundi u. Tansania/Afrika, Bastnäs/Schweden (Name!), Ural/Rußland. – *E = F* bastnaesite – *I* bastnesite – *S* bastnaesita
Lit.: [1] Am. Mineral. **78**, 415 ff. (1993). [2] Lipin u. McKay (Hrsg.), Geochemistry and Mineralogy of the Rare Earth Elements (Reviews in Mineralogy, Vol. 21), S. 312 ff., Washington (D.C.): Mineralogical Society of America 1989.
allg.: Gmelin, Syst.-Nr. 39, A 7, Sc, Y, La-Lu Rare Earth Elements, 1984, S. 93–137 ▪ Lapis **16**, Nr. 1, 8 ff. (1991) ▪ Ramdohr-Strunz, S. 579 f. ▪ Ullmann (5.) **A 22**, 609 f., 618 f. – *[CAS 1299-84-9 (B.-Ce); 67070-98-8 (B.-Y)]*

BAT. Abk. für *Biologischer Arbeitsstofftoleranzwert.

Batan®. Enzym-Beizen für Leder von Hoechst.

Batate (Süß-Kartoffel). In den Tropen u. Subtropen kultiviertes, wahrscheinlich aus Mittelamerika stammendes Windengewächs (*Ipomoea batatas*), dessen knollenartige Wurzeln ca. 60–70% Wasser, 20–29% Stärke (s. die Abb. bei Stärke), 5–10% Zucker, 1–2% Eiweiß sowie Pektine u. Vitamine (bes. Vitamin C) enthalten. Außer in den Südstaaten der USA werden B. v. a. in Afrika u. China als wichtige Nahrungspflanzen angebaut od. zu Stärke, Alkohol, Marmelade u. Viehfutter verarbeitet. – *E* sweet potatoes – *F* patate – *I* batate, patate americane, patate dolci – *S* batata, boniato, camote
Lit.: Franke, Nutzpflanzenkunde, Stuttgart: Thieme 1992. – *[HS 0714 20]*

Batch-Fermentation (Batch-Kultur, diskontinuierliche Kultur; von engl.: batch = Schub, Menge, Stapel). Biotechnolog. Prozeßführung, bei der das Nährmedium zum Zeitpunkt t=0 beimpft wird u. die *Fermentation nach Verbrauch des limitierenden Substrates od. zu einem anderen geeigneten Zeitpunkt beendet wird. Eine B.-F. gilt als *geschlossenes System*. Aerobe Fermentationen können jedoch streng genommen nur hinsichtlich der flüssigen Phase als geschlossenes Syst. betrachtet werden, da aufgrund seiner schlechten Löslichkeit Sauerstoff durch Begasung mit Luft ständig nachdosiert werden muß. Auch anaerobe B.-F. werden allg. so geführt, daß das entstehende Kohlendioxid kontinuierlich entfernt wird. Im Gegensatz zur *kontinuierlichen Fermentation ändert sich bei der B.-F. die Umgebung der Zellen ständig, es entsteht eine typ. *Wachstumskurve* (Abb.).

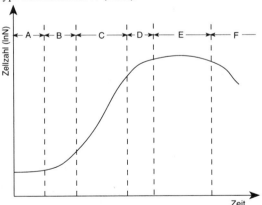

Abb.: Wachstumskurve, logarithm. Änderung der Zellzahl mit der Zeit in einer Batch-Kultur (nach Dellweg, s. *Lit.*).

Sie ist gekennzeichnet durch die Induktionsphase A u. die Akzelerationsphase B (lag-Phase; zunächst keine Zunahme der Zellzahl durch Umstellung der Zellen von der Animpfkultur auf die B.-F.), die logarithm. Wachstumsphase C (log-Phase; exponentielle Vermehrung der Zellen u. Erreichen des max. Wertes der spezif. Wachstumsrate m), die Übergangsphase D bis

zur stationären Phase E (Verknappung u. dann Fehlen der Nährstoffe; *Fermentationsabbruch bei techn. Prozessen*) u. schließlich die Absterbephase F (die Zellen sterben langsam ab u. lysieren). Da bei einer B.-F. die für die Produkt-Bildung optimalen Parameter in der Regel nicht zu jedem Zeitpunkt erreicht werden können, sind B.-F. bei großtechn. Prozessen (z. B. Antibiotika-Fermentationen) durch *Fed Batch-Fermentationen abgelöst worden, bei denen eine gezielte Zufütterung mit Nährstoffen vorgenommen wird. – *E* batch fermentation – *I* fermentazione determinata
Lit.: Dellweg, S. 57–63 ■ Rehm-Reed (2.) **1**, 150–154.

Bath-Metall. Bez. für in England entwickelten *Messing-Guß zur Verw. bei Sanitärarmaturen. Unterschieden werden zweiphasige (α, β) Leg. mit 55% Cu u. 45% Zn, sowie einphasige Leg. (α) mit 83% Cu u. 17% Zn. – *E* bath metal – *F* métal bath – *I* bat-metallo – *S* metal bath
Lit.: DIN 17660 (12/1984).

Bathmometrie s. Potentiometrie.

Bathochrom. Von griech.: bathos = Tiefe u. chroma = Farbe abgeleitetes Adjektiv, das die Verschiebung der Absorption eines *Chromophors zu längeren Wellenlängen hin – infolge Erleichterung seiner Elektronenanregung – beschreibt (*Rotverschiebung* = *Bathochromie*). Bei organ. *Farbstoffen bewirken *bathochrome Gruppen* (z. B. –NH$_2$, –OH, –OCH$_3$ als *Auxochrome) also eine Farbverschiebung in Richtung Grüngelb → Rot → Violett; *Beispl.:* Azobenzol (H$_5$C$_6$–N=N–C$_6$H$_5$) als *Chromogen gibt durch Substitution mit einer Amino-Gruppe den kräftig gelben Farbstoff Aminoazobenzol (H$_5$C$_6$–N=N–C$_6$H$_4$–NH$_2$). Weitere *Beispl.* s. *Lit.*[1]. *Gegensatz:* *hypsochrom. In der älteren *Lit.* findet man für b. gelegentlich auch die Schreibweise *bathmochrom*. – *E* bathochromic – *F* bathochrome – *I* = *S* batocromo
Lit.: [1] Chem. Unserer Zeit **12**, 1–11 (1978).
allg.: s. Chromophore u. Farbstoffe.

Bathocuproin (2,9-Dimethyl-4,7-diphenyl-1,10-phenanthrolin).

$C_{26}H_{20}N_2$, M_R 360,46, Schmp. 279–283 °C. Gelbliches, in Ethanol, höheren Alkoholen u. Chloroform, nicht aber in Wasser lösl. Pulver. Reagenz für die kolorimetr. Bestimmung von Kupfer, mit dem B. einen orangeroten Komplex bildet. Inhibitor für Cytochrom c-Oxidase u. Influenza Virus RNA-Polymerase. – *E* bathocuproine – *F* bathocuproïne – *I* batocuproina – *S* batocuproína
Lit.: Anal. Chem. **25**, 510 (1953) ■ Beilstein E III/IV **23**, 2160 ■ Biochem. Biophys. Acta **368**, 125 (1974) ■ Fries-Getrost, S. 203 f. ■ Gen. Virol. **23**, 59 (1974) ■ Microchem. J. **26**, 418 (1981) ■ Schilt, Analytical Application of 1,10-Phenanthroline and Related Compounds, Oxford: Pergamon 1969. – [CAS 4733-39-5]

Bathophenanthrolin (4,7-Diphenyl-1,10-phenanthrolin).

$C_{24}H_{16}N_2$, M_R 332,40. Gelbliches, in Chloroform u. Ethanol lösl., in Wasser unlösl. Pulver, Schmp. 218–220 °C, ebenso wie *1,10-Phenanthrolin ein über einen Komplex wirkendes kolorimetr. Reagenz auf Eisen. – *E* bathophenanthroline – *F* bathophénantroline – *I* = *S* batofenantrolina
Lit.: Anal. Chem. **25**, 1337 (1953); **30**, 2016 (1958); **34**, 348 (1962); **53**, 706 (1981) ■ Analyst **102**, 114 (1977) ■ Beilstein E V **23/10**, 274 ■ Fries-Getrost, S. 126–128 ■ Talanta **19**, 369 (1972). – [CAS 1662-01-7]

Bathyal s. Hydrologie.

Batik (von javan.: batik = gesprenkelt). Bez. für eine südostasiat., v. a. auf Java gebräuchliche Technik der *Reservefärbung* von Baumwoll- od. Seidengewebe. Dabei wird auf den Stoff geschmolzenes Wachs aufgetragen, das beim Erkalten feine Risse zeigt, durch die Farbstoffe in das Gewebe dringen u. dort aderförmige Färbungen verursachen können, während der sonstige vom Wachs bedeckte Grund ungefärbt bleibt. – *E* batik – *F* battik – *I* = *S* batic
Lit.: Kirk-Othmer (3.) **8**, 328 ■ Textilveredlung **22**, 99–104 (1987).

Batist s. Nessel.

Batrachotoxin (Batrachotoxin A). T+ ☠

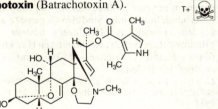

$C_{31}H_{42}N_2O_6$, M_R 538,68, nicht krist., äußerst giftiges *Steroid-Alkaloid aus der Haut südamerikan. Pfeilgiftfrösche (*Phyllobates aurotaenia*, *Dendrobates histrionicus*, *D. pumilio* u. *D. auratus*), LD_{50} (Maus) 2 μg/kg. B. hat keine Wirkung auf gesunder Haut, verursacht jedoch bei der kleinsten Verletzung einen starken, langanhaltenden Schmerz, ähnlich einem Bienenstich, es folgen Muskel- u. Atemlähmung. Die physiolog. Wirkung beruht auf einer irreversiblen Durchlässigkeit der Zellmembranen des ZNS für Natrium-Ionen, ohne daß der Kalium-Ionen-Transport gestört würde. Orale Aufnahme führt nur bei krankhaften Zuständen des Magen-Darm-Traktes zu Vergiftungen. Antagonist des B. ist *Tetrodotoxin. – *E* batrachotoxin – *F* batrachotoxine – *I* betracotossina – *S* batrocotoxina
Lit.: Beilstein E V **27/14**, 469 ■ Habermehl, Gifttiere und ihre Waffen (5.), S. 134, Berlin: Springer 1994. – *Reviews:* Science **172**, 995 (1971) ■ Zechmeister **41**, 206. – *Synth.:* Helv. Chim. Acta **56**, 139 (1973). – *Toxikologie:* J. Gen. Physiol. **89**, 841 (1987) ■ Sax (8.), Nr. BAR 750. – [CAS 19457-37-5]

Batrafen®. Antimykotikum (Lsg., Puder, Creme u. Vaginalcreme) mit Ciclopiroxolamin. *B.*: Hoechst.

Batroxobin. Internat. Freiname für die spezif. gereinigte, gerinnungsfördernde Fraktion des Schlangengiftes der südamerikan. Viper *Bothrops atrox*, das als *Antikoagulans verwendet wird. Es ist von Serono Pharma (Defibrase®) u. Knoll (Reptilase®) im Handel. – *E* = *F* batroxobine – *I* = *S* batroxobina
Lit.: Hager (5.) 7, 380 f. ▪ Merck-Index (11.), Nr. 1020. – [HS 3507 90; CAS 9039-61-6]

Battelle Memorial Institute. Sitz in 505 King Avenue, Columbus (Ohio) 43 201. 1925 als gemeinnützige Organisation von dem Industriellen Gordon Battelle aus Ohio gegründet. Battelle erkannte, daß die sich ständig ändernde Welt v. a. durch Fortschritt in Technik u. Bildung verbessert werden kann. – INTERNET-Adresse: http://www.batelle.org

Batterien. Im weitesten Sinne in Physik u. Technik Bez. für die Zusammenschaltung gleichartiger Geräte (z. B. Stromquellen, Öfen, Winderhitzer), die individuell in einem gemeinsamen Effekt beitragen. Im engeren Sinne Bez. für Vorrichtungen u. Geräte, die der Stromerzeugung aufgrund physikal. u./od. elektrochem. Effekte dienen. Zu den ersteren, die auf der *Energie-Direktumwandlung basieren, kann man rechnen: *Atomod. Isotopenbatterien* (s. Radionuklide), *Thermionikelemente* (s. thermionische Energieumwandlung), *Thermoelemente* (s. Thermoelektrizität) u. *Sonnenbatterien* (s. Photoeffekte u. Sonnenenergie). Auf elektrochem. Energieerzeugung beruhen: *Brennstoffzellen*, *galvanische Elemente* wie die *Taschenbatterien (Primärbatterien, B. im landläufigen Sinne) u. *Akkumulatoren* (*Sekundärbatterien*, Sekundärelemente, Sammler). Einen Überblick über das B.-Gebiet bietet *Lit.*[1]. – *E* = *F* batteries – *I* batterie – *S* baterías
Lit.: [1]Schumm, Batteries in Encycl. of Physical Science and Technology, Bd. 2, S. 487, San Diego: Academic Press 1992.
allg.: s. Akkumulatoren, Brennstoffzellen, galvanische Elemente, Taschenbatterien u. a. Textstichwörter.

BAU. Abk. für Bundesanstalt für Arbeitsschutz.

Baudler, Marianne (geb. 1921), Prof. für Anorgan. u. Analyt. Chemie, Univ. Köln. *Arbeitsgebiete:* Chemie der Nichtmetalle, bes. des Phosphors, Multikernresonanz-Spektroskopie. Mitglied der Deutschen Akademie der Naturforscher Leopoldina, Halle/Saale (1982), Alfred-Stock-Gedächtnispreis der Gesellschaft Deutscher Chemiker (1986), korrespondierendes Mitglied der mathemat.-physik. Klasse der Akademie der Wissenschaften, Göttingen.
Lit.: Kürschner (16.), S. 137 ▪ Nachr. Chem. Tech. **34**, 668 (1986) ▪ Wer ist Wer, S. 56.

Bauemulsionen s. Emulsionen.

Bauermeister. Kurzbez. für die 1985 neu gegr. Firma Gebrüder Bauermeister u. Co. Verfahrenstechnik GmbH u. Co., Oststraße 40, 22844 Norderstedt. *Produktion:* Maschinen zur Zerkleinerung u. Aufbereitung: Mühlen, Windsichter, Brech-, Mahl- u. Sichtanlagen, Walzwerke.

Bauhilfsmittel. Sammelbez. für *Additive, die als Verarbeitungshilfen u. zur Veränderung der Eigenschaften von Bindemitteln (s. Baustoffe) eingesetzt werden, z. B. Verflüssiger, Verzögerer u. Beschleuniger, Luftporenbildner, Dichtungsmittel, Bauemulsionen als Haftbrücken usw., vgl. Betonzusatzstoffe. – *E* mortar additives – *I* aiuti di costruzione – *S* aditivos para mortero
Lit.: s. Betonzusatzstoffe.

Baukasten-Waschmittel. Sammelbez. für Mehrkomponenten-*Waschmittel. Die – meist drei – Komponenten, ein für weiches Wasser formuliertes Basiswaschmittel, ein Enthärter u. ein Bleichmittel mit Aktivator, werden vom Verbraucher in Abhängigkeit von der *Härte des Wassers u. vom Verschmutzungsgrad der einzelnen Wäscheposten getrennt sowie in unterschiedlichen Verhältnissen in die Waschmaschine dosiert, um den Chemikalieneintrag insgesamt zu minimieren. Der Einsatz der B. ist wegen der modernen, härteunempfindlichen *Kompaktwaschmittel von nur geringer wirtschaftlicher Bedeutung. – *E* „Baukasten" detergents (component kits)

Baumé-Grad. Nach dem französ. Apotheker A. Baumé (1728–1804; vgl. *Lit.*) benannte Skalen-Einteilung auf *Aräometern. Nach dem Einheiten-Gesetz ist die Verw. von B.-G. zur Angabe der *Dichte von Flüssigkeiten nicht mehr zulässig. – *E* Baume degree – *F* degré Baumé – *I* grado Baumè – *S* grado Baumé
Lit.: Pötsch, S. 31 ▪ Poggendorf **1**, 115.

Baumgärtel, Helmut (geb. 1936), Prof. für Physikal. Chemie, FU Berlin, geschäftsführender Direktor des Inst. für Physikal. Chemie u. Quantenchemie. *Arbeitsgebiete:* Photoionen – Photoelektronenspektroskopie mit Synchrotronstrahlung u. Lasern, chem. Reaktionen in mol. Aggregaten, Elektrochemie organ. Syst., Struktur u. Dynamik von Phasengrenzflächen.
Lit.: Kürschner (16.), S. 151 ▪ Wer ist Wer (33.), S. 61.

Baumpolymere. Unter B. versteht man *Sternpolymere, die in ihren einzelnen Armen Folgeverzweigungen unterschiedlicher Anzahl u. Länge aufweisen. Sie besitzen eine Baumwurzel, von der ausgehend die anderen Grundbausteine kaskadenartig angeordnet sind. Sind die Grundbausteine sphär. symmetr. um die Baumwurzel verteilt, so spricht man von dentrit. Polymeren. – *E* dendrimer polymers – *F* polymères ramifiés – *I* polimeri arborescenti – *S* polímeros ramificados
Lit.: Elias **1**, 625–630.

Baumschäden s. Waldschäden.

Baumwachs. Baumwunden, wie sie z. B. durch Absägen von Ästen, Blitzschlag, Wildfraß u. bei der Veredelung hervorgerufen werden, können fortschreitender Fäulnis anheimfallen, was vielfach zu einer Minderung des Obstertrages u. Holzwerts führt. Um diese Schäden zu vermeiden u. die Heilung zu fördern, bestreicht man die frischen Baumwunden mit B., womit ein luft- u. wasserdichter Wundverschluß geschaffen wird. Die festen B., die meist aus Bienenwachs od. Ozokerit (Erdwachs), z. T. auch im Gemisch mit Harzen u. Leinöl bestehen, werden vor dem Gebrauch durch Erwärmen verflüssigt u. mit einem Pinsel aufgetragen. – *E* grafting wax – *F* mastic à greffer – *I* mastice da innesto – *S* betún de injertar, mastic para injertar

Baumwolle. Unter B. versteht man sowohl die Samenhaare des seit über 5000 Jahren in trop. bis subtrop. Gegenden kultivierten, zu den Malvengewächsen zählenden, gelb blühenden (*Gossypetin) Baumwollstrauches (Gossypium) als auch die daraus gewonnene *Textilfaser, Kurzz. CO gemäß DIN 60001 Tl. 4 (08/1991). Die etwa walnußgroßen Früchte der Baumwollpflanze platzen nach der Reife auf u. geben ein faustgroßes Büschel feiner, weißlicher, bis zu 5 cm langer Samenhaare frei; die außerdem von einer kurzfaserigen Wolle (*Linters) bedeckten erbsengroßen Samen enthalten *Baumwollsamenöl. Die Langhaare bestehen aus über 90% *Cellulose von Durchschnitts-Molmassen 320 000 u. einem Durchschnittspolymerisationsgrad von 10 000–14 000 (gereinigt 500–3000). Im Faserstamm, der sog. *Sekundärwand*, sind nur etwa 5% Nichtcellulosen enthalten, dagegen besteht die dünne Außenhaut od. *Primärwand* aus ca. 90% *Baumwollwachs u. Pektin u. nur zu 10% aus Cellulose (es werden auch wesentlich höhere Cellulose-Werte angegeben). Elektronenmikroskop. Untersuchungen zufolge besteht das einzelne Samenhaar (Durchmesser ca. 20 µm) aus einer einzelnen Zelle, deren Zellwand aus verschiedenen Schichten unterschiedlich orientierter Cellulose-Fibrillen mit 3–5 nm Durchmesser gebildet wird; es ähnelt im Feinbau einem verdrehten Seil.

Die rohe B. läßt sich bleichen u. färben; durch *Mercerisation erhält sie einen dauernden Glanz. Bei der Verarbeitung von Rohbaumwolle ist die Möglichkeit von Erkrankungen der Atemwege u. der Lunge (*Byssinose*) gegeben, weshalb für B.-Staub ein MAK-Wert von 1,5 mg/m^3 festgesetzt wurde [1]. Mit Hilfe spezieller *Textilveredlungs-Verf. lassen sich die Eigenschaften von B.-Erzeugnissen gezielt verändern u. verbessern, z.B. durch *Pflegeleicht-Ausrüstung, durch Aufbringen von *Appreturen, *Flammschutzmitteln, Mercerisierung usw. Aus B. wird außerdem *Watte u. Cellulose (aus Linters) hergestellt; die Samen liefern *Baumwollsamenöl, das das bei Männern als *Antikonzeptionsmittel diskutierte *Gossypol enthält. B. ist außerordentlich empfindlich gegen Schädlinge – man schätzt einen Ausfall von jährlich ca. 50% der Welternte durch Parasiten u. Krankheiten – u. muß durch spezielle Schädlingsbekämpfungsmittel geschützt werden[2]. Abhilfe könnte auch die Züchtung resistenter Sorten bringen. Die Welternte von Baumwolle betrug 1994 16,8 Mio. t (*Lit.*[3]). – *E* cotton – *F* coton – *I* cotone – *S* algodón

Lit.: [1] Br. J. Ind. Med. **44**, 577 (1987); Wakelyn u. Jacobs (Hrsg.), Proc. of the 11th Cotton Dust Res. Conf. Cotton Dust, Vol. 12, New Orleans, Jan. 1988, Memphis: Natl. Cotton Council 1988. [2] Annu. Rev. Entomol. **22**, 451–482 (1977); Nasretdinov, Use of Fertilizers and Chemical Agents in Cotton Growing (Russ.), Tashkent: Fan 1986. [3] Der Fischer Weltalmanach '96, S. 983, Frankfurt a. M.: Fischer Taschenbuch Verlag 1995. *allg.:* Encycl. Polym. Sci. Eng. **4**, 261–284 ▪ Kirk-Othmer (4.) **7**, 620–647 ▪ Rath, Lehrbuch der Textilchemie, S. 45–178, Berlin: Springer 1972 ▪ Ullmann (4.) **9**, 248 ff.; (5.) **A 5**, 392–398 ▪ s. a. Textilfasern.

Baumwollsamenöl (Cottonöl). Bräunliches bis tiefrotes, in raffiniertem Zustand gelbliches, fettes Öl, D^{25} 0,92, Schmp. –2 °C, mit organ. Lsm. außer Alkohol leicht mischbar. B. hat in frischem Zustand einen milden Geruch u. Geschmack, wird aber sehr leicht ranzig u. riecht dann unangenehm scharf. VZ 190–198, IZ 109–116; gehört mit seinem Gehalt an 40–55% *Linolsäure, 16–26% *Ölsäure u. 20–26% *Palmitinsäure zu den halbtrocknenden Ölen.

Herst.: Durch Auspressen der braunen gereinigten Baumwollsamen (s. Baumwolle) u. Raffination mit etwa 10%igem Natriumhydroxid od. durch Extraktion mit Hexan bei 60–70 °C.

Verw.: Außerhalb der BRD, v. a. in den USA in der Seifenfabrikation, zur Herst. von Margarine, Pflanzenfett u. Speiseöl, ebenso zur Verfälschung von Olivenöl u. Schmalz (die sich jedoch leicht nachweisen läßt). Die Preßrückstände sind sehr proteinreich u. könnten – nach Entfernung des giftigen *Gossypols (zur antikonzept. Wirkung s. dort) – nicht nur als Tierfutter, sondern auch als Eiweißquelle für die menschliche Ernährung dienen [1]. – *E* cottonseed oil – *F* huile de coton – *I* olio di cotone – *S* aceite de semilla(s) de algodón

Lit.: [1] Chem. Eng. News **51**, Nr. 32, 14 (1973); J. Am. Oil Chem. Soc. **64**, 973 (1987).
allg.: Belitz-Grosch (4.), S. 210, 213, 588, 602 ▪ Kirk-Othmer **6**, 412–424 ▪ Ullmann (4.) **11**, 506; (5.) **A 10**, 224 f. – [HS 1512 21 29]

Baumwollwachs. Dunkel grünlichbraunes Wachs, durch Aktivkohle entfärbbar, mit Chlorkalk, Chlor od. Wasserstoffperoxid bleichbar, in Baumwollfasern zu 0,2–0,7 Gew.-% enthalten; D. 0,96, Schmp. 68–71 °C, VZ 70,6, leicht lösl. in Benzol, Terpentinöl, Tetrachlorkohlenstoff, Chloroform usw.

Zusammensetzung: 25% Fettsäuren (davon 24% gesätt., 1% ungesätt.), 52% Alkohole, 10% Steroide u. 7% Kohlenwasserstoffe.

Verw.: Zur Konservierung von Lebensmitteln (z. B. Fleisch, Fisch, Obst) durch einen dünnen Film u. als Gleit- u. Schmiermittel für Maschinen der Lebensmittel-Ind. sowie als Creme- u. Salbengrundlage. – *E* cotton wax – *F* cire de coton – *I* cera di cotone – *S* cera de algodón – [HS 1521 10]

Baustoffe. Sammelbez. für die im Bauwesen verwendeten, meist anorgan. Stoffe. Zu den *natürlichen B.* gehören z. B. Natursteine, Holz, Schotter, Kies u. Sand. Zu den *künstlichen B.* rechnet man Schlacken, keram. B. wie Klinker, Ziegel u. Keramiken, Glas, Kunststoffe, Moniereisen etc., die *Bindemittel* (besser: *Bindebaustoffe*) Gips, Kalk, Mörtel, Zement u. die mit diesen hergestellten Produkte wie Beton u. dgl. Ferner gehören hierher *Isoliermaterialien* wie Glaswolle, Gesteinswolle, Schaumstoffe als Schall- u. Wärmedämmstoffe sowie ggf. zum Brandschutz, die sog. *Bauhilfsmittel*, *Dichtstoffe* wie Asphalt, Klebemassen u. die *Bauten-*, *Holz-* u. *Flammschutzmittel*. – Die erwähnten Begriffe sind im allg. in Einzelstichwörtern ausführlich abgehandelt. – *E* building materials – *F* matériaux de construction – *I* materiali da costruzione – *S* materiales de construcción

Lit.: Backe, Werkstoffkunde für die Bauindustrie, Berlin: Verl. Bauwesen 1977 ▪ DIN-Katalog, Sachgruppen 7440, 7450, 7460, 7470, 7480, 7481, 7490, 7500, Berlin: Beuth jährl. ▪ Kirk-Othmer (3.) **12**, 712–733 ▪ Ullmann (4.) **13**, 85–94.

Bautenschutzmittel. Allg. versteht man unter B. die zum Schutz von Gebäuden gegen Grundwasser, durch-

schlagende Feuchtigkeit, Regen etc. verwendbaren, gelegentlich auch noch *Sperranstrichmittel* genannten Stoffe. Diese lassen sich unterteilen in *Isoliermittel*, d. h. *Anstrichstoffe auf der Basis von Bitumen, Asphalten, Teer, Chlorkautschuk, Kunstharzen u. dgl., *Dichtungsmittel* in Form von Hydrophobierungs-Lsg. (s. Hydrophobieren) od. -Emulsionen auf Wachs-, Silicon- od. Metallseifenbasis u. *Härtungsmittel*, die als sog. *Fluate die Oberflächen von *Baustoffen verschließen (z. B. von *Beton). Über neuere Entwicklungen interdisziplinärer Bautenschutzforschung informiert *Lit.*[1]. Im weiteren Sinne kann man den B. auch die *Holzschutzmittel, *Flammschutzmittel u. *Korrosionsschutzmittel zurechnen. – *E* building protective agents – *F* protecteurs pour bâtiments – *I* mezzo preventivo (protettivo) edile – *S* agentes conservadores de obras
Lit.: [1] Nachr. Chem. Tech. Lab. **41**, 1233–1240 (1993). *allg.:* Kirk-Othmer (3.) **16**, 752 ff. ▪ Knöfel, Stichwort: Bautenschutzmittel, Wiesbaden: Bauverl. 1977 ▪ Ullmann (4.) **15**, 715 ff. ▪ Weinmann et al., Moderner Bautenschutz, Grafenau: Lexika-Verl. 1976 ▪ s. a. Anstrichstoffe.

Bauxit. Grauweiß, rosa-gelbbraun od. bräunlich bis rötlich gefärbtes *Sedimentgestein bzw. *Erz aus wechselnden Mengen *Gibbsit* (Hydrargillit) γ-Al(OH)$_3$ (D. 2,4, H. 2,5–3,5), *Diaspor* α-AlOOH, *Böhmit* γ-AlOOH (D. 3,4, H. 4–5), Alumogel (= Sporogelit), sowie *Kaolinit, *Quarz, *Hämatit, *Goethit, *Rutil u. *Anatas; es bestehen alle Übergänge zu *Lateriten u. *Kaolinen. B. enthalten 35–65% Al$_2$O$_3$, <28% Fe$_2$O$_3$, <5–7% SiO$_2$, <4% TiO$_2$ u. 12–30% H$_2$O. B. sind pisolith. (aus kugeligen, meist <2 cm großen *Konkretionen bestehend), massig od. schwammartig ausgebildet. Nach dem unterlagernden Gestein unterscheidet man *Laterit-* od. *Silicat-B.* u. *Karst-* od. *Kalk-B.* (über *Kalken u. *Dolomiten auf alten Landoberflächen); ein Sonderfall sind die Laterit-B. vom *Typus Tikhvin* im Moskauer Becken (auch in Korea u. China).
Vork.: B.-Reserven[1] (insgesamt rund 40 Mrd. t, zu 88% aus Laterit-B. bestehend) sind aus 49 Ländern bekannt; davon sind 74% in Guinea, Australien, Brasilien, Vietnam, Indien u. Jamaica konzentriert.
Verw.: Wichtigster Rohstoff für *Aluminium; zur Herst. von feuerfesten Ziegeln, Spezialkeramik, synthet. Korund, Tonerdezement, als Katalysatorträger u. zur Schmierölraffination. *Name* vom Fundort Les Baux in Südfrankreich. – *E* = *F* = *I* bauxite – *S* bauxita
Lit.: [1] Erzmetall **42**, 172–177 (1989).
allg.: Aleva u. Bardossy, Lateritic Bauxites, Amsterdam: Elsevier 1989 ▪ Bardossy, Karst Bauxites, Amsterdam: Elsevier 1982 ▪ Pohl, Lagerstättenlehre (4.), S. 203–209, Stuttgart: Schweizerbart 1992 ▪ s. a. Aluminiumhydroxid, Sedimentsteine. – *[CAS 1318-16-7]*

BAVC. Abk. für *Bundesarbeitgeberverband Chemie e.V.

Bayblend®. Polymer-Leg. aus PC u. ABS mit einer günstigen Kombination der mechan. u. therm. Eigenschaften. Kfz-Innen- u. Außenteile, Datentechnik, Elektrotechnik, Elektronik. *B.:* Bayer.

Baybond. Wäss. *PUR-Dispersion für die Glasfaserschlichte. *B.:* Bayer.

Bayboran®. Selektives Reduktionsmittel für z. B. Aldehyde, Ketone, Säurechloride, Peroxide, Schiffsche Basen, Azide u. a.; für die Reinigung u. Stabilisierung von Prozeßströmen (Geruchsentfernung, Entfärbung), stromlose Metallabscheidung, Metall-Red., Herst. von Metallpulvern. *B.:* Bayer.

Baycap®. Fungizid auf Basis *Bitertanol u. *Captan im Kernobstbau. *B.:* Bayer.

Baycast®. *PUR-Produkte zur Lederbeschichtung. *B.:* Bayer.

Bayceram® PIM. Silicone-Bindemittel für den keram. Spritzguß. *B.:* Bayer.

Baycidal®. Larvizid zur Fliegen- u. Schimmelkäferbekämpfung in der Landwirtschaft. *B.:* Bayer.

Baycillin®. Tabl. u. Saft mit *Propicillin gegen bakterielle Infektionen. *B.:* Bayer; Bayer Pharma Deutschland.

Baycoll®. Flüssige Polyester- u. Polyetherpolyole als Vorprodukte für *PUR-Klebstoffe. *B.:* Bayer.

Baycor®/Baycoral®. Fungizid auf der Basis von *Bitertanol. *B.:* Bayer.

Baycox®. Produkt zur Behandlung der Kokzidiose beim Geflügel. *B.:* Bayer.

Baycuten®. Creme mit *Clotrimazol u. *Dexamethason-acetat, gegen bakterielle u. pilzliche Dermatitiden. *B.:* Bayer Pharma Deutschland.

Bayderm®. *PUR-Zurichtmittel für Leder sowie Farbteige zur Spritzfärbung von PUR-Lederbeschichtungen. *B.:* Bayer.

Baydur®. Marke sowohl für Polyole als auch für die daraus hergestellten harten *PUR-Integralschaumstoffe für die Möbel-, Tongeräte-, Sportartikel-, Bau- u. Bürogeräte-Industrie. *B.:* Bayer.

Bayer. Kurzbez. für die Bayer AG, 51368 Leverkusen. Bis 1971 nannte sich das 1863 von F. *Bayer gegr. u. – nach Auflösung der *IG Farben – 1951 als eine der drei Nachfolgeges. neu gegr. Unternehmen Farbenfabriken Bayer AG. *Daten* 1995: 142 900 Beschäftigte, 18 301 Mio. DM Eigenkapital, 44 580 Mio. DM Umsatz.
Zu den wichtigsten *Tochter- u. Beteiligungsges.* gehören: Wolff Walsrode AG, Walsrode; Hermann C. Starck GmbH & Co. KG, Goslar; Haarmann & Reimer GmbH, Holzminden; Rhein-Chemie Rheinau GmbH, Mannheim; Bayer Faser GmbH, Dormagen; EC Erdölchemie GmbH, Köln (50%); DyStar Textilfarben GmbH, Frankfurt (50%); Bayer Corporation, USA.
Produktion: insgesamt ca. 10 000 Produkte; davon *Kunststoffe:* Thermoplast. Kunststoffe, Kunststoff-Vorprodukte, Faserrohstoffe, Gußpolyamid, Duroplaste, techn. Folien, Polyurethan-Hilfsstoffe, Modifikatoren, Kunststoff-Additive, Monomere Weichmacher; *Kautschuk:* synthet. Kautschuk u. Latex, Kautschuk-Chemikalien u. Latex-Chemikalien, Klebstoffrohstoffe, Polymer-Additive; *Fasern*; *Organ. Chemikalien:* Bayer-Organica, petrochem. Produkte, organ. Industrieprodukte, Materialschutz Konservierungsmit-

Bayer

tel; *Spezialprodukte*: Farbstoffe für die Textilfärberei u. den Textildruck, Färberei- u. Druckhilfsmittel, Textilveredelungsprodukte, Mottenschutzmittel, synthet., organ. Gerbstoffe, Gerberei- u. Färbehilfsmittel, Lederfarbstoffe, Deckfarben, Zurichthilfsmittel u. Textilbeschichtungsprodukte, Farbstoffe u. Hilfsmittel für die Papier-, Druckfarben-, Lack- u. Kunststoff-Ind. u. weitere Spezialgebiete; Selbstdurchschreibende Papiere, Hochleistungsverbundwerkstoffe, Chemikalien für die Erdöl-Ind., Basisfluide für funktionelle Flüssigkeiten, Flotations-Chemikalien, Siebdruckpasten; *Anorgan. Industrieprodukte*: Chlor, Natronlauge, Ätznatron, Salzsäure, Natronbleichlauge, Schwefelsäure, Oleum, Halogensulfonsäuren, Natriumbisulfit, Fluorwasserstoff, Flußsäure, Fluoride, Fluortenside, Anorgan. Weiß- u. Buntpigmente, Techn. Oxide, Chromate, Chromsäure, Chromgerbstoffe, Bayer-Silicone, Baysilone, Silicone-Spezialitäten, Silane u. Siloxane, Natriumboranat, Kieselsol/Levasil, Hydrazinhydrat, Alkylphosphate, Flammschutzmittel, Alkylphosphite, Synthet. Zeolithe, Phosphorchloride, Extraktionsmittel, Bayer Glasfaser, Email, Siliciumwafer, Additive für die Keramik-Ind., Aminoguanidinbicarbonat, Chlorschwefel; *Polyurethane*; *Lackrohstoffe u. Sondergebiete*: Kunstharze, Bindemittel, Dispersionen, Lösemittel, Lackhilfsstoffe; *Pharma*: Verschreibungspflichtige Arzneimittel gegen Herz-Kreislauf-Erkrankungen, Infektionskrankheiten, Stoffwechselstörungen, Erkrankungen des Zentralen Nervensystems, Atemwegserkrankungen u. Störungen des Immunsystems; *Consumer Care*: Rezeptfreie Arzneimittel (OTC-Produkte) gegen Schmerzen, Magenbeschwerden, Erkältung, Pilzinfektionen, Vitamin- u. Mineralienmangel, Haushaltsinsektizide, Haushaltspflegemittel, Haut- u. Körperpflege, Diätetika; *Diagnostika*: Diagnosesyst. für Krankenhauslabors, Arztpraxen u. Patienten-Selbstkontrolle; *Pflanzenschutz*: Bio-Chemikalien, Reagenzien, Pflanzenschutzmittel; *Tiergesundheit*: Veterinär-Präp.: Produkte zur Behandlung von Haus- u. Nutztieren, Futterzusatzstoffe, Wirk- u. Zusatzstoffe für die Tierernährung.
Lit.: Bayer-Berichte (Ztschr.).

Bayer, Ernst (geb. 1927), Prof. für Organ. Chemie, Univ. Tübingen. *Arbeitsgebiete:* Naturstoffe, Peptide, Metallproteide, polymere homogene Katalysatoren, Polychelatogene, Chromatographie. Vorsitzender des Beratergremiums für umweltrelevante Altstoffe, Vizepräsident der GDCh, Mitglied der American Chemical Society. Zahlreiche Preise u. Ehrungen, u.a. Philipp Morris-Forschungspreis (1985), Richard Kuhn-Medaille (1990).
Lit.: Kürschner (16.), S. 159 ▪ Nachr. Chem. Tech. **35**, 858 (1987) ▪ Wer ist Wer, S. 65.

Bayer, Friedrich sen. (1825–1880), Chemiker u. Industrieller in Barmen. *Arbeitsgebiete:* Handel mit Farben, Entwicklung neuer Farbstoffe (Teerfarbstoffe), Gründung der *Bayer AG (1863).
Lit.: Neufeldt, S. 52 f. ▪ s.a. Bayer AG.

Bayer, Otto (1902–1982, *nicht* verwandt mit Friedrich *Bayer), Prof. für Chemie, Univ. Köln, ehem. Forschungsleiter bei *Bayer (1951–1963). *Arbeitsgebiete:* Farbstoffe, opt. Aufheller, Textilhilfsmittel, Pflanzenschutzmittel, Acrylnitril-Synth., Entwicklung des Diisocyanat-Additionsverf., das zu Polyurethanen führt.
Lit.: Nachr. Chem. Tech. **10**, 331 f. (1962) ▪ Neufeldt, S. 198 ▪ Pötsch, S. 32.

Bayer 205 s. Germanin.

Bayerit s. Aluminiumhydroxide.

Bayertitan®. Weißpigmente auf der Basis von Titandioxid in Anatas- bzw. Rutil-Modif. (B. A bzw. B. R). *B.:* Bayer. – [*HS 3206 10*]

Bayer-Verfahren s. Aluminium.

Bayferrox®. Gelbe, braune, rote u. schwarze Eisenoxid-Pigmente. *B.:* Bayer.

Bayfidan®. Fungizid auf der Basis von *Triadimenol. *B.:* Bayer.

Bayfill®. Marke sowohl für die Polyole als auch für die daraus hergestellten halbharten *PUR-Schaumstoffe zur Verw. in der Auto-Ind. für Stoßenergie-absorbierende Polsterteile. *B.:* Bayer.

Bayfit®. Marke sowohl für die Polyole als auch für die daraus hergestellten weichen *PUR-Kaltformschaumstoffe für den Polstersektor. *B.:* Bayer.

Bayflex®. Marke sowohl für die Polyole als auch für die daraus hergestellten halbharten *PUR-Integralschaumstoffe für die Schuhsohlen- u. Auto-Industrie. *B.:* Bayer.

Bayfol®. Hochwertige techn. Extrusionsfolien aus PC-Blends u. a. techn. Polymeren. Deck- u. Dekorfolien für Folientastaturen, Frontblenden mit integrierten Folien-Schaltern u. in anderen nichtopt. Bereichen. *B.:* Bayer.

Bayfolan®. Spurenelement-haltiger Blattdünger. *B.:* Bayer.

Bayfomox®. Intumeszensmassen für den vorbeugenden Brandschutz. *B.:* Bayer.

Baygal®. *PUR-Gießharze für die Elektro-Ind., als Kernsand-Bindemittel, zur Gesteinsverfestigung im Bergbau. *B.:* Bayer.

Baygamid®. Vorbehandlungs-Syst. für die Metallisierung von Polyamid-Spritzgußteilen. *B.:* Bayer.

Baygen®. Isocyanate bzw. Polyester sowie daraus abgeleitete Lacke für die Zurichtung von Lackleder. *B.:* Bayer.

Baygenal®. Lösl. anion. Farbstoffe für die Färbung von Leder. *B.:* Bayer.

Baygon®. Insektizid auf der Basis von *Propoxur als Kontakt- u. Fraßgift gegen Haus- u. Hygieneschädlinge, auch gegen die Überträger der *Chagas-Krankheit. *B.:* Bayer.

Bayhibit AM®. 2-Phosphono-1,2,4-butantricarbonsäure zur Maskierung von Ca- u. Mg-Ionen in Brauch- u. Kühlwasser. *B.:* Bayer.

Bayhydrol. Handelsname für alle von *Bayer hergestellten Bindemittel für wäss. Lacke. *B.:* Bayer.

Bayhydur®. Marke von *Bayer für wasserverdünnbare Polyisocyanate, die als Härter für wäss. 2K-Lacke eingesetzt werden. *B.:* Bayer.

Baykanol®. Gerbereihilfsmittel von Bayer.

Baykisol®. Kieselsol zur Wein- u. Fruchtsaftschönung. *B.:* Bayer.

Baylectrol®. Tränkmittel für Kondensatoren, Chlorfreie Elektro-Isolierflüssigkeit. *B.:* Bayer.

Bayleton®. System. wirkendes *Fungizid auf der Basis von *Triadimefon, speziell gegen Mehltau u. Rostpilze. *B.:* Bayer.

Baylith®. Zeolith-Pulver, -Pasten, -Granalien für die Trocknung u. Reinigung von Gasen u. Flüssigkeiten u. von Lsm.-freien 2-Komponenten-PU-Systemen. *B.:* Bayer.

Baylube®. Marke für ein umfassendes Sortiment von Basisprodukten zur Formulierung von synthet. u. teilsynthet. Funktionsflüssigkeiten, (z. B. Schmiermitteln, Textilhilfsmitteln, Entschäumern usw.). *B.:* Bayer.

Bayluscid®. Molluskizid auf der Basis von *Niclosamid, bes. gegen *Bilharziose (Schistosamiasis) übertragende Wasserschnecken u. Schadschnecken im Reis. *B.:* Bayer.

Baymat®. *Fungizid auf der Basis von *Bitertanol für Zierpflanzen. *B.:* Bayer.

Baymer®. Marke für Polyole, auch für daraus hergestellte Polyisocyanurat-Hartschaumstoffe, als Dämm- u. Konstruktionswerkstoffe im Bausektor. *B.:* Bayer.

Baymicron®. Marke für Produkte u. Verf. für Kohlefreie Durchschreibesysteme u. Thermopapiere. *B.:* Bayer.

Baymidur®. *PUR-Gießharz als Vergußmasse für die Elektro-Ind., als Kernsandbindemittel u. zur Gesteinsverfestigung im Bergbau. *B.:* Bayer.

Baymin®. Produkte für die Erz- u. Rohstoffaufbereitung. *B.:* Bayer.

Baymod® A. Pulverförmige Produkte auf der Basis von *Acrylnitril-Butadien-Styrol-Copolymeren, Acrylnitril-Styrol-Acrylester-Copolymeren sowie *Styrol-Acrylnitril-Copolymeren als Modifikatoren zur Verbesserung der physikal. Eigenschaften bes. von Hart-PVC. *B.:* Bayer.

Baymod L®. Schlagzähmodifikator auf der Basis eines Ethylen-Vinylacetat-Copolymerisates für Hart-PVC. *B.:* Bayer.

Baymod PU®. Lichtbeständiger weichmachender Modifikator auf der Basis eines thermoplast. aliphat. *Polyurethans. Vorzugsweise für den Einsatz in Halbhart- u. Weich-PVC verwendet. *B.:* Bayer.

Baymycard®. Filmtabl. mit dem *Calcium-Antagonisten Nisoldipin. *B.:* Bayer.

Baynat®. Marke für Polyole, auch für die daraus hergestellten warmformbaren *PUR-Hartschaumstoffe, für die Auto- u. Möbel-Industrie. *B.:* Bayer.

Bayöl. Dunkelbraunes Öl, D^{20} 0,943–0,984, n_D^{20} 1,505–1,517, mind. 50% Phenole. Starker, würziger, süßlicher, nelkenartiger Geruch.

Herst.: Durch Wasserdampfdest. aus den Blättern von *Pimenta racemosa* (Miller) Moorc (Myrtaceae). Ausbeute 0,5–1,5%. *Herkunft:* Westind. Inseln u. nördliches Südamerika.

Zusammensetzung[1]: Hauptbestandteile sind *Myrcen (15–30%), *Eugenol (40–70%) u. *Chavicol (10–20%).

Verw.: Ausschließlich zur Parfüm-Herst., v. a. in Herrennoten, wegen seiner antisept. Eigenschaften ein klass. Bestandteil von After-shave-Lotionen. – *E* bay oil, oil of bay – *F* essence de bay – *I* olio della bay – *S* esencia de bay, esencia de pimienta acre

Lit.: [1]Perfum. Flavor **5** (2), 33 (1980); **7** (4), 41 (1982). – [HS 330129; CAS 8006-78-8]

Bayofly®. Ektoparasitizid mit Kontaktwirkung zur Fliegen- u. Läusebekämpfung im Sprüh- u. Aufgieß- (Pour-On)-Verf. bei Rindern. *B.:* Bayer.

Bayo-N-ox®. Leistungsfördernder Futtermittelzusatz zur Verbesserung der Gewichtsentwicklung u. der Futterverwertung beim Schwein. *B.:* Bayer.

Bay-o-Pet®. Verschiedene Pflege- u. Ernährungsspezialitäten für Katzen u. Hunde. *B.:* Bayer.

Bayotensin®. Tabl. u. Lsg. mit *Nitrendipin gegen Bluthochdruck. *B.:* Bayer Pharma Deutschland.

Bayovac®. Oberbegriff für Tierimpfstoffe. B. in Verbindung mit einem spezif. Impfstoffnamen kennzeichnet jeweils ein Produkt [z. B. B. MKS (Maul- u. Klauenseuche) Vakzine trivalent od. B. IBR-Marker vivum u. inactivatum]. *B.:* Bayer.

Bayowet®. Chem. u. therm. beständige, hochwirksame Netzmittel auf Basis von Perfluorsulfonsäure-Derivaten zur Anw. in Beiz- u. Galvanikbädern, in Farben u. Lacken sowie bei der Fotopapier- u. Filmbeschichtung. *B.:* Bayer.

Baypamun®. Immunmodulator/-stimulanz zur Stärkung der körpereigenen Abwehr bei Nutz- u. Hobbytieren. *B.:* Bayer.

Baypival®. In Haarkosmetika einsetzbares fungizides Antischuppenmittel auf der Basis von Climbazol. *B.:* Bayer.

Bayplast®-Pigmente. Sortiment organ. Pigmente zum Färben von PVC. *B.:* Bayer.

Baypreg®. PU-Naßpreß-Syst. zur Herst. von Sandwichkonstruktionen, wie z. B. Surfboards od. zur Herst. von Teilen für den Fahrzeuginnenausbau, wie z. B. Träger für Türinnenverkleidungen. *B.:* Bayer.

Baypren®. Polychloropren-Festkautschuk zur Herst. von techn. Gummiartikeln u. Klebstoffen; B.-Latex als Binder für verschiedene Fasern zur Imprägnierung u. Beschichtung sowie zur Modifizierung bitumöser Massen. *B.:* Bayer.

Bayprint®. Marke für Druckpasten zur Erzeugung von Leiterbahnstrukturen auf flexiblen od. starren Kunststoff-Substraten. *B.:* Bayer.

Bay-Region s. Carcinogene.

Bayrusil®. Kontakt- u. Fraßinsektizid auf der Basis von *Quinalphos gegen beißende u. saugende Schädlinge, bes. Raupen. *B.:* Bayer.

Baysel® C. Gerbereihilfsmittel von Bayer.

Bayshield®. Metallisierbare Sprühformulierung zur partiellen (innenseitigen) Metallisierung von Kunststoffgehäusen zur Abschirmung elektromagnet. Störstrahlung. *B.:* Bayer.

Baysicale®. Füllstoffe für Papier u. dgl. auf der Basis von Natriumaluminium- u. Calciumsilicaten. *B.:* Bayer.

Baysilone®. Großes Angebot an *Siliconen, die Verw. als Entschäumer, Imprägnieremulsionen, Harze, Trennmittel, Öle, Pasten etc. in der Papier-, Bau- u. Kunststoff-Ind. finden. *B.:* Bayer.

Baysin®. Casein-freie Deckfarben u. Hilfsmittel für die Leder-Industrie. *B.:* Bayer.

Baysix®. Mono- u. Multikrist. Silicium-Scheiben. *B.:* Bayer.

Baysolvex®. Solvens für die Extraktion von Nichteisen-, Edelmetallen u. Seltenen Erden, zur Reinigung von Phosphorsäure u. a. Säuren. *B.:* Bayer.

Baysport®. Marke für Polyole, auch für die daraus hergestellten kalthärtenden nichtzelligen *PUR-Elastomeren, als Böden für Sport- u. Spielanlagen. *B.:* Bayer.

Baystal®. Styrol-Butadien-Latices zur Teppichrückenbeschichtung, für Schuhinnensohlen u. -kappen sowie den Papierstrich; auch als Kaugummi-Basis. *B.:* Bayer.

Baysynthol®. Synthet. Leimungsmittel für Papier auf der Basis von Maleinsäure-Copolymerisaten. *B.:* Bayer.

Baytan®. *Fungizid auf der Basis von *Triadimenol. *B.:* Bayer.

Baytec®. Marke für Vernetzer, auch für die daraus hergestellten nichtzelligen *PUR-Gießeleastomeren, zur Verw. als heißhärtende Prepolymere für techn. Artikel wie Laufrollen, Siebböden u. Kupplungsbeläge. *B.:* Bayer.

Baytec® RS. PU-Sprühbeschichtungssyst. zur Verstärkung von Thermoplasten, wie z. B. Acrylbadewannen, Acrylduschtassen etc. *B.:* Bayer.

Baytec® RT. PU-Sprühsyst. zur Herst. selbsttragender Teile, wie z. B. Schachtböden, Container, Gießformen etc. *B.:* Bayer.

Baytex®. *Insektizid auf der Basis von *Fenthion. *B.:* Bayer.

Baytherm®. Marke für Polyole, auch für die daraus hergestellten *PUR-Hartschaumstoffe, zur Verw. als Wärmedämmstoffe. *B.:* Bayer.

Baythiol. Rohstoff auf der Basis von *Polysulfid zur Herst. von Fugendichtstoffen. *B.:* Bayer.

Baythion®. Spritzmittel gegen Vorratsschädlinge (z. B. div. Käferarten) in leeren Speichern; *Insektizid auf der Basis von *Phoxim. *B.:* Bayer.

Baythroid®. *Insektizid auf der Basis von *Cyfluthrin gegen Schädlinge an Obst- u. Zierpflanzen. *B.:* Bayer.

Bayticol®. Ektoparasitizid mit Kontaktwirkung zur Kontrolle von Zecken u. a. Ektoparasiten (s. Parasiten) im Bade-, Sprüh- u. Aufgieß (Pour-On)-Verf. bei Wiederkäuern. *B.:* Bayer.

Baytril®. Antiinfektionsmittel in verschiedenen Formulierungen zur veterinärmedizin. Infektionstherapie. *B.:* Bayer.

Bayvanol®. Zur Diagnose u. Kontrolle der Varroatose (Milbenbefall mit Varroa jacobsoni) bei Bienen. *B.:* Bayer.

Bayvitec®. Syst. zur Spaltung von O/W- bzw. W/O-Emulsionen. *B.:* Bayer.

Bazoton®. Kapseln u. Filmtabl. mit Brennesselwurzel-Trockenextrakt gegen Miktionsbeschwerden. *B.:* Kanoldt.

BBA. Abk. für *Biologische Bundesanstalt für Land- u. Forstwirtschaft.

BBM. Kurzbez. für die B. *Braun Melsungen AG.

BBN. Abk. für *9-Borabicyclo[3.3.1]nonan.

BBO [2,5-Bis(4-biphenylyl)oxazol].

$C_{27}H_{19}NO$, M_R 373,45; BBO wird verwendet als *Laserfarbstoff in *Farbstofflasern od. als Lumineszenzmaterial in *Szintillatoren. – *I* 2,5-bis-4-bifenililossazolo – *S* 2,5-bis-4-bifenililoxazol
Lit.: Brackmann, Lamdachrome®, Laser Dyes, Göttingen: Lambda Physik 1986. – [CAS 2083-09-2]

BBP. Nach DIN 7723 (12/1987) Kurzz. für *Benzylbutylphthalat als *Weichmacher. – [HS 2917 34]

BBU. Abk. für den 1972 gegr. Bundesverband Bürgerinitiativen Umweltschutz e. V., eine Umweltorganisation mit Sitz in 53113 Bonn, Prinz-Albert-Str. 43. Der BBU ist ein Zusammenschluß von Bürgerinitiativen im gesamten Bundesgebiet. Der BBU will betroffenen Bürgern vor Ort organisator., rechtlich u. wissenschaftlich helfen. Er vertritt die Interessen des Umwelt- u. Naturschutzes auf überregionaler Ebene. Die Erarbeitung von Stellungnahmen, die Teilnahme an Anhörungen, die Unterstützung von Aktionen u. die Förderung der Zusammenarbeit von Bürgerinitiativen sind wesentliche Bereiche seines breiten Aufgabenfeldes. Der BBU hält engen Kontakt zu umweltwissenschaftlichen Instituten u. anderen Umweltschutzverbänden u. ist ein dezentral organisierter Verband. Jede Mitgliedsgruppe arbeitet im Rahmen der Zielsetzungen des BBU selbständig. Zu verschiedenen Umweltproblemen gibt es innerhalb des BBU bundesweite Arbeitskreise. Der Bundesverband fördert auch den regionalen Zusammenschluß von Umweltschutzgruppen zu Landesverbänden. *Publikationsorgan:* BBU Info-Dienst (vierteljährlich) ■ Informationen aus Chemie u. Umwelt (vierteljährlich).

BCNU s. Carmustin.

BCS-Theorie (von *Bardeen, L. N. *Cooper u. *Schrieffer) s. Supraleitung.

BDA. Abk. für *Bundesvereinigung der deutschen Arbeitgeberverbände.

BD-Cellulose Servacel® reinst. Benzoyl-*DEAE-Cellulose, aus Pyridin-Lsg. gefälltes Korn; wird für die Chromotographie von Nucleinsäuren eingesetzt. **B.:** Serva.

BDI. Abk. für *Bundesverband der deutschen Industrie e. V.

BDNF s. neurotrophe Faktoren.

BDS-Inkrom-Verfahren. Bez. für ein *Inchromverfahren (vgl. Zementation) zur Oberflächenvergütung von Stahl, das mit einer Einbettungsmasse aus Ferrochrom u. Chrom(II)-chlorid arbeitet.
Lit.: Winnacker-Küchler (3.) **6**, 644; (4.) **6**, 693.

Be. Chem. Symbol für *Beryllium.

BE. Abk. für *Brot-Einheit u. *Erstarrungsbeschleuniger.

Beadle, George Wells (1903–1989), Prof. für Biologie, Univ. Chicago u. Pasadena (USA). *Arbeitsgebiete:* Genetik, Biochemie, Entwicklung der „Ein-Gen-ein-Enzym"-Hypothese; hierfür Medizin-Nobelpreis 1958 zusammen mit *Lederberg u. *Tatum.
Lit.: Pötsch, S. 33.

Beam-Foil-Spektroskopie (Folienanregungs-Spektroskopie). Aus dem Engl. übernommene Bez. für eine Meth. zur Untersuchung der Anregungs- u. Ionisationszustände von Atomen, bei der ein massenselektierter Ionenstrahl eine Folie (meist aus Kohlenstoff) passiert. – *E* beam-foil spectroscopy – *I* spettroscopia beam-foil
Lit.: Bergmann u. Schaefer, Lehrbuch der Experimentalphysik, Bd. 4, S. 233, Berlin: de Gruyter 1992. – *Geschichte:* Nucl. Instrum. & Methods Phys. Res., Sect B **9**, 544 u. 546 (1985). – *Übersichtsartikel:* Andrä in Hanle u. Kleinpoppen (Hrsg.), Progress in Atomic Spectroscopy, S. 829, New York: Plenum Press 1979 ▪ Nucl. Instrum. & Methods Phys. Res. **202**, 1 (1982).

Beattie-Bridgeman-Gleichung. Therm. Zustandsgleichung für reale *Gase: $p = (1-\gamma)RT(V_m+\beta)/V_m^2 - \alpha/V_m^2$ mit $\alpha = a_0(1+a/V_m)$, $\beta = b_0(1-b/V_m)$ u. $\gamma = c_0/V_m T^3$. Hierbei sind p der Druck, R der *Gaskonstante, T die abs. Temp. u. V_m das *Molvolumen. Die B.-B.-G. hat 5 Parameter (a_0, a, b_0, b u. c_0), die an experimentelle Daten angepaßt werden. Sie beschreibt das Verhalten vieler realer Gase über einen weiten Bereich von Druck u. Temp. in guter Näherung. – *E* Beattie-Bridgeman equation – *F* équation de Beattie-Bridgeman – *I* equazione di Beattie-Bridgeman – *S* ecuación de Beattie-Bridgeman

Béchamp, Pierre Jacques Antoine (1816–1908). Durch Red. von Nitrobenzen mit Eisen u. Essigsäure bzw. Salzsäure entwickelte er die nach ihm benannte techn. Herst. von Anilin u. leistete damit einen wichtigen Beitrag zur Entwicklung synthet. Farbstoffe.
Lit.: Pötsch, S. 33.

Béchamp-Arsonylierung. Die Reaktion beschreibt die Bildung von aromat. *...arsonsäuren durch Schmelzen von arom. Aminen, Phenolen u. deren Derivaten in *Arsensäure. Die Reaktion ist auf diese aktiven Aromaten beschränkt u. liefert in der Regel die Substitutionsprodukte in 4-Stellung.

– *E* Béchamp arsonylation – *F* arsonylation de Béchamp – *I* arsonilazione di Béchamp – *S* arsonilación de Béchamp

HO–⟨⟩– + H_3AsO_4 $\xrightarrow{\Delta}$ HO–⟨⟩–As(=O)(OH)$_2$

Lit.: Adv. Organomet. Chem. **4**, 148 f. (1966) ▪ s. a. Arsen-organische Verbindungen.

Béchamp-Reduktion. Von A. J. Béchamp 1854 aufgefundene Red. aromat. Nitro-Verb. zu den entsprechenden Aminen mit Fe, Eisen-Salzen od. Fe-Katalysatoren in wäss. Salzsäure:

$$H_5C_6-NO_2 + 2 Fe \xrightarrow[-H_2O]{+6 HCl} H_5C_6-NH_2 + 2 FeCl_3$$

– *E* Béchamp reduction – *F* réduction de Béchamp – *I* riduzione di Béchamp – *S* reducción de Béchamp
Lit.: Houben-Weyl **11/1**, 394–409; **4/1c**, 742 f. ▪ Kirk-Othmer (4.) **2**, 494 ▪ Org. React. **2**, 428 ff. (1944) ▪ Ullmann (4.) **7**, 567 f.; (5.) **A 2**, 306.

Becher, Johann Joachim (1635–1682), Hofarzt u. Mathematiker in Bayern. *Arbeitsgebiete:* Wirtschafts- u. Gesellschaftspolitik, Sprachlehre, Naturwissenschaften, Aufbau der Materie. B. begründete 1669 in seinem Buch „Physica Subterranea" die Phlogiston-Theorie.
Lit.: Krafft, S. 319 ▪ Lichtbogen **24**, Nr. 3, S. 4–8 (1975) ▪ Nachr. Chem. Tech. Lab. **25**, 438 ff. (1977) ▪ Pötsch, S. 33 f. ▪ Strube et al., S. 53, 54.

Bechergläser. Im Laboratorium vielseitig verwendbare zylindr., dünnwandige Glasgefäße mit Ausguß, die in Größen zwischen 25 ml u. 5 l im Handel sind. Häufig werden Flüssigkeiten in B. erhitzt; zu diesem Zweck stellt man das Glas z.B. in ein mit flüssigem Wärmeträger gefülltes Heizbad, eine elektr. Heizrichtung od., beim Einsatz eines Gasbrenners, auf einen *Dreifuß mit Drahtnetz; B. aus *Jenaer Glas od. *Pyrex, Solidex u. dgl. können sogar direktes Erhitzen auf freier Flamme aushalten. Durch Beschichtung des Randes der B. mit Polymeren, z. B. Teflon läßt sich einerseits die Ausgießqualität erheblich verbessern u. andererseits die Bruchanfälligkeit verringern (Entwicklung von Corning). – *E* beakers, glass beakers – *F* bechers – *I* bicchieri – *S* vasos de precipitados
Lit.: DIN 12331 (10/1988) ▪ s. a. Laboratorium.

Beck, Wolfgang Maximilian (geb. 1932), Prof. für Anorgan. Chemie, Univ. München. *Arbeitsgebiete:* Metallorgan. u. Komplex-Chemie, metallorgan. Lewis-Säuren, Kohlenwasserstoff-verbrückte Komplexe, Metallkomplexe von Pseudohalogeniden u. biolog. wichtigen Liganden. Chemiepreis der Akademie Göttingen 1967, Liebig-Denkmünze der GDCh 1994.
Lit.: Kürschner (16.), S. 166 ▪ Wer ist Wer, S. 68.

Becke-Goehring, Margot (geb. 1914), Prof. Dr. rer. nat., Dr. h. c. emeritierte, Direktorin des *Gmelin-Institutes. *Arbeitsgebiete:* Schwefel-Stickstoff-Verb., anorgan. Ringverb. mit Phosphor, Schwefel, Silicium u. Stickstoff, quant. Analyse, Komplexchemie.
Lit.: Kürschner (16.), S. 166 ▪ Nachr. Chem. Tech. **9**, 295 (1961) ▪ Wer ist Wer, S. 68.

Beckensteine (Toilettenkegel). Bez. für meist gefärbte u. parfümierte Würfel, Kegel, Kugeln u. dgl., die in Pissoirbecken verwendet werden u. zur Verhinderung von Verkrustungen, Geruchsverbesserung u. Desinfektion dienen. B. enthalten als Wirkstoffe, die im Kontakt mit Wasser u. Urin allmählich freigesetzt werden, *Tenside, Säurekomponenten u. Mikrobizide. Das früher vielfach verwendete p-Dichlorbenzol (PDCB, s. Dichlorbenzole) wird heute aus Umweltschutzgründen nicht mehr eingesetzt; s. a. Sanitärreiniger, Toilettenreiniger.

Becker, Erwin Willy (geb. 1920), Prof. (emeritiert) für Kernverfahrenstechnik u. Mikrostrukturtechnik, Univ. Karlsruhe. *Arbeitsgebiete:* Gaskinetik, Isotopentrennung, Mikrotechnik, tiefe Temp., Plasmaphysik.
Lit.: Kürschner (16.), S. 167 ▪ Poggendorff **7a**, 117f ▪ Wer ist Wer, S. 69.

Becker, Friedrich (geb. 1922), Prof. für Physikal. Chemie, Univ. Frankfurt. *Arbeitsgebiete:* Kalorimetrie, Thermodynamik, Theoret. Chemie, Reaktionswärmen.
Lit.: Kürschner (16.), S. 168 ▪ Wer ist Wer, S. 69.

Becker, Gerd (geb. 1940), Prof. für Anorgan. Chemie, Univ. Karlsruhe, Marburg, Stuttgart. *Arbeitsgebiete:* Elementorgan. Chemie der Hauptgruppen, Synth., Struktur u. Reaktivität von Verb. mit $E^{III}=C$ u. $E^{III}\equiv C$ Bindungen (E=P, As), P-, As-, Sb-haltige Heterocyclen, sek. Bindungen bei schweren Hauptgruppenelementen, Röntgen- u. Neutronenbeugung an Wasserstoff-Verb. der 4. u. 5. Hauptgruppe.
Lit.: Kürschner (16.), S. 168.

Becker, Gert (geb. 1933), Präsident des Verbandes der Chem. Ind. (VCI) seit 1994, seit 1973 Vorstandsmitglied der Degussa AG, seit 1977 Vorstandsvorsitzender.

Beck-Grade s. Aräometer.

Beckmann, Ernst (1853–1923), Prof. für Physikal. Chemie, Univ. Leipzig u. Berlin, Direktor des Kaiser-Wilhelm-Inst., Berlin. *Arbeitsgebiete:* Molekulargewichtsbestimmung durch Kryoskopie u. Ebullioskopie, Molekülgrößenbestimmung, Umlagerung von Oximen unter Säureeinfluß (s. Beckmann-Umlagerung), ether. Öle, Campher, Ketone, Spektroskopie usw.
Lit.: Pötsch, S. 34 ▪ Strube et al., S. 127.

Beckmann-Thermometer. Nach E. *Beckmann (1905) benanntes Quecksilber-Thermometer, dessen Skalenbereich sich nur über wenige Kelvin erstreckt, das dafür aber die Ablesung bis auf 10^{-3} K erlaubt. Das B.-T., das zur Molmassenbestimmung benutzt wird, muß vor jeder Messung geeicht werden, indem man aus einem am oberen Ende der Skale befindlichen Hg-Vorratsgefäß Hg in die Skale hineinzieht bzw. überschüssiges Hg in der Säule aus der Skale in das Vorratsgefäß schüttelt. Näheres s. bei Molmassenbestimmung. – *E* Beckmann thermometer – *F* thermomètre de Beckmann – *I* termometro di Beckmann – *S* termómetro de Beckmann
Lit.: DIN 16160, Tl. 3 (05/1968) ▪ s. a. Molmassenbestimmung.

Beckmann-Umlagerung Von E. von *Beckmann 1886 beschriebene Umwandlung von *Oximen in N-substituierte Säureamide. Die durch Säuren wie Phosphorsäure, Schwefelsäure od. Phosphoroxychlorid, Phosphorpentachlorid, Phosphorpentoxid u. a. induzierte Umlagerung verläuft unter Wanderung des zur Austrittsgruppe *anti*-ständigen Restes. Die Reaktion dient daher oft dazu, die *Konfiguration eines Oxims zu bestimmen.

Cyclohexanonoxim   ε-Caprolactam

Die Oxime cycl. Ketone geben bei der B.-U. direkt *Lactame; dies wird techn. für die Herst. von ε-*Caprolactam aus Cyclohexanonoxim ausgenutzt. Eine gewisse Verwandtschaft zeigt die B.-U. mit der *Schmidt-Reaktion, die ebenfalls Säureamide liefert. – *E* Beckmann rearrangement – *F* réarrangement de Beckmann – *I* riordinamento trasposizione di Beckmann – *S* transposición de Beckmann
Lit.: Hassner-Stumer, S. 30 ▪ Laue-Plagens, S. 30 ff. ▪ March (4.), S. 1095 ff. ▪ Org. React. **35**, 1–420 (1988) ▪ Patai, The Chemistry of the Carbon-Nitrogen Double Bond, S. 408–439, London: Wiley 1970 ▪ Weissermel-Arpe (4.), S. 273.

Beckocoat®. Polyurethan-Lackharze, die unter Einwirkung von Luftfeuchtigkeit zu hochwiderstandsfähigen Filmen aushärten. *B.:* Vianova Resins GmbH.

Beckopox®. Sortiment von mit handelsüblichen Härtern od. B.-Spezialhärtern (modifizierter Polyamine u. Polyamidoamine) kalt od. warm aushärtbaren, flüssigen u. festen Epoxidharzen. Zur Verw. für Klebstoffe, Lacksyst., Beschichtungen usw. in der Elektro-, Verpackungs- u. Bau-Industrie. *B.:* Vianova Resins GmbH.

Beckurol®. Plastifizierte Harnstoffharze für säurehärtende Holzlacke, Parkettversiegelungen u. ofentrocknende Lacke. *B.:* Vianova Resins GmbH.

Beclamid. $H_5C_6-CH_2-NH-\underset{\underset{O}{\|}}{C}-CH_2-CH_2-Cl$

Internat. Freiname für *N*-Benzyl-3-chlorpropionamid, $C_{10}H_{12}ClNO$, M_R 197,66; Schmp. 91–94 °C. Es wurde 1951 als *Antiepileptika von Cyanamid patentiert u. ist von Byk Gulden (Neuracen®) im Handel. – *E* = *I* beclamide – *F* béclamide – *S* beclamida
Lit.: Hager (5.) **7**, 381 f. – *[HS 292429; CAS 501-68-8]*

Beclometason.

Internat. Freiname für das Glucocorticoid 9-Chlor-11β,17, 21-trihydroxy-16β-methyl-1,4-pregnadien-3,20-dion, $C_{22}H_{29}ClO_5$, M_R 408,92. Verwendet wird das Dipropionat, Schmp. 212 °C (Zers.), $[\alpha]_D^{20}$ + 98,0° (c 1/Dioxan). Es wurde 1962 als *Antiallergikum, *Antiasthmatikum u. top. *Antiphlogistikum von Merck u. von Scherico patentiert u. ist Generika-fähig. – $E = I$ beclometasone – F béclométasone – S beclometasona
Lit.: DAB 10 ▪ Hager (5.) 7, 382 ff. – *[HS 2915 50; CAS 4419-39-0]*

Beclo turmant®. Dosier-Aerosol mit *Beclometason-17,21-dipropionat gegen Bronchialasthma u. chron. Bronchitis. *B.:* Fisons.

Beconase® aquos. Sprühflaschen u. Dosier-Spray (Suspension) mit *Beclometason-dipropionat-Monohydrat gegen Heuschnupfen. *B.:* Glaxo Wellcome.

Becquerel (Kurzz. Bq). 1970 eingeführte abgeleitete SI-Einheit für die *Aktivität. Sie beschreibt die Anzahl der spontanen *Zerfälle od. auch *Kernreaktionen von Radionukliden pro Zeiteinheit: 1 Bq = 1 s^{-1} ≈ 2,703 · 10^{-11} Ci; 1 *Curie = 3,7 · 10^{10} Bq. Die Einheit Bq wird für statist., die gleiche Dimension *Hertz dagegen für zeitlich period. Vorgänge verwendet. – $E = F = I = S$ becquerel

Becquerel, Antoine Henri (1852–1908), Prof. für Physik, École Polytechnique, Paris. *Arbeitsgebiete:* Sonnenspektrum, IR-Spektroskopie, polarisiertes Licht, Phosphoreszenz, Entdeckung der Radioaktivität des Urans. Hierfür erhielt er 1903 (zusammen mit M. u. P. *Curie) den Nobelpreis für Physik.
Lit.: Arch. Int. Histoire Sci. 18, 55–66 (1965) ▪ Isis 57, 267 ff. (1966) ▪ Krafft, S. 40 ▪ Neufeldt, S. 103, 105 ▪ Pötsch, S. 35 ▪ Strube 2, 76, 110 ▪ Strube et al., S. 99.

Becquerel-Effekt. Nach dem Vater von A. H. *Becquerel (Alexandre Edmond B., 1820–1891) benannter *Photoeffekt: Die Bestrahlung der einen von zwei Elektroden, die in einen Elektrolyten eintauchen, mit sichtbarem od. ultraviolettem Licht od. Röntgenstrahlen läßt zwischen beiden Elektroden eine Potentialdifferenz entstehen. Beim B.-E. spielen *Radikale eine Rolle. – E Becquerel effect – F effet de Becquerel – I effetto di Becquerel – S efecto Becquerel
Lit.: J. Chem. Educ. 45, 240 (1968).

Bedampfen s. Aufdampfen.

Bedarfsgegenstände. Lebensmittelrechtlicher Sammelbegriff, definiert in § 5 *LMBG. Danach sind bestimmungsgemäß B.:
1. Gegenstände, die beim Herstellen, Behandeln, Inverkehrbringen od. dem Verzehr von *Lebensmitteln verwendet werden u. dabei mit den Lebensmitteln in Berührung kommen od. auf diese einwirken;
2. Packungen, Behältnisse od. sonstige Umhüllungen, die mit kosmetischen Mitteln od. mit Tabakerzeugnissen in Berührung kommen;
3. Gegenstände, die mit den Schleimhäuten des Mundes in Berührung kommen, ausgenommen ärztliche od. zahnärztliche Instrumente;
4. Gegenstände zur Körperpflege, es sei denn, daß sie überwiegend dazu bestimmt sind, Krankheiten, Leiden, Körperschäden od. krankhafte Beschwerden zu lindern od. zu beseitigen;
5. Spielwaren u. Scherzartikel;
6. Gegenstände, die nicht nur vorübergehend mit dem menschlichen Körper in Berührung kommen, wie Bekleidungsgegenstände, Bettwäsche, Masken, Perücken, Haarteile, künstliche Wimpern, Armbänder, Brillengestelle;
7. a) Reinigungs- u. Pflegemittel,
b) Imprägnierungsmittel u. sonstige Ausrüstungsgegenstände für B. im Sinne von Nr. 6, beide nur für den häuslichen Bedarf;
8. Reinigungs- u. Pflegemittel für B. im Sinne von Nr. 1 sowie Mittel zur Bekämpfung von Mikroorganismen bei solchen;
9. Mittel u. Gegenstände zur Geruchsverbesserung od. zur Insektenvertilgung in Räumen, die zum Aufenthalt von Menschen bestimmt sind, ausgenommen Mittel, die ausschließlich als *Pflanzenschutzmittel im Sinne des Pflanzenschutzgesetzes in den Verkehr gebracht werden.
Soweit Gegenstände nach § 2 (2) AMG als *Arzneimittel gelten, sind sie keine Bedarfsgegenstände.
Schutz der Gesundheit bei B.: Dieses oberste Gebot des LMBG ist in den §§ 30–32 LMBG sowie diversen Folge-VO geregelt. Danach gilt ein Verbot, B. derart herzustellen. od. zu behandeln, daß sie bei *bestimmungsgemäßem* od. *vorauszusehendem Gebrauch* geeignet sind, die Gesundheit durch ihre stoffliche Zusammensetzung, insbes. durch toxikolog. wirksame Stoffe od. durch Verunreinigungen zu schädigen. Das Verbot erfaßt auch das Inverkehrbringen derartiger Bedarfsgegenstände. Verboten ist, B. mit Lebensmittelkontakt so zu verwenden, daß sie geeignet sind, beim Verzehr der Lebensmittel die Gesundheit zu schädigen. Gleiches gilt für den Übergang von Stoffen von B. mit Lebensmittelkontakt auf Lebensmittel od. deren Oberfläche, ausgenommen gesundheitlich, geruchlich u. geschmacklich unbedenkliche Anteile, die techn. unvermeidbar sind. Es erfolgt eine Beurteilung so verunreinigter Lebensmittel als nicht zum Verzehr geeignet im Sinne von § 17 (1) Nr. 1 LMBG. § 32 LMBG enthält Ermächtigung zum Schutz der Gesundheit für den Bereich der B. (*Beisp.:* *Bedarfsgegenstände-Verordnung).
Beachte: Erfaßt ist vom LMBG der Schutz vor der *stofflichen* Zusammensetzung; Schutz vor mechan. Schaden (Bauart) s. Gerätesicherheitsgesetz, VO über die Sicherheit von Spielzeug. – E consumption-goods – F objets de consommation – I articoli di prima necessità – S articulos de consumo

Bedarfsgegenstände-Verordnung. Die VO vom 10.4.1992 (BGBl. I, S. 866) setzt zahlreiche EG-Richtlinien auf dem Sektor der *Bedarfsgegenstände (Begriffsbestimmung s. dort) um u. hebt nachstehende bisherige Detail-VO auf:
Flammschutzmittel-Bedarfsgegenstände-VO;
Keramik-Bedarfsgegenstände-VO;
Nitrosamin-Bedarfsgegenstände-VO;
Spielwaren- u. Scherzartikel-VO;
Vinylchlorid-Bedarfsgegenstände-VO;
Zellglas-Bedarfsgegenstände-VO.
Beachte: In der VO werden auch Imprägnierungsmittel in Aerosolpackungen für Leder- u. Textilerzeugnisse, die für den *häuslichen Bedarf* bestimmt u. *nicht Erzeugnisse* im Sinne des § 5 (1) Nr. 7b *LMBG sind, den Bedarfsgegenständen gleichgestellt.
Die VO führt zunächst den Begriff *Lebensmittelbedarfsgegenstände* (Abk. LBG) ein [alle Bedarfsgegenstände im Sinne von § 5 (1) Nr. 1 LMBG] u. definiert des weiteren LBG aus *Zellglasfolie, Kunststoff, Keramik* u. Bedarfsgegenstände aus *Vinylchlorid-Polymerisaten.* Bei letzteren werden neben den LBG auch Bedarfsgegenstände mit Schleimhautkontakt [§ 5 (1)

Nr. 3 LMBG] sowie Spielwaren u. Scherzartikel [§ 5 (1) Nr. 5 LMBG] erfaßt.
Lit.: Römpp Lexikon Lebensmittelchemie, S. 94.

Bediasite s. Tektite.

Bednorz, Georg J. (geb. 1950), Dr. rer. nat., wissenschaftlicher Mitarbeiter in der Physikabteilung des IBM Forschungslaboratoriums in Rüschlikon; Lehrauftrag an der ETH Zürich u. der Univ. Zürich. *Arbeitsgebiete:* Oxid. Materialien, Herst. neuer Verb., deren Kristallzüchtung u. Charakterisierung, strukturelle Phasenumwandlungen u. Ferroelektrizität, Untersuchung von metall. Oxiden mit dem Ziel der Entwicklung von Hochtemp.-Supraleitern; hierfür 1987 Nobelpreis für Physik zusammen mit Alexander K. Müller.

Beersches Gesetz s. Lambert-Beersches-Gesetz.

Beerso. Kurzbez. für die Beerso-Lackfabrik O. Wedekind GmbH u. Co, Postfach 1137, 50328 Hürth. *Produktion:* Industrielacke u. Verdünnungen, Bitumen- u. Asphaltlacke, Spezial-Lacke.

Beetenrot (Betanir) s. Betalaine.

BEFFE. Kurzform für *bindegewebseiweißfreies Fleischeiweiß*. BEFFE ist Maßstab für den Gehalt einer Wurstware od. eines Fleischerzeugnisses an wertbestimmendem Muskeleiweiß u. ist definiert als die Differenz zwischen dem Gesamteiweiß (N · 6,25) u. der Summe aus Fremdprotein, fleischfremden Nichtproteinstickstoff-Verb. u. Bindegewebseiweiß. Zur Analytik s. *Lit.*[1]. Die Leitsätze des Deutschen Lebensmittelbuches (Fleisch u. Fleischerzeugnisse) enthalten als Ausdruck der Verkehrsauffassung Mindestwerte für BEFFE, die in der Regel bei Wursterzeugnissen zwischen 6,5–12 g/100 g, bei Fleischerzeugnissen zwischen 10–15 g/100 g liegen.
Lit.: [1] Bundesgesundheitsamt (Hrsg.), Amtliche Sammlung von Untersuchungsverfahren nach § 35 LMBG, Nr. L 06.00, Berlin: Beuth seit 1980.

Beflockung. Bez. für ein überwiegend elektrostat., früher auch mechan. durchgeführtes Verf. zum Aufbringen von geschrittenen od. gemahlenen Spinnfasern (dem sog. *Flock*) auf ein mit Klebstoff versehenes Substrat (Gewebe, Papier, Kunststoffe, Metalle etc.). Je nach Art, Länge u. Menge des Flocks sowie nach B.-Verf. kann man Velours-, Samt- od. Flor-ähnliche Oberflächen erzeugen. Die Faserteilchen können 0,5–10 mm lang sein, der Klebstoff – meist Polymerdispersionen in Lsg., Polyurethan, Plastisole – kann die Fläche ganz (Uni-B.) od. nur teilw. (Dessin-B., Fassondruck) bedecken. – *E* flocking – *F* flocage – *I* flocculo – *S* flocaje
Lit.: Adhäsion **1976**, 177 f.; **1983**, 6 ff. – *Zeitschrift:* Flock (seit 1975).

Beflockungsklebstoffe. B. sind *Klebstoffe, die bei der *Beflockung sehr unterschiedlicher Substrate mit kurzstapeligen textilen Fasern Verw. finden. Sie müssen sehr vielfältiger Anforderungen entsprechen, von denen elektr. Leitfähigkeit u. Haftung, Elastizität u. Festigkeit des abgebundenen Klebstoffilms bes. wichtig sind. Als B. geeignet sind neben wäss. Klebstoff-Dispersionen (Polymerbasis: z. B. *Polyvinylacetat, Homo- u. Copolymere von Acrylsäureestern) u. Klebstoff-Lsg. auch Lsm.-freie reaktive Epoxid- od. Polyurethan-Klebstoffe. – *E* flocking adhesives – *F* adhésifs de floquage – *I* adesivi di rivestimento con fibre – *S* adhesivos para flocaje
Lit.: Adhäsion **1976**, 173–178, 206 ff. ▪ Ullmann (4.) **14**, 258.

Befruchtung s. Konzeption.

Befunolol.

$(H_3C)_2CH-NH-CH_2-\underset{\underset{OH}{|}}{CH}-CH_2-O$

[benzofuran ring]—CO—CH$_3$

Internat. Freinamen für 1-[7(2-Hydroxy-3-isopropylaminopropoxy)-2-benzofuranyl]-ethanon, $C_{16}H_{21}NO_4$, M_R 291,35; Schmp. 115 °C; LD$_{50}$ (Maus, i. v.) 100–105 mg/kg. Verwendet wird das Hydrochlorid: (S-(–)-Form): Schmp. 151–152 °C; $[\alpha]_D$ –15,5° (c 1/Methanol); (R-(+)-Form): Schmp. 151 °C; $[\alpha]_D$ + 15,3° (c 1/Methanol). Es wurde 1972 u. 1974 als β-Rezeptorenblocker bes. für die Glaukomtherapie von Kakenyaku Kako patentiert u. ist von Alcon Pharma (Glauconex®) im Handel. – *E* befunolol – *F* béfunolol – *I* befunololo – *S* befunolol
Lit.: Hager (5.) **7**, 385 f. – *[HS 2932 99; CAS 39552-01-7; 39543-79-8 (Hydrochlorid)]*

Begasungsmittel s. Fumigantien.

Begleitschein (Abfallbegleitschein). Der B. ist ein Formular zur Nachweisführung über entsorgte *Abfälle gemäß *Nachweisverordnung[1]. Im Unterschied zum *Entsorgungsnachweis, der eine Vorabkontrolle des vorgesehenen Entsorgungsweges sicherstellen soll, dokumentiert der B. die tatsächlich durchgeführte Entsorgung (Verbleibkontrolle). Der Abfallerzeuger muß für jede Abgabe von Abfällen u. für jede Abfallart einen gesonderten Satz von amtlich vorgeschriebenen B. ausfüllen, soweit es sich um bes. überwachungsbedürftige Abfälle (s. a. Sonderabfall, Abfallbestimmungs-Verordnungen) od. von der Behörde nachweispflichtig gemachte Abfälle handelt. Mit dem B. werden Abgabe u. Empfang eines Abfalls durch die am Entsorgungsvorgang Beteiligten (Abfallerzeuger, -beförderer, -entsorger) bestätigt u. gegenüber der Behörde dokumentiert. Die in zeitlicher Reihenfolge geordnete Ablage der Begleitscheine dient als Nachweisbuch. Unter bestimmten Voraussetzungen können B. durch *Abfallbilanzen ersetzt werden.
Neben dem nat. B. gibt es einen europ. B.[2], der bei notifizierungspflichtigen *Abfallverbringungen zu verwenden ist. – *E* consignment note – *F* bordereau d'envoi – *I* modulo d'accompagnamento – *S* guía de consignas
Lit.: [1] BGBl. I (in Vorbereitung). [2] Entscheidung 94/774/EG vom 24.11.1994 (Amtsblatt der EG Nr. L 310/70).

Begrivac® 95. Ampullen zur Grippe-Schutzimpfung, enthalten extrahierte Influenzaviren-Antigene, jeweils entsprechend den Empfehlungen der WHO an die aktuellen epidemiolog. Erfordernisse angepaßt, *Natriumtimerfonat u. Formaldehyd. *B.:* Behringwerke.

Behälter. In der chem. Ind. unterscheidet man zwischen *Vorratsbehältern* bzw. *Aufbewahrungsbehältern*, die lediglich zur Aufnahme von Flüssigkeiten od.

Dämpfen dienen, u. *Arbeitsbehältern*, in denen ein chem. Vorgang abläuft (*Reaktionsapparat). Unter den Vorrats-B. gibt es wiederum Druckgas-, Gas-, Flüssiggas-, Mineral- u. Heizöl-, Carbid-, Kraftstoff-, Säuren- u. Laugen-, Luft-, Wasser-, Nahrungsmittel- u. a. B., u. zwar sowohl in liegender od. stehender Ausführung als auch fahrbar. Spezial-B. dienen der Aufnahme radioaktiver Präparate. Die Arbeits-B. sind stehende od. liegende Kessel der verschiedensten Ausführung u. Formen. Bes. Vorsichtsmaßnahmen sind beim Reinigen von B. zu treffen, s. *Lit. (allg.)* u. beim Umgang mit Druck-B. (s. *Lit.*[1]). Das ACHEMA-Jahrbuch 1988 führt unter den B. folgende *Formen* auf: Bottiche, Kästen, Kipp-B., zylindr. B., Glockengas-B., Kugel-B., zylindr. u. Kugeldruck-B., Mehrlagen-B., Wickel-B., B. mit Beheizung (durch Dampf, Flüssigkeiten, elektr., induktiv u. durch Widerstandsheizung). Als *Werkstoffe* für B. finden sich je nach Zweckbestimmung: Gußeisen, Stahl, Stahlleg., Al, Pb, Cu, Ni, Ta, Ti, Edelmetalle, Glas, Porzellan, Quarz, Kunststoff (auch Glasfaser-verstärkt). Als *Auskleidungsmaterialien* für B. eignen sich Metalle wie Pb, Cu, Ni, Ta, Ti, Zr, Edelmetalle; ferner gibt es emaillierte, graphitierte, gummierte, Kunststoff-beschichtete u. mit säurebeständigen Steinen ausgemauerte Behälter. – *E* containers, vessels, basins, tanks – *F* bacs, réservoirs, récipients – *I* contenitore, recipiente – *S* recipientes, depósitos, tanques, receptáculos, contenedores
Lit.: [1] Chem. Ind. (Düsseldorf) **26**, 29 ff. (1974).
allg.: DIN-Katalog, Sachgruppen-Nr. 200–205, 483, Berlin: Beuth (jährlich) ▪ Pressure Vessel Inspection Safety Code, London: Heyden 1977 ▪ Ullmann (4.) **3**, 84 ff.; **4**, 524 f.; **6**, 731.

Behennüsse s. Behensäure u. Nüsse.

Behensäure (Docosansäure). $H_3C–(CH_2)_{20}–COOH$, $C_{22}H_{44}O_2$, M_R 340,59, wachsartiger Feststoff, Schmp. 80–81,5 °C, D_4^{100} 0,8221, n_D^{100} 1,4270. Name abgeleitet von Behennüssen, den Samen des Meerrettich-Baums (*Moringa oleifera*), die ca. 6% B. als Glycerinester enthalten. Viel B. findet sich in Samenfetten von *Lophira alata* (15–30%).
Synth.: Hydrierung von *Erucasäure u. a. ungesätt. C_{20}-Fettsäuren. – *E* behenic acid – *F* acide béhénique – *I* acido benico – *S* ácido behénico
Lit.: Beilstein E IV **2**, 1290 ▪ Ullmann (5.) **A 10**, 247. – [HS 2915 90; CAS 112-85-6]

Behrens, Dieter (1926–1992), Prof. Dr. rer. nat., Geschäftsführer der *DECHEMA. *Arbeitsgebiete:* Chemie-Ingenieur-Wesen, Korrosion, Information. Hrsg. einschlägiger Publikationen, Leiter der ACHEMA-Ausstellungstagungen.
Lit.: Nachr. Chem. Tech. **24**, 218 (1976).

Behring, Emil von (1854–1917), Prof. für Medizin, Marburg. *Arbeitsgebiete:* Immunologie, Entdeckung der Antitoxine, Serumtherapie, Gründung der nach ihm benannten Werke (1904). Nobelpreis für Medizin 1901.
Lit.: Beyer, Paul Ehrlich – E. v. Behring, Berlin: Volk u. Gesundheit 1957 ▪ Dokumente aus Hoechster Archiven Nr. 37, Frankfurt: Hoechst AG ▪ Neufeldt, S. 88.

Behringwerke. Kurzbez. für die 1904 von E. von Behring gegr. Behringwerke AG, 35041 Marburg, eine 100%ige Tochterges. der Hoechst AG. *Daten* (1995): 2496 Beschäftigte, 55 Mio. DM Kapital, 1377 Mio. DM Umsatz. *Produktion:* Impfstoffe u. Sera für die Human- u. Veterinärmedizin, Blutersatzmittel, Fibrinolytika, Diagnostika u. Diagnostika-Systeme.

Beidellit s. Montmorillonite.

Beiersdorf (BDF). Kurzbez. für die 1882 von C. P. Beiersdorf gegr. Firma Beiersdorf AG, 20245 Hamburg. *Daten* (1994, in Klammern Daten der Gruppe): 5120 (16886) Mitarbeiter, 210 Mio. DM Kapital, 2206,7 (5152,6) Mio. DM Umsatz.
Produktion: Arzneimittel, Verbandpflaster, Kosmetika, Klebebänder u. Industriekleber.

Beifuß (Wilder Wermut). Auf der nördlichen Erdhalbkugel weit verbreitete gelbgrünlich blühende Staude (*Artemisia vulgaris* L., Asteraceae), deren getrocknete, noch knospige Blütenrispen (voll erblühte Pflanzen schmecken sehr bitter) gewürzlich verwendet werden. B. enthält 0,03–0,2% ether. Öl (mit *Cineol als Hauptbestandteil sowie mit *Thujon, α- u. β-*Pinen), Bitterstoffe u. *Sterine (β-Sitosterin u. Stigmasterin). Im röm. B. (*A. pontica*) wurde auch *Chamazulen gefunden. Zur Zusammensetzung der ether. Öle weiterer B.-Arten s. *Lit.*[1].
Verw.: Zum Würzen von Fleisch- u. Fischgerichten, in manchen Gegenden bes. als Füllung von Gänsebraten (daher auch der Name *Gänsekraut*), arzneilich als appetitanregendes Amarum bei Magenbeschwerden, volkstümlich auch gegen Menstruationsbeschwerden, epilept. Krämpfe, als Wurmmittel. – *E* mugwort – *F* armoise – *I* = *S* artemisia
Lit.: [1] Parfüm. Kosmet. **57**, 222 (1976).
allg.: Hager (5.) **4**, 373–377 ▪ Melchior u. Kastner, Gewürze, S. 241 f., Berlin: Parey 1974 ▪ Wichtl (2.), S. 85 ff. – [HS 1211 90]

Beilstein, Friedrich Konrad (1828–1906). Prof. für Chemie, Göttingen u. Petersburg. *Arbeitsgebiete:* Aromat. Verb., Bearbeitung des später nach ihm benannten „Handbuch der organ. Chemie".
Lit.: Angew. Chem. **70**, 279–284 (1958) ▪ Chem. Unserer Zeit **4**, 115 (1970) ▪ Krätz, Beilstein – Erlenmeyer, München: Fritsch 1972 ▪ Krafft, S. 243 ▪ Pötsch, S. 37 ▪ Strube et al., S. 106, 110.

Beilstein Datenbank. Die B. D. ist eine natürliche Ergänzung u. Erweiterung zu dem seit über 100 Jahren publizierten *Beilstein's Handbuch der Organischen Chemie. Sie ist eine struktur-orientierte numer. Faktendatenbank für organ.-chem. Verb., deren Aufbau bis 1993 vom BMBF gefördert wurde. Datenquellen sind die ca. 300 Bände des Beilstein-Handbuchs H-E IV (Literaturperiode 1830–1960), u. Exzerpte der Primärlit. von 1960–1995. Die Datenbank enthält sowohl die Strukturen als auch die dazugehörenden Faktendaten. Die Datenstruktur besteht aus ca. 400 Feldern, über 70 davon enthalten numer. Sachverhalte. Informationen zu anderen Sachverhalten können über Schlagworte gefunden werden (ca. 250). Die Struktur- u. Substruktursuche ist mit den übrigen Suchmöglichkeiten kombinierbar.
Die B. D. u. entsprechende Übungsdatenbanken für organ. Chemie sind seit Dezember 1988 bei *STN International u. DIALOG über öffentliche Datennetze zugänglich. Die Struktur- u. Teilstruktursuche bei STN

Beilstein-Institut

International, DIALOG u. Telesystems Questel (Suchsystem DARC wird von MOLKICK, einem Molekül-Editor des Beilstein-Inst. unterstützt. Für schnelle Online-Recherchen steht das Terminal-Programm MOLTERM zur Verfügung, das unter Microsoft Windows läuft. Mittels der Client-Server RISC Technologie kann man mit den vom Beilstein-Inst. angebotenen Programmen CrossFire u. CrossFire *plus* Reactions die chem. Struktur u. über 350 chem. u. physikal. Eigenschaften von über 6 Mio. Verb. abrufen. Gegenwärtig umfaßt die B. D. mehr als 7 Mio. heterocycl., acycl. u. isocycl. Verb. aus der Lit. von 1779 bis heute. Jährlich werden ca. 300000 Verb. neu erfaßt. Seit 1994 bietet die B. D. auch Querverweise zu den Chemikalienkatalogen von E. Merck, Aldrich u. Fluka sowie den Datenbanken Specinfo u. Einecs an. Zusätzlich zur Datenbank wird die aktuelle Lit. ab 1990 auf einer quartalsweise erscheinenden CD-ROM, den Current Facts angeboten. – INTERNET-Adresse: http://www.beilstein.com
Lit.: ACHEMA-Jahrb. **1994**, 310 ff. ▪ Chem. Labor Biotech. **7**, 354–358 (1994).

Beilstein-Institut. Kurzbez. für das 1951 als gemeinnützige Stiftung des bürgerlichen Rechts gegr. Beilstein-Institut für Literatur der Organischen Chemie mit Sitz im *Carl-Bosch-Haus, 60486 Frankfurt, Varrentrappstraße 40–42. Dem B.-I., das bis 1961 von F. Richter, bis 1978 von Boit, seither von *Luckenbach geleitet wird u. das 1995 95 wissenschaftliche u. 15 techn. Mitarbeiter beschäftigte, obliegt die Herausgabe von *Beilsteins Handbuch der Organischen Chemie.
Lit.: ACHEMA-Jahrb. **1977–1979**, Bd. 1, S. 265 ff.; **1980–1982**, Bd. 1, 291 f.; **1985**, Bd. 1, 296 f.; **1988**, Bd. 1, 245 ff.; **1994**, Bd. 1, 310 ff.

Beilstein's Handbuch der Organischen Chemie. Dieses vom *Beilstein-Institut herausgegebene, bis 1993 vom Springer-Verl. u. seit 1994 von der Beilstein Informationssysteme GmbH verlegte, umfangreichste *Handbuch der Organ. Chemie enthält alle in der wissenschaftlichen Lit. abgehandelten Kohlenstoff-haltigen Verb., die exakt beschrieben sind, deren Konstitution bekannt ist u. die in hinreichend reiner Form vorgelegen haben. Für jede aufgenommene Verb. werden berücksichtigt: Konstitution u. Konfiguration; natürliches Vork. u. Gewinnung aus Naturprodukten; Herst., Bildung u. Reinigung; Struktur u. Energiegrößen des Mol.; physikal. Eigenschaften; chem. Verhalten (Reaktionen); Charakterisierung u. Analyse; Salze u. Additionsverbindungen.
Zur Erstellung des Handbuchs wird die gesamte relevante wissenschaftliche Original-Lit. ausgewertet. Alle Angaben werden krit. im Lichte der modernen Chemie auf allg. Stichhaltigkeit, gegenseitige Vereinbarkeit, Neuheit u. Bedeutsamkeit geprüft.
Jeder ins Handbuch übernommene Sachverhalt wird mit den detaillierten bibliograph. Daten der Quelle (ab 5. Ergänzungswerk: *CASSI) versehen. Das Gesamtwerk ist in 6 Serien (Hauptwerk u. 5 Ergänzungswerke) gegliedert (zur Zitierweise im Chemie-Lexikon s. Liste der häufig zitierten Werke).
Jede Serie umfaßt 27 Bände (od. Bandgruppen), in denen die einzelnen Verb. entsprechend ihrer Konstitu-

Tab.: Ergänzungswerke zum Beilstein-Handbuch.

Serie	Abk.	erfaßte Lit.
Hauptwerk	H	bis 1909
1. Erg.-Werk	E I	1910–1919
2. Erg.-Werk	E II	1920–1929
3. Erg.-Werk	E III	1930–1949
3./4. Erg.-Werk	E III/IV	1930–1959
4. Erg.-Werk	E IV	1950–1959
5. Erg.-Werk	E V	1960–1979

Das englischsprachige E V erscheint seit 1984.

tion nach dem *Beilstein-System angeordnet sind (Bd. 1–4: Acyclen, Bd. 5–16: Isocyclen, Bd. 17–27: Heterocyclen). Die für das Hauptwerk gewählte Verteilung der Verb. auf die 27 Bände (Tab. S. 381) wurde auch in den Ergänzungswerken beibehalten, so daß ein beliebiger Band eines jeden Ergänzungswerkes stets die gleichen Verbindungsklassen wie der gleich numerierte Band des Hauptwerks enthält. Als Bd. 28 (10 Teilbände) u. 29 (13 Teilbände) existieren ein General-Sachregister (Verbindungsnamen-Register) u. ein General-Formelregister, die alle vom H bis E IV beschriebenen Verb. aufführen (nach IUPAC-Nomenklatur u. *Hillschem System). Für abgeschlossene Bände des 5. Ergänzungswerks (in engl. Sprache) erscheinen für Einzelbände (z. B. Bd. 26 u. 27) od. Bandgruppen (z. B. 17–19, 20–22, 23–25) Register, in denen die Verb. dieser Serie bandübergreifend erfaßt sind (nach IUPAC-Nomenklatur u. Hillschem System). Die 1938 herausgegebenen Bd. 30 u. 31 (natürlich vorkommende Polyisoprene bzw. Kohlenhydrate) werden nicht fortgeführt; auch diese Verb. werden seit der Herausgabe von E III bzw. E IV nach den allg. Regeln des *Beilstein-Systems in die Bd. 1–27 eingereiht. Im Beilstein werden auch Verb. wie CS, C_3S_2, CS_2, $(CN)_2$, BrCN u. a. beschrieben, die außerdem im *Gmelin Handbook of Inorganic and Organometallic Chemistry behandelt sind. Das Auffinden von Verb. in Beilsteins Handbuch, das mittlerweile (1995) mehr als 494 Einzelbände mit 410000 S. umfaßt, ist entweder mit Hilfe des Beilstein-Syst. oder mit Hilfe der oben erwähnten Formel- u. Sachregister möglich. Einzelheiten über die fast 100jährige Geschichte des Handbuchs – die erste von F. K. *Beilstein bearbeitete Aufl. erschien 1881, umfaßte 2200 Seiten u. beschrieb 15000 Verb. – sind der *Lit.* zu entnehmen. – *E* Beilstein Handbook of Organic Chemistry
Lit.: CHEMTECH **9**, 612 ff. (1979) ▪ How to use Beilstein Handbook of Organic Chemistry, Frankfurt: Beilsteins Informationssyst. GmbH 1995 ▪ J. Chem. Educ. **45**, 336 ff. (1968) ▪ J. Chem. Inf. Comput. Sci. **29**, 271 (1989) ▪ Kennen Sie Beilstein?, Berlin: Springer 1984 ▪ Naturwissenschaften **71**, 419 f. (1984) ▪ Richter, 75 Jahre Beilsteins Handbuch der Organischen Chemie, Berlin: Springer 1957.

Beilstein-System. Von B. Prager u. P. *Jacobson 1907 für *Beilsteins Handbuch der Organischen Chemie entwickeltes Ordnungssyst., innerhalb dessen jede exakt beschriebene organ.-chem. Verb. einen festen Platz (Registrierort) zugewiesen bekommt. Grundlage für die Einordnung ist die Konstitutionsformel (Valenzstrichformel). Das Syst. unterscheidet 3 Hauptabteilungen mit weiterer Unterteilung nach funktionellen

Tab.: Inhalt der 27 Bände des Beilstein-Handbuchs.

Art der Registrierverbindung	Funktionsmerkmal der funktionellen Gruppen	Beilstein-Band Nr. für Hauptabteilung							
		A	B	C (Heterocyclen mit Art u. Anzahl der Ring-Heteroatome)					
		1^a	2^a	3^a	4^a	5^a	6^a	7^a	8^a
Funktionslose Verb.			5			20			
Hydroxy-Verb.*	–OH	1	6	17			23		
Oxo-Verb.*	=O		7			21	24		
	=O + –OH		8						
Carbonsäuren*	–COOH	2	9						
	–COOH + –OH u./od. =O	3	10						
Sulfinsäuren	–SO$_2$H								
Sulfonsäuren	–SO$_3$H								
Selenin- u. Selenon- säuren, Tellurinsäuren	–SeO$_2$H u. –SeO$_3$H –TeO$_2$H	4	11	18	19	22	25	26	27
	–NH$_2$		12						
Amine	[–NH$_2$]$_n$, –NH$_2$ + –OH		13						
	–NH$_2$ + =O, –NH$_2$ + COOH, –NH$_2$ + …		14						
Hydroxylamine u. Dihydroxyamine	–NH–OH; –N(OH)$_2$								
Hydrazine	–NH–NH$_2$		15						
Azo-Verb.	–N=NH								
Diazonium-Verb.	–N=N]$^+$								
Verb. mit Gruppen aus 3 od. mehr N-Atomen	–NH–NH–NH$_2$, –N(NH$_2$)$_2$, –N=N–NH$_2$, usw.								
Verb. mit direkter Bindung von C an P, As, Sb u. Bi	–PH$_2$, –PH–OH, –P(OH)$_2$ –PH$_4$,…, –PO(OH)$_2$, usw.		16						
Verb. mit direkter Bindung von C an Si, Ge, Sn	–SiH$_3$, –SiH$_2$(OH), usw.								
Verb. mit direkter Bindung von C an Elemente der 3. bis 1. Hauptgruppe des Periodensystems	–BH$_2$, –BH(OH),…, –Mg$^+$ usw.								
Verb. mit direkter Bindung von C an Nebengruppen- elemente	–HgH, –Hg$^+$,… usw.								

^{a} **1**: (Acyclen); **2**: (Isocyclen) 15; **3**: 1 O*; **4**: 2,3…O*; **5**: 1 N; **6**: 2 N; **7**: 3,4…N; **8**: xN + yO u. a. Heteroatome **
* statt O auch S, Se, Te
** z. B. B, Si, P; aber nicht S, Se, Te

Gruppen, s. Tab. bei Beilsteins Handbuch der Organischen Chemie. Besitzt eine Verb. mehrere der in der Tab. verzeichneten funktionellen Gruppen, so entscheidet diejenige über die Plazierung, die in der Tab. weiter unten aufgeführt ist, d. h. die Verb. wird im spätestmöglichen Band zu finden sein [Prinzip der letzten (spätesten) Stelle]. – *E* Beilstein system
Lit.: s. Beilsteins Handbuch der Organischen Chemie.

Beilstein-Test. Bez. für ein von *Beilstein aufgefundenes, jedoch unspezif. Nachweisverf. für Halogen-Verb.[1]: Ein ausgeglühter Kupferdraht wird mit der auf Halogene zu untersuchenden Substanz beschickt u. in den nichtleuchtenden Flammenteil eines Bunsenbrenners gehalten. Die im Substrat enthaltenen Halogen-Verb. bilden mit Kupfer flüchtige Kupferhalogenide, die der Flamme eine grüne od. blaue Färbung verleihen. – *E* Beilstein test – *F* test de Beilstein – *I* test di Beilstein – *S* ensayo de Beilstein
Lit.: [1] Nature (London) **167**, 907 (1951).

Beinschwarz. Durch Verkohlen von Knochen hergestelltes Schwarzpigment für die Malerei. – [HS 3802 90]

Beinwell (Schwarzwurz; nicht zu verwechseln mit den als Gemüse geschätzten Schwarzwurzeln, die mit *Zichorien verwandt sind). In Europa u. im Vorderen Orient verbreitetes, rot bis violett blühendes Kraut *Symphytum officinale* L. (Boraginaceae), dessen Wurzeln u. a. *Allantoin, Gerb- u. Schleimstoffe, Asparagin u.

Kieselsäure enthalten; wirkt wundheilend u. kallusbildend. B. wird äußerlich als Antiphlogistikum angewandt, ferner zum Gurgeln u. in Gesichtswässern. – *E* comfrey – *F* consoude – *I* consolida – *S* consuelda mayor
Lit.: Hager (4.) **6b**, 706–710 ▪ Wichtl (2.), S. 88 ff. – *[HS 1211 90]*

Beizen. Man versteht darunter allg. die durch Bestreichen, Besprühen od. Eintauchen erfolgende Behandlung der Oberflächen fester Körper (z. B. Gewebe, Holz, Metall, Saatgut) mit Hilfe geeigneter, meist wäss. Lsg., durch die je nach Material Desinfizierung, Färbung, Rostbeseitigung, Abzundern, Entfernen unerwünschter Deckschichten u. dgl. erzielt werden soll.

Beizenfarbstoffe. Bez. für eine seit dem Mittelalter viel benutzte (*Türkischrot-Färberei*, s. Alizarin), heute jedoch wegen des techn. notwendigen Aufwands seltener eingesetzte Gruppe von *Farbstoffen, die verschiedenen Stoffklassen angehören u. die vorwiegend zum Färben von Wolle, Seide u. a. Proteinfasern verwendet werden. Die wichtigsten B. sind *Anthrachinon-, insbes. *Alizarin-Farbstoffe. Daneben kommen auch *Azofarbstoffe zur Anw., die in *ortho*-Stellung zur Azo-Gruppierung eine Hydroxy- sowie Carboxyu./od. Amino-Gruppen tragen. Diese *beizenziehenden Gruppen* geben mit Metall-Salzen (z. B. Al-, Cr-, Cu-, Fe- u. a. Salzen) mehr od. weniger schwerlösl. Verb., die man als *Farblacke bezeichnet. Die Metall-Salze übernehmen gleichzeitig die Fixierung auf der Faser. Meist verwendet man Chrom-Salze – man spricht dann entsprechend von *Chromierungsfarbstoffen* – in Form von Chromaten od. Dichromaten, die auf der Faser, z. B. mittels Weinsäure, zu Cr(III)-Salzen reduziert werden müssen. Je nach B.-Typ wird das Chrom-Salz vor, während od. nach dem Färben zugeführt, weshalb man *Vor-*, *Nach-* u. *Einbad-Chromierverf.* unterscheidet. – *E* mordant dyes – *F* colorants à mordançage – *I* coloranti mordenti – *S* colorantes mordientes
Lit.: Bayer Farben Rev. Spec. Ed. (USA) **29**, 12–21 (1977) ▪ Kirk-Othmer **2**, 502 f., 883–889; (3.) **3**, 403–408 ▪ Ullmann (4.) **11**, 138 ▪ Winnacker-Küchler (3.) **4**, 383 f. – *[HS 3204 12]*

Bekunis®. Präp. gegen Darmträgheit u. Verstopfung in Form von Dragees, Granulat, Tee u. Verdauungsschokolade, enthält Inhaltsstoffe der *Sennesblätter, B.-Dragees zusätzlich *Bisacodyl. *B.:* Roha-Werk.

Belagkorrosion s. Berührungskorrosion.

Belastung. In der Ökologie bezeichnet B. jede von außen verursachte (*allothigene) physikal., chem. od. biolog. Veränderung in einem Ökosyst., wie Lärmeinwirkung, Grundwasserabsenkung, Bodenversiegelung, Abgasimissionen od. das Einbringen fremder Tier- u. Pflanzenarten, s. a. Belastungsgebiete. In bezug auf Tiere od. den Menschen werden mit B. alle von der Norm abweichenden Situationen verstanden (s. a. Stress). – *E* load – *F* nuisance – *I* carico – *S* carga
Lit.: Schlee (2.), S. 42.

Belastungsgebiet. Begriff aus dem *Bundes-Immissionsschutzgesetz, der bei der Gesetzesnovelle 1990 zugunsten der Bez. Untersuchungsgebiet aufgegeben wurde. Ein B. war ein Gebiet, in dem in bes. Maße schädliche Umwelteinwirkungen auftreten od. aufzutreten drohen, od. das eines bes. Schutzes bedarf. Als B. ausgewiesen waren z. B. Rhein/Ruhr-Gebiet, Berlin u. das Rhein/Main-Gebiet. – *E* polluted areas – *F* régions polluées – *I* zone gravati – *S* zonas de polución
Lit.: Bundes-Immissionsschutzgesetz – BImSchG vom 15.03.1974 (BGBl. I, S. 721, ber. S. 1193, zuletzt geändert durch VO vom 26.11.1986, BGBl. I, S. 2089).

Beleber s. Flotation.

Belebtschlamm. Bez. für den beim Belebungsverf. (s. aerobe Biologie) entstehenden *Klärschlamm (DIN 4045), der durch *biologischen Abbau u. Adsorption die *biologische Abwasserbehandlung bewirkt. Der Schlamm besteht normalerweise aus braunen Schlammflocken mit einem Durchmesser von 50–300 μm, die überwiegend aus Bakterien der Gattungen *Pseudomonas*, *Nitrosomonas*, *Nitrobacter*, *Spaerotilus* u. *Nocardia* sowie coliformen Bakterien gebildet u. von Wechsel- (Amöben), Wimper- (Ciliaten), Geißel- (Flagellaten), Glocken- u. Rädertierchen sowie Sauginfusorien u. Fadenwürmern bewohnt werden. In hochbelasteten Belebungsanlagen finden sich oft fadenförmige Bakterien, die den sog. *Blähschlamm bilden. Etwa $1/3$ des in den Abwasserinhaltsstoffen befindlichen Kohlenstoffs der organ. Verb. wird bei der aeroben *Abwasserbehandlung durch den B. in *Biomasse umgewandelt, $2/3$ zu CO_2 veratmet. B. wird vom gereinigten Abwasser durch *Sedimentation, vereinzelt auch durch *Flotation od. Zentrifugation, abgetrennt u. in die *aerobe Biologie bzw. in die Belebungsbecken zurückgeführt. – *E* activated sludge – *F* boue activée – *I* fango attivato – *S* fango activ[ad]o
Lit.: Schlegel (7.), S. 570 f. ▪ Ullmann (5.) **B 8**, 8–17.

Belebungsbecken. Bez. für das Bauwerk einer *Kläranlage, dem in der Regel ein *Absetzbecken (Vorklärbecken) vorgeschaltet ist, u. in dem die *biologische Abwasserbehandlung nach dem Belebungsverfahren (s. aerobe Biologie) erfolgt. Dieses Becken ist mit einer Belüftungs- bzw. Begasungseinrichtung ausgestattet, mit deren Hilfe in das *Belebtschlamm-Abwasser-Gemisch (mixed liquor), von dem es kontinuierlich durchflossen wird, Luft od. techn. Sauerstoff eingetragen werden kann. Dafür sind verschiedene techn. *Belüftungsverfahren in Gebrauch, die in der Regel zugleich auch ein Absetzen des Belebtschlammes verhindern.
Der Sauerstoff-Anteil der nach diesen Verf. in das B. eingetragenen Luft wird allerdings nur zu einem geringen Teil ausgenutzt – je nach Belüftungsverf. zwischen etwa 5 u. 15%. Um den zur Beseitigung von 1 kg *BSB_5 erforderlichen Sauerstoff bereitzustellen, werden daher rund 50 m^3 Luft benötigt. – *E* aeration tank – *F* bassin d'activation – *I* bacino col fango attivato – *S* depósito (estanque) de barro activado
Lit.: Birr et al., Umweltschutztechnik (5.), S. 141–150, Leipzig: Deutscher Verl. für Grundstoffindustrie 1992 ▪ DIN 4045 (12/1985) ▪ Imhoff, Taschenbuch der Stadtentwässerung, 27. Aufl., München: Oldenbourg 1990 ▪ Ullmann (5.) **B 8**, 8–70.

Belebungsverfahren s. Biologische Abwasserbehandlung.

Belemniten (von griech.: belemnon = Blitz, Geschoß). Bez. für ausgestorbene Kopffüßer aus der Jura- u. Kreidezeit. Ebenfalls als B. bezeichnet man die kegelod. geschoßförmigen Verkalkungen der Rostra (*Donnerkeile, Teufelsfinger, Fingersteine*). Die fossil meist allein erhalten gebliebenen Rostra konnten bis 1 m lang sein. Daraus ist bei den B. auf Gesamtkörperlängen bis zu 5 m zu schließen. – *E* belemnites – *F* bélemnites – *I* belemniti – *S* belemnitas
Lit.: s. Fossilien.

Beleuchtungsstärke s. Lux.

Belfasin®. Glättemittel für Garne u. Weichmacher für alle Fasern auf der Basis pseudokation. Fettsäure-Kondensationsprodukte bzw. quartärer Ammonium-Verb., teils in Kombination mit Paraffin, Polyethylen, Polysiloxan bzw. fettchem. Verbindungen. *B.:* Henkel.

Belichtung. Begriff aus *Photochemie u. *Photographie [vgl. DIN 19040 (04/1985)]. – *E* illumination, exposure – *F* exposition – *I* esposizione – *S* exposición

Belichtungsmesser s. Photoeffekte.

Bella Carotin® mono. Kapseln mit *Betacaroten zur Unterstützung der Sonnenbräunung. *B.:* 3M Medica.

Belladonna-Präparate. Gruppenbez. für pharmazeut. Präp., die aus Wurzeln u./od. Blättern von *Atropa belladonna* (*Tollkirsche) od. *Bilsenkraut*-Arten gewonnene Extrakte od. auch Einzelalkaloide enthalten. Wesentliche Inhaltsstoffe der Belladonna-Extrakte sind auf das Zentralnervensystem wirkende Alkaloide wie *Atropin, *Hyoscyamin, *Scopolamin u. a. In der Medizin werden B.-P. als Spasmolytika insbes. für den Magen-Darm-Trakt u. die Atemwege eingesetzt; außerdem finden sie – in Kombination mit Barbituraten – als Sedativa bei neurovegetativen Störungen Verwendung. Als *Augenkosmetika (wegen der *Mydriatikum-Eigenschaften des *Atropins) wurden B.-P. schon im Mittelalter verwendet, sind aber heute nicht zulässig. Ob sich der Name „Belladonna" (italien.: schöne Frau), der im 16. Jh. in Venedig aufkam, aus dieser Wirkung erklärt, ist zweifelhaft. Man vermutet vielmehr, daß man früher aus dem Saft der Tollkirschenbeeren eine Schminke herstellte u. die Pflanze aus diesem Grunde Belladonna taufte. – *E* belladonna preparations – *F* préparations de belladone – *I* preparati belladonna – *S* preparados de belladona
Lit.: DAB 10 u. Komm. (Belladonna-Blätter, -Pulver, -Tinktur, -Trockenextrakt) ■ Hager (5.) **4**, 42, 437 ■ Schwamm, Atropa belladonna, Stuttgart: Dtsch. Apotheker-Verl. 1988.

Belnif®. Retardkapseln mit dem Beta-Blocker *Metoprolol-Tartrat. dem *Calcium-Antagonist *Nifedipin gegen essentielle Hypertonie. *B.:* Astra/Promed

Beloc®. Tabl. u. Ampullen mit *Metoprolol-Tartrat gegen Hypertonie u. Angina pectoris, B. compositum zusätzlich mit *Hydrochlorothiazid. *B.:* Astra.

Belousov-Zhabotinskii-Reaktion. Von B. Belousov (1958) entdeckte u. bes. von A. M. Zhabotinskii (1964) bearbeitete *period. Reaktion*, die bei der Oxid. von Citronensäure im Syst. Bromat/Ce^{4-} als rhythm. auftretende u. wieder verschwindende Gelbfärbung zu beobachten ist. Heute betrachtet man diese sog. BZ-Reaktion als typ. *oszillierende Reaktion* od. *chem. Os-*

zillation[1]. – *E* Belousov-Zhabotinskii reaction – *F* réaction de Belousov et Zhabotinskii – *I* reazione di Belousov-Zhabotinskii – *S* reacción de Belousov-Zhabotinskii
Lit.: [1] Angew. Chem. **90**, 1–16 (1978); Naturwissenschaften **65**, 449–455 (1978).
allg.: s. oszillierende Reaktionen.

Belsoft®. Avivagemittel auf der Basis nichtion. Fettsäure-Kondensationsprodukte zur Griffverbesserung bei der Ausrüstung von Textilien. *B.:* Henkel.

Belüftungsrate. Bez. für die Menge Luft pro Zeiteinheit, die zur Sauerstoff-Versorgung von aeroben biotechnolog. Prozessen eingesetzt wird. In der techn. Mikrobiologie werden Belüftungsraten von 0,1–1,0 vvm (Vol. Luft/Vol. Kulturmedium pro min) eingehalten. Im Ing.-Bereich wird meist der Begriff Luftdurchsatz verwendet, der in Normkubikmeter/h gerechnet wird. – *E* aeration rate – *F* taus d'aération – *I* rata di aerazione – *S* cuota de ventilación

Belüftungsverfahren. In der Wassertechnologie Bez. für Verf. zur Begasung von Wasser mit Luft, vornehmlich zum Zweck des Eintrags von Sauerstoff; es kann zusätzlich auch ein Ausgasen von CO_2, H_2S od. flüchtigen Lsm. u. a. unerwünschter Wasserbestandteile beabsichtigt sein (Strippen). Natürlicherweise wird O_2 über die Wasseroberfläche u. durch die sog. biogene Belüftung eingetragen. Die Belüftungsrate ist u. a. abhängig von der Art, wie die Luft im Wasser verteilt wird, wie lange Luftblasen im Wasser gehalten u. wie Grenzflächen erneuert werden. Grundsätzlich ist die Geschw. des O_2-Eintrags um so größer, je geringer die Sauerstoff-Sättigung des Wassers, je größer die Grenzfläche Wasser/Luft u. je besser der Stoffaustausch an der Grenzfläche durch Turbulenzen ist.
Zur Belüftung von Fließgewässern werden meist Hindernisse (Schwellen, Wehre, Steinschüttungen) in den Lauf eingebracht. In stehenden Gewässern u. in der Klärtechnik werden zur Belüftung sowohl *Oberflächenbelüfter als auch *Druckbelüftung eingesetzt. Es kann auch techn. O_2 auf dem Wege der Diffusion durch Silikon-Membranen blasenfrei eingetragen werden. *Belüftungs-Einrichtungen* zur *Trinkwasser-Aufbereitung sind z. B. Rieseler, in denen das Wasser über eine Schüttung von Füllkörpern herabrieselt u. die Luft von unten dem Wasser entgegenströmt. Weiter verbreitet sind Anlagen, in denen Wasser in offenen od. geschlossenen Behältern versprüht bzw. verdüst wird. Einfache Belüftungseinrichtungen bestehen aus Kaskaden, über die das Wasser abstürzt. Zu den auf Kläranlagen eingesetzten B. s. a. Tropfkörper, Hochbiologie u. Turmbiologie. – *E* aeration process – *F* procédé d'aérage – *I* processo d'aerazione – *S* procedimiento de ventilación
Lit.: Environ. Sci. Technol. **23**, 630–636 (1989); **27**, 226–244 (1993) ■ gwf-Wasser/Abwasser **119**, 65–72, 177–182 (1978); **133**, 591–595 (1992) ■ Römpp Lexikon Umwelt, S. 96 ■ Ullmann (5.) **B 8**, 8–64.

Bemegrid. Internat. Freiname für 4-Ethyl-4-methylpiperidin-2,6-dion (β-Ethyl-β-methylglutarimid), $C_8H_{13}NO_2$, M_R 155,20, Schmp. 127 °C, Subl. bei 100 °C u. 0,26 kPa; LD_{50} (Maus, i. v.) 18,8, (Ratte, i. v.) 17,0 mg/kg. B. war von Nordmark (Eukraton®) als Analeptikum u. Antidot bei Schlafmittelvergiftungen im Handel, heute verwendet man dazu *Doxapram.

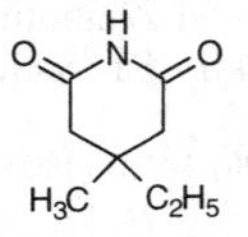

Wegen seiner zentral stimulierenden Wirkung steht B. auf der Liste der Internationalen *Doping-Kommission des Europarates. – *E* = *I* bemegride – *F* bémégride – *S* bemegrida
Lit.: Br. J. Pharmacol. **75**, 493 (1982) ▪ Hager (5.) **7**, 386 ▪ Oberdorf, Zur Pharmakologie des Bemegrid, Köln: Westdtsch. Verl. 1963 ▪ Ullmann (5.) A **2**, 267. – *[HS 2925 19; CAS 64-65-3]*

Bemetizid.

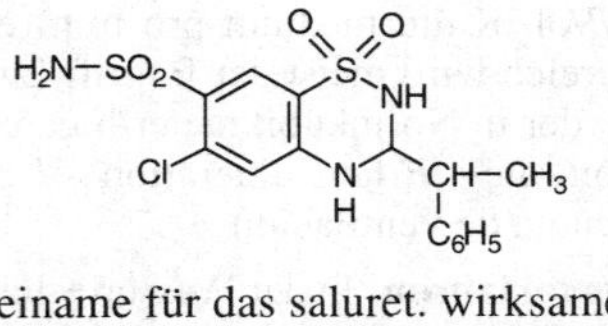

Internat. Freiname für das saluret. wirksame 6-Chlor-3,4-dihydro-3-(1-phenylethyl)-2*H*-1,2,4-benzothiadiazin-7-sulfonamid-1,1-dioxid, $C_{15}H_{16}ClN_3O_4S_2$, M_R 401,88, Schmp.: Sintern ab 208 °C, klare Schmelze 229–233 °C. – *E* = *I* bemetizide – *F* bémétizide – *S* bemetizida
Lit.: Hager (5.) **7**, 387f. – *[HS 2935 00; CAS 1824-52-8]*

Benactyzin.

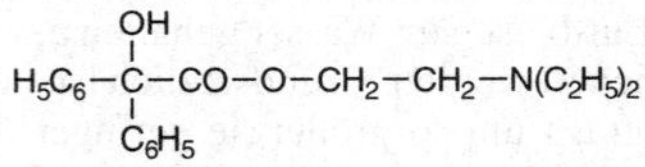

Internat. Freiname für den anticholinerg. wirkenden Tranquilizer Benzilsäure-2-diethylaminoethylester, $C_{20}H_{25}NO_3$, M_R 327,42, Schmp. 51 °C; verwendet wird auch das Hydrochlorid, Schmp. 178 °C. Es wurde 1946 von Am. Cyanamid patentiert, in der BRD nicht im Handel. – *E* benactyzine – *F* bénactyzine – *I* = *S* benacticina
Lit.: Hager (5.) **7**, 388ff. – *[HS 2922 19; CAS 302-40-9; 57-37-4 (Hydrochlorid)]*

Benadon® Roche. Ampullen, Dragees mit *Pyridoxin-Hydrochlorid gegen Erbrechen u. Reisekrankheit. *B.*: Hoffmann-La Roche.

Benadryl® infant. Saft u. Tropfen mit *Diphenhydramin-Hydrochlorid, B. mit Codein, Saft u. Retardkapsel zusätzlich mit Codeinphosphat gegen Reizhusten u. Bronchitis. *B.*: Warner Wellcome.

Benalaxyl. Common name für Methyl-*N*-phenyl-acetyl-*N*-2,6-xylyl-DL-alaninat.

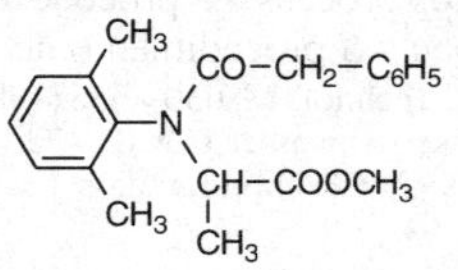

$C_{20}H_{23}NO_3$, M_R 325,41, Schmp. 79 °C, LD_{50} (Ratte oral) ca. 4200 mg/kg (WHO), von Farmoplant (Montedison) entwickeltes system. *Fungizid speziell gegen Oomyceten, v. a. Braunfäule, Wurzelfäule u. falschen Mehltau. – *E* = *F* benalaxyl – *I* benalassile – *S* benalaxil
Lit.: Farm ▪ Perkow ▪ Pesticide Manual. – *[CAS 71626-11-4]*

Benathix®. Marke der RHEOX Inc.; *Montmorillonit-Derivate als Geliermittel für ungesätt. Polyester-Laminierharze. *B.*: RHEOX GmbH.

Benazepril.

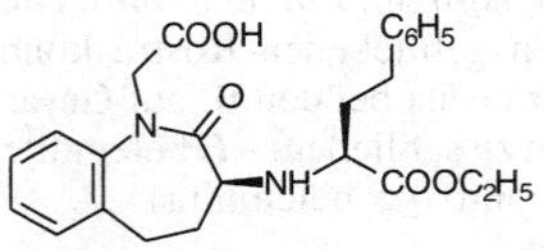

Internat. Freiname für (3*S*)-3-[(1*S*)-1-Ethoxycarbonyl-3-phenylpropylamino]-2,3,4,5-tetrahydro-2-oxo-1*H*-1-benzazepin-1-essigsäure, $C_{24}H_{28}N_2O_5$, M_R 424,50; verwendet wird das Hydrochlorid, Schmp. 188–190 °C, $[\alpha]_D^{20}$ –137,3° (c 0,1/C_2H_5OH). Es wurde als Antihypertonicum (*ACE-Hemmer) von Ciba Geigy (Cibacen®) patentiert. – *E* = *I* = *S* benazepril – *F* bénazépril
Lit.: ASP ▪ Hager (5.) **7**, 390f. – *[CAS 86541-75-5; 86541-74-4 (Hydrochlorid)]*

Benazolin. Common name für (4-Chlor-2,3-dihydro-2-oxobenzothiazol-3-yl)essigsäure.

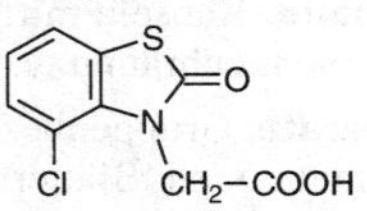

$C_9H_6ClNO_3S$, M_R 243,66, Schmp. 193 °C, LD_{50} (Ratte oral) >5000 mg/kg, von Boots Co. 1965 eingeführtes selektives system. wachstumsregulierendes *Herbizid mit engem Wirkungsspektrum, eingesetzt in Kombination mit anderen Herbiziden gegen Unkräuter im Raps-, Getreide- u. Grassamenanbau sowie auf Weideland. – *E* benazolin – *F* benazoline – *I* = *S* benazolina
Lit.: Farm ▪ Perkow ▪ Pesticide Manual. – *[HS 2934 20; CAS 3813-05-6]*

Bence-Jones-Proteine. Nach dem engl. Arzt Henry Bence Jones (1813–1873) benannte, bei bestimmten Knochenmarktumoren (Myelomen) im Harn u. unter den *Serumproteinen auftretende spezif. Proteine mit einem M_R von ca. 22000, die aus dem L-Ketten-Anteil der *Immunglobuline, Typ λ od. κ, bestehen (s. a. Antikörper, Immunologie). Sie sind durch Hitze nicht denaturierbar, fallen beim Erwärmen auf 45–60 °C zunächst aus u. lösen sich bei ca. 80 °C wieder auf. Durch den Nachw. von B.-J.-P. im Urin, früher durch Hitzefällung, heute durch *Immunelektrophorese, lassen sich bestimmte Myelome diagnostizieren. Das B.-J.-P. ist eines der sog. *Paraproteine, die von wuchernden Immunglobulin-produzierenden Myelomzellen ins Blut abgegeben werden können. Als Paraprotein können entsprechend der Herkunft der Zellen aus einer gemeinsamen Stammzelle ein vollständiges Immunglobulin der Klasse A, G, M, D od. E u. eine der beiden Leichtketten vom Typ κ od. λ auftreten. Das isolierte Vork. von L-Ketten od. H.-Ketten ist selten. – *E* Bence-Jones proteins – *F* protéine de Bence-Jones – *I* proteine di Bence-Jones – *S* proteína de Bence-Jones
Lit.: Greiling u. Gressner, Lehrbuch der Klinischen Chemie u. Pathobiochemie, S. 744–750, Stuttgart: Schattauer 1995.

Benckiser. Kurzbez. für die 1823 gegr. u. in Familienbesitz befindliche Joh. A. Benckiser GmbH, 67059

Ludwigshafen. Mehr als 120 Tochterges. in über 25 Ländern. *Daten* (1994): 10300 Beschäftigte, 4,8 Mrd. DM Umsatz weltweit. *Arbeitsgebiete:* Markenartikel für Waschen, Spülen, Reinigen (in der BRD u. a. Calgon, Colgonit, Cillit, Quanto); Parfums, Kosmetik- u. Körperpflegeprodukte (Bogner, Chopard, Davidoff, Jil Sander, Joop!, Lancaster, Monteil, Nikos sowie adidas, Care, Margaret Astor, Route 66, Vanilla Fields, Chicago, Cutex).

Bencyclan.

Internat. Freiname für 3-(1-Benzylcycloheptyloxy)-N,N-dimethylpropylamin, $C_{19}H_{31}NO$, M_R 289,46, Sdp. 146–156 °C (0,39 kPa). Verwendet wird das Fumarat: Schmp. 131–133 °C, LD_{50} (Maus, oral) 445,6, (Maus, i. v.) 49,9, (Maus, i. p.) 132, (Maus, s. c.) 203, (Ratte, oral) 414, (Ratte, i. v.) 41,3, (Ratte, i. p.) 86,3, (Ratte, s. c.) 257 mg/kg. Es wurde 1965 als Spasmolyticum u. Vasodilatator von EGYT patentiert u. ist von Thiemann (Fludilat®) im Handel. – $E = F$ bencyclane – $I = S$ benciclano
Lit.: Hager (5.), **7**, 392 ff. – *[HS 2922 19; CAS 2179-37-5; 14286-84-1 (Fumarat)]*

Bendigon®. Kapseln mit *Mefrusid u. *Reserpin gegen Hypertonie. *B.:* Bayer Pharma Deutschland.

Bendiocarb. Common name für 2,3-Isopropylidendioxyphenyl-methylcarbamat.

$C_{11}H_{13}NO_4$, M_R 223,23, Schmp. 129–130 °C, LD_{50} (Ratte oral) 55 mg/kg (WHO), von Fisons 1971 eingeführtes schwach system. *Insektizid gegen Bodeninsekten im Mais- u. Rübenanbau sowie gegen Hygiene- u. Lagerschädlinge. – $E = I = S$ bendiocarb – F bendiocarbe
Lit.: Farm ▪ Perkow ▪ Pesticide Manual. – *[HS 2932 99; CAS 22781-23-3]*

Bendroflumethiazid.

Internat. Freiname für 3-Benzyl-6-trifluormethyl-3,4-dihydro-2H-1,2,4-benzothiadiazin-7-sulfonamid-1,1-dioxid, $C_{15}H_{14}F_3N_3O_4S_2$, M_R 421,41, Schmp. 221–223 °C, auch 226–227 °C angegeben. Es wurde 1966 als Diuretikum u. Antihypertensivum von Squibb patentiert u. war von Zeneca (Sinesalin®) im Handel. – E bendroflumethiazide – F bendrofluméthiazide – $I = S$ bendroflumetiazida
Lit.: ASP ▪ DAB **10** ▪ Florey **5**, 1–19 ▪ Hager (5.) **7**, 397 ff. – *[HS 2935 00; CAS 73-48-3]*

Benedicks-Effekt s. Thermoelektrizität.

Benedicts Reagenz. Variante der *Fehlingschen Lösung mit Natriumcitrat u. Soda anstelle von Seignette-Salz u. Natriumhydroxid für die quant. Zucker-Bestimmung. Das Reagenz geht auf den amerikan. Biochemiker Stanley R. Benedict (1884–1936) zurück. Über den Nachw. von *Brenzcatechin-Gruppierungen mit B. R. vgl. *Lit.*[1]. – E Benedict solution – F réactif de Benedict – I reagente di Benedict – S reactivo de Benedict
Lit.: [1] Z. Anal. Chem. **183**, 196 ff. (1961).
allg.: Shriver, Fuson u. Curtin, Systematic Identification of Organic Compounds, 6. Aufl., New York: Wiley 1980.

Benediktenkraut (Kardobenediktenkraut). Auch *Benediktendistel* genannte, im Mittelmeergebiet heim., vielfach auch kultivierte Pflanze (*Cnicus benedictus* L., Asteraceae) mit gelben Blüten u. dornigen Blättern, deren Kraut den Bitterstoff *Cnicin* (ein ungesätt. Sesquiterpen-dihydroxylacton vom *Germacran-Typ, $C_{20}H_{26}O_7$, M_R 378,42, Schmp. 143 °C) sowie etwas ether. Öl, Gerbstoffe u. Schleimstoffe enthält.
Verw.: Als Amarum u. Magentonikum, bei Leber- u. Gallenstörungen; in größeren Dosen bewirkt B. Brechreiz. – E blessed thistle – F chardon benit – I erba benedettina – S cardo santo, cardo bendito
Lit.: Hager (4.) **4**, 166–170 ▪ Riechst., Aromen, Kosmet. **27**, 120–124 (1977) ▪ Wichtl (2.), S. 270 f. – *[HS 1211 90]*

Benetzung. Bez. für die Fähigkeit von Flüssigkeiten, mit Festkörpern eine *Grenzfläche auszubilden. In einem Glasrohr bilden *benetzende* Flüssigkeiten (*Beisp.:* Wasser, Alkohol) einen konkaven, *nicht benetzende* (*Beisp.:* Quecksilber) einen konvexen *Meniskus. Die B.-Tendenz läßt sich aus der Bestimmung des *Randwinkels*, den die Flüssigkeiten mit der festen Oberfläche bildet, ableiten: $\sigma_1 - \gamma_{1,2} = \sigma_2 \cdot \cos \alpha$ [σ_1 bzw. $\sigma_2 =$ *Oberflächenspannung des Festkörpers bzw. der Flüssigkeiten, $\gamma_{1,2} =$ *Grenzflächenspannung fest/flüssig, $\alpha =$ Randwinkel od. Kontaktwinkel) (s. *Lit.*[1])]. Die B.-Tendenz einer Flüssigkeit ist also um so größer, je kleiner α bzw. die Oberflächenspannung ist; sie läßt sich durch *grenzflächenaktive Stoffe (*Detergentien, Netzmittel, Tenside*) erhöhen. Von techn. Bedeutung ist die B. beim *Dispergieren, *Mahlen u. Naß-*Zerkleinern, bei der *Flotation, bei der Herst. von *Suspensionen u. *Emulsionen, bei der Wirkung von *Waschmitteln usw. – E wetting – F mouillage – I bagnamento – S humectación, acción humectante
Lit.: [1] Colloid Polym. Sci. **259**, 391 ff. (1981).
allg.: Alexander, Untersuchung über die Benetzbarkeit von Kunststoff-Folien durch Druckfarben, Fb NRW 2180 (1971) ▪ DIN 53 900 (07/1972) ▪ Kirk-Othmer (3.) **16**, 808 f.; **22**, 340 ff. ▪ Padday, Wetting, Spreading and Adhesion, London: Academic Press 1978 ▪ Winnacker-Küchler (4.) **4**, 65.

Benfluralin. Common name für N-Butyl-N-ethyl-2,6-dinitro-4-trifluoromethylanilin.

$C_{13}H_{16}F_3N_3O_4$, M_R 335,28, Schmp. 66 °C, LD_{50} (Ratte oral) >10 000 mg/kg (WHO), von Eli Lilly 1965 eingeführtes selektives Boden-*Herbizid gegen Ungräser u. einige Unkräuter im Erdnuß-, Luzerne- u. Tabakanbau sowie auf Rasenflächen. – E benfluralin, benefin – F benfluraline – I benfluralina

Benfofen®

Lit.: Farm ▪ Perkow ▪ Pesticide Manual. – *[HS 2921 43; CAS 1861-40-1]*

Benfofen®. Ampullen, Suppositorien u. Tabl. mit dem nichtsteroidalen Antirheumatikum *Diclofenac-Natrium. *B.:* Sanofi-Winthrop.

Benfotiamin.

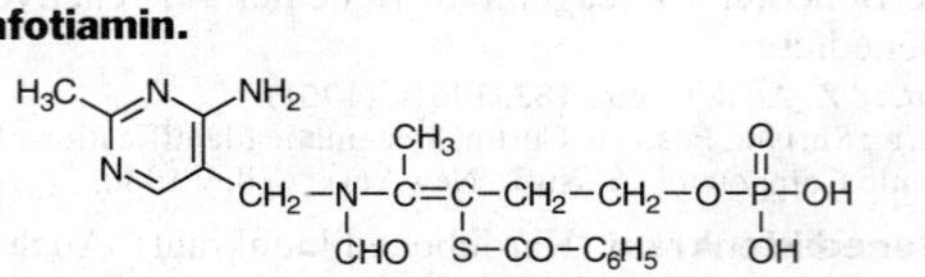

Internat. Freiname für das neurotrop analget. wirkende Vitamin B_1-Analoge S-Benzoylthiamin-O-monophosphat, $C_{19}H_{23}N_4O_6PS$, M_R 466,45, Zers. bei 155–165 u. 195 °C. Es wurde 1952 von Sankyo patentiert u. ist von woerwag Pharma (Benfogamma®) im Handel. – $E = F$ benfotiamine – I benfotiammina – S benfotiamina
Lit.: Hager (5.) **7**, 399 f. – *[HS 2933 59; CAS 22457-89-2]*

Benfuracarb. Common name für Ethyl-N-[(2,3-dihydro-2,2-dimethyl-7-benzofuranyloxycarbonyl)methylaminothio]-N-isopropyl-β-alaninat.

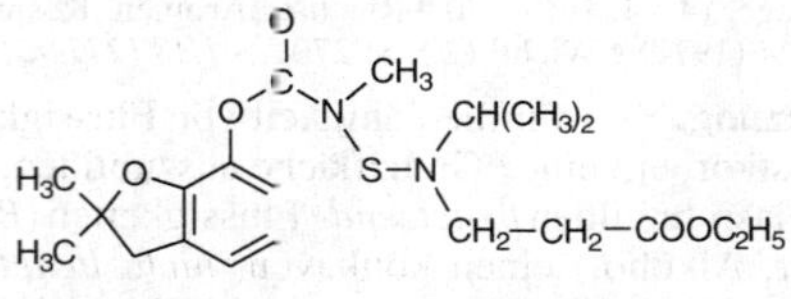

$C_{20}H_{30}N_2O_5S$, M_R 410,53, viskose Flüssigkeit, LD_{50} (Ratte oral) 138 mg/kg, von Otsuka 1988 eingeführtes, system. *Insektizid mit breitem Wirkspektrum gegen Schadinsekten im Mais-, Obst-, Gemüse-, Zitrus-, Hopfen- u. Weinanbau. – $E = F = I = S$ benfuracarb
Lit.: Farm ▪ Perkow ▪ Pesticide Manual. – *[CAS 82560-54-1]*

Benfuresat. Common name für 2,3-Dihydro-3,3-dimethylbenzofuran-5-yl-ethansulfonat.

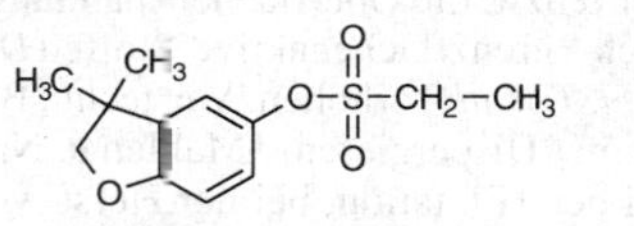

$C_{12}H_{16}O_4S$, M_R 256,32, Schmp. 30 °C, LD_{50} (Ratte oral) 2030 mg/kg, von Schering (später AgrEvo) 1980 eingeführtes *Herbizid gegen Ungräser u. breitblättrige Unkräuter im Baumwoll-, Mais-, Reis- u. Obstanbau. – $E = F$ benfuresate – $I = S$ benfuresato
Lit.: Pesticide Manual. – *[CAS 68505-69-1]*

Bengalisches Feuer. Pulvergemische aus leicht brennbaren Stoffen (Kohlepulver, Schwefelpulver), Oxidationsmitteln (Chlorate, Nitrate) u. flammenfärbenden Bestandteilen (Na-, K-, Sr-, Ba-, Cu-Salzen usw). Die Funktion der *Flammenfärbung kann auch durch die Oxidationsmittel selbst übernommen werden, so z. B. bei Verw. von Bariumnitrat, Strontiumnitrat usw. *Bengalische Streichhölzer* enthalten geeignete Pulvergemische unter Verw. von Schellack u. a. Bindemitteln. *Bengalisches Papier* erhält man z. B., wenn man ungeleimtes Papier in eine Lsg. von 2 Tl. Strontiumnitrat u. 1 Tl. Kaliumchlorat in 2 Tl. Alkohol u. 10 Tl. Wasser taucht u. nach dem Trocknen zusammenrollt. Zur *Flammenfärbung* werden vorzugsweise folgende Salze verwendet: Strontiumnitrat (rot), Kupfersalze (hellblau), Borax, Bariumnitrat (grün), Natriumsalze (gelb). – E Bengal fire – F feu de Bengale – I bengala – S luces de Bengala
Lit.: s. Pyrotechnik.

Bengalrosa (4,5,6,7-Tetrachlor-2',4',5',7'-tetraiodfluorescein).

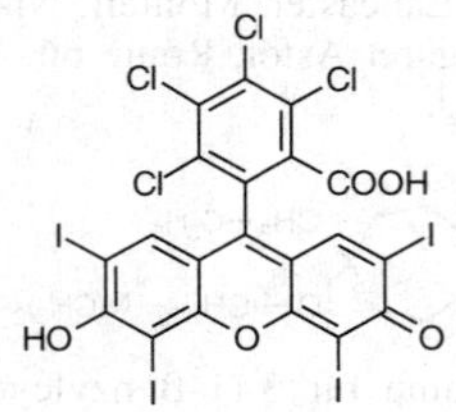

$C_{20}H_4Cl_4I_4O_5$, M_R 973,68. Wasserlösl., blaustichig roter *Xanthen-Farbstoff, der als Kalium- od. Natrium-Salz für biolog. u. kosmet. Färbungen, zur Herst. von Tinten, als Sensibilisator in der Photochemie u. der Elektrophotographie (für ZnO) u. als mit Iod 131 markiertes B.[1] in der Szintigraphie zur Leber-Galle-Funktionsdiagnostik herangezogen wird[2]. – E rose bengale – F rose de Bengale – I bengalrosa – S rosa de bengala
Lit.: [1] DAB **8**, 46, 132 ff. [2] exact **1974**, Nr. 9, 26 ff.
allg.: s. Xanthen-Farbstoffe – *[HS 3204 20]*

Bengamide. Die B. A–F u. Isobengamid E sind L-Lysin-ε-lactame aus einem orangen Meeresschwamm (Krustenschwamm) der Familie Jaspidae von den Fidji-Inseln.

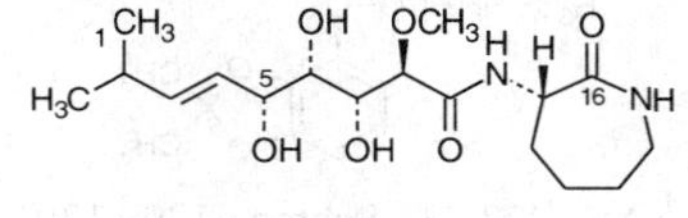

B.E

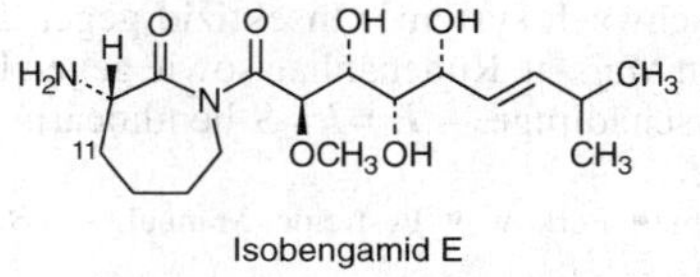

Isobengamid E

B. E, $C_{17}H_{30}N_2O_6$, M_R 358,44, Öl, $[\alpha]_D^{20}$ +28° (c 0,03/CH_3OH); *Isobengamid E*, $C_{17}H_{30}N_2O_6$, M_R 358,44, Öl, $[\alpha]_D^{20}$ +17,1° (c 0,05/CH_3OH). Die B. besitzen antiparasit. (anthelmint.) Wirkung u. sind cytotox.[1]. Eine stereoselektive Totalsynth. für B. E wurde beschrieben[2]. – E bengamides – F bengamide – I bengamidi – S bengamidas
Lit.: [1] J. Am. Chem. Soc. **111**, 647–654 (1989); J. Org. Chem. **51**, 4494 (1986); **55**, 240 (1990). [2] J. Org. Chem. **60**, 5910–5918 (1995).
allg.: s. a. Discodermolide, Jaspamide. – *[CAS 118477-03-5 (B. E); 118477-05-7 (Isob. E)]*

Bengazole.

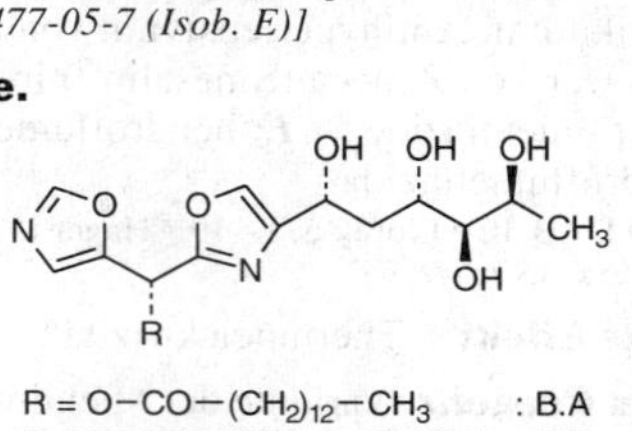

R = O–CO–$(CH_2)_{12}$–CH_3 : B.A
R = O–CO–$(CH_2)_{11}$–$CH(CH_3)_2$: B.B

B. sind Bisoxazole aus Meeresschwämmen der Familie Jaspidae, die im Pazifik in der Umgebung der Fidjiinseln gefunden werden. Sie besitzen anthelmint. Wirkung. *B.A.*, $C_{27}H_{44}N_2O_8$, M_R 524,65; *B.B.* $C_{28}H_{46}N_2O_8$, M_R 538,68. – *E* bengazoles – *I* bengazoli
Lit.: Chem. Rev. **93**, 1718 (1993) ▪ J. Am. Chem. Soc. **111**, 647–654 (1989).

Benioffzone s. Plattentektonik.

Benitoit. $BaTi[Si_3O_9]$ od. $BaO \cdot TiO_2 \cdot 3 SiO_2$; blaß- bis saphirblaue od. farblose, glasglänzende ditrigonal-dipyramidale Krist. bildendes Cyclo-*Silicat, Krist.-Klasse $\bar{6}m2$-D_{3h}, Struktur s. *Lit.*[1]; H. 6–6,5, D. 3,7; wird als Schmuckstein verwendet.
Vork.: San Benito County/Californien (Name!), Neuseeland. – *E* = *I* benitoite – *F* bénitoite – *S* benitoita
Lit.: [1] Z. Kristallogr. **129**, 222–243 (1969).
allg.: Eppler, Praktische Gemmologie (5.), S. 379 f., Stuttgart: Rühle-Diebener 1994 ▪ Mineral. Rec. **8**, 442–452 (1977) ▪ Ramdohr-Strunz, S. 703 f. – *[CAS 15491-35-7]*

Benkeser-Reduktion. Variante der *Birch-Reduktion mit Lithium u. Aminen als Lösemittel. – *E* Benkeser reduction – *F* réduction de Benkeser – *I* riduzione di Benkeser – *S* reducción de Benkeser
Lit.: Synthesis **1972**, 391–415.

Benomyl. Common name für Methyl-1-(butylcarbamoyl)benzimidazol-2-yl-carbamat.

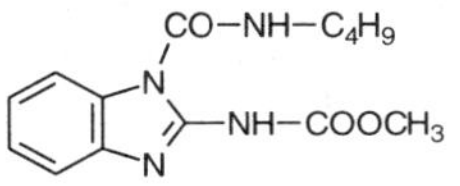

$C_{14}H_{18}N_4O_3$, M_R 290,32, farblose Krist., die sich ohne zu schmelzen zersetzen, LD_{50} (Ratte oral) >10000 mg/kg (WHO), von DuPont 1967 eingeführtes system. *Fungizid mit protektiver u. eradikativer Wirkung gegen eine Vielzahl von Krankheiten im Obst-, Wein-, Gemüse-, Getreide u. Zierpflanzenanbau. – *E* = *F* benomyl – *I* benomile – *S* benomilo
Lit.: Farm ▪ Perkow ▪ Pesticide Manual. – *[CAS 17804-35-2]*

Benorilat.

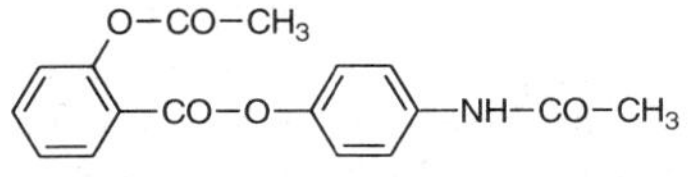

Internat. Freiname für 4-Acetamidophenyl-O-acetylsalicylat, $C_{17}H_{15}NO_5$, M_R 313,31, Schmp. 175–176 °C; LD_{50} (Maus, oral) 2000, (Maus, i. p.) 1255, (Ratte, oral) ~10000, (Ratte, i. p.) 1830 mg/kg. Es wurde als Analgetikum, Antipyretikum u. Antiphlogistikum 1965 von Sterwin u. 1969 von Sterlin Drug patentiert u. ist von Sanofi Winthrop (Benortan®) im Handel. – *E* benorylate – *F* bénorilate – *I* = *S* benorilato
Lit.: ASP ▪ Hager (5.) **7**, 402 f. – *[HS 292429; CAS 5003-48-5]*

Benperidol.

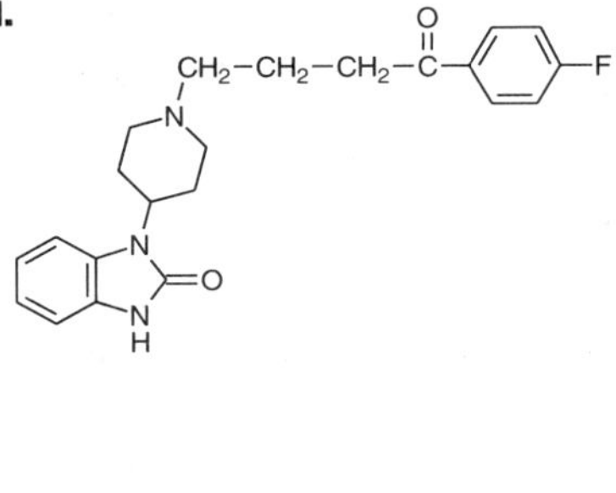

Internat. Freiname für 1-(1-[4-(4-Fluorphenyl)-4-oxobutyl]-piperidin-4-yl)-1,3-dihydro-benzimidazol-2-on, $C_{22}H_{24}FN_3O_2$, M_R 381,45, Schmp. 170–171,8 °C. Verwendet wird auch das Hydrochlorid, Schmp. 134–142 °C. Es wurde als Antipsychotikum 1963 von Janssen patentiert u. ist von Bayer (Glianimon®) u. Neuraxpharm (Benperidol-Neuraxpharm®) im Handel. – *E* benperidol – *F* benpéridol – *I* benperidolo – *S* benperidol
Lit.: Florey **14**, 245–272 ▪ Hager (5.) **7**, 405 f. – *[HS 2933 39; CAS 2062-84-2]*

Benproperin.

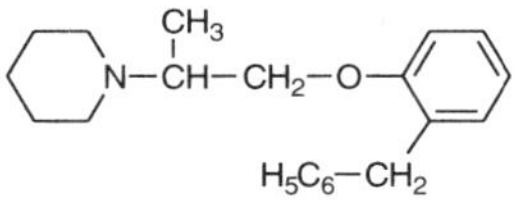

Internat. Freiname für 1-[2-(2-Benzylphenoxy)-1-methylethyl]-piperidin, $C_{21}H_{27}NO$, M_R 309,45, Sdp. 159–161 °C (26 Pa). Es wurde 1962 u. 1964 als Antitussivum von Aktieselskabet Pharmacia patentiert. Verwendet werden auch das Trihydrogenphosphat, Schmp. 150–152 °C, LD_{50} (Albinomaus, i. p.) 192, (Albinomaus, oral) 1365 mg/kg u. das Embonat, Schmp. 160–170 °C. Sie sind von Robugen (Tussafug®) im Handel. – *E* benproperine – *F* benpropérine – *I* = *S* benproperina
Lit.: ASP ▪ Hager (5.) **7**, 406 f. – *[HS 2933 39; CAS 2156-27-6; 19428-14-9 (Trihydrogenphosphat); 64238-92-2 (Embonat)]*

Benserazid.

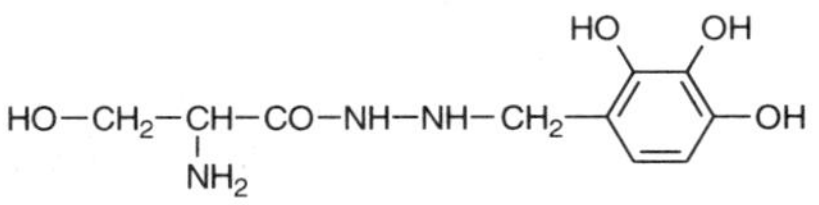

Internat. Freiname für DL-Serin-2-(2,3,4-trihydroxybenzyl)-hydrazid, $C_{10}H_{15}N_3O_5$, M_R 257,25. Verwendet wird das Hydrochlorid, Schmp. 146–148 °C. Es wurde 1962 u. 1965 von Hoffmann-La Roche als Decarboxylase-Hemmer patentiert u. ist in Kombination mit Levodopa (Madopar®) im Handel. – *E* = *I* benserazide – *F* bensérazide – *S* benserazida
Lit.: Hager (5.) **7**, 408 f. – *[HS 2928 00; CAS 14919-77-8]*

Bensulfuron-methyl. Common name für Methyl-2-{[(4,6-dimethoxy-2-pyrimidinylaminocarbonyl)aminosulfonyl]methyl}benzoat.

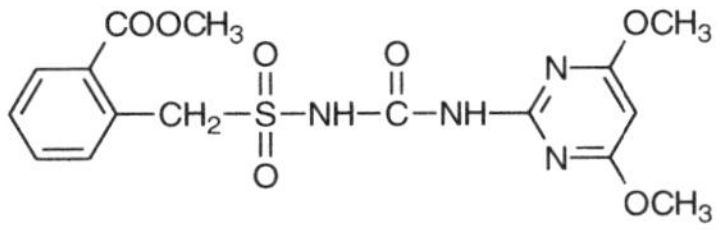

$C_{16}H_{18}N_4O_7S$, M_R 410,40, Schmp. 185–188 °C, LD_{50} (Ratte oral) >5000 mg/kg, von DuPont 1984 eingeführtes, selektives system. *Herbizid gegen Unkräuter in Reiskulturen. – *E* bensulfuron-methyl – *F* bensulfuron-méthyle – *I* bensulfuron-metile – *S* metil bensulfurona
Lit.: Pesticide Manual. – *[CAS 83055-99-6]*

Bensulid. Common name für S-(2-Benzolsulfonylaminoethyl)-O,O'-diisopropyl-dithiophosphat.

Bensultap

$C_{14}H_{24}NO_4PS_3$, M_R 397,50, Schmp. 34 °C, LD_{50} (Ratte oral) 360 mg/kg (GefStoffV), von Stauffer 1969 ein-

```
      O-CH(CH₃)₂        O
       |                ||
   S=P-S-(CH₂)₂-NH-S-C₆H₅
       |                ||
      O-CH(CH₃)₂        O
```

geführtes selektives Boden-*Herbizid gegen Unkräuter u. Ungräser im Rasen sowie im Gemüse- (Salat, Cucurbitaceen) u. Baumwollanbau. – $E=F$ bensulide – I bensolide – S bensulida

Lit.: Farm ▪ Perkow ▪ Pesticide Manual. – *[HS 2935 00; CAS 741-58-2]*

Bensultap. Common name für S,S'-(2-Dimethylamino-1,3-propandiyl)-di-(benzolthiosulfonat), 1,3-Bis-[benzolsulfonylthio]-2-dimethylamino-propan.

$$H_5C_6-SO_2-S-CH_2-\overset{N(CH_3)_2}{\underset{|}{CH}}-CH_2-S-SO_2-C_6H_5$$

$C_{17}H_{21}NO_4S_4$, M_R 431,60, Schmp. 83–84 °C, LD_{50} (Ratte oral) 1100 mg/kg (WHO), von Takeda entwickeltes *Insektizid gegen Lepidopteren u. Coleopteren in Raps-, Kartoffel-, Obst- u. Weinanbau. – $E=F=I=S$ bensultap

Lit.: Farm ▪ Perkow ▪ Pesticide Manual. – *[CAS 17606-31-4]*

Bentazon. Common name für 3-Isopropyl-1H-2,1,3-benzothiadiazin-4(3H)-on-2,2-dioxid. Xn ✖

```
      H
      |
      N   SO₂
       \ / \
        N
        |
        CH(CH₃)₂
      O
```

$C_{10}H_{12}N_2O_3S$, M_R 240,28, Schmp. 137–139 °C, LD_{50} (Ratte oral) 1100 mg/kg (GefStoffV), von BASF 1968 eingeführtes selektives Kontakt-*Herbizid gegen Unkräuter in Sojabohnen-, Reis-, Mais-, Kartoffel- u. Getreideanbau. – E bentazon, bentazon, bendioxide – $F=I$ bentazone – S bentazona

Lit.: Farm ▪ Perkow ▪ Pesticide Manual. – *[HS 2934 90; CAS 25057-89-0]*

Benthal s. Hydrologie.

Bentiamin.

```
   H₃C    NH₂          S-CO-C₆H₅
      \  /             |
       N    H          C
       ||   |          ||
       C    C=O        C
      / \  /           |
     N   CH₂-N-C=C-CH₂-CH₂-O-CO-C₆H₅
              |
              CH₃
```

Internat. Freiname für das neurotrop analget. wirkende Vitamin B_2-Analogon Dibenzoylthiamin, $C_{26}H_{26}N_4O_4S$, M_R 490,58, Schmp. 173–174 °C. – $E=F$ bentiamine – I bentiammina – S bentiamina – *[HS 2933 59]*

Bentiromid.

```
                HN-CO-C₆H₅
                |
   HO-⟨⟩-CH₂-C-CO-NH-⟨⟩-COOH
                |
                H
```

Internat. Freiname für 4-(N-Benzoyl-L-tyrosyl)-aminobenzoesäure, $C_{23}H_{20}N_2O_5$, M_R 404,42, Schmp. 240–242 °C, $[\alpha]_D^{25}$ +72,3° (c 1/DMF), auch angegeben: $[\alpha]_D^{25}$ +87° (c 1/DMF). Es wurde 1972 u. 1973 als Pankreas-Diagnostikum von Rohm & Haas patentiert. – $E=F=I$ bentiromide – S bentiromida

Lit.: Clin. Chem. Clin. Biochem. **18**, 551 (1980) ▪ Hager (5.) **7**, 410 f. – *[HS 2924 29; CAS 41748-47-4]*

Bentone®. Marke der RHEOX Inc. für *Montmorillonite (*Bentonite) u. Hectorite u. deren organ. Derivate, die durch Ionenaustausch-Reaktionen mit Alkylammonium-Basen hergestellt werden u. zur Herst. von Gelen in wäss. od. organ. Medium dienen. Verw. als Verd.- u. Thixotropiemittel für Lack- u. Druckfarben, Plastisole, Organisole, Wachse, Kitte u. Klebstoffe, auch für kosmet. Produkte. *B.:* Kronos Titan GmbH, Nordmann, Rassmann GmbH & Co.

Bentonite. Bez. für *Tone u. Gesteine, die *Smektite, v. a. *Montmorillonit, als Hauptminerale enthalten; daneben können *Glimmer, *Illit, *Cristobalit u. *Zeolithe als Verunreinigungen vorhanden sein. Montmorillonit verleiht den B. Eigenschaften wie Quellfähigkeit (*Quelltone*), *Thixotropie u. Ionenaustauschvermögen. Die Roh-B. sind entweder *Calcium-B.* (nicht quellfähig; *inaktivierte B.*, in Großbritannien als *Fuller-Erden* bezeichnet) od. *Natrium-B.* (quellfähig; *Wyoming-B.*). Die Eigenschaften der B. können modifiziert werden; z. B. werden die Quellfähigkeit von Roh-B. durch Austausch der Ca- gegen Na-Ionen (*aktivierter Calcium-B.*), die spezif. Oberfläche durch Behandeln mit anorgan. Säuren (*säureaktivierter B.*, s. Bleicherden) u. die Organophilie durch Umsetzung von Natrium-B. mit quart. Ammonium-Verb. (*organophile B.*, auch *Bentone genannt) erhöht.

Vork.: Z. B. in Wyoming, South Dakota u. Arizona/USA, Montana/Kanada, Irak, Ägypten, in Bayern (Raum Moosburg–Landshut–Mainburg: Calcium-B.), Griechenland, China u. Japan.

Verw.: Sehr vielfältig, z. B. als Zusatz zu keram. Massen, als Adsorptionsmittel (u. a. Bleichen von Speiseölen, Entfernung von Proteinen aus Bier), zur Weinschönung, als Fett- u. Schmiermittel-Verdicker, als Pelletierungsmittel für Erze u. Tierfutter, im Tierpflege-Sektor, als Trägermaterial für Insektizide u. Pestizide, als Bohrspülmittel, z. B. bei Erdöl-Bohrungen; als Zusatz zum Löschwasser bei Waldbränden, als Formsandbinder, zur Bodenverbesserung, in der Bau-Ind., zur Abdichtung von Deponien, zur Dekontamination von radioaktiv verseuchtem Material u. in der Abwasser-Behandlung. – $E=F$ bentonites – I bentoniti – S bentonita

Lit.: Carstensen, Anwendung von Bentonit im Ingenieurtiefbau, Stuttgart: IRB 1985 ▪ Grim u. Güven, Bentonites, Amsterdam: Elsevier 1978 ▪ Jasmund u. Lagaly (Hrsg.), Tonminerale u. Tone, Darmstadt: Steinkopff 1993 (zahlreiche Zitate des Stichworts) ▪ Manning, Introduction to Industrial Minerals, S. 63–71, London: Chapman & Hall 1995 ▪ Ullmann (5.) A **7**, 116 ff., 124 f., 131 ff. ▪ s. a. Tone, Montmorillonit.

Ben-u-ron®. Saft, Dragees, Tabl. u. Suppositorien mit *Paracetamol gegen Fieber u. Schmerzen. *B.:* Bene-Arzneimittel GmbH.

Benz... s. Benz(o)...

Benz, Carl Friedrich (1844–1929), Ingenieur. Er schuf 1885 unabhängig von Daimler den von einem Einzylinder-Viertakt-Benzinmotor angetriebenen

Kraftwagen, der 1886 erstmalig vorgeführt wurde. Er ist der Gründer des Unternehmens Benz & Cie., der heutigen Daimler Benz AG. Der Kraftwagen von 1886 steht heute im Dtsch. Museum in München.
Lit.: Weimer u. Wolfram, Kapitäne des Kapitals, S. 38–62, Frankfurt am Main: Suhrkamp 1995.

Benzaknen®. Gel u. Suspension mit *Benzoylperoxid gegen Akne. *B.:* Galderma.

Benzal... s. Benzyliden...

Benzaldehyd (künstliches Bittermandelöl). H_5C_6–CHO, C_7H_6O, M_R 106,12. Farblose, stark lichtbrechende, nach bitteren Mandeln riechende, ölige Flüssigkeit, D. 1,08 Schmp. –56 °C, Sdp. 179 °C, FP. 64 °C c.c., in Wasser wenig lösl., mit Alkohol u. Ether beliebig mischbar. Die Dämpfe wirken betäubend u. können in hohen Konz. zur Lähmung der Atmung führen. Die Substanz kann auch über die Haut aufgenommen werden, LD_{50} (Ratte oral) 1300 mg/kg, wassergefährdender Stoff, WGK 1. B. oxidiert an der Luft, bes. im Licht od. in Ggw. von Schwermetall-Ionen allmählich zu Benzoesäure unter Bildung peroxid. Zwischenprodukte. B. reduziert ammoniakal. Silber-Salzlsg., aber nicht Fehlingsche Lösung. B. kondensiert mit aktiven Methylen-Gruppen zu Benzyliden-Verb., mit sich selbst zu Benzoin (s. Benzoin-Kondensation).
Vork.: Als Zers.-Produkt des *Amygdalins; auf diese Entstehung wird in Pfirsichplantagen die sog. Pfirsich-Bodenmüdigkeit zurückgeführt, da B. ein Wachstums-*Hemmstoff für Pfirsiche zu sein scheint.
Herst.: Techn. erhält man B. durch Kochen von Benzylidendichlorid mit Kalkmilch od. durch Luftoxid. von Toluol in Ggw. von oxid. Katalysatoren.
Verw.: Als chem. Reagenz, Lsm., zur Herst. von Triphenylmethan-Farbstoffen, Zimtsäure, Pharmazeutika u. Parfümen. – *E* benzaldehyde – *F* benzaldéhyde – *I* benzaldeide – *S* benzaldehído
Lit.: Beilstein E IV **7**, 5057, 505 ▪ Hommel, Nr. 302 ▪ Kirk-Othmer (4.) **4**, 64 ▪ Snell-Hilton **6**, 594–639 ▪ Ullmann **4**, 235–243; (4.) **8**, 343 ff.; (5.) **A 3**, 463; **A 11**, 186 ▪ Winnacker-Küchler (4.) **4**, 168 f. – [HS 2912 21; CAS 100-52-7; G 3]

Benzalkoniumchloride. Internat. Freiname für Alkylbenzyldimethylammoniumchloride der allg. Formel

$$\left[H_5C_6-CH_2-\overset{+}{\underset{R}{\underset{|}{N}}}\overset{CH_3}{\underset{|}{-}CH_3} \right] Cl^-$$

wobei R für einen Alkyl-Rest im C-Zahlbereich von 8–18 steht. In Abhängigkeit von R liegen B. als Feststoffe od. Flüssigkeiten vor u. zeigen wie alle *quartären Ammonium-Verbindungen kationtensid. Eigenschaften. Sie erweisen sich als verträglich in Kombination mit nichtion., amphoteren sowie weiteren kation. Tensiden; mit Aniontensiden erfolgt hingegen Desaktivierung durch Salzbildung. B. sind in Wasser, Alkoholen u. Ketonen leicht, in Benzol wenig sowie in unpolaren Kohlenwasserstoffen prakt. unlöslich.
Verw.: Als *Bakterizide bzw. *Algizide im Bereich schwach alkal. bis sauer eingestellter Desinfektionsmittel (Höchstkonz.: 0,25%; zugelassen bis 31.3.1990). Charakterisierung nach der Blauen Liste (s. Benutzerhinweise): A 2, #H#, #SH#, T 4. – *E* benz-alkonium chloride – *F* chlorure de benzalkonium – *I* cloruri benzalconici – *S* cloruro de benzalconio
Lit.: Kirk-Othmer **2**, 633 f. ▪ Seife, Öle, Fette, Wachse **104**, 433 f. (1978) ▪ Winnacker-Küchler (4.) **4**, 608 f. – [HS 3402 12]

Benzamid (Benzoesäureamid). H_5C_6–CO–NH_2, C_7H_7NO, M_R 121,14. Farblose Krist., D. 1,34, Schmp. 130 °C (stabile Form, 115 °C labile Form), Sdp. 288 °C; schwer lösl. in Wasser, leicht in Ethanol u. Pyridin. B. wird durch Einwirkung von Ammoniak od. Ammoniumcarbonat auf Benzoylchlorid hergestellt.
Verw.: B. wird nicht in sehr großen Mengen hergestellt u. zur Gewinnung einiger Küpenfarbstoffe sowie von Schädlingsbekämpfungsmitteln verwendet. – *E* = *F* benzamide – *I* benzammide – *S* benzamida
Lit.: Beilstein E IV **9**, 725 ▪ Ullmann (4.) **8**, 374; (5.) **A 3**, 562; **A 22**, 350. – [HS 2924 29; CAS 55-21-0]

Benzamido... Neben *Benzoylamino... Bez. für die Atomgruppierung –NH–CO–C_6H_5 in systemat. Namen (IUPAC-Regel C-823.1). – *E* = *F* = *S* benzamido... – *I* benzammido...

Benzanilid (Benzoesäureanilid, *N*-Phenyl-benzamid, veraltet: *N*-Benzoylanilin). H_5C_6–NH–CO–C_6H_5, $C_{13}H_{11}NO$, M_R 197,24. Farblose Blättchen, D. 1,315, Schmp. 163 °C sublimiert, unlösl. in Wasser, lösl. in Alkohol. B. kann aus Anilin u. Benzoesäure hergestellt werden u. findet Verw. als Zwischenprodukt bei der Synth. von Farb-, Arznei- u. Duftstoffen. – *E* = *F* = *I* benzanilide – *S* benzanilida
Lit.: Beilstein E IV **12**, 417. – [HS 2924 29; CAS 93-98-1; G 6.1]

Benz[*a*]anthracen (1,2-Benzanthracen).

C₁₈H₁₂, M_R 228,29. Farblose Platten mit grüngelber Fluoreszenz, Schmp. 162 °C, subl. bei 435 °C, unlösl. in Wasser, schwer lösl. in Alkohol, lösl. in Benzol, im Steinkohleteer enthalten. Zur Namensbildung s. kondensierte Ringsysteme. B. kann Hautkrebs hervorrufen u. ist im Tierversuch carcinogen; 7,12-Di- u. 7,8,12-Trimethyl-B. sind die stärksten bekannten *Carcinogene. – *E* benz[*a*]anthracene – *F* benz[*a*]anthracène – *I* benz[*a*]antracene – *S* benz[*a*]antraceno
Lit.: Beilstein E IV **5**, 2549 ff. ▪ IARC Monogr. **3**, 46–68 (1973); **32**, 135–145 (1983). – [CAS 56-55-3]

Benzanthron (7*H*-Benz[*de*]anthracen-7-on).

$C_{17}H_{10}O$, M_R 230,27, blaßgelbe Nadeln, Schmp. 170 °C, schwer lösl. in Wasser, lösl. in Benzol. Zur Bildung des Namens s. kondensierte Ringsysteme. Das aus Anthrachinon mit Glycerin u. Eisen-Pulver in Schwefelsäure techn. hergestellte B. ist Ausgangsmaterial für B.-(Küpen-)Farbstoffe; durch Alkalischmelze erhält man *Vio-*

lanthron, einen *Indanthren-Farbstoff. Durch Dünnschichtchromatographie läßt sich B. als Luftverunreinigung nachweisen (vgl. Lit.[1]). – *E = F* benzanthrone – *I* benzantrone – *S* benzantrona
Lit.: [1] Mikrochim. Acta **1965**, 1110.
allg.: Beilstein E IV **7**, 1819 ▪ Kirk-Othmer (3.) **2**, 742–746 ▪ Ullmann (4.) **7**, 618 ff.; (5.) A **2**, 390 ff. – *[CAS 82-05-3]*

Benzaron.

Internat. Freiname für das Venenmittel (2-Ethyl-3-benzofuranyl)-(4-hydroxyphenyl)-keton, $C_{17}H_{14}O_3$, M_R 266,30, Schmp. 124,3 °C. Es wurde 1961 als Venen-Therapeutikum von Soc. l'Azote Prod. Chim. Marly patentiert. – *E = F = I* benzarone – *S* benzarona
Lit.: Arzneim.-Forsch. **29**, 1578 (1979); **32**, 1114 (1982) ▪ Hager (5.) **7**, 415 ff. – *[HS 2932 99; CAS 1477-19-6]*

Benzathin-Benzylpenicillin s. Benzylpenicillin-Benzathin.

Benzatropin.

Internat. Freiname für den im allg. als *Mesilat (Schmp. 143 °C) verwendeten Tropinbenzhydrylether, $C_{21}H_{25}NO$, M_R 307,44. Es wurde 1952 als Parasympatholytikum u. Anti-Parkinson-Mittel von Merck & Co patentiert u. war von Astra Chemicals (Cogentinol®) im Handel. – *E = F* benzatropine – *I = S* benzatropina
Lit.: Kleemann/Engel (2.), S. 86 ▪ Hager (5.) **7**, 417 ff. – *[HS 2939 90; CAS 86-13-5; 132-17-2 (Mesilat)]*

Benzbromaron.

Internat. Freiname für (3,5-Dibrom-4-hydroxyphenyl)-(2-ethylbenzofuran-3-yl)-keton, $C_{17}H_{12}Br_2O_3$, M_R 424,09, Schmp. 149–153 °C. Es wurde als Uricosurikum 1957 von Labaz (Uricovac), 1961 von Soc. l'Azote Prod. Chim. Marly patentiert u. ist Generikafähig. – *E = F = I* benzbromarone – *S* benzobromarona
Lit.: ASP ▪ Hager (5.) **7**, 419 ff. – *[HS 2932 99; CAS 3562-84-3]*

Benzethoniumchlorid.

Internat. Freiname für Benzyl-dimethyl-(4-{2-[4-(1,1,3,3-tetramethylbutyl)-phenoxy]-ethoxy}-ethyl)-ammonium-chlorid, $C_{27}H_{42}ClNO_2$, M_R 448,09. B. zeigt wie viele *quartäre Ammonium-Verbindungen biozide Eigenschaften u. wird bei der Bestimmung von *Aniontensiden als Titrans verwendet (*Hyamin® 1622, vgl. Epton-Titration). – *E* benzethonium chloride – *F* chlorure de benzéthonium – *I* cloruro benzetonico – *S* cloruro de bencetonio
Lit.: Hager **7 b**, 329. – *[HS 2923 90; CAS 121-54-0]*

Benzhydrol (Diphenylmethanol).

$C_{13}H_{12}O$, M_R 184,24. Farblose Nadeln, Schmp. 69 °C, Sdp. 298 °C (997 hPa), lösl. in Alkohol, Ether, Chloroform u. a. organ. Lsm., kaum lösl. in Wasser. B. kann durch Red. von *Benzophenon hergestellt werden.
Verw.: Zu organ. Synth., Zwischenprodukte für die Herst. von Arzneimitteln, insbes. Antihistaminika. – *E = F* benzhydrol – *I* benzidrolo – *S* benzohidrol
Lit.: Beilstein E IV **6**, 4648 ▪ Ullmann (5.) A **1**, 22, 26. – *[HS 2906 29; CAS 91-01-0]*

Benzhydryl...

(Diphenylmethyl...). Bez. für die Atomgruppierung –CH(C_6H_5)$_2$ in systemat. Namen (IUPAC-Regeln A-13.3 u. R-9.1.19b). – *E = F* benzhydryl... – *I* benzidril... – *S* benzhidril...

Benzidin (4,4′-Diaminobiphenyl, Biphenyl-4,4′-diamin). T

$C_{12}H_{12}N_2$, M_R 184,24. Farbloses od. schwach rötliches Pulver, D. 1,251, Schmp. 127–128 °C, Sdp. ca. 400 °C, etwas lösl. in heißem Wasser, besser in Alkohol u. Ether. Staub u. Dämpfe führen zu starker Reizung der Augen, der Atemwege, der Atmungsorgane sowie der Haut, Lungenödem möglich. B. verändert den Blutfarbstoff u. zerstört die roten Blutkörperchen. B. u. seine Salze gelten als Stoffe, die beim Menschen erfahrungsgemäß bösartige Geschwüre zu verursachen vermögen (Gruppe III A 1, MAK-Werte-Liste 1995); wassergefährdender Stoff, WGK 3. Das leicht autoxidable B. kann durch Red. von Nitrobenzol u. anschließende *Benzidin-Umlagerung des *Hydrazobenzols hergestellt werden. Von B. leiten sich die Kongofarbstoffe u. viele andere *Direktfarbstoffe her (*Benzidin-Farbstoffe*). In der forens. Chemie diente B. zum Nachw. von Blutspuren: Eine essigsaure, Wasserstoffperoxid-haltige B.-Lsg. gibt mit Spuren von Blut (essigsaure Lsg.) eine Blaufärbung (*Benzidin-Test*). B. kann zur spektrophotometr. Bestimmung von CN^-, NO_2^-, CO_3^-, SO_4^{2-} verwendet werden. Als Ersatz für B. läßt sich das 3,3′,5,5′-Tetramethyl-B. verwenden[1]. Nach der Chemikalien-Verbots-VO (BGBl. I, S. 1689) dürfen B. u. seine Salze u. Zubereitungen mit einem Massengehalt von 0,1% od. mehr nicht in den Verkehr gebracht werden. (Ausnahmen s. § 1, § 2 der Chemikalien-Verbots-VO sowie Anhang IV Nr. 2 zur Gefahrstoff-VO.) B. darf beim Herstellen od. Behandeln von kosmet. Mitteln nicht verwendet werden (Kosmetik-VO Anlage 1, Nr. 26, BGBl. I, S. 534). – *E = F* benzidine – *I* benzidina – *S* bencidina
Lit.: [1] Cancer Lett. **1**, 39 (1975) u. Tetrahedron **30**, 3299 ff. (1974).
allg.: Beilstein E IV **13**, 364 ▪ Hager (5.) **3**, 160 ▪ Hommel, Nr. 821 ▪ Kirk-Othmer **3**, 408–420; (3.) **3**, 772–777 ▪ Ullmann **4**, 260 ff.; (4.) **8**, 352–363; (5.) A **3**, 539, 545. – *[HS 2921 59; CAS 92-87-5; G 6.1]*

Benzidin-Umlagerung. Unter dem Einfluß starker Säuren lagern sich 1,2-Diarylhydrazine in 4,4'-Diaminobiphenyle um. Für 1,2-Diphenylhydrazin (*Hydrazobenzol) liefert die B.-U. 4,4'-Diaminobiphenyl (*Benzidin), wie bereits 1863 von A. W. von *Hofmann gefunden wurde. Ist die 4-Position des Aromaten besetzt, so erfolgt Umlagerung in die *ortho*-Position od. es wandert nur ein Amino-Rest (*Semidin-Umlagerung).

$$\text{Ph-NH-NH-Ph} \xrightarrow{H^+} H_2N\text{-C}_6H_4\text{-C}_6H_4\text{-}NH_2$$

– *E* benzidine rearrangement – *F* transposition benzidinique – *I* riodinamento trasposizione della benzidina – *S* transposición bencidínica

Lit.: Bamford u. Tripper, Comprehensive Chemical Kinetics, Bd. 13, S. 437–448, New York: American Elsevier 1972 ▪ Houben-Weyl **11**/1, 839–848 ▪ Laue-Plagens, S. 33 ff. ▪ March (4.), S. 1144 ff. ▪ Patai, The Chemistry of Hydrazo, Azo and Azoxy Groups, Bd. 2, S. 777–805, 914–921, London: Wiley 1975.

Benzil (Diphenylethandion, Bibenzoyl). $H_5C_6\text{-CO-CO-}C_6H_5$, $C_{14}H_{10}O_2$, M_R 210,23. Gelbe od. farblose Prismen, Schmp. 95 °C, Sdp. 346–348 °C; unlösl. in Wasser, lösl. in organ. Lsm., aus *Benzoin durch Oxid. herstellbar. Zur Herst. von B.-Derivaten s. *Lit.*[1]. Unter dem Einfluß von Laugen geht B. die sog. *Benzilsäure-Umlagerung ein. B. findet Verw. zur Synth. organ. u. pharmazeut. Verbindungen. B.-Einkrist. werden in der Piezoelektrik u. Elektrooptik verwendet. – *E* benzile – *F* benzile – *I* dibenzoile – *S* bencilo

Lit.: [1] Synthesis **1974**, 716.
allg.: Beilstein E IV **7**, 2502 ▪ Kirk-Othmer (4.) **4**, 71. – *[HS 2914 39; CAS 134-81-6]*

Benzildioxime (Diphenylglyoxime).

$$\text{HO-N=C}(C_6H_5)\text{-C}(C_6H_5)\text{=N-OH}$$

$C_{14}H_{12}N_2O_2$, M_R 240,26. Aus *Benzil mit Hydroxylamin herstellbare Verb., von der 3 stereoisomere Formen existieren, die sich in der Stellung der *N*-Hydroxy-Gruppen zueinander unterscheiden: α-B. [(*E*)-B., Schmp. 238–240 °C], β-B. [(*Z*)-B., Schmp. 207 °C], γ-B. [(*E,Z*)-B. Schmp. 164–165 °C, beide OH-Gruppen zur gleichen Seite gerichtet]. Das α-B. bildet ähnlich wie *Dimethylglyoxim mit Nickel-Salzen farbige, schwer lösl. Komplexe u. findet u. a. Verw. zur spektrophotometr. Bestimmung von Ni, Pd, Re. – *E* benzil dioximes – *F* benzilédioximes – *I* benzildiossimi – *S* bencildioximas

Lit.: Beilstein E IV **7**, 2504. – *[HS 2928 00; CAS 23873-81-6 (α-B.)]*

Benziloniumbromid.

$$\left[\begin{array}{c} H_5C_2 \\ \diagdown \\ N^+ \\ \diagup \\ C_2H_5 \end{array} \text{pyrrolidinium-O-CO-C(OH)(}C_6H_5\text{)}_2 \right] Br^-$$

Internat. Freiname für den Benzilsäureester des 1,1-Diethyl-3-hydroxy-pyrrolidinium-bromids, $C_{22}H_{28}BrNO_3$, M_R 434,37, Schmp. 195–200 °C, auch 203–204 °C u. 200–210 °C angegeben; LD_{50} (Ratte, oral) 1860 mg/kg. Es wurde 1956 als *Anticholinergikum von Parke, Davis (Minelcin®, außer Handel) patentiert. – *E* benzilonium bromide – *F* bromure de benzilonium – *I* bromuro benzilonico – *S* bromuro de bencilonio

Lit.: Hager (5.) **7**, 425. – *[HS 2933 90; CAS 1050-48-2]*

Benzilsäure (Hydroxy-diphenylessigsäure, früher Diphenylglykolsäure).

$$H_5C_6\text{-}\underset{\underset{C_6H_5}{|}}{\overset{\overset{OH}{|}}{C}}\text{-COOH}$$

$C_{14}H_{12}O_3$, M_R 228,25. Monokline, bitter schmeckende Nadeln, Schmp. 150 °C (bei höherer Temp. Rotfärbung der Schmelze), wenig lösl. in kaltem, leicht lösl. in heißem Wasser, Alkohol u. Ether, LD_{50} (Maus oral) 2000 mg/kg. Zwischenprodukt bei organ. Synth., entsteht aus Benzil durch *Benzilsäure-Umlagerung. Eine Reihe von B.-Estern haben als Pharmaka Bedeutung. – *E* benzilic acid – *F* acide benzilique – *I* acido benzilico – *S* ácido bencílico

Lit.: Beilstein E IV **10**, 1256 ▪ Hager (5.) **7**, 388. – *[HS 2918 19; CAS 76-93-7]*

Benzilsäure-Umlagerung. Unter dem Einfluß starker Basen lagern sich im allg. nicht enolisierbare 1,2-Dicarbonyl-Verb. in die Salze von 2-Hydroxysäuren um. Diese bereits von *Liebig 1838 u. *Zinin 1839 für die Umlagerung von 1,2-Diphenyl-ethandion (*Benzil) in Hydroxy-diphenyl-essigsäure (*Benzilsäure) gefundene Umlagerung gehört zu der allg. Gruppe anionotroper *Umlagerungen unter Beteiligung eines Elektronenoktetts am Kohlenstoff, zu dem der Rest hinwandert (s. March, *Lit.*).

$$R^1\text{-}\underset{\underset{O}{\|}}{C}\text{-}\underset{\underset{O}{\|}}{C}\text{-}R^2 \xrightarrow{+OH^-} \underset{\underset{O}{\overset{-}{O}}}{\underset{|}{C}}(R^1)\text{-}\underset{\underset{OH}{|}}{C}(R^2)$$

– *E* benzilic acid rearrangement – *F* transposition (réarrangement) benzilique – *I* riordinamento dell'acido benzilico – *S* transposición bencílica

Lit.: Laue-Plagens, S. 36 f. ▪ March (4.), S. 1080 ▪ Patai, The Chemistry of the Carbonyl Group, S. 783–787, London: Wiley 1966.

Benzimidazol.

(Struktur: Benzimidazol mit N1-H, C2, N3)

$C_7H_6N_2$, M_R 118,14, Farblose Krist., Schmp. 171 °C, Sdp. oberhalb 360 °C. In siedendem Wasser mäßig, in Ethanol leicht lösl., dagegen nicht in Benzol u. Petrolether. Das aus *o*-Phenylendiamin u. Ameisensäure herstellbare B. dient als Ausgangsstoff bei organ. Synth., bes. für Pharmazeutika. Ebenfalls von B. leiten sich einige hochtemperaturbeständige Polymere (*Polybenzimidazole) ab. – *E* = *F* benzimidazole – *I* benzimidazolo – *S* bencimidazol

Lit.: Beilstein E V **23**/6, 196 ▪ Chem. Rev. **48**, 397–541 (1951); **74**, 279–314 (1974) ▪ Ullmann (4.) **9**, 306; **23**, 250; (5.) **A 12**, 99; **A 18**, 162; **A 19**, 406 ▪ Weissberger **6**, 247 ff.; **40**/1. – *[HS 2933 90; CAS 51-17-2]*

Benzimidazolon-Pigmente

Benzimidazolon-Pigmente. Allen B.-P. ist die 5-Carbamoyl-2-oxo-2,3-dihydro-1H-benzimidazolyl-Gruppierung in der Kupplungskomponente gemeinsam,

R = [Struktur: 5-Carbamoyl-2-oxo-2,3-dihydro-1H-benzimidazolyl]

wodurch die Lsm.- u. Migrationsechtheiten, sowie Licht- u. Wetterechtheiten deutlich verbessert werden. Man unterscheidet gelbe bis orange B.-P., die hauptsächlich auf der allg. Struktur A u. rote bis braune B.-P., die auf der allg. Struktur B basieren.

[Strukturen A und B]

– *E* benzimidazolone pigments – *F* pigments de benzimidazolone – *I* pigmenti del benzimidazolone – *S* pigmento de benzimidazolón

Lit.: Herbst u. Hunger, Industrial Organic Pigments, S. 6, 342, 2. Aufl., Weinheim: VCH Verlagsges. 1993.

Benzin. Aus dem arab. abgeleitete Sammelbez. für ein Gemisch von ca. 150 *Kohlenwasserstoffen mit 5–12 C-Atomen, in dem neben *Alkanen auch noch wechselnde Mengen von *Alkenen, *Cycloalkanen u. -alkenen (frühere Bez. Naphthene) sowie *Aromaten enthalten sein können. Infolge der wechselnden Zusammensetzung kann man beim B. keine genauen Dichten, Siedepunkte usw. angeben. Das gewöhnliche B. ist eine wasserhelle, leicht verdunstende, sehr feuergefährliche, *brennbare Flüssigkeit (FP. unter 21 °C, zur Lagerung s. *Lit.*[1]), die eigenartig riecht u. die etwa zwischen 25–280 °C (gewöhnlich zwischen 80–130 °C) siedet u. eine D. von 0,63–0,83 aufweist. Im dtsch. Normenwerk sind folgende B.-Typen aufgeführt:
Petrolether [DIN 51630 (11/1986)], Siedebereich 25–80 °C, D. 0,63–0,83;
Siedegrenzenbenzine [DIN 51631 (01/1988)], Siedebereiche Typ 1: 60–95 °C, Typ 2: 80–110 °C, Typ 3: 100–140 °C;
Testbenzine [DIN 51632 (01/1988)], Siedebereiche Typ 1: 130–185 °C, Typ 2: 140–200 °C, Typ 3: 150–190 °C, Typ 4: 180–220 °C, Typ 5: 130–220 °C;
Wetterlampenbenzin [DIN 51634 (12/1981)], Siedebereich 60–95 °C;
FAM-Normalbenzin [DIN 51635 (12/1981)], Siedebereich 65–95 °C, D. 0,690–0,705;
Leucht-, Brenn- u. Lösungspetroleum [DIN 51636 (11/1981)], Siedebereich 130–280 °C, D. max. 0,830. In den o. a. Normen sind für die einzelnen B.-Typen eine Reihe weiterer Anforderungen spezifiziert. Daneben kennt man noch Bez. wie *Wundbenzin* (D. 0,65, Sdp. 40–70 °C), *Lackbenzin* (entspricht Testbenzin), *Waschbenzin* (Sdp. 80–110 °C), *Aliphatin* (Sdp. 100–160 °C), *Ligroin* (Sdp. 150–180 °C, auch 90–120 °C angegeben), *Kerosin* (Sdp. 180–270 °C). Weitere Begriffe u. zugehörige Daten s. *Lit.*[2]. 1 kg B. gibt bei der Verbrennung etwa 42 MJ (ca. 10 000 kcal) ab. In Wasser ist B. prakt. unlösl., dagegen löst es sich leicht in abs. Alkohol, Ether, Chloroform usw. B. ist ein gutes Lsm. für Fette, Öle u. Harze. B.-Luftgemische sind in den Grenzen 0,6–7,6 Vol.-% explosionsfähig; der B.-Nachw. ist mit *Prüfröhrchen leicht möglich. Strömendes B. kann sich stark elektrostat. aufladen, was eine erhebliche Gefahrenquelle darstellt. Verschüttetes B. kann vorteilhaft mit speziellen Filzen aufgesogen werden. Zur Toxizität u. Behandlung bei B.-Vergiftungen s. *Lit.*[3]. Zur Reinheitsprüfung von B. für medizin. Zwecke s. *Lit.*[4]. Die Bestimmung des Aromaten-Gehalts in B. ist auf kolorimetr. Wege möglich, wozu die Bildung farbiger Komplexe zwischen 2,4,7-Trinitrofluorenon u. Aromaten dient.

Herst.: 1. *Durch Dest. von Erdöl:* Die bei der Aufarbeitung des *Erdöls in den Raffinerien zwischen 40–200 °C siedenden Flüssigkeiten werden für sich wieder verflüssigt u. dann in speziellen Destillationskolonnen unter Luftabschluß durch fraktionierte *Destillation z. B. in folgende Fraktionen zerlegt: (a) *Petrolether* (Sdp. 40–70 °C, hauptsächlich Pentan u. Hexan), (b) *Leichtbenzin* (Sdp. 70–90 °C, hauptsächlich Hexan u. Heptan), (c) *Mittelbenzin* (Motorenbenzin, Siedegrenze 90–180 °C), (d) *Ligroin, Testbenzin, Schwerbenzin* (Sdp. 150–180 °C). Es sei darauf hingewiesen, daß in der Lit. auch andere Erdölschnitte u. Siedegrenzen angegeben sind, vgl. das Schema bei Erdöl.
2. Durch *Kracken von Erdöl:* Gewöhnliches Erdöl gibt bei der einfachen Dest. im Durchschnitt nur 15–20% Motorbenzin (sog. *straight-run-B.*). Durch Krack-Verf. kann die gesamte B.-Ausbeute auf 40–60% erhöht werden. Beim therm. Kracken erhitzt man dabei das von B. befreite Erdöl unter einem Druck von $1-7 \cdot 10^3$ kPa auf 400–800 °C, wobei Fragmentierung der hochsiedenden Bestandteile eintritt. Aluminiumoxid u. a. Katalysatoren begünstigen die Spaltung; heute ist das sog. therm. Kracken weitgehend durch das katalyt. Kracken ersetzt. Als Katalysatoren werden v. a. *Zeolithe eingesetzt, die – über Carbonium-Ionen als Zwischenstufen ablaufende – Isomerisierungen, Cyclisierungen, Spaltungen, Alkylierungen, Desalkylierungen, Hydrierungen u. Aromatisierungen fördern. Da der Wasserstoff der großen Mol. zur Bildung kleinerer gesätt. Mol. nicht ganz ausreicht (so könnte z. B. $C_{24}H_{50}$ wegen Wasserstoff-Mangels keine vollen C_8H_{18} geben), scheidet sich – wenn nicht in Ggw. von H_2 gearbeitet wird – in den Krackapparaturen noch Petrolkoks ab. Daneben entstehen auch ungesätt. Verb. (z. B. $C_{10}H_{22} \rightarrow C_7H_{16}+C_3H_6$); die letzteren werden zu Kunststoffen, Alkoholen, synthet. Kautschuk od. Kraftstoffen verarbeitet. Schwerbenzin-Fraktionen werden durch *Reformieren* in aromat. Verb. umgewandelt; dieses sog. Reformat ist ein wichtiger Bestandteil von Motorkraftstoffen. Auf die Technologie der – unter ihren durch Warenzeichen geschützten Namen meist gesondert behandelten – Raffinationsverf. kann hier nicht eingegangen werden.
3. *Durch Polymerisation von Olefinen:* Als Ausgangsstoffe dienen Ethylen, Propylen, Buten u. 2-Methylpropen (Isobutylen), die bei der Erdöldest., Krackung u. Hochdruckhydrierung anfallen od. auch

gesätt., gasf. Kohlenwasserstoffe, die zu niedermol. Olefinen pyrolysiert, dann mit Mineralsäure-haltigen Kontaktstoffen in hochklopffeste *Polymerbenzine* verwandelt werden. Entsprechend erhält man durch *Dimerisation von Isobutylen zunächst Isoocten, u. dieses wird unter H_2-Anlagerung zu *Isooctan (2,2,4-Trimethylpentan, s. a. Octan-Zahl), einem wichtigen Bestandteil von Spezialkraftstoffen, reduziert. Die *Oligomerisation der Olefine erfolgt bei Temp. von bis zu 150 °C, u. bei Drücken von bis zu $5 \cdot 10^3$ kPa. Verwandte Verf. sind die *Alkylierung von Alkanen mit Alkenen (z. B. von Isobutan mit 1-Buten zu Isooctan) u. die katalyt. *Isomerisierung, bei der geradkettige in verzweigte Aliphaten umgewandelt werden.

4. *Durch Verarbeiten von Erdgas:* Nicht unbeträchtliche B.-Mengen erhält man heute auch aus *Erdgasen. Ethan, Propan u. Butan bilden neben dem Methan die Hauptbestandteile von Erd- u. Hydriergasen; diese werden durch Spalten, Isomerisieren, Dehydrieren, Alkylieren u. therm. Polymerisieren in Benzin verwandelt.

5. *Durch *Schwelung aus Kohle:* Die Gewinnung von Schwelbenzin (D. 0,78–0,81, Sdp. 70–180 °C) aus Braunkohle spielt heute keine Rolle mehr.

6. *Durch *Kohlehydrierung:* Nach einem von *Pier entwickelten, z. T. auf Forschungen von *Bergius (s. *Lit.*[5]) fußenden Verf. wurden von 1927–1944 große Mengen von dtsch. synthet. B. erzeugt. Die meisten Anlagen für die sog. *Kohleverflüssigung* sind heute auf Erdölverarbeitung umgestellt.

7. *Durch Kohleextraktion:* In einem von *Pott u. *Broche entwickelten Verf. wird Stein- od. Braunkohle zu 1–2 mm großen Körnchen zermahlen, getrocknet, mit einem Gemisch aus Tetralin, Naphthalin u. sauren Ölen (Kresolen, Phenolen) zu einem Brei angerührt u. in Autoklaven unter $6-7 \cdot 10^3$ kPa Druck auf 370–430 °C erhitzt, wobei 80% der Kohlenmasse in Lsg. geht. Nach Verdampfung des Lsm. bleibt ein glänzender, aschefreier, pechähnlicher Kohleextrakt zurück, der bei etwa 100 °C (Braunkohlen-Extrakte) od. 200 °C (Steinkohlen-Extrakte) schmilzt u. durch Hydrierung in B. verwandelt werden kann.

8. *Durch *Fischer-Tropsch-Synthese:* Bei dem 1925 von F. *Fischer u. *Tropsch entwickelten sog. *Kogasin*-Verf. (*Koks-Gas-Benzin*) wird *Synthesegas in Ggw. von Katalysatoren nach der Bruttogleichung $n\,CO + 2n\,H_2 \rightarrow (CH_2)_n + n\,H_2O$ in Kohlenwasserstoffe umgewandelt. Das ursprüngliche *Nieder-* od. *Normaldruck-Verf.* wurde später durch das *Mitteldruck-Verf.* u. das ähnliche *Kölbel-Engelhardt-Verf.* ersetzt; Näheres s. bei Fischer-Tropsch-Synthese. Näheres zur B.-Gewinnung durch Kohleveredlung s. bei Falbe (*Lit.*).

9. *Aus Methanol:* Von Mobil wurde ein Verf. entwickelt, bei dem Methanol – das aus Synthesegas hergestellt werden kann – an Zeolithen in B. umgewandelt wird.

Von den erwähnten Verf. sind einige – zumindest im Augenblick – wirtschaftlich nicht konkurrenzfähig. Seit dem 2. Weltkrieg wird in der BRD wie in der übrigen Welt das B. hauptsächlich durch Dest. u. Kracken von Rohöl gewonnen. Man könnte heute aus 100 l Roherdöl 100 l B. gewinnen, doch werden gewöhnlich die nieder- u. hochsiedenden Rohölbestandteile anderweitig, z. B. als *Heizöle u. *Dieselkraftstoffe, zur Herst. von *Petrochemikalien usw. verwendet (s. Erdöl). Obwohl die Erdölvorräte die Versorgung mit B. noch längere Zeit zu decken vermögen, werden doch ständig Versuche zur Verbesserung der oben beschriebenen Verf. unternommen, wobei insbes. die Fischer-Tropsch-Synth. in kohlereichen Gebieten Zukunftsaussichten haben dürfte. Auch die Gewinnung von B. aus Mikroalgen[6] verdient Interesse, u. selbst pflanzliche Produkte u. Abfälle lassen sich ggf. wirtschaftlich in B. umwandeln. Daneben laufen Untersuchungen zur Entwicklung neuer Kraftstoffe, womit sich der B.-Bedarf senken ließe. Beispielsweise eignet sich ein Gemisch aus 72% B., 25% *tert*-Butylalkohol u. 3% Wasser als Motorkraftstoff; s. a. Gasohol.

Verw.: Der Hauptverwendungszweck des B. ist der Einsatz als *Motorkraftstoff (Ottokraftstoff). Im Verbrennungsraum der Motoren verbrennt B. bei reichlicher Luftzufuhr in einer *Explosion nach der schematisierten Gleichung $2\,C_8H_{18} + 25\,O_2 \rightarrow 16\,CO_2 + 18\,H_2O$, u. die freiwerdende *Verbrennungswärme bewirkt eine rasche Ausdehnung der Abgase, was sich durch geeignete Konstruktionen zu mechan. Antrieb ausnutzen läßt. Die als Treibstoffe verwendeten B. lassen sich einteilen in *Normal-* u. *Super-B.*, die unverbleit od. verbleit – d. h. mit *Bleitetraethyl als *Antiklopfmittel versetzt – sein können. Ein bekanntes Maß ist die *Octan-Zahl eines B., die in der BRD für unverbleites Normal-B. allg. mind. 91,0 ROZ bzw. 82,0 MOZ, für unverbleites Super-B. mind. 95,0 ROZ bzw. 85,0 MOZ, für verbleites Super-B. mind. 98,0 ROZ bzw. 88,0 MOZ betragen muß; die Qualitätsanforderungen für unverbleite B. sind in DIN-EN 228 (05/1993), die für verbleites Superb. in DIN 51 600 (01/1988) festgelegt. Verbleites Normal-B. ist in der BRD seit 1988 nicht mehr zugelassen. Die Kraftstoffe werden aus verschiedenen Fraktionen der Erdölraffination gemischt; den höchsten Anteil hat ca. 45% das sog. Reformat, das aus Toluol, Xylolen u. a. Alkylaromaten besteht u. sehr klopffest ist; zu einem Drittel ist Krack-B. beteiligt; der Rest verteilt sich auf Leicht-B., Alkylat-B. u. Polymerbenzin. Bleifreie B. enthalten zusätzlich sog. Oxygenate, Sauerstoff-haltige Verb. wie *tert*-Butylmethylether (MTBE) od. ein 1:1-Gemisch aus Methanol u. *tert*-Butanol (TBA); Näheres s. *Lit.*[7]. Zum Einfluß der Kraftstoff-Zusammensetzung auf den Schadstoffgehalt der Autoabgase sowie zu deren Umweltbelastungen s. *Lit.*[8]. Die Notwendigkeit zur Verw. von Superkraftstoff in Ottomotoren ergibt sich aus den konstruktiven Gegebenheiten (hohes Verdichtungsverhältnis des B.-Luft-Gemisches, Konstruktion des Verbrennungsraums u. dgl.). Bei der *Verbrennung des B. in Explosionsmotoren können Erscheinungen wie *Klopfen* u. *Klingeln* auftreten, die zu Motorschädigungen führen können. Zur Erhöhung der Klopffestigkeit werden dem Motorbenzin daher *Antiklopfmittel beigemischt; Näheres s. dort u. bei Octan-Zahl. *Flugbenzin* besitzt infolge eines hohen Gehalts an Isooctan u. a. Isoalkanen Octan-Zahlen zwischen 80 u. 145. Bei *Düsenkraftstoffen spielt die Octan-Zahl keine Rolle; diese enthalten im wesentlichen Kerosin. Weitere, im allg. in Einzelstichwörtern behandelte B.-*Additive können sein: Farbstoffe, Anti-icing-Mittel,

Antioxidantien, Mittel mit Detergentien-Wirkung, Mikrobizide, Schmierstoffe usw.
Aufgrund seiner fettlösenden Eigenschaften benutzt man B. auch in der *Chemisch-Reinigung sowie als *Fleckentfernungsmittel, zur Entfettung von Lederwaren, Handschuhen, Kleidern, Metallwaren, Schmuckgegenständen, Seidengarn, Wolle usw., als Lsm. bei der Extraktion von Fetten, Harzen, Pflanzenölen, Phosphor, Schwefel usw., bei der Kautschuk-, Paraffin- u. Vaselinefabrikation usw., als Terpentinölersatz u. v. a. Zwecke. Die Produktion von B. betrug 1994 in der BRD ca. 40,2 Mio. t, s. *Lit.*[9]. – *E* petrol (GB), gasoline, gas (USA) – *F* essence (de pétrole) – *I* benzina – *S* gasolina, bencina

Lit.: [1] Chem. Labor Betr. **36**, 384–388 (1985). [2] Hommel, Nr. 38 a. [3] Braun-Dönhardt, S. 70. [4] DAB 10. [5] Chem. Unserer Zeit **19**, 59–67 (1985). [6] Chem. Week **142**, Nr. 15, 45 (1988). [7] Chem. Unserer Zeit **20**, 105–110 (1986). [8] Erdöl, Erdgas, Kohle **104**, 368 ff. (1988); Römpp Lexikon Umwelt, S. 97 f. [9] Statist. Jahrbuch 1995, Hrsg. Statist. Bundesamt, S. 215, Stuttgart: Metzler-Poeschel 1995.
allg.: Falbe, Chemierohstoffe aus Kohle, Stuttgart: Thieme 1977 ▪ Falbe, Chemical Feedstocks from Coal, New York: Wiley 1982 ▪ Hancock, Technology of Gasoline, New York: Wiley 1987 ▪ Hommel, Nr. 38, 38 a ▪ Kirk-Othmer (3.) **11**, 652–682 ▪ Ullmann (4.) **10**, 641–718; (5.) **A 16**, 719–753; **A 18**, 57 ▪ Winnacker-Küchler (4.) **5**, 48–134, 137–147. – [G 3]

Benz-in s. Dehydrobenzol.

Benzinseifen (Fettlöserseifen). Bez. für homogene Gemische aus Seife mit organ. Lsm., ggf. auch mit Lösungsvermittlern, die früher in der *Chemisch-Reinigung benutzt wurden, um die elektr. Leitfähigkeit der durch elektrostat. Aufladung gefährdeten Benzin- bzw. Benzolbäder zu erhöhen.

Benz(o)... In *Anellierungsnamen Bez. für die *Anellierung eines Benzol-Rings an ein carbo- od. heterocycl. Grundgerüst, *Beisp.:* *Benzofuran, Benzimidazol, *Benz[a]anthracen, *Benzochinoline, Dibenz[a,h]anthracen. Das Präfix B. ist kein Substituentenpräfix, sondern gehört zum Stammnamen, der nach den bei *kondensierte Ringsysteme erläuterten Gesichtspunkten gebildet wird. – *E = F = I = S* benz(o)...

Benzoate. Gruppenbez. für Salze u. Ester der *Benzoesäure; erstere, von denen bes. die Na-, K- u. Ca-B. als *Konservierungsmittel Bedeutung haben, sind unter den entsprechenden Metallen abgehandelt. Die *Benzoesäureester* haben z. T. Riechstoffcharakter u. werden in der Parfüm- u. Aromen-Ind. eingesetzt; andere haben krampflösende od. Expektorantien-Eigenschaften, u. einige werden auch techn. – z. B. als Lsm. für Celluloseester – verwendet. Die wichtigsten organ. B. sind im Anschluß an Benzoesäureester behandelt. – *E* benzoat – *F* benzoates – *I* benzoati – *S* benzoatos

Benzocain.

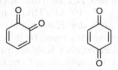

Internat. Freiname für den gelegentlich auch *Ethoform* genannten, lokalanästhet. wirksamen 4-Aminobenzoesäureethylester, $C_9H_{11}NO_2$, M_R 165,19 (s. Aminobenzoesäureester); Schmp. 88–90 °C. Es ist Generikafähig. – *E* benzocaine – *F* benzocaïne – *I* benzocaina – *S* benzocaína

Lit.: ASP ▪ Beilstein E IV **14**, 1129 ▪ DAB 10 ▪ Florey **12**, 73–104 ▪ Hager (5.) **7**, 426 ff. – [HS 2922 49; CAS 94-09-7]

Benzochinoline.

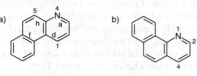

Benzo[*f*]chinolin   Benzo[*h*]chinolin

$C_{13}H_9N$, M_R 179,22. Von den fälschlicherweise oft als Naphthochinoline bezeichneten B. (zur systemat. Benennung s. kondensierte Ringsysteme) sind von Bedeutung:

(a) *Benzo[f]chinolin* (5,6-B., β-Naphthochinolin), schwach gelbliche bis rötliche Blättchen, Schmp. 93–94 °C, Sdp. 349–350 °C (961 hPa), in Wasser nahezu unlösl., lösl. in verd. Säuren, Alkohol, Ether, Benzol.
Verw.: Zur quant. Bestimmung von Cadmium in saurer Lsg. in Ggw. von Kaliumiodid u. zum qual. Zink-Nachweis.

(b) *Benzo[h]chinolin* (7,8-B., α-Naphthochinolin), gelbliche bis gelbbraune Krist., Schmp. 49–51 °C, Reizstoff, Methämoglobinbildner, leicht lösl. in organ. Lsm., in Wasser unlöslich.
Verw.: Als stationäre Phase in der Gaschromatographie von niedermol. u. chlorierten Kohlenwasserstoffen sowie von Xylolen. – *E* benzoquinolines – *F* benzoquinoléines – *I* benzochinoline – *S* benzoquinolinas
Lit.: Beilstein E V **20/8**, 220 ff. (a), 215 f. (b) ▪ Weissberger **12**, 165–205, 216–270. – [HS 2933 40; CAS 85-02-9 (a); 230-27-3 (b)]

Benzochinone.

$C_6H_4O_2$, M_R 108,10. Die beiden B. sind die einfachsten Vertreter der ortho- bzw. para-*Chinone.

1,2-B.: Rote Krist., Schmp. 60–70 °C (Zers.), in Benzol, Ether, Aceton z. T. unter Zers. lösl., in Petrolether unlöslich. Das aus Brenzcatechin durch Oxid. herstellbare ortho-Chinon ist sehr reaktionsfähig, es dimerisiert leicht u. dehydriert andere Verb., wobei es in Brenzcatechin übergeht.

1,4-B.: Gelbe Krist., D. 1,31, Schmp. 116 °C (sublimiert), in Alkohol, Ether, heißem Wasser bzw. Petrolether löslich. 1,4-B. besitzt einen stechenden Chlor-ähnlichen Geruch; Staub u. Dämpfe führen zu starker Reizung u. Verätzung der Augen, der Atemwege u. der Haut (bei Kontakt mit der Haut färbt diese sich braun); MAK-Wert 0,1 ppm, LD_{50} (Ratte oral) 130 mg/kg, wassergefährdender Stoff, WGK 2 (Selbsteinst.). *p*-B. wird leicht aus Hydrochinon, 4-Aminophenol, 1,4-Phenylendiamin durch Oxid. hergestellt. Eine Synth. von Alkyl-substituierten *p*-B. aus *p*-Alkylphenolen s. *Lit.*[1]. Die techn. Herstellungsmeth. geht von Anilin aus, das mit Natriumdichromat in schwefelsaurer Lsg. zu 1,4-B. oxidiert wird. Es ist ein

starkes Oxidationsmittel u. addiert zahlreiche Verb. in 1,2-, 1,4- u. 1,6-Stellung unter Bildung von Hydrochinon-Derivaten, vgl. a. Chinone. Eine für para-Chinone charakterist. Reaktion des 1,4-B. ist die Bildung einer Mol.-Verb. mit Hydrochinon (*Chinhydron).
Vork.: *p*-B. ist im Sekret des Bombardierkäfers enthalten[2], in Meeresschwämmen wurden B. gefunden, die – ähnlich wie die ebenfalls von den B. abgeleiteten *Ubichinone – eine isoprenoide Seitenkette tragen[3], u. auch im Verteidigungssekret afrikan. Tausendfüßler wurde eine Reihe von B.-Derivaten gefunden[4].
Verw.: Zur Herst. von Hydrochinon, Farbstoffen, in der Photographie als Abschwächer, Zwischenprodukt zum Unlöslichmachen von Gelatine, Baustein für Diels-Alder-Reaktionen u. Michael-Additionen. *p*-B. wurde 1838 von Woskresensky (Schüler Liebigs) bei der Oxid. von Chinasäure entdeckt u. Chinoyl genannt; der Name Chinon stammt von Berzelius. – *E* = *F* benzoquinones – *I* benzochinoni – *S* benzoquinonas
Lit.: [1] Synthesis **1977**, 53 f.. [2] Angew. Chem. **82**, 17–25 (1970). [3] Tetrahedron **28**, 1315 (1972); Experientia **28**, 1401 (1972). [4] Nature (London) **253**, 625 (1975).
allg.: Beilstein E IV **7**, 2063, 2065 ▪ Hommel, Nr. 889 ▪ Houben-Weyl **7/3a** ▪ Kirk-Othmer **16**, 902–906 ▪ Ullmann **4**, 269 ff; (4.) **8**, 364 ff.; (5.) **A 3**, 571 ff. – *[HS 294169; CAS 106-51-4 (p-B.); G 6.1]*

Benzo[*def*]chrysen s. Benzo[*a*]pyren.

Benzoctamin.

Internat. Freiname für *N*-Methyl-(9,10-ethanoanthracen-9(10 *H*)-yl)-methylamin, $C_{18}H_{19}N$, M_R 249,36. Verw. fand das Hydrochlorid, Schmp. 320–322 °C; pK_a 7,6; LD_{50} (Ratte, oral) 700 ± 170 mg/kg. Es wurde 1962 u. 1968 als Psychosedativum von Ciba (Tacitin®, außer Handel) patentiert. – *E* = *F* benzoctamine – *I* = *S* benzoctamina
Lit.: Ullmann (4.) **18**, 100. – *[CAS 17243-39-9; 10085-81-1 (Hydrochlorid)]*

Benzocuprol®-Farbstoffe. *Direktfarbstoffe auf Azo-Basis mit Kupfersalz-Nachbehandlung zur Echtheitsverbesserung für vegetabile Fasern. *B.*: Bayer.

1,4-Benzodiazepin(e).

3*H*-1,4-Benzodiazepin

Grundkörper einer Reihe von *Tranquilizern, deren internat. Freinamen bis auf wenige Ausnahmen (z. B. *Chlordiazepoxid) auf ...azepam enden, *Beisp.*: *Bromazepam, *Diazepam, *Lorazepam, *Oxazepam. B. wirken anxiolyt., antikonvulsiv, muskelrelaxierend u. sedierend; entsprechend werden sie als *Schlafmittel, *Antiepileptika, *Muskelrelaxantien u. Tranquilizer eingesetzt. Ihr Einsatz ist nicht unproblemat., da es rasch zur Gewohnheitsbildung u. Abhängigkeit kommt. B. sind alloster. Effektoren des *GABA-Rezeptor-Komplexes, die die inhibitor. Wirkung von GABA verstärken, also eine verminderte Erregbarkeit von Neuronen fördern („Bremskraftverstärkung"). Sie greifen an einer anderen Stelle des Rezeptors an als *Barbiturate. Zur Synth. u. pharmakolog. Wirkung der ursprünglich von Sternbach entwickelten B.[1] s. *Lit.*[2], über spezif. Rezeptoren für B. s. *Lit.*[3] u. über den Stoffwechselabbau der B. s. *Lit.*[4]. Interessanterweise werden B. auch in der Natur gebildet, z. B. in Pflanzen, u. man hat Diazepam u. a. arzneilich verwendete Derivate in Gehirnen von Menschen nachweisen können, die vor der Entwicklung der B. verstorben waren. Ob diese B. endogene Neurotransmitter sind, ist umstritten[5]. – Eine Abwandlung der 1,4-B. mit tranquilisierender Wirkung sind die 1,5-Isomere[6], z. B. *Clobazam. – *E* 1,4-benzodiazepines – *F* 1,4-benzodiazépines – *I* 1,4-benzodiazepine – *S* 1,4-benzodiazepinas
Lit.: [1] Prog. Drug Res. **22**, 229–266 (1978). [2] Ehrhart-Ruschig, S. 466–472. [3] Doble u. Adam, The GABA A/B Receptor as a Target for Psychoactive Drugs, Berlin: Springer 1996. [4] Pharm. Unserer Zeit **8**, 87–93 (1979). [5] Izquierdo u. Medina, Naturally Occurring Benzodiazepines, New York: Horwood 1993. [6] Adv. Heterocycl. Chem. **17**, 27–43 (1974).
allg.: Auterhoff, Knabe u. Höltje, Lehrbuch der Pharmazeutischen Chemie, S. 391–397, Stuttgart: Wiss. Verlagsges. 1994 ▪ Hippius, Engel u. Laakmann, Benzodiazepine: Rückblick u. Ausblick, Berlin: Springer 1986 ▪ Pharm. Unserer Zeit **11**, 161–176 (1982) ▪ Schütz, Benzodiazepines, Berlin: Springer 1982 ▪ Schütz, Dünnschichtchromatographische Suchanalyse für 1,4-Benzodiazepine in Harn, Blut u. Mageninhalt, Weinheim: Verl. Chemie 1986 ▪ s. a. Tranquilizer. – *[HS 293339]*

Benzoeharz. Baumharz aus südostasiat. u. indones. *Styrax*-Arten, das nicht zu verwechseln ist mit *Styrax. Das sog. *Siam-Benzoe* aus *Styrax tonkinensis* u. a. Styraceae enthält mind. 90% Ethanol-lösl. Bestandteile, das *Sumatra-Benzoe* aus *Styrax benzoin* mind. 75%. Inhaltsstoffe des als Körner (lacrimae = Tränen) od. Blöcke (massae) gehandelten B. sind Benzoesäure- u. Zimtsäureester, Vanillin, Coniferylbenzoat, Benzoate von Benzoresinol u. Benzoresinotannol, ether. Öle u. a. Stoffe.
Verw.: Vorwiegend in der Parfümherst. in balsam. Noten als Fixateur. – *E* benzoin, gum benzoin – *F* benjoin – *I* resina di benzoino – *S* benjuí, goma benjuí
Lit.: Janistyn **2**, 92 f. – *[HS 130190; CAS 9000-72-0 (Siam-B.); 9000-73-1 (Sumatra-B.)]*

Benzoesäure. H_5C_6–COOH, $C_7H_6O_2$, M_R 122,12. Farblose glänzende Blättchen, D. 1,266, Schmp. 122 °C, Sdp. 249 °C, sublimiert ab 100 °C unter Bildung stark schleimhautreizender Dämpfe. Stäube reizen die Augen, die oberen Atemwege u. die Haut, wird auch über die Haut aufgenommen, gelegentlich sensibilisierend, LD_{50} (Ratte oral) 1700 mg/kg. Wassergefährdender Stoff, WGK 1, leicht lösl. in siedendem Wasser u. in organ. Lsm., in kaltem Wasser nur wenig löslich. Als einfachste aromat. *Carbonsäure ist B. stärker dissoziiert als Essigsäure; Salze u. Ester werden als *Benzoate bezeichnet, die meist über das Chlorid der B. (s. Benzoylchlorid) hergestellt werden. B. ist nicht hygroskop. u. an der Luft beständig, ebenso gegen Permanganat, Chromsäure, Hypochlorit u. verdünnte Salpetersäure. B. ist deshalb oft als Endprodukt bei oxidativem Abbau zu finden. Beim Erhitzen disproportioniert B. zu Benzol u. Terephthalsäure.

Benzoesäureamid

Vork.: Als Ester u. in freiem Zustand in vielen Harzen (bes. *Benzoeharz) u. Balsamen verbreitet, auch in vielen Beeren vorkommend. Einige *Tropan-Alkaloide sind ebenfalls B.-Ester.
Herst.: B. sublimiert beim Erhitzen von Benzoeharz u. entsteht auch als Endprodukt der Oxid. von Monoalkylbenzolen. Techn. wird B. durch Luftoxid. von Toluol hergestellt.
Verw.: Als Zwischenprodukt für die Farbstoff- u. Parfümherst., Vorprodukt zur Phenol-Herst., für Benzoylchlorid, Benzonitril, Terephthalsäure, ε-Caprolactam, Alkyd-, Epoxid- u. Phenol-Harze usw.; in Reinstform als Bezugssubstanz in der Kalorimetrie u. in der Alkalimetrie. B. besitzt bakterizide u. fungizide Eigenschaften u. findet daher als Konservierungsstoff (E 210) in Lebensmitteln u. Kosmetika Verwendung [1].
Geschichte: Aus Harz sublimierte B. wurde schon 1556 von Nostradamus beobachtet, ihre Struktur ermittelten Liebig u. Wöhler 1832. – *E* benzoic acid – *F* acide benzoïque – *I* acdio benzoico – *S* ácido benzoico
Lit.: [1] Römpp Lexikon Lebensmittelchemie, S. 100. *allg.:* Beilstein E IV **9**, 273 ▪ Blaue Liste, S. 38 f. ▪ Kirk-Othmer (4.) **4**, 103 – 114 ▪ Ullmann **4**, 272 – 292; (4.) **8**, 366 f.; (5.) **A 3**, 555 – 568 ▪ Winnacker-Küchler (4.) **6**, 228 f. – *[HS 291631; CAS 65-85-0]*

Benzoesäureamid s. Benzamid.

Benzoesäureanhydrid.

$$H_5C_6-\overset{O}{\underset{\|}{C}}-O-\overset{O}{\underset{\|}{C}}-C_6H_5$$

$C_{14}H_{10}O_3$, M_R 226,23. Farblose Krist., D. 1,20, Schmp. 42 °C, Sdp. 360 °C, in organ. Lsm. leicht lösl., in Wasser unlöslich B. entsteht beim Kochen von Benzoesäure mit (wasserentziehendem) Essigsäureanhydrid, techn. aus Benzoylchlorid u. Benzoesäure, od. aus Benzoylchlorid mit Wasser.
Verw.: Als Benzoylierungsmittel in organ. Synth., insbes. von Pharmazeutika u. Farbstoffen. – *E* benzoic anhydride – *F* anhydride benzoïque – *I* anidride benzoica – *S* anhídrido benzoico
Lit.: Beilstein E IV **9**, 550 ▪ J. Med. Chem. **28**, 434 (1985) ▪ Ullmann (4.) **8**, 372; (5.) **A 3**, 561. – *[HS 291639; CAS 93-97-0]*

Benzoesäurebenzylester (Benzylbenzoat). $H_5C_6-CO-O-CH_2-C_6H_5$, $C_{14}H_{12}O_2$, M_R Xn ✗
212,25. Angenehm riechende Flüssigkeit od. farblose Nadeln od. Blättchen, D. 1,12, Schmp. 21 °C, Sdp. 173 °C (13 hPA), wirkt augen- u. hautreizend, LD_{50} (Ratte oral) 1700 mg/kg, selten sensibilisierend, wassergefährdender Stoff, WGK 2 (Selbsteinst.). B. ist unlösl. in Wasser, lösl. in Alkohol, Ether, Chloroform u. Mineralöl. Der natürlich in verschiedenen Balsamen vorkommende u. aus Na-Benzoat u. Benzylchlorid synthet. zugängliche B. besitzt akarizide Wirkung.
Verw.: Lsm. für Riechstoffe u. Cellulose-Derivate, Weichmacher, Campher-Ersatz in Celluloid, Fixateur in der Parfümerie. – *E* benzyl benzoate – *F* benzoate de benzyle – *I* benzoato di benzile – *S* benzoato de bencilo
Lit.: Beilstein E IV **9**, 307 ▪ Hager (5.) **7**, 439 ▪ Kirk-Othmer (4.) **4**, 113 ▪ Ullmann (4.) **8**, 439; (5.) **A 3**, 560, 568. – *[HS 291631; CAS 120-51-4]*

Benzoesäureethylester (Ethylbenzoat). $H_5C_6-COOC_2H_5$, $C_9H_{10}O_2$, M_R 150,18. Farblose, wohlriechende Flüssigkeit, D. 1,047, Schmp. –34 °C, Sdp. 212 °C, in Alkohol u. Ether lösl., LD_{50} (Ratte oral) 6,48 g/kg. B. wird in der Parfümerie, z. B. in synthet. Ylang-Ylang-Öl, verwendet. – *E* ethyl benzoate – *F* benzoate d'éthyle – *I* benzoato d'etile – *S* benzoato de etilo
Lit.: Beilstein E IV **9**, 285 ▪ Ullmann (5.) **A 3**, 560. – *[HS 291631; CAS 93-89-0]*

Benzoesäureisobutylester (Isobutylbenzoat). $H_5C_6-CO-O-CH_2-CH(CH_3)_2$, $C_{11}H_{14}O_2$, M_R 178,23. Farblose, angenehm nach Schwertlilien riechende Flüssigkeit, D. 1,00, Sdp. 242 °C, in der Parfümerie verwendet. – *E* isobutyl benzoate – *F* benzoate d'isobutyle – *I* benzoato d'isobutile – *S* benzoato de isobutilo
Lit.: Beilstein E IV **9**, 291 ▪ Snell-Hilton **7**, 79. – *[HS 291631]*

Benzoesäuremethylester (Methylbenzoat, Niobeöl). $H_5C_6-COOCH_3$, $C_8H_8O_2$, M_R 136,15. Farblose, lichtbrechende, angenehm riechende Flüssigkeit, D. 1,09, Schmp. –12,5 °C, Sdp. 198 – 200 °C, Kontakt mit Dämpfen u. Flüssigkeiten führt zu Reizung der Augen, der Atemwege u. der Haut. B. ist unlösl. in Wasser, mischbar mit Alkohol u. Ether, kommt in Ylang-Ylang- u. Tuberosenöl vor. B. wird aus Methanol u. Benzoesäure od. Benzoylchlorid hergestellt.
Verw.: Zur Herst. von Aromen u. Riechstoffen, zur Aufhellung von Chitin-Teilen in der Mikroskopie, zur Herst. anderer Benzoesäureester. – *E* methyl benzoate – *F* benzoate de méthyle – *I* benzoato di metile – *S* benzoato de metilo
Lit.: Beilstein E IV **9**, 283 ▪ Hommel, Nr. 873 ▪ Ullmann (5.) **A 3**, 560. – *[HS 291631; CAS 93-58-3; G 6.1]*

Benzoesäure-2-naphthylester (2-Naphthylbenzoat).

$C_{17}H_{12}O_2$, M_R 248,28. Farbloses, allmählich nachdunkelndes Kristallpulver, Schmp. 107 – 110 °C, fast unlösl. in Wasser, lösl. in heißem Alkohol, Chloroform, Glycerin.
Verw.: Antiseptikum, zur Härtung von Paraffin. – *E* 2-naphthyl benzoate – *F* benzoate de naphtyle-2 – *I* benzoato di 2-naftile – *S* benzoato de 2-naftilo
Lit.: Beilstein E IV **9**, 339. – *[HS 291631; CAS 93-44-7]*

Benzo®-Farbstoffe. Azo-*Direktfarbstoffe mittlerer Echtheiten zum Färben von vegetablen Fasern (Baumwolle, Viskose u. ä.) u. Leder. **B.:** Bayer.

Benzoflex®. Verschiedenste Benzoatweichmacher für Rohstoffe u. Endprodukte im Kleb-, Dichtstoff-, Farben- u. Lack-, Plastisol- u. Beschichtungsbereich. **B.:** Krahn.

Benzofuran (Benzo[*b*]furan, Cumaron).

C_8H_6O, M_R 118,14. Farbloses, aromat. riechendes Öl, D. 1,09, Sdp. 173 – 174 °C, lösl. in organ. Lsm., unlösl. in Wasser u. wäss. Laugen.

Herst.: Aus Schwerbenzol u. neben Inden, Styrol u. Cyclopentadien aus dem bei 170–175 °C siedenden Anteil des Steinkohlenteers; zur Synth. des B. s. *Lit.*[1]; zur Synth. substituierter B. s. *Lit.*[2]. Bei der Perkin-Umlagerung (s. Perkin-Reaktion) entstehen B.-Derivate aus Cumarinen. Zur Substitution von B. mit Chinonen s. *Lit.*[3]. Das zu B. isomere Benzo[c]furan s. Isobenzofuran.

Verw.: Infolge seiner Polymerisationsneigung zur Herst. von Homo- u. Copolymerisaten (mit Inden), s. Cumaron-Indenharze. Eine Reihe von Derivaten des B. dienen als *optische Aufheller u. andere finden pharmazeut. Verw., s. *Lit.*[4]. – *E* benzofuran – *F* benzofuranne – *I* benzofurano – *S* benzo[b]furano

Lit.: [1]Org. Synth. **46**, 28 (1966). [2]Tetrahedron Lett. **1966**, 5225. [3]Helv. Chim. Acta **60**, 1033–1060 (1977). [4] Negwer (6.), S. 1671.
allg.: Adv. Heterocycl. Chem. **18**, 337–482 (1975) ▪ Beilstein E V **17/12**, 3 ▪ Houben-Weyl **6/3**, 610–629 ▪ Ullmann **5**, 621 f.; (4.) **9**, 641 f.; (5.) **A 12**, 130, 132 ▪ Weissberger **9** (1974) ▪ Williams, Furans, Park Ridge: Noyes 1973. – *[HS 2932 99; CAS 271-89-6]*

Benzo[c]furan s. Isobenzofuran.

Benzoguanamin (2,4-Diamino-6-phenyl-1,3,5-triazin).

$C_9H_9N_5$, M_R 187,20. Farblose Krist., D. 1,40, Schmp. 227–228 °C, in Ethanol, Ether u. verd. Säuren gut, in anderen organ. Lsm. u. kaltem Wasser kaum löslich, Nervengift; wassergefährdender Stoff, WGK 2 (KBwS).
Herst.: Aus Benzonitril u. Dicyandiamid entweder in Ggw. von Natrium u. flüssigem Ammoniak od. von KOH u. Methylglykol.
Verw.: Zur Herst. von thermoplast. Harzen (*Benzoguanamin-Harze), von Schädlingsbekämpfungsmitteln, Farbstoffen u. Pharmazeutika. – *E* = *F* benzoguanamine – *I* benzoguanammina – *S* benzoguanamina
Lit.: Beilstein E V **26/9**, 78 ▪ Ullmann **12**, 283; (4.) **12**, 407; (5.) **A 16**, 181 f. ▪ Weissberger **13**, 225, 229, 241. – *[HS 2933 69; CAS 91-76-9]*

Benzoguanamin-Harze. Durch Polykondensation von *Benzoguanamin mit 1–4 Mol Formaldehyd erhältliche Harze, die als Zusatz zu Melamin- od. anderen Aminoplastharzen zur Herst. von Preßmasse- u. Laminierharzen mit erhöhter Fließfähigkeit u. Lagerbeständigkeit bzw. von Einbrennlacken mit verbessertem Glanz u. erhöhter Wasserfestigkeit verwendet werden. In Kombination mit Alkyd- u. Acrylatharzen dienen B. zur Fabrikation hochglänzender Einbrennlacke von erhöhter Beständigkeit gegen schwache Alkalien u. Seifen. – *E* benzoguanamine resins – *F* résine benzoguanaminique – *I* resine benzoguanamminiche – *S* resinas de benzoguanamina
Lit.: s. Benzoguanamin.

Benzoid. Adjektiv zur Bez. der *Benzol-ähnlichen Struktur eines Stoffes. Die begriffliche Gleichsetzung von b. Verb. mit *aromatischen Verbindungen ist jedoch ungerechtfertigt, da es zahlreiche *nichtbenzoide aromatische Verbindungen gibt. Gegensatz: *Chinoid. – *E* benzenoid – *F* benzénique – *I* benzoico – *S* bencenoide

Benzoin (2-Hydroxy-1,2-diphenyl-ethanon).

$$H_5C_6-\overset{OH}{\underset{|}{C}H}-\overset{O}{\underset{\|}{C}}-C_6H_5$$

$C_{14}H_{12}O_2$, M_R 212,25. Geruchlose, schwach gelbliche Kristallnadeln, schwerlösl. in Wasser, lösl. in Aceton u. warmem Alkohol; Schmp. 132 °C (opt. aktive Form), 137 °C (Racemat), Sdp. 344 °C. B. reduziert Fehlingsche Lsg. schon in der Kälte, u. Oxid. liefert Benzil, s. a. *Lit.*[1]. Zur Desoxygenierung von B. s. *Lit.*[2] u. zur Herst. eines Kronenethers aus B. s. *Lit.*[3]. B. entsteht durch *Benzoin-Kondensation aus 2 Mol. Benzaldehyd, wird zur Herst. von Photochemikalien, Farbstoffen u. Benzil verwendet. Eines der beiden möglichen Oxime ist ein Reagenz auf Cu (s. Cupron). B. ist auch eine Bez. für *Benzoeharz. – *E* benzoin – *F* benzoïne – *I* benzoino – *S* benzoína
Lit.: [1]Synthesis **1974**, 716. [2]Synthesis **1975**, 161. [3]Angew. Chem. **89**, 484 f. (1977).
allg.: Beilstein E IV **8**, 1279 ▪ Kirk-Othmer (4.) **4**, 71 ▪ Ullmann (4.) **14**, 225; (5.) **A 3**, 465; **A 15**, 92. – *[HS 2914 40; CAS 579-44-2]*

Benzoin-Kondensation. Unter dem Einfluß des Cyanid-Ions dimerisieren bestimmte *Aldehyde zu α-Hydroxy-ketonen (*Benzoine, aromat. *Acyloine*). Die Reaktion gelingt nur bei aromat. Aldehyden u. *Glyoxalen, wobei auch hier gewisse Einschränkungen zu beachten sind; so können, wie z. B. 4-Dimethylbenzaldehyd, einige Aldehyde nur als Donatoren, andere wiederum nur als Acceptoren fungieren, so daß auch die B.-K. mit verschiedenen Aldehyden möglich ist.

Das Cyanid-Ion ist ein hochspezif. Katalysator für diese Reaktion, es wirkt nacheinander als *Nucleophil, *Umpolungs-Reagenz u. Austrittsgruppe. *Thiazolium-Salze katalysieren die Reaktion ebenfalls; in diesem Fall können auch aliphat. Aldehyde eingesetzt u. als Produkte *Acyloine erhalten werden[1] (s. a. Acyloin-Kondensation u. Stetter-Reaktion). – *E* benzoin condensation – *F* condensation benzoïnique – *I* condensazione del benzoino – *S* condensación benzoínica
Lit.: [1]Synthesis **1976**, 733; **1977**, 403.
allg.: Laue-Plagens, S. 38 ff. ▪ March (4.), S. 969 f. ▪ Org. React. **4**, 269–304 (1948) ▪ Trost-Fleming **1**, S. 541–579.

Benzol.

C_6H_6, M_R 78,11. Farblose, leichtbewegliche Flüssigkeit von charakterist. Geruch,

Tab.: Verbrauchsstruktur des Benzols (in Gew.-%) [nach Weissermel-Arpe (*Lit.*)].

Produkt	USA		Westeuropa		Japan		BRD	
	1985	1991	1986	1992	1984	1992	1986	1992
*Ethylbenzol (Styrol)	57	54	46	47	54	55	50	50
*Cumol (Phenol)	20	22	21	21	13	20	20	21
*Cyclohexan	12	14	16	16	22	15	10	12
*Nitrobenzol	5	5	8	9	2	2	8	10
*Maleinsäureanhydrid	1	–	3	1	2	2	3	–
*Alkylbenzole	3	2	5	4	4	3	3	3
Sonstiges (z. B. *Chlorbenzol, *Benzolsulfonsäure)	2	3	1	2	3	3	6	4
Gesamtverbrauch (in Mio t.)	5,20	6,03	5,18	5,81	2,11	3,23	1,47	1,65

D. 0,879, Schmp. 5,5 °C, Sdp. 80,15 °C, FP. −11 °C c. c., Entzündungspunkt 555 °C, Explosionsgrenzen in Luft 1,4–8 Vol.-%, mit Wasser nur geringfügig mischbar, mit organ. Lsm. in jedem Verhältnis mischbar. Physiolog. wirkt Benzol bei längerem Einatmen als starkes Gift, das zu Schwindel, Erbrechen u. Bewußtlosigkeit führt, 20 000 ppm für 5–10 min wirken tödlich. Die Flüssigkeit wird auch durch die Haut aufgenommen u. verursacht auch auf diesem Wege schwere Vergiftungen. Die Wirkung beruht auf der leichten Löslichkeit von Fetten bzw. Lipiden in Benzol. Chron. Vergiftungen rufen eine Schädigung des Knochenmarks, der Leber u. der Nieren sowie Leukämie hervor. B. gilt als Stoff, der beim Menschen erfahrungsgemäß bösartige Geschwülste zu verursachen vermag (Gruppe III A 1, MAK-Werte-Liste 1995), TRK Wert: 2,5 ppm, LD_{50} (Ratte oral) 930 mg/kg, Emissionsklasse III, wassergefährdender Stoff, WGK 3. Nach der Chemikalien-Verbots-VO (BGBl. I 1994, S. 1689) darf Benzol u. Zubereitungen mit einem Massengehalt von 0,1% od. mehr B. nicht in den Verkehr gebracht werden (Ausnahmen s. ebenfalls hier). B. darf beim Herstellen od. Behandeln von kosmet. Mitteln nicht verwendet werden (Kosmetik-VO Anlage 1, Nr. 47). An offener Luft verbrennt B. unter Rußabscheidung zu CO_2 u. H_2O; bei völliger Verbrennung gibt ein kg B. 39 650 kJ Wärme ab. Infolge seines hohen Energieinhalts u. seiner „weichen" klopffreien Verbrennung wird B. als Zusatz zu *Motorkraftstoffen für Ottomotoren verwendet.
B. ist der Prototyp *aromatischer Verbindungen; zur Ableitung der B.-Formel, zur elektron. Struktur u. zu den Valenzisomeren s. Benzol-Ring u. Aromatizität. Formal leitet sich das *Phenyl...-Radikal von B. durch Verlust eines H ab. Mit Halogenen reagiert B. je nach Reaktionsbedingungen unter Substitution od. Addition (z. B. zu Hexachlorbenzol od. Hexachlorcyclohexan), katalyt. Red. führt zu Cyclohexan, *Alkylierung z. B. zu Cumol, Ethylbenzol u. a. Aralkyl-Verb., *Acylierung (im allg. durch *Friedel-Crafts-Reaktion) zu aromat. Ketonen. Nitrierung zu Nitrobenzol, Sulfonierung zu Benzolsulfonsäuren. Gegen Oxidationsmittel ist B. sehr widerstandsfähig, eine wichtige Reaktion ist die katalyt. Oxid. zu Maleinsäureanhydrid.
Herst.: Früher wurde B. vorwiegend durch Dest. aus Steinkohle (enthält 1–1,5% B. u. Toluol) u. durch Auswaschen aus dem Kokereigas (s. Koks) gewonnen. Der steigende Bedarf an Benzol hat zur Entwicklung von Verf. auf Erdölbasis (Petrolchemie) geführt. Im Prozeß der Erdölraffination treten bei der Benzin-Veredlung durch Reformieren sowie bei den Crackverf. zur Olefin-Herst. gleichzeitig aromatenreiche Fraktionen auf, die als *Reformatbenzin u. als Pyrolyse- od. Krackbenzin wertvolle B.-Quellen darstellen. Techn. Bedeutung haben ebenfalls Verf. zur Herst. von B. aus Toluol: Die Hydrodealkylierung wird entweder therm. bei 550–800 °C u. 30–100 bar, od. katalyt. bei 500–650 °C u. 30–50 bar durchgeführt. 1992 wurden in Westeuropa 64% des B. aus Pyrolysebenzin, 17% aus Reformatbenzin, 9% durch Hydrodealkylierung u. 10% aus Kohle u. anderen Quellen z. B. Toluol-Disproportionierung gewonnen. B. ist ferner herstellbar durch Trimerisation von Acetylen (Reppe-Synth.) od. durch Disproportionierung von Butadien[1]; aus komplexen Gemischen läßt sich B. ggf. durch Clathrat-Bildung mit Nickelcyanid isolieren[2].
Verw.: B. ist in der industriellen Chemie die wichtigste Basis für die Vielfalt aromat. Zwischenprodukte sowie für die Gruppe der cycloaliphat. Verbindungen. Die Tab. gibt einen Einblick in die Aufschlüsselung der B.-Verwendung.
Geschichte: B. wurde 1825 von Faraday erstmals (aus komprimiertem Leuchtgas) hergestellt (zur Nacharbeitung der Entdeckung mit modernen Meth. s. *Lit.*[3]). 1834 gab Liebig diesem vorher als Benzin bezeichneten Stoff seinen heutigen Namen, 1842 erfolgte die erste B.-Herst. aus Teer durch Leigh, u. 1865 stellte Kekulé seine berühmte Sechsring-Benzol-Formel (vgl. Benzol-Ring) zur Deutung der Namen B. u. *Phenyl... (C_6H_5) s. *Lit.*[4]. Übrigens sei darauf hingewiesen, daß im Engl. unter „benzole" u. im Französ. unter „benzol" Gemische aromat. Verb. aus der Kohleverkokung verstanden werden. – *E* benzene – *F* benzène – *I* benzene, benzolo – *S* benceno
Lit.: [1] Ind. Eng. Chem., Prod. Res. Dev. **14**, 33ff. (1975). [2] Chem. Eng. News **47**, Nr. 52, 55 (1969). [3] Angew. Chem. **80**, 337–343 (1968). [4] Angew. Chem. **60**, 109ff. (1948).
allg.: Beilstein E IV **5**, 583–628 ▪ Gesundheitsschädliche Arbeitsstoffe: toxikologisch-arbeitsmedizinische Begründung von MAK-Werten, Weinheim: Verl. Chemie 1972–1996 ▪ Kirk-Othmer (4.) 73–99 ▪ Luftanalysen: Analytische Methoden zur Prüfung gesundheitsschädlicher Arbeitsstoffe Bd. 1, Weinheim: Verl. Chemie 1976–1985 ▪ Ullmann (4.) **8**, 383–411; (5.) **A 3**, 475ff. ▪ Weissermel-Arpe (4.) S. 337ff. – [HS 2707 10, 2902 20; CAS 71-43-2; G 3]

Benzolazo... Nach IUPAC-Regel R-5.3.3 nicht mehr empfohlene Bez. für die Gruppierung $-N=N-C_6H_5$; s. Phenylazo...

Benzolazoxy... Nach IUPAC-Regel R-5.3.3 nicht mehr empfohlene Bez. für die Atomgruppierungen $-N=N(O)-C_6H_5$ u. $-N(O)=N-C_6H_5$; s. Phenylazoxy...

Benzolboronsäure s. Phenylboronsäure.

Benzoldiazoniumsalze s. Diazonium-Verbindungen.

Benzoldicarbonsäuren s. Phthalsäure (1,2-B.), Isophthalsäure (1,3- B.) u. Terephthalsäure (1,4-B.).

Benzoldiole s. Brenzcatechin, Resorcin u. Hydrochinon.

Benzoldisulfonsäuren.

$C_6H_6O_6S_2$, M_R 238,23. Bei der *Sulfonierung von Benzol mit rauchender Schwefelsäure bei 245 °C entstehen m-B. u. p-B. im Verhältnis 3:1 neben etwas Diphenylsulfon; das m-Isomere entsteht auch aus Benzolsulfonsäure mit Oleum bei 30–85 °C. In festem Zustand bildet 1,3-*Benzoldisulfonsäure* zerfließliche Krist., Erstarrungspunkt 137 °C. Durch Alkalischmelze des Natrium-Salzes der m-B. wird in techn. Maßstab *Resorcin hergestellt. – **E** benzenedisulfonic acids – **F** acides benzène-disulfoniques – **I** acidi benzendisolfonici – **S** ácidos bencenodisulfónicos

Lit.: Ullmann (4.) **8**, 421; (5.) **A 3**, 518 ■ s. a. Benzolsulfonsäure u. Sulfonierung. – [*HS 2904 10; CAS 98-48-6 (1,3-B.)*]

Benzolhexacarbonsäure s. Mellit(h)säure.

Benzolhexachlorid (BHC) s. Lindan.

Benzolhexol s. Hexahydroxybenzol.

Benzoloxide s. Arenoxide u. Oxepine.

Benzol-Ring. Auf *Kekulé von Stradonitz (1865) zurückgehende Strukturformel des *Benzols. Die in Kurzschreibweise wiedergegebene klass. Symbolisierung (I) des B.-R. mit 3 lokalisierten Doppelbindungen ist zwar noch heute die gebräuchlichste, gibt jedoch den Bindungszustand nicht exakt wieder und versagt bei der Erklärung einer Reihe von experimentellen Beobachtungen. So müßten sich aus dieser *Cyclohexatrien*-Struktur mehr Disubstitutionsprodukte voraussagen lassen als tatsächlich auftreten, denn manche müßten sich durch die Lage der Doppelbindungen zu den Substituenten unterscheiden. Die chem. u. physikal. Eigenschaften des Benzols lassen jedoch darauf schließen, daß die Kohlenstoff-Atome u. die Bedingungen im Ring völlig gleichwertig sind. Kekulé vertrat deshalb bereits die Auffassung, die Doppelbindungen würden dauernd zwischen den beiden möglichen Strukturen *oszillieren*; es müßte also *Mesomerie* (*Resonanz*) vorliegen, wie sie durch II ausgedrückt wird.

Viele Zeitgenossen Kekulés erwogen die Möglichkeit, daß im Benzol eine solche geometr. Struktur vorliege, in der eine bes. Bindungsart existiert, die zwar von der der Doppelbindung verschieden ist, aber auf Doppelbindungsreagenzien anspricht. Beisp. hierfür sind die symmetr. *Prismenformel* (IV) von *Ladenburg (1869)

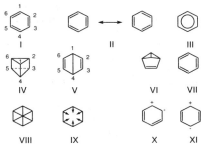

ohne Doppelbindungen, die *Bicyclohexadien-Formel* (V) von J. *Dewar (1867), die auf der Existenz von *Partialvalenzen* aufbauende Formel (VII) von J. *Thiele (1899), die *Diagonalformel* (VIII) von Claus (1867) u. die *zentrische Formel* (IX) von *Armstrong u. v. *Baeyer (bei der die 4. Valenz jedes C-Atoms nach dem Kern gerichtet ist, 1887); auch *ionische Strukturen* wie X u. XI wurden vorgeschlagen. Durch Röntgenanalysen u. Beugung von Neutronen wurde ein C–C-Abstand von etwa 140 pm innerhalb des B.-R. festgestellt. Da in den aliphat. Verb. die Bindungslänge einer C,C-Einfachbindung etwa 154 pm, die einer C,C-Doppelbindung etwa 134 pm beträgt, der C,C-Bindungsabstand im Benzol also zwischen den beiden Werten liegt u. alle 6 Bindungen des Ringes einander gleichwertig sind, wären die Strukturen II, VII–IX möglich. In *Lit.*[1] findet sich die Zusammenstellung, in der 217 (!) Möglichkeiten gezeigt sind, ein Molekül C_6H_6 zu konstruieren.

Die Kekuléschen Vorstellungen haben sich schließlich durchgesetzt, wenn auch die oszillierenden Strukturen nicht den tatsächlichen Verhältnissen im B.-R. entsprechen können, denn aus diesem Modell läßt sich auch für das *Cyclooctatetraen (C_8H_8) aromat. Charakter (*Aromatizität*) erwarten, der jedoch nicht vorliegt. Erst der Anwendung der sog. Theorie der elektron. Zustände (der *Molekülorbitale, *MO-Theorie) führte zu Strukturvorstellungen, die den experimentellen Beobachtungen am Benzol voll gerecht werden. Demnach unterhält jedes C-Atom 3 Bindungen in einer Ebene (je eine zu seinen beiden Nachbarn u. eine zu einem H-Atom) mit lokalisierten σ-*Elektronen*. Über dieses Grundgerüst sind die restlichen 6 Elektronen als π-*Elektronen* (als *Elektronenwolke*) verteilt, also nicht an ein bestimmtes C-Atom gebunden, sondern im Ring frei beweglich (*Delokalisierung*), wenn auch mit einer etwas höheren Aufenthaltswahrscheinlichkeit an den C-Atomen (vgl. Abb.).

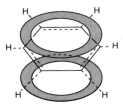

Durch *Substitution kann der ansonsten planare B.-R. deformiert werden, s. *Lit.*[2].

Benzolsulfamid

Wenn aufgrund dieser Vorstellungen auch das Symbol III zur Kennzeichnung *benzoider Strukturen* (Robinson 1925) vorgeschlagen ist, verwendet man aus Gründen der Anschaulichkeit in der *chemischen Zeichensprache für Benzol u. den *Phenyl...-Ring meist weiterhin die ursprüngliche Kekulé-Formel (I), da sie in den meisten Fällen den Anforderungen genügt. In den letzten Jahren ist es übrigens gelungen, auf photochem. Wege die den Strukturen IV (*Prisman*, Tetracyclo[2.2.0.0^{2,6}.0^{3,5}]hexan), V (*Dewarbenzol*, Bicyclo[2.2.0]hexadien) entsprechenden *Valenzisomeren* des Benzols sowie VI (sog. *Hückel-Benzol*, 1937, *Benzvalen*, Tricyclo[3.1.0.0^{2,6}]hex-3-en) direkt u./od. in Form von Derivaten zu synthetisieren. Immerhin hatte bereits 1922 Sir C. *Ingold berechnet, daß der Anteil der drei möglichen Dewarstrukturen V (Einfachbindung zwischen den C-Atomen 1/4 od. 2/5 od. 3/6; in der Abb. ist nur der erste Fall wiedergegeben) an der Resonanzenergie des Benzols etwa 20% beträgt. Näheres zur *Valenzisomerisierung des Benzols s. Lit.^{3} u. zur Geschichte der Benzol-Formel s. *Lit.* – *E* benzene nucleus – *F* noyau benzénique – *I* anello benzenico – *S* anillo bencénico

Lit.: ^{1}Chem. Labor Betr. **25**, 77 (1974). ^{2}Angew. Chem. **82**, 106–120 (1970); Chem. Unserer Zeit **10**, 114–120 (1976). ^{3}Chem. Unserer Zeit **11**, 118–128 (1977).
allg.: Angew. Chem. **77**, 750ff. (1965) ▪ Chem.-Ztg. **89**, 581–586 (1965) ▪ Wizinger-Aust et al., Kekulé u. seine Benzolformel, Weinheim: Verl. Chemie 1966 ▪ s. a. Aromatizität u. MO-Theorie.

Benzolsulfamid s. Benzolsulfonamid.

Benzolsulfinyl... Bez. für die Atomgruppierung –SO–C$_6$H$_5$ in *radikofunktionellen Namen (IUPAC-Regel C-641.7); in *Substitutionsnamen wurde Phenylsulfinyl... bevorzugt (IUPAC-Regel C-631.1), s. aber neue IUPAC-Regeln R-5.7.7/8. – *E* benzenesulfinyl... – *F* benzènesulfinyl... – *I* benzensolfinil... – *S* bencenosulfinil...

Benzolsulfonamid (Benzolsulfamid). H$_5$C$_6$–SO$_2$–NH$_2$, C$_6$H$_7$NO$_2$S, M$_R$ 157,19. Aus Benzolsulfochlorid u. Ammoniak herstellbare farblose Nadeln od. Blättchen vom Schmp. 156°C. B. ist lösl. in Ether u. siedendem Alkohol, wird als Weichmacher u. als Zwischenprodukt bei der Herst. von Arzneimitteln, Desinfektionsmitteln, Farb- u. Kunststoffen verwendet. – *E* benzenesulfonic amide – *F* sulfamide de benzène – *I* benzensolfonammide – *S* bencenosulfonamida
Lit.: Beilstein E IV **11**, 50 ▪ Ullmann (4.) **8**, 420; (5.) A **3**, 518. – *[HS 2935 00; CAS 98-10-2]*

Benzolsulfonamido... s. Benzolsulfonylamino...

Benzolsulfonsäure. H$_5$C$_6$–SO$_3$H, C$_6$H$_6$O$_3$S, M$_R$ 158,17. Zerfließliche farblose Tafeln mit 1,5 Mol. Kristallwasser, leicht lösl. in Wasser u. Alkohol, wenig lösl. in unpolaren Lsm., Schmp. 44 °C, in wasserfreiem Zustand 51 °C (auch 66 °C angegeben); reizt stark Augen, Haut u. Schleimhäute. Die Acidität der B. (pK$_a$ = 0,70) entspricht etwa der der Schwefelsäure.
Herst.: Durch *Sulfonierung von Benzol mit konz. Schwefelsäure bei 180 °C.
Verw.: Als Zwischenprodukt bei der Herst. von Resorcin (über *m*-Benzoldisulfonsäure) u. Phenol (durch Alkalischmelze). Einige Derivate dienen als Pharmazeutika. – *E* benzenesulfonic acid – *F* acide benzènesulfonique – *I* acido benzensolfonico – *S* ácido bencenosulfónico
Lit.: Beilstein E IV **11**, 27 ▪ Kirk-Othmer **3**, 401–407; (3.) **22**, 45 ff. ▪ Ullmann **4**, 303–308; (4.) **8**, 412 f.; (5.) A **3**, 515. – *[HS 2904 10; CAS 98-11-3]*

Benzolsulfonyl... Bez. für die Atomgruppierung –SO$_2$–C$_6$H$_5$ in *radikofunktionellen Namen (IUPAC-Regel C-641.7); in *Substitutionsnamen wurde Phenylsulfonyl... bevorzugt (IUPAC-Regel C-631.1), s. aber neue IUPAC-Regeln R-5.7.7/8. – *E* benzenesulfonyl... – *F* benzènesulfonyl... – *I* benzensolfonil... – *S* bencenosulfonil...

Benzolsulfonylamino... Bez. für die Atomgruppierung –NH–SO$_2$–C$_6$H$_5$ im Sinne der IUPAC-Regel R-5.7.7/8; früher: Benzolsulfonamido... od. Phenylsulfonylamino... (IUPAC-Regel C-823.1). – *E* benzenesulfonylamino... – *F* benzènesulfonylamino... – *I* benzensolfonilammino... – *S* bencenosulfonilamino...

Benzolsulfonylchlorid (Benzolsulfochlorid). H$_5$C$_6$–SO$_2$–Cl, C$_6$H$_5$ClO$_2$S, M$_R$ 176,62. Farblose, stechend riechende Krist., D. 1,38, Erstarrungspunkt 0 °C, Schmp. 14,5 °C, Sdp. 251–252 °C (Zers.). Dämpfe u. Flüssigkeiten reizen stark die Augen, die Atemwege (bis hin zu Lungenödem) u. die Haut, LD$_{50}$ (Ratte oral) 1960 mg/kg; wassergefährdender Stoff, WGK 1, unlösl. in Wasser, leicht lösl. in Alkohol. Techn. wird B. durch Chlorsulfonierung von Benzol mit überschüssiger Chlorsulfonsäure hergestellt; es dient als Zwischenprodukt der organ. Synth. (s. a. Hinsberg-Test). – *E* benzenesulfonyl chloride – *F* chlorure de benzènesulfonyle – *I* cloruro benzensolfonilico – *S* cloruro de bencenosulfonilo
Lit.: Beilstein E IV **11**, 49 ▪ Hommel, Nr. 601 ▪ Ullmann (4.) **8**, 417, 420; (5.) A **3**, 513. – *[HS 2904 90; CAS 98-09-9; G 8]*

1,2,4,5-Benzoltetracarbonsäure s. Pyromellit(h)säure.

Benzoltricarbonsäuren s. Hemimellit(h)säure, Trimellit(h)säure u. Trimesinsäure.

Benzoltriole s. Pyrogallol u. Phloroglucin.

Benzonatat.

H$_3$C$_4$–NH–⟨ ⟩–CO–O–[CH$_2$–CH$_2$–O]$_9$–CH$_3$

Internat. Freiname für den antitussiv wirkenden 4-Butylaminobenzoesäureester des Nonaethylenglykolmonomethylethers, C$_{30}$H$_{53}$NO$_{11}$, M$_R$ 603,75. Farbloses bis schwachgelbes Öl. Es wurde 1955 als *Antitussivum von Ciba patentiert. – *E* = *F* benzonatate – *I* = *S* benzonatato
Lit.: Hager (4.) **3**, 406 ▪ Kirk-Othmer (3.) **9**, 553 ▪ Ullmann (4.) **13**, 78. – *[HS 2922 49; CAS 104-31-4]*

Benzonitril. H$_5$C$_6$–CN, C$_7$H$_5$N, M$_R$ 103,12. Xn ✗
Farblose, angenehm nach Bittermandel riechende Flüssigkeit, D. 1,01, Schmp. –12 °C, Sdp. 190 °C, FP. 70 °C, Explosionsgrenzen in Luft 1,4–7,2 Vol.-%. Dämpfe u. Flüssigkeiten sind giftig, bei Kontakt mit der Flüssigkeit Reizung der Augen u. der Haut, außerdem erfolgt Aufnahme über die Haut, LD$_{50}$ (Maus oral) 971 mg/kg. Wassergefährdender Stoff, WGK 2, in Wasser geringfügig lösl., mit organ. Lsm. beliebig mischbar.

Herst.: Z. B. durch Erhitzen des Natrium-Salzes der Benzolsulfonsäure mit NaCN, techn. in hoher Ausbeute durch katalyt. Ammonoxid. von Toluol.
Verw.: Zur Synth. von *Benzoguanamin-Harzen, Tensiden, Gummichemikalien, Heil- u. Desinfektionsmitteln, Farbstoffen, als stark polares Lsm. für zahlreiche Polymere sowie für wasserfreie anorgan. Salze u. metallorgan. Verb., als Extraktionsmittel u. dgl. – *E* = *F* = *I* benzonitrile – *S* benzonitrilo
Lit.: Beilstein E IV **9**, 892 ▪ Hommel, Nr. 417 ▪ Kirk-Othmer S, 595 ff.; (3.) **15**, 904 f. ▪ Ullmann (4.) **8**, 373, 374, 381; (5.) A **3**, 562. – [HS 2926 90; CAS 100-47-0; G 6.1]

Benzopersäure s. Peroxybenzoesäure.

Benzophenon (Diphenylketon). $H_5C_6-CO-C_6H_5$, $C_{13}H_{10}O$, M_R 182,22. Die stabile, handelsübliche Form krist. in farblosen rhomb. Prismen, D. 1,11, Schmp. 48 °C, Sdp. 306 °C, LD_{50} (Ratte oral) >10 g/kg, wassergefährdender Stoff, WGK 1 (Selbsteinst.). B. ist unlösl. in Wasser, leicht lösl. in Ether, Alkohol u. Chloroform.
Herst.: Durch Friedel-Crafts-Synth. aus Benzol u. Benzoylchlorid od. aus Benzol u. Tetrachlormethan mit Hydrolyse des hieraus gebildeten Dichlordiphenylmethans od. durch Luftoxid. von Diphenylmethan in Ggw. von Kobalt- u. Mangan-Katalysatoren.
Verw.: Als Zwischenprodukt bei der Synth. von *Antihistaminika, *Hypnotika u. a. Pharmazeutika[1], Insektiziden, als Geruchsfixateur für Parfüme u. Seifen, B.-Einkrist. in der Piezoelektrik u. Elektrooptik. Hydroxylierte u. methoxylierte B.-Derivate sind *UV-Absorber, die als *Licht- u. *Sonnenschutzmittel in Cremes u. Salben Verw. finden[2]. Über B. als Sensibilisator bei Photoreaktionen s. Lit.[3]. – *E* benzophenone – *F* benzophénone – *I* benzofenone – *S* benzofenona
Lit.: [1] Negwer (6.), S. 1672. [2] Janistyn **3**, 724 f. [3] Synthetica **1**, 50 f.
allg.: Beilstein E IV **7**, 1357 ▪ Kirk-Othmer **3**, 439 ff.; **21**, 115–122 ▪ Synth. Commun. **11**, 241 (1981) ▪ Ullmann (4.) **14**, 224; **20**, 236; (5.) A **11**, 189; A **15**, 91. – [HS 2914 39; CAS 119-61-9]

Benzopurpurin 4 B.

$C_{34}H_{26}N_6Na_2O_6S_2$, M_R 724,72. Rotbraunes Pulver, wasserlösl., aus *o*-Tolidin u. Naphthionsäure hergestellt.
Verw.: Substantiver roter Farbstoff für Baumwolle, Indikator (pH 2,3 blau-violett, 4,0 rot), Reagenz zum Nachw. von Mg, Al, Hg, Ag, U, als Anfärbemittel für die Mikroskopie. – *E* benzopurpurine 4 B – *F* purpurine benzoique 4 B – *I* benzopurpurina 4 B – *S* benzopurpurina 4 B
Lit.: Beilstein E III **16**, 474 c. – [HS 3204 14; CAS 992-59-6]

Benzopyrane s. Chromen u. Isochromen, vgl. a. Cannabinoide.

Benzo[a]pyren (1,2-Benzpyren). In der Formel beziehen sich Ziffern 1′–3′ auf das Pyren-Gerüst. Veraltete Bez. 3,4-Benzpyren, korrekte Bez. Benzo[*def*]-chrysen, $C_{20}H_{12}$, M_R 252,32. Gelbliche Plättchen (D. 1,282) od. Nadeln (D. 1,351), Schmp. 179 °C, Sdp. (1,3 Pa) 310 bis 312 °C, in den aromat. Lsm. lösl. (in Benzol mit violetter Fluoreszenz), in Alkoholen wenig löslich. B. als eines der am längsten bekannten u. bestuntersuchten *Carcinogene gilt als der Prototyp der *polycyclischen aromatischen Kohlenwasserstoffe (s. MAK-Liste, Abschnitt V d), weshalb die Umweltbelastung mit diesen meist auf B. umgerechnet wird. B. wird auch für den Zusammenhang zwischen Zigarettenrauchen u. dem Auftreten von Lungenkrebs verantwortlich gemacht. Andererseits ist Lungenkrebs bei Dachdeckern, die während des Arbeitens mit Teerdämpfen erhebliche B.-Mengen einatmen, nur insignifikant häufiger als in der allg. Bevölkerungsquerschnitt (vgl. Lit.[1]). Im Körper wird B. in den Mikrosomen des *endoplasmatischen Retikulums durch mischfunktionelle Oxidasen u. a. *Oxygenasen schrittweise in 7,8-Dihydroxy-9,10-epoxy-7,8,9,10-tetrahydro-B. umgewandelt, das durch *Interkalation mit der DNA-Helix als starkes Mutagen wirkt (s. Lit.[2] u. Harvey, Lit.). Ein Antagonist dieses Metaboliten ist das pflanzliche Phenol *Ellagsäure; näheres s. Lit.[3].
Nachw.: B. wird im allg. durch Fluoreszenzspektroskopie bestimmt; zur Abtrennung von anderen Verb. werden Dünnschichtchromatographie od. HPLC eingesetzt. Zur Nachweismethodik im Arbeitsschutz s. Lit.[4].
Vork.: Im Steinkohlenteer, als Produkt unvollständiger Verbrennung organ. Substanzen ubiquitär verbreitet, z. B. in Auto- u. Industrieabgasen, im Zigarettenrauch (entsteht bei einer Temp. von ca. 300 °C in der Tabakbrennzone), in Grillprodukten aus dem Rauch von Holzkohle, bes. aber von Kiefernzapfen, spurenweise im Boden, in Gemüsen u. Getreiden, auf die es wie ein Wuchsstoff wirken kann. – *E* benzo[*a*]pyrene – *F* benzo[*a*]pyrène – *I* benzopirene – *S* benzo[*a*]pireno
Lit.: [1] Dis. Chest **56**, 251 (1969). [2] Acc. Chem. Res. **14**, 218–226 (1981). [3] J. Am. Chem. Soc. **104**, 5562 ff. (1982); Proc. Natl. Acad. Sci. **79**, 5513–5517 (1982). [4] Pure Appl. Chem. **40**, Nr. 3 (1974).
allg.: Beilstein E IV **5**, 2687 f. ▪ Harvey, Polycyclic Hydrocarbons and Carcinogenesis (ACS Symp. Series 283), Washington: ACS 1985 ▪ Osborne u. Crosby, Benzopyrene, New York: Cambridge Univ. Press 1987 ▪ Ullmann (4.) **6**, 225; **9**, 172; **14**, 688 ▪ s.a. Carcinogene, polycyclische aromatische Kohlenwasserstoffe. – [CAS 50-32-8]

Benzosulfimid s. Saccharin.

Benzothiazol (1,3-Benzothiazol).

C_7H_5NS, M_R 135,18. Farblose Flüssigkeit, D. 1,25, Sdp. 227 °C, in Wasser wenig, in Ethanol u. Schwefelkohlenstoff leicht löslich. Das aus *N,N*-Dimethylanilin u. Schwefel herstellbare B. wird wegen seines hohen Sdp. manchmal in der Technik als Lsm. für bei hohen Temp.

ablaufende Reaktionen verwendet. Derivate des B. mit Substituenten in 2-Stellung (z.B. 2-Amino-B.) sind Zwischenprodukte in Synth. von Azo-Farbstoffen; 2-Mercapto-B. u. davon abgeleitete Derivate sind Vulkanisationsbeschleuniger. Mit Hilfe von B.-Derivaten lassen sich Spiro-Verb. herstellen. – *E* = *F* benzothiazole – *I* benzotiazolo – *S* benzotiazol
Lit.: Beilstein E V **27/5**, 338 ff. ▪ Tetrahedron Lett. **1978**, 5, 9, 13 ▪ Ullmann (4.) **23**, 146 f.; (5.) **A 17**, 453. – *[HS 2934 20; CAS 95-16-9]*

Benzo[*b*]thiophen (Thionaphthen).

C_8H_6S, M_R 134,20. Naphthalin-ähnlich riechende Blättchen, D. 1,148, Schmp. 32 °C, Sdp. 221 °C, in organ. Lsm. leicht lösl., in Wasser unlöslich. B. wird aus Steinkohlenkokereiteer gewonnen; synthet. ist es aus Styrol od. Ethylbenzol u. Schwefelwasserstoff zugänglich. B. ist Ausgangsstoff für die Synth. von *Thioindigo u. Pharmazeutika, Pestiziden u. Insektiziden. – *E* benzo[*b*]thiophene – *F* benzo[*b*]thiofène – *I* benzotiofene – *S* benzo[*b*]tiofeno
Lit.: Adv. Heterocycl. Chem. **11**, 177–381 (1970); **29**, 171 (1981) ▪ Beilstein E V **17/2**, 6 f. ▪ Ullmann **8**, 496; (4.) **23**, 217 f. – *[HS 2934 90; CAS 95-15-8]*

1*H*-Benzotriazol.

$C_6H_5N_3$, M_R 119,13. Farblose Nadeln, Schmp. 99 °C, Sdp. 204 °C (20 hPa), kann bei Vakuumdest. explodieren[1], in organ. Lsm. gut löslich, wassergefährdender Stoff, WGK 1 (Selbsteinst.). B. kann aus *o*-Phenylendiamin u. salpetriger Säure hergestellt werden.
Verw.: Als korrosionsverhütendes Mittel für Kupfer, Reagenz auf Cu, Pflanzenwuchsstoff u. Zwischenprodukt für organ. Synth., zu Reaktionen mit Benzotriazol-stabilisierten Carbanionen s. *Lit.*[2], Kühlschmierstoffkomponente. – *E* 1*H*-benzotriazole – *F* 1*H*-benzotriazole – *I* 1*H*-Benzotriazolo – *S* 1*H*-benzotriazol
Lit.: [1] Chem. Eng. News **34**, 2450 (1956). [2] Aldrichimica Acta **27**, 31–38 (1994).
allg.: Beilstein E V **26/1**, 385 ff. ▪ 1,2,3-Benzotriazole, Toledo (Ohio): Maumee Chem. Co. 1962 ▪ Heterocycl. Compd. **7**, 384–461 (1961) ▪ Ullmann (5.) **A 2**, 41. – *[HS 2933 90; CAS 95-14-7]*

Benzotrichlorid (α,α,α-Trichlortoluol, Trichlor-phenylmethan, Trichlormethylbenzol).

H_5C_6–CCl_3, $C_7H_5Cl_3$, M_R 195,48. Farblose bis gelbliche, rauchende, stechend riechende Flüssigkeit, unlösl. in Wasser, leicht lösl. in organ. Lsm., D. 1,38, Schmp. –8 °C, Sdp. 221 °C. B.-Dämpfe reizen bis hin zur Verätzung Augen u. Atmungsorgane, Lungenödem möglich; Kontakt mit der Flüssigkeit führt zu Reizung der Augen u. der Haut. B. gilt als Stoff, der sich im Tierversuch eindeutig als krebserzeugend erwiesen hat (Gruppe III A 2 MAK-Werte-Liste, 1995), LD_{50} (Ratte oral) 6000 mg/kg, wassergefährdender Stoff, WGK 1. Das aus Toluol u. Chlor herstellbare B. wird zu organ. Synth., z. B. von Triphenylmethan-Farbstoffen verwendet. – *E* benzotrichloride – *F* benzotrichlorure – *I* = *S* benzotricloruro
Lit.: Beilstein E IV **5**, 802 f. ▪ Hommel, Nr. 384 ▪ Kirk-Othmer **5**, 281–289; (3.) **5**, 828–838 ▪ Luftanalysen: Analytische Methoden zur Prüfung gesundheitsschädlicher Arbeitsstoffe Bd. 1, Weinheim: Verl. Chemie 1976–1994 ▪ Ullmann (4.) **9**, 525 f.; (5.) **A 6**, 361. – *[HS 2903 69; CAS 98-07-7; G 8]*

Benzotrifluorid (α,α,α-Trifluortoluol).

H_5C_6–CF_3, $C_7H_5F_3$, M_R 146,11. Wasserklare, aromat. riechende Flüssigkeit, D. 1,189, Schmp. –29 °C, Sdp. 104 °C, mit den meisten organ. Lsm. mischbar, in Wasser nur geringfügig löslich. Dämpfe u. Flüssigkeiten reizen Augen, Haut u. Atemwege; wassergefährdender Stoff, WGK 1 (Selbsteinst.). Das aus Benzotrichlorid mit HF od. Antimontrifluorid herstellbare B. findet auf den Gebieten der Farbstoff-Herstellung, der Schädlingsbekämpfungsmittel u. der Pharmazeutika prakt. Verwendung. – *E* benzotrifluoride – *F* benzotrifluorure – *I* = *S* benzotrifluoruro
Lit.: Beilstein E IV **5**, 802 f. ▪ Hommel, Nr. 341 ▪ Kirk-Othmer (3.) **10**, 921 f. ▪ Ullmann (4.) **11**, 649; (5.) **A 11**, 375. – *[HS 2903 69; CAS 98-08-8; G 3]*

Benzoximat.
Common name für 3-Chlor-α-ethoxyimino-2,6-dimethoxybenzylbenzoat.

$C_{18}H_{18}ClNO_5$, M_R 363,80, Schmp. 73 °C, LD_{50} (Ratte oral) >10000 mg/kg (WHO), von Nippon Soda entwickeltes nicht-system. *Akarizid gegen Spinnmilben im Obst- u. Zitrusanbau. – *E* = *F* benzoximate – *I* benzossimato – *S* benzoximato
Lit.: Farm ▪ Perkow ▪ Pesticide Manual. – *[HS 2928 00; CAS 29104-30-1]*

Benzoxy...
Unzulässige Bez. für die Präfixe *Benzoyloxy... od. *Benzyloxy...

Benzoyl...
Bez. für die zu den *Acyl...-Gruppen zählende Atomgruppierung –CO–C_6H_5 in systemat. Namen (IUPAC-Regel C-404.1). Viel verwendete *Schutzgruppe; *Kurzz.*: PhCO od. Bz; „Bz" darf nicht für *Benzyl... verwendet werden. Über B. als Radikal s. *Lit.* – *E* = *F* benzoyl... – *I* = *S* benzoil...
Lit.: Monatsh. Chem. **97**, 1000 (1966).

Benzoylamino...
Neben *Benzamido... Bez. für die Atomgruppierung –NH–CO–C_6H_5 (IUPAC-Regeln R-5.7.8 u. C-823.1). – *E* = *F* benzoylamino... – *I* benzoilammino... – *S* benzoilamino...

Benzoylchlorid.
H_5C_6–CO–Cl, C_7H_5ClO, M_R 140,57. Farblose, stechend riechende Flüssigkeit, D. 1,21, Schmp. –1 °C, Sdp. 197 °C; das Einatmen der Dämpfe reizt stark die Augen u. die Atemwege. WGK 2 (Selbsteinst.), LD_{50} (Ratte oral) 1900 mg/kg; in Wasser nicht lösl. (Bildung von Salzsäure u. Benzoesäure), mit Benzol u. Tetrachlorkohlenstoff mischbar. B. dient hauptsächlich zur Einführung der Benzoyl-Gruppe in Alkohole, Phenole u. Amine. Die *Benzoylierungen werden in wäss. Alkali

(*Schotten-Baumann-Reaktion) od. Pyridin (*Einhorn-Reaktion) durchgeführt.
Herst.: Aus Benzoesäure mit Phosphorpentachlorid, Phosgen od. Thionylchlorid, techn. aus Benzotrichlorid u. Benzoesäure (1:1) am Silber-Kontakt.
Verw.: Als analyt. Reagenz, zur *Benzoylierung, zur Herst. von Benzoylperoxid, Pharmazeutika, Farbstoffen u. dgl. – ***E*** benzoyl chloride – ***F*** chlorure de benzoyle – ***I*** cloruro dell'acido benzoico – ***S*** cloruro de benzoilo
Lit.: Beilstein E IV 9, 721 ▪ Hommel, Nr. 40 ▪ Synthetica 1, 51 f. ▪ Ullmann (4.) 8, 372, 373, 381; (5.) A 3, 561 ▪ Winnacker-Küchler (4.) 6, 203, 204. – *[HS 291632; CAS 98-88-4; G 8]*

Benzoylierung. Zu den *Acylierungen zu rechnende Reaktion, die zur Einführung der *Benzoyl-Gruppe als Substituenten in organ. Verb. dient. Die B. kann zur Herst. von krist. Derivaten von Alkoholen, Phenolen, Thiolen, Aminen u. a. in der organ. Analyse verwendet werden, wobei als B.-Mittel meistens 4-Nitro- od. 3,5-Dinitrobenzoylchlorid zur Anw. kommen. In der Peptidchemie dient die B. zum Schutze der Amino-Gruppe. – ***E = F*** benzoylation – ***I*** benzoilazione – ***S*** benzoilación
Lit.: s. Acylierung.

4-Benzoyl-5-methyl-2-phenyl-2,4-dihydro-3H-pyrazol-3-on.

$C_{17}H_{14}N_2O_2$, M_R 278,31, Schmp. 90–92 °C, Komplexierungs-Reagenz, welches sehr stabile Metallkomplexe bildet. Es wird daher zur Extraktion u. Trennung von Spurenmetallen bei der *AAS [1] u. der Bestimmung von Metallen durch Trennung der Komplexe mit der *HPLC [2] verwendet.
Lit.: [1] Anal. Sci. **8**, 41 (1992). [2] Anal. Chem. **64**, 2288 (1992); J. Chromatogr. **633**, 129 (1993).
allg.: Beilstein E V 24/8, 181 f. – *[HS 293319; CAS 4551-69-3]*

Benzoyloxy... Bez. für die Atomgruppierung –O–CO–C_6H_5 in systemat. Namen (IUPAC-Regel C-463.3). Die alte Bez. *Benzoxy... ist zweideutig u. daher abzulehnen. – ***E = F*** benzoyloxy... – ***I*** benzoilossi... – ***S*** benzoiloxi...

Benzoylperoxid (Dibenzoylperoxid).

$C_{14}H_{10}O_4$, M_R 242,23. Farbloses krist. Pulver, Schmp. 103–106 °C (kann beim Erhitzen explodieren), MAK 5 mg/m³ (gemessen als Gesamtstaub), sehr schwache Hautwirkung, häufig sensibilisierend, wassergefährdender Stoff, WGK 1; wenig lösl. in Wasser u. Alkohol, lösl. in Ether, Benzol u. Chloroform. Aus Benzoylchlorid u. Natriumperoxid herstellbar.
Verw.: Im Laboratorium zur Herst. von Benzopersäure, als Ausgangsmaterial für dehydrierende Radikale u. als *Initiator für *Radikal-Kettenreaktionen*. Im Handel befindliches B. enthält mindestens 20% Wasser od. 50% andere *Phlegmatisierungs-Mittel in Pasten- od. Pulverform; es dient in der Mikroskopie als Fixierungsmittel, als Katalysator für die Polymerisation von Styrol, Buna S, Methylmethacrylat, Allylestern u. a. Monomeren, zur Härtung von ungesätt. Polyesterharzen, als Bleichmittel für Öle, Fette, Wachse u. Mehle usw.; B. darf beim Herstellen od. Behandeln von kosmet. Mitteln nicht verwendet werden (Kosmetik-VO Anlage 1, Nr. 382). – ***E*** benzoyl peroxide – ***F*** peroxyde de benzoyle – ***I*** benzoilperossido – ***S*** peróxido de benzoilo
Lit.: Beilstein E IV 9, 717 ▪ Hager (5.) 7, 432 ▪ Hommel, Nr. 231, 231 a ▪ J. Polym. Sci. Polym. Chem. **24**, 691 (1986) ▪ Synthesis **1972**, 1–28, bes. 22–28 ▪ Synthetica **1**, 53–57 ▪ Ullmann (5.) A 3, 561; A 8, 309; A 19, 199 ▪ Vollmert, Grundriß der makromolekularen Chemie, Karlsruhe: E. Vollmert 1982. – *[HS 291632; CAS 94-36-0; G 5.2]*

N-Benzoyl-N-phenylhydroxylamin (N-Phenylbenzhydroxamsäure).

$C_{13}H_{11}NO_2$, M_R 213,24. Farblose Krist., Schmp. 121–122 °C, wenig lösl. in heißem Wasser, lösl. in Alkohol, Benzol, Ether u. Essigsäure.
Verw.: Reagenz auf Cu, Fe, Sn, Al, Nb, Ta, V, Ti. – ***E*** benzoylphenylhydroxylamine – ***F*** N-benzoyl-N-phénylhydroxylamine – ***I*** N-benzoil-N-fenilidrossilammina – ***S*** N-benzoil-N-fenilhidroxilamina
Lit.: Beilstein E IV 15, 7 ▪ Fries-Getrost ▪ Majumdar, N-Benzoylphenylhydroxylamine and its Analogues, Oxford: Pergamon 1971. – *[HS 292800; CAS 304-88-1]*

Benzquinamid.

Internat. Freiname für 3-Diethylcarbamoyl-1,3,4,6,7,11b-hexahydro-9,10-dimethoxy-2H-benzo[a]chinolizin-2-ylacetat, $C_{22}H_{32}N_2O_5$, M_R 404,51, Schmp. 130–131,5 °C; LD_{50} (Ratte, oral) 990, (Maus, oral) 376 mg/kg; verwendet wird auch das Hydrochlorid, Schmp. 229–231 °C. Es wurde 1962 als Antiemetikum von Pfitzer patentiert. – ***E = F*** benzquinamide – ***I*** benzchinammide – ***S*** benzoquinamida
Lit.: Hager (5.) 7, 434 ff. – *[CAS 63-12-7; 113-69-9 (Hydrochlorid)]*

Benzthiazid.

Internat. Freiname für das saluret. wirksame 3-(Benzylthiomethyl)-6-chlor-2H-1,2,4-benzothiadiazin-7-sulfonamid-1,1-dioxid, $C_{15}H_{14}ClN_3O_4S_3$, M_R 431,96, Schmp. 238–239 °C; LD_{50} (Maus, oral) >5000, (Maus, i. v.) 410, (Ratte, oral) >10 000, (Ratte, i. v.) 422 mg/kg. – ***E = F*** benzthiazide – ***I*** benztiazide – ***S*** benzotiazida
Lit.: Hager (5.) 7, 426. – *[HS 293500; CAS 91-33-8]*

Benzvalen (Tricyclo[3.1.0.0²,⁶]hex-3-en).

C_6H_6, M_R 78,11. Das tricycl. *Valenzisomere* des *Benzols entsteht neben Dewarbenzol u. Fulven bei der UV-Bestrahlung von flüssigem Benzol. B. entsteht außerdem durch Umsetzung von Lithium-cyclopentadienid mit Dichlormethan u. Methyllithium. Bei 20 °C geht es mit einer HWZ von 10 d wieder in Benzol über. Das isolierte B. hat ein hohes Dipolmoment (0,88 D)[1], ist sehr explosiv u. hat einen charakterist. fauligen Geruch; in Lsg. ist es ungefährlich. – *E* benzvalene – *F* benzvalène – *I* benzvalene – *S* benzvaleno
Lit.: [1] J. Am. Chem. Soc. **94**, 5915 (1972).
allg.: Angew. Chem. **93**, 515 (1981) ▪ Beilstein E IV **5**, 609 ▪ Chem. Unserer Zeit **11**, 118–128 (1977).

Benzydamin.

Internat. Freiname für 1-Benzyl-3-[3-(dimethylamino)-propoxy]-1*H*-indazol, $C_{19}H_{23}N_3O$, M_R 309,41, Sdp. 160 °C (6,5 Pa). Verwendet wird das Hydrochlorid, Schmp. 160 °C, UV$_{max}$: 306 nm ($E^{1\%}_{1cm}$ 160). LD$_{50}$ (Maus, i. p.) 110, (Maus, oral) 515, (Ratte, i. p.) 100, (Ratte, oral) 1050 mg/kg. Es wurde 1964 u. 1967 als Analgetikum, Antiphlogistikum u. Antipyretikum von Angelini Francesco patentiert u. es ist von Giulini Pharma (Tantum®) im Handel. – *E* = *F* benzydamine – *I* benzidammina – *S* bencidamina
Lit.: ASP ▪ Hager (5.) **7**, 436 ff. ▪ Pharm. Ztg. **138**, 485 u. 3786 (1993). – *[HS 2933 90; CAS 642-72-89]*

Benzyl... Bez. für die Atomgruppierung –CH$_2$–C$_6$H$_5$ in systemat. Namen (IUPAC-Regel A-13.3); veraltete Bez. α-*Tolyl...; Kurzz. als *Schutzgruppe: Bzl, Bn od. besser CH$_2$Ph (nicht *Bz). Über B.-Radikale s. *Lit.* – *E* = *F* benzyl... – *I* benzil... – *S* bencil...
Lit.: Adv. Free Radical Chem. **6**, 65–153 (1980) ▪ Angew. Chem. **86**, 131 (1974); **87**, 285 (1975).

Benzylacetat s. Essigsäurebenzylester.

Benzylalkohol (Phenylmethanol). Xn
H_5C_6–CH_2–OH, C_7H_8O, M_R 108,14. Farblose, schwach aromat. riechende Flüssigkeit, D. 1,045, Schmp. –15 °C, Sdp. 205 °C, FP. 94 °C. In Wasser mäßig, in Alkohol u. Ether leicht lösl., mit Leinöl, Ricinusöl u. aromat. Lsm. mischbar; oxidiert an der Luft langsam zu *Benzaldehyd (Bittermandelgeruch). Kontakt mit der Flüssigkeit führt zu Reizung der Augen u. der Haut, kann auch über die Haut aufgenommen werden; LD$_{50}$ (Ratte oral) 1230 mg/kg, wassergefährdender Stoff, WGK 1. B. ist zu etwa 6% im Jasminblütenöl, ferner in Goldlacköl, Nelkenöl, Tuberosenöl, Perubalsam, Tolubalsam u. Styrax enthalten u. kann aus Benzylchlorid mit Alkalicarbonaten od. durch Red. von Benzaldehyd hergestellt werden.
Verw.: Für Lacke u. Kunstharze, Riechstoffe, Aromen, Kosmetika, Textilhilfsmittel, als Lsm. für Farbstoffe, Gelatine, Schellack u. Riechstoffe, zu Kohlepapieren. B. zeigt spasmolyt. u. antimikrobielle Grundwirkungen[1]. Erhebliche Bedeutung hat B. als Entwicklungsbeschleuniger in der Farbfilm-Ind. gewonnen. B. ist zugelassen als Extraktionslösemittel gemäß Extraktionslösemittel-VO. – *E* benzyl alcohol – *F* alcool benzylique – *I* alcool benzilico – *S* alcohol bencílico
Lit.: [1] Hager (5.) **7**, 438.
allg.: Beilstein E IV **6**, 2222 ▪ Blaue Liste S. 37, 237 ▪ Hommel, Nr. 1273 ▪ Kirk-Othmer (4.) **4**, 116 ff. ▪ Snell-Hilton **5**, 379; **7**, 89–102 ▪ Ullmann **4**, 309–313; (4.) **7**, 558; **8**, 435 f; (5.) **A 4**, 1–5. – *[HS 2906 21; CAS 100-51-6; G 3]*

Benzylamin (Phenylmethylamin, α-Aminotoluol). H_5C_6–CH_2–NH_2, C_7H_9N, M_R 107,16. Rauchende, farblose, ammoniakal. riechende Flüssigkeit, D. 0,983, Sdp. 185 °C, in Wasser, Alkohol u. Ether leicht lösl., reagiert stark alkal. u. reizt stark Haut u. Schleimhäute, Lungenödem möglich; wassergefährdender Stoff, WGK 2 (Selbsteinst.). B. ist zugänglich durch Umsetzung von Benzylchlorid mit Ammoniak, durch katalyt. Hydrierung von Benzonitril od. von Benzaldehyd (in Ggw. von Ammoniak).
Verw.: Zur Synth. von quartären Ammonium-Verb., Textilhilfsmitteln, Farbstoffen u. Arzneimitteln, als öllösl. Rostinhibitor, als chem. Reagenz. – *E* = *F* benzylamine – *I* benzilammina – *S* bencilamina
Lit.: Beilstein E IV **12**, 2155 ▪ Hommel, Nr. 935 ▪ Kirk-Othmer (4.) **4**, 71 ▪ Ullmann (4.) **8**, 440; (5.) **A 4**, 9. – *[HS 2921 49; CAS 100-46-9; G 8]*

Benzylanilin (*N*-Phenylbenzylamin). H_5C_6–NH–CH_2–C_6H_5, $C_{13}H_{13}N$, M_R 183,25. Farblose Prismen, D. 1,062, Schmp. 38 °C, Sdp. 307 °C, unlösl. in Wasser, lösl. in Alkohol, Ether u. Chloroform. B. kann aus Benzylalkohol u. Anilin hergestellt werden u. findet Verw. als Zwischenprodukt in der Farbstoff- u. Kunststoff-Industrie. – *E* = *F* benzylaniline – *I* benzilanilina – *S* bencilanilina
Lit.: Beilstein E IV **12**, 2172. – *[HS 2921 49; CAS 103-32-2; G 6.1]*

Benzylbenzoat s. Benzoesäurebenzylester.

Benzylbromid (α-Bromtoluol). Xi
H_5C_6–CH_2–Br, C_7H_7Br, M_R 171,04. Farblose, zu Tränen reizende Flüssigkeit, D. 1,438, Schmp. –4 °C, Sdp. 199 °C, lösl. in Alkohol, Benzol, Ether, wird durch Wasser zersetzt. Die Dämpfe reizen sehr stark die Augen, die Atemwege u. die Lunge bis hin zum Lungenödem. Die Flüssigkeit wird auch über die Haut aufgenommen, wassergefährdender Stoff, WGK 2 (Selbsteinst.). B. entsteht durch Einwirkung von UV-Licht auf ein Gemisch von Brom u. Toluol.
Verw.: Zu organ. Synth., als Tränengas (T-Stoff). – *E* benzyl bromide – *F* bromure de benzyle – *I* bromuro di benzile – *S* bromuro de bencilo
Lit.: Beilstein E IV **5**, 829 f. ▪ Hommel, Nr. 779 ▪ Kirk-Othmer (4.) **4**, 572. – *[HS 2903 69; CAS 100-39-0; G 6.1]*

Benzylbutylphthalat (Butylbenzylphthalat).

$C_{19}H_{20}O_4$, M_R 312,37. Farblose Flüssigkeit, D. 1,093, Sdp. 235–255 °C (13 hPa), WGK 2, wasserunlösl., lichtechter, kältebeständiger, schwerflüchtiger Weichmacher für hochwertige Nitrolacke u. Kunststoffe.

Nach DIN 7723 (12/1987) als BBP abgekürzt. – *E* benzyl butyl phthalate – *F* phtalate de benzyl-butyle – *I* butilftalato di benzile – *S* ftalato de bencilbutilo
Lit.: Beilstein E IV **9**, 3218 ▪ Kirk-Othmer (4.) **6**, 120 ▪ Ullmann (4.) **24**, 367; (5.) **A 20**, 443 ▪ s. a. Weichmacher. – *[HS 291734; CAS 85-68-7]*

Benzylbutyrat s. Buttersäureester.

Benzylcellulose. B. ist ein Celluloseether (Formel s. Abb. unter Cellulose-Derivate: R=H, $CH_2-C_6H_5$), der bei der Umsetzung von *Alkalicellulose mit Benzylchlorid anfällt. B. ist unlösl. in Wasser u. Alkoholen, lösl. in Estern, Ketonen u. (chlorierten) Kohlenwasserstoffen u. weist als *Thermoplast einen Schmelzbereich von ~100–150 °C auf. B. besaß früher als Lackrohstoff Bedeutung, wird heute aber techn. nicht mehr produziert. – *E = F* benzylcellulose – *I* cellulosa di benzile – *S* bencilcelulosa
Lit.: Encycl. Polym. Sci. Eng. **3**, 261 f. ▪ Ullmann (4.) **9**, 207. – *[HS 391239]*

Benzylchlorid (α-Chlortoluol). T ☠
$H_5C_6-CH_2-Cl$, C_7H_7Cl, M_R 126,59. Farblose, klare Flüssigkeit, D. 1,10, Schmp. –43 bis –48 °C, Sdp. 179 °C. Dämpfe u. Flüssigkeit rufen starke Verätzung der Augen, der Atemwege (Lungenödem) sowie der Haut hervor. B. gilt als Stoff, der sich im Tierversuch eindeutig als krebserzeugend erwiesen hat (Gruppe III A 2 MAK-Werte-Liste 1995), LD_{50} (Ratte oral) 1231 mg/kg. Wassergefährdender Stoff, WGK 2, unlösl. in Wasser, mischbar mit Alkohol u. Ether. Das durch Chlorierung von Toluol zugängliche B. dient zur *Benzylierung bei der Herst. von Farbstoffen, Arzneimitteln, Kunstharzen, Parfüms, Vulkanisationsbeschleunigern, Schutzgruppe für Amine, Phenole u. Alkohole. – *E* benzylchloride – *F* chlorure de benzyle – *I* cloruro di benzile – *S* cloruro de bencilo
Lit.: Beilstein E IV **5**, 809 ff. ▪ Hommel, Nr. 400 ▪ J. Org. Chem. **44**, 1661, 3442 (1979) ▪ Kirk-Othmer **5**, 281–289; (3.) **5**, 828–838 ▪ Luftanalysen: Analytische Methoden zur Prüfung gesundheitsschädlicher Arbeitsstoffe Bd. 1, Weinheim: Verl. Chemie 1976–1985 ▪ Synthesis **1977**, 803 ▪ Synthetica **1**, 59 ▪ Ullmann (4.) **9**, 525 f. – *[HS 290369; CAS 100-44-7; G 6.1]*

Benzylcinnamat s. Zimtsäureester.

Benzylcyanid s. Phenylacetonitril.

Benzylether s. Dibenzylether.

Benzylhydrochlorothiazid.

Internat. Freiname für 3-Benzyl-6-chlor-3,4-dihydro-2H-1,2,4-benzothiadiazin-7-sulfonamid-1,1-dioxid, $C_{14}H_{14}ClN_3O_4S_2$, M_R 387,86, Schmp. 260–262 °C, auch 269 °C angegeben. Es wurde 1963 als Antihypertensivum u. Diuretikum von Ugi patentiert, ist nicht im Handel. – *E = F* benzylhydrochlorothiazide – *I* benzilidroclorotiazide – *S* bencilhidroclorotiazida
Lit.: Hager (5.) **7**, 441. – *[HS 293500; CAS 824-50-6]*

Benzyliden... Bez. für die Atomgruppierung $=CH-C_6H_5$ (IUPAC-Regel A-13.4), bes. bei Naturstoffen auch für die an 2 Heteroatome gebundene *Schutzgruppe $-CH(C_6H_5)-$ (IUPAC-Regel R-9.1.19b). Veraltete Bez.: Benzal... – *E* benzylidene... – *F* benzylidène... – *I* benziliden... – *S* benciliden...

Benzylidenaceton (4-Phenyl-3-buten-2-on).
$H_5C_6-CH=CH-CO-CH_3$, $C_{10}H_{10}O$, M_R 146,19. Farblose Tafeln, Geruch nach Cumarin, D. 1,037, Schmp. 42 °C, Sdp. 260–262 °C; wassergefährdender Stoff, WGK 2 (Selbsteinst.), leicht lösl. in Alkohol, Ether, Chloroform u. Benzol, unlösl. in Wasser.
Herst.: Durch Kondensation von Benzaldehyd u. Aceton in Ggw. von Alkali.
Verw.: In der organ. Synth. als Baustein für Kondensations-, Cycloadditionsreaktionen, Michael-Additionen, Grignard-Reaktionen. B. darf beim Herstellen od. Behandeln von kosmet. Mitteln nicht verwendet werden (Kosmetik-VO Anlage 1, Nr. 356). – *E* benzacetone – *F* benzylidène-acétone – *I* benzilidenacetolo – *S* bencilidenacetona
Lit.: Beilstein E IV **7**, 1003 ▪ J. Am. Chem. Soc. **103**, 7602 (1981); **107**, 5225 (1985) ▪ Tetrahedron **37**, 2451 (1981) ▪ Tetrahedron Lett. **26**, 4601, 4763 (1985). – *[CAS 1896-62-4]*

Benzylidendichlorid (α,α-Dichlortoluol). T ☠
$H_5C_6-CHCl_2$, $C_7H_6Cl_2$, M_R 161,03. Stechend riechende, an der Luft rauchende, farblose bis schwach gelbliche Flüssigkeit, D. 1,25, Schmp. –16 °C, Sdp. 205 °C, Explosionsgrenzen in Luft 1,1–11 Vol.-%. B.-Dämpfe reizen Augen u. Atemwege (Lungenödem möglich), Kontakt mit der Flüssigkeit ruft Verätzung der Augen u. der Haut hervor. B. gilt als Stoff, der sich im Tierversuch eindeutig als krebserzeugend erwiesen hat (Gruppe III A 2 MAK-Werte-Liste 1995), LD_{50} (Ratte oral) 3249 mg/kg, wassergefährdender Stoff, WGK 1 (Selbsteinst.). B. ist unlösl. in Wasser, lösl. in Alkohol u. Ether u. entsteht, wenn Chlor bei Siedetemp. auf Toluol einwirkt. Es ist Ausgangsmaterial für Benzaldehyd, Zimtsäure usw. – *E* benzylidene chloride – *F* dichlorure de benzylidène – *I* dicloruro benzilidenico – *S* dicloruro de bencilideno
Lit.: Beilstein E IV **5**, 817 f. ▪ Hommel, Nr. 648 ▪ Kirk-Othmer **5**, 281–289; (3.) **5**, 828–838 ▪ Ullmann (4.) **9**, 525 f.; (5.) **A 6**, 360. – *[CAS 98-87-3; G 6.1]*

Benzylierung. Bez. für die Einführung der Benzyl-Gruppe in organ. Verb.; meist bedient man sich hierzu der Benzylhalogenide, ggf. auch des Benzylalkohols. – *E = F* benzylation – *I* benzilazione – *S* bencilación

Benzylisochinolin-Alkaloide. B.-A. kommen v. a. in verschiedenen Annonaceae, Lauraceae, Rhamnaceae, Ranunculaceae, Papaveraceae u. Leguminosae vor. Sie sind lösl. in Ethanol, Chloroform u. Ether, wenig lösl. in Wasser.

Papaverin (7)

	R^1	R^2	R^3	R^4	R^5
Coclaurin (1)	H	CH_3	H	H	OH
Laudanidin (2)	CH_3	CH_3	CH_3	OH	OCH_3
Laudanosin (3)	CH_3	CH_3	CH_3	OCH_3	OCH_3
Orientalin (4)	CH_3	CH_3	H	OCH_3	OH
Protosinomenin (5)	CH_3	H	CH_3	H	OCH_3
Reticulin (6)	CH_3	CH_3	H	OH	OCH_3

Benzylisothiocyanat

Tab.: Daten von Benzyltetrahydroisochinolin-Alkaloiden.

Nr.	Summen-formel	M_R	Schmp./Sdp. [°C]	$[\alpha]_D$	CAS
1	$C_{17}H_{19}NO_3$	285,4	217–218	+47° (C_2H_5OH)	2196-60-3
2	$C_{20}H_{25}NO_4$	343,4	181–182	+134° (CH_3OH)	3122-95-0
3	$C_{21}H_{27}NO_4$	357,4	89	+103° (C_2H_5OH)	2688-77-9
4	$C_{19}H_{23}NO_4$	329,4	128–130		27003-74-3
5	$C_{19}H_{23}NO_4$	329,4			30883-59-1
6	$C_{19}H_{23}NO_4$	329,4		+132° (CH_3OH)	485-19-8
7	$C_{20}H_{21}NO_4$	339,4	147–148		58-74-2

Synth.: Es sind eine Reihe von Synth. bekannt, die u. a. auf der Reissert-Synth., der Pictet-Spengler-Kondensation, der *Bischler-Napieralski-Reaktion, der Friedel-Crafts-Alkylierung sowie auf der Jackson-Modifikation der Pommeranz-Fritsch-Cyclisierung beruhen[1]. Das früher aus Mohn gewonnene *Papaverin wird v. a. synthet. über Vanillin gewonnen[2].
Biosynth.: Ausgehend von Dopa über Dopamin u. Reaktion mit 3,4-Dihydroxyphenylbrenztraubensäure od. verwandten Brenztraubensäuren od. Aldehyden[3,4]. – *E* benzylisoquinoline alkaloids – *I* alcaloidi del benzilisochinolina – *S* alcaloides de la benciliso-quinoleína.
Lit.: [1] Tetrahedron Lett. **32**, 2995 (1991). [2] Pharmazie **43**, 313 f. (1988). [3] Mothes et al., S. 199–204. [4] Phytochemistry **31**, 813–821 (1992).
allg.: Florey **17**, 367–447 ▪ Hager (5.) **2**, 256–301, 519, 912; **7**, 442 ▪ Manske **17**, 385–544; **31**, 1–28 ▪ Sax (8.), PAH 000, PAH 250, SLX 500 ▪ Ullmann (5.) **A 1**, 369.

Benzylisothiocyanat (Benzylsenföl).
$H_5C_6-CH_2-N=C=S$, C_8H_7NS, M_R 149,21. Farbloses Öl von scharfem, rettichartigem Geruch, D. 1,120, Sdp. 140–144 °C (29 hPa), in Wasser unlösl., in organ. Lsm. leicht löslich. Kommt in Kapuzinerkresse glykosid. gebunden vor, ist antibiot., fungizid u. als Hyperämikum wirksam. – *E* benzyl isothiocyanate, benzyl mustard oil – *I* isotiocianato di benzile
Lit.: Beilstein E IV **12**, 2276 ▪ Hager (5.) **7**, 442 ▪ Ullmann (4.) **23**, 155 ▪ s. a. Senföle. – [CAS 622-78-6]

Benzylnicotinat s. Nicotinsäurebenzylester.

Benzyloctyladipat [Adipinsäure-benzyl-(2-ethylhexyl)-ester]. *Weichmacher, Kurzz. *BOA nach DIN 7723 (12/1987). – [HS 2917 12]

Benzylorange (Kalium-4-(4-benzylaminophenylazo)-benzolsulfonat).

$H_5C_6-CH_2-NH-\langle\rangle-N=N-\langle\rangle-SO_3K$

$C_{19}H_{16}KN_3O_3S$, M_R 405,51; orangerotes Pulver, schwer lösl. in kaltem, leichter lösl. in heißem Wasser.
Verw.: *Indikator (0,01%ige wäss. Lsg.), Umschlagsgebiet pH 1,9 (rot) – 3,3 (gelb). – *E* benzyl orange – *F* benzyl-orange – *I* arancione di benzile – *S* anaranjado de bencilo

Benzyloxy... Bez. für die Atomgruppierung $-O-CH_2-C_6H_5$ in systemat. Namen (IUPAC-Regel C-205.1); unzulässige Bez.: *Benzoxy... – *E* = *F* benzyloxy... – *I* benzilossi... – *S* benciloxi...

Benzyloxycarbonyl... Bez. für die Atomgruppierung $-CO-O-CH_2-C_6H_5$ in systemat. Namen (IUPAC-Regel C-463.3). Frühere Bez.: *Carbobenzoxy*...; Kurzz.: Cbz, CBZ, Cbo, Z. Die B.-Gruppe ist eine wichtige *Schutzgruppe für NH_2-Gruppen von Aminosäuren bei der *Peptid-Synthese. Sie wird mit dem aus Benzylalkohol u. Phosgen zugänglichen *Benzyloxycarbonylchlorid* (Chlorameisensäurebenzylester) in einer *Schotten-Baumann-Reaktion eingeführt u. nach der Peptid-Synth. durch katalyt. Hydrierung, Solvolyse mit HBr/Essigsäure, Transfer-Hydrierung[1] od. Photolyse[2] abgespalten. Von verschiedenen Chemikalienfirmen werden *N*-Benzyloxycarbonylaminosäuren als Ausgangsmaterialien für die Peptid-Synth. angeboten. Heute werden meist die Boc-Gruppen (s. *tert*-Butoxycarbonyl) als Schutzgruppen vorgezogen. – *E* = *F* benzyloxycarbonyl... – *I* benzilossicarbonil... – *S* benciloxicarbonil...
Lit.: [1] Synthesis **1976**, 685 ff. [2] Nachr. Chem. Techn. **19**, 2 (1971).
allg.: s. Aminosäuren, Peptid-Synthese u. Schutzgruppen.

Benzylpenicillin s. Penicilline.

Benzylpenicillin-Benzathin.

$$\left[H_5C_6-CH_2-CO-NH-\begin{matrix}H\ H\\ \diagup S\diagdown\\ \diagdown\ \diagup\\ \quad N\ \ COO^-\end{matrix}\begin{matrix}CH_3\\ CH_3\end{matrix}\right]_2 \left[\begin{matrix}H_5C_6-CH_2-\overset{+}{N}H_2\\ |\\ CH_2\\ |\\ CH_2\\ |\\ H_5C_6-CH_2-\overset{+}{N}H_2\end{matrix}\right]$$

Internat. Freiname für das Depot-Antibiotikum N,N'-Dibenzylethylendiamin-bis-[benzylpenicillin], $C_{48}H_{56}N_6O_8S_2$, M_R 909,13, Schmp. 123–124 °C, $[\alpha]_D^{25}$ +206° (c 0,105/Formamid). Das partial-synthet. Antibiotikum wurde 1953 von Wyeth patentiert u. ist von Bayer Pharma Deutschland (Tardocillin®) u. Jenapharm (Pendysin®) im Handel. – *E* benzylpenicilline benzathine – *F* benzathine benzylpénicilline – *I* benzilpenicillina-benzatina – *S* benzatina bencilpenicilina
Lit.: DAB 10 ▪ Hager (5.) **7**, 449 ff. – [HS 2941 10; CAS 1538-09-6]

4-Benzylphenol.

$HO-\langle\rangle-CH_2-C_6H_5$

$C_{13}H_{12}O$, M_R 184,24. Farblose Krist., Schmp. 84 °C, Sdp. 322 °C, wenig lösl. in kaltem, mäßig lösl. in heißem Wasser, lösl. in organ. Lösemittel. 4-B. wird aus Phenol u. Benzylchlorid in Ggw. von $ZnCl_2$ hergestellt u. als Desinfektionsmittel, Konservierungsmittel, Färbebeschleuniger u. zur organ. Synth. verwendet. – *E* 4-benzylphenol – *F* benzyl-4 phénol – *I* 4 benzilfenolo – *S* 4-bencilfenol
Lit.: Beilstein E IV **6**, 4640 ▪ Ullmann (4.) **23**, 54. – [HS 2907 19; CAS 101-53-1]

Benzylsalicylat s. Salicylsäureester.

Benzylsenföl s. Benzylisothiocyanat.

Benzylsuccinat s. Bernsteinsäureester.

Benzylsulfanyl... s. Benzylthio...

Benzylthio... Bez. für die Atomgruppierung $-S-CH_2-C_6H_5$ (IUPAC-Regel C-514.1), auch: Benzylsulfanyl... (IUPAC-Regel R-5.5.2). Veraltet: Benzylmercapto... – *E* = *F* benzylthio... – *I* benziltio... – *S* benciltio...

Benzyltrimethylammonium-Salze.

$$\left[H_5C_6-CH_2-\overset{CH_3}{\underset{CH_3}{\overset{|}{N^+}}}-CH_3 \right] X^-$$

Mit X = Halogene od. OH (Triton B). Gruppe von *quartären Ammonium-Verbindungen, die im allg. in wäss. od. methanol. Lsg. als bas. Katalysatoren eingesetzt werden. – *E* benzyl trimethylammonium salts – *F* sels de benzyltriméthylammonium – *I* sali benziltrimetilammonici – *S* sales de benciltrimetilamonio
Lit.: Beilstein E IV 12, 2167 ▪ Synthetica 1, 60f. – *[HS 2923 90]*

Benzylviologen (1,1'-Dibenzyl-4,4'-bipyridindiium-dichlorid).

$$\left[H_5C_6-CH_2-\overset{+}{N}\!\!\!\diagup\!\!\!\diagdown\!\!\!-\!\!\!\diagup\!\!\!\diagdown\!\!\!\overset{+}{N}-CH_2-C_6H_5 \right] 2\,Cl^-$$

$C_{24}H_{22}Cl_2N_2$, M_R 409,36; zu den *Viologenen gehörender Indikator für *Redoxsysteme. – *E* benzyl viologen – *F* benzylviologène – *I* benzilviologeno – *S* bencilviológeno
Lit.: Eur. J. Biochem. **89**, 261 (1978) ▪ Chem. Soc. Rev. **10**, 49 (1981). – *[CAS 1102-19-8]*

Benzyn s. Dehydrobenzol.

Bepanthen® Roche.
Gegen Wunden, Verbrennungen, Ekzeme u. allg. entzündliche Prozesse wirkende Tabl., Ampullen, Lsg. u. Salben mit *Dexpanthenol. *B.:* Roche Nicholas.

Bepheniumhydroxynaphthoat.

$$\left[H_5C_6-O-CH_2-CH_2-\overset{CH_3}{\underset{CH_3}{\overset{|}{N^+}}}-CH_2-C_6H_5 \right] \begin{array}{c}\text{COO}^-\\ \\ \text{OH}\end{array}$$

Internat. Freiname für das *Anthelmintikum Benzyldimethyl-(2-phenoxyethyl)-ammonium-3-hydroxy-2-naphthoat, $C_{28}H_{29}NO_4$, M_R 443,54. – *E* bephenium hydroxynaphthoate – *F* hydroxynaphtoate de béphénium – *I* befenioidrossinaftoato – *S* hidroxinaftoato de befenio
Lit.: Hager (5.) **7**, 455 f. ▪ Ullmann (5.) A **2**, 336. – *[HS 2923 90; CAS 3818-50-6]*

BERANOL®.
Kalthärtende Phenol-Harze zur Herst. von Kernen u. Formen für alle Gußarten. Für Stahlguß u. Pinholes-empfindlichen Grauguß N2-freie, N2-arme Spezialtypen. Die Verw. von regeneriertem Altsand bis zu 100% bei einem Binderanteil von 0,7 – 1,2% wird mit diesen No-Bake-Harzen ermöglicht. *B.:* Ashland-Südchemie-Kernfest GmbH.

Berberil®.
Augentropfen mit *Tetryzolin-Hydrochlorid gegen Bindehautreizung u. -entzündung. *B.:* Mann Berlin.

Berberin (Umbellatin, Berberinium-Hydroxid, 9,10-Dimethoxy-5,8-dihydro-6H-[1,3]dioxolo[4,5-g]isochino[3,2-a]isochinolin-8-ol).

$C_{20}H_{19}NO_5$, M_R 353,37, gelbe Nadeln, Schmp. 147 – 148 °C, Zers. bei ca. 160 °C, in Wasser mit alkal. Reaktion lösl., auch mit 5,5 Mol. Wasser kristallisierend, quarternäre Base, bildet Salze. Zu den *Isochinolin-Alkaloiden gehörender Farbstoff aus *Berberis*- (Berberitzen) u. *Mahonia*-Arten, kommt auch in zahlreichen anderen Pflanzenfamilien vor. Mit B. lassen sich Seide, Baumwolle u. Leder gelb färben. B. wirkt sedativ u. muskelrelaxierend, es ist bakteriostat. (Verw. gegen Cholera) u. fungizid wirksam u. hat als Antimalariamittel, Antipyretikum, bitteres Stomachikum u. Carminativum Verw. gefunden. Derivate des B. haben Antitumor-Aktivität. B. ist tox. für Warmblüter [LD_{50} (Maus i.p.) 24 mg/kg]. Als Pheroberin® bzw. Sutopunin® sind Berberinchlorid bzw. -sulfat im Handel. – *E* berberine – *F* berbérine – *I* = *S* berberina
Lit.: Hager (5.) **4**, 483 ff., 836 ff.; **5**, 745 ff. ▪ Heterocycles **27**, 911 – 916 (1988) (Analytik) ▪ J. Med. Chem. **31**, 1084 (1988) (pharmakolog. Wirkung) ▪ R. D. K. IV.3. B 1 ▪ Ullmann (5.) A **1**, 374 ▪ Sax (8.), Nr. BFN 500 ▪ Schweppe, S. 440 ▪ Tang u. Eisenbrand, Chinese Drugs of Plant Origin, S. 361 – 371, Berlin: Springer 1992 ▪ Wagner, Bladt u. Zgainski, Drogenanalyse, S. 80 ff., Berlin: Springer 1983. – *[HS 2939 90; CAS 2086-83-1]*

Bergamottin s. Bergapten.

Bergamottöl.
Grünlich-gelbes Öl, D^{20} 0,876 – 0,884 von frischem Duft u. süß-fruchtigem Geschmack.
Herst.: Pressen der Schalen unreifer Früchte der Bergamotte (*Citrus aurantium* subsp. *bergamia*), Ausbeute: ca. 0,5%; Herkunft: Calabrien u. Elfenbeinküste.
Zusammensetzung[1]: *p*-Menthadiene (30 – 45%), Linalylacetat (20 – 40%), Linalool (5 – 20%), *Bergapten (≤1%).
Verw.: In der Parfümherst. nach Abtrennung des phototox. Furocumarins *Bergapten (Berloque-Dermatitis), in geringen Mengen zur Aromatisierung von Süß- u. Backwaren, oft in Kombination mit anderen *Citrusölen, sowie schwarzem Tee (Earl-Grey-Tee). – *E* bergamot oil, oil of bergamot – *F* essence de bergamote – *I* olio della bergamotta – *S* esencia de bergamota
Lit.: [1] Perfum. Flavor. **19** (6), 29, 57 (1994); Flavour Fragr. J. **10**, 33 (1995).
allg.: Bauer, Garbe u. Surburg, Common Fragrance and Flavour Materials, S. 146, 2. Aufl., Weinheim: VCH Verlagsges. 1990 ▪ Gildemeister **5**, 553 ▪ Ullmann (5.) A **11**, 222. – *[HS 3301 11; CAS 8007-75-8; 68648-33-9 (Furocumarin-frei)]*

Bergapten (4-Methoxy-7H-furo[3,2-g][1]benzopyran-7-on, 5-Methoxypsoralen).

$R^1 = OCH_3$, $R^2 = H$: Bergapten
$R^1 = OH$, $R^2 = H$: Bergaptol
$R^1 = H$, $R^2 = OCH_3$: Xanthotoxin

Tab.: Daten von Bergapten u. Derivaten.

	Summenformel	M_R	Schmp. [°C]	CAS
Bergapten	$C_{12}H_8O_4$	204,18	188	484-20-8
Bergaptol	$C_{11}H_6O_4$	202,17	277 – 278	486-60-2
Xanthotoxin	$C_{12}H_8O_4$	216,19	148	298-81-7

Bergbau

B. wurde in einer Vielzahl von Pflanzen gefunden, zuerst (1891) im *Bergamottöl. Das photosensibilisierende B. kann auf der Haut eine streifenförmige *Hautbräunung (Berloque-Dermatitis) hervorrufen u. soll daher nicht zur Parfümierung von Sonnenschutzmitteln verwendet werden (vgl. Kontroverse um Bergasol [1]). B. ist der Methylether von *Bergaptol*, ebenfalls ein Bestandteil des Bergamottöls, als Geranylether Bergamottin genannt. *Xanthotoxin ist giftig für wechselwarme Tiere. – *E* bergaptene – *F* bergaptène – *I* bergaptene – *S* bergapteno
Lit.: [1] Science **217**, 733 (1982).
allg.: Beilstein E V **19/6**, 4f. ▪ Hager (5.) **5**, 432ff., 436f., 665f.; **6**, 513f. ▪ J. Soc. Cosmet. Chem. **21**, 695 (1970) ▪ Karrer, Nr. 1369 ▪ Sax (8.), Nr MFN 275 ▪ s. a. Furocumarine u. Xanthotoxin. – [HS 293229]

Bergbau. Summar. Bez. für alle Ind.-Zweige, die sich mit der Auffindung, dem Abbau, der Aufbereitung u. der Verwertung der in der Erde enthaltenen *Rohstoffe befassen. Die eigentliche Rohstoff-Gewinnung spielt sich im Bergwerk ab; hierbei unterscheidet man nach DIN 21918 (08/1980) u. a. Steinkohlen-, Braunkohlen-, Eisenerz-, Erz-, Kali-, Steinsalz-, Kupferschiefer-, Erdöl-, Schwerspat-, Flußspat-, Dachschiefer-Bergwerk, u. zwar jeweils Tagebau- od. Tiefbau-Bergwerke. Eine detaillierte u. gut bebilderte Darst. der B.-Struktur in der BRD findet man im Bergbau-Handbuch sowie bei McGraw-Hill (*Lit.*). Man kann davon ausgehen, daß der Untertage-B. gut 3000 Jahre alt ist, der Tagebau naturgemäß älter. Die Weiterverarbeitung der *Erze spielt sich in *Hütten ab, s.a. Hüttenkunde. – *E* mining industry – *F* industrie minière – *I* industria mineraria – *S* minería, explotación de minas
Lit.: Bischoff, Das kleine Bergbaulexikon (4. Aufl.) Essen: Glückauf 1983 ▪ Das Bergbau-Handbuch (Hrsg.: Naujoks), Essen: Glückauf-Verl. 1976 ▪ Fritzsche, Lehrbuch der Bergbaukunde m. bes. Berücksichtigung des Steinkohlenbergbaus, Berlin: Springer 1983 ▪ McGraw-Hill, Encyclopedia of Science and Technology, S. 547–592, New York: McGraw-Hill Book Company 1977. – *Inst. u. Organisationen:* Bergbau-Museum, 44706 Bochum ▪ Gesellschaft Deutscher Metallhütten- u. Bergleute, 38668 Clausthal-Zellerfeld ▪ Industriegewerkschaft Bergbau u. Energie, 44789 Bochum ▪ Wirtschaftsvereinigung Bergbau, 53044 Bonn.

Bergbausprengmittel s. Wettersprengstoffe.

Berger-Mischung. Nach dem französ. Chemiker Berger benannte *Rauchpulver-Gemische zur Erzeugung von Nebelkerzen u. Rauchbomben. *Hexachlorethan wird mit Zn-, Mg- od. Al-Staub intensiv gemischt u. bildet nach Entzünden intensiven *Rauch des entsprechenden Metallchlorids, ggf. dunkel gefärbt durch Rußpartikel. – *E* Berger's mixture – *F* solution de Berger – *I* miscuglio di Berger – *S* mezcla de Berger
Lit.: Ullmann (4.) **9**, 4f.

Berggold s. Gold.

Bergholz s. Xylotil.

Bergius, Friedrich (1884–1949), Prof. für Physikal. Chemie, Heidelberg. *Arbeitsgebiete:* Hochdruckhydrierung (Kohleverflüssigung, s. Benzin), Holzverzuckerung, Herst. von Phenol aus Chlorbenzol, von Glykol aus Ethylen usw. Chemie-Nobelpreis 1931 (zusammen mit C. *Bosch).
Lit.: Chem. Unserer Zeit **19**, 59f. (1985) ▪ Neufeldt, S. 131f., 173 ▪ Nobel Lectures Chemistry 1922–1941, S. 189–196, 244–279, Amsterdam: Elsevier 1966 ▪ Pötsch, S. 39 ▪ Strube **2**, 73, 152, 165 ▪ Strube et al., S. 118, 121, 185.

Bergkristall s. Quarz.

Bergleder s. Attapulgit u. Sepiolith.

Bergmann, Ernst David (1903–1975), Prof. für Organ. Chemie, Univ. Jerusalem. *Arbeitsgebiete:* Polycycl. Verb., Carcinogene, Steroide, organ. Fluor-Verb., Pseudoaromatizität.
Lit.: Isr. J. Chem. **1**, 323–350 (1963) ▪ Poggendorff **7b/1**, 328–335.

Bergmann, Max (1886–1944), Prof. für Organ. Chemie, Kaiser-Wilhelm-Inst. für Lederforschung, Dresden, Rockefeller Inst., New York. *Arbeitsgebiete:* Peptid-Chemie, Verw. der Benzyloxycarbonyl-Gruppe bei Peptid-Synth., Azlacton-Synth., Kohlenhydrate.
Lit.: Chem. Ber. **102**, I–XXVI (1969) ▪ J. Chem. Soc. **1945**, S. 716ff. ▪ Pötsch, S. 40 ▪ Strube et al., S. 165, 167.

Bergmann-Cyclisierung(-Reaktion) s. Endiine.

Bergström, K. Sune D. (geb. 1916), Prof. für Medizin, Karolinska Inst., Stockholm. *Arbeitsgebiete:* Biochemie, Prostaglandine. 1982 erhielt er zusammen mit B. I. *Samuelsson u. Sir J. R. *Vane den Nobelpreis für Physiologie od. Medizin für die Entdeckung der Prostaglandine u. verwandter biolog. aktiver Substanzen.
Lit.: Pötsch, S. 40.

Bergwohlverleih s. Arnika.

Beri-Beri. Durch Mangel an *Thiamin (Vitamin B_1) hervorgerufene Vitamin-Mangelerkrankung (*Hypovitaminose), die infolge einseitiger Ernährung vorwiegend bei Reis essenden Völkern auftrat. Schwere Mangelerscheinungen kommen heute in den westlichen Ind.-Nationen v. a. bei chron. unterernährten Alkoholikern vor. Das klin. Bild ist gekennzeichnet von Herzschwäche mit Ödemen (sog. *feuchte B.-B.*) u. der Erkrankung von Nerven (Polyneuropathie) u. Gehirn (Enzephalopathie), gelegentlich auch von Psychosen (*trockene B.-B.*). Die Behandlung besteht aus dem Ersatz des fehlenden Vitamins. – *E* beriberi – *F* béribéri – *I* beri-beri – *S* beriberi
Lit.: Friedrich, Handbuch der Vitamine, München: Urban & Schwarzenbeck 1987 ▪ Siegenthaler, Klinische Pathophysiologie, S. 222f., Stuttgart: Thieme 1994.

Beriglobin® S. Ampullen mit gereinigter Gamma-Globulin-Fraktion aus menschlichem Serum bei Antikörpermangel u. zur Prophylaxe von Viruskrankheiten wie Hepatitis, Masern, Röteln, Poliomyelitis, Mumps. *B.:* Behring Therapeutika.

Berkefeld-Filter. An einem Ende offene Hohlzylinder aus gebrannter *Kieselgur zur Abtrennung von Bakterien u. zur Entkeimung von Trinkwasser. Die Flüssigkeiten werden von außen nach innen unter Über- od. Unterdruck filtriert. – *E* Berkefeld filter – *F* filtre Berkefeld – *I* filtro di Berkefeld – *S* filtro de Berkefeld

Berkelium (Symbol Bk). Künstliches, sehr stark radioaktives *Actinoiden-Element, Ordnungszahl 97 (*Transurane). Isotope 240–251 mit HWZ zwischen

3,22 h u. 1380 a. Das bestuntersuchte Isotop ist ^{249}Bk, ein *β-Strahler, (HWZ 314 d). Metall. Bk – bisher nur im μg-Maßstab durch Red. von BkF$_4$ mit Lithium-Dampf erhalten – ist silberweiß u. duktil; es krist. in 2 Modif. (hexagonal. Doppelschichtengitter u. kub. flächenzentriert); D. 14,8 u. 13,3; Schmp. ca. 1000 °C. Es sind einige anorgan. u. metallorgan. Verb. des Bk in den Wertigkeiten +3 u. +4 bekannt, z. B. Oxide, Hydride, Halogenide, Chalkogenide, Salze der Sauerstoffsäuren, Bk(C$_5$H$_5$)$_3$. Bk-Nuklide lagern sich bevorzugt im Skelett ab; als max. zulässige Konz. wird für den menschlichen Körper 0,7 μCi (bzw. 0,4 ng) u. für Wasser bzw. Luft $6 \cdot 10^{-3}$ bzw. $3 \cdot 10^{-10}$ μCi/ml ^{249}Bk angegeben, vgl. *Lit.* [1].
Geschichte: Bk wurde erstmals 1949 von *Seaborg, *Ghiorso u. Thompson durch Beschuß von Americium-241 mit He-Ionen in einem Cyclotron der Universität in Berkeley (Name!) hergestellt: ^{241}Am(α,2n) ^{243}Bk. – *E* = *F* berkelium – *I* berkelio – *S* berquelio, berkelio
Lit.: [1] Naturwiss. Rundsch. **26**, 191–204 (1973).
allg.: Adv. Inorgan. Chem. Radiochem. **84**, 29 (1984) ▪ s. a. Actinoide u. Transurane. – *[HS 2844 40]*

Berk-Sharp-Methode. Verf. zur Kartierung von mRNA auf der sie codierenden *DNA, wenn diese durch nicht-codierende Bereiche (*Introns) unterbrochen ist, wie es für Gene von *Eukaryonten üblich ist. – *E* Berk-Sharp technique – *F* technique de Berk et Sharp – *I* mappaggio di Berk e Sharp – *S* técnica de Berk y Sharp
Lit.: Römpp Lexikon Biotechnologie, S. 106 f.

Berl...®. Anlautender Wortbestandteil für einige Generika-Präp. der Firma Berlin Chemie AG, Glienicker Weg 125, 12489 Berlin.

Berl, Ernst (1877–1946), Prof. für Chem. Technologie, TH Darmstadt, Carnegie-Inst., Pittsburgh, USA. *Arbeitsgebiete:* Bleikammerprozeß, Cellulose-Nitrierung, Adsorption, Aktivkohle, Kunstseide, Sprengstoffe, Erfinder nach ihm benannter Füllkörper.
Lit.: Pötsch, S. 40.

Berliner Blau [Eisen(III)-hexacyanoferrat(II)]. Fe$_4^{III}$[Fe^{II}(CN)$_6$]$_3$, M_R 859,25. Blaues, lichtechtes Pigment, das entsteht, wenn man Lsg. von Fe(III)-Salz u. gelbem *Blutlaugensalz (K$_4$[Fe(CN)$_6$]) zusammengießt, wobei zunächst lösl. KFe^{III}[Fe^{II}(CN)$_6$] entsteht. Gehört zur Gruppe der Eisen-Blaupigmente M^I[Fe^{II}Fe^{III}(CN)$_6$] · x H$_2$O (M^I = Kalium, Ammonium od. Natrium), die techn. durch Oxid. von Fe(II)-Salzen mit Hexacyanoferrat (II) u. anschließende Oxid. mit Chloraten od. Dichromaten erhalten werden. Hierzu gehören auch die unter den alten Namen bekannten Pigmente Pariser Blau, Preußisch Blau, Miloriblau, Turnbulls Blau, Eisenblau, Stahlblau, Chinablau, Bronceblau, Toning blue etc.
Verw.: In Druckfarben, zur Anfärbung von Fungiziden, in der Automobillackierung, zur Buntpapierherst., zur Herst. von Chromgrün (s. Chrom-Pigmente), zur Entfernung von H$_2$S aus Gasen, als hochwirksames *Antidot bei Vergiftungen durch radioaktives Cäsium u. durch Thallium. – *E* iron blue – *F* bleu de Prusse, bleu de Berlin – *I* blu di Prussia (di Berlino) – *S* azul de Prusia, azul de Berlín

Lit.: Beilstein E IV **2**, 70 ▪ Chem. Unserer Zeit **22**, 123–127 (1988) ▪ Gmelin, Syst.-Nr. 59, Fe, Tl. B, 1932, S. 670–723 ▪ Kirk-Othmer (3.) **17**, 826 f. ▪ Ullmann (5.) **A 20**, 326–330 ▪ Winnacker-Küchler (4.) **2**, 197. – *[HS 3206 43; CAS 14038-43-8]*

Berloque-Dermatitis s. Bergapten.

Berl-Sättel. Von *Berl entwickelte, aus Steinzeug od. Porzellan bestehende, sattelförmige *Füllkörper für Destillationskolonnen u. andere Stoffaustauschapparate.

Berniter® Kopfhaut-Gel. Gel mit Steinkohlenteer gegen seborrho. Dermatitis. *B.:* Basotherm.

Bernstein (Succinit). *Summenformel* C$_{10}$H$_{16}$O, M_R 152,24; Sammelname für fossile, über Jahrmio. amorph erstarrte Harze von Nadel- u. Laubbäumen bes. der Tertiärzeit, aber auch anderer Epochen der Erdgeschichte (bis ins Karbon). Rundliche od. stumpf eckige, spröde, durchsichtige bis durchscheinende Körner u. Stücke, H. 2–2,5, D. 1,05–1,1, Bruch muschelig; geruchreil, nicht klebrig, fettglänzend; Farbe hellgelb bis orangegelb, auch rot, grünlich, braun, schwarz od. durch Massen von Bläschen trüb weiß; häufig Einschlüsse („Inklusen") von Insekten u. Pflanzenteilen [1]. Während der Verfestigung der Harzsubstanz verknoten sich die *Fadenmoleküle* der Harzmasse, die man sich in der Art eines Spaghetti-Haufens vorstellen kann, zu einer fest elast. Struktur. B. ist ein kompliziertes Gemisch aus oxidierten Harzsäuren u. Harzalkoholen; er besteht aus etwa 78% C, 9,9% H, 11,7% O, 0,42% S u. 0,2% Asche. Er zersetzt sich bei 370–380 °C ohne zu schmelzen u. brennt mit heller Flamme (Bernstein=Brennstein). B. ist ein elektr. Isolator. Durch Reiben lädt er sich neg. auf (der Wortstamm *elektr...* ist von griech.: elektron = Bernstein abgeleitet).
Vork.: Bitterfeld/Sachsen (Abbau 1993 eingestellt), Lausitz, Golling/Österreich, Klesow/Ukraine. Wirtschaftlich bedeutend sind die Vork. im Ostseeraum im Samland (ehem. Ostpreußen) in der „Blauen Erde" (*Baltischer B.*, Alter 40 Mio. Jahre), in der Dominikan. Republik (*Dominikan. B.*), in Sarawak/Insel Borneo (hier Riesen-B. bis 23 kg Gew.[2]), ferner in Japan, Mexiko u. Nigeria.
Verw.: Zu Schmuck aller Art, zu Ziergegenständen (u. a. Schiffsmodelle bis zu 1 m Größe), zu Rauchgerät (z. B. Pfeifenspitzen); früher auch zu Schmelz-B., B.-Öl (enthält Phenole u. Terpene, riecht balsam.), B.-Lack (Lsg. von B. in Leinöl) u. Imprägniermitteln. B. wurde seit frühester Zeit als Heilmittel gegen Krankheiten angesehen; bereits aus der Steinzeit sind Figürchen u. Amulette aus B. bekannt. B.-Stückchen u. B.-Pulver werden zu *Preßbernstein* (Ambroid) in Stangenform verschweißt. – *E* amber – *F* ambre – *I* ambra – *S* ámber
Lit.: [1] GEO **1994**, Nr. 1, 150–163; Spektrum Wiss. **1996**, Nr. 6, 80–88. [2] Lapis **17**, Nr. 9, 13–23 (1992).
allg.: Erzmetall **48**, 458–462 (1995) ▪ Krumbiegel, Bernstein – Fossile Harze Weltweit (Sonderband 7 der Zeitschrift Fossilien), Korb: Goldschneck-Verl. 1994 ▪ Lapis **17**, Nr. 9, 7–11 (1992) ▪ Stuttg. Beitr. Naturkd., Serie C **1990**, Nr. 28. – *[HS 2530 90]*

Bernsteinsäure (Butandisäure). HOOC–CH$_2$–CH$_2$–COOH, C$_4$H$_6$O$_4$, M_R 118,09. Farblose, stark sauer schmeckende Krist., D. 1,56, Schmp.

185–187 °C, Sdp. 235 °C unter Bildung des Anhydrids. WGK 0, LD_{50} (Ratte oral) 2260 mg/kg, in siedendem Wasser sehr in Alkoholen u. Aceton gut lösl., nicht dagegen in Benzol, Tetrachlorkohlenstoff u. Petrolether. Die Salze u. Ester heißen *Succinate.
Vork.: Als Stoffwechselprodukte innerhalb des *Citronensäure-Cyclus, in vielen Früchten u. Gemüsen, fossilen Harzen (*Bernstein, hieraus 1546 von Agricola durch trockene Dest. isoliert), Hölzern, Braunkohle, Pilzen, Flechten usw.
Herst.: Durch Hydrierung von Maleinsäure, Oxid. von 1,4-Butandiol, Oxo-Synth. von Acetylen od. durch Gärung aus Glucose
Verw.: Zur organ. Synth., Herst. von Alkyd- u. Polyester-Harzen, Weichmachern, Lack-Lsm., Geschmacksstoffen. Die K-, Ca- u. Mg-Salze der B. sind nach dem Lebensmittelrecht als Kochsalz-Ersatz für diätet. Lebensmittel zugelassen. – *E* succinic acid – *F* acide succinique – *I* acido succinico – *S* ácido succínico
Lit.: Beilstein E IV **2**, 1908–1913 ■ Kirk-Othmer **19**, 134–150; (3.) **21**, 848 ■ Ullmann (4.) **10**, 136f.; (5.) **A 8**, 525, 530 ■ Winnacker-Küchler (4.) **6**, 104f. – *[HS 2917 19; CAS 110-15-6]*

Bernsteinsäureanhydrid (Tetrahydrofuran-2,5-dion).

$C_4H_4O_3$, M_R 100,07. Farblose, orthorhomb. Prismen, D. 1,505 (auch 1,23 angegeben), Schmp. 119 °C, Sdp. 261 °C, subl. bei 90 °C (2 hPa), lösl. in Chloroform, Tetrachlormethan, Alkohol, LD_{50} (Ratte oral) 1510 mg/kg, WGK 1 (Selbsteinst.). Herst. durch Erwärmen von Bernsteinsäure mit Acetanhydrid, Phosphoroxidchlorid u. dgl.
Verw.: Zur organ. Synth., Reagenz für Acylierungs- u. Friedel-Crafts-Acylierungs-Reaktionen. – *E* succinic anhydride – *F* anhydride succinique – *I* anidride succinica – *S* anhídrido succínico
Lit.: Beilstein E V **17/1**, 6 ■ Chem. Lett. **1984**, 1791 ■ J. Org. Chem. **48**, 3214 (1983). **50**, 5105 (1985) ■ Kirk-Othmer (3.) **21**, 848f. ■ Synthetica **II**, 33 ■ Ullmann (5.) **A 22**, 457. – *[HS 2917 19; CAS 108-30-5]*

Bernsteinsäure-Dehydrogenase s. Succinat-Dehydrogenase.

Bernsteinsäuredinitril (Succinonitril). $NC-CH_2-CH_2-CN$, $C_4H_4N_2$, M_R 80,09. Geruchfreie, wachsartige Masse, D. 1,02, Schmp. 57 °C, Sdp. 265–267 °C, LD_{50} (Ratte oral) 450 mg/kg, wenig lösl. in Wasser, Benzol u. Alkohol, lösl. in Aceton, Chloroform u. Dioxan.
Herst.: Durch Addition von Cyanwasserstoff an Acrylsäurenitril od. durch Umsetzung von 1,2-Dichlorethan mit Natriumcyanid. Reagenz zur Umwandlung von Carbonsäuren zu Nitrilen; B. darf beim Herstellen od. Behandeln von kosmet. Mitteln nicht verwendet werden (Kosmetik-VO Anlage 1, Nr. 150). – *E* = *F* = *I* succinitrile – *S* succinonitrilo
Lit.: Beilstein E IV **2**, 1923f. ■ J. Org. Chem. **36**, 3050 (1972) ■ Ullmann (4.) **17**, 326f. – *[CAS 110-61-2; G 6.1]*

Bernsteinsäureester. Durch Reaktion von *Bernsteinsäure mit alkohol. Komponenten erhält man saure od. neutrale Ester, die im allg. klare, farblose Flüssigkeiten darstellen u. in organ. Synth., z. B. bei der *Claisen- u. der *Stobbe-Kondensation eingesetzt werden. – *E* = *F* succinates – *I* succinati – *S* succinatos
Lit.: Beilstein E IV **2**, 1913–1921.

Bernsteinsäureimid s. Succinimid.

Berodual®. Dosier-Aerosol, Kapseln u. Inhalations-Lsg. mit *Ipratropiumbromid u. *Fenoterol-Hydrobromid gegen Atemnot bei chron. Atemwegserkrankungen. *B.:* Boehringer-Ingelheim.

Berotec®. Tabl., Lsg., Kapseln, Saft. u. Dosier-Aerosol mit *Fenoterol (ggf. zusammen mit *Bromhexin) gegen Bronchialasthma u. zur Unterstützung der Atmung. *B.:* Boehringer-Ingelheim.

Berry-Mechanismus (BPR) s. Pseudorotation.

Berstscheiben. Sicherheitseinrichtung bei Druckanlagen, besteht aus scheibenförmigen Platten aus ggf. korrosionsfesten Metallen, Graphit od. anderen Materialien, die bei plötzlich im Syst. auftretendem spezifiziertem Überdruck brechen. Sie werden anstelle von od. in Kombination mit Sicherheitsventilen verwendet. – *E* rupture discs – *F* disque claquant, plaque de rupture – *I* dischi fendibili – *S* membranas rompibles, discos de ruptura
Lit.: Explosionsschutz-Richtlinien (ZH 1/10) VDI 3673 „Druckentlastung bei Staubexplosionen" AD-Merkblätter für Druckbehälter (zu erhalten beim Carl Heymanns-Verlag, Köln).

Berthelot, Pierre Eugène Marcelin (1827–1907), Prof. für Chemie, Paris. *Arbeitsgebiete:* Fette, Zucker, synthet. Chemie, Nachw.-Reaktion für *Ammoniak (*Berthelot-Reaktion*, s. a. Urease), Herst. von Acetylen im Lichtbogen, Thermochemie (s. Thomsen-Berthelot-Prinzip), Sprengstoffe (*Berthelotsches Produkt*, s. Explosivstoffe), Chemiegeschichte. Autor von ca. 1800 Arbeiten u. ca. 20 Büchern.
Lit.: Bugge, Das Buch der großen Chemiker, Bd. 2, S. 190–199, 506f., Weinheim: Verl. Chemie 1929 (1961) ■ J. Chem. Educ. **42**, 392f. (1965) ■ Krafft, S. 43f. ■ Neufeldt, S. 29, 31 ■ Pötsch, S. 42 ■ Strube **2**, 14, 21, 73, 118 ■ Strube et al., S. 131 f. ■ Velluz, Vie de Berthelot, Paris: Librairie Plon 1964.

Berthelotsche Gleichung. Analyt. *Zustandsgleichung für reale *Gase mit 2 anpaßbaren Parametern. Sie lautet $p = RT/(V_m - b) - a/TV_m^2$, wobei p der Druck, V_m das *Molvolumen, T die abs. Temp., R die *Gaskonstante, a u. b systemspezif. Parameter sind. Von der *Van-der-Waalsschen Gleichung* unterscheidet sich die B. G. durch das Auftreten von T im Nenner des 2. Terms. Die B. G. beschreibt den Übergang zwischen der gasf. u. der flüssigen Phase wesentlich besser als die *Van-der-Waals-Gleichung. – *E* Berthelot equation – *F* équation de Berthelot – *I* equazione di Berthelot – *S* ecuación de Berthelot

Berthollet, Claude-Louis Graf von (1748–1822), Prof. für Chemie, Paris. *Arbeitsgebiete:* Chem. Verwandtschaft, Ammoniak, Blausäure, Chlorate (verwendete erstmals Kaliumchlorat in Sprengstoffen), Chlorbleiche, Verw. von Kohle zur Wasserreinigung, Massenwirkung.
Lit.: Bugge, Das Buch der großen Chemiker, Bd. 1, S. 342–349, Bd. 2, S. 487, Weinheim: Verl. Chemie 1929 (1961) ■ Krafft, S. 44f. ■ Pötsch, S. 42 ■ Strube **2**, 24f. ■ Strube et al., S. 65 f.

Berthollide. Nach *Berthollet benannte, nach IUPAC-Regel I-6.1.2 nicht mehr empfohlene Bez. für *nichtstöchiometrische Verbindungen (*Beisp.*: Substitutions-, Einlagerungs- u. *intermetallische Verbindungen, *Mischkristalle, *Halbleiter). Punktlagen in einer ungestörten *Kristallstruktur werden z.B. mit □, interstitielle Lagen mit △ angegeben. Die Formel für α-AgI, bei dem sich die Ag^+-Ionen sowohl auf Kationenlagen als auch auf interstitiellen Lagen befinden, lautet daher (Ag|□,△)I. – *E* berthollides – *F* berthollide – *I* bertollidi – *S* bertólidos

Bertrandit. $Be_4[(OH)_2/Si_2O_7]$ od. $4 BeO \cdot 2 SiO_2 \cdot H_2O$; zu den Soro-*Silicaten gehörendes *Beryllium-Mineral. Glasglänzende, z.T. wasserklare, farblose od. weiße bis hellgelbe, rhomb. Krist., Krist.-Klasse mm2-C_{2v}; Struktur s. *Lit.*[1,2]; H. 6,5–7, D. 2,6.
Vork.: In *Pegmatiten, z.B. Bayer. Wald, Colorado u. Maine/USA; B. in hydrothermal umgewandelten *Tuffen in Utah ist Hauptrohstoff für Be in den USA. – *E* = *F* = *I* bertrandite – *S* bertrandita
Lit.: [1] Am. Mineral. **72**, 979–983 (1987). [2] Neues Jahrb. Mineral. Monatsh. **1992**, 13–19.
allg.: Harben u. Bates, Industrial Minerals, Geology and World Occurrence, S. 27–30, London: Industrial Minerals Division of Metal Bulletin Plc 1990 ▪ Lapis **14**, Nr. 5, 6–9 (1989) ▪ Ramdohr-Strunz, S. 690 ▪ Ullmann (5.) **A 4**, 16, 18 f. – *[HS 2617 90; CAS 12161-82-9]*

Berührungsgifte s. Kontaktgifte.

Berührungskorrosion. Nach DIN 50900, Tl. 1 (04/1982) ist B. od. *Korrosion unter Ablagerungen* eine „örtliche *Korrosion bei Berührung mit einem Fremdkörper. Die Korrosionsart kann hierbei entweder eine *Spaltkorrosion* (Berührung mit einem elektr. nichtleitenden Festkörper), eine *Kontaktkorrosion* (Berührung mit elektronenleitendem Festkörper) od. eine Korrosion durch unterschiedliche Belüftung sein". Spalt- u. Kontaktkorrosion wurden früher oft als Belagkorrosion zusammen betrachtet. – *E* contact corrosion – *F* corrosion par contact – *I* corrosione di contatto – *S* corrosión por contacto

Berufe in der Chemie s. Chemie-Berufe.

Berufsfachschulen für Chemie s. Chemie-Berufe.

Berufsgenossenschaft der chemischen Industrie (BG Chemie). 1885 gegr. Träger der gesetzlichen Unfallversicherung mit Sitz in 69115 Heidelberg, Kurfürsten-Anlage 62. Mitglieder sind die Unternehmen der chem. Ind., der Kunststoff-, Gummi-, Lack-, Farben-, Sprengstoff-, pharmazeut. u. kosmet. Ind. sowie der Kernchemie; ihr gehören mehr als 11000 Betriebe mit ca. 1 Mio. Beschäftigten an, seit 1953 gleichberechtigte Selbstverwaltung durch Arbeitgeber u. Versicherte der Mitgliedsbetriebe.
Aufgaben: Verhütung von Arbeitsunfällen u. Berufskrankheiten, insbes. durch Erlaß von *Unfallverhütungsvorschriften, Beratung u. Überwachung der Mitgliedsbetriebe durch einen Techn. Aufsichtsdienst, Ausbildung zur *Arbeitssicherheit u. im Versicherungsfall umfassende medizin. u. berufliche Rehabilitation u. Unfallentschädigung.
Publikationsorgane: Sichere Chemiearbeit (Z.) u. Jahresbericht, Toxikol. Bewertungen von Arbeitsstoffen, Merkblätter zur Arbeitssicherheitsfrage u. v. a.

Berufsgenossenschaften. Die gesetzliche Unfallversicherung gliedert sich in die 34 gewerblichen B. u. in die See-B., zuständig für alle Betriebe der gewerblichen Wirtschaft; die 19 landwirtschaftlichen B., zuständig für alle landwirtschaftlichen Betriebe u. Betriebe des Gartenbaus; die Eigenunfallversicherungsträger des Bundes, der Länder u. der Gemeinden, zuständig für alle Betriebe u. Verwaltungen der öffentlichen Hand, für Schüler u. Studenten, Angehörige der Bundeswehr, des Bundesgrenzschutzes u. der Polizei. Die gewerblichen B. sind Träger der Unfallversicherung für die gewerbliche Wirtschaft (ca. 2,6 Mio. Unternehmen mit über 39 Mio. Versicherten). Sie sind Körperschaften des öffentlichen Rechts, verwalten sich selbst u. unterstehen der Aufsicht des Staates. Die Organe der Selbstverwaltung sind Vertreterversammlung u. Vorstand. Sie setzen sich parität. – je zur Hälfte – aus Vertretern der Versicherten u. der Arbeitgeber zusammen, bei den landwirtschaftlichen B. je zu einem Drittel aus Vertretern der Versicherten, der Arbeitgeber u. der Selbständigen ohne fremde Arbeitskräfte. Gesetzliche Grundlage der Unfallversicherung ist das Sozialgesetzbuch (SGB) u. die Reichsversicherungsordnung (RVO; §§ 537 ff.). Jeder auf Grund eines Arbeits-, Dienst- od. Ausbildungsverhältnisses Beschäftigte ist Kraft Gesetzes gegen die Folgen von Arbeitsunfällen u. Berufskrankheiten versichert. Die Mittel zur Deckung der Aufwendung der B. werden von den Unternehmern aufgebracht. Die Arbeitnehmer zahlen keinen Beitrag. Die B. haben die gesetzliche Verpflichtung, mit den geeigneten Mitteln für die *Verhütung von Arbeitsunfällen* u. *Berufskrankheiten* sowie eine wirksame Erste Hilfe zu sorgen. Hierzu haben sie durch techn. Aufsichtsbeamte die Durchführung der Unfallverhütung auf der Rechtsgrundlage von *Unfallverhütungsvorschriften* (UVV) zu überwachen u. die Unternehmer zu beraten. Weitere Aufgaben der B. sind: Leistungen zur *Rehabilitation* der Unfallverletzten u. der Berufserkrankten, z. B. durch medizin. Leistungen (Heilbehandlung) od. berufsfördernde Leistungen (Berufshilfe) sowie Entschädigung für Unfallfolgen durch Geldleistungen. Die Ausbildung bzw. Schulung der in den Mitgliedsfirmen mit der Durchführung der Unfallverhütung betrauten Personen erfolgt in Ausbildungslehrgängen.
Die B. der chem. Ind. wurde neben weiteren gewerblichen B. 1885 gegründet. Zur Zeit beläuft sich die Zahl der Mitgliedsunternehmen auf über 11 000 u. die Zahl der Versicherten auf über 1 000 000.
Die BG Chemie gliedert sich in:
– die Hauptverwaltung mit Sitz in Heidelberg
– die Bezirksverwaltungen mit Sitz in Berlin, Frankfurt/Main, Halle, Hamburg, Heidelberg, Köln, Nürnberg u.
– den Bereich Prävention mit Dienstsitzen wie die Bezirksverwaltungen. – *E* employers' liability insurance association – *F* associations professionelles d'assurance accident, caisses mutuelles d'assurance accident – *I* cooperative professionali – *S* asociaciones para la prevencion y el seguro de accidentes del trabajo, mutuas de accidentes
Lit.: Merkblatt A 007 (9/95) der BG Chemie.

Berufsgenossenschaftliches Institut für Arbeitssicherheit. Das B. I. f. A. (BIA) ist eine Einrichtung des Hauptverbandes der gewerblichen Berufsgenossenschaften. Das BIA forscht, prüft u. berät v. a. auf den Gebieten Gefahrstoffe, Lärm, Vibration u. sonstige physikal. Einwirkungen, persönliche Schutzausrüstungen, techn. Arbeitsmittel u. Ergonomie. Gemeinsam mit den Berufsgenossenschaften betreibt das BIA ein Dokumentationssyst., das Expositionsdaten von Arbeitsplätzen enthält.

Berufskrankheiten. Als B. werden Erkrankungen bezeichnet, die nach den Erkenntnissen der medizin. Wissenschaft durch bes. berufliche Einwirkungen entstanden sind, denen bestimmte Personengruppen in erheblich höherem Maße als die Bevölkerung ausgesetzt sind. Die B.-Liste als Anlage zur B.-VO (BeKV) umfaßt z. Z. 64 B. mit unterschiedlichen Voraussetzungen hinsichtlich Einwirkung, Tätigkeit, Erkrankungsbild u. gegebenfalls weiteren versicherungsrechtlichen Bestimmungen, nach denen der Versicherte zur Aufgabe der gefährdenden Tätigkeit gezwungen werden muß. Dabei handelt es sich um durch chem. u. physikal. Einwirkungen, od. durch Infektionsträger od. Parasiten verursachte Krankheiten sowie Tropenkrankheiten, um Erkrankungen der Atemwege u. der Lungen, des Rippenfells u. des Bauchfells u. um Hautkrankheiten. Jede B., die den Versicherten mehr als drei Tage arbeitsunfähig macht od. tödlich verlaufen ist, muß vom Unternehmer dem Unfallversicherungsträger auf einem vorgeschriebenen Anzeigevordruck gemeldet werden. Neben der Anzeigepflicht des Unternehmens hat auch der Arzt Anzeige zu erstatten, wenn er begründeten Verdacht hat, daß eine B. vorliegt. – *E* occupational disease – *F* maladies professionelles – *I* malattie professionali – *S* enfermedades profesionales
Lit.: Berufskrankheiten-VO vom 20.06.1968 (BGBl. I, S. 721), zuletzt geändert am 22.03.1988 (BGBl. I, S. 400).

Beruhigter Stahl. *Stahl gilt als beruhigt, wenn bei seiner Erstarrung kein CO gebildet wird, dessen Ausgasung zu einem Kochen (starke Bewegung) der Schmelze führt. Nach dem *Frischen des *Roheisens weist die Rohstahlschmelze einen vergleichsweise hohen Gehalt an Sauerstoff auf, der durch nachfolgende *Desoxidation (s. Ferromangan) zum großen Teil abgebunden wird u. in die Schlacke geht. Ein geringer Anteil an Sauerstoff verbleibt allerdings noch als FeO in der Schmelze u. reagiert beim Erstarren mit dem gelösten C zu CO um u. verursacht dadurch den Koch-Effekt. Zur Beruhigung (Unterdrückung dieses Effekts) setzt man Si (in Form von *Ferrosilicium) bis ca. 0,3% zu, da es sich aufgrund seiner hohen Sauerstoff-Affinität mit FeO zu SiO_2 umsetzt u. damit den Sauerstoff abbindet. Das Siliciumdioxid geht überwiegend in die Schlacke. Ein zusätzliches Legieren mit bis ca. 0,05% Al (doppelt b. S.) führt zum einen zum Abbinden von noch vorhandenem Restsauerstoff, zum anderen auch zum Abbinden des in der Schmelze gelösten Stickstoffs. Letzterer ist verantwortlich für die Zeit- u. Temp.-abhängige *Alterungsversprödung von (unberuhigtem) Stahl nach Kaltverformungsvorgängen. – *E* killed steel – *F* acier calmé – *I* acciaio calmato – *S* acero calmado, acero desoxidado

Beryll. $Be_3Al_2[Si_6O_{18}]$ bzw. $3BeO \cdot Al_2O_3 \cdot SiO_2$; zu den Cyclo-*Silicaten gehörendes hexagonales Mineral, Krist.-Klasse $6/mmm$-D_{6h}. Struktur^{1,2} mit offenen Kanälen, in die Wassermol. sowie Alkalien^3, v. a. Na u. Cs, eintreten können. Be^{2+} kann z. T. durch Li^+ ersetzt sein, Al^{3+} u. a. durch Fe, Cr^{3+}, V^{3+} (*Vanadium-B.*, smaragdgrün) u. Ti. Untersuchungen von B. mit IR-Spektroskopie s. *Lit.*^{4}. B. bildet hexagonale, durchsichtige bis durchscheinende, glasglänzende, zuweilen riesige Krist., H. 7,5–8, D. 2,6–2,8. Man unterscheidet den *Gemeinen Beryll* (matt, trüb grünlich, gelblich od. weißlichgrau) von den mit Ausnahme des farblosen *Goshenits* schön gefärbten Edel-B.^{5} *Aquamarin, *Smaragd, Heliodor bzw. Gold-B. (leuchtend gelb bis grünlichgelb) u. *Morganit* (rosa bis rosarot durch Mn; enthält ferner Cs, Li u. Na); in Utah/USA werden durch Mn^{3+} himbeerrote B. (*Roter B.*) gefunden^6.
Vork.: Überwiegend in *Pegmatiten, z.B. Bayer. Wald, Südnorwegen, USA; Hauptförderländer sind Rußland, Kasachstan, die Ukraine (hier auch Gold-B.) u. Brasilien. Die Edel-B. kommen vorwiegend aus Brasilien, Madagaskar, Pakistan u. Kolumbien.
Verw.: Als Ausgangsmaterial für die Herst. von *Beryllium, als Edelsteine, als Bauelement für Laser, Maser u. dergleichen. – *E* beryl – *F* béryl – *I* berillo – *S* berilo
Lit.: ^{1}Am. Mineral. **78**, 762–768 (1993). ^{2}Am. Mineral. **73**, 826–837 (1988). ^{3}Can. Mineral. **29**, 271–285 (1991). ^{4}Can. Mineral. **32**, 55–68 (1994). ^{5}Lapis **15**, Nr. 3, 11–15 (1990). ^{6}Gemmologie (Z. Dt. Gemmol. Ges.) **44**, Nr. 2/3, 55–60 (1995).
allg.: Deer, Howie u. Zussman, Rock-Forming Minerals (2.), Vol. 1 B, Disilicates and Ring Silicates, S. 372–409, Harlow (England): Longman Scientific & Technical 1986 ▪ Eppler, Praktische Gemmologie (5.), S. 154–207, Stuttgart: Rühle-Diebener 1994 ▪ Lapis **3**, Nr. 4, 4–17 (1978) ▪ Ramdohr-Strunz, S. 705 ff. – *[HS 2617 90; CAS 1302-52-9]*

Beryllate. Salze der Berylliumsäure der Formel $M^I_2[Be(OH)_4]$ od. $M^I_2BeO_2$ (M^I = einwertiges Metall). Die B. entstehen beim Auflösen von Berylliumhydroxid in starken Alkalien. – *E* beryllates – *F* béryllates – *I* berillati – *S* berilatos

Beryllide. *Intermetallische Verbindungen von Be mit hochschmelzenden Übergangselementen (Ta, Hf, Nb, W, Ti, Cr, Mo, Zr u. dgl.). Die durch *Pulvermetallurgie hergestellten B. zeichnen sich aus durch hohe Oxidationsbeständigkeit u. gute mechan. Festigkeit bei hohen Temp. (z. T. bis 1650 °C), gute therm. Leitfähigkeit u. niedrige Dichte u. sind als Hochtemp.-Werkstoffe geeignet. – *E* beryllides – *F* Béryllide – *I* berillidi – *S* beriluros, beriliuros
Lit.: Kirk-Othmer (3.) **3**, 825 f. ▪ Ullmann (4.) **8**, 455 f.; (5.) A **4**, 27 f.

Beryllium. Metall. Element, chem. Symbol Be, Ordnungszahl 4, Atomgew. 9,01218 (anisotopes Element). Außerdem sind noch künstliche Isotope ^6Be-^8Be, ^{10}Be-^{12}Be mit HWZ zwischen $2 \cdot 10^{-16}$ s u. $2,5 \cdot 10^6$ a bekannt. Auf dem Zerfall des ^{10}Be läßt sich eine Meth. zur Altersbestimmung von Sedimentgesteinen aufbauen. Be ist ein silberweißes, glänzendes, leicht oxidierbares, hexagonal krist., hartes Metall (H. 6–7), das infolge hoher Sprödigkeit bei gewöhnlicher Temp. nur schwer verarbeitbar, allerdings bei Rotglut dehnbar ist; D. 1,848 (Leichtmetall), Schmp. 1285±5 °C, Sdp. 2970 °C. Entsprechend seiner Stellung in der 2. Hauptgruppe des *Periodensystems ist Be stets 2-wertig, ähnelt in seinen chem. Reaktionen jedoch aufgrund der Schrägbeziehung mehr dem Aluminium. Von kaltem u. heißem Wasser wird Be nicht verändert, es widersteht auch konz. kalter Salpetersäure, dagegen wird es von Salzsäure ähnlich wie Mg schnell aufgelöst. Laugen lösen Be zu amphoterem Be(OH)$_2$, das z. B. mit NaOH in Natriumberyllat übergeht.

Physiologie: Be u. seine Verb. sind stark tox. u. stehen in der MAK-Liste unter A 2 der im Tierversuch krebserzeugenden Arbeitsstoffe. Der TRK-Wert berechnet als Be im Gesamtstaub liegt bei 0,002 mg/m^3, für das Schleifen von Be-Metall u. -Leg. bei 0,005 mg/m^3. Be u. seine Verb. führen in Form von Staub u. Dämpfen zu schweren irreversiblen Lungenschäden (sog. Berylliosis), häufig mit tödlichem Ausgang. Haut u. Schleimhäute werden stark angegriffen, chron. Exposition verursacht Leberschäden u. Milzvergrößerung, nach längerer Zeit – die Latenzzeit kann bis zu 30 a dauern, da Be vom Organismus nicht ausgeschieden wird – kann es zu Granulomatosen kommen.

Nachw.: Be wird als Berylliumhydroxid (durch Fällung mit Ammoniak) bestimmt, nachdem störende Ionen mit 8-Chinolinol entfernt od. durch Ethylendiamintetraessigsäure maskiert worden sind. Zur photometr. Bestimmung eignen sich Komplexe mit 2,4-Pentandion, Morin, Thorin, Aluminon, Chromazurol u. Chinalizarin, s. *Lit.* [1].

Vork.: Be ist ein seltenes Element, sein Anteil an der obersten Erdkruste beträgt nur etwa 0,006%. Infolge seines unedlen Charakters kommt es in der Natur nur in Form von Verb. vor. Wichtigstes Be-Mineral ist der *Beryll, der Ausgangsmaterial für die Gewinnung von metall. Be ist. Die Weltförderung 1994 dürfte sich nach World Mineral Statistics 1990–1994, Nottingham: Keyworth 1995, auf rund 7000 t, ausgedrückt in Beryll-Einheiten mit 11% BeO, belaufen haben; davon entfallen 4330 t auf die USA, 1400 t auf China, 850 t auf Brasilien u. 800 t auf Rußland (letzte drei Werte geschätzt).

Herst.: Die Be-Mineralien werden über komplexe Fluoride od. über Sulfate aufgeschlossen u. hieraus Be(OH)$_2$ hergestellt. Nach Überführung in BeCl$_2$ bzw. BeF$_2$ wird reines Be durch Elektrolyse bzw. Red. mit Magnesium gewonnen.

Verw.: Be wird hauptsächlich (70–80%) zur Herst. von *Berylliumbronzen* (Leg. mit Cu) mit 0,5 bis 2% Be eingesetzt, aufgrund ihrer guten elektr. u. therm. Leitfähigkeit z.B. in der Elektrotechnik. Weitere 10 bis 15% finden als Rein-Be u. Be-Basisleg. Verw. (s.a. Beryllide). Reines Be-Metall gibt Röntgenfenster, die Röntgenstrahlen etwa 17mal so stark durchtreten lassen wie Aluminium. Be kann an Stelle von Graphit od. D$_2$O als Moderator verwendet werden, denn unter dem Einfluß von α-Strahlen werden aus Be Neutronen freigesetzt: $^9_4\text{Be}(\alpha,n)^{12}_6\text{C}$. Über die v.a. wegen hoher gewichtsbezogener Elastizitätsmodule u. hoher Zugfestigkeit vielfältige Verw. von Be u. -Leg. sowie von Be-Oxidkeramik in der Luft- u. Raumfahrt s. *Lit.*[2]. 6–8% des produzierten Be werden als BeO für oxidkeram. Werkstoffe eingesetzt.

Geschichte: Berylliumoxid (BeO) wurde 1798 von Vauquelin aus *Beryll (Name!), das Be selbst 1828 von Wöhler u. unabhängig davon gleichzeitig von Bussy hergestellt. Letzterer nannte das Element wegen des süßen Geschmacks einiger Be-Salze *Glucinium*, u. dieser Name war bis 1957 in Frankreich offiziell. Lebeau gewann 1899 Be durch Elektrolyse von Be-Na-Doppelfluorid. – *E* beryllium – *F* béryllium – *I* berillio – *S* berilio

Lit.: [1] Fries-Getrost, S. 48–55. [2] Metall **42**, 810ff. (1988). allg.: Brauer (3.) **2**, 890–900 ▪ Braun-Dönhardt (3.), S. 74 ▪ Büchner et al., S. 241 f. ▪ Comm. Eur. Communities, [Rep.] EUR (1993), EUR 14990, 13–22 ▪ Gmelin, Syst.-Nr. 26, Be, 1930, Suppl. Vol. A 1, 1986, Suppl. Vol. A 2, 1991 ▪ Hommel, Nr. 232 ▪ Kirk-Othmer (4.) **3**, 126–146 ▪ Ullmann (5.) **A 4**, 11–33 ▪ Winnacker-Küchler (4.) **4**, 534–538. – [HS 8112 11–19; CAS 7440-41-7]

Beryllium-Verbindungen. Die im allg. techn. wenig bedeutenden B.-V. schmecken süß u. sind giftig (Geschichte u. Physiologie vgl. Beryllium). (a) *Berylliumchlorid*, BeCl$_2$, M$_R$ 79,92. Farblose, zerfließende Krist., D. 1,90, Schmp. 405 °C, Sdp. 482 °C, leicht lösl. in Wasser u. Alkohol u. a. organ. Lsm., wird zur Herst. von Be u. als Katalysator (wie AlCl$_3$) gebraucht. – (b) *Berylliumfluorid*, BeF$_2$, M$_R$ 47,01, glasartige, hygroskop. Masse, D. 1,986, Schmp. 555 °C, in Wasser sehr leicht löslich. Wird zur Herst. von Be, Gläsern, in der Reaktortechnik verwendet. – (c) *Berylliumhydroxid*, Be(OH)$_2$, M$_R$ 43,03, entsteht, wenn Basen zu Be-Salz-Lsg. gegeben werden, als farbloser Niederschlag. – (d) *Beryllium-Leg.* s. Beryllide u. Beryllium. – (e) *Berylliumnitrat*, Be(NO$_3$)$_2$ · 3 H$_2$O, M$_R$ 133,02. Farbloses, sehr leicht lösl., zerfließendes, sauer reagierendes Salz, Schmp. 60 °C, wird in Gas- u. Acetylen-Lampen verwendet. – (f) *Beryllium-organ. Verb.:* Ähnlich wie Al, Mg etc. bildet auch Be Alkyl- u. Aryl-Derivate; diese sind zur Bildung von *at-Komplexen befähigt, die wiederum katalyt. Eigenschaften besitzen können. Einige Verb. können unzersetzt destilliert werden u. dienen als Zwischenprodukt zur Reinigung von Beryllium. Genannt seien das *Berylliumbis-pentan-2,4-dionat* (Schmp. 108 °C, Sdp. 270 °C) u. das bas. *Berylliumacetat* Be$_4$O(O-CO-CH$_3$) (Schmp. 280 °C, Sdp. 331 °C). – (g) *Berylliumoxid*, BeO, M$_R$ 25,01. Farbloses, unlösl. Pulver, entsteht beim Glühen von Berylliumhydroxid, Berylliumsulfat u. dgl. BeO schmilzt erst bei 2530 °C, es wird wegen seiner guten Wärmeleitfähigkeit bei gleichzeitig hohem elektr. Widerstand zur Herst. von Flugzeugzündkerzen, Tiegeln, Kokillen, Isoliermaterial für Radarröhren, zur Herst. von Fluoreszenzlampen (hohe Lichtausbeute) u. bes. in der Elektronik eingesetzt. BeO ist auch als Moderator in Kernreaktoren verwendbar. – (h) *Berylliumsulfat*, BeSO$_4$ · 4 H$_2$O, M$_R$ 177,14, D. 1,17. Farbloses, in heißem Wasser lösl. Salz, entsteht, wenn man Be(OH)$_2$ in verd. Schwefelsäure löst. – *E* beryllium compounds – *F* composés de beryllium – *I* composti di berillio – *S* compuestos de berilio

Lit. (zu f.): Gmelin, Syst.-Nr. 26, Be, Organoberyllium Compounds, Part 1, 1987 ▪ Houben-Weyl **13/2 a**, 1–45 ▪ Kirk-Othmer (4.) **4**, 147–153 ▪ Ullmann (5.) **A 4**, 26ff. – (zu g.): Winnacker-Küchler (4.) **3**, 197 f. ▪ s.a. Beryllium. – [CAS 7787-47-5 (a); 7787-49-7 (b); 13327-32-7 (c); 13516-48-0 (e); 19049-40-2 (Be$_4$O(O-CO-CH$_3$); 1304-56-9 (g); 7787-56-6 (h)]

Berzelius, Jöns Jacob Freiherr von (1779–1848), Prof. für Chemie, Stockholm. *Arbeitsgebiete:* Atomgewichtsbestimmung, Tab. der Atomgew. mit Sauerstoff als Bezugselement (O = 100), Begründung der Elementaranalyse, Entdeckung von Selen, Silicium, Thorium, Zirkonium, Aufstellung einer dualist. elektrochem. Theorie u. des Isomeriebegriffs, Isolierung der Fleischmilchsäure (1808), des Caseins u. Fibrins (1812), Einführung der heutigen chem. Zeichensprache u. des Begriffs der „Organ. Chemie".
Lit.: Bugge, Das Buch der großen Chemiker, Bd. 1, S. 428–449, Weinheim: Verl. Chemie 1929 (1961) ▪ Jorpes, J. J. Berzelius, Berkeley: Univ. of California Press 1970 ▪ Krafft, S. 45 f. ▪ Neufeldt, S. 3, 4, 6, 9, 12, 16, 17, 21, 26, 33, 34 ▪ Pötsch, S. 45 ▪ Strube **2**, 22, 33 ff., 39 ff., 94 ff. ▪ Strube et al., S. 79, 81, 82, 84 ff. ▪ Szabadvary, History of Analytical Chemistry, S. 114–160, Oxford: Pergamon 1966.

BES. Abk. für die als Puffersubstanz verwendete *N,N*-Bis(2-hydroxyethyl)-2-aminoethansulfonsäure,

$$HO_3S-CH_2-CH_2-N\begin{matrix}CH_2-CH_2-OH\\CH_2-CH_2-OH\end{matrix}$$

$C_6H_{15}NO_5S$, M_R 213,25, Schmp. 152–156 °C.
Lit.: Beilstein E IV **4**, 3290 ▪ Biochemistry **5**, 467 (1966) ▪ J. Chromatogr. **545**, 391 (1991). – *[CAS 10191-18-1]*

Beschäftigungsverbote u. -beschränkungen. Zum Schutz bestimmter Personengruppen, für die bes., über den normalen Arbeitsschutz hinausgehende Maßnahmen erforderlich sind, werden Beschäftigungsverbote u. -beschränkungen erlassen. § 15 b GefStoffV, Mutterschutz- u. Jugendarbeitsschutzgesetz regeln für diese Personengruppen Beschäftigungsbeschränkungen bzw. -verbote. Aber auch einzelne Unfallverhütungsvorschriften enthalten hierzu Angaben. – *E* interdiction and restriction of occupation
Lit.: GefStoffV vom 26.10.1993 (BGBl. I, S. 1782), zuletzt geändert durch die Zweite VO zur Änderung der GefStoffV vom 19.09.1994 (BGBl. I, S. 2557) ▪ Jugendarbeitsschutzgesetz vom 12.4.1976 (BGBl. I, S. 965), geändert durch Gesetz vom 24.4.1986 (BGBl. I, S. 560) ▪ Mutterschutzgesetz vom 18.4.1968 (BGBl, I, S. 315), zuletzt geändert durch Gesetz vom 6.12.1985 (BGBl. I, S. 2154).

Beschichtung. Nach DIN 8580 (07/1985) versteht man unter *Beschichten* ein Fertigungsverf. zum Aufbringen einer fest haftenden Schicht aus formlosem Stoff auf ein Werkstück od. eine Trägerbahn, wobei für die Zuordnung der vor der B. herrschende Zustand des B.-Stoffes maßgebend ist. Dementsprechend kann man 4 Gruppen von – im allg. in Einzelstichwörtern ausführlicher behandelten – B.-Verf. unterscheiden: 1. B. aus dem gasf. od. dampfförmigen Zustand (Aufdampfen, Metallisierung, Kunststoffmetallisierung); 2. B. aus dem flüssigen, breiigen od. pastenförmigen Zustand (Anstreichen, Streichen, Lackieren, Dispersions- od. Schmelzbeschichten, durch Extrudieren, Gießen, Tauchen, als Hotmelts); 3. B. aus dem ionisierten Zustand durch elektrolyt. od. chem. Abscheiden (Galvanotechnik, Eloxal-Verf., elektrophoret. Lackierung, Chemiephorese); 4. B. aus dem festen, d. h. körnigen od. pulvrigen Zustand (Pulverbeschichtung, Flammspritzverf., B. durch Sintern), vgl. *Lit.*[1]. Nicht zur B., sondern zum Kaschieren zählen Verf., nach welchen ausgeformte flächige Gebilde wie Folien, Furniere auf Träger od. Werkstücke aufgebracht werden.
Als B.-Materialien für 1. verwendet man reine Stoffe od. Verb., aus denen diese z. B. durch Pyrolyse frei werden (CVD = chemical vapor deposition), meist Metalle od. Metall-Verb., wie beim Aufwachsverf. od. der B. durch Diffusion. Für 2. kommen zahlreiche Materialien in Frage, insbes. natürliche (Kautschuk) u. synthet. Polymere (Kunststoffe), die in Form von Schmelzen, organ. Lsg., Organosolen, Plastisolen od. wäss. Dispersionen, Anstrichstoffen (z. B. Lacke, Klebstoffen) aufgebracht werden. Verf. nach 3. verlangen organ. od. wäss. Lsg. von Salzen u. a. leitfähigen Stoffen, die für galvan. od. elektrophoret. Verf. geeignet sind. Von Bedeutung ist diese Arbeitsweise auch für das Phosphatieren u.a. Verf. des Korrosionsschutzes (Metallschutz) u. für die Kunststoffgalvanisierung. Zu Verf. nach 4. benutzt man Pulver von Polymeren, keram. Massen, Metallen, Wachsen usw., wobei die Pulverbeschichtung häufig in der Wirbelschicht (Wirbelsintern) durchgeführt wird. Auch die elektrostat. B. von Metallen mit Kunststoffen ist bekannt. Zur Theorie der Filmbildung bei der B. mit Kunststoff-Pulver s. *Lit.*[2]. Im Hinblick auf den Umweltschutz geht der Trend bei B. immer mehr zu Syst. ohne organ. Lösungsmittel. – *E* coating – *F* enduction, enduit, revêtement – *I* spalmatura – *S* recubrimiento, revestimiento
Lit.: [1] J. Coating Technol. **59**, 49–55 (1987). [2] Plaste Kautsch. **24**, 135–142 (1977).
allg.: Bunshah, Metallurgical Coatings (2 Bd.), Lausanne: Elsevier Sequoia 1979 ▪ Carter u. Shreir, Metallic Coatings for Corrosion Control, London: Butterworth 1977 ▪ Dickie u. Floyd, Polymeric Materials for Corrosion Control, Washington DC: Amer. Chem. Soc. 1986 ▪ Holmes u. Rahmel, Materials and Coatings to Resist High Temperature Corrosion, Barking: Appl. Sci. Publ. 1978 ▪ Kirk-Othmer (3.) **6**, 386–481 ▪ Kittel, Lehrbuch der Lacke u. Beschichtungen (8 Bd.), Berlin: W. A. Colomb 1971–1980 ▪ Lambourne, Paint and Surface Coatings, New York: Wiley 1986 ▪ McKetta **9**, 398–452 ▪ Ranney, Specialized Curing Methods for Coatings and Plastics 1977, Park Ridge: Noyes 1977 ▪ Ross, Handbook of Metal Treatments and Coatings, London: Chapman & Hall 1977 ▪ Winnacker-Küchler (4.) **4**, 657–712; **6**, 735 ff., 792 ff., 805 f. – *Serien u. Zeitschriften:* Coatings Technology Annual (Hrsg.: Gillies), Park Ridge: Noyes (seit 1978) ▪ Progress in Organic Coatings, Lausanne: Elsevier Sequoia (seit 1971).

Beschlagverhinderungsmittel (Klarsichtmittel). Bez. für chem. Präp., die das Beschlagen von Autofenstern, Wohnungs- u. Schaufenstern, Brillengläsern, Gewächshausabdeckungen u. dgl. aus Glas od. transparenten Kunststoffen vorübergehend einschränken. Externe B. enthalten entweder eine Grundmasse aus *Tensiden, in der ein hygroskop. Stoff (z. B. *Glycerin od. *Glykole) verteilt ist, *Polyglykole od. Siliconöle in niedrigen Konz. in organ. Lösungsmitteln. Für Kraftfahrzeuge sind B. als imprägnierte Tücher od. in flüssiger u. Sprayform im Handel. In Verpackungsfolien aus Weich-PVC werden interne B. bereits bei der Herst. eingearbeitet. – *E* antifogging agents – *F* agents antibuée – *I* agente antiappannante – *S* antiempañantes

Beschleuniger. Fachsprachlich in unspezif. Weise gebrauchter Begriff z. B. für *Aktivatoren, die bei der *Härtung von Kunststoffen, der *Vulkanisation von *Kautschuk, als *Initiatoren bei der *Polymerisation, als Promotoren bei der *Katalyse u. bei zahlreichen anderen techn. Prozessen – häufig im Sinne eines *Synergismus – wirksam werden. In der *Kernphysik setzt man *Teilchenbeschleuniger zur Erzeugung von *Radionukliden, *Elementarteilchen u. zu *Kernreaktionen ein, vgl. a. Strahlenchemie. – *E* accelerators – *F* accélérateurs – *I* acceleratore – *S* aceleradores

Beschwerung. 1. In der *Textil-Ind.* Bez. für die Behandlung von meist baumwollenen Textilien mit Mineralstoffen in der *Appretur, um sie voller, griffiger u. schwerer zu machen. Hierbei sitzt das *Beschwerungsmittel* auf der Faser; es ist meist waschunbeständig. Im Zusammenhang mit *Seide spricht man von *Erschwerung*, um hervorzuheben, daß hierfür eingesetzte Substanzen – meist Metallverb. – eine chem. Reaktion mit der Faser eingehen.
2. In der *Papier-Ind.* bedeutet B. die Zugabe von Füllstoffen (kann in manchen Papieren bis zu 30% betragen). Durch die B. erhält das Papier eine glatte Oberfläche u. wird dabei weicher u. geschmeidiger.
3. Eine gänzlich andere Bedeutung hat die B. in der *Potentiometrie, wo sie das Ausmaß der Pufferung (vgl. Puffer) eines *Redoxsystems, d. h. des Widerstandes gegen eine Verschiebung der Redoxgleichgew. durch äußere Einflüsse bedeutet. – *E* weighting – *F* lestage – *I* appesantimento – *S* carga

Besenginster. Europ. Strauch, *Cytisus scoparius* (L.) Link (Fabaceae; syn. *Sarothamnus scoparius* (L.) Wimm. ex Koch), dessen Blütenknospen u. junge Zweige volksmedizin. für Tees gegen niedrigen Blutdruck u. Steinerkrankungen verwendet werden. Die Droge enthält 0,3–1,6% Alkaloide mit *Spartein als Hauptwirkstoff. (Zur farbgebenden Komponente der gelben Blüten s. Flavoxanthin). – *E* scotch broom – *F* genet à balais – *I* ginestra dei carbonai – *S* retama de escobas
Lit.: Deutscher Arzneimittel-Codex, Eschborn u. Stuttgart: Govi u. Dt. Apotheker-Verl. 1986 ▪ Steinegger u. Hänsel, Pharmakognosie, S. 558 f., Berlin: Springer 1992 ▪ Wichtl (2.), S. 91 ff. – [HS 1211 90]

Besiedlungsdichte s. Abundanz.

Besonders überwachungsbedürftige Abfälle s. Sonderabfall.

Bessemer-Verfahren. Von Sir H. Bessemer um 1855 entwickeltes Windfrischverf. zur Herst. von flüssigem *Stahl. In der metallurg. Prozeßkette Roheisen → Stahl-Primärmetallurgie → Stahl-Sekundärmetallurgie ordnet sich das inzwischen kaum noch angewendete Verf. im Bereich Primärmetallurgie ein. Grundsätzlich wird in das flüssig eingesetzte *Roheisen im Konverter von unten kalte Luft eingeblasen (Unterwindfrischverf.). Aufgrund der stark exothermen Oxid. der unerwünschten Begleitelemente des Roheisens benötigt der Prozeß keine zusätzliche Wärmezufuhr. Das B.-V. unterscheidet sich von dem später entwickelten *Thomas-Verfahren im wesentlichen durch die Art der feuerfesten Konverterauskleidung u. die sich daraus ergebende Art des zu verarbeitenden Roheisens. Im Bereich der Windfrischverf. hat das Linz-Donawitz(LD)-Verf. mit aufgeblasenem Sauerstoff (Oberwindfrischverf.) die Verf. mit Einblasen von Luft von unten aufgrund der erreichbaren besseren Stahlqualität weitgehend verdrängt. Im gleichen Sinne hat sich auch die zunehmende Anw. der *Elektrostahl-Erzeugung in der Primärmetallurgie ausgewirkt. – *E* Bessemer process – *F* procédé Bessemer – *I* processo Bessemer – *S* proceso Bessemer
Lit.: Kirk-Othmer (2.) **18**, 720–725; (3.) **9**, 754; **16**, 667; **21**, 553.

Bestätigungstest s. OECD-Confirmatory-Test.

Bestand. Gesamtheit von Lebewesen einer od. mehrerer Arten in einem *Ökosystem, einem Areal, auf einer Fläche od. in einem Volumen. Die Grenzen eines B. können unabhängig von den Begebenheiten in der Umwelt gewählt werden u. orientieren sich in der Regel nicht an synökolog. Syst., wie z. B. Ökosystemgrenzen. Der B. wird oft als Stichprobe ermittelt (B.-Aufnahme) u. zu B.-Kartierungen (gemäß polit. Grenzen od. willkürlich gewählten Planquadraten) verwendet. Die B.-Dichte bezeichnet die Anzahl an Organismen im B. pro Flächen- od. Vol.-Einheit (=*Abundanz), B.-Folge eine Entwicklungsphase eines B. (s. Sukzession). Mit dem Begriff B.-Abfall sind in der Regel die von einem Organismen-B. produzierten bzw. abgeschiedenen (organ.) Stoffe außerhalb lebender Organismen gemeint, z. B. in Exkrementen (*Harn, *Kot), Kadavern, Laub u. Humus. – *E* stand – *F* peuplement – *I* = *S* patrimonio
Lit.: Stugren, Grundlagen der Allgemeinen Ökologie (4.), S. 79, Stuttgart: Fischer 1986.

Bestatin [*N*-(3-Amino-2-hydroxy-4-phenylbutyryl)-leucin].

$$(H_3C)_2CH-CH_2-CH-COOH$$
$$NH-CO-CH-CH-CH_2-C_6H_5$$
$$OHNH_2$$

$C_{16}H_{24}N_2O_4$, M_R 308,38, Nadeln, Schmp. 233–236 °C. Peptid-Antibiotikum aus *Streptomyces olivoreticuli* mit Anti-Tumor-Wirkung, spezif. Inhibitor von Aminopeptidase B. Es wird in der klin. Krebstherapie eingesetzt. – *E* bestatin – *F* bestatine – *I* = *S* bestatina
Lit.: J. Antibiot. **35**, 1495–1506 (1982); **36**, 695 (1983) ▪ Ullmann (5.) A **2**, 531. – *Synth.:* Tetrahedron Lett. **33**, 6803 (1992). – [HS 2941 90; CAS 58970-76-6]

Bestmann, Hans Jürgen (geb. 1925), Prof. für Organ. Chemie, Univ. Erlangen. *Arbeitsgebiete:* Chemie der Phosphazine u. Phosphonium-Ylide, Naturstoff-Synth., Stereochemie, Pheromone (Chemie u. Biologie). Er erhielt zahlreiche Auszeichnungen, u. a. O. Wallach-Plakette der GDCh (1986), Philipp-Morris-Preis (1994).
Lit.: Kürschner (16.), S. 236 ▪ Wer ist Wer, S. 95.

Bestrahlung. Im allg. versteht man unter B. die Einwirkung *ionisierender Strahlung auf anorgan. od. organ. Materie bzw. auf lebende Organismen. Die im bestrahlten Stoff stattfindenden Prozesse sind solche der *Strahlenchemie u. *Strahlenbiologie; bes. im engl. Sprachgebrauch wird B. mangels als für Bez. *Belichtung* äquivalenten Ausdrucks auch für Prozesse der *Photochemie benutzt. Als Strahlenquellen kommen im wesentlichen in Betracht: *Reaktoren, *Teilchenbeschleuniger, *Radionuklide sowie Geräte u. Vorrichtungen zur Erzeugung von Röntgenstrahlen u. von

harter (kurzwelliger) *Ultraviolettstrahlung. Die B.-Dosis wird in J/kg od. C/kg angegeben, s. Dosis u. ionisierende Strahlung. Bei B.-Verf. müssen Maßnahmen des *Strahlenschutzes ergriffen werden.
Die B. anorgan. od. organ. Materie dient der Veränderung der mechan. Eigenschaften von Werkstoffen z. B. bei der Herst. von Halbleitern u. der *Vernetzung von Polymeren, der Untersuchung von Werkstoffen, dem radiolyt. Polymerabbau zur Synth. wertvoller Stoffe, der Papier- u. Textilveredlung, dem *Abbau von Schadstoffen in Abwässern od. der *Sterilisation von medizin. Instrumenten u. Nahrungsmitteln (s. z. B. *Lit.*[1]). Ggf. können rechtliche Bestimmungen der Anw. ionisierender Strahlung im Wege stehen. In der BRD ist die Bestrahlung von Lebensmitteln zum Zwecke der Erhöhung der Haltbarkeit generell verboten, während sie in einer Reihe von Ländern zugelassen ist.
Ziel der B. des menschlichen Organismus ist die selektive Schädigung krankhaften Gewebes (z. B. bei *Krebs) bei größtmöglicher Schonung von Haut u. gesundem Gewebe. Hierbei kann die B. von außen wirksam werden, z. B. mit Röntgenstrahlen od. Gammastrahlen einer Kobaltquelle. od. direkt am Schadensort durch parenteral zugeführte Radioisotope, falls diese aufgrund ihrer physiolog.-chem. Funktion dazu neigen, sich in der Nähe der Schadgewebe aufzuhalten. – *E* = *F* irradiation – *I* irradiazione – *S* irradiación

Lit.: [1] Trigg (Hrsg.), Encycl. of Applied Physics, Bd. 2, S. 365, Weinheim: VCH Verlagsges. 1991 ▪ s. a. ionisierende Strahlung, Strahlenchemie u. -biologie sowie die Radio...-Stichwörter.

Beta-Blocker s. Adrenozeptoren.

Betacaroten. Internat. Freiname für β, β-*Carotin, das als Vitamin-A-Prodrug u. als Lichtschutz-Dermatikum von vielen Firmen im Handel ist. – *E* betacarotene – *F* bétacarotène – *I* betacarotene – *S* betacaroteno

Lit.: Hager (5.) **7**, 459 ff. – *[CAS 7235-40-7]*

Betacyane s. Betalaine.

Beta-Cyfluthrin. Common name für (α-Cyano-4-fluor-3-phenoxybenzyl)-3-(2,2-dichlorvinyl)-2,2-dimethylcyclopropancarboxylat, Gemisch der (1*RS*, α*SR*)-*cis* u. (1*RS*, α*SR*)-*trans*-Racemate.

$C_{22}H_{18}Cl_2FNO_3$, M_R 434,29, Schmp. 81 °C (*cis*), 106 °C (*trans*), LD_{50} (Ratte oral) 380 mg/kg, von Bayer entwickeltes nicht system. Fraß- u. Kontakt-*Insektizid aus der Klasse der synthet. *Pyrethroide mit schneller u. langanhaltender Wirkung gegen saugende u. beißende Insekten in vielen Kulturen z. B. Obst, Gemüse, Getreide, Mais, Baumwolle. – *E* beta-cyfluthrin – *F* beta-cyfluthrine – *I* = *S* beta-ciflutrina

Lit.: Farm ▪ Perkow ▪ Pesticide Manual. – *[CAS 68359-37-5]*

Betadermic®. Salbe mit *Betamethason-17,21-dipropionat u. *Salicylsäure gegen chron. Dermatosen u. Ekzeme. *B.:* Hexal.

Betadorm® A. Schlaftabl. mit *Diphenhydramin-Hydrochlorid u. 8-Chlortheophyllin. *B.:* Woelm.

Betäubungsmittel (Btm.). Histor. begründete Bez. für Stoffe, deren Vertrieb u. Verw. aufgrund ihres Abhängigkeits- u. Mißbrauchspotentials bes. Kontrollen u. Vorschriften unterliegt. Ursprünglich verstand man unter B. stark analget. wirkende Verb. vom Opiat-Typ. In den Anlagen des B.-Gesetzes (s. u.) werden Stoffe u. Zubereitungen aufgeführt, die dadurch als B. definiert sind. Untergliedert wird nach: 1. „nicht verkehrsfähigen B.", z. B. Cannabis (s. Haschisch), *2,5-Dimethoxy-4-methylamphetamin, *Lysergsäurediethylamid, *Oxymorphon u.v.a. *Rauschgifte sowie synthet. Vorstufen derselben; – 2. „verkehrsfähigen, aber nicht verschreibungsfähigen B.", z. B. *Codein in größerer Menge, *Dextromoramid, *Erythroxylon coca* (s. Coca), *Glutethimid, bestimmte Zwischenprodukte der *Pethidin-Synthese u. a.; – 3. „verkehrsfähigen u. verschreibungsfähigen B.", z. B. *Amphetamin, *Cocain, *Morphin, *Opium sowie viele *Barbiturate u. *Benzodiazepine, die aber bis zu einer bestimmten Menge pro Arzneipräp. von den Bestimmungen ausgenommen sind. Die *Rote Liste 1996 führt 47 Präp., die der BtMVV (s. u.) unterstehen.
Deutschland u. eine Anzahl anderer Staaten sind zuerst 1909 in Schanghai, 1912 in Den Haag u. auch nach dem Ersten Weltkrieg zu internat. Opiumkonferenzen zusammengetreten, um Herst., Einfuhr u. Ausfuhr suchterregender Alkaloide u. dgl. unter staatliche Kontrolle zu stellen u. ihre Verw. auf rein medizin. Bereiche einzuschränken. Am 10. 12. 1929 wurde das Opiumgesetz erlassen; z. Z. gilt das B.-Gesetz in der Fassung vom 1. 3. 1994, BGBl. I, S. 358, zuletzt geändert am 14. 9. 1995, BGBl. I, S. 1161, sowie die B.-Verschreibungs-VO (BtMVV vom 16. 9. 1993, BGBl. I, S. 1637). Die für den Verkehr mit B. verantwortliche Bundesopiumstelle befindet sich seit 1994 beim Bundesinst. für Arzneimittel u. Medizinprodukte in Berlin. – *E* narcotics – *F* stupéfiants – *I* narcotico, stupefacente – *S* narcóticos, estupefacientes

Lit.: Arzneimittelchemie I, 153 – 188 ▪ Hügel u. Junge, Deutsches Btm.-Recht, Stuttgart: Dtsch. Apotheker Verl. 1993 ▪ Lundt u. Schiwy, Btm.-Recht/Suchtbekämpfung, Starnberg: Schulz (Fortsetzungswerk) ▪ *Rote Liste, S. 445 – 458, 1996 ▪ Ullmann (5.) **A 2**, 276 – 288 ▪ s. a. Rauschgift.

Betafit s. Pyrochlor.

Betahistin.

Internat. Freiname für 2-(2-Methylaminoethyl)-pyridin, $C_8H_{12}N_2$, M_R 136,19, Sdp. 113 – 114 °C (3,9 kPa). Als Vasodilator u. gegen Hörsturz sind das Dihydrochlorid, Schmp. 148 – 149 °C, von Duphar Arzneimittel (Vasomotal®), das Mesilat von Yamanouchi Pharma (Ribrain®) u. das Dimesilat von Promonta Lundbeck (Aequamen®) u. Deiglmayr GmbH (Melopat®) im Handel. – *E* betahistine – *F* bétahistine – *I* betaistina – *S* betahistina

Lit.: Hager (5.) **7**, 462 f. – *[HS 2933 39; CAS 5579-84-0]*

Betain (Trimethylammonioacetat).

$(H_3C)_3\overset{+}{N}-CH_2-COO^-$

$C_5H_{11}NO_2$, M_R 117,15. Zerfließende, farblose Krist., die sich bei ca. 310 °C zersetzen, sehr leicht lösl. in Wasser u. Methanol, weniger in Ethanol u. kaum in Ether. Das Oxidationsprodukt des *Cholins liegt als *Zwitterion vor, u. entsprechend spricht man bei ähnlichen Verb. von *Betainen.

Vork.: In vielen Pflanzenteilen, Rübenzuckermelasse, ferner in Miesmuscheln, Krabbenextrakt, Dornhaimuskeln; der Name ist von latein.: beta = Rübe, Beete hergeleitet. Im Organismus dient B. als Methyl-Gruppenlieferant für Transmethylierungsprozesse (Kreatin- u. Methionin-Synth.); es senkt den Blut-Cholesterinspiegel u. normalisiert den Fettstoffwechsel.
Herst.: Aus Chloressigsäure mit Trimethylamin od. aus Rübenzuckermelasse.
Verw.: In organ. Synth., medizin. gegen Arteriosklerose, Bluthochdruck, Leber- u. Gallenerkrankungen, Fettsucht, Schwäche- u. Degenerationserscheinungen der Muskulatur, das Hydrochlorid auch gegen Magensäuremangel. – *E* betaine – *F* bétaïne – *I* betaina – *S* betaína
Lit.: Beilstein E IV **4**, 2369 ▪ Hager (5.) **7**, 469 ▪ Ullmann **4**, 334 ff.; (4.) **24**, 735; (5.) A **2**, 60, 84. – *[HS 2923 90; CAS 107-43-7]*

Betaine. Von *Betain abgeleiteter Sammelname für Verb. mit der Atomgruppierung $R_3N^+-CH_2-COO^-$ (IUPAC-Regel C-816.1). Die B. haben die typ. Eigenschaften von *Zwitterionen, d.h. sie sind *amphoter (s.a. Ampholyte). In der Natur leiten sich B. als *quartäre Ammonium-Verbindungen von Aminosäuren, seltener von Alkaloiden ab; *Beisp.:* *Taurin, *Carnitin, Betanidin (s. Betalaine). Synthet. B. u. analog gebaute *Sulfobetaine spielen in der kosmet. Ind. u. teilw. auch in der Waschmittel-Ind. eine Rolle als *Amphotenside (vgl. die Abb. bei Tenside), wobei im wesentlichen lineare B. vom Typ

$$H_{2n+1}C_n-CO-NH-(CH_2)_3-\overset{CH_3}{\underset{CH_3}{\overset{|}{N^+}}}-CH_2-COO^-$$

od. *N*-(Carboxymethyl)-imidazolinium-B. zur Anw. gelangen[1]. Auch unter Arzneimitteln finden sich B. (vgl. Lit.[2]). Es sei darauf hingewiesen, daß die Bez. „Betaine" auch für andere zwitterion. Verb. zweckentfremdet wird, in denen sich die pos. Ladung an N od. P u. die neg. Ladung formal an O, S, B od. C befindet, vgl. z.B. Lit.[3]. – *E* betaines – *F* bétaïnes – *I* betaine – *S* betaínas
Lit.: [1] Parfüm. Kosmet. **56**, 339–344 (1975); **58**, 127–131 (1977). [2] Negwer (6.), S. 1675. [3] Synthesis **1975**, 102 ff.; Angew. Chem. **88**, 41–49 (1976); Organomet. Chem. Rev. **8 A**, 153–181 (1972).
allg.: s. Amphotenside.

Betaisodona®. Flüssigkeit, Gel, Suppositorien, Salbe, Wundvlies u. -gaze mit dem *Polyvidon-Iod-Komplex als Antiseptikum für den Haut-, Schleimhaut- u. Vaginalbereich. *B.:* Mundipharma GmbH.

Betalaine. Gruppe von wasserlösl. Stickstoff-haltigen Blüten- u. Fruchtfarbstoffen, die unter Ausschluß der Anthocyane in neun Familien der Pflanzenordnung Caryophyllales (Kakteen) sowie einigen Höheren Pilzen vorkommen, z.B. in der Huthaut des Fliegenpilzes (*Amanita muscaria*). Das Vork. der B. in Vertretern der Caryophyllales ist von hoher taxonom. Bedeutung.

R = OH : Betanidin

Indicaxanthin

R = [glucose structure] : Betanin

B. sind Iminium-Derivate der *Betalaminsäure* ($C_9H_9NO_5$, M_R 211,17), vgl. Formelbild statt des Indolinium-Syst. ein Sauerstoff-Atom. Zu den B. gehören die Betacyane: Glykoside u. Acylglykoside des *Betanidins* ($C_{18}H_{16}N_2O_8$, M_R 388,33), dem Kondensationsprodukt von Betalaminsäure u. Cyclo-DOPA, sowie die gelben Betaxanthine: Kondensationsprodukte von Betalaminsäure mit proteinogenen u. anderen Aminosäuren od. biogenen Aminen. Ein Beisp. für Betacyane ist *Betanin* ($C_{24}H_{26}N_2O_{13}$, M_R 550,48), Hauptfarbstoff des Beetenrots (EG-Nr. E 162), u. ein Beisp. für Betaxanthine ist *Indicaxanthin* (E 214, $C_{14}H_{16}N_2O_6$, M_R 308,29, orange Krist., Schmp. 160–162 °C). – *E* betalains – *F* bétalaïne – *I* betalaine – *S* betalaínas
Lit.: Manske **39**, 1–62 ▪ Schweppe, S. 407 ▪ s.a. Blütenfarbstoffe. – *[HS 3203 00; CAS 2181-76-2 (Betanidin); 7659-95-2 (Betanin); 2181-75-1 (Indicaxanthin)]*

Betalaminsäure s. Betalaine.

Betamann®. Augentropfen mit *Metipranolol gegen erhöhten Augeninnendruck, Glaukom. *B.:* Mann.

Betamethason.

Internat. Freiname für das antiphlogist. u. antiallerg. wirkende Glucocorticoid 9-Fluor-11β,17,21-trihydroxy-16β-methyl-1,4-pregnadien-3,20-dion, $C_{22}H_{29}FO_5$, M_R 392,47; Zers. bei 231–234 °C; $[\alpha]_D$ +108° (Aceton), UV_{max} (Methanol): 238 nm (ε 15 200). Das Glucocorticoid wurde 1962 von Merck & Co, 1963 von Roussel-UCLAF patentiert u. ist Generika-fähig. Verwendet werden die Ester:
21-acetat: $C_{24}H_{31}FO_6$, M_R 434,50; Schmp. 205–208 °C, auch 196–201 °C angegeben; $[\alpha]_D$ +140° (CHCl$_3$), UV_{max} (CH$_3$OH): 238 nm (ε 14 800); von Pharmafrid (Beta-Injekt 8®);

Betanin

17-benzoat: $C_{29}H_{33}FO_6$, M_R 496,58; Schmp. 225–228 °C; $[\alpha]_D^{25}$ +163,5° (Dioxan); von Parke, Davis (Euvaderm®);
17,21-dipropionat: $C_{28}H_{37}FO_7$, M_R 504,60; Zers. bei 170–179 °C; $[\alpha]_D^{26}$ +65,7° (Dioxan), UV_{max} (CH_3OH): 238 nm (ε 15 700); von Essex Pharma (Dipresone®);
17-valerat: $C_{27}H_{37}FO_6$, M_R 476,59; Zers. bei 183–184 °C; $[\alpha]_D$ +77° (Dioxan), UV_{max} (CH_3OH): 238 nm (ε 15 920); von Essex Pharma Celestan®, von Claxo Wellcome (Betnesol®);
17,21-divalerat: $C_{31}H_{45}FO_7$, M_R 560,70; *21-dihydrogen-Phosphat, Dinatrium-Salz:* $C_{22}H_{28}FNa_2O_8P$, M_R 516,41, von Essex Pharma Celestan® solubile, von Glaxo Wellcome (Betnesol®) Rektal-Instillation, Dr. Winzer (Betam-Opntal®). – *E* betamethasone – *F* bétaméthasone – *I* betametasone – *S* betametasona
Lit.: ASP ▪ DAB 10 ▪ Forey 6, 43–60 ▪ Hager (5.) 7, 466–472. – [HS 2937 22; CAS 378-44-9; 987-24-6 (Acetat); 22298-29-9 (Benzoat); 5593-20-4 (Dipropionat); 2152-44-5 (Valerat); 151-73-5 (Dihydrogenphosphat, Dinatrium-Salz)]

Betanin s. Betalaine.

Beta-Oxidation s. Fettsäure-Abbau.

Beta-Rezeptoren s. Adrenozeptoren.

Betasemid®. Filmtabl. mit *Penbutolol-Sulfat u. *Furosemid gegen Hypertonie. *B.:* Hoechst.

Beta-Strahlen. Korpuskularstrahlen, die von natürlichen u. künstlichen radioaktiven Strahlern emittiert werden (*Radioaktivität, *Beta-Zerfall). B. sind ident. mit *Kathodenstrahlen u. bestehen aus Elektronen von ~ 1 MeV Energie. Je nach ihrer Energie können B. einige nm Metall durchdringen (s. Abschirmung). Ihr Qualitätsfaktor bei der Bestimmung der *Äquivalentdosis ist 1. – *E* beta rays – *F* rayons béta – *I* raggi beta – *S* rayos beta
Lit.: Petzold u. Krieger, Strahlenphysik, Dosimetrie u. Strahlenschutz, Stuttgart: Teubner 1988.

Beta-Tablinen®. Tabl. mit *Propranolol-Hydrochlorid gegen Hypertonie, Angina pectoris. *B.:* Sanorania.

Betatene®. *Carotinoide (hauptsächlich β-Carotin natürlicher Herkunft) zum Einsatz als Pro-Vitamin A u. β-Carotin-Konzentrat in Nahrungsmitteln, zur Supplementierung der Ernährung in pharmazeut. Produkten u. als Farbstoff für Lebensmittel, Kosmetika u. Pharmaka. *B.:* Henkel.

Betatron s. Teilchenbeschleuniger.

Betaxanthine s. Betalaine.

Betaxolol.

$(H_3C)_2CH-NH-CH_2-CH-CH_2-O--(CH_2)_2-O-CH_2-\triangleleft$
$\underset{OH}{|}$

Internat. Freiname für 1-{4-[2-(Cyclopropylmethoxy)ethyl]-phenoxy}-3-isopropylamino-2-propanol, $C_{18}H_{29}NO_3$, M_R 307,43, Schmp. 70–72 °C. Verwendet wird das Hydrochlorid, Schmp. 116 °C, LD_{50} (Maus, oral) 944, (Maus, i. p.) 37 mg/kg. Der β-Blocker wurde 1977 u. 1981 als Antihypertensivum von Synthelabo (Kerlone®) patentiert u. ist auch gegen Glaukom von Alcon Pharma (Betoptima®) im Handel. – *E* = *S* betaxolol – *F* bétaxolol – *I* betaxololo

Lit.: Arzneim.-Forsch. **30**, 1912 (1980) ▪ ASP ▪ Hager (5.) 7, 473 ff. – [HS 2922 50; CAS 63659-18-7; 63659-20-4 (Hydrochlorid)]

Beta-Zerfall. Bez. für den *Zerfall von *Nukleonen in einem instabilen Atomkern (s. Radioaktivität). Man unterscheidet zwei Arten: β^--Zerfall tritt bei Kernen mit Neutronen-Überschuß auf. Es wandelt sich ein *Neutron n in ein *Proton p, ein *Elektron e u. ein elektr. *Antineutrino $\bar{\nu}_e$ um; e u. $\bar{\nu}_e$ verlassen den Kern. Die Massenzahl des Kerns bleibt unverändert, während sich die Kernladungszahl um eins erhöht. β^+-Zerfall tritt bei Protonenüberschuß auf, wobei sich ein Proton p (plus das Massenäquivalent an Kernenergie) in ein *Positron e^+ u. ein elektr. *Neutrino ν_e umwandelt; e^+ u. ν_e verlassen den Kern. Die Massenzahl bleibt unverändert, die Kernladungszahl erniedrigt sich um eins. Die beim B.-Z. emittierten Elektronen bzw. Positronen haben eine breite Geschwindigkeitsverteilung (kontinuierliches Energiespektrum). – *E* beta decay – *F* désintégration béta – *I* disintegrazione beta – *S* desintegración beta
Lit.: Petzold u. Krieger, Strahlenphysik, Dosimetrie u. Strahlenschutz, Stuttgart: Teubner 1988.

Betazol.

• 2 HCl

Internat. Freiname für 3-(2-Aminoethyl)pyrazol-Dihydrochlorid, $C_5H_9N_3 \cdot 2$ HCl, M_R 184,09, Schmp. 224–226 °C. Es wurde 1957 wegen seiner Magensäure-stimulierenden Eigenschaften als Diagnostikum von Lilly (Betazol Lilly®, außer Handel) patentiert. – *E* betazole – *F* bétazole – *I* betazolo – *S* betazol – [HS 2933 19; CAS 138-92-1]

Betelnüsse. Früchte der in Indien u. Ostasien heim. Betelpalme *Areca catechu* L. (Arecaceae), die 0,1–0,7% Arecaidin u. *Arecolin, 15% roten Tannin-Farbstoff u. ca. 14% Fette enthalten. Beim Kauen von B. zusammen mit Blättern von Betelpfeffer (*Piper betle*, zur Zusammensetzung des ether. Öles s. *Lit.*[1]), mit Zimt, ggf. auch mit Gambi(e)r u. gebranntem Kalk wird das giftige, für die leicht stimulierende u. euphorisierende Wirkung verantwortliche *Arecolin rasch in Arecaidin umgewandelt. Man schätzt, daß 200–400 Mio. Menschen in Indien u. Ostasien Betel kauen. B. färben den Speichel rot u. die Zähne schwarz. – *E* areca, betel nuts – *F* noix d'arec – *I* noci betel – *S* nueces de areca
Lit.: [1] Parfüm. Kosmet. **57**, 248 (1976).
allg.: Franke, Nutzpflanzenkunde, Stuttgart: Thieme 1992 ▪ Hager (4.) **6a**, 713 ▪ Pharm. Unserer Zeit **15**, 161–166 (1986). – [HS 0802 90]

Bethe, Hans Albrecht (geb. 1906), Prof. für Physik, Cornell Univ., Ithaca, N. Y. *Arbeitsgebiete:* Theorie der Metalle, Ferromagnetismus, Beugung der Elektronen an Krist., Atomenergie, Mechanismus der Supernova, Aufstellung des Reaktionscyclus (*Bethe-Weizsäcker-Cyclus*), der unter Bildung von Helium aus Wasserstoff die Fixstern-Energie liefert (1938); hierfür Nobelpreis für Physik 1967.

Lit.: Nobel Prize Lectures Physics 1963–1970, Amsterdam: Elsevier 1972 ▪ Physics today **21**, Nr. 1, 127 f. (1968) ▪ Poggendorff **7a/1**, 168; **7b/1**, 362 ff. ▪ Science **158**, 745 f. (1967).

Bethe-Weizsäcker-Zyklus (BW-Zyklus) s. Sonne u. Kernfusion.

BET-Methode. Nach *Brunauer, *Emmett u. *Teller benannte Meth. zur Bestimmung der Oberfläche, ggf. auch der *Poren-Größenverteilung von festen Körpern (z. B. Pulvern), die davon ausgeht, daß Gase, Dämpfe etc. auf festen Körpern unter Freisetzung der (meßbaren) Adsorptionswärme zunächst in einer monomol. Schicht adsorbiert werden. Beispielsweise mißt man das Vol. des Stickstoff-Gases, das bei −196 °C in Abhängigkeit vom angewandten Druck auf dem Adsorptionsmittel adsorbiert wird. Näheres s. *Lit.*[1].
Lit.: [1] Winnacker-Küchler (3.) **7**, 93 f.
allg.: Z. Anal. Chem. **238**, 187–193 (1968) ▪ s. a. Adsorption.

Betnesol®. Lsg. mit dem 21-Dihydrogenphosphat-Ester des *Betamethasons, Creme, Lotion u. Salbe mit dem 17-Valerat-Ester zur Corticoid-Therapie, bei rheumat. Beschwerden. *B.:* Glaxo Wellcome.

Beton (von latein.: *bitumen). B. als einer der wichtigsten *Baustoffe ist nach DIN 1045 (07/1988) definiert als „künstlicher Stein, der aus einem Gemisch von *Zement, *Betonzuschlag u. Wasser – ggf. auch mit *Betonzusatzmitteln u. *Betonzusatzstoffen – durch Erhärten entsteht. Nach der Trockenrohdichte werden unterschieden: *Leichtbeton* (unter 2,0 kg/dm³), *Normalbeton* (2,0–2,8 kg/dm³) u. *Schwerbeton* (über 2,8 kg/dm³). Ferner ist B. eingeteilt in *Festigkeitsgruppen* (BI–BII) u. *Festigkeitsklassen* (B5–B55). Beim Zumischen von gas- od. schaumbildenden Stoffen entsteht *Porenbeton (frühere Bez. *Gasbeton) bzw. *Schaumbeton. Weitere Unterscheidungskriterien sind Ort der Herst. (*Baustellen-B.* od. *Transport-B.*), Verwendungsart (*Frisch-B., Ort-B., Fest-B.*) u. Konsistenz (*Fließ-B.,* B. mit *Fließmittel, Steifer B.* – *Konsistenzbereiche* KF, KP, KR, KS). Nach den Arbeitsverf. beim Verdichten des B. spricht man von Stampf-, Schütt-, Rüttel-, Schleuder-, Guß-, Spritz-, Preß-, Vak.-B.; nach dem *Bindemittel- (*Zement-) Gehalt wird magerer u. fetter B. unterschieden. Mit Stahleinlagen versehener (bewehrter) B. heißt *Stahlbeton. Wird der B. durch vorgespannte Stähle unter Druck gesetzt, erhält man *Spannbeton* (vorzugsweise beim Brückenbau eingesetzt). – *E* concrete – *F* béton – *I* calcestruzzo, beton – *S* hormigón, concreto
Lit.: DIN-Katalog Sachgruppe 5885, Berlin: Beuth (jährlich) ▪ Gutcho, Cement and Mortar Technology and Additives, Park Ridge: Noyes 1980 ▪ Kirk-Othmer (3.) **5**, 163–193 ▪ Ramachandran, Concrete Admixtures Handbook, Park Ridge: Noyes 1984 ▪ Ullmann (4.) **8**, 315–326; (5.) **A 5**, 516–533 ▪ Wendehorst, Baustoffkunde, 24. Aufl., S. 357–471, Hannover: Vincentz 1994 ▪ s. a. Zement. – *Zeitschriften* u. *Serien:* Beton, Düsseldorf: Betonverl. (seit 1951) ▪ Beton-Kalender, Berlin: Ernst ▪ Betonstein-Jahrbuch, Wiesbaden: Bauverl. ▪ Betontechnische Berichte, Düsseldorf: Betonverl.

Betonal®. Flüssiges Natron- u. Kaliwasserglas. *B.:* Van Baerle.

Betondichtungsmittel (DM). Bez. für *Betonzusatzmittel, die die Wasseraufnahme bzw. das Eindringen von Wasser in den *Beton vermindern sollen. Dies kann erreicht werden durch Anw. von *Betonverflüssigern (vermindern die Anzahl der Kapillarporen), von quellfähigen Stoffen (verkleinern die Poren) od. von Hydrophobierungs-Mitteln (vermindern die Saugfähigkeit, s. Hydrophobieren). – *E* concrete waterproofing agents – *F* hydrofuges de masse, imperméabilisants pour béton – *I* agente chi rende impermeabile il calcestruzzo – *S* impermeabilizantes del hormigón
Lit.: Scholz, Baustoffkenntnis, 12. Aufl., S. 260 f., Düsseldorf: Werner 1991 ▪ s. a. Beton.

Betonverflüssiger (BV). Bez. für *Betonzusatzmittel, die die Verarbeitbarkeit des *Betons verbessern od. den erforderlichen Wasser-Gehalt vermindern. Die ggf. auch „Fließmittel" genannten BV sind auf der Basis von Netzmitteln, Ligninsulfonaten od. sulfonierten Polykondensaten mit Melamin- bzw. Naphthalinsyst. aufgebaut. – *E* concrete plasticizers – *F* fluidificantes del hormigón – *I* agente liquefacente di calcestruzzo – *S* plastificantes del hormigón
Lit.: Scholz, Baustoffkenntnis, 12. Aufl., S. 257 f., Düsseldorf: Werner 1991 ▪ s. a. Beton.

Betonzusatzmittel. Nach DIN 1045 (07/1988) Bez. für Betonzusätze, die durch chem. u./od. physikal. Wirkung die Beton-Eigenschaften, z. B. Verarbeitbarkeit, Erhärten od. Erstarren, ändern. Als Volumenanteil des Betons sind sie ohne Bedeutung (Anteil bis zu 5%). Chloride, Chlorid-haltige od. andere die Stahlkorrosion fördernde Stoffe dürfen *Stahlbeton nicht zugesetzt werden. Man unterscheidet (Kurzz. in Klammern): *Betonverflüssiger (BV), *Erstarrungsverzögerer (VZ), *Erstarrungs- u. Erhärtungsbeschleuniger (BE), Einpreßhilfen bei Spannbeton (EH), *Luftporenbildner (LP) u. *Betondichtungsmittel (DM). Die B. sind nicht zu verwechseln mit den *Betonzusatzstoffen. – *E* concrete admixtures – *F* adjuvants de béton – *I* additivi di calcestruzzo – *S* auxiliares del hormigón
Lit.: Scholz, Baustoffkenntnis, 12. Aufl., S. 255–264, Düsseldorf: Werner 1991 ▪ s. a. Beton.

Betonzusatzstoffe. Nach DIN 1045 (07/1988) Bez. für fein aufgeteilte Betonzusätze, die bestimmte Beton-Eigenschaften beeinflussen u. als Volumenbestandteile zu berücksichtigen sind. Hauptsächlich verwendet werden mineral. B. (Gesteinsmehle, Hochofenschlacken, Traß, Flugasche, Bentonit), organ. B. für wasserdichte u. bes. elast. Betone (Kunststoffe, Kautschuk, Bitumen) sowie Pigmente bzw. Zementfarben (Eisenoxide, Chromoxide, Titandioxid, Ruß). Die B. sind nicht zu verwechseln mit den *Betonzusatzmitteln. – *E* concrete additives – *I* sostanze aggiuntive di calcestruzzo – *S* aditivos para hormigón
Lit.: Scholz, Baustoffkenntnis, 12. Aufl., S. 264 f., Düsseldorf: Werner 1991 ▪ s. a. Beton.

Betonzuschlag. Nach DIN 1045 (07/1988) besteht B. aus natürlichem od. künstlichem, dichtem od. porigem Gestein, in Sonderfällen auch aus Metall, mit Korngrößen, die für die Betonherst. geeignet sind gemäß DIN 4226 Tl. 1–4. Es wird unterschieden nach B. für *Schwerbeton* (Kornrohdichte über 3,2 kg/dm³, z. B. *Baryt, *Magnetit, *Hämatit, Schwermetallschlacken, Stahlschrot, Stahlspäne), für *Normalbeton* (Kornrohdichte 2,2–3,2 kg/dm³, z. B. Flußkies u. -sand, Grubenkies u. -sand, *Splitt, Schotter, Metallschlacken, *Klinker-Bruch, *Asbest-, *Glas-, Stahl-, *Kohlenstoff- u. a. *Fasern) u. für *Leichtbeton* (Kornrohdichte unter 2,2 kg/dm^3, z. B. Feinsand, *Lavakies u. -sand, *Bimsstein, *Kieselgur, *Tuff, *Holzfasern, -späne, -wolle, -mehl, Blähglimmer, -ton, -perlit, -schiefer, Flugasche, Müllschlacke, *Schaumkunststoff). – *E* concrete addition – *F* granulat, agrégat – *I* aggiunta di calcestruzzo – *S* árido

Lit.: Scholz, Baustoffkenntnis, 12. Aufl., S. 206–243, Düsseldorf: Werner 1991 ▪ s. a. Beton.

Betoptima®. Augentropfen mit *Betaxolol-Hydrochlorid gegen erhöhten Augeninnendruck bei Glaukom, okulärer Hypertension. *B.:* Alcon Pharma GmbH.

Betriebsanleitung. B. sind Hersteller-Informationen für techn. Arbeitsmittel (Maschinen, Geräte, Einrichtungen etc.) od. Arbeitsstoffe u. Zubereitungen, die dem Betreiber bzw. Anwender die notwendigen Informationen für der sachgerechten, bestimmungsgemäßen u. sicheren Umgang geben. Sie sind Bestandteil eines Erzeugnisses bzw. des Lieferumfanges. Sie müssen in der/den Amtssprache(n) des Landes gegeben werden, in dem das Arbeitsmittel bzw. der Stoff eingesetzt wird. Die vom Hersteller mitgelieferten B. u. Gebrauchsanleitungen müssen vom Betreiber des techn. Arbeitsmittels od. vom Anwender des Arbeitsstoffes bzw. der Zubereitung in eine Betriebsanweisung umgesetzt werden. Dabei hat der Anwender zu prüfen, ob diese Unterlagen durch arbeitsplatz-, tätigkeits- od. stoffbezogene Angaben ergänzt werden müssen, ob sie für die Mitarbeiter in einer verständlichen Form vorliegen, ob sie für ausländ. Mitarbeiter in deren Muttersprache übersetzt werden müssen u. ob sie durch Gefahrenhinweise, Sicherheitsratschläge sowie Verhaltensmaßnahmen bei betrieblichen Störungen ergänzt werden müssen. – *E* operating instruction

Lit.: DIN EN 292 (11/1991) ▪ Gerätesicherheitsgesetz vom 23.10.1992 (BGBl. I, S. 1793), geändert durch Gesetz vom 14.9.1994 (BGBl. I, S. 2325) ▪ UVV „Allg. Vorschriften" (VBG 1) in der Fassung vom 1.4.1992 ▪ UVV „Kraftbetriebene Arbeitsmittel" (VBG 5) in der Fassung vom 1.1.1993 (Bezugsquelle für Unfallverhütungsvorschriften: Carl Heymanns Verl., Köln; Jedermann-Verl., Heidelberg) ▪ 9. VO zum Gerätesicherheitsgesetz vom 12.5.1993 (BGBl. I, S. 704) in der Fassung vom 28.9.1995 (BGBl. I, S. 1213).

Betriebsanweisung. Das Erstellen von B. ist eine allg. Pflicht des Unternehmers, die sich aus der Gewerbeordnung § 120a (4) u. der Unfallverhütungsvorschrift VBG 1 § 2 (1) ergibt. Zusätzliche Verpflichtungen ergeben sich aus fachspezif. Vorschriften. Unter B. versteht man die Anweisungen des Betreibers bzw. Verwenders von techn. Arbeitsmitteln, Arbeitsstoffen bzw. Zubereitungen an seine Mitarbeiter mit dem Ziel, Unfälle u. Gesundheitsschädigungen zu vermeiden. Bei der Erstellung sind neben der Arbeitsschutz u. Unfallverhütung, sicherheitstechn. u. arbeitsmedizin. Regeln sowie die Betriebsanleitung zu berücksichtigen (s. a. Betriebsanleitung). – *E* operating instruction

Lit.: Broschüre: Sicherheit durch Betriebsanweisungen, Ausgabe 1995 (ZH 1/172) (Bezugsquelle für ZH-1-Schriften: Carl Heymanns Verl., Köln) ▪ GefStoffV vom 26.10.1993 (BGBl. I, S. 1782), zuletzt geändert durch die Zweite VO zur Änderung der GefStoffV vom 19.09.1994 (BGBl. I, S. 2557) ▪ Gerätesicherheitsgesetz vom 23.10.1992 (BGBl. I, S. 1793), geändert durch Gesetz vom 14.9.1994 (BGBl. I, S. 2325) ▪ TRGS 555 „Betriebsanweisung u. Unterweisung" nach § 20 GefStoffV Ausgabe März 1989, zuletzt ergänzt im Oktober 1989 (BArbBl. Nr. 3/1989, S. 85 u. BArbBl. Nr. 10/1989, S. 62) ▪ 9. VO zum Gerätesicherheitsgesetz vom 12.5.1993 (BGBl. I, S. 704) in der Fassung vom 28.9.1995 (BGBl. I, S. 1213).

Betriebsarzt. Der Arbeitgeber hat nach dem Arbeitssicherheitsgesetz B. schriftlich zu bestellen, soweit dies hinsichtlich der Betriebsgefahr, der Betriebsgröße u. der Betriebsorganisation erforderlich ist. In welcher Zahl B. bestellt werden müssen, ergibt sich aus der UVV „Betriebsärzte". Aufgabe des B. ist es, den Unternehmer beim Arbeitsschutz u. bei der Unfallverhütung in allen Fragen des Gesundheitsschutzes zu unterstützen. Zu seinen Aufgaben zählen insbes. die Beratung von Unternehmer u. Vorgesetzten, arbeitsmedizin. Untersuchung u. Beratung der Beschäftigten, Meldung anerkannter Mängel, Unterweisung der Beschäftigten über Unfall- u. Gesundheitsgefahren sowie Erste-Hilfe-Maßnahmen. Der B. ist in der Anw. seiner arbeitsmedizin. Fachkunde weisungsfrei. Er unterliegt uneingeschränkt der ärztlichen Schweigepflicht, auch gegenüber dem Unternehmer. – *E* industrial physician

Lit.: Arbeitssicherheitsgesetz vom 12.12.1973 (BGBl. I, S. 1885), zuletzt geändert durch Jugendarbeitsschutzgesetz vom 12.4.1976 (BGBl. I, S. 965) ▪ Berufsgenossenschaftliche Grundsätze für arbeitsmedizinische Vorsorgeuntersuchungen (Bezugsquelle: Gentner Verl., Stuttgart) ▪ Reichsversicherungsordnung (RVO) vom 15.12.1924 (RGBl. I, S. 779), zuletzt geändert durch Gesetz vom 27.1.1987 (BGBl. I, S. 481), § 708 Abs. 1 Nr. 3 ▪ UVV „Arbeitsmedizinische Vorsorge" (VBG 100) von 4/1993 ▪ UVV „Betriebsärzte" (VBG 123) ▪ UVV „Betriebsärzte, Sicherheitsingenieure u. a. Fachkräfte für Arbeitssicherheit" (VBG 122).

Betriebsbeauftragter für Abfall s. Abfallbeauftragter.

Betriebsbeauftragter für Umweltschutz (Umweltschutzbeauftragter, Umweltbeauftragter). Betreiber genehmigungsbedürftiger *Anlagen müssen einen *Betriebsbeauftragten für Immissionsschutz* (Immissionsschutzbeauftragter) bestellen [§ 53 *Bundesimmissionsschutzgesetz (BImSchG); Überwachung der immissionsschutzrechtlichen Vorschriften]. Betreiber ortsfester Abfallentsorgungsanlagen u. von Anlagen, in denen regelmäßig *Sonderabfall anfällt, müssen einen *Betriebsbeauftragten für Abfall* (Abfallbeauftragter) bestellen (§ 11 a *Abfallgesetz; Überwachung der abfallrechtlichen Vorschriften). Gewässerbenutzer, die mehr als 750 m^3 Abwasser pro Tag einleiten dürfen, müssen einen *Betriebsbeauftragten für Gewässerschutz* (Gewässerschutzbeauftragter; § 21a–§ 21f *Wasserhaushaltsgesetz; Überwachung der wasserrechtlichen Verpflichtungen) bestellen. In der Praxis wird derjenige, der diese drei Funktionen zusammen wahrnimmt, oft B. f. U. genannt. Werden in einem Betrieb Abfälle transportiert, die gleichzeitig Gefahrgüter im Sinne des Gesetzes über die Beförderung gefährlicher Güter sind, ist ein *Gefahrgutbeauftragter* zu bestellen. Voraussetzung für die Bestellung als B. f. U. ist, daß die vorgesehene Person die erforderliche Fachkunde u. Zuverlässigkeit besitzt. Den B. f. U. trifft grundsätzlich keine Außenverantwortung gegenüber der Behörde. Er ist kein „verlängerter Arm" des Staates im Unternehmen. Der B. f. U. hat nach den gesetzlichen Vorschriften bestimmte Aufgaben wahrzunehmen, insbes. Kontroll-, Hinwirkungs- u. Informationspflichten. Seine Rechtsstellung ist je nach gesetzlicher Regelung unterschiedlich. Er hat Stellungnahmen zu Entscheidungen des Betreibers abzugeben, ein Vortragsrecht u. ist durch ein Benachteiligungsverbot, im Immissionsschutzgesetz sogar durch eine Kündigungsschutz-Regelung, abgesichert. Betreiber bestimmter genehmigungsbedürftiger Anlagen (4. u. 12. BImSchV) haben außerdem einen Störfallbeauftragten zu bestellen (§ 58a BImSchG). – *E* commissioner for environment – *F* responsable d'entreprise pour la protection de l'environnement – *I* delegato aziendale per la protezione ambientale – *S* responsable de empresa para la protección del medio ambiente

Lit.: Gefahrgutbeauftragten-VO (GbV) vom 12.12.1985 (BGBl. 1, S. 2185) ▪ Kloepfer, Umweltrecht, S. 152 ff., München: Beck 1989 ▪ Pohle (Hrsg.), Die Umweltschutzbeauftragten, Berlin: E. Schmidt 1992 ▪ VDI-Ber. **696** (1988) ▪ VO über Betriebsbeauftragte für Abfall vom 26.10.1977 (BGBl. 1, S. 1913) ▪ VO über Immissionsschutz- u. Störfallbeauftragte (5. BImSchV) vom 30.7.1993 (BGBl. I, S. 1433).

Betriebswasser s. Brauchwasser.

Bettendorf-Test. 1. Auf *Arsen:* As-haltige salzsaure Lsg. ergeben, mit einer konz. salzsauren Lsg. von Zinn(II)-chlorid erhitzt, einen schwarzbraunen Niederschlag von metall. As:

$$2\,AsCl_3 + 3\,SnCl_2 \rightarrow 2\,As + 3\,SnCl_4.$$

2. Auf *Sesamöl:* Eine Lsg. aus 5 Tl. Zinn(II)-chlorid u. 3 Tl. konz. HCl nimmt nach Unterschichtung unter Sesamöl eine rote Farbe an. – *E* Bettendorf test – *F* épreuve de Bettendorf – *I* test di Bettendorf – *S* ensayo de Bettendorf

Bettwanze. Die B. (*Cimex lectularius*) gehört zu den Plattwanzen (Cimicidae), einer Familie der Landwanzen (Insekten-Ordnung Heteroptera), deren Flügel rückgebildet sind u. deren Larven u. Imagines Blutsauger an Säugetieren u. Vögeln sind (in Mitteleuropa kommen 4–5 der insgesamt etwa 20 bekannten Arten vor).

B. (*Cimex lectularius lectularius*) u. Taubenwanze (*C. lectularius columbarius*) werden zuweilen als Unterarten der gleichen Art betrachtet; beide sind fruchtbar miteinander kreuzbar u. ihre Wirte – Menschen, verschiedene andere Säugetiere u. Vögel – sind austauschbar. B. müssen sich nicht ständig am Blutspender aufhalten. Sie sind v.a. nachtaktiv. Tagsüber halten sie sich, oft gesellig, in Verstecken auf. Ein von beiden Geschlechtern abgesonderter Lockstoff fördert die Entstehung u. stabilisiert diese Ruhegemeinschaften. B. können etwa 6 Monate lang hungern. Für die Wirtsfindung sind Geruchs- u. Temperatursinn wichtig. Die Stiche der Mundwerkzeuge sind wenig schmerzhaft, es erfolgt jedoch durch das Speichelsekret Quaddelbildung. Der Blutbedarf der Weibchen ist etwa 5mal größer als der der Männchen. Die Eier werden an unterschiedlichste Gegenstände geklebt, die Embryonal-Entwicklung ist bei der Eiablage schon relativ weit fortgeschritten. Es gibt 5 Larvenstadien, zwischen deren Häutungen jeweils mind. eine Blutnah-

rung notwendig ist. Die Entwicklungsdauer ist temperatur- u. futterabhängig. Die Larvenzeit beträgt bei 20°C u. guter Ernährung 6–8 Wochen. Das Alarm-Wehrsekret (Hexanal u. Octenal), von Imagines u. Larven bei Störung abgesondert, irritiert od. vertreibt Feinde (z.B. Ameisen) u. bewirkt bei Artgenossen, je nach Absonderungsmenge, Erhöhung der Alarmbereitschaft bis zur Flucht u. Zerstreuung von in Schlupfwinkeln angesammelten Individuen. Lebensdauer der Imagines bis über ein Jahr; Verbreitung durch den Menschen weltweit. Auch Tauben-, Schwalbenwanzen (*Oeciacus hirundinis*) u. Fledermaus-Wanzen (*Cimex pipistrelli*) sind gelegentlich lästig für den Menschen. – *E* bed-bug – *F* punaise de lit – *I* cimice dei letti – *S* chinche

Lit.: Döngens, Parasitologie, Stuttgart: Thieme 1988 ▪ Matthes, Tierische Parasiten, Braunschweig: Vieweg 1988 ▪ Mehlhorn u. Piekarski, Grundriß der Parasitenkunde, Stuttgart: Fischer 1989 ▪ Osche, Die Welt der Parasiten, Berlin: Springer 1966.

Betulin [Lup-20(29)-en-3β,28-diol, Trochol, Betulol].

$C_{30}H_{50}O_2$, M_R 442,73, Krist., Schmp. ~257 °C, lösl. in Essigsäure, in Wasser wenig, in organ. Lsm. mäßig löslich.

Vork.: In den äußeren Teilen der Birkenrinde (*Betula alba*) in Mengen bis zu 24% u. in anderen Rinden. B. ist ein Triterpenalkohol mit Lupan-Grundgerüst, vgl. die Abb. bei Triterpene. – *E* betulin – *F* bétuline – *I = S* betulina

Lit.: Beilstein E IV **6**, 6534 ▪ Karrer, Nr. 2024. – *[CAS 473-98-3]*

Betulinsäure [3β-Hydroxy-lup-20(29)-en-28-säure]. Triterpen aus den Blättern von *Syzigium claviflorum* (Myrtaceae) mit signifikanter Wirkung gegen HIV-Viren u. Phosphokinase C.

R = CH₂ : Betulinsäure
R = O : Plantansäure

$C_{30}H_{48}O_3$, M_R 456,71, Nadeln (aus CH_3OH), Schmp. 290–293 °C, $[\alpha]_D^{25}$ +7,5° (c 0,4/Pyridin). Mehrere Patentanmeldungen betreffen strukturanaloge Verbindungen. *S. claviflorum* enthält auch die verwandte *Platansäure*, $C_{29}H_{46}O_4$, M_R 458,68, Nadeln (aus $CH_3OH/CHCl_3$), Schmp. 279–282 °C, $[\alpha]_D$ –38° (c 0,6/Pyridin). – *E* betulinic acid, platanic acid – *F* acide bétulinique – *I* acido betulinico – *S* ácido betulínico

Lit.: Dtsch. Apoth. Ztg. **136**, 1290 (1996) ▪ J. Nat. Prod. **57**, 243–247 (1994) ▪ Nat. Med. **1**, 1046 (1995). – *[CAS 472-15-1]*

Betulol s. Betulin.

Beuchen. Nach DIN 61703 (06/1953), 61704 (02/1958) u. 54295 (06/1986) Bez. für einen Arbeitsgang bei der *Textilveredelung der Baumwolle. Das B. dient dazu, durch Kochen der Cellulosefasern mit verd. Natronlauge u./od. Soda Verunreinigungen von Fett, Harzen, Stärke, Wachs u. dgl. auf der Faseroberfläche zu zerstören u. die Faser für Bleich- u. Färbemittel empfänglicher zu machen. Das B. wird im allg. unter Druck bei 120 °C vorgenommen; Verf. unter Normaldruck bezeichnet man als *Abkochen*. Im allg. werden der Flotte sog. *Beuchhilfsmittel* (grenzflächenaktive Stoffe, Red.-Mittel) zugesetzt. – *E* bucking, lye treatment – *F* lessivage – *I* liscivazione – *S* descrudado a presión, lejiado a presión
Lit.: Melliand Textilber. **6**, 411–415 (1987) ▪ Rath, Lehrbuch der Textilchemie, S. 61–65, Berlin: Springer 1972 ▪ Trotman, Textile Scouring and Bleaching, London: Griffin 1968 ▪ Ullmann (4.) **9**, 250; **23**, 24 f.

Beugung. Abweichung der Ausbreitung einer Welle vom geometr. Strahlengang, wenn diese auf ein Hindernis (z. B. Spalt od. Kante) trifft. Gut zu beobachten ist im Schattenbereich eine Hell-Dunkel-Struktur, die durch pos. u. neg. *Interferenz zustande kommt. B. wird um so wichtiger, je mehr die Wellenlänge in der Größenordnung der Abmessung des beugenden Objektes ist. B. begrenzt die Auflösung von opt. Instrumenten (z. B. Mikroskop) u. die Fleckgröße, auf die ein paralleler Lichtstrahl durch Linsen fokussiert werden kann (wichtig z. B. bei der Erzeugung schmaler Strukturen bei der Halbleiterherst.). – *E* = *F* diffraction – *I* diffrazione – *S* difracción
Lit.: Demtröder, Experimentalphysik, Bd. 2, Berlin: Springer 1995 ▪ Hecht u. Zajac, Optics, Reading, Massachusetts: Addison-Wesley 1987.

BeV. Abk. für amerikan.: billion electron volt = 10^9 eV = GeV.

Bevatron s. Synchrotron.

Bevölkerungsdichte s. Abundance.

Bevoniummetilsulfat.

[H₃C,N⁺,CH₃ / CH₂–O–CO–C(OH)(C₆H₅)C₆H₅] ⁻O–SO₂–OCH₃

Internat. Freiname für den Benzilsäureester des 2-(Hydroxymethyl)-1,1-dimethylpiperidinium-methylsulfats, $C_{23}H_{31}NO_7S$, M_R 465,56, Schmp. 134–135 °C. Es wurde 1962 als *Anticholinergikum, *Spasmolytikum u. Bronchodilator von Grünenthal (Acabel®, außer Handel) patentiert – *E* bevonium metilsulfate – *F* métilsulfate de bévonium – *I* bevoniometilsolfato – *S* metilsulfato de bevonio
Lit.: Arzneim.-Forsch. **16**, 901–988 (1966) ▪ Hager (5.) **7**, 476 f. – *[HS 2933 39; CAS 5205-82-3]*

Bewitterung (Bewetterung). Prüfung des Beständigkeitsverhaltens von Werkstoff(verbund)en unter Klimabedingungen, sei es durch Auslagerung im Freien[1] od. durch Simulierung in Klimakammern[2]. Wirksam können bei einer B. physikal. (Temp., Strahlung, Staubströmung) w e auch chem. (Feuchtigkeit, atmosphär. Gase, Abgase, Salznebel) Einflußgrößen einschließlich ihrer zeitlichen Veränderung werden. Grundsätzlich läßt sich zwischen Funktionsbeeinträchtigungen (z. B. Auswirkungen der genannten Parameter auf elektr. Kontakte u. Verb.) u. Beständigkeitsfragen unterscheiden (z. B. Verhalten von Beschichtungssyst. auf Stahlbauten). Anstelle der sehr zeitaufwendigen u. nicht steuerbaren Auslagerung im Freien wird die Simulation im Laboratorium bevorzugt, da hier neben der Reproduzierbarkeit der Versuchsbedingungen auch verschärfte Prüfungen mit Zeitraffereffekt möglich sind. Die Prüfbedingungen sind in Normen spezifiziert[3]. Der überwiegende Anteil der Untersuchungen erfolgt an Beschichtungssyst. auf unbeständigen, preiswerten, metall. Grundwerkstoffen, die wegen ihrer thermodynam. Instabilität gegen Witterungseinflüsse geschützt werden müssen. Bei polymeren Werkstoffen[4] wird mit einer B. geprüft, welche Werkstoffveränderungen (*Versprödung, *Alterung, *Quellung, *Zersetzung) durch witterungsbedingte Umgebungsbedingungen auftreten. Bes. Bedeutung kommt der B. für die Elektrotechnik[5], den Stahlbau[6], den Fahrzeugbau u. die Luftfahrttechnik[7] zu. – *E* weathering – *F* exposition aux intempéries, climatisation – *I* ventilazione – *S* exposición a la intemperie
Lit.: [1] DIN 50917 (08/1979). [2] DIN 50010 (10/1977). [3] DIN 50016 (12/1962); DIN 50017 (10/1982); DIN 50018 (06/1988); DIN 50021 (06/1988). [4] DIN 50035 (04/1989). [5] DIN/EN 60721 (06/1994). [6] DIN 50928 (05/1991). [7] DIN/EN 3212 (10/1993).
allg.: s. a. Anstrichstoffe.

Beyer, Hans Hermann Max (1905–1971), Prof. für Organ. Chemie, Univ. Greifswald. *Arbeitsgebiete:* Heterocyclen, polycycl. aromat. Syst., Pyrazole, Thiazole usw.; Verfasser eines Lehrbuchs der Organ. Chemie.
Lit.: Poggendorff **7a/1**, 172.

Beyreuther, Konrad Traugott (geb. 1941), Prof. für Genetik, Univ. Köln u. Ordinarius für Molekularbiologie, Univ. Heidelberg. *Arbeitsgebiete:* Molekularbiologie der Proteine, Protein-DNA-Wechselwirkung, Membranproteine, Molekularbiologie u. Genetik der *Alzheimerschen Krankheit.
Lit.: Kürschner (16.), S. 246.

Bezacur®. Dragees u. Retardtabl. mit dem *Lipidsenker *Bezafibrat. *B.:* Hexal.

Bezafibrat.

Cl–C₆H₄–CO–NH–CH₂–CH₂–C₆H₄–O–C(CH₃)₂–COOH

Intern. Freiname für 2-{4-[2-(4-Chlorbenzoylamino)-ethyl]-phenoxy}-2-methylpropionsäure, $C_{19}H_{20}ClNO_4$, M_R 361,83, Schmp. 186 °C. Es wurde 1973 gegen Hyperlipidämien von Boehringer Mannheim (Cedur®) patentiert u. ist Generika-fähig. – *E* bezafibrate – *F* bézafibrate – *I* = *S* bezafibrato
Lit.: ASP ▪ Hager (5.) **7**, 477 ff. – *[HS 292429; CAS 41859-67-0]*

Beza-Lande®. Dragees mit dem *Lipidsenker *Bezafibrat. *B.:* Synthelabo.

Bezoar-Steine s. Ziegensteine.

Bezugselektroden (Referenzelektroden). Unter B. versteht man *Halbzellen mit definiertem u. konstantem Gleichgew.-Potential, die zum Messen anderer Elektrodenpotentiale durch Kombination zu einer elektrolyt. Zelle eingesetzt werden können, vgl. Ableitelektroden u. Elektroden. Die auf die Normalwasserstoffelektrode (s. Gaselektroden) bezogenen Einzelpotentiale sind bei der *Kalomelelektrode +241,2 mV (in gesätt. KCl), bei $HgSO_4$ 612,5 mV, bei AgCl +208 mV (in gesätt. NaCl) bzw. +198 mV (in gesätt. KCl). – *E* reference electrodes – *F* électrodes de référence – *I* elettrodi di riferimento – *S* electrodos de referencia

Lit.: D'Ans-Lax, Taschenbuch für Chemiker u. Physiker (4.), Bd. 1, Berlin: Springer 1992 ▪ DIN 19261 (03/1971) ▪ Handbook **73**, 8: 17–29 ▪ Milazzo u. Cardi, Tables of Standard Electrode Potentials, Chichester: Wiley 1978 ▪ Milazzo, Elektrochemie, Basel: Birkhäuser 1980 ▪ Pure Appl. Chem. **57**, 531 (1985).

Bezugsquellenverzeichnisse. In dieser Aufl. des Chemie-Lexikons wird außer bei *Marken darauf verzichtet, Bezugsquellen (*B.*) für einzelne *Chemikalien u. Geräte anzugeben. Statt dessen werden hier die wesentlichsten B. aufgeführt, in denen die Liefermöglichkeiten vieler Chemikalien- u. Gerätefirmen zusammenfassend dargestellt sind, z. B.: Achema-Jahrbuch, Frankfurt: DECHEMA; Analytical Chemistry Lab Guide, Washington: ACS; Die Deutsche Industrie, 12. Ausgabe, Mindelheim: W. Sachon 1996; Das Deutsche Export-Adreßbuch „Made in Germany", Bd. 1, 36. Ausgabe, Mindelheim: W. Sachon 1996; Chemical Week Buyers Guide Issue, New York: McGraw-Hill (jährlich); Directory of North American Chemical Producers, Oceanside: Chem. Inform. Serv. (jährlich); Directory of West European Chemical Producers, Oceanside: Chem. Inform. Serv. (jährlich); European Chemical News Buyers Guide, London: IPC Business Press (jährlich); Firmenhandbuch Chemische Industrie, Düsseldorf: Econ 1994/95; Wer liefert was?, Hamburg: „Wer liefert was?" GmbH 1995.

Daneben geben zum einen die großen Chemieunternehmen, zum anderen Feinchemikalienproduzenten u. -händler umfangreiche Chemikalien-Kataloge heraus, wie z. B.: Boehringer Ingelheim Bioproducts, Carl-Benz-Straße 7, D-69115 Heidelberg; Fluka Feinchemikalien GmbH, Messerschmittstr. 17, D-89231 Neu-Ulm; ICN Biomedicals GmbH, Thüringer Straße 15, D-37269 Eschwege; Merck KGaA, D-64271 Darmstadt; Carl Roth GmbH & Co KG, Schoemperlenstraße 3, D-76185 Karlsruhe; Sigma Aldrich Chemie GmbH, Grünwalder Weg 30, D-82041 Deisenhofen.

BfArM. Abk. für *Bundesinstitut für Arzneimittel und Medizinprodukte.

BFK. Nach DIN 7728, Tl. 2 (03/1980), Kurzz. für *Borfaser-verstärkte Kunststoffe; s. Faserverstärkung.

BGA. Abk. für *Bundesgesundheitsamt.

BG Chemie s. Berufsgenossenschaften.

BGR. Abk. für *Bundesanstalt für Geowissenschaften und Rohstoffe.

BgVV s. Bundesinstitut für gesundheitlichen Verbraucherschutz und Veterinärmedizin.

BHA. Abk. für *tert*-*Butylmethoxyphenol.

BHC s. Lindan.

Bhopal. Hauptstadt des ind. Bundesstaates Madhya Pradesh, 1992 ca. 1,5 Mio. Einwohner[1,2], bekannt geworden durch nachfolgende Katastrophe:

Katastrophen-Verlauf: Am 03.12.1984 entwichen aus einem Tank der Union Carbide India Limited (UCIL) – einer Tochterges. der Union Carbide Corporation (*UCC), Danbury, Connecticut, USA – ungefähr 30 t *Methylisocyanat (MIC). Die giftige, stechend riechende Flüssigkeit siedet bei 38 °C. Die Dämpfe sind schwerer als Luft u. breiten sich daher mit dem Wind auf dem Boden aus. Die MIC-Tankanlage der UCIL in B. bestand aus einem Lagertank (mit 49 m³ MIC am 02.12.1984), einem Reservetank, einer Kühlanlage, einem Rieselturm zur Abgasreinigung sowie einer Abfackelanlage zum Abbrennen von MIC bei Druckanstieg im System. Alle Sicherheitseinrichtungen waren am 02.12.1984 abgeschaltet od. nicht betriebsbereit. Am Abend dieses Tages leitete ein Arbeiter mehrere m³ Wasser in ein 8 m langes, zum Tank führendes Rohr, dessen Absperrventil zum Tank hin undicht war. Durch die Reaktion von MIC mit Wasser stieg die Temp. im Tank von den vorgesehenen 5 °C auf die Siedetemperatur. Um ca. 23.30 Uhr begann MIC auszutreiben, während die Bedienungsmannschaft – trotz Kenntnis der Lage – eine Teepause einlegte[3]. Der Tank barst am 03.12.1984 gegen 0.45 Uhr; bis ca. 3.30 Uhr dauerte die MIC-Freisetzung fort.

Schäden: Durch diese Katastrophe wurden ca. 1400–2500 Menschen getötet[4] u. ca. 10 000–200 000 Menschen verletzt. 1992 lagen ca. 500 000 Anträge auf Schadenersatz vor. Die ind. Behörden hatten 37 Stadtbezirke pauschal als von der Gaswolke betroffen erklärt. Die Bewohner dieser Bezirke sind behördlich berechtigt, Schadenersatz zu fordern u. erhalten eine monatliche Rente. In den 37 Bezirken lebten 1992 ungefähr genausoviele Menschen wie 1984 in der ganzen Stadt[2]. Die Union Carbide Corporation, die 1984 700 Fabriken umfaßte u. ca. 100 000 Menschen weltweit beschäftigte, ist heute ein petrochem. Unternehmen mit weniger als einem Fünftel dieser Beschäftigtenzahl.

Lit.: [1] Brockhaus-Enzyklopädie in 24 Bd. (19.), Bd. 3, S. 263, Mannheim: Brockhaus 1987. [2] Chem. Eng. News **70**, Nr. 11, 7–14 (1992). [3] Boschke, Die Umwelt ist kein Paradies, S. 112–115, Stuttgart: DVA 1986. [4] Deutsches Komitee für das Umweltprogramm der Vereinten Nationen (Hrsg.), UNEP Profile, S. 14, Bonn: Selbstverl. 1992.

allg.: Chem. Eng. New **1994**, 38 f. (10.10.94) ▪ Jasanoff (Hrsg.), Learning from Disaster, Philadelphia University of Pennsylvania Press 1994.

BHP s. Dextran.

BHT. Abk. für 1. *Butylhydroxytoluol* (2,6-*Di-tert.-butyl-4-methylphenol) als lebensmittelrechtlich zugelassenes Antioxidans, – 2. für das sog. *Braunkohlenhochtemp.*-Verf. zur Verkokung von *Braunkohle.

BHT®. Butylhydroxytoluol als Antioxydans zum Schutz der Fettqualität in Futtermitteln. *B.:* Bayer.

Bi. Chem. Symbol für *Bismut.

Bi... 1. In der anorgan.-chem. Nomenklatur nicht mehr zulässiges Präfix für die Bez. saurer Salze, wurde durch *Hydrogen… ersetzt. *Beisp.:* Bicarbonate heißen *Hydrogencarbonate. – 2. In der organ.-chem. Nomenklatur an Stelle von *Di... (u. gelegentlich auch *Bis...) zu verwendendes Präfix, wenn nach den IUPAC-Regeln A-52 u. C-71 die Verdoppelung von ident. Resten gekennzeichnet werden soll; *Beisp.:* *Biphenyl (H_5C_6–C_6H_5, *nicht* Diphenyl) u. a. *Biaryle,* Biacetyl; vgl. dagegen Bicyclo[...]...

BIA. Abk. für *Berufsgenossenschaftliches Institut für Arbeitssicherheit.

BIABN s. Binaphthyl.

Biacetyl s. 2,3-Butandion.

Bialaphos s. Bilanafos.

Bials Reagenz. Eine Lsg. von 1 g Orcin (s. Orcinol) in 500 ml 30%iger HCl unter Zusatz von 25 Tropfen 10%iger Eisen(III)-chlorid-Lösung. Beim Erwärmen mit *Pentosen gibt B. R. eine grüne, in Pentanol ausschüttelbare Färbung. – *E* Bial reagent – *F* réactif de Bial – *I* reagente di Bial – *S* reactivo de Bial
Lit.: Anal. Biochem. **91**, 130 (1978) ▪ Beilstein E IV **6**, 5892 ▪ Cereal Chem. **61**, 344 (1984).

Biaryle s. Bi...

BiAS. Von engl. *b*ismuth *a*ctive *s*ubstances = bismutaktive Substanzen abgeleitete Abk. für solche *nichtionischen Tenside, die sich nach der *Wickbold-Methode mit Hilfe von *Dragendorffs Reagenz bestimmen lassen.

Bibenzoyl s. Benzil.

Bibernelle s. Pimpinelle.

Biberschwänze s. Ziegel.

Bibliographien. Bez. für Literaturverzeichnisse, die ähnlich wie *Referateorgane der *Sekundärlit.* zuzurechnen sind. Insbes. die Fach-B. sind – zumal, wenn sie durch einen *Index erschlossen sind – wichtigste Hilfsmittel in *Bibliotheken u. in der *Dokumentation; *Beisp.* für chem. B. sind die Lit.-Angaben zu den Stichwörtern dieses Werkes. Die sog. *bibliograph. Angaben* eines Dokumentes (Buch, Aufsatz etc.) umfassen Verfasser, Titel, Verlagsort, Verl., Erscheinungsjahr, Bd. u. Seitenzahlen u. ggf. literaturspezif. Daten, s. a. Handbücher, Nachschlagewerke u. chemische Literatur. – *E* = *F* bibliographies – *I* bibliografie – *S* bibliografías
Lit.: Allischewski, Bibliographienkunde (2 Bd.), Wiesbaden: Reichert 1976, 1978 ▪ Bibliographical Services Throughout the World 1970–1975, Paris: UNESCO 1977 ▪ Hart et al., Multi-Media Indexes, Lists, and Review Sources: A Bibliographic Guide, New York: Dekker 1975 ▪ International Compendium of Numerical Data Projects (Hrsg.: CO-DATA), Berlin: Springer 1969 ▪ Katz, Introduction to Reference Work (2 Bd.), New York: McGraw-Hill 1978.

Bibliotheken. Zu den für den theoret. wie prakt. arbeitenden Chemiker unentbehrlichen „Ausgangsmaterialien" gehört die Information über schon geleistete Vorarbeit. Diese Information findet er in der B. u./od. in einer angeschlossenen *Dokumentations-Stelle. In einer für die Zwecke dieses Werks ausreichenden Weise kann hier unterschieden werden in: 1. Allg. öffentliche B. (Stadt- od. Volksbüchereien), – 2. Staats- u. Landes-B., – 3. Universitäts-B. mit Instituts-B. u. – 4. Spezial-B. (Behörden-, Verbands-, Instituts-, Ind.-B. u. B. von Dokumentationsstellen). Die B. der Gruppen 1–3 stehen untereinander über den dtsch., mit ausländ. über den internat. *Leihverkehr* in Verbindung. Ein in einer B. mit einem Leihschein angeforderter, dort aber nicht vorhandener Band kann also ohne großen Aufwand von anderen B. beschafft werden. Für den Chemiker von Bedeutung sind die B. der Gruppen 2–4; viele B. der letzten Gruppe sind dem Leihverkehr ebenfalls angeschlossen bzw. machen ihre Bestände dem fremden Benutzer über Photokopien zugänglich.

1. *Öffentliche Büchereien* führen in Anbetracht ihrer Aufgabenstellung meist nur wenig Chemie-Lit., es sei denn, sie befänden sich inmitten von Ind.-Gebieten mit chem. Industrie. Sie sind für den Benutzer jedoch als Leitbibliotheken für die Fernleihe unentbehrlich.

2. *National-, Staats- u. Landes-B.:* Üblicherweise hat jeder Staat eine Zentral-B., die alles gedruckte Schrifttum des Landes in mind. einem Exemplar sammeln muß; diese National-B. geben auch meist die sog. Nationalbibliographien heraus. Die entsprechende B. der BRD befindet sich in Frankfurt (Dtsch. Bibliothek, seit 1946). Landes-B., in Deutschland von alters her oft auch Staats-B. genannt, sind gelegentlich mit B. der folgenden Gruppe vereinigt.

3. *Universitäts- u. Hochschul-B.* (UB, TUB, THB): Fast jede Universität besitzt eine Zentral-B., in der die wichtigsten Bücher u. Zeitschriften aus allen Wissensgebieten v. a. Studierenden u. Lehrenden zur Verfügung stehen; an den Techn. Universitäten u. Techn. Hochschulen stehen dies zumeist Werke aus naturwissenschaftlichen Disziplinen. Hinzu kommen die *Instituts-B.*, die entweder über einen eigenen Etat verfügen od. von der UB abhängen. Jedes chem. Inst. besitzt eine oft recht gut ausgestattete, eigene B. mit den wichtigsten Lehr- u. Handbüchern, Enzyklopädien, Monographien, Zeitschriften, Referateorganen usw., die den Studierenden, Forschenden u. Lehrenden zur Verfügung stehen. Zum Zwecke der überregionalen Literaturversorgung fördert die *Deutsche Forschungsgemeinschaft (DFG) ein Syst. von Zentralen Fach- u. Sondersammelgebietsbibliotheken. Für das Gesamtgebiet der Chemie ist hier die *Technische Informationsbibliothek (TIB) in Hannover von bes. Bedeutung (Zentralbibliothek der BRD für Technik u. die Grundlagenwissenschaften). Soweit chem. Veröffentlichungen in medizin. Publikationen erscheinen, ist die Zentral-B. der Medizin in Köln zuständig. Das Sondersammelgebiet Pharmazie befindet sich in der Universitätsbibliothek Braunschweig.

4. *Spezial-B.:* Dieser B.-Typ ist für den Chemiker am wichtigsten. Die meisten Spezial-B. legen großen Wert auf einen möglichst umfassenden Bestand an *Zeitschriften, die das wichtigste Informationsmaterial für den forschenden Chemiker darstellen; daneben werden auch *Dissertationen, *Patente, *Firmenschriften, *Konferenz-Berichte, *Reports, *Schnellinformationsdienste u. *Referateorgane gehalten bzw. beschafft. Man kann hier u. a. folgende Haupttypen unterscheiden: Das gesamte Gebiet der *Chemie* umfassende B., die entweder von Behörden, Verbänden od. der chem. Ind. unterhalten werden u. deren Benutzung im allg. außer den Mitgliedern auch Außenstehenden freisteht. Daneben gibt es die meist *Dokumentationsstellen* an-

geschlossenen Spezial-B., die von Unternehmen der chem. Ind. unterhalten werden u. die v. a. für Entwicklungsarbeiten seitens der werksangehörigen Forscher als Informationsquellen in Frage kommen. Viele der Spezial-B. sind Mitglieder der ASpB (Arbeitsgemeinschaft der Spezialbibliotheken) bzw. der Special Libraries Association (New York), z. B. *Kekulé-Bibliothek, *Otto Hahn-Bibliothek.
In den B. u. Dokumentationsstellen wird heute im Erfassungs- u. Verwaltungswesen des Schrifttums, in den Erwerbungs-, Katalogisierungs- u. Ausleihabteilungen Gebrauch gemacht von den techn. Möglichkeiten der elektron. *Datenverarbeitung. Die Bestände der B. an Monographien, Hochschulschriften etc. sind nicht nur im Katalog der jeweiligen B. erfaßt, sondern (in der BRD) auch im Zentralkatalog je einer B. aus jedem Bundesland, die den Leihverkehr koordiniert. Anders ist es mit den Beständen an Zeitschriften. Das größte Verzeichnis von Beständen wissenschaftlicher Zeitschriften in B. der BRD ist die Zeitschriftendatenbank (ZDB) in Berlin. Sie ist sowohl als Mikroficheausgabe erhältlich als auch online zugänglich. Daneben gibt es zahlreiche Zeitschriftenverzeichnisse (ZV) einzelner B., z. B. das ZV 89 (89) der TIB; s. a. Dokumentation u. chemische Literatur. – *E* libraries – *F* bibliothèques – *I* biblioteche – *S* bibliotecas

Lit.: Bibliotheken, Informationszentren und Datenbanken für Wissenschaft und Technik, München: Saur 1984 ■ von Busse, Struktur und Organisation des wissenschaftlichen Bibliothekswesens in der BRD, Wiesbaden: Harrassowitz 1978 ■ Gebhardt, Spezialbestände in deutschen Bibliotheken, Berlin: De Gruyter 1977 ■ Internationales Bibliotheks-Handbuch, 8. Aufl., München: Saur 1987 ■ Schweigler, Einrichtung und technische Ausstattung von Bibliotheken, Wiesbaden: Reichert 1977 ■ Verzeichnis deutscher Informations- u. Dokumentationsstellen, München: Saur 1982/1983.

Bibrocathol.

Internat. Freinamen für 4,5,6,7-Tetrabrom-2-hydroxy-1,3,2-benzodioxabismol (Tetrabrombrenzcatechinbismut), $C_6HBiBr_4O_3$, M_R 649,67. Es wurde 1908 als Antiseptikum von Chem. Fabrik von Heyden patentiert u. ist von Ciba Vision Opht. (Noviform®) u. von Ursapharm Arzneimittel (Posiformin®) im Handel. – *E* = *F* bibrocathol – *I* bibrocatolo – *S* bibrocatol
Lit.: Hager (5.) **7**, 479–481. – *[HS 2908 10; CAS 6915-57-7]*

Bicarbonate s. Hydrogencarbonate.

Bicarbonat-Verfahren. Klass. Dämpf-Verf. zur Fixierung von *Reaktivfarbstoffen im *Textildruck. Das bei der Fixierung eingesetzte *Natriumhydrogencarbonat hat dem Verf. den Namen gegeben.

2,2'-Bichinolin (Cuproin, falsche Bez.: Dichinolyl).

$C_{18}H_{12}N_2$, M_R 256,31. Farblose Krist., Schmp. 196 °C, lösl. in Pentanol, Benzylalkohol, Chloroform, Benzol.

Verw.: Empfindliches Reagenz auf Kupfer, das durch B. in einen wasserunlösl., mit organ. Lsm. extrahierbaren farbigen Komplex übergeführt wird; dient zur kolorimetr. Bestimmung von Cu. – *E* = *F* 2,2'-biquinoline – *I* 2,2'-bichinolina – *S* 2,2'-biquinolina
Lit.: Beilstein E V **23/10**, 8 f. ■ Fries-Getrost, S. 198 ff. – *[CAS 119-91-5]*

Bichromat. Veralteter u. falscher Name für *Dichromate, insbes. *Kaliumdichromat. Der Name B. sollte nicht weiter verwendet werden.

BICINE. Abk. für das als Puffersubstanz verwendete *N,N*-Bis(2-hydroxyethyl)-glycin,

$$HO-CH_2-CH_2 \atop HO-CH_2-CH_2 \!\!\! \diagdown \!\! N-CH_2-COOH$$

$C_6H_{13}NO_4$, M_R 163,17, Schmp. 193–195 °C, kann aus Diethanolamin u. Bromessigsäure hergestellt werden.
Lit.: Beilstein E IV **4**, 2390 ■ Biochem. J. **167**, 593 (1977). – *[CAS 150-25-4]*

Biciron® Augentropfen. Tropfen mit *Tramazolin-Hydrochlorid gegen Augenreizung, Bindehaut- u. Tränendrüsen-Entzündung. *B.:* Basotherm.

Bicrona®. Perlglanz-Pigmente für Kosmetika. *B.:* Merck.

Bicyclische Verbindungen. Sammelbez. für Verb. mit zwei miteinander verknüpften Ringen, die mind. zwei (Kohlenstoff- od. Hetero-) Atome gemeinsam haben; zur systemat. Benennung der b. V. s. Bicyclo[..]... – *E* bicyclic compounds – *F* composés bicycliques – *I* composti biciclici – *S* compuestos bicíclicos

Bicyclo[...]... Vorsilbe zur Bez. solcher *bicyclischer Verbindungen, in denen die die Ringe trennende *Brücke entweder eine direkte Einfachbindung (Abb. b) od. eine Atomkette (Abb. a) ist. Die systemat. Nomenklatur, die für carbocycl. wie für heterocycl. Verb. gleichermaßen anzuwenden ist (IUPAC-Regel A-31) soll am Beisp. des dem *Atropin zugrundeliegenden *Bicyclus* Nortropan verdeutlicht werden.

Zur Namensbildung denkt man sich zunächst alle Positionen mit C-Atomen besetzt: das Kohlenstoff-Analogon zur Verb. der Abb. a wäre also ein Bicyclooctan. Zur Unterscheidung der 5 denkbaren isomeren Gerüste fügt man – ohne Bindestriche! – eine eckige Klammer mit 3 durch Punkte getrennten Ziffern ein, die die Anzahl der Atome jeder Brücke zwischen den Brückenköpfen angeben. Man beginnt mit der Brücke, die die meisten Atome enthält. Die Numerierung folgt, beginnend bei einem der Brückenköpfe, dieser Reihenfolge (s. Abb. a). Das im Nortropan-Syst. enthaltene N-Atom erhält die Ziffer 8, womit die Verb. nach der Austauschnomenklatur (vgl. Austauschname) 8-Azabicyclo[3.2.1]octan heißt. Das in Abb. b gezeigte Isomer (aus 19 möglichen) ist ein 8-Azabicyclo[5.1.0]octan.

Weitere Abb. von bicycl. Verb. mit systemat. Numerierung findet man u. a. bei Benzol-Ring (dort ist in Abb. V Dewarbenzol = Bicyclo[2.2.0]hexa-2,5-dien), bei 2,5-Norbornadien, Norbornen (Bicyclo-[2.2.1]hept-2-en), Norcaran (Bicyclo[4.1.0]heptan), Pinan (Bicyclo[3.1.1]heptan-Syst.), Brevicomin, Penicilline (4-Thia-1-azabicyclo[3.2.0]heptan-Syst.). Die Annahme, daß Verb. mit Doppelbindungen am Brückenkopf (C-1) bei kleineren Ringen nicht existenzfähig seien (*Bredtsche Regel), mußte immer wieder modifiziert werden. Die Konfiguration der durch Substitution des Bicyclo[X.Y.Z]...an-Syst. (mit X≥Y>Z>0) auftretende Isomerie wird durch die Indikatoren *endo..., *exo... (an den beiden niedriger bezifferten Brücken) u. *syn-, *anti- (an der höchst bezifferten Brücke) ausgedrückt.

In Analogie zum vorstehend skizzierten Vorgehen werden die systemat. Namen der *Tricyclo[...]...- u. *Tetracyclo[...]...-Verb. u. der höher „verbrückten" Derivate gebildet, s. a. die Beisp. bei Terpene, Cuban u. a. Käfigverbindungen. Nach IUPAC-Regel A-21.3 sollen bicycl. Verb. mit X≥Y>2, Z = 0 mit Anellierungs- bzw. Trivialnamen benannt werden (also *Pentalen u. *nicht* Bicyclo[3.3.0]octa-1,3,5,7-tetraen). – $E = F$ bicyclo[..]... – $I = S$ biciclo[..]...

Lit.: Patterson et al., The Ring Index (Hauptband mit 3 Supplementen), Washington: ACS 1960, 1963, 1964, 1965 ▪ Ring Systems Handbook, ACS 1984–1987; (2.) 1988.

Bicyclo[2.2.1]hepta-2,5-dien s. 2,5-Norbornadien.

Bicycloheptane s. Norcaran u. vgl. Norbornen.

Bicyclo[2.2.1]hept-2-en s. Norbornen.

Bicyclo[2.2.0]hexadien (Dewarbenzol) s. Benzol-Ring.

Bidocef®. Tabl., Kapseln u. Pulver mit *Cefadroxil gegen bakterielle Infektionen. *B.:* Bristol-Myers Squibb.

Bienen (Apidae). Mit *Ameisen, *Wespen u. *Hornissen zu den Hautflüglern (Hymenoptera) zählende *Insekten, die sich hauptsächlich von Nektar u. Pollen blühender Pflanzen ernähren. Neben den Hummeln ist hier v. a. die *Honigbiene* (*Apis mellifica*) zu nennen, ein dicht behaartes Insekt mit zum Saugen, Lecken u. Kauen ausgebildeten Mundwerkzeugen. Das für den Bau der Waben verwendete *Bienenwachs wird aus Wachsdrüsen der 10–20 Tage alten Arbeiterinnen auf der Unterseite des Hinterleibs sezerniert. Ein mit Widerhaken versehener zweiteiliger Stachel im Hinterleib injiziert das in zwei Giftdrüsen produzierte u. in einer Giftblase gespeicherte *Bienengift in abzuwehrende Feinde.
Die Honig-B. bildet mehrjährige Staaten mit strenger sozialer Ordnung. Aus befruchteten Eiern entstehen Arbeiterinnen od – bei spezieller Ernährung der jungen weiblichen Larven mit dem *Weiselfuttersaft* (sog. *Gelee Royale) – die Königinnen. Diese geben aus ihren Mandibeldrüsen ein *Pheromon ab, dessen Hauptbestandteil *trans*-9-Oxo-2-decensäure ist. Ein weiteres Pheromon, das mit dem ersten in einem engen funktionellen Wechselspiel steht, entstammt Taschendrüsen am Hinterleib.
Aus unbefruchteten Eiern entstehen männliche B. (*Drohnen*). Bei der Futtersuche orientieren sich B. im Fernbereich nach dem Licht u. Stand der Sonne, dem Erdmagnetfeld u. nach Landmarken, im Nahbereich nach Farbe u. Geruch der Futterblüten. Die Weitergabe der Information erfolgt über Futterquellen durch Duft- u. Futterproben, Rund- u. Schwänzeltanz u. auch über Vibrationssignale. Bei ihrer Sammeltätigkeit sorgen die B. für die Bestäubung der von ihnen besuchten Blüten, da der *Pollen in ihrem Haarpelz hängenbleibt u. so weitergetragen wird. Der als sog. Höschen an den Hinterbeinen in den Stock gebrachte Pollen wird als *Bienenbrot* an die Brut verfüttert. Der *Honig, den die Arbeiterinnen aus dem gesammelten Blütensaft durch Fermentation produzieren u. in den Waben speichern, dient außer zur Fütterung der Brut v. a. als Wintervorrat. Die B. sind die einzigen Nutzinsekten, die vom Menschen seit alters her quasi als Haustiere gehalten, regelrecht gezüchtet u. auf Krankheiten überwacht werden. Die B.-Stöcke sind so gebaut, daß man die gefüllten Waben zur Gewinnung des Honigs u. des Wachses entnehmen kann, ohne das Volk zu beunruhigen. Ein B.-Volk bringt in Mitteleuropa im Durchschnitt jährlich 6–9 kg Honig u. 0,5–1,5 kg Wachs. Durch die sog. Bienenschutz-VO (*Lit.*) soll sichergestellt werden, daß auf blühenden, als Bienenweide dienenden Pflanzen nur *bienenungefährliche* *Pflanzenschutzmittel angewendet werden. – *E* bees – *F* abeilles – *I* api – *S* abejas

Lit.: Bienenschutz-VO vom 22.07.1992 (BGBl. I, Nr. 37, S. 1410–1441) ▪ Frisch, Aus dem Leben der Bienen, Verständl. Wiss. Bd. 1, Berlin: Springer 1969 ▪ Jacobs u. Renner, Biologie und Ökologie der Insekten, Stuttgart: Fischer 1988. – *[HS 0106 00]*

Bienengift. Sekret aus der Giftblase der Honig-*Biene (*Apis mellifica*). Schwach gelbes, amorphes Pulver, leicht lösl. in Wasser, typ. Zusammensetzung: 55% *Melittin, 13% *Phospholipase A*, 3% *Hyaluronidase* u. 2% *Apamin, weitere Bestandteile sind *Histamin, das sog. MCD (= mast cell degranulating)-Peptid, das aus 22 Aminosäuren besteht u. dem *Apamin ähnelt, u. andere niedermol. Stoffe. Tödliche Unfälle durch Bienenstiche sind keine Seltenheit (bes. häufig in Brasilien). Die Ursache hierfür liegt jedoch nicht in der direkten Toxizität des B. [es sind Fälle bekannt, wo 400 Stiche überlebt wurden, LD_{50} (Maus i.v.) 6 mg/kg], sondern in der anaphylakt. Wirkung (allerg. Schock). *Verw.:* B.-Präp. haben sich zur Behandlung von rheumat. Erkrankungen, Muskel- u. Gelenkschmerzen, bei Neuralgien, Erfrierungen u. Muskelzerrungen bewährt. – *E* bee venom – *F* venin d'abeille – *I* apina – *S* veneno de abeja

Lit.: Chem. Unserer Zeit **8**, 177 (1974) ▪ Habermehl, Giftiere u. ihre Waffen (5.), S. 70–75, Berlin: Springer 1994 ▪ Mebs, Giftiere, S. 164–170, Stuttgart: Wissenschaftliche Verlagsges. 1992 ▪ Teuscher u. Lindequist, Biogene Amine, S. 502 ff., Berlin: Akademie 1987. – *[HS 0510 00; 3001 90]*

Bienenwachs. Knetbares Ausscheidungsprodukt aus Drüsen der Honig-*Biene, aus dem die Honigwaben aufgebaut werden. Man schmilzt die vom *Honig durch Ausschleudern befreiten Waben, trennt die Schmelze (Schmp. 61–68 °C) von festen Verunreinigungen u. läßt das so erhaltene gelbe (*cera flava*), braune od. rote Rohwachs erstarren. Das Rohwachs kann durch Behandlung mit Oxidationsmitteln vollkommen weiß gebleicht werden (*cera alba*)[1]. B. ist in Wasser unlösl., in heißem Alkohol, in heißen Fetten u. ether. Ölen, Ether, Chloroform u. Terpentinöl löslich. Chem. u. physikal. Daten von gereinigtem B.: Schmp. 63–65 °C, D^{15} 0,960–0,968, n_D^{80} 1,4402, SZ 17, VZ 84, IZ 6. B. besteht aus einem Gemisch von komplexen Wachsestern (ca. 70%), normalen *Fettsäuren u. *Hydroxyfettsäuren (13–14%) sowie Kohlenwasserstoffen (10–14%). Die Wachsester enthalten als Alkohol-Komponente v. a. *1-Triacontanol, das insbes. mit *Palmitin- u. *Cerotinsäure verestert ist. Als Wachsester von Hydroxyfettsäuren ist v. a. Ceryl-hydroxypalmitat (8–9%) im B. vorhanden. 14-Hydroxypalmitin sowie 16-Hydroxy- u. 17-Hydroxystearinsäure sind ebenfalls Bestandteile von B.; als freie Wachssäuren kommen v. a. Lignocerin, Cerotin- u. *Melissinsäure vor. Zum typ. Geruch von B. s. *Lit.*[1]; zum Protein-Gehalt s. *Lit.*[2].

Verw.: Zur Herst. von hochwertigen Kerzen, gewachsten Papieren, Salben, Suppositorien, kosmet. Cremes u. Pflastern. B. dient als Trenn- u. Überzugsmittel, Grundstoff für Kaugummi, Glanzmittel für Dragees u. anderes. – *E* beeswax – *F* cire d'abeille – *I* cera d'api – *S* cera de abeja

Lit.: [1] J. Sci. Food Agric. **28**, 511–518 (1977). [2] Naturwissenschaften **77**, 34 (1990).
allg.: Hager (5.) **1**, 171 ff. ■ Römpp-Lexikon Lebensmittelchemie, S. 105 ■ Ullmann (5.) **A 5**, 29; **A 11**, 215; **A 24**, 222 ■ s. a. Wachse. – *[HS 1521 90; CAS 8006-40-4 (weiß); 8012-89-3 (gelb)]*

Bienenwolf. Der B. (*Philanthus triangulum*) gehört zur Familie Sphecidae (Grabwespen) der Insekten-Ordnung Hautflügler (Hymenoptera, Unterordnung Apocrita). Ab etwa Mitte Juni sind die schwarzgelben, etwas über Bienen-großen Imagines zu beobachten. In Mitteleuropa ist die Honigbiene (*Apis mellifica*) anscheinend das alleinige Beutetier. Die Beute wird zunächst opt. ausgemacht u. dann durch Rütteln in Lee im Abstand von wenigen dm geruchlich geprüft. Der rasante Angriff erfolgt nur auf ein Objekt mit „Bienenduft", z. B. im Experiment auch auf ein mit Bienenduft beschmiertes Holzklötzchen ähnlicher Größe. Das mit den Beinen ergriffene Opfer wird sofort mit einem Stich durch ein schnell wirkendes Gift bewegungsunfähig gemacht. Die Beute wird im Flug zum wohl ausschließlich opt. wiedergefundenen Nest in sandigem Gelände gebracht. Dort erfolgt das Einbringen der Biene, zwischen 2 u. 6 Individuen je B.-Larve, in bis zu 1 m langen Gängen als Brutfürsorge. Die Verpuppung erfolgt erst nach der Überwinterung im nächsten Frühjahr. – *I* philanthus triangulum – *S* avispa abejera
Lit.: Jacobs u. Renner, Biologie u. Ökologie der Insekten, 2. Aufl., Stuttgart: G. Fischer 1988.

Bier. Durch alkohol. Gärung aus stärkehaltiger Substanz gewonnenes Getränk. Nach der Art der Hefe unterscheidet man untergärige u. obergärige Biere. Nach dem in der BRD gültigen Biersteuergesetz müssen untergärige B. aus Gerstenmalz, Hopfen, Hefe u. Wasser hergestellt sein – dieses „Reinheitsgebot" wurde übrigens schon 1516 für Bayern erlassen! Für obergärige B. können auch andere Malzarten, Zucker u. aus Zucker hergestellte Farbmittel verwendet werden. Unter *Malz wird alles künstlich zum Keimen gebrachte *Getreide verstanden. B. enthalten neben Ethanol u. Kohlensäure als wertbestimmende Bestandteile gewisse Mengen an unvergorenen Extraktstoffen (Zucker u. Eiweißstoffe) sowie zahlreiche aus dem *Hopfen, den Darrprodukten u. der Gärung stammende Aroma- u. *Bitterstoffe. Physiolog. wirkt B. nicht nur sedierend, was man z. T. auf Hopfeninhaltsstoffe zurückführt, sondern auch diuresefördernd u. lymphanregend.

Herst. in der Brauerei: Die stärkehaltige Ausgangssubstanz kann nicht direkt vergoren werden, sondern muß zuvor „verzuckert" werden. Dazu benutzt man die hydrolyt. wirkenden Enzyme (*Amylasen, *Maltasen u. a. *Glucosidasen) von keimender Gerste, die die *Stärke in noch nicht gärungsfähige *Dextrine u. gärungsfähige *Maltose überführen. Die B.-Herst. gliedert sich deshalb in Malzbereitung, Würzebereitung u. Vergären. In der ersten Stufe, der *Malzbereitung*, läßt man eingeweichte Gerstenkörner bes. Beschaffenheit (stärkereich, eiweißarm) bei 15–18 °C keimen u. unterbricht den Keimprozeß, sobald der Wurzelkeim die 1- bis 1,5fache, der Blattkeim 3/4 der Kornlänge erreicht haben (8 d). Im so erhaltenen, gurkenähnlich riechenden *Grünmalz* ist die enzymat. Umwandlung der Stärke nur teilweise erreicht; es wird an der Luft getrocknet u. dann bei allmählich steigender Temp. (anfangs 45 °C, dann 60–80 °C, für dunklere B. bis 105 °C) auf Darren u. Horden in *Darrmalz* übergeführt. Auf diese Weise erhält man, je nach der Höhe der Abdarrtemp., helle od. dunkle (Karamelbildung!) Darrmalze. Beim früher üblichen Darren mit Heißluft (Direktbefeuerung) können, falls diese aufgrund überhöhter Temp. Stickoxide enthält, im Darrmalz *Nitrosamine entstehen. Bei geeigneter Verfahrensweise (indirekte Erhitzung) läßt sich die Nitrosamin-Bildung jedoch prakt. ganz vermeiden, so daß B. keinen nennenswerten Beitrag zur Nitrosamin-Belastung leistet[1]. Das Darrmalz muß durch anschließendes *Putzen* von Staub, Hülsen u. v. a. von den Wurzelkeimen befreit werden, die dem B. einen unangenehm rauhen Geschmack verleihen würden.

Bei der *Würzebereitung* wird das geschrotete Malz *gemaischt*, d. h. mit Wasser (Brauwasser) angerührt. Beim *Maischen* wird die im Malz enthaltene restliche Stärke durch die arteigenen *Amylasen vollständig in Zucker u. Dextrin abgebaut u. somit in lösl. Form gebracht. Da das Temp.-Optimum der Maltose-Bildung bei 50–65 °C liegt, dasjenige der Dextrin-Bildung jedoch bei 70 °C, hat man die Art des Stärke-Abbaues weitgehend in der Hand. Maischen für dunkle B. werden längere Zeit auf 55–68 °C gehalten, solche für helle, die mehr Dextrin enthalten u. deren Nährwert deshalb größer ist, rascher über die Verzuckerungstemp. geführt. Die von den *Trebern durch Absetzenlassen od. Filtration klar abgeläuterte Lsg. (*Würze*) kocht man zu ihrer Konzentrierung, Keimfreimachung, Koagulierung der lösl. Eiweißstoffe u. schließ-

lich auch zur Aromatisierung u. Konservierung je nach Art des B. mit 150–550 g je hl *Hopfen (dieser verleiht durch seinen Gehalt an Bitterstoffen, Harzen u. ether. Ölen dem B. den anregenden bitteren Geschmack u. bessere Haltbarkeit) 1,5–2,5 h lang. Die gehopfte Würze wird abgelassen u. filtriert. Bei diesem *Abläutern* werden die hydrolyt. wirkenden Enzyme inaktiviert, so daß bei der anschließenden Gärung mit Hefe nur der Zucker, nicht aber die im B. erwünschten Dextrine abgebaut werden. Nach dem Kühlen der Würze, bei dem der für das Hefewachstum notwendige Sauerstoff aufgenommen wird, leitet man die *Gärung* durch die sog. Anstellhefe ein. Man unterscheidet Oberhefen, die bei 15–20 °C unter Aufsteigen in 4–6 d stürm., u. Unterhefen, die bei 6–8 °C unter Abscheidung als Bodensatz innerhalb von 8–10 d langsame Gärung bewirken; im ersten Falle erhält man *obergärige*, im zweiten *untergärige Biere*. Die durch Untergärung gewonnenen B. sind haltbare, versandfähige Lagerbiere, während bei der Obergärung meist leichtere, weniger haltbare B. entstehen. Untergärig sind z. B. das Dortmunder, Münchener, Pilsener Bier u. alle gewöhnlichen B.-Sorten, auch das Schankbier; obergärig sind: Berliner Weißbier, Karamelbier, Grätzer, Lichtenhainer, Süßbiere, westfäl. Altbier sowie die engl. Ale, Porter u. Stout. Zum Schluß überläßt man das B. in Kühlkellern noch einer langsamen, mehrwöchigen Nachgärung bei 0–2 °C in Lagerfässern, aus denen es auf kleinere Versandfässer od. auf Flaschen abgefüllt wird.
Eine Klärung des B. könnte durch Zusatz von *Papain erreicht werden, jedoch dürfen nach dem Biersteuergesetz nur mechan. u. adsorbierend wirkende Stoffe zugesetzt werden, die wieder ausgeschieden werden können. Eine Verbesserung der Haltbarkeit bei längerer Lagerung von B. ist durch Abfüllen unter Stickstoff-Atmosphäre möglich. Zur chem. Stabilität des Bieres, insbes. der Entstehung u. Zusammensetzung der sog. Proteintrübung u. zur Beschreibung der mikrobiolog., chem. u. biochem. Vorgänge bei der B.-Bereitung s. *Lit.*[2,3].
Die chem. Zusammensetzung der zahlreichen B.-Sorten zeigt, abgesehen von der helleren od. dunkleren Farbe, die bei den untergärigen auf der Verw. schwächer od. stärker gedarrten Malzes beruht, bei obergärigen aber auch durch Zuckercouleur hervorrufen wird, in qual. Hinsicht kaum Unterschiede. Sie alle enthalten neben Wasser, Ethanol, Kohlensäure u. Hopfenbitterstoffen geringe Mengen unvergorenen Zuckers, Dextrine, ferner Eiweißstoffe, Milchsäure, Glycerin usw., deren Mengenverhältnisse von B. zu B. anders sind. Zu den flüchtigen Aromastoffen (über 250 bisher identifiziert) des B. s. *Lit.*[4,5]. Die Einteilung der B.-Sorten im Biersteuergesetz erfolgt nach ihrem Gehalt an *Stammwürze*. Damit bezeichnet man den *Extrakt-Gehalt* (d.h. die Menge der gelösten Stoffe) der Bierwürze vor Eintritt der Gärung; ihr Anteil ist ein Maß für die „Stärke" eines Bieres u. ist für die verschiedenen B.-Sorten innerhalb enger Grenzen vorgeschrieben: *Einfachbiere*: 2–5,5%, *Schankbiere*: 7–8%, *Vollbiere*: 11–14%, *Starkbiere*: mind. 16% Stammwürze. Beim fertigen B. wird der Stammwürze-Gehalt (S) auf der Grundlage, daß nach der Gärungsgleichung aus zwei Gew.-Tl. Zucker ein Gew.-Tl. Ethanol entsteht, durch Addition des doppelten Ethanol-Gehaltes (A) zum festgestellten Extrakt-Gehalt (E), genauer nach $S = [100(E + 2,0665\,A)]/[100 + 1,0665\,A]$ berechnet; er ist demnach ein Maßstab für die Menge an verarbeitetem Malz. Der Vergärungsgrad $V = 100\,(1 - E/e)$ gibt an, wieviel % des ursprünglichen Würzextraktes (e) vergoren sind bzw. wieviel unvergorener Zucker noch vorhanden ist. *Malzbiere* (Nährbiere, Süßbiere, Karamelbiere) sind alkoholarme, dunkle B. mit einem Extrakt von 7% Malzwürze, die durch Zuckerzusatz auf 12–13% Stammwürze gebracht worden ist. Sie werden bei 70–75 °C pasteurisiert. *Märzen-, Bock-* u. *Doppelbier* sind untergärige bayer., zu gewissen Jahreszeiten hergestellte Luxusbiere mit 4–5% Ethanol, 8–9% Extrakt u. 17–18% Stammwürze; beim *Eisbock* ist durch Ausfrieren eines Teiles des Wassers der Ethanol-Gehalt bes. hoch. Andererseits ist man bemüht, möglichst alkoholarme bzw. alkoholfreie (Alkohol <0,5%) B. für Kraftfahrer zu entwickeln, die trotzdem dem Reinheitsgebot entsprechen. Dies ist z. B. durch Umkehrosmose od. Verw. spezieller Hefen u. biotechnolog. Verf. möglich[6].
Für Diabetiker werden spezielle *Diätbiere* hergestellt, deren Kohlenhydrat-Gehalt durch hohe Vergärungsgrade sehr gering gehalten wird, weshalb jedoch der Alkoholgehalt u. Nährwert relativ hoch sind. *Bierähnliche Getränke* unterliegen ebenfalls den Bestimmungen des Biersteuergesetzes; ein Beisp. dafür ist das in der BRD hergestellte *Molkenbier*. Andere B.-ähnliche Gärprodukte sind Mais- u. Hirsebiere, die in manchen Gegenden Afrikas hergestellt werden. – *E* beer – *F* bière – *I* birra – *S* cerveza
Lit.: [1] Lebensmittelchemie **48**, 109 (1994). [2] Frede (Hrsg.), Taschenbuch für Lebensmittel-Chemiker und -Technologen, Bd. 1, S. 359–369, Berlin: Springer 1991. [3] Dittrich (Hrsg.), Mikrobiologie der Lebensmittel: Getränke, S. 111–181, Hamburg: Behr's 1993. [4] Z. Lebensm. Unters. Forsch. **193**, 558–565 (1991). [5] Brauwelt **130**, 1554–1562 (1990). [6] Chem. Ind. (London) **1991**, 304, 307.

Bieraroma. Prim. Geruchs- u. Geschmacksstoffe aus Malz u. *Hopfen bestimmen den Typ des Bieres: *Bitterstoffe (s. Humulon) u. Aromastoffe des Hopfens prägen die Pilsener Biere, ein relativ hoher *Furaneol®-Gehalt ergibt die Karamelnote dunkler Biere. Folgende Aromastoffe sind in hellem Vollbier enthalten[1]: 3-Methyl-1-butanol, *2-Phenylethanol, 4-Vinylguajacol, 2- u. *3-Methylbuttersäure, *Furaneol® u. Buttersäure. In Weizenbier ist der Gehalt an 4-Vinylguajacol signifikant höher. Viele Aromastoffe liegen in ihrer Konz. im Bereich der Wahrnehmungsschwelle od. darunter, können aber additiv zum B. beitragen, z. B. die Fruchtester (Buttersäureethylester, Hexansäureethylester u. a.) od. *Acetoin u. *2,3-Butandion. Letztere ergeben bei höherer Konz. einen Fehlgeruch ebenso wie *Phenylacetaldehyd, (E)-2-Nonenal u. 3-Methyl-3-mercaptobutylformiat („catty"-Note) bei überlagertem Bier[1]. – *E* beer flavour – *I* aroma della birra
Lit.: [1] Z. Lebensm. Unters. Forsch. **193**, 558–565 (1991). *allg.:* Belitz-Grosch (4.), S. 814 ■ Maarse (Hrsg.), Volatile Compounds in Food and Beverages, S. 581–616 u. 716 ff., New York: Dekker 1991.

Biexciton. Das B. od. Excitonenmol. ist ein gebundener Zustand aus zwei Elektronen u. Löchern in *Halbleitern u. *Isolatoren in Analogie zum Wasserstoff-Mol. od. zum Positroniummol.; s. a. Exciton. – $E = F = I$ biexciton – S biexcitón
Lit.: Klingshirn, Semiconductor Optics, Berlin: Springer 1995.

Bifenox. Common name für Methyl-5-(2,4-dichlorphenoxy)-2-nitrobenzoat.

$C_{14}H_9Cl_2NO_5$, M_R 342,14, Schmp. 84–86 °C, LD_{50} (Ratte oral) >6400 mg/kg (WHO), von Mobil Chem. Co. 1970 eingeführtes selektives *Herbizid gegen Unkräuter u. Ungräser im Getreide-, Reis-, Mais- u. Sojaanbau. – $E = F$ bifenox – I bifenosso – S bifenoxo
Lit.: Farm ▪ Perkow ▪ Pesticide Manual. – *[HS 2918 90; CAS 42576-02-3]*

Bifenthrin. Common name für (2-Methylbiphenyl-3-ylmethyl)-cis-3-[(Z)-2-chlor-3,3,3-trifluor-1-propenyl]-2,2-dimethylcyclopropancarboxylat.

cis-Racemat

$C_{23}H_{22}ClF_3O_2$, M_R 422,87, Schmp. 68–71 °C, LD_{50} (Ratte oral) 55 mg/kg, von FMC entwickeltes, breit wirksames *Insektizid u. *Akarizid aus der Klasse der synthet. *Pyrethroide gegen Schädlinge im Baumwoll-, Obst-, Gemüse- u. Weinbau. – E bifenthrin – F bifenthrine – $I = S$ bifentrina
Lit.: Farm ▪ Perkow ▪ Pesticide Manual. – *[CAS 82657-04-3]*

Bifidus-Faktor s. Humanmilch.

Bifiteral®. Sirup u. Pulver mit *Lactulose gegen chron. Verstopfung bei Leberkrankheiten, hepat. Koma, zur Sanierung von Salmonellen-Dauerausscheidern. *B.:* Duphar.

Biflavanoide s. Flavonoide.

Bifluoride s. Hydrogenfluoride.

Bifonazol.

Internat. Freiname für 1-(4-Phenylbenzhydryl)-imidazol u. seine Salze, $C_{22}H_{18}N_2$, M_R 310,40, Schmp. 142 °C; LD_{50} (Maus, oral) 2629, (Ratte, oral) 2854 mg/kg. Es wurde 1976 u. 1978 als top. Antimykotikum von Bayer (Mykospor®) patentiert u. ist auch von Hexal (Bifomyk®) im Handel. – $E = F$ bifonazole – I bifonazolo – S bifonazol
Lit.: Arzneim.-Forsch. **33**, 517–551 (1983) ▪ ASP ▪ Hager (5.) **7**, 481. – *[HS 2933 29; CAS 60628-96-8]*

Bifunktionelle Verbindungen. Organ. Verb. mit zwei *funktionellen Gruppen, z. B. Dicarbonsäuren, Aminocarbonsäuren, zweiwertige Alkohole. – E bifunctional compounds – F composés bifonctionnels – I composti bifunzionali – S compuestos bifuncionales

Bigarade. Französ. Name für *Pomeranzen, vgl. die Synonyma bei Citrusfrüchte.

Biguanide.

$R^1 = R^2 = H$	: Biguanid
$R^1 = H$, $R^2 = C_4H_9$	: *Buformin
$R^1 = R^2 = CH_3$	: *Metformin
$R^1 = H$, $R^2 = (CH_2)_2-C_6H_5$	: *Phenformin

Gruppenname für Verb., die sich vom *Biguanid* (Guanylguanidin, $C_2H_7N_5$, M_R 101,11) ableiten. Dieses bildet farblose Krist., Schmp. 130 °C, lösl. mit stark alkal. Reaktion in Wasser, ferner in Alkohol, nicht aber in Ether, Benzol u. Chloroform. Zur Herst. geht man vom Dicyandiamid aus (vgl. *Lit.*[1]). Das Sulfat dient zur Bestimmung von Cu u. Ni.
Eine Reihe von B. haben seit Ende der 50er Jahre als orale *Antidiabetika Eingang in die Therapie gefunden (s. die Formeln), andere als Malariamittel od. Viruzide. Da sich inzwischen herausgestellt hat, daß B. in bestimmten Fällen eine – mitunter tödlich verlaufende – Lactat-*Azidose hervorrufen können, sind B.-haltige Arzneimittel in den USA aus dem Handel gezogen worden u. in der BRD dürfen sie nur noch unter bestimmten Vorsichtsmaßregeln verordnet werden, vgl. *Lit.*[2]. Unter den B. befinden sich ferner zahlreiche Komplexierungsmittel für Metalle[3]. B. bzw. ihre Vorprodukte. sind auch Ausgangsmaterialien für 1,3,5-*Triazine u. Pyrimidin-Derivate, s. *Lit.*[4]. – $E = F$ biguanide – I biguanidi – S biguanidas
Lit.: [1] Inorgan. Synth. **7**, 56 (1963). [2] Pharm. Unserer Zeit **7**, 58 (1978). [3] Chem. Rev. **61**, 313–359 (1961). [4] Synthesis **1973**, 536 f.
allg.: Arzneimittelchemie II, 192–197; III, 153–157, 238 ▪ Arzneim. Forsch. **22**, 1157–1169, 1413–1419, 1540–1552, 1752–1758 (1972) ▪ Fortschr. Chem. Forsch. **10**, 375–472 (1968).

Bihugas s. Biogas.

Bijvoet-Methode. Nach dem Entdecker benanntes Verf. zur Bestimmung der *absoluten Konfiguration* eines Isomeren unter Verw. der *Röntgenstrukturanalyse*. Die Information über die abs. *Konfiguration ist in den Phasen der gebeugten Röntgenstrahlung enthalten. Die B.-M. besteht darin, daß ein schweres Atom in das zu untersuchende Mol. eingebaut wird, welches mit seiner elektronenreichen Atomhülle eine zusätzliche Phasenverschiebung in dem gebeugten Röntgenstrahl hervorruft. Die Enantiomeren können anhand ihrer verschiedenen Intensitäten unterschieden werden. Moderne *Refraktometer sind so empfindlich, daß die B.-M. an Bedeutung verloren hat. – E Bijvoet method – F méthode de Bijvoet – I metodo di Bijvoet – S método de Bijvoet

Bikalm®. Schlaftabl. mit *Zolpidem-Tartrat. *B.:* Byk Gulden.

Bikaverin (6,11-Dihydroxy-3,8-dimethoxy-1-methyl-10*H*-benzo[*b*]xanthen-7,10,12-trion, auch Lycopersin, Mycogonin od. Passiflorin genannt).

$C_{20}H_{14}O_8$, M_R 382,33, rote Nadeln, Schmp. 320–325 °C (Zers.), Naphthochinon-Antibiotikum aus *Fusarium oxysporum*, *F. solani*, *Mycogone jaapii*, *Gibberella fujikuroi* u. *Verticillium agaricinum*. B. wirkt stark auf die Lyse von Vakuolen, besitzt cytostat./-tox. Eigenschaften u. zeigt Aktivität gegen *Protozoen. – *E* bikaverin – *F* bicavérine – *I* bicaverina – *S* bikaverina

Lit.: Tetrahedron Lett. **33**, 2805 f. (1992). – *[HS 2941 90; CAS 33390-21-5]*

Bikomponentenfasern. Bez. für auch *Zweikomponentenfasern, Zwillingsfasern, konjugierte Fasern* genannte *Chemiefasern aus zwei verschiedenen Polymeren, die aus Spezialdüsen so versponnen werden, daß sich die beiden Komponenten nicht miteinander vermischen. Die beiden Polymeren müssen nach der selben Meth. verspinnbar sein (s. Spinnen). Entsprechend der Anordnung der Komponenten unterscheidet man: Seite-an-Seite-Typen, Kernmantel-Typen u. Matrix-Fibrillen-Typen; letztere werden auch *Bikonstituentenfasern* genannt. B. werden hergestellt, um die Fasereigenschaften insgesamt zu beeinflussen, speziell jedoch um eine stabile Kräuselung zu erreichen od. zur Erzielung bes. Oberflächeneigenschaften; *Beisp.:* Cantrece, *Orlon, *Monvelle. – *E* bicomponent fibers – *F* fibres biconstituants – *I* fibra bicomponente – *S* fibras de dos componentes

Lit.: Chemiefasern/Textilind. **29**, 431–438 (1979) ▪ Kirk-Othmer (3.) **18**, 396 ff., **S**, 372–392; (4.) **10**, 654 f. ▪ Ullmann (4.) **11**, 283 f.; (5.) A **10**, 529 f. ▪ Winnacker-Küchler (4.) **6**, 628 f.

Bikonstituentenfasern s. Bikomponentenfasern.

Bikorit®. Hochfeuerfester Elektrokorund der Hüls AG, Marl.

Bil... Von latein.: bilis = Galle abgeleiteter anlautender Wortbestandteil in Namen von Verb., die in *Galle auftreten (*Beisp.:* *Bilirubin) sowie in meist geschützten Handelsnamen von *Cholagoga u. a. Gallenheilmitteln (vgl. a. Chol... u. Gall...) od. von Röntgen-Kontrastmitteln. In den Gallenpräp. sind pflanzliche Drogen wie Extrakte aus Schöllkraut, Artischocken, Mariendisteln, Curcuma, Aloe, Faulbaum u. a. sowie Azulene u. Pfefferminzöl, vielfach noch Cholin, Gallensäuren, Verdauungsenzyme sowie Atropin u. Papaverin enthalten. Röntgen-Kontrastmittel für die Gallenblase u. die Gallenwege sind meist Na-, Ca-od. Meglumin-Salze von Derivaten der 2,4,6-Triiodbenzoesäure.

Bilanafos. Common name für 4-[Hydroxy(methyl)phosphinoyl]-L-homoalanyl-L-alanyl-L-alanin.

$C_{11}H_{22}N_3O_6P$, M_R 323,29, $[\alpha]_D^{25} -34°$ (10 g/l Wasser), LD_{50} (Ratte oral) 268 mg/kg, von Meiji Seika eingeführtes *Herbizid zur Unkrautbekämpfung in Wein, Obst, Gemüse u. auf Nichtkulturland; wird fermentativ gewonnen. – *E* = *F* = *I* = *S* bilanafos

Lit.: Pesticide Manual. – *[CAS 35597-43-4]*

Bildschirm s. Leuchtstoffe.

Bildungsenthalpie s. Bildungswärme.

Bildungsgrad s. Ausbeute.

Bildungswärme. Bez. für diejenige Wärmemenge, die beim Aufbau einer Verb. aus den Elementen frei wird (*exotherme Reaktion*) od. verbraucht wird (*endotherme Reaktion*); definitionsgemäß wird die von einem Syst. abgegebene Wärmemenge mit Minuszeichen versehen. Tabelliert werden üblicherweise die *Standardbildungsenthalpien* bei 25 °C (298,15 K) u. Standarddruck 1 bar (100 kPa) (in älteren Arbeiten 1 atm). Sie entsprechen den *Standardreaktionsenthalpien der Bildungsreaktion, d. h. der Reaktion für die Bildung der gewünschten Verb. aus den Elementen in ihren Referenzphasen. Die Referenzphase eines Elements ist die thermodynam. stabilste Phase bei Standarddruck (mit einer Ausnahme: beim Phosphor wird weißer Phosphor als Referenzphase genommen). Per definitionem sind die Standardbildungsenthalpien der Elemente in ihren Referenzphasen gleich Null für alle Temperaturen. Die Standardbildungsenthalpien einiger Verb. sind in der Tab. angegeben.

Tab.: Standardbildungsenthalpien (in kJ mol^{-1}) einiger Verbindungen (bei 298 K u. 1 bar).

Verbindung[a]	$\Delta_f H^-$	Verbindung[a]	$\Delta_f H^-$
CH_4 (g)	–74,8	H_2O (l)	–285,8
$HC\equiv CH$ (g)	226,7	NH_3 (l)	–46,1
$H_2C=CH_2$ (g)	52,3	NaCl (s)	–411,2
H_3C-CH_3 (g)	–84,7	NO_2 (g)	33,2
C_6H_6 (l)	49,0	SiO_2 (s)	–910,9

[a] die Aggregatzustände sind in Klammern angegeben (s: fest, l: flüssig u. g: gasförmig).

Aus den Standardbildungsenthalpien kann man über den *Heßschen Satz die Standardreaktionsenthalpien beliebiger Reaktionen berechnen. Z. B. berechnet sich die Standardreaktionsenthalpie der Verbrennungsreaktion $CH_4(g) + 2 O_2(g) \rightarrow CO_2(g) + 2 H_2O(fl.)$ mit den Daten der Tab. zu –892,3 kJ mol^{-1}. – *E* heat of formation – *F* chaleur de formation – *I* calore di formazione – *S* calor de formación

Lit.: s. Thermochemie.

Bilge. Bez. für die tiefste Stelle eines Schiffes, in dem sich Schwitz- u. Leckwasser, Öl-, Schmierfett- u. Treibstoffreste sammeln. Das Abpumpen dieses B.-Wassers ist in dem Internat. Übereinkommen zur Verhütung der Meeresverschmutzung durch Schiffe (MARPOL) geregelt. Außerhalb von Sondergebieten (Ostsee, Mittelmeer u. a.) u. der 12-Seemeilen-Zone kann unter bestimmten Bedingungen B.-Wasser eingeleitet werden. Innerhalb der 12-Seemeilen-Zone gelten nat. Regelungen. – *E* bilge – *F* fonds – *I* = *S* sentina

Lit.: BGBl. II, S. 2 (1982).

Bilharziose (Bilharziasis). Nach dem dtsch. Arzt Th. Bilharz (1825–62) benannte trop. Wurmerkrankung, die hier unter dem internat. bevorzugten Namen *Schistosomiasis behandelt ist. – *E* = *S* bilharziasis – *F* bilharziose – *I* bilharziosi

Bilirubin.

$C_{33}H_{36}N_4O_6$, M_R 584,67. Hell- bis dunkelrote Krist., die sich beim Erhitzen schwarz färben, ohne zu schmelzen. In Wasser unlösl., in Benzol, Chloroform, Chlorbenzol, Schwefelkohlenstoff, Säuren u. Basen leicht, in Alkohol u. Ether mäßig löslich. Die Struktur ist im Substitutionsmuster dem *Protoporphyrin analog.
Nachw.: Durch den *Gmelin-Test, quant. mit Sulfanilsäure u. mit 2,4-Dichloranilin od. mit Teststreifen, die 2,6-Dichlorbenzoldiazoniumfluoroborat enthalten (Bilur-Test). Zur Analyse von B. im Serum s. *Lit.*[1]
Vork.: Als Abbauprodukt des Blutfarbstoffs in der Galle (s. Gallenfarbstoffe; Name von latein.: bilis = Galle u. ruber = rot), tritt bei Hepatitis (Leberentzündung) im Blut in erhöhtem Maße auf. Gallensteine enthalten u. a. ein Calcium-Salz des B.; bei der Gewinnung geht man entsprechend von Gallensteinen von Ochsen aus. B. entsteht normalerweise in der Milz durch oxidative Spaltung des *Porphyrin-Rings des *Häms, das hauptsächlich aus *Erythrocyten-*Hämoglobin stammt, u. Hydrierung des grünen Zwischenproduktes *Biliverdin. Die bei Hämatomen (Blutergüssen) beobachtbaren Farbveränderungen sind jedoch ebenfalls Folge dieses Abbaus, wobei sich B. als mikroskop. kleine gelbbraune Krist. ablagert, die früher auch *Hämatoidin* genannt wurden. Als Entkoppler der oxidativen *Phosphorylierung hochgiftig, wird B. in der Blutbahn an *Serumalbumin gebunden zur Leber transportiert. B. wird als Diglucuronid von der Gallenblase in den Darm abgegeben. Durch dessen bakteriellen Ab- u. Umbau sowie durch Sauerstoff-Oxid. entstehen im Darm die sog. *Fäkalpigmente, die die braune Farbe des *Kots bedingen. Bei Gelbsucht treten im *Harn vermehrt sog. *Propentdyopente als B.-Oxidationsprodukte auf. B. ist neben L-*Ascorbinsäure ein natürliches Antioxidans, das Hydroperoxy-Radikale abfängt.
Geschichte: Städeler isolierte B. 1864 aus Gallensteinen, Strukturaufklärung u. Synth. gelangen Fischer u. Plieninger 1942. – *E* bilirubin – *F* bilirubine – *I* bilirubina – *S* bilirrubina
Lit.: [1] Ann. Clin. Biochem. **28**, 119–130 (1991).
allg.: Beilstein **E V 26**/15, 523 ff. ▪ J. Lipid Res. **35**, 1715–1737 (1994) ▪ Semin. Liver Disease **14**, 325–351 (1994). – [HS 2933 90; CAS 635-65-4]

Biliverdin (Dehydrobilirubin). $C_{33}H_{34}N_4O_6$, M_R 582,66. Dunkelgrüne (Name von latein.: bilis = Galle u. italien./span.: verde = grün) Blättchen od. Prismen, bei ca. 300 °C Zers., lösl. in Methanol, Ether, Chloroform, Benzol, Alkalien; *Gmelin-Test positiv.

B. tritt als Zwischenprodukt des *Häm-Abbaus zu *Bilirubin vermehrt im Serum von Leberkranken auf u. kann zu diagnost. Zwecken bestimmt werden. Amphibien u. Vögel besitzen als Gallenfarbstoff nur B. u. kein Bilirubin. – *E* = *F* biliverdine – *I* = *S* biliverdina
Lit.: Beilstein E V **26**/15, 527. – [HS 2933 90]

Biliverdinsäure s. Hämatinsäure.

Billitonite s. Tektite.

Bilobalid (Bilobalid A).

$C_{15}H_{18}O_8$, M_R 326,30, Schmp. >300 °C, $[\alpha]_D^{20}$ –64° (c 2/Aceton), lösl. in organ. Lösemitteln. *Sesquiterpen aus dem Ginkgobaum (*Ginkgo biloba*). Es ist ein C_{15}-Trilacton, ähnelt den Ginkgoliden, die als hexacycl. *Diterpene aufzufassen sind, u. besitzt wie diese die bisher einzigen natürlich vorkommenden *tert*-Butyl-Gruppen. Zur Totalsynth. s. *Lit.*[1]. – *E* = *F* = *I* bilobalide – *S* bilobalida
Lit.: [1] J. Am. Chem. Soc. **109**, 7534 (1987); **114**, 5445 f. (1992); **115**, 3146 (1993).
allg.: Justus Liebigs Ann. Chem. **1987**, 1079 (Kristallstruktur) ▪ Phytother. Res. **2**, 1–24 (1988) (Review) ▪ Tang u. Eisenbrand, Chinese Drugs of Plant Origin, S. 557 f., Berlin: Springer 1992 ▪ Tetrahedron Lett. **29**, 3423 (1988) (Synth.). – [CAS 33570-04-6]

Bilsenkraut. Auf Schutthalden, an Wegrändern u. Waldlichtungen wachsendes, ein- bis mehrjähriges Nachtschattengewächs (*Hyoscyamus niger*, Solanaceae) mit gelblichweißen, violett geäderten Blüten u. eiförmigen, gezähnten Blättern. Die Pflanze enthält 0,03–0,16% *Tropan-Alkaloide mit *Hyoscyamin u. *Scopolamin im Verhältnis 12:1. Extrakte aus den Blättern u. alkohol. Tinkturen werden ähnlich wie *Belladonna-Präparate bei Koliken, Magengeschwüren u. Asthma v. a. wegen ihrer krampflösenden, schmerzstillenden u. beruhigenden Wirkung arzneilich genutzt. B. ist ähnlich giftig wie die *Tollkirsche, doch ist die Wirkung wegen des höheren Scopolamin-Gehalts eher lähmend auf das ZNS; als letale Dosis werden ca. 100 mg angegeben. In Shakespeares 'Hamlet' ist „hebonon", ins Ohr geträufelt, als Mordgift für dessen Vater angegeben. – *E* henbane – *F* jusquiame – *I* giusquiamo – *S* beleño

Lit.: DAB 10 u. Komm. (Hyoscyamusblätter u. -pulver) ▪ Hager (5.) **5**, 460–474 ▪ Steinegger u. Hänsel, Pharmakognosie, S. 513ff., Berlin: Springer 1992. – *[HS 1211 90]*

Biltricide®. Lacktabl. mit *Praziquantel gegen Schistosomiasis. *B.:* Bayer Pharma Deutschland.

Biltz, Heinrich (1865–1943), Prof. für Chemie, Univ. Kiel u. Breslau. *Arbeitsgebiete:* Ethylen-Derivate, Hydrazone, Glyoxal-Derivate, Harnsäure, Coffein, Molekulargewichtsbestimmung.

Lit.: Pötsch, S. 47 ▪ Strube et al., S. 138.

Biltz, Wilhelm Eugen (1877–1943), Prof. für Chemie in Göttingen u. an der Bergakademie in Clausthal. Er führte den Begriff *Kolloidchemie ein. *Arbeitsgebiete:* Polysulfide, Kolloide, Salzlagerstätten, Mol.- u. Atomvolumina, analyt. Chemie. Mit Klemm verfaßte er 1930 Lehrbücher zur quant. Analyse, die noch heute in Einführungspraktiken jedem Chemiestudenten bestens vertraut sind.

Lit.: Pötsch, S. 48.

Bimetall. Durch Schweißen od. Kleben hergestelltes Verbundsystem aus zwei unterschiedlichen Metallen. Bei B.-Streifen sind Metalle verschiedener Wärmedehnungen (z.B. Messing/Eisen) verbunden, die sich bei Temp.-Änderungen unterschiedlich ausdehnen u. aufgrund des festen Verbunds zu einer Krümmung des B.-Streifens führen. Verw. finden B.-Streifen als preiswerte Schaltelemente für Temp.-Anzeigen (Thermo-B.) od. für Temp.-gesteuerte elektr. Kontakte (Kontakt-B.), z.B. als Temp.-Regulierungen in Zentralheizungen, in Kühlschränken, elektr. Heizkissen u. Bügeleisen sowie als Schaltorgane in Blinklichtschaltungen. Unter einer B.-Platte versteht man eine Druckplatte aus zwei verschiedenen Metallen mit unterschiedlicher Netzbarkeit für Wasser u. Druckfarbe für eine Anw. in der Offset-Drucktechnik. – *E* = *S* bimetal – *F* bilame – *I* bimetallo

Bimolekulare Reaktion. *Elementarreaktion, bei deren Ablauf zwei Teilchen (Atome od. Mol.) zusammenstoßen müssen. *Molekularität u. Ordnung einer Reaktion sind im allg. nicht ident.; näheres s. bei Kinetik. In jüngerer Zeit wurden einige bimol. Gasphasenreaktionen sehr detailliert (z.B. in Molekularstrahlen, mit *Infrarotchemilumineszenz u.a.) untersucht, z.B. die für den chem. Laser im H_2/F_2-Syst. wichtige Elementarreaktion $F + H_2 \rightarrow HF + H$, bei der das HF-Mol. vorwiegend im zweiten angeregten Schwingungszustand erzeugt wird. – *E* bimolecular reaction – *F* réaction bimoléculaire – *I* reazione molecolare – *S* reacción bimolecular

Lit.: Levine u. Bernstein, Molekulare Reaktionsdynamik, Stuttgart: Teubner 1991 ▪ Pilling u. Smith, Modern Gas Kinetics, Oxford: Blackwell 1987 ▪ Smith, Kinetics and Dynamics of Elementary Gas Reactions, London: Butterworths 1980. – Kinetische Daten für viele b. R. findet man in verschiedenen Ausgaben von J. Phys. Chem. Ref. Data, z.B. für wichtige Verbrennungsprozesse in J. Phys. Chem. Ref. Data **23**, 847 (1994).

Bimsbeton. Leichtbeton aus Zement u. *Bimskies* (s. Bimsstein), wird zur Herst. von Hohlblöcken usw. verwendet.

Lit.: Ullmann (4.) **8**, 325.

BImSchG. Abk. für *Bundes-Immissionsschutzgesetz.

Bimsstein, Bimssand, Bimskies. Die aus Vulkanen ausbrechenden, ca. 1000°C heißen Lavamassen aus *Obsidian u. *Rhyolith geben die ursprünglich chem. gebundenen Gase (Chlor, Schwefeldioxid, Stickstoff, Wasserdampf) infolge der plötzlichen Druckentlastung explosionsartig ab, wodurch blasiger B. entsteht, dessen Gasblasen länglich gestreckt sind. Die Dichte von B. liegt um 0,3, in gemahlenem Zustand bei 2,4. *Vork.:* Insel Lipari (Italien), Spanien, Ungarn; im Koblenz-Neuwieder Becken finden sich von diluvialen Eifelvulkanen etwa 500 Mio. m³ B. mit Korngrößen bis 7 mm (*Bimssand*) od. ca. 7–40 mm (*Bimskies*); enthält ca. 55% SiO_2, 22% Al_2O_3, 11% Alkalien (Trachyt-Form). *Bimstuffe* (s. Tuffe) sind verfestigte Bimssande u. -kiese. *Verw.:* Als Stein u. gepulvert als Schleif- u. Poliermittel in verschiedenen Feinheitsgraden, z.B. in *Bimssteinseifen* (*Sandseife). Bimskies dient als *Betonzuschlag (Leichtzuschlag) zur Herst. von Hohlblocksteinen, Leichtbauplatten, Leichtbeton (*Bimsbeton). – *E* pumice – *F* ponce – *I* pietra pomice – *S* piedra pómez

Lit.: DIN 4226, Tl. 2 (04/1983) ▪ Kirk-Othmer (3.) **1**, 32 ▪ Ullmann (4.) **20**, 450; **21**, 405; (5.) A **23**, 701 f.

Binäre Kampfstoffe. Neuentwicklung auf dem Gebiet *chemischer Waffen (*Kampfstoffe), bei denen aus zwei nicht od. nur wenig tox. Substanzen erst beim Granaten-Einschlag, Bomben-Explosion od. ähnlichem der eigentliche Kampfstoff entsteht, z.B. die Nervengifte *GB (*Sarin) od. *VX (hier sind Konstruktionsschema u. Reaktionsprinzip einer binären VX-Bombe näher beschrieben). Diese Art der Kampfstoffe ist gegenüber den einkomponentigen einfacher u. gefahrloser zu handhaben, transportieren, lagern u. ggf. zu demunitionieren u. vernichten. – *E* binary wapons – *F* substances binaires de combat – *I* aggressivi binari – *S* agresivos químicos binarios

Lit.: Kirk-Othmer (3.) **5**, 399 ▪ Nachr. Chem. Tech. Lab. **36**, 915–917 (1988) ▪ Schrempf, Chemische Kampfstoffe – Chemischer Krieg, München: Institut für Internationale Friedensforschung 1981 ▪ s.a. Chemische Waffen, Kampfstoffe.

Binäre Optik s. Optik.

Binäre Systeme (Zweistoffsyst). Bez. für homogene od. heterogene Gemische aus zwei verschiedenen Bestandteilen; *Beisp.:* Lsg. einer Verb. in einem Lsm., Leg. aus 2 Metallen od. Gemische von 2 Flüssigkeiten. Die Zusammensetzung von b. S. ist von Temp. u. Druck abhängig, vgl. auch azeotrop, Eutektikum, Phasen. – *E* binary systems – *F* systèmes binaires – *I* sistemi binari – *S* sistemas binarios

Binäre Verbindungen. Bez. für Verb. aus *zwei* verschiedenen Elementen mit der allg. Formel A_xB_y. Hierher gehören die Boride, Carbide, Halogenide, Hydride, Nitride, Oxide, Phosphide, Silicide, Sulfide. Die Namen dieser Stoffe enden in (der anorgan. Chemie) alle auf …*id, wobei der metall. Bestandteil vorangestellt wird (Natriumchlorid, Silbersulfid) bzw. das in der folgenden Reihe frühere Nichtmetall (IUPAC-Regel I-4.6.2): Rn, Xe, Kr, B, Si, C, Sb, As, P, N, H, Te, Se, S, At, I, Br, Cl, O, F (Borsilicid u. *nicht* Siliciumborid, Sauer-

Tab.: Chirale Binaphthyl-Liganden.

R	Kürzel	IUPAC-Name	Summenformel	M_R	Schmp. [°C]	[α]	CAS
OH	(R)-(+)-BINOL (S)-(−)-BINOL	2,2'-Dihydroxy-1,1'-binaphthyl	$C_{20}H_{14}O_2$	286,33	208–210	+34° −34°	18531-94-7 18531-99-2
NH_2	(R)-(+)-BIABN (S)-(−)-BIABN	2,2'-Diamino-1,1'-binaphthyl	$C_{20}H_{16}N_2$	284,36	242–244	+157° −157°	18741-85-0 18531-85-8
$P(C_6H_5)_2$	(R)-(+)-BINAP (S)-(−)-BINAP	2,2'-Bis-(diphenyl-phosphino)-1,1'-binaphthyl	$C_{44}H_{32}P_2$	622,69	239–241 238–240	+233° −233°	76189-55-4 76189-56-5

stofffluorid u. *nicht* Fluoroxid). Ion. b. V. mit mehreren gleichartigen Atomen benennt man nach dem *Stock-System [Eisen(III)-chlorid für $FeCl_3$], kovalente b. V. mit griech. Zahlwörtern (Diphosphorpentoxid für P_2O_5). – *E* binary compounds – *F* composés binaires – *I* composti binari – *S* compuestos binarios
Lit.: s. chemische Bindung u. Nomenklatur.

BINAL-H, BINAP s. Binaphthyl.

Binaphthyl. Analog zu *Biphenyl gebildete Bez. für Verb., die aus zwei Naphthalin-Einheiten bestehen. In der *stereoselektiven Synthese finden 2,2'-substituierte 1,1'-Binaphthyle als Liganden von Metallen breite Verwendung. Das C_2-axialsymmetr. B.-Gerüst (s. axiale Chiralität) ist ein idealer Chiralitätsüberträger.

2,2'-Binaphthyle

Durch geeignete Wahl der Koordinationsstelle R können die unterschiedlichsten Metalle als Katalysatoren eingesetzt werden. BINOL bildet Komplexe mit Hauptgruppenelementen, z. B. (BINAL-H, ein Aluminiumhydrid-Komplex), während BINAP als Ligand in Übergangskomplexen von Metallen der 8.–10. Gruppe (z. B. Ru, Rh, Pd) fungiert. Von den zahlreichen stereoselektiven Synth., die von Metallen mit chiralen B.-Liganden katalysiert werden, seien erwähnt: die kation. Oxid. von Sulfiden zu Sulfoxiden unter Verw. von BINOL [1], od. die asymmetr. *Hydrierung von C,C- u. C,O-Doppelbindungen mit Ru- od. Rh-Komplexen von BINAP [2]. BINOL-Komplexe mit Lewissäuren katalysieren stereoselektiv die Red. von Ketonen, die *Aldol- u. *Michael-Addition, die Carbonyl-En- u. *Diels-Alder-Reaktion. – *E=F* binaphthyl – *I=S* binaftil
Lit.: [1] J. Org. Chem. **58**, 4529 (1993). [2] Acc. Chem. Res. **23**, 345 (1990); Science **248**, 1194 (1990).
allg.: Brunner u. Zettlmeier, Handbook of Enantioselective Catalysis with Transition Metal Compounds – Ligands – References, Weinheim: VCH Verlagsges. 1993 ■ Nachr. Chem. Tech. Lab. **36**, 906 (1988); **43**, 1068 (1995); **44**, 380 (1996) ■ March (4.), S. 915 ■ Paquette **1**, 397, 509; **5**, 3022 ■ s. a. asymmetrische u. stereoselektive Synthese.

Bindebaustoffe s. Baustoffe.

Bindegewebe. Im gesamten Organismus verbreitete Gewebsform, die sowohl einzelne Organe mit ihrer Umgebung verbindet, als auch festigende u. stützende Funktion ausübt. Es ist in Form von Kapsel- u. als gefäß- u. nervenbegleitendes Gewebe am Aufbau der Organe beteiligt. Zu seinen Aufgaben gehören nicht nur mechan. Funktionen, sondern auch Stoffwechsel, Regeneration u. Abwehr. Das B. besteht aus ungeformter Interzellularsubstanz in Form dünnflüssiger Sole od. Gele unterschiedlicher Konsistenz, bestehend aus *Glykosaminoglykane, *Elastin u. Tropokollagen, in die *Collagen- u. elast. Fasern sowie Zellen eingelagert sind. Die zellulären Elemente sind je nach B.-Form Fibroblasten, Fibrocyten, Retikulumzellen od. Lipocyten sowie Zellen des Abwehrsyst. wie *Makrophagen, *Lymphocyten u. Granulocyten. Unterschiedliche Formen des B. sind Mesenchym, gallertartiges B., retikuläres B., Fettgewebe, lockeres u. straffes Bindegewebe. Sie unterscheiden sich durch Art u. Zusammensetzung von Fasern u. Zellen. Zusammengefaßt zählen die ungeformten B.-Arten mit den geformten Geweben wie Sehnen, Knorpel u. Knochen zu den Stützgeweben, denen die entwicklungsgeschichtliche Herkunft aus dem mittleren Keimblatt des Embryos gemeinsam ist. – *E* connective tissue – *I* tessuto connettivo
Lit.: Junqueira et al., Histologie, Heidelberg: Springer 1991.

Bindegewebseiweißfreies Fleischeiweiß s. BEFFE.

Bindemittel. Sammelbegriff für Produkte, die gleich- od. verschiedenartige Stoffe miteinander verbinden. Je nach Ind.-Zweig verwendet man anorgan. od. organ. bzw. natürliche od. synthet. Bindemittel. Das *Abbinden* erfolgt durch *physikal.* *Trocknen (wäss. od. organ. Lsg., Polymerdispersionen), durch *Erstarren* mit starken Viskositätsanstieg (Schmelzen), durch *chem. Reaktion* (reaktive Syst. auf Kunststoffbasis, *trocknende Öle mit Zusatz von *Sikkativen, Carbonatisierung z. B. bei Kalkmörtel), durch Hydratisierung (hydraulische Bindemittel, *Zement).
Verw.: Im Straßenbau sind *Bitumen u. *Teer B. für Gesteinskörner. In *Feuerfestmaterialien lassen sich Aluminiumphosphate als B. einsetzen. Bei *Baustoffen werden Zuschlagstoffe (Sand, Kies) durch die Erhärtung der mit Wasser angemachten B. (*Bindebaustoffe* wie Mörtel) abgebunden u. verkittet. Solche B., die nur an Luft erhärten („Luftbinder" wie Gips, *Sorelzement, *Anhydrit, Magnesia-B., Weißkalk) sind *nichthydraul. B.*, während man hydraul. Kalk u. v. a.

Zement als *hydraul. B.* bezeichnet, die auch unter Wasser abbinden. Erfolgt dieses Abbinden erst durch Einwirkung von Zusätzen (Anreger), dann spricht man von *latenthydraul. B.* (Hochofenschlacke). Bei *Anstrichstoffen u. *Lacken sind B. gemäß DIN 55945 (12/1988) der od. die nichtflüchtigen Anteile ohne Pigment u. *Füllstoff, aber einschließlich *Weichmachern, *Trockenstoffen u. a. nichtflüchtigen Hilfsstoffen, die z. T. auch aus der Schmelze (bei der *Pulverbeschichtung) aufgetragen od. durch *Strahlung (s. a. Härtung von Kunststoffen) zur Reaktion gebracht werden; die Kurzz. für derartige B. sind in DIN 55950 (04/1978) genormt. Aufgabe der B. ist die Bindung der Pigmentteilchen untereinander u. mit dem Untergrund. Bei gestrichenen *Papieren (Chromo-, Kunstdruckpapiere) haben Naturstoffe (wie aufgeschlossenes *Casein od. *Stärke) od. Polymerdispersionen (Basis Acrylester od. Styrol/Butadien) die Funktion, die Pigmentteilchen untereinander u. mit Papier od. Karton zu verbinden. In *Klebstoffen u. *Leimen sind B. natürliche od. synthet. Produkte, die als Lsg., Dispersionen, Schmelzen od. flüssige reaktive Kunststoff-Syst. nach Konfektionierung (durch *Harze, Weichmacher, gelegentlich auch Pigmente u. *Füllstoffe) zum Verbinden verschiedenartiger Materialien in fast allen Ind.-Zweigen eingesetzt werden. – *E* binders – *F* liants – *I* leganti – *S* ligantes
Lit.: Encycl. Polym. Sci. Eng. **1**, 230; **2**, 409; **3**, 619–633; **6**, 379; **7**, 459; **8**, 617; **10**, 215–220, 746f., 782f.; **12**, 462–470 ▪ Kirk-Othmer (3.) **6**, 430, 458; **16**, 114f., 822; **20**, 876; **23**, 810, 839–847 ▪ Kittel, Lehrbuch der Lacke u. Beschichtungen, Bd. 1/2, 1/3: Grundlagen, Bindemittel, Stuttgart: Colomb 1973, 1974 ▪ Winnacker-Küchler (4.) **3**, 214–277, 286f.; **5**, 478; **6**, 773.

Binde-Protein (Immunglobulin-Schwerketten-bindendes Protein, BiP). Im Inneren des *endoplasmatischen Retikulums (ER) vorkommendes Protein, Mitglied der hsc70-Familie der mol. *Chaperone. Ist für den Import neu synthetisierter Proteine ins ER notwendig[1]. BiP bindet vorübergehend an Proteine, u. zwar längere Zeit an solche, die nicht korrekt gefaltet od. deren Untereinheiten noch nicht zusammengetreten sind. Durch Bindung an *Prolamine werden diese im ER zurückgehalten[2]. – *E* binding protein – *F* protéine de liaison – *I* proteina legativa – *S* proteina fijadora
Lit.: [1] Trends Biochem. Sci. **21**, 122–126 (1996). [2] Science **262**, 1054ff. (1993).

Binder. Unter *Binder(farbe)* verstand man früher *Anstrichstoffe auf der Grundlage von Kunstharz-Dispersionen (*Dispersionsfarben).

Bindigkeit (Bindungswertigkeit). Zahl der *Atombindungen*, die von einem Atom ausgehen bzw. Anzahl der Elektronenpaare, die ein Atom in einem Mol. mit anderen Atomen teilt u. die in vereinfachten Darst. der Elektronenformeln als Valenzstriche abgebildet werden. Der Begriff B., der keine präzise quantentheoret. Grundlage besitzt u. mitunter problemat. ist, wurde erstmals von Eistert 1938 gebraucht. Die „Regel der maximalen B." (*Oktettregel*) besagt, daß in der ersten Achterperiode des *Periodensystems die B. eines Atoms nicht größer als vier sein kann. – *E* covalence (USA), covalency (GB) – *F* valence de liaison, covalence – *I* valenza di legame – *S* covalencia
Lit.: s. chemische Bindung.

Bindine. Trivialname für bestimmte *Lektine an der Oberfläche der *Akrosomen, die bei der artspezif. Bindung von Spermien an Eizellen während der *Konzeption eine Rolle spielen. – *E* bindins – *I* bindine – *S* bindinas

BINDOL®. Fertigsande von CHEMETALL.

Bindung s. chemische Bindung.

Bindungsenergie s. Dissoziationsenergie.

Bindungsgrad, -kräfte s. chemische Bindung.

Bindungsinkremente. Bez. für die einzelnen Bindungen zugeordneten *Inkremente, die zur Berechnung der *Molrefraktion* dienen, s. Refraktion. – *E* bond increments – *F* incréments de liaison – *I* incrementi di legame – *S* incrementos de enlace

Bindungslängen s. Kernabstand u. chemische Bindung.

Bindungsorbital, -ordnung s. chemische Bindung.

Bindungswertigkeit s. Bindigkeit.

Binghamsche Medien. Bez. aus der *Rheologie für einen Typ *nichtnewtonscher Flüssigkeiten* (s. Newtonsche Flüssigkeiten), der – ähnlich wie *Cassonsche Stoffe – erst nach Überschreiten der *Fließgrenze, d. h. einer bestimmten *Schubspannung*, zu fließen beginnt. *Beisp.* Für B.-M.: Plast. keram. Massen, kolloide Dispersionen, Aufschlämmungen von Glasperlen. – *E* Bingham bodies – *F* corps de Bingham – *I* mezzi di Bingham – *S* cuerpos de Bingham
Lit.: Lex Phys., S. 499ff. ▪ Pure Appl. Chem. **51**, 1213–1218 (1979) ▪ s. a. Rheologie.

Binnendruck s. Gasgesetze.

Binnig, Gerd (geb. 1947), Prof. für Physik, Univ. München u. Stanford, CA, sowie bei IBM Deutschland GmbH, Sektion Physik. *Arbeitsgebiete:* Superleitfähigkeit von Halbleitern, Rastertunnelmikroskopie. Für die Konstruktion des Rastertunnelmikroskops erhielt er 1986 zusammen mit H. Rohrer den Nobelpreis für Physik.
Lit.: Kürschner (16.), S. 264 ▪ Wer ist Wer? (33.), S. 107.

BINOL s. Binaphthyl.

Bioabfall (Biomüll). Der B.-Begriff wird in unterschiedlicher Weise verwendet. In seiner engen Definition umfaßt er die getrennt gesammelte, biolog. abbaubare, nativ-organ. Fraktion des *Hausmülls, d. h. Küchen- u. Gartenabfälle aus Haushaltungen. In einer erweiterten Definition umfaßt B. alle Abfälle pflanzlicher u. tier. Herkunft, d. h. neben Küchen- u. Gartenabfällen auch Abfälle aus Park- u. Grünanlagen, Rindenabfälle, Schlachthofabfälle, Abfälle aus der Landwirtschaft sowie Papier- u. Pappeabfälle. Hinsichtlich der biolog. Abbaubarkeit lassen sich zwei Hauptgruppen von B. unterscheiden, die biolog. gut abbaubaren krautigen Biomassen (z. B. Küchenabfälle, Obstreste, Gräser, Blätter) sowie die schwerer abbaubaren holzigen Biomassen (z. B. Holzreste, Papier). – *E* biowaste – *F* déchets biologiques – *I* rifiuti biologici – *S* residuo biológico

Bioäquivalenz. Bez. dafür, daß Arzneimittel mit ident. Wirkstoffen insofern wirkungsgleich sind, als sie sich

in ihrer Bioverfügbarkeit (d. h. die tatsächliche Verfügbarkeit der Wirkstoffe im Körper) nicht od. gering (<20%) unterscheiden. Das bedeutet, daß die Plasmakonz.-Zeitkurven weitgehend deckungsgleich sind, auch bei verschiedenen Patienten. Die B. ist in den letzten Jahren intensiv diskutiert worden, insbes. wegen des Aufkommens vieler inhaltsstoffgleicher Präparate. – *E* bioequivalence – *F* bioéquivalence – *I* bioequivalenza – *S* bioequivalencia
Lit.: Blume et al., Bioäquivalenz (Loseblattausgabe), Eschborn: Govi 1993 ▪ Blume u. Midha (Hrsg.), Bio-International II, Stuttgart: medpharm 1995 ▪ Pfeifer, Pflegel u. Borchert, Biopharmazie, Berlin: Ullstein Mosby 1995.

Bioakkumulation (Bioakkumulierung, biolog. Anreicherung). Unter B. versteht man die Fähigkeit von Organismen, Substanzen (Isotope, Elemente od. Verb.) im eigenen Organismus über die Konz. hinaus anzureichern, in der diese Substanzen in der Umgebung vorliegen, bzw. den Anreicherungsvorgang u. damit verbundenen Effekt selbst. Bei Mikroorganismen wird die akkumulierte Substanz in der Körperzelle, bei höher organisierten Organismen (Pflanzen, Tiere) in stoffwechselaktiven Organen od. Geweben wie Leber, Milz, Fettgewebe, Knochen u. a. angereichert. Die B. umfaßt die *Biokonzentration* u. die *Biomagnifikation*. Als *Biosorption* bezeichnet man alle Mechanismen, die zu einer passiven Anreicherung (z. B. von Metall-Ionen) an äußeren Zellstrukturen führen, wie verschiedene Arten der chem. Bindung, Präzipitation od. Kristallisation. Gelegentlich werden die Begriffe B. u. Biosorption als Synonyma, u. zwar für jede Form der biot. Akkumulation, also Ad- u. Absorption verwendet.
Für die Höhe der B. ist entscheidend, mit welchen Raten die Substanzen aufgenommen bzw. abgebaut u./od. ausgeschieden werden. Fettlösl. (lipophile) Substanzen (z. B. *Halogenkohlenwasserstoffe) reichern sich im Fettgewebe von Organismen an. Der Verteilungskoeff. einer Substanz zwischen 1-Octanol u. Wasser (P_{OW} bzw. K) kann außer zur Ermittlung des Lipophilie-Grades auch zur Abschätzung zu erwartender B. der Verb. dienen (zur Bestimmung der B. s. *Lit.*[1]). In Speicherkompartimenten des Körpers haben akkumulierte Schadstoffe zunächst keine Wirkung, können aber freigesetzt werden (z. B. beim Fettabbau) u. sog. Zielorgane erreichen. Die B. wird bei der Elimination von Umweltschadstoffen z. B. in der *Abwasserbehandlung genutzt[2]. Die Sielhautanalytik nutzt die B. von Schadstoffen in der Sielhaut des Kanalnetzes zur Lokalisierung von Schadstoffeinleitern[3]. – *E* = *F* bioaccumulation – *I* bioaccumulazione – *S* bioacumulación
Lit.: [1]OECD (Hrsg.), Guidelines for Testing of Chemicals, 305 A–E, Paris: OECD 1981. [2]Bioengineering **7**, Nr. 6, 41 (1991). [3]Wagner (Hrsg.), Wasser-Kalender, S. 115–133, Berlin: Schmidt 1990.
allg.: Hutzinger **2 B**, 83–102 ▪ Korte (3.), S. 46 ff. ▪ Nagel u. Loskill (Hrsg.), Bioaccumulation in Aquatic Systems, Weinheim: VCH 1991 ▪ UBA (Hrsg.), Texte 42/91, Bioakkumulation, Berlin: UBA 1991 ▪ Ullmann (5.) **B 7**, 83 f.

Bioaktivierung (biolog. Aktivierung, metabol. Aktivierung). 1. Die biolog. Umwandlung von Stoffen zu Substanzen höherer biolog. Aktivität wie zunehmender Carcinogenität od. *Toxizität. Z. B. sind *Benzol, *Benzo[*a*]pyren, *Vinylchlorid od. *Aflatoxine selbst nicht cancerogen, können aber im Stoffwechsel der Säugetiere zu bestimmten *Epoxiden umgesetzt werden, die ihrerseits mit Nucleinsäuren reagieren u. damit Krebs auslösen (*Biotoxifizierung*, Giftung). Bei der B. können z. B. elektrophile Kationen, *Radikale od. aktivierter Sauerstoff entstehen, was u. U. zur Schädigung von Zellbestandteilen bis hin zur *Mutagenese u. *Carcinogenese führt. Die Medizin nutzt die B. bei der Verabreichung von Medikamenten mit hoher Resorptionsquote, die zwar selbst nicht wirksam sind, aber im Organismus durch die B. in wirksame Substanzen umgewandelt werden (z. B. Pivampicillin in *Ampicillin). Die Umwandlung eines aktiven Substrates in ein inaktives od. weniger aktives Produkt wird als *Bioinaktivierung* bezeichnet (s. Entgiftung). 2. Beim biolog. *Abbau von organ. Verb. bezeichnet B. auch die ersten *Biotransformationen, durch die Fremdstoffe in den Katabolismus eingeschleust werden. – *E* = *F* bioactivation – *I* bioattivazione – *S* bioactivación
Lit.: Forth et al. (6.) ▪ Lexikon Biochemie u. Molekularbiologie, Bd. 1, S. 179 ff., Freiburg: Herder 1991 ▪ Wagner (Hrsg.), Wasser-Kalender, S. 36–52, Berlin: Schmidt 1986.

Biobranil®. Natürlicher Weizenkleie-Extrakt, Regulator der Hautlipide. *B.:* Dragoco.

Biocarn®. Sirup mit L-*Carnitin zur entsprechenden Substitution bei chron. Hämodialyse, gegen Muskeldystrophie infolge Carnitin-Mangels. *B.:* Medice.

Biochanin A s. Isoflavone.

Biochemie. Von *Hoppe-Seyler 1877 geprägte Bez. für die *biolog. Chemie*, d. h. für das Grenzgebiet zwischen Chemie, Medizin u. Biologie. Die B. befaßt sich mit dem chem. Aufbau der Lebewesen, dem Zusammenwirken der daran beteiligten chem. Verb. sowie dem Chemismus der Lebenserscheinungen. Dementsprechend läßt sich eine gewisse Aufteilung vornehmen in *stat.* od. *deskriptive B.*, deren Aufgabenbereich Konstitutionsermittlung u. (chem.) Beschreibung der Naturstoffe ist. Sie bedient sich verschiedener Meth. der Analyse, Reinigung u. Isolierung von Biomol. u. supramol. Strukturen. Auf der anderen Seite befindet sich die *dynam. B.*, die das Zusammenspiel der einzelnen Komponenten sowie ihre jeweilige (biolog.) Funktion für das gesamte Syst. erforscht. Dies geschieht durch Versuche am lebenden Organismus (*in vivo*) od. durch Rekonstitution (Wiederzusammensetzen) funktionierender Teilsyst. aus isolierten Bestandteilen im „Reagenzglas" (*in vitro*).
Ebenso wie die Chemie kennt auch die B. Grundlagen- u. Anwendungsforschung, z. B. in Medizin, Pharmazie, Umwelttechnologie, landwirtschaftlicher u. chem. Produktion, Analytik. Aus der Vielzahl von *Spezialgebieten* der B. seien genannt: tier- u. pflanzenphysiolog. Chemie, bioanorgan. u. bioorgan. Chemie, Immunchemie, Histochemie, klin. u. forens. B., Pathobiochemie, Neurochemie u. ökolog. Chemie. Wegen des weitgespannten Aufgabenbereiches kommt es zu *Überschneidungen* z. B. mit der Naturstoffchemie, Lebensmittelchemie, makromol. Chemie, Biophysik,

Biotechnologie, Mikro- u. Molekularbiologie, Pharmakologie, Toxikologie, Physiologie. Dabei ist nicht an eine Einteilung in autonome u. Hilfswissenschaften zu denken, sondern an ein Zusammenwirken verschiedener Disziplinen zur Aufklärung komplizierter Vorgänge. – *E* biochemistry – *F* biochimie – *I* biochimica – *S* bioquímica

Lit.: Holtzhauer, Biochemische Labormethoden, 2. Aufl., Berlin: Springer 1995 ▪ Koolman u. Röhm, Taschenatlas der Biochemie, Stuttgart: Thieme 1994 ▪ Lehninger et al., Prinzipien der Biochemie, Heidelberg: Spektrum Akademie Verlag 1994 ▪ Stryer (5.) ▪ Voet –Voet (2.). – *Computer-Software:* Schmidkunz, Grundkurs Biochemie. Ein Lern- und Übungsprogramm, Wiesbaden: Vieweg 1994 – 95.

Biochemische Analyse. Mehrdeutige Bez., unter der man sowohl Meth. der *analytischen Chemie verstehen kann, die auf Probleme der *Biochemie u. der *klinischen Chemie anwendbar sind (z. B. *Elektrophorese-, *Chromatographie-, *Ultrazentrifugen- u. v. a. Verf.), als auch spezif. biochem. Verf., die sich zur chem. Analyse heranziehen lassen (z. B. *enzymatische Analyse, *Radioimmunoassay, *Serodiagnostik etc.). Routine-Untersuchungen (*Screening, s. a. Test) sind in der b. A. heute ohne *Automation kaum noch denkbar. – *E* biochemical analysis, bioassay – *F* analyse biochimique – *I* analisi biochimica – *S* análisis bioquímico

Lit.: s. Biochemie.

Biochemischer Sauerstoffbedarf s. BSB.

Biochip. Begriff aus der Molekularelektronik in Analogie zum Halbleiterchip. B. wurden bislang techn. nicht realisiert. Sie sollen künftig auf der Fläche eines heutigen *Mikroprozessors das mehrtausendfache an Funktionen enthalten u. dreidimensional aus sich selbst organisierenden biolog. Makromol. wie Proteinen od. Nucleinsäuren aufgebaut sein.
Durch Presseartikel wurden mit dem Begriff *Biocomputer* (s. *Lit.*) hochgespannte Erwartungen geweckt, die dem Laien suggerieren, daß techn. Lösungen bereits gefunden wären. Bislang konnten aus der Verknüpfung von Mikroelektronik u. *Biotechnologie nur *Biosensoren den Weg in die prakt. Anw. finden. – *E* = *I* = *S* biochip – *F* puce biologique

Lit.: Spektrum Wiss. **1995**, 30 – 36.

Biochrome s. Naturfarbstoffe.

Biocomputer s. Biochip.

Biocytin s. Biotin.

Biodegradation s. biologischer Abbau.

Biodetergentien s. Biosurfactants.

Biodeterioration (mikrobielle Korrosion, mikrobielle Materialzerstörung). Bez. für die durch Bakterien, Pilze, Hefe, Flechten od. Algen bewirkten Schäden an Oberflächen von Metallen, Beton, Gestein, Polymeren u. a. Werkstoffen sowie Holz, Papier, Textilien, Leder, Gummi u. a. Materialien. – *E* biodeterioration of materials – *F* biodétérioration de matériaux – *I* distruzione microbica di materiale – *S* biodeterioración de materiales

Lit.: Römpp Lexikon Biotechnologie, S. 509 ff.

Bioenergetik. Der *Biophysik zugehörendes Forschungsgebiet, das sich mit Fragen der Gewinnung u. Umwandlung von Energie sowie deren Transport durch Membranen (*Energietransduktion*) im Organismus befaßt. Die wichtigsten energieliefernden Prozesse sind *Atmung, *Gärung, u. *Photosynthese, die wichtigsten energieverbrauchenden sind Bewegungsvorgänge [z. B. bei *Muskel, Flagellen (Geißeln der *Flagellaten)], Synth. von Biopolymeren (*Proteinen, *Nucleinsäuren, *Polysacchariden) u. osmot. Prozesse. Wichtige Rollen bei der kurzzeitigen Speicherung der biolog. Energie (Kopplung der energieliefernden mit den -verbrauchenden Vorgängen) spielen Konzentrationsgefälle von Ionen über *Membranen (chemiosmot. Kopplung) u. sog. energiereiche Phosphat-Verb. (deren wichtigste: *Adenosin-5′-triphosphat). Längerfristig wird chem. Energie in reduzierten (brennbaren) organ Mol. wie *Kohlenhydraten u. Fetten gespeichert.

Thermodynam. gesehen, erfolgen die bioenerget. Umwandlungen in offenen Syst. u. in einiger Entfernung vom Gleichgew.; durch diese irreversiblen Umwandlungen sind komplexes nichtlineares Verhalten u. Formenreichtum der belebten Welt bedingt. – *E* bioenergetics – *F* bioénergétique – *I* bioenergetica – *S* bioenergética

Lit.: Brown u. Cooper, Bioenergetics: A Practical Approach, Oxford: IRL Press 1995 ▪ Garby u. Larsen, Bioenergetics. Its Thermodynamic Foundations, Cambridge: Cambridge University Press 1995 ▪ Harris, Bioenergetics at a Glance, Oxford: Blackwell 1995.

Bioengineering. Engl. Begriff für Bioverfahrenstechnik od. Bioprozeßtechnik (*Biotechnologie).

Bioethik. Neuer Begriff für den Teil der Ethik, der sich mit Fragen der *Gentechnologie sowie der Reproduktionsbiologie u. ihren Folgen für die Gesellschaft befaßt. – *E* bioethics – *F* bioéthique – *I* bioetica – *S* bioética

Lit.: Rehm-Reed (2.) **12**, 115 – 154 ▪ Schell u. Mohr (Hrsg.), Biotechnologie – Gentechnik. Eine Chance für neue Industrien, S. 505 – 530, Berlin: Springer 1995 ▪ Stadler, Biotechnik, Gentechnik u. ethische Verantwortung, Gesellschaftspolitische Kommentare Nr. 4, S. 161 – 170 (1995).

Biofanal®. Salbe, Suspension u. Vaginaltabl. mit *Nystatin gegen Candida-Infektionen. *B.:* Pfleger.

Biofilmreaktor. Sammelbegriff für Reaktoren, bei denen die am Stoffumsatz beteiligten Mikroorganismen in folgender Form angesiedelt sind: a) als Bewuchs auf geordneten Trägerpackungen, b) als Bewuchs auf rotierenden glattflächigen Trägern od. c) auf ungeordneten Füllkörpern. Die Bez. „Biofilm" leitet sich von der Fähigkeit vieler Mikroorganismen ab, beim Wachsen schleimartige Polymere auszuscheiden, mit denen sie sich in Schichten fest an Oberflächen von festen Materialien anheften können.
Geflutete B. sind gegenüber Festbettreaktoren mit ungeordneter Füllkörperpackung weniger verstopfungsanfällig u. daher auch für Feststoff-haltige Substrate geeignet. B. werden vorzugsweise bei der *biologischen Abwasserbehandlung sowie bei Stoffumsetzungen mit scherempfindlichen Zellen eingesetzt. – *E* biofilm reactors – *F* réacteurs à biofilm – *I* reattori a biofilm – *S* reactores de biofilm

Lit.: Rehm-Reed (2.) **8**, 113 – 176.

Biofilter s. biologische Abgasbehandlung.

Biogas (Faulgas, Bihugas). Bez. für das bei der bakteriellen Zers. organ. Stoffe (Gras, Stalldung, Jauche, Schlachtabfällen, Klärschlamm, Stroh u. dgl.) entstehende, vorwiegend aus Methan (ca. 60%), Kohlendioxid (ca. 35%) sowie Stickstoff, Wasserstoff u. Schwefelwasserstoff bestehende, als Heizgas geeignete Gas.
– *E* fermentation gas – *F* biogaz – *I* biogas – *S* biogás

Biogen (biotisch). Von griech. bios = Leben u. gennan = erzeugen hergeleitet, bezeichnet b. von Organismen Produziertes od. durch Organismen Beeinflußtes; Gegensatz: abiogen, s. abiotisch. Z. B. sind halogenierte Methan-Derivate in der Atmosphäre zum Großteil b. u. werden bes. von *Algen u. *Pilzen produziert. – *E* biogenous – *F* biogène – *I* biogeno – *S* biógeno
Lit.: Science **215**, 923–928 (1982); **227**, 1033–1035 (1984).

Biogene Amine. Gruppenbez. für durch *Decarboxylierung von *Aminosäuren im Organismus entstandene primäre Mono- u. Diamine, im weiteren Sinn aber auch für gewisse Abkömmlinge dieser Gruppe wie *Catecholamine u. *Betaine. Die entsprechenden *Decarboxylasen verwenden *Pyridoxal-5′-phosphat als *Coenzym. B. A. entstehen bei der bakteriellen Zers. von Eiweiß, sind aber z. T. auch wichtige Schlüsselverb. höherer Organismen. Bei Säugern werden sie in gewissen neurosekretor. Zellen gebildet, die z. B. in *Hypophyse u. *Hypothalamus vorkommen u. die zum APUD-Syst. gezählt werden (*a*mine *p*recursor *u*ptake and *d*ecaroxylation). Ihr Abbau erfolgt durch *Oxidasen. Einige b. A., ihre Herkunft u. Funktion sind der nachfolgenden Tab. zu entnehmen. – *E* biogenic amines – *F* amines biogènes – *I* am(m)ine biogene – *S* aminas biógenas
Lit.: Beutling, Biogene Amine in der Ernährung, Berlin: Springer 1995 ▪ Yu et al., Current Neurochemical and Pharmacological Aspects of Biogenic Amines, Amsterdam: Elsevier 1995.

Biogenese. Unter B. im weitesten Sinne versteht man die Entstehung von Stoffen u. supramol. Strukturen (s. Biomoleküle) in biolog. Systemen. Während es sich dabei grundsätzlich auch um Abbauprodukte handeln kann, z. B. biogene Substanzen in Sedimenten u. Fossilien, wird der Begriff auch häufig gleichbedeutend mit dem der *Biosynth.*, d. h. dem enzymat. Aufbau von Naturstoffen aus einfacheren Vorstufen, verwendet, z. B. von Isoprenoiden aus D-Mevalonsäure od. von *Proteinen aus *Aminosäuren. Bei der Untersuchung der B.-Wege sind (meist radioaktiv) *markierte Verbindungen sehr hilfreich. Gezielte Biosynth. *in vitro* mit Hilfe von *Enzymen od. ganzen Organismen sind das Arbeitsgebiet der *Biotechnologie. Abzugrenzen ist die B. von der Bildung chem. Verb. bei der präbiot. *Evolution, bei geolog. Prozessen u. bei der chem. Synth. im Labor- u. techn. Maßstab. Diese Prozesse werden auch als *abiotisch bezeichnet. – *E* biogenesis – *F* biogenèse – *I* biogenesi – *S* biogénesis

Biogeochemie (Geobiochemie). Bez. für ein interdisziplinäres Fachgebiet mit engen Beziehungen zu *Ökologischer Chemie, Biologie, Biochemie, Chemie u. *Geochemie. Die B. untersucht die Wechselwirkungen von Stoffen (Elemente, chem. Verb., *Mineralien) u. Organismen in Atmosphäre, Hydrosphäre u. Lithosphäre einschließlich Pedosphäre u. die darauf basierenden Stoffkreisläufe im Natursystem. Ein Spezialgebiet der B. ist die *biogeochem. Prospektion*, d. h. das Auffinden von Erzlagerstätten mittels chem. Analyse metallanzeigender Pflanzen od. Mikroorganismen. – *E* biogeochemistry – *F* biogéochimie – *I* biogeochimica – *S* biogeoquimica
Lit.: Degens, Perspectives on Biogeochemistry, Berlin: Springer 1989 ▪ Likens u. Bormann, Biogeochemistry of A Forested Ecosystem (2.), Berlin: Springer 1995 ▪ Trudinger, Walter u. Rallph, Biogeochemistry of Ancient and Modern Environments. Berlin: Springer 1980. – *Zeitschr.:* Biogeochemistry, Dordrecht (Niederlande): Nijhoff Publishers (seit 1984).

Tab.: Herkunft u. Funktion einiger biogener Amine.

Biogenes Amin	Ausgangsaminosäure	Bedeutung
Agmatin	L-*Arginin	Vorstufe für Putrescin in manchen Organismen
β-*Alanin	L-*Asparaginsäure	Vorstufe für *Pantothensäure
Aminoaceton	L-2-Aminoacetessigsäure	Vorstufe für *Vitamin B_{12}
4-*Aminobuttersäure (GABA)	L-*Glutaminsäure	*Neurotransmitter
5-*Amino-4-oxovaleriansäure	Succinylglycin	Vorstufe für *Porphyrine
Cadaverin	L-*Lysin	*Alkaloid-Vorstufe
*Dopamin	L-*Dopa	Neurotransmitter, Vorstufe für die *Catecholamine L-*Noradrenalin u. L-*Adrenalin, Alkaloid-Vorstufe
Ethanolamin	L-*Serin	Vorstufe für Hormone, Neurotransmitter
*Histamin	L-*Histidin	*Gewebshormon
L-Lysin	*meso*-2,6-Diaminopimelinsäure	proteinogene Aminosäure
2-Phenylethylamin	L-*Phenylalanin	Vork. im Gehirn
Putrescin	L-*Ornithin	Vorstufe für *Polyamine
*Serotonin	5-*Hydroxy-L-tryptophan	Neurotransmitter, Vorstufe des Hormons *Melatonin sowie des Krötengifts *Bufotenin
*Tryptamin	L-*Tryptophan	Bewirkt Kontraktion der glatten Muskulatur, bei Pflanzen wachstumsfördernd
*Tyramin	L-*Tyrosin	Bewirkt Kontraktion der glatten Muskulatur

Biogeochemische Prospektion s. Biogeochemie.

Bioindikator. Von griech.: bios = Leben u. latein.: indicare = anzeigen hergeleitete Bez. für Organismen einer od. mehrerer *Arten, deren Individuen- bzw. Artenzahl (s. a. Abundanz, Artendiversität) od. deren physikal., chem. od biolog. Status mit *Belastungen der Umwelt korreliert, z. B. werden häufig Flechten als B. für Luftbelastungen verwendet; s. a. Indikatorpflanzen. Zur Bioindikation werden in *Ökosystemen natürlicherweise vorkommende od. dorthin gebrachte Organismen untersucht (s. a. Biomonitoring); werden hingegen Teile der Umwelt mit Hilfe lebender Organismen im Labor untersucht, spricht man von Biotest. Als akkumulierender B. wird ein Organismus bezeichnet, der einen zu untersuchenden Stoff in sich anreichert (s. a. Bioakkumulation). – *E* biological indicator – *F* bio-indicateur – *I* bioindicatore – *S* bioindicador

Lit.: Arndt et al., Bioindikatoren, Stuttgart: Ulmer 1987 ▪ Z. Umweltchem. Ökotox. **6**, 81–87, 111–115, 384 ff. (1994); **7**, 174–189 (1995).

Bioingenieur. Beruf mit Fachhochschul- od. Hochschulausbildung. Bez. für einen *Ingenieur mit Spezialisierung auf den Gebieten Biotechnologie, Bioverfahrenstechnik, Biochemie od. verwandten Disziplinen. B. übertragen Laborverf. mit Mikroorganismen od. Zell- u. Gewebekulturen in den großtechn. Maßstab u. betreiben Bioreaktoren. Auch in der Umwelttechnologie sind B. beschäftigt. Sie erarbeiten biolog. Techniken zur Entsorgung, z. B. Abwasseraufbereitung, Biofilter usw., vgl. auch Chemie-Berufe. – *E* bioengineer, biomedical engineer – *F* bioingénieur – *I* bioingegnere – *S* bioingeniero

Bioinsektizide. *Insektizide, die von Pflanzen gebildet werden. Bezüglich ihrer Wirkung lassen sich B. einteilen in: – 1. *Repellentien (Deterrentien) z. B. ether. Öle vieler Apiaceen (Doldenblütler) u. Myrtaceen (Myrtengewächse wie Eukalyptus), – 2. *akut tox. wirkende Fraß-, Kontakt-* od. *Atem-Gifte* wie *Alkaloide aus Tabak (*Nicotiana*), *Rotenon aus *Derris elliptica* od. *Pyrethroide aus *Chrysanthemum*, – 3. *Ovizide* wie *Cumarine in Gräsern (Poaceae) u. Korbblütlern (Asteraceae), – 4. *Hormone* zur Störung der Insektenlarval-Entwicklung, wie Phytoecdysone (s. α-Ecdyson) aus Farnen u. Koniferen sowie die weitverbreiteten *Juvenilhormone u. Antijuvenilhormone. Mehr als 2000 Pflanzenarten, die B. bilden, sind bekannt. – *E* = *F* bioinsecticides – *I* bioinsetticidi – *S* bioinsecticidas

Lit.: Schlee, S. 201 ff.

Biokatalysatoren. Stoffe, die im Organismus im weitesten Sinne katalyt. wirken; *Beisp.:* *Enzyme, *Hormone, *Vitamine, *Wuchsstoffe, *Spurenelemente. In der *Biotechnologie meint man mit B. die (ggf. immobilisierten) Enzyme od. Mikroorganismen. – *E* biocatalysts – *F* biocatalyseurs – *I* biocatalizzatori – *S* biocatalizadores

Biokatalyse s. Biotransformation.

Biokat's®. Quellfähiger *Bentonit als Heimtier-Einstreu. *B.:* Süd-Chemie AG.

Biokompatibilität (Bioverträglichkeit). Verträglichkeit zwischen techn. u. biolog. Syst., insbes. die Eigenschaft von Werkstoffen, auch langfristig nach Implantieren od. Einsetzen in ein exkorporales Syst., keine schädigenden Einflüsse auf die biolog. Syst. auszuüben, wie Reizungen, Abstoßungsreaktionen, carcinogene od. mutagene Reaktionen. B. zeigen v. a. bestimmte Kunststoffe, Metalle, Keramiken u. Verbundwerkstoffe. – *E* biocompatibility – *F* biocompatibilité – *I* biocompatibilità – *S* biocompatibilidad

Biokonversion s. Biotransformation.

Biokonzentration (Biokonzentrierung). Anreicherung eines Stoffes in einem Organismus od. einem seiner Teile durch Aufnahme aus dem umgebenden Medium, ohne Berücksichtigung der Aufnahme über die Nahrung. – *E* = *F* bioconcentration – *I* bioconcentrazione – *S* bioconcentración

Lit.: Chemosphere **9**, 293–309 (1980) ▪ Environ. Sci. Pollut. Res. **1**, 75–80 (1994) ▪ Environ. Sci. Technol. **24**, 1203–1213, 1612–1618 (1990) ▪ Korte (3.), S. 45 ff.

Biokonzentrationsfaktor (BCF). Quotient aus der Konz. bzw. dem Massenanteil eines Stoffes in einem Organismus od. einem seiner Teile dividiert durch die Konz. bzw. den Massenanteil des Stoffes im umgebenden Medium, s. Bioakkumulation. – *E* bioconcentration factor – *F* facteur de bioconcentration – *I* fattore della bioconcentrazione – *S* factor de bioconcentración

Lit.: Bartell et al., Ecological Risk Estimation, S. 28, Boca Raton: Lewis 1992 ▪ Chemosphere **23**, 789–799 (1991); **24**, 81–95 (1992); **27**, 851–867 (1993) ▪ Environ. Sci. Pollut. Res. **2**, 33–36 (1995) ▪ Environ. Sci. Technol. **16**, 274–278 (1982); **25**, 536–539 (1991) ▪ Koch, Umweltchemikalien (3.), S. 11, Weinheim: VCH Verlagsges. 1995.

Bioleaching (biolog., mikrobielle Erzlaugung, mikrobielle Laugung). Bez. für den mikrobiellen *Aufschluß von mineral. Stoffen u. die damit mögliche Metallgewinnung mit Hilfe von Mikroorganismen, die über biochem. Reaktionsmechanismen schwer lösl. Metallverb. in Lsg. bringen können. So lassen sich nach herkömmlichen Meth. nicht mehr abbauwürdige Erze wirtschaftlich nutzbar machen, insbes. Kupfer- u. Uranerze. Aus Gründen des Umweltschutzes könnte B. in Zukunft auch zur Rückgewinnung von Wertmetallen aus Ind.-Rückständen zum Einsatz kommen. Eine zentrale Rolle beim B. spielen chemolithoautotrophe *Thiobacillus*-Arten (s. Schwefelbakterien) wie *T. thiooxidans* u. *T. ferrooxidans* (s. a. Chemolithotrophie), die bei pH-Werten von 2 bis 3 wachsen u. ihre Energie aus der Oxid. von Sulfiden, elementarem Schwefel, Thiosulfaten od. Tetrathionaten zu Sulfaten beziehen. Beim B. ist zwischen direkter u. indirekter bakterieller Laugung zu unterscheiden: Bei der direkten Laugung wird das sulfid. Mineral enzymat. katalysiert über mehrere Zwischenstufen im unmittelbaren Kontakt mit dem Bakterium zum Sulfat oxidiert nach

$$MS + 2O_2 \rightarrow MSO_4$$

u. damit das Metall (M), z. B. Cu, Zn, Pb, Mo, Sb, Co, Ni, in Lsg. gebracht. Pyrit (FeS_2) wird zu Fe(III)-Sulfat umgesetzt.

Bei der anschließenden indirekten Laugung werden unlösl. Metallsulfide durch Fe(III)-Sulfat auf rein chem.

Weg in ihre lösl. Sulfate u. Schwefel umgewandelt, wobei lediglich das laugende Agens vom Mikroorganismus produziert od. regeneriert wird, d. h. der Mikroorganismus wirkt nur katalyt. durch Säurebildung, z. B. nach der Gleichung

$$2\,S° + 3\,O_2 + 2\,H_2O \rightarrow 2\,H_2SO_4.$$

In der prakt. Anw. überlagern sich meist beide Laugungsmechanismen, so daß das B. insgesamt auf dem Zusammenspiel biochem. u. chem. Oxid. beruht, wobei der Kreislauf von Fe^{2+} u. Fe^{3+} von entscheidender Bedeutung ist. – *E* bioleaching – *F* biolessivage – *I* biolisciviazione – *S* biolixiviación
Lit.: Präve et al. (4.), S. 835–858.

Biological Abstracts s. BIOSIS.

Biologie (von griech.: bios = Leben). Lehre bzw. Wissenschaft vom Leben des Menschen (Anthropologie), der Tiere (Zoologie), Pflanzen (Botanik) u. Mikroorganismen (Mikrobiologie). Zu den Teilgebieten der *allg. B.* gehören u. a.: Morphologie, Anatomie, Histologie, Physiologie, Cytologie, *Genetik, Phylogenie, *Taxonomie, *Paläontologie, *Ökologie, *Biochemie, *Biophysik u. *Molekularbiologie. Die *spezielle B.* beschäftigt sich mit einzelnen Organismengruppen (*Beisp.:* Entomologie, Mykologie, Ichthyologie, Ornithologie, Bakteriologie) od. *Biotopen u. *Biozönosen (*Beisp.:* Aerobiologie, Hydrobiologie). – *E* biology – *F* biologie – *I* biologia – *S* biología
Lit.: Jahn, Löther u. Senglaub (Hrsg.), Geschichte der Biologie, Jena: Fischer 1982.

Biologisch abbaubare Polymere. *Polymere, die durch Mikroorganismen od. unter Einwirkung von *Enzymen im günstigsten Fall vollständig zu Kohlendioxid u. Wasser abgebaut werden. Neben den natürlichen b. a. P. wie *Cellulose, *Stärke, *Proteinen od. *Nucleinsäuren finden heute in steigendem Maße synthet. b. a. P. Verw., vorwiegend in der Landwirtschaft u. der Medizin. – *E* biodegradable polymers – *F* polymères biodégradables – *I* polimeri biodegradabili – *S* polímeros biodegradables
Lit.: Compreh. Polym. Sci. **3**, 293; **7**, 226.

Biologische Abbaubarkeit (biot., biochem. Abbaubarkeit). Folge der Wechselwirkungen von organ. Stoffen, Organismen u. Umwelt, unter gegebenen Umweltbedingungen einen organ. Stoff durch *biologischen Abbau umzuwandeln u. zu zerlegen. Wie z. B. die Giftigkeit (*Toxizität) ist die Abbaubarkeit keine ausschließlich vom Stoff bestimmte Eigenschaft; sie wird durch biot. u. abiot. Faktoren mitbestimmt, z. B. Art, Anzahl u. physiolog. Zustand der Organismen, Konz. des Stoffes, Anwesenheit anderer organ. Stoffe (wie Cosubstrate, Enzyme u. Hemmstoffe), Klimafaktoren.
Zur Bestimmung der b. A. werden Mikroorganismen-Kulturen, *Belebtschlämme od. andere *Biozönosen mit dem zu untersuchenden Stoff (Testsubstanz) versetzt. Nach einigen Tagen od. Wochen (bis Jahren) kann die b. A. unmittelbar durch das Verschwinden des Stoffes selbst (direkter Nachw.; Abkling-Test, die-away-test) od. mittelbar z. B. über den Sauerstoff-Verbrauch (*BSB) od. das Auftreten von Abbauprodukten wie Kohlendioxid od. Methan (beim *anaeroben Abbau) nachgewiesen werden (s. Tab.). Im *Chemikaliengesetz, im *Wasch- u. Reinigungsmittelgesetz sowie in mehreren Vorschriften der EU zur Chemikaliensicherheit werden Prüfungen auf b. A. vorgeschrieben. Von der OECD wurde als Bez. für prinzipiell mögliche b. A. der Begriff *inherent biodegradability* u. für leichte od. gute b. A. *ready biodegradability* geprägt. – *E* biodegradability – *F* biodégradabilité – *I* biodegradabilità – *S* biodegradabilidad
Lit.: [1] OECD Guidelines for Testing of Chemicals, Paris: OECD seit 1981. [2] Amtsblatt der EG (ABl.) L 383 A vom 29. 12. 1992. [3] ISO-Methoden, Genf: ISO (seit 1990). [4] DIN, Berlin: Beuth 1993.
allg.: Amtsblatt der EG (ABl.) L 347, S. 53 (1973), geändert Amtsblatt der EG (ABl.) L 109 (1982) (für Detergenzien) ▪ Ullmann (5.) **B 7**, 82 f., 99 ff.

Biologische Abgasbehandlung. Verf. zur *Abluftreinigung, wobei organ. Schadstoffe durch Mikroorganismen in wäss. Phase abgebaut werden. Dieser auch in der Natur vorkommende Abbauprozeß arbeitet weit-

Tab.: Wichtige Tests auf Biologische Abbaubarkeit.

Test-Prinzip	Abbautests	OECD[1]	EG[2]	ISO[3]	DIN[4] DIN EN DIN ISO
Messung der Abnahme des organ. gebundenen Kohlenstoffs	DOC-Abnahme-Test (DOC Die-Away-Test)	301 A	92/69/EWG C. 4-A	7827 (1994)	7827
	modifizierter OECD-Screening-Test	301 E	92/69/EWG C.4-B	–	–
	Zahn-Wellens-Test	302 B	88/302/EWG	9888 (1991)	29 888 (1993)
	Simulationstest mit Belebtschlamm	303 A	88/302/EWG	11733	
Bestimmung des gebildeten Kohlendioxids	CO_2-Entwicklungstest	301 B	92/69/EWG C.4-C	9439 (1990)	29 439 (1993)
	SCAS-Test	302 A	88/302/EWG	9887 (1992)	29 887
Sauerstoff-Verbrauchsmessung	Manometrischer Respirationstest	301 F	92/69/EWG C.4-D	9408 (1991)	29 408 (1993)
	Geschlossener Flaschentest	301 D	92/69/EWG C.4-E	10707	
	MITI-Test	301 C	92/69/EWG C.4-F	–	–

Biologische Abwasserbehandlung

gehend rückstandsfrei u. führt zu unschädlichen Reaktionsprodukten wie Kohlendioxid u. Wasser. Eine Voraussetzung ist, daß die zu beseitigenden Schadstoffe in ausreichendem Maß in die Wasserphase adsorbiert werden. Ausgehend vom Trägermedium für die Mikroorganismen wird zwischen *Biofilter* u. *Biowäscher* unterschieden. Die b. A. wird bevorzugt zur Abscheidung geruchsintensiver Stoffe, die in geringen Konz. im Abgas enthalten sind, eingesetzt.

Beim Biofilter strömt die schadstoffhaltige Abluft durch feuchtes, biolog. aktives Material (z. B. Kompost, Torf, Baumrinde, aber auch Aktiv-Kohle, Blähton). Die Schadstoffe werden dort sorbiert u. anschließend von Mikroorganismen umgesetzt. Beim Biofilter gibt es zahlreiche Verf.-Varianten:
– Flächenfilter mit Filterhöhen von 0,5 bis 1,5 m,
– Turmfilter mit Filterhöhen bis zu 6 m u. mechan. Umwälzung des Filtermaterials, – transportable Containerfilter, – Biofilter in Etagenbauweise, um Grundfläche einzusparen.

Beim Biowäscher wird das Rohgas mit Waschwasser in Kontakt gebracht, wobei die Absorption der Abluftinhaltsstoffe stattfindet. Die Regeneration der Waschflüssigkeit erfolgt durch biolog. Abbau mit Mikroorganismen, wie er aus der Abwassertechnik in *Belebungsbecken bekannt ist. Die zur Regeneration der Waschflüssigkeit eingesetzten Mikroorganismen sind entweder fest auf den Wäschereinbauten als mikrobieller Rasen angesiedelt (*Tropfkörper-Verf.*) od. sie liegen suspendiert in Form von *Belebtschlamm im Absorbens vor. – *E* biological flue gas cleaning – *F* épuration biologique des gaz résiduaires – *I* depurazione biologica del gas di scarico – *S* depuración biológica de gases residuales

Lit.: Brauer (Hrsg.), Handbuch des Umweltschutzes und der Umweltschutztechnik, Bd. 3, Behandlung von Abluft und Abgasen, S. 595–645, Berlin: Springer 1996 ■ Birr et al. (5.), Umweltschutztechnik, S. 94–96, Leipzig: Deutscher Verl. für Grundstoffindustrie 1992 ■ Kobelt, Biologische Abluftreinigung, Düsseldorf: VDI 1994 ■ Ullmann (5.) **B 7**, 570–576.

Biologische Abwasserbehandlung. Maßnahme zur Entfernung von organ. Stoffen aus *Abwasser, die in ihm gelöster, kolloidaler od. fein dispergierter Form enthalten sind, durch mikrobielle Aktivität, d. h. aeroben u./od. *anaeroben Abbau, Aufbau neuer Zellsubstanz u. Sorption an Bakterienflocken od. biolog. Rasen. Allg. erfolgt die b. A. in *Kläranlagen unter Ausnützung der gleichen Vorgänge, die sich bei der *biologischen Selbstreinigung in einem Fließgewässer abspielen, allerdings in techn. intensivierter Form (höhere Konz. an Mikroorganismen, künstliche Belüftung zur Deckung des gesteigerten *Sauerstoff-Bedarfs durch spezielle Einrichtungen, s. Belebungsbecken). Ein Großteil der in kommunalen u. organ. belasteten Industrieabwässern enthaltenen Kohlenstoff-Verb. kann Mikroorganismen, den sog. *Destruenten, als Nahrung dienen.

Aerobe Verf.: Die Organismen können sich auf Oberflächen ansiedeln – dies wird in **Tropfkörpern* u. *Scheibentauchkörpern* ausgenutzt – od. zu flockigen Gebilden agglomerieren, was beim *Belebungsverfahren* Anw. findet. Weitere Verf. der b. A. sind die *Land-*

bewässerung u. die Nutzung von *Bodenfiltern, Staufeldern, Abwasserteichen* u. *Sumpfpflanzanlagen* (sog. *Wurzelraum-Verf.*).

Anaerobe Verf.: Diese Verf. setzen eine relativ hohe Spezifität des Abwassers voraus (s. anaerobe Biologie u. anaerober Abbau) u. werden vielfach zur Behandlung von Konzentraten u. *Klärschlämmen eingesetzt, ergeben aber in der Regel keine Vollreinigung. – *E* biological sewage treatment, biological purification of sewage – *F* épuration biologique des eaux résiduaires – *I* depurazione biologica delle acque di scolo – *S* depuración biológica de las aguas residuales

Lit.: Birr et al. (5.), Umweltschutztechnik, S. 141–168, Leipzig: Deutscher Verl. für Grundstoffindustrie 1992 ■ Habeck-Tropfke u. Habeck-Tropfke, Abwasserbiologie (2.), Düsseldorf: Werner 1992 ■ Hartmann, Biologische Abwasserreinigung (3.), Berlin: Springer 1992 ■ Mudrack u. Kunst, Biologie der Abwasserreinigung, 3. Aufl., Stuttgart: Fischer 1991 ■ Ullmann (5.) **B 8**, 1–105.

Biologische Bundesanstalt für Land- u. Forstwirtschaft (BBA). Die 1898 gegr., dem Bundesministerium für Ernährung, Landwirtschaft u. Forsten unterstellte BBA mit Sitz in 14195 Berlin, Königin-Luise-Straße 19 u. 38104 Braunschweig, Messeweg 11/12, hat ca. 900 Mitarbeiter (1995) u. einen Jahresetat von rund 72 Mio. DM. Die BBA befaßt sich mit den Pflanzenschutz-, Gentechnik- u. Bundesseuchengesetz festgelegten Aufgaben: alle Aspekte des *Pflanzenschutzes u. des *Vorratsschutzes, insbes. mit der Erforschung der Pflanzenkrankheiten u. -schädlinge, mit der Prüfung u. Zulassung von Pflanzenschutzmitteln, Pflanzenschutzgeräten u. -verfahren, Bewertung und Genehmigung von *Umweltchemikalien u. gentechn. veränderten Organismen u. mit der Dokumentation auf diesen u. verwandten Gebieten. *Publikationsorgane*: Jahresbericht, Mitteilungen BBA, Nachrichtenblatt des Dtsch. Pflanzenschutzdienst, Bibliographie der Pflanzenschutzliteratur.

Lit.: Führer durch die BBA, Braunschweig: BBA 1987.

Biologische Evolution s. Evolution.

Biologischer Abbau (biot. Abbau). Bez. für den *Abbau organ. Materie durch Enzyme von Organismen, insbes. von Bakterien u. Pilzen, aber auch von Pflanzen u. Tieren. So kann man z. B. die *Biotransformation von *Arzneimitteln, die Metabolisierung von *Fremdstoffen od. *Xenobiotika – prinzipiell den gesamten *Katabolismus – im menschlichen Organismus ebenso als b. A. ansehen wie die *Zersetzung von organ. Werkstoffen (Biokorrosion), die Vorgänge bei *Faulung, (alkohol.) *Gärung u. *Silage-Bereitung, die Beseitigung der *Ölpest durch Meeresorganismen usw. Die Nutzung von Mikroorganismen zum b. A. organ. Substanzen in *Altlasten u. viele andere Anw. von Mikroorganismen u. ihrem b. A.-Potential ist ein Arbeitsgebiet der *Biotechnologie.

Da jedes Lebewesen, das nicht selbst Licht od. anorgan. Stoffe zum Energie- u. Baustoffwechsel nutzen kann (*Heterotrophie; s. a. Photolithotrophie, Chemolithotrophie), organ. Stoffe aus seiner Umgebung aufnehmen u. nutzen muß, ist die große Mehrzahl aller Organismen in der Lage, von außen aufgenommene (*allothigene) organ. Stoffe umzuwandeln, wobei man unterscheiden kann:

1. *Abbau – oxidativ od. reduktiv –* zu anorgan. Stoffen; dieser b. A. wird auch als *Mineralisation bezeichnet. Mineral. Abbauprodukte organ. Stoffe sind z. B. CO_2, H_2O, NH_3, H_2S u. HCl; beim *anaeroben Abbau entsteht auch Methan (s. a. Biogas).

2. *Abbau zu niedermol. organ. Stoffen*, die ihrerseits zum Aufbau körpereigener Substanz genutzt werden, so z. B. die Zerlegung von Polysacchariden in Monomere, die im Bau- u. Energiestoffwechsel genutzt werden od. die Bildung von aktiver Essigsäure (Acetyl-*Coenzym A) aus Kohlenhydraten, Aromaten, Aminosäuren; dabei wird ein Teil der organ. Substanz mineralisiert.

3. *Abbau zu organ. Stoffen*, die nicht mehr die spezif. Eigenschaften der Ausgangssubstanz aufweisen, in denen aber wesentliche Strukturelemente des Ausgangsstoffes erhalten bleiben (biolog. Primärabbau; manchmal auch zur Unterscheidung von der Mineralisation als Biotransformation bezeichnet). Beisp. dafür sind Oxid. u. Red. Bei diesen Reaktionen entstehen oft organ. Ablagerungs- od. Ausscheidungsprodukte, wie z. B. bei der Oxid. von Aromaten im menschlichen Körper, aus dem sie auch als Phenole abgeschieden werden od. beim Abbau von *DDT durch HCl-Elimination in Insekten. Diese Reaktionen führen meist zur *Entgiftung, seltener zur Giftung (z.B. bei der *Bioaktivierung von *polycyclischen aromatischen Kohlenwasserstoffen). Wenn ein möglicher Energie- od. Baustoffgewinn nicht Anlaß zum Abbau ist, spricht man von *Cometabolismus. In der Regel werden die Umwandlungsprodukte von anderen Organismen, insbes. von Mikroorganismen, weiter abgebaut. Es kann aber auch eine Veresterung od. Veretherung folgen; die Produkte (*Beisp.:* *Schwefelsäureester, *Glykoside *Phosphate u. *Nucleotide) werden in diesem Zusammenhang meist als *Konjugate bezeichnet. Konjugate sind in vielen Fällen wichtige Ausscheidungsformen aufgenommener Stoffe.

Der (aerobe) b. A. beginnt meist mit einer Oxid., wobei eine od. zwei Hydroxyl-Gruppen entstehen. Die katalysierenden Enzyme werden als *Oxygenasen, *Dehydrogenasen (*Oxidoreduktasen) u. *Lyasen bezeichnet; sie katalysieren die folgenden Reaktionen (X = Fremdstoff, D = (sonstiger) Wasserstoffdonator, A = (sonstiger) Wasserstoffakzeptor):

Oxygenasen (Dioxygenasen)

$$X + DH_2 + O_2 \rightarrow X(OH)_2 + D$$
$$XH_2 + O_2 \rightarrow X(OH)_2$$

Monoxygenasen (Hydroxylasen)

$$XH_2 + DH_2 + O_2 \rightarrow XHOH + D + H_2O$$

Dehydrogenasen

$$XH_2 + A + H_2O \rightarrow XHOH + AH_2$$

Lyasen

$$X + H_2O \rightarrow XHOH .$$

Lyasen sind zwar unter anaeroben Bedingungen aktiv, haben meist aber ein enges Spektrum hydroxylierbarer Substanzen, wohingegen Di- u. Monoxygenasen auf O_2, also aerobe Bedingungen, angewiesen sind.

Manche Fremdstoffe können durch wenige Umsetzungen in den Grundstoffwechsel eingeschleust werden; damit bleibt die Anzahl zusätzlich benötigter Enzyme klein. Ein Beisp. dafür sind *Pseudomonaden*, die lediglich eine Monoxigenase (Hydroxylase) zusätzlich benötigen, um Alkane abzubauen (D = Wasserstoffdonor):

$$H_{2n+1}C_n\text{-}CH_3 + O_2 \xrightarrow[-D, -H_2O]{+DH_2} H_{2n+1}C_n\text{-}CH_2\text{-}OH .$$

Für den weiteren Abbau werden die in fast allen Lebewesen vorkommenden Fettsäure-Stoffwechselwege (α-, β-Oxid. etc.) benutzt, wo CO_2 u. Energie-Äquivalente gebildet werden.

Verschiedene Aromaten können in *Brenzcatechin umgesetzt (*konvergente* Stoffwechselwege) u. über *Muconsäure u. Oxoadipinsäure in den Grundstoffwechsel (hier *Citronensäure-Cyclus) eingeschleust werden (s. Abb.).

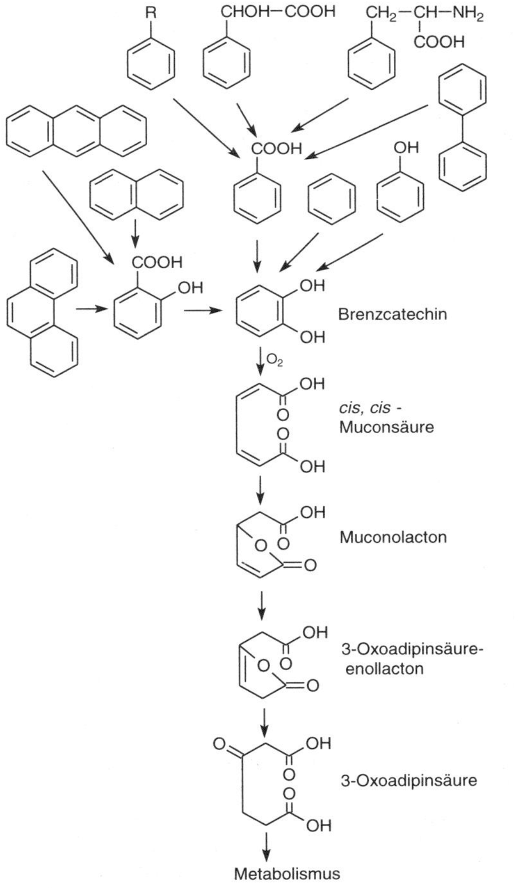

Abb.: Abbau von Aromaten.

Die Aromaten-abbauenden Enzyme sind teilw. wenig spezif., so daß einige nicht nur einen, sonden mehrere Aromaten zu Brenzcatechin aktivieren können (Polyfunktionalität, Prinzip: Erhöhung der Flußrate). Andererseits kann der Abbau zu einem Zwischenprodukt führen, welches zu Synth. verwendet wird, so daß eine CO_2-Freisetzung nicht zwangsläufig erfolgt (weitere Beisp. s. PCB, Dioxine sowie *Lit.*).

Von Kläranlagen, aus der Biotechnologie u. durch die Chemikalienprüfung weiß man, daß sich das b. A.-Potential von Organismen, Lebensgemeinschaften u. Umweltkompartimenten deutlich ändern kann. Neben den physikal.-chem. Umweltfaktoren wie Temp., pH, (Co-)Substrate, Konz. u. Biosorption (s. Bioakkumulation) sind dafür v. a. *Adaptationen verantwortlich. Verschwindet der Stoff, an dessen Nutzung die Organismen angepaßt sind, aus dem Medium, kann dieses Abbaupotential wieder verloren gehen. Wichtige Adaptationsmechanismen sind:
– Regulation der Enzymaktivität z. B. durch Aktivierung, Kooperativität sowie durch kompetitive, nichtkompetitive od. alloster. Hemmung; typ. Zeitbedarf Sekunden bis Minuten.
– Anpassung der Enzymmenge durch Neubildung od. Abbau; typ. Zeitbedarf Stunden.
– Bildung neuer Abbaupotentiale z. B. durch zufällige Mutation od. bei Bakterien infolge Plasmidtransfer bei Konjugation, Transformation u. Transduktion; typ. Zeitbedarf Sekunden bis Stunden.
– Selektion aktiver Organismen, die aus der Anwesenheit des Substrates Vorteil ziehen; typ. Zeitbedarf Tage bis Monate. – *E* biological degradation – *F* décomposition biologique – *I* biodegradazione – *S* degradación biológica

Lit.: Korte (3.), S. 70–82 ▪ Ullmann (5.) **B 7**, 187–214; **B 8**, 17–29. – *B. A. von Kohlenwasserstoffen*: Acta Hydrochim. Hydrobiol. **23**, 149–156 (1995) ▪ Appl. Environ. Microbiol. **59**, 3502–3504, 3695–3700 (1993); **60**, 1137–1145, 1154–1159 (1994); **61**, 953–958, 2211–2217, 3711–3723, 3804–3808 (1995); **62**, 13–19 (1996) ▪ Chemosphere **26**, 1667–1677 (1993). – *B. A. von Sauerstoff-, Schwefel-Verb.*: Appl. Environ. Microbiol. **58**, 1823–1831 (1992); **61**, 2499–2505 (1995) ▪ Chemosphere **26**, 1499–1506 (1993); **28**, 2203–2236 (1994) ▪ Naturwissenschaften **79**, 269–271 (1992). – *B. A. von Stickstoff- u. Phosphor-Verb.*: Appl. Environ. Microbiol. **59**, 4010–4016 (1993); **60**, 4608–4711 (1994); **61**, 3282–3287 (1995) ▪ Biodegradation **1**, 43–53 (1990) ▪ Chemosphere **29**, 81–88 (1994); **30**, 593–603 (1995) ▪ Z. Umweltchem. Ökotox. **4**, 81–85 (1992) ▪ Water Res. **28**, 1817–1833, 1855–1860 (1994). – *B. A. von Halogen-Verb.*: Crit. Rev. Biotechnol. **11**, 1–40 (1991) ▪ Kirk, Biochemistry of Halogenated Organic Compounds, New York Plenum 1991. – *Anaerober/Anox. Abbau*: Appl. Environ. Microbiol. **58**, 786–800 (1992); **59**, 1444–1451 (1993); **60**, 989–995 (1994) ▪ Environ. Sci. Technol. **24**, 363–373 (1990) ▪ Mar. Ecol. Prog. Ser. **59**, 39–54 (1990) ▪ Mar. Pollut. Bull. **22**, 227–233 (1991) ▪ Wasser Abwasser **131**, 61–515 (1990) ▪ Water. Environ. Res. **65**, 655–664 (1993) ▪ Water. Res. **28**, 355–367 (1994). – *Enzyme*: Ann. Rev. Microbiol. **46**, 277–305, 565–601 (1992) ▪ Appl. Environ. Microbiol. **60**, 459–466, 599–605 (1994); **61**, 2453–2460 (1995); **62**. 61–66 (1996).

Biologischer Arbeitsstofftoleranzwert (BAT). Nach der *Gefahrstoffverordnung ist der B. A. die Konz. eines Stoffes od. seines Umwandlungsproduktes im Körper od. die dadurch ausgelöste Abweichung eines biolog. Indikators von seiner Norm, bei der im allg. die Gesundheit der Arbeitnehmer nicht beeinträchtigt wird. Die Kontrolle der Schadstoff-Aufnahme erfolgt durch Analyse von Körperflüssigkeiten, der Lungenfunktion, des Blutdrucks usw. – *E* biological value for occupational tolerability – *F* valeur biologique limite au poste de travail – *I* valore biologico di tolleranza al posto di lavoro – *S* valor de tolerancia biológica en el puesto de trabajo

Lit.: VO über gefährliche Stoffe (Gefahrstoffverordnung – GefStoffV) vom 26.8.1986 (BGBl. I, S. 1470).

Biologischer Sauerstoffbedarf s. BSB.

Biologische Schädlingsbekämpfung s. Pflanzenschutz.

Biologische Selbstreinigung (natürliche Selbstreinigung). Vorgang, bei dem organ., fäulnisfähige Verunreinigungen (z. B. *Abwasser-Inhaltsstoffe) nach einer bestimmten Aufenthaltszeit in einem Fließgewässer innerhalb der sog. Selbstreinigungsstrecke durch *Mikroorganismen zu einfachen Stoffen abgebaut, mineralisiert od. in den natürlichen Stoffkreislauf einbezogen werden.
Die b. S. beeinflussende Faktoren sind physikal. (z. B. Form des Fluß- od. Seebettes, Dichte, Viskosität u. Temp. des Wassers, Wasserführung, Strömungsgeschw. u. Mengenverhältnis zwischen eingeleitetem Abwasser u. Wasser des Vorfluters), chem. (z. B. Gehalt an Kohlendioxid u. Sauerstoff) u. biolog. bedingt (biolog. Aktivität der Wasserorganismen). Eine zu hohe Belastung eines Gewässers mit Abwasser kann zu starkem O_2-Mangel u. zum Erliegen des Selbstreinigungsvermögens führen. Der Abbau im Wasser befindlicher Kohlenstoff-Verb. beginnt sofort nach der Einleitung u. ist bei 20°C nach ca. 20 d beendet. Die *Nitrifikation beginnt bei 20°C erst nach ca. 10 d u. benötigt einen längeren Zeitraum. Die im Zuge der b. S. auftretende *Sukzession an Wasserorganismen, insbes. das Auftreten für bestimmte Verschmutzungsgrade typ. Indikatororganismen, wird bei der *Gewässergütebestimmung genutzt (s. a. Saprobiensystem).
In der *biologischen Abwasserbehandlung ahmt man die Vorgänge der natürlichen Selbstreinigung nach u. intensiviert sie künstlich durch Schaffung optimaler Lebensbedingungen für Mikroorganismen. – *E* (biological) self purification – *F* auto-épuration biologique – *I* autodepurazione biologica – *S* autodepuración biológica

Lit.: Klee, Angewandte Hydrobiologie (2.), S. 116–121, 161, Stuttgart: Thieme 1991 ▪ Uhlmann, Hydrobiologie (3.), Stuttgart: Fischer 1988.

Biologisches Gleichgewicht. Durch *Ökosystem-Faktoren beeinflußter Zustand von Lebensgemeinschaften (*Biozönosen) mit einem durch Regulationsmechanismen bestimmten Schwankungsbereich der Individuen- u. Artenzahl. Die verwendeten Synonyma Fließgleichgewicht od. *Homöostase* dürfen nicht darüber hinwegtäuschen, daß b. G. quant. u. qual. nicht mit chem. Gleichgewichten ident. sind. B. G. können reversibel (s. Elastizität) u. irreversibel gestört werden. – *E* biotic equilibrium – *F* équilibre biologique – *I* equilibrio biologico – *S* equilibrio biológico

Lit.: Odum, Grundlagen der Ökologie (2.), 47–51, Stuttgart: Thieme 1983.

Biologische Sicherheitsmaßnahmen. Verw. geeigneter risikoarmer Mikroorganismen u./od. Vektoren bei biotechnolog. bzw. gentechn. Forschungs- u. Entwicklungsarbeiten sowie bei Produktionsprozessen. Im Rahmen des *Gentechnik-Gesetzes (GenTG) versteht man hierunter die Verw. von Vektoren u. Empfänger-Organismen, die durch die Zentrale Kommission für Biologische Sicherheit (ZKBS) anerkannt u. den Sicherheitsstufen 1 od. 2 nach Gentechnik-Sicherheits-VO (GenTSV) angehören. Die wesentlichen Anforderungen an Empfänger-Organismen sind: a) das Vorliegen einer wissenschaftlichen Beschreibung sowie ihre taxonom. Einordnung, – b) keine od. nur eine sehr unwahrscheinliche Vermehrung außerhalb gentechn. Anlagen bzw. die Möglichkeit, ihre Ausbreitung außerhalb gentechn. Anlagen zu kontrollieren, – c) keine human-, tier-, pflanzenpathogenen sowie anderen umweltgefährdenden Eigenschaften u. – d) geringer horizontaler Gen-Austausch mit Tier- u. Pflanzenassoziierten Organismen. Für die Vektoren gelten folgende wesentlichen Anforderungen: a) eine ausreichende Charakterisierung des Vektor-Genoms, – b) eine begrenzte Wirtsspezifität, – c) bei Bakterien u. Pilzen das Fehlen eines eigenen Transformationssyst. u. – d) geringe Mobilität. Vektoren für eukaryonte Zellen auf viraler Basis sollen keine eigenständige Infektiosität aufweisen. Zur Sicherheitsstufe 1 gehören als Empfänger-Organismen z. B. *Escherichia coli K12* u. haploide Laboratoriums-Stämme von *Saccharomyces cerevisiae*. – *E* biological containments – *F* mesures de sécurité biologique – *I* misuri di sicurezza biologica – *S* medides biológica de seguridad

Lit.: Berufsgenossenschaft der chem. Ind., Sichere Biotechnologie: Merkblätter, seit 1990 ▪ Hasskarl, Gentechnikrecht, Textsammlung, Aulendorf: Editio Cantor 1990 ▪ Präve et al. (4.), S. 963–983 ▪ Rehm-Reed (2.) 12, 5–336.

Biologisches Screening. Bez. für das systemat. Durchtesten von chem. Substanzen od. Substanz-Gemischen auf Wirksamkeit in biolog. Testsyst. (engl.: to screen = sieben, *Screening) mit dem Ziel, neue niedermol. Leitstrukturen für die Entwicklung von *Arzneimitteln od. Wirkstoffen für den Pflanzenschutz od. die Tiergesundheit zu entdecken. Im engeren Sinne wird der Begriff angewendet auf das Durchtesten von Extrakten mikrobieller Kulturen od. *Pflanzenzellkulturen, Pflanzenextrakten sowie Extrakten höherer Pilze u. *mariner Organismen. Hierfür wurde auch die Bez. *Naturstoff-Screening* eingeführt. Wird in einem Testsyst. die gesuchte Wirksamkeit eines Extraktes gefunden, schließt sich nach Bereitstellung ausreichender Mengen an Rohmaterial die Isolierung u. Strukturaufklärung des chem. reinen Wirkprinzips an. Ist der so erhaltene *Wirkstoff neu, folgen umfangreiche Prüfungen zur Charakterisierung der Wirksamkeit sowie Untersuchungen zur *Toxizität, bevor Arbeiten zur Produktentwicklung beginnen können.

Testsyst.: Bis in die 70er Jahre stand die Suche nach neuen Antibiotika aus Kulturen niederer Pilze u. Bakterien im Mittelpunkt des Naturstoff-Screenings. Getestet wurde auf Wachstumshemmung pathogener Mikroorganismen-Isolate, v. a. *Staphylokokken u. *Streptokokken. Pflanzenextrakte wurden in erster Linie auf Wachstumshemmung von Tumorzellinien geprüft. Auf diese Weise wurden Wirkstoffe gefunden wie *Cephalosporin C, *Tetracycline, *Aminoglykoside, *Makrolide, *Polyene, *Anthracycline aus Mikroorganismen u. *Taxol aus Eibenrinde. Mit zunehmenden Kenntnissen über Wirkorte, die für das Wachstum von pathogenen Organismen od. anderen Schädlingen sowie für Krankheitsbilder verantwortlich sind, konnten sog. *mol. Testsysteme* entwickelt werden, wie Enzymtests od. Rezeptorbindungstests. Auf diese Weise wurden Wirkstoffe gefunden wie *Lovastatin, *Lipstatin, *Squalestatin, Zaragozic Acid, *Acarbose, *FK 506 (Tsukubaenolid). Mit der fortschreitenden Entwicklung gentechn. u. zellbiolog. Meth. können immer mehr Krankheiten auf der Ebene der Gene charakterisiert u. Wirkorte, d. h. Proteine od. Nucleinsäuren, in maßgeschneiderte Testzellen eingeschleust werden, so daß ein gezieltes *Wirkort-orientiertes Screening* in zellulären Syst. möglich ist.

In der chem.-pharmazeut. Ind. werden heute Testsyst. eingesetzt, die die Messung von mehreren hunderttausend Proben pro Jahr erlauben (*high throughput screening*). – *E* biological screening – *F* triage biologique – *I* screening biologico – *S* tamizado biológico

Lit.: Gräfe ▪ Omura (Hrsg.), The Search for Bioactive Compounds from Microorganisms, New York: Springer 1989 ▪ Präve et al. (4.), S. 663–702.

Biologische Standardisierung. Bei medizin. verwendeten Organ-, Hormon-, Vitamin-, Enzym-, Serum- u. Antibiotika-Präp. kann der eigentliche Wirkstoffgehalt erheblich schwanken, weshalb die Präp. mit bestimmten *Standards verglichen werden müssen. Der Wirkstoffgehalt wird meist in sog. *internationalen Einheiten (IE) ausgedrückt. – *E* biological standardization – *F* standardisation biologique – *I* standardizzazione biologica – *S* estandardización biológica

Lit.: Biological Substances. International Standards and Reference Preparations, Geneva: WHO 1977. – *Zeitschriften u. Serien:* Developments in Biological Standardization, Basel: Karger (seit 1974) ▪ Journal of Biological Standardization, London: Academic Press (seit 1973) ▪ WHO Expert Committee on Biological Standardization (WHO Techn. Rep. Series), Geneva: WHO.

Biologische Waffen. Bez. für vom Völkerrecht geächtete (Genfer Konvention von 1925, von der UNO 1972 erneuert) *Kampfstoffe auf der Basis von Toxinen, Viren u. Bakterien. Die aus Nährflüssigkeit von Pest-, Milzbrand-, Typhus-, Cholera-, Encephalitis-, Botulismus- u. a. Erregerkulturen meist durch Gefriertrocknung isolierbaren Erreger bzw. Toxine könnten in Aerosolform waffentechn. eingesetzt werden (*Bakteriolog. Kriegsführung*). In der BRD sind Entwicklung, Herst. u. Lagerung von b. W. verboten[1]. Die Gefährlichkeit b. W. resultiert u. a. aus dem „günstigen" Verhältnis zwischen Gew. u. Wirkung, heute auch aus der Möglichkeit, durch Genmanipulation ganz neuartige Erreger zu synthetisieren. Die von den USA im Vietnamkrieg eingesetzten *Entlaubungsmittel gehören nicht zu den biolog., sondern zu den *chemischen Waffen. – *E* biological weapons – *F* armes biologiques – *I* armi biologiche – *S* armas biológicas

Lit.: [1]BGBl. II, S. 133–138 (1983)

allg.: Lexikon der Biologie, Bd. 1, S. 346, Bd. 2, S. 19, Freiburg: Herder 1983 ▪ Römpp Lexikon Biotechnologie, S. 120, Stuttgart: Thieme 1992 ▪ s. a. chemische Waffen u. Kampfstoffe.

Biologische Wasseranalyse s. Gewässergütebestimmung, Saprobienindex, Saprobiensystem.

Biolumineszenz. Bez. für das Teilgebiet der *Chemilumineszenz (u. der *Photobiologie, s. a. Lumines-

zenz), das sich mit der Entstehung des sog. „kalten Lichts" von Bakterien, Flagellaten (Meeresleuchten), Pilzen, Schwämmer, Quallen, Würmern, Krebsen u. Fischen sowie Insekten befaßt. Dabei kommt die der Aussendung von Lichtquanten vorausgehende *Anregung durch eine enzymat. gesteuerte Oxid. zustande, die möglicherweise in sog. *Scintillonen abläuft. Am besten untersucht ist der Vorgang beim Leuchtkäfer (Glühwürmchen), bei dem zum Reaktionseintritt *Luciferin, Magnesium-Ionen, ATP u. Sauerstoff vorliegen müssen; das Enzym *Luciferase katalysiert die Oxid. des Luciferins, wobei ein Photon ausgesandt wird. Das B.-Syst. des Muschelkrebses *Cypridina* ist einfacher zusammengesetzt: Cypridina-Luciferin, Cypridina-Luciferase u. O_2. Man nimmt heute an, daß die verschiedenen Luciferine (s. dort die Abb.) zu α-*Peroxylactonen* (1,2-Dioxetan-3-onen) oxidiert werden, bei deren Zerfall Lichtquanten ausgesandt werden. Möglicherweise ist das emittierte Licht circular polarisiert. Quallen benutzen zu- B.-Erzeugung *Aequorin u. Calcium-Ionen; welche Mechanismen in Leuchtbakterien ablaufen, ist noch nicht restlos geklärt. Das Leuchten kann in bes. Leuchtzellen, in Leuchtgeweben od. in Leuchtorganen fixiert sein. Auch Leuchtdrüsen mit Absonderung leuchtenden Schleims sind bekannt. Die biolog. Funktion der B. ist häufig unbekannt. Sie kann der Erkennung von Artgenossen dienen, dem Anlocken des Sexualpartners, aber auch der Abschreckung von Feinden u. der Suche u. Anlockung von Beute. B.-Reaktionen werden in der *Luminometrie* zur Bestimmung kleiner Mengen an ATP, O_2, NAD(P) oder Ca^{2+}-Ionen verwendet. – $E = F$ bioluminescence – I bioluminescenza – S bioluminiscencia
Lit.: Biol. Unserer Zeit **23**, 108 (1993) ▪ Chimia **49**, 45 (1995).

BIOLYS®. Futtermittel, -vormischungen u. -zusätze. *B.*: Degussa.

Biom (Bioregion, Rayon). Bez. für Bereiche der terrestr. (auf dem Land liegenden) *Biosphäre. Die B. weisen einen einheitlichen *Klima-Typ u. dadurch bedingt charakterist. *Böden u. *Vegetations-Zonen auf. Die neun sog. Zono-B. entsprechen im wesentlichen Klimazonen (äquatorial, trop., subtrop., mediterran, warmtemperent, nemoral, kontinental, boreal, polar) u. werden ihrerseits in geograph. Einheiten, die (Eu-) B. unterteilt. – $E = F$ biome – $I = S$ bioma
Lit.: Walter u. Breckle, Ökologie der Erde 1 (2.), Stuttgart: Fischer 1991.

Biomagnesin®. Luschtabl. mit Magnesiumhydrogenphosphat u. -citrat gegen Magnesium-Mangel, zur Thromboembolie- u. Oxalatstein-Prophylaxe. *B.*: Madaus.

Biomagnifikation. Von griech.: bios = Leben u. latein.: magnificatio = Vergrößerung hergeleitete Bez. für die Anreicherung von Stoffen in einem Organismus durch Aufnahme über die Nahrung (s.a. Biokonzentration). Soll die dabei auftretende Anreicherung in den aufeinanderfolgenden Gliedern der Nahrungskette betont werden, spricht man von ökolog. Magnifikation. – E biomagnification – F croissance biologique – I arricchimento biologico – S biomagnificación

Lit.: Environ. Sci. Technol. **24**, 1407–1412 (1990) ▪ Korte (3.), S. 46 ff.

Biomasse. Sehr unterschiedlich interpretierter Begriff, unter dem 1. die Gesamtheit aller in einem bestimmten Lebensraum (Ökosystem) vorkommenden Lebewesen in Gramm Frisch- od. Trockengew. pro m^3 Vol. od. m^2 Oberfläche, – 2. die durch Photosynth. entstandene pflanzliche Substanz (auf dem Festland $1{,}7 \cdot 10^{11}$ t/a) od. – 3. die aus Abfällen durch mikrobiolog. Prozesse gewinnbare Zellmasse (z. B. *Eiweiß, *Single Cell Protein) verstanden wird. Letzteres gewinnt zunehmend an Bedeutung, da diese B.-Produktion, unabhängig von klimat. Einflüssen, techn. steuerbar u. im industriellen Maßstab ablaufen kann. Auch als erneuerbarer Energieträger aktuell von großem Interesse. – E biomass – F biomasse – I biomassa – S biomasa

Biomedizinische Technik s. Bionik.

Biomembranen s. Membranen.

Biomineralisation s. Mineralisation.

Biomoleküle. Bez. für die in Lebewesen auftretenden Mol., die als Produkte einer evolutionären Selektion durch geordnetes u. komplexes Zusammenwirken („mol. Logik") spezif. Aufgaben für den Organismus erfüllen u. die Grundlage seiner Lebensfunktionen (Stoff- u. Formwechsel, Fortpflanzung, Energiehaushalt) ausmachen. Die B. eines bestimmten Organismus stehen in stetigem Informations-, Energie- u. Stoffaustausch mit der Umwelt; sie befinden sich demnach in offenen Syst. u. in einem Fließgleichgew. (stationärem Zustand, engl.: steady state). Die meisten B. sind relativ stark reduzierte, d.h. in Sauerstoff-haltiger Atmosphäre metastabile Verb. aus Kohlenstoff, Wasserstoff u. Sauerstoff, die z. Tl. auch Stickstoff od. Phosphor enthalten. Innerhalb des Formenreichtums der B. läßt sich eine beschränkte Systematik bzw. Hierarchie feststellen, indem aus relativ wenigen einfachen *Bausteinen* (20 *Aminosäuren, 5 *Nucleobasen, wenigen *Monosacchariden u. *Fettsäuren usw.) eine Vielzahl unterschiedlicher größerer Mol. (*Proteine, *Nucleinsäuren, *Polysaccharide bzw. *Lipide; vgl. a. *Biopolymere*) aufgebaut wird, die sich wiederum zu sog. *supramol. Strukturen* zusammenlagern können (z. B. zu Fasern, Ribosomen, Zellwänden od. Membranen). – E biomolecules – F biomolécules – I biomolecole – S biomoléculas

Lit.: Diamond, Molecular Structures in Biology, Oxford: Oxford University Press 1993.

Biomonitoring. Von engl.: bio = biolog. u. monitoring = Prüfung, Überwachung. Meth. zur Beobachtung der Umweltqualität durch *Bioindikatoren. B. wird z. B. bei der Arbeitsplatzüberwachung angewendet. In der Ökologie liefert B. Informationen über die Auswirkungen aller *abiotischen u. biot. Faktoren im Ökosyst., die auf die untersuchten Organismen einwirken, u. kann Hinweise auf *anthropogene Belastungen geben, insbes. wenn die Auswirkungen anderer Faktoren bekannt sind. Man unterscheidet passives von aktivem B.; beim passiven B. werden Organismen verwendet, die im Ökosyst. vorhanden, z. B. aufgewachsen sind; Stichproben werden nach festgelegtem (zeitlichem u. räumlichem) Plan untersucht. Beim aktiven B. hinge-

gen werden Organismen unter kontrollierten Bedingungen (im Labor) angezogen, in die Umwelt ausgebracht u. nach einer Expositionsperiode untersucht. Wegen der Komplexität von Ökosyst. können bei der notwendigen begleitenden physikal., chem. u. biolog. Analyse nicht alle Faktoren erfaßt werden, die auf Organismen einwirken. Daher ist ein Vgl. zwischen belasteten u. unbelasteten Arealen bzw. Teilen von Ökosyst. problemat., ein strenger Kausalitätsnachw. prinzipiell unmöglich. – *E* biomonitoring – *F* controle biologique – *I* controllo biologico – *S* control biológico
Lit.: Markert, Plants as Biomonitors, Weinheim: VCH Verlagsges. 1993 ▪ Z. Umweltchem. Ökotox. **6**, 63–80, 145–149, 223–231, 375–383 (1994).

Biomüll s. Bioabfall.

Bionik. Aus *Bio*logie u. Tech*nik* (od. Elektro*nik*) gebildete Bez. von J. E. Steele (1958) für eine Fachrichtung, die die Erforschung biolog. Syst. im Hinblick auf eine technolog. – z. B. biomedizin. – Auswertung der erkannten Prinzipien zum Ziel hat. Beisp. für untersuchte Syst.: Das akust. Ortungsvermögen von Delphinen u. Fledermäusen, das Wärmespürorgan von Reptilien, *Biolumineszenz als Verf. der *Bioenergetik, Überdachungskonstruktionen nach dem Bauprinzip von Schneckenhäusern. Die Anw. der Erkenntnisse der B. ist das Arbeitsgebiet der *Bioingenieure. – *E* bionics – *F* bionique – *I* bionica – *S* biónica
Lit.: Heynert, Grundlagen der Bionik, Heidelberg: Hüthig 1976 ▪ Nachtigall, Biotechnik, Heidelberg: Quelle & Meyer 1977 ▪ Zerbst, Bionik, Stuttgart: Teubner 1979.

BIOPAL®. Dental-Legierungen. *B.:* Degussa.

Biopharmazie. Bez. für das Teilgebiet der *Pharmazie, das die Wechselbeziehungen zwischen der *Arzneiform u. der therapeut. Wirksamkeit eines *Arzneimittels untersucht. – *E* biopharmaceutics – *F* biopharmacie – *I* biofarmacologia – *S* biofarmacia
Lit.: Pfeifer, Pflegel u. Borchert, Biopharmazie, Berlin: Ullstein Mosby 1995 ▪ Pharm. Unserer Zeit **3**, 152–160 (1974) ▪ Sucker et al., Pharmazeutische Technologie, Stuttgart: Thieme 1991.

Biophysik. Zwischen *Physik u. *Biologie angesiedelte Forschungsrichtung, die sowohl die physikal. Analyse von grundlegenden strukturellen u. funktionellen Erscheinungen des lebenden Organismus betreibt, als auch die Anw. physikal. Prinzipien auf Probleme der Biologie zum Ziel hat. Hierher gehören die Erforschung der bioelektr. Phänomene (*Bioenergetik) im Organismus (Nervenleitung) u. der Konformationsänderungen an *Biopolymeren ebenso wie die Untersuchung von physikal. Erscheinungen an *Membranen u. der Einwirkung von *Strahlung auf lebende *Zellen (*Strahlenbiologie) sowie die medizin. B., die häufig der *Bionik zugeordnet wird. – *E* biophysics – *F* biophysique – *I* biofisica – *S* biofísica
Lit.: Hoppe et al. (Hrsg.), Biophysik, Berlin: Springer 1982.

bioplant®-Kamillenfluid. Kamillen u. Ringelblumen-Blütenextrakt für Bäder u. Umschläge bei top. Entzündungen. *B.:* Serum-Werk Bernburg.

Biopolymere. 1. Gruppe von natürlich vorkommenden *Makromolekülen, z. B. *Nucleinsäuren, *Polysaccharide od. *Proteine, die wesentliche Bestandteile aller lebenden Organismen sind u. über *Polykondensations-Reaktionen gebildet werden.
2. Bez. für synthet., z. B. biotechnol. in Fermentationsprozessen erzeugte, Polymere, die gleiche od. ähnliche Bausteine enthalten wie die natürlichen Makromoleküle. – *E* biopolymers – *F* biopolymères – *I* biopolimeri – *S* biopolímeros
Lit.: Ebert, Biopolymere, Stuttgart: Teubner 1993 ▪ Encycl. Polym. Sci. Eng. **2**, 286 ff. ▪ Kirk-Othmer (3.) **3**, 884 ff.

BIOPREN®. Zahnfüllmittel u. Hilfsstoffe auf Kunststoffbasis, Dental-Kunststoffe, Zahnprothesen-Kunststoffe. *B.:* Degussa.

Biopterin [2-Amino-6-(1,2-dihydroxypropyl)-pteridin-4-ol].

$C_9H_{11}N_5O_3$, M_R 237,22, gelbe Krist., Schmp. 250–280 °C. Die L-*erythro*-Form ($1'R$, $2'S$-Form) ist in der Natur weit verbreitet u. kommt in Mikroorganismen, Insekten (z. B. bei der Bienenkönigin im *Gelée Royale), Algen, Amphibien, Säugetieren u. auch im menschlichen Urin vor. B. ist ein Coenzym der Phenylalanin-Hydroxylierung. Zur Synth. s. *Lit.*[1]. – *E* biopterin – *F* biopterine – *I* = *S* biopterina
Lit.: [1]Justus Liebigs Ann. Chem. **1989**, 963–967, 1267 ff. *allg.:* Beilstein E V **26/18**, 422 f. ▪ Karrer, Nr. 2572 – *Biosynth.:* Science **213**, 1129 (1981). – *[CAS 22150-76-1]*

Bio-Rad. Kurzbez. für die amerikan. Firma Bio-Rad Laboratories Inc., Hercules (California) 94547. *Produktion* u. *Vertrieb:* Biochemikalien, Ionenaustauscher Harze, Diagnostika, HPLC-Geräte u. Säulen, Präp. u. Geräte für die Elektrophorese. *Vertretung* in der BRD: Bio-Rad Laboratories GmbH, Postfach 450133, 80901 München.

Bioreaktor (Fermenter). Bez. für das physikal. Behältnis, in dem biolog. Stoffumwandlungen mit Enzymen, Mikroorganismen (Bakterien, Pilze, Hefen, Algen) sowie tier. u. pflanzlichen Zellen (*Zellkulturen) in der Regel im geschlossenen Syst. u. unter sterilen Bedingungen durchgeführt werden. Im B. sollen jeweils prozeßspezif. mit einem Maximum an Sicherheit u. einem Minimum an Investitions- u. Betriebskosten die optimalen Bedingungen hinsichtlich Temp., pH-Wert u. Nährstoffkonz. für die Produktherst. eingestellt werden können. Zu den Aufgaben eines B. gehören daher der Stofftransport innerhalb der Flüssigphase, das *Dispergieren einer zweiten Phase, meist Luft, um eine große Phasengrenzfläche für guten Stoffübergang sicherzustellen, der Wärmetransport, um Reaktionswärme u. beim mechan. Durchmischen erzeugte Wärme abzuführen sowie die Gewährleistung der Sterilität durch entsprechende konstruktive Maßnahmen. Die Bauform des B. hängt vom Einsatzbereich ab u. muß die spezif. Anforderungen des zu kultivierenden biolog. Systems berücksichtigen, insbes. bei Zellkulturen.

Einsatzbereiche: Man unterscheidet zwischen Verf. mit Oberflächenkulturen (od. Emers-Verf.), die heute nur noch geringe Bedeutung haben, u. *Submersverfahren. Letztere können sowohl unter aeroben als auch unter anaeroben Bedingungen durchgeführt werden. Die Mehrzahl der techn. Submersverf. ist heute aerob, wobei meist B. mit Rührwerk zum Einsatz kommen. Bei einigen Prozessen kann es zur Erhöhung der *Produktivität zweckmäßig sein, die Mikroorganismen, Zellen od. Enzyme zu immobilisieren (*Immobilisierung) u. die Stoffumwandlung in einem *Festbett- od. einem *Fließbett-Reaktor durchzuführen, um die Scherkräfte zu vermindern. Enzyme können auch unter Einsatz von *Ultrafiltrations-Membranen im *Enzym-Membran-Reaktor zur Stoffumwandlung od. *Biotransformation eingesetzt werden.

Bauformen u. apparative Anforderungen: Zur Lösung der Aufgaben eines B. bieten sich verschiedene konstruktive Möglichkeiten an. Dies hat zu einer großen Vielfalt an Reaktor-Typen geführt, die sich in drei Grundtypen untergliedern lassen (s. Abb.): *Rührkessel-Reaktoren*, bei denen der Energieeintrag durch mechan. bewegte Einheiten erfolgt (A). Sie werden wegen ihrer Vielseitigkeit am häufigsten eingesetzt; *Blasensäulen-Reaktoren*, bei denen die Durchmischung durch Zufuhr von Luft od. eines anderen Gases erfolgt (B); *Airlift-Fermenter mit innerem (C) od. äußerem Umlauf (D). Im Airlift-Reaktor wird durch Eintrag von Luft ein Flüssigkeitsumlauf u. eine Durchmischung erzeugt.

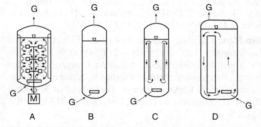

Abb.: Bioreaktor-Typen (G = Gasstrom, M = Motor).

Die Reaktorgrößen reichen im Laborbereich bis zu einigen Litern, im Labor/Pilotmaßstab von etwa 20 Litern bis zu einigen m³, in der Produktion zur Gewinnung von organ. Säuren, Ethanol, *Backhefe u. Futterhefe, *Antibiotika sowie techn. Enzymen u. zur Biotransformation von Steroiden von 10 bis etwa 500 m³ u. zur Herst. von Einzellerprotein sowie zur *Abwasserbehandlung von 1000 bis einigen 10000 m³. B. für Zellkulturen reichen bis in den m³-Maßstab.

Der im B. durchgeführte Prozeß bestimmt die Anforderungen an Material u. Sterilität. Es lassen sich drei Bereiche abgrenzen: 1. *geringe Anforderungen* für nicht-steril betriebene B. zur Abwasserreinigung (B.-Material z. B. Beton od. glasfaserverstärkter Kunststoff); – 2. *mittlere Anforderungen* für Prozesse im Bereich der Lebensmittel-Ind. (keimarme Verf. in gewöhnlichen Edelstahlbehältern zur Herst. von Käse, Bier, Wein); – 3. *hohe Anforderungen* für alle steril betriebenen Prozesse (z. B. Arzneimittel wie Antibiotika u. a. *Sekundärmetabolite, Enzyme, Aminosäuren. Der B. muß aus hochveredeltem Stahl hergestellt sein). Spezielle Vorschriften gelten für die Konstruktion des B. zur Kultivierung genet. rekombinierter od. pathogener Organismen. Dies gilt insbes. zur Verhinderung des Austritts von Zellen.

Meßtechnik: Es ist im Sinne einer max. Ausbeute erforderlich, die den Prozeß kennzeichnenden Größen u. ihren zeitlichen Verlauf zu messen, um jederzeit steuernd eingreifen zu können. Um die für einen techn. Prozeß entscheidenden Parameter kennenzulernen, werden bei Forschungsreaktoren möglichst viele Meßgrößen erfaßt u. daraus die für einen Produktionsreaktor notwendige Instrumentierung abgeleitet. Gemessen werden *physikal. Parameter* (Temp., Druck, Leistungsaufnahme, Viskosität, Durchflußraten für Luft u. Flüssigkeiten, Schaumhöhe, Trübung als Maß für die Biomasse), *chem. Parameter* (pH, pO_2, pCO_2, Redoxpotential, Sauerstoff u. Kohlendioxid im Abgas, Konz. von Substraten, Produkten u. Ionen) sowie *biolog. Parameter* (Biomasse, NADH-, DNA-, RNA-, Protein-Gehalt, biolog. Aktivitäten der Produkte, gesamter gelöster organ. Kohlenstoff u. Stickstoff). Die Messungen können *online* (innerhalb des B.) mit sterilisierbaren Meßfühlern od. *offline* (außerhalb des B.) durch Probenahme u. anschließende Analyse erfolgen. Ziel ist, die Zeit zwischen Probenahme u. Vorliegen des Analysenergebnisses möglichst kurz zu halten. Durch Einsatz sterilisierbarer Membranmodule kann Kulturflüssigkeit online entnommen u. z. B. mit *Biosensoren analysiert werden. – *E* = *S* bioreactor – *F* bioréacteur – *I* bioreattore

Lit.: Crueger-Crueger (3.), S. 60–106 ▪ Glick u. Pasternak, Molekulare Biotechnologie, S. 337–345, Heidelberg: Spektrum 1995 ▪ Präve et al. (4.), S. 261–304 ▪ Rehm-Reed (2.) 3, 77–466.

BioSciences Information Service s. BIOSIS.

Biosen. Bez. für *Monosaccharide, deren Mol. 2 Sauerstoff-Atome enthält (z. B. *Glykolaldehyd*, $C_2H_4O_2$, M_R 60,05); entsprechend gibt es Triosen, Pentosen, Hexosen usw. Gelegentlich werden auch die Disaccharide ($C_{12}H_{22}O_{11}$) als B. bezeichnet. – *E* = *F* bioses – *I* biosi – *S* biosas

Biosensor. Meßfühler mit einer bioaktiven Komponente. B. basieren auf der Kopplung von *Biomolekülen, die als Rezeptoren im weitesten Sinne spezif. Analyte erkennen, mit physikochem. Transduktoren, die ein biolog. erzeugtes Signal (z. B. Sauerstoff-Konz., pH-Wert, Farbstoff) in elektr. Meßsignale umformen (s. Abb.).

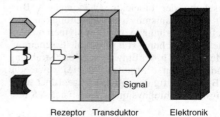

Abb.: Aufbau eines Biosensors (nach *Lit.*[1]).

Zur *spezif. Erkennung* können verschiedene Biomol. verwendet werden: Biolog. Rezeptoren, Antikörper,

Enzyme, Zellorganellen, ganze Mikroorganismen od. Gewebeschnitte.
Als *Transduktor* können eingesetzt werden potentiometr. Sensoren, amperometr. Elektroden, piezoelektr. Sensoren, *Thermistoren od. optoelektron. Sensoren. Aufgrund der Reaktion od. Wechselwirkung des *Analyten* mit dem *Rezeptor* unterscheidet man insbes. zwei Grundtypen von B.:
Bioaffinitäts-Sensoren nutzen die bei der Komplex-Bildung eintretende Veränderung der *Elektronendichte. Nach dem Meßvorgang muß der Ausgangszustand durch Komplex-Spaltung wiederhergestellt werden. *Metabolismus-Sensoren* beruhen auf der spezif. Erkennung u. Umsetzung von Substraten (*Biotransformation). Dabei können isolierte Enzyme, Organellen, Gewebeschnitte od. ganze Zellen eingesetzt werden, die als *Biokatalysator fungieren. Nach der Umsetzung liegt wieder der Ausgangszustand vor; z. B.:

β-D-Glucose + O_2 + H_2O → D-Gluconsäure-5-lacton + H_2O_2

Katalysator: Glucose-Oxidase; Meßgröße: O_2-Verbrauch.
Anw.: Kommerziell verfügbar sind z. Z. insbes. Enzym-Elektroden. Sie werden im Gesundheitswesen eingesetzt, zur Kontrolle biotechnolog. Prozesse, in der Lebensmittel-Ind. sowie im Umweltschutz. Mit B. analysiert werden z. B. Glucose, Galactose, Lactose, Ethanol, Milchsäure od. Harnsäure. – *E = S* biosensor – *F* capteur biologique – *I* biosensore
Lit.: [1]Präve et al. (4.), S. 894–906.
allg.: Hall, Biosensoren, Berlin: Springer 1995 ▪ Scheller u. Schubert, Biosensoren, Basel: Birkhäuser 1989.

BIOSIL®. Edelmetall-freie Dentallegierungen. *B.:* Degussa.

BIOSILEN® und BIOSINT®. Abdruck- u. Abformmassen für ärztliche u. zahnärztliche Zwecke, Zahnfüllmittel. *B.:* Degussa.

BIOSIS. Abk. für *BioSciences Information Service of Biological Abstracts* mit Sitz in 2100 Arch Street, Philadelphia (Pennsylvania) 19103. Das 1926 gegr. Inst. ist führend tätig auf dem Gebiet der biolog. *Dokumentation. Zu den von ihm herausgegebenen Publikationen gehören: *Biological Abstracts* (*Referateorgan in gedruckter Magnetband- u. Mikrofilm-Form: z. Z. ca. 270 000 Referate aus 9000 Zeitschriften), *BioResearch Index* (*Schnellinformationsdienst in gedruckter u. Magnetband-Form), C.L.A.S.S. (*Current Literature Alerting Search Service*, ein *SDI-Dienst), ferner spezielle Referateorgane (Abstracts of Entomology, of Mycology, on Health Effects of Environmental Pollutants), Terminologiehilfen (A Guide to the Vocabulary of Biological Literature) u. v. a. Werke u. Magnetbanddienste, die auch Benutzern außerhalb der USA zugänglich sind, z. B. über *DIMDI. Die von BIOSIS angebotene gleichnamige Datenbank, die über STN International zugänglich ist, ist mit 9,45 Mio. Zitaten die größte u. umfassendste Datenbank im Bereich der Biowissenschaften. Die Datenbank BIOBUSINESS umfaßt in den Bereichen Biologie u. Medizin weltweit die wichtigsten Nachrichten, die sowohl von wirtschaftlicher als auch von wissenschaftlicher Bedeutung sind. – INTERNET-Adresse: http://www.biosis.org.

Lit.: Steere, Biological Abstracts/BIOSIS – The First Fifty Years, New York: Plenum 1976.

BIOSOL®. Materialien zur Anfertigung von Zahnersatz: Abdruckmassen aus Gips u. Alginaten sowie Anmischflüssigkeiten für Einbettmassen. *B.:* Degussa.

Biosorption s. Bioakkumulation.

Biosparit s. Kalke.

Biosphäre. Bez. für die – heute vorzugsweise *Umwelt genannte – Gesamtheit der mit lebenden Organismen besiedelbaren Schichten der Erde. Organismen findet man in der Atmosphäre bis in etwa 5 km Höhe, in den Ozeanen bis in 10 km Tiefe (Bakterien). Als untere Grenze der B. in der Lithosphäre nimmt man heute 3 km Tiefe an, als obere Grenze – außer in Satelliten – eine Höhe von 20–25 km. In der *Biometeorologie* wird der Begriff B. auf die die Masse der Lebewesen umgebende atmosphär. Umwelt eingeschränkt; s. a. Geochemie. – *E* biosphere – *F* biosphère – *I = S* biosfera

BIOSTAT. Marke für einen antimikrobiellen Pflanzenextrakt für Anti-Akne-Produkte u. leichte Deos. *B.:* Nordmann, Rassmann GmbH & Co.

Biosurfactants (Biotenside, Biodetergentien). Bez. für oberflächenaktive Stoffe, die von Mikroorganismen während ihres Wachstums gebildet werden. Mit Hilfe dieser Stoffe können sich die Organismen an Oberflächen od. Phasen-Grenzflächen anlagern. B. sind meist einfache od. komplexe *Lipide bzw. Lipid-Derivate mit einem hydrophilen u. einem hydrophoben Ende (z. B. Mono-, Diglyceride, Sophorose- u. Rhamnose-Lipide). B. können sich im Innern der Zelle befinden, Membranen ausbilden od. ausgeschieden werden.
Trotz erheblicher Forschungsanstrengungen der letzten Jahre zeichnet sich nicht ab, daß B. *Tenside aus petrochem. Rohstoffen ersetzen könnten. Verstärkt finden jedoch Tenside auf Basis nachwachsender Rohstoffe aufgrund ihrer guten Verträglichkeit insbes. Anw. im Körperpflegebereich. – *E* biosurfactants – *F* biotensio-actif – *I* biosurfactante – *S* biotensioactivo
Lit.: Rehm-Reed (2.) **3**, 575 ff.

Biosynthese s. Biogenese.

Biotechnik s. Bionik u. Gentechnologie u. vgl. Biotechnologie.

Biotechnologie (angewandte Mikrobiologie, techn. Biochemie). Definition der Europ. Föderation für Biotechnologie (EFB, 1989): „Biotechnology is the integration of natural sciences in order to achieve the application of organisms, cells, parts thereof and molecular analogues for products and services."
Dies geht über den gängigen Begriff der B. hinaus, der nur die Nutzung von biolog. Stoffumwandlungsverf. zur Herst. od. zum Abbau von Produkten umfaßt. Durch den rasant fortschreitenden Erkenntnisgewinn auf dem Gebiet der *Molekularbiologie u. den darauf aufbauenden Methodenentwicklungen der *Gentechnologie gewinnt die B. über die sog. *traditionellen* u. *klass.* Meth. u. Verf. hinaus ein neues Profil. Auch die moderne Landwirtschaft (*Landwirtschaftliche B.*) u. neue Richtungen der Medizin (*Medizin. B.*) können der B. zugerechnet werden. Neue biotechnolog. Prozesse

sind heute ohne Einsatz von Gentechnik nicht mehr vorstellbar. Für diese auf gentechn. Meth. basierende B. beginnt sich der Begriff mol. B. durchzusetzen. Der wachsende Einfluß der mol. B. auf die Ges. hat insbes. in der BRD zu einer kontrovers u. z. T. stark emotional u. wenig sachlich geführten Diskussion um die eth. Vertretbarkeit u. die gesellschaftspolit. Folgen geführt (*Bioethik).

Anw.: Die größte wirtschaftliche Bedeutung in der B. haben bis heute neben den traditionellen Verf. der Nahrungs- u. Genußmittelherst. (z. B. Brot, Bier, Wein, Käse, Starterkulturen für die Milchwirtschaft) u. den fermentierten Nahrungsprodukten in Ostasien (Sojasauce, vergorene Reisspezialitäten) Fermentationsprozesse zur Herst. von nieder- u. hochmol. mikrobiellen Metaboliten. Dazu gehören z. B. durch Gärung erhaltene Rohstoffe (wie Ethanol, Butanol, Aceton, Glycerin), Carbonsäuren (wie Citronensäure, Gluconsäure, Essigsäure, Milchsäure, Kojisäure, Itaconsäure), Aminosäuren (wie Glutaminsäure, Lysin, Tryptophan u. a.), Nucleoside, Nucleotide u. verwandte Verb. (5'-IMP, 5'-GMP, Adenosin, Adeninnucleotide, Nucleinsäuren), Enzyme (Amylasen, Glucose Isomerasen, Proteasen, Rennin, Pectinasen, Lipasen, Lactasen u. a.), Vitamine (B 12, Riboflavin, β-Carotin u. a.), Antibiotika (z. B. β-Lactam-Antibiotika wie Penicilline u. Cephalosporine), Mutterkornalkaloide, Single-Cell-Protein (SCP, Einzellerprotein), extracelluläre Polysaccharide, Bioinsektizide, Aromastoffe. Zur Ausbeutesteigerung werden insbes. bei der Enzym-Herst. gentechn. veränderte Mikroorganismen eingesetzt. Weitere wichtige biotechnolog. Prozesse basieren auf dem Einsatz von Enzymen (*Biotransformation). Ebenso haben biotechnolog. Verf. Bedeutung für die Abwasserreinigung (aerob u. anaerob in Faultürmen) od. die Erzlaugung (*Bioleaching, mikrobielle Laugung).

Von zunehmender wirtschaftlicher Bedeutung sind Verf. auf der Basis der rDNA-Technik (Gentechnik) zur Herst. von humanen od. tier. Proteinen als Arzneimittel (auch Biopharmazeutika genannt) in Mikroorganismen (wie *E. coli* od. Hefe) od. auch in Zellkulturen. In der BRD stellt insbes. die *DECHEMA als wissenschaftlicher Verein mit dem *Fachausschuß B.* u. seinen nachgeschalteten Arbeitsausschüssen sowie der *Fachsektion B.* die Plattform für das gesamte Spektrum der Biotechnologie. – *E* biotechnology – *F* biotechnologie – *I* biotecnologia – *S* biotecnología

Lit.: Crueger-Crueger (3.) ▪ Glick u. Pasternak, Molekulare Biotechnologie, Heidelberg: Spektrum 1995 ▪ Präve et al. (4.) ▪ Rehm-Reed (2.).

Biotelemetrie. Unter B. versteht man die Fernmessung biolog. Daten, d. h. des Aufenthaltsortes eines Tieres od. der physiolog. Werte eines Individuums. Die Datenübertragung erfolgt drahtlos mittels elektromagnet. Wellen durch am Versuchstier befestigte Sender zu einem Empfänger. Man unterscheidet heute zwei verschiedene u. techn. unterschiedlich aufwendige B.-Meth.:

1. *Radio-Tracking* (Funk-Peilung) erlaubt, den fest eingestellten Funkcode eines am Tier befestigten Senders aufzusuchen u. anzupeilen. Ziel ist die Lokalisierung des Senders u. damit des Tieres (auch nachts), etwa um seine Ortstreue od. sein Wanderverhalten zu erkennen. Erste Einsätze erfolgten 1940. Das leistungsfähigste Radio-Tracking erfolgt derzeit durch das GPS (Global Positioning System) als Satelliten-Telemetrie, z. B. an Braunbären in Nordamerika bzw. an Lachsen im Atlantik u. an Weißstörchen, Schwänen u. Gänsen in Europa zur Erkundung des Wander- u. Nahrungssuch-Verhaltens u. daraus abgeleitet zum Arten- u. Biotopschutz-Management. Zur B. von Kleinvögeln od. gar Bienen sind Miniatursender von unter 1 g Masse entwickelt worden.

2. *Radio-Telemetrie* von sich ständig ändernden physiolog. Werten wie EKG, EEG, EMG, Blutdruck, Körpertemp., pH-Wert, Atmung, Feuchte, Aktivitätstypen (Stehen, Fressen, Schlafen u. ä.) benötigt techn. kompliziertere Sender zur Übertragung von modulierten Signalen. Um mehrere Individuen gleichzeitig überwachen zu können, werden die Sender mit Quarzen u. individuell zuzuordnenden Sendefrequenzen ausgestattet. Als ein verhaltensphysiolog. sehr wichtiger Parameter hat sich die telemetr. Messung der Herzfrequenz von Tieren herausgestellt, da hierbei dramat. Reaktionen aufgedeckt werden können (Störungsbiologie, Lärmschutz, Umwelteinflüsse), die sich im bisher bewerteten äußeren Verhalten oft nicht erkennen lassen. – *E* biotelemetry – *F* biotélémétrie – *I* biotelemetria – *S* biotelemetría

Lit.: Amlaner u. Macdonald, A Handbook on Biotelemetry and Radio Tracking, Oxford: Pergamon Press 1980 ▪ Helb, Ethometrie – Einsatz u. offene Probleme der Telemetrie in der Verhaltensforschung bei Tieren, München: 6. Telemetrie-Konferenz Garmisch-Partenkirchen, Arbeitskreis Telemetrie e. V. 1982 ▪ Kenward, Wildlife Radio Tagging, London: Academic Press 1987.

Biotenside s. Biosurfactants.

Biotest. Abk. für biolog. Testverf., die erkennbare u. meßbare Reaktionen von Organismen auf Veränderungen in der Umwelt untersuchen; s. a. Bioindikator. Als biolog. Tests sind diese Verf. neben der chem. Analytik Bestandteil der Umweltanalytik. Über die Wirkung als Funktion der stoffwechselphysiolog. Lebensvorgänge erfassen sie die Gesamtheit der Wirkungen in Umweltmedien (Gewässer, Böden). *Anforderungen an B.* sind u. a. ökolog. Relevanz, Reproduzierbarkeit, Empfindlichkeit, Standardisierbarkeit u. Praktikabilität. Beisp. sind *Fisch-, *Daphnien-, *Algen- u. *Bakterien-Tests zum Nachweis der akuten *Toxizität von Stoffen in Oberflächen- u. *Abwässern. Es können aber auch *Suborganismen-Systeme* eingesetzt werden, die auf der Basis von Zustandsänderungen von Zellverbänden, DNA-Veränderungen, enzymat. od. anderen Stoffwechselreaktionen od. Verhaltensmustern chron. od. akute Wirkungen signalisieren. – *E* biological test – *F=I=S* biotest

Lit.: Rudolph u. Boje, Ökotoxikologie, Landsberg: ecomed 1986 ▪ Z. Umweltchem. Ökotox. **1**, 20–27 (1989); **3**, 370–377 (1991).

Biotest. Kurzbez. für Biotest AG, Landsteinerstr. 3–5, 63303 Dreieich, gegr. 1946, größte Tochterges. ist die Biotest Pharma GmbH, Dreieich. *Daten* (1995): 1018 Beschäftigte, 32 Mio. DM gezeichnetes Kapital, 308 Mio. DM Umsatz. *Produktion:* Immunglobuline, Serum-Konserven, Gerinnungspräp., Plasmaersatz, Medizintechnik, Blutgruppenbestimmung, Zelldiagnostik/Forschung, Infektionsdiagnostik, Hygiene-Kontrolle.

Biotin {(3aS,4S,6aR)-2-Oxohexahydrothieno[3,4-d]-imidazol-4-valeriansäure}.

$C_{10}H_{16}N_2O_3S$, M_R 244,31. Farblose Nadeln, Schmp. 232–233 °C, lösl. in heißem Wasser u. verd. Alkali, schwer lösl. in kaltem Wasser, verd. Säuren u. Ethanol, unlösl. in den üblichen organ. Lsm., stabil gegen Luft u. Hitze, neutrale Lsg. sind bis 100 °C beständig. Von den 8 möglichen Stereoisomeren ist nur das abgebildete, rechtsdrehende B. physiolog. aktiv; es wird durch *Cholin inaktiviert u. durch starke Säuren od. Basen, Oxidationsmittel u. UV-Licht zerstört. B. ist in geringen Mengen in allen lebenden Zellen enthalten, relativ reichlich in Leber, Nieren, Bauchspeicheldrüse, Eigelb, Hefe, Milch, getrockneten Hülsenfrüchten, Reis, Nüssen u. Pilzen. Die Biosynth. geht von *Pimelinsäure aus.

Bedeutung im Stoffwechsel: B. ist unentbehrlich als *prosthetische Gruppe (*Coenzym R*) vieler *Enzyme, die *Carboxylierungen im Organismus katalysieren (*Biotin-Enzyme*). Dabei ist B. über seine Carboxy-Gruppe amid-artig an *Lysin-Reste der *Carboxylasen gebunden (ε-Biotinyllysin wird auch *Biocytin* genannt), u. die Übertragung des Kohlendioxids geschieht über dessen Anlagerung an N^1 zum sog. *aktiven Kohlendioxid* (CO_2-Biotin, 1-Carboxybiotin). Diese Reaktion ist endergon., die notwendige Energie wird durch die Hydrolyse von *Adenosin-5′-triphosphat aufgebracht. Carboxybiotin kann die Carboxy-Gruppe auf andere Mol. übertragen, z.B. auf *Acetyl-CoA (Acetyl-CoA-Carboxylase, EC 6.4.1.2) bei der *Fettsäure-Biosynthese, auf *Brenztraubensäure (Pyruvat-Carboxylase, EC 6.4.1.1) bei der Neusynth. von D-*Glucose (*Gluconeogenese*), auf Propionyl-CoA (Propionyl-CoA-Carboxylase, EC 6.4.1.3) beim Abbau von Fettsäuren mit ungerader Anzahl von Kohlenstoff-Atomen u. von *Isoleucin od. auf 3-Methylcrotonyl-CoA (3-Methylcrotonyl-CoA-Carboxylase, EC 6.4.1.4) beim Abbau von *Leucin. In anaeroben Prokaryonten ist B. Cofaktor von *Decarboxylasen, die aktiv Natrium-Ionen transportieren. Außerdem ist eine bakterielle Biotin-abhängige Transcarboxylierung (Übertragung von Kohlendioxid von Methylmalonyl-Coenzym A auf Brenztraubensäure) bekannt. Alle bisher gefundenen B.-Enzyme zeigen Sequenzverwandtschaft. Zur Physiologie s. a. Vitamine.

Verw.: Die Tatsache, daß *Avidin wie auch *Streptavidin pro Mol. vier Mol. B. fest binden, wird u. a. in der *Affinitätschromatographie, im *Immunoassay, *Immunoblot u. bei der *Immunfluoreszenz zur Immobilisierung von biotinylierten Reagenzien bzw. zur Signalverstärkung ausgenützt. Therapeut. wird B. zur Behandlung von seborrho. Dermatitis bei Kleinkindern u. zusammen mit anderen Wirkstoffen in Multivitaminpräparaten u. Leberschutzmitteln eingesetzt.

Geschichte: Der 1901 von Wildiers gefundene Hefewuchsstoff Bios [nach Abtrennung von Bios I (*Inosit) später *Bios II* od. *Bios β* genannt] u. ein 1933 von Allison als Wachstums- u. Respirationsfaktor für *Rhizobium* (*Coenzym R*) erkannter Wirkstoff erwiesen sich als ident. mit dem 1936 von *Kögl aus Eigelb u. von *György (als Vitamin H) aus Leber isolierten Biotin. Die Struktur wurde 1940–1942 von *Du Vigneaud aufgeklärt, u. die erste Synth. gelang 1944 Harris u. *Folkers. Abs. Konfiguration mit Hilfe der Röntgenstrukturanalyse 1966 durch Trotter u. Hamilton. – *E* biotin – *F* biotine – *I* = *S* biotina
Lit.: Annu. Rev. Biochem. **58**, 195–221 (1989) ▪ Stryer (5.), S. 458 f. – [HS 2936 29; CAS 58-85-5]

Biotin-Markierung (Biotinylierung). Verf. zur nichtradioaktiven Markierung von Biomakromol. wie Proteinen od. DNA. Zur Markierungsreaktion werden *Biotin od. Biotin-Derivate verwendet. Nucleinsäuren werden zur Markierung mit Biotin-11-dUTP {Systemat. Name: 5-[(E)-3-(6-Biotinamido-hexanamido)-1-propenyl]-2′-desoxyuridin-5′-triphosphat} umgesetzt, wobei die Einbaureaktion durch das Enzym DNA-Polymerase 1 aus *Escherichia coli* katalysiert wird. Der Nachw. der B.-M. erfolgt stets durch die Bildung von Komplexen mit *Avidin- od. *Streptavidin-Konjugaten, die beide vier hochspezif. Bindungsstellen für Biotin aufweisen. In den Konjugaten ist Avidin bzw. Streptavidin zur quant. Bestimmung gebunden an Enzyme, die eine photometr. meßbare Reaktion auslösen können (z. B. β-Galactosidase, alkal. Phosphatase, *Peroxidase, *Antikörper), od. fluoreszierende Farbstoffe.

Anw.: Bestimmung von Substanzen (*Antigene) durch biotinylierte Antikörper u. zunehmend der Nachw. von DNA-Fragmenten in Hybridisierungsexperimenten (*Blotting). – *E* biotin label[l]ing – *F* marquage avec biotine – *I* marcatura con biotina – *S* marcaje con biotina
Lit.: Glick u. Pasternak, Molekulare Biotechnologie, S. 211, Heidelberg: Spektrum 1995.

Biotit s. Glimmer.

Biotop. Von griech.: bios = Leben u. topos = Ort, Platz abgeleitete Bez. für den artspezif. Lebensraum von Pflanzen u. Tieren mit seinen typ. Umweltbedingungen (s. Biozönose). *Beisp.:* Fluß, Auenwälder, Trockenwiesen, Quellen, Moore. – *E* = *F* biotope – *I* = *S* biotopo

Biotopschutz. Maßnahmen nach *Bundesnaturschutzgesetz, insbes. § 20 b u. c, zum Schutz von *Biotopen, um damit den Lebensraum von Lebewesen zu erhalten u. so einen wirkungsvollen *Artenschutz zu gewährleisten. Gemäß § 20, Absatz 1, Satz 2 dieses Gesetzes umfaßt Artenschutz auch den Schutz, die Pflege, die Entwicklung u. die Wiederherstellung der Biotope wildlebender Tier- u. Pflanzen-*Arten. Dazu dient u. a. ein im Landesrecht auszugestaltendes Verbot von Maßnahmen, die zu einer Zerstörung od. sonstigen erheblichen od. nachhaltigen Beeinträchtigung von Biotopen führen können. Geschützt sind z.B. Moore, Sümpfe, Röhrichte, Quellbereiche, offene Binnendünen u. Dünen im Küstenbereich, offene natürliche Block- u. Geröllhalden, Auwälder, Fels- u. Steil-

küsten, offene Felsbildungen u. alpine Rasen. Die EU sieht die Ausweisung von Schutzgebieten in der Habitat-Richtlinie 92/43/EWG vor. – *E* protection of habitats – *F* protection des biotopes – *I* protezione del biotopo – *S* protección del habitat
Lit.: Amtsblatt der EG L 206, S. 7 (1992) ▪ Himmelmann et al., Handbuch des Umweltrechts, Teil B7 u. D7, München: Beck 1994.

Biotransformation. Bez. für die selektive chem. Umwandlung von definierten reinen Substanzen zu definierten Endprodukten mit reinen Kulturen von Mikroorganismen, pflanzlichen od. tier. *Zellkulturen od. deren Enzymen od. Enzym-Komplexen als Katalysatoren (nach dem Vorschlag der *IUPAC ist *Biokonversion* die Bez. für chem. Stoffumwandlungen mit Hilfe eines Biokatalysators, d. h. mit lebenden Zellen od. Enzymen). Als B. können z. B. Hydrolysen, Oxid., Red., C–C-Verknüpfungen u. Isomerisierungen durchgeführt sowie Heterofunktionen eingeführt werden. Bei folgenden Reaktionen können B. chem. Umsetzungen überlegen sein: a) bei der selektiven Funktionalisierung nicht-aktivierter Kohlenstoff-Atome, b) bei der Umwandlung einer funktionellen Gruppe unter mehreren Gruppen ähnlicher Reaktivität, c) bei der Racematspaltung durch selektive Umsetzung des einen Enantiomeren u. d) bei der Einführung eines Asymmetrie-Zentrums. B. können unter milden Bedingungen durchgeführt werden (niedrige Temp., moderate pH-Werte, Normaldruck) u. sind oft gekennzeichnet durch Spezifität für eine einzige Reaktion (*Reaktionsselektivität*) mit nur wenigen Reaktanden (*Substrat*- u. *Regioselektivität*), die oft verbunden ist mit *Stereo*- bzw. *Enantioselektivität*. Diese Eigenschaften nutzt man insbes. für die Herst. von Naturstoff-Derivaten od. zur Umwandlung komplexer organ. Mol., vorzugsweise Vorstufen für Arzneimittel. B. sind oft gebunden an wäss. Reaktionsmilieu, teilw. gelingt aber auch eine Anpassung an organ. Lsm. od. organ./wäss. Syst., wobei dem Reaktionsmedium entscheidende Bedeutung bei der Ausbildung des Reaktions-Gleichgew. zukommen kann. Der Zusatz organ. Lsm. ist bei schwer lösl. Substraten kaum zu umgehen.
Verf.: B. können mit wachsenden Zellen, mit Zellen im stationären Zustand, mit immobilisierten Zellen, mit isolierten lösl. od. immobilisierten Enzymen im Einphasen- od. Mehrphasen-Syst. durchgeführt werden. In Ergänzung zu nichtwäss. Lsm. können auch superkrit. Gase, z. B. Kohlendioxid, eingesetzt werden.
Anw.: Obwohl sich B. bislang techn. nur in wenigen Fällen gegen chem. Verf. durchsetzen konnten, gibt es doch eine wachsende Reihe von industriellen Anw., bei denen die B. als Verfahrensschritt kaum verzichtbar ist. Frühere Anw. sind bereits seit dem Ende des 19. Jh. bekannt, wie die Oxid. von Ethanol zu *Essigsäure*, von Glucose zu *Gluconsäure* od. von D-Glucit zu *L-Sorbose*. Neben Hydrolyse-, Kondensations- u. Isomerisierungsreaktionen haben Redoxreaktionen bis heute die größte wirtschaftliche Bedeutung. Als wichtige Prozesse seien genannt: Die Gewinnung von *Dihydroxyaceton* aus Glycerin, die Umsetzungen von Glucose zu 2-Oxogluconsäure od. 2,5-Dioxogluconsäure (Vorstufe für *Ascorbinsäure), die Isomerisierung von Glucose zu Fructose (sog. *high fructose corn syrup*), die Hydrolyse von Acrylnitril zu *Acrylamid* bzw. *Acrylsäure*, die Hydrolyse von Penicillin G zu 6-Aminopenicillansäure (Zwischenprodukt für halbsynthet. *β-Lactam-Antibiotika), die Herst. von L-Aminosäuren aus dem Racemat od. prochiralen Vorstufen, Redox-Reaktionen bei der Herst. von *Steroid-Wirkstoffen*. Weiterhin haben B. Bedeutung bei der Umwandlung von Terpenen (Aromastoffe) u. Antibiotika, bei der Herst. von *Prostaglandinen aus Arachidonsäure. Weiterhin werden *Xenobiotika durch B. in der *biologischen Abwasserbehandlung abgebaut. – *E* biotransformation – *I* biotrasformazione – *S* biotransformación
Lit.: Drauz, Waldmann, Enzyme Catalysis in Organic Synthesis (Hdb. in 2 Bänden), Weinheim: VCH Verlagsges. 1994 ▪ Präve et al. (4.), S. 705–759.

Biotronik (Firma) s. Eppendorf BIOTRONIK.

Biotrophie. Von griech.: bios = Leben u. trophé = Nahrung abgeleitete Bez. für eine heterotrophe Ernährung, bei der ein Organismus, als *Parasit bezeichnet, zu seiner Ernährung auf einen lebenden Organismus, als *Wirt* bezeichnet, angewiesen ist; im Gegensatz dazu heißt ein Organismus, der sich von den Resten eines abgestorbenen Lebewesens ernährt, *Saprobiont (s. a. Nekrotrophie), od. wenn er es selbst abtötet, (meist) Räuber (s. a. Perthotrophie). Zu den obligat biotrophen Parasiten gehören u. a. *Viren, *MLO, *RLO, *Mehltau- u. Rostpilze. – *E* biotrophy – *F* biotrophie – *I* biotrofia – *S* biotrofía
Lit.: Schlösser, Allgemeine Phytopathologie, Stuttgart: Thieme 1983.

Biotuss®. Hustensaft für Kinder mit *Thymian-Fluidextrakt, Eibischsirup u. Drosera D2. *B.:* Spitzner.

Bioverfahrenstechnik (Bioprozeßtechnik, Bioengineering). Derjenige Teil der *Verfahrenstechnik, der sich mit den Prozessen der *Biotechnologie befaßt. Dazu gehören insbes. alle Techniken für steriles Arbeiten, der Umgang mit lebenden Mikroorganismen sowie tier. u. pflanzlichen Zellen u. die Nutzung von Enzymen zur *Biotransformation. – *E* bioengineering – *F* génie biologique – *I* biotecnologia dei procedimenti industriali – *S* bioingeniería

Bioverfügbarkeit s. Bioäquivalenz.

Bioverträglichkeit s. Biokompatibilität.

Biovital®. Dragees u. Lösung mit Extrakten aus Weißdorn u. Herzgespann sowie Vitaminen als *Roborans. *B.:* Dr. Schieffer.

Biowäscher s. Biologische Abgasbehandlung.

Biowerkstoffe. Bez. für eine Reihe neuer *Werkstoffe, deren Grundkomponenten aus Biomakromol. bestehen. Für den medizin. Sektor können biolog. Verbundwerkstoffe aus Polysacchariden u. Proteinen, z. T. in Kombination mit weiteren organ. u. anorgan. Komponenten, zur Herst. medizin. Implantate entwickelt werden. – *E* bio-synthetic composite – *F* substances biologiques – *I* biomateriali – *S* biomateriales

Biox®-Verfahren. Messer Griesheim-Verf. zur Sauerstoff-Anreicherung in Gewässern u. Böden.

Biozönose. Von griech.: bios = Leben u. koinos = gemeinsam abgeleitete Bez. für das einander angepaßte Zusammenleben (Lebensgemeinschaft) von Pflanzen u. Tieren in einem *Biotop. Die B. ist meist durch bestimmte Charakterarten gekennzeichnet. Alle Glieder der B. stehen, auch in Abhängigkeit von Boden- u. Klimafaktoren, in vielseitigen direkten u. indirekten Wechselbeziehungen zueinander. Diese werden von der *Ökologie erforscht. Ergebnisse finden z. B. Anw. in der biolog. Schädlingsbekämpfung od. bei forst- u. agrarwirtschaftlichen Maßnahmen. – *E* biotic environment – *F* biocénose – *I* biocenosi – *S* biocenosis

BiP s. Binde-Protein.

Biperiden.

Internat. Freinamen für 1-(Bicyclo[2.2.1]hept-5-en-2-yl)-1-phenyl-3-piperidino-1-propanol, $C_{21}H_{29}NO$, M_R 311,47, Schmp. 112–116 °C, auch 101 °C angegeben; verwendet wird das Hydrochlorid, Zers. bei ~275 °C; LD_{50} (Maus, oral) 545, (Maus, i.v.) 56 mg/kg. Es wurde 1957 als Antiparkinsonmittel u. als Anticholinergikum von Knoll (Akineton®) patentiert u. ist Generika-fähig. – *E* biperiden – *I* biperidene – *S* biperideno

Lit.: Hager (5.) **7**, 484–487. – *[HS 2933 39; CAS 514-65-8; 1235-82-1 (Hydrochlorid)]*

Biphenyl (unrichtig auch als Diphenyl bezeichnet, vgl. Bi…).

R = H   : Biphenyl
R = OH   : 2,2'-Biphenyldiol
R = COOH : Diphensäure

$C_{12}H_{10}$, M_R 154,21. Farblose, aromat. riechende Blättchen, D. 1,04, Schmp. 69–71 °C, Sdp. 255 °C, unlösl. in Wasser, leicht lösl. in Alkohol u. Ether. B. ist u.a. in den zwischen 230–270 °C überdestillierenden Schwerölen des Steinkohlenteers enthalten, entsteht auch, wenn man Benzol auf 800 °C erhitzt, ferner als Nebenprodukt bei der Hydrodesalkylierung von Toluol zu Benzol. Zur Bindungsknüpfung zwischen aromat. Ringen s. *Lit.*[1] u. zur Cyclisationsbereitschaft 2,2'-disubstituierter B.-Derivate vgl. *Lit.*[2]; infolge ster. Hinderung sind in Verb., die zwischen C-2 u. C-2' (vgl. Formelbild) eine Kette von Kohlenstoff-Atomen tragen, die Ebenen der beiden Benzol-Ringe des B.-Gerüsts gegeneinander verdrillt, weshalb die Mol. *Dissymmetrie u. damit *optische Aktivität aufweisen (vgl. Binaphthyl). Den gleichen Effekt zeigen auch 2,2',6,6'-tetrasubstituierte B.-Abkömmlinge. Zu Untersuchungen über die Gleichgew.-Geometrie des B. s. *Lit.*[3].

Verw.: Infolge seiner Hitzebeständigkeit als Heizflüssigkeit, ggf. im Gemisch mit anderen Verb. (vgl. Diphyl). Zur fungiziden Konservierung von Citrusfrüchten dürfen in der BRD nach der Zusatzstoff-Zulassungs-VO vom 22.12.1981 in der Fassung vom 20.12.1984 nicht mehr als 70 mg B. (E 230) je kg ganzer Frucht für die Oberflächenbehandlung verwendet werden; außerdem müssen die Früchte entsprechend gekennzeichnet sein. Zum Nachw. von B. in Schalen von Citrusfrüchten vgl. *Lit.*[4]. Eine Reihe von Derivaten des B. sind von größerem techn. u. medizin. Interesse s. *Lit.*[5]. Dagegen sind die *Chlorbiphenyle* in letzter Zeit als hepatotox. u. als Umweltgifte in Verruf gekommen, s. a. Chlorkohlenwasserstoffe u. PCB. – *E* biphenyl – *F* biphényle – *I* bifenile – *S* bifenilo

Lit.: [1] Tetrahedron **36**, 3327–3359 (1980). [2] Chem. Rev. **68**, 209–227 (1968). [3] Helv. Chim. Acta **61**, 2100–2107 (1978). [4] Z. Lebensm.-Unters. Forsch. **119**, 217–221 (1963). [5] Negwer (6.), Bd. 3, S. 1675.

allg.: Beilstein E IV **5**, 1807–1814 ▪ Hommel, Nr. 241 ▪ Kirk-Othmer (3.) **7**, 782–793; (4.) **4**, 223–237 ▪ Ullmann **10**, 89 f.; (4.) **14**, 682 f.; (5.) **A 13**, 261 ff. – *[CAS 92-52-4]*

Biphenyl-2,2'-diol.

$C_{12}H_{10}O_2$, M_R 186,21, farblose Masse, Schmp. 109 °C, Sdp. 315 °C, in Wasser unlöslich. B. kann durch Alkalischmelze von Diphenylenoxid hergestellt werden u. findet Verw. zur Herst. von Desinfektionsmitteln, Schädlingsbekämpfungsmitteln u. Weichmachern. – *E* 2,2'-biphenyldiol – *F* biphényle-2,2-diol – *I* bifenil-2,2'-diolo – *S* bifenil-2,2'-diol

Lit.: Beilstein E IV **6**, 6645 ▪ Ullmann (4.) **18**, 219; (5.) **A 19**, 353. – *[HS 2907 29; CAS 1806-29-7]*

Biphenylen.

$C_{12}H_8$, M_R 152,20, hellgelbe Krist., Schmp. 110 °C, die mit Wasserdampf flüchtig sind. Oxid. mit CrO_3 führt zu Phthalsäure. B. kann als Derivat des *Cyclobutadiens angesehen werden. Zur Synth. s. *Lit.*[1]. – *E* biphenylene – *F* biphénylène – *I* bifenilene – *S* bifenileno

Lit.: [1] Org. Synth. **48**, 12 f. (1968); Angew. Chem. **83**, 619 f. (1971).

allg.: Beilstein E IV **5**, 2137 ▪ Sheperd, Cyclobutarens; The Chemistry of Benzocyclobutene, Biphenylene and Related Compounds, Amsterdam: Elsevier 1991. – *[CAS 259-79-0]*

Biphenylole (Hydroxybiphenyle, Phenylphenole). $C_{12}H_{10}O$, M_R 170,21.

2-B.: Farblose Krist., D. 1,21, Schmp. 58–60 °C, Sdp. 286 °C, in Wasser nicht, in Alkohol u. Ether löslich. Die Stäube u. Kontakt mit dem Stoff reizen sehr stark bis hin zur Zerstörung der Hornhaut die Augen, starke Reizung der Atemwege u. der Haut, LD_{50} (Ratte oral) 2000 mg/kg, wassergefährdender Stoff, WGK 2.

Verw.: In Form des wasserlösl. Natrium-Salzes (Phenolat) als techn. Konservierungsmittel u. als Desinfektionsmittel für Seifen u. dergleichen. In der BRD sind 2-B. (E 231) u. sein Na-Salz (E 232) gemäß § 3 Zusatzstoff-Zulassungs-VO zur Konservierung von Citrusfrüchten u. getrockneten Citrusfruchtschalen zur

Biphenylyl...

Herst. von Citronat u. Orangeat unter Kenntlichmachung zugelassen[1].
3-B.: Farblose Krist., Schmp. 78 °C, Sdp. >300 °C. *4-B.*: Farblose Krist., Schmp. 165–167 °C, Sdp. 305–308 °C (Subl.), von gleichem Lösungsverhalten wie das Ortho-Isomere.
Verw.: Zur Herst. von Kunststoffen u. Emulgatoren, als Antioxidans für Fette u. Öle, Holzkonservierungsmittel, Saatbeizmittel, zur Herst. von Azofarbstoffen, als Carrier bei Textilfärbungen u. zur quant. Bestimmung von Muraminsäuren. – *E* biphenylols – *F* phénylphénoles – *I* bifenioli – *S* bifeniloles
Lit.: [1] Römpp-Lexikon Lebensmittelchemie, S. 402.
allg.: Beilstein E IV **6**, 4579 ▪ Giftliste ▪ Hager (5.) **7**, 487 ▪ Janistyn **1**, 714 ▪ Ullmann **5**, 756; **13**, 449; (4.) **18**, 218; **23**, 54; (5.) A **19**, 353 f. – [HS 290719; CAS 90-43-7 (2-B.); 92-69-3 (4-B.)]

Biphenylyl... Bez. für die Atomgruppierung $-C_6H_4-C_6H_5$ in systemat. Namen (IUPAC-Regel A-55). Veraltete Bez.: Xenyl... – *E* biphenylyl... – *F* biphénylyl... – *I* = *S* bifenilil...

Bipolymer. B. ist nach IUPAC-Definitionen von Begriffen auf dem Polymer-Gebiet ein Polymer, das aus 2 Arten von Monomeren aufgebaut ist. – *E* bipolymer – *F* bipolymère – *I* bipolimero – *S* bipolímero
Lit.: IUPAC, Pure Appl. Chem. **40**, 486 (1974).

bipy. Neben *bpy benutztes Kurzz. für *2,2′-Bipyridin als Ligand in Koordinations-Verbindungen.

2,2′-Bipyridin (2,2′-Bipyridyl, bipy, bpy, fälschlich auch Dipyridyl).

$C_{10}H_8N_2$, M_R 156,19. Farblose Krist., Schmp. 70 °C, Sdp. 272–273 °C, in Wasser sehr wenig, in organ. Lsm. leicht lösl., hautreizend.
Herst.: Durch Dimerisation von Pyridin in Ggw. von Oxidationsmitteln bzw. Oxidationskatalysatoren; weitere B.-Synth. s. *Lit.*[1]. B. wird als Reagenz auf Eisen(II)-Ionen (Rotfärbung), Silber, Cadmium u. Molybdän verwandt (s. *Lit.*[2]); es hemmt die *Carboxypeptidasen. Einige *Bipyridinium-Salze* sind äußerst wirksame *Herbizide (Diquat-Dibromid, Paraquat-Dichlorid). – *E* 2,2′-bipyridin – *I* = *S* 2,2′-bipiridina
Lit.: [1] Synthesis **1976**, 1–24, bes. 9–13. [2] Chem. Rev. **3**, 471–496 (1968); Fries-Getrost, S. 90 f., 134, 248, 322.
allg.: Beilstein E V **23**/8, 16 ff. ▪ Giftliste ▪ Ullmann (4.) **19**, 599; (5.) A **22**, 409. – [HS 293339; CAS 366-18-7]

Biradikale s. Radikale

Birch-Pearson-Reaktion. Von Pearson gefundene Reaktion aus der Metall-organ. Chemie, bei der 1,3- od. 1,4-Cyclohexadiene – letztere üblicherweise durch *Birch-Reduktion hergestellt – mit Dieisenneacarbonyl in Cyclohexadien-Eisenkomplexe überführt werden. Diese werden mit *Triphenylmethyl-Carbenium-Ionen in kation. η^5-Cyclohexadienyl-Eisen-Komplexe umgewandelt, die als starke Elektrophile mit den unterschiedlichsten Nucleophilen reagieren. Es lassen sich so letztlich spezif. *cis*-1,2-substituierte Cyclohexadiene herstellen.

– *E* Birch-Pearson reaction – *F* réaction de Birch-Pearson – *I* reazione di Birch-Pearson – *S* reacción de Birch-Pearson

Nu (Nucleophil) = HO^-, RO^-, $\diagdown NH$, $-\underset{\underset{O}{\parallel}}{C}-CH_2-\underset{\underset{O}{\parallel}}{C}-$, usw.

Lit.: Hegedus, Organische Synthesen mit Übergangsmetallen, S. 205–209, Weinheim: VCH Verlagsges. 1995 ▪ Trost-Fleming **4**, 663 ff.

Birch-Reduktion. Von Birch 1944 gefundene Meth., um aromat. Verb. mit Hilfe von Natrium, Kalium od. Lithium in flüssigem Ammoniak (Bildung von *solvatisierten Elektronen), üblicherweise in Ggw. von Alkoholen wie z. B. Ethanol, Isopropanol, 2,2-Dimethylethanol, zu 1,4-Dihydroaromaten zu reduzieren.

Auch funktionalisierte aromat. Verb. können der B.-R. unterworfen werden; dabei vermindern elektronenliefernde Substituenten, wie Alkyl- od. Alkoxy-Gruppen die Ausbeuten u. erscheinen in der nichtreduzierten Position, während elektronenziehende Sustituenten wie die Carboxy-Gruppe die Ausbeuten erhöhen u. in der reduzierten Position erscheinen[1]. Die Bevorzugung der 1,4- gegenüber der 1,2-Red. wird mit dem *Prinzip der minimalen Strukturänderung erklärt. Die Red. aromat. Verb. mit Lithium od. Calcium in Aminen anstelle von Ammoniak (*Benkeser-Reduktion) führt zu Cyclohexenen. – *E* Birch reduction – *F* réduction de Birch – *I* riduzione di Birch – *S* reducción de Birch
Lit.: [1] J. Am. Chem. Soc. **102**, 3370, 4074, 6430 (1980); **103**, 284 (1981); **115**, 2205–2216 (1993).
allg.: Adv. Org. Chem. **8**, 1–65 (1972) ▪ Akhrem et al., Birch Reduction of Aromatic Compounds, London: Plenum 1972 ▪ Hassner-Stumer, S. 34 ▪ Laue-Plagens, S. 45 ff. ▪ March (4.), S. 781 ▪ Org. React. **23**, 1–258 (1975); **42**, 1–334 (1992) ▪ Tetrahedron **45**, 1579–1603 (1989).

Birge-Sponer-Diagramm. Graph. Meth. zur Bestimmung der *Dissoziationsenergie D_0 eines zweiatomigen Moleküls. Kennt man alle Schwingungszustände eines zweiatomigen Mol. u. trägt man die zugehörigen Energieabstände $\Delta E(v+1 \leftarrow v)$ gegen die *Schwingungsquantenzahl v auf, so ergibt sich die Dissoziationsenergie als Fläche unter der Kurve. In der Praxis kennt man oft nur die ersten Energieabstände u. muß dann eine Extrapolation vornehmen. Die lineare Extrapolation wird als *B.-S.-Extrapolation* bezeichnet. – *E* Birge-Sponer diagram – *F* diagramme de Birge-Sponer – *I* diagramma di Birge-Sponer – *S* diagrama de Birge-Spaner

Birgin®. Keim-Hemmungsmittel für Kartoffeln mit Propham. *B.:* Bayer.

Biringuccio, Vannoccio (1480–1538), italien. Chemiker. *Arbeitsgebiete:* Schießpulver, Metallurgie, chem. Technologie.
Lit.: Bugge, Das Buch der großen Chemiker, Bd. 1, S. 70–84, Weinheim: Verl. Chemie 1929 (1961) ▪ Krafft, S. 50 f. ▪ Pötsch, S. 48 ▪ Strube et al., S. 46.

Birkenblätter. Für diuret. Tees werden Blätter der europ. Birkenarten *Betula pendula* Roth u. *B. pubescens* Ehrh. (Betulaceae) verwendet. Sie enthalten 1,5–3% *Flavonoide u. bis zu 0,5% *Ascorbinsäure, die für die Wirkung verantwortlich gemacht werden, u.a. Bestandteile. – *E* birch leaves – *F* feuilles de bouleau – *I* foglie di betulla – *S* hojas de abedul
Lit.: DAB 10 u. Komm. ▪ Wichtl (2.), S. 97 ff. – *[HS 1211 90]*

Birkenöle. Aus verschiedenen Teilen der Birke (*Betula alba*) gewonnene ölartige Destillate: *Birkenknospenöl*, D. 0,96–0,98, in Alkohol lösl., wird durch Wasserdampfdest. aus den harzigen Blattknospen gewonnen, enthält u. a. Alkohole von Sesquiterpenen; *Birkenrindenöl*, durch Dest. der eingeweichten Rinde der kanad. Zuckerbirke (*B. lenta*) erhalten, enthält vorwiegend Salicylsäuremethylester; *Birkenteer*, durch trockene Dest. von Birkenholz u. -rinde erhältliche hautreizende, antiparasitär wirkende Flüssigkeit, D. 0,926–0,955, die in Alkohol z. T., in Chloroform, Fetten u. Ölen lösl. ist, besteht aus *Terpentinöl, Kohlenwasserstoffen, Harzen, *Guajakol, Kresol, Brenzcatechin u. *Betulin, gegen Ekzeme u. Dermatosen u. zur Leder- u. Holzkonservierung verwendet; *Birkenteeröl*, aus Birkenteer durch Wasserdampfdest. gewinnbar, ist eine braune Flüssigkeit, D. 0,886–0,950, die in organ. Lsm. lösl. ist, hat als Heilmittel bei Ekzemen u. Dermatitiden in der Medizin Verw. gefunden. – *E* birch oils – *F* huiles de bouleau – *I* oli di betulla – *S* aceites de corteza de abedul, aceites de bétula lenta
Lit.: Braun-Frohne (6.), S. 100 ▪ Hager (5.) 4, 505 ▪ Janistyn 2, 20 f. – *[HS 3301 29]*

Birkenwasser. Aus Oberflächenwunden der Birkenrinde austretendes, hellfarbenes Sekret, enthält 1–1,5% gelöste Stoffe, hauptsächlich *Fructose u. *Glucose, ferner Carbonsäuren, anorgan. u. organ. Salze, pflanzliche Wuchsstoffe, Aminosäuren u. Peptide[1]. Die Lsg. des B. in verd. Alkohol kann, nach Zusatz von Birkenknospenöl etc. sowie Borsäure, als *Birkenhaarwasser* verwendet werden. – *E* birch water – *F* sève de bouleau – *I* lozione di betulla – *S* agua de abedul
Lit.: [1] Janistyn 3, 292 f.

Birmabohnen s. Rangoonbohnen.

Birnen. 1. Scheinfrüchte von *Pyrus communis* (Rosaceae), aus dessen Wildform mit der nicht genießbaren *Holzbirne* (enthält u. a. *Quercetin-Glykoside, *Catechine, *Chlorogensäuren, *Arbutine u. *Hydrochinon, die Blätter dienen als Diuretikum u. Harndesinfiziens) zahlreiche Rassen herausgezüchtet wurden. Je 100 g eßbare Birnenanteile enthalten durchschnittlich 83,5 g Wasser, 0,5 g Eiweiß, 0,4 g Fett, 13,3 g Kohlenhydrate, 1,9 g Rohfaser, 0,38 g Mineralstoffe, 2 mg Na, 122 mg K, 17 mg Ca, 0,3 mg Fe, 22 mg P, 0,1 mg Carotin, 5 mg Vitamin C. B. sind ein beliebtes Tafelobst, werden zu Obstkraut u. Kompott verarbeitet, u. auch Trockenobst u. Marmeladen zugesetzt. Aus den Schalen kann durch alkohol. Extraktion *Birnenaroma gewonnen werden. – 2. Elektr. B. s. Glühlampen. – *E* pears – *F* poires – *I* pere – *S* peras
Lit.: Franke, Nutzpflanzenkunde, Stuttgart: Thieme 1992 ▪ Hager 6a, 999. – *[HS 080820]*

Birnenaroma. Aus den Schalen von *Birnen gewinnbares Fruchtaroma. Das aus reifen Birnen erhältliche ether. Öl enthält Alkohole, Ester, *Pinen, *Phellandren, *Dipenten, *Cadinen u. *Guajazulen[1], sowie als aromabestimmende Bestandteile den Methyl- u. Ethylester der *trans*-2-*cis*-4-Decadiensäure (sog. *Birnenester*; zur Synth. s. Lit.[2]) u. Hexylacetat. – *E* pear flavor – *F* essence de poire – *I* aroma di pere – *S* aroma de pera
Lit.: [1] Parfüm. Kosmet. 57, 246–251 (1976). [2] Helv. Chim. Acta 56, 1176 ff. (1973).

Birnenester s. Birnenaroma.

Birnenether s. Essigsäurepentylester.

Birnessit. $Na_4Mn_{14}O_{27} \cdot 9H_2O$ od. $(Na,Ca,K)(Mg,Mn^{2+})Mn_6^{4+}O_{14} \cdot 5H_2O$; aus $[MnO_6]$-Oktaederschichten mit je 1 dazwischen befindlichen Wasser-Schicht aufgebautes, schwarzes bis schwarzbraunes, extrem feinkörniges, erst unter dem Elektronenmikroskop tafelige Krist. zeigendes Phyllomanganat-Mineral, dessen Basisabstand wie bei manchen *Tonmineralien 7 Å beträgt; beim ähnlichen *Buserit* dagegen durch Einlagerung einer zweiten Wasser-Schicht 10 Å. Mn^{4+} ist teilw. durch Mn^{3+} u./od. Mn^{2+} ersetzt. Wegen des schlechten Ordnungsgrades u. des z. T. geringen Krist.-Grades schwierige Aufklärung der Krist.-Struktur[1]; keine gesicherte Krist.-Klasse; H. 1,5, D. 3,0.
Vork.: In Böden, im Wüstenlack, in *Manganknollen u. -krusten in der Tiefsee u. in Seen; in Manganerz-Lagerstätten, z. B. Ukraine, Japan. – *E* = *F* = *I* birnessite – *S* birnesita
Lit.: [1] Am. Mineral. 73, 1162–1169 (1988); 75, 477–489 (1990); 77, 1133–1157 (1992).
allg.: Jasmund u. Lagaly (Hrsg.), Tonminerale u. Tone, S. 77, Darmstadt: Steinkopff 1993 ▪ Varentsov u. Grasselly (Hrsg.), Geology and Geochemistry of Manganese, Vol. 1, S. 89–93, Stuttgart: Schweizerbart 1980. – *[CAS 1244-32-5]*

Biron®. Perlglanz-Pigmente für Kosmetika. *B.:* Merck.

Bis... (latein.: zweimal). Präfix, das angibt, daß ein Substituent zweimal auftritt, dessen Bez. bereits Zahlwörter enthält od. komplexer Natur ist. Die Bez. der Atomgruppierung wird dabei in Klammern gesetzt, die sich ohne Bindestrich in den Namen einfügen sollten (in diesem Werk sind aus Gründen der Verdeutlichung gelegentliche Abweichungen möglich); *Beisp.:* *Bis(2-chlorethyl)sulfid, 1,1,1-Trichlor-2,2-

bis(4-chlorphenyl)ethan (*DDT); 4,4'-Bis(dimethylamino)azobenzol. – $E=F=I=S$ bis...

Bisabolene.

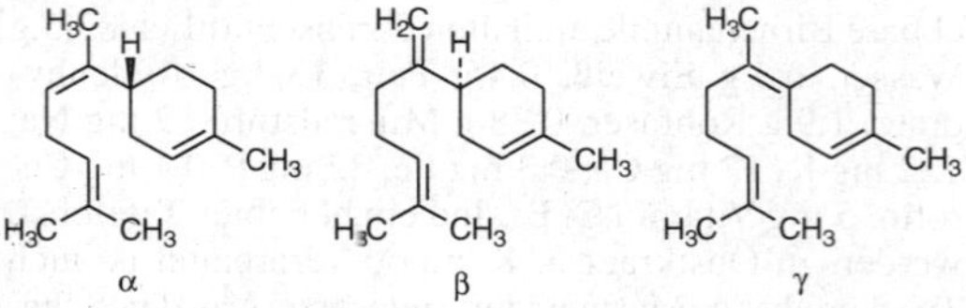

α   β   γ

Tab.: Daten von Bisabolenen.

	Sdp. [°C] (Pa)	$[\alpha]_D^{20}$ (C$_2$H$_5$OH)	CAS
α-B.	156 (1,5 kPa)		17627-44-0
(R)-(E)-		54,3° (c 1)	70286-31-6
(S)-(E)-		–38,9° (c 1)	70286-32-7
(R)-(Z)-		–12,0° (c 1)	70286-33-8
(S)-(Z)-		8,0° (c 1)	58845-44-6
β-B.	129–130 (1,4 kPa)		489-79-6
(+)-	Öl	74° (c 0,36)	
(–)-		–84,4°	495-61-4
γ-B.	Öl		495-62-5
(E)-			
(Z)-			13062-00-5

Gemisch von farblosen, isomeren *Sesquiterpenen der Summenformel C$_{15}$H$_{24}$, M$_R$ 204,36. Es handelt sich vorwiegend um α-B., β-B. u. γ-B. Die B. wurden aus verschiedenen Pflanzenölen, bes. Bergamott- u. Citrusöl isoliert. Die Öle finden als Riechstoffe Verwendung. – *E* bisabolenes – *F* bisabolènes – *I* bisaboleni – *S* bisabolenos

Lit.: Beilstein E IV **5**, 1174 ▪ Can. J. Chem. **62**, 2079 (1984) (Biosynth.). – *Synth.:* J. Am. Chem. Soc. **105**, 6154 (1983) ▪ Synth. Commun. **25**, 2909 (1995) ▪ Tetrahedron **39**, 883 (1983). – *[HS 2902 19]*

(–)-α-Bisabolol (internat. Freiname Levomenol).

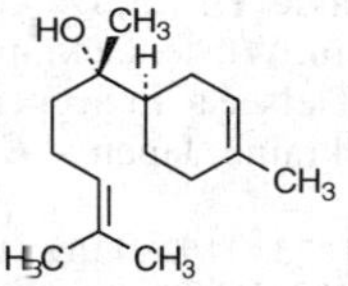

C$_{15}$H$_{26}$O, M$_R$ 222,37. Viskose Flüssigkeit, Sdp. 153 °C (1,60 kPa), $[\alpha]_D^{20}$–60,2° (unverd.), leicht lösl. in Alkoholen, unlösl. in Wasser. Das im Kamillenöl u. in den Knospen einiger Pappelarten vorkommende B. wird als Parfümfixateur u. – aufgrund seiner antiphlogist. u. spasmolyt. Wirkung – medizin. genutzt[1]. Neben (–)-α-B. kommen im Kamillenöl auch zahlreiche B.-Oxide vor, die sich von B. ableiten. Zur Synth. von α-B. u. dem isomeren β-B. s. *Lit.*[2]. – $E=F=S$ (–)-α-bisabolol – *I* (–)-α-bisabololo

Lit.: [1] Pharm. Unsere Zeit **13**, 65 (1984). [2] Helv. Chim. Acta **69**, 698 (1986); Synth. Commun. **25**, 2909–2921 (1995). *allg.:* Beilstein E V **17/3**, 457 ▪ Dragoco Rep. **24**, 79 (1977). – *[CAS 515-69-5]*

Bis(acetylacetonato)-Verbindungen s. Metallacetylacetonate.

Bisacodyl.

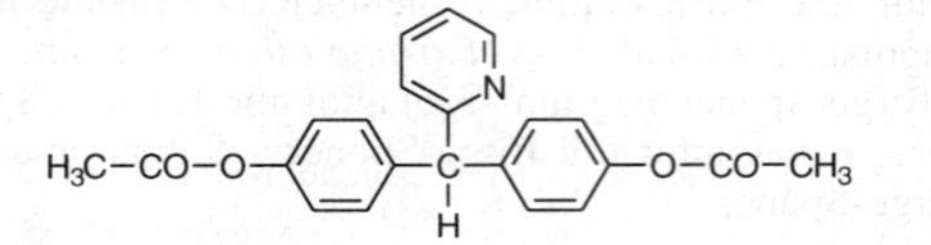

Internat. Freiname für Bis(4-acetoxyphenyl)-(2-pyridyl)-methan, C$_{22}$H$_{19}$NO$_4$, M$_R$ 361,40, Schmp. 138 °C; LD$_{50}$ (Ratte, oral) >3000 mg/kg. Es wurde 1955 als Laxans von Thomae (Dulcolax®) patentiert u. ist Generika-fähig. – $E=F$ bisacodyl – *I* bisacodile – *S* bisacodilo

Lit.: ASP ▪ DAB **10** ▪ Hager (5.) **7**, 488–490. – *[HS 2933 39; CAS 603-50-9]*

Bis(π-allyl)nickel s. π-Allyl-Übergangsmetall-Verbindungen.

Bisam s. Moschus.

Bis(2-aminoethyl)-amin s. Diethylentriamin.

Bis(3-aminopropyl)-amin s. Dipropylentriamin.

Bisbenzimid H 33258 (Hoechst 33258). Zur *DNA-Fluoro-Chromierung von vitalen u. fixierten Zellkernen; auch geeignet zur Darst. der Chromosomenbanden. *B.:* Serva.

Bisbenzimid H 33342 (Hoechst 33342). Fluoreszierender Supravitalfarbstoff, der reversibel an *DNA bindet. *B.:* Serva.

Bis(η^6-benzol)chrom s. Chrom-organische Verbindungen.

1,2-Bis(benzylamino)ethan-diacetat s. *N,N*-Dibenzylethylendiamindiacetat.

Bisbenzylisochinolin-Alkaloide.

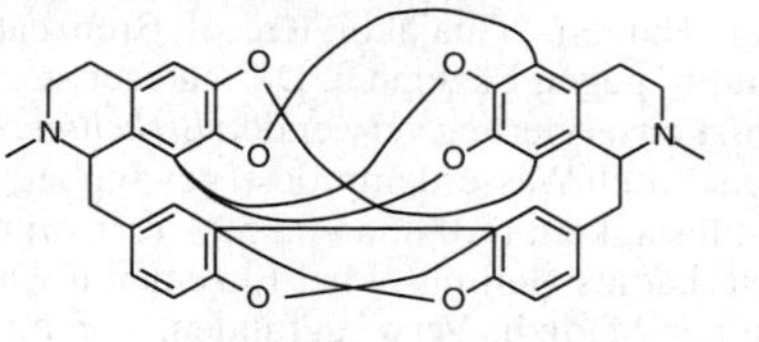

schematisch: mögliche Verknüpfungen

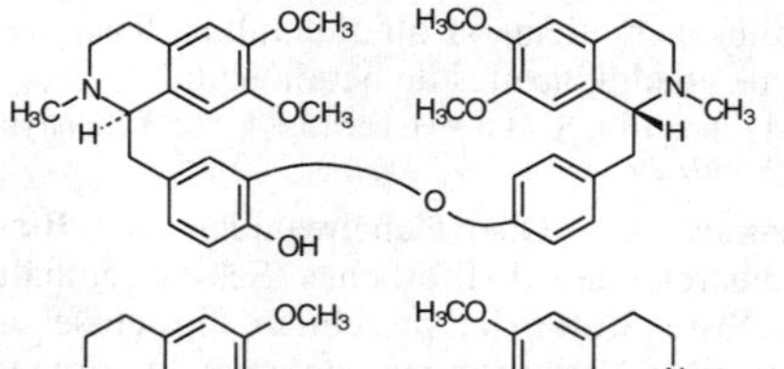

Dauricin

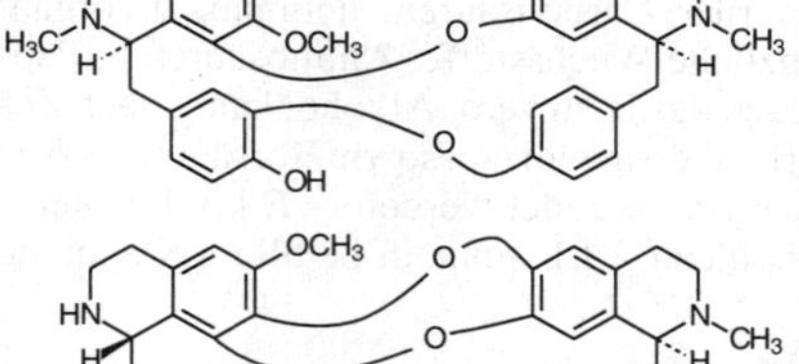

Berbamin

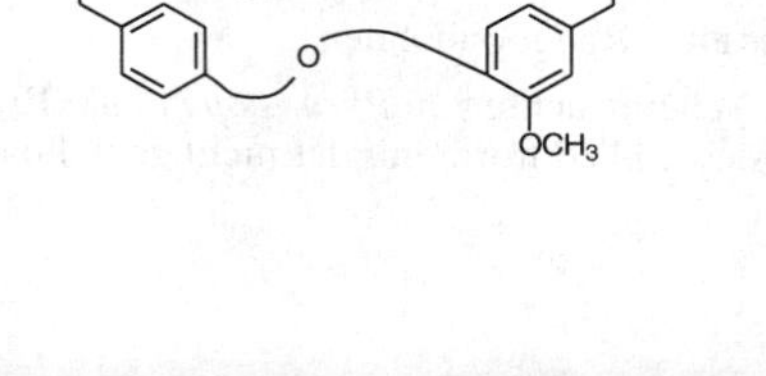

Trilobin

Die B.-A. stellen die größte Gruppe der *Isochinolin-Alkaloide dar. Sie bestehen aus zwei Benzyltetrahydroisochinolin-Komponenten, die durch 1, 2 od. seltener auch 3 C–O- bzw. C–C-Bindungen miteinander verknüpft sein können (s. Abb., S. 454). Über 225 verschiedene B.-A. sind aus 14 verschiedenen Pflanzenfamilien isoliert worden, v. a. aus Berberidaceae, Menispermaceae, Monimiaceae u. Ranunculaceae. Bes. bedeutsam ist das (+)-*Tubocurarin, das zusammen mit anderen B.-A. aus *Choodrodendron*-Arten (Menispermaceae) von südamerikan. Indianern als Pfeilgift genutzt wird; weitere Beisp.: *Dauricin* ($C_{38}H_{44}N_2O_6$, M_R 624,78, Krist., Schmp. 115 °C), *Berbamin* ($C_{37}H_{40}N_2O_6$, M_R 608,73, Schmp. 197–210 °C), *Trilobin* ($C_{35}H_{34}N_2O_5$, M_R 562,67, Krist., Schmp. 237 °C). – *E* bisbenzylisoquinoline alkaloids – *F* alcaloide de bisbencylisoquinoline – *I* alcaloidi della bisbenzilisochinolina – *S* alcaloides de bisbencilisoquinolina

Lit.: Florey **7**, 477–500 ▪ Hager (5.) **4**, 852–858 ▪ J. Nat. Prod. **54**, 645–749 ▪ Manske **25**, 163–178; **30**, 1–222 ▪ Tang u. Eisenbrand, Chinese Drugs of Plant Origin, S. 557 f., Berlin: Springer 1992 ▪ Ullmann (5.) **A1**, 370 f. – [*HS 293990*; *CAS 524-17-4* (Dauricin); *428-61-5* (Berbamin); *6138-73-47* (Trilobin)]

2,5-Bis(4-biphenylyl)oxazol s. BBO.

Bischler-Napieralski-Reaktion. Von den beiden Autoren Bischler u. Napieralski 1893 beschriebene, unter Wasserabspaltung verlaufende Cyclisierung von 2-Phenylethylamin-essigsäureamiden [*N*-(2-Phenylethyl)acetamiden] zu 3,4-Dihydroisochinolinen unter dem Einfluß von Phosphorpentoxid, Zinkchlorid u. a. Entwässerungsmitteln; zum Mechanismus der B.-N.-R. s. *Lit.*[1].

Die B.-N.-R. eröffnet einen Weg zur Synth. von *Isochinolin-Alkaloiden.

Lit.: [1] Angew. Chem. **84**, 947–949 (1972).
allg.: Hassner-Stumer, S. 36 ▪ J. Org. Chem. **39**, 418 (1974) ▪ Org. React. **6**, 75–151 (1951).

Bis(2-chlorethyl)ether (2,2'-Dichlordiethylether).   T+ ☠

$Cl–CH_2–CH_2–O–CH_2–CH_2–Cl$

$C_4H_8Cl_2O$, M_R 143,01. Farblose, Chloroform-artig riechende Flüssigkeit, D. 1,22, Schmp. –50 °C, Sdp. 178 °C, FP. 63 °C c. c. Dämpfe u. Flüssigkeiten verätzen die Augen, die Atemwege u. die Haut, Lungenödem möglich; Gefahr der Hautresorption, Nervengift, LD_{50} (Ratte oral) 75 mg/kg, wassergefährdender Stoff, WGK 2, MAK-Wert 10 ppm. B. entsteht als Nebenprodukt bei der Fabrikation von Ethylenchlorhydrin od. auch durch Umsetzen von Ethylenchlorhydrin mit Schwefelsäure.
Verw.: Lsm. für Ethylcellulose, Harze u. Fette, Reinigungsmittel, Textilhilfsmittel, Räuchermittel zur Schädlingsbekämpfung, zur Herst. von Thioplasten. – *E* bis(2-chloroethyl)ether – *F* ether dichlorethylique – *I* etere bis(2-cloroetilico) – *S* éter bis(2-cloroetílico)

Lit.: Beilstein E IV **1**, 1375 f. ▪ Brauer, Gefahrstoff-Sensorik, Landsberg: Ecomed 1988 ▪ Hommel, Nr. 473 ▪ Ullmann (4.) **8**, 154 f.; (5.) **A10**, 31, 33. – [*HS 290919*; *CAS 111-44-4*; *G 6.1*]

Bis(2-chlorethyl)methylamin s. Chlormethin.

Bis(2-chlorethyl)sulfid (2,2'-Dichlordiethylsulfid, Gelbkreuzkampfstoff, Lost, Senfgas).
$Cl–CH_2–CH_2–S–CH_2–CH_2–Cl$, $C_4H_8Cl_2S$, M_R 159,07. Ölige Flüssigkeit, D. 1,274, Schmp. 14 °C, Sdp. 217 °C (Zers.); in Wasser sehr wenig, in den üblichen organ. Lsm. löslich. B. ist in reiner Form fast geruchlos, während das meistens durch kolloiden Schwefel verunreinigte techn. Produkt knoblauch- bzw. senfartig riecht. B. ist ein schweres Zellgift, dringt durch Kleider, Leder usw. in die Haut ein u. bringt die Zellen zum Absterben; es ist krebserzeugend (MAK-Liste III A 1). Zur Wirkungsweise s. Lost.
Herst.: Aus Ethylen u. Dischwefeldichlorid (S_2Cl_2) od. durch Umsetzen von Ethylenchlorhydrin mit Na_2S u. nachträgliche Einwirkung von HCl. B. wurde erstmals 1886 von Victor *Meyer synthetisiert u. im 1. Weltkrieg in großem Umfang als *Kampfstoff verwendet. Durch Oxid. mit *Chloraminen zum Sulfoxid bzw. Sulfon kann es unschädlich gemacht werden. – *E* bis(2-chloroethyl) sulfide – *F* gaz moutarde – *I* bis(2-cloroetil)solfuro – *S* sulfuro de bis(2-cloroetilo)

Lit.: Beilstein E IV **1**, 1407 f. ▪ Brauer, Gefahrstoff-Sensorik, Landsberg: Ecomed 1988 ▪ Kirk-Othmer (3.) **5**, 395 ff.; (4.) **5**, 797 ff. ▪ s. a. Kampfstoffe. – [*HS 293090*; *CAS 505-60-2*]

Bis(chlormethyl)ether (BCME, Dichlordimethylether, *sym*-Dichlormethylether).   T+

$Cl–CH_2–O–CH_2–Cl$, $C_2H_4Cl_2O$, M_R 114,96. Farblose, erstickend riechende Flüssigkeit, D. 1,315, Schmp. –42 °C, Sdp. 106 °C, wird durch Wasser od. in feuchter Luft zu HCl u. Formaldehyd zersetzt. B. wirkt stark reizend auf Augen u. Atemwege (Lungenödem möglich). B. gilt als Stoff, der beim Menschen erfahrungsgemäß bösartige Geschwülste zu verursachen vermag (Gruppe III A 1, MAK-Werte-Liste 1995). Es wird als Alkylierungsmittel u. zur Herst. von Ionenaustauschern eingesetzt. – *E* bis(chloromethyl)ether – *F* ether dichlorodiméthylique – *I* etere bis(clorometilico) – *S* éter bis(clorometílico)

Lit.: Beilstein E IV **1** 3051 ▪ Hommel, Nr. 844 ▪ Luftanalysen: Analytische Methoden zur Prüfung gesundheitsschädlicher Arbeitsstoffe Bd. 1, Weinheim: Verl. Chemie 1976–1985 ▪ Ullmann (4.) **8**, 154 f.; (5.) **A10**, 31, 33. – [*HS 290919*; *CAS 542-88-1*]

Bischofit. $MgCl_2·6H_2O$; farblose od. gelblich-weiße, sehr zerfließliche, hygroskop., monoklin-pseudohexagonale Krist., Krist.-Klasse $2/m-C_{2h}$, Struktur s. *Lit.*[1]; meist körnige od. blättrige Aggregate; H. 1–2, D. 1,6.
Vork.: Als Endausscheidung in marinen Salzlagerstätten, zusammen mit *Carnallit u. *Kieserit, z. B. in Staßfurt u. Verden; in Vienenburg wurde B. zeitweise als Mg-Rohstoff abgebaut. – *E* bischofite – *F* bischoffite – *I* bischofite – *S* bischofita

Lit.: [1] Acta Crystallogr., Sect. C **41**, 8–10 (1985).
allg.: Schröcke-Weiner, Mineralogie, S. 329, Berlin: de Gruyter 1981 ▪ Ullmann **16**, 338–340. – [*HS 282739*; *CAS 13778-96-6*]

Bis(η^5-cyclopentadienyl)... Auch Di-π-cyclopentadienyl... genanntes Präfix in den Namen von metallorgan. Komplexverb. (vgl. Cyclopentadienyl), die zwei C_5H_5-Reste um ein Metallatom gruppiert enthalten, s. die Abb. derartiger *Sandwich-Verbindungen bei Metallocene. Das bekannteste Beisp. ist Bis(η^5-cy-

clopentadienyl)eisen (*Ferrocen). – $E = F$ bis(η^5-cyclopentadienyl)... – $I = S$ bis(η^5-ciclopentadienil)...
Lit.: s. Cyclopentadienyl... u. Metallocene.

1,8-Bis(dimethylamino)naphthalin s. Protonenschwamm.

Bis(4-dimethylaminophenyl)-methan s. 4,4'-Methylenbis(N,N-dimethylanilin).

Bis(2-ethylhexyl)... s. Dioctyl...

N,N-Bis(2-hydroxyethyl)-glycin s. BICINE.

1,4-Bis(hydroxymethyl)cyclohexan s. 1,4-Cyclohexandimethanol.

2,2-Bis(4-hydroxyphenyl)propan s. Bisphenol A.

Bismarckbraun s. Vesuvin.

Bismate®. Marke der Vanderbilt für Bismutdimethyldithiocarbamat (vgl. Bismut-organische Verbindungen) als Vulkanisationsbeschleuniger.

1,4-Bis(2-methylstyryl)benzol (Abk. Bis-MSB).

$C_{24}H_{22}$, M_R 310,44; B. wird verwendet als *Laserfarbstoff in *Farbstofflasern od. als Lumineszenzmaterial in *Szintillatoren.
Lit.: Brackmann, Lambdachrome®, Laser Dyes, Göttingen: Lambda Physik 1986. – *[CAS 13280-61-0]*

Bismit s. Bismutoxide.

Bis-MSB s. 1,4-Bis(2-methylstyryl)benzol.

Bismut (chem. Symbol Bi; zur Namensgebung s. unten). Zu den *Halbmetallen gehörendes Element der 5. Hauptgruppe des *Periodensystems. Bi ist ein *anisotopes Element, Atomgew. 208,9804, Ordnungszahl 83. Neben dem natürlichen Isotop Bi 209 kennt man künstliche Isotope u. Isomere ^{199}Bi – ^{215}Bi mit HWZ zwischen 2,15 min u. 3 Mio. a. Bi ist ein rötlichweißes, glänzendes, luftbeständiges Metall von rhomboedr. Kristallform, D. 9,79, Schmp. 271,3 °C, Sdp. 1560 °C, H. 2,5. Reinstes Bi ist nur wenig spröde, die Sprödigkeit wird durch Spuren von Verunreinigungen jedoch erheblich erhöht. Mit Ag, Pb, Hg, Cu, Sn, Au u. den Platinmetallen läßt sich Bi leicht legieren; die Leg. mit Cd, In, v. a. aber Pb, Sn u. Zn zeichnen sich durch niedrige Schmp. aus (ca. 46–140 °C, s. Verw.) u. haben darüber hinaus häufig – ebenso wie Bismutmetall selbst – einen neg. Ausdehnungskoeff., d. h. sie dehnen sich beim Erstarren etwas aus. Die elektr. Leitfähigkeit des Bi erreicht nur 1,37% von der Leitfähigkeit des Silbers; über das Auftreten von *Supraleitung beim B. vgl. *Lit.*[1]. Eine Reihe physikal. Effekte sind am Bi erstmals studiert worden, z. B. der *Hall-Effekt; B. hat von allen Metallen den größten Diamagnetismus, besitzt sehr geringe Wärmeleitfähigkeit u. vermag Neutronen nur in geringem Maß zu absorbieren. Aufgrund seiner Stellung in der Spannungsreihe ist Bi relativ edel. An feuchter Luft oxidiert es sich kaum, merklich erst in geschmolzenem Zustand, u. bei Rotglut verbrennt es mit bläulicher Flamme zu gelbem Bi_2O_3. Mit Chlor vereinigt sich erwärmtes BiBi-Pulver (ähnlich wie das verwandte *Antimon) unter Feuererscheinungen, in der Hitze auch mit Brom, Iod, Schwefel, Selen u. Tellur. Von Sauerstoff-freiem Wasser wird Bi bei 20 °C nicht angegriffen, ebenso auch nicht von Salzsäure u. Schwefelsäure, dagegen wird es von Salpetersäure u. heißer Schwefelsäure leicht gelöst. Bi tritt in den Wertigkeiten +2, +3, +4 u. +5 auf; die Bismut(III)-Verb. sind am häufigsten u. stabilsten. Über das Auftreten von Bi(I)-Kationen s. *Lit.*[2], u. zur Polykationen-Bildung beim B. s. *Lit.*[3].

Nachw.: B.-Mineralien ergeben bei der Lötrohranalyse auf der Holzkohle einen gelborange-farbigen Niederschlag, der beim Abkühlen um das gebildete Bi-Kügelchen herum gelbgrau wird. Zum mikroanalyt. Nachw. von B. als Doppelsulfat mit Alkalimetallsulfaten s. *Lit.*[4], u. zur Bestimmung mit Xylenolorange, Dimethylglyoxim, Dithizon, Oxin, Kupferron u. Thionalid s. *Lit.*[5].

Vork.: Bi gehört zu den seltensten Elementen; sein Anteil an der obersten, 16 km dicken Erdkruste wird auf nur $2 \cdot 10^{-5}$ % geschätzt. Damit steht es in der Häufigkeitsliste der Elemente in der Nähe von Ag, Cd, I od. Tm; es ist also z. B. seltener als Uran od. Tantal. Man findet Bi in der Natur gediegen u. in Form von Verbindungen. Die wichtigsten Bi-Erze sind Wismutglanz, *Wismutocker u. Wismutspat (Bismutit), seltenere sind Lillianit ($Pb_3Bi_2S_6$), Galenobismutit ($PbBi_2S_4$), Wismutblende, *Tetradymit u. Silberwismutglanz. Die Anzahl der abbauwürdigen Lagerstätten ist sehr gering. Darüber hinaus kommt B. hauptsächlich vergesellschaftet mit anderen Metallen (z. B. Cu, Pb, Ag, Sn, W, Co, Ni, Ag) vor. Die Bergwerksproduktion 1994 wird nach World Mineral Statistics 1990–1994, Nottingham: Keyworth 1995, auf rund 4300 t Metall-Inhalt geschätzt; davon entfallen ca. jeweils 1000 t auf Mexico, Peru u. China; auf Japan 500 t, auf Australien 400 t, auf Kanada 131 t u. auf die USA 100 t. Im sächs.-böhm. Erzgebirge (Schneeberg, Annaberg, Zinnwald) gibt es kleinere Bi-Vork., ferner findet man Bi in der Steiermark, im Kanton Wallis u. in Cornwall. In Thüringen (Bad Liebenstein) entdeckte man 1950 neue Bi-Vorkommen. Bi(III)-Verb. finden sich in Fischgräten u. menschlichen Zähnen.

Herst.: Man reduziert die oxid. Erze durch Erhitzen mit Kohle in Tiegeln ($Bi_2O_3 + 3C \rightarrow 2Bi + 3CO$), durch Röstred., od. man verschmilzt sulfid. Erze mit Eisen ($Bi_2S_3 + 3Fe \rightarrow 2Bi + 3FeS$); das so gewonnene Roh-Bi kann man dann auch elektrolyt. Wege reinigen. Überwiegend wird Bi jedoch als Abfallprodukt bei der Verarbeitung von Schwermetallerzen gewonnen, v. a. bei der Aufarbeitung von Cu-, Sn- u. Pb-Erzen. Beispielsweise entfernt man Bi aus Werkblei nach dem *Kroll-Betterton-Verf.*, indem man der Schmelze metall. Ca u. Mg zufügt; die ternären Ca-Mg-Bi-Leg. schwimmen auf (*Wismutschaum*) u. werden abgeschöpft.

Verw.: Der größte Teil des Bi wird zur Herst. von Leg. gebraucht, z. B. niedrigschmelzender *Lipowitz-, *Lichtenberg- u. *Newton-Legierung, *Roses Metal u. *Woodsches Metall für sog. *Schmelzsicherungen, u. von Leg., die sich beim Erstarren etwas ausdehnen u. dabei die Feinheiten der Formen gut ausfüllen, zur Herst. von Druckstöcken. In geringen Zusätzen erhöht Bi die Formstabilität von Fe- u. Al-Legierungen. Weiterhin findet Bi Verw. als Wärmeübertragungsmittel in höheren Temp.-Bereichen, z. B. in der Kerntechnik, als Katalysator in der Kunstfaserproduktion, sowie in der *Photo- u. *Thermoelektrizität; Bi-Tellurid, Bi_2Te_3, dient als Peltier-Element (s. Peltier-Effekt) zu Kühlzwecken. Etwa $\frac{3}{4}$ der Bi-Produktion wird für pharmazeut. Zwecke verbraucht, denn Bi-Verb. besitzen – was z. T. seit alters her bekannt ist – adstringierende, antisept. u. diuret. Wirkung, s. Bismut-Präparate. Das Metall selbst gilt als nichttoxisch.

Geschichte: Bi findet man erstmals erwähnt bei *Agricola u. *Paracelsus. Vermutlich ist Bi in Deutschland um die Wende des 15. Jh. entdeckt worden, doch fanden damals häufig Verwechslungen mit Antimon, Zinn u. Zink statt. Der bisher im dtsch. Sprachgebrauch übliche Name *Wismut* ist dtsch. Ursprungs; man kann ihn bis zum Jahre 1472 zurückverfolgen. Nach neuerer Auffassung hat man um jene Zeit dieses Metall im Schneeberger Revier auf Wiesen „gemutet" (abgebaut), woraus durch Zusammenziehung schließlich Wiesemutung, Wiesmut u. Wismut wurde; bereits Agricola hat den Namen Wiesemutung zu Bisemutum latinisiert. – $E = F$ bismuth – $I = S$ bismuto

Lit.: [1] Ideen exakt. Wiss. **1971**, 432. [2] J. Chem. Soc., Chem. Commun. **1971**, 422. [3] Naturwissenschaften **55**, 389f. (1968). [4] Chem. Labor Betr. **26**, 190ff. (1975). [5] Fries-Getrost, S. 386–393.
allg.: Brauer (3.) **1**, 596 ▪ Gmelin, Syst.-Nr. 19, Bi, 1927, Erg. Bd. 1964 ▪ Kirk-Othmer (4.) **4**, 237–245 ▪ Mining Annual Review, S. 101f., London: Mining Journal Ltd. 1988 ▪ Patai (Hrsg.), The Chemistry of Organic Arsenic, Antimony & Bismuth Compounds, Chichester: Wiley 1994 ▪ Smith, The Chemistry of Arsenic, Antimony and Bismuth, Oxford: Pergamon 1975 ▪ Snell-Hilton **7**, 187–194, 208–220 ▪ Ullmann (5.) **A 4**, 171–189 ▪ Winnacker-Küchler (4.) **4**, 493ff. – *[HS 8106 00; CAS 7440-69-9]*

Bismutaktive Substanz (BiAS) s. Wickbold-Methoden.

Bismutan s. Bismutwasserstoff.

Bismutcarbonate. Von den B. ist das natürlich als *Bismutit* (Wismutspat, $Bi_2O_3 \cdot CO_2 \cdot H_2O$) auftretende bas. Bismut(III)-carbonat [Bismutsubcarbonat, Bismutoxidcarbonat, $(BiO)_2CO_3$, M_R 509,97] am wichtigsten. Farbloses od. gelblichfarbloses, geruch- u. geschmackfreies Pulver, D. 6,86, zersetzt sich unterhalb des Schmp., unlösl. in Wasser u. Alkohol. Verw. in *Bismut-Präparaten. – E bismuth carbonates – F carbonates de bismuth – I carbonati di bismuto – S carbonatos de bismuto
Lit.: Gmelin, Syst.-Nr. 19, Bi, 1927, S. 178f., Erg.-Bd. 1964, S. 829ff. ▪ Ullmann (5.) **A 4**, 185. – *[HS 2836 93; CAS 5892-10-4]*

Bismutchloride. (a) *Bismut(III)-chlorid* (Bismuttrichlorid), $BiCl_3$, M_R 315,34. Farblose, an feuchter Luft zerfließende, krist. Masse, D. 4,75, Schmp. 230–232 °C, Sdp. 447 °C, wird durch Licht in Ggw. organ. Substanzen geschwärzt u. durch Wasser zu Bismutoxidchlorid hydrolysiert. B. ist in organ. Lsm. wie Alkohol, Ether, Aceton, Nitrobenzol usw. leicht löslich. *Herst.:* Durch Auflösen von Bismutoxid in Salzsäure od. durch Einwirkung von Chlor auf Bismut. $BiCl_3$ ist als Anfärbereagenz zum Nachw. von Sterinen in der Papier- u. Dünnschichtchromatographie verwendbar.
(b) *Bismutoxidchlorid* (Bismutylchlorid), $BiOCl$, M_R 260,43. Farbloses, krist. Pulver, D. 7,72, färbt sich beim Erwärmen gelb bis braun, wird bei der Abkühlung wieder farblos. BiOCl ist nicht flüchtig, unzersetzt schmelzbar, in Wasser unlösl., in Säuren lösl. Es entsteht bei der Hydrolyse von Bismuttrichlorid u. findet als *Perlglanzpigment für Lippenstifte u. Schminken Verwendung. Daneben kennt man noch $BiCl$, $BiCl_2$ u. $BiCl_4$. – E bismuth chlorides – F chlorures de bismuth – I cloruri di bismuto – S cloruros de bismuto
Lit.: Brauer **1**, 552 ▪ Gmelin, Syst.-Nr. 19, Bi, 1927, S. 136–148 ▪ Kirk-Othmer (4.) **3**, 248–252 ▪ Ullmann (5.) **A 4**, 184 f. ▪ Winnacker-Küchler (4.) **3**, 393f. – *[HS 2827 39; CAS 7787-60-2 (III); 7787-59-9 (BiClO)]*

Bismuthinit (Wismutglanz, Bismutin). Bi_2S_3; wichtiges Wismuterz; bleigraue bis zinnweiße, metallglänzende, häufig gelb anlaufende, strahlig-nadelige bis säulige, gestreifte rhomb. Krist., Krist.-Klasse mmm-D_{2h}, u. körnige, strahlige od. blättrige Aggregate. Zur Struktur s. *Lit.*[1]; zur Bildung von *Mischkristallen mit *Aikinit s. *Lit.*[2]; H. 2, D. 6,8–7,2, Strich grau.
Vork.: In Zinn- u. Silber-Lagerstätten, z. B. Erzgebirge, Cornwall/England, Bolivien; ferner in Mexiko, Australien u. Madagaskar. – E bismuthinite – F bismuthine – $I = S$ bismutina
Lit.: [1] Tschermaks Mineral. Petrogr. Mitt. **14**, 55–59 (1970). [2] Neues Jahrb. Mineral. Monatsh. **1990**, 35–45.
allg.: Anthony et al., Handbook of Mineralogy, Vol. 1, S. 56, Tucson (Arizona): Mineral Data Publishing 1990 ▪ Gmelin, Syst.-Nr. 19, Bi, Erg.-Bd. 1964, S. 124–127 ▪ Schröcke-Weiner, Mineralogie, S. 235f., Berlin: de Gruyter 1981. – *[HS 2617 90; CAS 12233-37-3]*

Bismuthiol I s. 1,3,4-Thiadiazol-2,5-dithiol.

Bismutide. *Intermetallische Verbindungen des Bi (meist in Alkali- od. Erdalkalimetallen). Neben den „stöchiometr." B. (z. B. Na_3Bi, K_3Bi, Hg_3Bi_2) gibt es Leg.-artige B., die bei niedrigen Temp. supraleitend werden (z. B. NaBi, KBi_2, $BaBi_3$). – $E = F$ bismuthides – I bismutidi – S bismuturos
Lit.: Brauer (3.) **2**, 964f. ▪ Kirk-Othmer (4.) **4**, 247f. ▪ Landolt-Börnstein, Neue Serie 3/7 c2, Berlin: Springer 1979.

Bismutin s. Bismutwasserstoff u. Bismuthinit.

Bismutine s. Bismut-organische Verbindungen.

Bismutino... (Bismutanyl...). Bez. für die Atomgruppierung $-BiH_2$ (IUPAC-Regel D-5.12). – $E = F$ bismuthino... – $I = S$ bismutino...

Bismutit s. Bismutcarbonate.

Bismut-Legierungen s. Bismut.

Bismutnitrate. (a) *Bismut(III)-nitrat* (Bismuttrinitrat), $Bi(NO_3)_3 \cdot 5H_2O$, M_R 395,00. Große, farblose, säulenförmige, trikline Krist., D. 2,83, geht beim Glühen in Bismuttrioxid über, entsteht beim Eindampfen einer Lsg. von gepulvertem Bismut (od. Bismuttrioxid) in Salpetersäure; lösl. in Säuren u. wenig Wasser, WGK 2, durch viel Wasser wird es zur folgenden Verb. hydrolysiert.
(b) *Bismutsubnitrat* (Bas. B., Bismutylnitrat), ca. $BiO(NO_3) \cdot H_2O$. Farbloses, mikrokrist. Pulver, D. 4,928, begrenzt lösl. in Wasser, WGK 2, lösl. in Salpetersäure, zersetzt sich beim Erhitzen auf 260 °C unter Entwicklung braunschwarzer Dämpfe, färbt sich beim Übergießen mit Natriumsulfid-Lsg. braunschwarz. Bis-

mutsubnitrat wirkt desinfizierend, adstringierend u. geruchsbeseitigend; man verwendet es daher für medizin. Zwecke, s. Bismut-Präparate. Ferner dient es als Perlglanzpigment zur *Lüster-Herst. in der Glas-Ind. u. Keramik usw. u. zum Haarfärben. Aus B. werden gewöhnlich auch die übrigen Bismut-Verb. hergestellt. – *E* bismuth nitrates – *F* nitrates de bismuth – *I* nitrati di bismuto – *S* nitratos de bismuto
Lit.: Gmelin, Syst.-Nr. 19, Bi, 1927, S. 126–135, Erg.-Bd. 1964, S. 649–657 ▪ Kirk-Othmer (4.) **4**, 254 ▪ Ullmann (5.) **A 4**, 185. – *[HS 2834 22; CAS 10035-06-0 (a); 10361-46-3 (b); G 5.1 (a, b)]*

Bismut-organische Verbindungen. Als elektropositivstes Element der Stickstoff-Gruppe bildet Bi, verglichen mit P u. As, nur wenige Verb. mit C–Bi-Bindung; Verw. ergeben sich allenfalls aufgrund evtl. katalyt. Wirksamkeit od. fungizider Eigenschaften. Bekannt sind vor allem Trialkyl- u. Triarylbismut-Verb. (R_3Bi, systemat. nach IUPAC-Regel D-5.1 als *Bismutine* zu benennen), Oxide dieser Verb. (Analogie zu Phosphinoxiden) u. Alkyl- od. Arylhalogenbismut(h)ine der Typen R_2BiX u. R_3BiX_2. Noch seltener sind heterocycl. Verb. mit Bi als Ringatom; Bismutabenzol (analog Pyridin, mit Bi statt N) ist nur in Lsg. stabil [1]. In *Bismut-Präparaten werden Phenolate u. Carboxylate des Bi eingesetzt, die in erweitertem Sinne ebenfalls zu den B. V. gerechnet werden können. – *E* organobismuth compounds – *F* liaisons organo-bismutiques – *I* composti organobismutici – *S* compuestos de organobismuto
Lit.: [1] J. Am. Chem. Soc. **94**, 7596 (1972). *allg.:* Houben-Weyl **13/8**, ▪ Kirk-Othmer (3.) **3**, 929–934; (4.) **4**, 254–264 ▪ Patai, The Chemistry of Arsenic, Antimony and Bismuth Compounds, Chichester: Wiley 1994 ▪ Snell-Hilton **7**, 207 f. ▪ Ullmann (5.) **A 4**, 186 ff. ▪ Wilkinson-Stone-Abel **2**, 681–704; (2.) **2**, 321–347 ▪ s.a. Arsen-organischen u. Antimon-organische Verbindungen.

Bismutoxide. *Bismuttrioxid*, Bi_2O_3, M_R 465,96, liegt in vier Modif. vor, von denen eine monokline (*Bismit*, D. ca. 9, H. 4,5) u. eine kub. (*Sillenit*, D. 8,8) in der Natur vorkommen. Durch Glühen hergestelltes Bi_2O_3 ist ein hellgelbes, in der Hitze rotbraunes Pulver, D. 8,9, Schmp. 817 °C, Sdp. 1890 °C, unlösl. in Wasser u. Alkalien, lösl. in Säuren. Es wird in der keram. Ind. u. als Katalysator verwendet. Neben Bi_2O_3, dem einzigen rein isolierten Bismutoxid, kennt man noch Bi_2O_5. – *E* bismuth oxides – *F* oxyde de bismuth – *I* ossidi di bismuto – *S* óxidos de bismuto
Lit.: Gmelin, Syst.-Nr. 19, Bi, 1927, S. 109–113, Erg.-Bd. 1964, S. 629–641 ▪ Kirk-Othmer (4.) **4**, 352 ▪ Ullmann (5.) **A 4**, 185 f. – *[HS 2825 90; CAS 1304-76-3 (III)]*

Bismut-Präparate. Ähnlich wie As u. Sb (s. Arsen- u. Antimon-Präparate) spielte auch Bismut in der Chemotherapie eine gewisse Rolle, z.B. in äußerlich anzuwendenden Antiseptika, Adstringentien u. Adsorbentien od. als innerlich applizierte Darmantiseptika u. Antidiarrhoika (Obstipantia). Zum Einsatz gelangten z.B. die sog. *bas.* Bismutnitrat, -carbonat, -gallat, -salicylat u. dgl., die – bei oft nur angenähert angebbarer Zusammensetzung – auch als *Bismutsub...* bezeichnet werden, ferner Phenolate wie *Bibrocathol. Auch in die *Syphilis- u. die Amöbiasis-Therapie hatten B.-P. frühzeitig Eingang gefunden, z.B. Bismut-

tartrat, -succinat, -thioglykolat, -camphorat, *Glycobiarsol u.a. Verb., die sowohl As als auch Bi enthielten. Angesichts der Verfügbarkeit besserer Mittel u. inzwischen bekannt gewordener Nebenwirkungen insbes. bei bas. Bi-Salzen ist die Bedeutung der B.-P. stark zurückgegangen. – *E* bismuth preparations – *F* préparations au bismuth – *I* preparati di bismuto – *S* preparados de bismuto
Lit.: DAB 10 u. Komm. ▪ Gmelin, Syst.-Nr. 19, Bi, 1927, S. 180 ff. ▪ Hager (4.) **3**, 455–479.

Bismutsub... s. Bismut-Präparate.

Bismutwasserstoff. BiH_3, M_R 212,00. Von dem techn. bedeutungslosen, giftigen B. (*Bismutan* od. *Bismutin*, Sdp. 16,8 °C) leiten sich die Bismutine ab, s. Bismut-organische Verbindungen. – *E* bismuth hydride – *F* hydrure de bismuth – *I* idruro di bismuto – *S* hidruro de bismuto
Lit.: Gmelin, Syst.-Nr. 19, Bi, 1927, S. 104–106, Erg.-Bd. 1964, S. 622–627 ▪ Kirk-Othmer (4.) **4**, 247 ▪ Organomet. Chem. Rev. Sect. A **5**, 143–182 (1970) ▪ Ullmann (5.) **A 4**, 185. – *[HS 2850 00; CAS 18288-22-7]*

Bismutyl... Veraltete Bez. für die einwertige Atomgruppierung –BiO, die in bas. Salzen des Bismuts auftritt. Wird jetzt korrekt als Bismutoxid bezeichnet.

Bisnor... In der älteren Lit. anzutreffende Vorsilbe für die korrekte Bez. *Dinor...*; *Beisp.:* Bisnorcholansäure. Näheres s. Nor...

Bisolvo... Anlautender Wortbestandteil in durch Wz. geschützten Handelsnamen von *Bromhexin-Präp. gegen Erkrankungen der Atemwege (*Bisolvon*®, Ampullen, Lsg., Tabl., Saft). *Bisolvomed*® (Tropfen, Saft) enthalten zusätzlich *Ephedrin, ggf. Codeinphosphat u. ether. Öle, *Bisolvomycin*® (Kapseln) *Oxytetracyclin, *Bisolvon*®-*Gribletten* Codeinphosphat u. *Acetylsalicylsäure, *Bisolvonamid*® (Saft, Tabl.) *Sulfadiazin u. *Bisolvonat*® (Tabl., Saft, Tropfen) *Erythromycin. *B.:* Thomae.

Bisoprolol.

$(H_3C)_2CH-NH-CH_2-CH-CH_2-O-\langle\bigcirc\rangle-CH_2-O-(CH_2)_2-O-CH(CH_3)_2$
OH

Internat. Freiname für (*RS*)-1-[4-(2-Isopropoxyethoxymethyl)-phenoxy]-3-isopropylamino-2-propanol, $C_{18}H_{31}NO_4$, M_R 325,45. Verwendet wird das Fumarat, Schmp. 100 °C. Es wurde als cardioselektiver β_1-adrenerger Blocker 1978, 1979, 1981 u. 1985 von E. Merck (Condor®) patentiert u. ist Generika-fähig. – *E*=*F*=*S* bisoprolol – *I* bisoprololo
Lit.: ASP ▪ Hager (5.) **7**, 497–499. – *[HS 2922 50; CAS 66722-44-9; 104344-23-2 (Fumarat)]*

Bispezifische Antikörper s. monoklonale Antikörper.

Bisphenol A (4,4′-Methylethyliden-bisphenol, Dian). Trivialname, für 2,2-Bis(4-hydroxyphenyl)propan.

$HO-\langle\bigcirc\rangle-\underset{\underset{CH_3}{|}}{\overset{\overset{CH_3}{|}}{C}}-\langle\bigcirc\rangle-OH$

$C_{15}H_{16}O_2$, M_R 228,29. Helle Krist., Schuppen, Pulver od. Flocken, Schmp. 155–156 °C, wasserunlösl., lösl. in Alkalien u. Alkohol. Die Stäube u. die bei Erhitzung

sich bildenden Dämpfe reizen die Augen, die oberen Atemwege u. die Haut; B. wird auch über die Haut aufgenommen.
Herst.: Aus 2 Mol. Phenol u. 1 Mol. Aceton (Name!).
Verw.: Als Antioxidans für Weichmacher, als Fungizid, Zwischenprodukt bei der Herst. von Epoxid-, Polycarbonat-, Phenol-Harzen, Gerbstoffen, Farbstoffen usw. Analog lassen sich herstellen u. verwenden: *Bisphenol B* [2,2-Bis(4-hydroxyphenyl)butan] u. *Bisphenol F* (2,2′-Methylendiphenol). – *E* bisphenol A – *F* bisphénol A – *I* bisfenolo A – *S* bisfenol A
Lit.: Beilstein E III **6**, 5459f. ▪ Hommel, Nr. 1251 ▪ Kirk-Othmer (3.) **1**, 190 ▪ McKetta **4**, 406–430 ▪ Ullmann (4.) **18**, 215, 217; (5.) **A 18**, 407; **A 19**, 348f. ▪ Weissermel-Arpe (4.), S. 388 f. – *[HS 290723; CAS 80-05-7]*

Bisphenole B, F s. Bisphenol A.

Bisphop, J. Michael (geb. 1936), Prof. für Virologie, University of California, Medical Center in San Francisco; Direktor der George F. Hooper Research Foundation. *Arbeitsgebiete:* Virologie, Onkologie. Für seine 1976 gemeinsam mit *Varmus beschriebenen Forschungsergebnisse über viral bedingte cancerogene Erkrankungen erhielt er 1989 gemeinsam mit Varmus den Nobelpreis für Physiologie u. Medizin.
Lit.: The New Encyclopaedia Britannica (15.), Bd. 2, Chicago: University of Chicago 1991.

Bis(η^3-2-propenyl)nickel s. π-Allyl-Übergangsmetall-Verbindungen.

Bister s. Manganbraun.

Bis(trifluormethyl)nitroxid. $(F_3C)_2NO$, M_R 168,02. B. ist ein stabiles *Nitroxyl-Radikal, das sich aus Bis(trifluormethyl)-hydroxylamin durch Oxid. mit Ag_2O in quant. Ausbeute herstellen läßt; es ist ein violettes Gas, das zu einer braunen Flüssigkeit, Sdp. –25 °C, kondensiert u. bei –70 °C zu einer gelben Masse erstarrt. Gegen Wasser, Alkali, Metalle, Glas usw. ist B. stabil, dagegen reagiert es leicht als *Radikal-Fänger mit anderen Radikalen. – *E* bis(trifluoromethyl)nitroxide – *F* nitroxyde bis(trifluorméthyle) – *I* bis(trifluormetil)nitrossido – *S* bis(trifluorometil)nitróxido
Lit.: J. Am. Chem. Soc. **87**, 802 ff. (1965) ▪ Rec. Chem. Prog. **32**, 135–144 (1971) ▪ Zhdanov, Bioact. Spin Labels, S. 23–82, 119–140, 439–460, Berlin: Springer 1992 ▪ s.a. Nitroxyl-Radikale.

N,O-Bis-(trimethylsilyl)-acetamid (*N*-Trimethylsilylacetimidsäure-trimethylsilylester, BSA).

$C_8H_{21}NOSi_2$, M_R 203,43. Das aus *Acetamid u. Chlortrimethylsilan (s. Methylchlorsilane) zugängliche BSA, Sdp. 67 °C (40 hPa), ist eine farblose, feuchtigkeitsempfindliche Flüssigkeit, die zur Einführung der *Trimethylsilyl-Gruppe (*Silylierung) bei Aminosäuren, Alkoholen, Enolen unter Bildung flüchtiger Trimethylsilylether u. -ester dient, die zur gaschromatograph. Trennung u. Charakterisierung herangezogen werden können. B. wird verwendet bei der Debromierung von Bromnucleosiden. – *E N,O*-bis(trimethylsilyl)-acetamide – *F N,O*-bis(triméthylsilyl)-acétamide – *I N,O*-bis(trimetilsilil)-acetammide

Lit.: Anal. Lett. **13**, (A9) 735 (1981) ▪ Angew. Chem. **75**, 93 (1963) ▪ Chem. Ber. **118**, 661 (1985) ▪ J. Am. Chem. Soc. **88**, 3390–3395 (1966) ▪ Paquette **1**, 585–590. – *[HS 293100; CAS 10416-59-8; G 3]*

Bisulfate s. Hydrogensulfate.

Bisulfite s. Hydrogensulfite.

BiTek®. Produktlinie von *Difco, entwickelt zu Beginn der 90er Jahre für die Biotechnologie u. Fermentertechnik. *B.:* Difco.

Bitertanol. Common name für 1-(Biphenyl-4-yloxy)-3,3-dimethyl-1-(1*H*-1,2,4-triazol-1-yl)butan-2-ol.

$C_{20}H_{23}N_3O_2$, M_R 337,42, Schmp. 118 °C (Eutektikum), LD_{50} (Ratte oral) >5000 mg/kg (Bayer), von Bayer 1979 eingeführtes Blatt-*Fungizid mit protektiver, kurativer u. z. T. eradikativer Wirkung gegen Schorf, Echten Mehltau, Rost u. Blattflecken im Obst-, Gemüse- u. Zierpflanzenanbau sowie gegen Krankheiten an trop. u. subtrop. Kulturpflanzen, auch als Beizmittel im Getreideanbau im Einsatz. – *E* = *F* = *S* bitertanol – *I* bitertanolo
Lit.: Farm ▪ Perkow ▪ Pesticide Manual. – *[CAS 55179-31-2]*

Bithionol. Kurzbez. für 2,2′-Thiobis-(4,6-dichlorphenol).

$C_{12}H_6Cl_4O_2S$, M_R 356,05. Eine bakterizid u. antisept. wirkende Verb. Farblose Krist., D. 1,73, Schmp. 188 °C, in verdünnten Alkalien löslich; herstellbar aus 2,4-Dichlorphenol u. Schwefelhalogeniden.
Verw.: Als Desinfektionsmittel; B. darf beim Herstellen od. Behandeln von kosmet. Mitteln nicht verwendet werden (Kosmetik-VO Anlage 1, Nr. 352). – *E* = *F* bithionol – *I* bitionolo – *S* bitionol
Lit.: Beilstein E IV **6**, 5646 ▪ Giftliste ▪ Merck Index (11.), Nr. 1316 ▪ Ullmann (4.) **23**, 253; (5.) **A 2**, 336; **A 19**, 362. – *[HS 293090; CAS 97-18-7; G 6.1]*

Bittererde s. Magnesiumoxid.

Bitterklee (Fieberklee). Auf sumpfigen Wiesen, an Gräben u. Teichrändern wachsendes, rötlich-farblos blühendes Enziangewächs (*Menyanthes trifoliata* L., Menyanthaceae), dessen Blätter, die den *Bitterstoff Loganin u. *Gerbstoffe enthalten, als Amarum zur Anregung der Magensaft-Sekretion medizin. Verw. finden. Die im Namen „Fieberklee" angesprochene antipyret. Wirkung ist nicht vorhanden. Das sog. *Bitterkleesalz* (Kleesalz, *Kaliumoxalat) entstammt *nicht* dem B., sondern dem *Sauerklee* (*Oxalis acetosella*, Oxalidaceae), der jedoch ebenso wenig wie der B. mit dem echten Klee (z. B. dem als Futterpflanze kultivierten *Rotklee*, *Trifolium pratense*, Schmetterlingsblütler) verwandt ist. – *E* buckbean – *F* trèfle des marais, menyanthe – *I* trifoglio fibrino – *S* menianto trifoliado, falso trébol

Lit.: Hager (4.) **5**, 781-783; **6a**, 352 (Sauerklee) ▪ Wichtl (2.), S. 174 ff. - *[HS 1211 90]*

Bitter Lemon s. Tonic Water.

Bittermandelöl. Natürliches B. ist ein giftiges, farbloses, später infolge Autoxid. gelb werdendes, nach Benzaldehyd u. Blausäure riechendes Öl, D. 1,045-1,06, enthält mind. 90% Benzaldehyd, 2-4% Blausäure, Mandelsäurenitril, Benzoin, Aldehydharze. B. wird vorwiegend aus Aprikosenkernen od. Pfirsich-, Kirsch- u. Pflaumenkernen, seltener aus den Kernen der bitteren Mandeln (vgl. Amygdalin) durch Wasserdampfdest. gewonnen. Durch Ausschütteln des B. mit Kalkmilch u. Eisensulfat [Calciumeisen(II)-cyanid fällt aus] erhält man Blausäurefreies B., D. 1,05-1,055, enthält mind. 99% *Benzaldehyd (der auch als *künstliches B.* bezeichnet wird) sowie andere Anteile in Spuren.
Verw.: In Parfüms, pharmazeut. Präp., als Aromastoff. - *E* bitter almond oil - *F* essence d'amandes amères - *I* olio di mandorle amare - *S* aceite (esencia) de almendras amargas
Lit.: Bauer, Garbe u. Surburg, Common Fragrance and Flavor Materials (2.), S. 139, Weinheim: VCH Verlagsges. 1990 ▪ s.a. etherische Öle. - *[HS 330 1 29]*

Bitterorangen s. Pomeranzen, vgl. a. die Einteilung bei Citrusfrüchten.

Bittersäuren s. Humulon (α-B.) u. Lupulon (β-B.).

Bittersalz s. Magnesiumsulfat u. Epsomit.

Bitterspat s. Magnesit.

Bitterstoffe (Amara). Bez. für Verb. mit bitterem Geschmack. Als B. wirken sowohl Glykoside, z.B. aus Enzian (Amarogentin), Benediktenkraut, Bitterklee, Tausendgüldenkraut u. Pampelmuse (*Naringin) als auch *Isoprenoide, z.B. aus Hopfen (*Humulon, *Lupulon), Wermut (*Absinthin), Engelwurz, Löwenzahn, Schierling, Citronen (*Limonin, zur Erniedrigung des B.-Gehalts in Säften von Citrusfrüchten s. *Lit.*[1]), Pilzen etc., ebenso *Santonin, *Lactucin, Cascarillin, *Quassin, Cynaropikrin (*Artischocken) u. Columbin. Bei einem großen Teil der terpenoiden B. entsteht der den bitteren Geschmack verantwortliche Lacton-Ring erst bei der Isolierung (Artefakte). Bekannt ist ein bitterer Geschmack von Aminosäuren u. Peptiden[2], aber auch von Alkaloiden, z.B. *Strychnin u. *Chinin. Zur Standardisierung des Bitterwertes dient Chinin-Hydrochlorid als Standardsubstanz[3]. Der stärkste bisher bekannte B. ist *Amarogentin*, das noch in einer Verdünnung von 1:60 000 000 als bitter schmeckend empfunden wird. Eine Übersicht über natürliche B. findet man in *Lit.*[4].
Verw.: Als *Stomachika od. Magentonika werden die B. in der Medizin nur noch selten genutzt, dagegen zur Herst. von *alkoholischen Getränken (Magenbitter, verschiedene Aperitifs) u. Erfrischungsgetränken (Tonic Water, Bitter Lemon, Bitter Orange etc.). Die Entstehung von B. spielt eine große Rolle bei der Herst. von *Bier u. *Käse. - *E* bitter principles - *F* substances amères - *I* amari - *S* principios amargos, amargantes
Lit.: [1] Aust. J. Biotechnol. **2**, 65 (1988); Chem. Eng. News **1986**, Nr. 10, 25; Food Rev. Int. **1**, 271-354 (1985). [2] Nachr. Chem. Tech. Lab. **25**, 442 (1977). [3] DAB **10**. [4] Wagner et al., Drogenanalyse, S. 126 ff., Berlin: Springer 1983; Pharm. Unserer Zeit **7**, 143 (1978).
allg.: PTA heute **7**, 86-90 (1993) ▪ Zechmeister **17**, 124-182; **26**, 190-244; **30**, 101; **44**, 101; **47**, 221.

Bitterwässer (Bitterquellen). Als B. klassifizierte *Mineralwässer enthalten als wesentlichen Bestandteil Bittersalz ($MgSO_4$), daneben oft noch viel Glaubersalz (Na_2SO_4) u. Kochsalz (NaCl); ihre Wirkung ist eine abführende. Bekannte B. sind die von Bad Friedrichshall, Bad Hersfeld, Bad Mergentheim, Bad Kissingen u.a. - *E* bitter waters - *F* eaux amères - *I* acque minerali amare - *S* aguas amargas

BITUBOND®. Chemikalien für Bau- u. Straßenbau. *B.:* Degussa.

Bitumen (Plural: Bitumina, zur Namensableitung s. unten). Nach DIN 55946 Tl. 1 (12/1983) Bez. für die bei der schonenden Aufbereitung von Erdölen gewonnenen, dunkelfarbigen, halbfesten bis springharten, schmelzbaren, hochmol. Kohlenwasserstoff-Gemische u. die in Schwefelkohlenstoff lösl. Anteile der natürlichen *Asphalte sowie Erdwachs, Montanwachs. Die B. sind kolloide Syst. (meist Sole), die in einer öligen Grundmasse (*Maltene*) dunkle, harz- bis kohlenartige Kohlenstoff-reichere Teilchen vom mittleren M_R 300 bis 3000 enthalten (*Asphaltene*); man kann aus ihnen z.B. Pentan-lösl., Heptan-lösl. u.a. Anteile abtrennen. Durch Chromatographie od. Dest. erhält man Fraktionen, die entweder bes. reich an Paraffinen, an kondensierten Ringverb. (Naphthene) u. aromat. Kohlenwasserstoffen sind od. überwiegend aus polaren aromat. Verb. (Harzen) bestehen. Zur Bestimmung des Paraffin-Gehalts von B. u. dessen Zusammensetzung s. *Lit.*[1]. Alternde B.-Sole können sich unter Ausflockung in festere Gele umwandeln. In der MAK-Liste wurden B. in den Abschnitt III B, die Liste der Stoffe mit begründetem Verdacht auf krebserzeugendes Potential, aufgenommen.
B. wird durch sog. Deasphaltierung von geeigneten Erdölen u. vergleichbaren Produkten der Kohlehydrierung gewonnen. Wird Rohöl mit einem Propan-Butan-Gemisch nahe der krit. Temp. extrahiert, fällt ein unlösl. Rückstand, sog. *Asphalt an, der durch Dest. raffiniert werden kann. Bei der Herst. von Oxidationsbitumen durch Durchblasen von Luft (s. Asphalt) erhöht sich der Anteil von Asphaltenen im B. von 10 auf 30%.
Verw.: Als Anstrichstoffe, im Bautenschutz, als Vergußmasse, als elektr. Isoliermaterial, hauptsächlich aber als *Straßenbaumaterialien u. in der Dachpappen-Ind. sowie als Abdichtungsmittel gegen Grundwasser. Ein Zusatz von Schwefel zum B. od. die Reaktion von B. mit Maleinsäureanhydrid bzw. SO_3 können das Niedrigtemp.- u. Ermüdungsverhalten von Straßenbaumaterial verbessern; Zusätze von Polyolefinen erhöhen Plastizität u. thermomechan. Verhalten des Bitumens. Unter *bituminösen Stoffen* versteht man Stoffe, die B., Teer u./od. Pech in irgendeinem Prozentsatz enthalten. Sie kommen entweder in der Natur vor od. werden techn. hergestellt. Abweichend von der obigen Definition werden in den USA die B. als Asphalte bezeichnet. Der Name B. ist von latein.: bitumen = Pech, Erdharz hergeleitet; dieses stammt von pix tumens (Gräberpech), weil die Ägypter Asphalte

aus dem Toten Meer zur Leicheneinbalsamierung benutzten[2]. – *E* bitumen (GB), asphalt (USA) – *F* = *I* bitume – *S* betún, asfalto

Lit.: [1] Chem. Tech. (Leipzig) **30**, 417 ff., 586 ff. (1978). [2] Naturwissenschaften **75**, 618 ff. (1988).
allg.: Book of ASTM Standards, Bd. 04.04: Roofing, Waterproofing and Bituminous Materials, Philadelphia: ASTM (jährlich) ▪ Kirk-Othmer (3.) **3**, 284–327; (4.) **3**, 689–724 ▪ Ullmann (4.) **8**, 527–541; (5.) **A 3**, 169 ff. ▪ Winnacker-Küchler (4.) **5**, 74, 134 ff., 155 ff.

Bituminöse Schiefer s. Ölschiefer.

Bituminosulfonate. Bez. für Ammonium-, Natrium- u. Calcium-Salze von Schieferöl-Sulfonsäuren, die aufgrund ihrer antisept., entzündungswidrigen u. resorptionsfördernden Wirkung zur Behandlung von Furunkeln, Quetschungen, Frostschäden, Gelenkrheumatismus u. dgl. sowie in der Dermatologie u. Gynäkologie verwendet werden. Die B. sind schwarzbraune, in Wasser u. Glycerin mit dunkler Farbe klar lösl. Flüssigkeiten mit Sirupkonsistenz. Zur Herst. von Ammonium-B. verschwelt man hochschwefelhaltige *Ölschiefer. Das dabei entstehende Destillat enthält gesätt. u. ungesätt. Kohlenwasserstoffe, Stickstoffhaltige Basen, Säuren u. v. a. zahlreiche *Thiophen-Derivate, die zu den wirksamsten Bestandteilen gehören. Das Destillat wird mittels konz. Schwefelsäure sulfoniert u. abschließend mit Ammoniak neutralisiert. B. enthält ca. 10% Schwefel in vorwiegend organ. Bindung. Bei bes. schonender Sulfonierung gelingt es, Präp. in heller Form zu erhalten, wobei die Heilwirkung noch gesteigert wird. Ein bekanntes Wz. für B. ist Ichthyol. – *E* bituminosulfonates – *F* sulfonates bitumineux – *I* solfonati bituminosi – *S* bituminsulfonatos, sulfobituminatos

Lit.: DAB **10** u. Komm. (Ammoniumbituminosulfonat) ▪ Chem. Ztg. **60**, 85–87 (1936) ▪ Hager (5.) **7**, 216 ff.

Biuret (Carbamoylharnstoff).

$$H_2N-\overset{O}{\underset{\|}{C}}-NH-\overset{O}{\underset{\|}{C}}-NH_2$$

$C_2H_5N_3O_2$, M_R 103,08. Farblose, hygroskop. Krist., D. 1,47, Schmp. 193 °C, nach Verlust des Kristallwassers oberhalb 110 °C. B. als Amid der *Allophansäure entsteht aus Harnstoff durch Pyrolyse od. mit Thionylchlorid od. bei der Ammonolyse von Allophanaten. Pyrolyse von B. bei höheren Temp. gibt *Melamin. B. ist in siedendem Wasser u. in Alkohol gut, in Ether sehr wenig löslich. Wäss. Lsg. von B. geben mit Kupfersulfat-Lsg. in alkal. Milieu eine rotviolette Färbung; diese sog. *Biuret-Reaktion* beruht auf einer Cu-Komplexsalz-Bildung u. ist typ. für Verb., die mindestens zwei CO–NH-Gruppen enthalten. Dementsprechend kann die B.-Reaktion zum qual. Nachw. von Peptiden (ab Tripeptide), Peptonen u. Proteinen dienen. – *E* = *F* = *S* biuret – *I* biureto

Lit.: Beilstein E IV **3**, 141. – *[HS 2924 10; CAS 108-19-0]*

Bivalent (zweiwertig) s. Wertigkeit.

Bi-Vaspit®. Creme mit *Fluocortin-Butyl u. *Isoconazol-Nitrat gegen Windeldermatitis. *B.*: Asche.

Bixbyit s. Braunit.

Bixin (9'-*cis*-6,6'-Diapo-carotin-6,6'-disäure-6'-methylester).

$C_{25}H_{30}O_4$, M_R 394,51. Orangefarbene bis purpurne Blättchen, Schmp. 217 °C. Die labilere *cis*-Form des *Carotinoids B. ist in reifen Samen des trop. Rocoubaumes (*Bixa orellana*) enthalten; das Rohkonzentrat wird als *Annatto (1–30% B.) od. *Orlean zur Lebensmittelfärbung (E 160 b) u. zur Färbung von kosmet. Mitteln verwendet. Auch das synthet., durch Oxid. von *Lycopin zugängliche B. wird, wie auch seine Methyl- u. Ethylester u. die freie Säure (*Norbixin*, $C_{24}H_{28}O_4$, M_R 380,48), als Lebensmittelfarbstoff benutzt. – *E* bixin – *F* bixine – *I* = *S* bixina

Lit.: Beilstein E IV **2**, 2355 ▪ Römpp-Lexikon Lebensmittelchemie, S. 116 ▪ Schweppe, S. 176 ▪ Ullmann (5.) **A 11**, 572 ▪ Zechmeister **18**, 320–333 ▪ s. a. Carotinoide. – *[HS 3203 00; CAS 6983-79-5]*

Bjerrum, Jannik (geb. 1909), Prof. für Anorgan. Chemie, Univ. Kopenhagen. *Arbeitsgebiete:* Bildung u. Stabilität von Metallionenkomplexen, Theorie u. neue Meth. in der Koordinationschemie, Stufengleichgew., Säuren u. Basen, Antibasenbegriff.

Bk. Chem. Symbol für *Berkelium.

Black, Joseph (1728–1799), Prof. für Chemie, Univ. Glasgow u. Edinburgh. *Arbeitsgebiete:* Erdalkalimetalloxide, -hydroxide u. -carbonate, Unterscheidung von „kaust." u. „fixen" Alkalien (1755), latente u. spezif. Wärme beim Schmelzen u. Verdampfen, Reaktionen von Kohlendioxid mit Alkalien usw.

Lit.: Bugge, Das Buch der großen Chemiker, Bd. 1, S. 240–252, Weinheim: Verl. Chemie 1929 (1961) ▪ Krafft, S. 52 f. ▪ Pötsch, S. 50 ▪ Strube et al., S. 55 ff.

Black ash s. Bariumsulfid.

Blackett, Patrick Maynard Stuart (1897–1974), Prof. für Physik, Univ. Manchester u. Imperial College of Science, London. *Arbeitsgebiete:* Kosm. Strahlen, Positronen, Zusammenhänge zwischen Gravitation u. Magnetismus, Nebelkammer-Technik, Mitarbeit an der Entwicklung der Atombombe, Nobelpreis für Physik 1948.

Lit.: Krafft, S. 355. ▪ Nobel Lectures Physics 1942–1962, S. 93–122, Amsterdam: Elsevier 1964 ▪ Poggendorff **7b/1**, 408 ff. ▪ Strube et al., S. 161.

Black Orlon.

Aus *Polyacrylnitril (z. B. Orlon®) durch Pyrolyse in Ggw. dehydrierender Katalysatoren entstehendes Produkt, dem die Konstitution eines *Leiterpolymeren zugeschrieben wird. Das B. O. ist auch wegen seiner Halbleiter-Eigenschaften interessant u. dient als Vorprodukt für *Kohlenstoff-Fasern. – *E* Black Orlon – *F* orlon noir – *I* orlon nero – *S* orlon negro

Lit.: Encycl. Polym. Sci. Eng. **4**, 571 ▪ Kirk-Othmer (3.) **12**, 220; **18**, 767 ▪ Ullmann (4.) **11**, 374; (5.) **A 11**, 51.

Black sands s. Magnetit u. Ilmenit.

Bladafum®. Insektizides Räuchermittel auf der Basis von *Sulfotep. *B.:* Bayer.

Bladan®. Im Aus- and benutzter Markenname von Bayer für *Parathion u. *Parathion-methyl.

Blähmittel. In der *Schaumstoff-Ind. übliche Bez. für porenbildende *Treibmittel (z. B. Azo- u. Diazo-Verb.), die unter dem Einfluß von Wärme od. Katalysatoren Gase (z. B. N_2 od. CO_2) abspalten u. daher zur Herst. geschäumter Kautschuk- od. Kunststoffmassen dienen. – *E* blowing agents – *F* agents moussants – *I* agente gonfiante – *S* agentes expansionantes (hinchantes, espumantes)
Lit.: Encycl. Polym. Sci. Eng. **2**, 434–446 ▪ Ullmann (5.) **A 11**, 436–437; **A 20**, 504–505, 595.

Blähschlamm. Bez. für einen *Klärschlamm, der bes. viele fadenförmige Mikroorganismen enthält u. relativ schlecht aus dem behandelten *Abwasser abzutrennen ist. B. bildet sich bei der aeroben *biologischen Abwasserbehandlung, wenn das Abwasser reich an leicht abbaubaren organ. Substraten ist, insbes. bei einem hohen Kohlenstoff/Stickstoff-Verhältnis u. bei hohen Konz. an Kohlenwasserstoffen, Sulfiden, organ. Säuren od. Alkoholen. Da die Fäden leicht Gasblasen festhalten u. sich stellenweise eine niedrige Sauerstoff-Konz. einstellt, kommt es zum Aufschwimmen des B. u. zur Bildung unangenehm riechender Gase (vgl. Schwimmschlamm). Meth. der B.-Bekämpfung s. Klärschlammaufbereitung. – *E* bulking sludge – *F* boues gonflées – *I* fango gonfio – *S* barro hinchado
Lit.: Römpp Lexikon Umwelt, S. 122 ▪ Ullmann (5.) **B 8**, 16 f.

Blätteraldehyd s. 2-Hexenal.

Blätteralkohol s. cis-3-Hexen-1-ol.

Blättererz s. Nagyagit.

Blätterserpentin s. Serpentin.

Blätterzeolithe s. Zeolithe.

Bläuen (Blauen). In der *Textilveredlung das Überdecken von gelblichen Farbtönen auf Textilien durch Behandlung mit sehr feinen Aufschlämmungen od. Lsg. von blauen (Komplementärfarbe) Pigmenten, um Weißtönung zu erreichen. Früher wurde beim Waschen von farbloser Wäsche häufig sog. „Waschblau" (meist Indigocarmin od. Ultramarin) benutzt. Das B. ist heute durch den Einsatz von *optischen Aufhellern, die auch den *Waschmitteln zugesetzt werden, verdrängt. – *E* blueing – *F* passer au bleu – *I* azzurreggiare, tingere di blu – *S* azulado
Lit.: Chem. Unserer Zeit **7**, 141–147 (1973) ▪ Rath, Lehrbuch der Textilchemie, S. 104, Berlin: Springer 1972 ▪ Routte, Lexikon für Textilveredlung, Bd. 1, S. 240, Dülmen: Laumannsche Verlagsges. 1995.

Blanc fixe s. Bariumsulfat.

Blancorol®. Sortiment von Mineralgerb- bzw. Nachgerbstoffen; B. AC enthält Aluminium/Chrom-Mischkomplexe, B. RC, Chrom-haltige synthet. Nachgerbstoffe z. T. mit hoher Auszehrung (RC), B. ZB 33 enthält einen Zirkonsulfat-Gerbstoff. *B.:* Bayer.

Blanc-Reaktion s. Chlormethylierung.

Blanc-Regel. Von H. G. Blanc 1907 aufgestellte Regel, derzufolge offenkettige Dicarbonsäuren mit 5 u. weniger C-Atomen beim Erhitzen mit dehydratisierenden Mitteln wie Acetanhydrid cycl. Anhydride bilden; *Beisp.:* Bernstein- u. Glutarsäure. Dagegen liefern C_6- u. höhere Dicarbonsäuren unter gleichen Bedingungen cycl. Ketone; *Beisp.:* Adipinsäure → Cyclopentanon. Bei alkylierten Derivaten versagt die B.-R. allerdings gelegentlich. – *E* Blanc rule – *F* règle de Blanc – *I* regola di Blanc – *S* regla de Blanc

Blankglühen. Allg. *Wärmebehandlung[1] in reduzierender Umgebung, bei der die Oberfläche metall. blank bleibt od. wird, eine therm. Oxid. der Oberfläche (*Zunder, *Anlassen) also verhindert wird. B. wird z. B. als letzter Fertigungsvorgang des *Halbzeugs vorgenommen, od. aber, um dieses für eine Beschichtung vorzubereiten[2]. Hierbei werden dünne Oxidschichten von der Metalloberfläche entfernt. – *E* bright annealing, clean annealing – *F* recuit blanc, recuit brillant – *I* ricottura in bianco – *S* recocido brillante
Lit.: [1] DIN/EN 10052 (01/1994). [2] DIN 50902 (06/1994).

Blankophor®. Gruppe von *optischen Aufhellern für Textilien, Papier, Waschmittel u. Kunststoffe auf der Basis von Stilben- od. Pyrazol-Derivaten. *B.:* Bayer.

Blasen. Bez. für meist kugelförmige Hohlkörper; *Beisp.:* Harn- u. Gallen-B., bei Fischen die Schwimm-B., unter verbrannter *Haut auftretende Brandblasen, in Flüssigkeiten mit *grenzflächenaktiven Stoffen (*Seifenblasen) od. durch *Verdampfung z. B. bei der *Destillation entstehende B. (vgl. *Lit.*[1]), B. in der *Blasenkammer, in erstarrten Flüssigkeiten wie *Glas, durch Verdampfen von Flüssigkeiten auftretende B. in *Anstrichen. In der chem. Technologie werden Dest.-Behälter gelegentlich auch als B. bezeichnet. Durch Flüssigkeiten geleitete Gas-B. spielen eine Rolle beim *Trocknen von Gasen u. bei der *Gasreinigung, wozu im Laboratorium meist *Waschflaschen verwendet werden. In Form von B. geeigneter Größe verteilte gasförmige Stoffe (z. B. Chlor, Sauerstoff, Ozon-haltige Trägergase u. a.) spielen bei einer Vielzahl von Gas-Flüssig- u. Gas-Flüssig-Fest-Reaktionen eine bedeutende Rolle. Sie werden z. B. in Blasensäulen durchgeführt, s. *Lit.*[2]. Von dem Vorgang des Aufblasens leiten sich techn. Begriffe wie *Blasformen* u. *Folienblasen* von Kunststoffen, s. *Lit.*[3] od. das *Glasblasen* (s. Glasarbeiten) ab. In übertragenem Sinne spricht man auch von *Magnetblasen* in der Datenspeicherung. – *E* bubbles, blisters, (physiolog.): bladder – *F* bulles, souffleures, (physiolog.): ampoules, vessies – *I* bolla, pulica, soffiatura, vescica (Med.) – *S* burbujas, (physiolog.): vejigas, vesículas, ampollas
Lit.: [1] Winnacker-Küchler (3.) **7**, 143 f. [2] Ullmann (4.) **1**, 369 ff., 510 f. [3] Winnacker-Küchler (4.) **6**, 465 f.
allg.: Clift et al., Bubbles, Drops and Particles, New York: Academic Press 1978 ▪ Deckwer, Reaktionstechnik in Blasensäulen, Frankfurt: Salle 1985 ▪ Isenberg, The Science of Soap Films and Soap Bubbles, Clevedon (Avon): Tieto 1978 ▪ Kirk-Othmer (3.) **7**, 438; **10**, 566; **19**, 906.

Blasenkammer. Gerät zum Sichtbarmachen geladener Teilchen, das auf einem ähnlichen Prinzip wie die *Wilson-Kammer beruht. Es besteht aus einem mit

Fenstern versehenen Metallgefäß, in dem sich eine stabile Flüssigkeit (z. B. flüssiger Wasserstoff, flüssiges Deuterium, Propan, Methyliodid, Helium, CBr_3F u. dgl.) von bestimmter Temp. (bei H_2 unter 23 K, bei He unter 5 K) unter Überdruck befindet. Wird durch Bewegen eines Kolbens der der Flüssigkeit zur Verfügung stehende Raum plötzlich vergrößert, so wird sie für Bruchteile 1 s durch *Siedeverzug zunächst in einen labilen überhitzten Zustand versetzt, bevor sie explosionsartig in Dampf übergeht. Der Siedeverzug wird jedoch schon vor der Verdampfung aufgehoben, wenn geladene Teilchen die Flüssigkeit unmittelbar nach der Expansion des Kammervol. passieren; dabei entsteht längs ihrer Bahn eine Blasenspur, die sich photographieren läßt, vgl. die Abb. bei Radioaktivität u. Strahlenchemie. Durch ein überlagertes Magnetfeld lassen sich gekrümmte Teilchenbahnen erzielen, aus deren Krümmung Art u. Geschw. der Teilchen ermittelt werden können. Die B. wurde von D. A. Glaser (Univ. of Michigan) 1952 erfunden; er erhielt dafür 1960 den Nobelpreis für Physik. Die B. hat heute die Wilson-Kammer vielfach ersetzt; ihre Vorteile liegen in der größeren Dichte des Kammerinhaltes u. in der schnelleren Wiederverwendbarkeit, was angesichts der Vielzahl von notwendigen B.-Photographien, die heute meist auf elektron. Wege ausgewertet werden, von Bedeutung ist. In den Großbeschleunigerzentren werden z. Z. sehr große B. eingesetzt, deren Durchmesser z. T. 4 m übersteigen. Sie werden u. a. zum Studium von Neutrino-Reaktionen verwendet. Zum opt. Syst. dieser B. s. *Lit.*[1]. – *E* bubble chamber – *F* chambre à bulles – *I* camera a bolle – *S* cámara de burbujas

Lit.: [1] Schott Information 1973, Nr. 4.
allg.: Ann. Rev. Nucl. Sci. **27**, 75–138 (1977) ▪ Bild Wiss. **8**, 126–135 (1971) ▪ Henderson, Cloud and Bubble Chambers, New York: Halsted 1970 ▪ Kirk-Othmer (3.) **12**, 279 f. ▪ Naturwissenschaften **56**, 158–164 (1969); **55**, 151–158 (1968) ▪ Shutt, Bubble and Spark Chambers (2 Bd.), New York: Academic Press 1967.

Blasensäulenreaktor. Bez. für einen insbes. für biotechnolog. Prozesse eingesetzten Reaktor (*Bioreaktor) mit pneumat. Durchmischung der Flüssigphase durch am Boden erzeugte Luftblasen. B. haben sich bewährt bei der industriellen *Abwasserbehandlung u. Massenzüchtungen von Mikroorganismen. – *E* bubble column reactor – *F* réacteur à colonne de bulles – *I* reattore a colonna e a bolle – *S* reactor de columna de burbujeo

Lit.: Präve et al. (4.), S. 261–304.

Blasensteine s. Harnsteine.

Blasentang (*Fucus vesiculosus* L., Phaeophyceae). In den Küstengewässern der nördlichen Hemisphäre vorkommende *Braunalgen*-Art (s. Algen) mit gasgefüllten Schwimmblasen, enthält 0,04% Iod, teilw. in organ. Bindung, *Fucoidin (ein Membran-*Schleim mit ca. 60% L-Fucose), ferner Mannit, *Alginsäure, Zucker, Farbstoffe usw.

Verw.: Zur Iod-Gewinnung [insbes. nach Verbrennung; die iodhaltige Asche wird als *Varec(h)* bezeichnet], arzneilich gegen Kropf, bei Arteriosklerose. Die Verw. als Abmagerungsmittel bei Fettsucht ist wegen der Nebenwirkungen auf die Schilddrüse nicht verantwortbar. – *E* rockweed – *F* fucus vésiculeux – *I* fuco vescicoloso – *S* alga vesiculosa

Lit.: Hager (5.) **5**, 200–206 ▪ Wichtl (2.), S. 483 f. – [HS 1212 20]

Blasenzähler. Bez. für Glasgefäße, die zur Kontrolle der Durchflußgeschw. von Gasen dienen bzw. zum gasdurchlässigen Abschluß einer Reaktionsapparatur gegenüber der Atmosphäre. Die B. werden mit einer inerten Flüssigkeit gefüllt (z. B. Paraffinöl). – *E* bubbler – *F* compteur à bulles – *I* contatore a bolle – *S* burbujeador

Blasformen s. Blasen u. Folien.

Blasöle s. geblasene Öle.

Blasticidine.

Blasticidin S

Blasticidin H

Gruppe von Nucleosid-Antibiotika aus *Streptomyces*-Arten. Die wichtigsten sind: *B. S* [*Cytovirin*, $C_{17}H_{26}N_8O_5$, M_R 422,44, Nadeln, Schmp. 235 °C (Zers.), lösl. in Wasser u. Essigsäure, prakt. unlösl. in organ. Lsm., LD_{50} (Maus i.v.) 2,8 mg/kg], *B. H* ($C_{17}H_{30}N_8O_6$, M_R 442,48) u. *B. A* ($C_{46-52}H_{81-82}N_{4-7}$, schwach gelbes Pulver, Schmp. 197–201 °C). Die B. werden in Japan im Pflanzenschutz zur Bekämpfung des Reispflanzen-Mehltaus genutzt. – *E* blasticidines – *F* = *I* blasticidini – *S* blasticidinas

Lit.: Beilstein E V **25/14**, 412. – *Biosynth.:* J. Am. Chem. Soc. **110**, 5785–5791 (1988) ▪ Tetrahedron Lett. **27**, 3815 (1986) ▪ Ullmann (5.) **A 12**, 97. – *Review:* Drugs Pharm. Sci. **22**, 651 (1984). – [HS 2934 90; CAS 2079-00-7 (B. S)]

Blastokinin s. Uteroglobin.

Blastokoline s. Hemmstoffe.

Blattanex®. Insektizid-Programm zum Schutz vor Hygieneschädlingen (Schaben, Asseln, Milben, Wanzen u. dgl.). *B.:* Bayer.

Blattdüngung s. Düngung.

Blattfarbstoffe s. Chlorophyll u. Laubfärbung.

Blattglimmer s. Muscovit.

Blattgold s. Gold u. Tombak (unechtes B.).

Blattgrün s. Chlorophyll.

Blattkäfer. B. od. Laubkäfer (Chrysomelidae) sind eine sehr artenreiche Familie der Insekten-Ordnung Käfer (Coleoptera, Unterordnung Polyphaga): von den ca. 35 000 Arten leben etwa 500 in Mitteleuropa. Imagines u. Larven fast ausschließlich Pflanzenfresser, oft auf bestimmte Pflanzengruppen eingestellt, seltener monophag auf eine einzige Pflanze. B. fressen je nach Art u. Entwicklungsstadium an verschiedenen Pflanzenteilen, z. T. auch minierend im Innern von Pflanzen. Fraß an Blättern teils vom Rand her, teils auf der Fläche unter Bildung von Löchern (Lochfraß), teils von einer Blattseite aus, so daß ein dünnes Häutchen auf der anderen Seite stehen bleibt (Fensterfraß). Nicht wenige B.-Arten besitzen Wehrdrüsen, die in Gruben des Halsschildes od. der Elytren münden: sie produzieren v. a. Herzglykoside. Die Eiablage erfolgt oft ohne bes. Fürsorge in die Erde, an die od. in die Nähe der Futterpflanze.
Einer der bekanntesten B. ist der Kartoffelkäfer (*Leptinotarsa decemlineata*; ca. 10 mm lang). Er wird auch Coloradokäfer genannt, da er aus dem mittleren u. südlichen Nordamerika stammt. 1874 erstmals nach Europa eingeschleppt, 1877 in Deutschland aufgefunden, verstärkt erst in 20. Jh. u. v. a. ab 1936 nachgewiesen. Frißt an verschiedenen Nachtschattengewächsen, insbes. an Kartoffeln. Die Futterpflanze wird teils opt., aus der Nähe v. a. geruchlich gefunden. Die Inhaltsstoffe (*Acetaldehyd u. seine Derivate) werden über Riechorgane (auf den Fühlern) u. über Schmeckorgane (z. B. am Praetarsus der Beine gelegen) festgestellt. Die Imago überwintert im Boden in Tiefen bis zu 1 m. Im Frühjahr Fraß an den austreibenden Kartoffelpflanzen. Durch Massenbefall kann das Kartoffelkraut weitgehend beseitigt u. die Pflanze damit der Möglichkeit zur Photosynth. u. normalen Fruchtbildung der Kartoffel beraubt werden (landwirtschaftliche Schäden). – *E* = *F* hanneton – *I* crisomelidi – *S* crisomela
Lit.: Freude, Harde u. Lohse, Die Käfer Mitteleuropas, Bd. 9, Krefeld: Goecke u. Evers 1966 ▪ Jacobs u. Renner, Biologie u. Ökologie der Insekten, 2. Aufl., Stuttgart: G. Fischer 1988 ▪ Koch, Die Käfer Mitteleuropas, Ökologie, Bd. 3, Krefeld: Goecke u. Evers 1992 ▪ Trautner, Geigenmüller u. Bense, Käfer, Bd. 1, Melsungen: Neumann-Neudamm 1989.

Blattläuse (Aphidoidea). Kleine grüne, gelbe, rote od. schwarze *Insekten mit saugenden Mundwerkzeugen, deren männliche Vertreter stets geflügelt, Weibchen teils geflügelt, teils ungeflügelt auftreten. Die verschiedenen Gestaltformen hängen vom Generationswechsel u. auch von der Steuerung über die Tageslänge u. über jahreszeitlich verschiedene stoffliche Faktoren der Wirtspflanzen ab. Weltweit ca. 2000 Arten, in Mitteleuropa ca. 750. B. ernähren sich durch Aufnahme des Saccharose-haltigen Saftes, der beim Anbohren von Pflanzen austritt. Fast alle Pflanzenarten u. -teile werden von B. befallen, die durch Beschädigung von Zellwänden u. Wurzeln, Absonderung von Stoffwechselprodukten u. Verklebung der zur Assimilation notwendigen Poren eine Kräuselung der Blätter, Verkümmerung der Triebe u. Wurzeln u. damit das Absterben der Wirtspflanzen bewirken können. Auch als Überträger pflanzenpathogener Viren sind die B. schädlich. Manche B.-Arten (z. B. Rebläuse) erzeugen an grünen Pflanzenteilen sog. *Gallen*, in denen sie ihre Nachkommenschaft zeugen. Zur Bekämpfung der B. werden spezielle *Aphizide eingesetzt. Natürliche Feinde der – häufig in Symbiose mit *Ameisen lebenden – B. sind z. B. die Marienkäfer, Schwebfliegen u. Florfliegen – jeweils als Larven wie als Adulte –, bei deren Annäherung die B. *trans*-β-Farnesen als *Alarmstoff absondern. – *E* aphids, plant lice – *F* pucerons – *I* pidocchi delle piante – *S* pulgones

Blattsilber, unechtes. Ca. 1 μm dicke Folien aus einer Leg. von 91,06% Sn, 8,25% Zn, 0,35% Pb, 0,23% Fe u. Spuren Cu.

Blattsilicate s. Silicate.

Blattsukkulenz s. CAM-Pflanzen u. Sukkulenten.

Blattwespen. Die Echten B. (Familie Tenthredinidae) gehören zur Unterordnung Symphyta (Imagines ohne die sonst für Insekten typ. Körpereinschnitte zwischen Kopf u. Brust bzw. zwischen Brust u. Hinterleib, auch ohne Stechapparat) der Insekten-Ordnung Hymenoptera (Hautflügler). Mit etwa 4000 Arten sehr artenreich, davon allein in Europa ca. 900 Arten. Unter ihnen sind nicht wenige, die durch den Fraß ihrer raupenähnlichen Larven an Kulturpflanzen u. Waldbäumen schädlich werden können. Die Imagines halten sich nicht selten auf Blüten (oft Doldenblüten) u. an Buschwerk auf, wo einige Arten, z. B. die recht häufige Grüne Blattwespe (*Rhogogaster viridis*) nach anderen Insekten als Nahrung Jagd machen. Jungfräuliche Weibchen produzieren zur Anlockung von Männchen einen Sexuallockstoff. Die Paarung mit voneinander abgewandten Köpfen dauert Minuten bis Stunden. Die einzelnen B.-Arten sind nicht selten sehr spezialisiert auf bestimmte Wirtspflanzen-Arten. So tritt z. B. die Art *Phymatocera aterrima*, in Mittel- u. Südeuropa weit verbreitet, mit ihren Larven gerne in Gärten am Salomonssiegel (Gattung *Polygonatum*) mit charakterist. Loch- u. Schlitzfraß unter Stehenlassen der Blattadern auf. – *I* tentredinidi – *S* tentredínidos
Lit.: Carter u. Hargreaves, Raupen u. Schmetterlinge Europas u. ihre Futterpflanzen, Hamburg: Parey 1987 ▪ Chinery, Pareys Buch der Insekten, 2. Aufl., Hamburg: Parey 1987 ▪ Jacobs u. Renner, Biologie u. Ökologie der Insekten, 2. Aufl., Stuttgart: Fischer 1988 ▪ Weber, Grundriß der Insektenkunde, 5. Aufl., Stuttgart: Fischer 1974.

Blau. Kurzbez. für die Chemie-Handelsfirma H. G. u. C. Blau GmbH, Glockengießerwall 20, 20095 Hamburg. *Daten* (1995): 12 Beschäftigte, ca. 80 Mio. DM Umsatz. *Vertrieb:* Zwischenprodukte, pharmazeut. Rohstoffe, Hilfsstoffe für die Nahrungsmittel-, Kosmetik- u. Waschmittelind., Futtermittelzusätze.

Blaualgen s. Algen u. Cyanobakterien.

Blauanilin s. Anilin.

Blauasbest s. Asbest.

Blaueisenerz s. Vivianit.

Blaue Liste. Gruppe von 82 größeren, selbständigen, außeruniversitären Forschungseinrichtungen mit 10 000 Mitarbeitern u. einem Etat von ca. 1,2 Mrd. DM (1995). Die B. L. wird bei unterschiedlichen fachlichen Aufgaben vom Bund (*BMBF) u. den Ländern gemeinsam finanziert. Sie haben weitgehende Selbstverwaltung u. Autonomie. Zu den Einrichtungen

gehören u. a. die *Fachinformationszentren Chemie (Berlin) u. die *Deutsche Forschungsanstalt für Lebensmittelchemie in Garching. 1990 hatten sich die meisten dieser Einrichtungen zur „Arbeitsgemeinschaft Forschungseinrichtungen Blaue Liste" (AG-BL) zusammengeschlossen. Als Nachfolgerin der AG-BL entstand am 31. 3. 1995 die Wissenschaftsgemeinschaft Blaue Liste (WBL), zu der z. Z. 80 Einrichtungen zählen, die in die vier Sektionen: Geistes- u. Erziehungswissenschaft; Wirtschafts-, Sozial-, Raum- u. Umweltwissenschaft; Lebenswissenschaften; Mathematik, Natur- u. Ingenieurwissenschaften gegliedert sind. – INTERNET-Adresse: http://www.fiz-chemie.de/wbl.
Lit.: Naturwissenschaften **82**, 253 f. (1995).

Blauen s. Bläuen.

Blauer Engel s. Umweltzeichen.

Blaugel. Bez. für *Kieselgel, das mit einer Cobalt-Verb. imprägniert ist, die als Indikator für den Feuchtigkeitsgehalt des Trockenmittels dient. Erschöpftes, d. h. Wasserdampf-beladenes B. ist rosa gefärbt; es kann durch Erhitzen getrocknet werden, wobei es wieder blaue Farbe annimmt. – *E* silica gel with indicator – *F* gel de silice avec indicateur d'humidité, gel bleu – *I* gel di silica con un indicatore – *S* gel de sílice con indicador de humedad, gel azul

Blauholz (Blutholz, Campecheholz). Bez. für das harte, rote Stammholz des in Mittelamerika heim., baumförmigen *Haematoxylon campechianum*. B.-Extrakte waren aufgrund ihres Gehaltes an *Hämatoxylin (ca. 10%) in der Blau-Färberei von Naturfasern v. -gewesen von Bedeutung. – *E* logwood, hematoxylon – *F* bois de campêche – *I* legno di campeggio – *S* madera de campeche, palo campeche – *[HS 1301 90]*

Blaukreuz s. Adamsit, Diphenylarsinchlorid u. Kampfstoffe.

Blauöl s. Anilin.

Blaupausen. Bez. für *Lichtpausen mit blauen Linien auf farblosem Grund od. nach dem *Eisensalz-Verf.* (*Cyanotypie*) hergestellte Lichtpausen mit weißen Linien auf blauem Grund. – *E* blue prints – *F* photocalques bleus – *I* cianografie blu – *S* cianotipias, copias azules
Lit.: Kirk-Othmer (3.) **20**, 134–135.

Blausäure (Cyanwasserstoff). HCN, M_R 27,03. Farblose, äußerst giftige (MAK 11 mg/m^3) Flüssigkeit von charakterist. Geruch mit Gefahr der Hautresorption, D. 0,687, Schmp. –14°C, Sdp. 26°C, mit Wasser u. Ethanol beliebig mischbar, in Ether wenig lösl., bildet mit Luft in den Grenzen 6–40% explosive Gemische. In flüssigem Zustand liegt B. in dimerer Form als (HCN)$_2$ vor. Unter dem Einfluß von Alkalien (z. B. bei Aufbewahrung in Glasgefäßen) polymerisiert B. langsam unter Abscheidung schwarzbrauner Flocken, was durch Zusatz von Oxalsäure, Schwefeldioxid u. a. Stabilisatoren verhindert werden kann. Die wäss. Lsg. von B. zersetzen sich allmählich unter Bildung von Ammoniumformiat (aus NH_3 u. HCOOH). Als sehr schwache Säure wird B. aus den Salzen (*Cyanide) durch die Kohlensäure der Luft ausgetrieben. Die organ. Cyanide, die sich als Ester der B. auffassen lassen, werden *Nitrile genannt. Von der hypothet., mit B. in einem tautomeren Gleichgew. stehenden *Isoblausäure* HNC (im interstellaren Raum nachgewiesen, s. *Lit.*[1]) leiten sich die *Isocyanide ab.

Nachw.: Gasf. HCN kann mit Prüfröhrchen nachgewiesen werden (Reaktion: HCN + HgCl$_2$ → HCl; Rotfärbung mit Methylrot).

Vork.: HCN findet sich im *Amygdalin u. in einigen anderen Glykosiden, wie Durrhin, Laurocerasin, Lotusin, Vicianin usw., aus denen sie durch Enzyme freigesetzt werden kann; eine Übersicht über die *cyanogenen Glykoside* findet sich in *Lit.*[2]. Zigarettenrauch enthält ebenso B. wie Abwehrsekrete von Tausendfüßlern; sie entsteht dabei aus Mandelsäurenitril auf enzymat. Wege. Auch im intergalakt. Raum ist B. nachgewiesen worden.

Physiologie: Die außerordentliche Toxizität von flüssigem u. gasf. B. (die tödliche Dosis bei akuten Vergiftungen liegt bei 1 mg CN$^-$/kg Körpergew.) kommt durch Blockierung des 3-wertigen Fe der *Cytochrom-Oxidase zustande, weshalb kein Sauerstoff mehr aus dem Hämoglobin auf die Gewebe übertragen werden kann u. rasche Erstickung eintritt. Als Gegenmittel bei Vergiftungen mit B. od. Cyaniden werden nacheinander intravenöse Natriumnitrit- u. Natriumthiosulfat-Spritzen empfohlen; das Natriumnitrit bildet Methämoglobin, welches Cyanid infolge Bildung von Cyan-Methämoglobin aus dem Gewebe entfernt. Das Thiosulfat verwandelt den Rest von Cyanid in unschädliches Thiocyanat (in Ggw. des Enzyms Rhodanase). Mit diesem Verf. kann man die 20fache tödliche Cyanid-Dosis entgiften, selbst wenn die Atmung bereits ausgesetzt hat, s. a. Paulet (*Lit.*) u. vgl. *Lit.*[3]. Auch die Zuführung von Hydroxocobalamin (Vitamin B$_{12a}$) ist vorgeschlagen worden, da dieses mit CN$^-$ in normales Cyanocobalamin (Vitamin B 12) übergeht.

Herst.: Nach dem *Andrussow-Verfahren durch *Ammonoxidation* von Methan od. nach dem sog. BMA-Verf. (*Blausäure* aus *Methan* u. Ammoniak, *Ammondehydrierung* in Abwesenheit von O$_2$) der Degussa; einen Vgl. beider Verf. bringt *Lit.*[4]. Im Laboratorium erhält man wasserfreie B., wenn man ein Gemisch aus gleichen Tl. Wasser u. konz. Schwefelsäure auf Kaliumcyanid-Stücke tropft; das entweichende HCN-Gas kann in einer mit Kohlensäure-Schnee gekühlten Vorlage verflüssigt werden.

Verw.: Gasf. B. wird im *Vorratsschutz als Begasungsmittel (s. Fumigantien) z. B. in Mühlen, Schiffen u. Speichern angewendet. Nach einem Degussa-Verf. erhält man durch Oxid. von B. mit H$_2$O$_2$ *Dicyan, das zu dem als Depotdünger wichtigen *Oxamid hydrolysiert wird. Aufgrund seiner Additionsbereitschaft an Doppelbindungen hat B. steigende Bedeutung erlangt als Zwischenprodukt bes. bei der Herst. von Methylmethacrylat, Adipinsäurenitril, Cyanurchlorid, Methionin zur Tierernährung (aus B., Acrolein u. Methanthiol). Die größte Menge B. ging früher in die Produkte von *Acrylnitril; nunmehr fällt bei dessen Herst. nach dem *Sohio-Verfahren B. als Nebenprodukt an. B. findet weiterhin Verw. bei der Herst. von Cyaniden, Farbstoffen u. Chelatbildnern.

Geschichte: Scheele entdeckte B. 1782 bei der Reaktion von Kaliumhexacyanoferrat(II) mit verd. Schwefelsäure; eingehendere Untersuchungen stammen von Berthollet (1787) u. Gay-Lussac (1815). – *E* hydrogen cyanide, hydrocyanic acid – *F* acide cyanhydrique, cyanure d'hydrogène – *I* acido cianidrico, acido prussico, cianogeno – *S* ácido cianhídrico, cianuro de hidrógeno

Lit.: [1] Umschau **76**, 602 (1976). [2] Pharm. Unserer Zeit **2**, 147–155 (1973). [3] Braun-Dönhardt (3.), S. 77. [4] Chem. Tech. **7**, 231–237 (1978).

allg.: Beilstein E IV **2**, 50–55 ▪ Brauer (2.) **1**, 584f. ▪ Dangerous Prop. Ind. Mater. Rep. **12** (1), 116–130 (1992) ▪ Gmelin, Syst.-Nr. 14, Kohlenstoff, D 1, 1971, S. 120–248 ▪ Hommel, Nr. 41, 42 ▪ Kirk-Othmer (4.) **7**, 753–764 ▪ Merkblatt BG Chemie M 002 (12189) ▪ Paulet, L'intoxication cyanhydrique et son traitement, Paris: Masson 1960 ▪ Ullmann (5.) **A 8**, 159–165 ▪ Winnacker-Küchler (4.) **2**, 189–195 ▪ s.a. Cyanide. – [HS 281119; CAS 74-90-8]

Blauschiefer s. Glaukophan.

Blauschimmel s. Tabak.

Blauschönung s. Wein.

Blauspat s. Lazulith.

Blauverschiebung s. Hypsochrom.

Blaze Master. Polyvinyldichlorid von Goodrich.

Blech. In Form von Tafeln ausgewalztes metall. *Halbzeug, dessen Dicke sehr viel geringer als Länge u. Breite ist. Hinsichtlich der Dicke wird unterschieden zwischen Feinst-B. (<0,5 mm), Fein-B. [EN 10131 (01/1992), <3 mm], Mittel-B. [EN 10029 (10/1991), 3–4,76 mm] u. Grob-B. (>4,76 mm). Die erreichbaren Tafelabmessungen liegen bei 2500×7500 mm. B. aus *Stahl wird unterschieden nach Anw.-Bereichen, z.B. Kessel-B., Schiffs-B. u. Karosserie-B. od. nach der Querschnittsprofilierung (Well-B.). Hinsichtlich der Oberflächengüte spricht man von Handels-B., Schwarz-B. (warmgewalzt, an Luft abgekühlt) u. von oberflächenveredeltem Blech. Letzteres ist z. B. verfügbar in schmelztauchveredelter Form (Zn, Al-Si, Zn-Al), elektrolyt. verzinkt od. verzinnt (Weiß-B.) u. organ. beschichtet. Bei Stahl-B. erfolgt die Herst. aus der Bramme, dem ersten Walzprodukt aus dem gegossenen Rohblock (s. Feinblech u. Grobblech). Allg. wird B. aus der Glühhitze ohne Zwischenglühung gewalzt; die Umformenergie hält die Temp. oberhalb der *Rekristallisations-Temperatur. B. mit Dicken <2 mm wird kaltgewalzt. Die Herst. von B. aus *Nichteisenmetallen erfolgt überwiegend durch Kaltwalzen. – *E* sheet metal – *F* tôle – *I* lamiere – *S* chapa

Lit.: DIN 1614 (03/1986) ▪ DIN 1623 (02/1986).

Blei (chem. Symbol Pb; von latein.: plumbum). Metall. Element der 4. Hauptgruppe des *Periodensystems. Ordnungszahl 82. Atomgew. 207,2. Natürliche Isotope (in Klammern Angabe der Häufigkeit): 204 (1,48%), 206 (23,6%), 207 (22,6%) u. 208 (52,3%). Daneben kennt man künstliche radioaktive Isotope ^{194}Pb–^{214}Pb mit HWZ zwischen 4 ms u. 3×10^7 a. Die stabilen Isotope sind die Endprodukte der Zerfallsreihen von Uran-Actinium (^{207}Pb), Uran-Radium (^{206}Pb) u. Thorium (^{208}Pb), vgl. die Tab. bei Radioaktivität. Mit Hilfe dieser Isotope lassen sich z.B. geolog. *Altersbestimmungen durchführen (*Blei-Methode). Pb ist ein an frischen Schnittflächen bläulichfarblos glänzendes, an der Luft grau anlaufendes, sehr weiches (H. 1,2, mit dem Fingernagel ritzbar) *Schwermetall, D. 11,34, Schmp. 327,5 °C, Sdp. 1744 °C, von kub.-flächenzentrierter Krist.-Struktur. Infolge seiner Weichheit gibt B. auf Papier einen dunklen Strich. Früher hat man mit B. geschrieben; die heutigen *Bleistifte enthalten dagegen Gemische aus Graphit (*Reißblei) u. Ton. Die Elastizität von B. ist sehr gering, die Dehnbarkeit dagegen ziemlich groß. Die Zugfestigkeit erreicht nur 1–2 kg je mm^2 Querschnitt. Man kann ohne Schwierigkeit Bleifolien von 0,01–0,02 mm Dicke fabrikmäßig herstellen. Pb ist ein ziemlich edles Metall; es steht in der *Spannungsreihe in der Nachbarschaft von Zinn u. Nickel. Mit einer Reihe von Metallen bildet es techn. wichtige *Blei-Legierungen. Unedlere Metalle wie z.B. Zink fällen Pb aus einer Blei-Salzlsg. krist. aus, wobei sich ein sog. *Bleibaum* aus langen, baumartig aufgewachsenen Pb-Krist. bildet. Es wird nur von Salpetersäure rasch gelöst (Bleinitrat); dagegen entstehen mit Phosphorsäure, Salzsäure u. Schwefelsäure äußerst dünne oberflächliche Niederschläge aus den entsprechend unlösl. B.-Verb., die einen weiteren Säure-Angriff verhindern. Pb ist auch widerstandsfähig gegen Chlor, Flußsäure, Gips, Kohlensäure-haltiges Leitungswasser u. feuchte Luft (dabei bedeckt es sich allmählich mit einer Oxid-Schicht, die mit CO_2 in bas. Carbonat übergeht), Schwefeldioxid, Schwefelwasserstoff-Gas u. Sulfat-Lsg.; dagegen wird es von manchen organ. Säuren, Kalilauge, Natronlauge, Kalkmörtel, Zement langsam angegriffen. In heißen Laugen löst es sich unter Bildung von *Plumbaten. Eine Tab. der Korrosionsbeständigkeit des Pb gegenüber verschiedenen Ind.-Chemikalien findet man in *Lit.*[1]. In seinen Verb. tritt Pb seiner Stellung im Periodensyst. entsprechend in den Wertigkeiten +2 u. +4 auf, wobei die Pb(II)-Salze am häufigsten u. beständigsten sind. Dagegen leiten sich die *Blei-organischen Verbindungen im allg. von Pb(IV) ab.

Physiologie: Sowohl metall. Pb als auch seine Verb. sind giftig (MAK für Pb 0,1 mg/m^3) mit dem wahrscheinlichen Risiko fruchtschädigender Wirkung (Schwangerschaft Gruppe B); sie können durch Einnahme, Inhalation u. Hautresorption in den Körper gelangen. *Akute Bleivergiftungen* sind allerdings wegen der geringen Resorption relativ selten u. nur bei Aufnahme sehr hoher Dosen zu erwarten. Sie äußern sich in Erbrechen, Koliken u. Kollaps u. können zum Tode führen. Weitaus gefährlicher jedoch ist die fortgesetzte Aufnahme kleiner Pb-Mengen. Dabei wird das Pb, nachdem es im Blut zunächst locker an die *Erythrocyten gebunden war, nur zum kleinen Teil im Harn ausgeschieden, zum größeren aber gespeichert, u. zwar bes. in den Knochen, Zähnen u. Haaren, wo es Ca ersetzen kann. Die *chron. Exposition* hat die Blockierung der freien Thiol-Gruppen insbes. von Enzymen der Porphyrin-Synth. zur Folge. Die resultierende sog. *Bleikrankheit* äußert sich in Müdigkeit, Appetitlosigkeit, Kopfschmerzen, schmerzhaften Koliken, Blässe der Haut, Anämie, Muskelschwäche ins-

bes. der Gebrauchshand u. ggf. in dem sog. *Bleisaum*, d. h. Ablagerungen von Bleisulfid am Zahnfleischrand. Kinder scheinen bes. gefährdet hinsichtlich ihrer mentalen Entwicklung[2]. Außer dem Blut-Bleispiegel ist v. a. die Ausscheidung von *5-Amino-4-oxovaleriansäure(pentansäure) im Harn erhöht, da diese wegen Blockierung der entsprechenden Dehydratase nicht zum Porphobilinogen kondensieren kann. Die Bestimmung von 5-Amino-4-oxo-valeriansäure kann daher zum Nachw. einer Pb-Vergiftung dienen.
Die organ. Derivate des Pb wirken auf andere Weise tox. u. ggf. carcinogen, s. Bleitetraethyl u. -methyl. Näheres zur Toxikologie u. Therapie von Pb-Vergiftungen s. Forth et al. (*Lit.*); die beim Umgang mit Pb zu beachtenden Schutzmaßnahmen sind in TRGS 505 (6/88) festgelegt. Auf Pflanzen wirkt Pb durch Hemmung der Chlorophyll-Synthese. Dieser Effekt ist bes. ausgeprägt in der Nähe von Bleihütten, Braunkohlen-Kraftwerken u. stark befahrenen Autostraßen, wenn auch die Hauptmenge des Pb durch Waschen von Nutzpflanzen entfernt werden kann. Bedenklich ist die Einschleppung von Pb über die Nahrungskette. Durch gesetzliche Maßnahmen – Anw.-Verbot B.-haltiger Pflanzenschutzmittel, Verbot der Herst. von Gebrauchsgeschirr aus mehr als 10% Pb enthaltenden Leg. bzw. mit Pb abgebenden Glasuren (dieses weitreichende Blei-Gesetz wurde bereits 1887 erlassen!), Abgasreinigung, Verw. bleifreien Benzins etc. – bemüht man sich, einen weiteren Anstieg des Pb-Gehaltes der Biosphäre zu verhindern.
Nachw.: In der Lötrohranalyse geben viele Pb-Verb. einen Pb-Regulus u. einen gelben Beschlag. Quant. bestimmt man Pb durch Fällung mit H_2S in saurer Lsg., als Sulfat, Chromat od. mit Ammoniummolybdat; eine Reihe organ. Reagenzien wie *Dithizon, *Natrium-N,N-diethyldithiocarbamat u. a. können zur Bestimmung von Pb-Spuren herangezogen werden (s. *Lit.*[3]), während die Bestimmung von Verunreinigungen im Pb nicht so einfach ist[4]. Heute werden zunehmend physikal. Analysenmeth. zur Pb-Bestimmung benutzt.
Vork.: In dem obersten, 16 km dicken Teil der Erdkruste ist Pb nur zu 0,0018% vertreten u. damit seltener als Lithium, Nickel, Rubidium, Strontium, Yttrium, Cer, Vanadium, Wolfram usw. Trotzdem war Pb z. B. den Ägyptern schon vor 5000 a bekannt, weil es sich in wenigen großen Lagerstätten in Form von leicht reduzierbaren Verb. (Bleiglanz) angereichert hat; damals war Pb jedoch mehr od. weniger „Abfall" – gesucht war nur das Begleitmetall Silber. Das bei weitem wichtigste *Bleierz* ist der *Bleiglanz; daneben sind noch zu erwähnen: *Cerussit (Weißbleierz), *Krokoit (Rotbleierz), *Wulfenit (Gelbbleierz), *Pyromorphit, *Anglesit u. *Vanadinit. In Mitteleuropa finden sich abbauwürdige Lager von Bleiglanz u. a. Pb-Mineralien in Polen (Tarnowitzer Gebiet), im Erzgebirge, im Harz (Bad Grund, Clausthal), in der Eifel, im Sauerland u. in Kärnten. Die größten Pb-Lagerstätten der Welt sind in Australien.
Herst.: Man gewinnt Pb aus sulfid. Erzen durch *Rösten (zu PbO u. SO_2) u. anschließende Red. mit C/CO (*Röstreduktionsverf.*), aus Pb-reichen Sulfiderzen auch nach dem *Röstreaktionsverf.* ($PbS + O_2$), wobei das sog. *Werkblei* anfällt. Dieses enthält noch mehrere Be-

gleitmetalle (z. B. Au, Ag, Cu, Sb, As, Sn, Zn, Fe, Ni, Bi), die durch verschiedene *Raffinations-Verf., z. B. durch *elektrolytische Raffination, *Seigerung (Cu, Ni, Co), *Harris-Verfahren (Sn, As, Sb) u. Kroll-Betterton-Verf. (s. Bismut) entfernt werden können. Edelmetalle (Ag, Au) wurden früher durch das *Pattinson-Verfahren, heute im allg. nach dem *Parkes-Verfahren separiert. Ein techn. Problem bei der Aufarbeitung ist die Bildung von Oxiden an der Oberfläche von Pb-Schmelzen (*Verkrätzung*). Im Jahre 1994 wurden in der Welt rund. 2,6 Mio. t Pb aus Bergwerken gewonnen. Einschließlich Altmaterial betrug die Raffinadeproduktion weltweit rund 5,1 Mio. t; Haupterzeugerländer waren (nach Metallstatistik 1995, Angaben in 10^3 t): USA (1232), Großbritannien (352), BRD (332), Japan (270), Frankreich (260), China (384), Kanada (238), Australien (212), Mexiko (221).
Verw.: Zur Herst. von *Akkumulatoren (insbes. Starterbatterien für Kraftfahrzeuge, auch Traktions- u. ortsfeste Batterien), von *Letternmetall u. Lagermetallen, zur Herst. od. Auskleidung von Behältern u. Rohren für aggressive Flüssigkeiten, als Kabelummantelung, sowie als Heizbadflüssigkeit, im Strahlenschutz zur Absorption von Röntgen- u. Gammastrahlen, zur Herst. von Pigmenten (Bleiweiß u. Buntpigmente, Mennige), von *Bleitetraethyl u. a. *Blei-organischen Verbindungen. Metall. Pb wird im allg. in Form von *Blei-Legierungen verwendet; nur für Spezialzwecke ist reines Pb erforderlich. Für radiopharmazeut. Zwecke eignet sich bes. das ^{203}Pb (vgl. *Lit.*[5]).
Geschichte: Pb ist eines der ältesten Gebrauchsmetalle, u. entsprechend alt ist die Kunde von B.-Vergiftungen – vielfach wird sogar der Untergang des Römerreiches auf chron. Vergiftungen durch Pb aus Küchengeräten zurückgeführt. Die Griechen gewannen schon um 550 v. Chr. auf den Inseln Zypern u. Rhodos, die Römer vor etwa 2000 a in Italien, Spanien, Frankreich u. Westdeutschland große Mengen von Pb, die sie z. B. zu Wasserleitungsrohren verwendeten. Aus der Römerzeit sind zahlreiche Gegenstände aus Pb u. Pb-Leg. (bes. mit Zinn) erhalten. Der dtsch. Name Blei kommt von indogerman.: bhlei = schimmern, leuchten, glänzen; vom selben Stamm leitet sich auch der Ausdruck *blaue Bohnen* für Bleikugeln ab. – *E* lead – *F* plomb – *I* piombo – *S* plomo
Lit.: [1] Chem. Prod. **5**, Nr. 11, 28 (1976). [2] New Sci. **65**, 692 (1975); **66**, 4 (1975). [3] Fries-Getrost, S. 56–73. [4] Pure Appl. Chem. **51**, 1149–1157 (1979). [5] Int. J. Appl. Radiat. Isotop. **24**, 701 (1974).
allg.: Bergbauhandbuch, Essen: Verlag Glückauf 1983 ▪ Brauer (3.) **1**, 664; **2**, 770 ▪ DIN-Katalog, Sachgruppe 527, Berlin: Beuth (jährlich) ▪ Ewers u. Schlipköter in: Merian (Hrsg.), Metalle in der Umwelt, S. 351–375, Weinheim: Verl. Chemie 1984 ▪ Forth et al. (6.) ▪ Gmelin, Syst.-Nr. 47, Pb, 1969–1977 ▪ Kirk-Othmer (4.) **15**, 69–113 ▪ Kuhn, The Electrochemistry of Lead, London: Academic Press 1979 ▪ Lehnert u. Szadkowski, Die Bleibelastung des Menschen, Weinheim: Verl. Chemie 1983 ▪ Snell-Ettre **15**, 161–201 ▪ Ullmann (5.) **A 15**, 193–236 ▪ Winnacker-Küchler (4.) **3**, 382 f.; **4**, 436–460. – *Organisationen:* Bleiberatung, Tersteegenstr. 28, 40474 Düsseldorf ▪ Development Association, 34 Berkeley Square, London WIX 6AJ. – [*HS 7801 10; CAS 7439-92-1*]

Bleiacetate. (a) *Blei(II)-acetat* (Bleizucker), $Pb(O-CO-CH_3)_2 \cdot 3 H_2O$, M_R 325,29. Farblose, süßlich schmeckende, wasserlösl. mono-

kline Krist., D. 2,5, Schmp. 75 °C, nach Verlust von Essigsäure ab 100 °C, Zers. bei ca. 200 °C, fortpflanzungsgefährdend, gesundheitsschädlich, WGK 2; aus PbO u. Essigsäure herstellbar.
Verw.: In der Baumwollfärberei u. -druckerei, Firnisfabrikation, als chem. Reagenz (s. Bleipapier), als Ausgangsmaterial für andere Blei-Verb. (Sikkative, PVC-Stabilisatoren, Detonatoren, Katalysatoren). Als *Bleiessig* bezeichnet man bas. Blei(II)-acetat-Lsg. wechselnder Zusammensetzung [z. B. $Pb(O-CO-CH_3)OH$, $Pb(O-CO-CH_3)_2 \cdot 2Pb(OH)_2$], deren 50fach verd. Lsg. gelegentlich bei nässenden Ausschlägen als mildes Desinfektionsmittel u. Adstringens äußerlich angewendet wurden.

(b) *Blei(IV)-acetat* (Bleitetraacetat), $Pb(O-CO-CH_3)_4$, M_R 443,38. Farblose, häufig sich rosa verfärbende Krist., D. 2,228, Schmp. 175–180 °C, fortpflanzungsgefährdend, gesundheitsschädlich. Wegen seiner Zersetzlichkeit ist die Aufbewahrung von B.(IV) in unter Vak. verschlossenen Ampullen zu empfehlen; in Ggw. von Wasser zerfällt es unter Bildung von PbO_2. B.(IV) ist in heißem Eisessig, Benzol, Chloroform u. Nitrobenzol lösl., mit konz. HCl bildet es Hexachlorobleisäure, H_2PbCl_6.
Herst.: Aus Mennige u. Eisessig, ggf. in Ggw. von Acetanhydrid od. Chlor; auch auf elektrolyt. Wege herstellbar.
Verw.: B.(IV) findet im Laboratorium als selektives Oxidationsmittel vielfache Verw.; eine spezif. Reaktion ist die von *Criegee 1931 eingeführte Spaltung von 1,2-*Diolen (*Glykolen) zu 2 Carbonyl-Derivaten:

$$R^2-\underset{\underset{HO}{|}}{\overset{\overset{R^1}{|}}{C}}-\underset{\underset{OH}{|}}{\overset{\overset{R^2}{|}}{C}}-R^4 \xrightarrow[-2\,H_3C-COOH]{+\,Pb(O-CO-CH_3)_4} \underset{R^2}{\overset{R^1}{>}}C=O \;+\; \underset{R^4}{\overset{R^3}{>}}C=O$$

Daneben eignet sich B.(IV) zur Dehydrierung, Dehydrocyclisierung[1] u. Acetoxylierung[2]. Zur Oxid. von Allylalkoholen mit B.(IV) bzw. über die bei der Oxid. von Alkoholen auftretenden Bruchstücke s. *Lit.*[3]. Über weitere Synth. mit B.(IV) s. *Lit.*[4]. – *E* lead acetates – *F* acétates de plomb – *I* acetati di piombo – *S* acetatos de plomo
Lit.: [1] Synthesis **1970**, 209–224. [2] Synthesis **1973**, 567–603. [3] Helv. Chim. Acta **57**, 1098–1116 bzw. 1015–1035 (1974). [4] Kontakte (Merck) **1972**, Nr. 2, 22–24; Synthetica **1**, 62–71. *allg.:* Augustine, Oxidation, Bd. 1, S. 189–212, New York: Dekker 1969 ▪ Beilstein E IV **2**, 118 ▪ Brauer (3.) **2**, 784 f. ▪ Gmelin, Syst.-Nr. 47, Blei, Tl. C2, 1969, S. 739–769 ▪ Hommel, Nr. 855 ▪ Kirk-Othmer (4.) **15**, 141 ff. ▪ Ullmann (5.) A **15**, 249 f. – *[HS 291529; CAS 301-04-2 (II, wasserfrei); 1335-32-6 (II, Lsg.); 6080-56-4 (II, 3 H_2O); 546-67-8 (IV); G 6.1]*

Bleialkyle s. Blei-organische Verbindungen.

Bleiantimonat s. Neapelgelb.

Bleiantimonglanz s. Zinckenit.

Bleiazid. PbN_6, M_R 291,24. Farblose Krist., D. 4,8 (auch 4,38 angegeben), Detonationspunkt 350 °C, in Wasser unlösl., gegen Wärme u. Feuchtigkeit beständig, nicht aber gegen CO_2 der Luft, fortpflanzungsgefährdend, gesundheitsschädlich, explosionsgefährlich. B. ist, wie alle Schwermetall-*Azide, sehr schlagempfindlich u. findet deshalb Verw. als *Initialsprengstoff, Bleiblockausbauchung 110 ml. Techn., 92–96%igem B. wird zur Verbesserung der Entzündbarkeit *Bleitrinitroresorcinat beigemischt. Die Hülsen von Bleiazid-Sprengkapseln werden aus Aluminium hergestellt, da sich bei Verw. von Kupfer sehr empfindliche Cu-Azide bilden könnten. – *E* lead azide – *F* azide de plomb – *I* azide di piombo – *S* azida de plomo
Lit.: Brauer (3.) **2**, 780 f. ▪ Fair u. Walter, Energetic Materials (2 Bd.), New York: Plenum 1977 ▪ Gmelin, Syst.-Nr. 47, Blei, Tl. C1, 1969, S. 206–224 ▪ Kirk-Othmer (4.) **15**, 141 ▪ Ullmann (5.) A **10**, 155 f. ▪ Winnacker-Küchler (4.) **7**, 383. – *[HS 285000; CAS 13424-46-9]*

Bleibaum s. Blei.

Bleibende Härte s. Härte des Wassers.

Bleiblockausbauchung s. Explosivstoffe.

Bleicarbonat. $PbCO_3$, M_R 267,21. Farblose Krist., D. 6,6, Zersetzungstemp. ca. 315 °C, fortpflanzungsgefährdend, gesundheitsschädlich, durch Fällung mit Soda- od. Pottasche-Lsg. aus Bleisalz-Lsg. herstellbar, natürlich als *Cerussit vorkommend. In Wasser ist B. unlösl.; in Ggw. von CO_2 bildet sich beim Kochen sog. *bas. Bleicarbonat* (s. Bleiweiß). – *E* lead carbonate – *F* carbonate de plomb – *I* carbonato di piombo – *S* carbonato de plomo
Lit.: Brauer (3.) **2**, 783 f. ▪ Gmelin, Syst.-Nr. 47, Blei, Tl. C2, 1969, S. 702–708 ▪ Hommel, Nr. 451 ▪ Kirk-Othmer (4.) **15**, 143 ▪ Ullmann (5.) A **15**, 250 ▪ Winnacker-Küchler (4.) **3**, 376. – *[HS 283670; CAS 598-63-0; G 6.1]*

Bleichaktivatoren (Bleichmittelaktivatoren). Sammelbez. für reaktive Acyl-Verb., die mit Bleichmitteln, wie Natriumperborat-mono- u. -tetrahydrat od. Natriumpercarbonat bzw. dem daraus freigesetzten *Wasserstoffperoxid, in der Waschflotte bei pH >7 Persäure-Anionen als bleichaktive Spezies bilden. Von wirtschaftlicher Bedeutung als B. sind in Europa *N,N,N',N'*-Tetraacetylethylendiamin (TAED) u. in den USA *p*-Nonanoyloxybenzolsulfonat (NOBS)[1], woraus Peressigsäure-[2] bzw. die hydrophoberen Nonanperoxosäure-Anionen entstehen. Eine interessante neue Variante ist *p*-Undec-10-enoyloxybenzolsulfonat (UDOBS). B. ermöglichen die oxidative Bleiche zwischen 40 u. 60 °C, wobei gleichzeitig eine keimmindernde Wirkung gewährleistet ist. Von *Bleichkatalysatoren* spricht man, wenn zur Aktivierung der Bleiche Übergangsmetallkomplexe, z. B. von Mangan, eingesetzt werden. Die von den damit verbundenen *radikalischen Reaktionen verursachten Farb- u. Faserschädigungen konnten bisher noch nicht ausreichend beherrscht werden. – *E* bleaching activators
Lit.: [1] Cahn, Proc. 3rd World Conf. Det.: Global Persp., Montreux 1993, S. 178–182; Champaign, IL/USA: AOCS Press 1994. [2] Tenside Surf. Det. **27**, 187 f. (1990).

Bleichen. Unter B. versteht man die *Entfärbung von verschiedenartigen Materialien, die grundsätzlich auf folgende Arten erfolgen kann.
1. Durch *Adsorption:* Die färbenden Begleitstoffe werden an fein verteilten Substanzen mit hoher Oberfläche (*Aktivkohle, *Bleicherden, *Attapulgit, *Kieselgel usw.) adsorbiert. Auf diese Weise entfärbt man im Labor zahlreiche organ. Präp., in der Technik Erdwachse,

dunkle Mineralöle, fette Öle, Paraffine, Zuckersaft usw.
2. Durch *Kompensation:* Man überdeckt die unerwünschten Färbungen durch Anw. von Komplementärfarben, die sich zu Weiß ergänzen. Ein Beisp. ist das früher übliche *Bläuen der Wäsche (heutzutage wird der gleiche Effekt auf anderem Wege durch Zugabe *optischer Aufheller erreicht) u. bei der Herst. von *Glas durch Zugabe von Manganoxid (sog. Glasmacherseife).
3. Durch *Oxid.* od. *Red.:* Man zerstört die färbenden Begleitstoffe durch oxidierende od. reduzierende Chemikalien (Bleichmittel).

Tab.: Bleichgut u. Bleichmittel.

Bleichgut	Bleichmittel
Fette	Dichromat, Dithionit, Permanganat, Chlor
Rohöle	konz. Schwefelsäure
Wolle, Seide, Früchte, Stroh	Schwefeldioxid, Wasserstoffperoxid
Leinen, Baumwolle, Jute	Wasserstoffperoxid, organ. Persäuren, Natriumhypochlorit, Chlor
Badeschwämme	Wasserstoffperoxid, angesäuerte Permanganatlösung
Altpapier, Holzschliff	Wasserstoffperoxid, Hypochlorit, Chlor, Chlordioxid
Cellulose	Wasserstoffperoxid, Hypochlorit
Haare, Horn, Elfenbein	Peroxide, Schwefeldioxid, Rongalit usw.

Zum B. von Papier vgl. *Lit.*[1]; zum B. von Haaren vgl. a. Haarbehandlung. In selbsttätigen *Waschmitteln wirken Natriumperborat od. -percarbonat bei höheren Temp. bleichend; durch *Bleichaktivatoren, bes. acylierte Verb. sowie den Einsatz von Salzen organ. Persäuren, läßt sich das B. bei niedrigen Temp. beschleunigen. Zum B. als einem Arbeitsgang der *Textilveredlung vgl. *Lit.*[2]. Bei der früher üblichen Rasenbleiche breitete man feuchtes Leinen od. Baumwollgewebe auf Grasflächen aus. Unter dem Einfluß des Sonnenlichtes werden geringe Anteile Wasserstoffperoxid u. Ozon gebildet, die für die Bleichwirkung verantwortlich sind. Techn. Bleichmittel sind ferner Chlorkalk, Chlorcyanursäuren u. Natriumperoxid. Lebensmittel dürfen in der BRD nicht gebleicht werden (Ausnahme: Behandlung von Fetten mit Bleicherden, s. *Lit.*[3]). Zum B. der Haut (*Depigmentierung*) vgl. Sonnenschutzmittel. – *E* bleaching, whitening – *F* blanchiment, blanchisserie – *I* candeggio, imbiancamento – *S* blanqueo

Lit.: [1] Papier **30**, 389f. (1976). [2] Färber-Kal. **75**, 155f. (1971). [3] Schormüller, S. 428f.
allg.: Fett Wissensch. Technol. **89**, 184f. (1987) ▪ Gunstone u. Norris, Lipids in Foods, Oxford: Pergamon Press 1983 ▪ Nettles, Handbook of Chemical Specialties, Textile Fiber Processing, Preparation and Bleaching, New York: Wiley 1983 ▪ Olson, Textile Wet Processes, Bd. 1, Park Ridge: Noyes 1983 ▪ Peter, Grundlagen der Textilveredlung (12.) Frankfurt: Dt. Fachverlag 1985 ▪ Tenside Detergents **23**, 73f. (1986); **24**, 210f. (1987); **25**, 21f. (1988) ▪ Ullmann (3.) **17**, 75f.; (4.) **9**, 386, 389, 548, 553; **12**, 436f.; (5.) **A4**, 191f.; **A8**, 357f.

Bleicherden. Wenig spezif. Gruppenbez. für wasserhaltige Aluminium- u./od. Magnesiumsilicate. Sie enthalten als wesentlichen Bestandteil meist *Montmorillonit od. *Attapulgit. Je nach Fundort u. Verw. werden sie als *Fuller-Erde, *Floridin-Erden, *Bentonit, *Walkerde, *Umbra od. *Bolus usw. bezeichnet. Für die Anw. der B. wichtig ist ihre hohe Adsorptionskraft, die durch Behandlung mit anorgan. Säuren noch erhöht werden kann. Zum Vork. s. die einzelnen Textstichwörter.
Verw.: Zur Reinigung u. zum *Bleichen von Mineral- u. Pflanzenölen, als Flockungsmittel, zur Schönung von Wein, Most u. Saft, als Essig-Stabilisator, als Schmierstoff, zur Protein-Entfernung, in Bleistiften, in Feuerlöschern, als Bindemittel für Öl auf Wasser, bei Regeneration organ. Kleiderreinigungs-Flüssigkeiten usw. – *E* bleaching earths, decolorizing clays – *F* terres blanchissantes – *I* terre decoloranti – *S* tierras decolorantes
Lit.: Jasmund u. Lagaly (Hrsg.), Tonminerale u. Tone, S. 13, 208, 362ff., 368f., 373, Darmstadt: Steinkopff 1993 ▪ Siddiqui, Bleaching Earths, London: Pergamon 1968. – [HS 250820]

Bleichkatalysatoren s. Bleichaktivatoren.

Bleichlauge s. Natriumhypochlorit.

Bleichloride. (a) *Blei(II)-chlorid*, $PbCl_2$, M_R 278,11. Farblose Krist., D. 5,85 Schmp. 501 °C, Sdp. 950 °C, fortpflanzungsgefährdend u. gesundheitsschädlich, in kaltem Wasser wenig, in heißem Wasser besser, aufgrund der Bildung von Doppelsalzen in wäss. Lsg. von NH_4Cl u. NH_4NO_3 gut löslich.
Verw.: Früher zur Herst., von Pigmenten wie *Pattinsons Bleiweiß* (Bleihydroxidchlorid) od. *Veroneser-Gelb* (Bleioxidchlorid), heute zur Herst. von Bleichromat, als Flußmittel u. Dotierung.
(b) *Blei(IV)-chlorid* (Bleitetrachlorid). $PbCl_4$, M_R 349,01. Ölige, gelbe, an feuchter Luft rauchende Flüssigkeit, D. 3,18, Schmp. –18 °C, fortpflanzungsgefährdend u. gesundheitsschädlich. Die sehr instabile Flüssigkeit, die ggf. unter Freisetzung von Cl_2 explodieren kann, entsteht beim Auflösen von Blei(IV)-oxid in konz. Salzsäure, bei der Reaktion von $PbCl_2$ mit Chlor od. durch Zers. von Ammonium- od. Pyridiniumhexachloroplumbat(IV).
Verw.: Im Laboratorium zur Spaltung von Glykolen.

$$R^1-\underset{R^2}{\underset{|}{C}}(OH)-\underset{R^2}{\underset{|}{C}}(OH)-R^1 \xrightarrow[-PbCl_2,\, -2HCl]{+PbCl_4} 2\, \underset{R^2}{\overset{R^1}{C}}=O$$

– *E* lead chlorides – *F* chlorures de plomb – *I* cloruri di piombo – *S* cloruros de plomo
Lit.: Brauer (3.) **2**, 771 ▪ Gmelin, Syst.-Nr. 47, Blei, Tl. C1, 1969, S. 281–322, 327ff. ▪ Kirk-Othmer (4.) **15**, 134 ▪ Ullmann (5.) **A15**, 251 ▪ Winnacker-Küchler (3.) **6**, 306. – [HS 282739; CAS 7758-95-4 (a); 13463-30-4 (b)]

Bleichmittel s. Bleichen.

Bleichmittelaktivatoren s. Bleichaktivatoren.

Bleichromat. $PbCrO_4$, M_R 323,19. Feines, orangegelbes Pulver, in Wasser kaum, in Salpetersäure u. Natronlauge leicht lösl., D. 6,3, Schmp. 844 °C, kommt auch als Mineral *Krokoit vor. B. wird als fortpflanzungsgefährdend u. gesundheitsschädlich

eingestuft. Wegen des Verdachts auf carcinogene Eigenschaften wurde B. in die Gruppe III B der MAK-Liste eingestuft (s. a. Chrom, Chromate).
Verw.: B. kommt unter der Bez. *Chromgelb* (od. Kölner, Leipziger, Pariser Gelb, Königsgelb, Neugelb, Citronengelb) häufig als Malerfarbe in den Handel. Durch Zusatz von Schwefelsäure od. Alkalimetallsulfaten bei der Herst. können die Farbtöne – infolge Mischkrist.-Bildung von B. mit Bleisulfat – aufgehellt werden. In Salzsäure färbt sich Chromgelb infolge Chromchlorid-Bildung allmählich grün, an der Luft dunkelt es langsam nach u. durch Schwefelwasserstoff wird es geschwärzt. Chromgrün (s. Chrom-Pigmente) ist ein Gemisch von B. u. *Berliner Blau. – *E* lead chromate – *F* chromate de plomb – *I* cromato di piombo – *S* cromato de plomo
Lit.: Gmelin, Syst.-Nr. 52, Cr, Tl. B., 1962, S. 910–931 ▪ J. Oil Colour Chem. Assoc. 72, 71–77 (1988) ▪ Kirk-Othmer (3.) 17, 818–823 ▪ Ullmann (5.) A 7, 88; A 20, 317 f. ▪ Winnacker-Küchler (4.) 3, 382 f. – *[HS 2841 20; CAS 7758-97-6; G 6.1]*

Bleichsoda. Früher beim Wäschewaschen zur Enthärtung des Wassers u. zur Entfernung von Metallsalzspuren durch Adsorption gebräuchliches Einweichmittel aus Soda u. Wasserglas (4 : 1). – *E* bleaching soda – *F* soude a blanchir – *I* soda di candeggio – *S* sosa de blanqueo

Bleidioxid s. Bleioxide.

Bleiessig s. Bleiacetate.

Bleifarben s. Blei-Pigmente.

Bleifluorid. PbF_2, M_R 245,21. Farblose Krist., fortpflanzungsgefährdend, gesundheitsschädlich, D. 8.24, Schmp. 824°C, Sdp. 1293°C, sehr schwer lösl. in Wasser, WGK 2, lösl. in HNO_3, besitzt eine hohe anion. Leitfähigkeit [1].
Verw.: Als Aufdampfsubstanz für Mehrfachschichten in der Optik, in Spezialgläsern, ebenso wie PbF_4 als Fluorierungsmittel [2]. – *E* lead fluoride – *F* fluorure de plomb – *I* fluoruro di piombo – *S* fluoruro de plomo
Lit.: [1] Mater. Res. Bull. 11, 168 (1976). [2] Adv. Fluorine Chem. 1, 192 (1960).
allg.: Brauer (3.) 1, 232 f. ▪ Gmelin, Syst.-Nr. 47, Blei, Fl. 1, 1969, S. 272–280 ▪ Kirk-Othmer (4.) 15, 134 ▪ Ullmann (5.) A 15, 251. – *[HS 2826 9; CAS 7783-46-2; G 6.1]*

Bleiglätte s. Bleiox.de.

Bleiglanz (Galenit). PbS; bleigraue, metall. glänzende, aber oft oberflächlich matt angelaufene [1], vollkommen nach Würfelflächen spaltbare, kub., z. T. mosaikartig aus gegeneinader versetzten Blöcken aufgebaute Krist. (NaCl-Typ, Krist.-Klasse m3m-O_h) od. derbe, grob- bis feinkörnige u. spätige, auch striemige („*Bleischweif*") Massen; H. 2,5, D. 7,2–7,6, Strich grauschwarz. B. besitzt Halbleiter-Eigenschaften. Nach der Formel 86,6% Pb, außerdem bis 1% Ag [2]. B. verwittert an der Oberfläche leicht zu *Anglesit, *Cerussit u. zahlreichen weiteren Sekundärmineralien.
Vork.: Verbreitet, meist zusammen mit *Zinkblende; wirtschaftlich wichtig in massiven Sulfiderz-*Lagerstätten, z. B. Mount Isa u. Broken Hill/Australien, Kuroko/Japan u. in schichtgebundenen Pb-Lagerstätten in *Kalken, z. B. Missouri, Kansas, Illinois/USA, Olkusz/Polen, Bleiberg/Kärnten; ferner in hydrothermalen *Gängen, z. B. Oberharz mit Bad Grund, Pribram/Böhmen, Peru.
Verw.: Hauptrz für die Gewinnung von Blei u. Silber; in Photoleitfähigkeitszellen, in IR-Detektoren, Transistoren, Feuchtigkeitssensoren, Li-Batterien, zum Entfernen von Mercaptanen in Petroleum, zur Reflektionsbegrenzung in Spiegeln, als Schmiermittel, in Keramik-Glasuren. In altägypt. Schminken zur Färbung der Augenbrauen wurde bereits B. festgestellt; s. a. Bleisulfid. – *E* galena – *F* galène – *I* = *S* galena
Lit.: [1] Science 254, 983 ff. (1991); Am. Mineral. 78, 877–883 (1993). [2] Am. Mineral. 78, 85–95 (1993).
allg.: Lapis 13, Nr. 7/8, 11–17 (1988) ▪ Pohl, Lagerstättenlehre (4.), S. 164–175, Stuttgart: Schweizerbart 1992 ▪ Ramdohr, Die Erzmineralien u. ihre Verwachsungen, S. 693–708, Berlin: Akademie-Verl. 1975 ▪ Ramdohr-Strunz, S. 439 ff. ▪ Ullmann (5.) A 14, 158; A 15, 195 ▪ s. a. Bleisulfid. – *[HS 2607 00; CAS 12179-39-4; 72389-00-5 (Ag-haltig)]*

Bleiglas. Bez. für bleihaltige Gläser, hauptsächlich für hochwertige Haushaltsartikel („Bleikristall"), s. Glas. Die Bez. B. wird auch als Synonym für *Anglesit gebraucht. – *E* lead glass – *I* vetro al piombo

Bleihornerz s. Phosgenit.

Bleihydroxid. Aus Bleisalz-Lsg. mit Alkalimetall-Laugen ausfällbares, giftiges Gel wechselnder Zusammensetzung [$Pb(OH)_2$ bis $PbO \cdot Pb(OH)_2$], in verd. Säuren u. Alkalien lösl., absorbiert CO_2 aus der Luft, fortpflanzungsgefährdend, gesundheitsschädlich. *Bleihydroxidcarbonat* s. Bleiweiß. – *E* lead hydroxide – *F* hydroxyde de plomb – *I* idrossido di piombo – *S* hidróxido de plomo
Lit.: Gmelin, Syst.-Nr. 47, Blei, Tl. C1, 1969, S. 200–205 ▪ Kirk-Othmer (4.) 15, 137 f. – *[HS 2825 90; CAS 19781-14-3]*

Bleiiodid. PbI_2, M_R 461,01. Hellgelbes, giftiges Pulver, fortpflanzungsgefährdend, gesundheitsschädlich, D. 6,16. Schmp. 402°C, Sdp. 954°C, wird beim Erhitzen zunächst ziegelrot, später braunrot, bei der Abkühlung wieder goldgelb. Unter Entfärbung lösl. in Alkalien, Kaliumiodid-Lsg. (zu $KPbI_3$) u. 200 Tl. siedendem Wasser, fällt bei der Abkühlung in Form goldglänzender Blättchen aus. Das aus Iodiden u. Pb-Salzlsg. herstellbare B. findet Verw. beim Bronzieren, Drucken, Photographieren, für Mosaikgold u. dgl. Mit $KPbI_3$-Lsg. getränktes Filtrierpapier kann zum Nachweis von Wasserspuren dienen, da der Komplex mit Wasser zu goldgelbem B. gespalten wird. – *E* lead iodide – *F* iodure de plomb – *I* ioduro di piombo – *S* yoduro de plomo
Lit.: Gmelin, Syst.-Nr. 47, Blei, Tl. C1, 1969, S. 385–402 ▪ Kirk-Othmer (4.) 15, 135 ▪ Ullmann (5.) A 15, 251. – *[HS 2827 60; CAS 10101-63-0]*

Bleikammerprozeß s. Schwefelsäure.

Blei-Legierungen. Techn. wichtige Leg. des Bleis mit anderen Metallen (Sb, Sn, Cd u. Cu) zum Erreichen höherer Festigkeit u. Härte. Reines *Blei läßt sich mit dem Fingernagel ritzen u. hinterläßt beim Reiben eine graue Spur auf Papier. Blei ist im Kontakt mit verschiedenen chem. Produkten dann beständig, wenn es eine festhaftende, dichte u. inerte Schutzschicht mit dem betreffenden Produkt bildet. An Luft ist dies Blei(II)-oxid, in Säuren deren schwerlösl. Salze. Hartblei weist 0,5–13% Sb auf u. wird für Akkumulatoren, Rohre u.

Armaturen verwendet. PbSn-*Lote weisen aufgrund des Sn-Zusatzes eine höhere Zähigkeit als Hartblei auf u. dienen zum Löten von Schwermetallen. Bei den *Gleitlagerwerkstoffen sind B.-L. bes. in der Gruppe der Lagerweißmetalle (bis 17% Sb, bis 10% Sn; bis 1,5% Cu u. As; bis 0,6% Cd u. Ni) vertreten. Im graph. Gewerbe findet *Letternmetall (bis 30% Sn u. Sb) wegen der Dünnflüssigkeit der Schmelze u. der geringen Schwindung beim Erstarren Anwendung. Bleispritzguß-Leg. mit bis 41% Sn, bis 14% Sb u. bis 3,5% Cu werden für die Fertigung genauer Gußstücke eingesetzt. – *E* lead alloys – *F* alliages de plomb – *I* leghe di piombo – *S* aleaciones de plomo
Lit.: DIN 1719 (01/1986) ▪ DIN 1741 (05/1974) ▪ DIN 17640 (01/1986) ▪ Hofmann, Blei u. Bleilegierungen, 2. Aufl., Berlin: Springer 1962.

Bleimennige s. Bleioxide.

Blei-Methode. Verf. der *Altersbestimmung insbes. von Mineralien. Infolge des radioaktiven Zerfalls von Uran u. Thorium, aus denen letztlich stabile Blei-Isotope entstehen (s. Blei u. Radioaktivität), läßt sich bei bekannter HWZ der Ausgangselemente aus dem Mengenverhältnis $^{206}Pb:^{238}U$ bzw. $^{208}Pb:^{232}Th$ das Alter der die Metalle umgebenden Mineralien ableiten (sog. *Bleialter*). – *E* lead dating method – *F* datation par la méthode plomb – *I* determinazione dell'età tramite il metodo di piombo – *S* datación por el método del plomo
Lit.: Chem. Labor Betr. **28**, 339–348 (1977) ▪ Geochim. Cosmochim. Acta **49**, 173 (1985) ▪ Isot. Geosci. **2**, 1 (1984) ▪ Isotopenpraxis **21**, 169 (1985) ▪ York u. Farquhar, The Earth's Age and Geochronology, Oxford: Pergamon 1971 ▪ s. a. Altersbestimmung u. Geochronologie.

Bleimolybdat s. Wulfenit.

Bleinaphthenat s. Naphthensäuren.

Bleinitrat. $Pb(NO_3)_2$, M_R 331,21. Farbloses, krist. Pulver od. durchscheinende Krist., fortpflanzungsgefährdend, gesundheitsschädlich, D. 4,53, in Wasser unter saurer Reaktion leicht lösl., WGK 2. Das aus Blei od. Bleioxiden mit verd. Salpetersäure leicht zugängliche B. ist ein starkes Oxidationsmittel; es findet Verw. zur Herst. anderer Pb-Verb., zur Herst. von Textilbeizen, Streichhölzern, Spezialexplosivstoffen, Ätzlsg., zur Perlmuttfärbung, als Oxidationsmittel in der Farbstoffindustrie. – *E* lead nitrate – *F* nitrate de plomb – *I* nitrato di piombo – *S* nitrato de plomo
Lit.: Gmelin, Syst.-Nr. 47, Blei, Tl. C1, 1969, S. 227–260 ▪ Hommel, Nr. 277 ▪ Kirk-Othmer (4.) **15**, 140. – *[HS 2834 29; CAS 10099-74-8; G 5.1]*

Blei-organische Verbindungen. Die erste B.-o. V. wurde bereits 1853 von Löwig synthetisiert, aber erst 1922 kam der Durchbruch mit der Entdeckung von Midgley u. Boyd, daß *Bleitetraethyl (Tetraethylblei) ein excellentes *Antiklopfmittel für benzinbetriebene Verbrennungsmotoren ist. B.-o. V. sind jedoch in der Regel hochtox., so daß ihre kommerzielle Anw. stark begrenzt ist u. auch aus diesem Grund Tetraethylblei als schweres Umweltgift anzusehen ist[1]. Potentielle Anwendungsgebiete für B.-o. V. sind z. B. als Katalysatoren für radikal. *Polymerisationen, als Stabilisatoren für Polymere; ungesätt. B.-o. V. lassen sich als biozide Komponente in Polymere einbauen. Die Chemie der B.-o. V. ähnelt stark der Chemie der anderen schweren Elemente der 4. Gruppe des *Periodensystems insbes. der der *Zinn-organischen Verbindungen, wobei die höhere Oxidationsstufe des Bleis [Pb(IV)] deutlich bevorzugt ist. Die Blei-Elementbindung ist schwach u. neigt zum Zerfall in Radikale.
Herst.: Die häufigsten Herst.-Meth. bedienen sich der Umsetzung von reaktiven metallorgan. Verb. (z. B. Grignard- od. Aluminium-organ. Verb.) mit Blei(II)-Salzen (*Ummetallierung*, *Transmetallierung*), wobei zunächst PbR_2-Verb. entstehen, die über Hexaalkyldiblei (Pb_2R_6) in Tetraalkylblei übergehen, ebenso entstehen die Bleiaryle. Gemischte B.-o. V. ($R^1_2PbR^2_2$) sind ebenso bekannt wie Triorganobleihydride u. -halide. Die techn. Herst. der B.-o. V. geht im allg. von Blei-Legierungen aus, die mit Alkyl- od. Arylhalogeniden bzw. Estern umgesetzt werden; auch elektrolyt. Herst.-Meth. sind zur Synth. der techn. wichtigsten B.-o. V., z. B. des *Bleitetraethyl, entwickelt worden. – *E* organolead compounds – *F* composés organiques de plomb – *I* composto organici di piombo – *S* compuestos orgánicos de plomo
Lit.: [1] Chem. Unserer Zeit **20**, 105–110 (1986). *allg.:* Adv. Organomet. Chem. **19**, 123–153 (1981) ▪ Houben-Weyl 13/7 ▪ Ullmann (5.) **A 15**, 254ff. ▪ Wilkinson-Stone-Abel **2**, 629–680; (2.) **2**, 305–319 ▪ Winnacker-Küchler (3.) **4**, 115.

Bleioxidchromat s. Chrom-Pigmente.

Bleioxide. Wie alle Blei-Verb. sind auch die B. giftig, fortpflanzungsgefährdend u. gesundheitsschädlich.

(a) Das Oxid mit der niedrigsten Oxidationsstufe des Bleis ist *Blei(II)-oxid* (Bleiglätte, Lithargyrum, Massicot), PbO, M_R 223,20. In gelben orthorhomb. u. roten tetragonalen Modif. vorliegendes Kristallpulver, giftig, D. 9,53, Schmp. 888 °C; bei ca. 488 °C wandelt sich die rote α- in die gelbe β-Form um. PbO ist in Wasser unlösl., in Essigsäure, verd. Salpetersäure u. Alkalien lösl., wird durch Reduktionsmittel in Pb umgewandelt u. mit CO_2 in Bleicarbonat.
Herst.: Man erhitzt trockenes Bleihydroxid od. Bleiweiß, bis das entstandene PbO geschmolzen ist, u. läßt dann rasch erkalten, od. man oxidiert verdampftes Pb. *Verw.:* Zu Glasflüssen (*Flintglas*), Firnissen, Glas- u. Metallkitten, in der Keramik, Porzellan- u. Glasmalerei, zur Herst. von *Bleiseifen* für Sikkative, von Akkumulatoren, Aktivatoren für Kautschuk. Medizin. wird B. in Salben u. Bleipflastern verwendet.
(b) Bei der Oxid. von PbO erhält man *Blei(II,IV)-oxid* (*Mennige*, Bleitetroxid, Bleimennige, Minium), Pb_3O_4, M_R 685,60. Schweres, lebhaft rotes, wasserunlösl. Pulver, das sich beim Erhitzen dunkel färbt u. bei der Abkühlung die alte Farbe wieder annimmt. D. 9,1, bei 550 °C Zers., wird durch verd. Salpetersäure in Bleinitrat u. Bleidioxid zerlegt u. von Schwefelwasserstoff unter Bildung von Bleisulfid geschwärzt. Die Handelsmennige enthält ca. 90% Pb_3O_4, der Rest ist hauptsächlich PbO; sie wird in verschiedenen Korngrößen zwischen 0,5–20 μm angeboten, hochdispers mit 0,5–1 μm. Die Bleiseifen-Bildung in öligen Bindemitteln (durch Reaktion von PbO mit den Fettsäuren) kann durch Zusatz von Cyanamid, Phthalsäure u.

Bleipapier

dgl. verhindert werden. Die sog. Bundesbahn-Mennige enthält Zusätze von 40% Schwerspat od. Eisenoxidrot.
Verw.: Zur Herst. streichfähiger *Korrosionsschutz-Grundanstriche für Stahl, wobei neben Leinöl in größerem Umfang Alkydharze, aber auch nichtverseifbare Bindemittel, wie Chlorkautschuk u. Epoxidharze, Verw. finden, außerdem zur Herst. von Kitten u. Glasuren sowie als Zusatz zur Tunkmasse der Zündhölzer. Die rote Farbe u. die rostschützende Wirkung der Mennige beruhen auf der Anwesenheit von 2- u. 4-wertigem Pb, das sowohl kathod. durch abgeschiedenen H_2 als auch anod. durch gebildetes 2-wertiges Fe zu $Pb(OH)_2$ reduziert wird; dieses bildet an anod. Bezirken (*Lokalelementen) Schutzschichten in Gemeinschaft mit dem dort entstehenden Eisen(III)-hydroxid. Daneben wirkt Pb(II) zersetzend auf evtl. gebildetes H_2O_2, u. in SO_2-haltiger Industrieluft wird unschädliches Bleisulfat gebildet. Durch Behandeln von Mennige mit verd. Salpetersäure entsteht

$$Pb_3O_4 + 4HNO_3 \rightarrow PbO_2 + 2Pb(NO_3)_2 + 2H_2O.$$

(c) *Blei(IV)-oxid* (Bleidioxid), PbO_2, M_R 239,20, das in der Natur als *Plattnerit* vorkommt. Braunes, in Wasser sehr schwer lösl., stark oxidierend wirkendes Pulver, D. 9,375. Bei Zers. mit Säuren wird kein Wasserstoffperoxid entwickelt; die alte Bez. Bleisuperoxid ist irreführend. PbO_2 entsteht auch durch Hydrolyse von Bleitetraacetat od. durch Umsetzung von Bleiacetat mit Chlorkalk, ferner durch anod. Oxid. im *Akkumulator.
Verw.: Als starkes Oxidationsmittel in Kombination mit rotem Phosphor als Reibmasse für Zündhölzer, in der Feuerwerkerei als Zusatz zu Knallquecksilberzündsätzen, zur Herst. von Elektroden, als Oxidationsmittel bei Farbstoff-Synth. (Malachitgrün) u. in der organ. Elementaranalyse.
Als Zwischenprodukt bei der Oxid. von PbO zu Pb_3O_4 tritt *Bleisesquioxid* (Bleitrioxid), Pb_2O_3, M_R 462,42, auf, ein orangerotes Pulver, das sich an der Luft bei 370 °C in Pb_3O_4 u. bei ca. 530 °C in PbO umwandelt. Außerdem sind noch Oxide der Zusammensetzung Pb_5O_8 u. Pb_7O_{11} u. nicht genauer definierte PbO_x-Verb. bekannt, die bei der Zers. von PbO_2 entstehen. – *E* lead oxides – *F* oxydes de plomb – *I* ossidi di piombo – *S* óxidos de plomo
Lit.: Brauer (3.) **2**, 774 ff. ▪ Gmelin, Syst.-Nr. 47, Blei, Tl. C 1, 1969, S. 56–122, 147–195 ▪ Hommel, Nr. 856 ▪ Kirk-Othmer (4.) **15**, 135 ff. ▪ Klotz, Lead Oxides and their significance in the processing industry, S. 137–145, London: Lead (8.) 1983 ▪ Ullmann (5.) **A 15**, 251 ff.; **A 20**, 344 ▪ Winnacker-Küchler (4.) **3**, 392 f.; **4**, 460. – *[HS 2824 90; CAS 1317-36-8 (a); 1314-41-6 (b); 1309-60-0 (c); 1314-27-8 (Pb_2O_3)]*

Bleipapier. Mit Lsg. von *Bleiacetat od. *Bleinitrat durchtränkte Filterpapierstreifen, mit denen man gasf. Schwefelwasserstoff (Bildung von braungrauem, metall. glänzendem Bleisulfid) nachweist. – *E* lead acetate paper – *F* papier à plomb – *I* carta impregnata dell'acetato o nitrato di piombo – *S* papel de sales de plomo
Lit.: Kirk-Othmer (3.) **22**, 120.

Bleipflaster s. Pflaster.

Blei-Pigmente (Bleifarben). Sammelbez. für bleihaltige Pigmente, z. B. Bleiglätte, Bleiweiß, Mennige (s. Bleioxid), ferner Chromgelb, Chromorange, Chromgrün, Chromrot (vgl. Chrom-Pigmente). – *E* lead pigments – *F* pigments plombifères – *I* pegmenti plumbei – *S* pigmentos plúmbicos
Lit.: s. Pigmente. – *[HS 3206 49]*

Bleirhodanid s. Bleithiocyanat.

Bleisammler s. Akkumulatoren.

Bleiselenid. PbSe, M_R 286,16, fortpflanzungsgefährdend, gesundheitsschädlich. Graue Krist., D. 8,10, Schmp. 1080 °C, als Mineral *Clausthalit* vorkommend. Das B. wird ebenso wie *Bleitellurid als Halbleiter verwendet. – *E* lead selenide – *F* séléniure de plomb – *I* seleniuro di piombo – *S* seleniuro de plomo
Lit.: s. Bleitellurid – *[HS 2842 90; CAS 12069-00-0]*

Bleisesquioxid s. Bleioxide.

Bleistearat. $Pb(O-CO-C_{17}H_{35})_2$, $C_{36}H_{70}O_4Pb$, M_R 774,15. Farbloses Pulver, Schmp. ca. 125 °C, unlösl. in Wasser, lösl. in Alkohol.
Verw.: Als Zusatz zu Gummimischungen, Trockenmittel für Lacke, Gleitmittel in der Kunststoffverarbeitung u. Schmiermittelzusatz in der Hochdrucktechnik. – *E* lead stearate – *F* stéarate de plomb – *I* stearato di piombo – *S* estearato de plomo
Lit.: Beilstein E IV **6**, 5646 ▪ Ullmann (4.) **8**, 606; (5.) **A 16**, 370. – *[HS 2915 70]*

Bleistifte. In Zedern-, Linden- od. Erlenholz eingebettete, gebrannte Gemische aus Graphit u. Ton (meist im Verhältnis 2:1); bei höherem Tongehalt u. stärkerem Erhitzen erhält man härtere B.-Minen.
Herst.: Beide Stoffe werden zunächst getrennt zerkleinert, dann gemischt u. unter Wasserzusatz fein gemahlen. Das feuchte Gemisch preßt man durch die Düsen von Spindelminenpressen od. hydraul. Minenpressen, trocknet die entstehenden, etwa millimeterdicken Minen u. erhitzt sie auf ca. 1000–1100 °C. Die fertiggebrannten Minen werden mit einer Wachs-Fett-Öl-Mischung behandelt u. zwischen Holzbrettchen geleimt. Neuerdings werden auch „synthet." B. mit Kunststoffschäften hergestellt. – *E* pencils – *F* crayons – *I* matite, lapis – *S* lápices
Lit.: Ullmann (4.) **8**, 600–604; (5.) **A 9**, 37–40. – *Organisation:* Industrieverband Schreib- u. Zeichengeräte (ISZ), 90408 Nürnberg.

Bleistyphnat s. Bleitrinitroresorcinat.

Bleisulfat (Bleivitriol). $PbSO_4$, M_R 303,26. Farbloses, krist. Pulver, fortpflanzungsgefährdend, gesundheitsschädlich, in Wasser sehr schwer lösl., in verd. Säuren, Natronlauge, ammoniakal. Ammoniumtartrat- u. Ammoniumacetat-Lsg. leichter lösl., D. 6,1–6,4, Schmp. 1170 °C. $PbSO_4$ kommt in der Natur als rhomb., diamantglänzender *Anglesit vor.
Herst.: Man gibt zu einer Lsg. von Bleinitrat od. Bleiacetat verd. Schwefelsäure od. eine Sulfat-Lsg., entsteht auch in *Akkumulatoren.
Verw.: Als Beschwerungsmittel, zur Bereitung von Leinölfirnis, als farblose Malerfarbe (dunkelt bei

Schwefelwasserstoff-Einwirkung unter *Bleisulfid-Bildung nach) u. in der Herst. von Mennige. Die sog. *bas. B.* enthalten wechselnde Mengen PbO. Bes. erwähnt sei das tribas. $3PbO \cdot PbSO_4 \cdot H_2O$, M_R 890,93, D. 6,9, das durch Kochen wäss. Suspensionen von Bleioxid u. B. erhalten wird.
Verw.: Als PVC-Stabilisator u. als Aktivator für Azodicarbonamid Treibmittel für Vinyl-Schäume. – *E* lead sulfate – *F* sulfate de plomb – *I* solfato di piombo – *S* sulfato de plomo
Lit.: Gmelin, Syst.-Nr. 47, Blei, Tl. C2, 1969, S. 537–580 ▪ Kirk-Othmer (4.) **15**, 138 ff. ▪ Ullmann (5.) **A 15**, 253. – *[HS 2833 29; CAS 7446-14-2; 12202-17-4 (tribas. Bleisulfat)]*

Bleisulfid. PbS, M_R 239,26. Schwarzes Pulver, fortpflanzungsgefährdend, gesundheitsschädlich, in Wasser sehr schwer lösl., ebenso in kalter verd. Salzsäure u. Schwefelsäure, leicht lösl. in Salpetersäure. Konz. Salzsäure zersetzt PbS unter Schwefelwasserstoff-Entwicklung. Beim Erhitzen an der Luft (*Rösten*) brennt PbS schließlich von selbst weiter unter Bildung von PbO, $PbSO_4$ u. SO_2.
Herst.: Man leitet in Blei-Salzlsg. Schwefelwasserstoff ein od. gießt eine Natriumsulfid-Lsg. dazu. In der Natur kommt PbS als wichtigstes Bleimineral in Form von *Bleiglanz häufig vor. PbS-Krist. besitzen Halbleiter-Eigenschaften (vgl. Lit. unter Bleitellurid). – *E* lead sulfide – *F* sulfure de plomb – *I* solfuro di piombo – *S* sulfuro de plomo
Lit.: Brauer (3.) **2**, 778 f ▪ Gmelin, Syst.-Nr. 47, Blei, Tl. C2, 1969, S. 414–531 ▪ Kirk-Othmer (4.) **15**, 138 ▪ Ullmann (5.) **A 9**, 257. – *[HS 2830 90; CAS 1314-87-0]*

Bleitellurid. PbTe, M_R 334,80, fortpflanzungsgefährdend u. gesundheitsschädlich. Silbergraue, kub. Krist., D. 8,16, Schmp. 917 °C. B. kommt in der Natur als Altait vor und ist durch Zusammenschmelzen der Elemente herstellbar. B. ist ein Halbleiter u. Photoleiter; es wird bei 5 K supraleitend.
Verw.: In thermoelektrischen Elementen, Pyrometern, Bolometern, als Kontakt in Vakuumschaltern, in Bleiionenselektiven Elektroden, Lasern, Thermistoren. – *E* lead telluride – *F* tellurure de plomb – *I* telluriuro di piombo – *S* teluro de plomo
Lit.: Brauer **2**, 780 ▪ Gmelin, Syst.-Nr. 47, Pb, Tl. C2, 1969, S. 610–632, 648–678 ▪ Hintze **1.1**, 514–516 ▪ Kirk-Othmer (4.) **15**, 138 ▪ Ravich et al., Semiconducting Lead Chalcogenides, New York: Plenum 1970 ▪ Ullmann (5.) **A 9**, 257. – *[CAS 1314-91-6]*

Bleitetraacetat s. Bleiacetate.

Bleitetrachlorid s. Bleichloride.

Bleitetraethyl (systemat. Bez.: Tetraethylblei, TEL). $Pb(C_2H_5)_4$, $C_8H_{20}Pb$, M_R 323,45. Farblose, leicht bewegliche, süßlich riechende, giftige (MAK 0,01 ppm) Flüssigkeit, D. 1,653, Schmp. –136 °C, Sdp. 87–90 °C (14 hPa); WGK 3, in Wasser unlösl., mit organ. Lsm. mischbar.
Herst.: Leg. von Blei mit Natrium od. Magnesium werden mit Ethylchlorid bei ca. 70 °C umgesetzt: $4PbNa + 4C_2H_5Cl \to Pb(C_2H_5)_4 + 3Pb + 4NaCl$; allerdings ist die über die Radikale verlaufende Reaktion komplexer, als die Gleichung ausdrückt (zur B.-Herst. auf diesem Wege in der BRD vgl. *Lit.*[1]). Eine andere Meth. bedient sich Aluminium-organ. Verb. wie Triethylaluminium, die mit Bleiacetat in unpolaren Lsm. quant. zu B. reagieren; durch Elektrolyse von Aluminiummethyl-Derivaten an Blei-Anoden[2] läßt sich B. ebenfalls herstellen, u. da sich durch Zufuhr von Ethylen die Aluminiumalkyl-Verb. regenerieren läßt, läuft diese Herst.-Meth. auf eine Synth. von B. aus Blei, Ethylen u. Wasserstoff hinaus. Zur elektrolyt. Herst. von B. aus einer Mischung von Kaliumtetraethylalanat u. Kaliumtriethylfluoroalanat an Blei-Anoden s. *Lit.*[3].
Physiologie: B. wirkt ebenso wie *Bleitetramethyl v. a. auf das *ZNS u. verursacht Erregungszustände, epilept. Krämpfe, Delirien u. als Spätfolgen Lähmungen u. Parkinsonismus. Die Toxizität wird in erster Linie auf die beim Abbau entstehenden Ethyl-Radikale u. das Triethylblei-Ion zurückgeführt, die durch *Alkylierungen auch als *Carcinogene wirksam sein können. Bei chron. Einwirkung von B., das als lipophile Verb. leicht über die Haut resorbiert wird, kann es auch zu Blei-Vergiftungen kommen[4].
Verw.: Ebenso wie Bleitetramethyl nahezu ausschließlich als *Antiklopfmittel. Da der Blei-Gehalt von *Motorkraftstoffen in den Ind.-Ländern in den letzten Jahren stark reduziert wurde u. in der BRD seit 1988 nur noch in Superbenzin nach DIN 51600 (01/1988) mit max. 0,15 g Pb/l zulässig ist, sind die Produktionsmengen von B. wie auch von Bleitetramethyl stark rückläufig. – *E* tetraethyllead – *F* tétraéthyle de plomb – *I* tetraetile di piombo – *S* tetraetilo de plomo
Lit.: [1] Chem. Ztg. **90**, 825 (1966); Nachr. Chem. Tech. **15**, 44 (1967). [2] Ziegler in Zeiss (Hrsg.), Organometallic Chemistry, S. 194–269, New York: Reinhold 1960. [3] Synthesis **1973**, 377–396, bes. 394 f. [4] Nature (London) **274**, 602 (1978).
allg.: Beilstein E IV **4**, 4349 ▪ Hommel, Nr. 43 ▪ Kirk-Othmer (3.) **11**, 664 f.; **14**, 180–195 ▪ McKetta **2**, 3–22 ▪ Ullmann (4.) **8**, 580 f., 607 ff.; (5.) **A 15**, 254 f.; **A 16**, 729–732. – *[HS 2931 00; CAS 78-00-2; G 6.1]*

Bleitetramethyl (systemat. Bez.: Tetramethylblei, TML). $Pb(CH_3)_4$, $C_4H_{12}Pb$, M_R 267,34. Farblose, giftige (MAK 0,01 ppm) Flüssigkeit, D. 1,995, Schmp. –30 °C, Sdp. 110 °C mit ähnlichen Eigenschaften wie *Bleitetraethyl. B. wird entweder rein od. im Gemisch mit Bleitetraethyl als *Antiklopfmittel verwendet. Auch Äquilibrierungsgemische aller möglichen Ethyl-methylblei-organ. Verb., die aus einer Mischung von Bleitetraethyl u. -methyl unter dem Einfluß von Aluminiumchlorid, Bortrifluorid etc. entstehen, finden entsprechende Verwendung. – *E* tetramethyllead – *F* plomb-tétraméthyle – *I* tetrametile di piombo – *S* plomo tetrametilo
Lit.: Beilstein E IV **4**, 4348 ▪ Hommel, Nr. 325 ▪ weitere *Lit.* s. Bleitetraethyl. – *[HS 2931 00; CAS 75-74-1]*

Bleithiocyanat (Bleirhodanid). $Pb(SCN)_2$, $C_2N_2PbS_2$, M_R 323,36. Farbloses, geruchloses Pulver, D. 3,82, zersetzt sich bei 190–195 °C, mäßig lösl. in kaltem, besser in siedendem Wasser u. in Alkalihydroxiden. Der Staub reizt die Haut, schädigt die Augen u. die Atmungsorgane, Lungenödem möglich, MAK-Wert 0,1 mg/m³ Pb. B. wird durch Umsetzung von löslichen Blei-Salzen, z. B. Bleinitrat, mit Alkalithiocyanat-Lsg. hergestellt.
Verw.: Zur Bestimmung der Rhodan-Zahl bei Fettuntersuchungen, in der Anilinschwarzfärbung, zur Herst. von Sicherheitszündhölzern u. Zündhütchen. – *E* lead

thiocyanate – *F* thiocyanate de plomb – *I* tiocianato di piombo – *S* tiocianato de plomo
Lit.: Beilstein E IV **3**, 307 ▪ Brauer (3.) **2**, 785 f. ▪ Gmelin, Syst.-Nr. 47, Blei, Tl. C 2, S 723–730 (1969) ▪ Hommel, Nr. 278 ▪ Kirk-Othmer **12**, 280 ▪ Ullmann (4.) **23**, 164. – *[HS 2838 00; CAS 592-87-0; G 6.1]*

Bleititanat s. Bleizirkonat.

Bleitrinitroresorcinat (Bleistyphnat, Bleitrizinat, Trizinat, Blei-Salz der *Styphninsäure).

$C_6H_1N_3O_8Pb$, M_R 470,29. Braune, explosive Krist., D. 3,01, Verpuffungstemp. 275–280 °C [Bleiblockausbauchung (cm³/10 g) 130], die sehr empfindlich gegen elektrostat. Aufladung sind, ähnliche Stoß- u. Zündempfindlichkeit wie *Bleiazid besitzen u. daher als Booster in Bleiazid-Sprengkapseln verwendet werden. – *E* lead styphnate – *F* styphnate de plomb – *I* trinitroresorcinato di piombo – *S* estifnato de plomo
Lit.: Beilstein E IV **3**, 307 ▪ Giftliste ▪ Ullmann (4.) **21**, 672; (5.) **A 10**, 156 ▪ s. a. Explosivstoffe. – *[HS 2908 90]*

Bleitrizinat s. Bleitrinitroresorcinat.

Bleivitriol s. Bleisulfat.

Bleiweiß (Basisches Bleicarbonat, Cerussa). $2 PbCO_3 \cdot Pb(OH)_2$, M_R 775,63. Farbloses, wasserunlösl., schweres Pulver, wird als fortpflanzungsgefährdend u. gesundheitsschädlich eingestuft, D. 6,7–6,86. B. ist zwar lichtbeständig, wird jedoch an der Luft nach längerer Zeit infolge Schwefelwasserstoff-Einwirkung allmählich gelblich bis bräunlich u. ist gegen Säuren u. Alkalien nicht beständig. B. hat, mit Leinöl angerührt, als Malerfarbe eine außerordentlich hohe Deckkraft u. wurde schon im Altertum für Decken- u. Wandmalereien verwendet. In der Kunstmalerei wird B., mit Mohnöl angerührt, als *Kremserweiß* bezeichnet. – *E* white lead, basic lead carbonate – *F* blanc de plomb, céruse, hydrocarbonate de plomb – *I* biacca di piombo – *S* carbonato básico de plomo, blanco de plomo
Lit.: Brauer (3.) **2**, 783 f. ▪ Gmelin, Syst.-Nr. 47, Blei, Tl. C 2, 1969, S. 709–711 ▪ Hommel, Nr. 451 ▪ Kirk-Othmer (4.) **15**, 143 f. ▪ Ullmann (5.) **A 15**, 250. – *[HS 2836 70; CAS 1319-46-6; G 6.1]*

Bleiwolframat s. Stolzit.

Bleizirkonat. $PbZrO_3$, M_R 346,42. Farbloses Pulver, nur in konz. Säuren lösl. B. wird aus den Oxiden der Elemente durch gemeinsames Erhitzen, durch oxidatives Glühen der pulverförmigen Elemente hergestellt.
Verw.: B. u. das analog herstellbare *Bleititanat* ($PbTiO_3$) sind *Ferroelektrika mit hoher *Dielektrizitätskonstante, die in der *Optoelektronik u. in sog. *PLZT-Keramiken in opt. Datenspeichern Verw. finden. – *E* lead zirconate – *F* zirconate de plomb – *I* zirconato di piombo – *S* circonato de plomo
Lit.: Gmelin, Syst.-Nr. 47, Blei, Tl. C 4, 1971, S. 1379–1390, 1423–1430 ▪ Jaffe et al., Piezoelectric Ceramics, Non-Metallic Solids, Bd. 3, New York: Academic Press 1971 ▪ Kirk-Othmer (4.) **15**, 146 ▪ Ullmann (5.) **A 6**, 85; **A 10**, 318. – *[HS 2841 90; CAS 12060-01-4]*

Bleizucker s. Bleiacetate.

Blemaren®. Brausetabletten mit Citronensäure, Natriumcitrat u. Kaliumhydrogencarbonat zum Auflösen von Harnsteinen. *B.:* esparma.

Blend. Aus dem Engl. (*E* blend = Mischung) übernommene Bez. für Verschnitt (z. B. bei alkohol. Getränken) od. Gemische sowohl im techn. Bereich als auch bei Lebensmittelzusatzstoffen. – *E* blend

Blenden. Alte bergmänn. Bez. für eine Gruppe der sulfid. *Erze; näheres s. dort. Die bekannteste B. ist die *Zinkblende.

Blendur®. Modifiziertes Reaktionsharz (chem. Basis: Epoxid-Polyurethan- od. ungesätt. Polyesterharze), das mittels Reaktionspartner zu Formstoffen mit speziell gezüchtetem Eigenschaftsniveau führt. Verw. in der Niederspannungstechnik. *B.:* Bayer.

Bleomycine.

B. A_2 : R = $-NH(CH_2)_3-\overset{+}{S}(CH_3)_2 \cdot HSO_4^-$
B. B_2 : R = $-NH(CH_2)_4NH-\underset{\underset{NH}{\parallel}}{C}-NH_2$

Gruppe cytostat. wirksamer Glykopeptid-Antibiotika aus *Streptomyces verticillus.* B. sind amorphe Feststoffe, sehr gut lösl. in Wasser, schlecht lösl. in Ethanol u. unlösl. in Ether. Medizin. als Cytostatikum wird hauptsächlich B. A_2 verwendet: $C_{55}H_{84}N_{17}O_{21}S_3^+$, M_R 1415,57 (Hydrogensulfat: M_R 1512,64). Neben B. A_2 als Hauptkomponente (50%) kommt im natürlichen Gemisch B. B_2 als wichtigste Nebenkomponente (20%) vor: $C_{55}H_{84}N_{20}O_{21}S_2$, M_R 1425,51.
Die Wirkung der B. beruht auf der Bildung von Superoxid- u. Hydroxyl-Radikalen, die Strangbrüche u. a. Schäden an der DNS bewirken. B. verursachen reversible Leberschäden u. schädigen die Lunge, sind aber nicht nephrotoxisch. Im Handel ist ein Gemisch aus hauptsächlich A_2 u. B_2 mit anderen B. von Mack (Bleomycinum Mack Trockensubstanz®). – *E* bleomycins – *F* bléomycines – *I* bleomicine – *S* bleomicinas
Lit.: Cancer Res. **19**, 1–317 (1976) ▪ Carter et al., Bleomycin, New York: Academic Press 1978 ▪ DAB 10 ▪ Hager (5.) **7**, 501–506 ▪ Hecht, Bleomycin, Berlin: Springer 1979 ▪ Ullmann (5.) **A 2**, 498 f., 526 f.; **A 5**, 18. – *Synth.:* J. Am. Chem. Soc. **116**,

5647–5656 (1994) ▪ J. Antibiot. **36**, 92–95 (1983). –
[HS 294190; CAS 11116-31-7 (B-A_2-Ion); 9041-93-4 (B. A_2-Hydrogensulfat); 9060-10-0 (B. B_2)]

Blephamide®. Augensalbe u. Tropfen mit *Sulfacetamid-Natriumsalz u. *Prednisolon-21-acetat, gegen allerg. u. bakterielle Augenentzündungen. **B.:** Pharm-Allergan.

Blicksilber. *Silber mit ca. 99,8% Reinheitsgrad, das durch die Verhüttung von *Bleiglanz (0,1 bis 3% Ag) nach dem *Parkes-Verfahren (Zinkentsilberung) erhalten wird.

Blindprobe (Leerversuch). In der chem. Analyse Bez. für die Durchführung einer Nachweisreaktion ohne Beteiligung der zu analysierenden Probe zum Zwecke der Reinheitsprüfung der Reagenzien. – *E* blank experiment – *F* épreuve vide – *I* prova im bianco – *S* ensayo en blanco

Blindversuch. Verabreichung von Präp. (z. B. Heilmittel) an Versuchspersonen ohne Aufklärung darüber, ob es sich um das zu testende od. ein *Blindpräp.* (auch Schein- od. Leerpräp. bzw. *Placebo* genannt) handelt. Dient zur Ausschaltung von suggestiven Einflüssen. Wenn auch der Leiter des Tests nicht über die verabreichten Präp. informiert ist, handelt es sich um einen *Doppelblindversuch.* – *E* blank test – *F* épreuve vide – *I* esperimento (la prova) in bianco – *S* prueba a ciegas, ensayo en blanco
Lit.: Schwarz, Leitfaden Klinische Prüfungen, Aulendorf: Editio Cantor 1995. – *Zeitschrift*: Applied Clinical Trials, Eugene (Or.): Advanstar Communications (seit 1992).

Blisterkupfer. Im Rahmen der metallurg. Herst. von *Kupfer werden zunächst die Beimengungen (Gangart) abgetrennt. Dieses verhüttungsfähige Konzentrat wird unter Einsatz von Luft (Rösten), Koks (Reduktionsmittel) u. Silicaten (Schlackebildner) zu Kupferstein erschmolzen. Dieser wird als Schmelze im Konverter mit Luft verblasen, um weitere unerwünschte Begleitelemente zu entfernen. Das damit erzeugte Rohkupfer wird auch als B., Schwarzkupfer u. Blasenkupfer bezeichnet u. weist 94–97% Cu mit Beimengungen an Zn, As, Sb, Fe, Ni, S u. Edelmetallen auf. In einem weiteren Verf.-Schritt wird es zu den Endprodukten Raffinat- od. *Elektrolytkupfer verfeinert. – *E* blister copper – *F* cuivre ampoulé – *I* rame blister – *S* cobre lister

Blitz®. Reiniger für die Grundreinigung von Spülgut in der Geschirrspülmaschine. **B.:** Henkel-Ecolab.

Blitzlicht. Bez. für künstliche Lichtquellen, die kurzzeitig einen großen Lichtstrom liefern, weshalb sie in der *Photographie u. *Elektrophotographie (Xerox-Verf.) zur Ausleuchtung, zur opt. Anregung von *Lasern u. in speziellen techn. Vorrichtungen (z. B. in der *Blitzlicht-Photolyse, in Stroboskopen) Verw. finden. In der Frühzeit der Photographie wurde die unter momentaner Aussendung blauweißen Lichtes ablaufende Verbrennung des sog. B.-Pulvers (aus Mg- od. Al-Pulver u. Oxidationsmitteln wie MnO_2, $KClO_3$, $KMnO_4$ usw.) zur Lichterzeugung ausgenutzt (vgl. Leuchtsätze u. Pyrotechnik). Später wurden elektr. gezündete *Blitzlampen* eingesetzt. Während die *Kolbenblitze* (z. B. Osram Vakublitz, ein Glaskolben in Glühbirnengröße, in dem eine Al- od. Mg-Folie in reinem O_2 zur Verbrennung gebracht wurde, Blitzdauer unter 40 ms) zunächst noch mit Netzspannung betrieben wurden, waren *Blitzbirnchen* mit der Spannung von Taschenlampenbatterien zu zünden. Die Blitzbirnchen enthielten Zirkonium-Draht in einem Sauerstoff-gefüllten, unter leichtem Unterdruck stehenden Glaskörper, der zum Schutz gegen Zersplittern mit einer farblosen (bei Tageslicht-Blitzbirnchen blauen) Lackschicht bedeckt ist. Die Brenndauer der Blitzbirnchen betrug ca. 30 ms, die Blitzdauer der auf *Gasentladungs-Basis arbeitenden Röhrenblitzgeräte (*Elektronenblitz*) 0,03–5 ms u. die der ähnlich konstruierten *Stroboskoplampen* 1 µs u. darunter. Mit *Lasern kann man heute Lichtblitze von einigen fs Dauer erzeugen, vgl. folgendes Stichwort. – *E* flash light – *F* = *I* = *S* flash

Blitzlicht-Photolyse (Blitzphotolyse). Bez. für ein analyt. Verf. zur Untersuchung der Mechanismen *schneller Reaktionen: Ein Lichtblitz erzeugte in einem Reaktionsgefäß (s. Abb.) kurzlebige Zwischenprodukte, meistens *Radikale, deren Absorptionsspektrum durch einen zweiten, kurz nach dem Anregungsblitz gezündeten Blitz aus der spektroskop. Lichtquelle auf einen Empfänger abgebildet wurde.

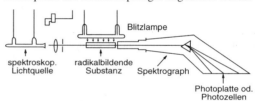

Abb.: Blitzlicht-Photolyse.

Die Meth. der B.-P. ist von *Norrish u. Baron G. *Porter entwickelt u. vervollkommnet worden, wofür beide Forscher 1967 den Chemie-Nobelpreis (zusammen mit *Eigen) erhielten.[1] Die mit *Blitzlampen* bestimmbaren Lebensdauern liegen im µs-Bereich; mit *Lasern läßt sich die Blitzdauer, bei wesentlich erhöhter Lichtleistung, auf einige fs (10^{-15} s)[2] verkürzen (s. Femtosekundenchemie). – *E* flash photolysis – *F* photolyse flash – *I* fotolisi al flash (lampo) – *S* fotólisis flash
Lit.: [1] Angew. Chem. **80**, 868–892 (1968). [2] Phys. Bl. **42**, 283 (1986).
allg.: Hammes, Investigation of Rates and Mechanisms of Reactions (Techn. Chem. 6/2), S. 463–520, New York: Wiley 1974 ▪ Nachod et al., Determination of Organic Structures by Physical Methods, Bd. 6, S. 157–201, New York: Academic Press 1976 ▪ Shapiro, Ultrashort Light Pulses, Berlin: Springer 1977 ▪ s. a. Photochemie u. schnelle Reaktionen.

Blitzpyrolyse (Blitzthermolyse). Bez. für eine bes. Form der Gasphasen-*Pyrolyse, bei der die zu untersuchenden Substanzen der Pyrolysentemp. nur kurzzeitig (1 ms – 1 s) ausgesetzt u. die Reaktionsprodukte durch Abschrecken auf tiefe Temp. (78 K = –196 °C) stabilisiert werden. Häufig arbeitet man bei sehr niedrigen Drücken: *Vakuumblitzthermolyse* (*E* flash vacuum thermolysis = FVT od. very low pressure pyrolysis = VLPP). Zu Theorie u. Anw. der B. s. *Lit.*[1]. – *E* flash pyrolysis – *F* pyrolyse par décharge électrique – *I* pirolisi al flash (lampo) – *S* pirólisis flash
Lit.: [1] Angew. Chem. **85**, 602–614 (1973); **89**, 377–385 (1977).

allg.: Chem. Br. **9**, 206 ff. (1973) ▪ Chimia **31**, 258–262 (1977) ▪ Endeavour **31**, 135 ff. (1972) ▪ s. a. Pyrolyse.

Blitzröhren s. Fulgurite.

BLL. Abk. für *Bund für Lebensmittelrecht u. Lebensmittelkunde.

BLO®. γ-Butyrolacton. Ausgesprochen stabiles, hochsiedendes, leicht wiedergewinnbares, säurefestes Lsm. mit geringer Brandgefahr für Polymerharze, Farben, Tinten, Beschichtungen u. Stripper. *B.:* ISP.

Bloch, Felix (1905–1983), Prof. für Physik, Stanford, California, (USA). *Arbeitsgebiete:* Kernphysik, Quantentheorie, Neutronenpolarisation, magnet. Kraftfelder in Atomkernen (hierfür Physik-Nobelpreis 1952 zusammen mit *Purcell).
Lit.: Neufeldt, S. 219 ▪ Nobel Lectures Physics 1942–1962, Amsterdam: Elsevier 1964 ▪ Poggendorff **7/1b**, 421 f. ▪ Strube et al., S. 200 f.

Bloch, Konrad Emil (geb. 1912), Prof. für Biochemie, Harvard Univ., Cambridge (Mass., USA). *Arbeitsgebiete:* Stoffwechsel der Aminosäuren u. Lipide, Peptid-Bindungen, Biosynth. der Steroide. Nobelpreis 1964 für Physiologie od. Medizin (gemeinsam mit *Lynen).
Lit.: Nobel Prize Lectures, Physiology or Medicine 1963–1970, Amsterdam: Elsevier 1972 ▪ Pötsch, S. 51.

Bloch-Funktion. Eigenfunktion ψ eines Elektrons in einem kristallsymmetr. Potential, die nach dem *Blochschen Theorem* die Form $\psi_k(\vec{r}) = u_k(\vec{r}) \cdot \exp(i \cdot \vec{k} \to \cdot \vec{r})$ hat; $\vec{k}$ ist hierbei der Wellenzahlvektor.
Die Funktion $u_k(r)$, der sog. *Bloch-Faktor*, besitzt die gleiche Periodizität wie das Kristallgitter, d. h. es gilt $u_k(\vec{r}) = u_k(\vec{r} + \vec{T})$, wobei $\vec{T}$ ein Gittertranslationsvektor ist. Im interatomaren Bereich ist der Einfluß des Bloch-Faktors gering; im Bereich der Atomrümpfe sorgt er dafür, daß die B.-F. der Wellenfunktion eines Elektrons im freien Atom ähnelt. – *E* Bloch function – *I* funzione di Bloch
Lit.: Kittel, Einführung in die Festkörperphysik, 10. Aufl., München: Oldenbourg 1993.

Blochsche Gleichungen. Von F. *Bloch (s. *Lit.*[1]*) aufgestelltes Gleichungssyst. zur theoret. Beschreibung des paramagnet. Resonanzeffektes (s. *EPR- u. *NMR-Spektroskopie) u. der in kondensierter Phase hiermit verknüpften Relaxationsprozesse. Für Festkörper sind die B. G. nur bedingt gültig. – *E* Bloch equations – *I* equazioni di Bloch
Lit.: [1] Phys. Rev. **70**, 460 (1946).
allg.: Friebolin, Ein- u. zweidimensionale NMR-Spektroskopie, Weinheim: VCH Verlagsges. 1988.

Block, Jochen H. (1929–1995), Prof. Dr. rer. nat., Direktor am Fritz-Haber-Inst. der Max-Planck-Gesellschaft. *Arbeitsgebiete:* Heterogene Katalyse, Feldionenmikroskopie u. Massenspektrometrie, chem. Reaktionen an hohen elektr. Feldern. Ehrendoktor des Clarkson College, Potsdam, New York, USA.
Lit.: Kürschner (16.), S. 286 ▪ Nachr. Chem. Tech. Lab. **43**, Nr. 10, 1117 (1995).

Blockcopolymere. *Blockpolymere, die aus mehr als einer Art von Monomer bestehen u. die für z. B. aus 2 Monomeren-Arten A u. B aufgebaute B. durch die allg. Formel $-A_k-B_l-A_m-B_n-$ zu beschreiben sind; k, l, m u. n stehen darin für die Anzahl der Repetiereinheiten in den einzelnen Blöcken. Beisp.: Pluronic®, aus Ethylenoxid u. Propylenoxid aufgebaute Blockcopolymere.

$$A = -CH_2-CH_2-O- \quad ; \quad B = -CH-CH_2-O- \\ | \\ CH_3$$

– *E* block copolymer – *F* copolymères en bloc – *I* copolimeri in blocco (massa) – *S* copolímeros por bloques
Lit.: s. Blockpolymere.

Blockcopolymerisation. Polymerisation, bei der *Blockcopolymere gebildet werden.

Blocken. Bez. für die unerwünschte Eigenschaft von Kunststoffolien u. dgl., oberhalb einer bestimmten Temp. (*Blockpunkt*) selbst bei nur leichtem Druck aneinander zu haften; dem B. begegnet man mit *Antiblock(ing)mitteln. – *E* = *F* blocking – *I* bloccaggio – *S* bloqueo

Blockierungseffekt. Beim Färben von *Reaktivfarbstoffen auf *Baumwolle u. bei *Polyamidfasern beobachtete Erscheinung, daß bei Anw. zweier od. mehrerer anion. *Farbstoffe der eine, z. B. monosulfurierte, höhere *Affinität besitzende Farbstoff hauptsächlich auf die Faser aufzieht u. die anderen (z. B. trisulfurierte) blockiert u. am *Aufziehen hindert. – *E* blocking effect – *F* effet de blocking – *I* effetto di bloccamento – *S* efecto de bloqueo

Blockpolymere. Nach IUPAC-Nomenklaturregeln für Polymere[1] sind B. Polymere, deren Mol. aus linear verknüpften Blöcken bestehen. Unter Block versteht man dabei einen Abschnitt eines Polymer-Mol., der mehrere indet. Repetiereinheiten umfaßt u. mind. ein konstitutionelles od. konfiguratives Merkmal besitzt, das sich von denen der angrenzenden Abschnitte (Blöcke) unterscheidet. Die Blöcke (s. Abb. unten) sind direkt od. durch konstitutionelle Einheiten, die nicht Teil der Blöcke sind, miteinander verbunden.
Zu B. aus chem. verschiedenen Monomeren, s. Blockcopolymere; zu B. aus chem. ident. Monomeren, s. Taktizität. – *E* block polymers – *F* bloc polymères – *I* polimeri in blocco (massa) – *S* polímeros en bloques
Lit.: [1] Pure Appl. Chem. **40**, 477–491 (1975).
allg.: Adv. Polym. Sci. **17**, 1–71 (1975); **28**, 1–46 (1978); **29**, 85–156 (1978) ▪ Encycl. Polym. Sci. Eng. **2**, 324–434 ▪ Encycl. Polym. Sci. Technol. **2**, 485–528; **S2**, 129–158.

Blockpolymerisation. Bez. für eine *Polymerisation, bei der *Blockpolymere entstehen (s. a. Blockcopolymere). Früher verstand man unter B. die Polymerisation von unverd. Monomeren, die heute als *Masse- od. *Substanzpolymerisation bezeichnet wird. – *E*

"Block"

block polymerization – *F* polymérisation en bloc – *I* polimerizzazione in massa – *S* polimerización en bloque
Lit.: s. Blockpolymere.

Blocotenol®. Tabl. mit dem Beta-Blocker *Atenolol, B. comp zusätzlich mit *Chlortalidon gegen Hypertonie. *B.:* Azupharma.

Blocset®. Ausblockmaterial: lichthärtender Kunststoff für die Modellvorbereitung in der Dentaltechnik. *B.:* Heraeus Kulzer GmbH.

Blödit s. Astrakanit.

Blöße s. Gerberei.

Blondiermittel s. Haarbehandlung.

Blotting. Meth. zur Erkennung von *DNA- od. *RNA-Sequenzen durch *Hybridisierung mit DNA- od. RNA-Abschnitten bekannter Sequenz (DNA-probes, *Gensonden).
Verf.: Ein DNA-Gemisch, z. B. aus einer Behandlung mit *Restriktionsenzymen, wird auf ein *Agarose-Gel aufgetragen u. elektrophoret. nach der Größe aufgetrennt. Danach wird das Gel unter Druck mit einer Nitrocellulosefilter- od. Nylon-Membran abgedeckt, so daß wie mit einem Löschpapier (*E* blotting paper) ein präziser Abdruck des Gels auf der Membran entsteht. Dabei werden durch Anw. alkal. Bedingungen od. auf andere Weise die DNA-Fragmente denaturiert u. als Einzelstränge auf der Membran festgehalten. Danach können durch Kontakt mit einer Puffer-Lsg., die eine einzelsträngige, radioaktiv markierte DNA-(od. RNA-)Sequenz als Sonde enthält, komplementäre Sequenzen des zu analysierenden DNA-Gemisches aufgrund der Radioaktivität auf der Membran qual. u. quant. erfaßt werden. Die Sonde kann auch mit *Fluoreszenz-Labeln markiert werden. Die Übertragung vom Gel auf die Membran kann auch elektrophoret. erfolgen (*Elektro-B.*). Das Verf. läßt sich in ähnlicher Weise auf die Analyse von RNA u. in modifizierter Form auf Proteine anwenden.
Je nach Art des aufgetrennten Materials bezeichnet man das Verf. als *Southern-B.* (DNA; Anw. z. B. in der Gerichtsmedizin[1]), *Northern-B.* (RNA) od. *Western-B.* (Proteine; auch *Immun-B.*, da die Detektion über *Antikörper erfolgt). – *E* = *F* = *I* blotting
Lit.: [1] Lehninger, Prinzipien der Biochemie (2. Aufl.), S. 1132, Weinheim: VCH Verlagsges. 1995.
allg.: Lehninger, Prinzipien der Biochemie (2. Aufl.), S. 160, Weinheim: VCH Verlagsges. 1995 ▪ Sambrook et al., Molecular Cloning – A Laboratory Manual, New York: Cold Spring Harbor Laboratory Press 1989 ▪ Watson et al., Rekombinierte DNA, S. 115 ff., Heidelberg: Spektrum 1993.

Blühhormon. Pflanzen scheinen Stoffe zu produzieren, die sie selbst zur Blüten-Bildung u. zum Blühen anregen. Diese Stoffe sind als *Pflanzenhormone (Phytohormone) offensichtlich auch auf fremde Pflanzen übertragbar, doch ist über ihre Zusammensetzung („Florigen") noch wenig bekannt. Vermutungen reichen von *Gibberellinen über Steroide bis zu *Ribonucleinsäuren. Möglicherweise besteht das Phytohormon aus einem Gemisch von Wuchs- u. Hemmstoffen. Zusammenhänge mit der Photosynth. u. dem Hellrot-Dunkelrot-Syst. des *Phytochroms sind bei der *Blühinduktion* wahrscheinlich. – *E* flowering hormone – *F* hormone de floraison – *I* ormone fiorente – *S* hormona de la floración

Blüteneinbruch. Nektarhaltige Blüten werden in der Regel von bestimmten Insektenarten besucht, die an den Besuch der Blüte u. ihrer speziellen Gestalt (Länge, Durchmesser u. ä.) angepaßt sind u. für die Übertragung des Pollens mit Nektar „entlohnt" werden. In langen Blütenröhren können nur Insekten mit langem Rüssel das Nektarangebot am Grunde der Blüte erreichen. Diesen Nachteil u. Ausschluß machen verschiedene Insektenarten (z. B. einige Hummeln) mit ihrem kürzeren Rüssel dadurch wett, daß sie die Blüte auf Höhe der Nektarquellen am Blütenboden von außen aufbeißen u. durch diesen B. auch mit kurzen saugenden Mundwerkzeugen an den Nektar gelangen. Ob hier Lernen, Nachahmung, Hilfe durch andere „Wegbereiter"-Insekten od. opt. bzw. olfaktor. Signale der Nektarien zu diesem Verhalten geführt haben, ist bisher unbekannt. – *E* flower breaking – *F* effraction de la fleur – *I* irruzione dei fiori – *S* polinación
Lit.: Bellmann, Bienen, Wespen, Ameisen – Hautflügler Mitteleuropas, Stuttgart: Franckh-Kosmos 1995 ▪ Heß, Die Blüte (2. Aufl.), Stuttgart: Ulmer 1990 ▪ Jacobs u. Renner, Biologie u. Ökologie der Insekten (2. Aufl.), Stuttgart: Fischer 1988 ▪ Strasburger, Lehrbuch der Botanik für Hochschulen (34. Aufl.), Stuttgart: Fischer 1995 ▪ Weber, Grundriß der Insektenkunde (5. Aufl.), Stuttgart: Fischer 1974.

Blütenfarbstoffe. Bez. für eine Untergruppierung der *Pflanzenfarbstoffe, die die Farbvielfalt der Blüten verursachen. Die wichtigsten B. sind die *Anthocyane, *Flavonoide, *Carotinoide u. *Betalaine. Gelbe Farbtöne werden durch Flavonoide, Carotinoide u. Betaxanthine (s. Betalaine) hervorgerufen, während für rote, violette u. blaue Färbungen Anthocyane u. Betacyane verantwortlich sind. Die zahlreichen Farbnuancen werden einerseits durch das gleichzeitige Vorliegen von Flavonoiden u. Anthocyanen (intermol. Kopigmentierung), andererseits durch intramol. Kopigmentierung sowie durch Chelat-Bildung von Metallsalzen mit Anthocyanen verursacht. – *E* flower pigments – *F* pigments des fleurs – *I* coloranti dei fiori – *S* pigmentos de las flores
Lit.: Czygan (2.), Pigments in Plants, Berlin: Akademie-Verl. 1980 ▪ Roth et al., Färbepflanzen – Pflanzenfarben, Landsberg: ecomed 1992 ▪ Schweppe ▪ s. a. Farbstoffe, Pflanzenfarbstoffe. – [HS 3203 00]

Blütenöle s. etherische Öle.

Blütenstaub s. Pollen.

Blumberg, Baruch S. (geb. 1925), Prof. für Medizin u. Anthropologie, Univ. of Pennsylvania, stellvertretender Vorsitzender der „Population Oncology". *Arbeitsgebiete:* Anthropolog. bedingte Unterschiede zwischen menschlichen Blutseren, Ursprung u. Verbreitung von Infektionskrankheiten. Hierfür erhielt er 1976 zusammen mit D. *Gajdusek den Nobelpreis für Physiologie od. Medizin.

Blumendünger. Bez. für in Pulver-, Tabl.-, Granulat-, Stäbchen- od. flüssiger Form käufliche Volldünger, die Mischungen von Kalisalzen, Phosphaten, Nitraten u. Ammonium-Verb. in geeigneter Abstimmung enthalten u. direkt od. nach Auflösung in Was-

Blumenfrischhaltemittel

ser dem Boden von Topfpflanzen u. dgl. zugeführt werden. Bei den in fester Form angebotenen B. werden z. T. *Depotdünger verwendet, bei denen die Wirkstoffe im Pflanzenboden gewollt verzögert freigesetzt werden. – *E* flower manure – *I* concime per fiori – *S* abonos para flores
Lit.: s. Düngemittel.

Blumenfrischhaltemittel. In Vasen befindliche Schnittblumen verwelken, weil die wasserleitenden Gefäße an der Stengelschnittfläche durch Fäulnisbakterien zersetzt u. verstopft werden. Wenn man den Stengel täglich unter Wasser einige mm kürzt u. das Wasser öfters wechselt, kann bes. in feuchten, kühlen Räumen das Welken erheblich verzögert werden. Von den zahlreichen Mitteln, die als B. empfohlen worden sind (z. B. Wuchsstoffe, Mineralsalze, Bakterizide u. dgl.), ist eine längerdauernde Wirkung nicht zu erwarten. Dagegen hat sich Zucker (Saccharose, Glucose) allein od. zusammen mit Mineralsäuren u./od. Metallsalzen (z. B. von Aluminium) u./od. Bakteriziden als Wasserzusatz als nützlich erwiesen, wobei manche Blumen (z. B. Nelken) stärker auf Zucker ansprechen als andere (z. B. Dahlien). Beliebte Anbietungsformen sind mit entsprechenden Wirkstoffen getränkte Pappkärtchen, die dem Blumenwasser zugefügt werden. – *E* flower preservatives – *F* agents de conservation des fleurs – *I* agente di conservazione per fiori – *S* conservantes para flores
Lit.: Carow, Frischhalten von Schnittblumen, Stuttgart: Ulmer 1978.

Blumenpflegemittel. Bez. für Sortimente von *Blumendünger, *Blumenfrischhaltemitteln u. Blattglanzmitteln für Zimmer-, Schnitt- u. Freilandblumen. *Schädlingsbekämpfungs- u. *Pflanzenschutzmittel gelten nicht als B. Sie unterliegen dem Gesetz zum Schutz der Kulturpflanzen (Pflanzenschutzgesetz) vom 15.9.1986 u. sind zulassungspflichtig. – *E* flower cultivation agents – *F* produits de culture des fleurs – *I* agente curativo per fiori – *S* productos para cultivo de flores
Lit.: s. Düngemittel.

Blunt-end-Ligation. Ein molekularbiolog. Verf. zur Verknüpfung von *DNA mit *blunt ends.

Blunt ends (flushed ends, stumpfe Enden, glatte Enden). Schneiden *Restriktionsenzyme (z. B. Hae III) doppelsträngige *DNA bzw. *RNA in beiden Strängen an derselben Position, entstehen glatte Enden. Die 3'- u. 5'-Enden der Schwesternstränge weisen dann eine intakte Basenpaarung auf. Im Gegensatz zu *kohäsiven Enden entstehen also keine überstehenden Einzelstrangbereiche. B. e. erhält man auch durch enzymat. Abbau von Einzelstrangüberlappungen z. B. mit S1-Nuclease. – *E* blunt ends – *F* extrémités franches – *I* fini ottuse – *S* extremos romos
Lit.: Glick u. Pasternak, Molekulare Biotechnologie, S. 25–31, Heidelberg: Spektrum 1995.

Blut. Undurchsichtige rote Körperflüssigkeit der Wirbeltiere, die in einem in sich geschlossenen Gefäßsyst. zirkuliert. Rhythm. Kontraktionen des *Herzens pumpen das B. unter Druck (*Blutdruck) über Arterien in die verschiedenen Gewebe des Organismus, von wo es über Venen wieder dem Herzen zugeführt wird (*Kreislauf). Die Funktion des B. besteht u. a. aus dem Transport der Atemgase Sauerstoff u. Kohlendioxid, von Nährstoffen, Stoffwechselprodukte u. körpereigenen Wirkstoffen. Auch die Abwehr eingedrungener Krankheitserreger u. Fremdsubstanzen ist an bestimmte Blutzellen u. im Plasma gelöste Abwehrfaktoren (z. B. Immunglobuline) gebunden. Durch Gerinnungsfähigkeit u. die Möglichkeit zum Verschluß kleiner Gefäßschäden wird Blutverlusten entgegengewirkt. Über die Blutzirkulation wird die im Stoffwechsel gebildete Wärme verteilt u. reguliert. Zusammensetzung u. physikal. Eigenschaften (Konz. gelöster Stoffe, Temp., pH) werden ständig durch bestimmte Organe kontrolliert u. ggf. korrigiert, so daß ein konstantes inneres Milieu des Organismus gewährleistet ist. Puffersyst. (Phosphat, Hydrogencarbonat, Proteine) kompensieren Verschiebungen des *Säure-Basen-Gleichgewichtes (*Azidose, *Alkalose), um den physiolog. pH-Wert von 7,4 innerhalb enger Grenzen konstant zu halten.
Das Blut des Menschen macht etwa 6–8% des Körpergew. aus, das entspricht einem Blutvol. von 4–6 Litern. Es besteht aus dem *Blutplasma*, einer Lsg. von niedermol. Substanzen u. Proteinen u. den *zellulären Elementen*, von denen die roten Blutkörperchen (*Erythrocyten) 44% u. die übrigen Zellen (*Leukocyten, *Thrombocyten) 1% des Vol. ausmachen.
Das *Blutplasma* enthält 6–8 g/dl Proteine in einem komplexen Gemisch aus vielen verschiedenen, vorwiegend zusammengesetzten Proteinen (*Glykoproteine, *Lipoproteine). Diese lassen sich elektrophoret. in fünf Hauptgruppen aufteilen: die *Albumine, $\alpha 1$-, $\alpha 2$-, β- u. γ-*Globuline. Unter den Plasmaproteinen befinden sich z. B. die Faktoren der *Blutgerinnung u. die *Antikörper. Weitere in Plasma gelöste Stoffe sind Lipide wie Triglyceride, Cholesterin, Phospholipide u. freie Fettsäuren (s. a. Blutfette), Glucose (Blutzucker), Stickstoff-haltige Stoffwechselendprodukte wie Harnstoff, Kreatinin, Harnsäure u. freie Aminosäuren sowie anorgan. Bestandteile (Anionen u. Kationen verschiedener Salze). Die gelösten Kationen sind vorwiegend Natrium (136–145 mmol/l), in geringeren Mengen auch Kalium, Calcium, Magnesium u. a., die Anionen bestehen v. a. aus Chlorid (98–106 mmol/l) sowie Hydrogencarbonat u. Phosphat. Die gelösten Ionen erhalten zusammen mit den Plasmaproteinen einen osmot. Druck von etwa 300 mosmol/kg aufrecht. Im Gegensatz zum Blutplasma wird der durch Zentrifugation geronnenen Blutes erhaltene Fibrin-freie Überstand als *Blutserum* bezeichnet.
Von den *zellulären Elementen* machen die *Erythrocyten die Hauptmasse aus, ihre Konz. beträgt etwa 5 Mio. Zellen pro μl. Die kernlosen Zellen dienen dem Transport von Sauerstoff u. Kohlendioxid. Sie enthalten pro Zelle 30–32 pg *Hämoglobin, durch welches die rote Farbe des B. zustandekommt. Die farblosen weißen Blutkörperchen (*Leukocyten), deren Konz. 6000–8000 Zellen pro μl beträgt, sind am Abwehrsyst. des Organismus beteiligt. Dabei unterscheidet man im wesentlichen die *Lymphocyten von den Granulocyten. Die Blutplättchen (*Thrombocyten) sind kernlos u. deutlich kleiner als die übrigen Blutzellen.

Ihre Konz. im B. beträgt 200 000 – 300 000/μl. Sie sind Bestandteil des Blutgerinnungssystems. Die Bildung aller Blutzellen, ausgenommen bestimmte Lymphocyten, die sich in den Lymphknoten vermehren, findet im Knochenmark statt. Hier entstehen sie aus der Teilung von im Knochenmark befindlichen Stammzellen u. entwickeln sich über unterschiedliche Zwischenstadien zu reifen Blutzellen, die in die Zirkulation abgegeben werden. Der Abbau gealterter Zellen findet in der Milz, z.T. auch in der Leber statt. In der Inneren Medizin erhält man aus der Analyse der zellulären Bestandteile u. der im Plasma gelösten Inhaltsstoffe wichtige Informationen bei der Diagnose von Erkrankungen u. der Therapiekontrolle. Mit der Untersuchung u. Behandlung von Erkrankungen des Blutes u. seiner Produktionsstätten, den Störungen der Blutgerinnung u. dem Ersatz von großen Blutverlusten durch verträgliches Fremdblut befassen sich die medizin. Teilgebiete der *Hämatologie u. der Transfusionsmedizin. Wesentliche Untersuchungstechniken in der Diagnostik sind u. a. die Differenzierung des Blutbildes zur Unterscheidung u. quant. Bestimmung der Blutzellen, die zytolog. Charakterisierung verschiedener Zellen u. die histolog. Untersuchung von Gewebeproben aus Knochenmark u. Lymphknoten sowie die Bestimmung der Blutgerinnungsfaktoren u. Blutgruppeneigenschaften. – *E* blood – *F* sang – *I* sangue – *S* sangre

Lit.: Begemann u. Rastetter, Klinische Hämatologie, Berlin: Springer 1992.

Blutalkohol. Konz. von Ethylalkohol im Blut, angegeben meist in Promille. Nach der Resorption im Magen-Darm-Trakt wird *Ethanol sehr rasch im gesamten Körperwasser verteilt. In Abhängigkeit von der aufgenommenen Menge erreicht die Konz. im Blut ihr Maximum nach 1 – 2 h. Der B.-Spiegel gilt als repräsentativ für die Konz. im Zentralnervensyst. u. spielt daher eine bedeutende Rolle in der Gerichtsmedizin u. Verkehrsüberwachung. Die B.-Konz. läßt sich in gewissem Maße mit Ethanol-bedingten zentralnervösen Ausfällen bis zum Vollrausch korrelieren, so führen 0,3 Promille zu ersten Gangstörungen, bei 0,8 Promille wird die Grenze der Fahr- u. Verkehrstüchtigkeit angesetzt, 1,4 Promille ergeben einen kräftigen Rausch u. 4 – 5 Promille führen häufig zum Tode. In der *Forensischen Chemie bediente man sich früher der B.-Bestimmung nach Widmark, bei der der Alkohol aus dem Blut in eine Vorlage mit $K_2Cr_2O_7/H_2SO_4$ destilliert u. hierin zu Essigsäure oxidiert wurde; aus dem iodometr. ermittelten Dichromat-Verbrauch läßt sich der B.-Gehalt errechnen. Das Verf. wird allerdings durch alle bei 60 °C flüchtigen reduzierenden Stoffe beeinflußt. Eine weitere Möglichkeit ist die enzymat. B.-Bestimmung mit *Alkohol-Dehydrogenase (ADH-Meth.). Das Enzym oxidiert Ethanol zu Acetaldehyd, wobei der Wasserstoff auf *Nicotinamid-adenin-dinucleotid (NAD) übertragen wird; der Übergang von NAD in $NADH_2$ läßt sich spektroskop. quant. auswerten. Das Verf. ist zwar Alkohol-spezif. aber nicht spezif. für Ethanol. So werden zur B.-Bestimmung heute aufgrund der o. g. Störeinflüsse vorwiegend die absolut spezif. gaschromatograph. Meth. verwendet. Häufig gehen die B.-Messung – bes. in der Verkehrsüberwachung – halbquant. Atemalkohol-Messungen mit Hilfe von *Prüfröhrchen, z.B. Alcotest od. IR-Absorptionsmessungen (Alcytron) voraus. – *E* blood alcohol – *F* alcoolémie – *I* tasso alcoolico nel sangue – *S* alcohol en sangre

Lit.: Feuerlein, Alkoholismus – Mißbrauch und Abhängigkeit, Stuttgart: Thieme 1989 ▪ Forster, Praxis der Rechtsmedizin, Stuttgart: Thieme 1986 ▪ Schwerd, Rechtsmedizin, Köln: Deutscher Ärzte-Verl. 1986.

Blutdruck. Der in den Arterien herrschende, vom Herzen erzeugte Druck des strömenden Blutes. Der B. ist abhängig von Vol. des vom Herzen ausgeworfenen Blutes u. dem Widerstand der Gefäße. Je nach Tätigkeitsphase des Herzmuskels unterscheidet man den B. in der *Kontraktionsphase* (Systole) von dem in der *Erschlaffungsphase* (Diastole). Gemessen wird der B. in der Regel nach *Riva-Rocci mit Quecksilber- od. Membran-Manometern, die an eine aufblasbare Armmanschette angeschlossen sind. Das gleichzeitige Abhören der Pulsgeräusche über der Ellenbeugenarterie nach Korotkow ermöglicht die Bestimmung des *systol.* u. des *diastol.* B. Die direkte B.-Messung über eine Kunststoffkanüle in einer Arterie, die an ein Druckmeßsyst. angeschlossen ist, findet in der Intensivmedizin Anwendung. Der B. des gesunden Menschen ist je nach Belastung u. Alter innerhalb bestimmter Grenzen variabel. Seine Regulation geschieht über zentralnervöse u. hormonelle Faktoren. Als erhöhten B. (*Hypertonie) bezeichnet man nach der WHO-Definition Werte von systol. 160 mmHg u. höher od./u. diastol. 95 mmHg u. höher. – *E* Blood pressure – *F* tension artérielle – *I* pressione sanguigna – *S* tensión sanguínea

Lit.: Schmidt u. Thews, Physiologie des Menschen, S. 498–550, Berlin: Springer 1995.

Bluten s. Ausbluten.

Bluter s. Hämophilie.

Blutersatzmittel. Bez. für Flüssigkeiten, die (nicht zu starke) Blutverluste an Stelle von konserviertem Vollblut ausgleichen können. Die B. können zwar keinen Sauerstoff transportieren wie das *Blut, enthalten keine Gerinnungsfaktoren, Immunoglobuline, Erythrocyten u. Puffersubstanzen, ermöglichen aber eine Füllung des Blutgefäßsyst., eine Normalisierung des osmot. Druckes u. vermeiden zudem die Einschleppung hepatit. Erkrankungen, die bei Transfusionen auftreten könnten. Altbekannt ist der Einsatz von *isotonischen Lösungen anorgan. Salze (z. B. *physiolog. Kochsalz-Lsg., *Tyrode-Lsg., *Ringer-Lsg.), zumal sich solche sehr leicht isoton. mit dem Blut einstellen lassen. Sie strömen jedoch schnell in das Gewebe ab, weil sie – im Gegensatz zum Blut – keinen kolloidosmot. Druck besitzen. Deshalb verwendet man als B. zweckmäßiger die heute meist *Plasma(volumen)-Expander* genannten dickflüssigen Lsg. von makromol. Substanzen (z. B. die den Polyvinylpyrrolidonen überlegenen *Dextrane, Gelatine-, Stärke-Derivate, Serumproteine), die wesentlich längere Zeit in der Blutbahn verweilen können als die Salzlösungen. Anfang der 70er Jahre machten *perfluorierte Verbindungen als B. von sich reden, z.B. *Fluorkohlenstoffe, perfluorierte Ether u. Amine, ggf. mit Polyethern emulgiert, da sich mol. Sauerstoff sehr gut in ihnen löst [1].

Blutfarbstoff

– *E* blood (plasma) substitutes – *F* sang de remplacement – *I* succedaneo (surrogato) sanguigno – *S* substitutivo (sucedáneo) de la sangre
Lit.: [1] Angew. Chem. **90**, 654–668 (1978).
allg.: Ammann, Moderne Chirurgie u. Blutersatz, Bern: Huber-Verl. 1995 ▪ Arzneimittelchemie II, 14–18 ▪ Nature Med. **1**, 1212 ff. (1995) ▪ Ullmann (5.) **4**, 225 ff. ▪ s. a. Blut. – *Zeitschrift*: Artificial Cells, Blood Substitutes, And Immobilization Biotechnology, New York: Dekker (seit 1973).

Blutfarbstoff s. Hämerythrin, Hämocyanin, Hämoglobin.

Blutfette. Bez. für die *Lipide (Triglyceride, Phosphatide, Cholesterin) des *Blutes, die sich in diesem durch Nebenvalenzkräfte an Proteine zu sog. *Lipoproteinen binden – anderenfalls wäre der Transport im wäss. Medium nicht möglich. Bei Störungen im *Fettstoffwechsel kann der B.-Anteil (normal 5–6 g/l Blutplasma) erhöht sein (*Hyperlipidämie u. *-cholesterinämie*), woraus ggf. *Arteriosklerose u. *Hypertonie resultieren. Gegenmaßnahmen bestehen im allg. in der Red. der Fett- u. Cholesterin-Zufuhr bzw. in der Erhöhung des Anteils ungesätt. u./od. mittelkettiger Fettsäuren (*MCT, MKT) sowie in der Behandlung mit *Clofibrat, *Bezafibrat u. dergleichen. – *E* blood lipids – *F* lipides de sang – *I* grassi (adipi) sanguigni – *S* lípidos de la sangre

Blutgerinnung. Bez. für den Vorgang der Umwandlung des flüssigen *Blutes in den Blutkuchen, eine gallertartige Masse, die die Abdichtung verletzter Blutgefäße durch Pfropfbildung bewirkt. Dabei erfolgt die Umwandlung des im Plasma vorhandenen lösl. Fibrinogens in den faserig-gallertigen Gerinnungsstoff, das *Fibrin, in einem mehrstufigen Prozeß (B.-Kaskade), in dem mind. 15 verschiedene, teilw. mit röm. Ziffern gekennzeichnete B.-Faktoren beteiligt sind, von denen jeder, wenn aktiviert, die jeweils nächste inaktive Vorstufe aktiviert. Unter ihnen befinden sich mehrere Serin-*Proteinasen (*Kallikrein, *Thrombin u. die aktivierten Faktoren VIIa, IXa bis XIIa). Durch die relativ große Zahl der Aktivierungsschritte in dieser Kaskade u. die katalyt. Wirkung auf jeder Stufe wird eine Verstärkung derart erreicht, daß selbst bei sehr geringer Menge an auslösendem Faktor in möglichst kurzer Zeit eine ausreichende Menge an Fibrin vorhanden ist. Zwischen den entstehenden Fibrin-Fasern eingeschlossene Blutzellen sind ebenfalls an der Gerinnungswirkung beteiligt.
Traditionell unterscheidet man zwischen dem *intrins.* (intravaskulären) u. *extrins.* (extravaskulären) B.-Weg (s. Abb.). Bei Fehlen des Faktors VIII kommt es zur Bluterkrankheit *Hämophilie A*. Zu einigen Schritten ist die Anwesenheit von Phospholipiden u. Calcium-Ionen nötig; letztere binden an 4-Carboxy-L-glutaminsäure-Reste. Die Carboxylierung von L-Glutamat in diesen Proteinen ist abhängig von *Vitamin K. Beendet wird die B. durch *Protein C (ebenfalls eine Serin-Proteinase), das die Faktoren V u. VIII proteolyt. (s. Proteolyse) inaktiviert. Antithrombin III (ein *Antienzym bzw. genauer ein *Ser*in-Proteinase-*In*hibitor: *Serpin) trägt ebenfalls seinen Teil zur notwendigen Beschränkung der B. bei, indem es Thrombin u. die anderen beteiligten Proteinasen irreversibel hemmt.

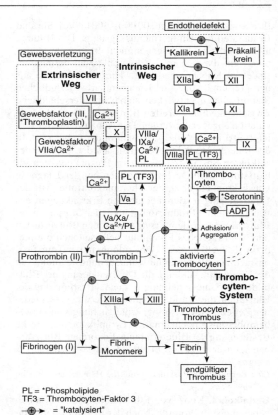

PL = *Phospholipide
TF3 = Thrombocyten-Faktor 3
—●▶ = "katalysiert"
---▶ = "schüttet aus"

Abb.: Schema der Blutgerinnung (PL = *Phospholipide, TF3 = Thrombocyten-Faktor 3, ADP = *Adenosin-5′-diphosphat).

Die Auflösung nicht mehr benötigter Gerinnungspfropfen wird durch die Serin-Proteinase *Plasmin bewerkstelligt, die sich proteolyt. an den Fibrin-Fasern zu schaffen macht. – *E* blood clotting, blood coagulation – *F* coagulation de sang – *I* coagulazion del sangue – *S* coagulación de la sangre
Lit.: Essays Biochem. **27**, 17–36 (1992) ▪ Int. Rev. Cytol. **152**, 49–108 (1994) ▪ Koolman u. Röhm, Taschenatlas der Biochemie, S. 256 f., Stuttgart: Thieme Verl. 1994 ▪ New England J. Med. **12**, 800–806 (1992).

Blutgruppensubstanzen. Sammelbez. für die die Blutgruppe eines Menschen bestimmenden Substanzen. Bei den B. des AB0(H)-Syst. [d. h. für die Blutgruppen A, B, AB u. 0(H)] ist die serolog. Aktivität durch *Glykoproteine (M_R ca. 500 000) bestimmt, in denen Aminozucker, Acylneuraminsäuren u. a. Zucker enthaltende Oligosaccharid-Einheiten an ein serolog. inaktives Protein gebunden sind. Die B. sind *Antigene, die an der Oberfläche der *Erythrocyten fixiert, aber auch im Speichel, Harn u. a. Körpersekreten enthalten sind. Die Verschiedenartigkeit der Endgruppen ist für die Unverträglichkeitsreaktionen bei der Vermischung mancher Blutgruppen verantwortlich; *Beisp.:* Antigene der Erythrocyten von Gruppe A bewirken eine *Agglutination mit *Antikörpern der Gruppe B. Personen der Gruppe 0(H) besitzen das H-Antigen, das ein Vorläufer von A u. B ist[1]. Bei Bluttransfusionen sind folgende Kombinationen möglich, wobei noch auf Verträglichkeit der *Rhesusfaktoren geachtet werden muß:

Abb.: Kombinationsmöglichkeiten der Blutgruppen bei Bluttransfusionen.

Neben diesen bekannteren Erythrocyten-Antigenen gibt es zahlreiche weitere, die z. T. selten in Erscheinung treten: Kell-, Lewis-, Lutheran-, MNSs- u. P-Systeme. In der *Serodiagnostik bestimmt man die Blutgruppen mit speziellen Testseren. In der dtsch. Bevölkerung sind die Blutgruppen wie folgt verteilt: A 43%, B 12%, AB 5%, 0(H) 40%. – *E* blood group substances – *F* substances des groupes sanguins – *I* sostanze del gruppo sanguigno – *S* sustancias de los grupos sanguíneos

Lit.: [1] Trends Biochem. Sci. **15**, 330 f. (1990).
allg.: Biochim. Biophys. Acta **1197**, 15–44 (1994) ■ Cartron u. Rouger, Molecular Basis of Human Blood Group Antigens, New York: Plenum Press 1995 ■ Schenkel-Brunner, Human Blood Groups. Chemical and Biochemical Basis of Antigen Specificity, Berlin: Springer 1995.

Blut-Hirn-Schranke. Barriere zwischen Blut u. Gehirn der Wirbeltiere, die durch das Endothel (innerste Zellschicht) der Kapillargefäße gebildet wird. Diese Endothelzellen haften durch dichte Verb. (engl. *tight junctions*) aneinander u. verhindern den Eintritt von polaren Substanzen oberhalb einer bestimmten Mol.-Größe ins Gehirn, jedoch überwinden gewisse Nahrungsstoffe u. Hormone dieser Kategorie (z. B. D-*Glucose) die B.-H.-S. mittels selektiver *Transport-Systeme. Die B.-H.-S. stellt ein Problem bei der Versorgung des Gehirns mit Arzneimitteln dar. – *E* blood-brain barrier – *F* barrière hématoencéphalique – *I* barriera sangue-cervello – *S* barrera hematoencefálica

Lit.: Bradbury, Physiology and Pharmacology of the Blood-Brain Barrier, Berlin: Springer 1992.

Blutholz s. Blauholz.

Blutkörperchen vgl. Blut.

Blutlaugensalze. Althergebrachte Bez. für die *Ferro- u. *Ferricyanide; meist meint man hier die Kalium-Salze der Hexacyanoeisen(II)- od. (III)-säure. Die B. sind beständige u. deswegen ungiftige *Durchdringungskomplexe* (s. Koordinationslehre), die erst mit stärkeren Säuren HCN abspalten.

(a) *Gelbes B.* (Gelbkali, Kaliumferrocyanid, *Kaliumhexacyanoferrat(II)*, Ferrocyankalium), $K_4[Fe(CN)_6] \cdot 3H_2O$, M_R 368,35. Gelbe, ungiftige luftbeständige Krist., D. 1,85, in Wasser lösl., WGK 1, in Alkohol u. Ether nicht; die wäss. Lsg. scheidet im Licht allmählich Eisen(III)-hydroxid aus. Oberhalb 60 °C verliert B. sein Kristallwasser u. geht in farbloses Pulver über; bei stärkerem Erhitzen tritt Zerfall nach $K_4[Fe(CN)_6] \rightarrow 4 KCN+FeC_2+N_2$ ein.
Herst.: Aus HCN, Eisensalzen u. $Ca(OH)_2$ in wäss. Lsg.; dabei entsteht eine Lsg. von $Ca_2[Fe(CN)_6]$, aus der man mit KCl schwerlösl. $K_2Ca[Fe(CN)_6]$ fällt, das durch heiße K_2CO_3-Lsg. in gelbes B. übergeführt wird. Früher stellte man es durch Glühen von eingetrocknetem Blut (Name!), Hornspänen u. a. Stickstoff-haltigen, tier. Substanzen mit Eisenspänen u. Pottasche her.
Verw.: Zur Abtrennung von Schwermetall-Verunreinigungen aus wäss. Lsg. (z. B. bei der sog. *Blauschönung*, s. Wein), als Antibackmittel für NaCl etc., beim Härten von Stahl, als Reagenz auf Eisen u. Kupfer, zur Herst. von *Berliner Blau u. rotem B. sowie zum Drucken u. Färben in der Textilindustrie.

(b) *Rotes B.* (Rotkali, Kaliumferricyanid, *Kaliumhexacyanoferrat(III)*, Ferricyankalium), $K_3[Fe(CN)_6]$, M_R 329,25. Rubinrote, monokline Krist., D. 1,89, in Wasser gut, WGK 1, in Alkohol kaum lösl.; im Licht zersetzt sich die wäss. Lsg. ebenfalls unter Bildung von $Fe(OH)_3$.
Herst.: Durch Oxid. von gelbem B. mittels Persulfat, H_2O_2, Chlor, Brom od. auf elektrochem. Weg.
Verw.: In der Photographie als Abschwächer, in der Farbphotographie, als Oxidationsmittel bei organ. Synth. u. in der Küpenfärberei, als Stahlhärtungsmittel, Holzbeize sowie zur Herst. von *Blaupausen. – *E* potassium hexacyanoferrates – *F* ferrocyanure de potassium – *I* ferroesacianuri potassici – *S* hexacianoferratos de potasio

Lit.: Beilstein E IV **2**, 67, 72 ■ Kirk-Othmer (4.) **14**, 876–879 ■ Ullmann (5.) A **8**, 171–175. – [HS 28720; CAS 14459-95-1 (II. 3H_2O); 13746-66-2 (III)]

Blutsenkung (Blutsenkungsgeschw., BSG, Blutsenkungsreaktion, BSR, Blutkörperchensenkungsreaktion, BKS). Geschw., mit der im Reagenzglas die roten Blutzellen (*Erythrocyten) des ungerinnbar gemachten Vollblutes zu Boden sinken. Im Blut gesunder Menschen setzen sich die Erythrocyten unter Standardbedingungen nur sehr langsam ab: Bei Frauen mit 1–20 mm/h, bei Männern mit 1–13 mm/h. Veränderungen in der Zusammensetzung der *Plasmaproteine u. in Gestalt u. Größe der Erythrocyten beeinflussen die B., so daß Abweichungen vom Normalbereich auf krankhafte Zustände hindeuten. Zur Bestimmung wird im allg. die Meth. nach Westergren angewandt, bei der 1,6 ml Blut mit 0,4 ml einer 3,8%igen Natriumcitrat-Lsg. in eine graduierte Pipette eingezogen werden u. die Sedimentationsgrenze nach einer u. nach zwei h abgelesen wird. – *E* blood sedimentation rate – *F* sédimentation de sang – *I* sedimentazione sanguigna – *S* sedimentación sanguínea

Blutstein s. Hämatit.

Blutstillende Mittel s. Hämostyptika.

Blutströpfchen. Die B. od. Widderchen (Zygaenidae) sind eine Familie der Insektenordnung der Schmetterlinge (Lepidoptera). Von den etwa 1000 bekannten Arten leben in Mitteleuropa etwas über 30 z. T. schwer voneinander unterscheidbare Arten. Den zweiten dtsch. Namen geben die relativ langen, am Ende keulenförmig verdickten, den Hörnern eines Widders ähnlich getragenen Fühler. Gegen natürliche Freßfeinde (z. B. manche Vögel) sind B. relativ geschützt durch Ekelgeschmack (v. a. untersucht an dem Gemeinen B., *Zygaena filipendulae*, u. am Kleewidderchen, *Zygaena trifolii*). Der Ekelgeschmack ist an in der Haemolymphe (auch der Raupen u. der Puppen) enthaltene Cyan-Verb. gebunden, nämlich die schwach giftigen

Cyanglucoside *Linamarin u. Lotaustralin u. das stark wirksame Nervengift β-Cyanalanin. Bereits nach einer ersten schlechten Freßerfahrung meiden deshalb manche Vögel den weiteren Kontakt zu Blutströpfchen. Die den ersten dtsch. Namen gebende rotschwarze Färbung („Blut"-B.) ist dann wohl zusätzlich ein Warnsignal. Raupen besitzen im Körper Wehrsekretbehälter, die bei mechan. Reizung das Sekret nach außen geben. Seine abschreckende Wirkung auf Spitzmäuse, Kröten u. Laufkäfer ist nachgewiesen. Die meisten dtsch. B.-Arten gehören dem rotschwarzen Typ an (Gattung *Zygaena*). Daneben gibt es auch etwa vier Vertreter der Grünwidderchen (Gattung *Procris*) mit intensiv grün gefärbten, oft metall. schillernden Vorderflügeln.
Lit.: Carter u. Hargreaves, Raupen u. Schmetterlinge Europas u. ihre Futterpflanzen, Hamburg: Parey 1987 ▪ Chinery, Pareys Buch der Insekten, Hamburg: Parey 1987 ▪ Jacobs u. Renner, Biologie u. Ökologie der Insekten (2. Aufl.), Stuttgart: Fischer 1988.

BLV-Werte. Bei BLV-W. (*E* Binding Limit Values) handelt es sich um verbindliche EG-Arbeitsplatzgrenzwerte. Eine Liste der Arbeitsstoffe, für die der Rat nach Artikel 8 Absatz 1 der Agenzienrichtlinie 88/642/EWG in Einzelrichtlinien den (die) verbindlichen Grenzwert(e) od. sonstige spezif. Vorschriften festzulegen hat, findet sich in Anhang I der Rahmenrichtlinie 80/1107/EWG. – *E* binding limit values
Lit.: Richtlinie 80/1107/EWG des Rates vom 27. 11. 1980 zum Schutz der Arbeitnehmer vor der Gefährdung durch chem., physikal. u. biolog. Arbeitsstoffe bei der Arbeit (EG-ABl. L 327/8 vom 3. 12. 1980) ▪ Richtlinie 88/642/EWG des Rates vom 16. 12. 1988 zur Änderung der Richtlinie 80/1107/EWG des Rates vom 27. 11. 1980 zum Schutz der Arbeitnehmer vor der Gefährdung durch chem., physikal. u. biolog. Arbeitsstoffe bei der Arbeit (EG-ABl. L 356/74 vom 24. 12. 1988).

BMA-Verfahren s. Blausäure.

BMBF. Abk. für das Bundesministerium für Bildung, Wissenschaft, Forschung u. Technologie, das Ende 1994 aus der Zusammenlegung des BMFT u. des BMBW mit Sitz in 53175 Bonn, Heinemannstraße 2, entstand. Das BMBF koordiniert die Forschungsförderung im Rahmen der Zuständigkeiten des Bundes, Budget 12,5 Mrd. DM (1996). Das Ministerium gliedert sich in sieben Abteilungen: 1. Zentralabteilung, – 2. Innovation, Strateg. Orientierungen, Internat. Zusammenarbeit, – 3. Allg. u. Berufliche Bildung, – 4. Hochschulen u. Wissenschaftsförderung, Grundlagenforschung, – 5. Energie u. Umwelt, – 6. Biowissenschaften u. Informationstechnik, – 7. Luft- u. Raumfahrt, Verkehr; Neue Technologien.
Aufgaben: a) Förderung der Grundlagenforschung u. ihrer Organisationen; – b) Förderung staatlicher Langzeitprogramme wie Meeres- u. Polarforschung, Weltraumforschung u. Kernfusionsforschung; – c) Förderung staatlicher Vorsorgeforschung wie Umwelt- u. Klimaforschung, Sicherheitsforschung, Gesundheitsforschung u. Verbesserung von Arbeitsbedingungen; – d) Förderung von Schlüsseltechnologien wie Informationstechnik, Biologie, Materialforschung, Laserforschung, Energieforschung, Verkehr- u. Luftfahrtforschung; – e) Förderung von Innovation u. Technologietransfer, bes. im Bereich kleiner u. mittelgroßer Unternehmen; – f) Hochschulwesen, Wissenschaftsförderung; – g) berufliche Bildung u. Berufsbildungsförderung; – h) Bildungsplanung u. Bildungsforschung; – i) Ausbildungsförderung u. Förderung des wissenschaftlichen Nachwuchses.
Diese Aufgaben werden durch das Management u. die Förderung von Inst. u. Forschungseinrichtungen (Deutsche Forschungsgemeinschaft, Fraunhofer-Ges., Max-Planck-Ges., Großforschungseinrichtungen, Einrichtungen der Blauen Liste), durch Förderung von Einzel- u. Verbundvorhaben (Projektförderung, Abwicklung über Projektträger) u. durch internat. Zusammenarbeit erfüllt. – INTERNET-Adresse: http://www.bmbf.de.
Lit.: Förderfibel des BMBF, Bonn: BMBF 1995 ▪ Naturwissenschaften **82**, 50 ff., 103 f. (1995).

BMI s. Body-Mass-Index.

BMP s. Knochen-Morphogeneseproteine.

BMU. Abk. für *Bundesministerium für Umwelt, Naturschutz u. Reaktorsicherheit.

BMVVO. Abk. für *Betäubungsmittel-Verschreibungsverordnung.

Bn. Kurzz. für *Benzyl (auch: Bzl), besser: CH$_2$Ph. – *S* Bn, Ph

BNatSchG. Abk. für *Bundesnaturschutzgesetz.

BND-Cellulose Servacel®. Benzoylnaphthoyl-*DEAE-Cellulose, aus Pyridin-Lsg. gefälltes Korn für die Chromatographie von Nucleinsäuren. *B.:* Serva.

BOA. Nach DIN 7723 (12/1987) Kurzz. für den *Weichmacher *Benzyloctyladipat (Benzyl-2-ethylhexyladipat).

Bobinets. Nach DIN 60 000 (01/1969) Bez. für durchbrochene textile Flächengebilde, die aus 2 Kettfaden-, einem Schußfaden- u. einem diagonal verlaufenden Bobinefaden-Syst. bestehen. – *E* bobbinets – *F* tulle bobin – *I* tulli di cotone – *S* tules
Lit.: Rouette, Lexikon für Textilveredlung, Bd. 1, S. 251, Dülmen: Laumannsche Verlagsges. 1995.

Boc. Abk. für *tert*-*Butoxycarbonyl..., s. a. Boc-Aminosäuren.

Boc-Aminosäuren. Kurzbez. für solche Aminosäuren, deren Amino-Gruppe durch die *tert*-*Butoxycarbonyl-Gruppe geschützt ist. Die Einführung der *Boc-Gruppe* wird mittels *tert*-Butoxycarbonylazid (das allerdings nicht ungefährlich ist; über Explosionen s. *Lit.*[1]), Boc-N-Hydroxysuccinimidester, Boc-dicarbonat, das Fluorid od. den Pentachlorphenylester vorgenommen. Angesichts des mengenmäßigen Bedarfs an Boc-A. für die *Peptid-Synthese nach *Merrifield sind mechanisierte Verf. erarbeitet worden. Die Boc-Gruppe läßt sich mit Ameisensäure, Trifluoressigsäure od. anderen Reagentien abspalten. – *E* boc-amino acids – *F* boc-amino-acides – *I* boc-am(m)inoacidi – *S* boc-aminoácidos
Lit.: [1] Chimia **23**, 298 (1969); Angew. Chem. **89**, 119 (1977).

Bock, Hans (geb. 1928), Prof. für Anorgan. Chemie, München, Zürich, Frankfurt. *Arbeitsgebiete:* Hauptgruppenelement – Chemie, physikal. Chemie, organ. Chemie, kurzlebige Mol. u. Radikal-Ionen. Auswärti-

ges wissenschaftliches Mitglied der Max-Planck-Gesellschaft. Zahlreiche Auszeichnungen, u. a. W. Klemm-Preis für anorgan. Chemie der GDCh (1987); zahlreiche Mitgliedschaften, u. a. Mitglied der Deutschen Akademie der Naturforscher Leopoldina, Korrespondierendes Mitglied der Bayerischen Akademie der Wissenschaften.
Lit.: Kürschner (16.), S. 297 ▪ Nachr. Chem. Tech. Lab. **12**, 1278 (1987) ▪ Wer ist Wer, S. 119.

Bockshornklee (*Trigonella foenum-graecum* L., Fabaceae). Einjähriges Kraut mit meist hellgelben Blüten, das im westlichen Asien heim. ist u. im Mittelmeerraum, in Indien u. China kultiviert wird. Die in Asien gewürzlich (z. B. im *Curry-Pulver) genutzten B.-Samen enthalten ca. 30% Schleimstoffe (Mannogalaktane), 6–10% fettes Öl, ca. 27% Eiweißstoffe u. 0,014% ether. Öl sowie 0,1–0,4% *Trigonellin, bittere Furostanolglykoside u. – was sie für eine evtl. industrielle Nutzung interessant macht – 0,1–0,2% *Diosgenin. B.-Samen wirken hyperämisierend u. – in Form von Breiumschlägen – erweichend bei eitrigen Entzündungen (Furunkel u. ä.). – *E* Greek hay seed – *F* fenugrec – *I* trigonella, fieno greco – *S* alholva, fenogreco
Lit.: DAB 10 u. Komm. ▪ Hager (5.) **6**, 994–1004 ▪ Melchior u. Kastner, Gewürze, S. 131–133, Berlin: Parey 1974 ▪ Wichtl (2.), S. 102 ff. – [HS 091099]

Boda®. Stärkeklebstoff zur Bodenklebung von Papiertüten u. -beuteln. **B.:** Henkel.

Bode, Henning, (geb. 1940), Dr. Ing., Vorstandsmitglied der Degussa AG, verantwortlich für den Zentralbereich Technik. *Arbeitsgebiete:* Anlagenplanung u. Anlagenbau, Umweltschutz u. Sicherheit.

Boden (Mehrzahl: Böden). 1. Bei *Trennverfahren Bez. für ein Stück der Trennkolonne, in dem ein Stoffaustausch zwischen zwei im Gegenstrom geführten Phasen stattfindet. Ein theoret. Boden (theoret. Trennstufe) bewirkt die Einstellung des betreffenden Phasengleichgew. zwischen den jeweiligen Stoffströmen; s. Rektifikation, Destillation, Gaschromatographie. 2. Bez. für die oberste Lockerschicht der Erdkruste, die durch physikal. u. chem. *Verwitterung unter Mitwirkung von Organismen gebildet wurde u. sich in ständiger Weiterentwicklung befindet. Aus landwirtschaftlicher Sicht bildet der B. die Grundlage für das Wachstum der Nutzpflanzen u. kann bearbeitet werden. Jeder B. enthält in veränderlichen Anteilen *Humus, (B.-)Luft, (B.-)Wasser, B.-Tiere (zusammen mit der B.-Flora unter dem Begriff *Edaphon* zusammengefaßt) u. *Mineralien, u. a. *Quarz u. *Tonmineralien. Die B. einer Landschaft bilden mit dem Luftraum u. der *Biosphäre dieser Landschaft ein *Ökosystem.
Bodenprofil: Die Humusbildung, die Stoffumverteilung im B. durch das B.-Wasser, durch pflanzliche Einflüsse u. durch B.-Tiere sowie die fortlaufende Verwitterung von Mineralien u. Gesteinen innerhalb des B. führen zu einem typ., meist *dreigliedrigen Schichtaufbau* (B.-*Profil*): Der *A-Horizont* (Ober-B.) ist durch seinen Gehalt an Humus u. durch die Auswaschung von lösl. Substanzen u. *Tonen gekennzeichnet. Im darunter liegenden *B-Horizont* (Unter-B.) kommt es zur Wiederausfällung u./od. Adsorption dieser Stoffe u. zur Neubildung von Tonmineralen u. von Oxiden u. Oxidhydraten des Siliciums (*Quarz, *Opal), des Eisens (v. a. *Goethit u. *Hämatit), des Aluminiums u. des Mangans (z. B. *Birnessit) durch Verwitterung. Der zuunterst liegende *C-Horizont* bezeichnet das Ausgangsmaterial der B.-Bildung, entweder festes Gestein od. Lockermaterial; *Löß bildet z. B. in Mitteleuropa die Grundlage der landwirtschaftlich wertvollsten Böden. Die Ausbildung der einzelnen Horizonte bestimmt den B.-*Typ;* die B.-*Art* hingegen bezeichnet die Teilchengröße der den B. aufbauenden Partikel (vgl. die Einteilung bei klastische Gesteine): z. B. Tone (bis zu einer Teilchengröße von 0,002 mm), Schluff (0,002 bis 0,06 mm) u. Sand (0,06 bis 2 mm).
Farbe: Die Farbe ist eine auf den ersten Blick ins Auge fallende B.-Eigenschaft. Schwärzliche, graue u. braune Farbtöne im Ober-B. werden durch Huminstoffe hervorgerufen, gelbe, braune, rote, blaue u. grüne Farbtöne von verschiedenen Eisenmineralien. Tiefschwarze Farben in stark reduzierendem Milieu können durch feinverteiltes Eisensulfid bedingt sein, weiße Farben durch lokale Anreicherung von Calcit, Gips od. lösl. Salzen.
Erosion: Da die B. aus nicht od. nur wenig verfestigtem Lockermaterial bestehen, können sie leicht durch fließendes Wasser od. den Wind abgetragen werden (*Erosion) u. an anderer Stelle, z. B. in Becken od. Flußauen, als *B.-Sediment* wieder abgelagert werden. Häufig initiiert od. beschleunigt der Mensch die B.-*Erosion*, indem er z. B. die schützende Vegetationsdecke zerstört. Die B.-Erosion erfaßt v. a. den humus- u. nährstoffreichen Ober-B., so daß die erodierten B. nachhaltig geschädigt werden.
Klassifikation: Die meisten B. Mitteleuropas wurden in den letzten 10 000 Jahren, seit Ende der letzten Eiszeit gebildet, jedoch findet man auch noch zahlreiche Reste von B. aus den vorangegangenen Warmzeiten u. älteren Erdzeitaltern, die unter jüngeren Sedimenten verschüttet sind (*fossile B., Paläosole*) od. an der Erdoberfläche liegen u. sich den heutigen Bedingungen entsprechend weiterentwickeln können (*Relikt-B.*). Einige in Mitteleuropa anzutreffende *Land-B.* sind: *Ranker* (mit humosem, oft steinigem A-Horizont auf festem, manchmal bis 30 cm tief zerkleinertem silicat. Gestein), *Rendzina* (wie Ranker, nur über Carbonatgestein, z. B. Kalkstein), *Braunerde* (mit humosem A-Horizont, der meist gleitend in einen braun gefärbten B-Horizont übergeht) u. die aus Löß entstandene, z. B. im Raum Magdeburg u. Halle anzutreffende, humus- u. basenreiche *Schwarzerde* (*Tschernosem*). Beisp. für *Grundwasser-B.* sind *Gley* (mit vom Grundwasser unbeeinflußtem A-Horizont, unter dem ein rostfarbiger Oxidationshorizont u. ein stets nasser, meist fahlgrauer bis graugrüner Reduktionshorizont folgen) u. *Auenböden*. Zu weiteren Beisp. u. zu den in der BRD verwendeten B.-Klassifikationen, der FAO-Klassifikation (als Grundlage der Weltbodenkarte, s. *Lit.*[1]) u. der vom US Soil Survey entwickelten, als *Soil Taxonomy* bezeichneten B.-Klassifikation s. Wild (*Lit.*) u. Scheffer/Schachtschabel (*Lit.*).
Bodenentwicklung: Die Entwicklung eines speziellen B.-Typs u. seine Eignung für bestimmte Nutzungen

wird wesentlich durch den Chemismus des Ausgangsmaterials u. des B.-Wassers, die Klimabedingungen, die Geländeform u. die Vegetation gesteuert. Hohe Niederschlagsmengen haben einen Stofftransport von oben nach unten mit Stoffanreicherung im Unter-B. zur Folge u. begünstigen den Austrag gelöster Stoffe (auch durch das Grundwasser) u. eine B.-Verarmung. In Trockenklimaten führt der durch Verdunstung bedingte Aufstieg von B.-Wasser u. darin gelösten Stoffen häufig zur *Versalzung* u./od. *Verkrustung* der B.-Oberfläche u. in Bewässerungsgebieten zur Vernichtung von Kulturland, s. *Lit.*[2]. In den Salz-B. der Steppen u. Wüsten, bei denen man *Solontschak* (>1‰ lösl. Salze) u. *Solonetz* (<1‰ lösl. Salze) unterscheidet, gedeihen allenfalls noch sog. Halophyten (Salzpflanzen). Ein durch Fe-Oxide od. -Hydroxide verkrusteter od. zementierter B.-Horizont wird *Eisenkruste* (Ferricrete) u. ein durch Carbonate verhärteter Horizont *Kalkkruste* (Calcrete, *Caliche) genannt.

Der für die Ernährung der *Pflanzen wichtigste Teil des B. ist der an *Huminsäuren reiche *Humus. Der Mineralbestand des Ausgangsgesteins beeinflußt den pH-Wert der B.-Lsg. durch das Angebot an Ionen, die bei der Verwitterung freigesetzt werden. Der pH-Wert des B. spielt eine wichtige Rolle; manche Pflanzen gedeihen nur auf saurem, andere auf neutralem od. alkal. B., s. Kalkpflanzen. Umgekehrt läßt das Vork. bestimmter *Moos-Arten Rückschlüsse auf die Qualität des B. zu. Als Zeigerarten (*Bioindikatoren) für die chem. wie auch biolog. Qualität von B. dienen auch *Flechten u. in zunehmendem Maße zoolog. Organismen wie die B.-Arthropoden (z. B. Springschwänze = Collenbolen u. Regenwürmer, dazu Laufkäfer). Kalkhaltige B. weisen einen höheren Basen-Gehalt auf als B. mit hohem Quarz-Anteil. Sie verzögern die B.-Versauerung, wie sie infolge des *sauren Regens auftreten kann, u. sind in der Lage, Nährstoffe länger zu speichern. Die *Kalkung* als land- od. forstwirtschaftliche Maßnahme entspricht diesem Prinzip; insbes. die *Waldkalkungen der Forstbehörden sind Ansätze, wenigstens die Neueinträge des sauren Regens im B. abzupuffern u. einen Ausweg aus dem Phänomen des *Waldsterbens zu finden.

Einfluß des Menschen, Schadstoffbelastung: Von den zur Zeit weltweit etwa 100 000 hergestellten, überwiegend organ. Chemikalien gelangt – oft unbeabsichtigt – ein Teil als Abfälle od. als atmosphär. Niederschlag in den Boden. Neben organ. enthalten B. oft auch *anorgan. Schadstoffe*; viele davon sind allerdings auch in natürlicher Weise, oft als *Spurenelemente (s. *Lit.*[3]), im B. vorhanden (z. B. B, Cu, Mn, Cd u. Hg). Durch die Tätigkeit des Menschen werden manche dieser Stoffe, z. B. SO_2, NO_x, F, Cd, Pb, Hg, Ni u. Tl, in so großer Menge immittiert, daß der Stoffhaushalt der B. verändert wird u. daß für Mensch u. Tier krit. Gehalte in den Pflanzen u. sogar Toxizitätsschäden auftreten können. Schwefel u. Stickstoff bewirken in höheren Konz. als Schwefel- u. Stickoxide (Überdüngung des Waldes mit N aus der Luft, s. *Lit.*[4]) sowie in Verb. mit Wasser als Säurer (z. B. saurer Regen) Schäden an Pflanzen u. können bes. auf Waldstandorten eine besorgniserregende B.-*Versauerung* u. Degradierung bewirken, die langfristig mit zum Phänomen des Waldsterbens beitragen kann. Sekundärfolgen sind Freisetzungen von Al-Ionen im B., die über Quellen austretend tox. für Wasserorganismen wirken. Von allen Pflanzennährstoffen bestimmt der Stickstoff am stärksten den B.-Ertrag. Zahllose Mikroorganismen u. Kleinlebewesen sind an *Nitrifikation u. *Denitrifikation sowie am Abbau von organ. Fremdstoffen im B. (s. *Lit.*[5]) beteiligt; in 1 g Acker-B. findet man durchschnittlich 1 Mrd. Bakterien, über 10 Mio. Pilze, mehrere Mio. Algen, Zehntausende von Protozoen u. Dutzende von Fadenwürmern. *Überdüngung* der B. durch die Landwirtschaft, z. B. durch zu hohe N-Dosierung, kann zu Qualitätsproblemen bei Grund- u. Oberflächenwasser führen u. ebenso wie die B.-Versauerung zur *Eutrophierung* beitragen. Zahlreiche Schadstoffe sind auch bei der industriellen od. militär. Nutzung bestimmter Flächen in den B. gelangt, z. B. Mineralöle, Chlor-haltige Verb., Dioxine, explosive u. tox. Kampfstoffe, Cyanide u. Schwermetalle. Allein in der BRD gibt es heute weit über 100 000 *Altlastenflächen* u. *Altlastenverdachtsflächen*; zu Möglichkeiten der *Bodensanierung* s. *Lit.*[6].

Die *Bodenkunde* (*Pedologie*) ist die Wissenschaft von den Eigenschaften, der Entwicklung u. Verbreitung der B. sowie den Möglichkeiten u. Gefahren, die mit ihrer Nutzung durch den Menschen zusammenhängen. Mit den chem. Gesichtspunkten beschäftigt sich im wesentlichen die *Agrikulturchemie*. Die *Bodenökologie* betrachtet die *Pedosphäre* unter dem Aspekt des Stoff- u. Energiehaushaltes sowie der Wechselwirkung der B.-Organismen miteinander. – *E* 1. plate, 2. soil – *F* 1. plateau, 2. sol – *I* 2. suolo, terreno – *S* 1. plato, 2. suelo

Lit.: [1] Soil Map of the World (10 Bd.), Paris: FAO-UNESCO 1971–1981. [2] Bild Wiss. **1990**, Nr. 3, 84–93. [3] Naturwissenschaften **74**, 63–70 (1987). [4] Bild Wiss. **1993**, Nr. 12, 64–68. [5] Chem. Unserer Zeit **28**, 68–78 (1994). [6] Chem. Unserer Zeit **28**, 189–196 (1994).

allg.: zu 1: Ullmann (5.) **B 3**, 4 ff. – zu 2: Arndt, Nobel u. Schweizer, Bioindikatoren, Stuttgart: Ulmer 1987 ▪ Blume (Hrsg.), Handbuch des Bodenschutzes (2.), Landsberg/Lech: ecomed 1991 ▪ Eisenbeis u. Wichard, Atlas zur Biologie der Bodenarthropoden, Stuttgart: Fischer 1985 ▪ Ellenberg et al., Zeigerwerte von Pflanzen in Mitteleuropa, Göttingen: E. Goltze 1991 ▪ Gerrard, Soil Geomorphology, London: Chapman & Hall 1992 ▪ Gisi et al., Bodenökologie, Stuttgart: Thieme 1990 ▪ Haider, Biochemie des Bodens, Stuttgart: Enke 1996 ▪ Hartge u. Horn, Die physikalische Untersuchung von Böden, Stuttgart: Enke 1992 ▪ Scheffer u. Schachtschabel, Lehrbuch der Bodenkunde (13.), Stuttgart: Enke 1992 ▪ Topp, Biologie der Bodenorganismen, Heidelberg: UTB Quelle u. Meyer 1981 ▪ Wild, Umweltorientierte Bodenkunde, Heidelberg: Spektrum der Wissenschaften Verlagsges. 1995. – *Inst.:* Bundesanstalt für Geowissenschaften u. Rohstoffe (BGR), 30655 Hannover ▪ Bundesverband Boden, 12163 Berlin ▪ Deutsche Bodenkundliche Gesellschaft, 26121 Oldenburg ▪ International Society of Soil Science (ISSS, c/o FAO), Via della Terme di Caracalla, Rom. – *Zeitschriften u. Serien:* Biology and Fertility of Soils, Berlin: Springer (seit 1985) ▪ FAO Soils Bulletin, Rom: FAO ▪ Geoderma, Amsterdam: Elsevier (seit 1967) ▪ Soil Use and Management, Oxford: Blackwell (seit 1985) ▪ Zeitschrift für Pflanzenernährung u. Bodenkunde, Weinheim: VCH Verlagsges.

Bodenatmung. Gesamtheit des respirator. Gaswechsels des Bodens, verursacht durch die Sauerstoff-Aufnahme u. Kohlendioxid-Abgabe von Mikroorganismen u. unterird. Pflanzenteilen. Für den Gaswechsel

wichtig sind Hohlräume im Boden, sowohl die Poren zwischen den Bodenteilchen als auch die durch die Aktivität von Organismen entstandenen Hohlräume wie Regenwurmfraßgänge, Maulwurfbauten u. Röhren zersetzter Pflanzenwurzeln. Durch das Verstopfen solcher Hohlräume, z. B. infolge von Bodenverdichtung od. Überschwemmung, kann der O_2-Gehalt in der Bodenluft sinken, der CO_2-Gehalt steigen. In europ. Steppenböden liegt der CO_2-Anteil in der Bodenluft nur selten über 1%. Unter anaeroben bzw. mikroaeroben Bedingungen werden von Bodenlebewesen Nitrate (*Denitrifikation, Nitrat-Atmung), Eisen- od. Manganoxide zur *Atmung genutzt. Die B.-Raten mitteleurop. Böden liegen typischerweise zwischen 200–700 mg $CO_2\,m^{-2}\,h^{-1}$, davon ca. zwei Drittel aus den oberen humusreichen 20–30 cm des Bodens. Der Anteil der Pflanzenwurzeln an der B. liegt in diesen Böden im Mittel bei 20% der CO_2-Produktion. – *E* soil respiration – *F* respiration du sol – *I* respirazione del terreno – *S* respiración del suelo
Lit.: Odum, Grundlagen der Ökologie (2.), S. 602 ff., Stuttgart: Thieme 1983.

Bodenbakterien (Bodenmikroflora). Die B. bilden die größte Gruppe der im Boden verbreiteten *Mikroorganismen, wobei allein *Actinomyceten mit 10^5–10^7 Organismen/g (Masse: ca. 700 kg/ha) vertreten sind. Aerobe B. kommen insbes. in den oberen (fruchtbaren) Bodenschichten vor u. sind für die *Mineralisation organ. Substanzen mit der Bildung der *Huminsäuren verantwortlich. Die tieferen Schichten werden vorwiegend von *Anaerobiern besiedelt. – *E* soil bacteria – *F* bactéries du sol – *I* batteri del suolo – *S* bacterias del suelo
Lit.: Gisi et al., Bodenökologie, Stuttgart: Thieme 1990 ▪ Schlegel (7.).

Bodenbeläge. Sammelbez. für mit dem Untergrund (meist *Estrich) durch Klebstoffe od. Bindemittel fest verbundene Materialien aus Holz (Parkett), Stein (Solnhofener Platten), Keramik (Fliesen), Textilien (*Teppiche) od. Kunststoffen (PVC-Fliesen), die der Raumausgestaltung, der Isolierung u. dem Schutz des Fußbodens dienen. Zur Pflege von B. benutzt man *Fußbodenpflegemittel, *Parkettversiegelungsmittel etc. – *E* floor coverings – *F* revêtements du sol – *I* coperture del pavimento – *S* revestimientos del suelo
Lit.: Encycl. Polym. Sci. Eng. 7, 233–247.

Bodendesinfektion. Bez. für Meth. der *Schädlingsbekämpfung, bei der Schädlinge (Insekten, Pilze, Würmer, Mikroorganismen) im *Boden selbst bekämpft werden. Zur B. od. *Bodenentseuchung* bieten sich Behandlung mit Dampf od. mit chem. Mitteln an; letztere (*Fungizide, *Insektizide, bes. aber *Nematizide) werden gasf. (*Fumigantien) od. flüssig angewandt. – *E* soil sterilization – *F* stérilisation du sol – *I* sterilizzazione del suolo – *S* desinfección del suelo
Lit.: Bodenhygiene u. Abproduktnutzung, Leipzig: Grundstoffind. 1979 ▪ Kirk-Othmer (3.) 21, 263–294 ▪ Mulder, Soil Disinfestation, Amsterdam: Elsevier 1979 ▪ Perkow ▪ s. a. Pflanzenschutzmittel.

Bodenfestiger s. Bodenstabilisatoren.

Bodenkunde (Pedologie) s. Boden.

Bodenmikroflora s. Bodenbakterien.

Bodenmüdigkeit (Bodenerschöpfung). Bez. für das langsame Absinken der Erträge von Kulturpflanzen trotz normaler Düngungs- u. Bearbeitungsmaßnahmen. Ursachen: Einseitiger Nährstoffentzug, Erschöpfung des Bodens an Spurenelementen, Verseuchung mit kulturspezif. Schädlingen (z. B. Nematoden), Anhäufung wasserlösl. *Hemmstoffe. Gegenmaßnahmen: *Bodendesinfektion, Wechsel im Anbau der Kulturpflanzen (ständigen Fruchtwechsel erfordern Klee, Rüben, Erbsen, verträglich sind Roggen, Hafer, Mais, Kartoffeln), Zufuhr fehlender Spurenelemente durch *Düngemittel, Auswaschen der Hemmstoffe usw. – *E* soil fatigue – *F* fatigue du sol – *I* stanchezza del terreno – *S* fatiga del suelo

Bodenpflege s. Fußbodenpflegemittel.

Bodenstabilisatoren [Boden(ver)festiger]. Bez. für chem. Erhärtungsmittel, die dem *Boden zugesetzt werden (z. B. durch sog. *Bodeninjektion*), damit er eine für bauliche Maßnahmen geeignete festere Konstitution annimmt. Als auch gegen Bodenerosionen eingesetzte B. kommen Bindemittel wie Zement, Bitumen, Gemische von Calcium-Salzen u. Natriumsilicaten sowie *Acrylamide, die im Boden bei Zusatz von Ammoniumpersulfat u. Natriumthiosulfat polymerisieren, in Frage. Weitere Erhärtungsmittel, die im Boden ggf. mit dessen Al- u. Si-Verb., unlösl. Gläser bilden, sind: Phosphorsäure od. Wasserglas-Lsg. u. Magnesiumchlorid-Lsg., ferner Silicone; s. a. Bodenverbesserungsmittel. – *E* chemical grouts, soil stabilizers – *F* stabilisateurs du sol – *I* stabilizzatori del suolo – *S* estabilizadores del suelo
Lit.: Kirk-Othmer (3.) 5, 368–374 ▪ s. a. Boden.

Bodenstein, Max Ernst August (1871–1942), Prof. für Physikal. Chemie, Leipzig, Hannover u. Berlin. *Arbeitsgebiete:* Chem. Gleichgew., Reaktionskinetik, Katalyse, Kettenreaktionen, Photochemie.
Lit.: Chem. Ber. 100, XCV–CXXVI (1967) ▪ Naturwiss. Rundsch. 22, 69 ff. (1969) ▪ Neufeldt, S. 91, 130 ▪ Pötsch, S. 51 f. ▪ Strube et al., S. 125.

Bodenverbesserungsmittel. Bez. für Stoffe, die schon in relativ kleinen Mengen die allg. Bodenstruktur (Krümelung, Lockerungsgrad, Gas-Durchlässigkeit, Wasser-Bindungsfähigkeit u. dgl.) verbessern, ohne Pflanzennährstoffe zu enthalten. Die *Bodenverbesserung (Melioration)* stellt eine Maßnahme zur Erhaltung bzw. Steigerung der Bodenfruchtbarkeit dar. Als B. im weitesten Sinne wirken z. B. Stallmist, Gründüngung, Kalk, Humus, Torfmull, Lignin-Derivate, Alginate, Pektine, Eisensulfate, Ca-Polysulfid, Sägemehl, Silicate, ggf. mit Wasserglas versetzter *Rotschlamm. Es gehören aber auch verbessernde Maßnahmen dazu, wie Bewässerung, Tiefumbruch, Fruchtwechsel, Entwässerung, Erosionsschutz. Größere Bedeutung haben synthet. Produkte, v. a. teilw. hydrolysiertes Polyacrylnitril, Vinylacetat-Copolymerisate, Polyvinylpropionat, Butadien-Styrol-Copolymerisate, Carboxymethylcellulose u. organ. Ferriammonium-Komplexe. Wüstenböden können durch Unterschichten von wassersperrendem Asphalt od. Polyethylen-Folien in ca. 60 cm Tiefe fruchtbar gemacht werden. Andere B., die als *Bodenstabilisatoren wirken, werden als Kunststoffdispersion versprüht, u. nach Ver-

Bodenverfestiger

dunstung des Lsm. bleibt ein etwa zentimetertief im Boden verankertes Kunststoffnetz zurück. Damit lassen sich Winderosionen od. Auswaschungen verhindern; Saatgut od. Düngemittel können dem flüssigen Kunststoff direkt beigegeben werden. – *E* soil conditioners – *F* améliorateurs pour le sol – *I* miglioratori del suolo – *S* sustancias mejorantes del suelo
Lit.: Kullmann, Synthetische Bodenverbesserungsmittel, Berlin: Dtsch. Landwirtschaftsverl. 1978.

Bodenverfestiger s. Bodenstabilisatoren.

Bodenwasser. Sammelbez. für die Gesamtmenge des im Boden vorhandenen Wassers. Dieses umfaßt das in den oberen Bodenschichten festgehaltene Haftwasser (Kapillar- u. Adsorptionswasser) u. das *Sickerwasser, das über wasserstauenden Horizonten der Schichten das gestaute *Grundwasser bildet od. speist. – *E* groundwater, soil water, soil moisture – *F* eau du sol – *I* acqua del terreno – *S* agua del suelo

Bodenzahl s. Destillation u. Gaschromatographie.

Bodenzeiger s. Indikatorpflanze.

Bodroux-Tschitschibabin-Synthese s. Tschitschibabin-Synthese (3.).

Body-Mass-Index (Abk. BMI). Zur Beurteilung des relativen Körpergew. bei Erwachsenen in wissenschaftlichen Untersuchungen hat sich internat. der Körpermassenindex BMI durchgesetzt (s. Tab.), der relativ eng mit dem Körperfettgehalt korreliert. Der BMI berechnet sich nach der Gleichung: Gewicht in kg/Größe^2 in Metern. Zur Einstufung in verschiedene Gewichtsklassen empfiehlt das SCF die Einteilung in der Tabelle.

Tab.: Body-Mass-Index nach SCF.

BMI	Unter-gewicht	Ideal-gewicht	Über-gewicht	Adipositas
Männer	<20	20–25	25–30	>30
Frauen	<18	18–23	23–28	>28

– *E* body mass index – *F* index de grandeur-masse – *I* indice delle misure del corpo – *S* índice del peso corporal
Lit.: Deutsche Gesellschaft für Ernährung (Hrsg.), Ernährungsbericht 1992, S. 32–33, Frankfurt: DGE 1992 ▪ Erbersdobler u. Wolfram (Hrsg.), Echte und vermeintliche Risiken der Ernährung, S. 39–46, Stuttgart: Wiss. Verlagsges. 1993 ▪ SCF, Bericht des Wissenschaftlichen Ausschusses für Lebensmittel über Lebensmittel, die für Diäten zur Gewichtskontrolle bestimmt sind, 27. Bericht, EUR 14 181 DE.

Böden s. Boden.

Böhling. Kurzbez. für die Böhling Rohrleitungs- u. Apparatebau GmbH, Großmannstr. 118, 20539 Hamburg. *Produktion:* Anlagen u. Rohrleitungen aus Stahl u. NE-Metallen für die chem., petrochem. u. Nahrungsmittel-Industrie.

Böhme, Horst (geb. 1908), Prof. für Organ. u. Pharmazeut. Chemie, Marburg. *Arbeitsgebiete:* Phthalmonopersäure; durch Halogene, Stickstoff od. Sauerstoff substituierte organ. Schwefel-Verb., Methylenammonium-Salze, Lebensmittelanalyse; Arzneimittelsynth. u. -analyse.

Lit.: Kürschner (16.), S. 314 ▪ Pötsch, S. 53 ▪ Poggendorff 7a/1, 217 ▪ Wer ist wer, S. 125.

Böhme KG. Kurzbez. für die 1879 gegr. Firma Dr. Th. Böhme KG, Chem. Fabrik GmbH & Co., Isardamm 79–83, 82538 Geretsried.
Produktion: Produkte für die Textilausrüstung u. -veredlung, Chemiefaser-Herst., Lederfabrikation, Rauchwarenzurichtung u. -veredlung sowie Produkte für die Kunststoff- u. Papier-Industrie.

Böhmit s. Aluminiumhydroxide.

Boehringer, Ernst (1896–1965), Organ. Chemiker, Mitinhaber der Firma Boehringer-Ingelheim. *Arbeitsgebiete:* Alkaloide, Grundlagen- u. angewandte Forschung über Arzneimittel.
Lit.: Nachr. Chem. Tech. **13**, 150 (1965).

Boehringer Ingelheim. B. I. setzt sich zusammen aus den Firmen C. H. Boehringer Sohn, B. I. International GmbH, B. I. GmbH u. B. I. KG. Kurzbez. für die 1885 gegr., im Familienbesitz befindliche Firma C.H. Boehringer Sohn, Binger Straße 173, 55216 Ingelheim (keine Verbindung mit Boehringer-Mannheim). *Daten der Gruppe* (1994): über 22 000 Beschäftigte, knapp 6,24 Mrd. DM Umsatz u. ein Eigenkapital von 2,878 Mio DM; Forschung: 960 Mio DM.
Zu den ca. 130 *Tochter- u. Beteiligungsges.* im In- u. Ausland gehören u. a. Dr. Karl Thomae GmbH, Basotherm GmbH, Boehringer Ingelheim Pharmaceuticals Inc. u. Roxane Lab. Inc. (beide USA), Nippon Boehringer Ingelheim (Japan), Bender & Co. GmbH (Österreich).
Produktion: Arzneispezialitäten für die Human- u. Veterinärmedizin, pharmazeut. Chemikalien, insbes. Alkaloide sowie Backmittel u. Spezialprodukte für die Lebensmittelindustrie.

Boehringer Ingelheim Bioproducts Partnership. Carl-Benz-Str. 7, 69115 Heidelberg. Seit 1.1.1996 Übernahme des Geschäftsbetriebes der SERVA FEINBIOCHEMICA GmbH & Co. KG. *Produktion:* Das Angebotsspektrum erstreckt sich u. a. auf Produkte für die Biochemie, für Trenntechnik, Zellkultur, Molekularbiologie, Immunologie, Entoxinbestimmung u. Nischen-in-vitro-Diagnostik.

Boehringer Mannheim Germany. B. M. G. (BMG), die sich aus der Boehringer Mannheim GmbH u. ihren Niederlassungen zusammensetzt, ist Mitglied der Boehringer-Mannheim-Gruppe. Standorte in der BRD sind Mannheim, Penzberg, Tutzing. *Daten* (1994): 8872 Beschäftigte, 2,323 Mrd. DM Umsatz, 548 Mio. DM Forschung, 35 Mio. DM Umweltschutz. Mit ihren vier Divisionen Therapeutica, Labordiagnostica, Patient Care, Biochemica u. größeren Niederlassungen in allen wichtigen Ländern investiert die B. M. G. Leistungen in Diagnostik, Therapie u. Orthopädie. *Produktion:* Therapeutica (Arzneimittel, Wirkstoffe, Produkte für die Intensivmedizin), Diagnostica (Reagenzien, Syst.), Biochemica, Verbraucherprodukte (Hestia Pharma GmbH).

Boekelheide, Virgil C. (geb. 1919), Prof. für Organ. Chemie, Univ. Oregon, Eugene. *Arbeitsgebiete:* Aromat. Verb., Polycyclen, Diazonium-Verb., Heterocyclen, Aminoxide.
Lit.: Who's who in America 1995, S. 365.

Böllerpulver s. Schwarzpulver.

de Boer, Jan Hendrik (1899–1971), Prof. für Anorgan. Chemie, DSM Limburg (Niederlande). *Arbeitsgebiete:* Festkörperchemie, Elektronenemission, Katalyse, Gitterenergien, Bildungsaffinitäten, Entwicklung des Aufwachsverf. (zusammen mit van Arkel).
Lit.: Chem. Weekbl. **65**, Nr. 26, 12–23 (1969) ▪ Neufeldt, S. 150 ▪ Pötsch, S. 52 ▪ Poggendorff **7b/1**, 438–442.

Boerhaave, Hermann (1668–1738), Prof. für Medizin u. Chemie, Univ. Leyden. *Arbeitsgebiete:* Herst. von krist. Harnstoff (1729), Untersuchungen über Verbrennung (er fand, daß aus Ölen bei der Verbrennung H_2O u. CO_2 entstehen u. daß die Verbrennungsprodukte von Alkohol mehr wiegen als der Alkohol), Unterscheidung von Verb. u. Gemenge.
Lit.: Bugge, Das Buch der großen Chemiker, Bd. 1, S. 204–220, Weinheim: Verl. Chemie 1929 (1961) ▪ Heinig (Hrsg.), Biographien bedeutender Chemiker, S. 33, 328, Berlin: Volk u. Wissen 1983 ▪ Pötsch, S. 52.

Boerocerol®. Marke von *Boehringer-Ingelheim für durch physiolog. unbedenkliche Überzüge (z. B. Fett, Kohlenhydrate) geschützte Produkte für die Lebensmittel-, Pharma- u. Futtermittel-Industrie. *B.:* Boehringer-Ingelheim.

Böttger, Johann Friedrich (1682–1719), Alchemist, stellte auf der Suche nach einem Herst.-Verf. für Gold erstmals in Europa *Porzellan her (1709).
Lit.: Chem.-Ztg. **83**, 541–546 (1959) ▪ Strube et al., S. 44.

Böttger, Wilhelm (1871–1949), Prof. für Analyt. Chemie, Univ. Leipzig. *Arbeitsgebiete:* Bestimmung der Äquivalenzpunkte mit Farbindikatoren, elektroanalyt. Trennungsmeth., potentiometr. Maßanalyse, Einführung von Fixanal.
Lit.: Angew. Chem. **62**, 279 f. (1950) ▪ Pötsch, S. 58 ▪ Z. Anal. Chem. **86**, 1–140 (1931).

Bogenentladung s. Lichtbogen u. Gasentladung.

Bogenspektren s. Spektroskopie.

Bohlmann, Ferdinand (geb. 1921), Prof. für Organ. Chemie, TU Berlin. *Arbeitsgebiete:* Struktur u. Synth. von Naturstoffen (Terpenoide, Cumarine, Thiophene, Acetylene, Aromaten, Alkaloide).
Lit.: Kürschner (16.), S. 330 ▪ Poggendorff **7a/1**, 222 f.

Bohnen. Bez. für die zu den *Hülsenfrüchten (Leguminosen) zählenden reifen Samen von verschiedenen *Phaseolus*-Arten (Schmetterlingsblütler), insbes. der aus Ostindien stammenden *Phaseolus vulgaris*, deren Anbau als Garten-, Stangen-, Buschbohne usw. verbreitet ist, u. der aus Südamerika stammenden *P. multifloris*, der Feuer-, Pracht- od. Kapuziner-Bohnen. Zu den B. gehören auch die in trop. Gegenden kultivierten *Linamarin-haltigen Lima-, Mond- od. *Rangoonbohnen u. die in Ostasien beliebten Mungo- od. Urd-B. mit schwarzem Samen. Die Samen enthalten ca. 11,6% Wasser, 4,0% Rohfaser, 57,6% Kohlenhydrate (s. Stärke), 21,3% Eiweiß, 1,6% Fett sowie 2% Mineralstoffe; Nährwert je 100 g: 1415 kJ (338 kcal). Die noch unreife Samen enthaltenden grünen, fleischigen Hülsen von *P. vulgaris* liefern ein geschätztes Gemüse. Wegen des Gehalts an *Phasin, einem Phytagglutinin (s. Lektine), dürfen B. nur in gekochtem Zustand verzehrt werden, denn die Giftwirkung geht durch das Kochen verloren. Andererseits scheint Phasin in der lebenden Pflanze eine Schutzwirkung gegen Schadinsekten auszuüben. Nicht zu den eigentlichen B. gehören die *Sojabohnen, die Puff- od. Saubohnen (als Gemüse auch Dicke Bohnen genannt, *Vicia faba, Faba vulgaris*) u. a., die botan. zu den *Wicken* (Vicia) zählen. Diese enthalten u. a. das Globulin *Vicilin, das als Reservestoff fungiert. – *E* beans – *F* haricots – *I* fagioli – *S* habas, judías
Lit.: Brücher, Tropische Nutzpflanzen, S. 186–206, Berlin: Springer 1977 ▪ Franke, Nutzpflanzenkunde, Stuttgart: Thieme 1992 ▪ Schormüller, S. 469–474 ▪ s. a. Hülsenfrüchte. – *[HS 0708 20]*

Bohnenkraut. Einjährige, im Mittelmeergebiet heim. u. in gemäßigten Zonen kultivierte Pflanze (*Satureja hortensis* L., Lamiaceae) mit farblosen bis lila Blüten u. kleinen, schmalen Blättchen, die in frischem u. getrocknetem Zustand als Küchengewürz (*Pfeffer-* od. *Wurstkraut*) viel verwandt wird; auch eine Anw. als Darmantiseptikum ist bekannt. Die Pflanze enthält – hauptsächlich in den Blättern – 0,3 bis 1,9% ether. Öl aus *Carvacrol (30–45%), α- u. β-*Pinen, *Camphen, γ-*Terpinen, *p*-*Cymol, *Caryophyllen, *Linalool, *Terpinen-4-ol, *Borneol u. α-*Terpineol. Als Gerbstoff enthält B. *Labiatensäure*, ein Depsid aus *Kaffeesäure u. α-Hydroxyhydrokaffeesäure. Eine mehrjährige, immergrüne Halbsträucher bildende Abart ist das Bergbohnenkraut, (*S. montana*), dessen Aroma noch etwas kräftiger ist. – *E* savory – *F* sarriette – *I* santoreggia – *S* ajedrea de jardín
Lit.: Hager (4.) **6 b**, 295–299 ▪ Melchior u. Kastner, Gewürze, S. 194–199, Berlin: Parey 1974. – *[HS 0709 90]*

Bohnermassen, Bohnerwachse s. Fußbodenpflegemittel.

Bohnerz s. Brauneisenerz.

Bohn-Schmidt-Reaktion. Mit Hilfe von rauchender Schwefelsäure, Borsäure u. der Katalyse von Quecksilber od. Selen lassen sich *Anthrachinone hydroxylieren. Hydroxy-anthrachinone sind wichtige Zwischenprodukte in der Synth. von *Anthrachinon-Farbstoffen. – *E* Bohn-Schmidt reaction – *F* réaction de Bohn-Schmidt – *I* reazione di Bohn-Schmidt – *S* reacción de Bohn-Schmidt
Lit.: s. Anthrachinon.

Bohr, Aage (geb. 1922, Sohn von N. *Bohr), Prof. für Physik, Univ. Kopenhagen, Direktor des Niels Bohr-Institutes. *Arbeitsgebiete:* Kernphysik, friedliche Nutzung der Kernenergie, Untersuchungen zum Bau des Atomkerns u. Entwicklung des sog. Kollektivmodells (s. Atombau), wofür er 1975 (zusammen mit J. Rainwater u. B. R. Mottelson) den Nobelpreis für Physik erhielt.
Lit.: Naturwiss. Rundsch. **28**, 459 f. (1975) ▪ Umschau **75**, 748 (1975).

Bohr, Niels Henrik David (1885–1962, Vater von A. *Bohr), Prof. für Theoret. Physik, Kopenhagen. *Arbeitsgebiete:* Atomphysik, Quantenmechanik, Entwicklung des *Bohrschen Atommodells* (s. Atombau), Auswertung der Kernenergie durch kontrollierte Kernspaltung. Nobelpreis für Physik 1922.
Lit.: Hoyer, Die Geschichte der Bohrschen Atomtheorie, Weinheim: Physik-Verl. 1974 ▪ Krafft, S. 56 f. ▪ Neufeldt, S. 133,

191 ▪ Nobel Lectures Physics 1922–1941, S. 3–47, Amsterdam: Elsevier 1965 ▪ Poggendorff **7b/1**, 451–455 ▪ Rosenfeld, Niels Bohr. Collected Works (mehrbändig), Amsterdam: North-Holland (seit 1972) ▪ Strube **2**, 5, 76, 82 ff. ▪ Strube et al., S. 99, 117, 151, 155.

Bohr-Effekt. Nach Christian Bohr (1855–1911, Vater von N. *Bohr) benannte Abhängigkeit der Sauerstoff-Aufnahme- u. -Abgabefähigkeit des Blutes vom Kohlendioxid-Partialdruck u. vom pH-Wert. *Funktion:* Ansäuerung bzw. hoher CO_2-Gehalt im peripheren Gewebe erhöht die O_2-Abgabefähigkeit des *Hämoglobins. Andererseits führt O_2-Aufnahme durch Hämoglobin in der Lunge zur Erniedrigung des pH-Werts des Bluts u. zur Freisetzung von CO_2. Dadurch kommt es zu einer Unterstützung der Transportfunktionen des Hämoglobins.
Mol. Mechanismus: Bei Bindung von O_2 an das *Häm erfolgt über eine geringfügige alloster. (s. Allosterie) Konformationsänderung des Proteins eine pK-Wert-Erniedrigung zweier Histidin-Reste u. einer terminalen Amino-Gruppe u. deshalb Deprotonierung. Außerdem kommt es zur Abgabe von Carbaminsäure-artig an das Protein gebundenem CO_2. – *E* Bohr effect – *F* effet Bohr – *I* effetto di Bohr – *S* efecto Bohr

Bohrfette s. Bohröle.

Bohrflüssigkeiten s. Bohröle u. Bohrspülmittel.

Bohrium (Nielsbohrium) s. Chemische Elemente.

Bohr-Magneton. Auf einer geschlossenen Bahn umlaufende *Elektronen* (s. Atombau) besitzen ein sog. *magnet. Moment* (s. Magnetochemie) von der Größe eines B. M.; Zahlenwert

$$1\ \mu_B = \frac{e\hbar}{2m} = 9{,}2740154(31) \cdot 10^{-24}\ \text{J/T}.$$

– *E* Bohr Magneton – *F* magnéton Bohr – *I* magnetone Bohr – *S* magnetón de Bohr
Lit.: Bergmann u. Schaefer, Lehrbuch der Experimentalphysik, Bd. 4, Berlin: de Gruyter 1992 ▪ Phys. Bl. **43**, 397 (1987).

Bohröle. Die auch als *Kühlmittelöle* od. *Kühlschmierstoffe* bezeichneten B. dienen zum Kühlen u. Schmieren der Werkzeuge bei der spanabhebenden *Metallbearbeitung, d. h. beim Bohren, Drehen, Fräsen, Sägen, Schleifen u. Feilen; für die spanlose Bearbeitung benutzt man ähnlich aufgebaute *Schneidöle. Die B. sollen folgende Eigenschaften aufweisen: pH 7–9, dünnflüssig, nicht brennbar, temperaturunempfindlich, lagerbeständig, nicht schäumend, frei von Ammoniak u. Ethanol, antikorrosiv; sie sollen die Haut nicht reizen u. enthalten gelegentlich Desinfektionsmittel. Meist handelt es sich um beständige *Emulsionen von Korrosionsschutzmittel-haltigen Mineralölen in Wasser, wobei Seifen u. a. *grenzflächenaktive Stoffe als Emulgatoren dienen. Zur Herst. von B. werden auch *Bohrfette* benutzt, die neben Seifen, Harzseifen u. Mineralölen 25–50% Wasser enthalten. Andere B. bestehen aus fetten Ölen, sulfonierten Ölen, Graphitsuspensionen u. deren Gemischen. – *E* metalworking lubricants – *F* huiles de coupe – *I* oli di trivellazione – *S* aceites de taladrar
Lit.: Kirk-Othmer (3.) **14**, 513 f.; (4.) **15**, 504 f. ▪ Ullmann (4.) **20**, 617–622; (5.) **A 15**, 479 ff. ▪ s. a. Schmierstoffe.

Bohrscher Radius s. Atomare Einheiten u. Atombau

Bohrschlamm s. Bohrspülmittel.

Bohr-Sommerfeldsche Quantisierungsbedingungen. Nach den B.-S. Q. gilt für die *Phasenintegrale* (geschlossene Integrale im Impuls-Ortsraum, dem *Phasenraum): $\oint p_i \cdot dq_i = h \cdot (n + \alpha_i)$.
Hierbei sind p_i u. q_i die Impuls- bzw. Ortskoordinate, h ist die *Plancksche Konstante, n eine ganze Zahl u. α_i ein reeller Zahlenfaktor. Die auf Grund des *Korrespondenzprinzips von N. *Bohr u. *Sommerfeld vor mehr als 70 Jahren entwickelten B.-S. Q. haben in jüngerer Zeit im Rahmen *semiklassischer Näherungen wieder an Bedeutung gewonnen, s. a. Atommodelle. –
E Bohr-Sommerfeld quantization conditions – *F* conditions de quantification de Bohr-Sommerfeld – *I* condizioni quantistici di Bohr-Sommerfeld – *S* condiciones de cuantificación de Bohr-Sommerfeld

Bohrspülmittel. Bei Tiefbohrungen (z. B. nach *Erdöl) wird der Bohrabrieb durch auch *Bohrschlamm* genannte B. zutage gefördert. Diese zirkulieren von einer Grube über Tage durch das Bohrgestänge in die Tiefe u. wieder zurück. Die B. haben dabei folgende Aufgaben: 1. sie sollen die Gesteinssplitter u. das sog. Bohrklein nach oben führen, – 2. sie schmieren Sonde u. Bohrgestänge, – 3. sie dichten das Bohrloch ab u. verringern B.-Verluste durch Versickern, – 4. sie dichten die Sondenwand gegen Wasser u. Hochdruckgas ab u. erzeugen einen genügend hohen hydrostat. Druck als Schutz gegen Gasausbrüche. Die B. müssen aus dem letztgenannten Grund ein möglichst hohes spezif. Gew. besitzen. Dies erreicht man durch Zusatz von Schweremitteln, wie feinpulveriges Bariumsulfat (Schwerspat), Hämatit usw. Weitere wichtige Merkmale der B. sind: Temp.-Beständigkeit (bei Tiefbohrungen bis zu ca. 350 °C erreicht) u. geeignete Fließeigenschaften, die von Elektrolyt-Konzentrationsänderungen nur wenig beeinflußt werden (*Thixotropie, *Fließgrenze, Pumpfähigkeit). Sie beeinflussen u. a. entscheidend das Tragevermögen für das Bohrklein. Als weitere Komponenten werden in B. eingesetzt: Bentonite, Carboxymethylcellulose, hydrolysiertes Polyacrylnitril, Tallölfraktionen, Schutzkolloide, Entschäumer etc. – *E* drilling fluids – *F* boue de forage – *I* fluido di trevellazione – *S* fluído de perforación
Lit.: Bourgoyne et al, Applied Drilling Engineering, Richardson: Society of Petroleum Engineers 1986 ▪ Encycl. Polym. Sci. Techn. **5**, 140–153 ▪ Kirk-Othmer (3.) **6**, 215 f.; **17**, 143–167; (4.) **6**, 418 f. ▪ Ullmann (4.) **11**, 19 ff.; (5.) **A 23**, 169–174 ▪ s. a. Erdöl.

Boisambrene Forte®. Riechstoff mit edelholziger Note (Ambra), enthält *Formaldehyd-ethylcyclododecylacetal. *B.:* Henkel.

Boisbaudran, Paul-Emile (dit François) Lecoq de (1838–1912), französ. Chemiker. *Arbeitsgebiete:* Entdeckung der Elemente Gallium (1875), Samarium (1879) u. Dysprosium (1886), Seltene Erden.
Lit.: J. Chem. Soc. Trans. **103**, 742–746 (1913) ▪ Nature (London) **90**, 255 f. (1912) ▪ Neufeldt, S. 66, 71, 79 ▪ Strube, **2**, S. 193 ▪ Pötsch, S. 53 ▪ Strube et al., S. 99, 140, 141.

Bol s. Bolus.

Bolaform-Tenside (Bola-Amphiphile). Sammelbez. für in α,ω-Stellung mit zwei hydrophilen, ion. u./od.

nichtion. Gruppen substituierte hydrophobe Verb., die grenzflächenaktiv sind u. *lyotrope Phasen bilden. – *E* bolaform surfactants
Lit.: Holland u. Rubingh, Mixed Surfactant Systems, ACS Symp. Ser. 501, Washington: Am. Chem. Soc. 1991 ▪ Langmuir **7**, 1072 f. (1991) ▪ Recl. Trav. Chim. Pays-Bas **113**, 222 f. (1994).

Boldin (1,10-Dimethoxyaporphin-2,9-diol).

$C_{19}H_{21}NO_4$, M_R 327,38, Schmp. 162–164 °C (*d*-Form), $[\alpha]_D$ + 111° (C_2H_5OH), kaum lösl. in Wasser od. Ether, lösl. in Alkohol, Chloroform u. verd. Säuren. Zur Gruppe der *Aporphin-Alkaloide gehörende bitter schmeckende Verb. aus der Rinde u. den Blättern des südamerikan. *Boldo-Baumes od. -Strauches (*Peumus boldus*). Die Droge enthält bis zu 0,5% Alkaloide, davon 0,1% Boldin.
Verw.: Als Diuretikum[1] u. bei Cholezystopathien. – *E* = *F* boldine – *I* = *S* boldina
Lit.: [1] Planta Med. **57**, 519 ff. (1991).
allg.: Beilstein E V **21/6**, 118 ▪ Braun-Frohne (6.), S. 419 ▪ Hager (5.) **7**, 506 ▪ J. Chem. Soc., Chem. Commun. **1976**, 91 (Synth.) ▪ R.D.K. IV-1.P, S. 20. – [*HS 2939 90; CAS 476-70-0*]

Boldo. In Südamerika beheimateter farblos od. gelb blühender Strauch (*Peumus boldus* Mol., Monimiaceae), dessen Blätter ca. 0,3% *Aporphinalkaloide, bes. *Boldin, Säuren, Glykoside, Gerbstoffe sowie ca. 2% eines ether. Öls enthalten, das aus ca. 40–45% Askaridol, 30% *p*-Cymol u. Cineol, α-Pinen, Dipenten, Terpineol, Cuminaldehyd u. Eugenol besteht. Der Boldoblätter-Extrakt findet medizin. Verw. als Diuretikum u. Choleretikum, das ether. Öl auch in der Parfümerie. – *E* = *F* = *I* = *S* boldo
Lit.: Dtsch. Arzneimittel-Codex 1986, Stuttgart u. Eschborn: Dtsch. Apotheker-Verl. u. Govi-Verl. ▪ Hager (4.) **6a**, 554 ff. ▪ Wichtl (2.), S. 107 ff. ▪ s. a. Boldin. – [*HS 1211 90*]

BOLFO®. Halsbänder, Sprays, Shampoos u. Puder zur Kontrolle von Flöhen u. Zecken bei Hunden u. Katzen sowie Umgebungssprays. *B.:* Bayer.

Bologneser Glas (Bologneser Flasche) s. Glas.

Bologneser Leuchtstein s. Leuchtstoffe.

Bologneser Tränen s. Glastränen.

Bolometer (von griech.: bole = Wurf, Auftreffen). Temp.-empfindlicher Meßwiderstand zur Bestimmung der absorbierten Hochfrequenzleistung sowie Gerät zur Messung der Lichtintensität im sichtbaren u. infraroten Spektralbereich. Er besteht im wesentlichen aus geschwärzten sehr dünnen Pt-Drähten od. Pt-Folien (bis 0,5 µm Dicke), deren elektr. Widerstand sich durch Temp.-Erhöhung (hervorgerufen durch die auftreffende Strahlung) vergrößert. Die Empfindlichkeit zur Messung der Widerstandsänderung wird durch Differenzmessung in einer Wheatstone-Brücke erhöht. Statt Pt werden heute vielfach Halbleiter (Thermistoren, NTC) eingesetzt, deren Widerstand eine stärkere Temp.-Abhängigkeit aufweist als der bei Metallen. Die höchste Empfindlichkeit wird durch Supraleiter (s. Supraleitung) erreicht, die bei einer Temp. knapp unterhalb der Sprungtemp. des Übergangs von Supraleitung zur Normal-Leitung betrieben werden; d.h. geringe Energiemengen reichen aus, um den Leiter oberhalb der Sprungtemp. zu erwärmen u. so eine große Änderung des elektr. Widerstands zu erreichen. B. dieser Art werden zur Detektion von Atomen u. Mol. in Teilchenstrahlen (*Atomstrahl, *Molekülstrahl) verwendet. Ihre Empfindlichkeit ist so hoch, daß unterschieden werden kann, ob die auftreffenden Mol. sich im Schwingungsgrundzustand od. in einem angeregten Schwingungszustand befinden. – *E* bolometer – *F* bolomètre – *I* bolometro – *S* bolómetro
Lit.: Kohlrausch, Praktische Physik, Bd. 2, Stuttgart: Teubner 1985 ▪ Scoles, Atomic and Molecular Beam Methods, Oxford: University Press 1988.

Bolstar®. Insektizid auf der Basis von *Sulprofos. *B.:* Bayer.

Boltzmann, Ludwig (1844–1906), Prof. für Theoret. Physik, Graz u. Wien. *Arbeitsgebiete:* Thermodynamik, Begründung der statist. Mechanik (zusammen mit J. C. *Maxwell), Beziehungen zwischen Entropie u. Wahrscheinlichkeit thermodynam. Syst. (2. Hauptsatz), Atomistik, Gasgesetze.
Lit.: Broda, Ludwig Boltzmann, Wien: Deuticke 1955 ▪ Hermann, Lexikon Geschichte der Physik, S. 35–37, Köln: Aulis 1972 ▪ Krafft, S. 57 f. ▪ McGuinness, Ludwig Boltzmann, Dordrecht: Reidel 1974 ▪ Strube et al., S. 124, 126.

Boltzmann-Faktor, Boltzmann-Konstante s. Boltzmann'sches Energieverteilungsgesetz.

Boltzmann'sches Energieverteilungsgesetz. Mit dem B. E. wird die Verteilung f(E) der kinet. Energie E der Partikel eines Gases bei der Temp. T beschrieben:

$$f(E) = \frac{2}{\sqrt{\pi}} \cdot \sqrt{E} \cdot (k \cdot T)^{-3/2} \cdot e^{-\frac{E}{k \cdot T}}$$

Es resultiert aus der Maxwell-Boltzmann'schen Geschwindigkeitsverteilung. Der *Boltzmann'sche e-Satz* gibt an, welcher Bruchteil N_a/N der Gaspartikel eine Energie größer gleich E_a besitzt. Für $E_a \gg k \cdot T$ gilt näherungsweise

$$\frac{N_a}{N} = \sqrt{\frac{4 E_a}{\pi \cdot k \cdot T}} \cdot e^{-\frac{E_a}{k \cdot T}}$$

wobei der Ausdruck $e^{-\frac{E_a}{k \cdot T}}$ auch als *Boltzmann'scher e-Faktor* bezeichnet wird. Die *Boltzmann-Konstante k* ist eine der *Fundamentalkonstanten. Ihr Wert beträgt k = 1,380658(12) · 10^{-23} J/K u. ist mit der allg. Gaskonstante R über die *Avogadro-Konstante N_A verknüpft: k = R/N_A.
Die Boltzmann'sche Konstante spielt ebenfalls in der Beziehung S = k ln W eine Rolle, wonach die *Entropie eines Syst. der thermodynam. Wahrscheinlichkeit des zugehörigen Zustandes proportional ist. – *E* Boltzmann distribution law – *F* principe de Boltzmann – *I* legge di distribuzione di Boltzmann – *S* ley de distribución de Boltzmann

Lit.: Barrow, Physikalische Chemie, Braunschweig: Vieweg 1984 ■ Demtröder, Experimentalphysik, Bd. 1, Berlin: Springer 1994 ■ s. a. Gase, Thermodynamik.

Bolus (Bol, Siegelerde; von griech.: bolos = Erdklumpen). Feinstkörnige bis feinpulverige *Aluminiumsilicate wechselnder Zusammensetzung u. Farbe, die als Pigmentträger, Poliermittel u. Pudergrundlage sowie aufgrund ihres Adsorptionsvermögens medizin. bei Darmkatarrhen zur Bindung von Bakterien u. Toxinen verwendet werden, bes. der farblose bis weiße, halbfette *Kaolin *Bolus alba*. Weitere B.-Arten sind *Bolus rubra* (armen. B., *Rötel), *Terra di Siena* (gelbbraun) u. *Umbra*; diese sind durch größere Mengen Eisenoxide u. -hydroxide gefärbt, weshalb sie als Pigmente Verw. finden. – *E* bole, white bole – *F* = *S* bol, bolus – *I* bolo

Lit.: Hager **7 b**, 271–275 ■ Jasmund u. Lagaly (Hrsg.), Tonminerale u. Tone, S. 397 f., Darmstadt: Steinkopff 1993.

Bombage (von französ.: bomber = wölben). Nach außen gerichtete Wölbung der Böden von unvorschriftsmäßig behandelten Konservendosen od. anderen Lebensmittelverpackungen (z. B. PET-Flaschen). Sie wird durch Gase im Innern bewirkt, die z. B. durch Bakterien bei ungenügend sterilisierten Fisch- od. Fleischkonserven entwickelt werden (Inhalt ungenießbar, *Botulismus-Gefahr!), durch Gärung von Fruchtkonserven entstehen (Kohlendioxid) od. aus Fruchtsäften u. dem Dosenmetall (Wasserstoff) entwickelt werden. Durch Gefrieren des Doseninhalts kann auf Grund der Ausdehnung des Wassers ebenfalls eine B. zustande kommen. – *E* swelling – *F* bombage – *I* bombatura – *S* hinchamiento

Bombardierkäfer. Innerhalb der Insektenordnung Käfer (Coleoptera) u. hier in der Familie der Laufkäfer (Carabidae) gibt es in Mitteleuropa 5 Arten B., die zur Unterfamilie B. (Brachininae) gehören. Durch ihr Verhalten bes. bekannt sind die beiden B.-Arten *Brachinus crepitans* (Mittlerer B., 7–10 mm; gern auf lehmigem, sonnenexponierten Boden unter Steinen) u. *Brachinus explodens* (Kleiner B., ca. 5 mm; unter Steinen an Feldrainen, Hecken u. in lichten Wäldern). Im hinteren Bereich des Abdomens befindet sich ein Paar kompliziert gebauter drüsiger Hohlorgane („Knalldrüsen"), die an der Hinterleibsspitze münden. Bei Störung wird daraus eine stechend riechende, als feiner Dunst sichtbare Gaswolke durch Abbiegen des Abdomens gezielt auf Angreifer (z. B. Ameisen od. Laufkäfer) abgeschossen. Das Organ ist dreiteilig u. besteht aus einer Drüse mit Ausführgang, einem verschließbaren Reservoir u. der sich nach außen öffnenden, von Drüsenepithel umkleideten Brennkammer. Im Reservoir befindet sich ein Gemisch aus *Hydrochinon, Methylhydrochinon u. *Wasserstoffperoxid, in der Brennkammer eine Mischung aus den Enzymen Katalase u. Peroxidase. Zur Auslösung einer Entladung wird etwas Reservoirflüssigkeit in die Brennkammer gespritzt, was dort zu einer explosionsartig ablaufenden chem. Reaktion führt: Die Katalase setzt aus dem Wasserstoffperoxid Sauerstoff frei, der – durch die Peroxidase beschleunigt – mit den Hydrochinonen reagiert. Die entstehenden, gelb gefärbten Chinone werden unter dem Druck des O_2 u. ca. 100 °C heiß ausgetrieben. Sie sind äußerst wirksame chem. Abwehrwaffen, die sich auch experimentell mechan. od. durch Störung der B. auslösen lassen. Mehr als 20 Entladungen sind hintereinander möglich. Jede Entladung (Dauer ca. 15 ms) besteht aus 10 bis 20 Einzelexplosionen, zu denen es vermutlich durch passive Oszillationen des Verschlußmechanismus zwischen Reservoir u. Brennkammer kommt. – *E* bomb beetle – *I* bombardiere – *S* braquino

Lit.: Freude, Harde u. Lohse, Die Käfer Mitteleuropas, Bd. 2, Krefeld: Goecke u. Evers 1976 ■ Jacobs u. Renner, Biologie u. Ökologie der Insekten (2. Aufl.), Stuttgart: Fischer 1988 ■ Zahradnik, Käfer Mittel- u. Nordwesteuropas, Hamburg: Parey 1985.

Bomben. 1. Synonym Gasflaschen. Bez. für drucksichere nahtlose Stahlflaschen, die als Behälter für stark verdichtete Gase (*Druckgase*, z. B. Wasserstoff, Sauerstoff, Kohlendioxid, Chlor, Ammoniak) u. *Flüssiggase dienen. Sie sollen zur Kennzeichnung einen Farbanstrich tragen (z. B. blau für O_2 u. grün für N_2), die Ansatzgewinde sollen für brennbare Gase (z. B. H_2) ein Linksgewinde, für nicht brennbare Gase (z. B. N_2) mit Rechtsgewinde versehen sein. Zur Kennzeichnung s. DIN 4664, Tl. 13 (03/1978). Von der KFA Jülich wurde eine B. zur Speicherung von H_2 als Metallhydrid entwickelt (s. *Lit.*[1]). – 2. s. pyroklastische Gesteine. – *E* steel cylinders, steel bottles – *F* bouteilles d'acier – *I* bombola di gas – *S* botellas de gas a presión, botellas de acero

Lit.: [1] Chem. Labor Betr. **27**, 286 (1976).
allg.: DIN 4661, Tl. 1–6 (09/1968), Tl. 7 (03/1978); DIN 4664, Tl. 1–12 (Entwurf 02/1988); DIN 4663 (Entwurf 03/1987) ■ Strese et al., Druckgas-Verordnung (2 Bd.), Köln: Heymann 1972, 1973 ■ Technische Regeln Druckgase (TRG), Köln: Heymann 1972 ■ s. a. Gase.

Bombenaufschluß. Bez. für eine der *Elementaranalyse vorgeschaltete Meth. zum Aufschluß von organ. Substanzen, die Halogene u./od. Schwefel (*Carius-Methode) od. Metalle enthalten. Man bringt die Untersuchungssubstanz in verschlossenen, druckfesten Behältern (*Einschmelzrohre od. *Autoklaven) mit energet. wirkenden Oxidationsmitteln (z. B. Natriumperoxid) od. mit Reduktionsmitteln (Kalium-Metall u. dgl.) bei höheren Temp. zur Reaktion, wobei die zu bestimmenden Elemente in leichter analysierbare Salze übergehen. In der Praxis kommen als Reaktionsgefäße hauptsächlich zur Anw. die *Universalbombe nach Wurzschmitt, die Mikrobombe nach Beamish u. die Parr-Bombe. – *E* bomb fusion process – *F* fusion dans une bombe – *I* decomposizione nella bombola – *S* fusión en bomba

Lit.: s. Elementaranalyse.

Bombenrohr s. Einschmelzrohre.

Bombesin (BB, 2-L-Glutamin-6-L-asparagin-alytesin).

5—oxo—Pro—Gln—Arg—Leu—Gly—Asn—Gln—Trp
H_2N—Met—Leu—His—Gly—Val—Ala

$C_{71}H_{110}N_{24}O_{18}S$, M_R 1619,86, Schmp. 185 °C (Hydrochlorid, Zers.). Polypeptid (14 Aminosäuren) aus der Haut von Amphibien der Familie Discoglossidae, insbes. *Bombina*-Arten. Es stimuliert die Sekretion der Magen- u. Bauchspeicheldrüsen-Schleimhaut u. besitzt hypertensive, antidiuret. u. hyperglykäm. Eigen-

schaften. Hohe Konz. wurden in menschlichen Lungenkarzinom-Zellen gefunden[1]. – *E* bombesin – *F* bombésine – *I* = *S* bombesina
Lit.: [1] Science **214**, 1246 (1981).
allg.: Handb. Psychopharmacol. **16**, 363 ff. (1983) ▪ Med. Res. Rev. **15**, 389–417 (1995) (Bombesin-Rezeptor) ▪ Methods Lab. Med. **2**, 131 (1982) ▪ Ullmann (5.) **A 19**, 107. – [CAS 31362-50-2]

Bombykal s. Bombykol.

Bombykol [(*E,Z*)-10,12-Hexadecadien-1-ol].

$C_{16}H_{30}O$, M_R 238,41, Öl, Sdp. 119–120 °C (1,33 Pa). Sexuallockstoff des Seidenspinnerweibchens (*Bombyx mori*), für den Menschen „geruchlos", für Seidenspinnermännchen noch in einer Verdünnung von 10^{-16} bis 10^{-18} g/ml als *Insektenlockstoff wahrnehmbar; zur Riechschwellenbestimmung s. *Lit.*[1]. Die Isolierung des natürlichen B. (12 mg aus 500 000 Duftdrüsen weiblicher Seidenspinner), Konstitutionsermittlung u. Synth. gelang im Arbeitskreis von *Butenandt. B. war das erste identifizierte *Pheromon. Der von B. abgeleitete Aldehyd (*Bombykal*, $C_{16}H_{28}O$, M_R 236,40) u. das (*E,E*)-Stereoisomere sind auch in den Duftdrüsen des Seidenspinners enthalten[2]. – *E* bombykol – *F* bombycol – *I* bombicolo – *S* bombicol
Lit.: [1] Naturwissenschaften **57**, 23–28 (1970); **58**, 194–200 (1971). [2] Angew. Chem. **90**, 74 f. (1978); Naturwissenschaften **65**, 337 f., 382–384 (1978).
allg.: Agric. Biol. Chem. **52**, 141, 473, 881 (1988) (Biosynth.) ▪ Angew. Chem. **73**, 349–353 (1961) ▪ Beilstein E IV **1**, 2295 ▪ Tetrahedron **39**, 3271 (1983) (Synth.). – [CAS 765-17-3 (B.); 63024-98-6 (Bombykal); 965-19-5 (E,E-B.)]

Bonamine®. Tabl. mit *Meclozin-Hydrochlorid, gegen Erbrechen, Reisekrankheiten u. dgl. *B.:* Pfizer.

Bonasanit®. Tabl. mit *Pyridoxin-Hydrochlorid gegen Vitamin B_6-Mangel u. prämenstruelles Syndrom, Wechseljahrsbeschwerden. *B.:* Weimer.

Bonbons (von französ.: bon = gut). Landläufige Bez. für bestimmte Arten von *Zuckerwaren, s. a. Karamellen.

Bondacid®. Beizmittel von CHEMETALL für Stahl, Zink u. Aluminium auf Basis von Mineralsäuren zur Entfernung von Korrosionsprodukten auf den Werkstücken. Beizpasten; flüssige Beizmittel für Tauch- u. Spritzanlagen u. zum manuellen Auftrag; Beizmittel für Aluminium vor dem Punktschweißen.

Bonder®. Marke von CHEMETALL für *Reinigungs- u. Entfettungsmittel* für alle metall. Werkstoffe u. Kunststoffe. Alkal. u. saure Tauch- u. Spritzreiniger, Neutral-, Emulsions- u. Kaltreiniger. *Phosphatier-Verf.:* Für den Korrosionsschutz, insbes. auch in Verb. mit organ. Deckschichten u. mit Korrosionsschutzölen. *Chromatier-Verf.:* Für dekorative Zwecke; zum Blank-Korrosionsschutz; als Vorbehandlung vor dem Lackieren.

Bonderlube®. Schmierstoffe von CHEMETALL für die Kaltumformung von phosphatiertem u. blankem Metall; z.B. Seifen zur Umformung von Rohr, Draht u. beim Kaltfließpressen. Reaktive Öle u. Pasten für das Rohr-, Draht- u. Tiefziehen.

Bonder®-Prüfbleche. Prüfbleche von CHEMETALL für die Qualitätsprüfung von Farben u. Lacken.

Bondrillan®. Kühlschmierstoffe u. Additive von CHEMETALL für spangebende Verformung von metall. Werkstücken.

Bone gla protein s. Osteocalcin.

Bonellin.

$C_{31}H_{34}N_4O_4$, M_R 526,64. Grünschwarze Krist., die sich bei ca. 300 °C zersetzen. λ_{max} (6% HCl) 402 nm, 636 nm. In Methanol, Dichlormethan leicht, in Ether mäßig löslich. B. gehört zur Strukturklasse der *Chlorine.
Vork.: B. ist das geschlechtsdifferenzierende grüne Pigment von *Bonellia viridis*, einem im Mittelmeer verbreiteten Meerestier, aus dem es durch Methanol-Extraktion gewonnen werden kann. – *E* bonellin – *F* bonelline – *I* bonellina – *S* bonelín
Lit.: Chem. Rev. **94**, 327 (1994) ▪ Justus Liebigs Ann. Chem. **1990**, 415–418. – [CAS 62888-19-1]

Bone morphogenetic proteins s. Knochenmorphogenese-Proteine.

Bongkreksäure.

$C_{28}H_{38}O_7$, M_R 486,61, amorphes Pulver, Schmelzbereich 50–60 °C, $[\alpha]_D^{22}$ + 165°, säurelabiles Toxin aus *Pseudomonas cocovenenas*, der auf teilentölten Kokosnüssen vorkommt. Der Name leitet sich von „bongkrek", einer mit *Rhizopus oryzae* fermentierten indones. Kokosspeise, ab, die hochgiftig wird, wenn sie beim Lagern von *P. cocovenas* bewachsen wird. Symptome wie Schwindel u. Kopfschmerzen setzen einige h nach Aufnahme ein. Koma u. Tod folgen je nach Dosis nach 1–2 d. B. wirkt als Inhibitor für den Transport von ADP durch Mitochondrien [LD_{50} (Maus i.v.) 1,41 mg/kg]. – *E* bongkrekic acid – *F* acide bongkrékique – *I* acido bongkrekico – *S* ácido bongcréquico
Lit.: Beilstein E IV **3**, 1285 ▪ Tetrahedron **29**, 1541 (1973). – *Pharmakologie:* Biochem. Biophys. Res. Commun. **39**, 363 (1970) ▪ J. Biol. Chem. **245**, 1319 (1970). – *Synth.:* J. Am. Chem. Soc. **106**, 462 (1984). – [HS 2941 90; CAS 61032-21-0]

Bonhoeffer, Karl Friedrich (1899–1957), Prof. für Physikal. Chemie, Leipzig, Berlin, Göttingen. *Arbeitsgebiete:* Knallgas-Reaktionen, aktiver Wasser-

stoff, *ortho-* u. *para-*Wasserstoff (1929), therm. Dissoziation von H_2O, Protonenaustausch zwischen H_2 u. D_2O, Elektrochemie, Herst. von atomarem H_2 (Wood-Bonhoeffer-Meth.), photochem. Zers. von Iodwasserstoff, Ozon usw.
Lit.: Pötsch, S. 54 ▪ Z. Elektrochem. **62**, 221 ff. (1958).

Boonekamp (Magenbitter). Bitterer Kräuterlikör mit mind. 40% vol. Ethanol, der zuerst in Holland (Namensgebung) hergestellt wurde. Er enthält Anis-, Curaçaoschalen-, Enzian-, Nelken-, Rhabarber-, Fenchel-, Koriander-, Süßholz-Auszüge usw.

Booster. Aus dem Engl. übernommene, im Zusammenhang mit *Explosivstoffen, *Raketentreibstoffen, *Kerntechnik u. *Immunologie, aber auch in Verbindung mit Wasch- od. Reinigungsmitteln anzutreffende Bez. für Leistungsverstärker (s. Verstärker). – $E = I$ booster – F amplificateur – S multiplicador

Boot-Form (Wannenform) s. Konformation, Cyclohexan.

BOP. Nach DIN 7723 (12/1987) Kurzz. für Butyloctylphthalat [Butyl-(2-ethylhexyl)-phthalat] als *Weichmacher.

Bopindolol.

Internat. Freiname für (±)-1-(*tert*-Butylamino)-3-(2-methylindol-4-yloxy)-2-propanol-benzoatester, $C_{23}H_{28}N_2O_3$, M_R 380,49; LD_{50} (Maus i.v.) 17 mg/kg. B. wurde 1977 u. 1982 als β-Blocker von Sandoz patentiert u. ist von Wander (Wandonorm®) im Handel. – $E = F = S$ bopindolol – I bopindololo
Lit.: ASP. – *[CAS 62658-63-3]*

BOPOB s. POPOP.

Bor (von armen.: Buraq, pers.: Burah = Borax, chem. Symbol B). Nichtmetall. Element mit *Halbleiter-Eigenschaften, Ordnungszahl 5, Atomgew. 10,811. Natürliche Isotope (in Klammern Angabe der Häufigkeit): 10 (19,78%) u. 11 (80,22%); es gibt auch Lagerstätten mit abweichender Zusammensetzung $^{10}B/^{11}B$. Daneben sind noch die künstlichen radioaktiven Isotope (in Klammern HWZ) ^8B (0,77 s), ^9B (8·10^{-19} s), ^{12}B (0,02 s) u. ^{13}B (0,019 s) bekannt. Elementares B kann aus seinen Verb. als schwarze, glasig-undurchsichtige, amorphe Modif. od. in 2 krist. Formen erhalten werden. Das rote α-rhomboedr. B, D. 2,46, geht beim Erhitzen auf 1200 °C in das stabile, dunkel glänzende β-rhomboedr. B über, D. 2,35, H. ca. 10, Schmp. 2300 °C, Sdp. 2550 °C (Subl.). Daneben werden vier tetragonale Formen beschrieben, die allerdings durch geringe Mengen an Stickstoff od. Kohlenstoff stabilisiert sind. Die elektr. Leitfähigkeit von B ist bei 20 °C gering (beträgt nur ca. 10% derjenigen von Kupfer), steigt jedoch beim Erwärmen ziemlich rasch an.

In Übereinstimmung mit seiner Stellung in der 3. Gruppe des *Periodensystems ist B gegen Sauerstoff u. Halogene streng dreiwertig. An der Luft entzündet sich B bei etwa 700 °C u. verbrennt mit rötlicher Flamme zu B_2O_3. Bei hohen Temp. verbindet es sich auch mit N, Cl, Br u. S. Geschmolzener Salpeter wirkt erst bei 400 °C, konz. Schwefelsäure bei 250 °C u. Phosphorsäure bei 800 °C auf B ein, dagegen kann man es mit heißer konz. Salpetersäure zu *Borsäure oxidieren u. durch Schmelzen mit Natriumhydroxid in Natriumborat überführen. Gepulvertes B läßt sich durch Zusammenschmelzen mit einem großen Überschuß an $K_2S_2O_8$ zu einem wasserlösl. Produkt aufschließen (wahrscheinliche Reaktion: $2B + K_2S_2O_8 \rightarrow 2KBO_2 + 2SO_2$). Mit C, N, O u. S. vermag B heterocycl. Verb. zu bilden (*Beisp.:* *Carborane, *Borazine, *Boroxin u. *Borthiin); s. a. Bor-organische, Bor-Stickstoff- u. Bor-Schwefel-Verbindungen. Aufgrund seiner Elektronenlücke neigt B ebenso wie Al zur Bildung von Anlagerungsverb., wobei die Elektronenpaar-Donatoren koordinativ gebunden werden; *Beisp.:* *Bortrifluorid-Etherat u. a. *Oxonium-Salze. Außer C u. Si besitzt kein anderes Element ähnlich viele Wasserstoff-Verb. wie B, wobei jedoch aufgrund seiner Elektronenkonfiguration besondere Bindungsverhältnisse (sog. *Dreizentrenbindungen.* vgl. Borane) vorliegen, die bes. von *Lipscomb untersucht worden sind (hierfür Chemie-Nobelpreis 1976). Zur Nomenklatur der anorgan. u. organ. B-Verb. s. IUPAC-Regeln 11.1.–11.7, D-7.0–7.74.

Physiologie: Elementares B ist nicht tox., wohl aber einige seiner Verbindungen. In Spuren kommen B-Verb. in allen Böden u. Organismen vor (so enthält z. B. 1 kg Trockensubstanz beim Roggen 3,1, bei der Bohne 43 u. beim Mohn 95 mg B). B spielt als *Spurenelement eine wichtige Rolle. Eine ständige Versorgung mancher Pflanzen mit B ist für das Aufrechterhalten der Zellteilungen u. damit für das Wachstum notwendig (vgl. Bordünger). Ein B-haltiger Naturstoff ist das Antibiotikum *Boromycin. B-Mangel verursacht z. B. die Herz- od. Trockenfäule der Rüben. Offenbar regelt B den Ca-Haushalt der Pflanzen; bei B-Mangel wird das Verhältnis zwischen erzeugtem Pektin u. Fett zugunsten des Pektins verschoben. Für Tiere u. Mikroorganismen scheint B entbehrlich zu sein.

Nachw.: Als qual. Nachw. dient die Überführung von B-Verb. in den mit intensiv grüner Flammenfärbung brennenden Borsäuretrimethylester. Die Reaktion ist auch zur quant. Bestimmung brauchbar. Über Nachw. u. Bestimmung von B mit 1,1′-Dianthrimid, Karminsäure, Curcumin, Alizarin S, Chromotropsäure Dinatriumsalz, 1,10-Phenanthrolin u. Chinalizarin s. bei Fries-Getrost (*Lit.*) u. bei Fresenius-Jander (*Lit.*). Ein empfindliches Reagenz auf B, bes. zur Spurenbestimmung in Gewässern u. Trinkwasser, ist das sog. *Azomethin H s. *Lit.*[1]). Die Prüfung auf B in Abwässern ist notwendig, weil bei einem B-Überangebot (z. B. aus Waschmittel-*Perboraten) der biolog. Abbau behindert werden kann.

Vork.: B ist in der freien Natur nur in Form von Sauerstoff-Verb. anzutreffen; sein Anteil an der obersten Erdkruste wird auf etwa 0,001% geschätzt. Techn. wichtige B-Mineralien sind: *Borsäure, *Colemanit,

*Ulexit, *Borax u. v. a. der Borax-ähnliche *Kernit od. Rasorit, der in Kalifornien in riesigen Lagern vorkommt u. seit 1928 das wichtigste Ausgangsmaterial für die Weltproduktion an Borsäure u. Borax geworden ist. Ausgebeutet werden auch die Boraxsolen (ca. 3% Borax) des Searles-Sees in Kalifornien u. die Borate des Indersee-Gebiets von Kasachstan (UdSSR). *Herst.:* Durch Red. von Bortrioxid mit Mg (B-Gehalt nach Aufarbeitung ca. 98%) od. durch Red. von Borhalogeniden (BCl_3, BBr_3) mit Wasserstoff an Wolfram- od. Tantal-Drähten (Reinheit >99%). Sehr reines Bor (99,9999%) läßt sich durch therm. Zers. von *Diboran u. anschließendem *Zonenschmelzen gewinnen. Zur labormäßigen Herst. s. *Lit.*[2].
Verw.: Amorphes B wird als Additiv in pyrotechn. Mischungen u. in festen Raketentreibstoffen verwendet sowie in Leg. zur Erzeugung von Stählen bes. Härte, die auch als Neutronenabsorber in Kernreaktoren zum Einsatz kommen. Auf dem Neutroneneinfang durch ^{10}B beruht auch die Verw. des B in der Krebstherapie (s. Kliegel, *Lit.*). Krist. B hoher Reinheit (>99,99%) findet spez. Halbleiter-Anw. z. B. in Thermistoren u. zur *Dotierung von Silicium- u. Germanium-Halbleitern. Für Raumfahrtzwecke wurden Borfasern zur Verstärkung von Leichtmetallen u. Kunstharzen entwickelt. B wird ferner zur Herst. von *Boriden benötigt, die oft diamantähnliche Härte aufweisen. *Geschichte:* Elementares, unreines B wurde erstmals von Gay-Lussac u. Thénard (1808) durch Red. von B_2O_3 mit K, gleichzeitig u. unabhängig davon auch von Davy durch Elektrolyse der Borsäure hergestellt. Die Gewinnung von reinem, krist. B gelang erst nach 1950. – *E* boron – *F* bore – *I = S* boro
Lit.: [1] Chem.-Ztg. **98**, 499–504 (1974). [2] Brauer (3.) **2**, 787–819.
allg.: Fresenius-Jander, Bd. 3/3 aα1: Bor, Berlin: Springer 1971 ▪ Fries-Getrost, S. 74ff. ▪ Gmelin, Syst.-Nr. 13, Bor 1926, mit Erg.-Bd. 1954 sowie Erg.-Werk mit 30 Bd., 1974–1988 ▪ Greenwood, The Chemistry of Boron, Oxford: Pergamon 1975 ▪ Kirk-Othmer (4.) **4**, 360–365 ▪ Kliegel, Bor in Medizin, Biologie und Pharmazie, Berlin: Springer 1980 ▪ Ullmann (5.) **A 4**, 281 ff. ▪ Winnacker-Küchler (4.) **2**, 550 ff. – *[HS 280450; CAS 7440-42-8]*

Bora... Präfix, das nach IUPAC-Regel R-2 in *Austauschnamen u., vor Vokal zu Bor... gekürzt, im *Hantzsch-Widman-System den Ersatz einer CH-Gruppe durch ein Bor-Atom anzeigt (*Beisp.:* *9-Borabicyclo[3.3.1]nonan), in Namen für Ketten u. Ringe alternierender Heteroatome dagegen die Einheit –BH–; *Beisp.:* Triborazan = H[–BH–NH]$_2$–BH$_2$, Cyclotriborathian = *cyclo*-[-BH–S–]$_3$. – *E = I = S* bora... – *F* bor(a)

9-Borabicyclo[3.3.1]nonan (9-BBN; dimer).

$C_8H_{15}B$, M_R 122,02. Farblose Krist., Schmp. 141–143 °C, zersetzt sich leicht, kann sich an der Luft entzünden, lösl. in Aromaten, Alkanen, Tetrahydrofuran, Ether u. Methylenchlorid. Das krist. u. in Lsg. dimer vorliegende B. ist aus 1,5-*Cyclooctadien u. *Diboran herstellbar. B. dient als Hydroborierungsreagenz mit hoher Regioselektivität. – *E = F* 9-borabicyclo[3.3.1]nonane – *I=S* 9-borabiciclo[3.3.1]nonano
Lit.: J. Am. Chem. Soc. **104**, 7148 (1982) ▪ J. Org. Chem. **41**, 1778 (1976); **46**, 3978 (1981); **50**, 549 (1985) ▪ Kontakte (Merck) **1973**, Nr. 1, 22–26 ▪ Paquette **1**, 622–630 ▪ s. a. Hydroborierung. – *[HS 293100; CAS 280-64-8]*

Boracit. $Mg_3[Cl/B_7O_{13}]$; unterhalb 268 °C rhomb. (Krist.-Klasse mm2-C$_{2v}$; stark pyroelektr.; zur Struktur s. *Lit.*[1]), oberhalb 268 °C kub. (Struktur s. *Lit.*[2]) krist. *Borat-Mineral. Meist eingewachsene, kub. ausgebildete, farblose, weiße, graue od. grünliche, glasglänzende Krist.; auch kreideartige feinfaserige Massen („*Staßfurtit*"); H. 7–7,5, D. 3, Bruch muschelig. *Vork.:* In der *Carnallit-Region mariner dtsch. Salzlagerstätten, z. B. Staßfurt, Solvayhall bei Bernburg; ferner in Lüneburg, Polen, Louisiana/USA. – *E = F = I* boracite – *S* boracita
Lit.: [1] Z. Kristallogr. **138**, 64–99 (1973). [2] Am. Mineral. **58**, 691–697 (1973).
allg.: Ramdohr-Strunz, S. 593 ▪ Schröcke-Weiner, Mineralogie, S. 561 f., Berlin: de Gruyter 1981. – *[HS 252890; CAS 1303-91-9]*

Boräquivalent s. Neutronen.

Boralkyle s. Bor-organische Verbindungen.

Boranate. Von *Wiberg geprägte Bez. für komplexe *Metallborhydride* der allg. Formel M^n[BH$_4$]$_n$; M bedeutet Metall, n die Wertigkeit des Metalls; *Beisp.:* Aluminiumboranat (Al[BH$_4$]$_3$), *Natriumboranat (Na[BH$_4$]). In den aus Metallhydriden (M^{n}H$_n$) u. *Boranen (nBH$_3$) entstehenden B. tritt BH$_4$ als elektroneg. Bestandteil auf. Zahlreiche B. sind salzartig; bei den nichtsalzartigen B. (wie z. B. Al[BH$_4$]$_3$) sind die BH$_4$-Gruppen durch Wasserstoff-Brücken mit dem Metall-Atomen verbunden. Zur Nomenklatur: Nach IUPAC-Regel 11.5 werden die B. als *Hydroborate(1-)* (früher Hydridoborate) bezeichnet, wogegen die „Boranat"-Nomenklatur abgelehnt wird.
Verw.: Die B. finden im Labor – Na[BH$_4$] auch großtechn. – Verw. als selektiv wirkende Reduktionsmittel sowie zur Herst. anderer Bor-Verbindungen. Noch wirksamere B. entstehen durch Ersatz einzelner H durch Alkyl- od. Alkoxy-Gruppen[1], Cyano-Gruppen bzw. Schwefel-Ketten[2]. – *E* borohydrides – *F* boranates – *I* boranati – *S* boranatos
Lit.: [1] Aldrichim. Acta **7**, 55–60 (1974). [2] Synthesis **1975**, 135–146; **1972**, 526–532.
allg.: Brauer (3.) **2**, 793 f. ▪ Gmelin, Erg.-Werk, Bd. 33, 1976 ▪ Kirk-Othmer (4.) **4**, 462 ff. ▪ Pelter, Boron-hydrogen compounds, Compr. Org. Chem., Bd. 3, S. 695 ff., Pergamon: Oxford 1979 ▪ Ullmann (5.) **A 4**, 319 ▪ Winnacker-Küchler (4.) **2**, 560 f.

Borane. Systemat. Gruppenbez. für die *Borwasserstoffe*, d. h. für Wasserstoff-Verb. des *Bors. Nur von Kohlenstoff u. Silicium existiert eine größere Zahl von *Hydriden als von Bor; dafür ist bei letzterem die Mannigfaltigkeit der möglichen Strukturen dank ungewöhnlicher Bindungsverhältnisse größer. So sind z. B. vier verschiedene Verb. mit 10 Bor-Atomen formulierbar $B_{10}H_8$, $B_{10}H_{12}$, $B_{10}H_{14}$, $B_{10}H_{16}$, die als Decaboran(8), Decaboran(12) etc. bezeichnet werden. Im Gegensatz zu den Kohlenwasserstoffen kommt es bei den B. nicht zur Ausbildung von Doppelbindungen, sondern von meist hochsymmetr. käfigartigen Verb., in denen Bor nicht nur valenzmäßig mit Wasserstoff, sondern auch über sog. *Dreizentrenbindungen* mit anderen Bor-Atomen verknüpft ist. Ein Elektronenpaar verteilt sich dabei entweder auf 3 B-Atome od. auf 2 B- u. 1 H-Atom; man hat diese für Bor typ. u. von der erwarteten 3-*Bindigkeit abweichende Bindungsform deshalb auch *Elektronenmangelbindung* genannt. Wesentliche Beiträge zum Verständnis der *chemischen Bindung in B. stammen von *Lipscomb, der für seine Untersuchungen den Chemie-Nobelpreis 1976 erhielt[1]. *Beisp.* für B.: *Diboran(6) (früher als (a) heute meist als (b) dargestellt) u. *Pentaboran(9) (c) (zur Chemie s. *Lit.*[2]); hier stellen die ausgefüllten, über Hilfslinien verbundenen Kreise Bor-Atome, die schraffierten die über *Wasserstoff-Brückenbindungen an je 2 B gebundenen H-Atome u. die offenen Kreise die valenzgebundenen H-Atome dar. Höhere B. sind in ähnlicher Weise wie bei (c) aus „Dreiecken" zusammengesetzte Polyeder, u. entsprechend ist das B_{12}-Ikosaeder (Zwanzigflächner) bes. stabil.

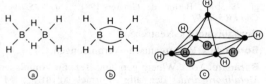

Als *closo-B. bezeichnet man solche Verb., die vollkommen geschlossen von Dreiecksflächen bedeckt sind, während solche mit einer od. zwei Öffnungen als *nido-B. (von lat. Nest) bzw. *arachno-B. (von griech. Spinne) gekennzeichnet werden (s. *Lit.*[3]). Zwei od. mehrere solcher Polyeder-Einheiten sind in den *conjuncto*-B. über B–B-, od. B–H–B-Bindungen od. gemeinsame Bor-Atome (*commo*-) miteinander verbunden. Für die von IUPAC-Regeln nur teilw. abgedeckte Nomenklatur derartiger Strukturen wird eine beschreibende Meth. vorgeschlagen[4]. Werden in den höheren B. Boratome durch Kohlenstoff ersetzt, so gelangt man zu den *Carboranen.

Herst.: Ursprünglich durch Hydrolyse von Magnesiumborid; das dabei hauptsächlich entstehende B_4H_{10} liefert durch Pyrolyse *Diboran(6). Heute wird Diboran durch Umsetzung von Metallhydriden mit Borhalogeniden in ether. Lsm. gewonnen[5]; die höheren B. wie *Decaboran(14) sind durch Pyrolyse des B_2H_6 zugänglich. Die niederen B. sind gasf., die mittleren (ab B_5H_9) flüssig u. die höheren fest; Boran (BH_3) selbst tritt in freier Form nicht auf. Die flüssigen u. gasf. B. riechen unangenehm, sind giftig (MAK 0,1, 0,01 bzw. 0,3 mg/m^3 für B_2H_6, B_5H_9 bzw. $B_{10}H_{14}$, s. a. *Lit.*[6]) u. z. T. selbstentzündlich; gegen Wasser sind sie unbeständig. Aufgrund des koordinativ ungesätt. Charakters des Bor-Atoms lagern B. Elektronenpaardonatoren (*Lewis-Basen) an; ein bekanntes Beisp. für *Amin-Borane* ist Trimethylamin-Boran [$(H_3C)_3N \rightarrow BH_3$, s. Bor-Stickstoff-Verbindungen].

Verw.: Zur Herst. der *Boranate, als *Katalysatoren, *Raketentreibstoffe, *Schutzgruppen, zur Bestimmung von Hydroxy-Gruppen[7], hauptsächlich aber als Zwischenprodukt bei der Synth. von zur *Hydroborierung dienenden *Bor-organischen Verbindungen, die Organoborane genannt werden (*Beisp.*: Trimethylboran). – *E = F* boranes – *I* borani – *S* boranos

Lit.: [1] Angew. Chem. **89**, 685–696 (1977); Pure Appl. Chem. **49**, 701–716 (1977). [2] Acc. Chem. Res. **6**, 416–421 (1973). [3] Acc. Chem. Res. **9**, 446ff (1976). [4] Inorg. Chem. **23**, 4132–4143 (1984). [5] Brauer (3.) **2**, 790–793. [6] Hommel Nr. 253, 255. [7] Justus Liebigs Ann. Chem. **1974**, 69–100.
allg.: Brauer (3.) **2**, 790–793 ▪ Gmelin, Syst.-Nr. 13, B, Erg.-Werk, Bd. 45, 52, 54, 1975–1979, 1st Suppl. Vol. 1, 1980, S. 2–112, 2nd Suppl. Vol 1, 1983, S. 3-204, 3rd Suppl. Vol. 1, 1987 ▪ Kirk-Othmer (4.) **4**, 439–499 ▪ Mutterties (Hrsg.), Boron Hydride Chemistry, New York: Academic Press 1975 ▪ Ullmann (5.) **A 4**, 316–320 ▪ Winnacker-Küchler (4.) **2**, 559 f.
▪ s. a. Bor, Boranate u. Bororganische Verbindungen. – [HS 285000]

Boranuida. s. Borata...

Borata... Präfix, das nach IUPAC-Regel D-1.63 u. D-7.63 in *Austauschnamen den Ersatz eines C-Atoms durch B$^-$ anzeigt. Das Synonym *Boranuida...* (neuer IUPAC-Vorschlag)[1] wird kaum benutzt, häufig dagegen anschauliche Benennungen als anion. Bor-Komplexe (IUPAC-Regeln D-7.62 u. I-11.5). *Beisp.*: 5-Borataspiro[4.4]nonan = Bis(1,4-butandiyl)borat(1–). – *E = I = S* borata... – *F* borate...

Lit.: [1] Pure Appl. Chem. **65**, 1357 (1993), Regel RC-83.3.

Borate. Bez. für Salze u. Ester der *Borsäure; letztere werden als *Borsäureester abgehandelt. Die borsauren Salze leiten sich meist nicht von der Orthoborsäure (H_3BO_3) od. Metaborsäure (HBO_2) her, sondern von wasserärmeren Polyborsäuren der allg. Formel $H_{n-2}B_nO_{2n-1}$, die sich in freiem Zustand nicht herstellen lassen. *Beisp.*: für B.-Mineralien: Borocalcit, $CaB_4O_7 \cdot 4H_2O$, *Pandermit, $Ca_2B_6O_{11} \cdot 3H_2O$, *Colemanit, $Ca_2B_6O_{11} \cdot 5H_2O$, *Ulexit, *Boracit. Die Alkalimetall-B. (bekanntestes Beisp. *Borax) sind in Wasser mit alkal. Reaktion (Hydrolyse) lösl., die anderen B. schwer bzw. unlöslich. Die Salze der Metaborsäure, die Meta-B. ($(BO_2)_3^{3-}$, sind BO-Polymere mit geschlossenen Ring- od. offenen Kettenstrukturen. Zur Bestimmung von B. mit Azomethin H s. *Lit.*[1].

Verw.: Für die Glas- u. Emailherst., für Waschmittel, Düngemittel, Arzneimittel[2], für die Herst. anderer Bor-Verb., z. B. von *Perboraten. – *E = F* borates – *I* borati – *S* boratos

Lit.: [1] Chem. Lab. Betr. **28**, 229–232 (1977). [2] Negwer, S. 1676.
allg.: Gmelin, Syst.-Nr. 13, B, Erg.-Werk, Bd. 28, 1975, 1st Suppl. Vol. 1, 1980, S. 207–250, 2nd Suppl. Vol 1, 1983, S. 290–303, 3rd Suppl. Vol. 2, 1987, S. 41–70 ▪ Kirk-Othmer (4.) **4**, 365–413 ▪ Ullmann (5.) **A 4**, 269–280 ▪ Winnacker-Küchler (4.) **2**, 554 ff. – [HS 2840 11–30]

Borax (Dinatriumtetraborat, Tinkal). T ☠
$Na_2B_4O_7 \cdot 10H_2O$ od. $Na_2[B_4O_5(OH)_4] \cdot 8H_2O$ bzw. $Na_2O \cdot 2B_2O_3 \cdot 10H_2O$, M_R 381,37; in der Natur meist farblose, graue od. gelbe, körnige bis faserige Massen, Krist.-Klasse 2/m-C_{2h}, Struktur s. *Lit.*[1]; H. 2–2,5, D. 1,7. Bei raschem Erhitzen Schmp. ca. 75 °C, verliert bei ca. 100 °C 5 H_2O, bei 150 °C 4 weitere H_2O u. wird bei 400 °C wasserfrei; Schmp. 878 °C. Das Pentahydrat (sog. *Juwelierborax*) kann auch hexagonal kristallisieren, D. 1,815. Geschmolzener B. löst zahlreiche Metalloxide unter Bildung charakterist. Färbungen (*Boraxperle*, s. Salzperlen u. die Tab. in Ramdohr-Strunz, S. 199, *Lit.*). B.-Rauch reizt Nasen- u. Rachenschleimhäute. Die Einnahme größerer Mengen ruft Magenschmerzen, Erbrechen u. Durchfall sowie

Kreislaufschwäche bis zum Schock hervor. Die intakte Haut wird von B. jedoch nicht angegriffen.
Vork.: In terrestr. Salzseen; Hauptförderländer sind die USA (Boron, Death Valley, Searles Lake u. Borax Lake/Californien) u. die Türkei; weitere Vork. in Argentinien, Peru, Kasachstan u. Tibet.
Verw.: Zur Herst. von Glasfaser-Isolierungen, Glasfasermatten, zu Glasuren, bei der Emailfabrikation, zur Herst. von Gläsern, als Flußmittel beim Hartlöten, als Mineralaufschlußmittel, zum Steifen von Geweben, als Zusatz zu Gerbbrühen, in der Kosmetik, als Zusatz zu Seifen u. Pudern gegen fettige Haut, in Bleichcremes u. verschiedenen Hautpflegemitteln, zur Herst. von *Natriumperborat als Bleichzusatz in Waschmitteln; außerdem zur Flammschutz-Ausrüstung von Holz u. Textilien, als Bestandteil von *Bordüngern. – *E* = *F* borax – *I* borace – *S* bórax
Lit.: [1] Acta Crystallogr., Sect. B **34**, 3502–3510 (1978). *allg.:* Harben u. Bates, Industrial Minerals, Geology and World Deposits, S. 31–37, London: Industrial Minerals Division of Metal Bulletin Plc 1990 ▪ Lapis **7**, Nr. 1, 5–7 (1982) ▪ Ramdohr-Strunz, S. 199, 588 ▪ Ullmann (5.) A **4**, 270 ff., 277 f. ▪ s. a. Borate. – [HS 2528 10; CAS 1303-96-4]

Borazane s. Bor-Stickstoff-Verbindungen.

Borazine.

Systemat. Bez. für cycl. *Bor-Stickstoff-Verbindungen, deren vom N stammende 3 Elektronenpaare den Mol. eine formale Ähnlichkeit mit Benzol verleihen, obwohl die Kriterien der *Aromatizität fehlen. Entsprechend wurde der Grundkörper nach einem Vorschlag von *Wiberg auch *anorgan. Benzol* genannt; davon leitet sich die systemat. nicht zulässige, im dtsch. Schrifttum gelegentlich anzutreffende Bez. *Borazol* für B. ab. *Borazin* ($B_3H_6N_3$ Cyclotriborazan, M_R 80,50) ist eine wasserklare, farblose, aromat. riechende Flüssigkeit, D. 0,83, Schmp. –58 °C, Sdp. 53 °C, in Wasser unter Zers. zu Borsäure, Ammoniak u. Wasserstoff löslich. B. ist therm. sehr beständig, am Bor läßt es sich leicht, am Stickstoff schwerer durch organ. Reste od. Halogene substituieren. – *E* = *F* borazines – *I* borazini – *S* borazinas
Lit.: Brauer (3.) **2**, 796 f. ▪ Gmelin, Syst.-Nr. 13, B, Erg.-Werk, Bd. 22, 23, 51, 1975 u. 1978, 1st Suppl. Vol. 2, 1980, S. 110–123, 2nd Suppl. Vol. 1, 1983, S. 384–394, 3rd Suppl. Vol. 3, 1988, S. 126–133 ▪ Kirk-Othmer (4.) **4**, 512–518 ▪ Ullmann (5.) A **4**, 323 ▪ s. a. Bor-Stickstoff-Verbindungen.

Borazol s. Borazine.

Borazon s. Bornitrid.

Borcarbid. Feines, schwarzes Pulver od. schwarze, glänzende Krist., mit *Halbleiter-Eigenschaften, D. 2,52, Schmp. 2470 °C, Sdp. über 3500 °C, H. 9,3. B. wird im allg. als B_4C (M_R 55,25) od. $B_{12}C_3$ formuliert, liegt jedoch als $B_{13}C_2$ vor. B. ist chem. sehr widerstandsfähig; es wird von Laugen, Kaliumchlorat u. Salpetersäure nicht angegriffen, Sauerstoff u. Chlor zersetzen es erst oberhalb 1000 °C in stärkerem Umfang, u. in der Alkalischmelze wird es in Borat u. Carbonat umgewandelt.
Herst.: Aus Bortrioxid u. Graphit in Lichtbogen- od. Widerstandsöfen bei ca. 2500 °C ($2 B_2O_3 + 7 C \rightarrow B_4C + 6 CO$).
Verw.: Als Schleifmaterial, zum Schneiden, Läppen usw., zum *Borieren von Stahl, in Kernreaktoren als Neutronenabsorber, in Form von gepreßten od. gesinterten Werkstücken zur Panzerung von Fahrzeugen od. zur Herst. von Reibschalen u. a. Stücken, s. a. Tetrabor. – *E* boron carbide – *F* carbure de bore – *I* carburo borico – *S* carburo de boro
Lit.: Gmelin, Syst.-Nr. 13, B, Erg.-Bd. 1 (1954) u. 2 (1981) ▪ Ind. Ceram. **732**, 655 ff. (1979); **734**, 811 ff. (1979) ▪ Kirk-Othmer (4.) **4**, 426 f. ▪ Tech. Mitt. **80**, 221 ff. (1987) ▪ Ullmann (5.) A **4**, 295–300 ▪ Winnacker-Küchler (4.) **2**, 630 f. – [HS 2849 90; CAS 12069-32-8]

Borchers. Kurzbez. für die Firma Borchers GmbH, Alfred Nobel Straße 50, 40789 Monheim. Auf Lackadditive spezialisiertes Bayer-Unternehmen. *Produktion:* Lackadditive (Celluloseether, Silicone, Netzmittel, Konservierungsmittel, PU-Verdicker), Trockenstoffe.

Bordasche Wägung s. Waagen.

Bordeauxbrühe s. Kupferkalkbrühe.

Bordünger. *Bor ist ein wichtiges *Spurenelement, bei dessen Mangel es zu Störungen im Nucleinsäure-Haushalt u. damit zu Wachstumsstörungen der Pflanzen kommt. Es wird daher vielen Handelsdüngern in kleinen Mengen, zumeist in Form von *Borax, zugesetzt; 1% Borax im Dünger entspricht 1,1‰ Bor, der Borax-Gehalt im üblichen B. reicht von 2–7%, in Ausnahmefällen bis 40%. – *E* boron fertilizers – *F* engrais boratés – *I* fertilizzante borico – *S* abonos bóricos
Lit.: s. Düngemittel.

Borfasern. Durch therm. Zers. von Bortrichlorid-Dampf im Wasserstoff-Strom lassen sich auf einer ca. 10 µm dicken Wolfram-Seele Borschichten abscheiden. Es werden auch B. mit Kohlenstoff-Seele sowie solche, die mit Bor- od. Siliciumcarbid beschichtet sind, hergestellt. Die durch hohe Festigkeit u. Temp.-Beständigkeit ausgezeichneten B. können zur *Faserverstärkung von Kunststoffen od. Aluminium, Titan etc. verwandt werden. Die so erhaltenen *Verbundwerkstoffe finden Anw. im Flugzeugbau u. in der Raumfahrt sowie bei der Herst. von Sportgeräten. – *E* boron fibers – *F* fibres de bore – *I* fibre boriche – *S* fibras de boro
Lit.: Kirk-Othmer (3.) **S**, 262 f.; (4.) **7**, 10 ▪ Ullmann (4.) **11**, 380 ff., 406; (5.) A **11**, 31 f.

Borfluorwasserstoffsäure s. Fluoroborsäure.

Bor-Gruppe (Bor-Aluminium-Gruppe). Bez. für die Elemente der 3. Hauptgruppe des *Periodensystems: Bor, Aluminium, Gallium, Indium, Thallium. – *E* boron group – *F* groupe de bore – *I* gruppo del boro – *S* grupo del boro

Borhydride s. Boranate u. Borane.

Boride. Sammelbez. für *nichtstöchiometrische Verbindungen aus Bor u. einem Metall (*Beisp.:* AlB_{12}, ZrB_2, Fe_2B, Co_3B, W_2B_5 usw.), die pulvermetallurg. od.

Borieren

durch Reaktion der Metalloxide mit *Borcarbid herstellbar sind. Viele B. sind hochschmelzend (Schmp. >2000°C) u. hart u. finden deshalb Verw. in Schleifmitteln, Hartstoffen, hochtemperaturbeständigen Werkstoffen, Glühkathoden usw. Auf der Bildung von Eisen-B. beruht auch die Härte der beim *Borieren erzeugten Oberflächenschicht. – *E* borides – *F* borures – *I* boruri – *S* boruros

Lit.: Br. Polym. J. **18**, 359 ff. (1986) ▪ Chem. Unserer Zeit **22**, 93 ff. (1988) ▪ Gmelin, Erg.-Werk, Bd. 19, Borverb., 1975 ▪ Kirk-Othmer (4.) **4**, 423 ff. ▪ Ullmann (5.) A **4**, 303 ff. ▪ Winnacker-Küchler (4.) **2**, 558. – *[HS 285 000]*

Borieren. Thermochem. Behandlung von Eisen-Werkstoffen (sowie Titan-Leg., W, Mo u. Hartmetallen) zum Anreichern der Randschicht eines Werkstücks mit *Bor, mit dem Ziel der Ausbildung einer Borid-Schicht (Fe_2B bei Eisenwerkstoffen)[1]. Die Behandlungstemp. liegt zwischen 850 u. 1000°C. In Abhängigkeit vom Bor-abgebenden Mittel (*Borax, *Borcarbid, *Diboran(6), *Bortrichlorid) läßt sich zwischen Pulver-, Salzbad-, Pasten-, Gas- u. Plasma-B. unterscheiden. Die Schichtdicke kann bis 800 μm betragen, die Härte kann 2000 HV 0,2 (Vickers-Mikrohärte s. Vickers-Härte) überschreiten. Borid-Schichten verbessern die Verschleißbeständigkeit u. wirken antiadhäsiv (*Beisp.:* Getriebe). Eine Punktbelastung kann wegen der hohen Schichthärtung, der geringen Dicke u. des unstetigen Härteabfalls zwischen Schicht u. Grundwerkstoff allerdings zu Schichtverletzungen führen. – *E* boriding – *F* borurer – *I* borurare – *S* borurar

Lit.: [1] DIN/EN 10052 (01/1994) ▪ VDI Lexikon Werkstofftechnik, S. 109, Düsseldorf: VDI 1993.

Borinsäuren. In Chemical Abstracts u. Lit. verwendete Bez. für organ. Derivate der Borsäure der allg. Formel

$$\begin{array}{c}R^1\\ \diagdown\\ B-OH\\ \diagup\\ R^2\end{array} \quad \text{z.B.:} \quad \begin{array}{c}H_5C_6\\ \diagdown\\ B-OH\\ \diagup\\ H_3C\end{array}$$

[Methylphenylborinsäure; nach IUPAC-Regeln D-7.42 u. I-11.4.1 bevorzugte Bez.: (Hydroxy)(methyl)phenylboran]. – *E* borinic acids – *F* acides boriniques – *I* acido borinico – *S* ácidos borínicos

Lit.: Beilstein E IV **4**, 4365–4377; **16**, 1636–1653.

Borkenkäfer. Die B. (Familie Ipidae bzw. Scolytidae) gehören zur Unterordnung Polyphaga der Insektenordnung Käfer (Coleoptera). Von den insgesamt etwa 5000 Arten leben etwa 100 in Mitteleuropa, wobei die Vertreter meist deutlich unter 9 mm groß sind. Meist gute Flieger, bei einigen Arten sind die Männchen flugunfähig. Flügeldecken am Hinterende oft muldenartig vertieft u. mit randlichen Zähnchen versehen: Im Rückwärtsgang wird das durch Fraß angefallene Bohrmehl wie durch einen Schaufelbagger aus den Gängen des Holzes ins Freie geschoben. Vielfach ist Zirpvermögen als akust. Kommunikation nachgewiesen worden. Die Art des Zirpens ist sehr variabel. Es kann durch Kopfnicken od. durch Hinterleibsbewegungen jeweils mittels scharfer Kanten u. Querriefen erfolgen. Gezirpt wird in Streßsituationen (wohl zur Abwehr u. zur Auslösung der Abgabe von Ablenkpheromon beim Sozialpartner), bei der Balz, bei Rivalenkämpfen u. zur Regulation der Besiedlungsdichte in der Wirtspflanze, jeweils mit situationsspezif. Zirplauten. Die Ernährung erfolgt bei Käfern wie bei Larven ausschließlich vegetar., nur wenige Arten sind streng monophag (an eine einzige Wirtspflanzen-Art gebunden). Die Fraßgänge werden überwiegend von Weibchen u. Larven angelegt, die Männchen helfen beim Beseitigen des Bohrmehls. Das Fraßbild der Gänge ist artspezif., ebenso der Bereich der befallenen Pflanze (Stammteil mit dicker od. dünner Rinde, Äste, Zweige, Wurzeln) sowie ihr physiolog. Zustand (gesund, kränkelnd, tot). Am häufigsten werden kränkelnde, in ihrem Wasserhaushalt gestörte Bäume od. gar totes Holz befallen, seltener gesunde od. nur wenig geschwächte Bäume. Das *Waldsterben kann deshalb als Wegbereiter für den heute gehäufteren B.-Befall in Fichtenwäldern verstanden werden. Bei der Besiedlung geeigneter Wirtsbäume wie auch beim Finden der Geschlechter, beim Paarungs- u. beim Aggressionsverhalten u. bei der Regulation der Besiedlungsdichte spielen neben den akust. v. a. auch chem. Signale eine Rolle, deren Typ u./od. Kombination von Art zu Art verschieden ist. Beim Anflug an die Wirtspflanze ist häufig die opt. Orientierung wichtig: Stammsilhouetten wirken anlockend. Bedeutungsvoller sind baumeigene Lockstoffe: Bei Nadelbäumen sind es v. a. im Harz enthaltene leichtflüchtige Bestandteile des Terpentinöls (z. B. α-*Pinen, *Camphen, *Limonen, auf die entsprechende B. ansprechen. Diese von den Bäumen ausgehende u. von den Käfern durch das Verletzen von Leitungsbahnen bzw. Harzgängen laufend erhöhte prim. Lockwirkung wird erheblich verstärkt durch *Pheromone, die von den bereits eingefallenen u. im Holz nagenden Käfern im Enddarm gespeichert u. mit dem Kot dem Fraßmehl beigemischt werden. Es handelt sich um leicht flüchtige, niedermol. Verb. (max. 10 C-Atome), die durch Oxid. von Harzinhaltsstoffen gebildet werden (häufig bicycl. Ketale od. Alkohole u. deren Ketone). Diese sek. Anlockung führt zu raschem, oft massenhaftem Befall geeigneter Brutbäume. Pheromon-Lockstoffe einer Art wirken nicht selten anflughemmend auf konkurrierende B.-Arten, auf spezif. Parasiten jedoch attraktiv. Nach optimaler Besiedlung eines Wirtsbaumes wird weiterer Anflug von Artgenossen gehemmt durch Einstellung der Abgabe der Pheromone, durch bestimmte akust. Signale u./od. durch Ausscheiden von sog. Ablenkstoffen (Pheromone, die als Antilockstoff abstoßend u. vertreibend wirken). Nicht selten wird diese Wirkung durch Änderung der Konz. von Pheromonen erreicht: In geringer Konz. attraktiv, in hoher abstoßend. In B.-Fallen, die mit synthetisierten Pheromonen als Lockstoff beködert sind, versucht man in Wäldern mit B.-Befall einen Teil der Population wegzufangen u. damit den Schaden für den Wald u. die Reproduktionsrate der B. zu erniedrigen; s. a. Buchdrucker. – *E* barkbeetle – *F* bostryche de l'épicéa – *I* bostrico – *S* bostríquidos

Lit.: Bauer, Die Sache mit dem Wald, München: BLV 1985 ▪ Jacobs u. Renner, Biologie u. Ökologie der Insekten, 2. Aufl., Stuttgart: Fischer 1988 ▪ Krieg u. Franz, Lehrbuch der biologischen Schädlingsbekämpfung, Berlin: Parey 1989 ▪ Otto,

Waldökologie, Stuttgart: Ulmer 1994 ∎ Schütt, Schuck u. Stimm, Lexikon der Forstbotanik, Landsberg/Lech: ecomed 1992 ∎ Stary, Atlas nützlicher Forstinsekten, Berlin: Dtsch. Landwirtschaftsverl. 1990.

Born, Max (1882–1970), Prof. für Theoret. Physik, Frankfurt, Göttingen, Edinburgh. *Arbeitsgebiete:* Aufbau der Materie, Matrizenmechanik (s. Atombau u. Quantenmechanik), Theorie des festen Zustands, Kristallgittertheorie. Physik-Nobelpreis (mit *Bothe) 1954.
Lit.: Born, Mein Leben, München: Nymphenburger 1975 ∎ Ideen exakt. Wiss. **1972**, 289–298 ∎ Krafft, S. 61 f. ∎ Neufeldt, S. 141 ∎ Nobel Lectures Physics 1942–1962, S. 253–270, Amsterdam: Elsevier 1964 ∎ Phys. Bl. **25**, 153–156 (1969) ∎ Poggendorff **7a/1**, 235–236 ∎ Strube et al., S. 151, 156 f. ∎ Vogel, Physik u. Philosophie bei Max Born, Berlin: Springer 1968.

Bornan.

Nach IUPAC-Regel A-72.1 systemat. Bez. für 1,7,7-Trimethylbicyclo[2.2.1]heptan, (s. a. Terpene u. vgl. Borneol). Ältere Bez.: Camphan. – *E = F* bornane – *I = S* bornano – [HS 290619]

Bornaprin.

Internat. Freiname für 2-Phenylbicyclo[2.2.1]heptan-2-carbonsäure-(3-diethylaminopropylester), $C_{21}H_{31}NO_2$, M_R 329,48, Schmp. 159–164 °C; verwendet wird das Hydrochlorid, Schmp. 149 °C. Es wurde 1956 als Antiparkinson-Mittel von Knoll (Sormodren®) patentiert. – *E = F* bornaprine – *I = S* bornaprina
Lit.: Hager (5.) **7**, 507. – [HS 2922 19; CAS 20448-86-6; 26908-91-1 (Hydrochlorid)]

Borneol (*endo*-2-Bornanol).

$C_{10}H_{18}O$, M_R 154,25, Schmp. 208–209 °C. Monoterpen-Alkohol mit Bornan-Struktur mit scharfem Campher-artigem Duft, der in der Natur als (+)-(1R)-B. u. (–)-(1S)-B. vorkommt, $[\alpha]_D$ +37,7° u. –37,7° (c 5/C_2H_5OH).
Vork.: (+)- u. (–)-B., frei u. verestert, hat man in über 150 Pflanzenfamilien festgestellt, bes. häufig in Kieferngewächsen (Pinaceae). Ebenfalls natürlichen Ursprungs sind die als *Isoborneole* bezeichneten (+)-(1S)-*exo*- u. (–)-(1R)-*exo*-Stereoisomere, $[\alpha]_D$ +34,3° u. –34,3° (c 5/C_2H_5OH), die auch in racem. Form vorliegen können.
Synth.: Durch Red. von (+)- bzw. (–)-*Campher. (±)-Isoborneol ist ein Zwischenprodukt der Campher-Synth. aus α-*Pinen.
Verw.: Als Bestandteil von Latschenkiefernöl u. Kiefernnadelöl in Bronchialtherapeutika, zur Synth. von Bornylestern für die Parfümierung kosmet. Mittel, in Asien zum Räuchern u. zur Einbalsamierung. – *E = S* borneol – *F* bornéol – *I* borneolo
Lit.: Beilstein EIV **6**, 28 ∎ Elsevier **12A**, 649–661 ∎ Gildemeister **3b**, 145–190 ∎ Karrer, Nr. 312, 313 ∎ Ullmann (5.) **A 11**, 171. – [HS 290619; CAS 464-43-7 ((+)-B.); 464-45-9 ((–)-B.); 16725-71-6 ((+)-Isob.); 10334-13-1 ((–)-Isob.)]

Borneolacetat s. Bornylacetat.

Born-Haber-Kreisprozeß. Das von *Born u. Haber aufgestellte Schema verknüpft verschiedene mol. Energiewerte miteinander, u. zwar (vgl. Abb.) die *Bildungswärmen ΔH mit *Gitterenergien U, *Ionisationsenergien I, *Elektronenaffinitäten E, Sublimationsenergien L u. *Dissoziationsenergien D. Mit Hilfe des B.-H.-Kreisprozesses lassen sich demnach z. B. Elektronenaffinitäten berechnen od. Bildungsenergien hypothet. Verb. ebenso wie Gitterenergien, wenn die anderen Parameter jeweils bekannt sind. In der Abb., die die B.-H.-Beziehungen bei NaCl wiedergibt, bedeuten eckige Klammern festen u. runde Klammern gasf. Zustand:

Abb.: Born-Haber-Kreisprozeß bei NaCl.

Nach Einsetzen der aus Tab. ablesbaren (ggf. auf eine Bezugstemp. zu korrigierenden) Zahlenwerte ergibt sich im Beisp. für die Elektronenaffinität gasf. Chlors ein Wert von –364 kJ. Zur Berechnung der Solvatationsenergie mit Hilfe des B.-H.-K. vgl. *Lit.* – *E* Born-Haber cycle – *F* cycle de Born et Haber – *I* ciclo di Born-Haber – *S* ciclo de Born-Haber
Lit.: Barrow, Physikalische Chemie, S. III/4, Braunschweig: Vieweg 1984 ∎ Bergmann u. Schaefer, Lehrbuch der Experimentalphysik, Bd. 6, S. 59, Berlin: de Gruyter 1992.

Bornit (Buntkupferkies). Cu_5FeS_4 od. $2Cu_2S \cdot CuFeS_2$; wichtiges Kupfererz, nach der Formel 63,3% Cu; meist derbe körnige od. dichte Massen od. Imprägnationen, selten kub. Kristalle. Frischer Bruch bronzegelb bis kupferrot metallglänzend, rasch violett u. blau anlaufend[1]; Strich grau, H. 3, D. 4,9–5,3. Die kub. Hochtemp.-Form wandelt sich unterhalb 228 °C über eine metastabile kub. Form in die tetragonale (Krist.-Klasse $\bar{4}2m$-D_{2d}), nach Untersuchung der komplizierten *Überstrukturen jedoch rhomb. (Krist.-Klasse mmm-D_{2h}[1]) Tieftemp.-Form um.
Vork.: In Kupferlagerstätten, z. B. Butte/Montana u. Magma Mine/Arizona/USA, Tsumeb/Namibia, sowie im *Kupferschiefer, z. B. Lubin/Polen. – *E = F = I* bornite – *S* bornita
Lit.: [1] Acta Crystallogr., Sect. B **31**, 2268–2273 (1975). *allg.:* Anthony et al., Handbook of Mineralogy, Vol. 1, S. 62, Tucson (Arizona): Mineral Data Publishing 1990 ∎ Lapis **16**, Nr. 3, 8–11 (1991) ∎ Ramdohr, Die Erzmineralien u. ihre Verwachsungen, S. 523–534, Berlin: Akademie 1975. – [HS 260300; CAS 1308-82-3]

Bornitrid. BN, M_R 24,82. Existiert in 3 Modif. als graphitanaloges hexagonales α-BN, D. 2,27, Schmp. ca.

3000 °C; als diamantanaloges kub. β-BN (Borazon), D. 3,48 u. als metastabiles γ-BN (Wurtzit-BN).
Herst.: α-BN kann durch Nitridierung von Bortrioxid mit Ammoniak od. Stickstoff bei 900 °C in Ggw. von Calciumphosphat hergestellt werden. β-BN erhält man aus α-BN durch Erhitzen auf 1600 °C bei $5 \cdot 10^6$ Pa in Ggw. eines Li_3N-Katalysators. Chem. ist B. äußerst unempfindlich, selbst bei hohen Temperaturen.
Verw.: Aufgrund seines graphitähnlichen Aufbaus wird hexagonales B. in pulveriger od. gesinterter Form als Hochtemp.-Gleitmittel, zur Auskleidung von Verbrennungskammern u. Pumpenteilen, u. zur Herst. Hochtemp.-beständiger keram. Gegenstände verwendet. Kub. B. wird wegen seiner diamantähnlichen Härte für Schleifmaterialien eingesetzt. B.-Fasern sind für wärme- u. chemikalienfeste Filtermaterialien sowie zur Verstärkung keram. Matrizen geeignet. – *E* boron nitride – *F* nitrure de bore – *I* nitruro di boro – *S* nitruro de boro
Lit.: Gmelin, Erg.-Werk, Bd. 13, 1974 ▪ Gugel, Nichtoxidkeramik, in Handbuch der Keramik, Gruppe II K 2, Freiburg: Schmidt 1975 u. 1977 ▪ Kirk-Othmer (4.) **4**, 427 ff. ▪ Möllinger, Themen zur Chemie des Bors, S. 33 ff., 203 ff., Heidelberg: Hüthig 1976 ▪ Ullmann (5.) **A 4**, 300 ff. ▪ Winnacker-Küchler (4.) **2**, 558. – *[HS 285000; CAS 10043-11-5]*

Born-Mayer-Potential s. chemische Bindung.

Born-Oppenheimer-Näherung. Wegen des großen Massenverhältnisses von Atomkern- u. Elektronenmassen lassen sich Elektronen- u. Kernbewegung meistens in sehr guter Näherung voneinander separieren (Ausnahme: zwei od. mehrere elektron. Zustände stehen in starker *nichtadiabatischer Wechselwirkung miteinander). Zunächst wird die elektron. *Schrödingergleichung bei festgehaltenen Kernen (approximativ) gelöst; die hieraus resultierenden Potentialkurven (für zweiatomige Mol.) od. Potentialhyperflächen (für mehratomige Mol.) bilden das Potential für die Bewegungen der Kerne (Schwingungen u. Rotationen). Die B.-O.-N. bildet die theoret. Grundlage für den Strukturbegriff in der Chemie. – *E* Born-Oppenheimer approximation – *F* approximation de Born-Oppenheimer – *I* approssimazione di Born-Oppenheimer – *S* aproximación de Born-Oppenheimer

Bornylacetat (Borneolacetat, 2-*endo*-Bornanylacetat).

(–)-Form

$C_{12}H_{20}O_2$, M_R 196,29. Farblose, stark nach Fichten riechende Krist. (Handelsprodukt ist flüssig), Schmp. (+)-(1*R*)- u. (–)-(1*S*)-Form 29 °C, ist in beiden opt. aktiven Formen u. auch als Racemat in zahlreichen ether. Ölen enthalten, die (–)-Form ist charakterist. Bestandteil der meisten Koniferenöle. B. wird aus Borneol u. Eisessig synthetisiert u. bei der Herst. von Badesalzen, Seifen u. Sprays als künstliches Fichtennadelöl verwendet. – *E* bornyl acetate – *F* acétate de bornyle – *I* bornil acetato – *S* acetato de bornilo
Lit.: Beilstein E III **6**, 302 f. ▪ Ullmann (4.) **20**, 228; (5.) **A 11**, 177. – *[HS 291539; CAS 20347-65-3 (+); 5655-61-8 (–); 36386-52-4 (±); 76-49-3 (ohne Bez.)]*

Borocalcit s. Borate.

Borocarpin®. Augentropfen mit *Pilocarpin-Hydrochlorid zur Glaukombehandlung. *B.:* Winzer.

Borodin, Alexander Porfirjewitsch (1834–1887), Prof. für Organ. Chemie u. Komponist in St. Petersburg. B. „erfand" nicht nur Musik (Fürst Igor, Symphonien, Kammermusik), sondern auch die *Hunsdiecker-Borodin-Reaktion, Fluorierungs-Reaktionen, die Aldol-Addition u. eine Harnstoff-Bestimmungsmethode.
Lit.: Chem. Weekbl. **65**, Nr. 10, 10 ff. (1969) ▪ Pötsch, S. 57 ▪ Strube et al., S. 122.

Borolan s. Borole.

Borole.

*Hantzsch-Widman-System-Name für cycl. *Bor-organische Verbindungen mit einem 5-Ring (IUPAC-Regel B-1.1); *Beisp.:* 1*H*-Borol. Die gesätt. Derivate heißen *Borolane*. – *E* = *F* = *S* boroles – *I* boroli
Lit.: s. Bor-organische Verbindungen.

Boromycin (Ivomycin).

$C_{45}H_{74}BNO_{15}$, M_R 879,89, Schmp. 223–228 °C (Zers.), aus *Streptomyces*-Kulturen isoliertes Antibiotikum mit Wirkung gegen Gram-pos. Erreger. B. ist der erste bekanntgewordene Bor-haltige organ. Naturstoff (Borsäure wird von einem cycl. makrolidartigen Mol. vierfach komplexiert, vgl. a. Aplasmomycin). – *E* boromycin – *F* boromycine – *I* = *S* boromicina
Lit.: Angew. Chem. **101**, 147–179 (1989) (Biosynth.) ▪ J. Am. Chem. Soc. **105**, 6517 (1983); **111**, 790 (1989) (Synth.) ▪ J. Antibiot. **38**, 1444 (1985) ▪ Tetrahedron Lett. **25**, 3671 (1984). – *[HS 294190; CAS 34524-20-4]*

Boronatrocalcit s. Ulexit.

Boronsäuren. In Chemical Abstracts u. Lit. verwendete Bez. für organ. Derivate der Borsäure der allg. Formel $R-B(OH)_2$; *Beisp.:* $H_5C_6-B(OH)_2$ [*Phenylboronsäure, nach IUPAC-Regeln D-7.42 u. I-11.4.1 bevorzugte Bez.: Dihydroxy(phenyl)boran]. – *E* boronic acids – *F* acides boroniques – *I* acidi boronici – *S* ácidos borónicos
Lit.: Beilstein E IV **4**, 4377–4396; **16**, 1653–1688 ▪ Synthesis **1975**, 147–158 ▪ s. a. Bor-organische Verbindungen.

Bor-organische Verbindungen. Sammelbez. für Verb. mit Bor-Kohlenstoff-Bindungen einschließlich der getrennt behandelten *Carborane. Die nichtcycl. B.-o. V. werden nach IUPAC-Regeln D-7.0–7.74 als Abkömmlinge der *Borane benannt, die cycl. nach der Nomenklatur der *heterocyclischen Verbindungen (vgl. a. Bora..., 9-Borabicyclo[3.3.1]nonan u. Borole); näheres s. *Lit.*[1]. Die niederen Trialkylborane sind sehr reaktionsfähige, giftige, an der Luft sofort entflammende Gase od. Flüssigkeiten; *Beisp.:* Triethylboran [$B(C_2H_5)_3$, $C_6H_{15}B$, M_R 98,00, Schmp. –93 °C, Sdp. 95 °C], Trimethylboran [$B(CH_3)_3$, C_3H_9B, M_R 55,91, Sdp. –20 °C].
Herst.: Boralkyle (*Trialkylborane*, R_3B) können auf mehreren Synthesewegen hergestellt werden: aus Bortrihalogeniden, Borsäureestern od. Trialkyl-Derivaten des *Boroxins mit Grignard-Reagentien od. Trialkylaluminium-Verb. (*Transmetallierung nach $B_3O_3R_3 + 2 AlR_3 \rightarrow 3 BR_3 + Al_2O_3$, *Köster-Verfahren*), aus Dialkylzink mit Bortrihalogeniden od. durch das insbes. von H. C. *Brown ausgearbeitete Verf. der *Hydroborierung, d.h. durch Addition von Boranen an Doppelbindungssysteme.
Umwandlung: Zu den präparativ wichtigsten Reaktionen der B.-o. V. gehört die alkal. Oxid. von Trialkylboranen mit H_2O_2, die zu Alkoholen führt (s. Hydroborierung). Als bes. nützliche Hydroborierungsreagenzien erwiesen sich 9-*Borabicyclo-[3.3.1]nonan, das Lithiumcyclododeca-*cis,cis,trans*-1,5,9-triylborat(1-) aus 9b-Boraperhydrophenalen (s. Abb.) u. Thexylboran. Triethylboran wird zusammen mit Lithium-*tert*-butoxyaluminiumhydrid für die reduktive Spaltung von Ethern oder Epoxiden eingesetzt[2]. Es desoxygeniert zudem prim. u. sek. Alkohole (s. a. Desoxygenierung).

Verw.: Als Katalysatoren bei Polymerisationsreaktionen, bei denen ggf. Bor in Polymere eingebaut wird, als Bakteriostatika u. potentielle Chemotherapeutika, Antioxidantien, Kraftstoffzusätze, Raketentreibstoffe u. Neutronenabsorber in der Nuklearmedizin. Zur Verw. in der präparativen Chemie s. *Lit.*[3]. – *E* organoboron compounds, organoboranes – *F* composés d'organobore – *I* composti organoborici – *S* organoboramos
Lit.: [1] Pure Appl. Chem. **30**, 681–710 (1972). [2] Aldrichimica Acta **6**, 21 (1973); Patai, The Chemistry of the Metal-Carbon Bond, Vol. 4, S. 307–409, Chichester: Wiley 1987. [3] Pure Appl. Chem. **49**, 765–789 (1977); Angew. Chem. **84**, 702–710 (1972); Organomet. Chem. Synth. **1**, 305–327 (1972).
allg.: Angew. Chem. **105**, 1034 ff. (1993) ▪ Gmelin, Erg.-Werk, Bd. Boron compounds ▪ Kirk-Othmer (3.) **4**, 111 ff.; (4.) **4**, 365 ff. ▪ Houben-Weyl (3 Bd.), **13/3 a – c** ▪ Org. React. **13**, 1–54 (1963) ▪ Pelter et al., Borane Reagents, New York: Academic Press 1988 ▪ Snell-Hilton **7**, 349–358 ▪ Ullmann (5.) **A 18**, 218 f. ▪ Wilkinson-Stone-Abel **1**, 253–457; (2.) **1**, 129–430; **7**, 111–363; **11**, 191–276 ▪ s. a. Bor, Borane, Carborane u. Hydroborierung. – *[CAS 97-94-9 (Triethylboran)]*

Borosilicatgläser. Bez. für eine Gruppe von Spezialgläsern (s. Glas), die neben 4–8% $Na_2O + K_2O$, 2–7% Al_2O_3 u. 0–5% Erdalkalimetalloxiden 70–80% SiO_2 u. 7–13% B_2O_3 enthalten, sehr chemikalien- u. temp.-beständig sind. Sie eignen sich daher bes. zum Einsatz im Haushalt, im chem. Labor u. in der chem. Verf.-Technik, z.B. zum Apparatebau, für Rohrleitungen (*Beisp.:* Boresist) u. dgl. Bekannte Marken für B. sind z.B. Duran, Pyrex, Solidex. – *E* borosilicate glasses – *F* verres de borosilicate – *I* vetroborosilicati – *S* vidrios de borosilicato
Lit.: Kirk-Othmer (3.) **11**, 815 ▪ Ullmann (4.) **12**, 325, 328; (5.) **A 4**, 277; **A 12**, 379.

Boroxide s. Bortrioxid.

Boroxine.

Bez. für heterocycl. Verb. des *Bors mit Sauerstoff, die sich vom Grundkörper *Boroxin* ($B_3H_3O_3$, M_R 83,45, *Cyclotriboroxan*) ableiten. Trialkylboroxine lassen sich herstellen nach: $BR_3 + B_2O_3 \rightarrow B_3O_3R_3$ od. als cycl. Anhydride der entsprechenden *Boronsäuren. – *E* = *F* boroxines – *I* ossine boriche – *S* boroxinas
Lit.: Beilstein E IV **4**, 4378 ff.; **16**, 1654, 1666 ff. ▪ Brauer (3.) **2**, 816 ▪ Gmelin, Syst.-Nr. 13, B, Erg.-Werk, Bd. 44, 1977, 1st Suppl. Vol. 1, 1980, S. 205, 250 ff., 2nd Suppl. Vol. 1, 1983, S. 286–290, 3rd Suppl. Vol. 2, 1987, S. 147 ff. ▪ Ullmann (5.) **A 4**, 324.

Bor-Polymere. Als B.-P. werden allg. *Polymere bezeichnet, die in ihren Hauptketten Bor enthalten. Sie bilden eine Untergruppe der *anorganischen Polymere. Beisp. sind das polymere Boroxid $(BO)_n$, lineare *Borazine $(BRNR')_n$ u. Aminoborane $(H_2BNH_2)_n$. Techn. Bedeutung erlangt hat z.B. das *Bornitrid $(BN)_n$, ein gegen Hydrolyse u. Oxid. sehr stabiles Schichtenpolymer, das bis ca. 2000 °C verwendbar ist. Zu seiner Herst. geht man von Polyaminoboran $(H_2BNH_2)_n$ aus, das beim Erhitzen auf 135–200 °C Wasserstoff abspaltet u. in Bornitrid übergeht. Techn. durchgesetzt hat sich das sog. CCPF-Verf., bei dem eine Precursor-Faser nachträglich umgewandelt wird (*Chemical Conversion of Precursor Fibers*). Dabei stellt man zuerst Fasern aus Dibortrioxid B_2O_3 her, die mit Ammoniak zu Fasern mit Stickstoff-Gehalten von 48–52% umgesetzt werden. Diese Fasern werden bei Temp. von über 1800 °C kontinuierlich zu weißen Bornitrid-Fasern verstreckt. Daneben besitzen Fasern aus Borcarbid B_4C eine gewisse Bedeutung. Auch diese werden nach dem CCPF-Verf. dargestellt. Man geht hierbei von einer Kohlenstoff-Faser aus, die bei 1800 °C mit BCl_3 u. H_2 umgesetzt wird. Sowohl B_4C- als auch BN-Fasern eignen sich als verstärkende Fasern für Verbundwerkstoffe. – *E* bor containing polymers – *F* polymères au bore – *I* polimeri borici – *S* polímeros que contienen boro
Lit.: Elias **2**, 308.

Borrelidin {(1*R*)-*trans*-2-[(2*S*,4*E*,6*Z*)-7-Cyano-8α, 16β-dihydroxy-9β,11α,13α,15α-tetramethyl-18-oxo-oxacyclooctadeca-4,6-dien-2α-yl]cyclopentancarbonsäure}.

$C_{28}H_{43}NO_6$, M_R 489,65, Schmp. 145 °C. Antiviral aktiver Sekundärmetabolit aus *Streptomyces rochei*. – *E* borrelidin – *F* borrélidine – *I* = *S* borrelidina

Lit.: Aust. J. Chem. **42**, 717–730 (1989) ▪ Beilstein E V **18**/9, 385 ▪ Gräfe, S. 103 f.. 108, 261 f. – *[CAS 7184-60-3]*

Borretsch (Boretsch, Gurkenkraut). Zu den Rauhblattgewächsen (Boraginaceae) zählende einjährige, 30–60 cm hohe, blau blühende Pflanze (*Borago officinalis*) mit behaarten Blättern, die wegen ihres stark an frische Gurken erinnernden Aromas zum Würzen grüner Salate verwendet werden. B. enthält neben Schleimstoffen, Gerbstoffen, Saponin u. Flavonoiden auch *Pyrrolizidin-Alkaloide, weshalb von einem längeren Gebrauch der Droge, volkstümlich z. B. als Schleimmittel bei Husten od. als Blutreinigungsmittel, wegen deren hepatotox. u. carcinogenen Wirkung abgeraten wird. – *E* borage – *F* bourrache – *I* borragine – *S* borraja

Lit.: Franke, Nutzpflanzenkunde, Stuttgart: Thieme 1992.

Borsäure. $B(OH)_3$, M_R 61,83. Farbloses Pulver, Körner od. leichte, durchscheinende, glänzende Blättchen, D. 1,52, die sich fettig anfühlen u. in Wasser mit sehr schwach saurer Reaktion auflösen, auch in Ethanol u. Glycerin löslich. Beim Erhitzen verliert B. bei ca. 100–130 °C Wasser u. geht in mehrere Modif. von *Metaborsäure* (HBO_2) über; bei weiterem Erhitzen (160 °C) entsteht unter nochmaligem Wasserverlust eine glasige Schmelze, die sich schließlich unter Aufblähen in wasserfreies Bortrioxid (B_2O_3) verwandelt. Beim raschen Erhitzen schmilzt B. bei 171 °C; sie löst ähnlich wie Borax u. Bortrioxid Metalloxide auf. Mit Wasserdämpfen ist B. flüchtig; sie findet sich daher auch in den *Soffionen* u. *Fumarolen* der italien. Vulkangebiete. *Sasso* in ist B., die in heißen Quellwässern von Sasso in der Toskana vorkommt, s. a. *Lit.*[1]. Techn. wird B. aus *Borax od. *Ulexit hergestellt.
Verw.: Zur Herst. anderer Bor-Verb., z. B. von Boriden, Borcarbid, Boraten, *Borsäureestern usw., in der Porzellan- u. Email-Ind., in der Gerberei, in der Kerzen-Ind. zum Steifen der Dochte, zur Herst. von Borosilicat-Gläsern, als Zusatz zu Vernickelungs-Lsg., Härtefixierbädern, Photoentwicklern, Textilbeizen, Flammschutzmitteln usw., für Elektrolytkondensatoren, in Form von B.-Gelen zur säulenchromatograf. Trennung von Zuckern (s. *Lit.*[2]). B. u. ihre Salze wurden früher zur Konservierung von Lebensmitteln eingesetzt. Heute ist diese Verw. in der BRD verboten. Aufgrund ihrer milden antisept. Wirkung wird B. als Konservierungsstoff für kosmet. Mittel eingesetzt; Mittel für Kinder unter 3 a dürfen jedoch keine B. enthalten (vgl. a. *Lit.*[3], dort auch Angaben zur Toxikologie). – *E* boric acid – *F* acide borique – *I* acido borico – *S* ácido bórico

Lit.: [1] Eur. Chem. **1976**, 5. [2] Angew. Chem. **85**, 412 f. (1973). [3] Römpp Lexikon Lebensmittel, S. 122.
allg.: Brauer (3.) **2**, 808 f. ▪ Gmelin, Syst.-Nr. 13, B, Erg. Werk, Bd. 28, 1975, 1st Suppl. Vol. 1, 1980, S. 178–204, 2nd Suppl. Vol. 1, 1983, S. 253–278, 3rd Suppl. Vol. 2, 1987, S. 96–132 ▪ Kirk-Othmer (4.) **4**, 371–381 ▪ Ullmann (5.) **A 4**, 266–269 ▪ Winnacker-Küchler (4.) **2**, 552 ff. – *[HS 281000; CAS 10043-35-3]*

Borsäureester. Bez. für Ester der *Borsäure mit der allg. Formel $B(OR)_3$, worin R einen Aryl- od. Alkyl-Rest bedeutet; *Beisp.*: *Triethoxyboran* [Triethylborat, *Borsäuretriethylester*, $B(OC_2H_5)_3$, $C_6H_{15}BO_3$, M_R 145,99, farblose Flüssigkeit, D. 0,858, Sdp. 117–118 °C, FP. 11 °C]. Die B. finden gelegentlich Verw. als Antiklopfmittel u. in der Schaumkunststoff-Ind. sowie in der Kerntechnik. Die grüne Flammenfärbung durch *Borsäuretrimethylester* (zur Herst. s. *Lit.*[1]) ist eine bekannte Vorprobe auf Bor in der qual. Analyse. B. sind Zwischenprodukte bei der Synth. von sek. Alkoholen (*Hydroborierung von Alkenen). – *E* boric acid esters – *F* esters de l'acide borique – *I* esteri dell' acido borico – *S* ésteres del ácido bórico

Lit.: [1] Brauer (3.) **2**, 811 f.
allg.: s. Borate, Borsäure, Bor-organische Verb. u. Hydroborierung. – *[CAS 150-46-9 (Triethoxyboran)]*

Bor-Schwefel-Verbindungen. Sammelbez. für Verb., die (meist abwechselnd) Bor- u. Schwefel-Atome im Ring enthalten; *Beisp.*: B_2S_2-Vierringe, B_2S_3-Fünfringe, B_3S_3-Sechsringe (*Borthiine). Die B.-S.-V. besitzen nur theoret. Interesse. – *E* boron-sulfur compounds – *F* composés de bore et soufre – *I* composti di boro e zolfo – *S* compuestos de boro y azufre

Lit.: Gmelin, Syst.-Nr. 13, B, Erg.-Werk, Bd. 19, 1975, S. 4–74, 1st Suppl. Vol. 3, 1981, S. 1–91, 2nd Suppl. Vol. 2, 1982, S. 155–216, 3rd Suppl. Vol. 4, 1988, S. 103–146 ▪ Siebert, in Möllinger, Themen zur Chemie des Bors, S. 37–61, Heidelberg: Hüthig 1976 ▪ Ullmann (5.) **A 4**, 315 f.

Borstähle. Stähle, die aus anwendungstechn. Gründen mit *Bor legiert sind. Borzusätze erhöhen in gewissen Grenzen Härtbarkeit u. Festigkeit von *Stahl in einem weiten Temp.-Bereich. Die Obergrenze für Bor-Zusätze liegt bei 0,01%, bei Glühung kann es zum Ausdiffundieren aus oberflächennahen Bereichen kommen. Bes. in niedriglegierten u. hochwarmfesten Stählen hat Bor als Legierungselement eine gewisse Bedeutung erlangt. – *E* boron steels – *F* aciers au bore – *I* acciai borici – *S* aceros al boro

Lit.: Werner, Bor u. borlegierte Stähle, 2. Aufl., Düsseldorf: Stahleisen 1995.

Borsten s. Monofil.

Bor-Stickstoff-Verbindungen. Sammelbez. für offenkettige od. cycl. Verb., die Bindungen zwischen Bor u. Stickstoff enthalten; *Borstickstoff* s. Bornitrid. Es sind zu unterscheiden:
1. *Amin-Borane (Borazane)* der allg. Formel $R_3N \rightarrow BR_3$ (in anderer Darst. R_3N^+–B^-R_3), wobei die R gleich od. verschieden sein können. In den Amin-Boranen, die als Anlagerungsverb. von Aminen u. Boranen hergestellt werden, liegt eine koordinative Bindung (vgl. einsame Elektronenpaare) u. *Isosterie zu Alkanen vor; *Beisp.*: Trimethylamin-Boran, $(H_3C)_3N \rightarrow BH_3$, farblose Krist., Schmp. 94 °C, Sdp. 171 °C, in organ. Lsm. lösl., zur Herst. s. *Lit.*[1]. Die

Amin-Borane sind nützliche Reduktionsmittel; ihre wichtigste Anw. finden sie zur chem. Vernickelung metall. u. nicht-metall. Substrate, sowie zur Abscheidung von Cu, Au, Pd, Co u. a. Metalle.
2. *Aminoborane (Borazene)*, allg. Formel $R_2N \rightleftharpoons BR_2$ od. $R_2N^+=B^-R_2$. Diese sind aus sek.-Amin-Boranen durch Dehydrierung bei höheren Temp. zugänglich: $R_2HN \rightarrow BH_3 \rightarrow R_2N \rightleftharpoons BH_2+H_2$. Die Aminoborane sind mit Olefinen isoster u. können ggf. als Stereoisomere auftreten. Das Analogon zu Ethylen, $H_2N \rightleftharpoons BH_2$, konnte als bereits bei −196 °C als langsam polymerisierender Festkörper isoliert werden (vgl. *Lit.*[2]). Auch Bis- u. Trisaminoborane sind bekannt.
3. *Borazine. Diese lassen sich aus den vorstehend genannten Verb. auf pyrolyt. Wege od. aus deren Halogen-Derivaten durch Dehydrohalogenierung darstellen.
4. Andere *Bor-Stickstoff-Heterocyclen*. In diesen sind außer B u. N noch Kohlenstoff-Atome, ggf. auch andere Elemente, enthalten. Einen Überblick über B.-S. gibt Niedenzu (*Lit.*), u. zur Nomenklatur s. IUPAC-Regeln D-4 u. D-7 sowie *Lit.*[3]. − *E* boron-nitrogen compounds − *F* composés de bore et azote − *I* composti di boro ed azoto − *S* compuestos de boro y nitrógeno
Lit.: [1] Brauer (3.) **2**, 795 f. [2] Inorg. Chem. **9**, 2458 (1970). [3] Pure Appl. Chem. **30**, 681−710 (1972).
allg.: Gmelin, Syst.-Nr. 13, B, Erg.-Werk, Bd. 13, 22, 23, 45, 46, 51, 1974−1978, 1st Suppl. Vol. 2, 1980, S. 1−254, 2nd Suppl. Vol. 1, 1983, S. 304−463, 3rd Suppl. Vol. 3, 1988, S. 1−230 ▪ Kirk-Othmer (4.) **4**, 503−522 ▪ Niedenzu, in: Möllinger, Themen zur Chemie des Bors, S. 63−84, Heidelberg: Hüthig 1976 ▪ Pure Appl. Chem. **49**, 733−744 (1977) ▪ Ullmann (5.) A **4**, 318f. ▪ s. a. Borazine, Bornitrid.

Bort s. Diamanten.

Borthiine.

Bez. für cycl. Verb. analog den *Boroxinen, die anstelle der Sauerstoff- drei Schwefel-Atome enthalten u. sich von dem bisher unbekannten Grundkörper *Borthiin* (*Cyclotriborathian*, $B_3H_3S_3$) ableiten. Näheres s. bei Siebert (*Lit.* bei Bor-Schwefel-Verbindungen). − *E* borthiins − *F* borthiines − *I* bortiini − *S* borotiínas

Bortribromid (Tribromboran). BBr_3, M_R 250,52. Farblose, sehr giftige, stark ätzende, stark rauchende Flüssigkeit, D. 2,64, Schmp. −46 °C, Sdp. 91 °C, wird durch Wasser u. Alkohole leicht zersetzt; zur Herst. s. *Lit.*[1].
Verw.: Zur Ether-Spaltung, zur Dotierung in der Halbleitertechnik, zur Herst. von Bor u. a. Bor-Verbindungen. − *E* boron tribromide − *F* tribromure de bore − *I* tribromuro borico − *S* tribromuro de boro
Lit.: [1] Brauer (3.) **2**, 800f.
allg.: Gmelin, Syst.-Nr. 13, B, Erg.-Werk, Bd. 34, 1976, Bd. 53, 1978, 1st Suppl. Vol. 2, 1980, S. 304−308, 2nd Suppl. Vol. 2, 1982, S. 125−130, 3rd Suppl. Vol. 4, 1988, S. 71−78 ▪ Hommel Nr. 933 ▪ Kirk-Othmer (4.) **4**, 309−313 ▪ Ullmann (5.) A **4**, 309−313. − [HS 2812 90; CAS 10294-33-4]

Bortrichlorid (Trichlorboran). BCl_3, M_R 117,17. Farblose, sehr giftige, stark ätzende,

Haut, Augen u. Atemwege reizende, an feuchter Luft rauchende Flüssigkeit od. Gas, D. 1,43 (0 °C), Schmp. −107 °C, Sdp. 12,5 °C, wird durch Wasser u. Alkohole zersetzt.
Herst.: Aus Bortrioxid, Kohlenstoff u. Chlorgas bei höheren Temp., vgl. *Lit.*[1]
Verw.: Als Katalysator (für Umlagerungen, s. *Lit.*[2]), zu Chlorierungen, zur Beseitigung von Nitriden, Carbiden u. Oxiden aus Schmelzen von Al-, Mg-, Zn- u. Cu-Leg., zur Herst. von anderen Bor-Verb. u. elementarem Bor, zum Dotieren von Halbleiterstoffen. − *E* boron trichloride − *F* trichlorure de bore − *I* tricloruro di boro − *S* tricloruro de boro
Lit.: [1] Brauer (3.) **2**, 797f. [2] Helv. Chim. Acta **56**, 14−75 (1973).
allg.: Gmelin, Syst.-Nr. 13, B, 1st Suppl. Vol. 2, 1980, S. 292−296, 2nd Suppl. Vol. 2, 1982, S. 77−90, 3rd Suppl. Vol. 4, 1988, S. 3−32 ▪ Hommel, Nr. 822 ▪ Kirk-Othmer (4.) **4**, 309−313 ▪ Winnacker-Küchler (4.) **2**, 558. − [HS 2812 10; CAS 10294-34-5]

Bortrifluorid (Trifluorboran). BF_3, M_R 67,81. Farbloses, sehr giftige, stechend riechendes Gas, Schmp. −127 °C, Sdp. −100 °C. Auf Augen, Haut u. Schleimhäute wirkt B. stark ätzend, MAK 3 mg/m³. Wie alle Borhalogenide ist B. eine *Lewis-Säure u. bildet zahlreiche Koordinationsverb. mit Elektronenpaardonatoren (N-, P-, O-, S-Verb.).
Herst.: Durch Einwirkung von HF u. H_2SO_4 auf Bortrioxid od. Borate bzw. Borsäure; näheres s. in *Lit.*[1]. In Wasser ist B. unter Bildung von *Fluoroborsäure u. Borsäure lösl., außerdem in den meisten organ. Lsm., z. B. in Ether zu Bortrifluorid-Etherat (zur Verw. s. dort). Ferner findet B. Verw. als Flußmittel, als Räuchermittel, zur Herst. anderer Bor-Verb. u. in der Kerntechnik, wo das B. des ${}^{10}B$-Isotopes in Neutronenzählkammern eingesetzt wird. Über weitere Borfluoride s. *Lit.*[2]. − *E* boron trifluoride − *F* trifluorure de bore − *I* trifluoruro borico − *S* trifluoruro de boro
Lit.: [1] Brauer (3.) **1**, 233ff. [2] Chem. Unserer Zeit **3**, 16-22 (1969).
allg.: Gmelin, Syst.-Nr. 13, B, 1st Suppl. Vol. 2, 1980, S. 255−276, 2nd Suppl. Vol. 2, 1982, S. 3−31, 3rd Suppl. Vol. 3, 1988, S. 239−300 ▪ Hommel, Nr. 233 ▪ Kirk-Othmer (4.) **4**, 309−313 ▪ Winnacker-Küchler (4.) **2**, 543f.. − [HS 2812 90; CAS 7637-07-2]

Bortrifluorid-Etherat (Diethylether-Trifluorboran). $(H_5C_2)_2O \rightarrow BF_3$, M_R 141,93. Farblose, an Luft infolge Hydrolyse rauchende Flüssigkeit, leichtentzündlich, ätzend, D. 1,13, Schmp. −60 °C, Sdp. 126 °C. Das durch Gasphasenreaktion zwischen BF_3 u. wasserfreiem Ether herstellbare B.-E. (s. *Lit.*[1]) wird als Katalysator insbes. bei **Friedel-Crafts-Reaktionen*, bei Isomerisierungen, Veresterungen, Kondensationen usw. verwendet; in ähnlicher Weise wirken BF_3-Alkohol-Komplexe. − *E* boron trifluoride etherate − *F* éthérat du trifluorure de bore − *I* eterato del trifluoruro borico − *S* eterato del trifluoruro de boro
Lit.: [1] Brauer (3.) **2**, 803.
allg.: Hommel, Nr. 823 ▪ Synth. Commun. **4**, Nr. 3, 167−181 (1974) ▪ Synthetica **1**, 72−82; **2**, 46f. ▪ s. a. Bortrifluorid. − [HS 2942 00; CAS 109-63-7]

Bortrioxid (Dibortrioxid, Borsäureanhydrid). B_2O_3, M_R 69,62. Farblose, glasartige, hygroskop. Masse, D.

Borwasser

1,84, erweicht bei ca. 500 °C, od. harte, weiße Krist., D. 2,46, Schmp. 450 °C; MAK 15 mg/m³. In Wasser ist B. mit pos. Wärmetönung lösl.; B. löst ebenso wie Borax u. Borsäure Metalloxide auf. Herst. s. *Lit.*[1].
Verw.: Als Flußmittel in der Metallurgie, in Emails u. Gläsern, als Ausgangsmaterial für andere Bor-Verbindungen. – *E* boron trioxide, boric oxide – *F* trioxyde de bore – *I* triossido borico – *S* trióxido de boro, óxido bórico
Lit.: [1] Brauer (3.) **2**, 804.
allg.: Gmelin, Syst.-Nr. 13, B, Erg.-Werk, Bd. 28, 1975, 1st Suppl. Vol. 1, 1980, S. 120–145, 2nd Suppl. Vol. 1, 1983, S. 209–213, 3rd Suppl. Vol. 2, 1987, S. 14–40 ▪ Kirk-Othmer (4.) **4**, 368–371 ▪ Ullmann (5.) **A 4**, 265 f., 277 ▪ Winnacker-Küchler (4.) **2**, 552–557. – *[HS 281000; CAS 1303-86-2]*

Borwasser s. Borsäure.

Borwasserstoffe s. Borane.

Boryl... (Boranyl...). Nach IUPAC-Regel D-7.31 Bez. für die Atomgruppierung –BH₂ in systemat. Namen von organ. Verbindungen. – *E* = *F* boryl... – *I* = *S* boril...

Bosch, Carl (1874–1940), Leiter der BASF. Mitbegründer der *I. G. Farben u. deren Vorstandsvorsitzender. *Arbeitsgebiete:* Hochdrucktechnologie, Vervollkommnung der *Ammoniak-Synth. (*Haber-Bosch-Verf.*), Kohlehydrierung. Chemie-Nobelpreis 1931 (zusammen mit *Bergius).
Lit.: Chem. Ber. **90**, XIX–XXXIX (1957) ▪ Holdermann, Carl Bosch, Düsseldorf: Econ 1953 ▪ Krafft, S. 151 ▪ Neufeldt, S. 150, 341 ▪ Oberdorffer, Ludwigshafener Chemiker, Bd. 1, S. 109–136, Düsseldorf: Econ 1958 ▪ Pötsch, S. 57 ▪ Strube **2**, 150 f.

Boschke, Friedrich Ludwig (geb. 1920), Lehrbeauftragter für Chemie-Lit., Mainz. *Arbeitsgebiete:* Redaktionelle bzw. herausgeber. Betreuung von Zeitschriften, Serien u. a. Werken, Beschreibung chem. u. biochem. Sachverhalte in erfolgreichen Sachbüchern. Internat. Sachbuchpreis 1962, Preis der GDCh für Journalisten u. Schriftsteller 1988, Dr. rer. nat h.c. der Univ. Marburg/L. 1974.
Lit.: Chem. Labor Betr. **25**, 307 (1974) ▪ Wer ist wer, S. 143.

Bose-Einstein-Kondensation. Übergang eines Syst. aus *Bosonen in einen Zustand, bei dem alle Teilchen die niedrigste mögliche Energie haben. In der *Bose-Einstein-Statistik ist eine solche Kondensation im Gegensatz zur *Fermi-Dirac-Statistik (für *Fermionen) möglich, denn mit Bosonen kann ein Zustand gleicher Energie beliebig oft besetzt sein. Die B.-E.-K. liefert eine qual. Erklärung für makroskop. Quantenphänomene wie die *Supraflüssigkeit von $^4_2$He (Übergang von Helium I zum supraflüssigen Helium II bei 2,18 K) od. die *Supraleitung. – *E* Bose-Einstein condensation – *F* condensation de Bose-Einstein – *I* condensazione di Bose-Einstein

Bose-Einstein-Statistik. Von Bose (1924) für *Photonen gefunden u. von A. *Einstein (1924) verallgemeinerte Statistik für ein Syst. aus *Bosonen (Teilchen mit ganzzahligem *Spin), das sich im *thermischen Gleichgewicht befindet. Im Gegensatz zu der für *Fermionen (Teilchen mit halbzahligem *Spin) geltenden *Fermi-Dirac-Statistik ist bei der B.-E.-S. die Zahl der Teilchen in einem bestimmten Quantenzustand beliebig. Eine wichtige Konsequenz der B.-E.-S. ist die Tatsache, daß sich in einem Syst. nichtwechselwirkender Bosonen (dem sog. idealen *Bose-Gas*) unterhalb einer bestimmten, sehr niedrigen Temp. nahezu alle Teilchen im Grundzustand befinden (sog. **Bose-Einstein-Kondensation*). – *E* Bose-Einstein statistics – *F* statistique de Bose-Einstein – *I* statistica di Bose-Einstein – *S* estadística de Bose-Einstein
Lit.: Barrow, Physikalische Chemie, 6. Aufl., Braunschweig: Vieweg 1984.

Bosit® perfekt. Hochkonz. Kationentsid als Wäscheweichspüler für Großwäschereien. Es wirkt antistat. u. verbessert Mangelleistung u. Finish; wird nach Verdünnung mit Wasser im Verhältnis 1:9 im letzten Spülbad eingesetzt. *B.:* Henkel-Ecolab.

Bosonen. Nach S. N. Bose (geb. 1894) benannte Gruppe der *Elementarteilchen mit Spins = 0, 1, 2, 3 ... Zu den B. zählen Photonen, Excitonen, Phononen, Mesonen, α-Teilchen, Deuteronen. Gegensatz: *Fermionen. – *E* = *F* bosons – *I* bosoni – *S* bosones

Bossierwachse. Von franz.: bosse = Beule, Reliefarbeit, abgeleitete Bez. für in der Bildhauerei verwendete, gefärbte Wachse zum Modellieren. – *E* mo(u)lding waxes – *F* cire de modelage – *I* cere di modellazione – *S* cera para modelado – *[HS 152110]*

Boswellinsäure s. Olibanum.

Botanik (von griech.: botane = Kraut, Pflanze). Das Teilgebiet der *Biologie, das sich mit den *Pflanzen befaßt. Aus der Heilpflanzenkunde hervorgegangen, haben sich bis heute vier Fachrichtungen entwickelt: Morphologie, Pflanzenphysiologie, Systematik u. Geobotanik (mit Pflanzensoziologie u. Ökologie). Mit praxisbezogenen Fragen der B. beschäftigen sich die Heilpflanzenkunde, Pflanzenzüchtung u. Phytopathologie. – *E* botany – *F* botanique – *I* botanica – *S* botánica

Bote, zweiter s. second messenger.

Boten-Ribonucleinsäuren (Boten-RNA) s. Ribonucleinsäuren.

Bothe, Walther (1891–1957), Prof. für Physik, Heidelberg. *Arbeitsgebiete:* Kernphysik, kosm. Höhenstrahlung, Koinzidenzmeth., Kernumwandlungen. Nobelpreis für Physik 1954 (zusammen mit *Born).
Lit.: Krafft, S. 61 f. ▪ Neufeldt, S. 168 ▪ Nobel Lectures Physics 1942–1962, S. 253 ff., 271 279, Amsterdam: Elsevier 1964 ▪ Strube et al., S. 162 ▪ Z. Naturforsch., Teil A **12**, 175 f. (1957).

Botrydial.

$C_{17}H_{26}O_5$, M_R 310,39, Krist., Schmp. 108–110 °C, $[\alpha]^{20}_D$ +34° (c 1,4/CHCl₃). Terpenoider Inhaltsstoff des Pilzes der Edelfäule *Botrytis cinerea* (terpenoiden Ursprungs), der reife Weintrauben befällt u. die Entstehung sog. edelsüßer Weine (Sauternes, Beeren-/Trockenbeerenauslese, Eisweine) ermöglicht; wirkt als Antibiotikum. – *E* botrydial – *I* botridiale

Lit.: Chem. Ber. **107**, 1720 (1974) (Isol.) ▪ J. Chem. Soc., Chem. Commun. **1976**, 72 (Synth.); **1981**, 1169 (Biosynth.). – *[CAS 54986-75-3]*

Bottom s. Elementarteilchen.

Botulismus. Heute nur noch selten auftretende *Lebensmittelvergiftung mit B.-*Toxin, einem Stoffwechselprodukt von *Clostridium botulinum*. Dieses stäbchenförmige Bakterium entwickelt sich anaerob in Fleisch-, gelegentlich auch in Gemüse- od. Fischkonserven infolge zu geringen Salzzusatzes od. (bei Fischen) mangelhafter Säuerung. Das *Botulinustoxin* besteht als *Neurotoxin aus einer einzigen Polypeptidkette, mit einer Molmasse von ca. 150000. Es sind 7 Erregertypen bekannt, die sich immunolog. unterscheiden. Aufgrund der äußerst hohen Toxizität [LD_{50} (Maus) 0,00003 µg/kg, d. h. mit 1 g Toxin könnte man vermutlich mehrere Mio. Menschen töten!] ist Botulinustoxin als *biologische Waffe in Betracht gezogen worden; dem steht jedoch beruhigenderweise die Zersetzlichkeit des Toxins entgegen (durch 5 min Erhitzen auf 100 °C wird es inaktiviert). Gelegentliche (meldepflichtige) B.-Vergiftungen werden durch Injektion von polyvalentem B.-Serum bekämpft. Vergiftungssymptome treten meist nach 12–40 h auf (zunächst Kopf- u. Magenschmerzen, später Schluck-, Sprech- u. Sehstörungen). Falls keine Behandlung erfolgt, tritt nach 3–6 d in über 50% der Fälle Tod durch Lähmung der Atemwege od. Herzstillstand ein.
Neben dem Menschen werden auch Tiere vom B. betroffen. So bringt Rinder-B. in Süd-Afrika hohe Verluste. In den letzten Jahren war B. vermehrt Ursache von Massensterben bei Wasservögeln, wenn in flachen Seen bei anhaltender Hitze Sauerstoff-Mangel auftrat, sich Wasserpflanzen zersetzten u. eine schnelle Vermehrung von *C. botulinum* stattfand. Infektionsquelle sind meist tote Insektenlarven u. faulende Tierkadaver. – *E* botulism – *F* botulisme – *I* = *S* botulismo
Lit.: Burkhardt, Mikrobiologische Diagnostik, Stuttgart: Thieme 1992 ▪ Krämer, Lebensmittel-Mikrobiologie, Stuttgart: Ulmer 1992.

Bouclé s. Teppiche.

Boudouard-Gleichgewicht. Nach dem Entdecker benanntes *chemisches Gleichgewicht für die Reaktion C(Graphit) + CO_2 ⇌ 2 CO, bei der die feste Phase Graphit mit einer gasf. Mischphase im Gleichgew. steht. Die *Gleichgewichtskonstante* (s. chemische Gleichgewichte u. Massenwirkungsgesetz) hängt beim B.-G. von den Gleichgewichtspartialdrücken von CO u. CO_2 ab, nicht jedoch von der Menge an Graphit: $K_{(p)} = [p(CO)]^2/[p(CO_2)]$. Hierbei symbolisieren die eckigen Klammern die Gleichgewichtswerte für die Partialdrücke. Das B.-G. spielt bei der Erzeugung von *Generatorgas eine Rolle. Zur Zusammensetzung des Gasgemisches im B.-G. bei verschiedenen Temp. (°C) s. die Abb. unten. – *E* Boudouard equilibrium – *F* l'équilibre Boudouard – *I* equilibrio di Boudouard – *S* equilibrio de Boudouard
Lit.: Gmelin, Syst.-Nr. 14, Kohlenstoff, Tl. C3, 1973.

Boughton-System. Bez. für ein von *Chemical Abstracts benutztes[1], aber in den IUPAC-Regeln H u. R-8 nicht empfohlenes Syst. zur Benennung *markierter Verbindungen. – *E* Boughton system – *I* sistema di Boughton – *S* sistema de Boughton
Lit.: [1]Chemical Abstracts Index Guide, Appendix IV, § 220, Columbus/Ohio: Am. Chem. Soc. (jährliche Neuaufl.).

Bouguer-Lambert-Gesetz s. Lambert-Beer'sches Gesetz.

Bouillon. Aus dem Französ. (*F* bouillir = kochen) übernommene Bez. für Fleischbrühe, s. Fleischbrühwürfel, Fleischextrakt.

Boulangerit. $Pb_5Sb_4S_{11}$ od. $5 PbS \cdot 2 Sb_2S_3$; nach neueren Strukturbestimmungen monoklines[1] od. rhomb.[2] Bleimineral; metall- bis seidenglänzend bleigraue, derbe feinfaserige u. dichte Massen od. nadelige Krist.; H. 2,5–3, D. 5,8–6,2, Strich schwarz.
Vork.: In hydrothermalen Gängen, z. B. Ramsbeck/ Sauerland, Harz, Příbram/Böhmen. – *E* boulangerite – *F* boulangérite – *I* boulangerite – *S* boulangerita
Lit.: [1]Neues Jahrb. Mineral. Monatsh. **1989**, 498–512. [2]Acta Crystallogr., Sect. C **46**, 531–534 (1990).
allg.: Anthony et al., Handbook of Mineralogy, Vol. 1, S. 64, Tucson (Arizona): Mineral Data Publishing 1990 ▪ Ramdohr-Strunz, S. 480 ▪ Schröcke-Weiner, Mineralogie, S. 299 f., Berlin: de Gruyter 1981. – *[HS 260700; CAS 1314-93-8]*

Boulder-Opal s. Opal.

Bouma-Zyklus s. Turbidite.

Bouncing Putty (hüpfender Kitt). B. P. ist ein als Spielzeug verwendetes, kurioses *Silicon-Elastomeres, das durch Erhitzen von Poly(dimethylsiloxan)en mit *Bortrioxid (B_2O_3) in Ggw. von $FeCl_3$, Füllstoffen u. Weichmachern hergestellt wird. Der Einbau der Borsäure-Reste erzeugt dabei trifunktionelle Vernetzungsstellen. Kugeln aus diesen Polymeren springen elast., die Bindungen im Polymer sind jedoch so schwach, daß Platten aus B. P. beim raschen Knicken spröde brechen. Da andererseits im Material Austauschgleichgew. vorliegen, fließen Polymerstücke schon unter ihrem Eigengew. langsam auseinander. – *E* = *I* bouncing putty – *F* pâte bondissante – *S* goma de silicona
Lit.: Elias **2**, 321.

Bouquet s. Wein.

BOUQUET®. Einbrennbare Farben für silikat. Unterlagen (Keram. Farben). *B.:* Degussa.

Bournonit. $PbCuSbS_3$; stahlgraue bis eisenschwarze, frisch metallglänzende, oft matt angelaufene, gern dicktafelige, rhomb. Krist., oft durch Bildung von *Zwillingen randgekerbt u. dann an Zahnräder erinnernd (*Rädelerz*); auch derbe od. körnige Massen; Bleigehalt 42,4%. Krist.-Klasse mm2-C_{2v}; H. 2,5–3, D. 5,7–5,9, Strich grau. B. wird auf Pb u. Cu verarbeitet.

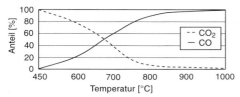
Abb.: Zusammensetzung des Gasgemisches im Boudouard-Gleichgewicht bei verschiedenen Temperaturen.

Vork.: In hydrothermalen Erz-*Gängen, z. B. Harz u. Siegerland (histor.), Siebenbürgen, Bolivien, Peru. – *E* = *F* = *I* bournonite – *S* bournonita
Lit.: Anthony et al., Handbook of Mineralogy, Vol. 1, S. 65, Tucson (Arizona): Mineral Data Publishing 1990 ▪ Ramdohr, Die Erzmineralien u. ihre Verwachsungen, S. 789–793, Berlin: Akademie 1975. – *[HS 2603 00; CAS 15293-58-0]*

Boussingault, Jean Baptiste (1802–1887), Prof. am Conservatoire des Arts et Métiers in Paris. *Arbeitsgebiete:* Pflanzlicher Stickstoff-Stoffwechsel, Rolle des Lichtes, der Kohlensäure u. des Sauerstoffs bei der Assimilation der Pflanzen.
Lit.: Pötsch, S. 59 ▪ Poggendorff **1**, 3.

Bouveault-Blanc-Reaktion. 1903 von L. Bouveault u. G. Blanc beschriebene Red. von Estern mittels Natrium in alkohol. Lsg.:

$$R^1-CO-OR^2 + 4H \rightarrow R^1-CH_2OH + R^2OH;$$

als Lsm. u. Wasserstoff-Donatoren dienen meist Ethanol od. Butanol. Aromat. Ester lassen sich nach B.-B. nicht reduzieren. Auch manche Amide lassen sich nach B.-B. zu prim. Aminen reduzieren. – *E* Bouveault-Blanc reaction – *F* réaction de Bouveault et Blanc – *I* reazione di Bouveault-Blanc – *S* reacción de Bouveault-Blanc
Lit.: Houben-Weyl **4/1 c**, 646 ▪ Trost-Fleming **8**, 243.

Bovet, Daniel (1907–1992), Pharmakologe, langjähriger Leiter des Chemotherapeut. Laboratoriums am Staatlichen Gesundheitsamt in Rom. Er war an der Klärung des Wirkungsmechanismus der Sulfonamide beteiligt u. ist der Mitentdecker synthet. Ganglienblocker u. der Antihistaminika, erforschte die für die Anästhesie wichtige Wirkung von Curare u. der Mutterkornalkaloide. 1957 erhielt er für seine Entdeckungen über die hemmende Wirkung synthet. Verb. auf die Funktion des Gefäßsyst. u. der Skelettmuskulatur den Nobelpreis für Physiologie u. Medizin.
Lit.: Brockhaus Enzyklopädie in 24 Bd. (19.), Mannheim: F. A. Brockhaus 1986 ▪ Pötsch, S. 60.

Bovichinone.

Bovinon

Gruppe von orange-roten bis dunkelroten in 3-Stellung prenylierten 2,5-Dihydroxy-1,4-benzochinonen aus verschiedenen Höheren Pilzen wie dem Kuhröhrling (*Suillus bovinus*), sowie *Chroogomphus*-Arten (Basidiomycetes). Je nach Anzahl der Isopren-Einheiten in dieser Seitenkette spricht man von B.-3 (3 = Farnesyl-) od. *Helveticon* ($C_{21}H_{28}O_4$, M_R 344,45, orange Krist., Schmp. 98–100 °C) u. B.-4 (4 = Geranylgeranyl) od. *Bovinon* ($C_{26}H_{36}O_4$, M_R 412,57, gelbe Krist., Schmp. 84–85 °C). Die B. liefern in Alkali dunkelrote Anionen (typ. Farbreaktion des Pilzfleisches mit Ammoniak-Dämpfen). Durch direkte 6,6'-Verknüpfung, Verbrückung über eine 6,6'-Methylen-Gruppe od. Lacton-Bildung können Dimere entstehen. Zu Ansachi- nonen, die sich von B. ableiten, s. Tridentochinon. – *E* boviquinones – *I* bovichinoni
Lit.: Zechmeister **51**, 98 ff. – *[HS 3203 00; CAS 28129-52-4]*

Bovine Spongiforme Encephalopathie (Abk. BSE) s. Prionen u. Rinderseuche.

Boxazin® S. Brausetabl. mit *Acetylsalicylsäure u. Vitamin C als Analgetikum. *B.:* Thomae.

Boxcalf. Bez. für ein durch Chromgerbung (s. Gerberei) aus Kalbfellen hergestelltes, sehr geschmeidiges *Leder, das sowohl vollnarbig als auch geschliffen als Obermaterial für Schuhe Verw. findet.

Boyle, Robert (1627–1691), Chemiker in Oxford u. London. *Arbeitsgebiete:* Zusammenhang zwischen Druck u. Vol. der Luft (*Boyle-Mariotte'sches Gesetz), Verbrennung, osmot. Druck, Atmung, Einführung des Begriffs Pharmakologie, Mitbegründer der Atomtheorie u. des Elementbegriffs, Autor zahlreicher Schriften, u. a. „The Sceptical Chymist" (Ostwalds Klassiker Nr. 229); Nachdruck der Werke (6 Bd.), Hildesheim 1965–1966.
Lit.: Krafft, S. 64 f. ▪ Maddison, The Life of the Honourable Robert Boyle, FRS, London: Taylor Francis 1969 ▪ Pötsch, S. 60 ▪ Strube **2**, 26, 71, 75 ▪ Strube et al., S. 50, 52 ▪ Szabadváry, History of Analytical Chemistry, S. 36–40, Oxford: Pergamon 1966.

Boyle-Mariotte'sches Gesetz. *Boyle u. *Mariotte fanden beim Studium der Gase, daß das Produkt aus Druck p u. Vol. V bei gleichbleibender Temp. konstant ist: $p \cdot V$ = const; d. h., wird das Vol. auf die Hälfte komprimiert, verdoppelt sich der Druck. Das B.-M.G. ist ein Spezialfall (T = const) des allg. *Gasgesetzes ($p \cdot V = R \cdot T$). Dieses gilt, wie auch das B.-M.G., streng nur für *ideale Gase (keine Eigenvol. der Gaspartikel, keine *Van der Waals' Kräfte zwischen den Gaspartikeln). Reale Gase erfüllen das B.-M.G. recht gut bei hohen Temp. (oberhalb der *kritischen Temperatur) u. für große Volumina. – *E* Boyle-Mariotte's law – *F* loi de Boyle et Mariotte – *I* legge di Boyle-Mariotte – *S* ley de Boyle-Mariotte

Boyle-Temperatur s. Gasgesetze.

Bozefloc®. Marke der Société Française Hoechst für Flockungsmittel auf der Basis pulverförmiger, wasserlösl. Polyacrylamide od. Copolymerisate aus Acrylamid u. Natriumacrylat. *B.:* Société Française Hoechst.

Bozemine® N 609. Anion. Weichmacher auf Silicon-Basis für Textilien aus Cellulose- u. Synthesefasern u. Wolle. *B.:* Société Française Hoechst.

BPA. Abk. von *Beginn der Paraffin-Ausscheidung* als früher übliche Bez. für den *Trübungspunkt bei *Dieselkraftstoffen. Heute wird statt dessen der *Cloudpoint bestimmt.

BPI. Abk. für *Bundesverband der Pharmazeutischen Industrie e.V.

BPR s. Pseudorotation.

bpy. Kurzz. für 2,2'-Bipyridin als Ligand in Koordinations-Verb. (IUPAC-Regel I-10.4.5.7); s.a. bipy. – *F* = *S* bpy

Bq. Kurzz. für *Becquerel. Einheit für die *Aktivität einer radioaktiven Substanz: 1 Bq = 1 s^{-1} (≙ 1 Zerfall/s).

Br. Chem. Symbol für *Brom.

BR. Kurzz. für *Polybutadien, s.a. Synthesekautschuke.

Brackett-Serie s. Atombau.

Brackwasser. Bez. für das beim Zusammentreffen von Süß- u. *Meerwasser (Flußmündungen) entstehende, schwach salzige u. ungenießbare Wasser, das zudem stark bakterien- u. ggf. auch algenhaltig ist. – *E* brackish water – *F* eau saumâtre – *I* acqua salmastra – *S* agua salobre

Bradykinin. Nonapeptid der Zusammensetzung: Arg–Pro–Pro–Gly–Phe–Ser–Pro–Phe–Arg, $C_{50}H_{73}N_{15}O_{11}$, M_R 1060,22. In Carbonsäuren, 70%igem Ethanol u. siedendem Methanol gut, in anderen organ. Lsm. nicht löslich. B. kann aus Rinderplasma gewonnen od. synthet. hergestellt werden. B. ist ein zu den Plasma-*Kininen gehörendes Gewebshormon, das – ebenso wie das eng verwandte *Kallidin – durch *Kallikreine, *Trypsin od. *Schlangengifte aus *Bradykininogen* freigesetzt wird, z.B. bei Entzündungen u. Immunreaktionen. Seine Wirkung ist ähnlich der des *Histamins; es erregt die glatte Muskulatur (Bronchien, Magen-Darm-Trakt), erweitert die peripheren Gefäße u. erhöht die Gefäßpermeabilität, wodurch es zu Asthma u.a. allerg. Reaktionen, Durchfall, Blutdruckabfall u. Ödemen kommen kann. Außerdem wirkt es schmerzauslösend, bes. in Anwesenheit von *Prostaglandinen, die sensibilisierend auf die Schmerzrezeptoren wirken[1]. Die *Rezeptoren für B./Kallidin besitzen 7 Membran-durchspannende α-Helices (s. Helix) u. sind funktionell an *G-Proteine gekoppelt. – *E* bradykinin – *F* bradykinine – *I* bradichinina – *S* bradiquinina *Lit.:* [1] Trends Neurosci. **16**, 99–104 (1993). *allg.:* Beilstein E III/IV **22**, 91 f. – *[CAS 58-82-2]*

Brät Yax®. Eiweißaufschluß, Trinatriumphosphat zur Plastifizierung von Wurstbrät. *B.:* Budenheim.

Bräunung von Lebensmitteln s. Phenol-Oxidasen, von Haut s. Hautbräunung u. vgl. Maillard-Reaktion.

Bragg, Sir William Henry (1862–1942), Prof. für Physik, Davy-Faraday-Laboratories, London. *Arbeitsgebiete:* Röntgenstrukturanalyse, Bestimmung von Gitterkonstanten durch Messung der Röntgenbeugungswinkel, Ableitung des Bragg'schen Gesetzes (s. Kristallstrukturanalyse). Erhielt 1915 zusammen mit seinem Sohn den Physik-Nobelpreis.
Lit.: Caroe, William Henry Bragg, London: Cambridge Univ. Press 1978 ▪ Krafft, S. 66 f. ▪ Krafft u. Meyer-Abich, Große Naturwissenschaftler. S. 66, Frankfurt: Fischer 1970 ▪ Neufeldt, S. 134 ▪ Pötsch, S. 61 ▪ Poggendorff **7b/1**, 534–538 ▪ Strube et al., S. 117, 120.

Bragg, Sir William Lawrence (1890–1971), Prof. für Physik, Manchester, Cambridge u. London. *Arbeitsgebiete:* Bestimmung der Wellenlänge der Röntgenstrahlen auf kristallograph. Grundlage; atomarer Aufbau in Mineralen u. Leg.; erhielt 1915 zusammen mit seinem Vater Sir W. H. *Bragg für Arbeiten zur Röntgenstrukturanalyse, Aufstellung des Bragg'schen Gesetzes u. der darauf basierenden Theorie der Röntgenbeugung den Nobelpreis für Physik.
Lit.: Krafft, S. 66 f. ▪ Neufeldt, S. 134 ▪ Pötsch, S. 62 ▪ Strube et al., S. 117.

Brahmanol. Riechstoff mit ausstrahlender starker u. animal. Sandelholz-Note von hoher Stabilität; verwendbar in Seifen, Shampoos u. alkohol. Parfüms. *B.:* Dragoco.

Brain-derived neurotrophic factor s. neurotrophe Faktoren.

Brallobarbital.

$$\begin{array}{c}\text{H}_2\text{C}=\text{CH}-\text{CH}_2\\\text{H}_2\text{C}=\text{C}-\text{CH}_2\\|\\\text{Br}\end{array}\Biggr\rangle\begin{array}{c}\text{O}\\\|\\\text{C}\\ \diagup\ \diagdown\\\text{NH}\\\|\\\text{O}\end{array}$$

Internat. Freiname für die hypnot. wirksame 5-Allyl-5-(2-bromallyl)-barbitursäure, $C_{10}H_{11}BrN_2O_3$, M_R 287,11; Schmp. 168–169 °C. Es war von UCB in Kombination mit *Secobarbital-Natrium u. *Etodroxixin-dihydrogenmaleat (Vesparax mite®) im Handel. – *E* = *F* brallobarbital – *I* brallobarbitale – *S* bralobarbital
Lit.: Hager (5.) **7**, 512 f. – *[HS 2933 51; CAS 561-86-4]*

Bramin-hepa®. Kautabl. u. Pulver mit L-*Isoleucin, *L-Leucin, L-*Valin u. *Pyridoxin-Hydrochlorid gegen Hirnfunktionsstörungen bei chron. Lebererkrankungen. *B.:* Merz Pharma.

Brand. Kurzbez. für die Firma BRAND GMBH+CO, Otto-Schott-Str. 25, 97877 Wertheim. *Produktion:* allg. Labor- u. Volumenmeßgeräte aus Glas u. Kunststoff, Liquid Handling Geräte. Wichtige Marken: BLAUBRAND®, PLASTIBRAND®, Dispensette®, Transferpette®, accu-jet®.

Brandarten. Die B. kennzeichnet den Brand eines bestimmten Brandobjektes, eines Teiles davon od. eines bestimmten Stoffes (z.B. Lagerhallenbrand, Kellerbrand, Metallbrand, Waldbrand). Es gibt folgende B.: Ein Einzelbrand beschränkt sich auf ein Gebäude, ein einzelnes Grundstück od. auf Teile davon; ein Reihenbrand erstreckt sich auf eine Gebäudereihe in geschlossener Bauweise; ein Blockbrand dehnt sich auf ein von Straßen od. ähnlichen Brandschneisen umgrenztes bebautes Gebiet aus; er kann auch aus vielen Einzelbränden bestehen. Ein Flächenbrand ist ein großflächiger Brand, der sich durch Zusammenschluß vieler gleichzeitig entstandener Einzelbrände entwickelt hat u. über den Umfang eines Blockbrandes wesentlich hinausgeht. Folgebrand ist ein Brand, der im Gefolge eines zerstörenden Ereignisses entsteht. – *E* fire classification – *F* classification des incendies – *I* classificazione d'incendio – *S* clases de incendios
Lit.: DIN 14011 Tl. 2 (06/1975).

Brandbekämpfung s. Feuerlöschmittel.

Brandfördernd. Nach *Gefahrstoffverordnung Gefährlichkeitsmerkmal für Stoffe u. Zubereitungen, die in der Regel selbst nicht brennbar sind, aber bei Berührung mit brennbaren Stoffen od. Zubereitungen, überwiegend durch Sauerstoffabgabe, die Brandgefahr u. die Heftigkeit eines Brandes beträchtlich erhöhen.

– *E* oxidizing – *F* inflammable – *I* favorevole all'incendio – *S* favorecedores de incendios

Branding. Kurzbez. für die Friedrich Branding GmbH & Co., Klebstoff-Fabrik, 31275 Lehrte. Daten (1996): 32 Beschäftigte, Umsatz 9,2 Mio. DM. *Produktion:* Industrie-Klebstoffe für Papier-, Pappe-, Holz- u. Kunststoffverarbeitung auf der Basis von Kunstharz (PVAC), Harnstoff, Dextrin, Stärke, Latex u. Lösemitteln, Schmelzharz-Klebstoffe (Hotmelts).

Brandklassen. Eine B. kennzeichnet eine Gruppe brennbarer Stoffe, mit gleichartigen Branderscheinungen, der bestimmte *Feuerlöschmittel als geeignet zugeordnet werden. Entsprechend der europ. Norm DIN EN 2 unterscheidet man:
Klasse A: Brände fester Stoffe, hauptsächlich organ. Natur, die normalerweise unter Glutbildung verbrennen (Holz, Kohle, Papier, Stroh, Faserstoffe, Textilien).
Klasse B: Brände von flüssigen od. flüssig werdenden Stoffen (Benzin, Benzol, Heizöl, Ether, Alkohol, Stearin, Harze, Teer).
Klasse C: Brände von Gasen (Acetylen, Wasserstoff, Methan, Propan, Stadtgas, Erdgas).
Klasse D: Brände von Metallen (Aluminium, Magnesium, Natrium, Kalium). – *E* classification of inflammability – *F* classification d'inflammabilité – *I* classificazione d'infiammabilità – *S* clases de inflamabilidad
Lit.: DIN EN 2 (01/1993) ▪ ZH 1/201 (04/1994) (darin enthalten: DIN 14406).

Brandschutz. Unter B. versteht man alle Maßnahmen, die auf die Verhütung u. die Bekämpfung von Bränden zielen, u. insbes. Maßnahmen, die zum Schutz von Personen vor Bränden od. Brandfolgen (z.B. Rauchgase) getroffen werden. Zum Erreichen dieser Schutzziele müssen bauliche Anlagen so beschaffen sein, daß der Entstehung eines Brandes u. der Ausbreitung von Feuer u. Rauch vorgebeugt wird, u. daß bei einem Brand die Rettung von Menschen u. Tieren sowie wirksame Löscharbeiten möglich sind. Ein Brandschutzkonzept beinhaltet also eine Vielzahl von Maßnahmen, die die Voraussetzung für eine erfolgreiche Brandbekämpfung durch eine Feuerwehr schaffen u. eine Begrenzung des Schadens bewirken.
Geeignete Maßnahmen sind: *Bauliche Maßnahmen* [Bildung von Brandabschnitten durch feuerbeständige Raumbegrenzungen sowie feuerhemmende bzw. feuerbeständige Bauteile (z.B. Türen), Ausführung der Gebäude mit geeigneten Flucht- u. Rettungswegen], *techn. Maßnahmen* [Bereithalten geeigneter Löschmittel, die ggf. durch automat. Löschanlagen (z.B. *Sprinkleranlagen) eingesetzt werden können, Rauch- u. Wärmeabzugsanlagen], *organisator. Maßnahmen* (Durchführung der Brandschau, das Aufstellen von Alarm- u. Gefahrenabwehr, die Durchführung von Übungen, die Unterweisung von Personen, die Bereitstellung von Brandsicherungsposten bei Arbeiten bzw. Ereignissen mit bes. Brandrisiko für Personen u. Sachwerte). Begriffe aus dem Brandschutzwesen sind in DIN 14010 (09/1973) u. DIN 14011 Tl. 1 (07/1977), Tl. 2 (06/1975) definiert. – *E* fire protection – *F* protection contre l'incendie – *I* protezione antincendio – *S* protección contra incendios, defensa contra incendios
Lit.: Arbeitsstättenverordnung §§ 13, 55 (ZH 1/525) ▪ UVV „Allgemeine Vorschriften" (VBG 1) § 43 Arbeitsstättenrichtlinie 13/1,2 Feuerlöscheinrichtungen Merkblatt Brandschutz (ZH 1/116).

Brandverhalten s. Brennbarkeit.

Brandwaffen. Meist militär. genutzte Vorrichtungen, um brennbares Material in Brand zu setzen. Im allg. handelt es sich bei den – den *chemischen Waffen zuzurechnenden – B. um *brennbare Flüssigkeiten, die in geschlossenen Behältern aus Glas (*Molotowcocktail) od. Metall (*Brandbomben*) auf Ziele geworfen od. durch Düsen versprizt (*Flammenwerfer*) werden. Die Zündung der B. geschieht häufig durch Selbstentzündung, z.B. durch Phosphor, der in organ. Lsm. gelöst ist, od. durch metallorgan. Verb.; die Wirkung von flüssigen B. wird verstärkt durch Zusatz von Verdickungsmitteln, die am Ziel haftenbleiben u. meist mit Wasser nicht löschbar sind. Die verheerende Wirkung des von *Fieser entwickelten *Napalms auf Menschen beruht u.a. auf dem lipophilen Charakter der verwendeten Fettsäure-Salze. Eine sehr wirksame B. war bereits das 674 von den Türken gegen arab. Schiffe eingesetzte „Griechische Feuer". Die im 2. Weltkrieg viel benutzten *Stabbrandbomben* bestanden aus Materialien der *Brandklasse D. – *E* incendiary weapons – *F* armes incendiaires – *I* armi incendiarie – *S* armas incendiarias
Lit.: Kirk-Othmer (3.) **5**, 401–405; (4.) **5**, 803 ff. ▪ s.a. chemische Waffen.

Brandwunden s. Verbrennung u. Haut.

Brandy. Im internat. Sprachgebrauch übliche Bez. für eine Spirituose, worunter in Verbindung mit dem Namen einer Frucht ein Obstbrand u. ohne Fruchtbez. ein Weinbrand verstanden wird. In der BRD Bez. für Fruchtsaft- u. Fruchtaromaliköre (z.B. Apricot Brandy, Cherry Brandy).

Brannerit. Prim. *Uran-Mineral mit wechselnder Zusammensetzung XY_2O_6, wobei $X=U$, Th, Ca, Seltenerdmetalle u. $Y=Ti$, Fe^{2+} sein können. Glänzend schwarze, prismat. bis linealartige Krist., Krist.-Klasse $2/m$-C_{2h}, Struktur s. *Lit.*[1]; auch als Körner; H. 4,5, D. 6,35.
Vork.: Als wichtiges Uran- u. Thorium-Erz in Ontario/Kanada, im Colorado-Plateau/USA, im Witwatersrand-Gebiet/Südafrika; ferner in Idaho/USA, Marokko, Australien. – $E=F=I$ brannerite – *S* brannerita
Lit.: [1] Acta Crystallogr. **21**, 974–978 (1966).
allg.: Ramdohr-Strunz, S. 543 ▪ Schröcke-Weiner, S. 468 f. – *[HS 2612 10; CAS 12197-37-4]*

Branntweine s. Spirituosen.

Brasilianit. $NaAl_3[(OH)_2/PO_4]_2$; gelblichgrüne, z.T. glasklare u. dann als Edelstein verwendbare, glasglänzende, bis apfelgroße, kurzprismat. od. speerförmige, monokline Krist., Krist.-Klasse $2/m$-C_{2h}; H. 5,5, D. 2,98, spröde.
Vork.: In *Pegmatiten in Minas Gerais/Brasilien (Name!) u. New Hampshire/USA. – *E* brazilianite (brasilianite) – *F*=*I* brasilianite – *S* brasilianita

Lit.: Am. Mineral. **30**, 572–583 (1945) ▪ Eppler, Praktische Gemmologie (5.), S. 381, Stuttgart: Rühle-Diebener 1994 ▪ Nriagu u. Moore (Hrsg.), Phosphate Minerals, S. 22 f., Berlin: Springer 1984 ▪ s. a. Edelsteine. – *[CAS 12004-65-8]*

Brasilin (Brazilin).

$C_{16}H_{14}O_5$, M_R 286,28, blaßgelbe Nadeln, Schmp. 250 °C, lösl. in Wasser, Alkohol, Ether, wäss. Alkali-Lsg. (karminrot). B. kommt v. a. im Kernholz von *Caesalpinia*-Arten (Rothölzern) vor (Sappanholz, Brasilienholz, Pernambukholz). *Verw.:* Zur Rotfärbung von Holz, Tinten, Textilien [1] u. dgl., zur Färbung mikroskop. Präp., als Säure-Basen-Indikator. – *E* brazilin – *F* brasiline, brésiline – *I* = *S* brasilina
Lit.: [1] Text. Prax. Int. **1978**, 1220, 1227 ff.
allg.: Beilstein E V **17**/6, 547 ▪ Bull. Soc. Chim. Fr. **1975**, 1770 (Synth.) ▪ Schweppe, S. 412. – *[HS 3203 00; CAS 474-07-7]*

Brasivil. Paste mit Aluminiumoxid gegen Akne. *B.:* Stiefel.

Brassicin s. Glucobrassicin.

Brassidinsäure, Brassylsäure s. Erucasäure.

Brassine s. Raps.

Brassinolid s. Brassinosteroide.

Brassinosteroide.

Brassinolid

Steroid-Phytohormone mit ubiquitärer Verbreitung, die eine allg. Wachstumsförderung bei Pflanzen bewirken u. Potential als Hilfsstoffe in der Landwirtschaft besitzen. B. lassen sich in nahezu allen Pflanzenteilen nachweisen, bes. reichhaltig sind Rapspollen (*Brassica napus*, 100 µg/kg). Beisp.-Verb. sind *Brassinolid* ($C_{28}H_{48}O_6$, M_R 480,69, Schmp. 274–275 °C) u. *24-Epibrassinolid* ($C_{28}H_{48}O_6$, M_R 480,69, Schmp. 256–258 °C). – *E* brassinosteroids – *F* stéroides brassiniques – *I* brassinosteroidi – *S* brassinoesteroides
Lit.: ACS Symp. Ser. **474** (1991); **551**, 85–102 (1994) ▪ J. Chem. Soc., Perkin Trans. 1 **1996**, 295–302 (Synth.) ▪ Pure Appl. Chem. **62**, 1319 (1990) ▪ Stud. Nat. Prod. Chem. **16**, 321–364 (1995) (Synth.). – *[CAS 72962-43-7 (Brassinolid); 78821-43-9 (24-Epibrassinolid)]*

Brataromen s. Fleisch.

Brattain, Walter Houser (1902–1987), Physiker, Mitarbeiter der Bell Telephone Laboratories (1929–1967). Er arbeitete u. a. über die Eigenschaften von Festkörperoberflächen (Elektronenemission u. Adsorption) sowie über Probleme der Halbleiterphysik. Zusammen mit *Bardeen u. *Shockley entdeckte er den Transistoreffekt, der 1948 zur Entwicklung des Spitzentransistors als dem ersten Transistor führte, wofür ihm gemeinsam mit Bardeen u. Shockley 1956 der Nobelpreis für Physik verliehen wurde.
Lit.: Brockhaus Enzyklopädie in 24 Bd. (19.), Mannheim: F. A. Brockhaus 1986.

Brauchwasser. Bez. für nicht als *Trinkwasser geeignetes, für techn. Verw. bestimmtes *Wasser. Z. B. Wasch-, Kessel-, Kühlwasser u. Reaktionswasser. *Härte des Wassers, Korrosionseigenschaften, pH etc. lassen sich in Grenzen durch *Additive beeinflussen. – *E* industrial waters – *F* eaux industrielles – *I* acqua industriale – *S* aguas industriales, aguas de uso industrial
Lit.: s. Abwasser u. Wasser.

Brauer, Georg (geb. 1908), Prof. für Anorgan. Chemie, Freiburg. *Arbeitsgebiete:* Präparative Anorgan. Chemie, Kristallchemie, Hochtemperaturchemie, intermetall. Verb.; Hrsg. des „Handbuch der Präparativen Anorganischen Chemie", kurz: „Brauer".
Lit.: Kürschner (16.), S. 378 ▪ Poggendorff **7a**/1, 249 f. ▪ Wer ist wer, S. 151.

Braun, Dietrich (geb. 1930), Prof. für Makromol. Chemie, Darmstadt. *Arbeitsgebiete:* Makromol. Chemie, Synth. u. Struktur von Polymeren, Verarbeitung von Kunststoffen.
Lit.: Kürschner (16.), S. 379 ▪ Wer ist wer, S. 151.

Braun, Karl Ferdinand (1850–1918), Prof. für Physik, Straßburg. *Arbeitsgebiete:* Elektromagnet. Wellen, Kristalldetektor, Rahmenantenne, Erfindung der *Braun'schen Röhre* (s. Oszilloskop), Gleichrichtereffekt bei Halbleitern, *Prinzip des kleinsten Zwanges; Nobelpreis für Physik 1909 für die drahtlose Telegraphie (zusammen mit Marconi).
Lit.: Hermann, Lexikon Geschichte der Physik, S. 43 f., Köln: Aulis 1972 ▪ Krafft, S. 68 f. ▪ Neufeldt, S. 76 ▪ Strube et al., S. 125.

Braun, Volkmar (geb. 1938), Prof. für Membran-Physiologie, Univ. Tübingen. *Arbeitsgebiete:* Bakterielle Membranrezeptoren, Eisentransport, Eisenregulation, Toxinwirkung, Auszeichnung mit dem DGHM-Preis 1982 u. dem Robert Koch-Preis 1994.
Lit.: Kürschner (16.), S. 384 ▪ Wer ist wer, S. 153.

Braunalgen s. Algen.

Braunbleierz s. Pyromorphit.

Brauneisenerz (Limonit). Eisen(III)-oxid-Hydrat, FeOOH, auch $Fe_2O_3 \cdot x H_2O$; heute Sammelbez. für amorphe bis kryptokrist., hydratisierte Eisenoxide, deren genaue Identität nicht bestimmt worden ist. Mineralog. besteht B. aus *Goethit (Nadeleisenerz, α-FeOOH) als Hauptbestandteil, *Lepidokrokit (Rubinglimmer, γ-FeOOH), wechselnden Wassergehalten, meist auch etwas *Hämatit; häufig in inniger Mischung mit kolloidaler Kieselsäure, Phosphaten, Tonmineralen, organ. Zers.-Produkten u. kleinen Mengen von hydratisierten Aluminium-Oxiden. Sehr verschiedene Ausbildungsformen: derb u. fest, locker u. erdig, als stalaktit., traubige Massen, oft mit einer wie lackiert aussehenden Oberfläche (*Brauner Glaskopf*); in locke-

ren od. verfestigten knollen- u. bohnenförmigen Massen (*Bohnerz*), in Klumpen, in hohlen Geoden; als *Oolithe; in *Pseudomorphosen, z.B. nach *Pyrit. Bez. wie Xanthosiderit, Stilpnosiderit u. Samtblende werden heute als überflüssig angesehen. Gebundenes Wasser beginnt bereits bei 65 °C zu entweichen; beim Erhitzen auf >400 °C bleibt wasserfreies Eisenoxid zurück. Farbe gelb, braun, orangebraun, braunschwarz, Strich gelb bis braun, H. max. 5–5,5. D. 3,8–4,3. Der Eisen-Gehalt liegt theoret. bei 62%; in der Regel erreicht er 30–40%.
Vork.: In den *Oxidationszonen prim. Eisen-haltiger Lagerstätten („*Eiserner Hut*"), z.B. im Siegerland; als Pigment in Böden u. in allen nicht völlig frischen Gesteinen. Unter den Eisenerzen ist bzw. war B. eines der wichtigsten u. in Europa häufigsten; Beisp. sind die B. von Elsaß-Lothringen u. Luxemburg (*Minette*), Peine-Salzgitter (hier auch als *Trümmereisenerze*), u. in Außereuropa in Algerien u. in Clinton/Alabama/USA; einen bes. Typ stellen die B.-Lagerstätten von Amberg u. Sulzbach-Rosenberg in Nordost-Bayern dar. Die festländ. durch Ablagerung od. Ausfällung entstandenen Raseneisenerze der Moore sind heute ohne Bedeutung. – *E* brown ore, limonite – *F* hématite brune, limonite – *I* siderite ossidata all'aria – *S* hematites parda, limonita
Lit.: Pohl, Lagerstättenlehre (4.), S. 64 ff., 70, 120–124, Stuttgart: Schweizerbart 1992 ▪ Ramdohr-Strunz, S. 552 ff. ▪ Schröcke-Weiner, S. 486–490 ▪ s.a. Eisenhydroxide. – [HS 2601 11, 2601 12; CAS 1317-63-1 (Limonit)]

Brauner, Bohuslav (1855–1935), Prof. für Anorgan. Chemie, Prag. *Arbeitsgebiete*: Seltene Erden, Periodensystem.
Lit.: Pötsch, S. 63 f. ▪ Simon, Kleine Geschichte der Chemie, S. 81, Köln: Aulis Verl 1980.

Brauner Glaskopf s. Brauneisenerz.

Braunit. $Mn^{2+}Mn_6^{3+}SiO_{12}$; braunschwarzes bis stahlgraues, fettig metallglänzendes, schwach magnet., bis 70% *Mangan enthaltendes, tetragonales Mn-Erzmineral, Krist.-Klasse $4/mmm-D_{4h}$; meist derb, körnig od. massiv, seltener oktaederähnliche Krist.; H. 6–6,5, D. 4,7–4,9, Strich schwarz. Komplizierte Struktur aus schichtartigen, u.a. [(Mn,Fe)O_6]-Oktaeder enthaltenden Baueinheiten, die bei B., *Braunit-II* ($Ca_{0,5}Mn_7^{3+}Si_{0,5}O_{12}$) u. dem bronzeschwarz matt metallglänzenden, würfelähnliche Krist. (z.B. in *Rhyolith von Utah/USA) od. derbe körnige Massen bildenden *Bixbyit* $(Mn,Fe)_2O_3$ in unterschiedlicher Abfolge übereinander gestapelt sind[1].
Vork.: Bes. in metamorphen Mn-Erz-Vork., z.B. Kuruman u. Postmasburg/Südafrika, Balaghat, Bhandara u. Nagpur/Indien, weitere Vork. in Öhrenstock u. Elgersburg/Thüringen. – *E* = *F* = *I* braunite – *S* braunita
Lit.: [1] Am. Mineral. **61**, 1226–1240 (1976); **65**, 756–765 (1980); **74**, 1325–1336 (1989).
allg.: Anthony et al., Handbook of Mineralogy, Vol. II, Tl. 1, S. 90, Tucson (Arizona): Mineral Data Publishing 1995 ▪ Varentsov u. Grasselly (Hrsg.), Geology and Geochemistry of Manganese, Vol. 1, S. 110 ff., Stuttgart: Schweizerbart 1980. – [HS 2602 00; CAS 1309-54-2]

Braunkohle. Weit verbreitete, *Huminsäuren, *Bitumen u. häufig auch *Fossilien enthaltende, braune bis schwarzbraune, seltener schwarze *Kohle, die ca. 6% Aschenbestandteile u. 20–70% Wasser enthält; ihr Heizwert beträgt nur ca. 8000–15 000 kJ je kg. Unter Abzug des Wasser- u. Asche-Gehalts (waf) besteht die B. aus 62–78% C, 4–6% H, 16–34% O, 0,5–1,5% N u. 0,5–5% S; in trockenem Zustand liefert sie bis zu 30 000 kJ/kg. Nach ihrer Beschaffenheit kann man die B. in Weich- u. Hart-B. sowie *Lignit (Xylit) u. *Pyropissit einteilen, wobei im engl. Sprachgebrauch *Lignit* häufig als Synonym für B. gebraucht wird. Meistens werden B. wie Steinkohlen nach den *Maceralen klassifiziert. Zur Unterscheidung der B. von Steinkohlen s. dort. B. ist – in der BRD vor etwa 20–30 Mio. Jahren, bes. im Oligozän u. Miozän – aus pflanzlichen Bestandteilen über *Torf entstanden; die Flöze sind im Mittel 40–60 m, seltener bis 100 m mächtig (Bergbau-Handbuch, *Lit.*). Die Art der Entstehung (Fehlen höherer Drücke u. Temp.) bedingt ihren relativ niedrigen *Inkohlungs-Grad bei hohem Anteil (45–60%) an flüchtigen Stoffen u. die geringe Tiefe der Vork., die eine Gewinnung im Tagebau ermöglicht.
Vork.: In der BRD am Niederrhein zwischen Köln, Aachen u. Mönchengladbach, in der Lausitz, bei Bitterfeld, Helmstedt, in Nordhessen u. Oberfranken. Die Weltvorräte werden auf ca. 6600 Mrd. t geschätzt, davon u.a. in der ehem. UdSSR 3400, USA 1000, China 420, Australien 300, BRD 160 (*Lit.*[1]). Trotz erheblichen Rückgangs in den letzten Jahren war die BRD 1993 weltweit größter Braunkohlenproduzent mit 222 Mio. t vor der ehem. UdSSR (138 Mio. t), USA (75 Mio. t) u. der ehem. CSSR (71 Mio. t). Die Weltförderung betrug 1993 967 Mio. t (*Lit.*[2]).
Verw.: Die im allg. in Form von Briketts od. als pumpbarer B.-Staub eingesetzte B. dient vorwiegend der Energieerzeugung; als Primärenergieträger hatte B. 1994 in der BRD einen Anteil von 13,2% am Primärenergieverbrauch (s. Brennstoffe). Aufgrund der Großfeuerungsanlagen-VO von 1982 wurden die aus der Verstromung von B. resultierenden Luftverunreinigungen stark reduziert. Der Ausstoß von *Stickstoffoxiden (NO_x) konnte durch feuerungstechn. Maßnahmen um 70%, der von *Schwefeldioxid durch Einbau von Entschwefelungsanlagen – die u.a. pro Jahr 1,4 Mio. t Gips liefern – um 95% gesenkt werden. Zu den aus B. freisetzbaren Schwermetallen s. *Lit.*[3]. Aus bitumenreichen, trockenen B. gewinnt man durch Herauslösen mit Toluol das *Montanwachs. Zur Extraktion von B. mit überkrit. Flüssigkeiten s. *Lit.*[4]. Bei der *Pyrolyse der B. unterscheidet man Schwelung u. Verkokung. Erhitzt man B. auf etwa 600 °C (*Schwelung*), so erhält man etwa 5–10% *Braunkohlenteer, 25–30% Schwel- od. *Grudekoks* (mattschwarze, poröse, glimmende Körner mit 15–25% Asche, zur Haushaltfeuerung, nach Vermahlung auch zur Staubfeuerung verwendet), 15% *Schwelgase* (enthalten 5–15% CO, 10–20% CO_2, 10–25% CH_4, 10–30% H_2 u. 10–30% N_2, nach Reinigung in Gasmotoren verwendet) u. 50–60% *Schwelwasser* (enthält nur wenig Ammoniak u. organ. Substanzen u. läßt sich nicht nutzbringend verwerten). Wichtiger als die Schwelung der B. ist heute die Hochtemperaturverkokung (bis 1200 °C) von Briketts, die hochwertigen *Koks, daneben *Teer u. Gas liefert. – *E* brown coal, lignite – *F* = *I* lignite – *S* lignito

Lit.: [1] Der Fischer Weltalmanach '96, S. 1019 ff., Frankfurt a. M.: Fischer Taschenbuchverlag 1995. [2] Statistisches Jahrbuch für das Ausland, Hrsg. statist. Bundesamt, S. 264, Stuttgart: Verlag Metzler-Poeschel 1995. [3] Chem.-Ztg. **107**, 161–168 (1983). [4] Chem. Ind. (Düsseldorf) **37**, 404 ff. (1985). *allg.:* Das Bergbau-Handbuch, S. 165–182, Essen: Glückauf-Verl. 1983 ■ Falbe, Chemierohstoffe aus Kohle, Stuttgart: Thieme 1977 ■ Falbe, Chemical Feedstocks from Coal, New York: Wiley 1982 ■ Kirk-Othmer (3.) **14**, 313–343; (4.) **15**, 290–319 ■ Ullmann (4.) **14**, 322–328, 491–503; (5.) A **7**, 153–196 ■ Winnacker-Küchler (4.) **5**, 357–419. – *Organisationen:* Deutscher Braunkohlen-Industrie-Verein, 50858 Köln; Verein Rheinischer Braunkohlenwerke, 50858 Köln.

Braunkohlenteer. Aus *Braunkohlen durch *Pyrolyse gewonnene gelblichbraune bis dunkelbraune, kreosotartig riechende feste Masse, die etwa die Konsistenz von Butter erreicht, D. 0,85–1,0; siedet oberhalb 60 °C, der Hauptanteil der Destillate geht bei 250–350 °C über. Hauptbestandteile: Gesätt. (von C_6H_{14} bis $C_{27}H_{56}$) u. ungesätt. Kohlenwasserstoffe. Näheres zur Zusammensetzung der Inhaltsstoffe von *Braunkohlen-Schwelteer* (entsteht bei der *Schwelung), bzw. von *Braunkohlen-Hochtemperaturteer* (entsteht bei der Verkokung) aus rhein. Braunkohle s. *Lit.* [1]. B. wird durch Dest. u. Lsm.-Extraktion auf Braunkohlenbenzin, Paraffin, Asphalt, Kreosotöl usw., der Rückstand auf Elektroden verarbeitet. Bei der Handhabung von *Teer-Produkten muß die carcinogene Wirkung der Dämpfe (MAK-Liste, Gruppe III A 1, s. a. Gruppe V d) beachtet werden. – *E* lignite tar – *F* goudron de lignite – *I* catrame di lighite – *S* alquitrán de lignito
Lit.: [1] Winnacker-Küchler (4.) **5**, 485.
allg.: Hommel, Nr. 155 ■ Ullmann (4.) **14**, 497; **22**, 414, 439 ff. ■ Winnacker-Küchler (4.) **5**, 411, 472, 484–488.

Braun Melsungen. Kurzbez. für die B. Braun Melsungen AG, Carl-Braun-Straße 1, 34212 Melsungen. Daten (1994/1995, in Klammern Daten des Konzerns): 4133 (22 273) Beschäftigte, 1149 (2989) Mio. DM Umsatz. *Produktion:* Geräte für die Anästhesie- u. Intensivmedizintechnik, Dialysetechnik, Hygienebedarf, Fermenter, Laborgeräte für Mikrobiologie u. Chemie.

Braunovidon®. Salbe, Salbengaze u. Vaginalsuppositorien mit PVP-Iod-Komplex zur Wund- u. Infektionsbehandlung. *B.:* Braun.

Braunscher Abbau s. Bromcyan.

Braunschwarzfärben s. Brünieren.

Braunschweiger Grün s. Kupferchloride.

Brauns-Heitmann. Kurzbez. für die Brauns-Heitmann GmbH u. Co. KG, Postfach 11 63, 34401 Warburg. *Produktion u. Vertrieb:* Textilfarben, Textilmalfarben, Lederfarben, Textilfärber, Fleckentfernungsmittel, Gall-Seifen, Imprägniermittel, Waschadditive, Küchen- u. Badpflegemittel, Lebensmittelfarben, Eierfarben, Zierartikel für Ostern u. Weihnachten. Wichtigste Marken: Simplical, Noy, Imprägnol, Praddo, Heitmann-Eierfarben, Heitmann-Deco.

Braunspat s. Ankerit.

Braunsteine. Gruppenbez. für eine Anzahl von Mangan-Mineralien, die sehr verschiedene Eigenschaften u. Ausbildungsformen zeigen u. hinsichtlich ihrer chem. Zusammensetzung der Verb. MnO_2 (s. Mangandioxid) ähnlich od. gleich sind. Viele der B. sind aus ausgeflockten Kolloiden gebildet worden u. daher nur schlecht krist.; sie haben locker gepackte Strukturen, in deren Kanälen sich Wasser u. zusätzliche Kationen befinden können. Zu den B. gehören [1]: Der tetragonale u. mit *Rutil isotype *Pyrolusit* β-MnO_2, *Nsutit* (Mn^{4+},Mn^{2+})(O,OH)$_2$, *Ramsdellit* MnO_2, ferner die Gruppe der *Phyllomanganate* mit Schichtstrukturen aus ecken- u. kantenverknüpften [MnO_6]-Oktaedern, u. a. *Birnessit* $Na_4Mn_{14}O_{27} \cdot 9H_2O$, *Chalkophanit* $ZnMn_3O_7 \cdot 3H_2O$, *Lithiophorit* (Al,Li)MnO_2(OH)$_2$ [2] sowie die Gruppe der Manganate mit *Tunnelstrukturen* aus Doppelketten von [MnO_6]-Oktaedern (vgl. die Abb. bei Hollandit, u. a. *Romanechit (Psilomelan)* $(Ba,H_2O)_2Mn_5O_{10}$, *Hollandit* $Ba_{0-2}(Mn^{4+},Mn^{3+})_8$ (O,OH)$_{18}$, *Kryptomelan* $K_{0-2}(Mn^{4+},Mn^{3+})_8(O,OH)_{16}$, *Coronadit* $Pb_{0-2}(Mn^{4+},Mn^{3+})_8O_{16}$ u. *Todorokit*. Weitere B. sind *Manjiroit* $(Na,K,H_2O)Mn_8O_{16}$ u. *Woodruffit* $(Zn,Mn)Mn_3O_7 \cdot 1-2H_2O$; zu den Strukturen s. *Lit.* [3]. Von Pyrolusit abgesehen finden sich die meisten B. als eisengraue bis schwarze od. braunschwarze, teils dichte, glasige od. poröse, schaumige, z. T. erdige (z. B. sog. *Wad*, wasserhaltige B.) Massen, auch als *Oolithe; H. sehr unterschiedlich von 1–6, D. ca. 3–5.
Vork.: Große B.-haltige, sedimentär od. durch *Verwitterung entstandene Mangan-Erzlagerstätten sind Ciatura/Grusinien u. Nikopol/Ukraine, Groote Eylandt/Australien, Moanda/Gabun, Nsuta/Ghana, Morro do Urucum/Brasilien; weitere Lagerstätten in Indien; z. T. als Bestandteile der *Manganknollen. Zur *Verw.* von B. s. Mangandioxid. – *E* manganese dioxide minerals – *F* bioxyde de manganèse – *I* perossidi di manganese – *S* minerales di dióxido de manganeso
Lit.: [1] Am. Mineral. **64**, 1199–1218 (1979). [2] Am. Mineral. **79**, 370–374 (1994). [3] Chem. Erde **44**, 227–244 (1985).
allg.: Chem. Unserer Zeit **14**, 137–148 (1980) ■ Gebert, Schichtgebundene Manganlagerstätten, Stuttgart: Enke 1989 ■ Ramdohr-Strunz, S. 534 ff. ■ Varentsov u. Grasselly (Hrsg.), Geology and Geochemistry of Manganese, S. 58–110, Stuttgart: Schweizerbart 1980 ■ s. a. Mangandioxid. – [HS 2602 00]

Brausen (Brauselimonaden). Bez. für limonadenähnliche Erfrischungsgetränke, die aus Aromen u. Kohlensäure-haltigem Wasser unter teilw. od. völligem Ersatz des Zuckers durch *Süßstoffe od. Zucker-Austauschstoffe hergestellt werden. Sie enthalten meist Zitronen-, Himbeer-, Waldmeister-*Aroma od. trübe Citrussäfte, Farbstoffe sowie Säurungsmittel (z. B. *Citronensäure). Mit Hilfe von *Brausepulver kann man sich B. auch selbst bereiten. B. gehören begrifflich, zusammen mit *Limonaden (künstliche Heiß-, Kaltgetränke=Kohlendioxid-freie B.) u. coffeinhaltigen Erfrischungsgetränken zu den *alkoholfreien *Getränken*. – *E* carbonated beverages, soft drinks – *F* limonades gazeuses – *I* gassose – *S* bebidas gaseosas
Lit.: Leitsätze für Erfrischungsgetränke vom 31. 1. 1994, Gemeinsames Ministerialblatt **45** (10) 344 (1994).

Brausepulver. Bez. für Gemische aus Zucker, Natriumhydrogencarbonat u. Weinsäure od. Citronensäure, auch in Tablettenform (*Brausetabletten*), u., bei Kennzeichnung, auch unter Zusatz von *Aromen, *Farbstoffen u. *Süßstoffen, zur Herst. von *Brausen. Beim Auflösen in Wasser brausen die B. stark auf, da die or-

gan. Säuren aus Natriumhydrogencarbonat Kohlendioxid entwickeln. Im Handel sind auch B. zum Lutschen (*Brausebonbons*), die unter Knistern zerspringen. – *E* effervescent powders – *F* poudres effervescents – *I* polverina effervescente – *S* polvos efervescentes
Lit.: Osterroth (Hrsg.), Taschenbuch für Lebensmittelchemiker u. -technologen, Bd. 1, S. 245, Berlin: Springer 1991.

Brausetabletten s. Tabletten.

Bravais-Gitter s. Kristallsysteme.

Bray-Liebhafsky-Reaktion s. oszillierende Reaktionen.

Brazilin s. Brasilin.

Brazilit s. Baddeleyit.

Brazzein. Polypeptid aus 55 Aminosäuren aus dem westafrikan. Baum *Pentadiplandra brazzeana*. Es ist in 2%iger Lsg. 2000mal süßer als Rohrzucker u. gut hitzebeständig (4 h bei 80 °C ohne Aktivitätsverlust), vgl. Monellin, Thaumatin. – *E* brazzein – *F* brazzéine – *I* brazzeina – *S* grazzeina
Lit.: Chem. Unserer Zeit **29**, 21 (1995) ▪ FEBS Lett. **355**, 106 ff. (1994).

Brdička, Rudolf (1906–1970), Prof. für Physikal. Chemie, Prag. *Arbeitsgebiete:* Polarographie, Sorption der elektroaktiven Komponente an der Tropfelektrode, Theorie der kinet. Ströme, Brdička-Reaktion (Krebsdiagnose), Reaktionskinetik.
Lit.: Electrochim. Acta **16**, 507 (1971) ▪ Pötsch, S. 64.

Breccien (Brekzien) s. klastische Gesteine.

Brechen. 1. Bez. für das *Zerkleinern von Feststoffen, z. B. in *Brechern, s. a. Mahlen. – 2. Bez. für irreversible Formänderungen von Werkstoffen, s. Bruchverhalten. – 3. Bez. für ein Verf. der Vorbehandlung von Faserpflanzen, z. B. von *Flachs. – 4. Bez. für die Spaltung von *Emulsionen (s. a. Demulgatoren). – 5. B. von Lichtstrahlen s. Refraktion. – 6. B. in physiolog. Sinne (Emesis) s. Emetika u. Antiemetika.

Brecher. Bez. für Geräte u. Maschinen zum *Zerkleinern. Man unterscheidet u. a. Backen-, Rund-, Schnecken-, Walzen-B. u. Kollergang sowie Hammeru. Prall-B.; die erste Gruppe gehört zu den durch Druck, die zweite zu den durch Schlag wirkenden Brechern. – *E* crushers, breakers – *F* concasseurs – *I* frantumatrice – *S* trituracoras
Lit.: Chem. Ing. Tech. **57**, 911–916 (1985) ▪ DIN 24 100, Tl. 1 (05/1978) ▪ Kirk-Othmer (3.) **21**, 132–162 ▪ Lynch, Mineral Crushing and Grinding Circuits, Amsterdam: Elsevier 1977 ▪ Winnacker-Küchler (4.) **1**, 87 f. ▪ s. a. Zerkleinern.

Brechmittel s. Emetika.

Brechnuß s. Strychnin.

Brechungsindex s. Refraktion.

Brechweinstein [Kaliumantimon(III)-oxidtartrat, Antimonylkaliumtartrat, Tartarus stibiatus].

$C_8H_4K_2O_{12}Sb_2 \cdot 3\ H_2O$, M_R 667,86. Farblose, giftige, süßlich schmeckende Krist., D. 2,6, die bei 100 °C 0,5 Mol. Kristallwasser u. ab 200 °C 1 Mol. koordinativ gebundenes Wasser verlieren; in Wasser gut, in Ethanol nicht löslich. Staub u. Dämpfe führen zu Reizung u. Schädigung der Augen, der Atemwege, der Atmungsorgane sowie der Haut. Als Folge der Antimon-Vergiftung Leber- u. Nierenschäden; wassergefährdender Stoff, WGK 2.
Verw.: Früher in Dosen von 20–30 mg als Emetikum (ruft ca. 10 min nach Einnahme Übelkeit u. Erbrechen hervor), s. a. Antimon-Präparate. In der Textil- u. Leder-Ind. wird B. als Beizmittel gebraucht. – *E* tartar emetic – *F* émétique, tartre stibié – *I* tartaro emetico – *S* tártaro emético
Lit.: Arzneimittelchemie II, 303; III, 46 f., 178, 200, 209 ▪ Beilstein E IV **3**, 1227 ▪ Hager (5.) **7**, 270 ▪ Hommel, Nr. 810 ▪ Kirk-Othmer (4.) **3**, 392; **9**, 1064 ▪ Ullmann (4.) **18**, 120; **24**, 436. – *[HS 2918 13; CAS 28300-74-5; G 6.1]*

Bredigit s. Calciumsilicate.

Bredt'sche Regel. Eine von J. Bredt (1855 bis 1937) im Jahre 1902 formulierte Regel besagte, daß *bicyclische Verbindungen, bei denen von einem Verzweigungs-C-Atom der beiden 5- od. 6-gliedrigen Ringe (*Brückenkopf*) eine C=C- od. C=N-Doppelbindung ausgeht, nicht existenzfähig sind[1]. In solchen Alkenen stehen p-*Orbitale der C/C-Doppelbindung senkrecht aufeinander u. können damit nicht überlappen.

Bicyclo[3.3.1] non-1-en   Bicyclo[4.2.1] non-1-en   Bicyclo[4.2.1] non-6-en

Die Regel sollte auch für heterocycl. u. Kohlenstoff-Heteroelement-Doppelbindungen nicht aber für kondensierte (s. kondensierte Ringsysteme) u. höhergliedrige Ringe gelten, da solche spannungsfrei sind. Allerdings sind in den letzten Jahren so viele Verb. synthetisiert worden, die der B. R. widersprechen (s. z. B. die Abb.), daß man heute geradezu von *anti-Bredt-Verb.* spricht (s. *Lit.*[2]). – *E* Bredt rule – *F* règle de Bredt – *I* regola di Bredt – *S* regla de Bredt
Lit.: [1] Justus Liebigs Ann. Chem. **437**, 1–13 (1924). [2] Angew. Chem. **85**, 494–503 (1973).
allg.: Chem. Soc. Rev. **3**, 41–64 (1974) ▪ Liebmann u. Greenberg, Strained Organic Molecules, New York: Academic Press 1978.

Brefeldine.

R = OH : Brefeldin A

Gruppe von *Makrolid-Antibiotika aus *Penicillium brefeldianum* mit interessanten biolog. Wirkungen, bes. antifung. u. keimungshemmenden Eigenschaften. Die wichtigste Verb. ist *B. A*, ein Makrolacton mit 13 Ringatomen u. ankondensiertem Cyclopentan-Ring ($C_{16}H_{24}O_4$, M_R 280,36, Prismen, Schmp. 204–205 °C), es ist ident. mit Cyanein, Ascotoxin u. Decumbin[1].

B. A ist ein Hemmstoff der Nucleinsäure- u. Protein-Biosynthese. *B. C* unterscheidet sich von A lediglich durch die fehlende Hydroxy-Gruppe im Cyclopentan-Ring ($C_{16}H_{24}O_3$, M_R 264,36, Krist., Schmp. 161 °C, s. *Lit.*[2]). *B. B*: $C_{15}H_{22}O_4$, M_R 266,34, Schmp. 163–165 °C, vgl. *Lit.*[3]. Es sind zahlreiche Totalsynth. von B. A bekannt. – *E* brefeldines – *F* bréfeldine – *I* brefaldine – *S* brefeldinas

Lit.: [1] J. Antibiot., Ser. A **19**, 115 (1966); J. Org. Chem. **58**, 4555 (1993) (Synth.). [2] Heterocycles **13**, 267 u. 270 (1979); Tetrahedron Lett. **30**, 4845 (1989). [3] Helv. Chim. Acta **46**, 1235 (1963).
allg.: Beilstein E V **18/3**, 49 (B. A), 238 (B. C). – *Biosynth.:* J. Am. Chem. Soc. **108**, 2448 (1986). – *Reviews:* Cole et al., Handbook of Toxic Fungal Metabolites, S. 844, New York: Academic Press 1981 ▪ J. Am. Chem. Soc. **108**, 284 (1986). – *Synth.:* Angew. Chem. **96**, 143 (1984) ▪ J. Am. Chem. Soc. **107**, 2471 (1985) ▪ Justus Liebigs Ann. Chem. **1984**, 474 ▪ Tetrahedron **40**, 2935 (1984). – *[CAS 20350-15-6 (B. A); 73899-78-2 (B. C)]*

Breil, Günther (geb. 1921), ehem. Vorstandsvorsitzender der Ruhrchemie AG, Oberhausen, Vorsitzender des Kuratoriums des Gmelin-Inst. für Anorgan. Chemie der Max-Planck-Ges. zur Förderung der Wissenschaften, Frankfurt, Vorsitzender des Vorstandes der Ges. zur Förderung der Spektrochemie u. angewandten Spektroskopie e.V., Dortmund. *Arbeitsgebiete:* Anorgan. Chemie, Übergangsmetallchloride u. -oxide.
Lit.: Nachr. Chem. Tech. **22**, 509 (1974); **39**, 455 (1991).

Brekzien (Breccien) s. klastische Gesteine.

Bremer Blau s. bas. Kupfer(II)-carbonat.

Bremsbeläge. Beim Bremsvorgang von Fahrzeugen werden die B. gegen die meist aus Metall bestehenden Bremstrommeln od. -scheiben gepreßt, wenn der hydraul. Druck in dem mit der *Bremsflüssigkeit gefüllten geschlossenen Syst. erhöht wird. Die B. bestehen aus hochtemperaturbeständigen u. abriebfesten Materialien; zu ihrer Herst. wurden meist *Asbest-Fasern mit Füllmaterialien wie Bariumsulfat od. Steinmehl u. einem Gleitmittel wie Graphit od. Blei durch ein Bindemittel (z. B. Phenol-Formaldehydharze od. Nitrilkautschuk) zu einem Block zusammengehalten. Wegen der gesundheitsgefährdenden Wirkung von Asbest-Fasern wurden neuerdings B. entwickelt auf der Basis von Mineral-, Glas-, Kohlenstoff-, Metall-, Acryl- u. *Aramid-Fasern. – *E* brake linings – *F* garnitures de frein – *I* ferodi, guarnizioni dei freni – *S* forros de freno, guarniciones de freno
Lit.: Encycl. Polym. Sci. Eng. **1**, 377; **11**, 81 f. ▪ Kirk-Othmer (3.) **4**, 202–212; (4.) **4**, 523–536 ▪ Ullmann (4.) **8**, 75; **13**, 681; (5.) **A 3**, 161, 163; **A 19**, 381.

Bremsen. B. (Tabanidae) sind eine Familie der Insektenordnung Diptera, Unterordnung Brachycera (Fliegen). Von den insgesamt etwa 3500 Arten kommen ca. 160 in Europa vor. B. sind massige, schnellfliegende Fliegen mit kräftigen Flügeln, die in Ruhe schräg nach hinten über den Rand des Hinterleibs gelegt werden. Der breite, auffallend große Kopf wird fast vollständig von den sehr großen Komplexaugen eingenommen. Sie signalisieren, daß die Nahrungssuche überwiegend opt. erfolgt. Die Augen der Gattung *Chrysops* (Name!) sind leuchtend goldgrün, die der Gattung *Tabanus* (hierher z. B. die Rinderbremse = *Tabanus bovinus*) mit regenbogenfarbigen, leuchtenden Streifenmustern versehen: Hervorgerufen durch Interferenz an der feingeschichteten Epikutikula der Augenoberfläche. Die meisten Weibchen sind kräftige Blutsauger, die ihre Blutspender – z. B. Wild u. Weidevieh, aber auch Mensch – zunächst opt. auffinden, aus der Nähe dann offenbar auch durch Wärme-Abstrahlung des Körpers u. weitere Schlüsselreize. Die messerartig ausgebildeten Mundwerkzeuge erlauben einen schnellen u. wirksamen, auch schmerzhaften Biß/Stich. Die Stichwunde ist verhältnismäßig groß u. blutet oft nach, da beim Stich ein die Blutgerinnung hemmender Stoff eingespritzt wird. Die Männchen sind Nektarsauger an Blüten u. besitzen entsprechend rückgebildete Mandibeln. Die Eiablage erfolgt häufig auf Pflanzen, auch am Boden, meist in Wassernähe, da sich die Larven in feuchtem Boden od. im Wasser entwickeln (keine B. in wüstenartigem Gelände). Die Schadwirkung durch B. besteht bei starkem Auftreten an Wild u. Weidevieh in der Beunruhigung u. im Blutverlust, in warmen Ländern außerdem durch Übertragung von krankheitserregenden Bakterien, Trypanosomen u. Fadenwürmern. – *E* gadfly – *F* taons – *I* tafani – *S* tábanos
Lit.: Chinery, Pareys Buch der Insekten, Hamburg: Parey 1987 ▪ Jacobs u. Renner, Biologie u. Ökologie der Insekten, 2. Aufl., Stuttgart: Fischer 1988.

Bremsenöl s. Insektenabwehrmittel.

Bremsflüssigkeiten. Zu den *Hydraulikflüssigkeiten gehörende Produkte, die in hydraul. Bremssyst. von Fahrzeugen zur Weiterleitung des Bremsdrucks zu den Bremszylindern (vgl. Bremsbeläge) dienen. B. sollen kälte-, wärme- u. alterungs- bzw. oxidationsbeständig, nicht korrodierend u. ohne Einfluß auf Gummi sein. B. bestehen im allg. aus Glykolen, Glykolethern u./od. Polyalkylglykolen. – *E* brake fluids – *F* freineurs – *I* oli per freni – *S* líquidos de freno
Lit.: DIN ISO 4925 (04/1980) ▪ Kirk-Othmer (3.) **12**, 712–733; (4.) **13**, 533–559 ▪ Ullmann (4.) **13**, 85–94; (5.) **A 13**, 173 f.

Bremsstrahlung. Nach DIN 25401, Tl. 1 (09/1986) versteht man unter B. diejenige elektromagnet. *Strahlung, die bei Verzögerung od. Beschleunigung geladener Teilchen entsteht, z. B. als *Röntgenstrahlung* beim Auftreffen von Elektronen – aus Radionukliden, einer Glühkathode od. *Teilchenbeschleunigern – auf ein Target, wobei sie im elektr. Feld (Coulomb-Feld) der Atomkerne abgelenkt werden. Während B. bei vielen Teilchenbeschleunigern als unerwünschter Energieverlust angesehen wird, sind einige Synchrotrons speziell zur Erzeugung von B. ausgelegt (s. Synchrotronstrahlung). – *E* bremsstrahlung – *F* rayonnement de freinage – *I* radiazione di frenaggio – *S* radiación de frenado, radiación de frenamiento
Lit.: Phys. Bl. **49**, 516 (1993).

Bremssubstanz s. Moderator u. vgl. Reaktoren.

Brennbare Flüssigkeiten. Als brennbar werden solche Flüssigkeiten bezeichnet, die gemäß der VO über b. F. einen *Flammpunkt (FP) haben, bei 35 °C weder fest noch salbenförmig sind, bei 50 °C einen Dampfdruck von 3 bar od. weniger haben u. zu einer der nachstehenden Gefahrenklassen gehören:

A: Flüssigkeiten mit einem FP nicht über 100 °C, die hinsichtlich der Wasserlöslichkeit nicht die Eigenschaften der Gefahrklasse B aufweisen;
man unterscheidet hierbei:
A I: Flüssigkeiten mit einem FP unter 21 °C
A II: Flüssigkeiten mit einem FP von 21 °C bis 55 °C
A III: Flüssigkeiten mit einem FP über 55 °C bis 100 °C
B: Flüssigkeiten mit einem FP unter 21 °C, die sich bei 15 °C in Wasser lösen od. deren brennbare flüssige Bestandteile sich bei 15 °C in Wasser lösen.

Diese Einteilung machen sich auch die verkehrsrechtlichen Vorschriften (*Transportbestimmungen) für b. F. der Gefahrklasse A III zu eigen. Der Grad der Gefährlichkeit einer b. F. ist durch ihren FP bestimmt. Der FP ist diejenige Temp., bei der sich über der Flüssigkeitsoberfläche gerade soviel Dampf bildet, daß er im Gemisch mit Luft u. in Verbindung mit einer Zündquelle entflammt.
Die VO über b. F. legt auch die Lagermengen b. F. fest. Die Lagerung ist abhängig von der Menge u. der Art der b. Flüssigkeit. Die VO regelt auch, welche Anlagen u. Lager durch einen Sachverständigen zu überprüfen sind. – *E* combustible (flammable, inflammable) liquids – *F* liquides combustibles (inflammables) – *I* liquidi combustibili – *S* líquidos combustibles, líquidos inflamables

Lit.: Technische Regeln für brennbare Flüssigkeiten (sie werden im Bundesarbeitsblatt veröffentlicht od. können auch beim Carl Heymanns-Verl., Köln, bezogen werden) ▪ VO über brennbare Flüssigkeiten vom 27. 2. 1980 (BGBl. I, S. 173, 229), zuletzt geändert am 3. 5. 1982 (BGBl. I, S. 569).

Brennbare Stäube. Organ. Stäube u. eine Vielzahl von Metallstäuben sind brand- u. explosionsfähig. Abgelagerter Staub neigt nach Entzündung in der Regel zum Brennen, Glimmen od. Schwelen. Aufgewirbelter Staub kann bei entsprechender Konz. explosionsartig reagieren.
Schutzmaßnahmen gegen Staubbrände u. Staubexplosionen sind bereits bei der Planung der Anlage zu berücksichtigen. Ein solches Vorgehen hat Einfluß auf die Ausführung der Gebäude, die Verfahrenstechnik u. die apparativen Vorkehrungen.
Als vorbeugende Brandschutzmaßnahmen kommen in Betracht: die feuerbeständige Bauweise von Gebäuden, Brandmeldeanlagen zur Brandfrüherkennung u. ortsfeste sowie ortsbewegliche Feuerlöscheinrichtungen. Im Rahmen der Brandbekämpfung hat die Auswahl des Löschmittels u. der Löschmaßnahmen, abhängig von der Art des Staubes, eine große Bedeutung. So ist z. B. Wasser zum Löschen von Metallbränden ungeeignet, da es zur Zers. des Wassers u. zur Knallgasbildung kommt.
Ähnlich wie beim Brandschutz werden beim Explosionsschutz vorbeugende u. konstruktive Maßnahmen unterschieden. Vorbeugende Explosionsschutzmaßnahmen vermeiden das Entstehen von Staubexplosionen. Konstruktive Schutzmaßnahmen hingegen begrenzen die gefährlichen Auswirkungen von Explosionen.
Grundvoraussetzung für eine Explosion ist das gleichzeitige Vorliegen von Brennstoff, Sauerstoff u. Zündquelle. Entfällt eine dieser Voraussetzungen kann keine Explosion stattfinden. Hierauf basieren die Maßnahmen des vorbeugenden Explosionsschutzes: Senkung des Sauerstoff-Volumenanteils durch Einleiten von Inertgas in eine dichte, explosionsgefährdete Apparatur; ausreichend sichere Vermeidung von Zündquellen u. Halten der Staubkonz. außerhalb des Explosionsbereichs.
Zu den konstruktiven Explosionsschutzmaßnahmen zählen: die explosionsfeste Bauweise der gefährdeten Anlagenteile; explosionstechn. Entkoppelung explosionsgefährdeter Anlagenteile durch den Einbau von z. B. Zellradschleusen; Explosionsdruckentlastung u. Explosionsunterdrückung.
Auch ist es für den Betrieb wichtig, daß die Beschäftigten über die Gefahren unterwiesen u. zu sicherheitsgerechtem Verhalten beim Umgang mit b. S. u. Schutzmaßnahmen angehalten werden.
Zur Anw. der genannten Schutzmaßnahmen ist die Kenntnis von brenn- u. explosionstechn. Kenngrößen des vorkommenden Staubes notwendig. Diese Kenngrößen sind vom Zustand des Staubes u. von der Untersuchungsmeth. abhängig. Der Umfang notwendiger Untersuchungen muß sich am Anwendungsfall orientieren. – *E* combustible dusts

Lit.: Richtlinien für die Vermeidung der Gefahren durch explosionsfähige Atmosphäre mit Beispielsammlung ZH 1/10 (03/1985; 09/1994) ▪ UVV „Silos" (VBG 112) (04/1994) ▪ VDI 2263 „Staubbrände u. Staubexplosionen; Gefahren, Beurteilung u. Schutzmaßnahmen" (1985).

Brennbarkeit. Bez. für das Verhalten von gasf., flüssigen od. festen Stoffen gegenüber *Entflammung (*Brandverhalten*): B. liegt vor, wenn ein Stoff nach der Entflammung weiterbrennt, auch wenn die Zündquelle entfernt wird. Schwer brennbar od. nach DIN 4102 schwer entflammbar ist ein Stoff, der nach der Entzündung nicht mehr weiterbrennt, wenn die Wärmezufuhr aufhört. Ein nicht brennbarer Stoff kann weder entzündet werden, noch verascht er. Auf der durch genormte Verf. erfolgenden Bestimmung der B. beruht die Einteilung der Stoffe in *Brandklassen; s. a. brennbare Flüssigkeiten, Entzündungstemperatur, Zündtemperatur. Die B. ist von bes. Bedeutung bei Baustoffen [DIN 4102, Tl. 1–8 (02/1970 u. 09/1977)], bei Kunststoffen u. Textilien; sie kann in vielen Fällen mit *Flammschutzmitteln herabgesetzt werden. – *E* combustibility – *F* combustibilité – *I* combustibilità – *S* combustibilidad

Lit.: s. Brandschutz u. die Textstichwörter.

Brennelemente. Bez. für diejenigen Bauteile eines *Kernreaktors, die den *Kernbrennstoff enthalten. Um diesen gegen seine evtl. aggressive chem. Umgebung zu schützen u. um gleichzeitig das Entweichen von Spaltprodukten zu verhindern, wird der Kernbrennstoff entweder in eine dichte u. formfeste *Brennstoffhülse* eingebracht, od. er wird von einer dicht anliegenden, fest aufgebrachten *Brennstoffhülle* geschützt. Häufig sind die B. stabförmig (*Brennstäbe*), mit Hülsen aus Zircaloy, die den Pellet- od. Partikel-förmigen *Kernbrennstoff umschließen (s. Abb.).
Beim Hochtemperaturreaktor (Kugelhaufenreaktor) werden B.-Kugeln (⌀ = 6 cm) verwendet. Sie enthalten den Brennstoff als kleine (⌀ = 0,5–0,7 mm) Kügelchen, die durch pyrolyt. abgeschiedenen Kohlenstoff gasdicht abgeschlossen sind (s. Abb. bei Kernbrennstoffe). Zur Herst. der B. s. *Lit.*[1], zur Aufberei-

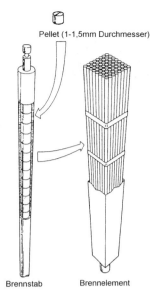

Pellet (1-1,5mm Durchmesser)
Brennstab   Brennelement

Abb.: Brennelemente.

tung s. Kernbrennstoffe, zur Entsorgung s. Radioaktive Abfälle. – *E* fuel elements – *F* éléments de combustible – *I* elementi di combustibile – *S* elementos combustibles

Lit.: [1] Knief, Nuclear Fuel Cycles, in Encycl. of Phys. Science and Technology, Bd. 11, S. 201–213, San Diego: Academic Press 1992.
allg.: Kummerer, Werkstoffe in der Kerntechnik, Karlsruhe: Braun 1980.

Brennen. 1. Unter Flammenerscheinung erfolgende *Verbrennung von Stoffen. – 2. Therm., meist als *Calcinieren bezeichnete Behandlung mineral. Roh- u. Werkstoffe. – 3. Eine Form der Oberflächenbehandlung bei Kupferleg.; beim Gelbbrennen mittels Schwefel- u. Salpetersäure unterscheidet man nach Oberflächenbeschaffenheit Glanzbrennen u. Mattbrennen. – 4. Die Dest. von Wein od. auch vergorenen Flüssigkeiten zur Herst. *alkoholischer Getränke (*Branntweine*).

Brenner. Sammelbez. für Apparate zur Verbrennung von gasf., flüssigen od. staubförmigen Brennstoffen zur Gewinnung von Wärme od. opt. Strahlung. Bekannte *Gasbrenner* sind *Bunsenbrenner, *Méker®-Brenner u. *Teclu-Brenner sowie der *Daniellsche Hahn, s. a. Gebläsebrenner. Die Bez. B. wird in übertragenem Sinne auch für elektr. Infrarotheizgeräte sowie in der Photochemie gelegentlich für Metalldampflampen als Lichtquellen gebraucht. – *E* burners – *F* brûleurs – *I* bruciatore – *S* quemadores, mecheros, sopletes

Lit.: Hostalier, Les Brûleurs industriels à gaz, Paris: Eyrolles 1970 ▪ Kirk-Othmer (3.) **4**, 278–312 ▪ Yaverbaum, Energy Saving by Increasing Boiler Efficiency, Park Ridge: Noyes 1979.

Brenner-Efeka. Kurzbez. für die Brenner-Efeka Pharma GmbH, Schleebrüggenkamp 15, 48159 Münster. *Daten* (1995): 150 Beschäftigte, 110 Mio. DM Umsatz. Produktion eines breiten Spektrums an pharmazeut. Produkten.

Brennessel. In Europa ubiquitäres, unscheinbar blühendes, bis 1,50 m hoch wachsendes Kraut (*Urtica dioica*), dessen Blätterextrakte gelegentlich noch gegen rheumat. Beschwerden od. Miktionsstörungen Anw. finden. Auf Haut u. Kopfhaut wirken B.-Extrakte hyperämisierend, was wohl auf den Gehalt an *Nesselgiften* wie *Histamin, *Serotonin u. *Acetylcholin zurückgeht. Diese finden sich in den bei Berührung glasartig abbrechenden u. die Haut durchdringenden Brennhaaren, die auch *Ameisensäure enthalten. Sich über kurze, ästige Rhizome ausbreitend, wächst die B. an Wegen, Gräben, auf Schuttplätzen u. in Auenwäldern. Als Stickstoff-Zeiger ist sie charakterist. für siedlungsbedingte Ruderalgesellschaften. Im Bereich des *Artenschutzes erhält die B. zunehmende Bedeutung u. Wertschätzung, da die Raupen verschiedener Tagfalter (z. B. Pfauenauge, Großer u. Kleiner Fuchs, Admiral) sie als Futterpflanze benötigen. Im Mittelalter, aber auch im 2. Weltkrieg wurde die B. als Faserpflanze zur Gewinnung von Geweben (*Nessel) verwandt. – *E* stinging nettle – *F* ortie – *I* ortica – *S* ortiga mayor, ortiga grande

Brenngase. Sammelbez. für brennbare techn. Gase, die zum Heizen, Schweißen u. dgl. gebraucht werden; zum Heizwert einzelner B. s. Brennstoffe. Die B. können natürlicher Herkunft sein (Erdgas, Klärgas, Sumpfgas) od. werden aus festen od. flüssigen Rohstoffen durch Entgasen, *Vergasung, *Schwelung, *Destillation, *Kracken od. chem. Umsetzungen gewonnen (Butan u. Propan als *Flüssiggase, Acetylen, Kohlenmonoxid, Leucht- od. Stadtgas, Wasser-, Generator- od. Synthesegas). – *E* combustible gases, fuel gases – *F* gaz combustibles – *I* gas combustibili – *S* gases combustibles

Lit.: DIN 1340 (12/1990) ▪ Ullmann (4.) **14**, 462–469.

Brennpetroleum s. Benzin.

Brennpunkt s. Flammpunkt.

Brennschneiden. Verf. zum therm. Trennen metall. Werkstoffe, bei dem die Trennung durch therm. Oxid. des örtlich hoch aufgeheizten Werkstoffs u. die Entfernung der Schmelze in der Trennfuge durch einen Sauerstoff-Strom erfolgt; auch bezeichnet als *autogenes Schneiden. – *E* autogeneous cutting – *F* oxycoupage – *I* taglio focale – *S* oxicortar, cortar con oxígeno, cortar con soplete

Brennspiritus s. Ethanol.

Brennstäbe s. Brennelemente.

Brennstoffe. Summar. Bez. für feste, flüssige od. gasf. Stoffe, die, entweder in natürlicher od. davon durch Veredelung abgeleiteter Form, mit Luftsauerstoff unter Abgabe nutzbarer *Wärme wirtschaftlich verbrannt werden können. Hauptlieferant des *Heizwertes*, nach dem Nutzen u. Wirtschaftlichkeit eines B. bemessen werden, sind Kohlenstoff u. Kohlenwasserstoff, ggf. auch Wasserstoff. Als Einheit für den Energieinhalt eines B. dient die *Steinkohleneinheit (1 SKE = 7000 kcal/kg = 29,3 MJ/kg); bei festen B. wird der Heizwert im wasser- u. aschefreien Syst. (waf) angegeben. Die Endprodukte der *Verbrennung von B. sind Kohlendioxid u. Wasser; in den natürlichen B. als Ver-

Brennstoffelemente

unreinigungen vorkommende mineral. Begleitstoffe bilden nach der Verbrennung die *Asche, Schwefel liefert Schwefeldioxid. Letzteres ist zusammen mit dem bei der Verbrennung emittierten Staub (*Flugasche) eine Hauptquelle der *Luftverunreinigung, zu deren Eindämmung von Ind. u. Kraftwerken große Anstrengungen unternommen werden (s. Abgas-Entschwefelung, -Entstaubung). Eine Aufstellung über die Heizwerte gebräuchlicher B. wird in Tab. 1 gegeben.

Tab. 1: Heizwerte gebräuchlicher Brennstoffe.

	Natürliche		Veredelte	
Fest (MJ/kg)	Holz	10–15	Holzkohle	26
	Torf	7–8		
	Braunkohle	10–20	Briketts	21
	Steinkohle	26–32	Koks	30
Flüssig (MJ/kg)	Erdöl	um 40	Heizöl	40–43
			Benzin	48
			Benzol	42
			Methanol	22
Gasförmig (MJ/m^3)	Erdgas	24–38	Wasserstoff	12
			Methan	37
			Ethan	64
			Propan	93
			Butan	119

Im erweiterten Sinn gehören auch *Kernbrennstoffe zu den B., obgleich bei der Gewinnung von *Kernenergie kein klass. Verbrennungsprozeß stattfindet. Der Primärenergieverbrauch der Welt stieg von 1970 bis 1992 um ca. 65% von 6,64 auf 10,95 Mrd. t. SKE, wobei *Erdöl von 45,3 auf 36,4% u. Kohle von 32,9 auf 29,3% als Energieträger zurückgingen, während *Erdgas von 19,5 auf 24,3%, Kernenergie von 0,1 auf 7,0%, Wasserkraft u. Sonstige von 2,2 auf 2,9% anstiegen (s. Abb. 1).

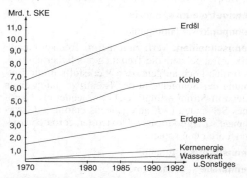

Abb. 1: Weltweiter Primärenergieverbrauch.

In der BRD betrug der Primärenergieverbrauch 1994 479,8 Mio. t SKE. Die Anteile der Energieträger zeigt Abb. 2.

Die Entwicklung des Energieverbrauchs in der BRD von 1989 bis 1994, aufgegliedert auf alte u. neue Bundesländer, ist aus Abb. 3 ersichtlich. Die derzeit bekannten u. wirtschaftlich nutzbaren Reserven an fossilen u. mineral. Energieträgern sind in Abb. 4 aufgezeigt.

Mit steigender Weltbevölkerung auf erwartete 8 Mrd. Menschen im Jahre 2020 wird auch der Energiebedarf weiter steigen. Die Verbrennung fossiler B. stößt zu-

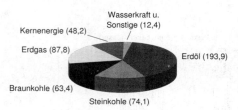

Abb. 2: Energieträger in der BRD 1994 (Anteile am Primärenergieverbrauch; Angaben in Mio. t SKE; nach *Lit.*[1]).

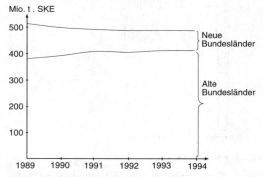

Abb. 3: Energieverbrauch in der BRD.

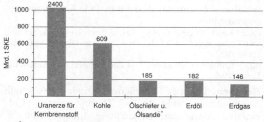

Abb. 4: Reserven fossiler u. mineral. Energieträger (Stand 1989; nach *Lit.*[1]).

nehmend auf Bedenken, da weiter steigende *Kohlendioxid-Emissionen in die Atmosphäre ernsthafte Einflüsse auf das Klima befürchten lassen (*Treibhauseffekt). Ein erhöhter Einsatz von Kernenergie ist wegen befürchteter Sicherheitsrisiken ebenfalls strittig. Es werden daher verstärkt Maßnahmen zur Energieeinsparung, zur Erhöhung der Wirkungsgrade bei der Energiegewinnung sowie zur Nutzung alternativer Energiequellen wie Windkraftanlagen, Verwertung von *Biomasse sowie Nutzung der Sonnenenergie (*Solarzellen, *Photo-Volta Effekt) gefördert. – *E* fuels, combustibles – *F = S* combustibles – *I* combustibili

Lit.: [1] Der Fischer Weltalmanach 1996, S. 1063–1074, Frankfurt: Fischer Taschenbuchverl. 1995.
allg.: DIN-Katalog Sachgruppen 5608 (techn. Gase), 5640 (feste Brennstoffe), 5650 (flüssige Brennstoffe), Berlin: Beuth jährlich ■ Ullmann (4.) **2**, 360–373; s. a. die Textstichwörter.

Brennstoffelemente s. Brennelemente od. Brennstoffzellen. Vom Gebrauch der Bez. B. ist aus Gründen der Mißverständlichkeit abzuraten.

Brennstoffzellen. Ebenso wie in anderen *galvanischen Elementen wird in B. elektr. Energie durch *Energie-Direktumwandlung aus chem. Energie erzeugt, bei der nachstehend beschriebenen B. in Umkehrung der Wasser-*Elektrolyse. Die Einzelzelle aus zwei invarianten *Elektroden, zwischen denen sich ein invarianter *Elektrolyt befindet, liefert kontinuierlich Strom dadurch, daß die zu oxidierende Substanz – als eigentliche Brennstoffe dienen Wasserstoff od. Kohlenmonoxid, die durch Spaltung von Erdgas, Methanol, Hydrazin, Ammoniak etc. gewonnen werden – u. das Oxidationsmittel kontinuierlich zu- u. die Oxidationsprodukte kontinuierlich abgeführt werden.

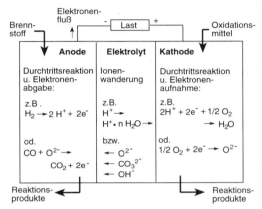

Abb.: Prinzipieller Aufbau einer Brennstoffzelle u. die in der Zelle ablaufenden Elementarreaktionen.

Man spricht von *elektrochem. *Verbrennung*, wenn als Oxidationsmittel Sauerstoff (Luft) verwendet wird. Die an den beiden unangreifbaren porösen Elektroden ablaufende Gesamtreaktion $2H_2 + O_2 \to 2H_2O$ (s. a. Knallgaselement) zerfällt in eine Anoden- u. eine Kathodenreaktion: Der an der Kathode adsorbierte O_2 nimmt bei Stromfluß zwei Elektronen je Atom (also $4e^-$ je Mol.) auf ($O_2 + 4e^- \to 2O^{2-}$, kathod. Red.). Die zweifach neg. geladenen Sauerstoff-Ionen treten von der Elektrode aus in den mit ihr in Kontakt stehenden Elektrolyten (hier ein festes Mischoxid) ein. Gleichzeitig verläßt für jedes in den Elektrolyten eingetretene Sauerstoff-Ion ein anderes diesen an der Anode, wo es mit einem dort adsorbierten Brennstoff-Mol. (in diesem Falle H_2) unter Abgabe seiner beiden überschüssigen Elektronen unter Bildung von Wasser ($2H_2 + 2O^{2-} \to 2H_2O + 4e^-$, anod. Oxid.) als Verbrennungsprodukt reagiert. Die je verbrauchtes O_2-Mol. freigewordenen vier Elektronen gehen in die äußere Leitung über, die über einen Stromverbraucher zur Kathode führt. Der Stromkreis wird durch den Elektrolyten geschlossen, durch den die O_2-Ionen fließen. Die Teilreaktionen sind von der Art der Elektrolyten abhängig, d. h. von der Art der Ionen, die die Elektrizität transportieren. Als bei höheren Temp. betriebene Festkörper-Elektrolyte kommen für Anionenleiter Metalloxide ($ZrO_2 + Y_2O_3$) u. Metallhalogenide, für Kationenleiter bes. Na-, Ag- u. Cu-Salze in Frage, s. die Zusammenstellung in *Lit.*[1].

Die auf die porösen Elektroden aufgezogenen Katalysatoren bestehen aus Edelmetallen, Raney-Nickel, Wolframcarbid, Molybdän- od. Wolframsulfiden od. aus Phthalocyanin- u. a. Chelat-Komplexen. Eine Übersicht über organ. Verb., die in B. Verw. finden können, s. *Lit.*[2].

Verw.: Zur stationären u. mobilen Stromgewinnung, z. B. für Straßenfahrzeuge, in der Raumfahrt, in Verb. mit H_2-Speichern (z. B. Metallhydriden) als Kraftwerke im MW-Bereich für Spitzenbelastungen, als O_2-Sensoren. Näheres zu Wirkungsweise, Nutzungsgrad u. Wirtschaftlichkeit in B. s. in Kirk-Othmer (*Lit.*), *Lit.*[3–5] u. den bei *Batterien genannten Autoren. – *E* fuel cells – *F* piles à combustible – *I* cella a combustibile – *S* pilas de combustibles

Lit.: [1] Angew. Chem. **90**, 38–48 (1978), Naturwissenschaften **64**, 53–58 (1977). [2] Fortschr. Chem. Forsch. **61**, 131–188 (1976). [3] Phys. Bl. **50**, 560ff. (1994). [4] Phys. Unserer Zeit **26**, 6–15 (1995). [5] Phys. Unserer Zeit **27**, 52–59 (1996).
allg.: Blomen u. Mugerwa, Fuel Cell Systems, New York: Plenum Press 1992 ■ DECHEMA-Monogr. **128** ■ Kirk-Othmer **3**, 139–160; **S**, 383–420; (3.) **3**, 545–568 ■ Ullmann (4.) **12**, 113 ff. ■ s. a. Galvanische Elemente u. Energie-Direktumwandlung.

Brenntag. Kurzbez. für die 1874 gegr., über die Stinnes AG (100%) im Besitz der VEBA (100%) befindliche Brenntag AG, Humboldtring 15, 45472 Mülheim/Ruhr. *Daten* (1995): ca. 3300 Beschäftigte, 100000 DM Kapital, ca. 4,4 Mrd. DM Umsatz. *Handel u. Distribution:* Anorgan. u. organ. Chemikalien, petrochem. Basisprodukte, Kunststoffe, Lösemittel, Pigmente, Produkte für die Pharma-, Kosmetik-, Kautschuk-, Klebstoff-, Kunststoff-, Lack- u. Waschmittelindustrie.

Brennwert. Nach DIN 5499 (01/1972) versteht man unter dem spezif. B. (H_0) eines flüssigen od. festen *Brennstoffes den früher *oberer Heizwert* od. *Verbrennungswärme* genannten Quotienten aus Reaktionsenthalpie u. Masse des Brennstoffs; zur Bestimmung u. zum Zusammenhang mit dem *Heizwert s. dort. Bei *Lebensmitteln spricht man von einem *phy-

Tab.: Daten ausgewählter Brennstoffzellen[5].

Typ	AFC	PEMFC	PAFC	MCFC	SOFC
Elektrolyt	Lauge KOH, 30%	Polymer PTFE sulfon.	Säure H_3PO_4, 95%	Schmelze $Li_{2-x}K_xCO_3$	Keramik $ZrO_2 8Y_2O_3$
Ion	OH^-	$H^+ nH_2O$	$H^+ nH_2O$	CO_3^{2-}	O^{2-}
Matrix	Asbest	keine	PTFE-SiC	PTFE-SiC	keine
Temp. [°C]	0–80	0–140	60–207	600–700	850–1050
Brennstoffe	H_2	H_2, CH_3OH	H_2, [CH_4]	CH_4, CO, H_2	CH_4, CO, H_2
Anode	Ni, Pt	Pt/Ru/Kohle	Pt/Kohle	Ni-LiCrCO$_2$	Ni/ZrO$_2$
Kathode	Ag	Pt/Kohle	Pt/Kohle	LiFeO$_2$	$La_{1-x}Sr_xMnO_3$

AFC: alkal. B.; PEMFC: Polymerelektrolytmembran-B.; PAFC: phosphorsaure B.; MCFC: Schmelzkarbonat-B.; SOFC: oxidkeram. Brennstoffzelle; PTFE: Polytetrafluorethylen.

Brenzcatechin 516

siolog. Brennwert (Nährwert), s. Ernährung. – *E* gross calorific value – *F* pouvoir calorifique supérieur – *I* potere calorifico – *S* poder calorífico superior

Brenzcatechin (Benzol-1,2-diol).   Xn ✗

$C_6H_6O_2$, M_R 110,11. Farblose Krist., D. 1,344, Schmp. 105 °C, Sdp. 246 °C; wassergefährdender Stoff, WGK 2, in Wasser, organ. Lsm. u. Alkalien lösl. u. mit Wasserdampf flüchtig. LD_{50} (Ratte oral) 260 mg/kg, Sensibilisierung möglich; B. darf beim Herstellen od. Behandeln von kosmet. Mitteln nicht verwendet werden (Kosmetik-VO Anlage 1, Nr. 408). Im Licht u. an der Luft ist B. autoxidabel; Braunfärbung auch in wäss., bes. aber in alkal. Lösung. Die wäss., neutrale Lsg. gibt mit Eisenchlorid Grünfärbung u. mit Bleiacetat im Gegensatz zu den Isomeren *Resorcin u. *Hydrochinon einen farblosen Niederschlag. B. wirkt als kräftiges Reduktionsmittel; es reduziert *Fehlingsche Lösung, *Benedicts Reagenz u. ammoniakal. Silbernitrat-Lösung. Es ist verbreitet in Harzen u. im Buchenholzteer; der Name ist auf *Mimosa catechu* zurückzuführen, aus deren Saft die Verb. von Reinsch 1839 erstmals durch trockene Dest. (*Brenzen*) hergestellt wurde.
Herst.: Durch Alkalischmelze aus *o*-Chlorphenol od. *o*-Phenolsulfonsäure od. durch Spaltung von *Guajakol mit HBr od. aus Phenol u. H_2O_2.
Verw.: Entwickler in der Phototechnik, Antioxidans, Desinfektionsmittel, Ausgangsmaterial für Farbstoffe, Riechstoffe, Arzneimittel , Schutzgruppe für Carbonyl-Verbindungen. Vom B. leitet sich das Hydroborierungsmittel *Catecholboran ab. *Mono-* bzw. *Dimethylether* des B. sind unter *Guajakol bzw. Veratrol (s. Dimethoxybenzole) abgehandelt. – *E* pyrocatechol, catechol(veraltet) – *F* catéchol – *I* pirocatechina – *S* pirocatecol
Lit.: Beilstein E IV **6**, 5557 ▪ Hager (5.) **7**, 513 ▪ Helv. Chim. Acta **55**, 249 (1972) ▪ Kirk-Othmer **11**, 462–472 ▪ Ullmann **4**, 722 ff.; (4.) **18**, 219; (5.) **A 19**, 342. – *[HS 290729, 370790; CAS 120-80-9; G 6.1]*

Brenzen. Altertümliche Bez. für die *trockene Dest.* (*Pyrolyse) von organ. Feststoffen zwecks therm. Abbau, ggf. in Ggw. von Dehydrierungs- od. Dehydratisierungsmitteln. Namen wie *Brenzcatechin, -schleimsäure, -traubensäure weisen auf diese Herkunft hin. – *E* pyrolyzing – *F* pyrolyser – *I* pirolizzare – *S* pirólisis

Brenzschleimsäure s. 2-Furancarbonsäure.

Brenztraubensäure (2-Oxopropionsäure).   Xi ✗

$C_3H_4O_3$, M_R 88,06. Nach Essigsäure riechende farblose Flüssigkeit, D. 1,27, Schmp. 12 °C, Sdp. 165 °C (Zers.), starke Säure (pK_a = 2,49). Ihre Salze u. Ester werden als *Pyruvate bezeichnet. B. ist der einfachste u. zugleich wichtigste Vertreter der α-Ketocarbonsäuren. Sie reduziert ammoniakal. Silber-Lsg. u. wird durch warme Schwefelsäure unter Bildung von Kohlenstoffmonoxid zersetzt. Red. gibt Milchsäure, Oxid.

Essigsäure u. Kohlenstoffdioxid. B. reagiert sowohl als Säure als auch als Keton, z. B. bildet sie ein Oxim u. Phenylhydrazon. Bei 20 °C vermag B. spontan mit sich selbst zu kondensieren, wodurch es zu Explosionen kommen kann. Zur Biochemie der B. s. Pyruvate.
Geschichte: B. wurde schon 1835 von Berzelius durch Brenzen von Weinsäure (Traubensäure) u. Kaliumhydrogensulfat gewonnen.
Verw.: Bes. in Form der Ester zur Synth. von Pharmazeutika. – *E* pyruvic acid – *F* acide pyruvique – *I* acido piruvico – *S* ácido pirúvico
Lit.: Beilstein E IV **3**, 1505–1510. – *[HS 291830; CAS 127-17-3; G 3]*

Bresben. Kapseln mit *Atenolol u. *Nifedipin gegen Hypertonie. *B.:* Ciba Pharma.

Brestan®. Fungizid auf der Basis von *Fentinacetat gegen Kraut- u. Knollenfäule bei Kartoffeln, Blattkrankheiten bei Rübe u. Sellerie, Möhrenschwärze, Algen in Reis. *B.:* Hoechst Schering AgrEvo GmbH.

Bretschneider, Herbert (1899–1972), bis 1963 geschäftsführendes Vorstandsmitglied der *DECHEMA. *Arbeitsgebiete:* Verfahrenstechnik u. chem. Apparatewesen, Hrsg. der ACHEMA-Jahrbücher (1935–1961), der DECHEMA-Werkstoff-Tab. u. der DECHEMA-Monographien (1934–1962), bis 1961 Organisator der *ACHEMA.
Lit.: Nachr. Chem. Tech. **7**, 236 (1959); **20**, 213 (1972).

Brevetoxine (BTX).

Brevetoxin A

R = CH_2–C(=CH_2)–CHO : Brevetoxin B   R = CH_2–C(=O)–CH_2–Cl : Brevetoxin C

B. sind lineare polycycl. *Neurotoxine ungewöhnlicher Struktur aus dem Dinoflagellaten *Ptychodiscus brevis* (*Gymnodinium breve*), einer einzelligen Rotalge, die im Golf von Mexiko u. an den Küsten Floridas vorkommt (massenhaftes Auftreten in der „Red Tide"). Die B. sind verantwortlich für massive Fischsterben (z. B. Tod von 14 Buckelwalen durch Red Tide bei Cape Cod Mass. 1987) u. Weichtiervergiftungen sowie für Fischvergiftungen von Menschen durch den Verzehr verseuchter Tiere, sie sind in dieser Hinsicht mit den *Saxitoxinen u. *Gonyautoxinen aus Dinoflagellaten vergleichbar, jedoch im Gegensatz zu diesen nicht wasserlöslich. Die B. konnten 1981 erstmalig krist. aus Algenkulturen erhalten werden[1]. *B. B* [BTX-B, GB-2, $C_{50}H_{70}O_{14}$, M_R 895,10, Krist., Schmp.

295–297 °C, LD$_{100}$ (Zebrafisch) 16 ng/ml Wasser] ist in ca. zehnmal höherer Konz. enthalten als *B. A* [BTX-A, GB-1, C$_{49}$H$_{70}$O$_{13}$, M$_R$ 867,09, feine Prismen, Doppelschmp. 197–199 °C u. 218–220 °C, LD$_{100}$ (Zebrafisch) 3 ng/ml Wasser] u. *B. C* [C$_{49}$H$_{69}$ClO$_{14}$, M$_R$ 917,53, LD$_{100}$ (Zebrafisch) 60 ng/ml Wasser], s. a. Maitotoxin, Yessotoxin. Die B. sind selektive Aktivatoren der Natrium-Kanäle in Zellmembranen, sie werden in der neurochem. Forsch. eingesetzt[2]. – *E* brevetoxins – *F* brévétoxine – *I* brevetossine – *S* brevetoxinas
Lit.: [1] J. Am. Chem. Soc. **103**, 6773 (1981). [2] Br. J. Pharmacol. **89**, 731 (1986).
allg.: Angew. Chem. **103**, 304 (1991) (Synth. B. A); **108**, 645–664 (1996) (Synth., Review) ▪ Chem. Eng. News 30. 1. **1995**, 32 ▪ FEBS Lett. **219**, 535 (1987) ▪ J. Am. Chem. Soc. **108**, 7855 (1986) (Biosynth.); **112**, 3696 (1990) (Synth. B. A); **117**, 1171, 10239, 10252 (1995) (Synth. B. B) ▪ Tetrahedron Lett. **36**, 8995 (1995) (Struktur B. B-3) ▪ Thomson, The Chemistry of Natural Products (2. Aufl.), S. 407, London: Blackie 1993.

Brevicomin (7-Ethyl-5-methyl-6,8-dioxabicyclo-[3.2.1]octan).

C$_9$H$_{16}$O$_2$, M$_R$ 156,22, blumig duftende Flüssigkeit, Sdp. 95–100 °C (14,7 kPa), n$_D^{26}$ 1,4372. Aggregationspheromon von Borkenkäfern der Gattungen *Dendroctonus*, *Dryocoetes* u. *Leperisinus*. B. kommt als exo- u. endo-Epimer in der Natur vor. Je nach Käferart wird B. von Männchen od. Weibchen abgegeben u. wirkt auf beide Geschlechter anziehend[1]. – *E* brevicomin – *F* brévicomine – *I* = *S* brevicomina
Lit.: [1] Chem. Unserer Zeit **19**, 11 (1985).
allg.: Beilstein E V **19/1**, 241 ▪ Zechmeister **37**, 1–190. – *Synth.:* J. Chem. Soc., Chem. Commun. **1985**, 1759 ▪ Justus Liebigs Ann. Chem. **1984**, 147; **1990**, 123 ▪ Synth. Commun. **19**, 605 (1989) ▪ Tetrahedron Lett. **36**, 6253 (1995). – *[CAS 20290-99-7]*

Brevimytal® Natrium. Injektionsflüssigkeit mit *Methohexital-Natrium-Salz u. Natriumcarbonat als Kurzzeitnarkotikum. *B.:* Eli Lilly.

Breviol®. Sortiment von Textilhilfsmitteln, z. B. Hilfsmittel zum Färben, Egalisiermittel, Dispergiermittel, Entschäumer für Jetanlagen. *B.:* Henkel.

Brexidol®. Tabl. u. Granulat mit *Piroxicam-β-cyclodextrin-Einschlußverb. zur Rheumatherapie. *B.:* Pharmacia.

Breynine.

X = S : Breynin A
X = SO : Breynin B

B. A: C$_{40}$H$_{56}$O$_{23}$S, M$_R$ 936,93, Schmp. 195–197 °C.
B. B: C$_{40}$H$_{56}$O$_{24}$S, M$_R$ 952,93, Schmp. 208–210 °C. Sie wurden aus dem Holzteil des taiwanes. Strauchs *Breynia officinalis* (Euphorbiaceae) isoliert. Nach Hydrolyse erhält man das Aglykon Breynolid A bzw. B, zwei Mol D-Glucose u. je ein Mol L-Rhamnose u. 4-Hydroxybenzoesäure. Breynolid B scheint das α-diastereomere Sulfoxid zu sein. Beide Breynolide zeigen starke hypocholesteroläm. *in-vivo*-Aktivitäten (Ratte): Bei 0,005–0,025 mg/kg/d wird eine Red. des Serumcholesterins von 20–35% (i.p.) beobachtet; bei 10–20 mg/kg/d (p.o.) über 10 d 30–60%. – *E* breynines – *F* = *I* breynine – *S* breininas
Lit.: Chem. Pharm. Bull. **24**, 114, 169 (1976) ▪ IRCS Med. Sci. **14**, 905 (1986) ▪ J. Am. Chem. Soc. **112**, 4552 (1990); **114**, 9419 (1992) ▪ J. Org. Chem. **57**, 5115 (1992) ▪ Tetrahedron Lett. **14**, 2439 (1973); **34**, 4281 (1993). – *[CAS 50863-74-6 (B. A); 58857-03-7 (B. B)]*

Bricanyl®. Tabl., Elixier, Ampullen u. Dosier-Aerosol mit *Terbutalin-Sulfat, als B. compositum mit zusätzlichem *Guaifenesin, gegen Bronchialasthma u. Emphysem. *B.:* Astra.

Bridgman, Percy Williams (1882–1961), Prof. für Physik, Harvard-Univ., Cambridge (Mass., USA). *Arbeitsgebiete:* Entwicklung von Apparaten zur Erzeugung höchster Drücke, Hochdruckmodif. von Gasen, Flüssigkeiten, Metallen, Kristallphysik, Entwicklung von Verf. zur Züchtung von *Einkristallen. Nobelpreis für Physik 1946.
Lit.: Neufeldt, S. 206 ▪ Nobel Lectures Physics 1942–1962, S. 49–72, Amsterdam: Elsevier 1964 ▪ Poggendorff **7 b/1**, 559–563.

Briegleb, Günther (1905–1991), Prof. für Physikal. Chemie, Würzburg. *Arbeitsgebiete:* Zwischenmol. Kräfte u. Mol.-Struktur, chem. Bindung, Spektroskopie, Elektronenübertragungsprozesse, Elektronen-Donator-Akzeptor-Komplexe, Entwicklung von Atommodellen.
Lit.: Kürschner (16.), S. 402 ▪ Nachr. Chem. Tech. **13**, 149 (1965) ▪ Neufeldt, S. 187 ▪ Poggendorff **7 a/1**, 269 f.

Brieskorn, Carl Heinz (geb. 1913), Prof. für Pharmazie u. Lebensmittelchemie, Würzburg. *Arbeitsgebiete:* Pflanzeninhaltsstoffe, Triterpene u. Sterine, Oleoresine.
Lit.: Kürschner (16.), S. 403 ▪ Poggendorff **7 a/1**, 270 f. ▪ Wer ist wer, S. 162.

Brikettierung. Bez. für ein Verf. zum maschinellen *Stückigmachen (*Agglomerieren*) feinkörniger Stoffe, wie z. B. Kohlegrus, Erze, Metallabfälle u. a. als *Pulver vorliegende Stoffe durch Formpressen. Je nach Verw.-Zweck sind die *Briketts* (von französ.: briquette = Preßkohle) meist quaderförmige, oft an den Ecken abgeschrägte, aber auch kissen- u. eiförmige handliche Stücke. Braunkohle, bei der dieses Verf. in größtem Umfang angewandt wird, brikettiert man nach teilweisem Wasserentzug bei Drücken von $1-1,5 \cdot 10^6$ kPa bindemittelfrei, Steinkohle mit 6–8% Steinkohlenteerpech od. Wachsen, Metallseifen u. dgl. als Bindemittel. Zur Anw. der B. in der chem. Ind. s. *Lit.*[1].
– *E* briquetting – *F* briquettage – *I* bricchettatura – *S* briquetación, briquetaje, briqueteado
Lit.: [1] CZ Chem. Tech. **3**, 259–264 (1974).
allg.: McKetta **5**, 69–79 ▪ Naundorf, Beiträge zur Heißbrikettierung von Braunkohlen (FFH A 599), Leipzig: Grundstoffind. 1979 ▪ Ullmann (5.) **A 7**, 187 ▪ Winnacker-Küchler (4.) **5**, 305 ff., 377 ff.

Brill, Rudolf (1899–1989), Prof. für Physikal. Chemie, Fritz-Haber-Inst., MPG, Berlin. *Arbeitsgebiete:* Röntgenstrukturanalyse, Elektronenbegung, Elektronendichte in Krist., monomol. Filme, Ammoniak-Katalyse, Wasserstoffbrücken, chem. Bindung.
Lit.: Kürschner (16.), S. 425 ▪ Nachr. Chem. Tech. **8**, 51 (1960) ▪ Poggendorff **7a/1**, 272.

Brillanten s. Diamanten.

Brillant...-Farbstoffe. Unspezif. Bez. für *Farbstoffe, die durch Klarheit ihrer Nuancen ausgezeichnet sind. B.-F. finden sich unter Säure-, Beizen-, Direkt-, insbes. Reaktiv- u. a. Farbstoffen; z. B. ist Brillantgrün ein *Triarylmethan-Farbstoff. Einige haben Verw. als Lebensmittel-, Textilfarbstoffe, Indikatoren, kosmet. u. bakteriolog. Farbstoffe gefunden. – *E* brillant dyes – *F* couleurs brillantes – *I* coloranti...brillanti – *S* colorantes brillantes

Brillantinen s. Haarbehandlung.

Brillenglas s. Glas.

Brillouin, Léon (1889–1969), Prof. für Physik in Paris (1928–1941) u. verschiedenen Univ. der USA. *Arbeitsgebiete:* Wellenmechanik u. ihre Näherungsverf., Festkörperphysik u. Quantenstatistik, Ausbreitung elektromagnet. Wellen, Informationstheorie. (s. Brillouin-Zone, Brillouin-Theorem).

Brillouin-Theorem. Theorem der *Quantenchemie, welches besagt, daß Matrixelemente des *Hamiltonoperators zwischen einer *Hartree-Fock-Wellenfunktion u. einer hierzu einfach substituierten *Konfigurationszustandsfunktion den Wert Null haben. – *E* Brillouin theorem – *F* théorème de Brillouin – *I* teorema di Brillouin – *S* teorema de Brillouin

Brillouin-Wigner'sche Störungstheorie s. Störungstheorie.

Brillouin-Zone. Nach *Brillouin benannter Bereich des *reziproken Gitters*; ermöglicht eine anschauliche geometr. Interpretation der Beugungsbedingung (z. B. für Röntgenstrahlen, Braggsche Gleichung, s. Kristallstrukturanalyse) u. spielt in der Festkörperphysik eine wichtige Rolle. Die zentrale (Wigner-Seitz) Zelle des reziproken Gitters nennt man die 1. B.-Z. Sie umfaßt das kleinste Vol., das vollständig von den Ebenen eingeschlossen wird, die die vom Ursprung aus gezeichneten reziproken Gittervektoren senkrecht schneiden. Für das einfach kub. Gitter (sc) ist die 1. B.-Z. ein Würfel, für das kub. raumzentrierte Gitter (bcc) ein rhomb. Dodekaeder u. für das kub. flächenzentrierte Gitter (fcc) ein verkürzter Oktaeder. – *E* Brillouin zone – *F* zone de Brillouin – *I* zona di Brillouin – *S* zona de Brillouin
Lit.: Kittel, Einführung in die Festkörperphysik, 10. Aufl., München: Oldenbourg 1993.

Brinell-Härte. Die Brinell-*Härteprüfung ist ein Verf. zur Prüfung der Härte metall. Werkstoffe (s. Härte fester Körper), das auf dem Prinzip der Messung der Eindruckfläche einer belasteten Kugel beruht[1]. Hierbei wird eine Kugel (gehärteter Stahl, Hartmetall) bestimmten Durchmessers mit einer gewählten Prüfkraft langsam in die Werkstückoberfläche eingedrückt. Die B.-H. ergibt sich gemäß einfacher geometr. Zusammenhänge aus Kugeldurchmesser, Eindruckdurchmesser (nach Entfernung der Kugel) u. Prüflast. Formal hat die B.-H. die Dimension N/mm^2. Weitere gängige Härtewerte für metallurg. Werkstoffe sind die *Vickers- u. *Rockwell-Härte. Zwischen den Härtewerten u. der Zugfestigkeit des geprüften metall. Werkstoffs bestehen (empir.) Zusammenhänge[2]. Aus Gründen der Prüfkugeldeformation unter Last wird das B.-H.-Prüfverf. ausschließlich im Bereich niedriger bis mittlerer Härtewerte (≤ 400 N/mm^2) angewendet. – *E* Brinell hardness – *F* dureté Brinell – *I* durezza Brinell – *S* dureza Brinell
Lit.: [1] DIN 50351 (02/1985). [2] DIN 50150 (12/1976).

Brio®. Fungizides Beizmittel für Getreide auf der Basis von *Triadimenol, *Fuberidazol u. *Anthrachinon.
B.: Bayer.

Brisanz s. Explosivstoffe.

Briserin®. Dragees mit *Clopamid u. *Reserpin gegen Hypertonie. *B.:* Sandoz.

Britannia-Metall. Zinn-Leg. mit 70–94% Sn, 5–24% Sb, 0,2–5% Cu sowie bis 9% Pb, die zur Herst. von Eß- u. Trinkgeschirr sowie als Lagermetall (s. Gleitlagerwerkstoffe) verwendet wurde. Im Rahmen der Fertigung von Geschirr wurde nach Vorliegen der Kenntnisse über die gesundheitlichen Auswirkungen von *Blei auf den Zusatz dieses Legierungs-elements verzichtet. – *E* Britannia metal – *F* métal britannia – *I* metallo Britannia – *S* metal britania

BRITE. Abk. für Basic Research in Industrial Technologies for Europe, EG-Forschungsförderprogramm für Grundlagenforschung auf dem Gebiet industrieller Technologien. Bei BRITE werden neue Forschungsbereiche mit industrieller Zielsetzung gefördert, darunter auch chem. Fragestellungen. Die Projekte müssen im vorwettbewerblichen Bereich liegen. Für die Programme BRITE I u. BRITE/EURAM II, die jeweils eine Laufzeit von 4 Jahren hatten, wurden ca. 1,4 Mrd. DM zur Verfügung gestellt. Das Fortsetzungsprogramm BRITE/EURAM III läuft von 1994–1998 (Budget 3,3 Mrd. DM). Informationen u. Anträge über die Kommission der EG, Generaldirektion XII, Rue Montoyer 75, B-1040 Brüssel.
Lit.: Bericht der Europäischen Kommission: EUR 15637 DE (1995) ▪ EG-Amtsblatt L222, S. 19–34 vom 26.8.1994.

British Anti-Lewisite s. Dimercaprol.

British Standards Institution (BSI) s. Normung.

British Thermal Unit s. B.T.U. od. Btu

Brivudin.

Internat. Freiname für 5-[(*E*)-2-Bromvinyl]-2'-desoxyuridin, $C_{11}H_{13}BrN_2O_5$, M_R 333,14, Schmp. 141°C.

B. ist als Virostatikum von Berlin Chemie (Helpin®) im Handel. – *E* = *F* brivudine – *I* = *S* brivudina
Lit.: Beilstein E V **24**/7, 368 ▪ Tetrahedron **43**, 4601–4608 (1987). – *[CAS 69304-47-8]*

Brix-Grade. In der Zucker-Technologie gebräuchliche Maßeinheit für den Saccharose-Gehalt von Lsg., der mit *Aräometern bestimmt wird; zur Umrechnung s. dort. – *E* Brix degrees – *F* degrés Brix – *I* gradi Brix – *S* grados Brix

Brochantit. $Cu_4[(OH)_6/SO_4]$; monokline (Krist.-Klasse $2/m-C_{2h}$), kurzsäulige bis nadelige, smaragdgrüne bis schwarzgrüne, glasglänzende Krist.; auch derb, körnig, als Krusten; Strich hellgrün; H. 3,5–4, D. 3,97; zur Struktur s. *Lit.*[1].
Vork.: In Kupferlagerstätten bes. in ariden Gebieten, z. B. Arizona/USA, Atacama-Wüste/Chile. Ein dem B. entsprechendes bas. Kupfersulfat ist auch in der Kupferkalkbrühe enthalten, die als Bordeauxbrühe in der Schädlingsbekämpfung eingesetzt wird. – *E* = *F* = *I* brochantite – *S* brochantita
Lit.: [1] Phys. Chem. Miner. **20**, 27–32 (1993).
allg.: Lapis **18**, Nr. 10, 11 ff. (1993) ▪ Schröcke-Weiner, S. 581. – *[HS 2603 00; CAS 12068-81-4]*

Broche, Hans (1896–1963), Bergwerksdirektor, Präsident der DECHEMA (1951–1954). *Arbeitsgebiete:* Steinkohlenbituminа, Pott-Broche-Verf. (s. Benzin), Oxid. von Naphthalin zu Phthalsäureanhydrid, Gasreinigungsmassen, Steinkohlenteer, Hochtemperaturkoks.
Lit.: Nachr. Chem. Tech. **4**, 219 (1956).

Brockhouse, Bertram N. (geb. 1918), Prof. für Physik, Hamilton, Ontario in Kanada. Er erhielt 1994 zusammen mit *Shull den Nobelpreis für Physik für bahnbrechende Leistungen bei der Entwicklung von Neutronenstrukturtechniken für das Studium kondensierter Materie. Er ist Mit-glied der Royal Society of Canada, der Royal Society of London u. ausländ. Mitglied der Königlichen Schwed. Akademie der Wissenschaften.
Lit.: The New Encyclopaedia Britannica (15.), Bd. 3, Chicago: University of Chicago 1991.

Brockhues. Kurzbez. für die 1889 gegr. Firma Chemische Werke Brockhues AG, Mühlstr. 118, 65396 Walluf. *Daten* (1995): 200 Beschäftigte, 70 Mio. DM Umsatz. *Produktion:* Eisenoxidpigmente, Rußpigmente, transparente Eisenoxide, Pigmentpräparationen u. Granulate zur Einfärbung von Beton, Papier, Kunststoff u. Lack; Dosiersysteme.

Brockmann, Hans (1903–1988), Prof. für Organ. Chemie, Univ. Göttingen. *Arbeitsgebiete:* Vitamin D, natürliche u. photodynam. wirksame Farbstoffe, adsorptionschromatograph. Trennverf. (s. Brockmann-Skale), Antibiotika (Actinomycine, Rhodomycin u. a. Anthracycline).
Lit.: Kürschner (15.), S. 519 f. ▪ Nachr. Chem. Tech. **11**, 376 f. (1963) ▪ Pötsch, S. 66 f. ▪ Poggendorff **7 a/1**, 279 ff.

Brockmann-Chen-Reagenz. Eine Lsg. von Antimon(III)-chlorid in Chloroform; gibt mit Vitaminen der D-Reihe eine gelborange Färbung.

Brockmann-Skale. Von *Brockmann entwickelte Einteilung von als chromatograph. Adsorptionsmittel verwendetem *Aluminiumoxid in 5 bzw. 6 Aktivitätsstufen. Die standardisierten Al_2O_3 unterscheiden sich durch ihren Wasserzusatz mit den Stufen 0, 3, 6, 10, 15% bzw. 0, 1, 4, 7, 10, 19%. Die Ermittlung der Aktivitätsstufen wird mit Gemischen von Farbstoffen vorgenommen. – *E* Brockmann scale – *F* échelle de Brockmann – *I* scala di Brockmann – *S* escala de Brockmann
Lit.: Angew. Chem. **64**, 103 (1952) ▪ Ber. Dtsch. Chem. Ges. **74**, 73 (1941) ▪ Merck Index, S. 548 f. ▪ Z. Anal. Chem. **244**, 388 (1969).

Broda, Engelbert (1910–1989), Prof. für Angewandte Physikal. Chemie u. Radiochemie, Univ. Wien. *Arbeitsgebiete:* Radiochemie, Anw. von Isotopen in Chemie, Technologie u. Biologie, Kernenergie, Biophysik, bes. Bioenergetik.
Lit.: Allg. Prakt. Chem. **21**, 287 f. (1970) ▪ Kürschner (12.) S. 365 ▪ Poggendorff **7 a/1**, 281 f.

Brodifacoum. Common name für 3-[3-(4′-Brombiphenyl-4-yl)-1,2,3,4-tetrahydro-1-naphthyl]-4-hydroxycoumarin. T+

$C_{31}H_{23}BrO_3$, M_R 523,43, Schmp. 228–232 °C, LD_{50} (Ratte oral) 0,3 mg/kg, von ICI entwickeltes, breit wirksames *Rodentizid mit blutgerinnungshemmender Wirkung. – *E* = *F* = *I* = *S* brodifacoum
Lit.: Farm ▪ Perkow ▪ Pesticide Manual. – *[CAS 56073-10-0]*

Brønsted (Brönsted), Johannes Nicolaus (1879–1947), Prof. für Physikal. Chemie, Kopenhagen. *Arbeitsgebiete:* Reaktionskinetik, Indikatoren, Eigenschaften amphiprot. Lsm., Entwicklung eines neuen *Säure-Base-Begriffs.
Lit.: Neufeldt, S. 143, 146 ▪ Pötsch, S. 67 ▪ Poggendorff **7 b/1**, 585 f. ▪ Strube et al., S. 121, 142.

Brønsted-Basen, -Säuren s. Säure-Base-Begriff.

de Broglie, Prince Louis-Victor (1892–1987), Prof. für Theoret. Physik, Paris: *Arbeitsgebiete:* Feldgleichungen, Mikrowellen, Dualismus von Welle u. Korpuskel, Wellenmechanik; Physik-Nobelpreis 1929.
Lit.: Louis de Broglie – Recherches d'un demisiècle, Paris: Albin Michel 1976 ▪ Louis de Broglie, sa conception du monde physique, Paris: Gauthier-Villars 1973 ▪ Krafft, S. 70 ▪ Neufeldt, S. 148 ▪ Nobel Lectures Physics 1922–1941, S. 241–259, Amsterdam: Elsevier 1965 ▪ Poggendorff **7 b/1**, 587–591 ▪ Strube et al., S. 118, 120, 157.

Broich, Franz (geb. 1906), Prof. für Organ.-Chem. Technologie, Münster, Dr. Ing. Dr. h. c. mult., Vorstandsvorsitzender der Hüls AG i. R. *Arbeitsgebiete:* Techn. Synth. von Butadien, Methanol, Essigsäure, Petrochemie, Oxidationsreaktionen.
Lit.: Allg. Prakt. Chem. **22**, 255 (1971) ▪ Kürschner (16.), S. 412 ▪ Nachr. Chem. Tech. **14**, 413 (1966) ▪ Simoneit, Die neuen Bosse, S. 41 ff., Düsseldorf: Econ 1966 ▪ Umschau **66**, 673 f. (1966).

Brokat. Von mittellatein. broccato = bestickt abgeleitete Bez. für einen durch farbige Metallfäden gemusterten Seidenstoff; eine neuere Variante ist *Lurex. Als *Brokatfarben* bezeichnet man feine Glimmerpuder. – *E* brocade – *F* brocart – *I* broccato – *S* brocado

Brom (von griech. bromos = Gestank). Chem. Symbol Br. Einziges bei gewöhnlicher Temp. flüssiges nichtmetall. Element, Ordnungszahl 35, Atomgew. 79,904. Natürliche Isotope: 79 (50,54%) u. 81 (49,46%); daneben kennt man künstliche Isotope mit HWZ zwischen 1,6 s u. 57 h Wertigkeiten: –1,0, +1, +3 u. +5. Br gehört zu den *Halogenen u. steht in der 7. Hauptgruppe des *Periodensystems zwischen Chlor u. Iod, mit denen es in seiner hohen Reaktionsfähigkeit, der Wertigkeit u. dem elektroneg. Charakter nahe Verwandtschaft zeigt. Br ist eine dunkelrotbraune, schwere Flüssigkeit, die an der Luft lebhaft rotbraune, beißend unangenehm riechende, giftige Dämpfe entwickelt, D. 3,12 (20 °C). Flüssiges, reines Br siedet bei 58,78 °C; es erstarrt bei –7,2 °C zu einer braunen, schwach metall. glänzenden Kristallmasse, die bei weiterem Abkühlen auf –252 °C farblos wird. Die Br-Dämpfe sind gewöhnlich zweiatomig (Br_2); durch starkes Erhitzen od. Belichten werden die Br_2-Mol. in Atome gespalten: z. B. bei 1500 °C rund 30%. Br-Dämpfe sind mehr als 5mal so schwer wie Luft, sammeln sich daher am Boden von Gefäßen an u. können bequem umgegossen werden. In Wasser ist Br wenig lösl.: 100 g lösen bei 20 °C nur 3,55 g Br mit braunroter Farbe auf (*Bromwasser*). Es ist auch ein sog. *Bromhydrat* bekannt, dem die Formeln $Br_2 \cdot 8H_2O$ od. $6Br_2 \cdot 46H_2O$ zugeschrieben werden. Bei längerem Stehen im Sonnenlicht entwickelt das Br-Wasser O_2 unter Bildung von Bromwasserstoff: $Br_2 + H_2O \rightarrow 2HBr + \frac{1}{2}O_2$. Br-Wasser ist ein im Labor häufig benutztes Oxidationsmittel In Alkohol, Ether, Chloroform u. Schwefelkohlenstoff ist Br leicht lösl.; die Lsg. sind braun. Br ist ähnlich wie Chlor ein sehr reaktionsfähiges Element, das sich fast mit allen anderen Elementen (ausgenommen O u. C) leicht vereinigt. Zinn u. Aluminium reagieren mit Br unter Feuererscheinungen, K sogar unter Explosion; Gold wird ohne weiteres aufgelöst. Organ. Stoffe aller Art (manche Farbstoffe, Fette, Holz, Kork, Papier, Stärke) fallen rascher Zerstörung anheim; die Neigung des Br, sich an Doppelbindungen zu addieren (s. Bromierung), wird zur Bestimmung des ungesätt. Charakters z. B. von Mineralölen ausgenutzt [*Brom-Zahl*, s. DIN 51 774 Tl. 1 – 3 (08/1975)]. Wasserfreies Br (unter 0,03 Gew.-% Wasser) greift Lager- u. Transportgefäße aus Kupfer, Blei, Nickel, Teflon u. Silber nicht od. nur unwesentlich an; gegen feuchtes Br sind nur Hastelloy u. Ta beständig.
Physiologie: Auf der Haut ruft flüssiges Br schmerzhafte, tiefe Wunden hervor. Br-Dämpfe werden in 100000facher Verdünnung noch leicht gerochen; bei 10000facher Verdünnung sind nach längerem Einatmen Bronchienverätzungen zu befürchten (MAK 0,7 mg/m^3; Bestimmung mit Dräger-*Prüfröhrchen im Bereich 0,2 bis 30 ppm). Br ist in Form seiner Verb. ein *Sedativum (vgl. Brom-Präparate): es setzt die Erregbarkeit des ZNS herab, ohne direkt einschläfernd zu wirken. Zur Bekämpfung der Epilepsie wurden 1864 Tagesgaben von 4 – 6 g Br-Salz mit Erfolg angewendet. Bei häufigem Gebrauch reichert sich das Br im Körper an, u. das NaCl im Körper wird bis zu einem gewissen Grad durch NaBr ersetzt, umgekehrt führt die Zufuhr von NaCl zu schneller Ausscheidung des Br. Als Quellen von Br-Rückständen in Lebensmitteln kommen bes. Antiklopfmittel, Fumigantien (Dibromethan, Methylbromid) u. Flammschutzmittel in Frage.
Nachw.: Qual. läßt sich Br als schwerlösl. Silberbromid nachweisen; zur quant. Bestimmung wird Bromid zu Bromat oxidiert, u. dieses setzt aus hinzugefügtem Kaliumiodid Iod in Freiheit, das mit Thiosulfat titriert wird.
Vork.: Br tritt wegen seiner großen Reaktionsfähigkeit in der Natur nicht frei auf, wohl aber als Bromwasserstoff (in Vesuvgasen) u. in Form einfacher Bromide, wie z. B. des südamerikan. Bromits. Das techn. wichtigste dtsch. Vork. ist im Staßfurter *Abraumsalz der Bromcarnallit ($MgBr_2 \cdot KBr \cdot 6H_2O$). Meerwasser enthält im Durchschnitt 0,0065% Br, zumeist in Form von Magnesiumbromid: im Toten Meer steigt der $MgBr_2$-Gehalt auf etwa 1,5% (Gesamt-Br-Vorrat ca. 850 Mio. t). In den USA gibt es salzhaltige Quellen mit erheblichen Mengen von gelösten Br-Verbindungen. Etwa 99% der ird. Br-Vorräte dürften in den Ozeanen enthalten sein, wo Br auch in organ. Bindung in Meeresorganismen aufgefunden wurde.
Herst.: In der BRD wird Br hauptsächlich aus den Carnallit-Endlaugen gewonnen, die neben 26 – 28% $MgCl_2$ u. a. etwa 0,3 – 0,4% $MgBr_2$ enthalten. Aus diesen u. a. mit Bromid angereicherten Rohstoffen wird Br mit Chlor in Freiheit gesetzt u. mit Dampf ausgetrieben (*Heißentbromung*). Bei der Gewinnung aus Meerwasser wird nach Ansäuern u. Einleiten von Chlor das Br mit Luft ausgeblasen (*Kaltentbromung*). Die Weltproduktion an Br von insgesamt rund $400 \cdot 10^3$ t in 1994 verteilte sich laut World Mineral Statistics 1990 – 1994, Nottingham: Keyworth 1995 (in 10^3 t), auf die USA (195), Israel (135), Großbritannien (33,8), Japan (15,0), Turkmenistan (8,0), Ukraine (4,0), Aserbaidschan (3,0), Frankreich (2,2) u. a. Länder (Werte zum Teil geschätzt).
Verw.: Als Ausgangsmaterial für photograph. Chemikalien (Silberbromid) u. organ. Synth. von Farbstoffen, Arzneimitteln, Agrochemikalien, *Tränenreizstoffen, Kontrastmitteln, Feuerlöschmitteln usw., sowie von Flammschutzmitteln für Kunststoffe. Die früher 90% der Br-Erzeugung betragende Verw. zu 1,2-Dibromethan (Zusatzstoff zu den *Antiklopfmitteln bei Motorkraftstoffen) ist aus Gründen des Umweltschutzes stark zurückgegangen. Wäss. Bromid-Lsg. (z. B. 53% $CaBr_2$) finden wegen ihrer hohen Dichte (1,7 kg/l) Verw. in hydraul. Flüssigkeiten, zur Erzflotation, sowie bei der Erdölförderung als „Packer fluids", die das Förderrohr außen umgeben u. zum Druckausgleich dienen. Als Oxidationsmittel wird Br, z. B. in Form von Br-Wasser, verwendet zur Wasser-Desinfektion, zum Bleichen von Papier u. Zellstoff, in der Textil-Ind. usw.
Geschichte: Br wurde 1826 von Balard aus dem Mittelmeerwasser hergestellt u. als Element erkannt; bereits 1825 war es von Löwig isoliert worden, ohne daß der Element-Charakter bemerkt wurde. Gay-Lussac

bezeichnete das Element auf Grund seiner übelriechenden Dämpfe als Brom. Die industrielle Gewinnung von Br setzte erst um 1865 ein. – *E* bromine – *F* brom(o) – *I* = *S* bromo
Lit.: Brauer (3.) **1**, 290–346 ▪ Büchner et al., S. 187–191 ▪ Downs u. Adams, The Chemistry of Chlorine, Bromine und Astatine, New York: Pergamon 1975 ▪ Encycl Gaz., S. 159–164 ▪ Gmelin, Syst.-Nr 7, Br, 1931, Suppl. Vol. A, 1985 ▪ Hommel, Nr. 234 ▪ Kirk-Othmer (4.) **4**, 536–560 ▪ Merkblatt BG Chemie, Nr. M003 ▪ Ullmann (5.) **A 4**, 391–429 ▪ Winnacker-Küchler (4.) **2**, 328–333. – *[HS 2801 30; CAS 7726-95-6; G 8]*

Brom... Im Dtsch. bevorzugtes Präfix für Brom als Substituent in systemat. Namen für organ. Verb.; als Ligand in Komplexen u. [neben Infix...bromid(o)...] für Austausch von OH gegen Br in mehrbasigen anorgan. Säuren dagegen *Bromo...* – *E* = *F* = *I* = *S* bromo...

Bromacetaldehyd-diethylacetal (2-Brom-1,1-diethoxy-ethan).

$$Br-CH_2-CH(OC_2H_5)_2$$

$C_6H_{13}BrO_2$, M_R 197,07. Farblose Flüssigkeit, D. 1,28, Sdp. 67 °C (24 hPa). B. wird zur Herst. von Aminoacetalen u. als Reagenz für Alkylierungs- u. Kondensationsreaktionen in organ. Synth. verwendet. – *E* bromoacetal, 2-bromo-1,1-diethoxyethane – *F* bromacétaldéhyde-diéthylacétal – *I* bromoacetaldeid-dietilacetale – *S* dietilacetal del bromoacetaldehído
Lit.: Beilstein EIV **1**, 3151 ▪ Biorg. Med. Chem. Lett. **3**, 251 (1993) ▪ Heterocycles **19**, 2037 (1982) ▪ J. Chem. Soc., Perkin Trans. 1 **1984**, 729 ▪ Tetrahedron Lett. **25**, 4483 (1984). – *[HS 2911 00; CAS 2032-35-1]*

N-Bromacetamid.

$$H_3C-C(=O)-NH-Br$$

C_2H_4BrNO, M_R 137,96. Farblose Nadeln, Schmp. 102–105 °C, licht- u. hitzeempfindlich, lösl. in Ether u. warmem Wasser. B. kann aus Acetamid, Br_2 u. KOH hergestellt werden, es findet Verw. als Bromierungsmittel, zur Oxid. von prim. u. sek. Alkoholen. – *E* N-bromoacetamide – *F* N-bromacétamide – *I* N-bromoacetamide – *S* N-bromoacetamida
Lit.: Beilstein EIV **2**, 417 ▪ Kirk-Othmer (4.) **4**, 572 ▪ Ullmann (4.) **8**, 692. – *[HS 2924 10; CAS 79-15-2]*

ω-(od. α-)Bromacetophenon (2-Brom-1-phenylethanon, Phenacylbromid).

$$H_5C_6-C(=O)-CH_2-Br$$

C_8H_7BrO, M_R 199,05. Farblose Krist., D. 1,65, Schmp. 50 °C, Sdp. 140 °C (15 hPa), unlösl. in Wasser, lösl. in Alkohol, Chloroform, Ether. Einatmen der Stäube u. Dämpfe führen zu starker Reizung der Augen, der Atemwege (Lungenödem möglich) u. der Haut; wassergefährdender Stoff, WGK 2 (Selbsteinst.). Das bei der Bromierung von Acetophenon gebildete B. wird vielfach bei Synth. genutzt. – *E* α-(or ω-)bromoacetophenone – *F* α-(ou ω-)bromacétophénone – *I* ω-(o α-)bromoacetofenone – *S* ω-(o α-)bromoacetofenona

Lit.: Beilstein EIV **7**, 646 ▪ Brauer, Gefahrstoff-Sensorik, Landsberg: Ecomed 1988 ▪ Hommel, Nr. 1192 ▪ Kirk-Othmer (4.) **4**, 572. – *[HS 2914 70; CAS 70-11-1; G 6.1]*

Bromacil. Common name für 5-Brom-3-*sec*-butyl-6-methyluracil.

$C_9H_{13}BrN_2O_2$, M_R 261,12, Schmp. 158–159 °C, LD_{50} (Ratte oral) 5200 mg/kg (WHO), von DuPont 1952 eingeführtes *Herbizid zur totalen Unkrautbekämpfung auf Nichtkulturland u. selektiven Bekämpfung von Unkräutern u. Ungräsern im Zitrus- u. Ananasanbau. – *E* = *S* bromacil – *F* = *I* bromacile
Lit.: Farm ▪ Perkow ▪ Pesticide Manual. – *[HS 2933 59; CAS 314-40-9]*

Bromadiolon. Common name für 3-[3-(4'-Brombiphenyl-4-yl)-3-hydroxy-1-phenyl-propyl]-4-hydroxycoumarin. T+

$C_{30}H_{23}BrO_4$, M_R 527,41, Schmp. 200–210 °C, LD_{50} (Ratte) 1,1 mg/kg, *Rodentizid zur Bekämpfung von Wander-, Hausratten u. Mäusen, hemmt die Blutgerinnung. – *E* = *F* = *I* bromadiolone – *S* bromadiolón
Lit.: Farm ▪ Perkow ▪ Pesticide Manual. – *[CAS 28772-56-7]*

Bromargyrit s. Silberbromid.

Bromate s. Bromsäure.

Bromatometrie s. Oxidimetrie.

Bromazepam.

Internat. Freiname für 7-Brom-1,3-dihydro-5-(2-pyridyl)-2H-1,4-benzodiazepin-2-on, $C_{14}H_{10}BrN_3O$, M_R 304,15; Zers. bei 237–238,5 °C, LD_{50} (Ratte, oral) 3050 ± 405 mg/kg. Es wurde als Tranquillizer 1961, 1963 u. 1965 von Hoffmann-La Roche (Lexotanil®) patentiert u. ist Generika-fähig. B. ist in Anlage III C der Btm-VO gelistet. – *E* = *S* bromazepam – *F* bromazépam – *I* bromazepamida
Lit.: ASP ▪ DAB **10** ▪ Florey **16**, 1–52 ▪ Hager (5.) **7**, 518. – *[HS 2933 39; CAS 1812-30-2]*

Brombeeren. Schwarzblaue Früchte von wilden od. veredelten *Rubus*-Arten (Rosaceae), die frisch genossen od. zur Saft-, Obstwein- u. Likörbereitung verwendet werden. Zusammensetzung: 100 g B. enthalten durchschnittlich 85,3% Wasser, 1,2% Eiweiß, 1,1% Fett, 11,9% Kohlenhydrate (davon 4,1% Cellulose, 6,1% Zucker), 0,47% Mineralsubstanzen, 0,9% Säure (hauptsächlich Isocitronensäure u. Apfelsäure),

12–27 mg C-Vitamin. Die dunkelblaue Farbe besteht[1] aus Cyanidin-3-monoglucosid u. 2 anderen *cyanogenen Glykosiden. B.-Blätter enthalten Gerbstoffe u. Flavonoide u. werden in Teemischungen verwendet, z.B. bei Durchfall od. Mund- u. Rachenentzündungen. – *E* blackberries, brambles – *F* mûres – *I* more – *S* zarzamoras
Lit.: [1] Nature (London) **177**, 39 (1956).
allg.: DAB **6**, Ergänzungsbuch ▪ Wichtl (2.), S. 118–120. – [HS 081020]

Brombenzol. C_6H_5Br, M_R 157,01. Aromat. riechende, in Wasser unlösl., farblose Flüssigkeit, D. 1,495, Schmp. –31 °C, Sdp. 156 °C. Dämpfe u. Flüssigkeit reizen u. schädigen die Augen, die Atemwege sowie die Haut; LD_{50} (Ratte oral) 2699 mg/kg, wassergefährdender Stoff, WGK 2 (Selbsteinst.).
Herst.: Aus trockenem Benzol mit Br_2 in Ggw. von Eisenpulver unter Entwicklung von HBr.
Verw.: Als Lsm., zur Herst. von Phenylmagnesiumbromid als *Grignard-Reagenz u. a. Synthesen. – *E* = *I* bromobenzene – *F* bromobenzène – *S* bromobenceno
Lit.: Beilstein E IV **5**, 670–676 ▪ Hommel, Nr. 628 ▪ Kirk-Othmer (4.) **4**, 572. – [HS 290369; CAS 108-86-1; G 3]

Brombenzolsulfonate s. Sulfonate.

Brombutane s. Butylbromide.

1-Brom-2-buten. $H_3C–CH=CH–CH_2–Br$, C_4H_7Br, M_R 135,00. Schwach gelbliche, leicht bewegliche Flüssigkeit, D. 1,33–1,34, Sdp. 105–107 °C (cis,trans-Gemisch), unlösl. in Wasser, mischbar mit vielen organ. Lsm.; Alkylierungsmittel für organ. Synthesen. – *E* = *I* 1-bromo-2-butene – *F* 1-brome-2-butène – *S* 1-bromo-2-buteno
Lit.: Beilstein E IV **1**, 789 f. – [HS 290330; CAS 29576-14-5 (trans); 39616-19-8 (cis); G 3]

2-Brombuttersäure.

$H_3C–CH_2–\underset{Br}{CH}–COOH$

$C_4H_7BrO_2$, M_R 167,00. Farblose, ölige, nach Buttersäure riechende Flüssigkeit, D. 1,567 Schmp. –4 °C, Sdp. 127–128 °C (25 kPa) leicht lösl. in Alkohol u. Ether, weniger in Wasser; kann durch Bromierung von Buttersäure hergestellt werden.
Verw.: Zu organ. Synth., z.B. von 2-Hydroxy- u. 2-Aminobuttersäure u. zu *Reformatsky-Reaktionen. – *E* 2-bromobutyric acid – *F* acide 2-bromobutyrique – *I* acido 2-bromobutirrico – *S* ácido 2-bromobutírico
Lit.: Beilstein E IV **2**, 833 ▪ Kirk-Othmer (4.) **4**, 573. – [HS 291590; CAS 80-58-0]

3-Bromcampher-8-sulfonsäure [α-Brom-*d*-campher-π-sulfonsäure, (1*R*)-3-*endo*-Brom-2-oxo-bornan-8-sulfonsäure].

$C_{10}H_{15}BrO_4S$, M_R 311,19. Als Monohydrat farbloses Pulver, Schmp. 98–100 °C, sehr leicht in Wasser, Alkoholen u. Ether, wenig in Chloroform, kaum lösl. in Benzol. Das opt. aktive B. dient zur *Racemattrennung, zur Trennung enantiomerer Amine durch Ionenpaar-Chromatographie u. zur selektiven Abspaltung von säurelabilen α-Amino-Schutzgruppen. – *E* 3-bromo-8-camphorsulfonic acid – *F* 3-brome-camphre-8-acide sulfonique – *I* acido 2-bromocanfora-8-solfonico – *S* ácido 3-bromocanfo-8-sulfónico
Lit.: Beilstein E IV **11**, 652 ▪ Bull. Chem. Soc. Jpn. **52**, 1420 (1979) ▪ Chem. Pharm. Bull. **1977**, 740 ▪ J. Chromatogr. **204**, 179 (1981) ▪ Synthetica **1**, 82. – [HS 291470; CAS 5344-58-1]

Bromcarnallit s. Brom.

Bromchlordifluormethan s. Halogen-organische Verbindungen.

Bromchlormethan (Chlorbrommethan, CB). CH_2BrCl, M_R 129,38. Schwere, farblose, süßlich Chloroform-artig riechende Flüssigkeit, D. 1,93, Schmp. –88 °C, Sdp. 68 °C, wenig lösl. in Wasser, lösl. in Aceton, Benzol, Tetrachlormethan, Ether, reizt Augen, Haut u. Schleimhäute, wirkt – bes. in höheren Konz. – narkot., ist jedoch weniger giftig als CCl_4 (s. Chlormethan); MAK-Wert: 200 ppm; LD_{50} (Ratte oral) 5000 mg/kg. Als Feuerlöschmittel wirkt B. wesentlich stärker als CCl_4. – *E* = *F* bromochloromethane – *I* = *S* bromoclorometano
Lit.: Beilstein E IV **1**, 74 f. ▪ Hommel, Nr. 941 ▪ Kirk-Othmer (3.) **4**, 252 f.; (4.) **4**, 569 ▪ Ullmann (4.) **8**, 688, 690, 700; (5.) A **4**, 406, 413, 420. – [HS 290347; CAS 74-97-5; G 6.1]

Bromchlorophen [2,2'-Methylenbis-(6-brom-4-chlorphenol)].

$C_{13}H_8Br_2Cl_2O_2$, M_R 426,92. Farbloses, lichtempfindliches Pulver, Schmp. 188 °C, unlösl. in Wasser, etwas lösl. in Ethanol, das als Desinfektionsmittel von guter Hautverträglichkeit z.B. in Kosmetika Verw. findet. – *E* bromochlorophene – *I* bromoclorofene – *S* bromoclorofeno
Lit.: Beilstein E III **6**, 5408 ▪ Hager (5.) **7**, 520 ▪ Ullmann (5.) A **19**, 362. – [CAS 15435-29-7]

Bromchlorphenolblau (3,3'-Dibrom-5,5'-dichlorphenolsulfonphthalein). Formel s. bei Bromphenolblau. $C_{19}H_{10}Br_2Cl_2O_5S$, M_R 581,06. Violettrosafarbiges Pulver, lösl. in Alkohol, wenig lösl. in Wasser.
Verw.: *Indikator zur pH-Bestimmung, Umschlagsbereich pH 3,0 (gelb) bis 4,6 (purpur). – *E* bromochlorophenol blue – *F* bleu de bromochlorophénol – *I* blu di bromoclorofenolo – *S* azul de bromoclorofenol
Lit.: Beilstein E II **19**, 105. – [CAS 2553-71-1]

2-Brom-2-chlor-1,1,1-trifluorethan s. Halothan.

Bromcyan (Cyanbromid). BrCN, M_R 105,92. Farblose, flüchtige, sehr giftige Nadeln, D. 2,02, Schmp. 52 °C, Sdp. 62 °C; in Ether, Alkohol u. Wasser lösl., WGK 3.
Verw.: Zum Auslaugen von Golderzen, als Acylierungsmittel, in der *Affinitätschromatographie zur Aktivierung der Agarose-Trägermatrix, wobei durch Reaktion mit Zucker-OH-Gruppen reaktive Imidocar-

bonat-Reste entstehen[1]. Mit tert. Aminen reagiert B. unter Bildung von disubstituierten *Cyanamiden: $R_3N + BrCN \rightarrow RBr + R_2N–CN$ (*Braunscher Abbau*, vgl. *Lit.*[2]). – *E* cyanogen bromide, bromine cyanide – *F* bromure de cyanogène – *I* cianuro di bromo – *S* bromuro de cianógeno, cianuro de bromo

Lit.: [1] Chem. Unserer Zeit **8**, 17–25 (1974). [2] Org. React. **7**, 198–262 (1953).
allg.: Anal. Biochem. **79**, 513–525 (1977) ▪ Beilstein E IV **3**, 92 f. ▪ Gmelin, Syst.-Nr. 14, C, Tl. D 3, 1976, S. 217–241 ▪ Hommel, Nr. 840 ▪ Kirk-Othmer (4.) **4**, 574 ▪ Ullmann (5.) A **8**, 179 ff. – [HS 2851 00; CAS 506-68-3; G 6.1]

Bromcyclohexan (Cyclohexylbromid). $C_6H_{11}Br$, M_R 163,06. Farblose, durchdringend riechende Flüssigkeit, D. 1,33, Schmp. –57 °C, Sdp. 166 °C, unlösl. in Wasser, gut lösl. in Alkohol u. Ether.
Verw.: Zur Einführung der *Cyclohexyl-Gruppe, zur Herst. einiger Spasmolytika. – *E* = *F* bromocyclohexane – *I* bromocicloesano – *S* bromociclohexano
Lit.: Beilstein E IV **5**, 67 f. ▪ Kirk-Othmer (4.) **4**, 574. – [HS 2903 59; CAS 108-85-0]

1-Bromdecan (Decylbromid). $H_3C–(CH_2)_8–CH_2–Br$, $C_{10}H_{21}Br$, M_R 221,18. Farblose, ölige Flüssigkeit, D. 1,066, Sdp. 111–113 °C (13 hPa), wird in der organ. Synth. zur Einführung der *Decyl-Gruppe verwendet. – *E* 1-bromodecane – *F* 1-bromodécane – *I* = *S* 1-bromodecano
Lit.: Beilstein E IV **1**, 470. – [HS 2903 30; CAS 112-29-8]

Bromelain (Bromelin, Ananase, Inflamen, Extranase, Traumanase). Proteolyt. wirkende u. milchausflockende Enzyme aus Ananas. Man unterscheidet Frucht-B. u. Stiel-B. (M_R ca. 33 000). Anders als *Papain ist B. auch noch in reifen Früchten enthalten. Die B. sind bas. u. saure Proteine, die exakten Strukturen aller aktiven Komponenten von B. sind noch nicht bestimmt. B. besitzt verschiedene vielversprechende pharmakolog. Eigenschaften: Hemmung des Wachstums maligner Zellen, Anti-PAF-Wirkung, fibrinolyt. Aktivität, entzündungshemmende Wirkung. Dieses große Wirkungsspektrum resultiert aus dem Einfluß von B. auf die *Arachidonsäure-Kaskade. Es ist als Antiphlogistikum von Ursapharm (Bromelain Pos®), Wiedemann (Proteozym®) u. Nattermann (traumqnase®) im Handel. Ansonsten wird B. als Fleischzartmacher, zur Lederaufbereitung, Textilveredelung usw. benutzt. – *E* bromelain – *F* broméline – *I* bromelaina – *S* bromelaína, bromelina
Lit.: J. Ethnopharmacol. **22**, 191 (1988) (Review zur Pharmakologie) ▪ Hager (5.) **4**, 273 f.; **7**, 521 ▪ Kirk-Othmer (4.) **9**, 622 ▪ Methods Enzymol. **45**, 475 (1977) ▪ Ullmann (5.) A **11**, 396, 416, 442. – [HS 3507 90; CAS 9001-00-7; 37189-34-7]

Bromelia s. Ethyl-2-naphthylether.

Bromessigsäure. $Br–CH_2–COOH$, $C_2H_3BrO_2$, M_R 138,95. Farblose, hygroskop. Krist., D. 1,93, Schmp. 50 °C, Sdp. 208 °C, in Wasser u. Alkohol leicht lösl., auf Haut u. Schleimhäute stark reizend wirkend, wassergefährdender Stoff, WGK 2; durch Bromierung von Essigsäure od. aus Chloressigsäure u. HBr herstellbar.
Verw.: In organ. Synth. zur Einführung der Essigsäure-Gruppe, als *Bakterizid. – *E* bromoacetic acid – *F* acide bromacétique – *I* acido bromoacetico – *S* ácido bromoacético
Lit.: Beilstein E IV **2**, 526 f. ▪ Hommel, Nr. 939 a, 939 ▪ Kirk-Othmer **8**, 419, (3.) **1**, 175 ▪ McKetta **1**, 245 f. ▪ Ullmann (4.) **8**, 688, 690; (5.) A **4**, 412, 419. – [HS 2915 90; CAS 79-08-3; G 8]

Bromessigsäureethylester. $Br–CH_2–COOC_2H_5$, $C_4H_7BrO_2$, M_R 167,00. Farblose, übelriechende Flüssigkeit, D. 1,5, Sdp. 169 °C. Flüssigkeit u. Dämpfe reizen sehr stark Augen, Atemwege u. Haut; die Flüssigkeit wird auch über die Haut aufgenommen.
Verw.: Zwischenprodukt für organ. Synth. z. B. für die *Reformatsky-Reaktion, zur Herst. von *Yliden bei *Wittig-Reaktionen u. als Tränengas. – *E* ethylbromoacetate – *F* bromacétate d'ethyle – *I* bromoacetato di etile – *S* bromoacetato de etilo
Lit.: Beilstein E IV **2**, 527 f. ▪ Hommel, Nr. 641 ▪ J. Org. Chem. **50**, 873 (1985) ▪ Org. Synth. **62**, 202 (1984) ▪ Synthetica **1**, 84. – [HS 2915 90; CAS 105-36-2; G 6.1]

Bromethalin. Common name für (2,4-Dinitro-6-trifluormethylphenyl)-methyl-(2,4,6-tribromphenyl)amin.

$C_{14}H_7Br_3F_3N_3O_4$, M_R 577,93, Schmp. 150–151 °C, LD_{50} (Ratte) 2 mg/kg, von Eli Lilly eingeführtes *Rodentizid zur Bekämpfung von Wanderratten u. Mäusen. – *E* bromethalin – *F* bromethaline – *I* = *S* brometalina
Lit.: Pesticide Manual. – [CAS 63333-35-7]

Bromethan s. Ethylbromid.

Bromethen s. Vinylbromid.

Bromfluoride. (a) *Bromtrifluorid*, BrF_3, M_R 136,90. Farblose bis schwach gelbliche Flüssigkeit, D. 2,84, Schmp. 9 °C, Sdp. 126 °C, in Wasser hydrolysierend, dagegen in Halogen- u. Nitrokohlenwasserstoffen löslich.
(b) *Brompentafluorid*, BrF_5, M_R 174,90. Farblose Flüssigkeit, D. 2,46, Schmp. –61 °C, Sdp. 41 °C, hydrolysiert in Wasser. Beide B. greifen fast alle Materialien an u. reagieren z. T. heftig mit organ. Verb., ggf. unter Explosion. BrF_3 ist ein ionisierendes nichtwäss. Lsm. u. bildet mit anorgan. Fluoriden Addukte der Art $KBrF_4$ u. $KBrF_6$.
Verw.: Als Fluorierungsmittel in der anorgan. Chemie. – *E* bromine fluorides – *F* fluorures de brome – *I* bromofluoruri – *S* fluoruros de bromo
Lit.: Brauer (3.) **1**, 169–171 ▪ Encycl. Gaz. S. 139–149 ▪ Gmelin, Syst.-Nr. 7, Br, 1931, S. 337–339 ▪ Kirk-Othmer (4.) **4**, 565 ▪ Ullmann (5.) A **4**, 425. – [HS 2812 90; CAS 7787-71-5 (BrF_3); 7789-30-2 (BrF_2)]

Bromhexin.

Bromhydrine

Internat. Freiname für 2-Amino-3,5-dibrom-*N*-cyclohexyl-*N*-methylbenzylamin, $C_{14}H_{20}Br_2N_2$, M_R 376,13, Zers. bei 237,5–238 °C; LD_{50} (Ratte, oral) >10 000 mg/kg. Verwendet wird das Hydrochlorid. Es wurde 1963 als Broncholytikum von Thomae (Bisolvon®) patentiert u. ist Generika-fähig. – *E* = *F* bromhexine – *I* bromoesino – *S* bromhexina
Lit.: Arzneim.-Forsch. **25**, 1954 (1975) ▪ ASP ▪ DAB **10** ▪ Hager (5.) **7**, 521–523 ▪ Pharm. Ztg. **138**, 740, 2458 u. 2754 (1993).
– *[HS 2921 51; CAS 3572-43-8; 611-75-6 (Hydrochlorid)]*

Bromhydrine. Bez. für aliphat. Verb., die an benachbarten C-Atomen jeweils ein Hydroxy-Gruppe u. eine Brom-Atom tragen. Wie alle Halohydrine (vgl. a. Chlorhydrine) reagieren die B. mit Alkalien unter Bildung von Epoxiden (z. B. Epibromhydrin = 3-Brom-1,2-epoxypropan). – *E* bromohydrines – *F* bromohydrine – *I* bromoidrine – *S* bromohidrinas
Lit.: s. Bromierung.

Bromide. Bez. für die Salze der *Bromwasserstoffsäure, z. B. Kaliumbromid (KBr), Magnesium-hydroxidbromid [Mg(OH)Br], Tetramethylammoniumbromid ([(H₃C)₄N]Br), die sog. *Säurebromide*, zu denen außer den entsprechenden Derivaten der Carbonsäuren wie Acetylbromid ($H_3C-CO-Br$) auch die als B. der Sauerstoffsäuren aufzufassenden Brom-Verb. der Nichtmetalle, z. B. Phosphortribromid (PBr_3), Phosphoroxidbromid ($POBr_3$) zu rechnen sind. In unsystemat. Weise werden auch die Bromkohlenwasserstoffe als B. bezeichnet, z. B. Ethylbromid (C_2H_5Br); dagegen wird beispielsweise die früher als Ethylenbromid ($BrCH_2-CH_2Br$) bezeichnete Verb. hier unter ihrer systemat. Bez. *1,2-Dibromethan abgehandelt. Über eine Meth. zur quant. Herst. wasserfreier Metallbromide aus den entsprechenden Chloriden u. Bortribromid s. *Lit.*[1]. Zur elektrochem. Schnellbestimmung von B. in Luft u. Flüssigkeiten s. *Lit.*[2]. – *E* bromides – *F* bromures – *I* bromuri – *S* bromuros
Lit.: [1] Chem. Commun. **1967**, 486. [2] DECHEMA-Monogr. **80**, 749–751 (1976).
allg.: Gmelin, Syst.-Nr. 7, Br, 1931, S. 249–275 ▪ Kirk-Othmer (4.) **4**, 560–564 ▪ Patai, Chemistry of the Carbon-Halogen-Bond S. 585–601, New York: Wiley 1974 ▪ Ullmann (5.) A **4**, 422–424.

Bromierung. Einführung von Brom in eine organ. Verb. durch *Addition od. *Substitution. Die B. wird durchgeführt mit Brom od. mit Alkalimetallhypobromid, Bromiod, Bromcyan, PBr_3, PBr_5, $POBr_3$, $SOBr_2$ od. anderen anorgan. Bromiden. Die Selektivität der B. kann dabei ggf. durch Variation des Lsm. od. durch Katalysatoren gesteigert werden.

Für die elektrophile B. von C,C-Doppelbindungen werden Bromonium-Ionen (s. Abb.) als Zwischenstufen angenommen; Substitutionen verlaufen häufig radikalisch. Auf einzelne B.-Reagenzien kann hier nicht eingegangen werden; man vgl. *Lit.*[1]. Zur substituierten B. in Ggw. einer C,C-Doppelbindung (*Allylbromierung*) eignen sich bes. *N*-Bromamino-Verb. wie *N*-*Bromsuccinimid, *N*-*Bromacetamid u. *1,3-Dibrom-5,5-dimethylhydantoin. Zur Kinetik der B. vgl. *Lit.*[2]. – *E* bromination – *F* bromation – *I* bromazione – *S* bromación
Lit.: [1] Nachr. Chem. Tech. Lab. **26**, 290 ff. (1978); J. Am. Chem. Soc. **96**, 7101 (1974); Synthesis **1976**, 736 f.; **1978**, 693 ff.; **1979**, 64 ff. [2] J. Chem. Educ. **46**, 370–374 (1969)
allg.: Chem. Rev. **70**, 639–665 (1970) ▪ Houben-Weyl **5/4**, 13–516 ▪ Kirk-Othmer **3**, 775, 779; (3.) **4**, 232 f. ▪ McKetta **5**, 79–99 ▪ s. a. Brom, Bromide, Halogenierung.

Bromisoval.

$$H_2N-\overset{O}{\overset{\|}{C}}-NH-\overset{O}{\overset{\|}{C}}-\underset{Br}{\overset{}{C}H}-CH(CH_3)_2$$

Freie, internat. Kurzbez. für (2-Brom-3-methylbutyryl)-harnstoff (Bromisovalerylharnstoff), $C_6H_{11}BrN_2O_2$, M_R 223,08, Schmp. 147–149 °C (Subl.); LD_{50} (Maus, i. p.) 3,25 mmol/kg. Es wurde 1906 als Sedativum u. Hypnotikum von Knoll (Bromural®, außer Handel) patentiert. – *E* = *F* = *S* bromisoval – *I* bromisovale
Lit.: Beilstein E IV **3**, 117 ▪ DAB **8**, 146 f. ▪ Hager (5.) **7**, 523 f.
– *[HS 2924 10; CAS 496-67-3]*

Bromit s. Silberbromid.

Bromkohlenwasserstoffe. Bez. für aliphat. od. aromat. *Kohlenwasserstoffe, in denen 1 od. mehrere Wasserstoff-Atome durch Brom-Atome ersetzt sind. B. besitzen bei weitem nicht die techn. Bedeutung wie die *Chlorkohlenwasserstoffe od. Fluorkohlenwasserstoffe (s. FCKW). Nachdem der bisher techn. wichtigste B., *1,2-Dibromethan – zusammen mit Tetraethylblei als Zusatz bei Kraftstoffen verwendet – in Verruf geraten ist, besitzen diese Verb. nur noch Bedeutung als Flammenschutzmittel. Im Labor dagegen sind B. aufgrund der einfacheren Herst., z. B. durch radikal. *Bromierung von Alkanen den analogen Chlor-Verb. vorzuziehen u. sind wichtige Zwischenprodukte in der organ. Synthese. – *E* brominated hydrocarbons – *F* hydrocarbures au brome – *I* bromoidrocarburi – *S* hidrocarburos bromados
Lit.: Houben-Weyl **5/4**, 13–516, 679–776 ▪ Patai, The Chemistry of the Carbon-Halogen Bond, London: Wiley 1973 ▪ Patai, The Chemistry of Halides, Pseudo-Halides and Azides, Chichester: Wiley 1995 ▪ Price, Iddon u. Wakefield, Bromine Compounds. Chemistry and Applications, Amsterdam: Elsevier 1988.

Bromkresolgrün (3,3′,5,5′-Tetrabrom-*m*-kresolsulfonphthalein). $C_{21}H_{14}Br_4O_5S$, M_R 698,04, Formel s. bei Bromphenolblau. Kleine, gelbliche Krist., Schmp. 225 °C (Zers.), wenig lösl. in Wasser, lösl. in Alkohol, Ether usw.

Verw.: *Indikator (bei pH 3,8 gelb, bei pH 5,4 blaugrün), als Sprühreagenz in der Papier- u. Dünnschichtchromatographie zum Nachw. von Säuren u. Laugen, zur Bestimmung von Albumin[1]. Als Färbemittel für Kosmetika ist B. für Erzeugnisse zugelassen, die nur kurz auf der Haut bleiben, wie Wasch- u. Reinigungsmittel. – *E* bromocresol green – *F* vert de bromocrésol – *I* verde di bromocresolo – *S* verde de bromocresol
Lit.: [1] Clin. Chem. **19**, 647 (1973).
allg.: Beilstein E V **19/3**, 460 ▪ J. Chem. Educ. **40**, 252 f. (1963).
– *[CAS 76-60-8]*

Bromkresolpurpur (5,5′-Dibrom-o-kresolsulfonphthalein). $C_{21}H_{16}Br_2O_5S$, M_R 540,22, Struktur s. bei Bromphenolblau. Kleine, blaßgelbe Krist., Schmp. 242 °C, unlösl. in Wasser, in Alkalilsg. u. in Alkohol löslich.
Verw.: Als *Indikator (bei pH 5,2 gelb, bei pH 6,8 purpur), auch in bakteriolog. Nährböden u. zur spektrophotometr. Bestimmung von Serum-Albumin. – *E* bromocresol purple – *F* pourpre de bromocrésol – *I* porporo di bromocresolo – *S* púrpura de bromocresol
Lit.: Ann. Clin. Biochem. **20**, 264 (1983) ▪ Beilstein E V **19/3** 460 ▪ Merck Index (11.), Nr. 1376 ▪ Microchem. J. **15**, 531 (1970). – *[CAS 115-40-2]*

Brommethan s. Methylbromid.

Brom-2-methylpropan s. Butylbromide.

1-Bromnaphthalin (α-Naphthylbromid).

$C_{10}H_7Br$, M_R 207,07. Farblose, ölige Flüssigkeit, D. 1,48, Schmp. ca. 0 °C u. 6 °C (zwei Modif.), Sdp. 281 °C; in Wasser unlösl., mischbar mit Alkohol, Ether u. Benzol. Das durch Bromieren von Naphthalin bei 40 °C in Ggw. von Tetrachlormethan zugängliche B. findet wegen seines hohen Brechungsindex (s. Refraktion) Verw. als Einbettungsmittel in der Mikroskopie u. zur Refraktionsbestimmung von Kristallen. – *E* 1-bromonaphthalene – *F* 1-bromonaphtalène – *I* 1-bromonaftalina – *S* 1-bromonaftaleno
Lit.: Beilstein E IV **5**, 1665 ▪ Kirk-Othmer (4.) **4**, 573, 578 ▪ Merck-Index (11.), Nr. 1413. – *[HS 2903 69; CAS 90-11-9; G 3]*

Bromo... s. Brom...

Bromocriptin.

Internat. Freiname für 2-Brom-α-ergocryptin, $C_{32}H_{40}BrN_5O_5$, M_R 654,60, Zers. bei 215–218 °C; $[\alpha]_D^{20}$ −195° (c 1/CH_2Cl_2); LD_{50} (Kaninchen, oral) >1000, (Kaninchen, i. v.) 12 mg/kg. Verwendet wird auch das Mesilat: Zers. bei 192–196 °C; $[\alpha]_D^{20}$ +95° (c 1/CH_3OH, CH_2Cl_2). Es wurde 1969 u. 1973 als Prolactin-Inhibitor u. Antiparkinson-Mittel von Sandoz (Pravidel®) patentiert u. ist auch von Hormosan-Kwizda (Kirim®) im Handel. – *E=F* bromocriptine – *I=S* bromocriptina
Lit.: DAB **10** ▪ Florey **8**, 47–81 ▪ Hager (5.) **7**, 524–528 ▪ Pfeiffer, Bromcriptin, Stuttgart: Schattauer 1981 ▪ Thorner et al., Bromocriptine, New York: Raven Press 1980. – *[HS 2939 69; CAS 25614-03-3; 22260-51-1 (Mesilat)]*

1-Bromoctan s. 1-Octylbromid.

Bromoform (Tribrommethan). $CHBr_3$, M_R 252,73. Farblose, giftige, Chloroform-ähnlich riechende Flüssigkeit, in Wasser schwer, in Alkohol, Ether u. a. organ. Lsm. leicht lösl., D. 2,9 Schmp. 5–6 °C, Sdp. 148–150 °C. Dämpfe u. Flüssigkeit reizen Augen, Atemwege u. Haut. Einatmen der Dämpfe in hohen Konz. sowie die Aufnahme über die Haut führt zu Erregungszuständen u. zu Narkose; Leber- u. Nierenschäden, bei schwerer Vergiftung Koma u. Tod. B. gilt als Stoff mit begründetem Verdacht auf krebserzeugendes Potential (Gruppe III B MAK-Werte-Liste 1995), LD_{50} (Ratte oral) 1147 mg/kg.
Herst.: Durch Haloform-Reaktion aus Aceton od. Ethanol mit Natriumhypobromit.
Verw.: Früher gegen Keuchhusten, als Beruhigungsmittel usw.; zur Trennung von Mineralgemischen. – *E* bromoform – *F* bromoforme – *I* bromoformio – *S* bromoformo
Lit.: Beilstein E IV **1**, 82ff. ▪ Hager (5.) **7**, 529 ▪ Hommel, Nr. 664 ▪ Kirk-Othmer (4.) **4**, 570, 578, 584 ▪ Ullmann (4.) **8**, 688, 699. – *[HS 2903 30; CAS 75-25-2; G 6.1]*

Bromometrie s. Oxidimetrie.

Bromonium-Ionen s. Bromierung.

Bromoprid.

Internat. Freiname für 4-Amino-5-brom-*N*-[2-(diethylamino)-ethyl]-2-methoxybenzamid, $C_{14}H_{22}BrN_3O_2$, M_R 344,25. Es wurde 1971 als Antiemetikum (es ist ein *Dopamin-Antagonist) von Soc. d'Etudes Scientifiques et Industrielles de l'Ile-de-France patentiert u. ist von Merck KGAA (Cascapride®) u. von Synthelabo (Viaben®) im Handel. – *E=F=I* bromopride – *S* bromoprida
Lit.: ASP ▪ Hager (5.) **7**, 529–531. – *[HS 2924 29; CAS 4093-35-0]*

Bromoxide. Von Oxiden des Broms sind bekannt: Br_2O, BrO_2, Br_2O_5, Br_2O_6; daneben ist ein $(Br_3O_8)_n$ beschrieben worden. – *E* bromine oxides – *F* oxydes de brome – *I* ossidi bromosi – *S* óxidos de bromo
Lit.: Brauer (3.) **1**, 317f. ▪ Kirk-Othmer (4.) **4**, 565ff. ▪ s. a. Brom. – *[HS 2811 29; CAS 21308-80-5]*

Bromoxynil. Common name für 3,5-Dibrom-4-hydroxybenzonitril. T

$C_7H_3Br_2NO$, M_R 276,91, Schmp. 194–195 °C, LD_{50} (Ratte oral) 190 mg/kg, Blatt-*Herbizid gegen Unkräuter im Getreide- u. Maisanbau. – *E=F* bromoxynil – *I* bromossinile – *S* bromoxinil
Lit.: Farm ▪ Perkow ▪ Pesticide Manual. – *[HS 2926 90; CAS 1689-84-5]*

Brompentafluorid s. Bromfluoride.

Bromperidol. Internat. Freiname für 4-[4-(4-Bromphenyl)-4-hydroxypiperidino]-4′-fluorbutyrophenon, $C_{21}H_{23}BrFNO_2$, M_R 420,32, Schmp. 255–258 °C; UV-$_{max}$: 245 nm; pK_a 8,6–8,7. Es wurde 1962 u. 1969 als Neuroleptikum (es ist ein *Butyrophenon) von Janssen (Impromen®) patentiert u. ist auch von Organon (Tesoprel®) im Handel. – *E* = *S* bromperidol – *F* brompéridol – *I* bromper dolo

F—⟨⟩—CO—(CH₂)₃—N⟨⟩—OH
                         ⟨⟩—Br

Lit.: Eur. J. Drug Metab. Pharmacokinet. **5**, 45 (1980) ■ Hager (5.) **7**, 531–533. – *[HS 293339; CAS 10457-90-6]*

Brompheniramin.
Internat. Freiname für 3-(4-Bromphenyl)-*N*,*N*-di-

⟨pyridyl⟩—CH(CH₂—CH₂—N(CH₃)₂)—⟨⟩—Br

methyl-3-(2-pyridyl)-propylamin, $C_{16}H_{19}BrN_2$, M_R 319,24, Sdp. 147–152 °C (65 Pa). Verwendet wird das Maleat, $C_{20}H_{23}BrN_2O_4$, M_R 435,32, Schmp. 132–134 °C. Es wurde 1951 u. 1954 als Antihistaminikum von Schering patentiert u. ist von Kreussler (Dimegan®) im Handel. – *E* brompheniramine – *F* bromphéniramine – *I* bromcfenirammina – *S* bromfeniramina
Lit.: Hager (5.) **7**, 533–535 ■ Ullmann (5.) **A 2**, 424. – *[HS 293339; CAS 2351-03-9 (+); 980-71-2 (±)]*

4-Bromphenol (*p*-Bromphenol).
C_6H_5BrO, M_R 173,01. Farblose, tetragonal-bipyrami-

Br—⟨⟩—OH

dale Krist., D. 1,84, Schmp. 68 °C, Sdp. 238 °C, lösl. in Wasser, Alkohol, Ether, Eisessig. Findet Verw. zur Synth., z. B. für *Brom-Präparate u. als Desinfektionsmittel. – *E* 4-bromophenol – *F* bromophénol – *I* 4-bromofenolo – *S* 4-bromofenol
Lit.: Beilstein E IV **6**, 1043 f. ■ McKetta **5**, 85 f. ■ Merck-Index (11.), Nr. 1416 ■ Ullmann (5.) **A 4**, 407. – *[HS 290810; CAS 106-41-2]*

Bromphenolblau (3,3',5,5'-Tetrabromphenolsulfonphthalein).
$C_{19}H_{10}Br_4O_5S$, M_R 669,96; längliche, hexagonale, farb-

[structural formula of bromphenolblau, quinoid and lactoid forms in equilibrium]

lose Prismen, Schmp. 279 °C, wenig lösl. in Wasser, leicht lösl. in verd. NaOH, Methanol, Ethanol, Benzol. *Verw.:* Als *Indikator (bei pH 3,0 gelb, bei pH 4,6 purpur), in der Papier-Elektrophorese zum Sichtbarmachen von Aminosäuren, Peptiden u. dgl., zum Nachw. von Eiweiß im Harn, von toten neben lebenden Spermien (nur erstere werden gefärbt). Auch mit Schweiß tritt intensive Blaufärbung ein, weshalb man B. in der Kriminalistik zur Spurensuche benutzen kann (Bestreuen bestimmter Gegenstände mit farblosem B.-Pulver). In der Elektrophotographie dient B. als Sensibilisator für Zinkoxid. – *E* bromophenol blue – *F* bleu de bromophénol – *I* blu di bromofenolo – *S* azul de bromofenol

Tab.: Struktur von Phenolsulfonphthalein-Derivaten.

	X	Y	Z
Phenolsulfonphthalein	H	H	H
Kresolpurpur	CH_3	H	H
Kresolrot	H	CH_3	H
Xylenolblau	CH_3	H	CH_3
Xylenolorange	H	CH_3	a
Thymolblau	CH_3	H	C_3H_7
Methylthymolblau	CH_3	a	C_3H_7
Chlorphenolrot	H	Cl	H
Bromchlorphenolblau	H	Br	Cl
Bromphenolrot	H	Br	H
Bromphenolblau	H	Br	Br
Bromkresolpurpur	H	CH_3	Br
Bromkresolgrün	CH_3	Br	Br
Bromthymolblau	CH_3	Br	$CH(CH_3)_2$

a CH_2–$N(CH_2$–$COOH)_2$

Lit.: Beilstein E V **19/3**, 458 ■ Biochemistry **19**, 4231 (1980) ■ Merck Index (11.), Nr. 1434. – *[CAS 115-39-9]*

Bromphenolrot (5,5'-Dibromphenolsulfonphthalein). $C_{19}H_{12}Br_2O_5S$, M_R 512,17. Formel s. bei Bromphenolblau. Dunkelbraunes Pulver, in Wasser wenig, in Alkohol leicht löslich.
Verw.: Als Indikator im Umschlagsgebiet pH 5,2 (gelb) – 6,8 (purpurrot). – *E* bromophenol red – *F* rouge de bromophénol – *I* rosso di bromofenolo – *S* rojo de fenol
Lit.: Beilstein E V **19/3**, 458. – *[CAS 2800-80-8]*

Brom-Präparate. Schon im 19. Jh. war die beruhigende Wirkung von anorgan. B.-P. bekannt; inzwischen weiß man, daß Brom-Ionen die motor. u. sensor. Erregbarkeit durch Einwirkung auf die Großhirnrinde dämpfen. Allerdings haben B.-P. als *Sedativa heute keine Bedeutung mehr. Einer höheren Dosierung der anorgan. B.-P. steht die Gefahr einer Kumulation im Organismus im Wege. Diese u. die Verdrängung von Chlor- durch Brom-Ionen aus physiolog. wichtigen Funktionen äußert sich im sog. *Bromismus* äußern, der sich als Minderung der Merk- u. Konzentrationsfähigkeit, Schlafstörungen u. Dermatitiden (*Brom-Akne*) bemerkbar machen kann. Auch bei organ. B. wie *Bromisoval u. *Carbromal kann es bei hoher Dosierung zum Bromismus kommen, doch steht hier die hypnot., ggf. *Sucht erzeugende Wirkung der Ureido-Gruppierung im Vordergrund der Bedenken. – *E* bromine-containing drugs – *F* préparations bromées – *I* preparati bromici – *S* preparados bromados
Lit.: Braun-Dönhardt, S. 83 ■ Hager (4.) **3**, 512–515.

Brompropane s. Propylbromide.

3-Brompropen s. Allylbromid.

3-Brompropin s. Propargylbromid.

Brompropylat. Common name für Isopropyl-4,4'-dibrombenzilat.

Br—⟨⟩—C(OH)(CO—O—CH(CH₃)₂)—⟨⟩—Br

$C_{17}H_{16}Br_2O_3$, M_R 428,12, Schmp. 77 °C, LD_{50} (Ratte oral) >5000 mg/kg (WHO), von Geigy 1966 eingeführtes nicht-system. Kontakt-*Akarizid gegen

Spinnmilben in Obst- u. Weinanbau mit langer Wirkungsdauer. – *E = F* bromopropylate – *I = S* bromopropilato
Lit.: Farm ▪ Perkow ▪ Pesticide Manual. – *[HS 2918 19; CAS 18181-80-1]*

Brompyridine.

a) [2-bromopyridine structure] b) [3-bromopyridine structure] c) [4-bromopyridine structure]

C_5H_4BrN, M_R 158,00. (a) *2-B.* (α-B): Farblose Flüssigkeit, D. 1,657, Schmp. –40 °C, Sdp. 194 °C, in Wasser mäßig löslich. (b) *3-B.* (β-B).): Farblose Flüssigkeit, D. 1,645, Sdp. 173 °C, in Wasser mit stark alkal. Reaktion mäßig löslich. (c) *4-B.* (γ-B).): Unter Braunfärbung leicht zersetzliche Flüssigkeit, Schmp. 1 °C, Sdp. 30 °C (0,7 hPa), meist als wasserlösl. Hydrochlorid, Schmp. ca. 240 °C (Zers.) gehandelt.
Verw.: Als Zwischenprodukt zur Einführung der 2-, 3- bzw. 4-*Pyridyl-Gruppen, zur Synth. von *Antihistaminika verw. – *E = F* bromopyridines – *I* bromopiridine – *S* bromopiridinas
Lit.: Beilstein E V **20/5**, 422 ▪ Chem. Tech. **26**, 225 (1974) ▪ Ullmann (5.) **A 22**, 413. – *[HS 2933 39; CAS 626-55-1]*

Bromsäure. $HBrO_3$, M_R 128,91. Farblose Flüssigkeit, in reinem, wasserfreiem Zustand nicht herstellbar, da die wäss. Lsg. beim Eindampfen im Vak. schon bei 50%iger Konz. zerfällt; haut- u. schleimhautreizend.
Herst.: Durch Einleiten von Chlor in Bromwasser ($Br_2 + 5 Cl_2 + 6 H_2O \rightarrow 2 HBrO_3 + 10 HCl$) od. durch Umsetzung von Bariumbromat mit verd. Schwefelsäure [$Ba(BrO_3)_2 + H_2SO_4 \rightarrow BaSO_4 + 2 HBrO_3$] s. a. *Lit.*[1]. Wird das H der $HBrO_3$ durch Metalle ersetzt, so entstehen die leichtlösl. *Bromate* der allg. Formel $M^I BrO_3$. B. u. die Bromate sind starke Oxidationsmittel, die z. B. fein verteilten Schwefel, Schwefelwasserstoff, Eisen(II)-Verb., Alkohol, Ether, Oxalsäure usw. oxidieren u. deshalb entsprechend Anw. finden, z. B. in der Haarbehandlung bei Kaltwellpräparaten u. in der *Oxidimetrie. – *E* bromid acid – *F* acide bromique – *I* acido bromico – *S* ácido brómico
Lit.: [1] Brauer (3.) **1**, 325.
allg.: Gmelin, Syst.-Nr. 7, Br, 1931, S. 304–333 ▪ Kirk-Othmer (4.) **4**, 566 ▪ Ullmann (5.) **A 4**, 425 f. – *[HS 2811 19; CAS 7789-31-3]*

β-Bromstyrol (1-Brom-2-phenylethylen). H_5C_6–CH=CH–Br, C_8H_7Br, M_R 183,05. Farblose, auf der Haut brennend wirkende Flüssigkeit, D. 1,427, Schmp. 7 °C, Sdp. 219–221 °C *(trans-*Form). B. riecht nach Hyazinthen u. wird deshalb in der Parfümerie für Hyazinthenkompositionen u. blumige Noten verwendet, ist allerdings empfindlich gegen Licht, Luft, Wärme, Stickstoff-Verbindungen. – *E* β-bromstyrene – *F* β-bromostyrolène – *I* β-bromostirolo – *S* β-bromoestireno
Lit.: Beilstein E IV **5**, 1349 ▪ Ullmann (4.) **20**, 232; (5.) **A 7**, 99. – *[HS 2903 69; CAS 103-64-0]*

N-Bromsuccinimid (NBS).

[N-Bromsuccinimid structure]

$C_4H_4BrNO_2$, M_R 177,99. Farblose orthorhomb. Krist., D. 2,098, Schmp. ca. 180 °C (Zers.), wenig lösl. in Wasser, Ether, Benzol, Tetrachlormethan, leichter lösl. in Aceton u. Ethylacetat; wirkt stark reizend auf Augen, Haut u. Schleimhäute.
Herst.: Durch Zugabe von Brom zu alkal. Lsg. von Succinimid unter Eiskühlung.
Verw.: In der organ. Chemie ist B. eines der wichtigsten *Bromierungs-Reagentien: seine Verw. geht auf G. *Wittig u. K. *Ziegler (sog. *Wohl-Ziegler-Reaktion,* s. Ziegler-Reaktionen) zurück. Vorzugsweise werden Allyl-ständige Wasserstoff-Atome (aktivierte *Methylen-Gruppen) durch Brom ersetzt, wobei die Substitution meist in siedendem Lsm. wie Tetrachlormethan (in dem das entstehende Succinimid unlösl. ist) od. a. Lsm.[1] vorgenommen wird. Unter dem Einfluß von *Lewis-Säure-Katalysatoren ($AlCl_3$, $ZnCl_2$, $FeCl_3$), Radikal-Quellen wie Peroxiden od. unter Bestrahlung läuft die Bromierung rascher u. in besserer Ausbeute ab. Dank seiner stark dehydrierenden Eigenschaften wird B. auch als Oxidationsmittel, insbes. für sek. Alkohole, verwendet; eine Übersicht über die vielfältigen Reaktionen gibt *Lit.*[1]. – *E = F* N-bromsuccinimide – *I* N-bromsuccinimmide – *S* N-bromosuccinimida
Lit.: [1] Paquette **1**, 768–773.
allg.: Beilstein E III/IV **21**, 4575 f. ▪ Chem. Rev. **43**, 272–319 (1948); **63**, 21–44 (1963) ▪ Pizey, Synthetic Reagents, Bd. 2, S. 1–63, London: Wiley 1974 ▪ Synthetica **1**, 85 ▪ Tetrahedron Lett. **1979**, 2745, 3809 ▪ Ullmann (4.) **8**, 692, 693; (5.) **A 4**, 396 ▪ s. a. Bromierung. – *[HS 2925 19; CAS 128-08-5]*

Bromsulfalein. Kurzbez. für das Dinatrium-Salz der 4,5,6,7-Tetrabromphenolphthalein-3′,3″-disulfonsäure.

[Bromsulfalein structure]

$C_{20}H_8Br_4Na_2O_{10}S_2$, M_R 837,99. Farblose, hygroskop., bitter schmeckende Krist., lösl. in Wasser, unlösl. in Alkohol u. Aceton, gibt mit Alkalien eine Lsg. von tief blauroter Färbung. Findet Verw. als Indikator, zur Leberfunktionsprüfung. – *E* bromosulfalein – *F* bromsulfaléine – *I* bromosulfaleina – *S* bromosulfaleína
Lit.: Beilstein E V **18/9**, 461 ▪ Dtsch. Med. Wochenschr. **98**, 934–937 (1973) ▪ Merck-Index (11), Nr. 8933 ▪ Müller, Klinische Biochemie u. Laboratoriumsdiagnostik, S. 201, Stuttgart: Fischer 1977. – *[CAS 123359-42-2]*

Bromthymolblau (3,3′-Dibromthymolsulfonphthalein).

[Bromthymolblau structure]

$C_{27}H_{28}Br_2O_5S$, M_R 624,38; vgl. a. die Sulton-Form bei Thymolblau. Rosafarbenes Pulver, leicht lösl. in Al-

Bromtrifluorid

kohol, weniger lösl in Wasser. Indikator zur pH-Bestimmung im Umschlagsgebiet pH 6,0–7,6 (gelb bis blau), auch für bakteriolog. Nährböden u. als Sensibilisator in der Elektrophotographie. – *E* bromothymol blue – *F* bleu de bromothymol – *I* blu di bromotimolo – *S* azul de bromotimol
Lit.: Beilstein E V **19/3**, 462 ▪ Merck-Index (11.), Nr. 1435 ▪ Ullmann (4.) **13**, 186; (5.) **A 14**, 130. – *[HS 2934 90; CAS 76-59-5]*

Bromtrifluorid s. Bromfluoride.

Bromtrifluormethan s. Halogen-organische Verbindungen.

Bromuc®. Granulat, Ampullen, Brausetabl. u. Saft mit *Acetylcystein zur Mukolyse bei stark verschleimten Atemwegen, Mukoviszidose, Mittelohrentzündung. *B.:* Klinge.

Bromuconazol. Common name für 1-[4-Brom-2-(2,4-dichlorphenyl)tetrahydrofurfuryl]-1*H*-1,2,4-triazol (*cis/trans*-Diastereomerengemisch).

$C_{13}H_{12}BrCl_2N_3O$, M_R 377,07, Schmp. 84 °C, LD$_{50}$ (Ratte oral) 365 mg/kg, von Rhône-Poulenc entwickeltes system. Fungizid gegen Pilzerkrankungen im Getreide-, Obst-, Gemüse- u. Weinbau. – *E = F* bromuconazole – *I* bromuconazolo – *S* bromuconazol
Lit.: Farm ▪ Perkow ▪ Pesticide Manual. – *[CAS 116255-48-2]*

5-Bromuracil [5-Brom-2,4(1*H*,3*H*)-pyrimidindion od. 5-Brom-2,4-pyrimidindiol].

$C_4H_3BrN_2O_2$, M_R 190,98. Farblose Krist., Schmp. ca. 310 °C (Zers.). Infolge seiner strukturellen Ähnlichkeit mit *Thymin kann B. als dessen *Antimetabolit wirken: bei der Replikation der Desoxyribonucleinsäure wird dann anstelle des Nucleosids Thymidin das Nucleosid des B. (*5-Bromdesoxyuridin*) in die Kette eingebaut. Wegen dieser Eignung kann B. als *Mutagen, aber auch als *Cytostatikum Anw. finden. – *E* 5-bromouracil – *F* 5-bromuracile – *I* 5-bromouracile – *S* 5-bromouracilo
Lit.: Beilstein E V **24/6**, 322 ff. – *[HS 2933 59; CAS 51-20-7]*

Bromureide. *N*-(α-Bromacyl)harnstoff-Derivate, z. B. *Acecarbromal u. *Bromisoval, die sedativ-hypnot. wirken, aber wegen tox. Nebenwirkungen u. des Mißbrauchs als Suizidgifte kaum noch in Gebrauch sind. – *E* bromureides – *F* bromuréide – *I* bromureidi – *S* bromureidas
Lit.: DAB **10** u. Komm. (Carbromal) ▪ Erhart-Ruschig I, S. 46 f.

Bromwasser s. Brom.

Bromwasserstoff. HBr, M_R 80,91. Farbloses, an feuchter Luft rauchendes, stechend riechendes u. die Schleimhäute stark reizendes (MAK 17 mg/m^3) Gas, D. 2,71 (Luft = 1), Schmp. –87 °C, Sdp. –67 °C, WGK 1. In Wasser ist HBr (als *Bromwasserstoffsäure) außerordentlich leicht lösl. (ca. 600 l/l), in flüssigem Zustand löst es viele organ. Verb. auf.
Herst.: Aus Kaliumbromid mit etwa 25%iger Schwefelsäure, als Nebenprodukt bei der *Bromierung organ. Substanzen wie Tetralin u. bei der Herst. von Brombenzol od. Bromaceton; die übliche Herst. geht von H_2 u. Br_2 aus, die in gasf. Zustand bei mäßiger Temp. u. ggf. in Ggw. von Edelmetall-Katalysatoren zur Reaktion gebracht werden.
Verw.: Zur Herst. anorgan. u. organ. *Bromide, als Reduktionsmittel, Katalysator u. zur Abspaltung von Schutzgruppen, wobei B. meist in Eisessig gelöst ist, s. *Lit.*[1]. – *E* hydrogen bromide – *F* bromure d'hydrogène – *I* idrobromuro – *S* bromuro de hidrógeno
Lit.: [1] Synthetica **1**, 91–93.
allg.: Brauer (3.) **1**, 296–299 ▪ Encycl. Gaz. S. 151–157 ▪ Gmelin, Syst.-Nr. 7, Br, 1931, S. 168–249 ▪ Hommel, Nr. 387 ▪ Kirk-Othmer (4.) **4**, 560f. ▪ Ullmann (5.) **A 4**, 422. – *[HS 2811 19; CAS 10035-10-6; G 2]*

Bromwasserstoffsäure. Bez. für wäss. Lsg. von *Bromwasserstoff, WGK 1. B. ist eine farblose, in konz. Zustand rauchende, ätzende Flüssigkeit, die 69% HBr enthält; dies entspricht einem Dihydrat HBr · 2 H$_2$O, das man durch Abkühlung auf –11,3 °C in Kristallform erhalten kann u. das aus $H_5O_2^+$- u. Br$^-$-Ionen aufgebaut ist[1]. B. dest. bei 126 °C als Azeotrop mit 47,8% HBr (D. 1,5). Sie ist eine starke Säure, deren 1 N Lsg. bei 20 °C vollständig dissoziiert ist. B. wird durch Oxidationsmittel zu Br_2 oxidiert u. löst viele Metalle (z. B. Fe, Ni, Zn, Al, Mg, Sn etc.) unter Bildung von *Bromiden auf. – *E* hydrobromic acid – *F* acide bromhydrique – *I* acido bromidrico (idrobromico) – *S* ácido bromhídrico
Lit.: [1] Angew. Chem. **88**, 507f. (1976).
allg.: s. Bromwasserstoff. – *[HS 2811 19; CAS 10035-10-6; G 8]*

Brom-Zahl s. Brom.

Bronceblau. Synonym für 1. *Berliner Blau u. – 2. einen *Triarylmethan-Farbstoff.

Bronch... Anlautender Wortbestandteil in meist durch Wz. geschützten Handelsnamen für Präp., die – in Form von Tee, Inhalations-Lsg., Tabl., Kapseln, Tropfen, Saft, Suppositorien u. Einreibemitteln – zur Behandlung von *Bronchialerkrankungen* (*Bronchitiden, *Asthma etc.) verabreicht werden. Übliche Bestandteile sind die in Einzelstichwörtern behandelten Antitussiva u. Expektorantien, Broncholytika u. Spasmolytika sowie – je nach Art u. Ursache der Erkrankung – auch Antibiotika, Antiasthmatika od. (bei *Allergien) Antihistaminika.

Bronchitis. Entzündliche Erkrankung der Bronchialschleimhaut. Akut treten Brochitiden im Rahmen von Infektionskrankheiten (*Grippe, Masern, *Keuchhusten, *Typhus) u. durch chem. Reize (Diisocyanate, SO_2) auf. Chron. Bronchitiden entwickeln sich aus akuten Formen, infolge von Dauereinwirkung chem. od. mechan. Reize wie Zigarettenrauch u. berufsbedingte

Inhalation von Stäuben u. Dämpfen od. auf allerg. Grundlage. Das klin. Bild ist gekennzeichnet von Husten, Auswurf (schleimig od. eitrig), Brustschmerzen, ggf. Temp.-Erhöhung u. Behinderung der Ausatmung mit rasselnden Atemnebengeräuschen. Die Behandlung richtet sich nach der Ursache der B., zur Linderung der Atemnot kommen *Broncholytika u. Mucolytika (s. Muco...) zur Anwendung. – *E* bronchitis – *F* bronchite – *I* bronchiti – *S* bronquitis
Lit.: Gross et al., Lehrbuch der Inneren Medizin, S. 410 ff., Stuttgart: Schattauer 1994.

Broncholytika (Bronchospasmolytika). Gruppenbez. für Präp., die auf die glatte Muskulatur der Bronchien krampflösend – d. h. als Bronchodila(ta)toren – einwirken u. deshalb gegen *Asthma u. *Bronchitiden eingesetzt werden. Verwendet werden: 1. β_2-*Sympathomimetika wie *Clenbuterol, *Fenoterol, *Salbutamol u. a.; – 2. indirekte Sympath(ik)omimetika, bes. *Ephedrin; – 3. *Theophyllin, das als *Adenosin-Antagonist u. Phosphodiesterase-Inhibitor wirkt; – 4. *Parasympath(ik)olytika, bes. *Ipratropiumbromid. B. enthalten weiterhin oft *Glucocortico(stero)ide zwecks Entzündungshemmung, Mucolytika (s. Muco...) od. *Antiallergika. – *E* broncholytics – *F* préparations broncholytiques – *I* farmaceutici antibronchitici – *S* broncolíticos
Lit.: Arzneimittelchemie II, 315 – 321 ▪ Auterhoff, Knabe u. Höltje, Lehrbuch der Pharmazeutischen Chemie, S. 648 ff., Stuttgart: Wiss. Verlagsges. 1994 ▪ Pharm. Unserer Zeit **5**, 129 – 137 (1976) ▪ Schwabe u. Paffrath, Arzneiverordnungsreport '95, S. 152 – 165, Stuttgart: Fischer 1995 ▪ Ullmann (5.) A **2**, 455 – 461. – [HS 2922 19, 2922 50]

Broncieren. Rötlich-broncefarbener Schimmer auf durch zu hohen Farbstoffeinsatz überladenen Färbungen, meist bei schwarzen Farbtönen. – *E* broncing – *F* bronzage – *I* bronzare – *S* broncear

Bronger, Welf (geb. 1932), Prof. für Anorgan. u. analyt. Chemie, TH Aachen. *Arbeitsgebiete:* Struktur- u. Magnetochemie von Metallchalkogeniden, Metallhydriden u. intermetall. Verbindungen.
Lit.: Kürschner (16.), S. 414 ▪ Wer ist wer, S. 167.

Bronidox®. 5-Brom-5-nitro-1,3-dioxan als Konservierungsmittel für kosmet. Tensid-Zubereitungen sowie für Dispersionsfarben. *B.:* Henkel.

Bronner-Säure s. Naphthylaminsulfonsäuren.

Bronzehaut s. Addisonsche Krankheit u. Pigmentierung.

Bronzekrankheit s. Konservierung (von Museumsgegenständen).

Bronzen. Sammelbez. für Cu(-Sn)-Leg. mit >60% Cu. Formal besteht eine enge Verwandtschaft mit Cu-Zn-Leg. (*Messing). Hinsichtlich der Normung der techn. üblichen Bronzeknet- u. -gußwerkstoffe s. *Literatur.* Die Benennung erfolgt im allg. nach der kennzeichnenden Zusammensetzung: Zinn-B. mit 1 – 9% Sn (als Gußleg. mit 4 – 21% Sn); Phosphor-B. als Zinn-B. mit 0,4% P; Aluminium-B. mit 4 – 6% Al; Blei-B. mit 8 – 18% Pb; Beryllium-B. mit 2 – 3% Be; Mehrstoff-Zinn-B. mit 3 – 7% Sn u. Zn sowie 3 – 5% Pb. Daneben gibt es Benennungen nach Anwendungsgebieten: *Beisp.* *Glocken-Bronzen als Guß mit 20 – 25% Sn; Geschütz-B. mit 8 – 18% Sn u. Münz-B. mit 4 – 10% Sn. B. zeichnen sich durch gute Beständigkeit in zahlreichen Medien sowie durch ihre ansprechende Farbe (s. Buntmetalle) aus. Sie werden eingesetzt im Chemieapparate- u. Schiffsbau, für Armaturen, in der Elektrotechnik, als Lagermetalle (s. Gleitlagerwerkstoffe) u. in der Kunst. Entwicklung u. Anw. von B. gingen in der Menschheitsgeschichte zeitlich der des Eisens voraus. – *E* = *F* bronzes – *I* bronzi – *S* bronces
Lit.: DIN 1705 (11/1981) ▪ DIN 17662 (12/1983) ▪ DIN 17664 (12/1983) ▪ DIN 17665 (12/1983) ▪ DIN 1714 (11/1981) ▪ DIN 1716 (11/1981).

Bronzepigmente (Bronzefarben, Bronzepulver, Pudermetalle). Metall. Pigmente aus vorwiegend schuppenförmigen Teilchen. Bekannte B., die als Pulver u./od. Pasten in den Handel kommen, sind *Aluminium-B.* (reines Al-Pulver), *Gold-B.* (Cu- od. Cu-Zn-Leg.), *Silber-B.* (Cu-Zn-Ni-Leg.). Man erhält die B. z. B. in Metallschlägereien als Abfälle u. bringt sie mit einer feinen Fettschicht umgeben in den Handel. Oft werden diese Metallpulver an der Luft auf ca. 150 °C erhitzt, wodurch man lichtbeständige „Anlauffarben" (Gelb, Rot, Braun, Orange, Violett usw.) erhält – od. man färbt sie mit Farbstoffen, wobei die sog. *Patentbronzen* entstehen. Geeignete Bindemittel sind: Dextrin, fett- u. säurefreie Zaponlacke (nicht aber für Patentbronzen, da sich hier der Farbstoff lösen könnte), Kunstharz-Benzollacke, Leinöl, Alkydale, Vinylharze usw. Mit der silbrig glänzenden Aluminiumbronze bestreicht man z. B. Heizkörper, Ofenrohre usw. – *E* bronze pigments – *F* pigments de bronze moulu – *I* pigmenti bronzei – *S* pigmento de bronce
Lit.: Kirk-Othmer (3.) **17**, 834 f. ▪ Ullmann (4.) **18**, 629 ff. ▪ Winnacker-Küchler (4.) **3**, 393.

Bronzit s. Pyroxene.

Broquinaldol. Internat. Freiname für das bakteriostat. wirksame 5,7-Dibrom-2-methyl-8-chinolinol, $C_{10}H_7Br_2NO$, M_R 316,98, Formel s. 8-Chinolinol. – *E* = *F* = *S* broquinaldol – *I* broquinaldolo

Brosylate. Gebräuchliche Abk. für 4-Brombenzolsulfonate, s. Sulfonate.

Brot. Für (nur) ca. 40% der Weltbevölkerung ist B. die hauptsächliche Zubereitungsform für *Getreide zu Nahrungszwecken. Allerdings ist der B.-Verbrauch seit langem rückläufig: in der BRD sank er von 300 kg je Einwohner u. Jahr (1800) über 157 kg (1900) u. 88 kg (1957) auf ca. 62 kg (1970 – 1977). In den 80er Jahren kam es zu einer Trendwende, so daß der B.-Verbrauch 1994 erstmals wieder die 80 kg-Marke überschritt. Zugleich verschob sich von 1893 bis heute das Verhältnis Roggen- zu Weizenmehl von 67:33 auf über 30:70. Typischerweise hat B. etwa die Zusammensetzung: 35 – 43% Wasser, 45 – 58% Kohlenhydrate, 0,1 – 1,2% Rohfaser, 6 – 16% Eiweiß, 0,5 – 1,4% Fett, 1,0 – 1,5% Kochsalz, 0,4 – 1,1% Mineralstoffe sowie – in Abhängigkeit von der Mehlart u. deren Ausmahlungsgrad – 0,7 – 2,5 ppm Vitamin B_1, 0,3 – 1,8 ppm Vitamin B_2 u. 5 – 35 ppm Nicotinsäureamid. Der Nährwert der üblichen B.-Sorten liegt zwischen 0,9 u. 1,2 MJ/100 g.
B. ist eine aus Mehl, Wasser, Salz, oft unter Zusatz von Fetten u. Gewürzen u. unter Verw. spezif. Locke-

rungsmittel hergestellte *Backware. Bei der B.-Herst. kann man 4 Teilprozesse unterscheiden: 1. Teigbereitung, – 2. Teiglockerung, – 3. Teigruhe u. Formung, – 4. Backprozeß. Bei der Teigbereitung verknetet man *Mehl (von Roggen u./od. Weizen) mit Wasser u./od. Milch von Hand od. maschinell zu einem weichen, dehnbaren Teig. Dem Teig werden während des Anrührens im allg. Kochsalz u. *Teiglockerungsmittel* (z. B. *Backpulver, *Hefen, *Sauerteig) zugefügt. Letztere sollen Gase – meist CO_2, aber auch NH_3 u. Ethanol – entwickeln, die den Teig lockern u. das B. porös machen. In diesem Stadium der B.-Herst., werden ggf. *Backzutaten* wie Fett, Eier, Zucker, Gewürze u. Aromen beigemengt sowie *Backhilfsmittel*, die die Verarbeitung des Teigs verbessern sollen, wie Malzextrakte, Amylasen u. a. Enzyme wie Papain, Quellmehle, Maltose u. a. Stärke-Abbauprodukte, Lecithin sowie ggf. Natrium- u. Calcium-Salze der Genußsäuren od. Phosphorsäuren als Säuerungsmittel. Während der folgenden, ca. 30minütigen Teigruhe mit anschließender Formung u. Endgare (ca. 30 °C, 30–60 min) zersetzen die Enzyme einen Teil der *Stärke des Mehls zu Glucose u. überführen diese in Ethanol u. CO_2, das den Teig aufbläht. Der Alkohol (0,5–3,8%) entweicht beim Backprozeß. Dieser wird in Backöfen durchgeführt; Backtemp. u. Backdauer sind von der Art u. Größe der Backware abhängig u. reichen von 8 min bei 350 °C für Kekse u. Knäckebrot über 50 min bei 230 °C für Weizenbrot bis zu 16–36 h bei 100–180 °C für Pumpernickel. Im Inneren der B. steigt die Temp. meist nicht über 100 °C. Durch die Backofenhitze werden die Mikroorganismen im Brotinnern abgetötet; das spätere Schimmeln wird durch *Schimmelpilz-Sporen verursacht, die nachträglich die Brotoberfläche kontaminieren. Nur die Sporen des Kreideschimmels überleben auch die Backofenhitze; sie verursachen in feuchtwarmen Sommern bes. bei Weißbrot das sog. Fadenziehen (zwischen abgebrochenen Brotstücken werden feine, farblose Fäden sichtbar) u. verleihen dem B. einen unangenehmen, muffigen Geruch u. Geschmack. Als Gegenmaßnahme wird heute Sorbinsäure als grobkrist. gärschonendes Produkt (Panosorb®) bei der Teigherst. verwendet. *Sorbinsäure schützt auch gegen solche Schimmelpilze, die *Aflatoxine u. a. Mykotoxine (*Citrinin, *Patulin, *Sterigmatocystin) bilden können [1].
Während des Backens spielen sich eine Reihe von chem., kolloid-chem. u. physikal. Veränderungen ab. Vor allem wird die Verdaulichkeit u. Ausnutzung der Mehlbestandteile erhöht. Ein erheblicher Teil der Stärke des Mehls geht beim Backen in *Dextrine (diese machen die Brotoberfläche glänzend), Maltose u. Glucose (daher der süßliche Brotgeschmack) über, das Eiweiß aus dem *Kleber koaguliert z. T., der Wassergehalt sinkt, Alkohol u. Kohlendioxid entweichen. Vorhandene Vitamine werden beim Backen teilw. zerstört, Vitamin B_1 im Inneren des B. zu 20%, in der Kruste zu 35%, bei Zwieback zu 50%. Deshalb werden in vielen Ländern die – ohnehin vitaminarmen – Weißbrotmehle vitaminiert; häufig wird beim gleichen Vorgang auch Eisen (z. B. als $FeSO_4$) supplementiert. Der Backvorgang ist entscheidend für die *Aroma-Bildung im Brot [2]. Für den *Karamel-Geruch erwies sich bes. Iso-

maltol (2-Acetyl-3-furanol) als verantwortlich, während für frisch gebackenes B. typ. Geruch den so verschiedenartig zusammengesetzten Verb. wie 2,5-Dimethyl-3(2H)-furanon, 6-Acetyl-1,2,3,4-tetrahydropyridin u. 2-[(Methyldithio)-methyl]-furan zugeschrieben wird. Zur Entstehung des B.-Aromas kommen v. a. Kondensationsreaktionen nach Art der *Maillard-Reaktion in Frage; es wird beschrieben, daß sich das Aroma durch Zusatz freier Aminosäuren zum Teig verstärken läßt. – *E* bread – *F* pain – *I* pane – *S* pan

Lit.: [1] Lück u. Jager, Chemische Lebensmittelkonservierung, S. 158–174, Berlin: Springer 1995. [2] Parliment, McGorrin u. Ho (Hrsg.), Thermal Generation of Aromas, ACS Symp. Ser. Nr. 409, S. 258–275, Washington: ACS 1989.
allg.: AID-Verbraucherdienst **39**, 243 ff. (1994); **40**, 81–92 (1995) ▪ Eliasson u. Larsson, Cereals in Breadmaking, New York: Dekker 1993 ▪ Lorenz u. Kulp, Handbook of Cereal Science and Technology, S. 639 ff., New York: Dekker 1991.

Brot-Einheit (BE). Internat. Einheit (von der Deutschen *Diabetes-Ges. vorgeschlagen) zur Berechnung des Kohlenhydrat-Anteils in Diabetiker-*Diäten. 1 BE entsprechen 12 g Kohlenhydrate. Da der Kohlenhydrat-Anteil der einzelnen Nahrungsmittel unterschiedlich ist, vereinfachen *Austauschtabellen* die Berechnung. – *E* bread unit – *F* unité de pain – *I* unità pane – *S* unidad pan

Lit.: Was? wann? wieviel? darf ein Diabetiker essen, 8. Aufl., Köln: Drugofa 1988 ▪ s. a. Diabetes.

Brotizolam.

Internat. Freinamen für 2-Brom-4-(2-chlorphenyl)-9-methyl-6H-thieno[3,2-*f*]1,2,4-triazolo[4,3-*a*]-1,4-diazepin, $C_{15}H_{10}BrClN_4S$, M_R 393,69; Schmp. 212–214 °C; LD_{50} (Maus, oral) >10 000, (Maus, i. p.) 920, (Ratte, oral) >10 000, (Ratte, i. p.) 1000 mg/kg. Es wurde 1975 u. 1978 als Sedativum u. Hypnotikum von Boehringer Ingelheim (Lendormin®) patentiert. – *E = F = S* brotizolam

Lit.: ASP ▪ Hager (5.) **7**, 536. – *[HS 2934 90; CAS 57801-81-7]*

Brown, Herbert C. (geb. 1912), Prof. für Chemie, Purdue Univ. Lafayette. *Arbeitsgebiete:* Freie Radikale, Friedel-Crafts-Katalysatoren, Additionsverb., Borane u. Entwicklung der *Hydroborierung als synthet. Methode. Nobelpreis für Chemie 1979 (zusammen mit G. *Wittig).

Lit.: Intra-Science Chem. Rep. **7**, 1–31 (1973) ▪ Pötsch, S. 68.

Brown, Michael S. (geb. 1941), Prof. für Medizin u. Genetik, Univ. of Texas, Health Science Center. 1985 erhielt er zusammen mit J. L. *Goldstein den Nobelpreis für Physiologie od. Medizin für die Entdeckung der Regulation des Cholesterol-Metabolismus.

Brown'sche Molekularbewegung. Bez. für die 1827 von dem engl. Botaniker Robert Brown unter dem Mikroskop beobachteten dauernden spontanen Bewegungen feinster in Flüssigkeit suspendierter Teilchen. Auch *Aerosole (Rauch u. Nebel) zeigen die B. M., die dauernd ihre Richtung u. Geschw. ändert. Sie wird durch die Impulse verursacht, die von den sich infolge ihrer Wärmebewegung ständig, heftig u. unregelmäßig verschiebenden Flüssigkeits-Mol. durch Stöße auf die suspendierten Teilchen übertragen werden u. damit auch diese fortbewegen. Die Bewegung von Mol. läßt sich unter dem Mikroskop bei 300–500facher Vergrößerung an wäss. Suspensionen von Gummigutt od. Titanweiß indirekt sichtbar machen. In neueren Arbeiten wurde sowohl theoret. wie auch experimentell gezeigt, daß die B. M. für Teilchentransport genutzt werden kann. Befinden sich die Teilchen in einem „Ratschenpotential", welches zeitlich ein- u. ausgeschaltet od. period. gekippt wird, bzw. werden sie (bei zeitlich konstantem Ratschenpotential) durch farbiges Rauschen angetrieben, so bewegen sie sich in eine Vorzugsrichtung. Hierin wird die Grundlage gesehen, Separationsmechanismen auf mikroskop. u. kleineren Längenskalen zu realisieren [1]. – *E* Brownian movement (motion) – *F* mouvement brownien – *I* moto molecolare di Brown – *S* movimiento browniano

Lit.: [1] Nature (London) **370**, 412 (1994) ▪ Phys. Rev. Lett. **74**, 1504 (1995) ▪ Phys. Bl. **51**, 507 (1995).
allg.: Demtröder, Experimentalphysik, Bd. 1, S. 199, Berlin: Springer 1994 ▪ Lerner u. Trigg, Encycl. of Physics, S. 115, Weinheim: VCH Verlagsges. 1991.

Broxychinolin. Internat. Freiname für das bakteriostat. u. amöbizid wirksame 5,7-Dibrom-8-chinolinol, $C_9H_5Br_2NO$, M_R 302,95, Schmp. 196 °C; Formel s. 8-Chinolinol. B. stand in ähnlichem Verdacht wie *Clioquinol, Ursache für die sog. SMON-Krankheit zu sein. Zur quant. Bestimmung von Titan mit B. s. *Lit.*[1]. – *E*=*F* broxyquinoline – *I* broxichinolina – *S* broxiquinolina

Lit.: [1] Chem. Labor Betr. **28**, 92 f. (1977).
allg.: Hager **3**, 518 f. ▪ Ullmann (5.) **A 6**, 212 f. – *[HS 2933 40]*

Bruceantin.

$C_{28}H_{36}O_{11}$, M_R 548,59, Krist., Schmp. 225–226 °C, $[\alpha]_D^{25}$ −27,7° (Pyridin). Antileukäm. wirkendes *Quassinoid aus dem Baum *Brucea antidysenterica*. – *E* bruceantin – *F* brucéantine – *I*=*S* bruceantina

Lit.: Beilstein E V **19/7**, 134 ▪ Mol. Pharmacol. **12**, 167 (1976) (Pharmakologie) ▪ Zechmeister **47**, 221–264. – *[CAS 41451-75-6]*

Bruchhausen, Friedrich von (1886–1966), Prof. für Pharmazeut. Chemie, Braunschweig. *Arbeitsgebiete:* Alkaloide, Furocumarine, Cantharidin, analyt. Meth. in der pharmazeut. Chemie.

Lit.: Nachr. Chem. Tech. **3**, 26 (1955) ▪ Pharm. Unserer Zeit **6**, 1–7 (1977) ▪ Poggendorff **7 a/1**, 284.

Bruchverhalten. Qual. u. quant. Beschreibung der Erscheinungen bei der Deformation (d. h. beim *Brechen*) von Feststoffen, Werkstoffen, Formteilen u. dgl., unter mechan. Belastung, insbes. durch Zug-, Druck-, Scherkräfte, Schwingungen, Biegung, Dehnung, Streckung u. dgl., häufig nach vorausgegangener *Versprödung. Unter *Fraktographie* versteht man die Untersuchung des B. durch Mikroskopie. Das B. ist nicht nur für die Eigenschaften von Werkstoffen u. die Charakterisierung von Mineralien wichtig, sondern z. B. auch beim *Zerkleinern. – *E* fracture behavior – *F* comportement de rupture – *I* comportamento di frattura – *S* comportamiento de ruptura

Lit.: Boyer, Fractography and Atlas of Fractographs (Metals Hdb. 9), Metals Park: Am. Soc. Metals 1974 ▪ Deanin u. Crugnola, Toughness and Brittleness of Plastics (Adv. Chem. Series 154), Washington: ACS 1977 ▪ Hertzberg, Deformation and Fracture Mechanics of Engineering Materials, New York: Wiley 1976 ▪ Sih, Mechanics of Fracture (mehrbändig), Leiden: Noordhoff (seit 1973) ▪ Williams, Fracture Mechanics of Polymers, Chichester: Horwood 1984 ▪ Winnacker-Küchler (3.) **7**, 71–79, 338 f. ▪ s. a. Werkstoffe u. a. Textstichwörter. – *Zeitschrift:* International Journal of Fracture, Leiden: Noordhoff (seit 1965).

Bruchzähigkeit. Ein Kennwert der *Duktilität metall. Werkstoffe, der im Gegensatz zu den klass. Kennwerten wie Bruchdehnung u. -einschnürung nicht von dem idealen, fehlerfreien, sondern vom realen, mit Fehlern behafteten Festkörper ausgeht. Ausgangsbasis ist das Konzept der Bruchmechanik: Der von der Werkstücku. Rißgeometrie abhängige, festigkeits-theoret. abzuleitende Spannungsintensitätsfaktor (SIF), der sich als Folge eines vorhandenen Nennspannungszustandes (gemittelte Spannung im betrachteten Querschnitt) an der Spitze des Risses einstellt, kennzeichnet den aktuellen Beanspruchungszustand. Der im Labor prüfbare, nur von der Temp. abhängige Werkstoffkennwert B. mit gleicher Dimension wie der SIF kennzeichnet dagegen die werkstoffspezif. Grenzbeanspruchung: Für SIF≥B. ist Werkstückversagen zu erwarten. Die B. kann damit quant. zur Bewertung vorhandener Risse in einem Werkstück mit bekannter Nennspannung hinzugezogen werden. Da dieses Verf. recht aufwendig ist, bleibt seine Anw. derzeitig noch auf krit. Fälle beschränkt. – *E* fracture toughness – *F* ténacité de rupture – *I* tenacia di rottura – *S* tenacidad a la rotura

Brucin (10,11-Dimethoxystrychnin, 2,3-Dimethoxy-strychnidin-10-on). $C_{23}H_{26}N_2O_4$, M_R 394,47, Nadeln, Schmp. 178 °C (wasserfrei), 105 °C (Hydrat), lösl. in Ethanol u. Chloroform, wenig lösl. in Ether, fast unlösl. in Wasser; Formel s. Strychnin. Sehr bitteres (noch bei einer Verdünnung von 1:220 000 schmeckbares) u. stark giftiges [LD_{50} (Ratte oral) 1 mg/kg] Alkaloid aus der Brechnuß (*Strychnos nux-vomica*) u. a. *Strychnos*-Arten, wo es bes. in den Samen zusammen mit *Strychnin vorkommt. B. besitzt zentralstimulierende Wirkung.

Verw.: Zur Racematspaltung, als Reagenz auf Nitrat u. Wismut, Standard zur Bitterwertbestimmung. – *E*=*F* brucine – *I*=*S* brucina

Lit.: Beilstein E IV **27**, 7876 ▪ Hager (5.) **6**, 817–845 ▪ Houben-Weyl **4/2**, 505–538 ▪ Manske **1**, 375–500; **8**, 591–671 ▪ Sax (8.), Nr. BOL750 ▪ Ullmann (5.) **A 1**, 390; **A 18**, 183. – *[HS 2939 90; CAS 357-57-3]*

Brucit. $Mg(OH)_2$; weißes, grünliches od. bräunliches, durchscheinendes, glasglänzendes, auf Spaltflächen perlmuttartig glänzendes, meist blättrige od. schup-

pige Massen bildendes, auch faseriges Mineral mit Schichtstruktur[1]; krist. trigonal (Krist.-Klasse $\bar{3}$m-D_{3d}) im CdI_2-Typus (s. Kristallgitter); H. 2,5, D. 2,4, lösl. in Salzsäure. Zur Entwässerung u. Komprimierbarkeit von B. bei hohem Druck u. seiner Bedeutung als Modellsubstanz für potentielle Träger von Wasser-Gehalten im Erdmantel (*Erde) s. Lit.[2].
Vork.: z. B. Predazzo/Italien; Kraubath/Steiermark, Californien; Lagerstätten in Nevada/USA u. Albanien. B. wird zum Entfernen von Mercaptanen in Petroleum-Destillaten verwendet. – *E* = *F* = *I* brucite – *S* brucita
Lit.: [1] Neues Jahrb. Mineral., Monatsh. **1967**, 137–143; Phys. Rev. B **47**, 3522–3529 (1993). [2] Phys. Chem. Miner. **22**, 200–206, 277–281 (1995).
allg.: Deer et al., S. 569f. ▪ Schröcke-Weiner, S. 483f. – [CAS 1317-43-7]

Brücken. In der organ. Chemie versteht man unter B. die aus einem, zwei od. mehr Atomen bzw. Atomgruppierungen bestehenden Glieder, die in *cyclischen Verbindungen den „Hauptring" in Teilringe unterteilen; behelfsweise spricht man auch von Null-Brücken. Näheres zu diesen B. u. Brückenkopf-Funktionen in *überbrückten* (*verbrückten*) *Ringsystemen s. bei Bicyclo[..]... u. Bredtsche Regel. Zur Decarboxylierung bzw. zur Funktionalisierung am *Brückenkopf* s. Lit.[1]. Andere Formen von chem. B. sind diejenigen in *Porphyrinen u. *Cyclophanen, in Komplexen (s. Koordinationslehre) sowie *Disulfid-Brücken (Cystin-Brücken) bei Proteinen u. *Wasserstoff-Brückenbindungen („H-Brücken"). – *E* bridges – *F* ponts – *I* ponti – *S* puentes
Lit.: [1] Synthesis **1976**, 251f.; **1977**, 632f.; **1979**, 53f.
allg.: s. a. cyclische Verbindungen, Ringsysteme.

Brückenkopf s. Brücken u. Bicyclo[..]...

Brüggemann. Kurzbez. für die 1868 gegr. L. Brüggemann KG, Salzstraße 123–131, 74076 Heilbronn. *Produktion:* Ethanol, Kunststoff-Additive (speziell für Polyamide), Reduktionsmittel (Brüggolit, Blancolene, Natriumdithionit), Zinkoxide, Textilhilfsmittel.

Brühwürfel s. Fleischbrühwürfel.

Brünieren (Braunschwarzfärben). *Wärmebehandlung von Werkstücken aus Eisen-Leg. in einem Oxid.-Mittel, bei der auf der gesamten, im allg. zuvor polierten Oberfläche eine dunkel erscheinende Oxidschicht erzeugt wird[1]. B. wird angewandt zum Erzielen eines (temporären) *Rostschutzes bei Kleinteilen aus Eisenwerkstoffen (Waffen, Beschläge usw.). Das älteste Verf. dieser Art ist das *Abbrennen. Zeitlich schloß sich dann ein Verf. an, bei dem die zu schützenden Teile in salzsaurer, alkohol. Eisen(III)-chlorid-Lsg. geschwärzt wurden. Heute arbeitet man mit wäss.-alkal. Lsg. Sauerstoff-abgebender Salze (ca. 15 min bei 140 °C). Die erreichten Schichtdicken liegen bei 1 μm. Durch Imprägnierung mit Öl wird der Schutzwert der Schicht weiter verbessert. – *E* alkaline blackening – *F* finition noire – *I* brunitura – *S* pavonado
Lit.: [1] DIN/EN 10052 (01/1994); DIN 50938 (11/1987).

Brüten. Begriff aus der Kerntechnik [DIN 25 401, Tl. 2 (09/1986)] für die *Konversion,* d. h. die Kernumwandlung einer *brütbaren* in eine therm. spaltbare Substanz, mit einem Brutverhältnis (Konversionsverhältnis) >1. Hierbei entstehen (in *Brutreaktoren) in der Zeiteinheit aus der brütbaren Substanz mehr spaltbare Kerne als verbraucht werden. Natürliches Uran besteht zu 99,3% aus Uran-238 u. nur zu 0,7% aus Uran-235, das in Reaktoren direkt mit Energiegewinn spaltbar ist. Fängt ein U-238 Kern ein Neutron ein, so wandelt er sich unter Aussendung von *Gamma-Strahlung in Uran-239 um, welches sich durch zweimaligen *Beta-Zerfall in spaltbares Neptunium-239 umwandelt. In ähnlicher Weise kann aus Thorium-232 über Protactinium-233 spaltbares Uran-233 erbrütet werden. – *E* breeding – *F* surrégénération – *I* fertilizzazione – *S* reproducción
Lit.: Musiol et al., Kern- u. Elementarteilchenphysik, Weinheim: VCH Verlagsges. 1988.

Brugnatelli, Luigi Vincenzo Gasparo (1761–1818), Prof. für Chemie, Pavia. *Arbeitsgebiete:* Magensäfte, Citronensäure, Knallsilber, Korksäure, elektrochem. Herst. von Leichtmetallen, Galvanoplastik, Begründer der ersten italien. Chemie-Zeitschrift (Annali di Chimica).
Lit.: Pötsch, S. 69 ▪ Poggendorff **1**.

Brummgele. Opt. isotrope, transparente *Mikroemulsions-Gele in Syst. aus *Tensiden, Wasser u. Kohlenwasserstoffen, die bei hohen Tensid-Konz. unter bestimmten Voraussetzungen auftreten u. aufgrund ihrer Energieelastizität bei geeigneter Anregung Brummtöne aussenden. Wird an ein B. enthaltendes Gefäß, das einen Querschnitt von wenigen cm Durchmesser aufweist, mit einem weichen Gegenstand geklopft, so werden Frequenzen um 1000 Hz hörbar, die mit einer Zeitkonstante von 1 s^{-1} abnehmen. – *E* ringing gels
Lit.: Angew. Chem. **100**, 933–944 (1988).

Brunauer, Stephen (1903–1987), Prof. für Chemie, Clarkson College of Technology, Potsdam, New York. *Arbeitsgebiete:* Grenzflächenphänomene, Kolloidchemie, Zement- u. Betontechnologie, Adsorptionstheorie (BET-Meth., s. Adsorption).
Lit.: Taylor, in: Solid Surface and the Solid-Gas Interface (Adv. Chem. Ser. 33), Washington: ACS 1961.

Brunck, Heinrich von (1847–1911), Leiter der BASF (1884–1911). *Arbeitsgebiete:* Teerfarbstoffe, Anthracen-Reinigung, techn. Indigo-Synth., Entwicklung der techn. Chlor-, Schwefelsäure- u. Ammoniak-Herstellung.
Lit.: Bugge, Das Buch der großen Chemiker, Bd. 2, S. 360–373, Weinheim: Verl. Chemie 1929 (1961) ▪ Oberdorffer, Ludwigshafener Chemiker, Bd. 1, S. 11–30, Düsseldorf: Econ 1958 ▪ Pötsch, S. 70 ▪ Strube **2**, 139f. ▪ Strube et al., S. 147.

Brunnenkresse s. Kressen.

Brunner, Henri (geb. 1935), Prof. für Anorgan. Chemie, Univ. Regensburg. *Arbeitsgebiete:* Stereochemie metallorgan. Verb. (chirale Übergangsmetallatome), präparative metallorgan. Chemie, enantioselektive Katalyse mit opt. aktiven Übergangsmetall-Komplexen, Antitumor-Chemotherapie mit Platin-Verbindungen.
Lit.: Kürschner (16.), S. 422 ▪ Nachr. Chem. Tech. **18**, 420 (1970).

Brunst. Der Begriff B. bezieht sich auf die sexuelle Aktivität von Säugetieren. Er wird in der Lit. allerdings

nicht einheitlich angewandt, sondern ist in mind. drei Zusammenhängen gebräuchlich: 1. Für die Zeit des Jahres, in der die Tiere sexuell aktiv sind; – 2. für den physiolog. Zustand der sexuellen Aktivität u. – 3. für das während dieser Zeit auftretende sexuelle Verhalten. – *E* = *F* rut – *I* fregola – *S* celo
Lit.: Niethammer, Säugetiere, Stuttgart: Ulmer 1979.

Brushit s. Calciumphosphate (b).

Brutraum s. Brutschrank.

Brutreaktoren (Brüter). Bez. für *Kernreaktoren, die im Betrieb durch *Brüten mehr spaltbares Material erzeugen als sie verbrauchen. Während der einzige in der BRD in Bau genommene B.-R., der Reaktor SNR 300 in Kalkar, nicht fertiggestellt wurde, werden B.-R. in anderen Ländern zur Energieerzeugung (z. B. Japan) bzw. zur Erzeugung von Spaltmaterial für *Kernwaffen eingesetzt. Zu Wirkungsweise *Schneller Brüter* s. Kernreaktoren. – *E* breeder reactors – *F* réacteurs surrégénérateurs – *I* reattori autofertilizzanti – *S* reactores reproductores
Lit.: Knief, Nuclear Power Reactors, in Encycl. of Physical Science and Technology, Bd. 11, S. 291–314, San Diego: Academic Press 1992.

Brutschrank (Inkubator). Vorwiegend in der Biologie gebrauchte schrankartige Geräte unterschiedlicher Größe (od. zimmergroße Bruträume), die z. B. zur Anzucht von *Zellkulturen u. *Mikroorganismen-Kulturen, od. zum Ausbrüten von Vogeleiern verwendet werden. Durch Kontrolle u. Steuerung von Temp., Licht, Luftfeuchtigkeit, Zusammensetzung der Atmosphäre u. Bewegungsapparaturen (z. B. *Rundschüttler, *Rollerflaschen-Kulturen) werden optimale Bedingungen geschaffen. – *E* incubators – *F* incubateurs – *I* incubatrici – *S* incubadoras

Bruttoformel. Die auch als *empir. Formel, Analysen-* od. *Summenformel* bezeichnete B. gibt Aufschluß über Art u. Anzahl, nicht aber über die Bindungsweise der Atome, aus denen eine Verb. zusammengesetzt ist. Die B. soll der *Molmasse entsprechen, ist also eigentlich eine *Molekularformel*. Im allg. wird der Begriff „B." weit gefaßt, d. h. man versteht unter B. auch Formeln wie C_2H_5OH u. $Ce(SO_4)_2$, obwohl diese Schreibweise schon eher die *Konstitution von Stoffen beschreibt (*Konstitutionsformel*) – die für die Sortierung in B.-Registern (in diesem Werk vgl. die Einleitung) „richtigen" B. wären C_2H_6O u. CeO_8S_2. Näheres auch zur Unterscheidung zwischen Bruttoformel u. *Strukturformel s. bei chemische Zeichensprache. Die B. erhält man in der organ. Chemie auf empir. Wege mit Hilfe der *Elementaranalyse u. der *Molmassenbestimmung; mit hochauflösenden Massenspektrometern kann man beide Bestimmungen gleichzeitig ausführen, u. über angeschlossene Datenverarbeitungsanlagen kann die für die Untersuchungssubstanz am besten stimmende B. berechnet werden. – *E* empirical formula, molecular formula – *F* formule empirique, formule brute – *I* formula bruta (grezza) – *S* fórmula empírica, fórmula molecular

Bryonia s. Zaunrübe.

Bryophyten-Inhaltsstoffe (*Moos-Inhaltsstoffe). Bryophyten bilden eine Vielzahl an Sekundärmetaboliten, die bisher in anderen Pflanzen nicht gefunden wurden. Es überwiegen phenol. Verb. u. Terpene, wobei zwischen den einzelnen Moosklassen erhebliche Unterschiede bestehen. *Hornmoose* (Anthocerotae) zeichnen sich durch Lignane, *Lebermoose* (Hepaticae) überwiegend durch Terpene, bes. *Sesquiterpene, die oft Enantiomere der in Höheren Pflanzen vorkommenden Sesquiterpene sind, u. Bibenzyl-Derivate aus. In *Laubmoosen* (Musci) finden sich Biflavonoide (s. Flavonoide), Sphagnorubine (*Torfmoose*) u. *Cumarin-Derivate. Alkaloide sind selten u. bisher nur aus Lebermoosen bekannt. – *E* constituents of the Bryophytes – *F* constituants des bryophytes – *I* costituenti delle briofite – *S* constituyentes de los briofitos
Lit.: Zechmeister 65 ■ s. a. Moose.

Bryostatine.

Bryostatin 1

Gruppe von Makroliden aus dem Moostierchen *Bugula neritina* (Bryozoen), das in Süß- u. Salzwasser vorkommt. Bei *Bugula* handelt es sich um eine marine Gattung, die büschelförmige Kolonien auf festen Unterlagen bildet u. als störender Aufwuchs Schiffe besiedelt. Zur Zeit sind 17 Verb. dieses Typs bekannt, nur von 13 ist die Struktur aufgeklärt worden (dies ist z. T. durch die geringen Konz. an B. in den Organismen begründet, $\approx 10^{-6}$% des Frischgew.). Allen gemeinsam ist das ungewöhnliche Brypyran-Ringsystem, ein 20-gliedriger Lacton-Ring mit drei ankondensierten Pyran-Ringen, z. B. B.1, $C_{47}H_{68}O_{17}$, M_R 905,05, Schmp. 230–235 °C, s. Formel. Die B. sind alle Feststoffe, in Methanol lösl., sie besitzen vielversprechende Anti-Tumor-Eigenschaften[1]. – *E* bryostatins – *F* bryostatine – *I* briostatine – *S* briostatinas
Lit.: [1] Scrip 30.11. **1993**, 23.
allg.: Dtsch. Apoth. Ztg. **135**, 37 (1995) ■ J. Nat. Prod. **54**, 1265 (1991) ■ J. Org. Chem. **56**, 1337 (1991) ■ Scheuer II **1**, 114. – [CAS 83314-01-6 (B. 1)]

Bryozoen-Alkaloide.

Flustramin B

Gruppe von *Indol-Alkaloiden aus Moostieren (Bryozoen, synonym Polyzoen, Ectoprocta). Obwohl es 4000 Bryozoen-Arten gibt, die sehr weit verbreitet in Ozeanen (bis in eine Tiefe von 8000 m) u. Gewässern

auf der ganzen Erde vorkommen, ist biolog. wenig über sie bekannt. B.-A. sind bromierte *Tryptamin-Derivate, die an mehreren Positionen prenyliert sein können (N- u. C-Prenylierung), oft cyclisiert die Seitenkette (Amino-Gruppe des Tryptamins) zu einem weiteren Pyrrolidin-Ring (es entsteht das Pyrrolidino-Indolin-System). Typ. Beisp. ist *Flustramin B* ($C_{21}H_{29}BrN_2$, M_R 389,38), das strukturelle Ähnlichkeit mit *Roquefortinen aus *Penicillium*-Arten besitzt. Über die pharmakolog. Wirkung ist nichts bekannt. – *E* bryozoan alkaloids – *F* alcaloides de bryozoènes – *I* alcaloidi del briozci – *S* alcaloides de briozoos
Lit.: Stud. Nat. Prod. Chem. 17, 73–112 (1995) ▪ Zechmeister 57, 153 ff.

BSA. 1. Abk. für *bovine serum albumine*, s. Serumalbumine. – 2. s. *N,O*-Bis-(trimethylsilyl)-acetamid.

BSB. Abk. für *Biochem.* (od. *Biolog.*) Sauerstoff-Bedarf. Der BSB ist ein Summenparameter zur Kennzeichnung der Abwasserbelastung u. der *Gewässergüte hinsichtlich aerob leicht abbaubarer Stoffe. Der BSB ist definiert als diejenige Menge *Sauerstoff (in mg/l), welche von Mikroorganismen benötigt wird, um die im Wasser enthaltenen organ. Substanzen bei 20 °C oxidativ abzubauen, z. B. innerhalb von 5 d (BSB_5). Die Bestimmung wird in geschlossenen Flaschen vorgenommen, die die Lsg. des Produktes in O_2-gesättigtem, Mikroorganismen-haltigem Wasser beinhalten; zu Beginn u. Ende des Versuches wird die O_2-Konz. (Zehrung) gemessen[1]; weitere Meth. s. *Lit.*[2]. Der BSB ist auch für die Bemessung u. Leistungskontrolle von *Abwasser-Reinigungsanlagen von Bedeutung. Der BSB eines Einzelstoffes[3] wird häufig mit dem *totalen* (TSB) od. dem *chem.* *Sauerstoffbedarf (*CSB) in Relation gesetzt, wobei der Quotient der sog. (biolog.) *Abbaubarkeit* des betreffenden Stoffes darstellt. – *E* BOD – *F* DBO – *I* fabbisogno biochimico di ossigeno – *S* DBO
Lit.: [1] DIN 38409, Tl. 51 (1987); ISO 5815. [2] Römpp Lexikon Umwelt, S. 107. [3] Amtsblatt der EG L 383 A, S. 226 (29.12.1992).

BSE s. Rinderseuche u. Prionen.

BS-ratiopharm®. Ampullen, Filmtabl. u. Zäpfchen mit Butylscopoliniumbromid gegen Spasmen des Gastrointestinal-Trakts. *B.:* ratiopharm.

BSS. Sterile physiolog. Spül-Lsg. für ophthalmolog. Eingriffe mit Na-, K-, Ca- u. Mg-chlorid, Na-acetat u. -citrat. *B.:* Alcon Pharma GmbH.

BST s. Somatotropin.

B₁₂-Steigerwald. Ampullen mit *Cyanocobalamin gegen Anämien, Leberschäden u. Neuralgien. *B.:* Steigerwald.

BTC s. Tetrazoliumblau.

Btm(VV). Abk. für *Betäubungsmittel(-Verschreibungs-VO).

B.T.U., Btu. Abk. von *British Thermal Unit*, engl. für Wärmemaß. 1 Btu ist die Wärmemenge, die benötigt wird, um 1 imperial pound (ca. 454 g) um 1 Grad Fahrenheit zu erwärmen; 1 Btu = 1,05506 kJ u. 1 kJ = 0,946 Btu.

BTX. In der chem. Technik geläufige Abk. für die *Aromaten *Benzol, *Toluol u. *Xylol.

BUA. Abk. für Beratergremium für umweltrelevante *Altstoffe. B. ist seit 1982 bei der *GDCh eingerichtet u. ist parität. mit Mitgliedern der Bundesregierung, der chem. Ind. u. der Hochschulen besetzt. Das BUA prüft umweltrelevante Altstoffe u. macht Einstufungsvorschläge; es legte 1985 seinen ersten Stoffbericht vor. *Publikationen:* BUA der GDCh (Hrsg.), BUA-Stoffberichte, Weinheim: VCH Verlagsges. (1985–1993) bzw. Stuttgart: Hirzel (ab 1993).

Buccaltabletten s. Tabletten.

Bucco (Buchu, Bucku). Getrocknete Blätter verschiedener südafrikan. *Barosma*-Arten (*Barosma betulinum* u. a., Rutaceae), die Flavone (*Diosmin, *Hesperidin u. a.) u. 1,3–2,5% ether. Öl enthalten, dessen Hauptbestandteile Isomenthon (35%), *Diosphenol (12%), *Pulegon (11%) u. *Limonen (10%) sind. Insgesamt wurden mehr als 120 Bestandteile festgestellt, von denen einige intensiv nach Schwarzen *Johannisbeeren riechen (zum Aromakomplex s. dort). Extrakte aus B. finden Verw. als Diuretikum u. Harndesinfiziens, das ether. Öl auch in der Parfümerie u. zur Herst. von Fruchtessenzen. – *E* buchu – *F* = *I* bucco – *S* buchú
Lit.: Hager (5.) 4, 467–474 ▪ Wichtl (2.), S. 126 f. – [HS 1211 90]

Buccoxime. Frischer, fruchtig-krautiger Riechstoff; gut in Seife, Schaumbad, Shampoo, Wäscheweich, Waschpulver, Flüssig-Waschmittel u. Deosprays einsetzbar. *B.:* Dragoco.

Bucetin.

$$H_3C-\overset{\overset{OH}{|}}{CH}-CH_2-CO-NH-\!\!\left\langle\!\!\bigcirc\!\!\right\rangle\!\!-OC_2H_5$$

Internat. Freiname für 4′-Ethoxy-3-hydroxybutyranilid, $C_{12}H_{17}NO_3$, M_R 223,27, Schmp. 160 °C; LD_{50} (Maus, i. p.) 790, (Maus, oral) 2800 mg/kg. Es wurde als Analgetikum 1977 u. 1978 von Hoechst patentiert, ist aber nicht im Handel. – *E* bucetine – *F* bucétine – *I* = *S* bucetina
Lit.: ASP ▪ Hager (5.) 7, 537. – [HS 2924 29; CAS 1083-57-4]

Buchdrucker. Der B. (*Ips typographus*), 4–5,5 mm, ist durch Massenauftreten ein Forstschädling, der hauptsächlich als polygamer Rindenbewohner von Fichten-Stämmen auftritt (s. a. Borkenkäfer). Entsprechend den 1 bis 3 Weibchen ist die Rinde mit 2 bis 4 Luftlöchern versehen, unter denen die bis zu 15 cm langen Längsmuttergänge (meist 2) u. die große Rammelkammer in der Rinde liegen. Je Weibchen werden 30 bis 60 Eier in einzelne Einischen abgelegt, wozu mehrmalige Begattung nötig ist. Die Larvengänge sind 5 bis 7 cm lang. 2 bis 3 Generationen pro Jahr sind möglich. Bei Massenbefall finden sich mehrere hundert Brutplätze pro m² Rinde. Dies ist der Fall v. a. an kränkelnden, bei starker B.-Vermehrung auch an gesunden Bäumen höheren Alters. Bei starkem Befall reicht der Harzfluß eines gesunden Baumes nicht aus, den B. zu unterdrücken. – *E* printing beetle – *I* bostrico tipografico – *S* impresor

Bucheckernöl. Hellgelbes, geruchloses, angenehm schmeckendes fettes Öl, das kalt od. warm aus den zerquetschten, kaffeebraunen Früchten (Bucheckern) der einheim. Rotbuche (*Fagus silvatica*) gepreßt wird. Je 100 g Bucheckern enthalten durchschnittlich 23 g Eiweiß, 32 g Fett u. 28 g Kohlenhydrate sowie Oxalsäure u. Oxalate [1], die die Verfütterung der Preßrückstände an Nutzvieh nur beschränkt zulassen. B. hat D. 0,92, VZ 191–196 u. IZ 111–120; es enthält 77% Ölsäure, 9% Linolsäure, 5% Palmitinsäure, 3,5% Stearinsäure u. 0,4% Linolensäure. In der Kriegs- u. Nachkriegszeit war B. eine willkommene, wenn auch mühsam erschlossene Speiseölquelle. – *E* beechnut oil – *F* huile de faîne – *I* olio di faggina – *S* aceite de hayaco (fabuco)
Lit.: [1] Hager (5.) **3**, 899. – *[HS 1515.90]*

Buchenholz-Schwelprodukte. Durch trockene Dest. des Holzes der Rotbuche (*Fagus silvatica*) gewonnene Produkte wie Buchenholzteer, -teeröl, -teerpech, -kreosot u. -kohle, die unter *Holzteer, *Holzpech sowie *Holzkohle näher beschrieben sind. – *E* beech wood carbonizing products – *I* prodotti destillati del faggio a bassa temperatura – *S* productos de carbonización de madera de haya
Lit.: Ullmann (4.) **12**, 703–708; (5.) A **6**, 185–159 ▪ Winnacker-Küchler (4.) **5**, 642–647.

Bucher. Kurzbez. für die Chem. Fabrik Karl Bucher, An der Guenz 1, 89367 Waldstetten. *Produktion:* Feinchemikalien, Zwischenprodukte für Naturstoffsynth., Silicium-organ. Verbindungen.

Bucherer-Reaktion. Von H. T. Bucherer (1869–1949) bearbeitete Reaktion: 1. Herst. von *2-Naphthylamin* durch Erhitzen von 2-Naphthol mit wäss. Ammoniumsulfit. – 2. *Carbazol*-Synth. aus 1-Naphtholen (od. Naphthylaminen), Arylhydrazinen u. Natriumhydrogensulfit. – 3. *Hydantoin*-Synth. aus Cyanhydrinen u. Ammoniumcarbonat od. direkt aus Carbonyl-Verb., Kaliumcyanid u. Ammoniumcarbonat. – *E* Bucherer reaction – *F* réaction de Bucherer – *I* reazione di Bucherer – *S* reacción de Bucherer
Lit.: Angew. Chem. **79**, 329–340 (1967) (1., 2.) ▪ Hassner-Stumer S. 54 (1.) ▪ Houben-Weyl **11/1**, 143 f. (1.); **11/2**, 371 f. (3.) ▪ Justus Liebigs Ann. Chem. **681**, 32 (1965) (3.) ▪ Laue-Plagens, S. 50 ff. (1.) ▪ Org. React. **1**, 105–129 (1942) (1., 2.).

Buchler. Kurzbez. für die 1858 gegr. Firma Buchler GmbH, Harxbütteler Straße 3, 38110 Braunschweig. *Daten* (1995): 54 Beschäftigte, 7,5 Mio. DM Kapital. *Produktion:* Alkaloide, Pharmazeutika.

Buchner, Eduard (1860–1917), Prof. für Chemie, Breslau, Würzburg, Berlin. *Arbeitsgebiete:* Hefeenzyme u. zellfreie Gärungen; Nobelpreis für Chemie 1907.
Lit.: Allg. Prakt. Chem. **18**, 212 (1967) ▪ Neufeldt, S. 98 ▪ Pötsch, S. 71 ▪ Poggendorff **6** ▪ Strube **2**, 194 ▪ Strube et al., S. 170 f.

Buchstabencode der Aminosäuren. Die Trivialnamen der 20 am Bau von natürlichen *Proteinen beteiligten L-α-*Aminosäuren werden nach Empfehlung der *IUPAC/IUB-Nomenklaturkommission mit je einem bzw. drei Buchstaben abgekürzt (Tab. s. Aminosäuren). – *E* amino acids letter code – *F* code de lettres pour les acides aminés – *I* codice di lettura degli aminoacidi – *S* código de letras para los aminoácidos
Lit.: Voet-Voet, S. 63.

Buchstabensäuren. Bez. für eine Gruppe von Sulfonsäuren der Naphthalin-Reihe, deren Trivialname aus einem *Buchstaben* als Präfix u. *Säure* gebildet wird; *Beisp.:* s. Naphthol- u. Naphthylaminsulfonsäuren. – *E* letter acids – *F* acides littéraux – *I* acidi letterali – *S* ácidos literales

Buchu s. Bucco.

Buchweizen. Gelegentlich auch *Heidekorn* genanntes, rötlich-weiß blühendes, 30–60 cm hohes einjähriges Knöterichgewächs (*Fagopyrum esculentum* Moench u. a. *F.*-Arten, Polygomaceae), das aus der mongol. Steppe stammt u. wegen seiner bucheckerähnlichen Mehlfrüchte in Europa, Asien u. Amerika kultiviert wird. Das B.-Mehl enthält 6,3% Proteine, 1,1% Fette, 79,7% Kohlenhydrate (davon 0,5% Faserstoffe) u. 12% Wasser. Der Gehalt an Lysin u. Arginin ist viel höher, der an Cystin niedriger, der an Vitaminen u. Mineralstoffen ähnlich wie bei *Getreiden (zu denen B. *nicht* gehört).
Verw.: In Form von Brei als Nahrungsmittel u. als Geflügelfutter. Bei der Verfütterung an Weidevieh ist wegen des Gehalts an photosensibilisierendem *Fagopyrin* (s. Hypericin) Vorsicht geboten, da dies bes. bei weißbehaartem Vieh zu sog. *Fagopyrismus* (*photodynamischer Effekt) führen kann. B.-Kraut enthält 1–5% Rutin, das techn. daraus gewonnen wird, u. kann daher als Tee gegen Venenschwäche, Krampfadern u. Ödeme dienen. – *E* buckwheat – *F* blé noir – *I* grano saraceno – *S* alforfón, trigo sarraceno
Lit.: Hager (5.) **5**, 137–141. – *[HS 1008 10]*

Buckminsterfullerenen s. Fullerene.

Buclizin.

Cl—⟨C₆H₄⟩—CH(C₆H₅)—N⟨piperazin⟩N—CH₂—⟨C₆H₄⟩—C(CH₃)₃

Internat. Freinamen für 1-(4-*tert*-Butylbenzyl)-4-(4-chlorbenzhydryl)-piperazin, $C_{28}H_{33}ClN_2$, M_R 433,04, Sdp. bei 217–220 °C (0,13 Pa). Verwendet wird das Dihydrochlorid, Schmp. 230–240 °C. Es wurde 1955 als appetitanregendes Antihistaminikum u. Antiemetikum von UCB patentiert u. ist von Temmler Pharma in Kombination mit *Paracetamol u. Codeinphosphat (Migralave®) im Handel. – *E* = *F* buclizine – *I* = *S* buclizina
Lit.: Hager (5.) **7**, 537 f. – *[HS 293 359; CAS 82-95-1; 129-74-8 (Dihydrochlorid)]*

Buclosamid.

Internat. Freinamen für *N*-Butyl-4-chlorsalicylamid, $C_{11}H_{14}ClNO_2$, M_R 227,69, Schmp. 90–92 °C. Es wurde 1960 als Antimykotikum von Hoechst (Jadit®, außer Handel) patentiert. – *E* = *F* buclosamide – *I* buclosammide – *S* buclosamida
Lit.: Hager (5.) **7**, 538 f. – *[HS 292 429; CAS 575-74-6]*

Budal®. Säureträger, Eiweißaufschluß, Haltbarkeitsverlängerung. *B.:* Budenheim.

Budan®. Brauereireiniger. *B.:* Budenheim.

Budapester Vertrag. Der B. V. vom 28. April 1977 regelt für die Zwecke von Patentverf. die internat. Anerkennung der Hinterlegung von *Mikroorganismen durch die Unterzeichnerstaaten (Vertragsstaaten). In der BRD erfüllt die *DSM als anerkannte Hinterlegungsstelle die vielfältigen hiermit verknüpften Bedingungen. Die Ausführungsverordnung vom 31. Januar 1981 regelt u. a. Fragen zur Ersthinterlegung, Dauer der Aufbewahrung (mind. 30 Jahre), der Geheimhaltung, der Verpflichtung zur Prüfung auf Lebensfähigkeit u. zur Abgabe von Proben. – *E* contract of Budapest – *F* accords de Budapest – *I* contratto di Budapest – *S* tratado de Budapest
Lit.: Rehm-Reed (2.) **12**, 281–298.

Budenheim. Kurzbez. für die 1908 gegr. Firma Chem. Fabrik Budenheim, Rudolf A. Oetker, Rheinstraße 27, 55257 Budenheim. *Daten* (1995): ca. 650 Beschäftigte, 10 Mio. DM Kapital, ca. 250 Mio. DM Umsatz. *Produktion:* Phosphorsäure, Phosphonsäuren. Phosphate, Ind.-Chemikalien, Ind.-Reiniger, Kunstdärme, Verpackungsfolien.

Budesonid.

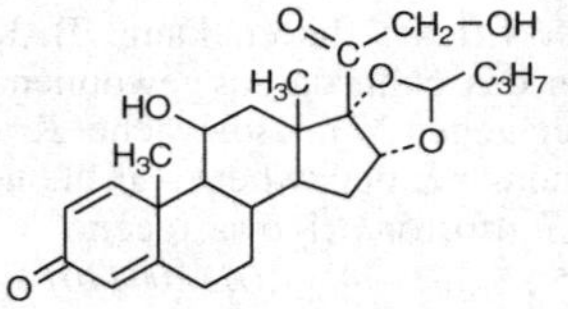

Internat. Freiname für 16α,17-Butylidendioxy-11β, 21-dihydroxy-1,4-pregnadien-3,20-dion, $C_{25}H_{34}O_6$, M_R 430,54, Zers. bei 221–232 °C; $[\alpha]_D^{25}$ +98,9° (c 0,28/CH_2Cl_2). Es wurde 1973 u. 1975 als entzündungshemmendes *Glucocortico(stero)id von Bofors patentiert u. ist von Astra GmbH (Pulmicort®) u. von Pharma Stern (Topinasal®) im Handel. – *E* = *F* = *I* budesonide – *S* budesonida
Lit.: ASP ▪ Hager (5.) **7**, 539 f. – *[HS 2932 99; CAS 51333-22-3]*

Budex®. Textilhilfsmittel, Phosphonsäuren. *B.:* Budenheim.

Budit®. Phosphat-haltige od. Phosphat-freie Komplexierungs- u. Dispergierungsmittel für die Wasch-, Reinigungsmittel-, Anstrichmittel-, Leder- u. Papier-Ind., Flammschutzmittel, Korrosionsschutzpigmente. *B.:* Budenheim.

Büchel, Karl Heinz (geb. 1931), Prof. Dr. h. c. mult., ehem. Vorstandsmitglied der Bayer AG, Sprecher der Forschung, Honorarprofessur an der TH Aachen, Univ. Bonn, Vorsitzender des Kuratoriums des Fonds der chem. Industrie. *Arbeitsgebiete:* Heterocyclen, Struktur u. Wirkung von Herbiziden u. Insektiziden, Synth. von Antimykotika u. Fungiziden. Mitherausgeber des Houben-Weyl (Methoden der Organischen Chemie seit 1976; Industrielle Anorganische Chemie seit 1984).
Lit.: Kürschner (16.), S. 44 ▪ Nachr. Chem. Tech. Lab. **39**, 1448 (1991) ▪ Neufeldt, S. 283 ▪ Wer ist wer, S. 178.

Büchi-Umlagerung. Die Reaktion von Allylalkoholen in β,γ-ungesätt. Amide unter der Einwirkung von *Formamid-Acetalen wird als B.-U. bezeichnet (vgl. Allylumlagerung). Als reaktive Zwischenstufe, die die eigentliche [2,3]-Umlagerung eingeht, wird ein nucleophiles *Carben angesehen.

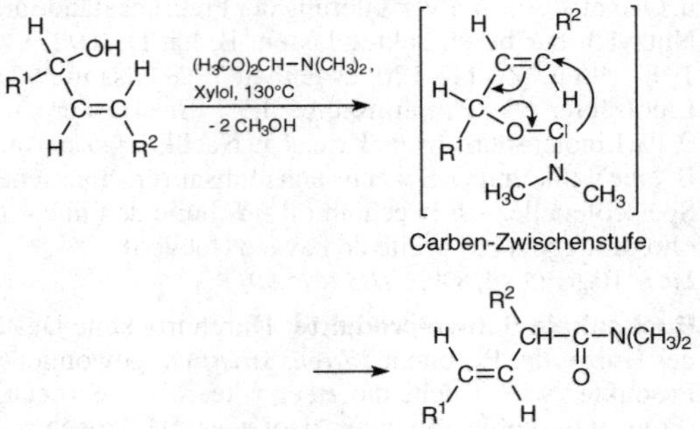

Carben-Zwischenstufe

Die B.-U. besitzt Bedeutung in der Herst. von chiralen Isopren-Derivaten. – *E* Büchi rearrangement – *F* réarrangement de Büchi – *I* trasposizione di Büchi – *S* transposición de Büchi
Lit.: J. Am. Chem. Soc. **96**, 5563 (1974) ▪ Trost-Fleming **6**, 853, 875.

Büchner-Trichter s. Filter.

Bügelfrei-Ausrüstung s. Pflegeleicht-Ausrüstung u. Textilveredlung.

Büretten. Bez. für zylindr. graduierte u. geeichte Glasröhren, die zum Messen kleiner Flüssigkeits-Mengen, v. a. in der *Maßanalyse, dienen. Sie werden an ihrem unteren Ende mit einem geraden bzw. seitlichen Glashahn (Abb. links bzw. rechts) mit Ventilen verschlossen. Um das Festsetzen der B.-Hähne zu vermeiden, kann man diese fetten od. Hahnküken aus PTFE verwenden. Eine bessere Ablesung ermöglichen die sog. Schellbach-Büretten.

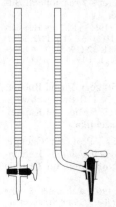

Abb.: Aufbau einer Bürette.

Mikrobüretten bestehen aus 2 kommunizierenden Röhren, die durch einen Hahn voneinander getrennt werden können. Während die eine der beiden Röhren die Büretteneinteilung trägt, wird die andere zum Füllen u. als Vorratsgefäß benötigt. Neuere Ausführungen von B. bedienen sich eines Glas- od. Metallkolbens zur Dosierung der Flüssigkeit (Kolbenbüretten), wobei die Kolbenbewegung auch motor. (Motorbüretten), ggf.

mit digitaler od. anderer Anzeige, erfolgen kann. Die erste B. wurde von dem Franzosen Descroizilles um 1791 hergestellt[1]. Gasbüretten s. bei Gasanalyse. – *E = F* burettes – *I* burette – *S* buretas
Lit.: [1] J. Chem. Educ. **28**, 514 (1951).
allg.: Deeg u. Richter, Glas im Laboratorium, Aulendorf: Cantor 1965 ▪ DIN 12700, Tl. 1–6 (03/1975).

Buergerit s. Turmalin.

Buerlecithin®. Tonikum mit *Lecithin (pflanzlicher Lipid-Komplex mit Phosphatidylcholin, Kephalin u. Inositphosphatid). *B.:* Roland.

Bürstensaum s. Mikrovilli.

Bürzeldrüse. Bei Vögeln gibt es kaum Hautdrüsen. Die einzig wirklich auffallende ist die B. (Glandula uropygii). Sie befindet sich auf der Körperoberseite über den letzten Schwanzwirbeln am Grunde der Schwanzfedern. Wasservögel besitzen in der Regel sehr große Bürzeldrüsen. Die relativ schwersten befinden sich beim Zwergtaucher (ca. 0,60% der Körpermasse) u. beim Zaunkönig (0,58%). Relativ kleine B. besitzen die Tauben, Nachtschwalben, Papageien u. Reiher. Bei Großtrappe, Emu, Kasuar u. einigen Tauben existieren B. nur embryonal; beim erwachsenen Vogel fehlen sie. Die aus 2 eiförmigen Lappen bestehenden B. enthalten holokrine Epithelzellen, die durch Zerfall ein öliges Sekret bilden. Dies gelangt in ein gemeinsames Sammelbecken. Durch Muskeldruck wird das Sekret ausgestoßen od. mit dem Schnabel herausgequetscht u. dann über das Gefieder verteilt. Das B.-Sekret besteht aus einer Kombination von sudanophiler Granula u. Zellfragmenten. Die Granula besteht v. a. aus Monoester-Wachsen von mehr od. weniger stark verzweigten Fettsäuren u. Alkoholen, deren Zusammensetzung sich chemotaxonom. verwerten läßt, da sie gut artkonstant ist. Daneben sind u. a. auch Farbstoffe u. Duftstoffe zu finden. Als Aufgaben des B.-Sekretes werden diskutiert: 1. Schutz des Gefieders vor Sprödigkeit u. Abnutzung; – 2. wasserabstoßende Wirkung (nicht bei Kormoranen, hier wird die Benetzbarkeit des Gefieders für das bessere Tauchen sogar unterstützt); – 3. Einölen von Schnabel u. Beinen; – 4. Verteidigung durch übelriechende B.-Sekrete bei Moschusente, Wiedehopf u. Röhrennasen; – 5. chem. Kommunikation (bei Gänsen vermutet); – 6. Farben im Sekret können das Gefieder einfärben (z. B. Rosafärbung bei Pelikanen u. Möwen); – 7. eine fungizide u. bakterizide Funktion, wie sie Fettsäuren auf der Haut von Säugetieren haben, ist auch bei Vögeln denkbar; – 8. das im Sekret enthaltene Provitamin Ergosterol könnte nach dem Verstreichen auf dem Gefieder u. unter Einwirkung von UV-Sonnenstrahlen in Vitamin D umgewandelt u. so als entsprechende Quelle genutzt werden. – *E* rump gland – *F* glande du croupion – *I* ghiandola del codrione – *S* glándula uropigial
Lit.: Bezzel u. Prinzinger, Ornithologie, 2. Aufl., Stuttgart: Ulmer 1990.

Bürzeldrüsenfett. Bez. für die Sekrete der Bürzeldrüse von Wasservögeln, bestehend aus kompliziert zusammengesetzten Esterwachsen. Es überwiegen Monoesterwachse aus Alkyl-verzweigten *Fettsäuren u. *Alkoholen. Bei manchen Arten wurden daneben auch Diesterwachse, Triesterwachse, *Triglyceride, *Squalen, Sterole (*Sterine), freie *Alkohole, *Diole u. *Fettsäuren nachgewiesen.
Verw.: Als Fettkörper in kosmet. Zubereitungen. – *E* preen (uropygial) gland fat – *F* sécret de glande de croupion – *I* grasso della ghiandola del codrione – *S* materia grasa de la glándula uropigial
Lit.: Zechmeister **34**, 373–438.

Büttenpapiere s. Papier.

Bufadienolide.

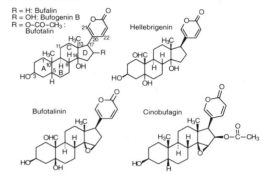

Tab.: Daten zu ausgewählten Bufadienoliden.

	Summenformel	M_R	Schmp. [°C]	$[\alpha]_D$	CAS
Bufotalin	$C_{26}H_{36}O_6$	444,57	223 (Zers.)	+5,4° ($CHCl_3$)	471-95-4
Cinobufagin	$C_{26}H_{34}O_6$	442,55	213–215		470-37-1
Bufotalinin	$C_{24}H_{30}O_6$	414,52	195–201 (Hydrat)		
Hellebrigenin	$C_{24}H_{32}O_6$	416,52	220–227		

Die B. sind chem. u. in ihrer biolog. Wirkung mit den *Cardenoliden verwandt. Verb. dieser Grundstruktur kommen in Pflanzenfamilien der Liliaceen (*Scilla-* u. *Bowiea-*Arten) u. Ranunculaceen (*Helleborus-*Arten) sowie in den Hautdrüsen (v. a. Ohrspeicheldrüsen) von Kröten (Bufonidae) vor, von denen sich auch der Name ableitet. B. sind tox. u. besitzen wie die Cardenolide herzaktive Wirkung, vgl. Bufotoxin.
In der europ. Kröte *B. vulgaris* sind u. a. Bufotalin u. *Bufotoxin enthalten. Haupt-B. der ostasiat. Kröte *B. asiaticus,* deren Drüsen-Präp. („Ch'an Su") in der chines. Volksmedizin zur Behandlung von Ödemen Verw. findet, ist Cinobufagin. Weitere B. sind z. B. Hellebrigenin u. Bufotalinin.
Verw.: In der modernen Medizin sind B. von *Digitalis-Glykosiden verdrängt worden, die leichter zugänglich sind. – *E* bufadienolides – *F* bufadiènolide – *I* bufadienolidi – *S* bufadienolidas
Lit.: Beilstein E V **18/4**, 443 u. E V **19/6**, 60 ▪ Chem.-Ztg. **108**, 195 (1984) ▪ Habermehl, Gift-Tiere u. ihre Waffen (5.), S. 222 ff., Berlin: Springer 1994 ▪ Helv. Chim. Acta **66**, 2632 (1983) ▪ Pharm. Unserer Zeit **13**, 129–136 (1984) (Review) ▪ Prog. Nucl. Magn. Res. Spectr. **19**, 131–181 (1987) ▪ Sax (8.), Nr. BOM 650–BON 000, DPG 109 ▪ Ullmann (5.) **A5**, 277 ▪ s. a. Krötengifte.

Bufalo®. Fungizid auf der Basis von *Tebuconazol u. *Fenpropidin. *B.:* Bayer.

Bufe, Ernst-Uwe (geb. 1944), Dr. rer. nat., Mitglied des Vorstandes, Unternehmensbereich Chemie, der Degussa AG, Frankfurt seit 1987.

Bufedil®. Ampullen, Tabl. u. Tropfen mit *Buflomedil-Hydrochlorid gegen periphere arterielle Durchblutungsstörungen („Schaufensterkrankheit"). *B.:* Abbott.

Bufeniod.

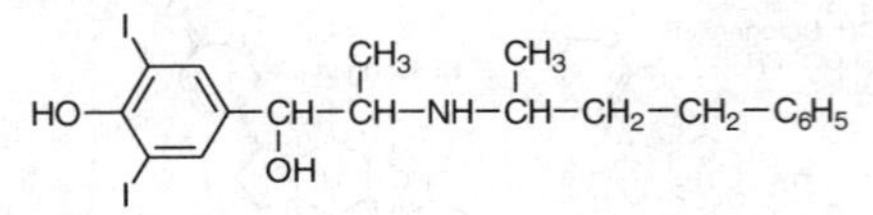

Internat. Freiname für 1-(4-Hydroxy-3,5-diiodphenyl)-2-(1-methyl-3-phenylpropylamino)-1-propanol, $C_{19}H_{23}I_2NO_2$, M_R 551,21, Schmp. bei langsamem Erhitzen 185 °C (Zers.), bei schnellem Erhitzen 212 °C. LD_{50} (Maus, i. p.) >600, (Maus, oral) >2000 mg/kg. Es wurde 1968 als Antihypertonikum u. Vasodilatator von Lab. Houdé patentiert. – *E* bufeniode – *F* buféniode – *I* bufeniodio – *S* bufeniodo
Lit.: Kleemann/Engel (2.), S. 119 ▪ Merck-Index (11.), Nr. 1460. – *[HS 2922 50; CAS 22103-14-6]*

Bufexamac.

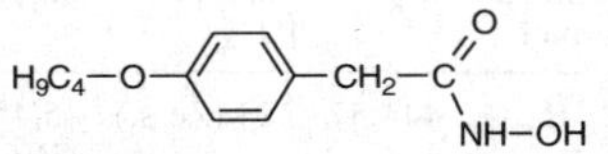

Internat. Freiname für 2-(4-Butoxyphenyl)-acetohydroxamsäure, $C_{12}H_{17}NO_3$, M_R 223,27, Schmp. 153–155 °C; LD_{50} (Maus, oral) >8000, (Ratte, oral) >4000 mg/kg. Es wurde 1965 u. 1969 als Antiphlogistikum von Madan patentiert, kam von Lederle (Parfenac®) in den Handel u. ist Generika-fähig. – *E* = *F* bufexamac – *I* = *S* bufexamaco
Lit.: ASP ▪ Hager (5.) **7**, 541 f. – *[HS 2928 00; CAS 2438-72-4]*

Buflomedil.

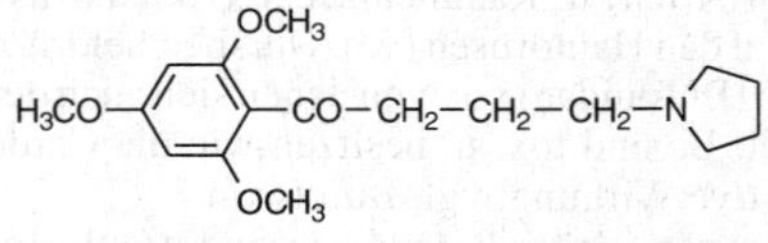

Internat. Freiname für 2′,4′,6′-Trimethoxy-4-(1-pyrrolidinyl)-butyrophenon, $C_{17}H_{25}NO_4$, M_R 307,39. Verwendet wird das Hydrochlorid: Schmp. 192–193 °C; LD_{50} (Maus, i. v.) 80±6 mg/kg. Es wurde 1971 als Vasodilatator u. Spasmolytikum von Orsymonde patentiert, kam von Rhône-Poulenc (Defluina®) u. Abbott (Bufedil®) in den Handel u. ist Generika-fähig. – *E* = *I* = *S* buflomedil – *F* buflomédil
Lit.: ASP ▪ Hager (5.) **7**, 542 ff. ▪ Ullmann (5.) **A 5**, 307 f. – *[HS 2933 90; CAS 55837-25-7; 35543-24-9 (Hydrochlorid)]*

Bufogenin s. Bufotoxin.

Buformin.

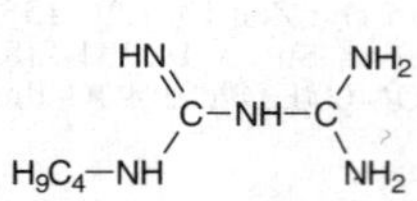

Internat. Freiname für das antidiabet. wirksame 1-Butylbiguanid, $C_6H_{15}N_5$, M_R 157,22, Schmp. 174–177 °C; LD_{50} (Maus, i. p.) 380 mg/kg. Es wurde 1960 von USV patentiert, war von Grünenthal (Silubin®) im Handel; s. a. Biguanide. – *E* buformin – *F* buformine – *I* = *S* buformina
Lit.: Hager (5.) **7**, 544 f. ▪ Ullmann (5.) **A 3**, 1 f. – *[HS 2925 20; CAS 692-13-7]*

Bufotalin, Bufotalinin s. Bufadienolide.

Bufotenin s. Psilocybin.

Bufotoxin.

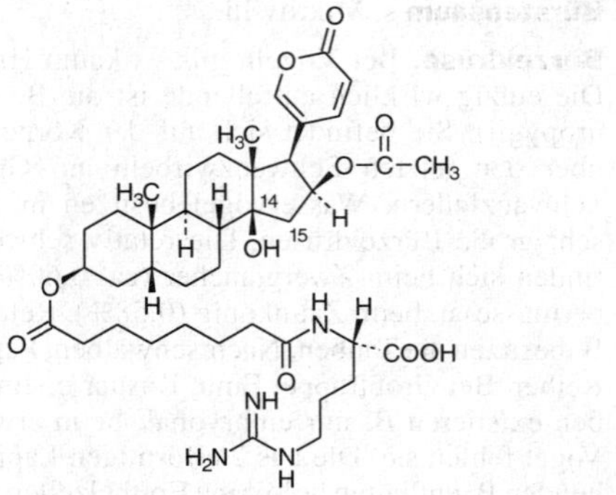

$C_{40}H_{60}N_4O_{10}$, M_R 756,94, Monohydrat, Schmp. 204–205 °C, $[\alpha]_D$ +3,9° (CH_3OH), lösl. in Pyridin u. Methanol, unlösl. in Wasser, Chloroform, LD_{50} (Maus) 0,4 mg/kg. B. kommt zu ≈1% in der Gesamtgiftmenge des Erdkrötensekretes vor. B. ist ein Ester des Suberylarginins mit *Bufogenin B* ($C_{24}H_{34}O_5$, M_R 402,53, Schmp. 210–223 °C), dessen Retrospaltung nur auf enzymat. Wege möglich ist. Bei Einwirkung von Säuren u. Alkalien wird zusätzlich ein Mol. Wasser abgespalten. Die physiolog. Wirkung des B. u. Bufogenins ähnelt weitgehend den *Digitalis-Glykosiden (vgl. Bufadienolide). Bemerkenswert ist die starke lokalanästhet. Wirkung, die ein Mehrfaches der des Cocains beträgt. Wesentlich für die Giftwirkung ist der ungesätt. Lacton-Ring, Hydrierung führt zu ungiftigen Verb., die Seitenkette muß β-ständig sein, die Ringe A u. B müssen *cis*-verknüpft sein. Fehlt die an C-14 β-ständige Hydroxy-Gruppe od. bildet sie mit dem C-15 ein Epoxid, vermindert sich die Herzaktivität zugunsten einer Krampfwirkung. – *E* bufotoxin – *F* bufotoxine – *I* bufotossina – *S* bufotoxina
Lit.: Beilstein EV **18/4**, 443. – *Synth.:* J. Org. Chem. **52**, 3573–3578 (1987) ▪ s. a. Bufadienolide. – *[CAS 464-81-3]*

Bugspriet s. Cyclohexan u. Konformation.

Bugula s. Bryostatine.

Builder (Gerüststoffe). Funktionelle Inhaltsstoffe von *Waschmittel-Formulierungen, die im Waschprozeß der Enthärtung des Wassers (s. Härte des Wassers) dienen. Sie unterstützen die Waschwirkung durch ihre Alkalität u. das Herauslösen von Calcium- u. Magnesiumionen aus Schmutz/Faserbrücken u. fördern das Dispergieren von Pigmentschmutz in der Waschflotte. Nach dem in vielen Ländern durch die Gesetzgebung veranlaßten Verzicht auf das multifunktionelle Pentanatriumtriphosphat (s. Natriumphosphate), dessen

Einsatz zur *Eutrophierung stehender od. langsam fließender Oberflächengewässer geführt hatte, dominiert auf dem Markt heute das ternäre B.-Syst. aus dem unlösl. *Zeolith A (Wasser-Enthärtung durch Ionenaustausch, Adsorption von molekulardispersen Substanzen, Heterokoagulation mit Pigmenten), Soda (Alkalireserve) u. *Polycarboxylaten (Ca-bindende u. dispergierende Wirkung). Als Polycarboxylate werden bisher überwiegend die Natriumsalze von Homo- u. statist. Copolymeren aus *Acrylsäure u. *Maleinsäureanhydrid eingesetzt, die in unterstöchiometr. Mengen die Ausfällung faserschädigender Ablagerungen, z. B. von Calcitkrist., verzögern (Threshold-Effekt, s. Wasserenthärtung). B.-Syst. sind stark variabel: Statt Zeolith A kann der P-Typ mit besserer Austauschkinetik u. höherem Tensidaufnahmevermögen eingesetzt werden (vgl. Zeolithe). Alternativen für die Zeolith-haltigen B.-Syst. bieten alkal. amorphe Disilicate od. krist. Schichtsilicate. Anstelle der biolog. schwer abbaubaren, allerdings durch Adsorption am Klärschlamm gut eliminierbaren Polycarboxylate werden z. B. *Citronensäure, in wenigen Ländern auch NTA (*Nitrilotriessigsäure), – noch in Entwicklung befindliche – *Polyasparginsäuren, Acrolein-Vinylacetat-Copolymere od. mit *Acrolein modifizierte Stärke eingesetzt. – *E = I* builder – *F* adjuvants – *S* sustancia suporte

Lit.: Cahn, Proc. 3rd World Conf. Det.: Global Pers., S. 161–173, Champaign, IL/USA: AOCS Press 1993 ▪ Ullmann (5.) **A 8**, 350–357.

Bukett s. Wein.

Bulbocapnin.

$C_{19}H_{19}NO_4$, M_R 325,36, rhomb. Prismen, Schmp. 200–202 °C, z. B. *Corydalis cava* (Hohler Lerchensporn), *Isochinolin-Alkaloid aus Mohngewächsen mit peripherer *Dopamin-Rezeptor blockierender Wirkung. Verw. heute nur noch selten in Präp. bei leichten Depressionen. – *E = F* bulbocapnine – *I = S* bulbocapnina

Lit.: Beilstein EV **27/25**, 83 ▪ Braun-Frohne (6.), S. 193 ▪ R. D. K. IV-3.B, 5. – *Synth.:* Arch. Pharm. (Weinheim) **321**, 149 (1988). – *[HS 2939.90; CAS 632-47-3]*

Bulbus (latein. = Zwiebel, Knolle). 1. Pflanzenzwiebel; z. B. *B. allii sativi* = Knoblauchzwiebel, *B. scillae* = Meerzwiebel. 2. anatomische Bez. für zwiebelförmige Organteile od. Organe; z. B. *B. oculi* = Augapfel, Teile des Verdauungstraktes bei Würmern.

Bulking agent. Branchenbez. für körpergebende Inhalts- bzw. Zusatzstoffe, die in Kombination mit hochintensiven *Süßstoffen hauptsächlich in kalorienreduzierten Süß- u. Backwaren verwendet werden. *Beisp.* für b. a. sind: Zuckeralkohole wie *Sorbit, *Xylit, *Mannit od. Isomalt (s. Palatinit) sowie Verb. wie Polydextrose®. Die Aufgabe der b. a. ist es, die körpergebenden u. rheolog. Eigenschaften des Zuckers zu imitieren, während die hochintensiven Süßstoffe für die entsprechende Süße des Endproduktes sorgen; s. Einzelstichworte. – *E* bulking agent – *I* materie riempitive – *S* agente de carga

Bulk-Ware. Von *E* bulk = Menge abgeleitete Bez. für (nichtkonfektionierte) Massengüter (Schüttgüter).

Bulldock®. Insektizid auf Basis von β-*Cyfluthrin. *B.:* Bayer.

Bullvalen (Tricyclo[3.3.2.0^{2,8}]deca-3,6,9-trien). $C_{10}H_{10}$, M_R 130,19. Farblose Krist., Schmp. 96 °C, zerfällt bei ca. 400 °C in Naphthalin u. Wasserstoff. Das von von Doering u. Roth[1] postulierte B. konnte von Schröder[2] auf photochem. Wege hergestellt werden.

Das Mol. besitzt eine bemerkenswerte Eigenschaft: Seine 10 C-Atome wechseln bei normaler Temp. ständig ihre Plätze, wie das in der Abb. deutlich wird (R = H). Insgesamt sind ca. $1,2 \cdot 10^6$ Valenzisomere denkbar, die beim unsubstituierten B. alle gleiche Struktur besitzen; entsprechend zeigt das NMR-Spektrum auch nur 1 Signal für eine Protonenart. Bei substituierten B. (R ≠ H) zeigen sich Strukturunterschiede. Verb. vom Typ des B. u. des verwandten *Semibullvalens bezeichnet man als Mol. mit *fluktuierenden Bindungen*. Die B.-Umlagerungen kann man als degenerierte *Cope-Umlagerungen auffassen; für derartige spezielle *Valenzisomerisierungen hat sich der Begriff *Topomerisierung* eingebürgert. Der Name B. wurde von von Doering (s. oben) in Anlehnung an die stierartige Figur des Mol. (mit dem Cyclopropan-Ring als Kopf) geprägt. – *E* bullvalene – *F* bullvalène – *I* bullvalene – *S* bulvaleno

Lit.: [1] Angew. Chem. **75**, 27–35 (1963). [2] Chem. Ber. **97**, 3140 (1964). *allg.:* Angew. Chem. **77**, 777–784 (1965); **79**, 458–467 (1967) ▪ Helv. Chim. Acta **57**, 1415–1433 (1974) ▪ Houben-Weyl **4/3**, 532–575.

Bumadizon.

$H_9C_4-CH-CO-N-NH-C_6H_5$
         | |
         COOH C_6H_5

Internat. Freiname für das antiphlogist. u. antipyret. wirksame Butylmalonsäuremono-(1,2-diphenylhydrazid), $C_{19}H_{22}N_2O_3$, M_R 326,40, Schmp. 116–117 °C, auch 77–79 °C angegeben (abhängig von der Krist.-Geschw.); UV_{max} (0,1 N Natronlauge): 234, 264 nm (ε 16 200, 3700). Verwendet wird das Calciumsalz-Semihydrat: Zers. bei 154 °C, LD_{50} (Maus, oral) 2500, (Maus, i. v.) 258, (Ratte, oral) 1250, (Ratte, i. v.) 263 mg/kg. Es wurde 1964 u. 1969 als Antiphlogistikum u. Antipyretikum von Geigy, 1966 von Byk-Gulden (Eumotol®, außer Handel) patentiert. – *E = F = I* bumadizone – *S* bumadizona

Lit.: ASP ▪ Hager (5.) **7**, 546 f. – *[HS 2928 00; CAS 3583-64-0; 34461-73-9 (Calcium-Salz-Semihydrat)]*

Bumetanid.

Internat. Freiname für 3-(Butylamino)-4-phenoxy-5-sulfamoyl-benzoesäure, $C_{17}H_{20}N_2O_5S$, M_R 364,42, Schmp. 230–231 °C, LD_{50} (Maus, i. v.) 330 mg/kg. Es wurde als Diuretikum 1970 u. 1972 von Leo GmbH (Burinex®) patentiert. – $E = I$ bumetanide – F bumétanide – S bumetanida

Lit.: ASP ▪ Florey **22**, 107–144 ▪ Hager (5.) **7**, 547 ff. – *[HS 2935 00; CAS 28395-03-1]*

BUN. Abk. für *B*lood *U*rea *N*itrogen, dtsch. Blut-Harnstoff-Stickstoff. Normalwerte: 0,1–0,2 g/l. Für die klin. Chemie sind eine Reihe von BUN-Reagenzien u. -Verf. entwickelt worden, vgl. Harnstoff.

Buna®. Aus der Abk. von 1,3-*Bu*tadien u. *Na*trium entstandene Marke für einen ursprünglich schon 1910 von Harries bzw. Mathews u. Strange entwickelten *Synthesekautschuk*, der zunächst durch Polymerisation von *1,3-B*utadien mit feinverteiltem Na-Metall als Katalysator hergestellt wurde, wobei die Viskositäten durch angehängte Ziffern angegeben wurden (sog. *Zahlen-Buna*). Weiterentwicklungen bei Bayer u. die Ausarbeitung der Emulsions-*Polymerisation (1929, Bock u. Tschunkur) führten von diesem *Polybutadien zu dem sog. *Buchstaben-Buna*, d. h. zu Mischpolymerisaten von Butadien mit Styrol (B. S.) bzw. mit Acrylnitril (B. N, später *Perbunan® N, heute NT, ein *Nitrilkautschuk). Durch weitere Abwandlungen der Verf., die Entwicklung der *Ziegler-Natta-Katalysatoren, Verw. anderer Monomeren für die Copolymerisation (z.B. Isopren) usw. wurde seither eine Vielzahl von B.-Typen – auch in Latexform – zugänglich, die für die verschiedenen Verw.-Zwecke optimal geeignet sind. In der BRD seit 1958 bei den Bunawerken Hüls hergestellte B.-Typen sind z.B. B. B. B. EM (Emulsions-*SBR, früher B. Hüls), B. AP (*EPM/*EPDM) u. B. CB (*cis*-Polybutadien, ein sog. Stereokautschuk). Im Okt. 1994 Übernahme der Kautschukproduktion von der Hüls AG durch die Bayer AG u. damit Übernahme der Produktlinien der Bunawerke Hüls. Folgende Produkte werden unter dem Namen B. vertrieben: B. CB, Butadien-Kautschuk; B. VJ, Vinyl-Butadien-Kautschuk; B. SL, Lösungs-Styrol-Butadien-Kautschuk; B. VSL, Lösungs-Vinyl-Butadien-Styrol-Kautschuk; B. AP, Ethylen-Propylen-Kautschuk; B. EP, Ethylen-Propylen-Kautschuk. Auch in den neuen Bundesländern werden Synth.-Kautschuke unter dem Markennamen B. produziert u. vertrieben. *B.:* Bayer Buna GmbH.

Bunamiodyl.

Internat. Freiname für 3-Butyrylamino-α-ethyl-2,4,6-triiodzimtsäure, $C_{15}H_{16}I_3NO_3$, M_R 639,01, Schmp. 105–120 °C. Verwendet wird das Natrium-Salz, LD_{50} (Maus, i. v.) 418, (Maus, oral) 2780 mg/kg. Es war von Hefa-Frenon als Röntgenkontrastmittel im Handel (Orabilix®). – $E = F$ bunamiodyl – I bunamoidile – S bunamiodil

Lit.: Kleemann/Engel (2.), S. 122 ▪ Merck-Index (11.), Nr. 1476. – *[HS 292429; CAS 1233-53-0; 1923-76-8 (Natrium-Salz)]*

Bunazosin.

Internat. Freiname für 1-(4-Amino-6,7-dimethoxy-2-chinazolinyl)-4-butyryl-1,4-diazepan, $C_{19}H_{27}N_5O_3$, M_R 373,46; verwendet wird das Hydrochlorid, Schmp. 280–282 °C. B. wurde 1974 u. 1975 als Antihypertonikum von Eisai patentiert u. ist von Boehringer Ingelheim (Andante®) im Handel. – E bunazosin – F bunazosine – $I = S$ bunazosina

Lit.: Beilstein E V **25/13**, 368 ▪ Kleemann-Engel (2.), S. 1096 ▪ Merck Index (11.), Nr. 1477. – *[CAS 80755-51-7, 52712-76-2 (Hydrochlorid)]*

BUND s. Bund für Umwelt- und Naturschutz Deutschland.

Bundesamt für Naturschutz. Das per Gesetz vom 6. 8. 1993 [1] errichtete B. f. N. ist selbständige Bundesoberbehörde im Geschäftsbereich des *Bundesministeriums für Umwelt, Naturschutz und Reaktorsicherheit. Es hat seinen Sitz in Bonn u. nimmt Verwaltungsaufgaben des Bundes auf den Gebieten Naturschutz u. Landschaftspflege wahr, unterstützt das BMU fachlich u. wissenschaftlich u. betreibt Forschung.
Lit.: [1] BGBl. I, S. 1458 (1993).

Bundesanstalt für Arbeitsschutz (BAU). Zum Geschäftsbereich des Bundesministers für Arbeit u. Sozialordnung gehörige Bundesanstalt mit Sitz in 44149 Dortmund, Friedrich-Henkel-Weg 1–25. Die nichtrechtsfähige Anstalt des öffentlichen Rechts mit ca. 400 Mitarbeitern (1995) hat die Aufgabe, Arbeitssicherheit, Gesundheitssituation u. Arbeitsbedingungen in Betrieben u. Verwaltungen zu analysieren u. Problemlösungen zu entwickeln, deren Anw. sie in der Praxis fördert. Sie ist Anmeldestelle für Gefahrstoffe nach dem *Chemikaliengesetz.
Adresse: Bundesanstalt für Arbeitsschutz, Friedrich-Henkel-Weg 1–25, 44149 Dortmund.

Bundesanstalt für Geowissenschaften und Rohstoffe (BGR). Dem Bundesminister für Wirtschaft unterstellte, zentrale Bundesbehörde mit Sitz in 30655 Hannover, Stilleweg 2. Die 1958 gegr. Bundesanstalt beschäftigt ca. 600 Mitarbeiter u. hat folgende Arbeitsschwerpunkte: Beratung der Bundesministerien, techn. Zusammenarbeit mit Entwicklungsländern, Untersuchungen zum Umweltschutz u. zu Standortfragen der Endlagerung, Meeres- u. Antarktisforschung, instrumentelle u. method. Entwicklungen. *Periodica:* Geolog. Jahrbuch.

Bundesanstalt für Getreide-, Kartoffel- und Fettforschung. Mit Wirkung vom 1.1.1991 kam es an der Bundesforschungsanstalt für Getreide- u. Kartoffelforschung (32756 Detmold, Schützenberg 12) sowie an der Bundesanstalt für Fettforschung (48147 Münster, Piusallee 68/76) zu einer Neustrukturierung. Aus einer Zusammenlagerung beider Anstalten ist die neue Bundesanstalt hervorgegangen. Unter Beibehaltung der bestehenden Standorte hat die neue Bundesanstalt ihren Hauptsitz künftig in Detmold.
Aufgaben: Forschung auf dem Gebiet der Getreide- u. Kartoffelverarbeitung u. verwandter Wissenschaften, sowie der Nahrungsfette, techn. Fette u. deren Rohstoffe. Zur Erfüllung dieser Aufgaben werden die biolog., chem. u. physikal. Eigenschaften der Rohstoffe, ihrer Bestandteile u. Endprodukte erforscht, neue analyt. Meth. entwickelt u. technolog. Verf. erarbeitet u. erprobt, um sie der Praxis zugänglich zu machen.
Die Erkenntnisse aus der Forschungstätigkeit dienen sowohl als Entscheidungshilfe der Agrar- u. Ernährungspolitik der Bundesregierung als auch den Interessen der Allgemeinheit.

Bundesanstalt für Materialforschung und -prüfung (BAM). Die BAM mit Sitz in 12205 Berlin, Unter den Eichen 87, ist eine techn.-wissenschaftliche Bundesbehörde im Geschäftsbereich des Bundesministeriums für Wirtschaft. Sie entstand 1954 aus der Vereinigung des 1871 als Mechan. Techn. Versuchsanstalt gegr., 1904 umbenannten Materialprüfungsamtes u. der 1889 als Zentralstelle für Explosivstoffe errichteten Chem.-Techn. Reichsanstalt. Die BAM beschäftigt ca. 1700 Mitarbeiter – davon mehr als 800 Wissenschaftler u. Ingenieure – in 10 Abteilungen. Die BAM hat gemäß ihrem Gründungserlaß „die Entwicklung der dtsch. Wirtschaft zu fördern" u. ist im Aufgabenverbund Material-Chemie-Umwelt-Sicherheit zuständig für: hoheitliche Funktionen zur öffentlich-techn. Sicherheit, Mitarbeit bei der Entwicklung entsprechender Regelungen, Beratung der Bundesregierung u. der Wirtschaft sowie der nat. u. internat. Organisationen im Bereich der Materialtechnik u. Chemie, Entwicklung u. Bereitstellung von Referenzmaterialien u. Referenzverf., Unterstützung der Normung u.a. techn. Regeln für die Beurteilung von Stoffen, Materialien, Konstruktionen u. Verfahren. Mit ihren Aufgaben u. Tätigkeiten verfolgt die BAM die Ziele: Leistungssteigerung der Wirtschaft, Erweiterung der techn.-wissenschaftlichen Erkenntnisse u. Sicherung u. Verbesserung der Lebensbedingungen. Die BAM ist nat. Inst. für die Prüftechnik u. in die internat. u. techn. Zusammenarbeit eingebunden.
Publikationen: Jahresberichte, Forschungsberichte, Sonderschriften, Tätigkeitsberichte. – INTERNET-Adresse: http://www.bam-berlin.de.

Bundesanstalt für Milchforschung. Die 1877 als Milchwirtschaftliche Versuchsstation in Kiel gegr., seit 1950 dem Bundesministerium für Ernährung, Landwirtschaft u. Forsten unterstehende Anstalt mit Sitz in 24103 Kiel, Herman-Weigmann-Str. 1, betreibt ernährungs- u. agrarwissenschaftliche Forschung auf dem Gebiet der Milchwirtschaft u. verwandter Gebiete. Sie hat die Aufgabe, die wissenschaftlichen Grundlagen der Produktion von Milch, ihrer Verarbeitung zu Milchprodukten u. anderen Lebensmitteln sowie die Voraussetzungen für die sinnvolle Verw. dieser Erzeugnisse für eine gesunde Ernährung zu erarbeiten. Die dabei gewonnenen Erkenntnisse dienen als Entscheidungshilfen für die Ernährungs-, Landwirtschafts- u. Verbraucherpolitik u. werden den Zielgruppen in Wissenschaft, Wirtschaft u. Verbraucherkreisen durch Veröffentlichungen, Informationsveranstaltungen u. andere Kommunikationsmittel verfügbar gemacht. Für die Forschungstätigkeit der ca. 365 Mitarbeiter (1995), davon 76 Wissenschaftler, stehen 7 Inst. (Milcherzeugung, Hygiene, Chemie u. Physik, Mikrobiologie, Physiologie u. Biochemie der Ernährung, Verfahrenstechnik, Betriebswirtschaft u. Marktforschung der Lebensmittelverarbeitung), ein Daten- u. Informationszentrum (mit Rechenzentrum u. Zentralbibliothek) u. eine Versuchsstation zur Verfügung.

Bundesarbeitgeberverband Chemie e.V. (BAVC). Der BAVC wurde 1949 gegr. u. ist die sozialpolit. Spitzenorganisation der dtsch. chem. Ind. mit Sitz in 65189 Wiesbaden, Abraham-Lincoln-Str. 24. Er vertritt 13 regionale Chemie-Arbeitgeberverbände mit insgesamt rund 1800 dtsch. Chemie-Unternehmen u. ca. 680000 Beschäftigten. Zu seinen Arbeitsbereichen gehört der Abschluß von Tarifverträgen auf Bundesebene u. die Koordinierung von Tarifverhandlungen auf regionaler Ebene. Er nimmt die Beratung u. Interessenvertretung auf dem Gebiet des Arbeits-, Tarif- u. Sozialrechts wahr. Er ist zuständig für die Entwicklung neuer Berufsbilder u. Ausbildungsrichtlinien. Der BAVC benennt Vertreter für die Selbstverwaltungsorgane der *Berufsgenossenschaft der chem. Ind., des Unterstützungsvereins der chem. Ind., der Bundesversicherungsanstalt für Angestellte sowie der Bundesanstalt für Arbeit. Der BAVC ist Mitglied des *BDA.
Publikationsorgane: Informationsbrief für Führungskräfte, Blätter für Vorgesetzte, Ausbilder in der chem. Industrie.

Bundesarbeitsgemeinschaft für Arbeitssicherheit (BASI). In der BASI, mit Sitz in Düsseldorf, sind die in der BRD auf dem Gebiet der Arbeitssicherheit u. der Arbeitsmedizin tätigen Organisationen u. Behörden freiwillig zusammengeschlossen. Ihr gehören z.B. die Arbeitgeberverbände, die Gewerkschaften, die Träger der gesetzlichen Unfallversicherung, staatliche Arbeitsschutzbehörden u. Überwachungsorganisationen an. Ihre gemeinschaftliche Aufgabe besteht in der Verbesserung der betrieblichen Sicherheit, der Verkehrssicherheit u. der Sicherheit in Schule, Haushalt u. Freizeit.

Bundesgesundheitsamt (BGA). Das BGA mit Sitz in Berlin wurde 1994 mit dem BGA-Nachfolgegesetz aufgelöst u. in vier voneinander unabhängige Nachfolge-Inst. aufgeteilt. Diese Inst. nehmen jeweils Teile der Aufgaben des früheren BGA wahr. Eines der früheren BGA-Inst., das Inst. für Wasser-, Boden- u. Lufthygiene, wurde Teil des *Umweltbundesamtes in Berlin. Im Geschäftsbereich des Bundesministeriums für Gesundheit wurden drei selbständige Bundesbehörden gegründet: – 1. *Bundesinstitut für Infektionskrankheiten u. nichtübertragbare Krankheiten (Robert-

Koch-Institut), – 2. *Bundesinstitut für gesundheitlichen Verbraucherschutz u. Veterinärmedizin, – 3. *Bundesinstitut für Arzneimittel u. Medizinprodukte.

Bundes-Immissionsschutzgesetz (BImSchG). Gesetz zum Schutz vor schädlichen Umwelteinwirkungen durch *Luftverunreinigungen, Geräusche, Erschütterungen u. ä. Vorgänge. Das BImSchG bildet die Grundlage für ein umfassendes bundeseinheitliches Recht zur Luftreinhaltung u. Lärmbekämpfung. Ziel u. Zweck dieses Gesetzes ist es, Menschen sowie Tiere, Pflanzen u. a. Sachen vor schädlichen Umwelteinwirkungen u., soweit es sich um *genehmigungsbedürftige Anlagen handelt, auch vor Gefahren, erheblichen Nachteilen u. erheblichen Belästigungen, die auf andere Weise herbeigeführt werden, zu schützen u. dem Entstehen schädlicher Umwelteinwirkungen vorzubeugen. Schädliche Umwelteinwirkungen im Sinne dieses Gesetzes sind Immissionen, die nach Art, Ausmaß od. Dauer geeignet sind, Gefahren, erhebliche Nachteile od. erhebliche Belästigungen für die Allgemeinheit od. die Nachbarschaft herbeizuführen.

Die Vorschriften dieses Gesetzes gelten für: – 1. die Errichtung u. den Betrieb von *Anlagen, – 2. das Herstellen, Inverkehrbringen u. Einführen von Anlagen, Brennstoffen u. Treibstoffen, Stoffen u. Erzeugnissen, – 3. die Beschaffenheit, die Ausrüstung, den Betrieb u. die Prüfung von Kraftfahrzeugen u. ihren Anhängern u. von Schienen-, Luft- u. Wasserfahrzeugen sowie von Schwimmkörpern u. schwimmenden Anlagen, – 4. den Bau öffentlicher Straßen sowie von Eisenbahnen u. Straßenbahnen.

Im BImSchG sind insbes. folgende, zunächst voneinander unabhängig wirkende Strategien verankert:

– *Begrenzung der *Immissionen:* Mit der Festlegung von Immissionsgrenzwerten soll verhindert werden, daß tolerierbare Werte der Immissionsbelastung durch Ansiedlung neuer od. die Erweiterung vorhandener Emittenten überschritten werden.

– *Begrenzung der *Emissionen:* Die Begrenzung der Emissionen erfolgt dem Vorsorgegrundsatz entsprechend in der Weise, daß der Einsatz aller nach dem *Stand der Technik möglichen Mittel zur Emissionsminderung in jedem Einzelfall sichergestellt wird, insbes. durch Festlegung von Emissionsgrenzwerten.

Diese Strategien werden durch anlagen-, betriebs-, produkt- u. gebietsbezogene Regelungen realisiert.

– *Anlagenbezogene Regelungen:*
Soweit von Anlagen in bes. Maße Gefahren für die Umwelt ausgehen können, unterliegen ihre Errichtung u. ihr Betrieb der Genehmigungspflicht. Nach Inbetriebnahme dieser Anlagen müssen die Betreiber regelmäßig *Emissionserklärungen (11. BImSchV) abgeben. Genehmigungsbedürftige Anlagen, deren Betrieb mit einem bes. Risikopotential verbunden ist (z. B. Anlagen der chem. Industrie, Mineralöl-Großlager), unterliegen darüber hinaus den bes. Anforderungen der *Störfall-Verordnung (12. BImSchV).
Auch für nicht genehmigungsbedürftige Anlagen enthält das BImSchG Anforderungen, die in einzelnen Bereichen durch Rechts-VO näher konkretisiert werden, wie z. B. Kleinfeuerungsanlagen (1. BImSchV) od. Chemischreinigungsanlagen (2. BImSchV).

– *Betriebsbezogene Regelungen:*
Der betriebliche Immissionsschutz umfaßt insbes. die Regelungen über Betriebsbeauftragte für Immissionsschutz (5. BImSchV) u. über Störfallbeauftragte (s. Betriebsbeauftragter für Umweltschutz) sowie die Mitteilungspflichten zur Betriebsorganisation (§ 52 a BImSchG).

– *Gebietsbezogene Regelungen:*
Zur Bekämpfung örtlicher u. regionaler Luftverunreinigungen stellen die gebietsbezogenen Regelungen des Gesetzes ein wirksames Handlungsinstrumentarium zur Verfügung, das u. a. die Aufstellung von Luftreinhalteplänen, die Ausweisung von Untersuchungsgebieten, Smoggebieten (einschließlich Erlaß von Smog-VO) u. die Einrichtung von Emissionskatastern umfaßt.

– *Produktbezogene Regelungen:*
Hier handelt es sich um Qualitätsnormen für Stoffe u. Erzeugnisse, wie z. B. Brennstoffe (Schwefel-Gehalt im leichten Heizöl – 3. BImSchV) u. Maschinen (Anforderungen an Rasenmäher – 8. BImSchV). Diese setzen v. a. beim Inverkehrbringen von Erzeugnissen od. der Herst. von Produkten ein.

Zu der zum BImSchG erlassenen Rechts-VO u. Verwaltungsvorschriften s. Abb. S. 543 sowie *Lit.* (Stand 1. 8. 1995); s.a. TA Lärm.

Lit.: BImSchG vom 15.03.1974 (BGBl. I, S. 721, 1193), in der Fassung (i.d.F.) vom 14.05.1990 (BGBl. I, S. 880), zuletzt geändert 19.07.1995 (BGBl. I, S. 930) ▪ 1. BImSchV i.d.F. vom 15.07.1988 (BGBl. I, S. 1059) zuletzt geändert 20.07.1994 (BGBl. I, S. 1680) ▪ 2. BImSchV vom 10.12.1990 (BGBl. I, S. 2694), zuletzt geändert am 05.06.1991 (BGBl. I, S. 1218) ▪ 3. BImSchV vom 15.01.1975 (BGBl. I, S. 264), zuletzt geändert am 26.09.1994 (BGBl. I, S. 2640) ▪ 4. BImSchV vom 24.07.1985 (BGBl. I, S. 1586), zuletzt geändert am 26.10.1993 (BGBl. I, S. 1782) ▪ 5. BImSchV vom 30.07.1993 (BGBl. I, S. 1433) ▪ 7. BImSchV vom 18.12.1975 (BGBl. I, S. 3133) ▪ 8. BImSchV vom 23.07.1987 (BGBl. I, S. 1687), i.d.F. vom 13.07.1992 (BGBl. I, S. 1248), geändert mit Wirkung vom 01.01.1994 (BGBl. I, S. 509 (1993)) ▪ 9. BImSchV i.d.F. vom 29.05.1992 (BGBl. I, S. 1001), geändert 20.04.1993 (BGBl. I, S. 494) ▪ 10. BImSchV vom 13.12.1993 (BGBl. I, S. 2036) ▪ 11. BImSchV vom 12.12.1991 (BGBl. I, S. 2213), geändert 26.10.1993 (BGBl. I, S. 1782) ▪ 12. BImSchV i.d.F. vom 20.09.1991 (BGBl. I, S. 1891), geändert 26.10.1993 (BGBl. I, S. 1782) ▪ 13. BImSchV vom 22.06.1983 (BGBl. I, S. 719) ▪ 14. BImSchV vom 09.04.1986 (BGBl. I, S. 380) ▪ 15. BImSchV vom 10.11.1986 (BGBl. I, S. 1729), zuletzt geändert am 27.04.1993 (BGBl. I, S. 509) ▪ 16. BImSchV vom 12.06.1990 (BGBl. I, S. 1036) ▪ 17. BImSchV vom 23.11.1990 (BGBl. I, S. 2545, ber. S. 2832) ▪ 18. BImSchV vom 18.07.1991 (BGBl. I, S. 1588, ber. S. 1790) ▪ 19. BImSchV vom 17.01.1992 (BGBl. I, S. 75) ▪ 20. BImSchV vom 07.10.1992 (BGBl. I, S. 1727) ▪ 21. BImSchV vom 07.10.1992 (BGBl. I, S. 1730) ▪ 22. BImSchV vom 26.10.1993 (BGBl. I, S. 1819), geändert 27.05.1994 (BGBl. I, S. 1095) ▪ 1. BImSchVwV (TA Luft) vom 27.02.1986 (GMBl., S. 95, ber. S. 202) ▪ 2. BImSchVwV vom 19.07.1974 – Emissionswerte für Krane (Bundesanzeiger Nr. 135 vom 25.07.1974) ▪ 3. BImSchVwV vom 10.06.1976 – Emissionswerte für Drucklufthämmer (Bundesanzeiger Nr. 112 vom 19.06.1976, ber. Bundesanzeiger Nr. 165 vom 02.09.1976) ▪ 4. BImSchVwV vom 08.04.1975 (GMBl., S. 358) ▪ 5. BImSchVwV vom 24.04.1992 (GMBl., S. 317).

allg.: Bundesimmissionsschutzgesetz (2.), München: Beck 1995.

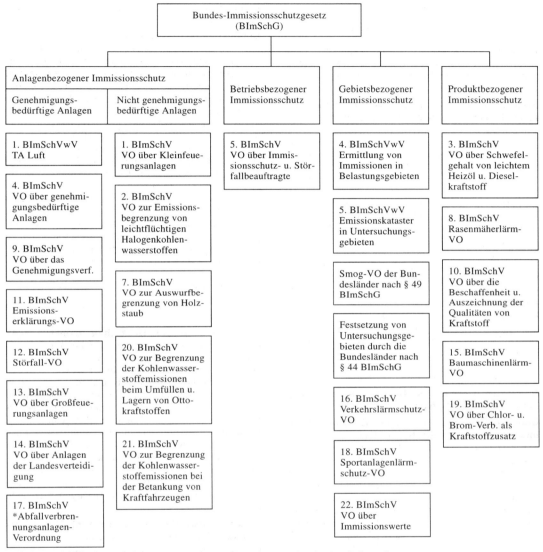

Abb.: Wichtige Rechtsverordnungen u. Verwaltungsvorschriften zum Bundes-Immissionsschutzgesetz.

Bundesinstitut für Arzneimittel und Medizinprodukte (BfArM). Das BfArM mit Sitz in 13353 Berlin, Seestraße 10–11, ist eine der drei selbständigen Bundesbehörden, die nach der Auflösung des *BGA entstanden sind. Seit dem 1.7.1994 übernimmt das BfArM die bisherigen Aufgaben des Inst. für Arzneimittel des BGA.
Aufgaben: 1. Bewertung u. Zulassung von Arzneimitteln auf der Grundlage analyt., pharmakolog. u. klin. Prüfungen. – 2. Überwachung des Verkehrs mit Betäubungsmitteln. – 3. Zentrale Risikoerfassung sowie Durchführung von Maßnahmen zur Risikoabwehr bei Medizinprodukten.

Bundesinstitut für gesundheitlichen Verbraucherschutz und Veterinärmedizin (BgVV). Das BgVV im Geschäftsbereich des Bundesministers für Gesundheit wurde 1994 als selbständige Bundesoberbehörde mit Sitz in 14195 Berlin-Dahlem, Thielallee 88–92, errichtet. Gemäß Gesetz über die Neuordnung zentraler Einrichtungen des Gesundheitswesens vom 24.6.1994 ist das Institut u.a. auf folgenden Gebieten tätig:
– Sicherung des Gesundheitsschutzes im Hinblick auf Lebensmittel, Tabakerzeugnisse, kosmet. Mittel u. sonstige Bedarfsgegenstände, Pflanzenschutz- u. Schädlingsbekämpfungsmittel sowie Chemikalien,
– Schutz vor gesundheitlichen Risiken, die von Zusatzstoffen od. unerwünschten Stoffen in Futtermitteln ausgehen können,
– Zulassung u. Registrierung von Arzneimitteln für Mensch od. Tier,
– Bewertung, Einstufung u. Kennzeichnung von Chemikalien,
– Dokumentation u. Information zu Vergiftungen,
– Gesundheit von Tieren, die zur Lebensmittelgewinnung bestimmt sind, in Hinblick auf Krankheiten, die vom Tier auf den Menschen übertragen werden können (*Zoonosen),

– Erfassung u. Bewertung von Ersatz- u. Ergänzungsmethoden zu Tierversuchen u.
– Lebensmittel-Monitoring nach § 46d Absatz 5 des Lebensmittel- u. Bedarfsgegenständegesetzes.
Die Zentralen Erfassungs- u. Bewertungsstellen für Umweltchemikalien (*ZEBS) u. für Ersatz- u. Ergänzungsmethoden zum Tierversuch (*ZEBET) sind dem BgVV angegliedert.

Bundesinstitut für Infektionskrankheiten und nicht übertragbare Krankheiten (Robert-Koch-Institut, RKI). Das zum 1.7.1994 durch das BGA-Nachfolgegesetz neugegründete RKI ist eine von 3 selbständigen Nachfolgeorganisationen des 1994 aufgelösten *BGA. Das RKI mit Hauptsitz in 13353 Berlin, Nordufer 20, hat ca. 700 Mitarbeiter, davon 120 Wissenschaftler in 6 Fachbereichen mit 14 Fachgruppen u. ein Haushaltsvol. von über 65 Mio. DM. Das RKI ist aus vier Bereichen des ehem. BGA entstanden.
Aufgaben: 1. Erkennung, Verhütung u. Bekämpfung von übertragbaren u. nicht übertragbaren Krankheiten; AIDS-Zentrum. – 2. Epidemiolog. Untersuchungen von Krankheiten sowie Dokumentation u. Information. – 3. Risikoerfassung u. Risikobewertung bei gentechn. veränderten Organismen u. Produkten; Durchführung des Gentechnikgesetzes; Humangenetik. Neben traditionellen Standorten in Berlin umfaßt das Inst. auch verbliebene Teile mehrerer Inst. aus der ehem. DDR in Wernigerode, Bad Elster, Karlshorst, Schöneweide u. Pankow.
Publikationsorgane: Bundesgesundheitsblatt, RKI-Tätigkeitsbericht, AIDS-Nachrichten usw.

Bundesministerium für Bildung, Wissenschaft, Forschung u. Technologie s. BMBF.

Bundesministerium für Umwelt, Naturschutz und Reaktorsicherheit (Bundesumweltministerium, BMU). Die 1986 geschaffene Behörde hat ihren Sitz in 53048 Bonn, Postfach 120629. Das Ministerium hat die vorher den Bundesministerien des Inneren, für Ernährung, Landwirtschaft u. Forsten u. für Jugend, Familie u. Gesundheit zugeordneten Umweltschutz-Aufgaben übernommen. Das Ministerium hat folgende Arbeitsgebiete: Leitlinien u. Strategien der Umweltpolitik, ökolog. Sanierung u. Entwicklung in den neuen Ländern, internat. Zusammenarbeit, Schutz der Erdatmosphäre, Luftreinhaltung, Schutz der Binnengewässer u. Meere, Grundwasserschutz, Abwasserbehandlung, Bodenschutz u. Altlastensanierung, Vermeidung, Verwertung u. Entsorgung von Abfällen, Lärmbekämpfung, Schutz der menschlichen Gesundheit vor Gefahrstoffen, Vorsorge gegen Störfälle in Industrieanlagen, Aufklärung der Bevölkerung in Umweltfragen, Umwelttechnologie, Naturschutz, Landschaftspflege u. -planung, Sicherheit kerntechn. Anlagen u. Einrichtungen, *Strahlenschutz, Entsorgung *radioaktiver Abfälle.
Dem BMU sind v.a. das *Umweltbundesamt, das *Bundesamt für Naturschutz sowie das Bundesamt für *Strahlenschutz nachgeordnet. Beratend wirken für das BMU u.a. der Rat von Sachverständigen für Umweltfragen (SRU), die Strahlenschutzkommission (SSK), die Reaktor-Sicherheitskommission (RSK) u. der Beirat für Naturschutz u. Landschaftspflege. Zur Unterstützung des BMU wurden Umweltinformationssysteme geschaffen, z.B. *UMPLIS.

Bundesnaturschutzgesetz (BNatSchG). Das Gesetz über *Naturschutz u. Landschaftspflege von 1976 ist ein Rahmengesetz des Bundes. Die Verwaltungs- u. Finanzierungskompetenzen liegen fast ausschließlich bei den Ländern; dies gilt insbes. für den Bereich des Schutzes von Lebensstätten u. Lebensräumen wildlebender Pflanzen- u. Tierarten (s. Biotopschutz). Durch das B. wurde das befristete Gesetz zur Durchführung der EG-VO über die Anw. des Washingtoner Artenschutz-Übereinkommens abgelöst. So dürfen z.B. Tiere u. Pflanzen – einschließlich der Teile u. Erzeugnisse, die aus der Naturentnahme stammen – künftig weder zu gewerblichen noch zu privaten Zwecken vermarktet werden, wenn sie zu hochgradig gefährdeten Arten gehören. Der grenzüberschreitende Verkehr mit allen geschützten Tier- u. Pflanzenarten ist genehmigungspflichtig. Auch Ein- u. Ausfuhrverbote können verhängt werden. Das B. wird u. a. durch die Bundesartenschutz-VO in die Praxis umgesetzt (s. Artenschutz).
Lit.: Gesetz über Naturschutz u. Landschaftspflege (Bundesnaturschutzgesetz – BNatSchG) in der Fassung der Bekanntmachung vom 12.3.1987 (BGBl. I, S. 889), zuletzt geändert 6.8.1993 (BGBl. I, S. 1458).

Bundesverband der Deutschen Industrie e.V. (BDI). Dachorganisation der industriellen Wirtschaftsverbände in der BRD mit Sitz in 50968 Köln, Gustav-Heinemann-Ufer 84–88. Mitglieder sind 35 fachliche Spitzenverbände der nach Branchen organisierten Ind.-Gruppen, darunter der *Verband der Chemischen Industrie e.V. (VCI). Zu den Aufgaben des BDI gehört die Wahrnehmung u. Förderung aller gemeinsamen Belange der in ihm zusammengeschlossenen Ind.-Zweige, die ca. 80000 Betriebe repräsentieren, sowie die Zusammenarbeit mit den anderen Spitzenorganisationen des Unternehmertums. Ausgenommen ist die Vertretung sozialpolit. Belange, die durch die *Bundesvereinigung der Deutschen Arbeitgeberverbände (BDA) erfolgt.

Bundesverband der öffentlich angestellten u. vereidigten Chemiker s. Handelschemiker.

Bundesverband der Pharmazeutischen Industrie e.V. (BPI). 1951 gegr. Bundesverband mit Sitz in 60329 Frankfurt, Karlstr. 21. Der BPI verfügt über eine breite Palette an Mitgliedsfirmen, die 95% des Gesamtproduktionswertes repräsentieren. Die Aufgaben des BPI sind: Vertretung der Interessen seiner Mitglieder u. deren Beratung, Information der Öffentlichkeit über die Tätigkeit der *pharmazeutischen Industrie, beratende Funktion bei der Arzneimittel-Gesetzgebung, Erstellung von Informationen – zusammen mit internat. u. staatlichen Inst. – über *Arzneimittelnebenwirkungen u. viele andere Themen.
Publikationen: *Rote Liste, Medikament u. Meinung, Pharma dialog, Pharma daten usw.

Bundesvereinigung der Deutschen Arbeitgeberverbände e.V. (BDA). Die BDA, mit Sitz in 50968 Köln, Gustav-Heinemann-Ufer 72, ist die sozialpolit. Spitzenorganisation der dtsch. Unternehmen u. repräsentiert über 800 Arbeitgeberverbände. Mitglieder sind 61 Fachspitzenorganisationen, u. a. der *Bundesarbeitgeberverband Chemie e.V. (BAVC) u. 15 überfachliche Landesvereinigungen. Sie vertritt die Unternehmer. Sozial- u. Gesellschaftspolitik aller Wirtschaftsbereiche gegenüber Bundestag, Bundesregierung, Gewerkschaften, gesellschaftlichen Gruppen u. in der sozialen Selbstverwaltung. Ihre Mitglieder informiert sie über polit. u. gesetzliche Entwicklungen, zugleich gibt sie fachlichen Rat u. prakt. Hilfestellungen. Zu ihren Aufgaben zählen: Tarifpolitik, Arbeitsrechtpolitik, Betriebliche Personalpolitik, Soziale Sicherungspolitik, Bildungspolitik, Internat. Sozialpolitik, Öffentlichkeitsarbeit. Die Chem. Ind. ist in Mitgliederversammlung, Vorstand, Präsidium u. zahlreichen Ausschüssen vertreten u. bestimmt so die Politik der Arbeitgeber mit. Die laufenden Geschäfte werden unter Leitung eines Hauptgeschäftsführers u. zweier Stellvertreter von rund 135 Mitarbeitern, zu einem Drittel Akademiker, in 10 Fachabteilungen wahrgenommen.

Bund für Lebensmittelrecht u. Lebensmittelkunde e. V. (Abk. BLL). Spitzenverband der Dtsch. Lebensmittelwirtschaft, Sitz in Bonn (Godesberger Allee 157). Vertritt die Interessen seiner Mitglieder (Anhörungen, Stellungnahmen) auf polit., rechtlicher, wissenschaftlicher u. wirtschaftlicher Ebene. Veröffentlicht in eigener Schriftenreihe u. a. Tagungsberichte, Vorträge sowie *Richtlinien*, die für bestimmte Lebensmittel od. Warengruppen die Verkehrsauffassung der Ernährungswirtschaft beschreiben. *Beisp.:* Heft 102, 1993: Wie sicher sind unsere Lebensmittel? Zum BLL gehört auch das *ILWI-Inst. für Lebensmittelwissenschaft u. -information GmbH,* Bonn.
Aktivitäten: Veranstaltung wissenschaftlicher Foren, Vertrieb des Qualitätssicherungs-Handbuches des BLL für die Ernährungswirtschaft usw.

Bund für Umwelt und Naturschutz Deutschland (BUND). Der 1975 als Bund für Natur- u. Umweltschutz (BNUD) gegr. u. 1977 in BUND umbenannte Verband ist die mitgliederstärkste Umweltorganisation der BRD mit (1995) über 215 000 Einzelmitgliedern in 16 Landesverbänden u. 2200 Orts- u. Kreisgruppen. Der BUND verfügt über eine Bundesgeschäftsstelle in 53225 Bonn, Im Rheingarten 7 sowie Landesgeschäftsstellen u. zahlreiche Regionalbüros. Der Umweltverband ist föderativ organisiert u. besitzt als polit. Grundlage das BUND-Grundsatzprogramm. Höchstes Organ ist die Bundesdelegiertenversammlung mit 140 Mitgliedern, die den Vorstand u. die Leiter der Arbeitskreise wählt. Der polit. Repräsentant auf Bundesebene ist der Bundesvorstand, der durch den wissenschaftlichen Beirat beraten wird. Dieser deckt u. a. die Bereiche Volkswirtschaft, Abfallwirtschaft, Finanzpolitik, Naturschutz, Umweltchemikalien, Immissionsschutz u. Landwirtschaft ab. Der BUND ist im Chemiebereich u. a. durch die Prägung des Begriffs „Chemiepolitik" bekannt geworden. Er bemüht sich um die Durchsetzung einer ökolog. Politik auf der Basis wissenschaftlicher Erkenntnisse. Seit 1989 ist der BUND die dtsch. Partnerorganisation des weltweiten Netzwerkes Friend of the Earth international (FoEI), der weltweit mehr als 50 unabhängige Umweltorganisationen angehören. *Publikationsorgan:* Natur & Umwelt (vierteljährlich).

Bungarotoxine.

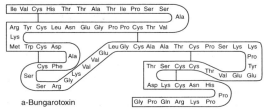

a-Bungarotoxin

Toxine der sehr giftigen südostasiat. Schlange *Bungarus multicinctus* (gestreifte Krait, Elapidae). Giftrohextrakt LD$_{50}$ (Maus s.c.) 0,019 bis 0,33 mg/kg. Das postsynapt. *Neurotoxin α-B. ist ein Polypeptid (M$_R$ ca. 8000) mit 74 Aminosäuren u. 5 S–S Brücken u. *Curare-artiger Wirkung. β-B. enthält verschiedene Polypeptide u. ist ein präsynapt. Neurotoxin.
Verw.: In der experimentellen Biochemie zur Untersuchung neuromuskulärer Prozesse. – *E* bungarotoxins – *F* bungarotoxine – *I* bungarotossine – *S* bungarotoxinas
Lit.: Habermehl, Gifttiere u. ihre Waffen (5.), S. 146–158, Berlin: Springer 1994 ▪ Tu, Handbook of Natural Toxins, Vol. 5, New York: M. Dekker 1991. – *[CAS 32709-28-2]*

Bunitrolol.

$$\text{CN} \quad \text{OH}$$
$$\begin{array}{c}\text{O-CH}_2\text{-CH-CH}_2\text{-NH-C(CH}_3\text{)}_3\end{array}$$

Internat. Freiname für 2-(3-*tert*-Butylamino-2-hydroxypropoxy)-benzonitril, C$_{14}$H$_{20}$N$_2$O$_2$, M$_R$ 248,33. Verwendet wird als Hydrochlorid, Schmp. 163–165 °C; LD$_{50}$ (Maus, oral) 1344–1440, (Maus, i. p.) 264–265, (Ratte, oral) 639–649, (Ratte, i. p.) 222–225 mg/kg. Es wurde 1968 u. 1976 als Antihypertensivum u. Antiarrhythmikum (β-Blocker) von Boehringer Ingelheim (Stresson®, außer Handel) patentiert. – *E = F = S* bunitrolol – *I* bunitrololo
Lit.: Hager (5.) **7**, 549 ff. – *[HS 2926 90; CAS 34915-68-9]*

Bunsen, Robert Wilhelm (1811–1899), Prof. für Chemie, Heidelberg. *Arbeitsgebiete:* Spektralanalyse, Erfindung des Fettfleckphotometers, Synth. organ. Arsen-Verb. (Kakodyl), Gasanalyse, Iod-Titration mit Schwefliger Säure, Elektrochemie (Bunsenelement), Konstruktion des Bunsenbrenners u. der Wasserstrahlpumpe.
Lit.: Bugge, Das Buch der großen Chemiker, Bd. 2, S. 78–92, Weinheim: Verl. Chemie 1929 (1961) ▪ Hermann, Lexikon Geschichte der Physik, S. 48 f., Köln: Aulis 1972 ▪ Krafft, S. 73 f. ▪ Neufeldt, S. 27, 28, 46, 50, 51, 54 ▪ Pötsch, S. 73 ▪ Strube **2**, 45, 104 ff. ▪ Strube et al., S. 74, 76 ff., 127, 137.

Bunsenbrenner. Nach dem Erfinder *Bunsen benannte metallene Gasbrenner, die früher in Laboratorien viel benutzt wurden. B. werden mit *Stadtgas („Leuchtgas") od. Erdgas (hier mit kleinerer Düse A) betrieben, das durch die Düse A in das Brennerrohr eintritt u. sich mit Luft vermischt, die durch die bei B befindlichen Luftlöcher angesaugt wird. Durch eine Regulierhülse C läßt sich der Luftzustrom regeln. Das

Bunsengesellschaft 546

Gas/Luft-Gemisch verbrennt an der Mündung D. Die Heizflamme (s. Abb.) besteht aus einem inneren grünlichen Kern (*Reduktionsflamme*, da dieser Bereich einen Überschuß an Kohlenmonoxid u. Wasserstoff enthält u. deshalb *reduzierend* wirkt) u. einem äußeren bläulichen Mantel (*Oxidationsflamme*, da dieser Bereich – v. a. an der Spitze des Mantels – überschüssigen Sauerstoff enthält u. deshalb *oxidierend* wirkt). Bei gänzlich gedrosselter Luftzufuhr ist die Flamme leuchtend gelb u. weniger heiß. Die Temp. der Bunsenflamme wird mit 1000 – 1500 °C angegeben; sie ist bei der nichtleuchtenden *Flamme unmittelbar über der Spitze des grünlichen Kegels am höchsten, innerhalb desselben am niedrigsten (ca. 300 °C). Wenn die Gaszufuhr im Verhältnis zur Luftzufuhr zu gering wird, schlägt die Flamme zurück; sie brennt dann bei A weiter u. verursacht ein pfeifendes Geräusch; oft wird dann die Hauptflamme auch von mitgerissenen Kupfer-Teilchen des B.-Materials grün gefärbt. Dieses Zurückschlagen ist unerwünscht, denn dabei erhitzt sich der untere Teil des Brenners derart, daß der Schlauch beschädigt werden kann. Durch geeignete Konstruktionen (vgl. Méker-Brenner) läßt sich das Zurückschlagen vermeiden. Ein anderes Prinzip der Regulierung von Gas- u. Luftzufuhr vertritt der *Teclu-Brenner. B. wurden erstmals vom Instrumentenmacher Peter Desaga im Chem. Inst. der Universität Heidelberg nach Bunsens Angaben 1855 hergestellt. – *E* Bunsen burner – *F* bec Bunsen – *I* becco di Bunsen – *S* mechero de Bunsen

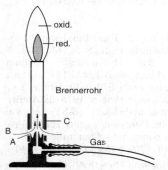

Abb.: Aufbau eines Bunsenbrenners.

Lit.: J. Chem. Educ. **27**, 514 ff. (1950); **33**, 20 ff. (1956) ▪ Kirk-Othmer (3.) **4**, 288 f. ▪ Naturwissenschaften **39**, 418 – 424 (1952).

Bunsengesellschaft s. Deutsche Bunsen-Gesellschaft für Physikalische Chemie.

Bunsen-Roscoe'sches Gesetz (Reziprozitäts- od. Lichtmengengesetz). Dieses 1857 von *Bunsen u. *Roscoe formulierte Gesetz besagt, daß der Gesamteffekt photochem. Vorgänge (z. B. die nach einer gewissen Zeit umgesetzte Stoffmenge od. das Ausmaß der Stengelbewegungen vieler Pflanzen bei Belichtung) proportional dem Produkt aus Lichtintensität u. Bestrahlungsdauer, d. h. proportional der Menge des absorbierten Lichtes ist. Anw. in der Photographie: Die Belichtungszeit ist um so kürzer zu wählen, je heller der photographierte Gegenstand beleuchtet wird. Aktinometr. Messungen können nur dann als zuverlässig gelten, wenn das B.-R. G. befolgt wird; dies ist jedoch nur bei photochem. Primärprozessen zu erwarten (s. Photochemie). – *E* Bunsen-Roscoe law – *F* loi de Bunsen et Roscoe – *I* legge di Bunsen-Roscoe – *S* ley de Bunsen-Roscoe

Bunsen'scher-Absorptionskoeffizient s. Absorptionskoeffizient.

Bunsentrichter. Bez. für Glastrichter mit langem Stiel, vgl. DIN 12446 (03/1970).

Bunsen-Ventil. Von *Bunsen entwickeltes, sehr einfaches Überdruckventil aus einem Schlauchstück, das an einem Ende – z. B. mit einem Stück Glasstab – verschlossen u. am anderen mit dem Reaktionsgefäß verbunden ist, in dem ggf. Überdruck entstehen kann.

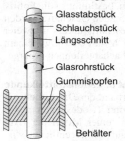

Abb.: Aufbau eines Bunsen-Ventils.

In der Mitte besitzt das Schlauchstück einen ca. 1 cm langen Längsschnitt, der sich bei Überdruck weitet, so daß Gase austreten können. Hingegen kann (bei etwaigem Gasunterdruck) keine Luft von außen hereinströmen, weil diese die scharfen Schnittflächen des Gummischlauches gasdicht aneinanderpreßt. – *E* Bunsen valve – *F* soupape de Bunsen – *I* valvola di Bunsen – *S* válvula de Bunsen

Buntätze s. Ätzdruck.

Bunte, Hans (1848 – 1925), Vater von K. *Bunte, Prof. für Chemie, Karlsruhe. *Arbeitsgebiete:* Gasanalyse, Synth. der sog. *Bunte-Salze, Begründer des Gas-Inst., s. Engler-Bunte-Institut.
Lit.: Ber. Dtsch. Chem. Ges. **58**, 39 A (1925) ▪ Heinig (Hrsg.), Biographien bedeutender Chemiker, S. 248, 300, 328, Berlin: Volk u. Wissen 1983 ▪ Pötsch, S. 74 ▪ Q. Rep. Sulfur Chem. **3**, 190 (1968) ▪ Z. Angew. Chem. **38**, 977 (1925).

Bunte, Karl (1878 – 1944), Sohn von H. *Bunte, Direktor des Gas-Inst., TH Karlsruhe. *Arbeitsgebiete:* Gaserzeugung, -verw. u. -analyse.
Lit.: Poggendorff 7a/1, 316 f. ▪ Gas- u. Wasserfach **88**, 4 (1947).

Bunte Reihe. Als B. Reihe wird eine taxonom. Charakterisierung von Bakterien über deren Fähigkeit zum Abbau bestimmter Kohlenhydrate, Eiweißstoffe u. Lipoide bezeichnet. Da diese biochem. Abbaureaktionen häufig durch Zusatz von *Indikatoren (z. B. pH-Indikatoren) nachgewiesen werden, entsteht in einer Testreihe durch die unterschiedlichen Farbreaktionen ein recht buntes Bild, die sog. B. Reihe. Als vorgelegte Substrate dienen je nach Fragestellung z. B. *Glucose, *Lactose, *Saccharose, *Harnstoff u. *Citronensäure. – *E* coloured series – *F* suite en couleurs – *I* serie a colori – *S* serie de colores

Lit.: Otte, Lehrbuch der Medizinischen Mikrobiologie (4.), S. 183, Stuttgart: Fischer 1978.

Bunte-Salze. Von H. *Bunte aufgefundene Gruppe von Schwefel-Verb. der allg. Formel RS–SO$_2$–OM (*Thioschwefelsäure-S-ester*), wobei R ein organ. (meist aliphat.) Rest u. M ein einwertiges Metall ist; im Fall des ursprünglichen B.-S. war R = C$_2$H$_5$ u. M = Na. Die B.-S. lassen sich im allg. aus organ. Halogeniden u. Natriumthiosulfat leicht herstellen; sie sind nützliche Zwischenprodukte bei organ. Synth., sie zeigen bakteriostat., insektizide u. fungizide Wirksamkeit u. lassen sich als Schutz gegen Strahlenschäden einsetzen. – *E* Bunte salts – *F* sels de Bunte – *I* sali di Bunte – *S* sales de Bunte

Lit.: Angew. Chem. **79**, 520–529 (1967) ▪ Kirk-Othmer **20**, 243–247; (3.) **22**, 986 ▪ Rev. Pure Appl. Chem. **12**, 72–94 (1962).

Buntesche-Bürette s. Gasanalyse.

Buntkäfer. Die B. (Cleridae) sind eine Familie der Insektenordnung Käfer (Coleoptera, Unterordnung Polyphaga). Von den über 3600 oft sehr bunt gezeichneten Arten kommen in Mitteleuropa nur etwa 18 Arten vor. Die B. sind mittelgroß, manche Arten nicht selten auf Blüten od. auf u. unter Baumrinden, wo die Käfer wie auch ihre Larven räuber. von anderen Holzinsekten u. deren Larven leben. B. sind schnelle Läufer u. gute Flieger, mit kräftigen Mundwerkzeugen (Mandibeln). Von bes. Interesse sind zwei Arten. 1. Der Ameisen-B. (*Thanasimus formicarius*), nach Gestalt u. Zeichnung ameisenähnlich, stellt auf der Rinde v. a. von Nadelbäumen insbes. den *Borkenkäfern nach. Für das Auffinden reagiert die Art auf das Aggregationspheromon der Borkenkäfer ebenso empfindlich wie diese selbst. 2. Beim Bienenwolf (*Trichodes apiarius*), metall. blau u. rot gezeichnete Imagines im Sommer v. a. auf Doldenblüten u. nicht selten in der Nähe menschlicher Siedlungen, lassen sich die Larven v. a. von gelben Blüten von Nektar-suchenden Bienen nach Anheften in die Nester bzw. Stöcke der Bienen tragen. Nach dem Verzehr von 4 bis 10 Bienen-Larven bzw. -Puppen erfolgt die Verpuppung. Entwicklungsdauer mind. ein Jahr. – *E* coloured beetl – *I* cleridi – *S* escarabajo multicolor

Lit.: Chinery, Pareys Buch der Insekten, Hamburg: Parey 1987 ▪ Jacobs u. Renner, Biologie u. Ökologie der Insekten, 2. Aufl., Stuttgart: Fischer 1988 ▪ Koch, Die Käfer Mitteleuropas, Ökologie, Bd. 2, Krefeld: Goecke u. Evers 1989 ▪ Weber, Grundriß der Insektenkunde, 5. Aufl., Stuttgart: Fischer 1974 ▪ Zahradnik, Käfer Mittel- u. Nordwesteuropas, Hamburg: Parey 1985.

Buntkupferkies s. Bornit.

Buntmetalle. Dtsch. Sammelbegriff für *Nichteisenmetalle wie Sb, Pb, Cd, Co, Cu, Bi, Zn sowie Hg u. ihre Legierungen. Je nach Auslegung leitet sich die Bez. ab von der Farbe der wichtigsten Erze dieser Metalle u. ihren auffällig gefärbten Korrosionsprodukten (Verwitterungsprodukte, sek. Erze) od. von der Farbe der Metalle bzw. ihrer Leg. selbst. Letztere ergibt sich auch aus der Gruppierung Schwarzmetalle (Fe), B. u. Edelmetalle (Ag, Au, Pt, Ir). Eine Orientierung am farblichen Erscheinungsbild findet sich auch in der umgangssprachlichen Bez. „Schwarzer Stahl" für un- u. niedriglegierte *Stähle sowie „Weißer Stahl" für *nichtrostende Stähle. – *E* nonferrous metals – *F* métaux non ferreux – *I* metalli non ferrosi – *S* metal no ferroso o no férreo

Buntpapier s. Papier.

Buntpigmente s. Pigmente.

Buntsandstein s. Sandsteine u. Erdzeitalter.

Buntstifte. Ähnlich wie *Bleistifte hergestellte, im allg. durch eine Holzhülle geschützte Farbstifte, für deren Mine *Kaolin u. anorgan. (*Berliner Blau, Chromgelb, Chromgrün, *Ultramarin, *Zinnober) od. organ. Buntpigmente (*Eosin, Helioechtrot usw.) verwandt werden. Die *Pigmente werden mit Kaolin naß gemahlen, mit Traganth-Schleim od. a. Bindemitteln durchgeknetet, in Spindelpressen zu Strängen gepreßt, getrocknet, in Stücke zerschnitten u. ähnlich wie bei Bleistiften mit einer Fett-Wachsmischung versehen. Aus ähnlichen Pigmenten stellt man auch die sog. *Pastellkreiden* her. Nur wird für diese Schlämmkreide statt Kaolin verwendet, u. sie enthalten nur wenig Bindemittel. Daher lassen sich Pastellzeichnungen leicht verwischen. Sie können aber durch Überzüge aus Schellack, Zaponlack od. ähnlichen dauerhaft fixiert werden. Stifte aus fettlösl. organ. Pigmenten, Schlämmkreide u. Bienen-, Japan-, Carnaubawachs od. Paraffin als Bindemittel bezeichnet man als *Wachsstifte* (*Fettstifte, Wachskreiden*). Heute werden B. mehr u. mehr durch *Filzschreiber verdrängt. – *E* colored pencils – *F* crayons de couleur – *I* matite colorate – *S* lápices de color

Lit.: Ullmann (4.) **8**, 600–604; (5.) **A 9**, 39.

Buphenin.

HO–⟨C$_6$H$_4$⟩–CH–CH–NH–CH–CH$_2$–CH$_2$–C$_6$H$_5$
           | | |
           OH   CH$_3$ CH$_3$

Internat. Freiname für 1-(4-Hydroxyphenyl)-2-(1-methyl-3-phenylpropylamino)-1-propanol, C$_{19}$H$_{25}$NO$_2$, M$_R$ 299,42, Schmp. 111–112 °C. Verwendet wird das Hydrochlorid. B. wurde als Vasodilatator u. Sympathomimetikum 1950 von Troponwerke Dinklage (Dilatol®) patentiert. – *E* buphenine – *F* buphénine – *I* = *S* bufenina

Lit.: ASP ▪ Eur. J. Pharmacol. **65**, 333 (1980) ▪ Hager (5.) **7**, 551 ff. – [HS 2922 50; CAS 447-41-6; 849-55-8 (Hydrochlorid)]

Bupirimat. Common name für (5-Butyl-2-ethylamino-6-methylpyrimidin-4-yl)dimethylsulfamat.

H$_3$C–⟨pyrimidin⟩–NH–C$_2$H$_5$
H$_3$C–(CH$_2$)$_3$–
                O–SO$_2$–N(CH$_3$)$_2$

C$_{13}$H$_{24}$N$_4$O$_3$S, M$_R$ 316,42, Schmp. 50 °C, LD$_{50}$ (Ratte oral) ca. 4000 mg/kg (WHO), von ICI entwickeltes system. *Fungizid mit protektiver u. kurativer Wirkung gegen Echten Mehltau im Kernobst-, Steinobst- u. Zierpflanzenanbau. – *E* = *F* bupirimate – *I* = *S* bupirimato

Lit.: Farm ▪ Perkow ▪ Pesticide Manual. – [HS 2933 59; CAS 41483-43-6]

Bupivacain. Internat. Freiname für DL-1-Butylpiperidin-2-carbonsäure-(2,6-dimethylanilid), C$_{18}$H$_{28}$N$_2$O, M$_R$ 288,43, Schmp. 107–108 °C. Verwendet wird das Hydrochlorid, Schmp. 255–256 °C; LD$_{50}$ (Maus, i. v.) 7,8, (Maus, s. c.) 82 mg/kg. Es wurde als Lokal-

anästhetikum 1959 u. 1960 von Bofors, 1968 von Sterling Drug patentiert u. ist von Astra GmbH (Carbostesin®), von Rhône Poulenc (Bupivacain-RPR®) u. Curasan Pharma (Bupivacain®) im Handel. – *E* bupivacaine – *F* bupivacaïne – *I* bupivacaina – *S* bupivacaína
Lit.: ASP ▪ DAB 10 ▪ Florey 19, 59–94 ▪ Hager (5.) 7, 553 ff. – *[HS 2933 39; CAS 2180-92-9; 14252-80-3 (Hydrochlorid)]*

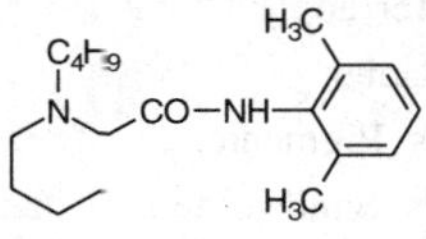

Bupranolol.

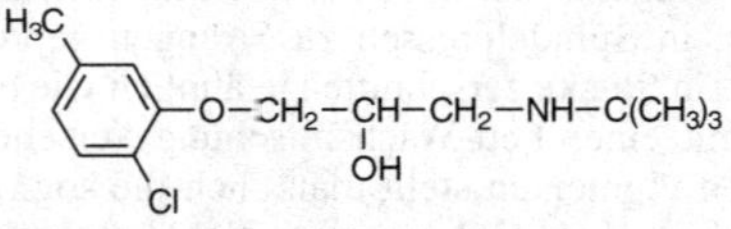

Internat. Freiname für 1-*tert*-Butylamino-3-(2-chlor-5-methylphenoxy)-2-propanol, $C_{14}H_{22}ClNO_2$, M_R 271,72. Verwendet wird das Hydrochlorid, Schmp. 220–222 °C. Es wurde 1967 als β-Blocker u. Antiarrhythmikum von Sanol/Schwarz (Betadrenol®, Schwarz Pharma) patentiert. – *E* = *F* = *S* bupranolol – *I* bupranololo
Lit.: ASP ▪ Hager (5.) 7, 556 ff. – *[HS 2922 50; CAS 14556-46-8; 15148-80-8 (Hydrochlorid)]*

Buprenorphin.

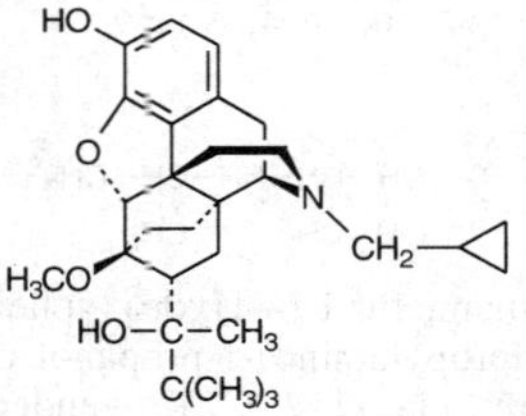

Internat. Freiname für 17-Cyclopropylmethyl-4,5α-epoxy-7α-[(*S*)-1-hydroxy-1,2,2-trimethylpropyl]-6-methoxy-6α,14α-ethanomorphinan-3-ol, $C_{29}H_{41}NO_4$, M_R 467,65, Schmp. 209 °C. Es wurde als starkes Analgetikum 1968 u. 1969 von Reckitt & Colman patentiert. B. ist in Anlage III A der Btm-VO gelistet u. von Boehringer Mannheim (Temgesic®) im Handel. – *E* buprenorphine – *F* buprénorphine – *I* = *S* buprenorfina
Lit.: ASP ▪ Hager (5.) 7, 558 ff. ▪ Ullmann (5.) A 2, 282. – *[HS 2939 10; CAS 52485-79-7; 53152-21-9 (Hydrochlorid)]*

Buprofezin. Common name für 2-*tert*-Butylimino-3-isopropyl-5-phenyl-1,3,5-thiadiazinan-4-on.

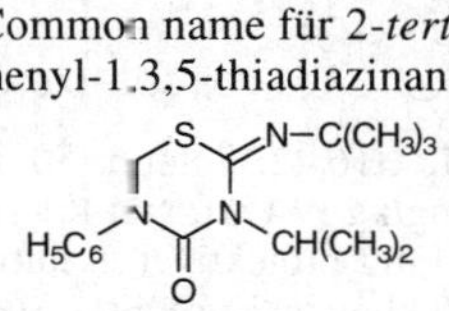

$C_{16}H_{23}N_3OS$, M_R 305,44, Schmp. 105 °C, LD_{50} (Ratte oral) 2200 mg/kg (WHO), von Nihon Nohyaku entwickeltes *Insektizid zur Anw. im Gemüse-, Reis-, Tee- u. Zitrusanbau, bes. wirksam gegen Larvenstadien von Hemipteren u. Coleopteren. – *E* buprofezin – *F* buprofezine – *I* = *S* buprofezina
Lit.: Farm ▪ Perkow ▪ Pesticide Manual. – *[CAS 69327-76-0]*

Burma-Zimt s. Zimt.

Burnet, Sir Frank Macfarlane (1899–1985), Prof. für Medizin, Melbourne (Australien). *Arbeitsgebiete:* Pathologie, Thymusforschung, Klon-Selektionstheorie, Entdeckung der erworbenen immunolog. Toleranz; hierfür Nobelpreis für Medizin od. Physiologie 1960, zusammen mit *Medawar.

Burnus. Kurzbez. für die Burnus GmbH, Rößlerstraße 94, 64293 Darmstadt, ein Unternehmen der Hüls-Gruppe. *Produktion:* Wasch- u. Waschhilfsmittel, Produkte für die Chemisch-Reinigung, Körperpflege-, Putz- u. Reinigungsmittel, chem.-techn. Produkte.

Buscopan®. Ampullen, Injektionsflüssigkeit, Dragees u. Suppositorien mit *Scopolamin-*N*-butylobromid, B. plus zusätzlich mit *Paracetamol gegen Krämpfe des Verdauungs-, Gallen-, Nieren- u. Genitaltraktes. *B.:* Boehringer-Ingelheim.

Buserelin.
5-Oxo-Pro-His-Trp-Ser-Tyr-*O-tert*-butyl-D-Ser-Leu-Arg-Proethylamid.
Internat. Freiname für ein Oligopeptid mit 9 Aminosäure-Resten, $C_{60}H_{86}N_{16}O_{13}$, M_R 1239,44, $[\alpha]_D^{20}$ –40,4° (c 1/Dimethylacetamid). Verwendet wird das Monoacetat. B. wurde als Gonadorelin (LH-RH)-Agonist zur Anw. bei Prostata-Karzinom 1976 u. 1977 von Hoechst (Suprefact® Behringwerke Therapeutika) patentiert. – *E* buserelin – *F* buséréline – *I* = *S* buserelina
Lit.: ASP ▪ Hager (5.) 7, 562 f. – *[HS 2933 29; CAS 57982-77-1; 68630-75-1 (Monoacetat); 59179-42-9 (Diacetat)]*

Buserit s. Birnessit u. Braunsteine.

Bushel. Angloamerikan. Raummaß. 1. Brit. Bushel = 8 imp. Gallons = 36,36768 l; 1 US Bushel = 8 US Gallons (dry) = 64 Pints (dry) = 35,23907 l. 1 Liter = 0,02749617 Brit. Bushels = 0,02837759 US Bushels.

Buspiron.

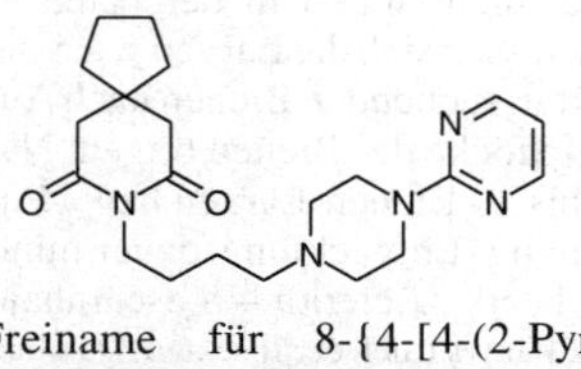

Internat. Freiname für 8-{4-[4-(2-Pyrimidinyl)-1-piperazinyl]-butyl}-8-azaspiro[4.5]decan-7,9-dion, $C_{21}H_{31}N_5O_2$, M_R 385,51. Verwendet wird das Hydrochlorid, Schmp. 201,5–202,5 °C; LD_{50} (Ratte, i. p.) 136 mg/kg. Es wurde als Anxiolytikum 1971 von Bristol Myers (Bespar®) u. 1973 von Mead Johnson patentiert. – *E* = *F* = *I* buspirone – *S* buspirona
Lit.: ASP ▪ Hager (5.) 7, 563 ff. – *[HS 2933 59; CAS 36505-84-7; 33386-08-2 (Hydrochlorid)]*

Bustamit s. Pyroxenoide.

Busulfan.

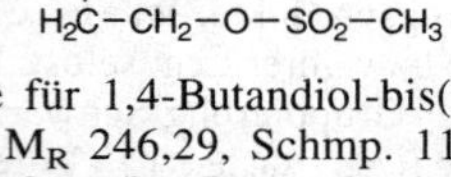

Internat. Freiname für 1,4-Butandiol-bis(methansulfonat), $C_6H_{14}O_6S_2$, M_R 246,29, Schmp. 114–118 °C; LD_{50} (Ratte, i. v.) 1,8 mg/kg. B. wurde als alkylierendes *Cytostatikum 1959 von Burroughs Wellcome (Myleran®) patentiert. – *E* = *F* busulfan – *I* busolfano – *S* busulfán

Butacain.

H₂N—⟨C₆H₄⟩—CO—O—(CH₂)₃—N(C₄H₉)₂

Internat. Freiname für 3-(Dibutylamino)-propyl-(4-aminobenzoat), $C_{18}H_{30}N_2O_2$, M_R 306,45, einen p-*Aminobenzoesäureester; Sdp. 178–182 °C (14,3 Pa). Verwendet wird das Sulfat: Schmp. 138,5–139,5 °C, auch 100–103 °C angegeben; LD_{50} (Maus, i.v.) 12 mg/kg; u. das Hydrochlorid: Schmp. 157–158,5 °C. B. wurde als Lokalanästhetikum 1920 u. 1928 von Abott patentiert. – *E* butacaine – *F* butacaïne – *I* butacaina – *S* butacaína

Lit.: Hager (5.) **7**, 566 f. – [HS 2922 49; CAS 149-16-6; 5892-15-9 (Hydrochlorid); 149-15-5 (Sulfat)]

Butachlor.
Common name für *N*-Butoxymethyl-2-chlor-2',6'-diethylacetanilid.

[Strukturformel: 2,6-Diethylphenyl-N(CO-CH₂-Cl)(CH₂-O-(CH₂)₃-CH₃)]

$C_{17}H_{26}ClNO_2$, M_R 311,85, Sdp. 156 °C (0,07 kPa), LD_{50} (Ratte oral) 3300 mg/kg (WHO), von Monsanto 1969 eingeführtes selektives system. *Herbizid gegen Ungräser u. Unkräuter im Pflanz- u. Saatreis sowie im Baumwoll-, Erdnuß- u. Zuckerrübenanbau. – *E* = *F* butachlor – *I* = *S* butacloro

Lit.: Farm ▪ Pesticide Manual. – [HS 2924 29; CAS 23184-66-9]

Butacite®.
*PVB-Grobfolie als Einlage zwischen Glas für PKW-Windschutzscheiben u. Bauglas. *B.*: DuPont.

1,3-Butadien.
$H_2C=CH-CH=CH_2$, C_4H_6, M_R 54,09. Farbloses, leicht zu verflüssigendes Gas, D. (flüssig) 0,65, Schmp. –109 °C, Sdp. –4,5 °C, FP. –85 °C, Explosionsgrenzen in Luft 1,1–12,5 Vol.-%. B. reizt Augen, Haut u. Schleimhäute u. wirkt in hohen Konz. narkot., gilt als Stoff, der sich im Tierversuch eindeutig als krebserzeugend erwiesen hat (Gruppe III A 2, MAK-Werte-Liste 1995), TRK-Wert 15 ml/m³ (Aufarbeitung nach Polymerisation, Verladung), 5 ml/m³ (im übrigen), wassergefährdender Stoff, WGK 2; in Wasser nur unbedeutend lösl., gut lösl. in organ. Lsm.; da B. sehr leicht polymerisiert, wird es zur Lagerung mit einem Inhibitor (meist 4-*tert*-*Butylbrenzcatechin) versehen. B. existiert in 2 rotameren Formen *cisoid u. transoid; die Energieschwelle für die Rotation beträgt 20,5 kJ/Mol, bei 20 °C liegt der überwiegende Teil der Mol. in der um 9,6 kJ/Mol energieärmeren transoiden Form vor. Substituierte B. können ggf. *Atropisomerie zeigen[1]. B. ist das einfachste aliphat. konjugierte *Dien*; es geht 1,2- u. 1,4-Additionsreaktionen u. *Cycloadditionen ein, z.B. mit Dienophilen zu Diels-Alder-Addukten. Dimerisationsreaktionen liefern, je nach Reaktionsbedingungen, Divinylcyclobutane, Vinylcyclohexen, Cyclooctadien od. Octatrien[2]. Sowohl diese Dimerisationen u. Codimerisationen wie auch die von *Wilke entdeckte Cyclotrimerisation zu 1,5,9-Cyclododecatrien verlaufen in Ggw. von Übergangsmetall-Katalysatoren. Die techn. wichtigste Eigenschaft des B. ist seine Fähigkeit zu *Polymerisationen; eine Zusammenfassung dieser Reaktion findet man in *Lit.*[3].

Herst.: Drei wichtige ältere Routen zur B.-Herst. sind das Vierstufen-Verf. mit Acetaldehyd (aus Acetylen od. Ethanol) über 1,3-Butandiol als Zwischenprodukt, das Lebedev-Verf. als einstufige Direktsynth. aus Ethanol u. die *Reppe-Synthese mit Acetylen u. Formaldehyd über 1,4-Butandiol als Zwischenprodukt. Moderne industrielle Herstellverf. für B. basieren derzeit ausschließlich auf petrochem. Basis. Zwei moderne Routen zur B.-Gewinnung sind die Isolierung aus C_4-Steamcrackschnitten sowie die Dehydrierung u. Oxydehydrierung von *n*-Butan u. *n*-Butenen. Näheres zur Technologie der B.-Herst. s. Weissermel (*Lit.*).

Verw.: Zur Herst. von *Synthesekautschuken für Bereifungen od. als Latices, entweder als Homopolymerisat (BR, *cis*-*Polybutadien, vgl. Buna) od. als Copolymerisat mit Styrol (SBR, *Styrol-Butadien-Kautschuk) od. Acrylnitril (NBR, *Nitril-Kautschuk), zur Herst. von thermoplast. Terpolymeren (ABS, *Acrylnitril-Butadien-Styrol-Copolymere). Weiter findet B. Anw. in der Herst. von Sulfolan, Chloropren, von Hexandiamin (über 1,4-Dichlorbuten u. Adipinsäuredinitril) für Polyamide u. in der Addition von Maleinsäureanhydrid zu Tetrahydrophthalsäureanhydrid, einer Weichmacherkomponente. Die weltweite Herstellkapazität für B. betrug 1992 etwa 8,5 Mio. t mit einem Anteil in USA, Westeuropa, Japan u. der BRD von etwa 1,8, 2,3, 0,78 bzw. 0,66 Mio. t. – *E* butadiene-1,3 – *F* butadiène-1,3 – *I* 1,3-butadiene – *S* 1,3-butadieno

Lit.: [1] Angew. Chem. **86**, 775 f. (1974) u. **87**, 715 ff. (1975). [2] Angew. Chem. **77**, 318–323 (1965) bzw. **85**, 1024–1035; 1035–1049 (1973). [3] Chem. Soc. Rev. **6**, 235–260 (1977), u. Winnacker-Küchler (4.) **6**, 537 f.

allg.: Beilstein E IV **1**, 976–982 ▪ Gesundheitsschädliche Arbeitsstoffe: toxikologisch-arbeitsmedizinische Begründung von MAK-Werten, Weinheim: Verl. Chemie 1972–1996 ▪ Hommel, Nr. 44 ▪ Kirk-Othmer (3.) **4**, 313–337; (4.) **4**, 663 ▪ Paquette, S. 801 ▪ Ullmann (4.) **9**, 1–17; (5.) **A 4**, 431 ▪ Weissermel-Arpe (4.), S. 115–125. – [HS 2901 24; CAS 106-99-0; G 2]

Butadien-Styrol-Kautschuke
s. Styrol-Butadien-Kautschuke.

Butadiensulfon
s. 3-Sulfolen.

Butalamin.

(H₉C₄)₂N—CH₂—CH₂—NH—[1,2,4-oxadiazol]—C₆H₅

Internat. Freiname für 5-[(2-Dibutylaminoethyl)-amino]-3-phenyl-1,2,4-oxadiazol, $C_{18}H_{28}N_4O$, M_R 316,45; verwendet wird das Hydrochlorid, Schmp. 145 °C, LD_{50} (Maus, oral) 625, (Maus, s.c.) 2500 mg/kg. B. wurde als peripherer Vasodilatator 1965 u. 1967 von Aron-Samuel patentiert u. ist von Zyma GmbH (Adrevil®) im Handel. – *E* = *F* butalamine – *I* = *S* butalamina

Lit.: Hager (5.) **7**, 568 f. – [HS 2934 90; CAS 22131-35-7; 28875-47-0 (Hydrochlorid)]

Butalbital.

[Strukturformel: H₂C=CH-CH₂ und (H₃C)₂CH-CH₂ substituierter Barbitursäurering]

Butamirat

Internat. Freiname für die sedativ wirkende 5-Allyl-5-isobutylbarbitursäure, $C_{11}H_{16}N_2O_3$, M_R 224,26, Schmp. 138–139 °C. B. war in Kombination mit *Aminophenazon u. *Coffein von Sandoz (Optalidon®) im Handel (enthält heute *Ibuprofen oder Propyphenazon) u. ist in Anlage II der Btm-VO gelistet. – $E = F = I$ butalbital – S butalbitale
Lit.: Hager (5.) **7**, 569–671. – *[HS 293351; CAS 77-29-6]*

Butamirat.

$$H_5C_6-\underset{\underset{C_2H_5}{|}}{CH}-CO-O-(CH_2)_2-O-(CH_2)_2-N(C_2H_5)_2$$

Internat. Freiname für 2-Phenylbuttersäure-[2-(2-diethylaminoethoxy)-ethylester], $C_{18}H_{29}NO_3$, M_R 307,43, Sdp. 140–155 °C; verwendet wird das Citrat, Schmp. 75 °C. B. wurde als Antitussivum 1963 u. 1967 von Hommel AG patentiert u. ist von Zyma (Sinecod®) im Handel. – $E = F$ butamirate – $I = S$ butamirato
Lit.: ASP ▪ Hager (5.) **7**, 572 ff. – *[HS 292250; CAS 18109-80-3; 18109-81-4 (Citrat)]*

Butan.   F 🔥

$$H_3C-CH_2-CH_2-CH_3 \qquad H_3C-\underset{\underset{CH_3}{|}}{CH}-CH_3$$

a)   b)

C_4H_{10}, M_R 58,12 (von latein. butyrum = Butter). (a) *n*-*Butan*: Farbloses, brennbares Gas, D. (flüssig) 0,579, Schmp. –135 °C, Sdp. –0,5 °C, in Wasser wenig, in organ. Lsm. gut lösl.; Explosionsgrenzen in Luft 1,5–8.5 Vol.-%. *n*- u. Iso-B. wirken in größeren Dosen narkot. (MAK 2,35 g/m³, Nachw. mit Dräger- od. Auer-*Prüfröhrchen). B. kommt zusammen mit Iso-B., Butadien u. den Butenen als sog. C_4-Fraktion im Erdgas u. in Erdöl-Krackgasen vor.
Verw.: In Druckgasflaschen als *Flüssiggas, zur Verw. als *Brenngas in Laboratorien u. Haushalt (Heizwert: 124 MJ/m³), als Tieftemp.-Lsm. u. Extraktionsmittel, überwiegend aber als Ausgangsprodukt für die techn. Herst. von *1,3-Butadien u. sog. Polymerbenzinen, sowie von Maleinsäureanhydrid.
(b) *Isobutan* (2-Methylpropan): Farbloses, brennbares Gas, Litergew. 2,67, D. 0,551, Schmp. –159 °C, Sdp. –11,7 °C, in Wasser schwer, in Alkohol u. Ether leicht löslich. Es findet sich hauptsächlich in Krackgasen der Erdölraffination u. ist auch herstellbar durch Isomerisation von *n*-Butan.
Verw.: Zur Herst. von Alkylatbenzin durch Alkylierung mit Olefinen, zur Herst. von Isobuten durch Dehydrierung, von *tert*-Butylhydroperoxid sowie neben *n*-B. auch als Treibgas in Sprays. – $E = F$ butane – $I = S$ butano
Lit.: Beilstein EIV **1**, 236–242 ▪ Encycl. Gaz. S. 697–711 ▪ Hommel, Nr. 45, 46, 1095 ff. ▪ Kirk-Othmer (3.) **12**, 910–918; (4.) **13**, 817–823 ▪ Winnacker-Küchler (4.) **5**, 104 f. – *[CAS 106-97-8; G 3]*

Butanal s. Butyraldehyd.

1,4-Butandiamin (1,4-Diaminobutan, Tetramethylendiamin, Putrescin von latein. putrescere = verfaulen). $H_2N-(CH_2)_4-NH_2$, $C_4H_{12}N_2$, M_R 88,15. Übelriechende, ätzende, brennbare, farblose, wasserlösl. Krist. od. Flüssigkeit, D. 0,867, Schmp. 27 °C, Sdp. 160 °C. 1,4-B. u. das homologe *1,5-Pentandiamin (*Cadaverin*) wurden 1883 von Brieger in faulenden Eiweißstoffen gefunden u. früher als *Ptomaine od. sog. Leichengifte bezeichnet; sie entstehen bei der bakteriellen Decarboxylierung der Aminosäuren von Eiweißstoffen, 1,4-B. z. B. aus *Ornithin. Von 1,4-B. leiten sich *Spermidin u. *Spermin ab.
Verw.: Zwischenprodukte zur Herst. von Polykondensations- u. Polyadditionsprodukten, Mischpolymerisaten, Pharmazeutika, Pflanzenschutz- u. Schädlingsbekämpfungsmitteln. – E 1,4-butanediamine – F 1,4-butanodiamine – I 1,4-butandiammina – S 1,4-butanodiamina
Lit.: Ann. Rev. Biochem. **45**, 285–306 (1976) ▪ Beilstein E IV **4**, 1283 ▪ Biochem. J. **202**, 153 (1982) ▪ Med. Biol. **59**, 308 (1981) ▪ weitere *Lit.* im Merck-Index (11.), Nr. 7964. – *[HS 292129; CAS 110-60-1]*

Butandiole (Butylenglykole).

$$H_3C-CH_2-\underset{\underset{OH}{|}}{CH}-CH_2-OH \qquad H_3C-\underset{\underset{OH}{|}}{CH}-CH_2-CH_2-OH$$

a)   b)

$$HO-CH_2-CH_2-CH_2-CH_2-OH \qquad H_3C-\underset{\underset{OH}{|}}{CH}-\underset{\underset{OH}{|}}{CH}-CH_3$$

c)   d)

$C_4H_{10}O_2$, M_R 90,12. Sammelbez. für die 4 Glykole, die sich von *n*-Butan ableiten.
(a) *1,2-B.*, farblose Flüssigkeit, D. 1,019, Sdp. 192–194 °C;
(b) *1,3-B.*, farblose Flüssigkeit, D. 1,005, Sdp. 207 °C, LD_{50} (Ratte oral) 22,8 g/kg, entsteht in racem. Form bei der Red. von *Aldol;
(c) *1,4-B.*, farblose, viskose Flüssigkeit od. Krist., D. 1,020, Schmp. 16 °C, Sdp. 230 °C, durch Red. von *2-Butin-1,4-diol hergestellt;
(d) *2,3-B.*, farblose Flüssigkeit od. Krist., kommt in 3 stereoisomeren Formen vor, *meso*-Form: Schmp. 34,4 °C, kann aus *trans*-2,3-Epoxybutan hergestellt werden. – Alle B. sind in Wasser u. Alkoholen leicht lösl. u. schmecken süßlich.
Verw.: Aufgrund leicht hygroskop. Eigenschaften als Feuchthaltemittel, Glycerin-Ersatz, als Lsm., als Ausgangsmaterialien bei der Synth. von Epoxid-Harzen, Polyestern, Polyamiden u. Polyurethanen (insbes. 1,4-B.); letzteres dient auch zur Herst. von Tetrahydrofuran u. *N*-Methylpyrrolidon als Lsm. sowie von *Busulfan. Die Ester u. Ether der B. sind gesuchte Weichmacher. – $E = F$ butanediols – I butandioli – S butanodioles
Lit.: Beilstein EIV **1**, 2507–2526 ▪ Hommel, Nr. 467 ▪ Kirk-Othmer **10**, 660–676; (3.) **1**, 256 ff. ▪ Merck-Index (11.), Nr. 1566, 1567 ▪ Paquette, S. 815 ▪ Ullmann (4.) **9**, 21 ff.; (5.) A **4**, 457 ▪ Weissermel-Arpe (4.), S. 108–113. – *[HS 290539; CAS 584-03-2 (1,2-B.); 107-88-0; 110-63-4 (1,4-B.); 513-85-9 (2,3-B.)]*

2,3-Butandion (Biacetyl). $H_3C-CO-CO-CH_3$,   F 🔥
$C_4H_6O_2$, M_R 86,09. Grünlichgelbe Flüssigkeit
mit strengem in verd. Zustand butterähnli-   Xn ✖
chem Geruch, D. 0,99, Sdp. 88 °C, Schmp.
–3 °C, FP. 3 °C, in Wasser, Alkohol u. Ether löslich. B. ist der einfachste Vertreter der 1,2-*Diketone; bildet neben *Acetoin den wesentlichen Bestandteil des

*Butter-Aromas (etwa 0,5 mg/kg) u. kommt in *Vanille, in *Bayöl u. a. Ölen vor.
Herst.: Durch Oxid. von Butanon mit Selendioxid od. auf mikrobiellem Wege. Das Dioxim des B. findet als *Dimethylglyoxim analyt. Verwendung. – *E* biacetyl – *F* biacetyle – *I* 2,3-butandione – *S* biacetilo – [HS 2914 19; CAS 431-03-8; G 3]

2,3-Butandion-dioxim s. Dimethylglyoxim.

Butandisäure s. Bernsteinsäure u. -derivate.

Butanilicain.

H₃C-Ar(NH-CO-CH₂-NH-C₄H₉)(Cl)

Internat. Freinamen für 2-(Butylamino)-*N*-(2-chlor-6-methylphenyl)-acetamid, $C_{13}H_{19}ClN_2O$, M_R 254,76, Schmp. 45–46 °C, Sdp. 145 °C (0,13 Pa), Sdp. 166–167 °C (65 Pa). Verwendet werden das Hydrochlorid: Schmp. 232 °C, auch 236–239 °C angegeben; LD_{50} (Maus, s. c.) 700 mg/kg u. das Phosphat, Schmp. 126–127 °C. B. wurde als Lokalanästhetikum 1956 u. 1957 von Cilag, 1957 u. 1959 von Hoechst (Hostacain®) patentiert. – *E* butanilicaine – *F* butanilicaïne – *I* butanilicaina – *S* butanilicaína
Lit.: ASP ■ Hager (5.) **7**, 574 ■ Pharm. Ztg. **138**, 3580 (1993). – [HS 2924 29; CAS 3785-21-5; 6027-28-7 (Hydrochlorid); 2081-65-4 (Phosphat)]

Butanolate s. Butoxide.

Butanole. $C_4H_{10}O$, M_R 74,12. Von B. sind vier Isomere möglich, u. zwar 2 prim., 1 sek. u. 1 tert. Alkohol (vgl. Alkohole). Alle B. sind farblose brennfähige Flüssigkeiten bzw. Krist., vgl. (d), die in Wasser mäßig bzw. vollständig (d), in organ. Lsm. vollständig lösl. sind, WGK 1. B.-Dämpfe u. Flüssigkeiten reizen Augen, Atemwege u. Haut, Dämpfe in hohen Konz. haben narkot. Wirkung, MAK-Wert 100 ppm.

a) H₃C-CH₂-CH₂-CH₂-OH

b) H₃C-CH(CH₃)-CH₂-OH

c) H₃C-CH₂-CH(OH)-CH₃

d) H₃C-C(CH₃)₂-OH

(a) *1-B.* (Butylalkohol), D. 0,813, Schmp. –90 °C, Sdp. 117–118 °C, LD_{50} (Ratte oral) 790 mg/kg, FP. 35 °C c.c.
Herst.: Durch Hydroformylierung von Propen mit anschließender Hydrierung, aus Aldol über 2-Butenal (Crotonaldehyd), durch Fermentation von Zucker od. Stärke, durch Hydrocarbonylierung von Propen.
Verw.: Zur Herst. von Lacken, als Lsm., Ausgangsprodukt für die Synth. von Estern u. Ethern, die als Weichmacher, Lsm., Duftstoffkomponenten in der Parfüm-Ind. dienen, sowie als Flotationsmitteln, Herbiziden usw. zugelassen als Extraktionslösemittel.
(b) *Isobutylalkohol* (2-Methyl-1-propanol), D. 0,806, Schmp. –108 °C, Sdp. 108 °C, FP. 28 °C c.c. Herst. durch Hydroformylierung od. Hydrocarbonylierung von Propen; kommt im giftigen „*Fuselöl" vor.
Verw.: Ebenso wie 1-B. als Lsm., zur Synth. von Weichmachern u. Estern, die in der Riechstoff- u. Aromen-Ind. benötigt werden; zugelassen als Extraktionslösemittel.
(c) *2-B.* (sek-Butylalkohol), D. 0,811, Schmp. –115 °C, Sdp. 100 °C, FP. 24 °C c.c., LD_{50} (Ratte oral) 6480 mg/kg.
Herst.: In racem. Form durch Red. von *2-Butanon, durch säurekatalysierte Wasseranlagerung an 1-Buten, durch Hydroborierung von cis-2-Buten in opt. aktiver Form.
Verw.: Herst. von 2-Butanon, Bestandteil von Misch-Lsm., Bremsflüssigkeiten, Abbeizmitteln u. zur Synth. von Flotationsmitteln (als *Xanthogenat) u. Estern für Aromen, Parfüms u. Nitrocellulose-Lsm., zugelassen als Extraktionslösemittel.
(d) *tert-Butylalkohol* (2-Methyl-2-propanol), Campher-ähnlich riechende Krist., D. 0,776, Schmp. 25,6 °C, Sdp. 82,5 °C, FP. 11 °C c.c., wassermischbar. Herst. durch säurekatalysierte Hydratation von Isobuten.
Verw.: Als Treibstoffzusatz zur Verhinderung von Vergaservereisung u. als *Antiklopfmittel, zur Synth. von tert-Butylestern od. von tert-Butylphenolen, die als Antioxidantien eingesetzt werden etc.[1], als Lsm. für kryoskop. Molmassenbestimmung[2]. – *E*=*F*=*S* butanol – *I* butanolo
Lit.: [1] Synthetica **1**, 96–101. [2] J. Chem. Educ. **45**, 108 (1968). allg.: Beilstein E IV **1**, 1506–1517 ■ Giftliste ■ Hommel, Nr. 52–55 ■ Kirk-Othmer **3**, 822–830; (3.), **4**, 338–345 ■ Ullmann **4**, 775–795; (4.) **9**, 25 ff.; (5.) A **4**, 463 ■ Weissermel-Arpe (4.), S. 218 ff. – [HS 2905 13–14; CAS 71-36-3 (a); 78-83-1 (b); 78-92-2 (c); 75-65-0 (d); G 3]

Butan-4-olid s. γ-Butyrolacton.

2-Butanon (Methylethylketon, MEK).

H₃C-CH₂-C(=O)-CH₃

C_4H_8O, M_R 72,11. Farblose, brennbare, Aceton-ähnlich riechende Flüssigkeit, D. 0,805, Schmp. –86 °C, Sdp. 80 °C. Dämpfe u. Flüssigkeit reizen die Augen u. die Haut, wirkt in höheren Konz. narkot., MAK-Wert 200 ppm; LD_{50} (Ratte oral) 2737 mg/kg, wassergefährdender Stoff, WGK 1, in Wasser gut löslich. Herst. durch katalyt. Dehydrierung von 2-Butanol (400–500 °C, ZnO).
Verw.: B. ist nach Aceton das techn. bedeutendste Keton. Es ist v. a. ein Lack- u. Harzlösemittel u. dient zur Entparaffinierung von Schmierölen. – *E*=*F*=*I* 2-butanone – *S* 2-butanona
Lit.: Beilstein E IV **1**, 3243 ff. ■ Gesundheitsschädliche Arbeitsstoffe: toxikologisch-arbeitsmedizinische Begründung von MAK-Werten, Weinheim: Verl. Chemie 1972–1996 ■ Giftliste ■ Hommel, Nr. 47 ■ Ullmann (4.) **9**, 27, 36; (5.) A **4**, 475 ■ Weissermel-Arpe (4.), S. 221. – [HS 2914 12; CAS 78-93-3; G 3]

2-Butanon-peroxid (Methylethylketonperoxid). Ein *Ketonperoxid* des *2-Butanons, farblose, leicht bewegliche Flüssigkeit, 40–50%ige Lsg. in Phlegmatisierungsmitteln, D. 1,10–1,11, FP. ca. 75 °C, lösl. in den gebräuchlichen organ. Lsm., unlösl. in Wasser. B. wirkt stark ätzend auf Haut u. Schleimhäute u. wird als

Butanoyl

Polymerisationskatalysator v. a. zur Kalthärtung von ungesätt. Polyesterharzen in Kombination mit einem Cobalt-Beschleuniger verwendet. – *E* 2-butanone peroxide – *F* peroxide de 2-butanone – *I* perossido di 2-butanone – *S* peróxido de 2-butanona
Lit.: Beilstein E V **19/11**, 335 ▪ Giftliste ▪ Ullmann **13**, 257 f.; (5.) A **19**, 225 ▪ Weissermel-Arpe (4.), S. 222. – *[HS 290960; CAS 1338-23-4; G 5.2]*

Butanoyl s. Butyryl.

Butansäure s. Buttersäure u. -derivate.

1-Butanthiol (Butylmercaptan). $H_3C-(CH_2)_3-SH$, $C_4H_{10}S$, M_R 90,18. Farblose, widerlich riechende Flüssigkeit (Geruch hat Warnwirkung), D. 0,834, Schmp. –116 °C, Sdp. 98 °C. B. ist giftig für das Zentralnervensyst., das zunächst erregt, schließlich gelähmt wird, MAK-Wert: 0,5 ppm (MAK-Werte-Liste 1995), LD_{50} (Ratte oral) 1500 mg/kg, wassergefährdender Stoff, WGK 3, in Wasser kaum, in Ethanol, Ether u. flüssigem Schwefelwasserstoff leicht löslich. Das in den Drüsensekreten des *Stinktieres vorkommende B. wird ebenso wie 2-Methyl-2-propanthiol (tert-Butylmercaptan) zur *Gasodorierung verwendet. – *E* 1-butanethiol – *F* butane-1-thiol – *I* 1-butantiolo – *S* 1-butanotiol
Lit.: Beilstein E IV **1**, 1555 ff. ▪ Brauer, Gefahrstoff-Sensorik, Landsberg: Ecomed Verlagsgesellschaft 1988 ▪ Giftliste ▪ Hommel, Nr. 745 ▪ Kirk-Othmer **20**, 206, 214; (3.) **22**, 946 ff. ▪ Ullmann (4.) **23**, 207; (5.) A **26**, 767. – *[HS 293090; CAS 109-79-5; G 3]*

Butaperazin.

Internat. Freiname für 2-Butyryl-10-[3-(4-methyl-1-piperazinyl)-propyl]-phenothiazin, $C_{24}H_{31}N_3OS$, M_R 409,59, Sdp. 270–280 °C (6,5 Pa). Verwendet werden auch das Dimaleat u. Diphosphat. B. wurde als Neuroleptikum 1961 von Bayer patentiert. – *E* butaperazine – *F* butapérazine – *I* = *S* butaperazina
Lit.: Hager (5.) **7**, 575. – *[HS 293430; CAS 653-03-2; 7389-45-9 (Diphosphat); 1063-55-4 (Dimaleat)]*

Butatrien s. Kumulene.

Butaverin.

Internat. Freiname für den spasmolyt. wirksamen 3-Phenyl-3-piperidinopropionsäure-butylester, $C_{18}H_{27}NO_2$, M_R 289,42. Verwendet wird das Hydrochlorid, Schmp. 170 °C. B. ist in der BRD nicht im Handel. – *E* butaverine – *F* butavérine – *I* = *S* butaverina – *[HS 293339; CAS 55837-14-4]*

Butazolidin®. Dragees, Suppositorien mit *Phenylbutazon, Ampullen zusätzlich mit *Cinchocain, gegen Rheuma u. Entzündungen. *B.:* Ciba-Geigy.

Butazon s. Phenylbutazon.

Buten (Butylen). F

$H_3C-CH_2-CH=CH_2$

a)

b) (*Z*) oder *cis*

c) (*E*) oder *trans*

d)

C_4H_8, M_R 56,11. Ungesätt., gasf., brennbare, farblose Kohlenwasserstoffe; 3 Strukturisomere, wovon eine Verb. in zwei stereoisomeren Formen auftreten kann. Die zu den sog. *Flüssiggasen gehörenden B. sind aus Krackgasen der Erdöl-Ind. reichlich zugänglich bzw. durch katalyt. Dehydrierung von Butan od. Isobutan. In Wasser sind die B. kaum, in Alkoholen u. Ether sind sie dagegen gut löslich.
(a) *1-B.*, D. (flüssig) 0,626, Schmp. –185 °C, Sdp. –6,5 °C; – (b) *cis-2-B.:* D. 0,621, Schmp. –139 °C, Sdp. 3,7 °C; – (c) *trans-2-B.:* D. 0,604, Schmp. –105,6 °C, Sdp. 0,9 °C; – (d) *Isobuten* (Methylpropen), D. 0,588, Schmp. –140 °C, Sdp. –6,9 °C. Die Trennung der Isomeren ist mit Hilfe von *Zeolithen möglich. Da die C,C-Doppelbindung des Isobutens sehr viel reaktiver ist als die der *n*-B., wird es techn. durch säurekatalysierte Reaktion zu *tert*-Butylmethylether od. zu *tert*-Butanol abgetrennt, die dem Benzin zur Erhöhung der *Octan-Zahl beigemischt werden können.
Verw.: Zur Herst. von 2-Butanol, 2-Butanon, Butadien, Motorkraftstoffen hohen Verzweigungsgrades (vgl. Benzin) u. als Ausgangsstoffe für Polymere, z. B. *Butylkautschuk, *Polyisobuten u. *Polybuten. Durch Additionsreaktionen sind Halogenkohlenwasserstoffe, Pentylalkohole u. -aldehyde (durch *Oxo-Synthese), durch Ammon-Oxid. Methacrylsäure zugänglich. – *E* = *I* butene – *F* butène – *S* buteno
Lit.: Beilstein E IV **1**, 765 ff. ▪ Encycl. Gaz., S. 667–690 ▪ Encycl. Polym. Sci. Eng. **2**, 590–605 ▪ Hommel, Nr. 389, 390 ▪ Kirk-Othmer (3.) **4**, 346–375; (4.) **4**, 701–735 ▪ Ullmann (4.) **9**, 34–41; (5.) A **4**, 483–494. – *[CAS 106-98-9 (1-B.), 107-01-7 (2-B.); G 3]*

(*E*)-2-Butenal (*trans*-Crotonaldehyd). F T

C_4H_6O, M_R 70,09. Farblose, brennfähige, stechend riechende, Augen, Haut u. Schleimhäute stark reizende Flüssigkeit, D. 0,853, Schmp. –76 °C, Sdp. 104 °C, FP. 13 °C, WGK 3, in Wasser lösl., mit organ. Lsm. mischbar. B. gilt als Stoff mit begründetem Verdacht auf krebserzeugendes Potential (Gruppe III B, MAK-Werte-Liste 1995), LD_{50} (Maus oral) 240 mg/kg. Herst. durch Dest. von Acetaldol mit Essigsäure als Katalysator.
Verw.: Früher wichtiges Ausgangsprodukt für Butyraldehyd u. *n*-Butanol; B. gewinnt zunehmende Bedeutung zur Synth. der *Sorbinsäure, dient zur Reinigung von Mineralölen u. Herst. von Insektiziden, Antioxidantien u. Vulkanisationsbeschleunigern. – *E* = *S* (*E*)-2-butenal – *F* butène-2-al – *I* (*E*)-2-butenale

Lit.: Beilstein E IV **1**, 3447 ff. ■ Gesundheitsschädliche Arbeitsstoffe: toxikologisch-arbeitsmedizinische Begründung von MAK-Werten, Weinheim: Verl. Chemie 1972–1996 ■ Giftliste ■ Hommel, Nr. 65 ■ Kirk-Othmer (3.) **7**, 207–218; (4.) **1**, 926 ■ Ullmann (4.) **7**, 131 ff.; (5.) **A 24**, 508. – [*HS 2912 19; CAS 123-73-9; G 3*]

Butenandt, Adolf Friedrich Johann (1903–1995), Prof. für Organ. Chemie, Danzig, Berlin, Prof. für Physiolog. Chemie, Tübingen, München, MPI für Biochemie, München. *Arbeitsgebiete:* Steroidhormone (hierfür Chemie-Nobelpreis 1939 zusammen mit Ružička), Chemismus der Genwirkung, Insektenlockstoffe, -farbstoffe u. -verpuppungshormone, Virus- u. Krebsforschung, Präsident der *Max-Planck-Gesellschaft (1960–1972).
Lit.: CHEMKON **2**, 84 (1995) ■ Chem.-Ztg. **102**, 115 (1978) ■ Krafft, S. 356 ■ Kürschner (15.), S. 609 f. ■ Nachr. Chem. Tech. **11**, 140 (1963) ■ Nobel Lectures Chemistry 1922–1941, S. 461–465, Amsterdam: Elsevier 1966 ■ Pötsch, S. 75.

2-Buten-1,4-diol.
HO–CH$_2$–CH=CH–CH$_2$–OH, C$_4$H$_8$O$_2$, M$_R$ 88,11. Bei der techn. Herst. (aus *2-Butin-1,4-diol) entsteht fast ausschließlich *cis*-B., farblose Flüssigkeit, D. 1,07, Schmp. 10 °C, Sdp. 142–145 °C (24 hPa), mit Wasser, Alkohol u. Ether mischbar. B. ist ein Zwischenprodukt der *1,3-Butadien-Synth. u. dient zur Herst. von Vitamin B$_6$ u. Endosulfan, Weichmachern, Tetrahydrofuran u. Maleinsäure. – *E* 2-butene-1,4-diol – *F* butène-2 diol-1,4 – *I* 2-buten-1,4-diolo – *S* 2-buten-1,4-diol
Lit.: Beilstein E IV **1**, 2668 ■ Kirk-Othmer (3.) **1**, 253 ff.; (4.) **1**, 206. – [*HS 2905 39; CAS 110-64-5*]

1-Buten-3-in (Vinylacetylen).
HC≡C–CH=CH$_2$
C$_4$H$_4$, M$_R$ 52,08. Farbloses Gas, das bei 5,5 °C flüssig wird; es entsteht bei der Einleitung von Acetylen in eine angesäuerte Lsg. von Kupfer(I)-chlorid u. Ammoniumchlorid. Die auch als Monovinylacetylen (*Mova*) bezeichnete Verb. findet Verw. in organ. Synthesen. – *E* vinylacetylene – *F* vinylacétylène – *S* 1-buteno-3-ino
Lit.: Beilstein E IV **1**, 1083 ■ Kirk-Othmer (3.) **1**, 246; **13**, 925; (4.) **1**, 197 ■ Ullmann **9**, 553; **10**, 60 f., 113; (5.) **A 6**, 317 f. ■ Winnacker-Küchler (3.) **4**, 25 ff.; (4.) **6**, 21.

Butenolide.

Gruppenbez. für ungesätt. *Lactone, die sich von den *Butensäuren ableiten u. auch als Furan-2 (5*H*)-one benannt werden können. Zur Synth. des Grundkörpers *2-Buten-4-olid* (C$_4$H$_4$O$_2$, M$_R$ 84,07, D. 1,185, Schmp. 4–5 °C, Sdp. 86–87 °C bei 1,6 kPa, FP 101 °C), der ein wichtiger Baustein in der organ. Synth. darstellt (z. B. bei der Herst. von *Lignanen[1]) s. *Lit.*[2]. Hydrierung der C,C-Doppelbindung gibt γ-*Butyrolacton. B.-Gruppierungen sind Bestandteile einiger Naturstoffklassen, z. B. der *Cardenolide, der *Ascorbinsäure u. a. *Tetronsäuren, vgl. a. *Lit.*[3]. – *E* butenolides – *F* buténolides – *I* butenolidi – *S* butenolidas
Lit.: [1] J. Chem. Soc., Perkin Trans. 1, **1985**, 35. [2] Synthesis **1974**, 42 f.; **1978**, 143 f. [3] Zechmeister **35**, 133–198. – [*CAS 497-27-4*]

2-Butenoyl... s. Crotonoyl... u. Isocrotonoyl...

Butensäure.

a) b) c)

C$_4$H$_6$O$_2$, M$_R$ 86,09. Von den 4 möglichen B. haben nur die unter *Methacrylsäure abgehandelte 2-Methylpropensäure u. die unter (a) behandelte, thermodynam. stabilste B. techn. Bedeutung; die *cis*-2-B. u. die 3-B. gehen beim Erhitzen in (a) über.
(a) (*E*)- od. *trans*-2-B. (Crotonsäure): Buttersäure-artig riechende, Augen, Haut u. Atemwege reizende, wasserlösl., feine Nadeln od. große Tafeln, Schmp. 72 °C, Sdp. 189 °C, LD$_{50}$ (Ratte oral) 1000 mg/kg, lösl. auch in Ethanol, Aceton od. Toluol; kann durch Oxid. von Crotonaldehyd od. durch Kondensation von Acetaldehyd mit Malonsäure in Pyridin-Lsg. gewonnen werden. Verw. zur Herst. von Kautschukchemikalien, DL-Threonin u. Vitamin A, zur Copolymerisation mit Vinylacetat.
(b) (*Z*)- od. *cis*-2-B. (Iso- od. Allocrotonsäure): farblose Flüssigkeit, Schmp. 13–14 °C, Sdp. 168–169 °C; zur Herst. s. *Lit.*[1].
(c) 3-B. (Vinylessigsäure): farblose, mit Wasserdampf flüchtige Flüssigkeit, D. 1,013, Schmp. –39 °C, Sdp. 70 °C (16 hPa), läßt sich durch saure Hydrolyse von Allylcyanid herstellen; kann zu Poly(vinylessigsäure) polymerisiert werden. – *E* butenoic acid – *F* acide buténoïque – *I* acido butenoico – *S* ácido butenoico
Lit.: [1] Synthesis **1971**, 482 f.
allg.: Beilstein E IV **2**, 1491, 1498 ff. ■ Hommel, Nr. 545 ■ Kirk-Othmer (4.) **5**, 150 ■ Ullmann (4.) **9**, 139, 145, 163; (5.) **A 8**, 86 ■ Winnacker-Küchler (3.) **4**, 89, 107. – [*HS 2916 19; CAS 3724-65-0 (a); 503-64-0 (b); 625-38-7 (c); G 8*]

(*E*)-2-Butensäureethylester (Crotonsäureethylester, Ethylcrotonat).

C$_6$H$_{10}$O$_2$, M$_R$ 114,14. Wasserhelle, stechend riechende, tränenreizende Flüssigkeit, D. 0,917, Sdp. 138 °C, unlösl. in Wasser, lösl. in Alkohol, Ether u. a. organ. Lsm.; Augenschädigung bei direktem Kontakt. Verw. als Lsm., Weichmacher, zur Herst. von β-substituierten Buttersäureestern, Glutarsäureester-Derivaten usw. – *E* ethyl crotonate – *F* crotonate d'éthyle – *I* (*E*)-2-butenoato di etile – *S* (*E*)-2-butenoato de etilo
Lit.: Beilstein E IV **2**, 1500 ff. ■ Hommel, Nr. 724. – [*CAS 623-70-1*]

2-Butenyl... Bez. für die Atomgruppierung –CH$_2$–CH=CH–CH$_3$ (IUPAC-Regel A-3.5). Alte Bez.: Crotyl...; Bez. der Isomeren: 1-Butenyl... u. 3-Butenyl... (Homoallyl). – *E* 2-butenyl... – *F* 2-buténényl... – *I* = *S* 2-butenil...

Butetamat.

H$_3$C–CH$_2$–CH–CO–O–(CH$_2$)$_2$–N(C$_2$H$_5$)$_2$
         |
         C$_6$H$_5$

Internat. Freiname für 2-Phenylbutansäure-(2-diethylaminoethylester), $C_{16}H_{25}NO_2$, M_R 263,38, Sdp. 167–169 °C (1,43 kPa). Verwendet wird das Citrat, Schmp. 109–110 °C Es wurde 1953 als Antitussivum u. Spasmolytikum von Hommel (Pertix® Hommel, enthält heute *Pentoxyverin) patentiert u. ist nicht mehr im Handel. – E butetamate – F butétamate – $I = S$ butetamato

Lit.: ASP ▪ Hager (5.) **7**, 575 ff. ▪ Pharm. Ztg. **136**, 2732 (1991). – *[HS 2922 19; CAS 14007-64-8; 13900-12-4]*

1-Butin.

$$HC \equiv C-CH_2-CH_3$$

C_4H_6, M_R 54,09. Brennfähiges Gas od. farblose Flüssigkeit, D. 0,649 (0 °C), Schmp. –126 °C, Sdp. 8 °C, in Wasser unlösl., in Alkohol u. Ether lösl., reagiert sehr heftig mit Halogenen. – E 1-butyne – F 1-butine – $I = S$ 1-butino

Lit.: Beilstein E IV **1**, 969 ▪ Encycl. Gaz. S. 659–665. – *[HS 2901 29; G 2]*

2-Butin-1,4-diol.

$$HO-CH_2-C \equiv C-CH_2-OH \qquad T$$

$C_4H_6O_2$, M_R 86,09. Farblose Krist., D. 1,17, Schmp. 58 °C, Sdp. 238 °C, LD_{50} (Ratte oral) 105 mg/kg, wassergefährdender Stoff, WGK 2, außer in Ether, Benzol u. Chlorkohlenwasserstoff in allen Lsm. gut löslich. Herst. aus Acetylen u. Formaldehyd (*Reppe-Synthese).
Verw.: Zwischenprodukt bei der Synth. von 1,4-Butandiol, Insektiziden, Textilhilfsmitteln, Arzneimitteln, ferner als Sparbeizenzusatz, Glanznickel-Badzusatz, Lsm. in Abbeizmitteln u. dgl. – E 2-butyne-1,4-diol – F 2-butine-1,4-diol – I 2-butin-1,4-diolo – S 2-butino-1,4-diol

Lit.: Beilstein E IV **1**, 2687 f. ▪ Giftliste ▪ Kirk-Othmer (3.) **1**, 250 ff.; (4.) **1**, 207 ▪ Ullmann (5.) A **4**, 455. – *[HS 2905 39; CAS 110-65-6; G 6.1]*

Butinolin.

$$H_5C_6-\overset{\overset{C_6H_5}{|}}{\underset{\underset{CH_3}{|}}{C}}-C \equiv C-CH_2-N\diagdown$$

Internat. Freiname für 1,1-Diphenyl-4-pyrrolidino-2-butin-1-ol, $C_{20}H_{21}NO$, M_R 291,39. Verwendet wird das Hydrogenphosphat, Schmp. 175–179 °C, als Spasmolytikum, bes. bei Magen-Darm-Krämpfen. – $E = F$ butinoline – $I = S$ butinolina

Lit.: Hager (5.) **7**, 578. – *[HS 2933 90; CAS 968-63-8]*

Butisan® S.
Herbizic auf der Basis von *Metazachlor gegen Gräser u. Unkräuter in Raps u. Kohlarten; auch selektiv in Kartoffeln u. Pflanzzwiebeln. *B.:* BASF.

Butizid.

Internat. Freiname für 6-Chlor-3,4-dihydro-3-isobutyl-2*H*-1,2,4-benzothiadiazin-7-sulfonamid-1,1-dioxid, $C_{11}H_{16}ClN_3O_4S_2$, M_R 353,84, Schmp. 241–245 °C, auch 228 °C angegeben. B. wurde 1961 als Diuretikum von Ciba patentiert u. ist von Boehringer Mannheim (Saltucin®) im Handel. – $E = F = I$ butizide – S butizida

Lit.: Hager (5.) **7**, 578 f. – *[HS 2935 00; CAS 2043-38-1]*

Butlerow, Alexander M. (1828–1886),
Prof. für Chemie, Univ. Kasan u. Petersburg. *Arbeitsgebiete:* Isomerie, Tautomerie, Zucker-Synth., tert. Butylalkohol, Synth. von Methyliodid, Hexamethylentetramin, zuckerartigen Formaldehyd-Polymerisaten, Untersuchungen über Isobutylen-Polymerisation.

Lit.: Dawydoff, Entstehung der chem. Strukturlehre mit bes. Berücksichtigung der Arbeiten von Butlerow, Berlin: Verl. Technik 1957 ▪ Pötsch, S. 76 ▪ Strube **2**, 48, 51, 119 ▪ Strube et al., S. 94 ff.

Butler-Volmer-Gleichung.
Wichtige Gleichung aus der Kinetik der Elektrodenprozesse. Die B.-V.-G. beschreibt die Abhängigkeit der *Stromdichte j von der *Überspannung der *Durchtrittsreaktion η (sog. Durchtrittsüberspannung). Die Stromdichte kann als Maß für die Geschw. betrachtet werden, mit der Ionen an den Elektroden entladen werden. Die B.-V.-G. lautet: $j = j_0 \{ e^{(1-\alpha)\eta F/RT} - e^{\alpha \eta F/RT} \}$. Hierbei werden die Parameter j_0 u. α als Austauschstromdichte bzw. als Durchtrittsfaktor ($0 \leq \alpha \leq 1$; meistens nahe bei 0,5) bezeichnet. F ist die *Faraday-Konstante, R die *Gaskonstante u. T die abs. Temperatur. – E Butler-Volmer equation – I equazione di Butler-Volmer

Lit.: Hamann u. Vielstich, Elektrochemie II, Weinheim: Verl. Chemie 1981 ▪ Kortüm, Lehrbuch der Elektrochemie, Weinheim: Verl. Chemie 1972 ▪ Wedler, Lehrbuch der Physikalischen Chemie, 3. Aufl., Weinheim: VCH Verlagsges. 1987.

Butobarbital.

Kurzbez. für 5-Butyl-5-ethylbarbitursäure, $C_{10}H_{16}N_2O_3$, M_R 212,25, Schmp. 124–127 °C; LD_{50} (Maus, i. p.) 1,506 mmol/kg. Es wurde als Sedativum u. Hypnotikum 1926 patentiert u. ist in Anlage III C der Btm-VO gelistet. – E butethal, butobarbital – $F = I = S$ butobarbital

Lit.: DAB **10** ▪ Hager (5.) **7**, 579 f. – *[HS 2924 29; CAS 77-28-1]*

Butocarboxim.
Common name für 3-Methylthio-2-butanon-*O*-methylcarbamoyl-oxim.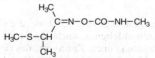

$C_7H_{14}N_2O_2S$, M_R 190,26, Schmp. 32–37 °C, LD_{50} (Ratte oral) 158 mg/kg (WHO), von Wacker eingeführtes system. *Insektizid gegen saugende Insekten, v. a. Blattläuse, im Obst-, Gemüse-, Zitrus-, Acker- u. Zierpflanzenanbau. – E butocarboxim – F butocarboxime – I butocarbossima – S butocarboxima

Lit.: Farm ▪ Perkow ▪ Pesticide Manual. – *[HS 2930 90; CAS 34681-10-2]*

Butofan®.
Sortiment von z. T. vernetzbaren Butadien-Mischpolymerisaten; wäss. Dispersionen als Rohstoffe für Textilbeschichtungen, für bauchem. Erzeug-

nisse, Klebstoffe u. zur Verfestigung von Nadelvlies-Bodenbelägen. *B.*: BASF.

Butonal®. High Solid Latex auf SBR-Basis zur Herst. von Klebstoffen sowie als Bitumen- u. Asphalt-Ersatz. *B.*: BASF.

Butoxide (Butylate, Butanolate). Nach IUPAC-Regel C-206.2 Bez. für *Alkoholate der *Butanole; *Beisp.*: *Kalium-*tert*-butoxid. – *E* butoxides – *F* butoxydes – *I* butossidi – *S* butóxidos

Butoxy... (Butyloxy...). Bez. für die Gruppierung –O–(CH$_2$)$_3$–CH$_3$ in systemat. Namen organ. Verb. (IUPAC-Regel C-205.1). Davon ist zu unterscheiden *sec*-B. [–O–CH(CH$_3$)–C$_2$H$_5$], *tert*-B. [–O–C(CH$_3$)$_3$] u. Iso-butoxy... [–O–CH$_2$–CH(CH$_3$)$_2$]. – *E* = *F* butoxy... – *I* butossi... – *S* butoxi...

***tert*-Butoxycarbonyl...** (BOC, Boc). Bez. für die Atomgruppierung –CO–O–C(CH$_3$)$_3$ als *Schutzgruppe der Amino-Funktionen von Aminosäuren; näheres s. Boc-Aminosäuren. – *E* = *F* tert-butoxycarbonyl... – *I* terz-butossicarbonil... – *S* terc-butoxicarbonil...

Butoxycarboxim. Common name für 3-Methylsulfonyl-2-butanon-*O*-methylcarbamoyloxim.

H$_3$C\
    \C=N–O–CO–NH–CH$_3$\
    /\
H$_3$C–SO$_2$–CH\
            CH$_3$

C$_7$H$_{14}$N$_2$O$_4$S, M$_R$ 222,26, Schmp. 85–89°C, LD$_{50}$ (Ratte oral) 288 mg/kg (WHO), von Wacker 1970 eingeführtes system. *Insektizid mit akarizider Wirkung zur Bodenapplikation bei Topfpflanzen, v. a. gegen Blattläuse u. Spinnmilben. – *E* butoxycarboxim – *F* butoxy-carboxime – *I* butossicarbossima – *S* butoxicarboxima
Lit.: Farm ▪ Perkow ▪ Pesticide Manual. – [HS 293090; CAS 34681-23-7]

Butoxyl®. (3-Methoxybutyl)acetat als Lsm. für Collodium, Celluloid, Celluloseether, Chlorkautschuk, Harze u. Öle, Lacke, Lackfarben, Klebstoffe u. reaktive Komponenten (Isocyanat- u. Epoxid-haltige Systeme). *B.*: Hoechst.

Butter (von griech.: bous = Kuh). Nach der Butter-VO ist B. „das aus Milch, Sahne (Rahm) od. Molkensahne (Molkenrahm), süß od. gesäuert, ggf. unter Verw. von spezif. Milchsäurebakterien-Kulturen, Wasser u. Kochsalz gewonnene plast. Gemisch." B. darf nicht in den Verkehr gebracht werden, wenn in 100 g B. weniger als 82 g Fett od. mehr als 16 g Wasser enthalten sind. Gesalzene B. liegt vor, wenn 100 g B. mehr als 0,1 g Kochsalz enthält. Als natürliche Farbstoffe sind nur α-, β- u. γ-Carotin zugelassen. Obschon B. bereits im Altertum (wenn auch als Kosmetikum!) bekannt war, hat sich ihre Verw. als eines der wichtigsten Speisefette erst im 16. Jh. in gemäßigten Klimazonen einzubürgern begonnen. In der BRD ist der B.-Verbrauch zugunsten anderer Nahrungsfette (*Margarine, Speiseöle u. Pflanzenfette, s. a. Fette und Öle) rückläufig. Ein Grund für diese Entwicklung ist weniger in den Bedenken vor *Hypercholesterinämie* (s. Hyperlipidämie) als v. a. in den geänderten Ernährungsgewohnheiten zu sehen, die heute nährwertärmere Lebensmittel bevorzugen. Während beispielsweise 100 g B. ca. 3230 kJ (770 kcal) liefern, beträgt der Nährwert aus Sahne od. Butter hergestellten sog. *Milchhalbfetterzeugnissen*, die max. 41% Fett u. 6,5% Milcheiweiß enthalten dürfen, nur 1580 kJ (385 kcal).
Ausgangsmaterial für die B.-Gewinnung ist der *Rahm*, eine an Fett angereicherte Milchemulsion mit 20–25% Fettgehalt, die man beim Zentrifugieren od. beim Stehenlassen der Milch (Aufrahmen) erhält; im letzteren Fall sammelt sich in einigen Tagen der leichtere Rahm über dem geronnenen Milcheiweiß an. Dieser Prozeß wird – bei der in der BRD meistpraktizierten Herst. von *Sauerrahm*-B. – durch gezielten Zusatz von Milchsäurebakterien wie Streptococcus lactis u. Leuconostoc citrovorum (*Säurewecker*) beschleunigt. Beim „Buttern" wird der Rahm im B.-Faß od. in der B.-Maschine durch andauerndes Schlagen in B. verwandelt, wobei sich die sehr feinen Fett-Tröpfchen allmählich zu größeren Gebilden aggregieren. Bei frischem, süßem Rahm gelingt das Buttern weniger gut, weil die Fettkügelchen eine starke Adhäsion an das Casein-haltige Wasser aufweisen; am günstigsten ist schwach saurer Rahm u. eine Temp. von 12–20°C. Im allg. erhält man aus ca. 35 l guter Milch 1 kg Butter; die wäss. Phase ist die *Buttermilch. Die fertige, ungesalzene B. enth. durchschnittlich 82–84% Fett (zur Zusammensetzung vgl. das Milchfett bei Milch) u. 15% Wasser sowie Lactose, Milchsäure, Casein, Eiweiß u. Mineralstoffe. Der Wassergehalt der B. ist durch Auskneten nicht zu entfernen, er bedingt die leichte Streichbarkeit. Kolloidchem. betrachtet ist B. eine Wasser-in-Öl-*Emulsion; d. h. es sind sehr kleine Flüssigkeitstropfen gleichmäßig in eine zusammenhängende Grundmasse von Fett eingelagert. *Milch ist hingegen eine Öl-in-Wasser-Emulsion; hier schwimmen viele kleine Fettkügelchen in einer wäss. Lösung. Für andere Verw.-Zwecke kann man aus B. sog. *Butterschmalz* (Schmelzbutter) herstellen, unter dem man 99,3%iges *Butterfett* versteht, das höchstens 0,5% Wasser u. prakt. keine Lactose, Casein u. Salze mehr enthält. Das durch Ausschmelzen der B., Abtrennen der wäss. Phase und Erhitzen auf 100–105°C hergestellte Butterschmalz dient als Brat- u. Backfett.
Die Farbe der B. steht mit der Fütterung der Milchkühe u. dem Vitamin-Gehalt des Futters in Zusammenhang; bei Grasfütterung u. Weidegang erhält man die *Carotin-reichere, gelbe B., bei Stallfütterung ist die B.-Farbe beinahe weiß. Übrigens glaubt man die Streichfähigkeit der B. durch gezielte Verfütterung ungesätt. Fettsäuren an Milchvieh verbessern zu können. B. enthält neben 0,2–0,45% *Lecithin u. 0,25% *Cholesterin die fettlösl. Vitamine A u. E. Milchsäurebakterien sind bis zu 100 Mio./g vertreten, was gesundheitlich unbedenklich ist. Um B. vor dem Ranzigwerden zu schützen, bewahrt man sie am besten dunkel u. kühl auf. In Ggw. von Schwermetall-Spuren (bes. Kupfer) u. höherem Säuregehalt kann B. schon nach 2–3 d einen fischigen Geruch aufweisen, weil hierbei das Lecithin der B. durch Hydrolyse u. Oxid. über Cholin zu Trimethylamin (verursacht Fischgeruch) abgebaut wird. Die Aromastoffe der B. bilden sich jedoch nicht nur durch Autoxid. der ungesätt. Fettsäuren, sondern

Butteraroma

bereits aufgrund enzymat. Vorgänge bei der Rahmreifung. Wichtige Geruchsstoffe sind neben den schon länger bekannten Ketonen *2,3-Butandion u. *Acetoin (3-Hydroxy-2-butanon), ungesätt. Aldehyde wie cis-4-Heptenal u. Homologe sowie Ester u. Lactone wie 5-Decanolid u. 5-Dodecanolid. Die Butterproduktion lag 1991 in der BRD bei 553 000 t. – *E* butter – *F* beurre – *I* burro – *S* mantequilla
Lit.: Kessler, Lebensmittel- u. Bioverfahrenstechnik (3.), Freising: Kessler 1988 ▪ Michwirtschaft **37**, 661 (1982).

Butteraroma. Aromaaktive Komponenten in *Süßrahmbutter* sind die 5-Alkanolide C_8, C_{10} u. C_{12}, freie *Fettsäuren C_{10} u. C_{12}, sowie Spurenstoffe, z. B. (Z)-4-Heptenal u. *Skatol. *Sauerrahmbutter* enthält außerdem Stoffwechselprodukte der Starterkulturen wie *Acetoin, *2,3-Butandion, *2,3-Pentandion* ($C_5H_8O_2$, M_R 100,12 u. Essigsäure. In ranziger Butter sind erhöhte Konz. (>50 ppm) der Fettsäuren C_4, C_6 u. C_8 vorhanden, freigesetzt durch Lipasen. – *E* butter flavour – *F* arome butirique – *I* aroma del burro – *S* aroma de la manteca
Lit.: Belitz-Grosch (4.), S. 174–490 ▪ TNO-Liste (6.), Suppl. 5, S. 101–108. – *[CAS 600-14-6 (2,3-Pentandion)]*

Buttergelb s. 4-(Dimethylamino)-azobenzol.

Buttermilch. Bez. für die Flüssigkeit, die bei der *Butter-Bereitung aus Rahm im Butterfaß zurückbleibt; sie enthält natürlich nur noch wenig Fett (0,5%), dafür aber erhebliche Mengen an Eiweiß (3,7%), Kohlenhydraten (3,7–5,1%) u. Mineralsalzen (0,7%), so daß sie auch als Nahrungsmittel verwendet werden kann. Der Lactose-Gehalt ist infolge der Milchsäure-Gärung im Vgl. zur Vollmilch etwas zurückgegangen; dafür enthält die B. etwa 0,7% Milchsäure u. schmeckt daher sauer. – *E* butter milk – *F* babeurre – *I* latticello – *S* suero de leche desgrasada, leche de mantequilla

Buttersäure (Butansäure).

a) $H_3C-CH_2-CH_2-COOH$

b) $H_3C-CH(CH_3)-COOH$

$C_4H_8O_2$, M_R 88,11. (a) *n*-Buttersäure: ölige, unangenehm ranzig riechende Flüssigkeit, D. 0,959, Schmp. –6 °C, Sdp. 164 °C. Die Dämpfe reizen stark Augen, Atemwege u. Haut, Kontakt mit der Flüssigkeit bewirkt schwere Verätzung der Haut u. der Augen, LD_{50} (Ratte oral) 2000 mg/kg, wassergefährdender Stoff, WGK 1, mit Wasser, Alkohol u. Ether beliebig mischbar. B. kommt als Glycerinester in der *Butter vor, aus der sie von Chevreul (1823) isoliert wurde. Bei der Autoxid. der Milchfette entsteht etwas freie B. u. verursacht deren *Ranzigkeit u. üblen Geruch. Ferner findet sie sich in tier. Sekreten, in Fußschweiß, Muskelsäften, Wurmfarnwurzeln, in rohem Holzessig u. im Schwelwasser der Braunkohlen-Destillationsanlagen.
Herst.: Durch Oxid. von Butanol od. Butyraldehyd mit Luft in Ggw. von Katalysatoren, durch *Oxo-Synthese aus Propen u. CO/H_2O (zusammen mit *iso*-B., s. unten) od. auf gärungschem. Wege aus Kohlenhydraten durch Clostridium.
Verw.: Zur Herst. von *Buttersäureestern, deren niedermol. Vertreter als Aromen u. Lsm. benutzt werden, während die höheren Weichmachereigenschaften besitzen; Cellulosebutyrat ist ein Kunststoff. Weiter wird B. zur Synth. von Arzneimitteln, Schädlingsbekämpfungsmitteln usw. gebraucht. Das in heißem Wasser schwerer als in kaltem lösl. Calcium-Salz der B. (Unterscheidung zu Isobuttersäure) ist ein in der Gerberei-Ind. benutztes Entkalkungsmittel für Häute.
(b) *Isobuttersäure* (2-Methylpropionsäure), farblose, unangenehm riechende Flüssigkeit, D. 0,950, Schmp. –47 °C, Sdp. 155 °C, in Wasser lösl., mit organ. Lsm. mischbar. Synthet. ist Isobuttersäure als Nebenprodukt der *Oxo-Synthese der B. sowie durch Oxid. von Isobutanol zugänglich; Verw. findet sie in Ester-Form auf dem Aromensektor (s. Buttersäureester). – *E* butyric acid – *F* acide butyrique – *I* acido butirrico – *S* ácido butírico
Lit.: Beilstein E IV **2**, 779–786, 843 ff. ▪ Brauer, Gefahrstoff-Sensorik, Landsberg: Ecomed Verlagsges. 1988 ▪ Giftliste ▪ Hommel, Nr. 471 ▪ Kirk-Othmer **3**, 878–883; (3.) **4**, 816 ▪ Ullmann **4**, 769–774; (4.) **9**, 142; (5.) A **5**, 242 ▪ s. a. Carbonsäuren, Fettsäuren. – *[HS 291560; CAS 107-92-6 (B.); 79-31-2 (Iso-B.); G 8]*

Buttersäureanhydrid.

$$H_3C-(CH_2)_2-\underset{O}{\overset{O}{C}}-O-\underset{O}{\overset{O}{C}}-(CH_2)_2-CH_3$$

$C_8H_{14}O_3$, M_R 158,20. Farblose, unangenehm ranzig riechende Flüssigkeit, D. 0,967, Schmp. –75 °C, Sdp. 198 °C, lösl. in Wasser u. Alkohol (Zers.). Die Dämpfe reizen stark Augen u. Atemwege, Kontakt mit der Flüssigkeit führt zu schwerer Verätzung der Augen u. zu Reizung der Haut.
Verw.: Zur Herst. von *Buttersäureestern u. von Cellulosebutyrat, Celluloseacetobutyrat usw. – *E* butyric anhydride – *F* anhydride butyrique – *I* anidride butirrica – *S* anhídrido butírico
Lit.: Beilstein E IV **2**, 802 ▪ Hommel, Nr. 544 ▪ Ullmann (4.) **9**, 146, **11**, 84; (5.) A **4**, 451. – *[HS 291590; CAS 106-31-0; G 8]*

Buttersäurechlorid (Butyrylchlorid).

$$H_3C-CH_2-CH_2-\overset{O}{\underset{Cl}{C}}$$

C_4H_7ClO, M_R 106,55. Farblose Flüssigkeit, D. 1,026, Schmp. –89 °C, Sdp. 101–102 °C, stechender Geruch. Dämpfe u. Flüssigkeit reizen stark Augen, Atemwege u. Haut (Lungenödem möglich); wassergefährdender Stoff, WGK 1 (Selbsteinst.). B ist in Wasser u. Alkohol wenig lösl. (Zers.), lösl. in Chloroform. Zwischenprodukt bei organ. Synthesen. – *E* butyryl chloride – *F* chlorure de butyrile – *I* cloruro di butirrile – *S* cloruro de butirilo
Lit.: Beilstein E IV **2**, 803 ▪ Hommel, Nr. 683. – *[HS 291560; CAS 141-75-3; G 3]*

Buttersäureester (Butyrate).

$$H_3C-CH_2-CH_2-\overset{O}{\underset{OR}{C}}$$

Die leicht herstellbaren B. sind farblose, brennfähige, in Wasser unlösl. u. mit organ. Lsm. mischbare Flüssigkeiten, die, obwohl sie von der übelriechenden Buttersäure od. der Isobuttersäure stammen, sehr an-

genehm fruchtartig riechen u. in der Aromen-, Essenzen-, Likör- u. Parfümerie-Ind. vielfache Verw. finden. Typ. Geruchsnoten einzelner B. sind: Apfel (Methyl-), Ananas (Ethyl-), Birnen (Isopentyl-); bei Isobuttersäureestern: Aprikosen (Methyl-), Ananas u. Erdbeere (Propyl-), Banane u. Ananas (Isopentyl-), Pastinak (Octyl-), Jasmin u. Erdbeere (Benzyl-). Einzelne, z. T. auch als Lsm. gebrauchte Ester der Buttersäure (B.) sind:
B.-benzylester (Benzylbutyrat, R = CH$_2$–C$_6$H$_5$, C$_{11}$H$_{14}$O$_2$, M$_R$ 178,23): D. 1,016, Sdp. 238–240 °C; – *B.-isobutylester* (Isobutylbutyrat, R = CH$_2$–CH(CH$_3$)$_2$, C$_8$H$_{16}$O$_2$, M$_R$ 144,21): D. 0,866, Sdp. 157 °C; – *B.-ethylester* (Ethylbutyrat, R = C$_2$H$_5$, C$_6$H$_{12}$O$_2$, M$_R$ 116,16): D. 0,879, Schmp. –93 °C, Sdp. 121 °C; – *B.-methylester* (Methylbutyrat, R = CH$_3$, C$_5$H$_{10}$O$_2$, M$_R$ 102,13): D. 0,898, Schmp. –95 °C, Sdp. 103 °C; – *B.-pentylester* (Pentylod. Amylbutyrat, R = C$_5$H$_{11}$, C$_8$H$_{18}$O$_2$, M$_R$ 146,23): D. 0,8713, Schmp. –73 °C, Sdp. 186 °C; – *B.-isopentylod. isoamylester* [Isoamyl- od. Isopentyl- od. (3-Methylbutyl)-butyrat, R = CH$_2$–CH$_2$–CH(CH$_3$)$_2$, C$_8$H$_{12}$O$_2$, M$_R$ 140,18]: D. 0,8651, Sdp. 178 °C. – *E = F* butyrates – *I* estere dell'acido butirrico – *S* butiratos
Lit.: Beilstein EIV 2, 786 ff. ▪ Brauer, Gefahrstoffsensorik, Landsberg: Ecomed Verlagsgesellschaft 1988 ▪ Giftliste ▪ Gildemeister 3d ▪ Hommel, Nr. 499, 612, 721, 922 ▪ Ullmann (4.) 20, 208; 16, 301; (5.) A 11, 152. – [HS 291560; G3]

Butterschmalz s. Butter.

Butvar®. Polyvinylbutyralharze. Butvar® B 72 – B 98, verschiedene Molmassen. *B.:* Monsanto.

Butvar BR®. 50 – 52%ige Dispersionen von weichgemachtem *Butvar®. B.:* Monsanto.

Butyl... Bez. für den unsubstituierten Rest C$_4$H$_9$– in systemat. Namen (IUPAC-Regeln A-1.2, A-2.2.5 u. R-9.1.19b). Man unterscheidet (in Klammern die systemat. Chem. Abstr.-Bez.): –CH$_2$–CH$_2$–C$_2$H$_5$ Butyl, –CH$_2$–CH(CH$_3$) Isobutyl (2-Methylpropyl), –CH(CH$_3$)–C$_2$H$_5$ *sec*-Butyl (1-Methylpropyl), –C(CH$_3$)$_3$ *tert*-Butyl (1,1-Dimethylethyl). – *E = F* butyl – *I = S* butil...

Butylacetat s. Essigsäurebutylester.

Butylalkohol s. Butanol.

Butylamine.

a) H$_3$C–(CH$_2$)$_3$–NH$_2$ b) H$_3$C–CH$_2$–CH(CH$_3$)–NH$_2$ c) H$_3$C–CH(CH$_3$)–CH$_2$–NH$_2$

C$_4$H$_{11}$N, M$_R$ 73,14. Die B. sind farblose, wasserlösl., Ammoniak-artig riechende, Haut u. Schleimhäute reizende Flüssigkeiten mit MAK 5 ppm (MAK-Werte-Liste 1995). Von den 4 Isomeren sind nur die 3 beschriebenen von Bedeutung.
(a) *1-B.* (1-Butanamin), D. 0,733, Schmp. –50 °C, Sdp. 78 °C, WGK 1, LD$_{50}$ (Ratte oral) 366 mg/kg, mischbar mit Wasser, Alkohol u. Ether; reagiert stark alkal., allerg. Reaktionen möglich, Gefahr der Hautresorption. Herst. durch Umsetzung von Butanol od. Butyraldehyd mit Ammoniak in Ggw. von Katalysatoren.
Verw.: Als Zwischenprodukt für Kautschuk-Chemikalien, Schädlingsbekämpfungsmittel, Additive, Detergentien, Arzneimittel, Korrosionsinhibitoren usw.
(b) *sec-B.* (2-Butanamin), in racem. Form, D. 0,724, Schmp. –104 °C, Sdp. 63 °C, LD$_{50}$ (Ratte oral) 152 mg/kg, wird in chem. Synth. verwendet.
(c) *Iso-B.* (2-Methyl-1-propanamin), D. 0,736, Schmp. –85 °C, Sdp. 68 – 69 °C, LD$_{50}$ (Ratte oral) 224 mg/kg, hygroskop., Verfärbung bei längerem Luftzutritt, mischbar mit Wasser, Alkohol u. Ether. Zwischenprod. bei Herst. von Tensiden, Harzen, Arzneimitteln, Korrosionsinhibitoren usw. – *E = F* butylamine – *I* butilammina – *S* butilamina

Lit.: Beilstein EIV 4, 540 – 545, 617 ff. ▪ Giftliste ▪ Hommel, Nr. 236, 522 ▪ Kirk-Othmer (3.) 2, 272 – 283; (4.) 2, 370 ▪ Merck-Index (11.), Nr. 1543, 5016 ▪ Ullmann (4.) 7, 377, 387; (5.) A 2, 8. – [HS 2921 19; CAS 109-73-9 (1-B.); 33966-50-6 (2-B.); G3]

Butylat. Common name für *S*-Ethyl-diisobutylthiocarbamat.

(H$_3$C)$_2$CH–CH$_2$\
＼\
    N–C(=O)–S–C$_2$H$_5$\
／\
(H$_3$C)$_2$CH–CH$_2$

C$_{11}$H$_{23}$NOS, M$_R$ 217,37, Sdp. 130 °C (1,33 kPa), LD$_{50}$ (Ratte oral) >4000 mg/kg (WHO), von Stauffer 1954 eingeführtes selektives Boden-*Herbizid gegen Ungräser im Maisanbau. – *E = F* butylate – *I = S* butilato
Lit.: Farm ▪ Perkow ▪ Pesticide Manual. – [HS 2930 90; CAS 2008-41-5]

Butylate s. Butoxide.

4-*tert*-Butylbenzoesäure (*p*-TBBA).

(H$_3$C)$_3$C–C$_6$H$_4$–COOH

C$_{11}$H$_{14}$O$_2$, M$_R$ 178,23. Farblose Krist., Schmp. 167 °C, LD$_{50}$ (Ratte oral) 700 mg/kg, Verdacht auf fortpflanzungsgefährdende Wirkung. Findet Verw. zur Modifizierung von Alkydharzen, Herst. von Stabilisierungsmitteln für PVC u. Korrosionsschutzmittel, für Schleif-, Schneid- u. Bohröle. – *E* 4-*tert*-butylbenzoic acid – *I* acido 4-*terz*-butilbenzoico – *S* ácido 4-*terc*-butilbenzoico
Lit.: Beilstein EIV 9, 1884 ▪ Kirk-Othmer (3.) 3, 790 ▪ Ullmann (5.) A 3, 564. – [HS 2916 39; CAS 98-73-7]

Butylbenzylphthalat s. Benzylbutylphthalat.

Butylbiguanid s. Buformin.

4-*tert*-Butylbrenzcatechin (4-*tert*-Butylbenzol-1,2-diol).

(H$_3$C)$_3$C–C$_6$H$_3$(OH)$_2$

C$_{10}$H$_{14}$O$_2$, M$_R$ 166,22. Farblose Brocken, Schmp. 56 °C, Sdp. 283 – 286 °C. Findet Verw. als Polymerisationsinhibitor für monomere Olefine (Butadien, Styrol u. dgl.), ungesät. Polyester, Stabilisator für Synthesekautschuk, ölhaltige Farben u. Lacke (*Antiskinning Agent*), Antioxidans zur Stabilisierung von Fetten u. Ölen; B. darf beim Herstellen od. Behandeln von kosmet. Mitteln nicht verwendet werden (Kosmetik-VO Anlage 1, Nr. 341). – *E* 4-*tert*-butylpyrocatechol – *I* 4-*terz*-butilpirocatechina – *S* 4-*terc*-butilpirocatecol

Lit.: Beilstein E IV **6**, 6014 ▪ Ullmann (4.) **8**, 29. – *[HS 2907 29; CAS 98-29-3; G 8]*

Butylbromide.

H₃C—CH₂—CH₂—CH₂—Br   a)

H₃C—CH₂—CH(Br)—CH₃   b)

H₃C—C(CH₃)(CH₃)—Br   c)

H₃C—CH(CH₃)—CH₂—Br   d)

C_4H_9Br, M_R 137,02. Alle 4 B. sind farblose Flüssigkeiten, mischbar mit Alkohol, Ether u. dgl., unlösl. in Wasser.
(a) *1-B.* (1-Brombutan), D. 1,269, Schmp. –112 °C, Sdp. 101 °C; (b) *sec-B.* (2-Brombutan), D. 1,253, Schmp. –112 °C, Sdp. 91 °C; (c) *tert-B.* (2-Brom-2-methylpropan), D. 1,202, Schmp. –16,3 °C, Sdp. 73 °C; (d) *Iso-B.* (1-Brom-2-methylpropan), D. 1,272; Schmp. –119 °C, Sdp. 91 °C. Die B. finden Verw. zur Einführung der entsprechenden Butyl-Gruppe bei der Synth. von Arzneimitteln, Riechstoffen usw. – *E* butyl bromide – *F* bromure de butyle – *I* bromuro di butile – *S* bromuro de butilo

Lit.: Beilstein E IV **1**, 258–262, 294–298 ▪ Merck-Index (11.), Nr. 1553, 1554, 1555, 5019 ▪ Hommel, Nr. 1188. – *[HS 2903 30; CAS 109-65-9 (1-B.); 78-76-2 (sec-B.); 507-19-7 (tert-B.); G 3]*

Butylchloride.

H₃C—CH₂—CH₂—CH₂—Cl   a)

H₃C—CH₂—CH(Cl)—CH₃   b)

H₃C—C(CH₃)(CH₃)—Cl   c)

H₃C—CH(CH₃)—CH₂—Cl   d)

C_4H_9Cl, M_R 92,57. Die 4 isomeren B. sind farblose, brennfähige Flüssigkeiten, in Wasser nahezu unlösl., mit organ. Lsm. dagegen mischbar.
(a) *1-B.* (1-Chlorbutan), leicht entzündlich, D. 0,892, Sdp. –123 °C, Sdp. 78,5 °C, LD_{50} (Ratte oral) 2670 mg/kg; – (b) *sec-B.* (2-Chlorbutan), D. 0,871, Sdp. 68 °C; – (c) *tert-B.* (2-Chlor-2-methylpropan), D. 0,847, Schmp. –26 °C, Sdp. 51 °C; – (d) *Iso-B.* (1-Chlor-2-methylpropan), D. 0,883, Schmp. –131 °C, Sdp. 68–69 °C. Verw. zur Einführung der Butyl-Gruppen bei synthet. Reaktionen u. als Lösungsmittel. – *E* butyl chloride – *F* chlorure de butyle – *I* cloruro di butile – *S* cloruro de butilo

Lit.: Beilstein E IV **1**, 246 ff., 287–292 ▪ Hommel, Nr. 470, 839 ▪ Merck-Index (11.), Nr. 1560–1562, 5022 ▪ Ullmann (4.) **9**, 470; (5.) **A 6**, 313. – *[HS 2903 19; CAS 109-69-3 (1-B.); 78-86-4 (sec-B.); 507-20-0 (tert-B.); G 3]*

Butylcinnamat s. Zimtsäureester.

Butyldiglykol(acetat) s. Diethylenglykol.

Butylen. Ältere Bez. für *Buten. Unter …Butylen… versteht man zweiwertige Reste.

Butylenglykol s. Butandiole.

Butylether s. Dibutylether.

Butylglykol(acetat) s. Ethylenglykol.

***tert*-Butylhydrochinon** (2-*tert*-Butylhydrochinon, TBHQ, CTFA-Bez.: t-Butyl Hydroquinone).

$C_{10}H_{14}O_2$, M_R 166,22. Wird als *Antioxidans für fetthaltige kosmet. Mittel verwendet (Einsatzkonz. 0,05–0,1 %)[1]. Nach Anw. von Lippenstiften, die B. enthielten, wurden allerg. Kontaktdermatiden beobachtet[2]. Das CIR Expert Panel der CTFA hat festgestellt, daß die für B. bisher vorgelegten Untersuchungsdaten nicht ausreichen, um B. als „safe" bezeichnen zu können[3]. Trotz neuerer Daten zur potentiellen Wirkung von B. als Tumorpromotor hat jedoch das *JECFA den temporären *ADI-Wert von 0–0,2 mg/kg bestätigt. TBHQ ist in den USA im Gegensatz zur EG auch als Antioxidans für Lebensmittel zugelassen. – *E* t-butyl hydroquinone – *F* t-butyl-hydroquinone – *I* t-butilidrochinone – *S* terc-butilhidroquinona

Lit.: [1] Soap, Perfum. Cosmet. **44**, 29 (1971). [2] Contact Dermatitis **7**, 280 (1981). [3] J. Am. Coll. Toxicol. **5**, 329 (1986); Chem. Abstr. **106**, Nr. 14-107752 (1987).
allg.: Beilstein E IV **6**, 6013. – *[HS 2907 29; CAS 1948-33-0]*

***tert*-Butylhydroperoxid.** $(H_3C)_3C—O—OH$, $C_4H_{10}O_2$, M_R 90,12. Farblose Flüssigkeit, D. 0,89, Schmp. –8 °C, Sdp. 35 °C (27 hPa), in Wasser kaum, gut in organ. Lsm. löslich. Dämpfe u. Flüssigkeit verursachen Reizung der Augen, der Atemwege u. der Haut, LD_{50} (Ratte oral) 406 mg/kg, wassergefährdender Stoff, WGK 2 (Selbsteinst.). B. kann aus tert-Butylalkohol u. H_2O_2 hergestellt werden. Techn. *tert*-B. (D. 0,90–0,91) wird meist im Gemisch mit Di-*tert*-butylperoxid gehandelt.

Verw.: Als Radikal-Spender bes. für die Lsg.- u. Emulsionspolymerisation von Vinyl-, Allyl- u. Diolefin-Verb., für die Kalthärtung von ungesätt. Allyl-Melamin-Harzen in Ggw. von Cobalt-Beschleunigern u. zur Herst. von Perestern od. Epoxiden; Reagenz bei der wichtigen asymmetr. Epoxidierung von Allyl- u. Homoallylalkoholen (*Sharpless-Epoxidierung). – *E* *tert*-Butylhydroperoxide – *F* hydroperoxyde de *tert*-butyle – *I* *terz*-butilidroperossido – *S* hidroperóxido de *terc*-butilo

Lit.: Arch. Biochem. Biophys. **302**, 294 (1993) ▪ Beilstein E IV **1**, 1616 ▪ Giftliste ▪ Hommel, Nr. 237 ▪ J. Am. Chem. Soc. **102**, 5974 (1980); **103**, 464, 6237 (1981) ▪ J. Org. Chem. **49**, 3707 (1984) ▪ Kirk-Othmer **14**, 772–776 ▪ Synthetica **2**, 60 ff. ▪ Ullmann (4.) **17**, 663 f.; (5.) **A 19**, 201, 203 ▪ s. a. Hydroperoxide. – *[HS 2909 60; CAS 75-91-2; G 5.2]*

***tert*-Butylhydroxyanisol** (BHA) s. *tert*-Butylmethoxyphenol.

Butyl-*p*-hydroxybenzoat s. 4-Hydroxybenzoesäureester.

Butyliden... Bez. für die Atomgruppierung =CH–CH$_2$–C$_2$H$_5$ (IUPAC-Regel A-4.1); =C(CH$_3$)–C$_2$H$_5$ heißt *sec*-Butyliden u. =CH–CH(CH$_3$)$_2$ Isobutyliden. – *E* butylidene... – *F* butylidène... – *I* butiliden... – *S* butilidén...

Butylkautschuke (Kurzz. IIR). B. sind *Copolymere von Isobutylen u. ~0,5–5 Gew.-% *Isopren, die durch *kationische Polymerisation bei Temp. von ca. –40 °C bis –100 °C im Lösungs- (Lsm.: Hexan) od. Fällungsverf. (Lsm.: Methylenchlorid) hergestellt werden. Die Makromol. des B. enthalten somit folgende Struktureinheiten:

$$-CH_2-\underset{\underset{CH_3}{|}}{\overset{\overset{CH_3}{|}}{C}}- \qquad -CH_2-\underset{\underset{CH_3}{|}}{C}=CH-CH_2-$$

Damit enthalten B. über das in *trans*-1,4-Konfiguration eingebaute Isopren Doppelbindungen, die zur Vulkanisation od. Modifizierung der B. durch Chlorierung (Chlorbutyl-Kautschuk, Kurzz. CIIR) bzw. Bromierung (Brombutyl-Kautschuk, Kurzz. BIIR) genutzt werden können. Vulkanisierter B. zeichnet sich durch sehr geringe Gasdurchlässigkeit, hohe Beständigkeit gegenüber Sauerstoff, Ozon, Säuren, Basen u. polaren organ. Lsm. aus u. ist einsetzbar im Temp.-Bereich von ca. –30 °C bis 190 °C.
Verw.: Für Autoschläuche, Behälterauskleidungen, Kabelisolierungen, Isolierfolien, techn. Gummiartikel u. Dämpfungselemente. – *E* butyl rubber – *F* butylcaoutchouc – *I* butilcauccù – *S* caucho butílico
Lit.: Encycl. Polym. Sci. Eng. **8**, 423 ff. ▪ Encycl. Polym. Sci. Technol. **2**, 754 ff. ▪ Houben-Weyl **E 20**, 776 ff. ▪ Kunststoffe **77**, 1057 ff. (1987) ▪ Ullmann (4.) **13**, 621 ff.; (5.) **A 23**, 288 ▪ s. a. Kautschuk u. Synthesekautschuk. – *[HS 4002 31]*

***tert*-Butylkresole** s. 2-*tert*-Butyl-4(bzw. 5)-methylphenol.

Butyllactat s. Milchsäureester.

Butyllithium. C$_4$H$_9$Li, M$_R$ 64,06. *n*-B. u. *sec*-B. sind farblose Flüssigkeiten, *tert*-B. ist eine farblose krist. Festsubstanz. Die drei B.-Isomeren sind selbstentzündlich u. werden gewöhnlich in 15–20%igen Lsg. in Alkanen bzw. Cycloalkanen gehandelt; Hautkontakt ist zu vermeiden.
Verw.: *n*- u. *sec*-B. haben als Katalysatoren für die techn. Polymerisation von Isopren, Butadien u. Styrol große Bedeutung erlangt, *tert*-B. dient zur Einführung der tert-Butyl-Gruppe in organ. Verbindungen. – *E = F* butyllithium – *I* butillitio – *S* butil-litio
Lit.: Beilstein E IV **4**, 4419 ▪ Hommel, Nr. 342 ▪ J. Chem. Soc. Chem. Commun. **1986**, 457 ▪ Kirk-Othmer **12**, 548–522; (3.) **14**, 466 ▪ Synthetica **1**, 102–107 ▪ Tetrahedron Lett. **26**, 4691 (1985) ▪ Ullmann (4.) **16**, 275 f.; (5.) **A 15**, 411 ▪ s. a. Lithiumorganische Verbindungen. – *[HS 2930 00; CAS 109-72-8 (n-B.); 598-30-1 (sec-B.); 594-19-4 (tert-B.)]*

Butylmercaptan s. 1-Butanthiol.

***tert*-Butylmethoxyphenol** (tert-Butylhydroxyanisol, BHA).

H$_3$CO—⟨⟩—OH
          |
          C(CH$_3$)$_3$

C$_{11}$H$_{16}$O$_2$, M$_R$ 180,25. Farbloses, in Wasser unlösl., dagegen in Alkohol, Propylenglykol u. (geringfügig) in Ölen u. Fetten lösl. Gemisch aus 2- bzw. 3-*tert*-Butyl-4-methoxyphenol; ersteres hat Schmp. 63 °C, letzteres Schmp. 50 °C. BHA ist ein wichtiges, häufig zusammen mit *Gallussäureestern angewandtes lebensmittelrechtlich zugelassenes *Antioxidans für Lebensmittel (EG-Kennziffer E 320). Zur Pharmakokinetik s. *Lit.*[1]. – *E tert*-butylmethoxyphenol – *F* tert.-butylemétoxyphénol – *I terz*-butilmetossifenolo – *S terc*-butilmetoxifenol
Lit.: [1] Gesundheitsschädliche Arbeitsstoffe: toxikologisch-arbeitsmedizinische Begründung von MAK-Werten, Weinheim: Verlag Chemie 1972–1996.
allg.: Beilstein E IV **6**, 6013 ▪ Ullmann (4.) **8**, 29, **13**, 150; (5.) **A 3**, 91 ff. ▪ s. a. Antioxidantien – *[HS 2909 50; CAS 121-00-6]*

***tert*-Butylmethylether** (MTBE). (H$_3$C)$_3$C–O–CH$_3$, C$_5$H$_{12}$O, M$_R$ 88,15. Farblose Flüssigkeit, D. 0,7405, Schmp. –109 °C, Sdp. 55 °C, FP. –28 °C, LD$_{50}$ (Ratte oral) 4000 mg/kg, wassergefährdender Stoff, WGK 1 (Selbsteinst.), in Wasser etwas, in organ. Lsm. gut löslich. Dämpfe u. Flüssigkeit reizen Augen, Haut u. Atemwege, die Dämpfe wirken beim Einatmen stark narkotisch. Das aus Isobuten (s. Buten) u. Methanol leicht zugängliche B. wird als *Antiklopfmittel verwendet; gutes Lsm. für die Chromatographie. – *E tert*-butyl methyl ether – *F* tertiobutyl méthyl éther – *I* etere *terz*-butilmetilico – *S* éter *terc*-butilmetílico
Lit.: Beilstein E IV **1**, 1615 ▪ Hommel, Nr. 1064 ▪ J. Chromatogr. **169**, 381 (1979) ▪ Merck-Index (11.), Nr. 5954. – *[HS 2909 19; CAS 1634-04-4; G 3]*

2-*tert*-Butyl-4-(bzw. 5)-methylphenol.

H$_3$C—⟨⟩—OH   bzw.   H$_3$C—⟨⟩—OH
       | |
       C(CH$_3$)$_3$ C(CH$_3$)$_3$

C$_{11}$H$_{16}$O, M$_R$ 164,25. Sowohl die 4-Methyl-Verb. [2-*tert*-Butyl-*p*-kresol, Schmp. 46–47 °C, Sdp. 127 °C (14 hPA)] als auch die 5-Methyl-Verb. [6-*tert*-Butyl-*m*-kresol, Schmp. 44 °C, Sdp. 119 °C (19 hPA)] finden Verw. als – biolog. kaum abbaubare[1] – Antioxidantien in der Öl-, Waschmittel- u. Kunststoffindustrie. – *E tert*-butylmethylphenol – *I* 2-*terz*-butil-4-(risp. 5-)metilfenolo – *S* 2-*terc*-butil-4- (ó 5-)metilfenol
Lit.: [1] Environ. Lett. **5**, 209 (1974).
allg.: Beilstein E IV **6**, 3397 ▪ Giftliste ▪ Ullmann (4.) **18**, 194, 207. – *[HS 2907 12; CAS 2409-55-4]*

Butyloxy... s. Butoxy...

***tert*-Butyloxycarbonyl...** s. *tert*-Butoxycarbonyl...

Butyl-PBD. Abk. für 2-(4-Biphenylyl)-5-(4-*tert*-butylphenyl)-1,3,4-oxadiazol.

C$_{24}$H$_{22}$N$_2$O, M$_R$ 354,45, Schmp. 137–139 °C. Butyl-PBD dient ebenso wie *PBD zur Szintillationsmessung. – *[CAS 15082-28-7]*

***tert*-Butylpersäureester** s. Persäureester.

tert-Butylphenole.

$(H_3C)_3C$-⟨benzene⟩-OH   ⟨benzene⟩-OH, $C(CH_3)_3$

a)   b)

$C_{10}H_{14}O$, M_R 150,22, reizt Augen, Atemwege u. Haut.
(a) *4-tert-B.*: Farblose Nadeln mit schwachem Phenolgeruch, D. 0,908, Schmp. 98 °C, Sdp. 237 °C, MAK-Wert: 0,08 ppm (MAK-Werte-Liste 1995), BAT-Wert: 2 mg/l (Untersuchungsmaterial Harn), LD_{50} (Ratte oral) 2951 mg/kg, WGK 2 (Selbsteinst.), Gefahr der Hautresorption; in Wasser schwerlösl., in Alkohol löslich.
Verw.: Als Lichtstabilisator u. Antioxidans, Mineralöladditiv, Ausgangsmaterial für Alkylphenol-Harze. Beim Umgang mit B. können *Depigmentierungen der Haut auftreten (vgl. Gesundheitsschädliche Arbeitsstoffe, *Lit.*). tert-B. u. seine Derivate dürfen beim Herstellen od. Behandeln von kosmet. Mitteln nicht verwendet werden (Kosmetik-VO, Anlage 1, Nr. 340).
(b) *2-tert-B.*: farblose Flüssigkeit, D. 0,978, Schmp. –7 °C, Sdp. 224 °C; biolog. kaum abbaubar[1]. *2-tert-B.* ist Ausgangsmaterial zur Herst. von Antioxidantien, Agarchemikalien usw. – *E* tert-butyl phenol – *F* butylphénol tertiere – *I* terz-butilfenolo – *S* terc-butilfenol
Lit.: [1] Environ. Lett. **5**, 209 (1974).
allg.: Beilstein E IV **6**, 3292 ▪ Gesundheitsschädliche Arbeitsstoffe: toxikologisch-arbeitsmedizinische Begründung von MAK-Werten, Weinheim: Verl. Chemie 1972–1996 ▪ Giftliste ▪ Hommel, Nr. 1180, 1181 ▪ Ullmann (5.) **A 19**, 328 f. – [HS 2907 19; CAS 88-18-6 (2-B.); G 6.1]

Butylstearat (Stearinsäurebutylester).
$H_{35}C_{17}$–COOC$_4H_9$, $C_{22}H_{44}O_2$, M_R 340,59. Fast geruchlose, farblose Flüssigkeit, D. 0,85, Schmp. 21 °C (auch 16 °C u. 27 °C angegeben), Sdp. 343 °C, in den gebräuchlichen organ. Lsm., mit Ausnahme von Methanol u. Methylglykol, gut lösl., in Wasser unlöslich.
Verw.: Als Lsm., Schmiermittel, Weichmacher in der Kunststoff-, Kosmetik-, Textil-, Kautschuk-, Lack- u. Papier-Ind. u. bei der Herst. von Aluminiumfolien als Gleitmittel. – *E* butyl stearate – *F* stéarate de butyle – *I* stearato di butile – *S* estearato de butilo
Lit.: Beilstein E IV **2**, 1219 f. ▪ Ullmann (4.) **24**, 362, 378; (5.) **A 9**, 567. – [HS 2915 70; CAS 123-95-5]

Butyltriglykol s. Triethylenglykol.

Butyne® 497. Ethoxyliertes Butindiol als Glanzbildner für Nickel-Bäder. *B.*: ISP.

Butyraldehyde.

H_3C–CH_2–CH_2–C(=O)H H_3C–CH(CH_3)–C(=O)H

a)   b)

C_4H_8O, M_R 72,11. Da es nur 2 prim. Butanole gibt, existieren auch nur 2 isomere B., die z. B. durch Oxid. der entsprechenden *Butanole od. techn. durch Hydroformylierung von Propen zugänglich sind (ausführliche Beschreibung s. Weissermel-Arpe, *Lit.*).
(a) *B.* (Butanal): Farblose, Augen, Atemwege u. Haut reizende, brennbare Flüssig- keit, D. 0,802, Schmp. –99 °C, Sdp. 75 °C, vorläufiger Arbeitsplatz-Richtwert: 20 ppm, wassergefährdender Stoff, WGK 1, in Wasser mäßig, in Alkohol, Ether etc. gut löslich. B. wird zur Herst. von Vulkanisationsbeschleunigern, Kunstharzen, Weichmachern, Lsm., synthet. Gerb- u. Riechstoffen verwendet.
(b) *Iso-B.* (2-Methylpropionaldehyd): Farblose, Augen, Atemwege u. Haut reizende, stechend riechende, brennbare Flüssigkeit, D. 0,794, Schmp. –66 °C, Sdp. 64 °C, in Wasser etwas besser als (a) lösl., mit organ. Lsm. mischbar. Iso-B. wird zu ähnlichen Zwecken wie (a), ferner zur Synth. von Aminosäuren, Arzneimitteln, Insektiziden, Riechstoffen verwendet. – *E* butyraldehyde – *F* butyraldéhyde – *I* butilaldeide – *S* butiraldehído
Lit.: Beilstein E IV **1**, 3229 ff., 3262 f. ▪ Hommel, Nr. 56, 57 ▪ Kirk-Othmer (3.) **4**, 376–386; (4.) **4**, 736 ▪ Ullmann (4.) **9**, 42 ff.; (5.) **A 4**, 447 ▪ Weissermel-Arpe (4.), S. 141–146. – [HS 2912 13; CAS 123-72-8 (B.); 78-84-2 (Iso-B.); G 3]

Butyrate. Bez. für Salze u. Ester der *Buttersäure, s. Buttersäureester.

Butyrin s. Tributyrin.

Butyrolactam s. 2-Pyrrolidon.

γ-Butyrolacton (4-Butanolid, 4-Hydroxybuttersäurelacton, Tetrahydro-2-furanon).

⟨γ-butyrolactone ring⟩

$C_4H_6O_2$, M_R 86,09. Farblose, hygroskop., ölige Flüssigkeit, D. 1,129, Schmp. –44 °C, Sdp. 206 °C, LD_{50} (Ratte oral) 1540 mg/kg, WGK 1 (Selbsteinst.), mit Wasser u. organ. Lsm., außer Alkanen, mischbar u. mit Wasserdampf flüchtig.
Herst.: Durch Dehydrierung von 1,4-Butandiol od. Red. von Maleinsäureanhydrid (zusammen mit Tetrahydrofuran).
Verw.: Lsm. für Polyacrylnitril, Celluloseacetat, Polystyrol, Schellack u. Harze, Zusatz zu Bohrölen, Abbeizmitteln u. Textilhilfsmitteln, in der organ. Synth. Reagenz für Acylierungs-, Kondensations-, Friedel-Crafts- u. Wittig-Reaktionen, Ausgangsmaterial zur Herst. von Pyrrolidon, *N*-Methyl- u. Polyvinylpyrrolidon, Weichmachern, Kunstharzen, Piperidin, Methionin usw. – *E* = *F* γ-butyrolactone – *I* γ-butirolattone – *S* γ-butirolactona
Lit.: Beilstein E V **17/9**, 7 ▪ Kirk-Othmer (3.) **1**, 259–264 ▪ Paquette, S. 955 ▪ Ullmann (4.) **9**, 48; **12**, 21; (5.) **A 4**, 495 ▪ Weissermel-Arpe (4.), S. 112, 401. – [HS 2932 29; CAS 96-48-0]

Butyrometer. Einfaches Gerät zur Bestimmung des Fettgehalts der Milch bzw. des Rahms. Man bringt in das B. 11 ml Milch, 10 ml Schwefelsäure u. 1 ml Pentanol, schüttelt kräftig um, setzt das Gerät 4 min in eine Zentrifuge u. stellt es nachher in ein Wasserbad von 65–70 °C; hierauf kann der Fettgehalt der Milch an der Skale relativ genau abgelesen werden. – *E* butyrometer – *F* butyromètre – *I* butirrometro – *S* butirómetro
Lit.: DIN 12836 Tl. 1 (12/1969), Tl. 2 (08/1966), Tl. 3 (08/1975).

Butyrophenon (1-Phenyl-1-butanon, veraltet: Phenylpropylketon).

H_7C_3–C(=O)–C_6H_5

$C_{10}H_{12}O$, M_R 148,20. Farblose Flüssigkeit, D. 0,987, Schmp. 13 °C, Sdp. 230 °C, mit Ethanol u. Ether mischbar, wird als Zwischenprodukt bei der Synth. von Arzneimitteln, insbes. von Psychopharmaka, verwendet. – *E* butyrophenone – *F* butyrophénone – *I* butirofenone – *S* butirofenona

Lit.: Beilstein E IV 7, 709. – *[HS 2914 39; CAS 495-40-9]*

Butyryl... (Butanoyl...) Bez. für die Atomgruppierung –CO–CH$_2$–C$_2$H$_5$ (IUPAC-Regeln C-404.1 u. R-9.1.28a); Chem. Abstr.-Bez.: 1-Oxobutyl... – *E* = *F* butyryl... – *I* butirril... – *S* butiril...

Butyrylchlorid s. Buttersäurechlorid.

Butyrylcholin-Esterase s. Cholin-Esterase.

Buyard, Hermann, Gustav-Adolph (geb. 1934), Prof. für Molekularbiologie, Zentrum für Molekularbiologie, Univ. Heidelberg. *Arbeitsgebiete:* Molekularbiologie; Protein-DNA-Wechselwirkung, Regulation der Genexpression, molekular- u. immunbiolog. Studien an Penicillium falciparum, einem Malariaerreger des Menschen.

Buzepid metiodid.

$$\left[H_3C \overset{+}{\underset{N}{\diagup}} CH_2-CH_2-\underset{\underset{C_6H_5}{|}}{\overset{\overset{C_6H_5}{|}}{C}}-CO-NH_2 \right] I^-$$

Internat. Freiname für das anticholinerg u. spasmolyt. wirksame 1-(3-Carbamoyl-3,3-diphenylpropyl)-hexahydro-1-methylazepinium-iodid, $C_{23}H_{31}IN_2O$, M_R 478,42, Zers. bei 212–213 °C. Es wurde 1959 von N.V. Nederlandsche Combinatie Chem. Ind. patentiert, ist in der BRD nicht im Handel. – *E* buzepidmetiodide – *F* metiodure de buzépide – *I* buzepide metioduro – *S* metioduro de buzepida

Lit.: Hager (5.) 7, 590f. – *[CAS 3691-21-2]*

BV. Kurzz. für *Betonverflüssiger.

B.V. s. Körperschaften.

BVK „Roche"®. Kapseln mit *B*-Vitamin*k*omplex gegen Neuritiden, Dermatosen, Erschöpfungszustände u. bei Rekonvaleszenz. *B.:* Roche Nicholas.

BW-Zyklus (Bethe-Weizsäcker-Zyklus) s. Sonne.

Byk Gulden. Kurzbez. für die 1873 gegr., über Altana mehrheitlich zur Quandt-Gruppe gehörende Byk Gulden Lomberg Chemische Fabrik GmbH, Byk-Gulden-Straße 2, 78467 Konstanz. *Daten* (1995): 5845 Beschäftigte, 130 Mio. DM Kapital, 1467 Mio. DM Umsatz. *Produktion:* Humanmedizin. Arzneispezialitäten, Diagnostika. Zu den 28 *Tochter*- u. *Beteiligungsges.* im In- und Ausland gehören in Deutschland: Promonta (100%), Promonta-Lundbeck (50%), Roland (100%), Tosse (100%), Sterimed (100%), Oranienburger Pharmawerk (100%), Byk-Sangtec-Diagnostika (50%).

Byssinose s. Baumwolle.

Byssochlamsäure. Trivialname für das *Mykotoxin 8-Ethyl-3-propyl-1,5-cyclononadien-1,2,5,6-tetracarbonsäure-1,2;5,6-dianhydrid.

$C_{18}H_{20}O_6$, M_R 332,35, ein tox. Stoffwechselprodukt von *Paecilomyces varioti*. Dieser Pilz, der durch die industriell üblichen Pasteurisationsbedingungen nicht abgetötet wird, befällt insbes. Fruchtsäfte (Apfelsaft) u. Obstkonserven. – *E* byssochlamic acid – *F* acide byssochlamique – *I* acido bissoclamico – *S* ácido bisoclámico

Lit.: s. Mykotoxine.

Bz. Kurzz. für *Benzoyl... als *Schutzgruppe; nicht für *Benzyl verwenden!

BZ s. LSD.

Bzl. Kurzz. für *Benzyl... als *Schutzgruppe.

BZ-Reaktion. Abk. für *Belousov-Zhabotinskii-Reaktion.

C

χ (chi). 22. Buchstabe des *griechischen Alphabets. In der Physik ist χ Symbol für die (di)elektr. u. die magnet. Suszeptibilität (χ_e, χ_m), in der physikal. Chemie für die Differenz zwischen innerem u. äußerem elektr. Potential ($\chi = \varphi - \psi$), in der organ. Chemie zur Unterscheidung der *Carotin-Isomere.

c. 1. Bedeutet als Vorsatzzeichen vor physikal. Einheiten Centi... (Zenti... = 10^{-2}); *Beisp.:* cm (Zentimeter). – 2. Als schon lange aufgegebener Vorsatz vor Längeneinheiten Kubik...; *Beisp.:* ccm (Kubikzentimeter). – 3. Symbol für ein *Quark mit *Charm. – 4. Findet u. a. auch Verw. als Kurzz. für constant, *Konzentration, *spezifische Wärmekapazität, Licht-, Schall- od. allg. Geschw., Abk. für *cis-.

C. 1. Chem. Symbol für das Element *Kohlenstoff. – 2. Von der IUPAC empfohlenes Symbol für -capryl-, -carbonat-, -carboxy-, -cellulose-, -chlorid-, -chlor-, -chloropren-, -cresol-, cresyl- in Kurzz. für Polymere u. Weichmacher. – 3. Von der IUB zugelassenes Einbuchstaben-Symbol für *Cystein in Peptid-Formeln u. für Cytidin in Nucleotid-Formeln. – 4. In der Physik Symbol für Celsius, *Coulomb. – 5. Abk. für *Kapazität, dritter *Virialkoeffizient, Rotationskonstante, Wärmekapazität (*Molwärme, z. B. C, C_M, C_p, C_v), Wärmeleitfähigkeit u. Teilchenzahldichte. C_n ist Operator der n-fachen Drehung (*Symmetrieoperationen, *Kristallgeometrie). – 6. Abk. für *Copyright©.

C-14. Häufig anzutreffende Schreibweise für das radioaktive *Kohlenstoff-Isotop ^{14}C (β-Strahler). Mit ^{14}C-Atomen *markierte Verbindungen finden Verw. als *Radioindikatoren. In einer Altersbestimmungsmeth. (s. Radiokohlenstoff-Datierung) spielt das Mengenverhältnis $^{14}C : {}^{12}C$ in organ. Resten eine Rolle. In ihrem chem. Verhalten unterscheiden sich ^{14}C u. das natürliche ^{12}C nicht. – *E* carbon-14 – *F* = *I* carbone-14 – *S* carbono-14
Lit.: s. Kohlenstoff u. markierte Verbindungen.

Ca. Chem. Symbol für *Calcium.

CA. Nach DIN 7728, Tl. 1 (01/1988) Kurzz. für *Celluloseacetat.

CA+. Nach DIN 60001, Tl. 1 (08/1970) Kurzz. für Fasern, die aus *Celluloseacetat hergestellt u. nachträglich vollständig verseift (desacetyliert) wurden.

C.A. In der chem. Fachlit. übliche Abk. für *Chemical Abstracts.

CAA-Verfahren. Von Esso entwickeltes Verf. zur selektiven Extraktion von Butadien aus C_4-Fraktionen mit Hilfe von ammoniakal. Kupferacetat (CAA)-Lösung. Man erhält so Butadien mit einem Reinheitsgrad von 98,5%, vgl. *Lit.*[1].
Lit.: [1] McKetta **5**, 142 ff.

CAB. Nach DIN 7728, Tl. 1 (01/1988) Kurzz. für *Celluloseacetobutyrat.

Cabenegrine.

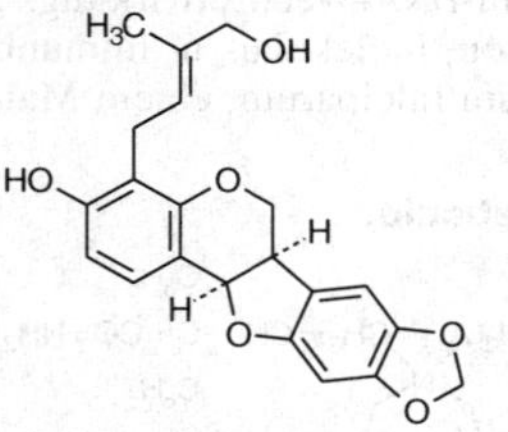

Cabenegrin A-1

*Phytoalexine aus der brasilian. Pflanze „Cabeca de negra" (*Annona coriacea*, Amazonasgebiet), die von Einheim. gegen Schlangen- u. Spinnenbisse eingesetzt wird. Die Inhaltsstoffe C. A-1 ($C_{21}H_{20}O_6$, M_R 368,39, Schmp. 167–168 °C) u. C. A-2 verhindern mit 2–3 mg/kg bei Mäusen einen ansonsten tödlichen Verlauf entsprechender Vergiftungen. – *E* cabenegrins – *F* cabénégrine – *I* cabenegrine – *S* cabenegrinas
Lit.: ACS Symp. Ser. **551**, 14 (1994) ▪ Chem. Ind. (London) **1984**, 303 ▪ Tetrahedron Lett. **23**, 3855, 3859 (1982). – [CAS 84297-59-6 (C. A-1); 84297-60-9 (C. A-2)]

Cabergolin.

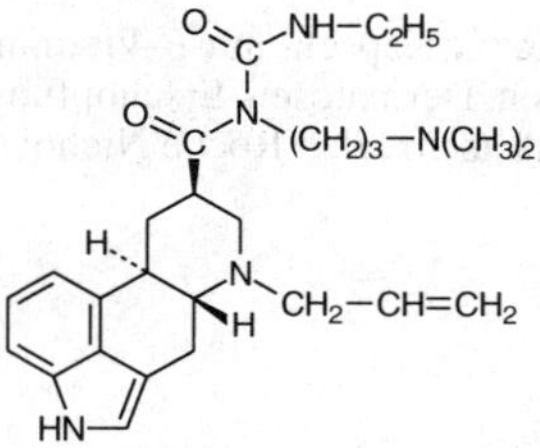

Internat. Freiname für 6-Allyl-*N*-[3-(dimethylamino)propyl]-*N*-(ethylcarbamoyl)ergolin-8β-carboxamid, $C_{26}H_{37}N_5O_2$, M_R 451,61. C. ist ein hydriertes Mutterkorn-Derivat, das als Dopamin-Agonist wirkt u. zum Abstillen eingesetzt wird (Dostinex®, Pharmacia). – *E* = *F* cabergoline – *I* = *S* cabergolina
Lit.: Drugs **49**, 255–279 (1995). – [CAS 81409-90-7]

Cabochon s. Edelsteine.

Cab-O-Sil®. Marke der *Cabot für hochreine pyrogene Kieselsäure (Teilchengröße 7–20 nm) zur Verw. als Verdickungsmittel ggf. bis zur Gel-Bildung für nahezu alle flüssigen Syst., als Antiabsetz- u. Thixotropiermittel in Lacken u. Anstrichstoffen, Klebstoffen, Druckfarben, Plastisolen, Zahncremes u.a.; als Verstärkerfüllstoff in Siliconkautschuk u. Fugendichtstoffen, als Rieselhilfe u. Anticakingmittel für schwerfließende Pulver aller Art (einschließlich zahlreicher Lebensmittelprodukte) als Tablettierhilfsmittel in der Pharmazie usw. Zur Wirkungsweise s. Thixotropie. Hydrophobe Typen Cab-O-Sil werden durch chem. Nachbehandlung hergestellt (z. B. Cab-O-Sil TS-720 mit Siliconöl); sie sind insbes. als rheolog. Additive in Epoxidharz-, Polyurethan- u. Vinylester-Syst. von Interesse.

Cabot. Kurzbez. für die 1882 gegr. Cabot Corporation, Boston (Massachusetts). *Daten* (1995): ca. 5000 Beschäftigte, ca. 1,8 Mrd $ Umsatz. *Produktion:* Ruß, synthet. Kieselsäure, Plastic-Compounds, Tantalum u. Columbium Legierungen, Erdöl u. Erdgas. *Vertretung* in der BRD: Cabot GmbH, Postfach 901120, 63420 Hanau.

CaBP s. Calbindine.

Cachectin s. Tumornekrose-Faktor α.

Cachou s. Cashew-Nüsse u. Catechu.

CAC & IC s. Current Abstracts of Chemistry and Index Chemicus®.

Cacodyl... s. Dimethylarsino... u. Kakodyl...

Cad®. Entschwefelungsmittel für Eisenschmelzen. *B.:* SKW Trostberg AG.

CAD. Abk. für *Computer Aided Design*, rechnergestütztes Konstruieren. Mit Hilfe eines Rechnerprogramms werden Entwurf, Konstruktion u. Zeichnen von Schaltungen, Werkstücken, Maschinen od. ganzen Produktionsanlagen auf einem Rechner durchgeführt. Der für diese Programme notwendige Speicherplatz wird heute bereits von Personal Computer (PC) erbracht. Vorteil: Häufig verwendete Elemente, wie z. B. Schrauben u. ä., werden als eine Einheit abgespeichert u. können kopiert u. beliebig oft an beliebiger Stelle in jeder neuen Konstruktion eingesetzt werden. Da ferner die Information über die Konstruktion bereits digital vorliegt, kann diese direkter an eine numer. gesteuerte Maschine (Drehbank, Fräse) weitergeleitet werden (*CAM).
Lit.: Richards, Computer Aided Design and Manufacturing, in Encycl. of Physical Science and Technology, Bd. 4, S. 49–74, San Diego: Academic Press 1991.

Cadaverin s. 1,5-Pentandiamin.

CADD s. Computer Aided Drug Design.

Cade-Öl (Kade-Öl) s. Wacholderteeröl.

Cadetsche-Flüssigkeit s. Arsine.

Cadherine (von Calcium u. latein.: adhaerere = kleben). Klasse von *Zell-Adhäsionsmolekülen (*Glykoproteinen), die Ca^{2+}-abhängig u. gewebespezif. für das Aneinander-Haften gleichartiger Zellen sorgen u. somit eine der Grundlagen der Morphogenese (Ausbildung von Gestalt u. Form) bei Tieren darstellen. Dementsprechend ist bei metastasierenden Tumorzellen die Synth. der C. gestört. Man unterscheidet die klass. C. der *Adhärenz-Verbindungen E-C. (*Uvomorulin*, aus Epithelgewebe), N-C. (aus Nervengewebe) u. P-C. (aus Placenta). Daneben kennt man heute auch die desmosomalen C. *Desmocollin* u. *Desmoglein*, die in *Desmosomen vorkommen.
Struktur: Alle C. besitzen eine cytoplasmat. *Domäne, die bei den klass. C. über *Catenine an das intrazelluläre Netzwerk der *Actin-Filamente gebunden ist, ferner eine Transmembran-Domäne sowie eine variable Anzahl sich wiederholender extrazellulärer Domänen, genannt Cadherin-Domänen (CAD), mit je ca. 110 *Aminosäure-Resten (AS), die Calcium-Bindungsstellen enthalten. Über die CAD dimerisieren die C. derselben Zelle, während C. benachbarter Zellen über die Bindung der jeweils äußeren, N-terminalen CAD (CAD1, Raumstruktur s. *Lit.*[1]) aneinander die spezif. Adhäsion verursachen. Bei den Desmogleinen gibt es eine zusätzliche Carboxy-terminale, cytoplasmat. Domäne, in der sich ein ca. 29 AS langes Stück mehrmals wiederholt. – *E* cadherins – *F* cadhérines – *I* caderine – *S* cadherinas
Lit.: [1] Nature (London) **374**, 327–337 (1995); Science **267**, 386–389 (1995).
allg.: Annu. Rev. Cell Biol. **8**, 307–332 (1992) ■ J. Cell Biol. **121**, 481–483 (1993) ■ Science **251**, 1451–1455 (1991) ■ Structure **3**, 425–427 (1995).

Cadinen.

$C_{15}H_{24}$, M_R 204,36. Von neun möglichen Stereoisomeren (8 sind bisher bekannt), die sich durch die Stellung ihrer Doppelbindungen u. die Stereochemie der Ringverknüpfungen unterscheiden, ist das β-C. od. Cadina-3,9-dien (Öl von angenehmem Geruch, D. 0,924, Sdp. 275 °C, n_D^{20} 1,5059) das bedeutendste. Es ist das im Pflanzenreich verbreitetste *Sesquiterpen u. Hauptbestandteil des *Wacholderteeröls (Cade-Öl). – *E* = *I* cadinene – *F* cadinène – *S* cadineno
Lit.: Beilstein E IV **5**, 1183 ■ Coffey, Rodd's Chemistry of Carbon Cmpds., Bd. 2 C, S. 268–270, New York: Elsevier 1969 (Rev.) ■ Gildemeister **3 a**, 248–266 ■ Indian J. Chem., Sect. B **21**, 145 (1982) (Synth.) ■ Justus Liebigs Ann. Chem. **1986**, 78–92 ■ Tetrahedron **39**, 883 (1983). – [HS 2902 19; CAS 523-47-7 (β-C.)]

Cadion. Trivialname für 1-(4-Nitrophenyl)-3-(4-phenylazo-phenyl)-triazen.

$C_{18}H_{14}N_6O_2$, M_R 346,36, orangefarbene Krist., Schmp. 197 °C (Zers.), Reagenz auf Cadmium u. Magnesium. – *E* = *F* = *S* cadion – *I* cadione
Lit.: Beilstein E III **16**, 664 ■ Talanta **26**, 959 (1979). – [CAS 5392-67-6]

Cadmate® **Methyl.** Polymerisations-Beschleuniger von Vanderbilt.

Cadmium (chem. Symbol Cd). Metall. Element der 2. Nebengruppe des Periodensyst., Atomgew. 112,41, Ordnungszahl 48. Natürliche Isotope: 106 (1,22%), 108 (0,88%), 110 (12,39%), 111 (12,75%), 112 (24,07%), 113 (12,26%), 114 (28,86%), 116 (7,58%); daneben sind noch künstliche Isotope ^{103}Cd-^{119}Cd mit

HWZ von 2,7 min bis 14 a bekannt. Cd ist ein silberweißes, glänzendes, ziemlich weiches (H. 2) u. plast. verformbares Metall, das man mit dem Messer anschneiden, zu Drähten ziehen u. zu Blättchen aushämmern kann, D. 8,65, Schmp. 321 °C, Sdp. 767 °C; Cd bildet einatomige Dämpfe u. krist. hexagonal. An der Luft verliert blank gefeiltes Cd nach einigen Tagen seinen Glanz; in Kohlensäure-haltiger Luft entsteht ein grauweißer, CO_2-haltiger Überzug. Bei starkem Erhitzen verbrennt das Metall an der Luft mit roter Flamme zu einem braunen Rauch von Cadmiumoxid, der wie alle Cd-Verb. äußerst giftig ist. Cd löst sich in Salpetersäure rasch, in Salzsäure u. Schwefelsäure langsamer auf. Das völlig reine Metall wird von Säuren offenbar kaum angegriffen. 100 g Hg lösen bei 18 °C 5,17 g Cd. In seinen Verb. ist das *Schwermetall Cd – ebenso wie das eng verwandte *Zink, mit dem es oft vergesellschaftet auftritt – zweiwertig.

Physiologie: Der Körper des Erwachsenen enthält ca. 30 mg Cd, das ein nicht-essentielles Element ist. Im Organismus wird es an Metallothionein gebunden transportiert. Die orale Aufnahme von lösl. Cd-Salzen kann Erbrechen u. Störungen im Gastrointestinaltrakt, Leberschädigungen u. Krämpfe, die Inhalation von Cd-Dämpfen Reizung der Luftwege u. Kopfschmerzen verursachen. Chron. Vergiftungen geben sich durch Anosmie, Gelbfärbung der Zahnhälse, Anämie u. Wirbelschmerzen, in fortgeschrittenem Stadium durch Knochenmarkschädigungen u. Osteoporose zu erkennen. Vermehrt ist Cd in Verruf gekommen seit dem Auftreten der – mit schweren Skelettveränderungen einhergehenden u. oft letal endenden – *Itai Itai-Krankheit* in Japan. Bes. bedenklich ist die Kumulation des Cd in Leber u. Nieren; bei Rauchern wurden etwa doppelt so hohe Gehalte wie bei Nichtrauchern festgestellt. Mit der Nahrung nimmt der Mensch täglich max. 0,03 mg Cd auf; die WHO ermittelte 0,07 mg als krit. Grenzwert. Cd u. einige seiner Verb. gelten als krebserzeugend im Tierversuch (Gruppe III A 2 der MAK-Werte-Liste 1995).

Vork.: In der Erdrinde gehört Cd mit einem Gehalt von ca. $5 \cdot 10^{-5}\%$ zu den seltenen Metallen. In der *Zinkblende (ZnS) ist es zu 0,1–0,5% u. im Zinkspat (Galmei) bis zu 5% enthalten. Das wichtigste Mineral ist die Cadmiumblende (*Greenockit), ein weniger wichtiges Otavit in Namibia. In winzigen Mengen ist Cd heute ubiquitär; bei manchen Vork., z.B. im Meerwasser, ist die Herkunft unklar. Auf dem Festland ist die Cd-Verteilung eine Folge der Emission aus Industrieanlagen, insbes. Zinkhütten, Eisen- u. Stahlwerken, aber auch aus Müllverbrennungsanlagen u. Braunkohlenkraftwerken.

Nachw.: Qual. durch Fällung als gelbes CdS mit H_2S in saurer Lsg., quant. mit Reagenzien wie Cadion, Dithizon, Anthranilsäure, Benzol[*f*]chinolin, Chinaldinsäure u.a. durch Photometrie (s. *Lit.*[1]) u.a. spektroskop. Verfahren.

Herst.: Cd wird fast ausschließlich als Nebenprodukt der Zink-, daneben auch der Blei- u. Kupfer-Gewinnung produziert, indem Cd-reiche Flugstäube od. Zementate elektrolysiert werden. Wenn auch Cd nur in relativ kleinen Mengen verbraucht wird, ist die Rückgewinnung (*Recycling), z.B. aus Ni-Cd-Batterien, als eine Maßnahme zur Verringerung der Umweltbelastung anzusehen. Im Handel ist Cd in Reinheiten von 99,5 bis 99,9999%.

Verw.: In Batterien (Ni-Cd u. Ag-Cd) gehen heute rund 35% des Cd-Verbrauchs der wichtigsten Industrieländer (insbes. Japans). Als Korrosionsschutz für Eisen u. ä. Metalle werden 25–30% verbraucht: durch elektrolyt. Abscheidung aus Cyanid-haltigen Cd-Salzlsg. bzw. mit Hilfe von Cd-Anoden, od. durch Vak.-Bedampfung erzeugte Cd-Überzüge schützen bereits in einer Dicke von 0,008 mm gegen Korrosion. 25–30% der jährlichen Cd-Produktion werden für *Cadmium-Pigmente u. Cadmiumseifen als Stabilisatoren für PVC (meist zus. mit entsprechenden Barium-Verb.) verw., rund 5% für Cd-Legierungen, die Anw. als Lagerwerkstoffe, Lote u. niedrig schmelzende Leg. (*Schmelzlegierungen) finden, u. der Rest für andere Zwecke, z. B. in der Kerntechnik als Brems- u. Regelstäbe in Reaktoren (^{113}Cd hat einen bes. großen Einfangquerschnitt für Neutronen). Die Verw. von Cd u. seinen Salzen in Kosmetik u. Pflanzenschutz ist verboten. Im Jahre 1994 wurden weltweit 19 000 t Cd produziert, wobei auf die wichtigsten Erzeugerländer folgende Tonnagen entfielen: Japan 2614, Kanada 2129, Belgien 1556, Rußland (mit Kasachstan) 1183, Mexiko 1146, BRD 1145, USA 1011, China 1300 (geschätzt) u. Australien 910 (s. *Lit.*[2]).

Geschichte: Cd wurde 1817 von *Stromeyer im Zinkoxid entdeckt u. Cadmium genannt, nach griech.: cadmeia = Zinkerz (Galmei). – *E* = *F* cadmium – *I* = *S* cadmio

Lit.: [1]Fries-Getrost, S. 87–93 [2]British Geological Survey, World Mineral Statistics 1990–1994, Nottingham: Keyworth 1995.
allg.: Aylett, The Chemistry of Zinc, Cadmium and Mercury, Oxford: Pergamon 1975 ▪ Brauer (3.) **2**, 1039 ▪ Gmelin, Syst.-Nr. 33, Cd, 1925, Erg.-Bd. 1959 ▪ Handb. Exp. Pharmacol. **115**, 189–214 (1995) ▪ Kirk-Othmer (4.) **4**, 748–760 ▪ Merkblatt der BG Chemie M 033 ▪ Ullmann (5.) A **3**, 366 ff.; A **4**, 499–504 ▪ Winnacker-Küchler (4.) **4**, 474–478. – *[HS 8107 10; CAS 7440-43-9]*

Cadmiumacetat. $Cd(O-CO-CH_3)_2 \cdot 2H_2O$, $C_4H_6CdO_4$, M_R 230,50. Farblose, schwach nach Essigsäure riechende Krist., D. 2,01; verliert das Kristallwasser bei 130°C, D. (wasserfrei) 2,34, Schmp. (wasserfrei) 255 °C. C. ist mit neutraler Reaktion lösl. in Wasser (WGK 3) u. in Alkohol.
Verw.: C. gibt irisierende Effekte auf Porzellan u. a. *keramischen Werkstoffen u. ist ein Reagenz zur Bestimmung von S, Se, Te. – *E* cadmium acetate – *F* acétate de cadmium – *I* acetato di cadmio – *S* acetato de cadmio
Lit.: Beilstein E IV **2**, 114 ▪ Brauer (3.) **2**, 1050 ▪ Gmelin, Syst.-Nr. 33, Cd, 1925, S. 137 f., Erg.-Bd. 1959, S. 650 ff. ▪ Hommel, Nr. 825 ▪ Kirk-Othmer (4.) **4**, 774 ▪ Ullmann (4.) **9**, 56. – *[HS 2915 29; CAS 5743-04-4 (C. · 2 H_2O); 543-90-8 (C. · H_2O); G 6.1]*

Cadmiumblende s. Greenockit.

Cadmiumbromid. $CdBr_2 \cdot 4H_2O$, M_R 344,28. Farb- u. geruchlose, sehr hygroskop. Krist., die an Licht u. Luft allmählich gelb werden, D. 5,19, Schmp. 569°C, Sdp. 963°C, leicht lösl. in Wasser u. Alkohol, mäßig in Aceton u. wenig in Ether. C. krist. aus wäss. Lsg. oberhalb 36°C als Monohydrat. Zur Herst. vgl. *Lit.*[1].

Verw.: In der Photographie u. Lithographie. – *E* cadmium bromide – *F* bromure de cadmium – *I* bromuro di cadmio – *S* bromuro de cadmio
Lit.: [1] Brauer (3.) **2**, 1041 f.
allg.: Gmelin, Syst.-Nr. 33, Cd, 1925, 95 – 101, Erg.-Bd. 1959, S. 518 – 538 ■ Kirk-Othmer (4.) **4**, 768 f. – *[HS 282759; CAS 7789-42-6]*

Cadmiumcarbonat. $CdCO_3$, M_R 172,42. Farblose Pulver od. Blättchen, D. 4,26, fast unlösl. in Wasser, lösl. in konz. Ammonium-Salzlsg. od. verd. Säuren, WGK 3. Ein natürlich vorkommendes C. ist der Otavit. – *E* cadmium carbonate – *F* carbonate de cadmium – *I* carbonato di cadmio – *S* carbonato de cadmio
Lit.: Brauer (3.) **2**, 1049 ■ Gmelin, Syst.-Nr. 33, Cd, 1925, S. 135 – 136. Erg.-Bd. 1959, S. 644 – 649 ■ Kirk-Othmer (4.) **4**, 767 ■ Ullmann (5.) **A 4**, 505. – *[HS 283699; CAS 513-78-0; G 6.1]*

Cadmiumchlorid. $CdCl_2$, M_R 183,32. Bildet perlmuttartig glänzende, hygroskop. Krist., D. 4,05, Schmp. 568 °C, Sdp. 960 °C. Auch Hydrate des C. mit der Zusammensetzung $CdCl_2 \cdot 1 H_2O$, $CdCl_2 \cdot 2\frac{1}{2} H_2O$ u. $CdCl_2 \cdot 4 H_2O$ sind bekannt. Sie verwittern an der Luft. C. ist gut lösl. in Wasser, WGK 3, lösl. in Aceton, wenig in Methanol u. kaum in Ether. In der MAK-Liste wird $CdCl_2$ in Form atembarer Stäube/Aerosole unter III A 2 als im Tierversuch krebserzeugend aufgeführt.
Verw.: Als Absorptionsmittel für H_2S u. Reagenz für Pyridinbasen, im Druckwesen, in der Galvanotechnik, Mikroskopie, Photographie, Ausgangsmaterial für *Cadmium-Pigmente, bei der Herst. von Vakuumröhren. – *E* cadmium chloride – *F* chlorure de cadmium – *I* cloruro di cadmio – *S* cloruro de cadmio
Lit.: Brauer (3.) **2**, 1040 ■ Gmelin, Syst.-Nr. 33, Cd, 1925, 82 – 91, Erg.-Bd. 1959, 464 – 512 ■ Hommel, Nr. 950 ■ Kirk-Othmer (4.) **4**, 768 ■ Ullmann (5.) **A 4**, 506. – *[HS 282739; CAS 10108-64-2; G 6.1]*

Cadmiumgelb s. Cadmiumsulfid.

Cadmiumgrün s. Cadmium-Pigmente.

Cadmiumiodid. CdI_2, M_R 366,22. Farblose, luftbeständige, diamantglänzende, hexagonale Blätter, D. 5,67, Schmp. 388 °C, Sdp. 787 °C, in Wasser sehr leicht, in Alkohol, Aceton u. Ether lösl., WGK 3.
Verw.: Zur Herst. von Elektrolyse-Cadmium, Leuchtstoffen, als Schmiermittel u. in der Photographie, in der analyt. Chemie als Reagenz auf Alkaloide u. salpetrige Säure. – *E* cadmium iodide – *F* iodure de cadmium – *I* ioduro di cadmio – *S* yoduro de cadmio
Lit.: Brauer (3.) **2**, 1042 ■ Gmelin, Syst.-Nr. 33, Cd, 1925, S. 102 – 113, Erg.-Bd., 1959, S. 544 – 584 ■ Hommel, Nr. 953 ■ Kirk-Othmer (4.) **4**, 769 – *[HS 282760; CAS 7790-80-9; G 6.1]*

Cadmiumnitrat. $Cd(NO_3)_2 \cdot 4 H_2O$, M_R 308,48. Zerfließende Säulen u. Nadeln, D. 2,46, Schmp. 59,5 °C, Sdp. 132 °C, in Wasser sehr leicht, in Alkohol u. Pyridin mäßig lösl., WGK 3. Zur Herst. von Lüster auf Glas- u. Porzellanwaren, in der Elektronik, zur Herst. anderer Cd-Verbindungen. – *E* cadmium nitrate – *F* nitrate de cadmium – *I* nitrato di cadmio – *S* nitrato de cadmio
Lit.: Gmelin, Syst.-Nr. 33, Cd, 1925, S. 76 – 81, Erg.-Bd. 1959, S. 446 – 456 ■ Kirk-Othmer (4.) **4**, 769 ■ Ullmann (5.) **A 4**, 506. – *[HS 283429; CAS 10022-68-1 (Tetrahydrat); 10325-94-7 (wasserfrei); G 5.1]*

Cadmiumorange s. Cadmium-Pigmente.

Cadmium-organische Verbindungen. Abgesehen von den Cd-Salzen organ. Säuren (Cadmiumseifen wie Cd-Stearat) sind die organ. Derivate des Cadmiums ohne große techn. Bedeutung. Dialkylcadmium-Verb. lassen sich aus $CdBr_2$ od. $CdCl_2$ u. den entsprechenden Grignard-Verb. herstellen (*Transmetallierung); Dimethyl- u. Diethylcadmium sind farblose Flüssigkeiten, die sich mit Wasser zersetzen, aber an Luft stabiler u. a. reaktionsträger als die analogen Zink-Verb. sind. Die wichtigste Anw. C.-o. V. in der organ. Synth. ist die Umsetzung mit Säurechloriden, die zur Bildung von *Ketonen führt, da die C.-o. V. weniger reaktiv als z. B. Grignard-Verb. sind. Bei diesen führt die entsprechende Umsetzung zu *tert*-Alkoholen.

$$2 R-Mg-Br + CdBr_2 \xrightarrow[-2\,MgBr_2]{\text{Transmetallierung}} R-Cd-R$$

$$H_5C_6-\underset{\underset{O}{\|}}{C}-Cl \xrightarrow{-MgBrCl} \quad H_5C_6-\underset{\underset{O}{\|}}{C}-Cl \xrightarrow{-R-Cd-Cl}$$

$$\downarrow \quad \xrightarrow[2.\,H^+/H_2O]{1.\,+R-Mg-Br} \quad \downarrow$$

$$H_5C_6-\underset{\underset{O}{\|}}{C}-R \quad H_5C_6-\underset{\underset{OH}{|}}{\overset{R}{\underset{|}{C}}}-R \quad H_5C_6-\underset{\underset{O}{\|}}{C}-R$$

Einige C.-o. V. sind als Katalysatoren bei organ. Synth. beschrieben worden (Cd-pentan-2,4-dionat, Diphenylcadmium). Cadmiumdialkyldithiocarbamate haben fungizide Eigenschaften. – *E* organocadmium compounds – *F* composés organocadmiens – *I* composti organici di cadmio – *S* compuestos organocádmicos
Lit.: Chem. Rev. **78**, 491 – 516 (1978) ■ Houben-Weyl **13/2 a**, 859 – 949 ■ Kirk-Othmer (3.) **4**, 408 ff.; (4.) **4**, 760 ff. ■ Ullmann (5.) **4**, 504 ff. ■ Wilkinson-Stone-Abel **7**, 670 f.; (2.) **3**, 175 – 206; **11**, 183 – 190.

Cadmiumoxid. CdO, M_R 128,41. Dunkelbraunes, sehr beständiges Pulver, D. 8,15, sublimiert bei 1385 °C. Die Dämpfe verursachen Kopfschmerzen, Übelkeit u. Lungenödem, krebserzeugend im Tierversuch (Gruppe III A 2 der MAK-Liste 1995). In der Natur kommt es auch in oktaedr. Krist. (Monteponit, D. 6,2) in Galmei-Lagerstätten auf Sardinien vor. In Säuren ist es leicht lösl., in Wasser fast unlöslich (WGK 3), wäss. ammoniakal. Lsg. lösen C. nur langsam. Durch Kohle od. Wasserstoff wird das Oxid schon bei verhältnismäßig niederen Temp. reduziert.
Herst.: Durch Oxid. von Cd-Dämpfen od. therm. Zers. von Cadmiumcarbonat od. -nitrat.
Verw.: Zur Herst. von Leuchtstoffen, Halbleitern, Silber-Leg. u. Batterien, als Katalysator in organ. Synth., in der keram. Ind., in der Galvanotechnik u. Photographie. – *E* cadmium oxide – *F* oxyde de cadmium – *I* ossido di cadmio – *S* óxido de cadmio
Lit.: Gmelin, Syst.-Nr. 33, Cd, 1925, S. 69 – 72 ■ Hommel, Nr. 826 ■ Kirk-Othmer (3.) **4**, 405 ■ Ullmann (5.) **A 4**, 505. – *[HS 282590; CAS 1306-19-0; G 6.1]*

Cadmium-Pigmente. Infolge seiner guten chem. Beständigkeit u. seiner Lichtechtheit findet *Cadmium-

Cadmiumrot

sulfid als Pigment (8000 jato) Verwendung. Durch Zusatz anderer Stoffe wie CdSe, ZnS, BaSO₄, HgS (Cadmiumzinnober) usw. erhält man C. verschiedene Nuancierung von citronengelb über orange bis blaustichig rot. Durch verschiedenartige Vorbehandlung od. Beimischung von *Zinksulfid u. *Cadmiumselenid entstehen z. B. *Cadmiumorange* u. *Cadmiumrot. Cadmiumgrün* ist eine Mischung aus Cadmiumgelb u. Chromoxidhydratgrün od. Berliner Blau bzw. Ultramarin. Bestimmte C. eignen sich als Tarnanstriche; eine grüne Cd-Farbe hat die gleiche Licht- u. Infrarotreflexion wie Gras od. Blätter, daher können die mit ihnen bestrichenen Gegenstände in Luftaufnahmen nicht erkannt werden. C. werden wegen ihrer geringen Löslichkeit (<0,1% in 0,1%iger Salzsäure) für weitgehend untox. erachtet [LD₅₀ (Ratte) <10 g/kg]; die von C.-haltigen Abfällen ausgehende Cadmium-Mobilisation (Freisetzung) gilt jedoch als umweltbelastend. Die C. können mit Leinöl (40%) od. Emulsionen angerührt werden.
Verw.: Für Anstrichstoffe (10%), Emails u. Keramik (10%) u. Kunststoffe (80%). – *E* cadmium pigments – *F* pigments de cadmium – *I* pigmenti di cadmio – *S* pigmentos de cadmio
Lit.: Büchner et al., S. 546 f. ▪ Kirk-Othmer (3.) **17**, 823 – 825; (4.) **4**, 771 f. ▪ McKetta **4**, 52; **5**, 417 f. ▪ Patton, Pigment Handbook, S. 389 – 399, New York: Wiley 1973 ▪ Ullmann (5.) **A 3**, 145; **A 20**, 311 – 315 ▪ Winnacker-Küchler (4.) **3**, 385 ff. – *[HS 3206 30]*

Cadmiumrot s. Cadmium-Pigmente.

Cadmiumselenid. CdSe, M_R 191,37. Dunkelrotes Pulver, kann aber auch grau bis braun auftreten, D. 5,81, Schmp. 1350 °C, unlösl. in Wasser, gesundheitsschädlich, WGK 3. Die rote Modif. wird (meist im Gemisch mit CdS) als *Cadmium-Pigment verwendet. Krist. CdSe eignet sich als Halbleiter in Photozellen u. Gleichrichtern. – *E* cadmium selenide – *F* séléniure de cadmium – *I* seleniuro di cadmio – *S* seleniuro de cadmio
Lit.: Gmelin, Syst.-Nr. 33, Cd, 1925, S. 132, Erg.-Bd. 1959, S. 634 – 637 ▪ Kirk-Othmer (4.) **4**, 770 f. ▪ Ullmann (4.) **18**, 611. – *[HS 2842 90; CAS 1306-24-7]*

Cadmiumsulfat. CdSO₄, M_R 208,47. Farblose Krist., D. 4,69, Schmp. ca. 1000 °C. Das Hydrat 3 CdSO₄ · 8 H₂O (D. 3,09) geht beim Erwärmen auf 80 °C in das Monohydrat über, durch weiteres Erhitzen jedoch nicht in die wasserfreie Form. In Wasser ist es gut, in Alkohol jedoch nicht lösl.; in Form atembarer Stäube/Aerosole krebserzeugend im Tierversuch (MAK-Liste: III A 2), WGK 3.
Verw.: Als Reagenz zum Nachw. von Resorcin, Arsen, Sulfiden u. Fumarsäure, als Elektrolyt in galvan. Elementen (Normalelement nach Weston). – *E* cadmium sulfate – *F* sulfate de cadmium – *I* solfato di cadmio – *S* sulfato de cadmio
Lit.: Gmelin, Syst.-Nr. 33, Cd, 1925, S. 121 – 131, Erg.-Bd. 1959, S. 609 – 633 ▪ Kirk-Othmer (4.) **4**, 771 ▪ Ullmann (5.) **A 4**, 506. – *[HS 2833 29; CAS 10124-36-4; G 6.1]*

Cadmiumsulfid. CdS, M_R 144,47. Krist. CdS ist dimorph, unlösl. in Wasser u. wird von konz. Schwefel- od. Salzsäure zersetzt. CdS wird in der MAK-Liste in Form atembarer Stäube/Aerosole unter III A 2 (krebserzeugend im Tierversuch) aufgeführt. α-CdS: Citronengelbe, hexagonale Krist., D. 3,91 – 4,15 u. β-CdS: Scharlachrote, kub. Krist., D. 4,48 – 4,51; amorphes CdS ist gelbbraun. Beim Einleiten von H₂S in saure Cd-Salzlsg. entstehen sowohl amorphes wie krist. CdS (vgl. *Lit.*¹). Natürliches CdS ist Cadmiumblende od. *Greenockit.
Verw.: Als Pigment (*Cadmiumgelb*) sowie als Bestandteil sog. *Cadmium-Pigmente, als Halbleiter, Photowiderstand u. Leuchtstoff in Fernsehröhren. – *E* cadmium sulfide – *F* sulfure de cadmium – *I* solfuro di cadmio – *S* sulfuro de cadmio
Lit.: ¹Brauer (3.) **2**, 1043 f.
allg.: Gmelin, Syst.-Nr. 33, Cd, 1925, S. 114 – 120, Erg.-Bd. 1959, S. 584 – 608 ▪ Kirk-Othmer (4.) **4**, 771 f. ▪ Stanley, in Wolfe, Applied Solid State Science, Bd. 5, New York: Academic Press 1975 ▪ Ullmann (4.) **12**, 469; (5.) **A 20**, 311 f. – *[CAS 1306-23-6]*

Cadmiumtellurid. CdTe, M_R 240,01. Bräunlich-schwarze, kub. Krist., D. 6,2, Schmp. 1041 °C, nur in Salpetersäure unter Zers. lösl., gesundheitsschädlich. C. wird in der Halbleitertechnik, zur Herst. von *Leuchtstoffen u. *Cadmium-Pigmenten verwendet. – *E* cadmium telluride – *F* tellurure de cadmium – *I* telluriuro di cadmio – *S* telururo de cadmio
Lit.: Kirk-Othmer (4.) **4**, 770 f. ▪ Ullmann (5.) **A 23**, 544 f. ▪ Zanio, Cadmium Telluride (Semiconductors Semimetals 13), New York: Academic Press 1977. – *[HS 2842 90; CAS 1306-25-8]*

Cadmiumzinnober s. Cadmium-Pigmente.

Cadon®. Schlagzäh-modifiziertes Styrol-Maleinsäure-Anhydrid-Polymerisat mit exzellenten Hitzeeigenschaften, verbunden mit guter Chemikalienresistenz u. Einfärbbarkeit. Auch als glasfaserverstärkte Typen lieferbar. Als Anw. gelten u. a. extrudierte Profile, Teile für die Automobil-Ind. wie z. B. Instrumententafel-Einsätze. *B.:* Bayer.

CADPAC. Abk. für *C*ambridge *A*nalytical *D*erivatives *Pac*kage. Weit verbreitetes Programmsyst. für *ab-initio-Rechnungen.

Cadusafos. Common name für *S,S*-Di-*sec*-butyl-*O*-ethyl-phosphorodithioat.

$$H_3C-CH_2-O-\overset{\overset{O}{\|}}{\underset{\underset{H_3C-CH-CH_2-CH_3}{S}}{P}}-S-\overset{CH_3}{\underset{}{CH}}-CH_2-CH_3$$

$C_{10}H_{23}O_2PS_2$, M_R 270,39, Sdp. 112 – 114 °C (106,6 Pa), LD₅₀ (Ratte oral) 37 mg/kg, von FMC entwickeltes *Insektizid u. *Nematizid zum Einsatz in Mais-, Tabak-, Zuckerrohr-, Obst- u. Gemüseanbau. – *E* = *I* = *S* cadusafos – *F* cadusaphos
Lit.: Farm ▪ Pesticide Manual. – *[CAS 95465-99-9]*

Caerulein. Ein Decapeptid aus dem Verdauungstrakt, das die Enzymsekretion des *Pankreas 10mal stärker als *Cholecystokinin anregt, die Aktivität der glatten Muskeln stimuliert u. blutdrucksenkend wirkt. Das auch aus Amphibienhäuten isolierte C. hat die Zusammensetzung:
5-L-Pyroglutamyl-Gln-Asp-Tyr(SO₃H)-Thr-Gly-Trp-Met-Asp-Phe-NH₂,
$C_{58}H_{73}N_{13}O_{21}S_2$, M_R 1352,41; synthet. C. hat den Freinamen Ceruletid. – *E* c(a)erulein – *F* céruléine –

I caeruleina – *S* ceruleína – *[HS 2933 90; CAS 17650-98-5]*

Caeruloplasmin [Ferroxidase, Eisen(II):Sauerstoff-Oxidoreductase, EC 1.16.3.1]. Von latein. caerul(e)us = blau abgeleitete Bez. für ein durch seinen Kupfer-Gehalt blaugefärbtes *Glykoprotein aus Säugetier-*Serum. Menschliches C. hat ein M_R von 120000 u. besteht aus einer einzigen Polypeptid-Kette. Es weist Sequenz-Ähnlichkeit zur A-Domäne des Faktors VIII der *Blutgerinnung auf. Das *Metallprotein C. zählt wie die gleichfalls Kupfer-haltigen u. stammesgeschichtlich verwandten Enzyme *Laccase u. Ascorbat-Oxidase (EC 1.10.3.3) zu den *Oxidasen, dient als Kupfer-Speicher- u. -Transport-Protein u. – wohl hauptsächlich – als Antioxidans (Inhibitor der Lipid-Peroxidation): Es oxidiert Fe^{2+} zu Fe^{3+}, das dann von *Ferritin komplexiert werden kann; Eisen(II) könnte andernfalls Anlaß zu giftigen Sauerstoff-Radikalen geben. Erbbedingter Mangel an C. führt durch Kupfer-Einlagerungen in Geweben zum Tod. – *E* c(a)eruloplasmin – *F* céruloplasmine – *I* caeruloplasmina – *S* ceruloplasmina
Lit.: J. Biol. Inorg. Chem. **1**, 15 ff. (1996).

Cäsium (chem. Symbol Cs). Metall. Element, Atomgew. 132,9054, Ordnungszahl 55. Neben dem natürlichen Isotop ^{133}Cs kennt man künstliche Isotope mit HWZ zwischen 0,2 s u. 3 Mio. a. Entsprechend seiner Stellung in der 1. Hauptgruppe des *Periodensystems ist Cs einwertig u. in seinen Eigenschaften den übrigen *Alkalimetallen (bes. dem Kalium) sehr ähnlich. Cs ist ein goldglänzendes, dehnbares, sehr weiches Metall, H. 0,2, D. 1,90, Schmp. 28,5 °C, Sdp. 705 °C. An offener Luft entzündet sich Cs sofort mit rotvioletter Flammenfärbung; es muß daher im Vak. od. unter Paraffinöl aufbewahrt werden. Cs ist das unedelste u. reaktionsfähigste Metall; es reagiert mit fast allen Elementen, z.T. unter Explosion od. unter Entflammung, z.B. mit Wasser (dabei bildet sich Cäsiumhydroxid, die stärkste bekannte Base).
Vork.: Cs gehört zu den seltenen Elementen; sein Anteil an der obersten (16 km dicken) Erdkruste beträgt nur ungefähr $7 \cdot 10^{-4}$ Prozent. Da es sehr unedel ist, findet es sich nur in Form von chem. Verb. u. nie gediegen. Das wichtigste Cs-Mineral ist auf Elba, in Südrhodesien, Kanada u. in den USA (Maine) selten vorkommende *Pollucit* ($2 Cs_2O \cdot 2 Al_2O_3 \cdot 9 SiO_2 \cdot H_2O$), der über 30% Cs_2O enthält. Pro t Erstarrungsgestein konnte man durchschnittlich 7 g Cs nachweisen; bei der Verwitterung entstehen daraus lösl. Salze, die spurenweise in die Böden, Flüsse u. Meere übergehen; Meerwasser enthält ca. 1 μg Cs/Liter. Das bei Kernspaltungsprozessen entstehende ^{137}Cs (HWZ 30,1 a, schwacher β- u. γ-Strahler) ist eines der gefährlichsten Radionuklide. Es gelangte bei dem Kernreaktorunfall von *Tschernobyl zusammen mit anderen Spaltprodukten in die Atmosphäre. Seither wurde in vielen Studien das Verhalten von ^{137}Cs in der Umwelt untersucht[1,2]. Es wird vom Menschen mit Fleisch, Milch u. Milchprodukten, Obst, Gemüse u. Getreide aufgenommen u. im Magen-Darm-Trakt vollständig resorbiert[3,4]. Bes. hohe ^{137}Cs-Konz. weisen bestimmte Speisepilze auf[5]. Infolge der Gefährlichkeit von ^{137}Cs sind zahlreiche Nachw.- u. Anreicherungsmeth., z.B. aus Meerwasser od. aus Körperflüssigkeit, entwickelt worden, wovon die Adsorption an Ionenaustauschern auf der Basis Kaliumcobaltferrocyanid[6] od. Ammonium-12-molybdophosphat[7] am geeignetsten erscheint. Als Antidot. ist *Berliner Blau vorgeschlagen worden. Zur quant. Bestimmung kann man *Kalignost u. Caesignost benutzen.
Herst.: Durch Red. von CsOH od. Cs_2CO_3 mit Mg, Ca od. Al bei Rotglut im Wasserstoff-Strom, durch Elektrolyse von CsCl, durch Extraktion aus Pollucit mit Natrium bei 650–850 °C od. durch Red. von Cäsium-Halogeniden mittels Calcium od. Calciumcarbid.
Verw.: Hauptsächlich für wissenschaftliche Zwecke, zur Herst. von Photozellen (bes. für Infrarotstrahlung), Gleichrichtern, Glühkathoden, Photomultipliern, als Gettermaterial bei der Herst. von Röntgen- u. Verstärkerröhren, zur Herst. von *Atomuhren (Cäsium-Uhr). In der Raumfahrt dient Cs als Treibstoff für Ionen-Triebwerke (Ion Thrusters). Cs ist auch Bestandteil von Vorrichtungen zur direkten Umwandlung von Wärme in elektr. Energie (thermoion. Batterien) u. in der Magnetohydrodynamik. Das Radionuklid ^{137}Cs eignet sich zur Dickemessung von Papier, Metall, Beton u.a. Materialien u. zu Radionuklidbatterien. In der Nuklearmedizin wird ^{137}Cs ähnlich wie ^{60}Co zur Krebsbestrahlung angewendet (Amalric, *Lit.*).
Geschichte: Cs wurde 1860 von Bunsen u. Kirchhoff auf spektralanalyt. Weg im Bad Dürkheimer Mineralwasser entdeckt u. 1861 auf Grund seiner charakterist. blauen Spektrallinien als Cäsium (von latein.: caesius = himmelblau) bezeichnet. – *E* cesium (USA), caesium (GB) – *F* césium – *I* = *S* cesio
Lit.: [1] J. Environ. Radioact. **18**(2), 133–149 (1993). [2] Health Phys. **61** (6), 715–725 (1991). [3] Atomwirtsch. Atomtech. **38** (2), 138–145 (1993). [4] Naturwissenschaften **64**, 531 f. (1977). [5] Bodenkultur **39** (1), 37–52 (1988). [6] Analyt. Chem. **38**, 89 (1966). [7] Ind. Eng. Chem., Process Des. Dev. **5**, 117 (1966).
allg.: Amalric u. Spitalier, Césiumthérapie curative des cancers du sein, Paris: Masson 1973 ■ Brauer (3.) **2**, 935 ff. ■ Gmelin, Syst.-Nr. 25, Cs, 1938 ■ Hart et al., The Chemistry of Lithium, Sodium, Potassium, Rubidium, Cesium and Francium, Oxford: Pergamon 1975 ■ Kirk-Othmer (4.) **5**, 749–764 ■ Snell-Ettre **9**, 278–303 ■ Ullmann (5.) **A 6**, 153–156 ■ UN/Environment Programme, Selected Radionuclides, Genf: WHO 1983 ■ Winnacker-Küchler (4.) **4**, 339, 344. – *[HS 2805 19; CAS 7440-46-2]*

Cäsium-Verbindungen. Wie die anderen Alkalimetalle bildet Cs farblose, z.T. zerfließende, wasserlösl. Salze. (a) *Cäsiumcarbonat*, Cs_2CO_3, Schmp. 610 °C, als Kathodenmaterial u. Katalysator für Ethylenoxid-Polymerisationen; – (b) *Cäsiumchlorid*, ClCs, D. 3,99, Schmp. 646 °C, Sdp. 1303 °C, zur Herst. von Cäsium; – (c) *Cäsiumhydroxid*, CsOH, D. 3,68, Schmp. 272 °C, löst sich in Wasser mit starker Wärmeentwicklung, wird in galvan. Elementen als Elektrolyt verwendet; – (d) *Cäsiumiodid*, CsI, D. 4,5, Schmp. 621 °C, Sdp. 1280 °C, für Szintillationszähler u. Prismen für Infrarotspektrometer; – (e) *Cäsiumnitrat*, $CsNO_3$, D. 3,68, Schmp. 414 °C; – (f) *Cäsiumoxide*, von denen mehrere (von Cs_7O bis CsO_2) bekannt sind; der normale Vertreter, Cs_2O, ist bei 20 °C orangegelb. – *E* cesium compounds – *F* composés de césium – *I* composti di cesio – *S* compuestos de cesio

Lit.: Brauer (3.) **1**, 246, **2**, 953–959 ▪ Gmelin, Syst.-Nr. 25, Cs, 1938, S. 107ff. ▪ Kirk-Othmer (4.) **5**, 755–764 ▪ s. a. Cäsium. – *[CAS 534-17-8 (a); 7647-17-8 (b); 21351-79-1 (c); 7789-17-5 (d); 7789-18-6 (e); 20281-00-9 (f)]*

CAF. Abk. für *c*alcium-*a*ctivated *f*actor s. Calpaine.

Cafaminol.

Internat. Freiname für 8-(2-Hydroxy-*N*-methylethylamino)-1,3,7-trimethylxanthin, $C_{11}H_{17}N_5O_3$, M_R 267,29, Schmp. 162–164 °C; LD_{50} (Maus s.c.) 700 mg/kg. Es wurde als Rhinologikum 1958 von J. Klosa, 1963 von Delmar Chemicals Ltd. patentiert u. war von Promonta (Rhinoptil®) im Handel. – *E* = *F* = *S* cafaminol – *I* cafaminolo

Lit.: Beilstein E III/IV **26**, 3981 ▪ Hager (5.) **7**, 592. – *[HS 2939 50; CAS 30924-31-3]*

Cafedrin.

Internat. Freiname für (–)-7-[2-(β-Hydroxy-α-methylphenethylamino)-ethyl]-1,3-dimethylxanthin, $C_{18}H_{23}N_5O_2$, M_R 357,41. C. wurde 1956 u. 1962 als Kreislaufanaleptikum von Degussa patentiert u. ist von Asta Medica in Kombination mit Theoadrenalin (Akrinor®) im Handel. – *E* cafedrine – *F* cafédrine – *I* = *S* cafedrina

Lit.: Beilstein E V **26/14**, 9 ▪ Hager (5.) **7**, 593–594. – *[HS 2939 50; CAS 58166-83-9; 3039-97-2 (Hydrochlorid)]*

Cafergot®. Kapseln u. Suppositorien mit *Ergotamin-Tartrat u. *Coffein, gegen Migräne u. psych. bedingte Kopfschmerzen. *B.:* Sandoz.

Caffein s. Coffein.

Caged Verbindungen. Kurze, aber wenig exakte Bez. für synthet. Mol., deren biolog. Aktivität durch Lichteinstrahlung kontrollierbar ist u. die in der biochem. u. zellbiolog. Forschung zur Anw. kommen. Die Lichteinstrahlung bewirkt in den meisten Fällen die Freisetzung der aktiven Verb. durch den Bruch einer chem. Bindung, die die Aktivität maskiert hatte (wohingegen das engl. „caged" die unrichtige Vorstellung einer eingesperrten Verb. beinhaltet). – *E* caged compounds – *I* composti cabbia – *S* compuestos de jaula

Lit.: Annu. Rev. Physiol. **55**, 755–784 (1993).

Cagliostro s. Geschichte der Chemie.

Cahn-Ingold-Prelog-Regeln s. CIP-Regel.

Cahours, August (1813–1891), Prof. für Chemie, Paris. *Arbeitsgebiete:* Entdeckung des Amylalkohols in Fuselöl, Herst. von Anisol, Salicylsäuremethylester, Zinntetraethyl, Allylalkohol u. Carbonsäurechloriden mit Hilfe von Phosphor(V)-chlorid.

Lit.: Bull. Soc. Chim. Fr. **7** (3), I–XII (1892) ▪ Pötsch, S. 76 ▪ Poggendorff **1**, 3 ▪ Strube et al., S. 84, 136f.

Cailletet-Mathias'sche Regel. Graph. Meth. zur Bestimmung der *kritischen Dichte* ϱ_{kr}, d.h. der D. am *kritischen Punkt. Man mißt bei verschiedenen Temp. T die Dichte in der flüssigen Phase ϱ_{fl} u. die Dichte in der Dampfphase ϱ_D für ein im therm. Gleichgew. befindliches Zweiphasensystem. Beide Werte werden als Abszissenwerte gegen die Temp. aufgetragen. Die Punkte $(\varrho_{fl}+\varrho_D)/2$ liegen auf einer Geraden, die durch den krit. Punkt geht, da am krit. Punkt $\varrho_{fl}=\varrho_D$ gilt (s. Abb.). Die vertikale Linie durch den krit. Punkt schneidet die Abszisse bei der krit. D. ϱ_{kr}.

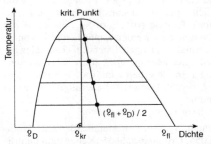

Abb.: Graphische Methode zur Bestimmung der kritischen Dichte.

– *E* rule of Cailletet-Mathias – *F* règle de Cailletet-Mathias – *I* regola di Cailletet-Mathiaa – *S* regla de Cailletet-Mathias

Lit.: Wedler, Lehrbuch der Physikalischen Chemie, 3. Aufl., Weinheim: VCH Verlagsges. 1987.

cal, Cal. Kurzz. für *Kalorie bzw. Kilokalorie (kcal).

Calabar-Bohnen (Kalabarbohnen). Reife, giftige Früchte von *Physostigma venenosum* Balf. (Fabaceae), einer hölzernen westafrikan. Kletterpflanze. C. enthalten 0,15–0,3% Alkaloide, hauptsächlich das parasympathomimet. *Physostigmin, auf dessen Wirkung die kult. Verw. als „Gottesurteilsbohne" bei westafrikan. Stämmen beruhte[1]. – *E* calabar beans, ordeal beans – *F* fèves de Calabar – *I* fagioli calabar – *S* habas de Calabar

Lit.: [1] Bild Wiss. **1974**, Nr. 6, 74–81.

allg.: Hager (4.) **6 a**, 639–642. – *[HS 1211 90]*

Calbindine (calcium binding proteins, CaBP). An der Mineral-Homöostase (Konstanthaltung der Mineralstoff-Konz. im Blut) beteiligte, Calcium-Ionen bindende Proteine mit M_R von 8500 (Calbindin D_{9K}, aus Darm, $2Ca^{2+}$-bindende *Domänen) bzw. 28 000 (Calbindin D_{28K}, aus Niere, 6 homologe Domänen, davon $4Ca^{2+}$-bindend). C. D_{28K} kommt auch in den Nervenzellen des Gehirns vor, wo es möglicherweise eine Schutzfunktion ausübt[1]. Die C. gehören zur Superfamilie des *Calmodulins; die Raumstruktur von C. D_{9K} ist bekannt u. weist auch das Motiv der *EF-Hand auf. Die Biosynth. der C. wird durch Calcitriol (s. Calciferole) induziert. – *E* calbindins – *F* calbindines – *I* calbindine – *S* calbindinas

Lit.: [1] Neurodegeneration **3**, 1–20 (1994).

allg.: Acc. Chem. Res. **26**, 7–14 (1993) ▪ Danish Med. Bull. **38**, 271–282 (1991).

Calcein [Fluorescein-2,7-bis(methyleniminodiessigsäure)-Dinatriumsalz, Fluorexon].

$C_{30}H_{24}N_2Na_2O_{13}$, M_R 666,51; orangefarbenes Pulver, lösl. in Wasser u. Säuren mit gelber, in Laugen mit orange bis rosa Farbe, sehr schwer lösl. in Alkohol, unlösl. in Ether. Indikator für komplexometr. Titrationen, insbes. zur Bestimmung von Erdalkalien. – *E* calcein – *F* calcéine – *I* calceina – *S* calceína
Lit.: Analyst **82**, 284 (1957); **83**, 188 (1958) ▪ Beilstein E III/IV **19**, 4338 ▪ Clin. Chem. **18**, 1411 (1972) ▪ Talanta **7**, 248 (1961). – [CAS 1461-15-0]

Calcidiol s. Calcifediol, Vitamine (Vitamin D-Gruppe).

Calcifediol (Calcidiol). Formel s. Calciferole. $R^1 = R^2 = H$, $R^3 = CH_3$, Doppelbindung C-22/23: Ergocalciferol; $R^1 = R^2 = R^3 = H$: Cholecalciferol; $R^1 = R^3 = H$, $R^2 = OH$: Calcifediol; $R^1 = R^2 = OH$, $R^3 = H$: Calcitriol. Internat. Freiname für das Vitamin-D_3-Derivat 25-Hydroxycholecalciferol, $C_{27}H_{44}O_2$, M_R 400,65, uv_{max} (C_2H_5OH): 265 nm (ε 18 000). Es ist als Antirachitikum von Albert Roussel (Delakmin®) im Handel; s. a. Calciferole u. Vitamin D. – *E* = *S* calcifediol – *F* calcifédiol – *I* calcifediolo
Lit.: ASP ▪ Hager (5.) **7**, 596–597. – [HS 2936 29; CAS 19356-17-3]

Calciferole (von *Calcium u. latein.: ferre = tragen, bringen).

$R^1 = R^2 = H$, $R^3 = CH_3$, Doppelbindung C-22/23: Ergocalciferol
$R^1 = R^2 = R^3 = H$: Cholecalciferol
$R^1 = R^3 = H$, $R^2 = OH$: * Calcifediol
$R^1 = R^2 = OH$, $R^3 = H$: Calcitriol

Gruppenbez. für bestimmte ringgeöffnete *Steroid-Derivate (*Secosteroide*), die als *Vitamine der D-Gruppe u. Vorstufen von *Hormonen bekannt sind. Nur zwei C. haben prakt. Bedeutung:
(a) *Ergocalciferol* [9,10-Secoergosta-5,7,10(19),22-tetraen-3β-ol, Vitamin D_2], $C_{28}H_{44}O$, M_R 396,66. Farblose Krist., Schmp. 115–118 °C, unlösl. in Wasser, schwer lösl. in pflanzlichen Ölen, lösl. in den üblichen organ. Lsm., wird (im Unterschied zu *Ergosterin) nicht von Digitonin gefällt. Ergocalciferol kommt in der Natur selten vor, z. B. neben größeren Mengen Cholecalciferol im Fischleberöl; da es aus Ergosterin, dem *Provitamin D_2*, das in Pflanzen häufig vorkommt, unter Einwirkung von Ultraviolett-(UV-)Licht über die Zwischenstufe des *Prävitamins*, des Präergo-C., entsteht, wird es auch als *pflanzliches Vitamin D* bezeichnet. Ergocalciferol ist in Vögeln nicht, in Säugetieren weniger wirksam als Cholecalciferol.
(b) *Cholecalciferol* [Secocholesta-5,7,10(19)-trien-3β-ol, Vitamin D_3], $C_{27}H_{44}O$, M_R 384,65. Farblose Nadeln, Schmp. 84–85 °C, unlösl. in Wasser, wenig lösl. in Pflanzenölen, lösl. in den üblichen organ. Lsm., wird (im Unterschied zu *7-Dehydrocholesterin) nicht von Digitonin gefällt.
Vork.: Kommt bes. reichlich in Fischleberölen vor: Die Meeresfische nehmen mit der Nahrung (Plankton, Algen, Diatomeen, Kleinkrebse) verhältnismäßig viel Provitamin (7-Dehydrocholesterin) auf, überführen dieses unter dem Einfluß des UV-Anteils des Sonnenlichts über Prächolecalciferol in Cholecalciferol u. reichern es in den Leberölen an, vgl. auch Lebertran. Außerdem findet sich Cholecalciferol in Eigelb, Milch, geringe Mengen in Pflanzen (z. B. Spinat, Pilze); Cholecalciferol wird gelegentlich auch als *tier. Vitamin D* bezeichnet.
Physiologie: *Calcifediol (25-Hydroxycholecalciferol) ist die hauptsächliche zirkulierende Form des Vitamins; seine biolog. Wirkung als Hormon entwickelt Cholecalciferol nach einer weiteren, *Parathyrin-induzierten Hydroxylierung in Form von *Calcitriol* (1α,25-Dihydroxycholecalciferol, auch: Soltriol, Vitamin-D-Hormon, $C_{27}H_{44}O_3$, M_R 416,64, Schmp. 95–99 °C), das in Zellkernen verschiedener Gewebe an Rezeptoren bindet u. die *Transkription zahlreicher Gene reguliert. Eine Nebenform, *Hydroxycalcidiol*, (24R,25-Dihydroxycholecalciferol) besitzt vergleichsweise beschränkte Wirksamkeit. Cholecalciferol u. die erwähnten Derivate werden im Blut durch ein spezif. Protein transportiert (Vitamin-D-bindendes Protein, DBP). Näheres zur physiolog. Wirkung s. Vitamine (Vitamin-D-Gruppe).
Nachw.: Spektrophotometr. bei 265 nm, colorimetr. mit $SbCl_3$, Trennung chromatographisch.
Herst.: C. werden techn. durch UV-Bestrahlung aus ihren Provitaminen hergestellt. Dabei bildet sich in einer photochem. *Valenzisomerisierung (Formelschema s. Isomerisierung) zunächst das entsprechende Präcalciferol, das sich therm. z. T. in das gewünschte C. umlagert.
Verw.: Zur Rachitis-Prophylaxe u. -Therapie, wobei Hypervitaminosen vermieden werden müssen. – *E* calciferols – *F* calciférols – *I* calciferoli – *S* calciferoles
Lit.: Beilstein E IV **6**, 4149 (Cholecalciferol) bzw. 4404 f. (Ergocalciferol) ▪ Chem. Rev. **95**, 1877–1952 (1995). – [HS 2936 29; CAS 67-97-0(b); 32222-06-3 (Calcitriol)]

Calcifikation (Mineralisation) s. Calcium u. Knochen.

CALCIGEL®. Ein natürlicher Calciumbentonit aus ausgesuchten bayer. Rohtonen für den Spezialtiefbau u. Deponiebau. *B.*: Süd-Chemie AG.

Calcimedine s. Annexine.

Calcimycin.

$C_{29}H_{37}N_3O_6$, M_R 523,63, Krist., Schmp. 181–182 °C. Ionophor für zweiwertige Metall-Ionen aus *Streptomyces chartreusensis*, mit schwacher Wirkung gegen Gram-pos. Bakterien sowie Pilze. Bedingt durch seine ionophoren Eigenschaften, mit zweiwertigen Kationen stabile Komplexe zu bilden, wird es häufig für den transmembranen Transport u. die intrazelluläre Konz.-Erhöhung dieser Ionen eingesetzt. Seine Ionenspezifität fällt in folgender Reihe:

$$Mn^{2+} > Ca^{2+} > Mg^{2+} > Sr^{2+} > Ba^{2+} \approx Li^+ > Na^+ > K^+$$

Als fluoreszierendes Agens dient es auch zur Untersuchung der Proteinhydrophobizität. Ferner ist es ein Entkoppler der oxidativen Phosphorylierung u. inhibiert die ATPase-Aktivität in Mitochondrien. C. potenziert die Wirkung von *N*-Methyl-aspartat auf Hippocampus-Neuronen (Ratte). – *E* calcimycin – *I* = *S* calcimicina

Lit.: Brain Res. **540**, 322 (1991) ■ J. Am. Chem. Soc. **109**, 7553 (1987) ■ Tetrahedron **39**, 1255 (1983); **42**, 6465 (1986) ■ Tetrahedron Lett. **28**, 1063 (1987). – *[HS 2941 90; CAS 52665-69-7]*

Calcineurin (Ca^{2+}/Calmodulin-abhängige Protein-Phosphatase 2B, EC 3.1.3.16, Abk.: CaN). Durch Calcium-Ionen aktivierte Protein-*Phosphatase aus Säugetier-Geweben, v. a. Hirn, deren Funktion nur teilw. bekannt ist.
Struktur: Das *Enzym besteht aus einer katalyt. Untereinheit A (CaNA, M_R 59 000, enthält je ein Zink- u. ein Eisen-Ion) u. einer regulator. Untereinheit B (CaNB, M_R 19 000). Während CaNA Calmodulin (CaM) bindet, besitzt das CaM-ähnliche CaNB vier Ca^{2+}-Bindungsstellen. Calcium(II), gebunden an CaNB, ist für die Bindung des Substrats an CaNA notwendig. Bindung von CaM tritt nur in Ggw. von Calcium(II) auf u. erhöht die Aktivität auf etwa das 10-fache. Die Kristallstrukturen des CaN sowie eines Komplexes FKBP/FK506/CaN (vgl. unten) haben bei CaNA vier verschiedene funktionelle *Domänen gezeigt: eine katalyt., eine CaNB-bindende, eine CaM-bindende u. eine auto-inhibitorische [1].
Funktion: Dephosphorylierung spezif. *Transkriptionsfaktoren durch CaN spielt bei der Aktivierung der *Interleukin-2-Produktion der T-*Lymphocyten eine wichtige Rolle [2]. Die Immunsuppressiva *Cyclosporin A u. *FK506 inhibieren CaN, nachdem sie Komplexe mit den *Immunophilinen *Cyclophilin bzw. FKBP (FK506-bindendes Protein) gebildet haben. In Nervenendigungen dephosphoryliert CaN bei Membran-Depolarisation *Dynamin I, das für die Wiederverwertung synapt. Vesikeln nötig ist [3]. Im Gehirn scheint CaN an Lern- u. Gedächtnisprozessen (Langzeit-Depression) beteiligt zu sein [4]. – *E* calcineurin – *F* calcineurine – *I* = *S* calcineurina

Lit.: [1] Nature (London) **378**, 641–644 (1995). [2] Nature (London) **357**, 692–697 (1992); **365**, 352–355 (1993). [3] Science **265**, 970–973 (1994). [4] Nature (London) **369**, 486–488 (1994). – *[CAS 9025-75-6]*

Calcinieren. Erhitzung fester Materialien (*Brennen*) bis zu einem bestimmten Zers.-Grad, wodurch z. B. bei Soda, Gips u. a. Stoffen das Kristallwasser ganz od. teilweise entfernt wird; *Beisp.:* Calcinierte Soda s. Natriumcarbonat. Durch C. erhält man ggf. auch *Aktivstoffe. Beim Kalkbrennen findet ein Zerfall des Calciumcarbonats in gebranntem Kalk (s. Calciumoxid) u. Kohlendioxid statt; beim Ton- u. Porzellanbrennen verdampft gebundenes Wasser u. es kommt gleichzeitig zu einem Zusammensintern der Tonteilchen. – *E* calcination, calcining – *F* calcination – *I* calcinazione – *S* calcinación

Lit.: McKetta **5**, 440–494; **6**, 1–14 ■ Seidel et al., Technologie der Bindebaustoffe, Bd. 3: Der Brennprozeß u. Brennanlagen, Berlin: Verl. Bauwesen 1978 ■ Winnacker-Küchler (4.) **3**, 177 ff.

Calciothermie s. Metallothermie.

Calcipotriol.

Internat. Freiname für (5*Z*,7*E*,22*E*,24*S*)-24-Cyclopropyl-9,10-secochola-5,7,10(19),22-tetraen-1α,3β,24-triol, $C_{27}H_{40}O_3$, M_R 412,61. C. ist ein Vitamin-D-Analoges, das als Antipsoriatikum eingesetzt wird (Daivonex®, Leo; Psorcutan®, Schering). – *E* = *F* = *S* calcipotriol – *I* calcipotriolo

Lit.: Pharmacol. Toxicol. **77**, 241–246 (1995). – *[CAS 112965-21-6]*

Calcit (Kalkspat), $CaCO_3$. Eine der krist. Modif. des *Calciumcarbonats, krist. ditrigonal-skalenoedr., Kristallklasse 3m-D_{3d}, mit vollkommener Spaltbarkeit nach dem Rhomboeder {1011} (s. Kristallgitter u. die Abb.); zur Kristallstruktur s. *Lit.*[1]. Das Kristallgitter von C. läßt sich als in Richtung der Würfeldiagonale zusammengedrücktes Steinsalz-Gitter beschreiben, in dem Na durch Ca u. Cl durch den Schwerpunkt planarer CO_3-Komplexe ersetzt sind, s. die Abb., darin auch die Beziehung des Spaltrhomboeders zur steilen trigonalen Elementarzelle (*Kristallstrukturen) u. einer vielfach gebräuchlichen hexagonalen Elementarzelle.
C. bildet glasglänzende bis matte, durchsichtige bis undurchsichtige, extrem formenreiche Krist.; gesteinsbildender C. ist derb grob- bis feinspätig, feinkörnig bis dicht, locker-pulverig (als „Kreide"), schwammartig porös od. konzentrisch-radialstrahlig. H. 3, D. 2,7–2,8. Farblos, weiß, gelb, braun, blaßblau, violett, rot od. grün (z. T. durch geringe Beimengungen von Fe, Mn u. Co). Viele C. zeigen *Lumineszenz, gelbe bis rote *Fluoreszenz im ultravioletten Licht. C. reagiert schon mit kalter verd. Salzsäure mit heftigem Aufschäumen; er zersetzt sich bei ca. 900 °C zu CaO u. CO_2 (Kalkbrennen, s. Calciumoxid); Schmp. 1339 °C bei 10 Mpa. Bei Drücken von 1,4 Gpa wandelt sich C. in *Calcit-II* um, bei 1,9 Gpa in die ebenfalls metastabile Hochdruck-Phase *Calcit-III*; dazu u. zur Struktur von C. bei hohen Drücken u. Temp. s. *Lit.*[2].
Die im Hinblick auf die *Diagenese von *Kalken, ihre Umwandlung in Dolomit u. Vorgänge der Bio-*Mine-

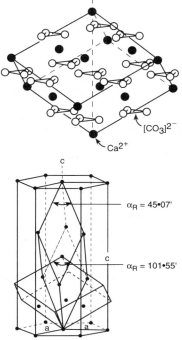

Abb.: Zur Kristallstruktur u. Spaltbarkeit von Calcit; nach Hurlbut-Klein (*Lit.*).

ralisation wichtige *Mischkristall-Bildung mit MgCO₃* (*Magnesit) ist unter gewöhnlichen Bedingungen stabil nur bis zu wenigen Mol.-% $MgCO_3$ möglich (s. Reeder, *Lit.*). In biogen u. in anorgan. gebildeten C. in jungen marinen Carbonat-Ablagerungen sind bis zu 30 Mol.-% $MgCO_3$ gefunden worden; zur Ausfällung von $CaCO_3$ in marinem Milieu s. *Lit.*[3]. C.-Krist. in Hartteilen von Seeigeln enthalten 4–15% $MgCO_3$[4]. Zum Einbau von Sr^{2+} in C. s. *Lit.*[5]. Die Adsorption von Schwermetallen, z. B. Cd u. Zn[6], an der Oberfläche von C. hat Bedeutung für den Transport dieser Substanzen im Bereich der Erdoberfläche.

Vork.: In der oberen Erdkruste eines der häufigsten Minerale. Gute Krist. z. B. in den USA (Missouri u. Tennessee), Mexiko (Charkas u. Santa Eulalia), Island, Idar-Oberstein. Gesteinsbildend z. B. in *Karbonatiten, *Marmor, *Kalksilicatgesteinen, Kalken, Tropfsteinen. Als Füllung von Gesteinsklüften aller Art. In hydrothermalen *Gängen. Gegenüber *Aragonit ist C. die bei Raumtemp. stabilere Modif., s. Matthes (*Lit.*).

Verw.: Glasklarer rhomboedr. (isländ.) *Doppelspat* wegen seiner starken Doppelbrechung in Polarimetern als sog. Nicol-Prismen. In großem Ausmaß in der chem. Ind. als Rohstoff; weitere Verw. s. Kalke. – $E = F$ calcite – I spato calcareo, calcite – S calcita, spato calcáreo

Lit.: [1] Z. Kristallogr. **156**, 233–243 (1981); Am. Mineral. **79**, 205–214 (1994). [2] Phys. Chem. Miner. **20**, 1–18, 104–110 (1993); Am. Mineral. **77**, 1158–1165 (1992). [3] Naturwissenschaften **80**, 513–516 (1993). [4] Am. Mineral. **75**, 1151–1158 (1990); **78**, 775–781 (1993). [5] Geochim. Cosmochim. Acta **56**, 1531–1538 (1992). [6] Geochim. Cosmochim. Acta **51**, 1477–1490 (1987); **52**, 2281–2291 (1988).

allg.: Deer et al., S. 623–634 ▪ Hurlbut-Klein, Manual of Mineralogy (19.), S. 297, New York: Wiley 1977 ▪ Matthes, Mineralogie (4.), S. 76–80, Berlin: Springer 1993 ▪ Ramdohr-Strunz, S. 566–569 ▪ Reeder (Hrsg.), Carbonates (Reviews in Mineralogy, Vol. 11), Washington (D.C.): Mineralogical Society of America 1983 ▪ s. a. Kalke. – *[CAS 13397-26-7]*

Calcitonin (Thyreocalcitonin).

Cys-Gly-Asn-Leu-Ser-Thr-Cys-Met-Leu-Gly-Thr-Tyr-Thr-Gln-Asp-Phe-Asn-Lys-Phe-His-Thr-Phe-Pro-Gln-Thr-Ala-Ile-Gly-Val-Gly-Ala-Pro-NH₂

Abb.: Aminosäure-Sequenz des Calcitonins (Mensch).

In den parafollikulären C-Zellen der *Schilddrüse von Säugetieren gebildetes Peptidhormon, das 1962 von Copp et al. entdeckt u. in seiner Funktion aufgeklärt wurde. Später wurde C. auch in Fischen, Amphibien u. Vögeln gefunden. Menschliches C. besteht aus 32 Aminosäure-Resten ($C_{151}H_{226}N_{40}O_{45}S_3$, M_R 3417,88). Seine Ausschüttung wird durch erhöhten Ca^{2+}-Spiegel im Blut angeregt. Es bewirkt über eine Inhibierung der knochenspaltenden Zellen (Osteoklasten; 10^6 C.-Rezeptoren pro Zelle) eine Verlangsamung der normalerweise immer stattfindenden Resorption von Knochensubstanz durch das Blut. In Verbindung mit dem auch immer stattfindenden Knochenaufbau kommt es damit zu einer Senkung des Calcium- u. Phosphat-Spiegels im Blut. Somit ist das auch als *hypocalcäm. Hormon* bezeichnete C. ein Antagonist des *Parathyrins u. kann zur Behandlung von Knochenschwund eingesetzt werden. Dabei sind die C. des Lachses u. des Aals wirksamer als das menschliche.

In der Niere steigert C. die Calcium-Ausscheidung u. beeinflußt den Transport anderer Ionen u. von Wasser. Über das Gehirn reduziert es die Schmerzempfindlichkeit u. den Appetit u. fördert die Sekretion des Magensaftes. Die Rezeptoren der Nierenzellen signalisieren ihre Aktivierung je nach Phase des Zellcyclus über verschiedene *G-Proteine u. lösen so verschiedene Wirkungen auf den Elektrolyt-Transport aus. C. ist zusammen mit dem *Calcitonin-Gen-zugehörigen Peptid auf einem Gen kodiert; die unterschiedliche Expression (Produktion) der beiden Peptide wird gewebespezif. reguliert. – E calcitonin – F calcitonine – $I = S$ calcitonina

Lit.: Trends Endocrinol. Metabol. **5**, 395–401 (1994). – *[CAS 21215-62-3]*

Calcitonin-Gen-zugehöriges Peptid (CGRP).

Ala-Cys-**Asp**-Thr-Ala-Thr-Cys-Val-Thr-His-Arg-Leu-Ala-Gly-Leu-Leu-Ser-Arg-Ser-Gly-Gly-**Val**-Val-Lys-**Asn**-Asn-Phe-Val-Pro-Thr-Asn-Val-Gly-Ser-Lys-Ala-Phe-NH₂

Abb.: Aminosäure-Sequenz des α-CGRP (Mensch); bei β-CGRP sind die halbfett gedruckten Aminosäuren durch Asn, Met bzw. Ser ersetzt.

*Neuropeptid mit 37 Aminosäure-Resten, das aus dem *Calcitonin-Gen durch alternatives *Spleißen der mRNA (s. Ribonucleinsäuren) in Nervengewebe entsteht u. in der Aminosäure-Sequenz 40–50% Übereinstimmung mit *Amylin aufweist. Das in den Formen α-CGRP (CGRP I, M_R 3789,36) u. β-CGRP (CGRP II, M_R 3793,41) im Gehirn, Rückenmark u. Blutplasma vorkommende CGRP wird zusammen mit

Calcitonin in der Schilddrüse, mit *Substanz P in sensor. u. mit *Acetylcholin in motor. Nerven ausgeschüttet. Es reduziert die Magensäure-Sekretion, erweitert die Blutgefäße u. beschleunigt den Herzschlag. Im Zusammenwirken mit Substanz P u. Acetylcholin moduliert es deren Wirkungen im Entzündungsgeschehen bzw. an der Nerv-Muskel-Verbindung. – *E* calcitonin gene-related peptide – *F* peptide dérivant du gène de la calcitonine – *I* peptide derivativo del gene della calcitonina – *S* péptido derivado del gene de la calcitonina

Lit.: Taché et al., Calcitonin Gene-Related Peptide, New York: N. Y. Acad. Sci. 1992. – *[CAS 90954-53-3 (α); 101462-82-2 (β)]*

Calcitriol s. Calciferole, Vitamine (Vitamin-D-Gruppe).

Calcium (chem. Symbol Ca). Metall. Element der 2. Hauptgruppe des Periodensyst. (*Erdalkalimetall), Atomgew. 40,08, Ordnungszahl 20. Natürliche Isotope: 40 (96,947%), 42 (0,646%), 43 (0,135%), 44 (2,083%), 46 (0,0186%) u. 48 (0,18%); daneben gibt es radioaktive Isotope mit HWZ zwischen 0,173 s u. 80000 a. Zur Trennung der Ca-Isotope mit Hilfe makrocycl. Polyether s. *Lit.*[1]. In seinen chem. Eigenschaften ähnelt Ca sehr dem Strontium u. Barium, ist also wie diese zweiwertig. Ca stellt ein silberweißes, glänzendes, sehr weiches Metall dar, D. 1,53 (*Leichtmetall). Schmp. 851 °C, Sdp. 1482 °C (auch Schmp. 838 °C, Sdp. 1440 °C angegeben), H. 1,5, das kub. flächenzentriert kristallisiert. An Luft überzieht sich das glänzende Metall schnell mit einer Oxid-Schicht, bei Zutritt von Feuchtigkeit mit einer grauweißen Hydroxid-Schicht, weshalb man es in luftdichten Gefäßen (evtl. unter einem Schutzgas) in den Handel bringt. Im Laboratorium wird das Metall gelegentlich noch unter Petroleum aufbewahrt. Beim Erhitzen reagiert es mit dem Luft-Sauerstoff u. -Stickstoff unter Bildung von Calciumoxid (CaO) bzw. Calciumnitrid (Ca_3N_2). Gemäß seiner Stellung in der Spannungsreihe (es ist ein sehr unedles Metall u. hat stark elektropos. Charakter) entwickelt Ca mit Wasser Wasserstoff: $Ca + 2 H_2O \rightarrow Ca(OH)_2 + H_2$. Auch von den meisten Säuren wird Ca rasch unter Salz-Bildung aufgelöst. Einige Säuren jedoch bilden mit Ca nur wenig od. schwer wasserlösl. Salze; so sind das schwer lösl. Calciumcarbonat u. Calciumoxalat von Bedeutung für seinen qual. u. quant. Nachweis.

Physiologie: Ca ist für Tier- u. Pflanzenwelt von großer Bedeutung: Ca-Verb. bauen viele Stützsubstanzen (*Knochen, Gehäuse, Schalen) auf, u. Ca^{2+}-Ionen werden bei Zell-Zusammenhalt (s. Cadherine), *Blutgerinnung, *Komplement-Aktivierung, *Muskel-Kontraktion, *Sehprozeß, Nervenleitung, *Genexpression u. unzähligen anderen Vorgängen benötigt. In der Zelle dient Ca^{2+} als vielseitiger Botenstoff (*second messenger), wobei sich seine Konz. im Bereich 0,1–10 µmol/l ändert, oft in Form von Konz.-Wellen, -Spitzen od. -Oszillationen. In das als Reservoir dienende *endoplasmatische u. *sarkoplasmatische Retikulum wird Ca^{2+} durch *Calcium-Pumpen eingeschleust, an *Calreticulin u. *Calsequestrin gebunden u. kann durch *Calcium-Kanäle, die durch die Botenstoffe Inosit-1,4,5-trisphosphat (s. Inositphos-phate) u. *cyclische ADP-Ribose aktiviert werden, freigesetzt werden. Die Funktion des Ca^{2+} als zellulärer Regulator ist mit vielen *Calcium-bindenden Proteinen verknüpft: *Calmodulin, *Protein-Kinase C, *Calcineurin, *Annexine, *Calpaine, um nur einige zu nennen.

Die Steuerung des Blut-Spiegels (normal: ca. 1,5 µmol/l freies Ca^{2+}) erfolgt im Organismus durch verschiedene *Hormone: Das *Parathyrin der *Nebenschilddrüsen bewirkt den Übergang von Ca-Ionen aus Knochensubstanz in die Blutbahn (hypercalcäm. Hormon, *Demineralisation), während das *Schilddrüsen-Hormon *Calcitonin u. der Vitamin-D-Abkömmling Calitriol (s. Calciferole) den umgekehrten Vorgang (Calcifikation, s. Mineralisation) veranlassen. Das Knochengerüst des erwachsenen Menschen enthält ca. 1,2 kg Ca. Mit der Nahrung sollten täglich ca. 700 mg Ca aufgenommen werden, wovon 50–300 mg wieder mit dem Harn ausgeschieden werden.

Vork.: Am Aufbau der Erdrinde ist Ca zu 3,63% beteiligt. Es ist nach Silicium, Aluminium u. Eisen das vierthäufigste Metall unseres Lebensraumes. Infolge seiner Reaktionsfähigkeit kommt es in der Natur nicht im gediegenen, sondern nur im gebundenen Zustand vor. So bildet der Kalk ($CaCO_3$) in vielen Gegenden mächtige Lager. Unter den Erstarrungsgesteinen enthält Granit etwa 2, der Diorit 7–8, Trachit 3, Syenit 4,3 u. der Basalt sogar 9% Calciumoxid. Durchschnittlich sind in 1 t Erstarrungsgestein 36,3 kg chem. gebundenes Ca enthalten, vorwiegend als NaCa-Feldspat. Bei der *Verwitterung verbindet sich das Calciumoxid mit dem Kohlensäure der Luft u. Feuchtigkeit unter Bildung von Calciumhydrogencarbonat, das u. a. auch die temporäre *Härte des Wassers bedingt. Wichtige Ca-Minerale sind: Anhydrit, Apatit, Dolomit, Flußspat, Gips, Kalkspat u. Phosphorit. Die Zahl der Ca-Minerale (>1% Ca) dürfte weit über 700 liegen.

Nachw.: Calcium-Salze färben die nicht leuchtende Flamme des Bunsenbrenners ziegelrot. Gravimetr. wird Ca als Oxalat bestimmt, maßanalyt. durch komplexometr. Titration mit Ethylendiamintetraessigsäure gegen *Murexid, *Calcein u. a. Indikatoren[2]. Insbes. zur Ca-Bestimmung in Blut, Harn u. a. Körperflüssigkeiten sind eine Reihe von kolorimetr. Meth. entwickelt worden, z. B. mit *Arsenazo I, II, III (vgl. *Lit.*[3]), Methylthymolblau u. a. Reagenzien[4]. In biolog. Geweben läßt sich Ca mit *Aequorin nachweisen. Über eine Meth. zur Trennung von Sr u. Ca im Blut mittels *Kryptaten s. *Lit.*[5].

Herst.: Metall. Ca wurde bis zum 2. Weltkrieg vorwiegend durch Schmelzflußelektrolyse von $CaCl_2$ mit einem Zusatz an 15–25% KCl (800 °C) in einer Graphitzelle hergestellt; heute ist das aluminotherm. Verf. vorherrschend. Dabei wird ein brikettiertes Gemisch von CaO u. Al-Pulver unter Vakuum auf 1100–1200 °C erhitzt. Der entstehende Ca-Dampf wird im wassergekühlten Teil der Retorte kondensiert u. die Schmelze laufend abgezogen. Das mit 99% Reinheit gewonnene Ca läßt sich durch weitere Raffination bis in nuklearreines Ca umwandeln. Die Weltjahresproduktion wurde zu Anfang der 90er Jahre auf ca. 2500 t geschätzt.

Verw.: Zusatz zu *Bahnmetall, als Desoxidationsmittel in der Metallurgie, wobei es in Form von Ca/Al-, Ca/Si-, Ca/Mn/Si-, Ca/Ti/Si- u. Ca/Si-Mehrstoff-Leg. eingesetzt wird, auch zur Entgasung, Entschwefelung u. Entkohlung von Roheisen u. Stählen, Kupfer u. Nickel. Ca dient zur Herst. von Calciumhydrid, als Hilfsmittel bei organ. Synth. (s. z. B. *Lit.*[6]), zum Trocknen von Alkoholen (bildet mit Wasser nichtflüchtiges Calciumhydroxid), als Gettersubstanz zur Erzielung hoher Vakua, zur Reinigung von Edelgasen (wobei es mit noch vorhandenen Restgasen bzw. Beimengungen Reaktionen eingeht), zur Raffination u. Entschwefelung von Petroleum u. zur Red. von Oxiden (*Calciothermie*, s. Metallothermie), von Fluoriden u. Chloriden seltener Metalle, z. B. $UF_4 + 2Ca \rightarrow U + 2CaF_2$, zur Herst. von Feuersteinen (Ca/Ce-Leg.) sowie von permanenten Magneten (Ca/Fe-Leg.) u. Batterien. Von erheblicher Bedeutung sind Ca-Verb. in der Bautechnik u. als Düngemittel. Radioaktives ^{45}Ca findet Verw. als β-Strahler in Technik u. Nuklearmedizin.
Geschichte: Ca wurde 1808 von Davy u. fast gleichzeitig, doch unabhängig von ihm, von Berzelius u. Pontin entdeckt. Die Herst. des reinen Metalls erfolgte jedoch erst 1898 durch Moissan, der Wasser-freies CaI_2 mit Na reduzierte: $CaI_2 + 2Na \rightarrow Ca + 2NaI$.
Der Name leitet sich von latein.: calx = Stein, Kalkstein ab. – *E = F* calcium – *I = S* calcio
Lit.: [1] J. Inorgan. Nucl. Chem. **38**, 1175 (1976). [2] Fries-Getrost, S. 95–102. [3] Anal. Chem. **37**, 1029 (1965). [4] Klinisches Labor, Darmstadt: Merck 1974. [5] Naturwissenschaften **57**, 248 (1970). [6] Synthetica **1**, 108 f.
allg.: Brauer (3.) **2**, 917–921 ▪ Gmelin, Syst.-Nr. 28, Ca, 1950–1961 ▪ Hommel, Nr. 58 ▪ Kirk-Othmer (4.) **4**, 777–786 ▪ Sigel (Hrsg.), Calcium and its Role in Biology, New York: Dekker 1984 ▪ Struct. Bonding (Berlin) **54**, 125–174 (1983) ▪ Ullmann (5.) A **4**, 515–518 ▪ Winnacker-Küchler (4.) **4**, 340 f.
▪ s. a. Calciferol, Calcitonin, Knochen u. Vitamin D. – *[HS 2805 21; CAS 7440-70-2]*

Calciumacetat. $Ca(O-CO-CH_3)_2$, M_R 158,17. Farblose, hygroskop. Masse von sehr herbem Geschmack, D. 1,50, zersetzt sich beim Erhitzen über 160 °C in Aceton u. $CaCO_3$. In Wasser ist es leicht lösl., nicht dagegen in Ethanol u. Aceton u. nur wenig in Methanol.
Verw.: Im Alizarin-Druck, in der Gerberei, zu Bodenuntersuchungen, als Lebensmittelzusatzstoff (E 263). – *E* calcium acetate – *F* acétate de calcium – *I* acetato di calcio – *S* acetato de calcio
Lit.: Beilstein E IV **2**, 113 ▪ Gmelin, Syst.-Nr. 28, Ca, Tl. B, S. 982–993. – *[HS 2915 29; CAS 62-54-4]*

Calciumacetylenid s. Calciumcarbid.

Calciumacetylsalicylat s. Acetylsalicylsäure u. Carbasalat-Calcium.

Calciumalginat. Calcium-Salz der *Alginsäure, in Wasser u. organ. Lsm. unlöslich.
Verw.: Zur Herst. anderer *Alginate, als Sprengmittel in Tabl., in Hämostyptika, als Alginatfasern in der Textil-Ind., unter EG-Nr. E 404 als Verdickungsmittel in der Lebensmittel-Industrie. – *E* calcium alginate – *F* alginate de calcium – *I* alginato di calcio – *S* alginato de calcio

Calciumaluminate. Verb. unterschiedlicher Zusammensetzung aus CaO u. Al_2O_3, die als Bestandteile von Baustoffen (*Tonerdezement*, s. Klinker u. Zement) auftreten. – *E* calcium aluminates – *F* aluminates de calcium – *I* alluminati di calcio – *S* aluminatos de calcio
Lit.: Int. Lab. **1977**, Nr. 2, 53–66. – *[HS 2841 10]*

Calcium-Antagonisten (Calcium-Kanalblocker). Pharmakolog. begründete Bez.[1] für Stoffe, die den Calciumionen-Einstrom durch Zellmembranen hemmen. Sie werden bei Hypertonie u. zur Herzinfarktprophylaxe verwendet, da sie den Tonus der glatten Gefäßmuskulatur u. die Herzarbeit erniedrigen. Chem. sind sie uneinheitlich gebaut; man unterscheidet den 1,4-Dihydropyridin-Typ (z. B. *Nifedipin), *Verapamil-Typ (s. a. Gallopamil) u. *Diltiazem-Typ. Ein Teil ihrer Wirkungen ist möglicherweise auf eine Wechselwirkung mit *Calmodulin zurückzuführen; s. die *Lit.* – *E* calcium antagonists, calcium channel blockers – *F* antagonistes du calcium – *I* antagonisti di calcio – *S* antagonistas del calcio
Lit.: [1] Fleckenstein, Calciumantagonism in Heart and Smooth Muscle, New York: Wiley Interscience 1983.
allg.: Kleemann, Lindner u. Engel, Arzneimittel, S. 402–411, Weinheim: VCH Verlagsges. 1987 ▪ Ullmann (5.) A **4**, 519–531.

Calciumarsenat (Calciumorthoarsenat). $Ca_3(AsO_4)_2 \cdot 3H_2O$, M_R 452,12. Farbloses, giftiges, krebserzeugendes Pulver, in Wasser u. in verd. Säuren lösl., durch Feuchtigkeit u. CO_2 zersetzt. Die Handelsware ist ein Gemisch von $Ca_3(AsO_4)_2$ u. $CaHAsO_4$ mit überschüssigem CaO u. $CaCO_3$.
Verw.: Im Pflanzenschutz ist C. in der BRD nicht mehr zulässig, wird jedoch in verschiedenen Ländern z. B. in Baumwollkulturen noch eingesetzt. – *E* calcium (ortho)arsenate – *F* arséniate de calcium – *I* arsenato di calcio – *S* arseniato de calcio
Lit.: Gmelin, Syst.-Nr. 28, Ca, Tl. B, 1961, S. 1227–1236 ▪ Hommel, Nr. 1202 ▪ Perkow. – *[HS 2842 90]*

Calcium-bindende Proteine. Da Calcium-Ionen vielfältige u. wichtige Signalüberträger-Funktionen ausüben, kommt auch den zahlreichen Proteinen, die sie binden können, erhebliche Bedeutung zu. Es sind dies neben den *Calcium-Pumpen z. B. die *EF-Hand-Proteine sowie *Protein-Kinase C u. *Phospholipase A_2, die alle der *Signaltransduktion dienen. Noch nicht endgültig gesichert sind die Funktionen der *Annexine, die in Anwesenheit von Calcium Phospholipid-Membranen binden. 4-Carboxy-L-glutaminsäure-haltige C.-b. P. spielen bei der *Blutgerinnung (Prothrombin, Faktoren VII, IX u. X) u. beim Auf- u. Abbau der Knochensubstanz (*Osteocalcin) eine Rolle. Weitere C.-b. P. sind z. B. *Calreticulin, *Calsequestrin, *Casein, *Recoverin, *Synaptophysin, *Tenascin, *Thermitase. – *E* calcium-binding proteins – *F* protéines liant le calcium – *I* proteine che legano il calcio – *S* proteínas fijadoras del calcio
Lit.: Gen. Physiol. Biophys. **11**, 411–425 (1992).

Calciumborat (Calciummetaborat). $Ca(BO_2)_2$, M_R 125,70. Farblose, rhomb. Krist., die in Wasser schwer lösl. sind, D. 2,65, Schmp. 1162 °C. Natürliche C. sind: *Colemanit ($Ca_2B_6O_{11} \cdot 5H_2O$), Ginorit, *Pandermit usw.
Verw.: Als Flußmittel bei der Schwermetallgewinnung, in der Porzellan-Industrie. – *E* calcium (meta)borate – *F* borate de calcium – *I* borato di calcio – *S* borato de calcio

Lit.: Gmelin, Syst.-Nr. 28, Ca, Tl. B, 1961, S. 806–818 ▪ Hommel, Nr. 827 ▪ Kirk-Othmer (4.) 4, 403 ▪ Ullmann (5.) A 4, 274 f. – *[HS 2840 20]*

Calciumbromid. $CaBr_2$, M_R 199,89. Farblose Krist., D. 3,353, Schmp. 730 °C. An der Luft wird C. unter Brom-Abspaltung langsam gelb; in Ether od. Chloroform ist es wenig, in Wasser od. Methanol gut löslich. *Verw.:* Bei der Erdö- u. Erdgasgewinnung in *Bohrspülmitteln. Weiter findet $CaBr_2$ Verw. zur Herst. von Photoplatten u. -papieren, als Bestandteil von Feuerlösch- u. Holzschutzmitteln, sowie – heute jedoch kaum noch – als Arzneimittel, vgl. Brom-Präparate. – *E* calcium bromide – *F* bromure de calcium – *I* bromuro di calcio – *S* bromuro de calcio
Lit.: Gmelin, Syst.-Nr. 28, Ca, Tl. B, 1957, 584-607 ▪ Ullmann (5.) A 4, 401, 424. – *[HS 2827 59; CAS 7789-41-5]*

Calciumcarbid (Carbid, Calciumacetylenid). CaC_2, M_R 64,10. Struktur: $Ca^{2+}C_2^{2-}$, vgl. a. Carbide. In reinstem Zustand farblose, krist. Massen, D. 2,22, Schmp 2160 °C, mit einer tetragonalen (bis 440 °C) u. einer kub. flächenzentrierten (>440 °C) Modif., doch ist dieses nicht als reine Präp. techn. zugänglich. C. ist in keinem Lsm. (unverändert) lösl.; mit Wasser zersetzt es sich lebhaft unter Bildung von Acetylen u. Calciumhydroxid, oberhalb 905 °C reagiert es mit N_2 unter Bildung von *Calciumcyanamid, die Druckhydrierung liefert Calciumhydrid; seine reduzierenden Eigenschaften werden ebenfalls techn. genutzt.
Herst.: Im Laboratorium durch therm. Zers. von reinem Calciumcyanamid im Vak. in Ggw. von Kohlenstoff, vgl. *Lit.*[1]. Techn. gewinnt man C. durch elektrotherm. Verf. aus Calciumoxid u. Koks od. Anthrazit, die bei den durch *Lichtbogen erzeugten Temp. von 1800–2100 °C nach

$$CaO + 3C \rightarrow CaC_2 + CO$$

miteinander reagieren; das flüssige C. wird durch Abstich an der Ofensohle gewonnen. Zur Herst. von 1 t C. benötigt man 950 kg CaO, 650 kg Koks u. 2,9–3,3 MWh; große Öfen verbrauchen 55 MWh bei 150 000 A. Stromfrei arbeitende Herstellungsverf., bei denen z. B. Koks in Sauerstoff-reicher Luft in Ggw. von Kalk in Hochöfen bei ca. 2500 °C verbrannt wird, haben sich nicht durchsetzen können. Das C. des Handels ist durch beigemengte Kohlebestandteile grau bis grauschwarz od. durch Eisenoxid-Verunreinigungen braun gefärbt; daneben enthält es durch die Herst. bedingt noch etwas Calciumoxid, Calciumphosphid (Ca_3P_2), Calciumsulfid, Ferrosilicium, Magnesiumnitrid (Mg_3N_2) u. Siliciumcarbid, so daß es durchschnittlich nur auf einen CaC_2-Gehalt von 82% kommt. Der unangenehme „Carbid-Geruch" ist hauptsächlich auf Phosphorwasserstoff (PH_3) zurückzuführen, der aus den Calciumphosphid-Spuren durch Luftfeuchtigkeit freigemacht wird.
Verw.: Zur Herst. von *Acetylen als Schweißgas (Dissousgas) u. Grundprodukt der Acetylen-Chemie, von Kalkstickstoff (enthält 60% *Calciumcyanamid), der als Düngemittel u. Vorprodukt für Cyanamid, Melamin etc. dient, sowie als Gießereicarbid, z. B. zur Entschwefelung in der Eisen- u. Stahl-Ind. u. als Reduktions- u. Aufkohlungsmittel in anderen metallurg. Prozessen. Früher wurde C. für Beleuchtungszwecke in sog. Karbidlampen (vgl. Acetylen) benutzt. Mit der zunehmenden Verw. petrochem. Rohstoffe ging in den westlichen Industrieländern die C.-Produktion für Acetylen stark zurück; sie verlagerte sich zunehmend in Regionen mit besserer Verfügbarkeit von Kohle, z. B. DDR u. S-Afrika. Die Weltproduktion 1982 betrug rund 6,4 Mio. t (1962: rund 8 Mio. t); davon wurden in Westeuropa 0,66 Mio. t (1962: 2,54 Mio. t) u. in Nordamerika 0,25 Mio. t (1,3 Mio. t) erzeugt, dagegen in Osteuropa 2,6 Mio. t (2,2 Mio. t), in Asien, Australien u. Afrika 2,7 Mio. t (1,9 Mio. t). Bis 1993 sank die jährliche Produktion in West-Europa auf 0,5 Mio. t, in Ost-Europa auf 0,9 Mio. t, in den USA auf 0,22 Mio. t u. in Japan auf 0,25 Mio. t (s. *Lit.*[2]).
Geschichte: C. wurde erstmals von Wöhler (1836) u. Hase erhalten u. von Berthelot (1862) ausführlich beschrieben. Die laboratoriumsmäßige C.-Herst. im elektr. Ofen erfolgte 1892 durch Thomas L. Wilson in Amerika u. durch Henry Moissan in Paris. Die industrielle C.-Gewinnung begann 1895 in der Aluminium-Ind. AG Neuhausen in der Schweiz; sie wurde im Jahre 1898 gleichzeitig in Norwegen u. in Deutschland (Rheinfelden) aufgenommen. – *E* calciumcarbide – *F* carbure de calcium – *I* carburo di calcio – *S* carburo de calcio
Lit.: [1] Brauer (3.) **2**, 931–933. [2] The Chemical Economics Handbook – SR, International, Calcium Carbide, 724.5000A, 1995.
allg.: Beilstein E IV **1**, 953 f. ▪ Gmelin, Syst.-Nr. 28, Ca, Tl. B, 1961, S. 820–850 ▪ Hommel, Nr. 243 ▪ Kirk-Othmer (4.) **4**, 792 f. ▪ Ullmann (5.) **A 4**, 533–546 ▪ Winnacker-Küchler (4.) **2**, 607–620 ▪ s. a. Acetylen, Carbide u. Calciumcyanamid. – *[HS 2849 10; CAS 75-20-7; G 4.3]*

Calciumcarbonat. $CaCO_3$, M_R 100,09. Farblose Krist. od. weißes Pulver, D. 2,6–2,8 (je nach Modif.), in Kohlensäure-freiem Wasser mit 14 mg/l (20 °C) kaum lösl. u. in organ. Lsm. völlig unlöslich. In starken Säuren löst sich C. unter Aufschäumen (CO_2-Entwicklung) u. Bildung der entsprechenden Calcium-Salze, z. B. $CaCO_3 + 2HCl \rightarrow CaCl_2 + H_2O + CO_2$. In mit Kohlendioxid gesätt. Wasser geht C. bei 20 °C mit 0,85 g/l, bei 0 °C sogar mit 1,56 g/l unter Bildung von Calciumhydrogencarbonat

$$CaCO_3 + H_2O + CO_2 \rightleftarrows Ca(HCO_3)_2$$

in Lsg.; letzteres ist z. T. verantwortlich für die *temporäre *Härte des Wassers*. Beim Erwärmen verschiebt sich das Gleichgew. nach links, wobei C. als *Aragonit (>30 °C) od. als *Calcit (<30 °C) ausfällt.
Nachw.: Mit verd. Salzsäure braust C. auf (s. oben); die *Flammenfärbung des mit Salzsäure angefeuchteten C. ist ziegelrot. Näheres über Eigenschaften, Vork. u. Verw. s. Kalke, Aragonit u. Calcit. – *E* calcium carbonate – *F* carbonate de calcium – *I* carbonato di calcio – *S* carbonato de calcio
Lit.: s. Kalk. – *[CAS 471-34-1]*

Calciumchlorat. $Ca(ClO_3)_2$, M_R 206,98. Als Dihydrat blaßgelbe, monokline, zerfließende Krist., D. 2,711, Schmp. (wasserfrei) 100 °C, brandfördernd, lösl. in Wasser u. Alkohol.
Verw.: In der Photographie, Feuerwerkerei u. als Pflanzenschutzmittel. – *E* calcium chlorate – *F* chlo-

rate de calcium – *I* clorato di calcio – *S* clorato de calcio
Lit.: Gmelin, Syst.-Nr. 28, Ca, Tl. B, 1957, 573–578 ▪ Hommel, Nr. 604. – *[HS 282919; G 5.1]*

Calciumchlorid. $CaCl_2$, M_R 110,99; D. 2,16; Schmp. >1600 °C, sehr leicht lösl. in Wasser u. Alkohol. Außer dem wasserfreien Salz sind noch Mono-, Di- u. Tetra- sowie Hexahydrate bekannt, deren reversible Hydratisierung wegen der großen Reaktionswärmen in chem. Wärmespeicherpumpen ausgenutzt werden können[1]. Das Hexahydrat, D. 1,68, Schmp. 30 °C, krist. in großen, hexagonalen Säulen.
Herst.: Calciumchlorid entsteht in großem Umfang bei der Rückgewinnung des Ammoniaks beim Solvay-Verf. der Natriumcarbonat-Herst.:

$$2 NH_4Cl + Ca(OH)_2 \rightarrow 2 NH_3 + CaCl_2 + 2 H_2O$$

Im Laboratorium bildet es sich im Kippschen Apparat bei der Kohlendioxid-Entwicklung aus Marmor u. Salzsäure:

$$CaCO_3 + 2 HCl \rightarrow CaCl_2 + H_2O + CO_2.$$

Verw.: Infolge seiner hygroskop. Eigenschaften als billiges u. rasch wirkendes *Trockenmittel für Gase u. Flüssigkeiten zur Herst. von *Kältemischungen, in manchen Ländern (nicht in der BRD) als Streusalz zum Auftauen von Glatteis, als Frostschutzmittel für Betonwaren u. Rohziegel, als Bindemittel für Straßenstaub, zu Heizbadfüllungen (konz. Lsg. siedet bei ca. 178 °C), als Blutstillungsmittel, als Heilmittel gegen Allergien, Frostbeulen, Kalkmangelkrankheiten, in der Tierheilkunde gegen Stoffwechselstörungen usw. Legt man Apfelschnitzel 5–10 min in eine 0,1%ige $CaCl_2$-Lsg., so werden sie fest, da sich ein widerstandsfähiges, gewebeschützendes Calciumpektat-Gel bildet. In Kohlengruben kann man den sich ablagernden Kohlenstaub durch $CaCl_2$-Pasten binden u. feucht halten, wodurch Kohlenstaub-Explosionen vermieden werden. – *E* calcium chloride – *F* chlorure de calcium – *I* cloruro di calcio – *S* cloruro de calcio
Lit.: [1] Naturwissenschaften **65**, 385 (1978).
allg.: Gmelin, Syst.-Nr. 28, Ca, Tl. B, 1957, S. 430–557 ▪ Kirk-Othmer (4.) **4**, 432–436, 801–812 ▪ McKetta **6**, 29–36 ▪ Ullmann (5.) **A 4**, 547–553. – *[HS 282720; CAS 10043-52-4]*

Calciumchromat s. Chromate.

Calciumcitrat.

$$\left[\begin{array}{c} CH_2-COO^- \\ HO-C-COO^- \\ CH_2-COO^- \end{array} \right]_2 3 Ca^{2+}$$

$C_{12}H_{10}Ca_3O_{14}$, M_R 498,44. Farbloses, pulverförmiges Tetrahydrat, das bei 120 °C sein Kristallwasser verliert, in Wasser wenig, in Alkohol fast unlöslich.
Verw.: Zur Herst. von Citronensäure u. a. Citraten sowie von *Calcium-Präparaten, zugelassen als Lebensmittel-Zusatzstoff (E 333). – *E* calcium citrate – *F* citrate de calcium – *I* citrato di calcio – *S* citrato de calcio
Lit.: Beilstein E IV **3**, 1275 ▪ Hager (5.), **7**, 618 ▪ Ullmann (5.), **A 5**, 197–202. – *[HS 291815; CAS 813-94-5]*

Calciumcyanamid. $Ca=N-C\equiv N$, M_R 80,10. Reines C. bildet farblose Massen hexagonaler Kriställchen, D. 2,36, Schmp. 1340 °C; bei 1150–1200 °C beginnt es zu sublimieren. Die Handelsware ist gewöhnlich grau bis schwarz. Sie enthält Verunreinigungen wie C, CaO, kleinere Mengen von Fe, Al u. Nitride, Sulfide, Oxide u. Fluoride. C. ist ohne Zers. nicht löslich. Durch den Kalkgehalt wirkt es ätzend u. reizt die Schleimhäute (MAK 1 mg/m³); zusammen mit nur geringen Mengen Ethanol ruft C. Hyperämie der Haut im Kopf- u. Halsbereich, Schwindel, Blutdruckabfall u. Atemnot bis zum Kreislaufkollaps hervor (sog. *Kalkstickstoff-Krankheit*).
Herst.: Durch *Azotierung* von CaC_2 bei 1000 bis 1100 °C: $CaC_2 + N_2 \rightleftarrows Ca(CN)_2 \rightleftarrows CaCN_2 + C$; als Zwischenprodukt entsteht *Calciumcyanid. Durch Zuschläge von CaF_2 od. $CaCl_2$ kann die Reaktionstemp. um ca. 200–300 °C gesenkt werden. Da eine stark exotherme Reaktion vorliegt, wird nur ein Teil der feingemahlenen Carbidmasse durch „Initial-Zündung" mittels elektr. Heizstäbe auf Reaktions-Temp. gebracht. Durch die entstehende Reaktionswärme erhitzt sich das umliegende Gut, u. die Reaktion läuft selbständig weiter. Man unterscheidet kontinuierliche u. diskontinuierliche Verf.; im ersten Fall (Verf. nach *Polzeniusz-Krauss*) arbeitet man mit Kanalöfen, im letzteren Fall (Verf. nach *Frank-Caro*) bedient man sich der sog. Azotierungsöfen. Da Anw. von Druck die Reaktion beschleunigt, gibt es auch ein Verf., das bei $1 \cdot 10^4$ Pa N_2-Druck azotiert, s. *Lit.*[1].
Verw.: Das zerkleinerte u. von restlichem Calciumcarbid befreite C. kommt in verschiedenen Qualitäten unter der histor. Bez. *Kalkstickstoff* als *Düngemittel mit gleichzeitiger Pflanzenschutzmittel-Wirkung in den Handel. Ferner dient C. zur Herst. von Cyanamid, Dicyanamid, Melamin, Cyaniden, Dicyandiamid, Thioharnstoff u. Guanidinen, sowie als Desoxidationsmittel in der Metallurgie. – *E* calcium cyanamide – *F* cyanamide de calcium – *I* cianammide di calcio – *S* cianamida de calcio
Lit.: [1] Chem.-Ztg. **85**, 71 (1961).
allg.: Beilstein E III **2**, 146 ▪ Brauer (3.) **2**, 933 ▪ Forth et al. (6.) ▪ Gmelin, Syst.-Nr. 28, Ca, Tl. B, 1961, S. 962–972 ▪ Hommel, Nr. 940 ▪ Kirk-Othmer (4.) **4**, 792; **7**, 736–752 ▪ Ullmann (5.) **A 8**, 139–145 ▪ Winnacker-Küchler (4.) **2**, 620–626 ▪ s. a. Düngemittel. – *[HS 310270; CAS 156-62-7; G 4.3]*

Calciumcyanid. $Ca(CN)_2$, M_R 92,12. Farblose, sehr giftige, rhomboedr. Krist. od. Pulver, unter HCN-Abspaltung in Wasser leicht lösl. u. an feuchter Luft zersetzlich; MAK (als CN berechnet) 5 mg/m³.
Verw.: Zur Schädlingsbekämpfung. – *E* calcium cyanide – *F* cyanure de calcium – *I* cianuro di calcio – *S* cianuro de calcio
Lit.: Beilstein E III **2**, 86 ▪ Gmelin, Syst.-Nr. 28, Ca, Tl. B, 1961, S. 958–962 ▪ Hommel, Nr. 242 ▪ Kirk-Othmer (4.) **7**, 777–782 ▪ Ullmann (5.) **A 8**, 170 f. – *[HS 283719; G 6.1]*

Calciumcyclamat s. Cyclamate.

Calciumdihydrogenphosphat s. Calciumphosphate.

Calciumdobesilat.

$$\left[HO-\underset{SO_3^-}{\bigcirc}-OH \right]_2 Ca^{2+}$$

Internat. Freiname für das Calcium-Salz der 2,5-Dihydroxybenzolsulfonsäure, $C_{12}H_{10}CaO_{10}S_2$, M_R 418,41,

Schmp. >300 °C; LD_{50} (Maus oral) 700 mg/kg. Es wurde 1970 als Hämostatikum von Lab. OM patentiert u. ist von Synthelabo Arzneimittel (Dexium®) u. OPW (Dobica®) im Handel. – *E* calcium dobesilate – *F* dobésilate de calcium – *I* dobesilato di calcio – *S* dobesilato de calcio
Lit.: ASP ▪ Hager (5.) **7**, 624. – *[HS 290820; CAS 20123-80-2]*

Calciumferrocyanid s. Ferrocyanide.

Calciumfluorid. CaF_2, M_R 78,08. In reinem Zustand farblose, kub. Krist., D. 3,18, Schmp. 1403 °C, Sdp. 2513 °C, in Wasser, verd. Säuren u. Alkalien fast ganz unlösl. u. daher auch ungiftig. Mit Schwefelsäure setzt sich der pulverisierte Flußspat in der Wärme unter Bildung von giftigem Fluorwasserstoff um:

$$CaF_2 + H_2SO_4 \rightarrow CaSO_4 + 2\,HF.$$

Zum Vork. s. Fluorit. Beim Erhitzen bilden sich starke Fehlordnungen des C.-Gitters aus, es wird Ionen-leitend u. damit zum festen Elektrolyten[1].
Verw.: Zur Herst. von Fluorwasserstoff u. Fluor, sowie von Kryolith für die Aluminium-Herst., als *Flußmittel in der Stahl-Ind., für ultraviolett durchlässige Linsen u. Prismen von opt. Geräten u. Lasern, zur Glasätzung, als Rohstoff in der Email-Ind. u. als Katalysator in der organ. Chemie. Schmelztiegel aus CaF_2 sind auch bei hohen Temp. gegen HF, F_2 u. Fluoride beständig, s. *Lit.*[2]. – *E* calcium fluoride – *F* fluorure de calcium – *I* fluoruro di calcio – *S* fluoruro de calcio
Lit.: [1] Angew. Chem. **90**, 38–48 (1978). [2] Chem. Eng. (N. Y.) **72**, Nr. 21, 104 (1965).
allg.: Das Bergbau-Handbuch, S. 254 f., Essen: Glückauf-Verl. 1983 ▪ Brauer (3.) **1**, 243 f. ▪ Gmelin, Syst.-Nr. 28, Ca, Tl. B, 1957, S. 387–427 ▪ Kirk-Othmer (4.) **11**, 323–335 ▪ Mining Annual Review, S. 112–115, London: The Mining Journal 1988 ▪ Ullmann (5.) **A 11**, 316–320 ▪ Winnacker-Küchler (4.) **2**, 528–531. – *[HS 282619; CAS 7789-75-5]*

Calciumfolinat.

Internat. Freiname für das antianäm. wirksame Calcium-Salz der Folinsäure, $C_{20}H_{21}CaN_7O_7$, M_R 511,51; $[\alpha]_D^{21}$ +14,9° (c 1/H_2O). Es wurde 1956 von Res. Corp. patentiert u. ist generikafähig im Handel. – *E* calcium folinate – *F* folinate de calcium – *I* folinato di calcio – *S* folinato de calcio
Lit.: Helv. Chim. Acta **63**, 2554–2558 (1980). – *[HS 293629; CAS 6035-45-6]*

Calciumformiat. $[HCOO^-]_2 Ca^{2+}$

$C_2H_2CaO_4$, M_R 130,12. Farblose Krist., D. 2,02, lösl. in der 6fachen Menge kalten Wassers.
Verw.: Zur Herst. von Ameisensäure, von Silierhilfsmitteln, für Futtermittel, in der Leder-Ind. für Gerbflotten, für Bohröle, als Abbindebeschleuniger für Zement; nach der Zusatzstoff-Zulassungs-VO zur Konservierung von Lebensmitteln zugelassen, E 238. – *E* calcium formate – *F* formiate de calcium – *I* formiato di calcio – *S* formiato de calcio

Lit.: Beilstein E IV **2**, 16 ▪ Gmelin, Syst.-Nr. 28, Ca, Tl. B, 1961, S. 976–982 ▪ Ullmann (4.) **7**, 366, 370; (5.) **A 12**, 29. – *[HS 291512; CAS 544-17-2]*

Calcium-Freisetzungs-Kanal s. Ryanodin-Rezeptor.

Calciumglucarat s. Calciumsaccharat.

Calciumgluconat.

$C_{12}H_{22}CaO_{14}$, M_R 430,38. Farblose Krist., Körner od. Pulver, Schmp. 267 °C (Monohydrat), lösl. in Wasser, unlösl. in Alkohol u. a. organ. Lsm; die wäss. Lsg. ist annähernd neutral (pH 6–7). C. wird vom Organismus gut resorbiert, weshalb es in zahlreichen, auch veterinärmedizin. *Calcium-Präparaten zur Regulierung des Blutcalcium-Spiegels verwendet wird; C. wird als Zusatzstoff für Lebensmittel verwendet (E 578). Darüber hinaus findet C. noch Anw. in der Abwasserbehandlung. – *E* calcium gluconate – *F* gluconate de calcium – *I* gluconato di calcio – *S* gluconato de calcio
Lit.: Beilstein E IV **3**, 1256 ▪ Hager (5.) **7**, 627 ▪ Merck-Index (11.), Nr. 1672 ▪ Ullmann (4.) **24**, 786; (5.) **A 9**, 242; **A 11**, 568. – *[CAS 18016-24-5]*

Calciumglycerophosphat.

$C_3H_7CaO_6P$, M_R 210,14. Das Calcium-Salz der Glycerinphosphorsäuren ist ein farbloses, nahezu geruch- u. geschmackloses Pulver, das sich oberhalb 170 °C zersetzt; in kaltem Wasser etwas lösl. als in siedendem Wasser, in Alkohol unlöslich.
Verw.: In *Calcium-Präparaten sowohl zur Ca- als auch zur Phosphat-Substitution, deshalb auch häufig Zahnpflegemitteln beigemischt, ferner in Backpulvern. – *E* calcium glycerophosphate – *F* glycérophosphate de calcium – *I* glicerofosfato di calcio – *S* glicerofosfato de calcio
Lit.: Beilstein E III **1**, 2337. – *[CAS 58409-70-4]*

Calciumhydrid. CaH_2, M_R 42,10. In reinem Zustand farblose hexagonale Prismen, in Handelsqualität graue, salzähnliche Massen mit krist. Bruch, D. 1,9, Schmp. oberhalb 1000 °C, entsteht unter Feuererscheinungen, wenn metall. Ca im Wasserstoff-Strom auf 300–400 °C erhitzt wird, vgl. a. *Lit.*[1]. Mit Wasser zersetzt es sich heftig unter Bildung von Calciumhydroxid u. Wasserstoff:

$$CaH_2 + 2\,H_2O \rightarrow Ca(OH)_2 + 2\,H_2,$$

was man im Laboratorium zur H_2-Herst. ausnutzt; der freiwerdende Wasserstoff kann sich bei unvorsichtiger Handhabung durch die Reaktionswärme entzünden.
Verw.: Als äußerst wirksames Trockenmittel für Gase u. organ. Lsm wie Ketone, Ester, ferner als Wasserstoff-Quelle zum Aufblasen von meteorolog. Ballons u. dgl., zur Desoxid. von Metallen im Schmelzprozeß,

zur Red. von Nb-, Th-, Ti-, U-, V-, Zr-Oxiden. – *E* calcium hydride – *F* hydrure de calcium – *I* idruro di calcio – *S* hidruro de calcio
Lit.: [1] Brauer (3.) **2**, 921 f.
allg.: Gmelin, Syst.-Nr. 28, Ca, Tl. B, 1957, S. 27 ▪ Hommel, Nr. 828 ▪ Kirk-Othmer (4.) **4**, 791 ▪ Ullmann (5.) **A 13**, 206. – *[HS 285000; CAS 7789-78-8; G 4.3]*

Calciumhydrogencarbonat (veraltet: Calciumbicarbonat, Doppeltkohlensaures Calcium). In fester Form unbekannte Verb. der hypothet. Formeln $CaCO_3 \cdot H_2CO_3$ od. $Ca(HCO_3)_2$, deren wäss. Lsg. entsteht, wenn Kohlensäure-haltiges Wasser (z. B. Regenwasser, das CO_2 beim Weg durch die Luft auflöst) auf Calciumcarbonat einwirkt; Näheres s. dort. – *E* calcium hydrogen carbonate – *F* hydrogénocarbonate de calcium – *I* idrogencarbonato di calcio – *S* hidrogenocarbonato de calcio
Lit.: Gmelin, Syst.-Nr. 28, Ca, Tl. B, 1961, S. 943. – *[HS 283699]*

Calciumhydrogenphosphat s. Calciumphosphate.

Calciumhydrogensulfid (Calciumsulfhydrat). $Ca(SH)_2$. Farblose, zerfließende Krist. (als Hexahydrat) od. durch Eisensulfide grüngrau gefärbte, breiige Masse, die z. B. beim Anrühren von *Calciumsulfid mit Wasser od. Einleiten von Schwefelwasserstoff in Kalkmilch entsteht:

$$Ca(OH)_2 + 2H_2S \rightarrow Ca(SH)_2 + 2H_2O$$

C. läßt sich nicht wasserfrei gewinnen, es riecht nach Schwefelwasserstoff. Da es Hornsubstanz (Haare) unter Aufquellen erweicht, so daß sie z. B. mit einem stumpfen Holzschaber leicht entfernt werden können, verwandte man C. in der Kosmetik u. in der Gerberei. Das salbenartige *Rhusma* der Orientalen ist eine Mischung aus C. u. Arsensulfid, mit der man Kopf- u. Barthaare entfernen kann. – *E* calcium hydrogen sulfide – *F* hydrogénosulfure de calcium – *I* idrogensolfuro di calcio – *S* hidrogensulfuro de calcio
Lit.: Gmelin, Syst.-Nr. 28, Ca, Tl. B, 1957, S. 648 f. – *[HS 283090]*

Calciumhydrogensulfit (Calciumbisulfit). M_R 202,21, hypothet. $Ca(HSO_3)_2$. Farblose od. schwach gelbliche, nach Schwefeldioxid riechende Lsg. von Calciumsulfit in wäss. Schwefeldioxid-Lösung. C. wird in der Technik in großem Maßstab zur Gewinnung der *Sulfitcellulose* verwendet, s. Cellulose. C. eignet sich auch als Desinfektionsmittel für Ställe, zum Bleichen der Schwämme, zur Konservierung usw. – *E* calcium hydrogen sulfite – *F* hydrogénosulfite de calcium – *I* idrogensolfito di calcio – *S* hidrogensulfito de calcio
Lit.: Gmelin, Syst.-Nr. 28, Ca, Tl. B, 1961, S. 674 f. – *[HS 283220]*

Calciumhydroxid. $Ca(OH)_2$, M_R 74,09. Farblose Krist. od. pulverige Masse, D. 2,08–2,30, in Wasser mit alkal. Reaktion (pH der gesätt. wäss. Lsg. 12,4) u. bitterem, laugigem Geschmack etwas lösl., besser in Glycerin u. Zuckerlsg., in organ. Lsm. sonst nicht löslich. C. reizt Haut u. Schleimhäute.
Herst.: Die stark exotherme Reaktion des *gebrannten Kalks* (*Calciumoxid) mit Wasser, bei der sich C. bildet $[CaO+H_2O \rightarrow Ca(OH)_2]$, wird als *Kalklöschen*, C. daher auch als *gelöschter Kalk* od. *Löschkalk*, fachsprachlich falsch auch als Kalkhydrat bzw. Calciumoxidhydrat bezeichnet. Je 1000 g gebrannter Kalk nehmen beim Löschen theoret. etwa 320 g Wasser auf, das unter Wärmeabgabe chem. gebunden wird. 1 kg CaO entwickelt beim „Löschen" 1156 kJ (276 kcal) Wärme; diese Hitze bringt nach einiger Zeit einen Teil des Wassers zum Verdampfen, weshalb bei der techn. Herst. von C. ein Wasserüberschuß angewendet werden muß. Bei der langsamen Zugabe von Wasser quillt das Calciumoxid zunächst zum 2,5fachen Vol. auf. Dieser *Löschkalk* besitzt den Charakter eines Hydrogels, dessen Kolloid-Eigenschaften für die Eignung zur Mörtelbereitung entscheidend sind. Er enthält einen Überschuß an Wasser, das adsorptiv gebunden ist. Über den Hydratationsmechanismus des CaO s. *Lit.*[1]. Löschfähigkeit u. Löschgeschw. hängen von der Korngröße u. vom Reinheitsgrad des Ätzkalks ab; je reiner der Kalk, um so besser ist er zu löschen. Enthält der Kalk über 6% an Mg-Verb. u. Ton, so geht das Löschen langsamer u. mit geringerer Wärmeentwicklung vonstatten. Zur Herst. von C. im Laboratorium s. *Lit.*[2]. Wenn man zu Kalkbrei noch mehr Wasser gibt, entsteht schließlich eine weiße, milchige Suspension von C. in Wasser, die man *Kalkmilch* nennt. Beim Filtrieren od. Absetzenlassen derselben erhält man eine wasserklare, sehr verd. Lsg. von C., die als *Kalkwasser* bezeichnet wird.
Verw.: In untergeordnetem Maße als Düngemittel, Bindemittel für Anstrichpigmente, zu Frostschutzanstrichen bei Obstbäumen, zur Küpenfärberei (Indigoküpe), zur Abwasserreinigung, zum Freimachen des Ammoniaks aus Salmiak beim Solvay-Soda-Prozeß, zur Herst. von Natronlauge aus Soda, von Chlorkalk, in der Gerberei. Hauptverwendungszweck des C. ist die *Mörtelbereitung*. Dabei wird entweder CaO od. C. mit Wasser zu einem streichbaren Brei angemacht; früher wurde dieser *Kalkbrei* in einer Grube direkt am Bauplatz aus Ätzkalk hergestellt, heute wird C. in Papiersäcken od. fahrbaren Behältern angeliefert. Zur Verw. als Baustoff wird der Kalkbrei etwa mit der dreifachen Menge Sand vermischt. Ein guter Luftmörtel soll aus etwa 10–12% gebranntem Kalk (CaO), 15% Wasser u. 75% Sand hergestellt werden. Der Sandzusatz ist nötig, da der Kalkbrei für sich zu wenig porös wäre u. leicht Risse bilden würde, außerdem verbilligt sich der Preis durch die Sandbeimischung ganz erheblich. Der Mörtel als Bindemittel nimmt aus der Luft allmählich Kohlendioxid (*Carbonatisierung*) auf u. erhärtet dabei unter gleichzeitiger Wasserausscheidung („Schwitzen" der Wände von Neubauten) zu festem Calciumcarbonat:

$$Ca(OH)_2 + CO_2 \rightarrow CaCO_3 + H_2O.$$

Dieser Vorgang kann mit Hilfe von Koksöfen beschleunigt werden, die sowohl CO_2 als auch Wärme zur Wasserverdunstung abgeben. Kalkmörtel der obigen Art wurden schon von den alten Ägyptern, Griechen u. Römern in großem Umfang hergestellt u. verwendet. Die sog. *hydraul. erhärtenden Kalke* enthalten außer Kalk einen mehr od. weniger großen Anteil an Kieselsäure (SiO_2), Tonerde (Al_2O_3) u. Eisenoxiden (Fe_2O_3), vgl. Zement. Kalkwasser dient zum Nachw.

von Kohlendioxid (gibt weiße Trübung aus Calciumcarbonat), innerlich als Gegenmittel bei Vergiftungen mit Schwefelsäure od. Oxalsäure (gibt unlösl. u. ungiftiges Calciumsulfat bzw. Calciumoxalat), gegen Sodbrennen, chron. Durchfall; es wurde früher zum Einlegen von Eiern benutzt, s. Lit.[3]. In der organ. u. anorgan. Ind. finden wäss. Lsg. bzw. Suspensionen überall dort Verw., wo billige Laugen benötigt werden; in der Zucker-Ind. dient C. zur Abtrennung des Restzuckers aus Melasse. Kalkmilch wird u. a. zum Kalken von Decken u. Wänden in Ställen benutzt. – *E* calcium hydroxide – *F* hydroxyde de calcium – *I* idrossido di calcio – *S* hidróxido de calcio

Lit.: [1] Zem., Kalk, Gips **1959**, 456–466. [2] Brauer (3.) **2**, 926 f.. [3] Lück, Chemische Lebensmittelkonservierung, S. 238, Berlin: Springer 1977.
allg.: Büchner et al., S 388–392 ▪ Gmelin, Syst.-Nr. 28, Ca, Tl. B, 1957, S. 278–297 ▪ Kirk-Othmer (4.) **15**, 319–359 ▪ Römmling et al., Probleme des Trocknens u. Löschens von Kalk (FFH A 563), Leipzig: Grundstoffind. 1976 ▪ Ullmann (5.) **A 15**, 317–345 ▪ Winnacker-Küchler (4.) **3**, 259 f. – *[HS 2825 90; CAS 1305-62-0]*

Calciumhypochlorit. Ca(OCl)$_2$, M$_R$ 142,98. Farblose, ätzende, nach Chlor u./od. Chloroxiden riechende, auf die meisten Metalle stark korrodierend wirkende krist. Massen, die wasserfrei, als Dihydrat u. in Mischkrist. mit dem Hydrolyseprodukt Calciumhydroxid krist. u. als Handelsprodukt meist 35–80% „aktives Chlor" enthalten. C. wirkt stärker oxidierend als *Chlorkalk; die konz. wäss. Lsg. ist leicht gelblich-grün gefärbt. Bei Salzsäure-Zusatz wird Chlor entwickelt: Ca(OCl)$_2$ + 4 HCl → 2 Cl$_2$ + 2 H$_2$O + CaCl$_2$. Mit organ. Materie reagiert C. teilw. heftig in exothermer Reaktion. Die physiolog. Wirkung beruht sowohl auf der alkal. Reaktion als auch auf dem Oxidationsvermögen des freiwerdenden Chlors.
Herst.: Durch Einleiten von Chlor in Aufschlämmungen von Calciumoxid in Wasser bzw. in Calciumhydroxid, wobei die Reaktionstemp. bei ca. –20 °C gehalten wird.
Verw.: Als Bleichmittel in der Textil-Ind., Oxidationsmittel, Desinfektionsmittel mit gleichzeitiger algizider u. fungizider Wirkung in Schwimmbädern, zur Abwasserreinigung u. in der Zuckerindustrie. – *E* calcium hypochlorite – *F* hypochlorite de calcium – *I* ipoclorito di calcio – *S* hipoclorito de calcio
Lit.: Gmelin, Syst.-Nr. 28, Ca, Tl. B, 1957, S. 558–565 ▪ Hommel, Nr. 59 ▪ Inorgan. Synth. **5**, 161 (1957) ▪ Kirk-Othmer (4.) **5**, 943–968 ▪ Ullmann (5.) **A 6**, 487 ▪ Winnacker-Küchler (4.) **2**, 457 f. – *[HS 2828 10; CAS 7778-54-3; G 5.1]*

Calciumiodid. CaI$_2$, M$_R$ 293,89. Als Hexahydrat zerfließende krist. Massen, D. 3,956, Schmp. 42 °C, wasserfrei Schmp. 740 °C, Sdp. 1100 °C, die an Licht u. Luft infolge Iod-Ausscheidung u. CO$_2$-Aufnahme gelbliche Farbe annehmen u. unlösl. werden, während sie sonst in Wasser, Alkoholen u. Aceton sehr gut, in Ethern dagegen nicht lösl. sind.
Verw.: Zur Iod-Therapie, als Expektorans sowie in der opt. u. elektron. Industrie. – *E* calcium iodide – *F* iodure de calcium – *I* ioduro di calcio – *S* yoduro de calcio
Lit.: Gmelin, Syst.-Nr. 28, Ca, Tl. B, 1957, S. 610–628. – *[HS 2827 60; CAS 71626-98-7 (Hydrat)]*

Calcium-Kanäle. *Ionenkanäle, die spezif. Calcium(II)-Ionen durch biolog. *Membranen schleusen. *Erregbare Membranen:* Für die Muskelkontraktion, die Hormonsekretion u. die Neurotransmission bes. wichtig sind die spannungsabhängigen C.-Kanäle. Pharmakolog. unterscheidet man B-Typ (Vork. im Gehirn, kein Hemmstoff bekannt), L-Typ (*Dihydropyridin-Rezeptor; Muskulatur u. Drüsen; Hemmstoff z. B. *Nifedipin), N-Typ (Nerven; Hemmstoff ω-Conotoxin), P/Q-Typ (Nerven; Hemmstoff ω-Agatoxin IV$_A$), R-Typ (Gehirn; kein Hemmstoff bekannt) u. T-Typ (Nerven- u. Drüsenzellen; Hemmstoffe 1-Octanol, *Flunarizin).
Wirkungsweise: Bei Ankunft eines Nervenimpulses (Membran-Depolarisation) öffnen sich die spannungsabhängigen C.-Kanäle. Der entstehende Einstrom von Calcium-Ionen bewirkt letztendlich die Ausschüttung (*Exocytose) von *Neurotransmittern in den synapt. Spalt u. somit die Fortpflanzung des Nervensignals über den synapt. Spalt hinweg bzw. von *Hormonen in die Blutbahn (*Erregungs-Sekretions-Kopplung*; wahrscheinlich *Annexine als Calcium-Sensoren beteiligt). Im Fall der Dihydropyridin-Rezeptoren, die sich in Einstülpungen der Plasmamembran (*transversale Tubuli*) befinden, teilt sich das Signal den Ryanodin-Rezeptoren (s. unten) auf dem benachbarten *sarkoplasmatischen Retikulum mit, was per Calcium-Freisetzung zur Muskel-Kontraktion führt (*Erregungs-Kontraktions-Kopplung*; *EF-Hand-Proteine als Calcium-Sensoren).
Nicht-erregbare Membranen: Bei der intrazellulären Signalübermittlung (*Signaltransduktion) sind spannungsunabhängige C.-K. von Bedeutung, die Calcium-Vorratsgefäße öffnen sowie den Einstrom durch die Plasmamembran ermöglichen. In Muskel-Zellen spielt diesbezüglich der *Ryanodin-Rezeptor (Calcium-Freisetzungs-Kanal) eine wichtige Rolle. – *E* calcium channels – *F* canaux calciques – *I* canali del calcio – *S* canales de calcio
Lit.: Annu. Rev. Biochem. **63**, 823–867 (1994) ▪ Annu. Rev. Neurosci. **17**, 399–418 (1994) ▪ Biochem. Pharmacol. **48**, 1997–2004 (1994) ▪ Drug Develop. Res. **33**, 295–318 (1994) ▪ Trends Neurosci. **18**, 89–98 (1995).

Calciumlactat.

$$\left[H_3C-\underset{|}{\overset{OH}{C}H}-COO^- \right]_2 Ca^{2+}$$

C$_6$H$_{10}$CaO$_6$, M$_R$ 218,22. Als Pentahydrat farbloses Pulver od. feine Nadeln, in Wasser lösl., unlösl. in Alkohol, wird bei 120 °C kristallwasserfrei, pH der wäss. Lsg. 6–7.
Verw.: *Calcium-Präparate, Zahnpasten, Nahrungsmittel- u. Getränke-Ind. (EG-Nr. E 327). Eine verd. C.-Lsg. löst aus Bodenproben etwa ebensoviel Kali u. Phosphorsäure heraus, wie Pflanzenwurzeln aufnehmen können; sie dient daher zur Bestimmung des Düngerbedarfs von Bodenproben. – *E* calcium lactate – *F* lactate de calcium – *I* lattato di calcio – *S* lactato de calcio
Lit.: Beilstein E IV **3**, 636. – *[CAS 5743-47-5]*

Calciummolybdat s. Scheelit.

Calciumnaphthenat s. Calcium-Seifen.

Calciumnitrat. Ca(NO$_3$)$_2$, M$_R$ 164,09. Als Tetrahydrat farblose, zerfließende, monokline Prismen, D. 1,82, Schmp. 45 °C. Bei längerem Erhitzen auf 130 °C entsteht das Kristallwasser-freie C.: weiße, hygroskop. kub. Krist., leicht lösl. in Wasser u. Alkohol; Schmp. 561 °C, gibt beim Glühen zunächst Sauerstoff, dann braune Stickstoffoxide ab u. geht schließlich in Calciumoxid über.
Herst.: Aus *Calciumcarbonat u. verd. Salpetersäure u. Eindampfen. Das als *Düngemittel unter der herkömmlichen Bez. Kalksalpeter gehandelte C. wird ähnlich hergestellt, wenn auch mit konz. HNO$_3$. Der Säureüberschuß wird mit Ammoniak beseitigt, die Lsg. heiß bis zur Schmelze konzentriert u. das als Doppelsalz 5 Ca(NO$_3$)$_2$ · NH$_4$NO$_3$ mit bis zu 10 Mol. Wasser kristallisierende Produkt granuliert. In Viehställen mit Kalkwänden bilden sich häufig weiße Krusten von C. (*Mauersalpeter*), weil das aus Harnstoff u. faulenden Eiweißstoffen freiwerdende Ammoniak von Nitrit- u. Nitrat-Bakterien zu Salpetersäure oxidiert wird (*Nitrifikation*), die sich sofort mit dem Kalk zu C. umsetzt. In den Salpeter-Plantagen des 18. u. 19. Jh. übergoß man Asche, Abfälle, Mist usw. mit Jauche, wobei sich infolge der Tätigkeit der Nitrat-Bakterien Salpeter bildete. Friedrich II. von Preußen ließ auf schles. Bauernhöfen Kalkmauern ziehen, die mit Jauche übergossen wurden. Es bildete sich so C., das nach Umsetzung mit Pottasche-Lsg. in den zur Schießpulver-Herst. benötigten Kalisalpeter überging:

$$Ca(NO_3)_2 + K_2CO_3 \rightarrow 2\,KNO_3 + CaCO_3.$$

Der *Norgesalpeter* wurde bes. in Norwegen aus Kalk u. Salpetersäure gewonnen; er hat etwa die Formel Ca(NO$_3$)$_2$ · 2 CaO. Durch den Ätzkalk-Zusatz wird der hygroskop. Charakter des C. beseitigt, so daß ein gut streubares Düngemittel entsteht, das allerdings heute infolge seines relativ niedrigen Stickstoff-Gehalts (ca. 17%) keine große Rolle mehr spielt. C. wird auch als Bestandteil von Kühlsolen u. von Koagulierungsbädern von Latex empfohlen, außerdem findet es Verw. bei der Herst. von pyrotechn. Artikeln u. in der Elektronik-Ind. in Radioröhren. – *E* calcium nitrate – *F* nitrate de calcium – *I* nitrato di calcio – *S* nitrato de calcio
Lit.: Gmelin, Syst.-Nr. 28, Ca, Tl. B, 1957, S. 59–69, 341–387 ▪ Hommel, Nr. 829 ▪ Kirk-Othmer (3.) **10**, 56 ▪ Ullmann (5.) A**17**, 277–281 ▪ Winnacker-Küchler (4.) **2**, 344, 356–360. – [HS 2834 29; CAS 35054-52-5]

Calcium-organische Verbindungen. Im engeren Sinne Bez. für Verb. mit C–Ca-Bindungen, die allerdings techn. keine Rolle spielen. Dagegen haben Ca-Salze organ. Säuren eine gewisse Bedeutung in der chem. Technologie (s. Calcium-Seifen) od. in der pharmazeut. Ind. (s. Calcium-Präparate). *Chelate von Calcium mit Verb. vom Typ der *Ethylendiamintetraessigsäure sind leicht lösl. in Wasser u. eignen sich daher zur parenteralen u. oralen Verw. als Entgiftungsmittel (s. Natriumcalciumedetat). Die Bildung derartiger Chelate wird auch zur Wasserenthärtung ausgenutzt. – *E* organocalcium compounds – *F* liaisons organo-calciques – *I* composti organici di calcio – *S* compuestos organocálcicos

Lit.: Houben-Weyl **13/2a**, 529–551 ▪ Kirk-Othmer (4.) **4**, 492 f. ▪ Wilkinson-Stone-Abel **1**, 223–252; (2.) **1**, 107–127.

Calciumoxalat.

C$_2$CaO$_4$, M$_R$ 128,10. Farblose, kub. Krist. mit 1 Mol. Kristallwasser, D. 2,2, in Wasser prakt. unlösl., in verd. Mineralsäuren löslich. Beim Erhitzen auf 180–200 °C wird C. kristallwasserfrei, bei weiterem Erhitzen zerfällt es in CaCO$_3$ u. CO. Wegen seiner Schwerlöslichkeit wird es in der analyt. Chemie sowohl zur quant. Bestimmung von Calcium als auch von Oxalsäure verwendet. C. kommt in der Natur als monokliner *Whewellit* u. als tetragonaler *Weddellit* (C.-Dihydrat) vor, in mikrokrist. Form auch in vielen Pflanzenzellen, in Brustdrüsen[1] u. – in z. T. beachtlichen Größen – als Harnsteine u. *Nierensteine[2]. Der Bildung von C.-Steinen kann man ggf. mit *Allopurinol, *Thiaziden etc. entgegenwirken[3]. – *E* calcium oxalate – *F* oxalate de calcium – *I* ossalato di calcio – *S* oxalato de calcio
Lit.: [1] Naturwissenschaften **64**, 278 f. (1977). [2] Pharm. Unserer Zeit **2**, 172–179 (1973); Annu. Rev. Med. **26**, 173 ff. (1975). [3] Selecta **1976**, 2360–2370.
allg.: Beilstein E IV **2**, 1826 ▪ Giftliste ▪ Gmelin, Syst.-Nr. 28, Ca, Tl. B, 1961, S. 996–1010 ▪ Ullmann (4.) **17**, 480. – [HS 2917 11; CAS 5794-28-5; G 6.1]

Calciumoxid (Ätzkalk, Calx). CaO, M$_R$ 56,08. In reinem Zustand farblose krist. od. pulverförmige, hautätzende (MAK 5 mg/m^3) Massen, D. 3,32–3,35, Schmp. 2572 °C, Sdp. 2850 °C. Mit Wasser reagiert C. unter Entwicklung erheblicher Wärmemengen (s. Calciumhydroxid), ebenso mit Säuren, aber auch mit Glycerin u. Zuckerlsg., worauf seine Verw. bei der Raffination des Rohzuckers (Carbonation, Defäkation, s. Saccharose) beruht; in Alkohol ist C. dagegen nicht löslich. Aus der Luft zieht C. CO$_2$ u. Wasser an; es geht dabei in Calciumcarbonat über. Diese *Recarbonatisierung* kann auch durch völlig trockenes CO$_2$ ausgelöst werden; sie erreicht ein Maximum bei 600–800 °C (s. *Lit.*[1]) u. fällt bei 900 °C auf 0 (s. u.). In der Bautechnik werden jährlich einige Mio. t von mehr od. weniger stark verunreinigtem Calciumoxid unter der Bez. *Gebrannter Kalk* od. *Branntkalk* zur Mörtelbereitung (s. Calciumhydroxid) u. dgl. verbraucht. Der gewöhnliche gebrannte Kalk des Handels enthält in den besten Sorten 92–99,5% CaO.
Herst.: Kalksteine (*Calciumcarbonat) mit mehr od. weniger *Dolomit (Calcium-Magnesiumcarbonat) werden in vertikal arbeitenden Ring- od. Schachtöfen bzw. in *Drehrohröfen längere Zeit auf 900–1300 °C erhitzt (s. *Lit.*[2]). Bei diesem *Kalkbrennen* od. *Entsäuerung* genannten Vorgang zerfällt Calciumcarbonat in C. u. Kohlendioxid:

$$CaCO_3 \rightleftarrows CaO + CO_2.$$

Die dabei zu erwartende Gewichtsabnahme beträgt höchstens 44%; dieser Wert wird nur bei ganz reinem Kalk u. bei vollständigem Garbrennen erreicht. Das Vol. des Kalks nimmt beim Brennen um 13–14% ab. Nach dem Brennen sieht der Kalk weißlich, grau, gelblich, graugrün od. braun aus infolge Verunreinigung durch Eisenoxide, Kohlenstoff u. Mangan-Verbindungen. Zum Brennen von 1 kg Calciumcarbonat

muß man etwa 1770 kJ (420 kcal) zuführen; im Altertum, in dem die Kunst des Kalkbrennens bereits verbreitet war (über eine von Römern betriebene C.-Anlage vgl. *Lit.*[3]), benutzte man als Brennstoff Holz, später Koks u. Kohle, Erdgas u. Öl. Betragen die Beimengungen der rohen Kalksteine weniger als 10%, so entsteht beim Brennen ein sog. *fetter Kalk*, bei 10–20% Verunreinigungen dagegen *magerer Kalk*.
Verw.: Der Hauptverwendungszweck des C. ist der als Baustoff auf dem Weg über den sog. *gelöschten Kalk* (s. Calciumhydroxid). Man spricht bei den für die Herst. von Mörtel bestimmten C. auch von „Baukalken" [DIN 1060 (12/1967)], insbes. von *Luftkalken* (diese erstarren an freier Luft allmählich) u. *hydraul. Kalken* (diese stehen den *Zementen nahe u. erstarren auch unter Wasser ohne Aufnahme von Kohlensäure). Die Luftkalke teilt man ein in Weißkalk (Fettkalk, 90–100% CaO, höchstens 5% MgO, löscht kräftig) u. Dolomitkalk (höchstens 10% tonige Beimengungen, über 5% MgO, Rest CaO, löscht träge); näheres s. unter Calciumhydroxid. Weitere Verw. findet C. als Trockenmittel, das gleichzeitig CO_2 bindet, in der Metallurgie als Flotationshilfsmittel, in der Glas-, Papier-, Gummi- u. Sodafabrikation, zur Herst. anderer Calcium-Verb. (z. B. Calciumcarbid, Chlorkalk usw.), als Schädlingsbekämpfungsmittel, aufgrund seiner hautätzenden Wirkung auch zur Entfernung von Warzen u. als Enthaarungsmittel. – *E* calcium oxide, lime – *F* oxyde de calcium – *I* ossido di calcio – *S* óxido de calcio
Lit.: [1] Tonind.-Ztg. Keram. Rundsch. **1957**, 332–335. [2] Chem.-Ing.-Tech. **30**, 19–30 (1958). [3] Naturwiss. Rundsch. **20**, 440 (1967).
allg.: Brauer (3.) **2**, 923 f. ■ Büchner et al. (2.), S. 386–391 ■ Gmelin, Syst.-Nr. 28, Ca, Tl. B, 1957, S. 278–299 ■ Hommel, Nr. 244 ■ Kirk-Othmer (4.) **15**, 319–359 ■ Ullmann (5.) **A 15**, 317–349 ■ Winnacker-Küchler (4.) **3**, 255–259 ■ s. a. Calciumhydroxid u. Zement. – *[HS 2825 90; CAS 1305-78-8]*

Calciumpantothenat.

$$\left[HO-CH_2-\underset{\underset{H_3C}{|}}{\overset{\overset{H_3C}{|}}{C}}-CH-\overset{O}{\overset{||}{C}}-NH-CH_2-CH_2-COO^- \right]_2 Ca^{2+}$$
$$\hspace{3cm} \text{OH}$$

$C_{18}H_{32}CaN_2O_{10}$, M_R 476,54. Farbloses, schwach hygroskop. Pulver, Schmp. 195–196° (Zers.), Geschmack süßlich, leicht lösl. in Wasser, lösl. in Glycerin, wenig lösl. in Alkohol, Aceton, Chloroform u. Ether. Nur das von der D-Pantothensäure abgeleitete Salz ist physiolog. aktiv, es wird in Calcium-Präparaten u. in Haut- u. Haarpflegemitteln eingesetzt, wobei es die Epithel-Bildung fördern u. beginnenden Haarausfall bekämpfen soll (s. a. Pantothensäure). – *E* calcium pantothenate – *F* pantothénate de calcium – *I* pantotenato di calcio – *S* pantotenato de calcio
Lit.: Beilstein E IV 4, 2569 ■ DAB 10 u. Komm. ■ Hager (5.) **7**, 637. – *[CAS 137-08-6]*

Calciumperoxid. CaO_2, M_R 72,08. Als Octahydrat perlmuttartig glänzende, Haut u. Schleimhäute ätzende Schuppen, die bei ca. 130 °C ihr Kristallwasser verlieren u. bei ca. 300 °C in CaO u. O_2 zerfallen, D. 3,17. Gemische mit organ. Stoffen können sich von selbst entzünden.

Herst.: Umsetzung eines lösl. Calcium-Salzes mit Wasserstoffperoxid u. einer Lauge:

$Ca(NO_3)_2 + H_2O_2 + 2 NaOH \rightarrow CaO_2 + 2 NaNO_3 + H_2O$,

techn. durch Behandeln von CaO-Suspensionen mit H_2O_2 bei niedrigen Temp.; das in Wasser schwer lösl. C. kann abfiltriert werden. Mit Säuren reagiert C. unter Bildung von H_2O_2. Handelsprodukte enthalten meist nur 60% CaO_2 neben CaO, $Ca(OH)_2$ u. $CaCO_3$ u. sind wasserfrei.
Verw.: Als Trocknungsbeschleuniger für Polysulfid-Elastomere, daneben als Antiseptikum in Zahnpasten, Kaugummi, in der Gummi-Ind. als Stabilisator, als Teigverbesserer in der Back-Ind., als Saatgutdesinfektionsmittel. – *E* calcium peroxide – *F* peroxyde de calcium – *I* perossido di calcio – *S* peróxido de calcio
Lit.: Gmelin, Syst.-Nr. 28, Ca, Tl. B, 1957, S. 318–322 ■ Kirk-Othmer (3.) **17**, 4 f. ■ Ullmann (4.) **17**, 715 ■ Volnov, Peroxides, Superoxides, and Ozonides of Alkali and Alkaline Earth Metals, New York: Plenum 1966. – *[HS 2825 90; G 5.2]*

Calciumphosphate. Im folgenden werden die unter zahlreichen unsystemat. Namen im Handel befindlichen Calcium-Salze der Metaphosphorsäure (HPO_3), der Orthophosphorsäure (H_3PO_4) u. der Diphosphorsäure ($H_4P_2O_7$) zusammenfassend behandelt.
(a) *Calciumdihydrogenphosphat* (prim. od. einbas. C., Calciumbiphosphat, Monocalciumphosphat), $Ca(H_2PO_4)_2$, M_R 234,05. Farblose, glänzende Blättchen od. farbloses bis schwach gelbliches Pulver (Monohydrat), D. 2,22, kann bei 180 °C entwässert werden, zersetzt sich oberhalb 200 °C zu Calciummeta- u. -diphosphat; in Wasser mäßig, in verd. Säuren gut löslich. Bei der Herst. geht man von 75%iger Phosphorsäure aus, die mit Calciumhydroxid od. -oxid umgesetzt wird. Für die Herst. von Phosphat-*Düngemitteln, die in der Hauptsache Calciumdihydrogenphosphat enthalten, ist die Herst. der reinen Verb. nicht erforderlich. Diese Phosphat-Dünger werden aus Phosphat-Erzen – meist aus Phosphorit u. den verschiedenen *Apatiten – durch sauren Aufschluß mit Schwefel-, Phosphor- od. Salpetersäure gewonnen u. sind Gemische, z. B. mit Gips (*Superphosphat) od. Calciumnitrat. Näheres zur Herst. u. Zusammensetzung von Phosphatdüngern s. bei Kirk-Othmer u. Winnacker-Küchler (*Lit.*).
(b) *Calciumhydrogenphosphat* (sek. od. zweibas. C., fachsprachlich auch Dicalciumphosphat genannt), $CaHPO_4$, M_R 136,06. Trikline, farblose Krist., die in der Natur als *Monetit* vorkommen u. techn. durch Umsetzung von Calciumhydroxid mit Phosphorsäure bei Temp. >75 °C hergestellt werden; unterhalb 45 °C bildet sich das monokline Dihydrat des Calciumhydrogenphosphats, D. 2,306, das in der Natur als *Brushit* vorkommt. Die nach einem neueren Verf. aus Phosphat-Mineralien auch durch Aufschluß mit SO_2 u. Aceton (bildet Hydroxypropansulfonsäure) gewinnbaren sek. C. sind in Wasser schwer lösl., dagegen in Mineralsäuren lösl.; in der Hitze zersetzen sie sich zu Calciumphosphat.
(c) *Calciumphosphat* (tert. od. dreibas. C., Tricalciumphosphat), $Ca_3(PO_4)_2$, M_R 310,18. In zwei Modif. vorkommende farblose Masse, D. 3,14, Schmp. 1670 °C, in verd. Salz- u. Salpetersäure lösl., sonst un-

löslich. In reinem Zustand durch Zusammenschmelzen von Calciumoxid u. Phosphorpentoxid bei Temp. um 1100 °C erhältlich. Das durch Umsetzung von Calciumhydroxid mit Phosphorsäure od. aus Lsg. von Natriumphosphat, Calciumsalzen u. Ammoniak herstellbare Produkt besteht aus einem Gemisch aus $CaHPO_4$ u. *Hydroxylapatit* $[3 Ca_3(PO_4)_2 \cdot Ca(OH)_2]$, u. erst durch starkes Erhitzen läßt sich das Gemisch in Tricalciumphosphat überführen. Auch die bekannten u. verbreiteten Phosphat-Mineralien Apatit u. Phosphorit bestehen aus Doppelverb. von $Ca_3(PO_4)_2$ mit CaF_2 u. $CaCl_2$ (*Apatit*) od. aus Apatit in Mischung mit Hydroxylapatit u. Carbonatapatit (*Phosphorit*); näheres s. Apatit. Aus Hydroxylapatit bzw. einem Gemisch von diesem mit *Calciumcarbonat besteht auch die harte Substanz der *Zähne bzw. der *Knochen des menschlichen Körpers; zur Regulierung des Ca-Haushals im Organismus vgl. Calcitonin u. Parathyrin. Auch *Nierensteine enthalten mitunter Tricalciumphosphat.
(d) *Tetracalciumphosphat*, $4 CaO \cdot P_2O_5$ od. $Ca_3(PO_4)_2 \cdot CaO$. $Ca_4P_2O_9$. Das in *Thomasmehl in Form eines Calciumsilicophosphats (z. B. $Ca_4P_2O_9 \cdot Ca_2SiO_4$) enthaltene Tetracalciumphosphat geht im Boden unter dem Einfluß von Wasser u. Kohlendioxid in Calciumhydrogenphosphat über: $Ca_4P_2O_9 + 2 CO_2 + H_2O \rightarrow 2 CaHPO_4 + 2 CaCO_3$. Die Löslichkeit des fachsprachlich auch *Glüh-* od. *Schmelzphosphat* genannten Tetra-C. in 2%iger Citronensäure-Lsg. wird als Maß für die Verwertbarkeit als Pflanzendünger herangezogen.
(e) *Calciummetaphosphat*, $Ca(PO_3)_2$, M_R 198,02. Farbloses Pulver, D. 2,82, Schmp. 975 °C, in Wasser u. Säuren unlöslich. Das Metaphosphat bildet sich neben dem Diphosphat beim Erhitzen von Calciumdihydrogenphosphat.
(f) *Calciumdiphosphat* (Calciumpyrophosphat), $Ca_2P_2O_7$, M_R 254,10. Farbloses Kristallpulver, D. 3,09, Schmp. 1353 °C, in Wasser nicht, in verd. Salz- od. Salpetersäure löslich, bildet sich neben (e) beim Erhitzen von Calciumdihydrogenphosphat. – Außerdem werden noch andere C. beschrieben, z. B. ein *Tetracalciumhydrogenphosphat*, $Ca_4H(PO_4)_3 \cdot 2 H_2O$ (vgl. *Lit.*[1]).
Verw.: Nahezu alle C. finden als Bestandteile von *Calcium-Präparaten sowie als *Futtermittelzusätze Verw., wobei sie sowohl die Zufuhr von Calcium als auch von Phosphor übernehmen sollen. Calciumdrogenphosphat wird in großen Mengen in *Düngemitteln verwendet, z. B. in Superphosphat, PK- u. NPK-Düngern. Außerdem ist es in vielen *Backpulvern u. Triebmittel-haltigen Mehlsorten enthalten u. in *Zahnpflegemitteln[2]. Tricalciumphosphat wird ähnlich wie das sek. C. benutzt: Als Putz- u. Poliermittel in der Zahnmedizin, in der Email-, Glas- u. Porzellanfabrikation zur Verstärkung der Weißeffekte u. zur Herst. von Milchglas, ferner als Rieselhilfe (1%) bei Zucker u. Salz u. in Form von Hydroxylapatit als Zusatz zu Cellulose-Ionenaustauschern od. als Gel zur Reinigung von Proteinen. Keram. Werkstoffe auf der Basis von C. des Hydroxylapatit-Typs gewinnen als resorbierbarer Knochenersatz bei Implantationen zunehmend an Bedeutung, vgl. *Lit.*[3]. – *E* calcium phosphates – *F* phosphates de calcium – *I* fosfati di calcio – *S* fosfatos de calcio

Lit.: [1] Monatsh. Chem. **1960**, 249 – 262 bzw. 1020 ff. [2] Parfüm. Kosmet. **60**, 275 – 282 (1979). [3] Umschau **77**, 433 – 437 (1977). *allg.:* Gmelin, Syst.-Nr. 16, P, Tl. C, 1964, S. 155 – 301, Syst.-Nr. 28, Ca, Tl. B, 1961, S. 1163 – 1198 ▪ Kirk-Othmer (4.) **4**, 791; **10**, 58 – 76 ▪ Ullmann (5.) **A 19**, 498 f. ▪ Winnacker-Küchler (4.) **2**, 247 ff. ▪ s. a. Düngemittel u. Phosphate. – [HS 2835 26; CAS 7758-23-8 (a); 7757-93-9 (b); 7758-87-4 (c); 7790-76-3 (d)]

Calciumphosphid. Ca_3P_2, M_R 182,19. Amorphe, braunrote Massen, D. 2,51, tetragonal kristallisierend, Schmp. ca. 1600 °C, die mit Wasser lebhaft unter Bildung von (in Ggw. von P_2H_6 selbstentzündlichem) übelriechendem, giftigem Phosphorwasserstoff (PH_3) u. Kalkmilch (weiße Trübung) reagieren: $Ca_3P_2 + 6 H_2O \rightarrow 3 Ca(OH)_2 + 2 PH_3$. C. kommt in kleinen Mengen auch in Calciumcarbid vor u. verursacht durch PH_3-Entwicklung den unangenehmen Geruch.

Herst.: Man leitet im Vak. Phosphor-Dampf über erhitztes Ca od. über Calciumoxid. Mit dem aus Ca_3P_2 entwickelten PH_3 kann man Wühlmäuse u. a. Gartenschädlinge sowie Vorratsschädlinge (Kornkäfer, Mehlmotte usw.) bekämpfen. Über ein hydrolysebeständiges, schwarzes, triklines C. mit Schichtengitter von der Formel CaP_3 s. *Lit.*[1]. – *E* calcium phosphide – *F* phosphure de calcium – *I* fosfuro di calcio – *S* fosfuro de calcio

Lit.: [1] Naturwissenschaften **60**, 518 (1973). *allg.:* Brauer (3.) **2**, 931 ▪ Gmelin, Syst.-Nr. 28, Ca, 1961, S. 1115 ff. ▪ Hommel, Nr. 830 ▪ Kirk-Othmer (3.) **17**, 488 ▪ Ullmann (5.) **A 19**, 538. – [HS 2848 00; CAS 1305-99-3; G 2]

Calciumpolysulfide (Kalkschwefelleber). $CaS \cdot S_x$. Graue Massen, die beim Erhitzen einer Mischung aus CaO u. S entstehen. Erhitzt man gepulverten, gebrannten Kalk mit Schwefelpulver in viel Wasser, so entsteht die C. enthaltende *Schwefelkalkbrühe*, die schon 1852 von Grison erstmals hergestellt wurde. Sie ist als Spritzmittel, ggf. mit Zusatz von Kupferkalk, ein akarizides u. fungizides Vorbeugungs- u. Bekämpfungsmittel gegen Mehltau, Schorf, Schildläuse, Milben usw. In all diesen Fällen ist der Schwefel das wirksame Prinzip. Zur Toxizität u. Therapie s. *Lit.*[1]. Nach *Lit.*[2] kann Schwefelkalkbrühe auch in der Abwasserreinigung zur Entfernung von Schwermetallen eingesetzt werden. In der Medizin wird sie – meist unter dem Namen *Vleminckx'sche* (od. *Vlemingkxsche*) *Lsg.* – zur Behandlung von Krätze (als *Antiscabiosum*) verwendet. Gibt man zu einer C.-Lsg. verd. Salzsäure, so entsteht eine milchigweiße Suspension von fein zerteiltem Schwefel in verd. Calciumchlorid-Lsg., die als *Schwefelmilch* u. a. gegen Hautkrankheiten verwendet wird. – *E* calcium polysulfides – *F* polysulfures de calcium – *I* polisolfuri di calcio – *S* polisolfuros de calcio

Lit.: [1] Klimmer, Pflanzenschutz- und Schädlingsbekämpfungsmittel, Abriß einer Toxikologie und Therapie von Vergiftungen, S. 164, Hattingen: Hundt 1971. [2] DECHEMA-Monogr. **80**, 179 – 190 (1976). *allg.:* Gmelin, Syst.-Nr. 28, Ca, Tl. B, 1957, S. 650 – 655 ▪ Kirk-Othmer (3.) **11**, 492 ▪ Pharm. Ztg. **1962**, 826 f. ▪ Ullmann (4.) **12**, 3 f. – [HS 2830 90]

Calcium-Präparate. Im Organismus spielt *Calcium eine vielfältige Rolle, z. B. beim Aufbau der Gerüstsubstanzen der *Knochen u. *Zähne, bei der *Muskel-

Calciumpropionat

Kontraktion, bei der *Blutgerinnung u. a. Vorgängen. Es nimmt 1,5–2% des Körpergew. ein, 99% davon in den Knochen. Zwar wird mit der täglichen Nahrung ständig Ca zugeführt, das insbes. in pflanzlichen Zellwänden u. Pektin-Verb. reichlich vorhanden ist, doch kann unter bes. Umständen die natürlich aufgenommene Menge unzureichend sein, z. B. in der Schwangerschaft, während der Stillzeit, in der Wachstumsphase, bei Osteoporosen u. *Allergien, die auf Ca reagieren, während des Heilungsprozesses bei Knochenbrüchen, bei *Rachitis, Blutungsneigung, bei Magenübersäuerung usw. Die empfohlene Ca-Zufuhr beträgt für Erwachsene ca. 1 g/Tag [1]. Die zur Calcium-Therapie entwickelten C.-P., die sowohl oral als auch parenteral zugeführt werden können, bedienen sich meist wasserlösl. Calcium-Salze von organ. u./od. anorgan. Säuren, die häufig per se nützliche physiol. Eigenschaften aufweisen. Häufig verwendet werden die im allg. in Einzelstichwörtern behandelten *Calciumgluconat, *Calciumsaccharat, *Calciumcitrat, *Calciumphosphate, die Ca-Salze der Heptagluconsäure, Lactobionsäure, Lävulinsäure, Milchsäure, Asparaginsäure usw. Gegen Schwermetall-Vergiftungen spezif. wirksam sind C.-P. mit *Natriumcalciumedetat u. *Calciumtrinatriumpentetat. – *E* calcium preparations – *F* préparations calciques – *I* preparati di calcio – *S* preparados cálcicos
Lit.: [1] Dtsch. Ges. für Ernährung, Empfehlungen für Nährstoffzufuhr, Frankfurt: Umschau-Verl. 1991.
allg.: Hager (4.) **3**, 565–602 ▪ Pharm. Ztg. **140**, 1749–1755 (1995) ▪ Q. Rev. **24**, 333–365 (1970) ▪ s. a. Calcium.

Calciumpropionat. $(H_3C-CH_2-COO)_2Ca$, $C_6H_{10}CaO_4$, M_R 186,22. Farbloses Pulver, lösl. in Wasser, aus dem es mit 1 Mol. Kristalwasser auskrist., wenig lösl. in Alkohol.
Verw.: Fungistat. Konservierungsstoff für Tabak, Lebensmittel (bedingt, v. a. Backwaren) (EG-Nr. E 282) u. kosmet. Mittel, veterinärmedizin. zur Ketose-Vorbeugung u. -Therapie bei Kühen, Futtermittelzusatz zu Mischfutter, s. a. Propionsäure. Marke Luprosil (BASF). – *E* calcium propionate – *F* propionate de calcium – *I* propionato di calcio – *S* propionato de calcio
Lit.: Lück u. Jager, Chemische Lebensmittelkonservierung, S. 151–157, Berlin: Springer 1995.

Calcium-Pumpen. In biolog. *Membranen vorkommende u. diese durchspannende *Proteine, die aktiv (entgegen einem Konzentrationsgefälle) Calcium-Ionen durch diese Membranen hindurchtransportieren (Calcium-*Ionenpumpen). Die für den Transport benötigte Energie wird durch Hydrolyse von *Adenosin-5′-triphosphat bereitgestellt (Ca^{2+}-ATPasen).
Beisp.: Die bekanntesten Beisp. sind die C.-P. der *eukaryontischen Plasmamembran (s. Cytoplasma) [1] u. des *sarkoplasmatischen u. *endoplasmatischen Retikulums (SER) [2]. Sie regulieren den Calcium-Spiegel der Zelle, indem sie Calcium-Ionen nach außen bzw. in intrazelluläre *Kompartimente (hier: SER) pumpen. Calcium ist ein wichtiger Signalüberträger innerhalb der Zelle (*second messenger) im allg. u. insbes. für die Muskel-Kontraktion.
Mechanismus: Intermediär entstehen energiereiche, an *Asparaginsäure-Resten phosphorylierte Derivate des Proteins [P-Typ-ATPasen, die daher durch *Vanadate (V) gehemmt werden]. – *E* calcium pumps – *F* pompes à calcium – *I* pompe del calcio – *S* bombas de calcio
Lit.: [1] J. Biol. Chem. **267**, 2115 ff. (1992). [2] FEBS Lett. **268**, 365–370 (1990).
allg.: Curr. Topics Cell. Regul. **32**, 209–241 (1992).

Calciumpyrophosphat s. Calciumphosphate.

Calciumresinat s. Harzseifen.

Calciumrhodanid s. Calciumthiocyanat.

Calciumsaccharat.

$$\begin{bmatrix} COO^- \\ H-C-OH \\ HO-C-H \\ H-C-OH \\ H-C-OH \\ COO^- \end{bmatrix} Ca^{2+}$$

Eingeführter Trivialname für die systemat. als *Calciumglucarat* bezeichnete Verb., $C_6H_8CaO_8$, M_R 248,20. Mit 4 Mol. Kristallwasser krist. farb- u. geschmacklose Verb., verliert ihr Kristallwasser ab 100 °C im Vak., in Wasser, Alkoholen, Ether unlösl., in Mineralsäuren u. Calciumgluconat-Lsg. löslich.
Verw.: Als Betonverflüssiger, als Stabilisator für Calciumgluconat-Lsg. in *Calcium-Präparaten. C. ist *nicht* ident. mit dem sog. *Zuckerkalk, der beim Versetzen von Saccharose-Lsg. mit CaO od. $Ca(OH)_2$ anfällt. – *E* calcium saccharate – *F* saccharate de calcium – *I* saccarato di calcio – *S* sacarato de calcio
Lit.: Beilstein E II **3**, 378 ▪ Merck-Index (11.), Nr. 1707.

Calcium-Seifen. Sammelbez. für wasserunlösl. Calcium-Salze von Fett-, Harz- u. Naphthensäuren, die – wie andere Metall-*Salze – als Trockenstoffe, Verdickungsmittel, Schmierstoff- u. Betonzusätze, Stabilisatoren u. Gleitmittel in *PVC u. a. thermoplast. Kunststoffen Verw. finden. Zu den wichtigsten C. gehören *Calciumstearat, ferner Ca-Oleat, -Laurat, -Naphthenate u. -Octoat. C.-S. werden bei der PVC-Verarbeitung häufig als Fertigmischungen mit anderen Hilfsmitteln eingesetzt. Die mit *Seife in kalkhaltigem Wasser entstehenden Produkte werden dagegen als *Kalkseifen bezeichnet. – *E* calcium soaps – *F* savons de calcium – *I* saponi di calcio – *S* jabones cálcicos
Lit.: Hager **7 b**, 330–363 ▪ vgl. a. Metallseifen.

Calciumsilicate. Ca-Salze der verschiedenen *Kieselsäuren, die als reine Verb. z. B. in folgenden Zusammensetzungen existieren: $CaSiO_3$ ($CaO \cdot SiO_2$, *Calciummetasilicat*, 2 Modif., Schmp. 1540 °C), Ca_2SiO_4 (C_2S, $2 CaO \cdot SiO_2$, *Dicalciumorthosilicat*, Schmp. 2130 °C, 4, möglicherweise 6 Modif.; dazu u. zu den Strukturen s. *Lit.* [1]) u. Ca_3SiO_5 (C_3S, $3 CaO \cdot SiO_2$, *Tricalciumsilicat* od. *Alit*, Schmp. 1900 °C, mind. 7 Modif.; zur Struktur s. *Lit.* [2]).
Vork., Verw.: Verschiedene C. treten natürlich auf, z. B. *Wollastonit ($CaSiO_3$), Larnit (β-Ca_2SiO_4), Bredigit (α-Ca_2SiO_4), Rankinit ($Ca_3Si_2O_7$) u. *Afwillit, u./od. sind Bestandteile der *Klinker-Materialien des *Zements (z. B. α-Ca_2SiO_4, β-Ca_2SiO_4, Afwillit) od. von *Hochofenschlacken (z. B. C_2S u. Rankinit). Hydratisierte C., z. B. *Gyrolith, *Tobermorit, Hillebrandit

Ca$_2$[SiO$_3$(OH)$_2$] u. Foshagit Ca$_4$[(OH)$_2$/Si$_3$O$_9$], spielen eine wichtige Rolle als Bindemittel bei natürlichen u. künstlichen *Kalksandsteinen. Techn. hergestelltes, sorgfältig getrocknetes Calciummetasilicat, das Wasser od. Öle bis zum 5fachen seines Gew. aufnimmt, findet Verw. als Adsorbens für Gase, Flüssigkeiten u. in der Chromatographie, als Rieselhilfe, Suspendierhilfsmittel, Farbstreckmittel, Bestandteil von keram. Produkten u. Filtermaterialien. C.-Platten dienen als Wärmedämmstoff bis 1000 °C bei der Isolierung von Ind.-Öfen. Mengenmäßig am bedeutendsten ist die Verw. der C. in Zement, Glas, im Straßenbau u. als Füllstoff für Elastomere. – *E* calcium silicates – *F* silicates de calcium – *I* silicati di calcio – *S* silicatos de calcio

Lit.: [1] Neues Jahrb. Mineral., Abh. **169**, 35–68 (1995); Acta Crystallogr., Sect. B **41**, 383–390 (1985). [2] Neues Jahrb. Mineral., Monatsh. **1995**, 145–160.
allg.: Gmelin, Syst.-Nr. 28, Ca, Tl. B, 1961, S. 1036–1099 ■ Heller-Taylor, Crystallographic Data for Calcium Silicates, London: HMSO 1956 ■ Ullmann (5.) **A 12**, 144. – *[HS 2839 00; CAS 12168-85-3 (Calciumsilicat)]*

Calciumsilicide (Calcium-Silicium). Bez. für *intermetallische Verbindungen aus Ca u. Si, von denen Ca$_2$Si (Schmp. 920 °C), CaSi (Schmp. 1220 °C) u. CaSi$_2$ (Schmp. 1020 °C) aus den Elementen im Elektroofen erhalten werden können (vgl. *Lit.*[1]). Darüber hinaus gibt es eine Reihe von Leg. verschiedener Zusammensetzung von Ca, Si u. a. Metallen, die techn. durch Red. von SiO$_2$, CaO u./od. CaC$_2$ mit Kohlenstoff im Elektroofen hergestellt u. wegen ihrer stark reduzierenden Eigenschaften als Desoxidationsmittel für Stähle, als Impfmittel für Gußeisen u. als Legierungs-Komponente eingesetzt werden. – *E* calcium silicides – *F* siliciures de calcium – *I* silicio-calci – *S* siliciuros de calcio

Lit.: [1] Brauer (3.) **2**, 933 f.
allg.: Gmelin, Syst.-Nr. 28, Ca, Tl. B, 1961, S. 1031 ff. ■ Kirk-Othmer (4.) **4**, 777–786 ■ Ullmann (5.) **A 23**, 745–747 ■ Winnacker-Küchler (4.) **4**, 227 ff. – *[HS 2850 00]*

Calciumsorbat. (H$_3$C–CH=CH–CH=CH–COO)$_2$Ca, C$_{12}$H$_{14}$CaO$_4$, M$_R$ 262,32. Weißes, talkumähnliches Pulver, wenig lösl. in Wasser, in Fetten unlöslich. Infolge der allmählich durch Hydrolyse freigesetzten *Sorbinsäure wirkt C. als Depot-Fungizid u. wird als gesetzlich zugelassenes *Konservierungsmittel (EG-Nr. E 203) verwendet, hauptsächlich zur Herst. fungistat. Verpackungsmaterialien, s. a. Sorbinsäure. – *E* calcium sorbate – *F* sorbate de calcium – *I* sorbato di calcio – *S* sorbato de calcio

Lit.: Römpp Lexikon Lebensmittelchemie, S. 785 f. ■ s. a. Sorbinsäure. – *[CAS 7492-55-9]*

Calciumstearat. Ca(OOC–C$_{17}$H$_{35}$)$_2$, C$_{36}$H$_{70}$CaO$_4$, M$_R$ 607,03, farbloses, fettiges Pulver, Schmp. 147–149 °C, außer in heißen chlorierten u. aromat. Kohlenwasserstoffen u. Ölen in anderen Lsm. prakt. unlöslich.
Verw.: Als Schmier- u. Gleitmittel, zur Herst. von Bleistiften, Zement, wasserfesten Textilien, Tabl., Kunststoffen usw., in der Metall-Ind. zum Ziehen von mechan. entzundertem Eisen- u. Stahldraht, zur Erhöhung der Widerstandsfähigkeit von Straßendecken gegenüber Salzwasser, als Mattierungsmittel, PVC-Stabilisator. – *E* calcium stearate – *F* stéarate de calcium – *I* stearato di calcio – *S* estearato de calcio

Lit.: Beilstein E IV **2**, 1213 f. ■ Ullmann (4.) **21**, 224; (5.) **A 16**, 367 ■ s. a. Metallseifen. – *[CAS 1592-23-0]*

Calciumsulfat. CaSO$_4$, M$_R$ 136,14. Farblose Krist. od. weißes Pulver. Kommt in der Natur in wasserfreier Form als *Anhydrit u. als Dihydrat (*Gips, Selenit) vor, Löslichkeit in Wasser 2–3 g/l (je nach Modif.). C. ist von enormer Bedeutung v. a. in der Bauwirtschaft (bedeutsam ist hier insbes. das Halbhydrat CaSO$_4 \cdot \frac{1}{2}$ H$_2$O; Bassanit). C. bedeutsam ist hier insbes. das Halbhydrat (CaSO$_4 \cdot \frac{1}{2}$ H$_2$O). C. entsteht auch als Abfallprodukt bei verschiedenen industriellen Prozessen. Näheres über Eigenschaften, Vork. u. Verw. s. Gips. – *E* calcium sulfate – *F* sulfate de calcium – *I* solfato di calcio – *S* sulfato de calcio

Lit.: s. Gips. – *[CAS 7778-18-9]*

Calciumsulfhydrat s. Calciumhydrogensulfid.

Calciumsulfid (Kalkkleber). CaS, M$_R$ 72,14. Im reinen Zustand ein farbloses Pulver, gewöhnlich aber gelblich bis graugelb, D. 2,59, Schmp. >2000 °C. An trockener Luft wird C. langsam zu CaSO$_4$ oxidiert, bei Feuchtigkeitszutritt spaltet sich H$_2$S ab. In kaltem Wasser ist die Löslichkeit unter Bildung von Calciumhydrogensulfid gering, in der Wärme nimmt sie unter Hydrolyse zu H$_2$S zu. Durch Red. von CaSO$_4$ mit Kohle od. durch Überleiten von H$_2$S über CaCO$_3$ bei 1000 °C erhältlich; zur labormäßigen Herst. s. *Lit.*[1]. Früher war C. ein Nebenprodukt beim Le Blanc-Sodaprozeß.
Verw.: Zur Herst. von Leuchtstoffen, in der Elektro- u. Lack-Ind., als Enthaarungsmittel u. als Schmiermittel für hohe Temp.[2]. – *E* calcium sulfide – *F* sulfure de calcium – *I* solfuro di calcio – *S* sulfuro de calcio

Lit.: [1] Brauer (3.) **2**, 927 f. [2] Umschau **64**, 91 (1964).
allg.: Gmelin, Syst.-Nr. 28, Ca, Tl. B, 1957, S. 636–649. – *[HS 2830 90; CAS 20548-54-3]*

Calciumsulfit. CaSO$_3$, M$_R$ 120,14. Als Dihydrat farblose Krist. od. farbloses Pulver, wenig lösl. in Wasser u. Alkohol. Durch Säuren Entwicklung von SO$_2$, an der Luft langsame Oxid. zu CaSO$_4$.
Verw.: Zur Herst. von *Calciumhydrogensulfit, als Desinfektionsmittel in der Zucker- u. Brauerei-Ind., zur Trinkwasseraufbereitung, Konservierung von Fruchtsäften, als *Antichlor in der Textilbleiche. – *E* calcium sulfite – *F* sulfite de calcium – *I* solfito di calcio – *S* sulfito de calcio

Lit.: Gmelin, Syst.-Nr. 28, Ca, Tl. B, 1961, S. 660–675. – *[HS 2832 20]*

Calciumthiocyanat (Calciumrhodanid). Ca(SCN)$_2$, M$_R$ 156,24. Als Tetrahydrat farblose, zerfließende Krist., Zers. oberhalb 160 °C, lösl. in Wasser u. Alkohol.
Verw.: In der Pharma-, Textil- u. Papier-Ind., als Betonzusatz. – *E* calcium thiocyanate – *F* thiocyanate de calcium – *I* tiocianato di calcio – *S* tiocianato de calcio

Lit.: Gmelin, Syst.-Nr. 28, Ca, Tl. B, 1961, S. 972–976. – *[HS 2838 00]*

Calciumthioglykolat. [S-CH$_2$-COO]Ca, C$_2$H$_2$CaO$_2$S, M$_R$ 130,18. Als Trihydrat schwach Thiol-artig riechende,

prismat. Stäbchen, verliert oberhalb 95 °C langsam Wasser u. verfärbt sich bei 220 °C, Schmp. 280–290 °C (Zers.). In Wasser gut lösl., nicht dagegen in Ethanol, in Petrolether, Benzol od. Ether.
Verw.: In Depilatorien sowie in der *Gerberei als Enthaarungsmittel. – *E* calcium thioglycolate – *F* thioglycolate de calcium – *I* tioglicolato di calcio – *S* tioglicolato de calcio
Lit.: Beilstein E III **3**, 407 ▪ Kirk-Othmer (3.) **7**, 165; **22**, 940; (4.) **7**, 613–614 ▪ Ullmann (4.) **12**, 449; **23**, 184–185; (5.) A **16**, 265–268. – *[CAS 5793-98-6 (Trihydrat)]*

Calciumtrinatriumpentetat.

$$\begin{bmatrix} ^-OOC-CH_2 & & CH_2-COO^- & CH_2-COO^- \\ & N-CH_2-CH_2-N-CH_2-CH_2-N & \\ ^-OOC-CH_2 & & CH_2-COO^- \end{bmatrix} CaNa_3$$

Internat. Freiname für das als Antidot bei Schwermetall-Vergiftungen (Pb, Zn, Fe, Mn, C, Pu u. a.) wirksame Calciumtrinatriumdiethylentriamin-N,N,N',N'',N''-pentaacetat, $C_{14}H_{18}CaN_3Na_3O_{10}$, M_R 497,36; LD_{50} (Ratte i. p.) 3800 mg/kg. Es wurde 1962 als Chelatbildner von Geigy patentiert u. ist von Heyl (Ditripentat-Heyl®) im Handel; s. a. Diethylentriaminpentaessigsäure, – *E* calcium trisodium pentetate – *F* pentétate de calcium trisodique – *I* trisodiopentetato di calcio – *S* pentetato de calcio y trisodio
Lit.: Hager (5.) **7**, 642. – *[HS 2922 49; CAS 12111-24-9]*

Calciumwolframat. CaO_4W, M_R 287,93. Tetragonale, farblose Krist., D. 6,06, Schmp. 1620 °C, unlösl. in Wasser, mit heißer HCl od. HNO_3 Abscheidung von gelbem Wolframtrioxid.
Herst.: Durch Erhitzen von CaO od. $CaCO_3$ mit H_2WO_4. In der Natur kommt C. als *Scheelit (Tungstein) vor. *Verw.:* In der Leuchtfarben-Ind., für Röntgenschirme, Röntgenverstärkerfolien, für Laser u. piezoelektr. Zwecke, in Szintillationszählern. – *E* calcium tungstate – *F* tungstate (wolframate) de calcium – *I* wolframato (tungstato) di calcio – *S* volframato (tungstato) de calcio
Lit.: Ullmann (4.) **15**, 153, 159; **16**, 200; **24**, 480 ff. – *[HS 2841 80; CAS 7790-75-2]*

Calcon (Palatinchromschwarz 6 BN, Eriochromblauschwarz R). Handelsname für das Natriumsalz der 3-Hydroxy-4-(2-hydroxy-1-naphthylazo)-1-naphthalinsulfonsäure.

$C_{20}H_{13}N_2NaO_5S$, M_R 416,38. Indikator zur komplexometr. Titration von Kupfer, Gallium u. Calcium in Ggw. von Magnesium. – *E* calcon – *F* calcone – *I* calcone, nero platinocromo 6 BN – *S* calcón
Lit.: Beilstein E IV **16**, 428. – *[CAS 2538-85-4]*

Calconcarbonsäure. Handelsname für die 3-Hydroxy-4-(2-hydroxy-4-sulfo-1-naphthylazo)-2-naphthalincarbonsäure. $C_{21}H_{14}N_2O_7S$, M_R 438,41, Schmp. 300 °C. Dunkelbraunes, leicht violettstichiges Pulver, unlösl. in Wasser, gut lösl. in Alkalihydroxid-Lsg., mäßig lösl. in Alkohol.

Verw.: Indikator bei der komplexometr. Bestimmung von Calcium neben Magnesium.

– *E* calconcarboxylic acid – *F* acide calconecarboxylique – *I* acido calconcarbossilico – *S* ácido calconcarboxílico
Lit.: Anal. Chem. **28**, 1028 (1956) ▪ Analyst **106**, 227 (1981). – *[CAS 3737-95-9]*

Calcretes s. Caliche.

Calcurea s. Harnstoff.

Calderit s. Granate.

Caldesmon. F-*Actin, Ca^{2+}/*Calmodulin u. *Tropomyosin bindendes Protein (M_R je nach Herkunft 87000–140000), das in den dünnen Filamenten des glatten Muskels u. in Nicht-Muskel-Zellen die Wechselwirkung zwischen F-Actin u. *Myosin beeinflußt u. das – ebenso wie *Calponin, jedoch in schwächerem Maß – die Muskelkontraktion hemmt. Bei *Phosphorylierung von C. od. Calponin wird diese Hemmung aufgehoben. Dabei phosphoryliert sich C. Ca^{2+}/Calmodulin-abhängig selbst (weshalb C. auch als C.-Kinase bezeichnet wird, EC 2.7.1.120). C. bindet *in vitro* auch das *S-100-Protein[1]. – *E* caldesmon – *F* caldesmone – *I* = *S* caldesmona
Lit.: [1] J. Biochem. **107**, 133–137 (1990).
allg.: Can. J. Physiol. Pharmacol. **72**, 1386–1391, 1410–1414 (1994) ▪ Int. J. Biochem. Cell Biol. **27**, 97–108 (1995).

Calebassen-Curare s. Curare.

Calelectrine. Ca^{2+}-bindende Proteine aus dem Zitterrochen *Torpedo marmorata* sowie aus Säugetieren, s. Annexine.

Calendulaöl. Extrakt des fetten Öles aus den Blüten der Ringelblume (*Calendula officinalis*) für pharmazeut. u. kosmet. Zwecke, z. B. entzündungshemmende Salben. C. wird auch aus den Samen der Ringelblume gewonnen. Das Samenöl enthält hohe Anteile (ca. 60%) an veresterter *Calendulasäure* [(E,E,Z)-8,10,12-Octadecatriensäure, $C_{18}H_{30}O_2$, M_R 278,44, Schmp. 40–40,5 °C]. Die konjugierten Doppelbindungen der Calendulasäure (sog. Konjuenfettsäure) werden leicht oxidiert u. polymerisiert, so daß C. auch als Rohstoff für Lacke u. Firnisse dienen kann. – *E* calendula oil – *I* olio di calendola – *S* aceite de caléndula
Lit.: Braun-Frohne (6.), S. 109 ▪ Pahlow, Das große Buch der Heilpflanzen, S. 271 f., 279, München: Gräfe & Unzer 1987 ▪ Pharm. Unserer Zeit **12**, 149 (1983) (Review) ▪ PTA heute **7**, 567 (1993). – *[HS 3301 29; CAS 28872-28-8 (Calendulasäure)]*

Calfort® s. Calgon.

Calgon®. Waschhilfsmittel auf der Basis von mittel- bis hochmol. *Polyphosphaten (*Schmelzphosphate) von der Art des *Grahamschen Salzes, die als Kationenaustauscher wasserenthärtend wirken: C. bildet mit Erdalkali- u. Schwermetall-Ionen wasserlösl. Komplexe, wobei z. B. Kalkseifen in waschaktive Natronseifen verwandelt werden. C. wirkt außerdem dispergierend u. peptisierend auf Pigmentschmutz jeder Art,

besitzt emulgierende u. emulsionsstabilisierende Eigenschaften, erhöht das Schmutztragevermögen von Wasch-, Reinigungs- u. Nachbehandlungsflotten, erniedrigt den Trübungspunkt von Seifen u. erleichtert dadurch deren Ausspülbarkeit.
Verw.: In der Textil-Ind., Papier-Ind., zur Dispergierung von Füllstoffen, als Entwicklerzusatz in der Photo-Ind. usw. Marke der Firma Benckiser, in Europa (außer in Großbritannien, Dänemark u. Italien; dort gilt die Marke Calfort®) u. a. Ländern geschützt; im amerikan. Einflußbereich verfügt die Calgon Corp. über die Marken-Rechte.

Calibre. Polycarbonat als Formmassen u. Glasfasern. *B.:* Dow Chemical Co.

CALIBRE®. Marke der *Dow für Polycarbonate.

Caliche. 1. Rohmaterial in der Atacama-Wüste in Chile, aus dem *Chilesalpeter gewonnen wird.
2. In der *Petrographie Bez. für auch *Calcretes* genannte *Krusten-*Kalke*, die als Kalkanreicherungen in Form von umkrusteten *Calcit-Knollen, gefüllten Trockenrissen u. unregelmäßig laminierten od. erbsenförmig (pisolith.) ausgebildeten Krusten in u. unter dem *Boden vorwiegend aus absteigenden Lsg. in wechselfeuchtem, meist semiaridem Klima gebildet worden sind. – *E = F = I = S* caliche
Lit.: zu 1.: Ramdohr-Strunz, S. 563 ▪ Ullmann (5.) **A 17**, 266 ff.. – *zu 2.:* Füchtbauer (Hrsg.), Sedimente u. Sedimentgesteine (Sediment-Petrologie Tl. II) (4.), S. 357–364, Stuttgart: Schweizerbart 1988 ▪ Reeves, Caliche: Origin, Classification, Morphology and Uses, Lubbock (Texas): Estacado Books 1976 ▪ Tucker, Einführung in die Sedimentpetrologie, S. 154 f., Stuttgart: Enke 1985 ▪ s. a. Kalke.

Calicheamicine (Calichemycine). Hochaktive Naturstoffklasse aus *Micromonospora echinospora* ssp. *calichensis*, einem Bakterium, das in einem lehmartigen Boden in Texas (Caliche) vorkommt, mit Wirkung gegen Gram-pos. Bakterien im Subpikogrammbereich. Zusammen mit den strukturell verwandten *Dynemicinen, *Esperamycinen u. *Neocarcinostatinen sind E. in einigen Tiermodellen die potentesten bisher bekannten Antitumor-Antibiotika (4000mal aktiver als *Doxorubicin).
Wirkungsmechanismus: Nach nukleophilem Angriff an der Schwefel-Brücke, Cyclisierung zu Phenyl-Diradikal (Bergman-Cyclisierung) u. Spaltung der DNA-Doppelhelix unter Erhalt der Einzelstränge. Die wichtigste Verb. ist *C.* γ_1^I ($C_{55}H_{76}IN_3O_{21}S_4$, M_R 1370,36). Die für die Antitumor-Wirkung erforderliche Dosis beträgt nur 0,5–1,5 µg/kg Körpergewicht. Auf totalsynthet. Weg wurde *C.* θ_1^I ($C_{56}H_{74}IN_3O_{22}S_2$, M_R 1332,23, $[\alpha]_D^{19}$ –147,6° (c 0,59/CHCl$_3$), hergestellt, dessen pharmakolog. Eigenschaft noch besser als die des natürlichen *C.* γ_1^I sind, da es bes. einfach zu aktivieren ist, selektiv DNA spaltet u. den Zelltod auslöst. – *E* calichemicins, calicheamicins – *F* calichéamycine – *I* calicheamicine – *S* caliqueamicinas
Lit.: Review: Acc. Chem. Res. **24**, 235 (1991). – *Struktur:* J. Am. Chem. Soc. **110**, 6890 (1988); **114**, 985 (1992). – *Synth.:* Angew. Chem. **105**, 1462 (1993); **106**, 195, 925 (1994) ▪ J. Am. Chem. Soc. **114**, 1082, 3134 (1992); **115**, 7593 (1993); **117**, 5760 (1995) ▪ Krohn, Kirst u. Maag, Antibiotics and Antiviral Compounds, S. 303–313, Weinheim: VCH Verlagsges. 1993 ▪ Nicolaou u. Sorensen, Classics in Total Synthesis, S. 523–564, Weinheim: VCH Verlagsges. 1996 ▪ Tetrahedron Lett. **29**, 4217 (1988). – *Wirkungsmechanismus:* J. Am. Chem. Soc. **110**, 7247 (1988). – *[HS 2941 90; CAS 108212-75-5 (C.* γ_1^I*)]*

CALICO®. Schwebfähige Feuerfest-Alkoholfertigschlichte auf Kohlenstoff-Basis für blasenfreie, abriebfeste Überzüge bei kaltgehärteten (Furan/Phenol) u. wasserglasgebundenen Kernen u. Formen für Grau- u. Sphäroguß. *B.:* Ashland-Südchemie-Kernfest GmbH.

Californium (Symbol Cf). Künstliches radioaktives *Actinoiden-Element, Ordnungszahl 98. Isotope 240–256 mit HWZ zwischen 1 min u. 898 a. Zur „Synthese" der Isotope bedient man sich nuklearer Aufbau-Reaktionen, meist aus Plutonium über Curium; einige Isotope, insbes. Cf 252, fallen auch bei unterird. Atomexplosionen an. *Metall.* Cf – bisher nur im µg-Maßstab, z. B. durch Red. des Oxids mit Lanthan u. anschließender Verdampfung erhältlich – krist. in 3 Modif. (hexagonal u. 2 kubische) mit D. 15,1, 13,7 u. 8,7 Schmp. ca. 900 °C. In seinen Verb. tritt es im allg. 3-wertig auf: Es sind grüne Verb. mit Sauerstoff u./od. Halogenen sowie die metallorgan. Verb. Cf(C_5H_5)$_3$ bekannt, 2- od. 4-wertige Verb. sind nur selten. Von den *Cf-Isotopen* hat das – allerdings nur unter sorgfältigen Abschirmbedingungen handhabbare – ^{252}Cf als Neutronenquelle eine größere Bedeutung: 1 mg ^{252}Cf liefert 2,4 Mrd. Neutronen/s, was das Nuklid bes. für die *Aktivierungsanalyse als geeignet erscheinen läßt. Weitere Verw.-Möglichkeiten ergeben sich in der Nuklearmedizin.

R = S–S–CH$_3$: C.γ_1^I
R = –C–CH$_3$: C.θ_1^I
        ‖
        O

Geschichte: C. wurde 1950 von Seaborg u. Mitarbeitern in Spuren durch Beschuß von Curium-242 mit 35 MeV-Alphateilchen im Cyclotron von Berkeley (California, Name!) hergestellt nach: $^{242}Cm(\alpha,n)\ ^{245}Cf$. – $E = F$ californium – $I = S$ californio
Lit.: Californium-252 in Teaching and Research, Vienna: IAEA 1974 ▪ Kirk-Othmer (4.) **1**, 412–445 ▪ Nucl. Appl. Technol. **9**, 830 (1970) ▪ Some Physical, Dosimetry and Biomedical Aspects of Californium-252, Vienna: IAEA 1976 ▪ s. a. Actinoide, Transurane. – *[HS 284440; CAS 7440-71-3]*

Calixarene s. Metacyclophane.

Calixin®. Fungizid auf der Basis von *Tridemorph gegen Getreidemehltau; auch wirksam gegen Pilzkrankheiten in Bananen, Gummi u. Gemüse. *B.:* BASF.

CALLA s. neutrale Endopeptidase 24.11.

Calmagit. Bez. für 3-Hydroxy-1-(1-hydroxy-4-methyl-2-phenylazo)-4-naphthalinsulfonsäure.

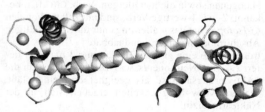

$C_{17}H_{14}N_2O_5S$, M_R 358,37. Rote, wasserlösl. Krist., deren wäss. Lsg. bei pH 7–9 rot, bei pH 9,1–11,4 blau ist; die blaue, alkal. Lsg. (pH 10) schlägt bei Zugabe von Calcium- od. Magnesium-Ionen in rot über.
Verw.: Als *Indikator bei der Komplexometrie von Ca u. Mg mit *EDTA. Reagenz für die spektrophotometr. Bestimmung von *Lanthaniden. – $E = F = I = S$ calmagite
Lit.: Anal. Biochem. **32**, 70 (1964) ▪ Anal. Chem. **32**, 1123 (1960) ▪ Anal. Chim. Acta **106**, 401 (1979) ▪ Merck Index (11.), Nr. 1725. – *[CAS 3147-14-6]*

Calmodulin (CaM).

Abb.: Schemat. Struktur des Calmodulins; die vier Kugeln sind Calcium-Ionen.

Protein (M_R 17000) mit vier Bindungsstellen für Calcium-Ionen u. dem Strukturmotiv der *EF-Hand, das etliche *Enzyme u. *Proteine von *Eukaryonten u. *Bakterien[1] in Anwesenheit von Calcium aktiviert. Dadurch wirkt es als *Calcium-Sensor* u. reguliert u. a. folgende *Enzym-Aktivitäten*: *Adenylat-Cyclase, Guanylat-Cyclase (s. Guanosinphosphate), *cyclo*-Nucleotid-*Phosphodiesterase (EC 3.1.4.17), NAD^+-Kinase (EC 2.7.1.23), Inosit-1,4,5-trisphosphat-3-Kinase (EC 2.7.1.127), verschiedene Protein-Kinasen wie Myosin-Leichtketten- u. -Schwerketten-Kinase (EC 2.7.1.117 bzw. 2.7.1.129), Myosin-I-Schwerketten-Kinase, die multifunktionelle Ca^{2+}/Calmodulin-abhängige Protein-Kinase [CaM-Kinase (II); EC 2.7.1.123][2] u. Phosphorylase-Kinase (EC 2.7.1.38), die Protein-Phosphatase *Calcineurin, verschiedene *Adenosintriphosphatasen wie *Dynein u. die Ca^{2+}-ATPase der Plasmamembran (EC 3.6.1.38) u. des *sarkoplasmatischen Retikulums im Herzmuskel, ferner NADPH-Oxidase (s. Makrophagen), die Stickoxid-Synthase (EC 1.14.13.39) des Gehirns u. Phospholipid-Methylase aus Pilzen. CaM bindet außerdem an *Struktur-* u. *regulator. Proteine* u. beeinflußt dadurch das *Cytoskelett u. die Zellbeweglichkeit, z. B.: *Adducin, *Caldesmon, *Calponin, *Spectrin/*Fodrin. Auch *Tubuline, *Histone u. *Transkriptionsfaktoren werden durch CaM direkt beeinflußt. Zu den Funktionen des CaM im Zellkern s. *Lit.*[3].
– *E* calmodulin – *F* calmoduline – *I* = *S* calmodulina
Lit.: [1] J. Gen. Microbiol. **138**, 1039–1049 (1992). [2] Annu. Rev. Physiol. **57**, 417–445 (1995). [3] Brain Res. Rev. **18**, 135–147 (1993).
allg.: Annu. Rev. Physiol. **56**, 213–236 (1994) ▪ Biochim. Biophys. Acta **1113**, 259–270 (1992) ▪ Curr. Topics Cell. Regul. **33**, 105–126 (1992) ▪ Trends Biochem. Sci. **20**, 38–42 (1995).

Calnexin. Membran-durchspannendes Protein (M_R 90000) des *endoplasmatischen Retikulums (ER), das vorübergehend an neu synthetisierte Membran- u. sekretor. *Proteine bindet, bis diese in bestimmter Weise gefaltet od. zu Oligomeren zusammengetreten sind. Damit zeigt C. die Aktivität eines mol. *Chaperons. Zu den Membran-Proteinen, die durch C. vor verfrühtem Transport aus dem ER behütet werden, gehören z. B. die *Histokompatibilitäts-Antigene der Klasse I u. der Antigen-Rezeptor/CD3-Komplex der T-*Lymphocyten. Die Bedeutung des Calnexins besteht möglicherweise darin, für sekretor. Proteine u. Membran-Glykoproteine eine Art Qualitätskontrolle durchzuführen, bevor sie das ER verlassen. – *E* calnexin – *F* calnexine – *I* calnessina – *S* calnexina
Lit.: Nature (London) **364**, 771–776 (1993) ▪ Science **263**, 384–390 (1994) ▪ Trends Biochem. Sci. **19**, 124–128 (1994).

Calorisieren s. Alitieren.

Caloxol®. Marke der John & E. Sturge Ltd., Birmingham, für ein Sortiment von Calciumoxid-Dispersionen als Trockenmittel für die Gummi- u. Kunststoffindustrie. *B.:* Boehringer-Ingelheim.

Calpactine s. Annexine.

Calpaine {EC 3.4.22.17; Name von: *Cal*cium-abhängige pa*pain*artige Proteinasen; weitere Namen: calcium-dependent proteinases (CDP), calcium-activated (neutral) proteinases [CA(N)P], calcium-activated factor (CAF)}. Zu den Cystein-*Proteinasen gehörende, im *Cytoplasma beheimatete, heterodimere (M_R 80000 + 30000), Calciumionen-abhängige Endopeptidasen. Die biolog. Funktionen der verschiedenen C. sind noch nicht bekannt, müssen aber wohl als zelluläre Antworten auf Calcium-Stimuli verstanden werden, die im Gegensatz zu denen des *Calmodulin-Syst. irreversibel, weil hydrolyt. sind. C. wirken auf Proteine im Cytoplasma, *Cytoskelett u. der Plasmamembran. Die Teile der Sequenzen beider Untereinheiten, die die Ca^{2+}-Bindungsstellen enthalten, zeigen Verwandtschaft zu Calmodulin; andere Bereiche der großen Untereinheit sind homolog zu typ. Cystein-Proteinasen – das C.-*Gen könnte entwicklungsgeschichtlich durch

Verschmelzung zweier entsprechender Gene entstanden sein. Ebenso verbreitet wie die C. sind ihre natürlichen Inhibitoren, die *Calpastatine*. – *E* calpains – *F* calpaïnes – *I* calpaine – *S* calpainas
Lit.: FASEB J. **8**, 814–822 (1994) ■ FEBS Lett. **343**, 1–5 (1994).

Calponin. Protein (M_R je nach Herkunft 33000–35000), das F-*Actin, *Tropomyosin u. Ca^{2+}/*Calmodulin bindet u. zusammen mit *Caldesmon in den dünnen Filamenten der glatten Muskulatur vorkommt. Dort übt es regulator. Funktion aus auf die *Adenosintriphosphatase-Aktivität des *Myosins u. somit auf die Muskelkontraktion: Sind sowohl C. als auch Caldesmon unphosphoryliert, ist letztere inhibiert. Bei *Phosphorylierung von C. wird die Inhibition aufgehoben. Dies gilt als sek. regulator. Syst. im glatten Muskel, neben der Phosphorylierung der leichten Kette des Myosins. In quergestreiftem Muskel wird eine ähnliche Funktion durch den *Troponin-Komplex ausgeübt. – *E* calponin – *F* calponine – *I* = *S* calponina
Lit.: Can. J. Physiol. Pharmacol. **72**, 1410–1426 (1994) ■ Cell. Signal. **5**, 677–686 (1993).

Calregulin s. Calreticulin.

Calreticulin (Calregulin, high-affinity Ca^{2+}-binding protein). Hauptsächliches Calcium-Speicher-Protein des *endoplasmatischen Retikulums (ER, daher Name; M_R 60000 gelelektrophoret. bestimmt, 55000 durch Ultrazentrifugation, 46000 Aminosäure-Anteil aufgrund *cDNA-Sequenz), vergleichbar dem *Calsequestrin des funktionsverwandten *sarkoplasmatischen Retikulums der Muskelzellen, wo C. in untergeordneten Mengen vorhanden ist. C. bindet Ca^{2+} zu 25 mol/mol mit geringer Affinität u. zu 1 mol/mol mit hoher Affinität. Zumindest in einigen Tierarten liegt es als *Glykoprotein vor.
Hintergrund: Da Calcium(II)-Ionen wichtige Aufgaben als Signalüberträger (*second messenger) innerhalb der Zelle erfüllen, muß ihre Konz. präzise geregelt werden; eine Vorbedingung hierzu ist ein Calcium-Reservoir, verwirklicht im ER, aus dem Ca^{2+} bei Bedarf freigesetzt u. in das es wieder hineingepumpt werden kann.
Weitere Funktionen: Im Zellkern bindet C. an *Corticosteroid-Rezeptoren (z. B. Glucocorticoid- u. Androgen-Rezeptor) u. verhindert so deren Wirkung als spezif. *Transkriptionsfaktoren. Darüber hinaus bindet C. *in vivo* an den cytoplasmat. Teil von *Integrinen u. aktiviert deren Affinität für Bestandteile der *extrazellulären Matrix. Die Bedeutung dieser außerhalb des ER stattfindenden Aktivitäten des C. sowie der Mechanismus seines Austritts aus dem ER – aufgrund der Signalsequenz KDEL sollte es darin zurückgehalten werden – sind noch nicht bekannt. – *E* calreticulin – *F* calréticuline – *I* calreticolina – *S* calreticulina
Lit.: Biochem. J. **285**, 681–692 (1992) ■ Mol. Cell. Biochem. **112**, 1–13 (1992) ■ Trends Biochem. Sci. **19**, 269–271 (1994).

Calretinin. In einigen Nervenzellen vorkommendes Calcium-Ionen-bindendes *Protein der *EF-Hand-Familie. Funktion noch unbekannt. – *E* calretinin – *F* calrétinine – *I* calretinina – *S* calretinín
Lit.: Brain Res. Rev. **19**, 163–179 (1994) ■ Trends Neurosci. **15**, 303 ff. (1992).

Calsequestrin. Mit der Innenseite der Membran des *sarkoplasmatischen Retikulums (SR) assoziiertes Protein, nach der *Calcium-Pumpe das zweithäufigste Protein u. das wichtigste Calcium-Speicher-Protein dieser Organelle. C. ist ein Ca^{2+}-bindendes *Glykoprotein (45 mol Ca^{2+}/mol, M_R aufgrund Analyse der *cDNA: 45 000 in Herz- u. 41 000 in Skelettmuskel, der Kohlenhydrat-Gehalt scheint im Herz höher zu sein), das einen hohen Anteil an *Aminosäuren mit sauren Seitenketten (37% Glu+Asp) enthält. Es unterstützt indirekt die Wirkung der Calcium-Pumpe des SR, die für die *Muskel-Funktion wichtig ist, indem es mit seiner Bindungskapazität die Ca^{2+}-Ionen dem Gleichgew. entzieht (maskiert – s. Maskierung – od. sequestriert: Name!). – *E* calsequestrin – *F* calséquestrine – *I* = *S* calsequestrina
Lit.: Mol. Cell. Biochem. **112**, 1–13 (1992).

CALSIL®. Zusatzmittel zu mineral. Rohstoffen, Füllmittel für Kunststoff, Gummi u. deren Ersatzstoffe, Fließhilfsmittel, Antibackmittel, Trägerstoffe für Flüssigkeiten u. Pasten, Additiv für die Papierherstellung. *B.:* Degussa.

Calutron s. Isotope.

Calvados. Französ. Apfelbranntwein (Ethanol-Gehalt 40 bis 42% vol.), der aus *Cidre gebrannt wird; Name vom Département Calvados (Normandie).

Calvatsäure [1-(4-Carboxy-phenyl)-2-cyandiazen-1-oxid].

$$HOOC-C_6H_4-N(O)=N-CN$$

$C_8H_5N_3O_3$, M_R 191,15, hellgelbes Pulver, Schmp. 203–204 °C. Inhaltsstoff von *Calvatia*-Arten (Boviste, Großstäublinge) mit antibakterieller u. fungizider sowie Antitumor-Wirkung. – *E* calvatic acid – *I* acido calvatico
Lit.: J. Antibiot. **28**, 87 (1975); **39**, 864 (1986) ■ Tetrahedron Lett. **1974**, 3431.

Calvin, Melvin (geb. 1911), Prof. für Organ. Chemie, Univ. California, Berkeley. *Arbeitsgebiete:* Beziehung zwischen Elektronenstruktur u. Farbe organ. Verb., Chelate, Anw. der Tracer-Meth. auf die Photosynth. u. Aufklärung des Mechanismus, Aufstellung des Photosynth.-Cyclus (*Calvin-Cyclus*), chem. Evolution, Chemie-Nobelpreis 1961.
Lit.: Experientia **1961**, 575 f. ■ Nachr. Chem. Tech. **9**, 359 (1961) ■ Nature (London) **192**, 799 (1961) ■ Nobel Lectures Chemistry 1942–1962, Amsterdam: Elsevier 1964 ■ Pötsch, S. 77 ■ Who's who in America 1995, S. 557.

Calvin-Cyclus s. Photosynthese.

Calx. Latein. Bez. für Kalk (*Calciumcarbonat, -oxid, -hydroxid).

Calycanthin.

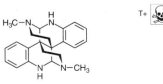

$C_{22}H_{26}N_4$, M_R 346,48, äußerst giftige Krist., Schmp. 245 °C (im evakuierten Rohr), in organ. Lsm. gut, in Wasser wenig löslich. C. kommt in der (+)-Form ($[\alpha]_D$ +684°) in *Calycanthus*-Arten (Gewürzstrauch), in der (–)-Form {$[\alpha]_D$ –570° (CH_3OH)} auch in den Hautsekreten südamerikan. Pfeilgiftfrösche vor. – **E = F** calycanthine – **I = S** calicantina
Lit.: Beilstein E V **26/12**, 42. – *[CAS 595-05-1 (+); 85548-42-1 (–)]*

Calyculine. Stark tumorhemmende Metabolite aus dem japan. Meeresschwamm *Discodermia calyx*, die hinsichtlich der Anordnung der funktionellen Gruppen u. der Stereochemie (erst 1991 aufgeklärt[1]) einmalig sind. Zunächst wurde das Enantiomer von C. A als richtige Struktur angenommen, so daß alle Synth. vor 1991 zwangsläufig das falsche Zielmol. [(+)-C. A] bearbeiteten.

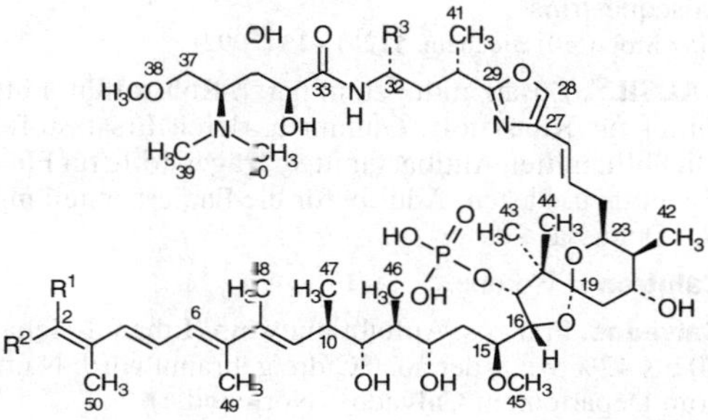

Calyculine	R^1	R^2	R^3
C.A	CN	H	H
C.B	H	CN	H
C.C	CN	H	CH_3
C.D	H	CN	CH_3
C.E	(6Z)-Isomer von C.A		
C.F	(6Z)-Isomer von C.B		

Tab.: Daten von Calyculinen.

Summenformel	M_R	Schmp. [°C]	$[\alpha]_D^{23}$ (c≈0,1/C_2H_5OH)	CAS
C.A $C_{50}H_{81}N_4O_{15}P$	009,18	247–249	–60°	101932-71-2
C.B $C_{50}H_{81}N_4O_{15}P$	009,18	amorph	–61°	107537-44-0
C.C $C_{51}H_{83}N_4O_{15}P$	023,21	amorph	–65°	107537-45-1
C.D $C_{51}H_{83}N_4O_{15}P$	023,21	amorph	–41°	107447-09-6
C.E $C_{50}H_{81}N_4O_{15}P$	009,18	137–140	–83°	133445-05-3
C.F $C_{50}H_{81}N_4O_{15}P$	009,18	152–155	–33°	133445-06-4

Wirkung: C. A wirkt auf Serin/Threonin-Protein-Phosphatasen (PP 1 u. PP 2A) 30–200fach stärker als *Okadainsäure, wogegen saure, alkal. u. Protein-Tyrosin-Phosphatase nicht beeinträchtigt werden. C. E u. C. F wirken auch insektizid. – **E** calyculins – **F** calyculine – **I** caliculine – **S** caliculinas
Lit.: [1] Tetrahedron Lett. **32**, 5605, 5983 (1991). *allg.:* Agric. Biol. Chem. **55**, 2765 (1991) ▪ Angew. Chem. **106**, 674 (1994) (Synth.) ▪ Biochem. Biophys. Res. Commun. **159**, 871 (1989); **176**, 288 (1991) ▪ J. Chem. Soc., Chem. Commun. **1992**, 1236–1242 ▪ J. Am. Chem. Soc. **114**, 9434–9453 (1992) ▪ J. Org. Chem. **53**, 3930 (1988); **57**, 1958, 1961, 1964 (1992) (Synth.) ▪ R. Soc. Chem. **119**, 117 (1993) (Review) ▪ Toxicon **30**, 873 (1992).

Calysterole.

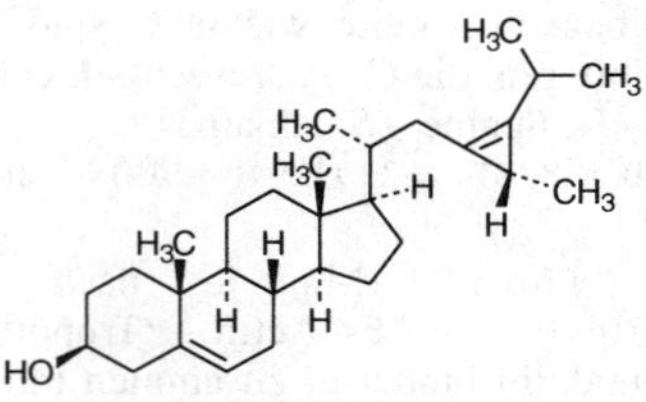

Calysterol

Sterole aus mediterranen Schwämmen, die die ungewöhnliche u. hochreaktive Cyclopropen-Struktur enthalten, die im Falle der Stammverb. *Calysterol* (23,24-Ethyliden-cholesta-5,23-dien-3β-ol) aus *Calyx nicaensis* durch Alkyl-Substituenten stabilisiert ist: $C_{29}H_{46}O$, M_R 410,68, Schmp. 114–116 °C, $[\alpha]_D^{20}$ –29,3° (c 1/$CHCl_3$). – **E** calysterols – **F** calystérol – **I** calisteroli – **S** caliesteroles
Lit.: J. Am. Chem. Soc. **117**, 1849 (1995) ▪ J. Chem. Soc., Chem. Commun. **1987**, 1441 (Biosynth.) ▪ Tetrahedron **31**, 1715 (1975). – *[CAS 57331-04-1]*

CAM. 1. Abk. für *Computer Aided Manufacturing*, rechnergestützte Fertigung. Herst. von Produkten auf numer. gesteuerten Maschinen mittels eines Rechnerprogramms. Wird bereits viel in der Serienproduktion von mechan. zu bearbeitenden Werkstücken eingesetzt, vgl. CAD. – 2. (engl. Abk. für *c*ell *a*dhesion *m*olecules) s. Zell-Adhäsionsmoleküle.

CAM®. Entschwefelungsmittel für die Eisen- u. Stahl-Industrie. *B.:* SKW Trostberg AG.

Camazepam.

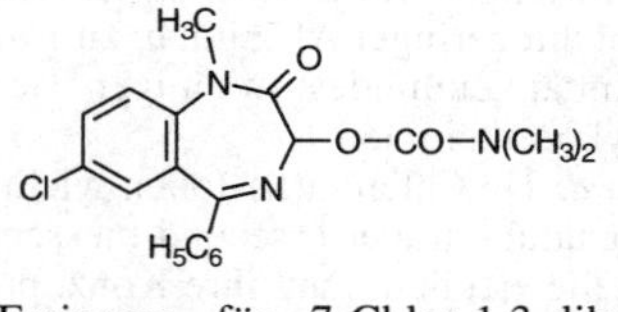

Internat. Freiname für 7-Chlor-1,3-dihydro-3-hydroxy-1-methyl-5-phenyl-2*H*-1,4-benzodiazepin-2-on-dimethylcarbamat, $C_{19}H_{18}ClN_3O_3$, M_R 371,82, Schmp. 173–174 °C; LD_{50} (Maus oral) 970, (Ratte oral) >4000 mg/kg. C. wurde 1972 u. 1974 als Sedativum u. Tranquilizer von Siphar patentiert u. ist in Anlage IIIC der Btm-VO gelistet. – **E = I = S** camazepam – **F** camazépam
Lit.: ASP ▪ Beilstein E V **25/2**, 244 ▪ Hager (5.) **7**, 643. – *[HS 2933 90; CAS 36104-80-0]*

CAMD s. Computer Aided Drug Design.

cAMP s. Adenosin-3',5'-monophosphat.

CAMP s. Phosphane.

Campari. Italien. Bitteraperitif mit Farbstoff (E 120); Alkohol-Gehalt um 25% vol.

Campecheholz s. Blauholz.

CAM-Pflanzen. Von *E Crassulaceen Acid Metabolism* (= Säurestoffwechsel der Crassulaceen) hergeleitete Bez. für Pflanzen, die typischerweise einen *diurnalen Säurerhythmus u. dickfleischige, als wasserspeichernd bezeichnete Blätter od. Sprosse aufweisen (s. Sukkulente; nicht-sukkulente CAM-P. sind

z. B. *Welwitschia mirabilis* u. *Tillandsia usneoides*). Zu den CAM-P. gehören Kakteen (Cactaceae), Dickblattgewächse (Crassulaceae), viele Wolfsmilchgewächse (Euphorbiaceae), Schwalbenwurzgewächse (Asclepiadaceae) u. a. Da CAM-P. Kohlendioxid nachts aufnehmen, am Tage hingegen die Spaltöffnungen weitgehend geschlossen halten, können CAM-P. an trockenen Standorten gedeihen; untergetaucht in Gewässern (CO_2-Mangelstandorte) lebende CAM-P. sind bekannt[1]. – *E* CAM plants – *F* plantes CAM – *I* piante CAM – *S* plantas CAM
Lit.: [1] Plant Physiol. **70**, 1455–1458 (1982); **76**, 525–530 (1984); Photosynthetica **16**, 546–553 (1982).
allg.: Kluge u. Ting, Crassulacean Acid Metabolism, Berlin: Springer 1978 ■ Richter, Stoffwechselphysiologie der Pflanzen (5.), Stuttgart: Thieme 1988.

Camphan s. Bornan.

Camphechlor. Common name für chloriertes *Camphen (67–69% Chlor), auch unter dem Namen *Toxaphen* bekannt, ca. $C_{10}H_{10}Cl_8$, M_R 413,81, Schmp. 65–95 °C (erweicht), LD_{50} (Ratte oral) 80 mg/kg (GefStoffV), MAK 0,5 mg/m^3, von Hercules Powder 1948 eingeführtes nicht-system. *Insektizid mit schwach akarizider Wirkung; anwendbar in vielen Kulturen. C. wird außerdem als *Rodentizid u. zur Bekämpfung von Ektoparasiten an Vieh eingesetzt. Es reichert sich wie viele andere hochchlorierte Kohlenwasserstoffe im Körperfett von Warmblütern an u. ist in der BRD als Pflanzenschutzmittel nicht mehr zugelassen. – *E* camphechlor, toxaphene – *F* camphechlore – *I* canfecloro – *S* canfeno clorado, toxafeno
Lit.: Farm. – *[HS 3808 10]*

Camphen (2,2-Dimethyl-3-methylenbicyclo[2.2.1]-heptan).

$C_{10}H_{16}$, M_R 136,24; Kub. Krist., D.^{54} 0,8422, Schmp. 51–52 °C, n_D^{54} 1,5441, Sdp. 158,5–159,5 °C, in Wasser kaum, in Alkohol mäßig, in Chloroform gut löslich. Das Monoterpen C. kommt in der Natur in vielen Ölen, z. B. im Ceylon-Citronell-, Terpentin- od. Bergamottöl als $(1R,4S)(+)$- u. als $(1S,4R)(-)$-Form $\{[\alpha]_D \pm 119°$ (c 2/Benzol), Schmp. 50–51 °C$\}$ sowie racem. (Schmp. 47 °C) vor.
Verw.: Zwischenprodukt bei der *Borneol- u. *Campher-Fabrikation, Lsm. bei der *Molmassenbestimmung, zur Herst. von *Camphechlor. – *E* camphene – *F* camphène – *I* canfene – *S* canfeno
Lit.: Beilstein E IV **5**, 461 f. ■ Chem. Ber. **111**, 2527 (1978). – *[HS 2902 19; CAS 5794-03-6 ((+)-C.); 5794-04-7 ((–)-C.)]*

Campher (Kampfer, Camphora, 2-Bornanon, 1,7,7-Trimethylbicyclo[2.2.1]heptan-2-on). $C_{10}H_{16}O$, M_R 152,24. Der Name stammt von Kamfur, einer alten arab. Handelsbez. für Campher. Krist., bicycl. Monoterpen mit *Bornan-Struktur, das in der Natur in zwei opt. aktiven Formen u. einem Racemat vorkommt: $(1R,4R)(+)$-C. (Japancampher, Laurineencampher), $(1S,4S)(-)$-C. (Matricariacampher), Schmp. 178–179 °C, $[\alpha]_D \pm 40°$ (c 1/95% C_2H_5OH); ±-C., Schmp. 179 °C. (+)-C. ist die stereochem. Bezugssubstanz vieler Monoterpene, da seine abs. Konfiguration

von Freudenberg an Glucose korrelativ angeschlossen wurde. In Wasser ist C. wenig, in organ. Lsm. leicht löslich. Substituenten treten vorzugsweise an den C-Atomen 3, 8 u. 10 ein. Diese Positionen werden auch als α-, π- u. β-Stellungen bezeichnet (s. Formelbild). Da C. schon bei 20 °C sublimiert, muß er gut verschlossen aufbewahrt werden. C. brennt leicht mit stark rußender Flamme.
Herst.: In China u. Japan gewinnt man C. durch Wasserdampfdest. des zerkleinerten Holzes von 40–50jährigen Campherbäumen (*Cinnamomum camphora*, bis 12 m hohes Lorbeergewächs) u. anschließende Subl. des so gewonnenen Campheröls (Sdp. 175–200 °C), das neben C. u. a. Acetaldehyd, Fenchen, Pinen, Phellandren, Cineol, Borneol u. Azulen enthält. Je nach Herkunft unterscheidet man zwischen Formosa-, Japan- u. Laurineen-Campher. Die techn. Herst. von (±)-C. erfolgt aus α-*Pinen.
Vork.: In ether. Ölen vieler Pflanzen (bes. in Lorbeer-, Lippenblüten- u. Korbblütengewächsen: Lauraceen, Labiaten u. Compositen). (+)-C. wurde schon in der zweiten Hälfte des 18. Jh. aus dem Campherbaum rein isoliert.
Verw.: Hauptsächlich als Weichmacher von Celluloid. Da C. bei 20 °C sublimiert, wird er als Mottenbekämpfungsmittel eingesetzt. C. gehört zu den Bestandteilen vieler populärer Liniment zu Einreibungen bei rheumat. Schmerzen, Neuralgien u. Entzündungen; Bestandteil sog. „Herzsalben". Demgegenüber tritt die früher praktizierte innerliche Verw. als Analeptikum u. Sekretolytikum zurück. C. dient auch als Schäumer (*Flotation), Hilfsmittel bei der *Schießpulver-Herst., früher zur kryoskop. *Molmassenbestimmung. – *E* camphor – *F* camphre – *I* canfora – *S* alcanfor
Lit.: ApSimon **2**, 149 f. ■ Beilstein E IV **7**, 213–215 ■ Braun-Frohne (6.), S. 164 ■ Hager (5.) **7**, 648, 650 ■ Karrer, Nr. 662 ■ Ullmann (5.) **A 11**, 173 (C.), 218; **B 2**, 23–26 (C.-Öl) ■ Winnacker-Küchler (3.) **3**, 499–501, 506–508; **5**, 22 f. – *[HS 2914 21; CAS 464-49-3 ((+)-C.); 464-48-2 ((–)-C.)]*

Campheröl s. Campher.

Camphersäure (1,2,2-Trimethylcyclopentan-1,3-dicarbonsäure).

$C_{10}H_{16}O_4$, M_R 200,23. Farb- u. geruchlose Blättchen bzw. monokline Krist., D. 1,186, Schmp. 186–188 °C, opt. aktiv. In kaltem Wasser mäßig, in heißem etwas besser lösl., gut lösl. in Chloroform. C. wird durch Oxid. von natürlichem *Campher erhalten; sie bildet

leicht ein *Anhydrid* (D. 1,19, Schmp. 221 °C, Sdp. 270 °C).
Verw.: Zur Racemattrennung; in der Medizin gegen Nachtschweiß der Phthisiker sowie als Adstringens. – *E* camphoric acid – *F* acide camphorique – *I* acido canforico – *S* ácido canfórico
Lit.: Beilstein E IV **9**, 2851 ▪ Hager (5.) **7 b**, 650 ▪ Kirk-Othmer (4.) **2**, 520 ▪ Merck-Index (11.), Nr. 1739 ▪ Ullmann **17**, 57. – *[HS 291720; CAS 5394-83-2]*

Campher-10-sulfonsäure (2-Oxo-10-bornansulfonsäure, 7,7-Dimethyl-2-oxo-1-sulfomethyl-bicyclo-[2.2.1]heptan).

$C_{10}H_{16}O_4S$, M_R 232,29. Farblose Krist., Schmp. 197–198 °C, in Alkohol u. Wasser leicht löslich. Die (+)-Form der C. wird zur Racematspaltung eingesetzt, s. a. *Lit.*[1]. – *E* camphorsulfonic acid – *F* acide camphre-10-sulfonique – *I* acido canfor-10-solfonico – *S* ácido canfo-10-sulfónico
Lit.: [1] Synthetica **1**, 110.
allg.: Beilstein E IV **11**, 642 f. ▪ Paquette, S. 969 ▪ Ullmann (5.) A **18**, 183. – *[HS 291470; CAS 5872-08-2]*

Camphoderm® N. Emulsion mit *Campher zur Rheumatherapie. *B.*: Li-iL.

Campos s. Marcello de Moura Campos.

cAMP-Responsivelement-bindendes Protein s. Adenosin-3′,5′-monophosphat.

cAMP-Rezeptor-Protein [CRP, früher auch: katabol. Gene aktivierendes Protein, catabolite (gene) activator protein]. Dimeres Protein aus Bakterien mit zwei ident. Untereinheiten (M_R je 22000), die je eine Bindungsstelle für *Adenosin-3′,5′-monophosphat (cAMP) u. für spezif. *Desoxyribonucleinsäure(DNA)-Sequenzen (*Promotoren) besitzen. Der cAMP-CRP-Komplex bindet an den Promoter etlicher *Operons (z. B. *lac* u. *gal*) u. erleichtert so die Bindung von RNA-*Polymerase an benachbarter Stelle. Dadurch wird die *Transkription der nachfolgenden Gene (der Strukturgene) stimuliert. Die Transkription anderer Gene wiederum (z. B. *ompA* u. *crp*) wird durch CRP inhibiert. – *E* cAMP receptor protein
Lit.: Annu. Rev. Biochem. **62**, 749–795 (1993) ▪ Microbiol. Rev. **56**, 100–122 (1992). – *[CAS 9007-41-4]*

Camps-Reaktion. Von Camps 1899 aufgefundene Synth., bei der unter dem Einfluß von Alkalien entsprechend substituierte *o*-Acylaminoacetophenone zu Hydroxychinolinen cyclisieren. – *E* Camps reaction – *F* réaction de Camps – *I* reazione di Camps – *S* reacción de Camps
Lit.: Chem. Rev. **30**, 113–144 (1942) ▪ Heterocycl. Compd. **4**, 60 (1952).

Camptothecin {4-Ethyl-4-hydroxy-1*H*-pyrano-[3′,4′:6,7]indolizino[1,2-*b*]chinolin-3,14(4*H*, 12*H*)-dion}. $C_{20}H_{16}N_2O_4$, M_R 348,36, blaßgelbe Nadeln, Zers. bei 264–267 °C (auch Schmp. 275–277 °C od. 287–288 °C angegeben), die im UV-Licht intensiv blau fluoreszieren. Aus Holz u. Rinde des in China wachsenden Baumes *Camptotheca acuminata* (Nyssaceae) isoliertes *Chinolin-Alkaloid, zahlreiche Synth. wurden beschrieben[1].
Verw. u. Wirkung: C. wirkt cytotox. u. krebshemmend, ist aber für die Krebstherapie zu toxisch. Mehrere Derivate von C. mit geringerer Toxizität u. stark verbesserter Wasserlöslichkeit befinden sich für die Krebstherapie in klin. Entwicklung, alle sind Topoisomerase I-Inhibitoren, z. B. Irinotecan (Campotesin, Topotecin) od. Topotecan. Irinotecan wurde 1994 in Japan u. 1995/96 in Europa für die Therapie verschiedener Tumoren zugelassen, Topotecan erhielt Mitte 1996 die Zulassung für die USA[2]. – *E* camptothecin
Lit.: [1] Chem. Tracts: Org. Chem. **6**, 75 (1993); Nachr. Chem. Tech. Lab. **43**, 686–692 (1995). [2] ACS Symp. Ser. **534**, 149–169; Cancer Res. **53**, 2823–2829 (1993); J. Med. Chem. **33**, 972 (1990); **36**, 2689–2700 (1993); **38**, 395–401 (1995); J. Org. Chem. **58**, 611–617 (1993); Potmesil u. Pinedo, Camptothecins: New Anticancer Agents, S. 1–148, Boca Raton: CRC Press 1996.
allg.: Manske **21**, 101–138 ▪ Tang u. Eisenbrand, Chinese Drugs of Plant Origin, S. 239–261, Berlin: Springer 1992. – *[HS 293929; CAS 7689-03-4]*

Camylofin.

Internat. Freiname für [2-(Diethylamino)-ethylamino]-phenylessigsäure-isopentylester, $C_{19}H_{32}N_2O_2$, M_R 320,48. Schwachgelbes Öl, Sdp. 174–178 °C (0,2 kPa); 165–180 °C (0,5 kPa). Verwendet wird das Dihydrochlorid, Schmp. 174–178 °C, auch 172 u. 173 °C angegeben; LD_{50} (Maus oral) 760, (Maus s.c.) 1350, (Maus i. v.) 49,2 mg/kg. C. wurde 1952 als Spasmolytikum von Asta (Avacan®, Avafortan®, beide außer Handel) patentiert. – *E* = *F* camylofine – *I* = *S* camilofina
Lit.: Hager (5.) **7**, 651. – *[HS 292249; CAS 54-30-8; 5892-41-1 (Hydrochlorid)]*

Canalin s. Canavanin.

Canastide s. Carborane.

Canavanin [L-Canavanin, 2-Amino-4-guanidinooxybuttersäure].

$C_5H_{12}N_4O_3$, M_R 176,18, Krist., Schmp. 184 °C, Sulfat, Schmp. 172 °C (Zers.), $[\alpha]_D^{20}$ +7,9° (c 3,2/H_2O). Gewonnen wird C. aus einigen Leguminosen (z. B. Samen der Schwert- od. Jackbohne, *Canavalia ensiformis*), denen es als lösl. Stickstoff-Reserve dient. Durch *Arginase wird C. zu L-Canalin [2-Amino-4-(aminooxy)-buttersäure] u. Harnstoff gespalten. Wegen seiner strukturellen Ähnlichkeit mit L-*Arginin ist C. ein *Antimetabolit zu diesem u. bewirkt eine *kompetitive Hemmung in dessen Stoffwechsel. Es verursacht z. B. Vergiftungserscheinungen bei Rindern, die

mit Schwertbohnenmehl gefüttert wurden (zur Giftwirkung in Säugetieren s. *Lit.*[1]) u. ruft bei verschiedenen Pflanzen Welkerscheinungen hervor[2]. – *E* = *F* canavanine – *I* = *S* canavanina
Lit.: [1]Pharmazie **17**, 621 (1962); Science **216**, 415 (1982). [2]Naturwissenschaften **50**, 179 (1963).
allg.: Beilstein E IV 4, 3188. – *Metabolismus:* J. Agric. Food. Chem. **36**, 1159 (1988). – *Reviews:* Bell, in Harbone, Biochem. Aspects of Plant-Animal Coevolution, S. 143, New York: Academic Press 1978 ▪ Karrer, Nr. 2393 ▪ Q. Rev. Biol. **52**, 155 (1977). – *[HS 2925 20; CAS 543-38-4]*

Cancerogene(se) s. Carcinogene(se) u. Krebs.

Cancerostatika s. Cytostatika u. Krebs.

Cancrinit s. Feldspatvertreter.

Candela (Kurzz.: cd, frühere Bez. „Neue Kerze"). Photometr. Einheit der Lichtstärke: Ein schwarzer Körper von der Temp. des erstarrenden Platins (2042,5 K) strahlt pro cm² ebener Oberfläche senkrecht eine Lichtstärke I von 60 cd ab. Diese SI-*Basiseinheit wurde 1948 international eingeführt. Nach dem Beschluß der 16-ten Generalkonferenz für Maß u. Gewicht (10/1979) ist als ein C. die Lichtstärke einer Strahlungsquelle definiert, welche monochromat. Strahlung der Frequenz $540 \cdot 10^{12}$ Hz (entspricht mit $\lambda = 555$ nm der Wellenlänge, bei der das menschliche Auge die höchste Empfindlichkeit besitzt) in eine bestimmte Richtung aussendet, in der die Strahlstärke 1/683 Watt pro Steradiant beträgt. Zum Vgl. mit den veralteten Bez. HK u. IK: 1 cd = 1,107 HK (*Hefnerkerze) = 0,981 IK (Internat. Kerze). – *E* = *F* = *I* = *S* candela
Lit.: IUPAC: Größen, Einheiten u. Symbole in der Physikalischen Chemie, Weinheim: VCH Verlagsges. 1996.

Candelillawachs (E 902, Candellinwachs, Kanutillawachs). Bräunliche bis gelblichbraune, harte wachsartige Massen, je nach Herkunft, D. 0,950 – 0,990, Schmp. 68 – 70 °C; lösl. in lipophilen Lösemitteln. Es ist gewöhnlich geruchfrei, beim Erwärmen riecht es ähnlich wie Bienenwachs, ist härter als Bienen-, aber weicher als Carnaubawachs. C. enthält ungeradzahlige aliphat. Kohlenwasserstoffe (ca. 42%), Ester (ca. 39%), Wachssäuren u. Wachsalkohole. Gewonnen wird C. in Mexiko aus den zerkleinerten, fleischigen Blättern einer stachellosen Wolfsmilchart (*Euphorbia cerifera*) durch Auskochen mit wäss. Schwefelsäure.
Verw.: Als Überzugs- u. Trennmittel, als Ersatz für Carnaubawachs bei der Herst. von Schuhpflegemitteln, Bohnermassen, Kerzen, als Zusatz zu Seifenemulsionen u. Kaugummi, für Lippenstifte. – *E* candelilla wax – *F* cire de candelila – *I* cera di candelina – *S* cera candellilla
Lit.: Brot Backwaren **36** (7/8), 226 f. (1988) ▪ Fette, Seifen, Anstrichm. **81**, 322 (1979) ▪ Hager (5.) **1**, 1172 ▪ Kirk-Othmer (4.) **1**, 866; **7**, 594 ▪ Ullmann (4.) **24**, 9 ▪ s. Carnaubawachs u. Bienenwachs. – *[HS 1521 10; CAS 8006-44-8]*

Candicidin.

953 aus *Streptomyces griseus*-Stämmen isoliertes, insbes. gegen *Candida*-Arten (Name!) fungizid wirksames Heptaen-*Makrolid-Antibiotikum, das aus 4 Komponenten besteht mit der Hauptkomponente D, $C_{59}H_{84}N_2O_{18}$ (s. *Lit.*[1]). Kleine gelbe Nadeln od. Rosetten, unlösl. in Wasser, Alkoholen, Kohlenwasserstoffen, lösl. in Dimethylsulfoxid, Dimethylformamid u. niederen aliphat. Carbonsäuren. – *E* candicidin – *F* candicidine – *I* = *S* candicidina
Lit.: [1]Tetrahedron Lett. **1979**, 1791.
allg.: J. Antibiotics **25**, 116 (1972) ▪ Lancet **266**, 507 (1954) ▪ Merck Index (11.), Nr. 1747. – *[HS 2941 90; CAS 1403-17-4]*

Candidin.

$C_{47}H_{71}NO_{17}$, M_R 922,08. Aus dem Stoffwechselprodukt der Boden-Actinomycete *Streptomyces viridoflavus* isoliertes, gegen *Candida albicans* u. Dermatophyten fungizid wirksames Heptaen-*Makrolid-Antibiotikum. Goldgelbe Nadeln, die sich bei 180 °C langsam zu zersetzen beginnen, opt. rechtsdrehend, nahezu unlösl. in Wasser u. organ. Lsm. außer in Pyridin, Dimethylformamid u. Eisessig. – *E* candidin – *F* candidine – *I* = *S* candidina
Lit.: Merck Index (11.), Nr. 1748. – *[HS 2941 90; CAS 1405-90-9]*

Candio-Hermal®. *Nystatin-Präp. gegen Candida-Befall als Dragee, Salbe, Paste, Creme, Suspension, C.-H. E comp. als Paste u. Salbe zusätzlich mit Fluprenyliden-21-acetat u. Chlorquinaldol. *B.:* Hermal.

Candolumineszenz. Von latein.: candela = Kerze abgeleitete Bez. für eine bes. Art der *Lumineszenz, die v. a. bei *Gasglühkörpern auftritt u. zur spektroskop. *Spurenanalyse von Metallen benutzt werden kann. – *E* = *F* candoluminescence – *I* candoluminescenza – *S* candoluminiscencia
Lit.: Analyst **102**, 382, 391 (1977) ▪ Talanta **19**, 1049 (1972) ▪ Z. Anal. Chem. **263**, 257 (1973).

Caneel s. Zimt.

Canephron® N. Dragees mit Herba Centaurii, Radix Levistici u. Fol. Rosmarini, C. novo Filmtabl. u. Tropfen mit Extrakten aus Birken- u. Orthosiphon-Blättern sowie Goldrutenkraut als Urologikum. *B.:* Bionorica.

Canesten®. Creme, Lsg. u. Spray bzw. Vaginaltabl. u. -creme mit *Clotrimazol, C. HC mit *Hydrocortison, gegen Hautmykosen bzw. Soor- u. Trichomonaden-Infektionen. *B.:* Bayer Pharma Deutschland.

Canifug®. Creme, Lsg. u. Vaginalcreme mit *Clotrimazol gegen Haut- u. Genitalmykosen. *B.:* Wolff.

Cannabinoide.

[Structural formulas: Cannabidiol, Cannabinol, Cannabicoumaronon, Δ^9-THC, Cannabifuran, Cannabicyclol, Cannabichromanon, Cannabichromen]

Tab.: Physikalisch-chemische Daten von Cannabinoiden.

Name	Summen-formel	M_R	Schmp. (Sdp.) [°C]	CAS
Cannabinol	$C_{21}H_{26}O_2$	310,44	76–77	521-35-7
Cannabidiol	$C_{21}H_{30}O_2$	314,47	66–67	13956-29-1
$\Delta^9(\Delta^1)$-Tetrahydrocannabinol *	$C_{21}H_{30}O_2$	314,47	(155–157/ 6,6 Pa)	1972-08-3
Δ^8-Tetrahydrocannabinol *	$C_{21}H_{30}O_2$	314,47	(175–178/ 13,3 Pa)	5957-75-5
Cannabifuran	$C_{21}H_{26}O_2$	310,44		
Cannabichromanon	$C_{20}H_{28}O_4$	332,44		
Cannabichromen	$C_{21}H_{30}O_2$	314,47		20675-51-8
Cannabicoumaronon	$C_{21}H_{28}O_3$	328,45	amorph	
Cannabicyclol	$C_{21}H_{30}O_2$	314,47	146–147	21366-63-2

* = halluzinogen

Sammelbez. für aus *Cannabis*-Arten isolierbare terpenoide Inhaltsstoffe u. deren synthet. Derivate. C. haben außer ihrer psychotropen Wirkung eine Reihe anderer pharmakolog. Effekte. Als Rauschmittel dienen vor allem die weiblichen Blütenspitzen (*Marihuana, Marijuana, Kif od. Dagga) des ind. Hanfs (*Cannabis sativa*) od. das aus ihnen gewonnene Harz (*Haschisch, Hashish od. Charas). Das Harz enthält vor allem Dibenzopyran-Derivate. Hauptinhaltsstoffe sind *Cannabidiol*, antiepilept. u. hypnot. wirksam, *Cannabinol* sowie *Tetrahydrocannabinole (THC); von den beiden Isomeren Δ^9-THC (früher als Δ^1-THC bezeichnet) u. Δ^8-THC (mit Doppelbindung C-8/9, früher $\Delta^{1(6)}$-THC) ist das physiolog. wirksamere das abgebildete Δ^9-THC. Synthet. Δ^9-THC-Derivate, vgl. Nabilon, werden in den USA als Antiemetika angeboten (Marinol®, Freiname Dronabinol). Verantwortlich für die pharmakolog. Effekte sind C.-Rezeptoren im Gehirn, unter denen der THC-bindende Rezeptor Anfang der 90er Jahre geklont u. sequenziert wurde[1]. Zur medizin. Anw. s. *Lit.*[2]. Die genannten Verb. sowie weitere in der Tab. aufgeführte Inhaltsstoffe sind unlösl. in Wasser, lösl. in organ. Lösemitteln.

Verw.: Die THC besitzen nicht nur eine schädigende Wirkung auf das Gehirn, sondern auch immunsuppressive u. cytostat. Eigenschaften. Sie können als Antiemetika bei der Krebstherapie eingesetzt werden. Von großem therapeut. Nutzen sind die C. in der Glaukombehandlung. C. lassen sich in Blut, Urin u. Speichel mit Hilfe von Dansylchlorid/Fluorimetrie, *GC, *DC, *MS od. *HPLC nachweisen. – *E* cannabinoids – *F* cannabinoide – *I* cannabinoidi – *S* cannabinoides

Lit.: [1] Chem. Unserer Zeit **27**, 240 (1993); Dtsch. Apoth. Ztg. **133**, 2214 (1993); Nature (London) **365**, 12, 61 (1993). [2] Phytother. Res. **3**, 219–231 (1989).
allg.: Beilstein E V **17/4**, 415–428, 567; **17/6**, 11; **18/4**, 569; **18/5**, 670–675; **18/7**, 414–418, 441, 511; **19/1**, 649; **19/4**, 425 ▪ Hager (5.) **4**, 640–660; **3**, 1155 f., 1174 f. ▪ Zechmeister **25**, 175–213. – *Analytik:* Hawks (Hrsg.), The Analysis of Cannabinoids in Biological Fluids, Washington DC: GPO 1982 ▪ Mass Spectrom. Rev. **6**, 135–229 (1987) ▪ Pharm. Unserer Zeit **16**, 33 (1987). – *Synth.:* ApSimon **4**, 185–262 ▪ Agurell (Hrsg.), Cannabinoids: Chem. Pharmacol. Ther. Aspects, Orlando: Academic Press 1984 ▪ J. Chem. Soc., Perkin Trans. 1 **1992**, 605 ▪ Prog. Med. Chem. **24**, 159–207 (1987) (THC). – *Toxikologie:* Sax (8.), Nr. CBD 599-CBD 760; TCM 000, TCM 250. – *Wirkung:* Chem. Unserer Zeit **29**, 23 f. (1995) ▪ Dtsch. Apoth. Ztg. **128**, 1148 f. (1988) ▪ Mechoulam, Cannabinoids as Therapeutic Agents, Boca Raton: CRC Press 1986 ▪ Green, in Drance: Glaucoma, Appl. Pharmacol. Med. Treat., S. 507–526, Orlando: Grune + Stratton 1983 ▪ Pharm. Unserer Zeit **10**, 65–74 (1981) ▪ Rosenkrantz, in Harvey (Hrsg.), Marihuana '84, Proc. Oxford Symp. Cannabis, Oxford: IRL 1985.

Cannabinoid-Rezeptor. Im Gehirn u. peripheren Nervensyst. lokalisiertes *Rezeptor-Protein, das für die psychoaktiven Wirkungen der *Cannabinoide, v. a. des Δ^9-*Tetrahydrocannabinols u. somit des *Haschischs u. *Marihuanas verantwortlich gemacht wird. Bis jetzt sind zwei unterschiedliche Formen (zentraler C.-R. od. CB_1 mit 472 u. peripherer C.-R. od. CB_2 mit 360 Aminosäure-Resten) dieses Membran-Proteins (wahrscheinlich 7 Membran-durchspannende α-Helices) bekannt. Zumindest CB_1 signalisiert über *G-Proteine. Als körpereigener Ligand wurde in Schweinehirn *Anandamid* [*N*-(2-Hydroxyethyl)arachidonamid] identifiziert[1]. – *E* cannabinoid receptor – *F* récepteur cannabinoide – *I* recettore di cannabinoide – *S* receptor de los cannabinoides

Lit.: [1] Nature (London) **372**, 686–691 (1994).

allg.: Pertwee, Cannabinoid Receptors, San Diego: Academic Press 1995.

Cannizzaro, Stanislao (1826–1910), Prof. für Chemie, Genua u. Rom. *Arbeitsgebiete:* Reaktionen von Benzoesäure, Aldehyden (s. Cannizzaro-Reaktion), Atomgew., verhalf dem Satz des Avogadro zum Durchbruch (Zweiatomigkeit der Mol. der meisten gasf. Elemente).
Lit.: Bugge, Das Buch der großen Chemiker, Bd. 2, S. 173–189, Weinheim: Verl. Chemie 1929 (1961) ▪ Krafft, S. 75 f. ▪ Neufeldt, S. 43, 47 ▪ Pötsch, S. 77 ▪ Strube **2**, 49 f., 56, 58 ▪ Strube et al., S. 91, 92.

Cannizzaro-Reaktion. Von *Cannizzaro entdeckte *Disproportionierung (Dismutation) eines Aldehyds unter dem Einfluß von Alkalien in Alkohol u. Carbonsäure:

$$2\,R-CHO + NaOH \rightarrow R-COONa + R-CH_2OH.$$

Die C.-R. findet nur bei Aldehyden statt, die keine *Aldol-Addition eingehen können, vor allem bei aromat. Aldehyden. Die Reaktion verläuft unter Übertragung eines Hydrid-Ions von einem Donor- auf ein Akzeptor-Molekül. Aufgrund seiner großen Reaktivität der Carbonyl-Funktion reagiert Formaldehyd stets als Hydrid-Donator. Gehen zwei verschiedene Aldehyde die C.-R. ein, so spricht man von einer gekreuzten C.-R., die u. a. bei der alkohol. Gärung eine wichtige Rolle spielt.

$$H_5C_6-CH=O + H_2C=O \xrightarrow{OH^-} \left[H_5C_6-CH \cdots C \cdots OH \right]$$

$$\longrightarrow H_5C_6-CH_2-O^- + H-C-OH$$
$$\qquad\qquad\qquad\qquad\qquad\quad \parallel$$
$$\qquad\qquad\qquad\qquad\qquad\quad O$$

$$\longrightarrow H_5C_6-CH_2-OH + HCOO^-$$

Techn. hat die Reaktion Bedeutung z. B. bei der Herst. von Brenzschleimsäure u. Furfurylalkohol aus Furfural od. *Pentaerythrit aus Acet- u. Formaldehyd. Läßt man statt Alkalien Natrium- od. Aluminiumalkoholat auf Aldehyde einwirken, so bilden sich Ester (Claisen-Tischtschenko-Reaktion). Aus Dialdehyden bilden sich so *Lactone[1]. – *E* Cannizaro reaction – *F* réaction de Cannizzaro – *I* reazione di Cannizzaro – *S* reacción de Cannizaro
Lit.: [1] Houben-Weyl, **6/2**, 615 ff.
allg.: Hassner-Stumer, S. 58 ▪ Houben-Weyl **8**, 557 ff. ▪ Laue-Plagens, S. 52 ff. ▪ Org. React. **2**, 94–114 (1944) ▪ Trost-Fleming **8**, 86.

Cannon-Fenske-Viskosimeter s. Viskosimetrie.

CANP. Abk. für *calcium-activated neutral proteinase,* s. Calpaine.

Canrenoinsäure s. Kaliumcanrenoat.

Cantharidin (2-*endo*, 3-*endo*-Dimethyl-7-oxa-bicyclo-[2.2.1]heptan-2-*exo*, 3-*exo*-dicarbonsäureanhydrid).

$C_{10}H_{12}O_4$, M_R 196,20, orthorhomb. Plättchen, Schmp. 218 °C, sublimiert ab 84 °C, in Wasser unlösl., in organ. Lsm. außer Aceton u. Chloroform wenig, in Säuren u. Alkalien gut löslich. C. ist ein giftiger Inhaltsstoff der Hämolymphe (0,4–1%) von Ölkäfern (Meloidae, auch in Oedemeridae, z. B. *Lytta vesicatoria*, Spanische Fliege), ca. 10–50 mg sind tödlich für den Menschen. Die Biosynth. geht von Farnesol aus[1].
Verw.: Der Käfer wurde früher getrocknet zur Herst. C.-haltiger Extrakte für medizin. Zwecke benutzt (Vesikant, Aphrodisiakum). C. dient den Käfern als Pheromon[2]. – *E* cantharidin – *F* cantharidine – *I = S* cantaridina
Lit.: [1] Prestwich u. Blomquist, Pheromone Biochemistry, S. 307–350, Orlando: Academic Press 1987. [2] Z. Naturforsch., Teil C **47**, 290 (1992).
allg.: Chem. Unserer Zeit **27**, 240 (1993) (Toxikologie) ▪ J. Am. Chem. Soc. **102**, 6893 (1980) (Synth.). – *[HS 2918 90; CAS 56-25-7]*

Canthaxanthin (β,β'-Carotin-4,4'-dion).

$C_{40}H_{52}O_2$, M_R 564,85. Als *trans*-C. violette Krist., Schmp. 207–212 °C (Zers.), unlösl. in Wasser, lösl. in Chloroform. Das z. B. im Pfifferling (*Cantharellus cinnabarinus*) u. in Flamingofedern vorkommende u. heute techn. hergestellte[1] C. ist unter EG Nr. E 161 g (C.I. 40850) als roter Lebensmittelfarbstoff zugelassen. Es wird auch als orales Hautbräunungsmittel genutzt. – *E* canthaxanthin – *F* canthaxanthine – *I = S* cantaxantina
Lit.: [1] Pure Appl. Chem. **51**, 871 (1979); J. Org. Chem. **47**, 2130 (1982).
allg.: Beilstein E IV 7, 2680 ▪ Karrer, Nr. 1855 a ▪ Römpp Lexikon Lebensmittelchemie, S. 151 ▪ Ullmann (5.) **A 11**, 572 ▪ s. a. Carotinoide. – *[HS 3204 17]*

Cantow, Hans-Joachim (geb. 1923), Prof. für Makromol. Chemie, Univ. Freiburg. *Arbeitsgebiete:* Synth. u. scale up, Struktur, Konformation, physikal. u. anwendungstechn. Eigenschaften makromol. Syst., Mitherausgeber mehrerer fachwissenschaftlicher Zeitschriften. Geschäftsführender Direktor des Freiburger Materialforschungs-Zentrums (1989–1992), Auszeichnung mit der Louis Pasteur-Medaille (1991).
Lit.: Kürschner (16.), S. 488 ▪ Wer ist Wer? (33.), S. 194.

CAP. 1. Abk. für *calcium-activated proteinase,* s. Calpaine. – 2. Nach DIN 7728, Tl. 1 (01/1988) Kurzz. für *Celluloseacetopropionat.

Capa...®. Anlautender Wortbestandteil in meist durch Wz. geschützten Handelsnamen von Grundier- u. Beschichtungsmitteln u. dgl. auf der Basis von Kunstharz-Dispersionen od. Lackharzen; *Beisp.: Capaplex* (Kunstharz-Dispersion für Überzüge), *Caparol* (Dispersionsfarben, Putz- u. Spachtelmassen, Bindemittel). *Capalac* (Alkydharzlacke). *B.:* Caparol.

Caparol. Kurzbez. für die 1895 gegr. Firmengruppe der Deutsche Amphibolin-Werke von Robert Murjahn, 64372 Ober-Ramstadt. *Daten* (1995): ca. 2600 Beschäftigte in 11 Produktionsstätten, ca. 1,2 Mrd. DM Umsatz. *Produktior*: Caparol Farben GmbH & Co. KG: Fassaden-, Innen-, Buntfarben auf Dispersions-, Silicat-, Siliconharzbasis, Kunstharzputze, Bautenlacke, Wandbekleidungen. Capatect Dämmsysteme GmbH & Co. KG: Wärmedämmverbundsysteme; Disbon Ges.: Spezialbeschichtungen für den Bautenschutz, Boden-, Dach-, Betonbeschichtungen, Spezialitäten für den Anstrichsektor im Hochbaubereich; Alpina Farben GmbH & Co. KG: Farben u. Lacke für den Heimwerker.

Cap-Bindungsstelle (E cap binding site) s. CBA.

Capnellen [$\Delta^{9(12)}$-Capnellen].

Die verschiedenen Bez. rühren von unterschiedlichen Systemnumerierungen her; $C_{15}H_{24}$, M_R 204,36, Öl, lösl. in Chloroform. Der tricycl. *Sesquiterpen-Kohlenwasserstoff C. findet sich in der Weichkoralle *Capnella imbricata*. C. inhibiert das Wachstum von Mikroorganismen u. verhindert das Aufsitzen von Larven. – *E* capnellene.
Lit.: *Synth.*: J. Chem. Soc., Chem. Commun. **1983**, 824 ▪ J. Org. Chem. **55**, 843 (1990) ▪ Tetrahedron Lett. **22**, 4389, 4393 (1981); **23**, 4091, 4669 (1982).

Capozide®. Tabl. mit *Captopril u. *Hydrochlorothiazid gegen Bluthochdruck. *B.:* Bristol Myers Squibb.

Capping. 1. In einem C. genannten Prozeß wird eukaryont. *mRNA in einem posttranskriptionalen enzymat. Schritt (C.-Enzym) modifiziert, wobei eine 7-Methylguanosin-Gruppe kovalent mit dem 5′-Ende neusynthetisierter mRNA verknüpft wird. Dieser Schritt dient zum Schutz (Stabilität) vor dem Abbau durch 5′-Exonucleasen u. als Signalstruktur (Cap-Struktur) zum Einfädeln der mRNA in *Ribosomen (Beginn der *Translation)[1].
2. Als C. bezeichnet man einen Vorgang, in dem durch bi- od. multivalente Liganden (*Antikörper) kreuzvernetzte Membranproteine aktiv zum Pol einer Zelle transportiert werden. Direkt nach der Vernetzung bilden sich spontan kleinere Aggregate, die sog. *Patches*, die dann in einem energieabhängigen, recht schnellen Prozeß zum Pol geschwemmt werden u. dort ein Cap bilden. Im großen Umfang ablaufende Umlagerungen der Plasmamembran bieten bei der „Fließ-Hypothese" eine Erklärung für das C. u. die Fortbewegung von Zellen[2].
3. In der chem. *in vitro *DNA-Synthese u. *RNA-Synthese wird durch C. ein nicht umgesetztes Kettenende chem. für weitere Kettenverlängerungen inaktiviert (z. B. bei der Phosphoramidit-Meth. mit *Essigsäureanhydrid u. *4-DMAP). Die C.-Reaktion ist notwendig, damit nicht nach einer gewissen Cyclenzahl die wachsenden Ketten in Länge u. Nucleotidsequenz unterscheiden[3]. – *E = F = I = S* capping

Lit.: [1] Wingender, Gene Regulation in Eukaryotes, S. 11 ff., 23 f., 84, Weinheim: VCH Verlagsges. 1993. [2] Alberts et al., Molekularbiologie der Zelle, S. 304–309, Weinheim: VCH Verlagsges. 1986. [3] Glick u. Pasternak, Molekulare Biotechnologie, S. 61–70, Heidelberg: Spektrum 1995.

Capr... Wegen des den 3 Verb. eigenen Bocksgeruches von latein.: capra = Ziege abgeleiteter Wortbestandteil in den Trivialnamen der unverzweigten Fettsäuren mit 6 (*Capron*säure), 8 (*Capryl*säure) u. 10 (*Caprin*säure) C-Atomen. Wegen der leichten Verwechslungsmöglichkeit sollten nur die systemat. Namen (*Hexansäure, *Octansäure, *Decansäure) verwendet werden. Die zugehörigen Aldehyde u. Alkohole findet man bei den systemat. Bez., z. B. Caprinaldehyd bzw. Caprylalkohol bei *Decanal bzw. *Octanol.

Capreomycin.

Internat. Freiname für ein aus *Streptomyces capreolus*-Kulturen isolierbares cycl. Peptid-Antibiotikum. Farbloses Pulver, lösl. in Wasser, unlösl. in organ. Lösemitteln. C. ist ein Gemisch von C. IA ($C_{25}H_{44}N_{14}O_8$, M_R 668,71) u. C. IB ($C_{25}H_{44}N_{14}O_7$, M_R 652,71) mit den um einen β-Lysin-Rest ärmeren C. II a u. b, die im Verhältnis ca. 25:67:3:6 vorliegen[1]. C. hemmt die Protein-Biosynth., ist gegen Mykobakterien wirksam u. dient als Tuberkulostatikum. Es wurde 1963 u. 1964 von Lilly patentiert (Ogostal®, außer Handel). – *E* capreomycin – *F* capréomycine – *I = S* capreomicina
Lit.: [1] Ann. N. Y. Acad. Sci. **135**, 940 (1966).
allg.: Antibiot. Chemother. **16**, 27 (1970) ▪ Arzneimittelchemie III, 128, 131 ▪ Beilstein E V **26/19**, 571 ▪ Hager (5.) **7**, 656–658 ▪ Merck Index (11.), Nr. 1758 ▪ Tetrahedron **34**, 921–927 (1978). – [CAS 11003-38-6; 1405-37-4 (Sulfat); 37280-35-6 (C. IA); 33490-33-4 (C. IB)]

Caprinsäure s. Decansäure.

ε-Caprolactam (6-Aminohexansäurelactam, 6-Hexanlactam, Azepan-2-on).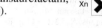

$C_6H_{11}NO$, M_R 113,16. Farblose, hygroskop. Blättchen, D. 1,0135 (80 °C, als Flüssigkeit), Schmp. 69 °C, Sdp. 268,5 °C, 134 °C (13 hPa), MAK 5 mg/m³ (gemessen als Gesamtstaub), LD_{50} (Ratte oral) 1210 mg/kg, WGK 1, in Wasser u. organ. Lsm. leicht löslich. Das Lactam der 6-*Aminohexansäure ist zwar schon seit 1900 als Produkt der *Beckmann-Umlagerung von Cyclohexanonoxim bekannt, doch wurde seine Bedeutung als Ausgangsmaterial für verspinnbares Polyamid (*Perlon, *Nylon 6) erst in den dreißiger Jahren von *Schlack erkannt; die Polykondensation in

techn. Maßstab wurde in den I. G. Farben-Werken bei Bitterfeld ausgearbeitet.
Herst.: Die Herstellverf. für ε-C. sind in zwei Gruppen einteilbar: – 1. Verfahrensgruppe mit gemeinsamem Merkmal Cyclohexanonoxim als Zwischenprodukt (weltweit vorherrschend), – 2. Verfahrensgruppe mit unterschiedlichen, andersartigen Zwischenprodukten (geringe Bedeutung). Die 1. Stufe der klass. C. Synth. ist die Herst. des Cyclohexanons entweder durch Cyclohexan-Oxid., od. durch Phenol-Kernhydrierung u. Cyclohexanol-Dehydrierung od. durch Cyclohexylamin-Dehydrierung u. Cyclohexylimin-Hydrolyse. Die anschließende Oximierung des Cyclohexanons erfolgt mit Hydroxylaminsulfat. Aus dem gebildeten Cyclohexanonoxim gewinnt man C. durch *Beckmann-Umlagerung in Schwefelsäure-Oleum. Zwei Alternativen zur Cyclohexanonoxim-Herst. ohne Verw. von Cyclohexanon sind: Die Photonitrosierung von Cyclohexan (*PNC-Prozeß von Toray), das mit Nitrosylchlorid od. einem Cl$_2$/NO-Gemisch mit Quecksilberdampflampen belichtet wird, wobei sich Nitrosocyclohexan bildet, das sich in Ggw. von Säuren in Cyclohexanonoxim umlagert, sowie die Cyclohexan-Nitrierung u. partielle Hydrierung zum Oxim (Du Pont). Ein alternatives Verf. bei dem das Cyclohexanonoxim u. damit auch die Beckmann-Umlagerung nicht auftreten ist das Snia-Viscosa-Cyclohexancarbonsäure-Verf.: Zweistufig aus Toluol hergestellte Hexahydrobenzoesäure reagiert mit Nitrosylschwefelsäure über ein gemischtes Anhydrid mit Umlagerung zum ε-Caprolactam. Trotz vieler Herstellwege für C. sind alle Prozesse bis heute noch verbesserungsbedürftig geblieben, da sie ausnahmslos mehrstufig sind u. mit einem Zwangsanfall an Ammoniumsulfat od. anderen Nebenprodukten verbunden sind. Näheres zur Herst. s. Weissermel-Arpe (*Lit.*).
Verw.: C. wird zum überwiegenden Teil für die *Nylon 6-Herst. eingesetzt; ein stabiles Folgeprodukt ist das *N*-Methyl-Derivat, welches als Aromaten-Extraktionsmittel Verw. findet; weiterhin zur Synth. von Hexamethylenimin. – *E* caprolactam – *F* ε-caprolactame – *I* ε-caprolattame – *S* ε-caprolactama
Lit.: Beilstein E V **21**/6, 444 ▪ Gesundheitsschädliche Arbeitsstoffe: toxikologisch-arbeitsmedizinische Begründung von MAK-Werten, Weinheim: Verl. Chemie 1972–1996 ▪ Kirk-Othmer (3.) **18**, 328 ff.; (4.) **4**, 827 ▪ Luftanalysen: Analytische Methoden zur Prüfung gesundheitsschädlicher Arbeitsstoffe, Bd. 1, Weinheim: Verl. Chemie 1976–1985 ▪ Ullmann (4.) **9**, 96 ff.; (5.) A **5**, 31 ▪ Weissermel-Arpe (4.), S. 272–284. – [HS 2933 71; CAS 105-60-2]

ε-Caprolacton (6-Hydroxyhexansäurelacton, 6-Hexanolid, Oxepan-2-on).

$C_6H_{10}O_2$, M_R 114,14. Farblose Flüssigkeit, D. 1,079, Schmp. –2,5 °C, Sdp. 110 °C (16 hPa), in Wasser u. organ. Lsm. leicht löslich. C. ist durch *Baeyer-Villiger-Oxidation aus Cyclohexanon zugänglich; die zur Oxid. benötigte Peressigsäure wird in situ aus Essigsäure u. Wasserstoffperoxid erzeugt.
Verw.: Zur Herst. von *ε-Caprolactam, als Zwischenprodukt für die Herst. von substituierten Hexan-Derivaten u. von Polyestern u. Polyethern. – *E* = *F* ε-caprolactone – *I* ε-caprolattone – *S* ε-caprolactona
Lit.: Beilstein E V **17**/9, 34 ▪ Ullmann (5.) A **5**, 43 ▪ Weissermel-Arpe (4.), S. 279 f. – [HS 2932 29; CAS 502-44-3]

Capron®. Polyamid 6 der Allied Signal, USA. *B.:* Nordmann, Rassmann GmbH & Co.

Capronsäure s. Hexansäure.

Capronsäureethylester s. Hexansäureethylester.

Caprylsäure s. Octansäure.

CAPS. Abk. für die im pH-Bereich 9,7–11,1 als zwitterion. Puffersubstanz verwendete 3-(Cyclohexylamino)-1-propansulfonsäure, $C_9H_{19}NO_3S$, M_R 221,31. – [CAS 1135-40-6]

Capsaicin [8-Methyl-*trans*-6-nonensäure-(4-hydroxy-3-methoxybenzylamid)].

$C_{18}H_{27}NO_3$, M_R 305,42. Krist., Schmp. 65 °C, Sdp. 210–220 °C (0,013 mbar), in Wasser kaum, in den meisten organ. Lsm. gut löslich. C. verursacht den scharfen Geschmack der *Paprika-Früchte, Chillies u. a. *Capsicum*-Arten (noch in einer Verdünnung von 1:10^5), in denen es zu 0,3–0,5% enthalten ist. Kommerziell erhältliches C. ist gewöhnlich das leichter zugängliche *N*-Nonanoyl-Derivat. C. ist ein starkes Reizmittel. Die Schärfe der *Capsicum*-Früchte ist neben C. auf mind. 9 weitere Capsaicinoide zurückzuführen [1].
Verw.: In alkohol. Lsg. für hyperämisierende Einreibungen gegen Frostbeulen, Gliederreißen, Rheuma (*ABC-Pflaster) u. dgl. In geringen Dosen steigert C. die Salzsäure-Sekretion im Magen. Eine chron. Überdosierung des Gewürzes bewirkt chron. Gastritis, Nieren- u. Leberschädigungen. Auf der Schleimhaut verursacht C. schon in kleinen Mengen Reizungen; bei längerer Einwirkung entstehen Geschwüre u. Nekrosen. – *E* capsaicin – *F* capsaïcine – *I* = *S* capsaicina
Lit.: [1] Pharm. Unserer Zeit **23**, 94 (1994).
allg.: Beilstein E IV **13**, 2588 ▪ Braun-Frohne (6.), S. 113 ▪ J. Org. Chem. **53**, 1064–1071 (1988) (Review) ▪ Karrer, Nr. 1019 ▪ Manske **23**, 227–299 ▪ Tainter u. Grenis, Spices and Seasonings, Weinheim: VCH Verlagsges. 1993 ▪ Sax (8.), Nr. CBF 750. – *Pharmakologische Wirkung:* Arch. Int. Pharmacodyn. Ther. **303**, 147–166 (1990) ▪ Arch. Pharmacol. **320**, 205 (1982) ▪ CRC Crit. Rev. Toxicol. **10**, 321 (1982). – [HS 2939 90; CAS 404-86-4]

Capsanthin.

Capsanthin

Capsorubin

$C_{40}H_{56}O_3$, M_R 584,88. Tief karminrote Krist., Schmp. 181–182 °C, [α]$_D$ –70° (CHCl$_3$), in organ. Lsm. außer

Capsicum 596

Petrolether löslich. C. ist das Haupt-*Carotinoid der Paprikafrucht (*Capsicum annuum*). Es wird zusammen mit *Capsorubin* ($C_{40}H_{56}O_4$, M_R 600,88, Schmp. 218 °C) isoliert u. als Paprika-Extrakt zur Färbung von Lebensmitteln u. Kosmetika (EG Nr. 160c) verwendet. Ebenfalls bekannt ist das $5\alpha,6\alpha$-Epoxid von Capsanthin. – *E* capsanthin – *F* capsanthine – *I* = *S* capsantina

Lit.: Beilstein E IV **8**, 2657, 3304 ▪ J. Am. Dietet. Assoc. **93**, 284–296, 318–323 (1993) ▪ J. Chem. Soc., Perkin Trans. 1 **1983**, 1465 ▪ Karrer, Nr. 1858 ▪ Römpp Lexikon Lebensmittelchemie, S. 152 ▪ Tetrahedron **27**, 2535 (1986). – *[HS 3203 00; CAS 465-42-9 (C.); 470-38-2 (Capsorubin)]*

Capsicum s. Capsaicin, Capsanthin u. Paprika.

Capside (Kapside, von latein.: capsa = Kasten, Kapsel). Bez. für die Proteinhüllen von *Viren, die den Nucleinsäure-Kern (Genom) umhüllen. Das Virus-C. ist aus einer für jede Virusgattung konstanten Zahl von in der Regel ident. Protein-Untereinheiten, den *Capsomeren mit M_R 10000–100000, aufgebaut, die wiederum aus mehreren *Polypeptid-Ketten zusammengesetzt sind. Die Capsomere (vgl. Abb. 2 bei Viren) sind entweder schraubenförmig um eine Achse angeordnet (helikale C.; *Beisp.:* *Tabakmosaikvirus, mit ca. 2000 ident. Capsomeren, od. haben z.B. die symmetr. Form eines Polyeders (vorzugsweise eines Ikosaeders; *Beisp.:* *Herpes-Viren, *Adeno-Viren, Polyoma-Viren). Die hierbei vorkommenden Typen von Capsomeren, Pentone u. Hexone setzen sich aus 5 bzw. 6 Protein-Untereinheiten (*Protomeren) zusammen. – *E* capsids – *F* capsides – *I* capsidi – *S* cápsides

Lit.: Alberts et al., Molekularbiologie der Zelle, S. 355 ff., Weinheim: VCH Verlagsges. 1986 ▪ Cann, Principles of Molecular Virology, London: Academic Press 1993.

Capsomere. Protein-Untereinheiten von *Capsiden, die aus mehreren *Polypeptid-Ketten zusammengesetzt u. z.T. elektronenmikroskopisch erkennbar sind. – *E* capsomeres

Capsorubin s. Capsanthin.

Cap-Struktur s. Capping.

Captafol. Common name für 3a,4,7,7a-Tetrahydro-*N*-(1,1,2,2-tetrachlorethansulfenyl)phthalimid.

$C_{10}H_9Cl_4NO_2S$, M_R 349,06, Schmp. 160 °C, LD_{50} (Ratte oral) 5000 mg/kg (WHO), von Chevron 1965 eingeführtes nicht-system. protektives u. kuratives *Fungizid, eingesetzt im Getreide-, Kartoffel-, Obst-, Gemüse- u. Zierpflanzenanbau. – *E* = *F* = *S* captafol – *I* captafolo

Lit.: Farm ▪ Perkow ▪ Pesticide Manual. – *[HS 2930 90; CAS 2425-06-1]*

Captagon®. Tabl. mit *Fenetyllin gegen Antriebsarmut u. Depressionszustände. *B.:* Asta Medica.

Captan. Common name für 3a,4,7,7a-Tetrahydro-*N*-(trichlormethansulfenyl)phthalimid. $C_9H_8Cl_3NO_2S$, M_R 300,59, Schmp. 178 °C, LD_{50} (Ratte oral) 9000 mg/kg (WHO), von Standard Oil 1949 entwickeltes Blatt-*Fungizid mit protektiver u. kurativer Wirkung, mit breitem Wirkungsspektrum vorwiegend im Obst-, Gemüse- u. Weinanbau. – *E* = *F* captan – *I* captano – *S* captán

Lit.: Farm ▪ Perkow ▪ Pesticide Manual. – *[HS 2930 90; CAS 133-06-2]*

Captax®. Marke von Vanderbilt für 2-Mercaptobenzothiazol als Vulkanisationsbeschleuniger für Kautschuk.

Captimer®. Dragee mit *Tiopronin gegen Cystinurie u. Cystin-Steine, bei Lebererkrankungen, als Antidot bei Schwermetall-Vergiftungen. *B.:* Fresenius.

Captin®. Tabl., Suppositorien u. Sirup mit *Paracetamol gegen Schmerzen u. Fieber. *B.:* Krewel.

Capto-ISIS®. Tabl. mit dem ACE-Hemmer *Captopril gegen Hypertonie. *B.:* Isis Pharma.

Captopril.

Internat. Freiname für 1-[(2*S*)-3-Mercapto-2-methylpropionyl]-L-prolin, $C_9H_{15}NO_3S$, M_R 217,28, Schmp. 103–104 °C; $[\alpha]_D^{22}$ –131,0° (c 1,7/C_2H_5OH); LD_{50} (Maus i. v.) 1040, (Maus oral) 6000 mg/kg. Es wurde 1977 als *ACE-Hemmer (Antihypertonikum) von Squibb (Lopirin®, Bristol Myers Squibb) patentiert u. ist generikafähig. – *E* = *F* = *S* captopril

Lit.: ASP ▪ Beilstein E V **22/1**, 137 ▪ Drugs **25**, 6–40 (1983) ▪ Florey **11**, 79–137 ▪ Hager (5.) **7**, 659. – *[HS 2933 90; CAS 62571-86-2]*

Caput mortuum (latein. = Totenkopf). Seit dem Mittelalter Bez. für ein bes. feinpulveriges, rotes *Eisenoxid-Pigment, das beim Glühen von Eisensulfat als Rückstand verblieb.

Capval®. Saft, Dragee, Tropfen mit *Noscapin-Resinat od. -Hydrochlorid gegen Husten u. Bronchialasthma. *B.:* Dreluso.

Caramba®. Umfangreiches Sortiment von Autopflege- u. Autoreinigungsmitteln, z.B. Rostlockerungsmittel, Kaltreiniger, Unterbodenschutz- u. Hohlraumversiegelungsmaterialien, Enteiser sowie Spezialreiniger für Ind.-Bedarf; Produkte für Autowaschanlagen unter der Marke Dr. Stöcker. *B.:* Caramba Chemie GmbH.

Caramba Chemie GmbH. Wanheimer Str. 334/336, 47055 Duisburg. Tochterges. der Chemischen Betriebe Pluto GmbH, Herne.

Caran (3,7,7-Trimethylbicyclo[4.1.0]heptan).

$C_{10}H_{18}$, M_R 138,25. Farblose, angenehm riechende Flüssigkeit, D. 0,841, Sdp. 169 °C, mit organ. Lsm. mischbar. C. gehört zu den bicycl. *Terpenen; zur Nomenklatur u. Bezifferung des C. u. der davon abgeleiteten Derivate s. IUPAC-Regel A-74. Die *Carene sind Bestandteile von vielen ether. Ölen. – *E = F* carane – *I = S* carano
Lit.: Beilstein E IV **5**, 316 ▪ Ullmann (4.) **22**, 536 ▪ s. a. Terpene. – *[HS 2902 19]*

Carazolol.

Internat. Freiname für 1-(4-Carbazolyloxy)-3-isopropylamino-2-propanol, $C_{18}H_{22}N_2O_2$, M_R 298,38. Verwendet wird das Hydrochlorid, Schmp. 234–235 °C. Es wurde 1974 als Beta-Blocker von Boehringer Mannheim patentiert u. ist von Klinge Pharma (Conducton®) im Handel. – *E = F = S* carazolol – *I* carazololo
Lit.: Arzneim.-Forsch. **27**, 1022–1026 (1977) ▪ Hager (5.) **7**, 664 ff. – *[HS 2933 90; CAS 57775-29-8]*

Carba...
a) Präfix, das den Austausch eines Heteroatoms gegen Kohlenstoff anzeigt, bes. bei *Carboranen [IUPAC-Regeln D-7.2, I-11.4.3.2; *Beisp.:* 1,2-Dicarba-*closo*-dodecaboran(12)] u. bei Naturstoffen (IUPAC-Regel F-4.12; *Beisp.:* 4'-*O*-Carba-thymidin, 1-Carba-cephalosporansäure, 17-Carba-morphinan). Im selben Sinne werden auch „De...a"-Präfixe verwendet, bes. Deaza bei Nucleosiden (IUPAC/IUB-Regel N-4.1; *Beisp.:* 7-Deazaadenosin = *Tubercidin). – b) Bestandteil von internat. Freinamen, der meist ein *Carbamat od. *Carbamoyl-Derivat anzeigt; *Beisp.:* *Carbachol, *Carbaryl. – *E = F = I = S* carba...

Carbaborane.
Systemat. Name (vgl. Carba...) für *Borane, in denen B durch C ersetzt ist. Aus histor. Gründen ist jedoch die Gruppe der Dicarbaborane hier unter dem geläufigeren Namen *Carborane abgehandelt. – *E* carbaboranes – *F* carbaborane – *I* carbaborani – *S* carbaboranos

Carbachol.

Internat. Freiname für Carbamoylcholinchlorid, $C_6H_{15}ClN_2O_2$, M_R 182,65, Schmp. 200–203 °C, LD_{50} (Maus i. v.) 0,3, (Maus oral) 15 mg/kg. Es wurde als Miotikum u. Cholinergikum 1932 von Merck (Doryl®) patentiert u. ist generikafähig. – *E = F* carbachol – *I* carbacolo – *S* carbacol
Lit.: ASP ▪ Hager (5.) **7**, 667 f. ▪ Pharm. Ztg. **139**, 3602 (1994). – *[HS 2933 90; CAS 51-83-2]*

...carbaldehyd.
Suffix für die Atomgruppierung –CH=O in systemat. Namen (IUPAC-Regeln C-11.3, C-301–304, R-5.6.1). – *E* ...carbaldehyde – *I* ...carbaldeide – *S* ...carbaldehído

Carbalkoxy...
Zusammenfassende, veraltete Bez. für Atomgruppierungen der Art –CO–O–R, wobei R = Alkyl ist (z. B. Carbethoxy- u. Carbomethoxy-). Heutige Bez. (IUPAC-Regel C-463.3): Alkoxycarbonyl... *Beisp.:* *Benzyloxycarbonyl...

Carbamate.

Systemat. Bez. für die Ester u. Salze der *Carbamidsäure u. ihrer *N*-substituierten Derivate. Für die Ester findet häufig auch noch der Begriff *Urethane Verw., Ethylcarbamat wird gelegentlich Urethan genannt. Die Salze der Carbamidsäure sind relativ instabil u. zerfallen in wäss. Lsg. in die entsprechenden Carbonate u. Ammoniak, in wasserfreiem Zustand gehen beim Erhitzen Alkalimetallcarbamate in Cyanate u. Erdalkalicarbamate in Cyanamid über. Von den unsubstituierten Salzen wird nur das Ammoniumcarbamat industriell hergestellt. Größere Bedeutung besitzen die *N*-substituierten Ester, die teilw. als *Insektizide, *Herbizide u. *Fungizide sowie als Pharmazeutika (Schlafmittel, Tranquilizer) Verw. finden. – *E = F* carbamates – *I* carbamati – *S* carbamatos
Lit.: Ullmann (4.) **9**, 115–119; **25**, 80; (5.) A**5**, 51-58; A**1**, 25. – *[HS 2924 10]*

Carbamazepin.

Internat. Freiname für 5*H*-Dibenz[*b,f*]azepin-5-carbonsäureamid, $C_{15}H_{12}N_2O$, M_R 236,27, Schmp. 190–193 °C, LD_{50} (oral Maus, Ratte) 3750, 4025 mg/kg. Zur dünnschichtchromatograph. Bestimmung von C. s. *Lit.*[1]. C. wurde als Antiepileptikum 1960 von Geigy (Tegretal®) patentiert u. ist generikafähig. – *E* carbamazepine – *F* carbamazépine – *I = S* carbamazepina
Lit.: [1] Anal. Chim. Acta **82**, 213 ff. (1976).
allg.: ASP ▪ Beilstein E V **20/8**, 247 ▪ DAB **10** ▪ Florey **8**, 87–106 ▪ Hager (5.) **7**, 669–673. – *[HS 2933 90; CAS 298-46-4]*

...carbamid s. ...carboxamid.

Carbamid(...) s. Harnstoff(...).

Carbamido...
Veraltete Bez. für *Ureido...

Carbamidsäure
(veraltet: Carbaminsäure, Aminoameisensäure, Kohlensäuremonoamid). H_2N–COOH, CH_3NO_2, M_R 61,04. Im freien Zustand nicht bekannte Säure, von der sich die *Carbamate, *Urethane, *Carbanilsäure-Derivate u. *Allophanate sowie Harnstoff (Amid der C.), Semicarbazid (Hydrazid der C.) u. Guanidin (Amidin der C.) sowie – bei Ersatz von O durch S – die *Dithiocarbamidsäure ableiten. – *E* carbamic acid – *F* acide carbamique – *I* acido carbamidato – *S* ácido carbámico
Lit.: Beilstein E IV **3**, 37 ▪ Gmelin, Syst.-Nr. 14, C, Tl. D 1, 1971, S. 385–387 ▪ Kirk-Othmer (4.), **4**, 839 ▪ Ullmann (4.) **9**, 115 f.; (5.) A**5**, 51.

Carbamidsäureethylester s. Urethan.

Carbamimidoyl... s. Amidino...

Carbaminsäure.
Alter Name für *Carbamidsäure.

Carbamoyl... (Aminocarbonyl). Bez. für die Atomgruppierung –CO–NH$_2$ in systemat. Namen (IUPAC-Regeln C-431.2, R-5.7.8.1); *Beisp.:* Carbamoylcarbamate (*Allophanate), Carbamoylharnstoff (*Biuret), Carbamoylguanidin (*Dicyandiamidin). Die Abk. Cbm- für H$_2$N–CO– als *Schutzgruppe wird nicht empfohlen (IUPAC-Regel 3AA-18.1). – *E = F* carbamoyl... – *I = S* carbamoil...

Carbamoylharnstoff s. Biuret.

[(Carbamoylmethyl)-imino]-diessigsäure s. ADA.

Carbamoylphosphat (veraltet auch: Carbamylphosphat). H$_2$N–CO–O–PO$_3^{2-}$, M_R 139,00, ionisierte Form des gemischten Anhydrids der *Carbamidsäure u. der Phosphorsäure. In der Biochemie bekannt als Vorstufe für die Synth. von L-*Arginin u. *Harnstoff (im *Harnstoff-Cyclus) sowie für die der Pyrimidine. Der Eintritt von C. in den Harnstoff-Cyclus läuft in den *Mitochondrien ab. Dabei dient die Synth. von C. aus Ammoniak u. *Adenosin-5'-triphosphat gleichzeitig der Entgiftung des Körpers von Ammoniak. Das hierbei katalyt. wirkende Enzym, C.-Synthetase (Ammoniak) (EC 6.3.4.16) wird durch *Acetylglutaminsäure aktiviert. Bei der im *Cytoplasma stattfindenden Pyrimidin-Biosynth. ist dagegen eine L-Glutamin-hydrolysierende C.-Synthetase (EC 6.3.5.5) beteiligt. – *E* carbamoyl phosphate – *F* carbamoylphosphate – *I = S* carbamoilfosfato

Carbamyl... Veraltete Bez. für Carbamoyl...

Carbanil s. Phenylisocyanat.

Carbanilid s. 1,3-Diphenylharnstoff.

Carbanilsäure (*N*-Phenylcarbamidsäure). H$_5$C$_6$–NH–COOH, C$_7$H$_7$NO$_2$, M_R 137,14. Die C. ist nur in Form ihrer Ester (Carbanilate, z. B. *Phenylurethan) bekannt, die Verw. in der Pharmazie u. im Pflanzenschutz (vgl. Carbamate) finden. – *E* carbanilic acid – *F* acide carbanilique – *I* acido carbanilico – *S* ácido carbanílico

Carbanionen (Carbeniat-Ionen). Bez für reaktive *Zwischenstufen mit einer neg. Ladung (das *einsame Elektronenpaar) am Kohlenstoff (zur Nomenklatur s. IUPAC-Regeln C-84.3). C. sind *isoelektronisch mit Aminen (vgl. Isosterie) u. daher im Gegensatz zu *Carbenium-Ionen (R$_3$C$^+$) od. *Carbenen (R$_2$C̄) prakt. tetraedr. gebaut. Delokalisierte C. sind dagegen planar, wie z. B. im Cyclopentadien-Anion (s. Cyclopentadienyl), im Cyclooctatetraen-Dianion u. in anion. *Annulenen (vgl. Aromatizität). *Herst.:* Entsprechend der *Acidiäts-Skalen lassen sich C. durch eine jeweils stärkere Base aus einer CH-*Säure (s. a. Acidität) erzeugen. Gebräuchliche Basen sind neben dem Hydroxyl-Ion, *Alkoholate, tert.-Amine, z. B. *Hünig-Base, *DBU, Amide in flüssigem Ammoniak, Alkyllithium-Verb. u. a. Synthet. wichtige C. sind z. B.:

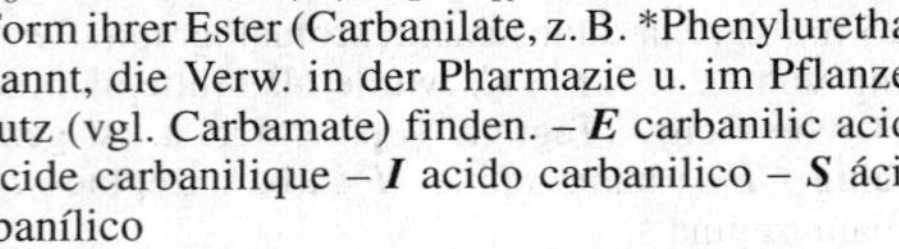

NC–C̄H–CN; H$_3$C–C–C̄H–COOC$_2$H$_5$; $^-$CH$_2$–C–CH$_3$
             ‖   ‖
             O   O

$^-$C≡C–R; (H$_5$C$_6$)$_3$P̄–C̄H–R;

Neben der Deprotonierung ist der Halogen-Metall-Austausch eine weitere Methode. Er eignet sich bes. zur Erzeugung von Vinyl- u. Aryllithium-Verb., bei denen das Metallatom mehr od. weniger *kovalent* an das carbanion. Kohlenstoff-Atom gebunden ist (s. a. Lithium-organische Verbindungen, Grignard-Verbindungen, Metall-organische Verbindungen).

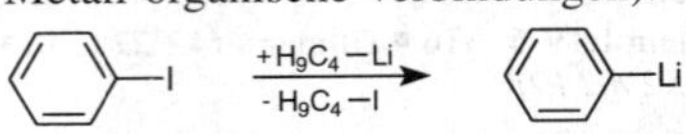

Weitere Meth. sind die Red. von *Dienen mit Metallen, die allerdings manchmal nur als Einelektronen-Übertragung abläuft, so daß Radikal-Anionen entstehen[1], die Addition von Alkyllithium-Verb. an Alkene u. die Ummetallierung von Organo-quecksilber- u. -zinn-Verb. mit Alkalimetallen.

Umwandlung: Die wichtigste Reaktion der C. ist die Umsetzung mit Elektrophilen; zu nennen sind hier die *Alkylierung mit Alkylhalogeniden, die bei stark bas. C. über *Radikale als Zwischenstufen zu Kupplungsprodukten (s. Radikale), bei schwächer bas. C. zur nucleophilen *Substitution führt, die Umsetzung mit Aldehyden od. Ketonen, die oft zu Alkenen führt (*Wittig-Reaktion, *Horner-Emmons-Reaktion, *Peterson-Olefinierung) s. a. Grignard- u. Reformatsky-Reaktion sowie Aldol-Addition u. Michael-Addition u. die Umsetzung mit Carbonsäure-Derivaten (Ester-Kondensation, *Umylidierung). *Benzotriazol-stabilisierte C. spielen eine wichtige Rolle als *Syntheseäquivalente für die Acylanionen[2] (s. a. Umpolung). Intramol. Alkylierungen von C. sind wichtige Teilschritte in der *Ramberg-Bäcklund-Reaktion u. *Favorskii-Umlagerung. Andere Umlagerungen verlaufen häufig ebenfalls über C., s. *Lit.*[3] u. über anion. *Polymerisationen wird berichtet. – *E = F* carbanions – *I* carbanioni – *S* carbaniones

Lit.: [1] Acc. Chem. Res. **5**, 169–176 (1972). [2] Aldrichimica Acta **27**, 31–38 (1994). [3] Angew. Chem. **82**, 795–805 (1970); Top. Curr. Chem. **146**, 1–56 (1988).
allg.: Bales u. Ogle, Carbion Chemistry, Berlin: Springer 1983 ▪ Buncel u. Durst, Comprehensive Carbion Chemistry (A u. C), Amsterdam: Elsevier 1980, 1987 ▪ Cram, Fundamentels of Carbanion Chemistry, New York: Academic Press 1965 ▪ Houben-Weyl **E 19c, 13,1** ▪ Stowell, Carbanions in Organic Synthesis, New York: Wiley 1978 ▪ Top. Curr. Chem. **146**, 1 ff. (1988) ▪ s. a. Metall-organische Verbindungen u. reaktive Zwischenstufen.

Carbapeneme. Eine Gruppe von *β-Lactam-Antibiotika, an denen das Schwefel- bzw. Sauerstoff-Atom durch Kohlenstoff ersetzt ist. Die C. wurden zuerst aus *Streptomyceten-Arten isoliert. Es sind bislang etwa 40 natürliche Vertreter bekannt. C. sind auch synthet. zugänglich. Neben antimikrobieller Aktivität (z. T. hochaktive Breitspektrum-Antibiotika) sind C. häufig kompetitive Inhibitoren von bakteriellen β-Lactamasen u. damit Resistenzbrecher, da β-Lactamasen für einen Großteil von Penicillin-Resistenzen verantwortlich sind. Problemat. ist ihre Hydrolyseempfindlichkeit. In der BRD sind *Imipenem u. Meropenem im

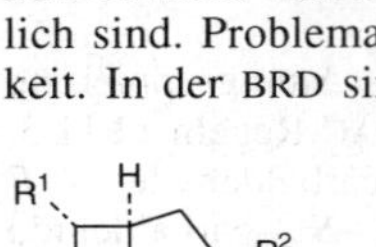

Abb.: Grundstruktur der Carbapeneme.

Handel. Weitere wichtige Vertreter der C. sind *Thienamycin u. *Olivansäure. – *E = I* carbapeneme – *F* carbapénème – *S* carbapenemos
Lit.: Gräfe, S. 178–199, 339–361 ▪ J. Antibiot. **48**, 188–190, 408–416 (1995) ▪ Präve et al. (4.), S. 667–673 ▪ Spec. Publ. – R. Soc. Chem. **70**, 171–189 (1989).

Carbaryl. Common name für 1-Naphthyl-methylcarbamat.

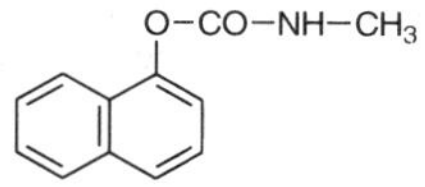

$C_{12}H_{11}NO_2$, M_R 201,22, Schmp. 142 °C, LD_{50} (Ratte oral) 300 mg/kg (GefStoffV), MAK 0,5 mg/m³, von Union Carbide 1956 eingeführtes *Insektizid zur Anw. gegen beißende u. saugende Insekten im Baumwoll-, Reis-, Obst-, Gemüse- u. Futterpflanzenanbau sowie gegen Flöhe bei Hunden u. Katzen. – *E = F* carbaryl – *I* carbarile – *S* carbaril
Lit.: Farm ▪ Perkow ▪ Pesticide Manual. – *[HS 2924 29; CAS 63-52-2]*

Carbasalat-Calcium.

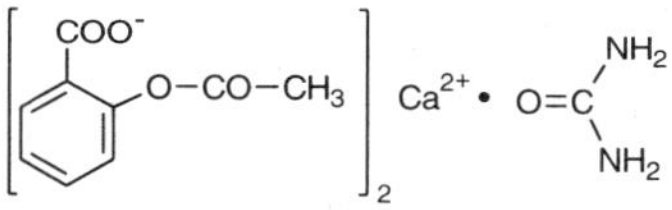

Internat. Freiname für die analget. wirksame Mol.-Verb. aus Calciumacetylsalicylat u. Harnstoff, $C_{19}H_{18}CaN_2O_9$, M_R 458,44; Zers. bei 243–245 °C. Es ist von Omegin (Iromin®) im Handel. – *E* carbasalate calcium – *F* carbasalate calcique – *I* carbasalato di calcio – *S* carbasalato cálcico
Lit.: Hager (5.) **7**, 678 ▪ Pharm. Ztg. **137**, 970 (1992). – *[HS 2924 10; CAS 5749-67-7]*

Carbazide. Gruppenbez. für die nach IUPAC-Regel C-981.1 u. R-9.1.31a als *Carbonohydrazide* zu benennenden Verb. der allg. Formel

R–NH–NH–CO–NH–NH–R

– *E = F* carbazides – *I* carbazidi – *S* carbazidas

Carbazochrom.

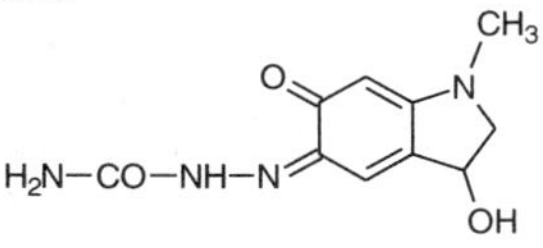

Internat. Kurzbez. für 3-Hydroxy-1-methyl-5,6-indolindion-5-semicarbazon (*Adrenochrom-monosemicarbazon), $C_{10}H_{12}N_4O_3$, M_R 236,23, Schmp. 203 °C (Zers.). C. wurde als Hämostyptikum 1950 von Soc. Belge de l'Azote et des Prod. Chim. patentiert u. ist von Sanofi Winthrop (Adrenoxyl®) im Handel. – *E = F* carbazochrome – *I = S* carbazocromo
Lit.: ASP ▪ Beilstein E V **21/13**, 80 ▪ Hager (5.) **7**, 678. – *[HS 3003 90; CAS 69-81-8]*

9H-Carbazol (Dibenzopyrrol, 9-Azafluoren).

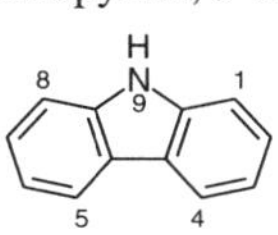

$C_{12}H_9N$, M_R 167,21. Farblose, leicht sublimierende Blättchen od. Tafeln, D. 1,10, Schmp. 246 °C, Sdp. 355 °C, in konz. Schwefelsäure unzersetzt lösl., in kalten organ. Lsm. wenig, in Wasser nicht löslich, wassergefährdender Stoff, WGK 2 (Selbsteinst.).
Herst.: Aus 2-Amino- od. 2-Nitrobiphenyl bzw. aus Diphenylamin; daneben existieren eine Reihe von Laboratoriums-Synth. (vgl. z.B. Bucherer-Reaktion). Techn. wird C. aus Steinkohlenteer (Gehalt 1,5%) isoliert.
Verw.: Zur Synth. von Farbstoffen, Insektiziden u. Vinylcarbazol. C. wurde erstmals 1872 von Graebe u. Glaser aus Anthracenöl isoliert. Vom C. leiten sich eine Reihe von Alkaloiden ab [1] (*Carbazol-Alkaloide); Ersatz der C-Atome 1–4 durch N führt zu den *Carbolinen. – *E = F* carbazole – *I* carbazolo – *S* carbazol
Lit.: [1] Zechmeister **34**, 300–371.
allg.: Beilstein E V **20/8**, 9 ff. ▪ Kirk-Othmer **11**, 593 f.; (3.) **22**, 573 ▪ Ullmann (4.) **9**, 120; (5.) **A 5**, 59 ▪ Winnacker-Küchler (3.) **4**, 221 f., 352–354. – *[HS 2933 90; CAS 86-74-8]*

Carbazol-Alkaloide.

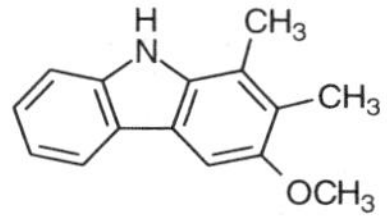

Deoxycarbazomycin B

Gruppe von Alkaloiden mit *Carbazol-Stammgerüst aus Pflanzen u. Mikroorganismen, z.B. *Ellipticin, *Staurosporin, Carbazomycine [1], z.B. *Deoxycarbazomycin B*: $C_{15}H_{15}NO$, M_R 225,28, gelbe Nadeln, Schmp. 129–131 °C. – *E* carbazole alkaloids; alcaloids carbazol – *I* alcaloidi del carbazolo – *S* alcaloides del carbazol
Lit.: [1] Heterocycles **35**, 441 (1993).
allg.: Synlett. **1994**, 681–688. – *[CAS 76305-35-9 (Deoxycarbazomycin B)]*

Carbazolviolett (C.I. Pigment Violet 23, 8,18-Dichlor-5,15-diethyl-5,15-dihydro-diindolo[3,2-b:3′,2′-m]triphenodioxazin). Farbstarkes, blaustichig-violettes Pigment, $C_{34}H_{22}Cl_2N_4O_2$, M_R 589,48 der folgenden Struktur:

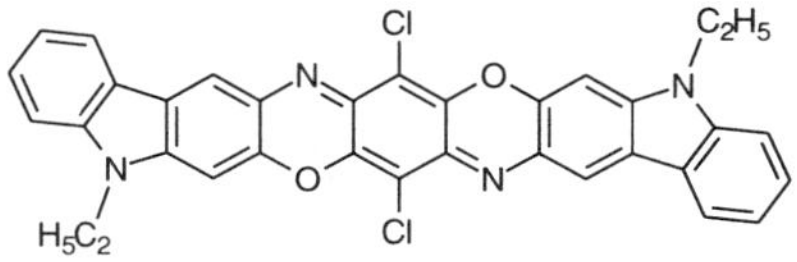

Wegen seiner hervorragenden Echtheiten wird C. im Lack- u. Anstrichfarbenbereich, bei der Kunststoff-Einfärbung sowie zur Herst. von Künstlerfarbe u. Wachsmalkreide verwendet. – *E* carbazol violet – *F* violet de carbazole – *I* pigmento violetto 23 – *S* violeta de carbazol
Lit.: Herbst u. Hunger, Industrial Organic Pigments, S. 518, 2. Aufl., Weinheim: VCH Verlagsges. 1993. – *[CAS 6358-30-1]*

Carbazomycine s. Carbazol-Alkaloide.

Carbendazim. Common name für Methyl-1H-benzimidazol-2-ylcarbamat.

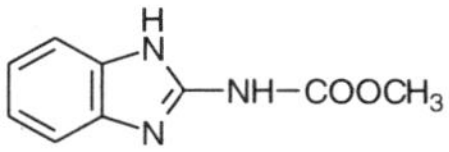

Carbene

$C_9H_9N_3O_2$, M_R 191,9, Schmp. 310 °C (Zers.), LD_{50} (Ratte oral) 15 000 mg/kg (WHO), von BASF, Hoechst u. DuPont eingeführtes system. *Fungizid mit breitem Wirkungsspektrum, eingesetzt im Getreide-, Obst-, Wein- u. Gemüseanbau u. als Saatgut-Behandlungsmittel. – *E* carbendazim – *F* carbendazime – *I* carbendazina – *S* carbendazin
Lit.: Farm ■ Perkow ■ Pesticide Manual. – *[CAS 10605-21-7]*

Carbene. Carbene sind eine der bekanntesten u. best untersuchtesten *reaktiven Zwischenstufen in der Organ. Chemie. Bereits *Curtius, *Meerwein u.a. gaben erste Hinweise auf C.; der eigentliche Durchbruch erfolgte aber erst 1950 mit den Arbeiten von Hine über die alkal. Hydrolyse von Chloroform. *Doering schlug für die dabei auftretende Zwischenstufe den Namen *Carben* vor u. postulierte, daß Abfangreaktionen mit Alkenen unter Bildung von *Cyclopropanen möglich sein sollten. In der Tat konnte dies experimentell bestätigt werden. C. können sowohl im *Singulett- als auch im *Triplett-Zustand vorliegen, wodurch sie unterschiedliche chem. Eigenschaften haben sollten, was sich direkt aus den *Wigner-Witmer-Regeln ergibt. Durch Matrix-Isolationstechnik (s. Matrix) lassen sich in der Regel *elektrophilen* C. (Elektronensextett am Carben-Kohlenstoff) spektroskop. nachweisen, wobei die *EPR-Spektroskopie Hinweise auf das Vorliegen eines Singulett- od. Triplett-Zustandes gibt[1]; z.B. Donorgruppen am Carben-Zentrum stabilisieren C. u. verleihen ihnen nucleophile Eigenschaften. Die Isolierung stabiler („abfüllbarer") C. ist so möglich[2].

Imidazoliumchlorid   stabiles, nucleophiles Carben

Die stereospezifische Cycloaddition von Singulett-C. wird als *cheletrope Reaktion betrachtet (s.a. pericyclische Reaktionen), während Triplett-C. stereounspezif. wie Diradikale an das Alken addieren:

Singulett-C.

Triplett-C.

Weitere C.-Reaktionen sind *Insertion in C–H-Bindungen u. 1,2-Substituenten-Verschiebung unter Ausbildung einer C,C-Doppelbindung; an erster Stelle ist hier die *Wolff-Umlagerung von Acyl-C. zu nennen, die auch an der *Arndt-Eistert-Reaktion beteiligt ist (Bildung von *Ketenen).

Erzeugung: Die wichtigsten Erzeugungsmethoden für elektrophile C. sind die photolyt., therm. od. katalyt. Stickstoff-Abspaltung aus *Diazo-Verbindungen u. *Diazirinen u. die α-*Eliminierung aus *Alkylhalogeniden bzw. die Deprotonierung von stabilen Carbenium-Ionen für nucleophile Carbene. Bei der C.-Erzeugung über metallorgan. Reagenzien ist das C. oft mit dem Metall-Atom koordiniert. Man spricht dann von *Carbenoiden. Carbenoide[3] sind stabiler als C. u. zeigen häufig ein selektiveres Reaktionsverhalten, z.B. bei den Carbenoid-Cyclisierungen[4].
Das einfachste C. ist *Methylen, das aus *Diazomethan leicht zugänglich ist. Die Umsetzung von Diiodmethan mit Zn/Cu-Legierung (*Simmons-Smith-Reaktion) ist ebenfalls zur Erzeugung geeignet. Aus Trichlormethan (*Chloroform*) ist mit Basen Dichlorcarben zugänglich, das bei der Reiner-Tiemann-Reaktion als Zwischenstufe auftritt. Die Erzeugung läßt sich mit Hilfe der *Phasen-Transfer-Katalyse stark verbessern. – *E* carbenes – *F* carbènes – *I* carbeni – *S* carbenos
Lit.: [1] Angew. Chem. **106**, 944 ff. (1994). [2] Angew. Chem. **103**, 691 (1991); **108**, 791 ff. (1996); Herrmann-Brauer **1**, 66. [3] Angew. Chem. **105**, 1072 (1993). [4] Nachr. Chem. Tech. Lab. **38**, 1516 (1990).
allg.: Houben-Weyl **E 19 B** ■ Jones u. Moss, Carbenes (2 Bd), New York: Wiley 1973 ■ s.a. reaktive Zwischenstufen u. Metall-organische Verbindungen.

Carbeniat-Ionen s. Carbanionen.

Carbenicillin.

Internat. Freiname für das Breitspektrum-Antibiotikum α-Carboxybenzylpenicillin, $C_{17}H_{18}N_2O_6S$, M_R 378,40. Es wurde 1964 von Pfitzer patentiert; ist nicht mehr im Handel. – *E* carbenicillin – *F* carbénicilline – *I* carbenicillina – *S* carbenicilina
Lit.: ASP ■ Hager (5.) **7**, 679–682 ■ Ullmann (5.) **A 2**, 506 ■ s.a. Penicilline. – *[HS 2941 10; CAS 4697-36-3; 4800-94-6 (Dinatrium-Salz); 17230-86-3 (Kalium-Salz)]*

Carbenium-Ionen. Bez. für *Carbokationen mit dreibindigem Kohlenstoff u. einem Elektronensextett (Abb. s. bei Carbokationen). Die Benennung der C.-I. erfolgt nach IUPAC-Regel C 83.1 mit „...yl-Kation" od. „...ylium". C.-I. werden gewöhnlich als *reaktive Zwischenstufen klassifiziert, doch überstreicht ihre Stabilitätsskala einen weiten Bereich von prakt. unbegrenzt stabilen Salzen bis Vertreter mit HWZ, die im Bereich von Nanosekunden liegen. Prim. Alkyl-C.-I. sind in der Gasphase u. als sehr reaktive Zwischenstufen in Lsg. bekannt; die stabileren sek.- u. tert.-C.I. können mit Hilfe von *Supersäuren (z.B. *Magischer Säure) in Lsg. erzeugt u. spektroskop. untersucht werden (s. Carbokationen). Die Ladungsdelokalisierung u. damit die Stabilität wird oft mit der *Hyperkonjugation erklärt (Abb.).

Die Delokalisation der pos. Ladung des C.-I. durch Konjugation mit einem π-Syst. erhöht die Stabilität beträchtlich, so z. B. bei den *Allyl-Kationen*. Am stabilsten sind Triaryl-substituierte C.-I.; *Triarylmethan-Farbstoffe wie *Kristallviolett, *Malachitgrün stellen hochstabilisierte Carbenium-Salze dar, die, wie das *Triphenylmethyl-Kation, entscheidend zur Entwicklung der C.-I.-Chemie beigetragen haben (s. Carbokationen). Zu den C.-I. sind auch Ionen mit (4n+2) π-Elektronen, wie das Cyclopropenylium- (n=0) u. Cycloheptatrienylium (*Tropylium)-Kation (n=1) zu rechnen, die nach der *Hückel-Regel als *nichtbenzoide aromatische Verbindungen aufzufassen sind (*Aromatizität). Hochreaktiv dagegen sind C.-I. des zweibindigen Kohlenstoffs wie sie in den aus Diazonium-Salzen erzeugbaren Aryl-C.-I.[1] u. den Vinyl-Kationen vorliegen.

Erzeugung: Zur Erzeugung der C.-I. bieten sich v. a. die heterolytische Spaltung einer C/X-Bindung, die Addition eines Elektrophils an ein *Alken od. einen Aromaten, die *Hydrid-Abstraktion u. die Umlagerung von einem bereits gebildeten C.-I. an (Beisp. s. Abb.).

$(H_5C_6)_3C-X \xrightarrow{\text{Heterolyse}} (H_5C_6)_3C^+ \ X^-$

z.B. X = Halogen , OH (H⁺-Katalyse)
— nucleophile *Substitution* (S_N1-Mechanismus).

— elektrophile *Addition* an Alkene (vgl. *Markownikoff-Regel).

— elektrophile *Substitution* an Aromaten.

— C.-C.-*Umlagerung*, z.B. *Neopentyl-Umlagerung *Pinakol / Pinakolon- *Wagner-Meerwein-Umlagerung.

Abb.: Erzeugung von Carbenium-Ionen.

Die Reaktionen der elektrophilen C.-I. korrespondieren zu Erzeugungsmeth., wobei die wichtigsten Reaktionstypen in der Abb. vermerkt sind. Daneben sind C.-I. Zwischenstufen bei der kation. *Polymerisation.
– *E* carbenium ions – *F* ions carbénium – *I* carbenioioni – *S* iones carbenio
Lit.: [1] Angew. Chem. **88**, 273–283 (1976).
allg.: Angew. Chem. **85**, 183–225 (1973) ■ s. a. Carbokationen.

Carben-Komplexe. Übergangsmetalle koordinieren mit *Carbenen unter Bildung von Komplexen, die eine formale Metall-Kohlenstoff-Doppelbindung enthalten. Bei der Metall-katalysierten Zers. von *Diazo-Verbindungen werden nichtstabilisierte, elektrophile C.-K. als Zwischenstufe diskutiert, die für die größere Selektivität dieser Reaktionen im Vgl. zu solchen, die über „freie" Carbene verlaufen, verantwortlich sind. Synthet. wichtig sind elektrophile, durch Heteroatome stabilisierte C.-K. des „Fischer-Typs" (E. O. *Fischer) u. nucleophile Methylen- bzw. Alkyliden-Komplexe des „Schrock-Typs". Die elektrophilen C.-K. besitzen Übergangsmetalle der 6. Gruppe (Cr, Mo, W) als Zentralatom. Sie werden durch nucleophile Angriffe von *Lithium-organischen Verbindungen auf *Carbonyl-Komplexe od. *Metallcarbonyle u. anschließender Umsetzung mit „harten" Elektrophilen (vgl. HSAB-Prinzip) hergestellt.

Diese C.-K. zeigen eine reichhaltige Chemie mit vielen synthet. Anw., z. B. die Umsetzung mit Alkinen, die zu Naphthol-Derivaten führt (s. Dötz-Reaktion) od. die Alken-*Metathese. Der am besten untersuchte nucleophile C.-K. ist das *Tebbe-Grubbs-Reagenz, das zur *Alkylidenierung von Carbonyl-Verb. eingesetzt werden kann. – *E* carbene complexes – *F* complexes du carbène – *I* complessi del carbene – *S* complejos de carbenos
Lit.: Angew. Chem. **101**, 411–426 (1989); **106**, 311–313 (1994) ■ Dötz et al., Transition Metal Carbene Complexes, Weinheim: Verl. Chemie 1983 ■ Hegedus, Organische Synthesen mit Übergangsmetallen, S. 137–178, Weinheim: VCH Verlagsges. 1995 ■ Trost-Fleming **5**, 1065ff. ■ Wilkinson-Stone-Abel (2.) **12**, 387–599 ■ s. a. Carbene u. a. Textstichwörter.

Carbenoide s. Carbene.

Carbenoxolon.

Internat. Freiname für *Glycyrrhetinsäure-3β-hydrogensuccinat [3β-(3-Carboxypropionyloxy)-11-oxoolean-12-en-30-säure], $C_{34}H_{50}O_7$, M_R 570,77, Schmp. 291–294 °C; $[α]_D^{20}$ +128° ($CHCl_3$). Verwendet wird das Dinatrium-Salz, LD_{50} (Maus i. v.) 198, (Maus i. p.) 120, (Ratte oral) 3200 mg/kg. Es wurde als Ulcustherapeutikum 1960 u. 1961 von Biorex patentiert u. ist von Hexal (Neogel®) im Handel. – *E* carbenoxolone – *F* carbénoxolone – *I* carbenossolone – *S* carbenoxolona

Carbetamid

Lit.: ASP ▪ Hager (5.) **7**, 683–685 ▪ Pharm. Ztg. **136**, 1740 (1991) ▪ Ullmann (5.) **A 2**, 325. – *[HS 2918 90; CAS 5697-56-3; 7421-40-1 (Dinatriumsalz)]*

Carbetamid. Common name für (*R*)-1-(Ethylcarbamoyl)ethyl-carbanilat.

$C_{12}H_{16}N_2O_3$, M_R 236,27, Schmp. 119 °C, LD_{50} (Ratte oral) 11 000 mg/kg (WHO), von Rhone Poulenc 1966 eingeführtes selektives *Herbizid gegen Ungräser u. einige Unkräuter im Raps- u. Sonnenblumenanbau sowie im Obst-, Gemüse- u. Weinanbau. – *E* = *F* carbetamide – *I* carbetammide – *S* carbetamida

Lit.: Farm ▪ Perkow ▪ Pesticide Manual. – *[HS 2924 29; CAS 16118-49-3]*

Carbethoxy... s. Ethoxycarbonyl...

Carbid s. Calciumcarbid.

Carbide. Binäre Verb. von Elementen mit Kohlenstoff. Man unterscheidet salzartige C., kovalente C. u. metall. Carbide. Die *salzartigen* C. werden durch Wasser od. verd. Säuren zu Kohlenwasserstoffen zersetzt, u. zwar die von Calcium, Silber u. Kupfer (allg. Formel $M^I_2C_2$ od. $M^{II}C_2$, Acetylide) zu Acetylen, das von Aluminium (Al_4C_3) zu Methan. Zur Herst. der (häufig hochexplosiven) Acetylide leitet man *Acetylen in Metall-Salzlsg. ein, woraufhin die meist schwerlösl. C. ausfallen. Als *kovalente* C. kann man die Verb. des Kohlenstoffs mit Nichtmetallen auffassen; hierher gehören demnach auch Methan (CH_4), Dicyan [$(CN)_2$], Schwefelkohlenstoff (CS_2) usw., doch werden in der Regel nur die binären C.-Verb. von Bor u. Silicium (*Borcarbid, *Siliciumcarbid) als C. bezeichnet. Die meisten *metall.* C. sind *nichtstöchiometrische Verbindungen von Legierungscharakter; sie sind gegen Säuren beständig u. leiten den elektr. Strom. Hier befinden sich die relativ kleinen C-Atome in den Lücken des jeweiligen Metall-Gitters.

Herst.: Durch Reaktion von elementarem Kohlenstoff od. Gasen, die Kohlenstoff abgeben, mit Elementen od. Elementoxiden bei 1200–2300 °C. Diese Carburierung wird unter Schutzgas od. im Vakuum durchgeführt. *Beisp.*:

Ta + C → TaC bzw. $Ta_2O_5 + 7 C → 2 TaC + 5 CO$.

C. bilden sich auch bei der *Härtung von Stahl (*Aufkohlen). Im Laboratoriumsmaßstab lassen sich sehr reine C. von Übergangsmetallen durch *Drahtexplosionen in gasf. Acetylen herstellen. Die meisten metall. C., zu denen auch definierte Verb. wie Zementit (*Eisencarbid, Fe_3C) gehören, sind härter als die reinen Metall-Komponenten; sie finden daher Verw. als Werkstoffe, als Legierungszusätze zur Erhöhung der Härte von Stahl u. als *Hartstoffe – ebenso wie die *Carbonitride – zur pulvermetallurg. Herst. von *Cermets u. *Hartmetallen. Techn. wichtige C. bilden Chrom, Wolfram, Hafnium, Molybdän, Vanadium, Niob, Tantal u. Titan; *Beisp.*: (Schmp. in Klammern): Cr_4C, Cr_7C_3, Cr_3C_2 (1895 °C), WC (2800 °C), Mo_2C (2400 °C), VC (2830 °C), NbC (3490 °C), TaC (3780 °C), TiC (ca. 3200 °C). Die C. von Uran u. Thorium sind wichtige Kernbrennstoffe in Hochtemp.- u. Brutreaktoren (vgl. Reaktoren). – *E* carbides – *F* carbures – *I* carburi – *S* carburos

Lit.: Büchner et al. (2.), S. 476 ff. ▪ Freer u. Robert (Hrsg.), The Physics and Chemistry of Carbides, Nitrides and Borides, Academic Publishers, Dordrecht Neth.: Kluwer 1990 ▪ Kirk-Othmer (4.) **4**, 841–911 ▪ Kosolapova, Carbides: Properties, Production and Application, New York: Plenum 1971 ▪ Samsonov, Refractory Carbides, London: Plenum 1974 ▪ Ullmann (5.) **A 5**, 61–77 ▪ Winnacker-Küchler (4.) **4**, 576 f. – *[HS 2849 10–90]*

Carbidopa.

Internat. Freiname für (*S*)-3-(3,4-Dihydroxyphenyl)-2-hydrazino-2-methylpropionsäure, $C_{10}H_{14}N_2O_4$, M_R 226,23, Schmp. 203–205 °C (Zers.), $[\alpha]_D$ −17,3° (CH_3OH); C. wurde als Decarboxylase-Inhibitor 1961, 1963, 1969 u. 1971 von Merck & Co. patentiert u. ist in Kombination mit Levodopa von DuPont Pharma (Nacom®), Desitin (Isicom®) u. Knoll Deutschland (Striaton®) im Handel. – *E* = *F* = *I* = *S* carbidopa

Lit.: ASP ▪ Hager (5.) **7**, 685–686. – *[HS 2928 00; CAS 28860-95-9; 38821-49-7 (Monohydrat)]*

Carbimazol.

Internat. Freiname für 3-Methyl-2-thioxo-2,3-dihydro-imidazol-1-carbonsäureethylester, $C_7H_{10}N_2O_2S$, M_R 186,23, ein cycl. *Thioharnstoff-Derivat, Schmp. 122–125 °C. Es wurde als Thyreostatikum 1954, 1957 u. 1958 von Nat. Res. Dev. Corp. patentiert u. ist von Henning Berlin, Hoffmann-La Roche (Neo-Morphazole®) u. Berlin Chemie (Neo-Thyreostat®) im Handel. – *E* = *F* carbimazole – *I* carbimazolo – *S* carbimazol

Lit.: ASP ▪ Beilstein E III/IV **24**, 64 f. ▪ Hager (5.) **7**, 687. – *[HS 2933 29; CAS 22232-54-8]*

Carbimidsäure(...) s. Imidsäure(...).

Carbine. In Analogie zu *Carbene geprägte Bez. für reaktive Zwischenstufen der allg. Formel

R–Ċl

Das einfachste C. ist *Methylidin*, das als eines der reaktivsten chem. Teilchen gilt. Es tritt u. a. als Zwischenstufe beim Verbrennen von Kohlenwasserstoffen auf u. ist dort für die Bildung von Stickoxiden (NO_x) mitverantwortlich. Methylidin läßt sich spektroskop. im Weltraum nachweisen, s. *Lit.*[1]. Gut untersucht sind die von E. O. *Fischer erstmalig hergestellten *Carbin-Komplexe*, die die koordinativ an Übergangsmetalle stabilisierte Carbin-Einheit enthalten. In der Nomenklatur bezeichnet man die Gruppierung =CH– als *Methin*-Gruppe od. *Methin*; letztere Bez. wird auch für atomaren Kohlenstoff C_3 benutzt. – *E* = *F* carbynes – *I* carbini – *S* carbinos

Lit.: [1] Top. Curr. Chem. **139**, 119 f. (1987).

Carbinole. Veraltete, von *Carbinol* = *Methanol abgeleitete Gruppenbez. für sek. u. tert. Alkohole der allg. Formel

$$R^2-\underset{R^3}{\underset{|}{\overset{R^1}{\overset{|}{C}}}}-OH$$

die nicht mehr verwendet werden sollte. – *E* = *F* carbinols – *I* carbinoli – *S* carbinoles

Carbinoxamin.

$$\text{Cl}-\underset{}{\underset{}{\overset{}{\bigcirc}}}-\underset{\underset{O}{|}}{\overset{}{CH}}-\underset{}{\underset{}{\overset{CH_2-CH_2-N(CH_3)_2}{\bigcirc}}}$$

Internat. Freiname für 2-[(4-Chlorphenyl)-(2-pyridinyl)methoxy]-*N,N*-dimethylethylamin, $C_{16}H_{19}ClN_2O$, M_R 290,79, Sdp. 158–162 °C (13,3 Pa); verwendet wird das Maleat, Schmp. 117–119 °C; LD_{50} (Maus i.p.) 166 mg/kg. C. wurde 1957 u. 1962 als Antihistaminikum von McNeil Labs. patentiert u. ist von Trommsdorf (Polistin®) im Handel. – *E* = *F* carbinoxamine – *I* carbinossammina – *S* carbinoxamina
Lit.: ASP ▪ Beilstein E V **21/3**, 492 ▪ Hager (5.) **7**, 688 ▪ Ullmann (5.) A **2**, 423. – [HS 2933 39; CAS 486-16-8; 3505-38-2 (*Maleat*)]

Carbo. Latein. Bez. für Kohle(nstoff), z.B. Carbo medicinalis = *medizinische Kohle.

Carboanhydrase (Carbo-, Carbonat-, Kohlensäure-Anhydratase, EC 4.2.1.1). Ein zu den Hydrolyasen (Dehydratasen) gehörendes Zinkionen-haltiges Enzym (Zn^{2+} kann ohne Funktionsverlust durch Co^{2+} ersetzt werden) vom M_R 28000–30000. Es katalysiert mit einer sehr großen Umsatzzahl (10^6/s) die reversible Reaktion $H^+ + HCO_3^- \rightleftharpoons H_2O + CO_2$ sowie – wenn auch in geringerem Maße – die Wasseranlagerung an Aldehyde u. die Hydrolyse von Estern. 1933 von Meldrum u. Roughton in *Erythrocyten entdeckt, reguliert C. das Säure-Basen-Gleichgew. im Blut u. ermöglicht den für die *Atmung wichtigen Abtransport von Kohlendioxid. Außer den bisher bekannten drei cytoplasmat. *Isoenzymen sind eine membrangebundene mitochondriale (s. Mitochondrien) u. eine sekretor. Form bekannt. C. ist in Tier- u. Pflanzenwelt[1] weit verbreitet, wurde auch in Bakterien nachgewiesen u. findet sich beim Menschen außer in den Erythrocyten auch in der Magenschleimhaut auch in den Nieren u. in der Augenlinse. Hemmstoffe der C. sind Sulfide, Cyanide, Cyanate u. *Sulfonamide. Letztere werden in der Glaukom- u. Ödemtherapie (z.B. *Acetazolamid) sowie auch als *Analeptika (z.B. *Pentetrazol) eingesetzt. – *E* carbonic anhydrase – *F* anhydrase carbonique – *I* carboanidrasi – *S* anhidrasa carbónica
Lit.: [1] Annu. Rev. Plant Physiol. Plant Mol. Biol. **45**, 369–392 (1994).
allg.: Annu. Rev. Physiol. **58**, 523–538 (1996) ▪ Dodgson et al., Carbonic Anhydrases. Cellular Physiology and Molecular Biology, New York: Plenum Press 1991. – [HS 3507 90]

Carbobenzoxy... Veraltete Bez. (Kurzform: CBZ-, Cbz- od. Z-) für die *Benzyloxycarbonyl-Gruppe als *Schutzgruppe für Aminosäuren in der Peptid-Synthese.

Carbocistein.

$$HOOC-CH_2-S-CH_2-\underset{\underset{NH_2}{|}}{CH}-COOH$$

Internat. Freiname für *S*-Carboxymethyl-L-cystein, $C_5H_9NO_4S$, M_R 179,19; L-Form: Schmp. 204–207 °C; $[\alpha]_D^{24}$ 0,5° (1*N* Salzsäure). C. wurde 1951 als Broncholytikum entwickelt u. ist generikafähig im Handel. – *E* carbocisteine – *F* carbocistéine – *I* carbocisteina – *S* carbocisteína
Lit.: ASP ▪ Beilstein E V **18/12**, 48 ▪ Hager (5.) **7**, 691–692 ▪ Ullmann (5.) A **2**, 83 f. – [HS 2930 90; CAS 638-23-3]

Carbocromen.

$$H_5C_2OOC-CH_2-O-\underset{}{\underset{}{\bigcirc}}\underset{CH_3}{\underset{}{\bigcirc}}\underset{}{\overset{O}{\underset{}{\overset{||}{\bigcirc}}}}-\underset{CH_2-CH_2-N(C_2H_5)_2}{}$$

Internat. Freiname für 3-(2-Diethylaminoethyl)-7-(ethoxycarbonylmethoxy)-4-methyl-2*H*-1-benzopyran-2-on, $C_{20}H_{27}NO_5$, M_R 361,44. Verwendet wird das Hydrochlorid, Schmp. 159–160 °C, LD_{50} (Maus oral) 6300, (Maus i.p.) 528, (Maus i.v.) 35,5 mg/kg. Es wurde 1963 u. 1966 als Coronardilatator von Cassella patentiert u. ist von Hoechst AG (Intensaïn®) im Handel. – *E* = *I* carbocromene – *F* carbocromène – *S* carbocromeno
Lit.: Arzneimittelchemie II, 43 f. ▪ Arzneim.-Forsch. **26**, 197–213 (1976) ▪ ASP ▪ Beilstein E V **18/12**, 48 ▪ Hager (5.) **7**, 693–694. – [HS 2932 29; CAS 804-10-4; 655-35-6 (*Hydrochlorid*)]

Carbocyclen (carbocycl. Verb.). Gruppenbez. für solche *cyclischen Verbindungen, die ausschließlich Kohlenstoff-Atome im Ring enthalten; *Beisp.:* Cyclopropan, -hexen, -dodecatrien, Benzol, Anthracen usw. – *E* carbocycles – *F* composés carbocycliques – *I* composti carbociclici – *S* carbocicleno

Carbodiimide. Gruppenbez. für Verb. vom Typ $R^1-N=C=N-R^2$ (IUPAC-Regel C-956.1), d.h. ungesätt. Verb. mit *kumulierten Doppelbindungen, die sich von der tautomeren Form des Cyanamids (HN=C=NH) ableiten; bekanntester Vertreter ist *Dicyclohexylcarbodiimid. Die aus Thioharnstoffen, Harnstoffen, Isocyanaten u. Isothiocyanaten herstellbaren C. finden vielfältigen Nutzen in der präparativen organ. Chemie, insbes. zur Wasserabspaltung bei *Peptid-Synthese (s. *Lit.*[1]), in der Heterocyclen-Synth., bei Veresterungen, Cyclisationen sowie als Zwischenprodukt in Form der *Carbodiimidium-Salze* bei der Umwandlung sterisch gehinderter Alkohole in Alkylhalogenide[2].

$$R-NH-\underset{\underset{O}{||}}{C}-NH-R \xrightarrow[-H_2O]{P(C_6H_5)_3, CCl_4} R-N=C=N-R$$

N,N-disubstituierter Harnstoff   C.-Synthese aus Harnstoffen mit Triphenylphosphin / Tetrachlormethan als Wasser entziehende Reagenzien

C.-Dimethylsulfoxid ist ein mildes u. sehr gutes Oxidationsmittel, das v.a. in der Naturstoff-Synth. angewendet wird, s. *Lit.*[3]. Carbodiimidisierte *Isocyanate haben Bedeutung in der Kunststoffherst. (*Polyurethane*). – $E = F$ carbodiimides – I carbodiimmidi – S carbodiimidas

Lit.: [1] Houben-Weyl **15/2**, 103–116; Bodansky et al., Peptide Synthesis, New York: Wiley 1976. [2] Angew. Chem. **84**, 158ff. (1972). [3] Moffatt, in Augustine u. Trecker, Oxidation, New York: Marcel Dekker 1971.

allg.: Houben-Weyl **E 4**, 883–914 ▪ Patai, The Chemistry of Ketenes, Allenes and Related Compounds, S. 721–755, Chichester: Wiley 1980.

Carboethoxy... s. Ethoxycarbonyl...

CARBOFIN®. Wäss. Rußpräparationen in Pulver- u. Pastenform. *B.:* Brockhues.

Carbofuran. Common name für 2,3-Dihydro-2,2-dimethylbenzofuran-7-yl-methylcarbamat.

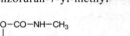

$C_{12}H_{15}NO_3$, M_R 221,26, Schmp. 153–154 °C, LD_{50} (Ratte oral) ca. 5 mg/kg (Bayer), von Bayer u. FMC entwickeltes system. *Insektizid, *Akarizid u. *Nematizid mit breitem Wirkungsspektrum zur Anw. in zahlreichen Kulturen. – $E = F$ carbofuran – I carbofurano – S carbofurán

Lit.: Farm ▪ Perkow ▪ Pesticide Manual. – [HS 2932 90; CAS 1563-66-2]

...carbohydroxamsäure. Suffix in Namen von *Hydroxamsäuren.

Carbokationen. Bez. für pos. geladene organ. Spezies, die im allg. nur als reaktive Zwischenstufen bei chem. Reaktionen auftreten. In Ausnahmefällen, insbes. wenn Heteroelemente die pos. Ladung stabilisieren od. wenn sie Teil eines aromat. *Ringsystems (s. aromatische Verbindungen) ist, können mehr od. weniger stabile Salze der C. isoliert werden. Man unterscheidet zwei Untergruppen der C.: die *Carbenium-Ionen* u. die *Carbonium-Ionen*.

Geschichte: Die salzartigen Eigenschaften von Triphenylmethylchlorid in Lsg. ließen *Baeyer, *Gomberg, *Walden u. a. die Existenz einer Zwischenstufe log. erscheinen, der sie kation. Eigenschaften zuschrieben u. die sie Carbonium-Ion nannten. Der Name wurde später in Carbenium-Ion umgewandelt, der log. ist, da die Endung ...onium solchen Spezies vorbehalten sein soll, die durch Anlagerung einer pos. Ladung an ein gesätt. Atom gebildet werden (vgl. Oxonium, Ammonium u. Phosphonium-Salze. Bis ca. 1970 findet man – bes. in der angloamerikan. Lit. die Bez. *Carbonium* für *Carbenium*-Ionen. Die heutige rationale Einteilung geht auf die fundamentalen Arbeiten von *Olah zurück, der die Namen Carbokation, Carbenium-Ion u. Carbonium-Ion neu definiert hat. Die Umlagerung von *Camphen in *Isobornylchlorid machte für *Meerwein die Existenz von *Carbenium-Ionen* wahrscheinlich; vgl. die zusammenfassende Darst. in „In Memory of Hans Meerwein" (*Lit.*). Sir C. *Ingold u. Hughes entwickelten das Konzept der nucleophilen *Substitution, die im Falle der sog. S_N^1-Reaktion (s. nucleophile Substitution) über Carbe-

nium-Ionen verläuft. Kinet. u. stereochem. Kriterien wurden entwickelt, um die Beteiligung von C. an chem. Reaktionen sicherzustellen. Das Konzept des „nicht klassischen" C. (s. Abb. u. bei anchimerer Hilfe) wurde von *Winstein entwickelt, um zu erklären, weshalb Nachbargruppen die *Heterolyse zu C. beschleunigen (s. a. Nachbargruppeneffekt). Die Erzeugung von C. bei tiefen Temp. in supersaurem Medium od. in der Gasphase läßt direkte Beobachtung zu, so z. B. mit Hilfe der *NMR-Spektroskopie der *Massenspektrometrie u. *ESCA-Methode u. macht auch das Auftreten von Carbonium-Ionen (R_5C^+) plausibel.

Struktur [1]*:* *Carbenium-Ionen* besitzen einen dreibindigen Kohlenstoff, der die pos. Ladung trägt u. der nur 6 *Valenzelektronen besitzt. In Abwesenheit ster. sperriger Gruppen ist der Carbenium-Kohlenstoff sp^2 hybridisiert u. die drei Bindungen zu den Substituenten sind coplanar. Die pos. Ladung wird in dem leeren 2p-Orbital lokalisiert, das senkrecht auf der von den 3 sp^2-Hybridorbitalen aufgespannten Ebene steht. Neben den Carbenium-Ionen mit drei existieren auch solche mit nur zwei Substituenten des Strukturtyps $\overset{\backslash}{/}C=\overset{+}{C}-$, die als Vinylkationen bezeichnet werden.

Im Gegensatz dazu sind *Carbonium-Ionen* Derivate des fünfbindigen Kohlenstoffs, die C_S-*Symmetrie besitzen. Diese Spezies sind anders als *Carbenium-Ionen* Elektronenmangel-Verb., da sie eine ungenügende Anzahl an *Valenzelektronen zur vollständigen Ausbildung von *Elektronenpaar-Bindungen besitzen. Die Beteiligung einer Zweielektronen-*Dreizentrenbindung zur Beschreibung der Struktur ist deshalb notwendig; solche Bindungsverhältnisse finden sich auch bei den *Boranen u. die Analogie im Reaktionsverhalten ist bemerkenswert. Das 2-Norbornyl-Kation kann als ein Paar schnell äquilibrierender *Carbenium-Ionen* od. als ein einziges *Carbonium-Ion* beschrieben werden

womit der Begriff „verbrücktes" od. „nicht klass." *Carbenium-Ion* verbunden ist. (Kontroverse darüber, s. z. B. *Lit.*[2]). – $E = F$ carbocations – I carbocationi – S carbocationes

Lit.: [1] Chem. Unserer Zeit **26**, 116ff. (1992); GIT Fachz. Lab. **36**, 305–312 (1992). [2] Adv. Phys. Org. Chem. **11**, 177 (1975); Acc. Chem. Res. **9**, 41–52 (1976); Nachr. Chem. Tech. Lab. **31**, 889 f. (1983).

allg.: Chem. Unserer Zeit **9**, 35–42 (1975) ▪ Houben Weyl **E 19 c** ▪ In Memory of H. L. Meerwein (Fortschritte Chem. Forsch. 80), Berlin: Springer 1979 ▪ Olah, Carbokationen u. elektrophile Reaktionen, Weinheim: Verl. Chemie 1973 ▪ Olah u. Schleyer, Carbonium Ions (5 Bd.), New York: Wiley 1968–1976 ▪ Top. Curr. Chem. **116/117**, 1–265, 267–341 (1984) ▪ Topics Stereochem. **7**, 253–293 (1973) ▪ s. a. reaktive Zwischenstufen, nucleophile Substitution, Eliminierung, Umlagerung.

Carboline.

Nichtsystemat. Gruppenbez. für Pyridoindole. Je nach der Stellung des N im Pyridin-Ring unterscheidet man α-, β-, γ-, u. δ-C.; die Abb. zeigt das β-C. (9H-Pyrido[3,4-b]indol), den Grundkörper der *Carbolin-Alkaloide* wie z. B. *Harmin, *Reserpin u. *Yohimbin, die in weiterem Sinne auch zu den *Indol-Alkaloiden gerechnet werden. Zur *Mutagenität von C.-Derivaten s. *Lit.*[1]. – ***E** = **F*** carbolines – ***I*** carboline – ***S*** carbolinas

Lit.: [1] Acc. Chem. Res. **17**, 403–408 (1984).
allg.: Adv. Heterocycl. Chem. **3**, 79–208 (1964) ▪ Katritzky-Rees **4**, 497–530 ▪ s. a. die Textstichwörter.

Carbolineum. Öliges, wasserunlösl., brennbares, braunrotes, teerig riechendes Gemisch aus Steinkohlenteer-Bestandteilen; enthält u. a. *Anthracen, *Phenanthren, *Phenole, *Kresol, *Naphthalin, *Chrysen usw. C. ist stark hautreizend u. wie Steinkohlenteer bei längerer Einwirkung carcinogen; die Dämpfe reizen die Atemwege. Es wirkt fäulnishemmend u. desinfizierend u. wird daher als konservierendes Anstrichmittel für Eisenbahnschwellen, Telegraphenstangen, Pfähle, Mauern usw. u. auch zur Bekämpfung von Obstbaumschädlingen benutzt. Zu diesem Zweck wird C. durch Zusatz von Seifen, Soda, Laugen etc. emulgierbar gemacht u. nach dem Laubfall als Spritzmittel gegen Moos- u. Flechtenwuchs, Pilzschädlinge, Insektenlarven etc. eingesetzt, z. T. auch zusammen mit Dinitrokresol. Der Name C. wurde vor etwa 100 Jahren von der Firma Avenarius durch Zusammenziehung von carbo (= Kohle) u. oleum (= Öl) geschaffen. – ***E*** carbolineum – ***F*** carbolinéum – ***I*** = ***S*** carbolineum

Lit.: Braun-Dönhardt, S. 95 ▪ Ullmann **8**, 552; **16**, 689.

Carbollide (Carbollyl-Komplexe) s. Carborane.

Carbolöl. Alternative Bez. für die auch *Mittelöl* genannten *Steinkohlenteer-Destillate mit Sdp. 170–240 °C (auch 180–210 °C angegeben). C. enthält aromat. Kohlenwasserstoffe u. Phenole. – ***E*** carbolic oil – ***F*** huile carbolique – ***I*** carboleina – ***S*** aceite carbólico

Carbolsäure. Von Runge 1834 geprägte Bez. für den sauren Bestandteil (*Phenol) in Steinkohlenteer-Destillaten (*Carbol*, aus latein. carbo = Kohle u. oleum = Öl).

Carbo medicinalis. Latein. Bez. für *medizinische Kohle.

Carbomethoxy... Veraltete Bez. für die *Methoxycarbonyl-Gruppe.

Carbomethoxypropylsenföl s. Senföle.

Carbomycin (Magnamycin).

$C_{42}H_{67}NO_{16}$, M_R 841,99. C. ist ein schwach bas. Makrolid-Antibiotikum aus *Streptomyces halstedii* mit den pyranosiden Zuckern *Mycaminose* bzw. *Mycarose* (vgl. Abb., mittlerer bzw. rechter Ring, s. a. *Lit.*[1]). Farblose, spindelförmige Krist., Schmp. 214 °C, schwer lösl. in Wasser od. Petrolether, lösl. in Alkohol od. Chloroform; $[\alpha]_D^{25}$ –58,6° ($CHCl_3$); LD_{50} (Maus i. v.) 550 mg/kg. Neben dem abgebildeten C. A gibt es noch ein C. B, das anstelle des Epoxid-Rings eine Doppelbindung enthält; Schmp. 141–144 °C, $[\alpha]_D^{25}$ –35° (c 1/$CHCl_3$).

Verw.: Gegen Gram-pos. Bakterien, Rickettsien u. viele Viren, auch in der Tiermedizin. Es wurde 1950 von Pfitzer patentiert u. ist in der BRD nicht im Handel. – ***E*** carbomycin – ***F*** carbomycine – ***I*** = ***S*** carbomicina

Lit.: [1] Angew. Chem. **83**, 261–274 (1971).
allg.: Beilstein E V **19/7**, 93 ▪ J. Am. Chem. Soc. **99**, 5826 f. (1977) ▪ Merck Index (11.), Nr. 1813. – *[HS 294190]*

Carbonados s. Diamanten.

Carbonat-Anhydr(at)ase s. Carboanhydrase.

Carbonat-Atmung. Stoffwechseltypus (s. a. Chemolithotrophie) obligat anaerober Bakterien, die im Energiestoffwechsel Wasserstoff als Elektronendonor u. Kohlendioxid als Elektronenakzeptor nutzen u. als Ausscheidungsprodukte Acetat (Acetogenese) od. Methan (*Methanogenese) bilden.

Lit.: Schlegel (7.), S. 329, 344, 348.

Carbonate. Bez. für Salze u. Ester der Kohlensäure. Die häufig mit histor. Namen (Soda, Pottasche, Kalk, Späte) belegten *Salze* der Kohlensäure haben das Anion CO_3^{2-}, wird nur ein H von H_2CO_3 durch Metall ersetzt, so entstehen die meist leichtlösl. *Hydrogencarbonate (alte Bez. Bicarbonate) der allg. Formel M^IHCO_3. Mit Ausnahme der Alkali-C. sind alle normalen C. in Wasser schwer lösl.; von Säuren werden sie unter CO_2-Entwicklung zersetzt, was auch als Mikronachw. dienen kann[1]. Zur Bestimmung von C. in alkal. Lsg. s. *Lit.*[2], u. zur Entwicklung einer selektiven Membranelektrode zur C.-Bestimmung s. *Lit.*[3]. Die Alkali-C. kann man unzersetzt schmelzen; die übrigen zerfallen bei hoher Temp. in Oxid u. CO_2 (Kalkbrennen). Die normalen Alkali-C. reagieren infolge *Hydrolyse stark alkal.; von einer $^1/_{10}$ N Sodalsg. sind z. B. bei 18 °C 3,5% der Na_2CO_3-Mol. hydrolysiert. Eine bes. Bedeutung besitzen Calcium- u. Magnesium-C. als gesteinsbildende Mineralien (*Sedimentgesteine). Die *Ester* der Kohlensäure haben die allg. Formel $O=C(OR)_2$, wobei R einen Alkyl- od. Aryl-Rest bedeutet; *Beisp.*: $O=C(OC_2H_5)_2$ (Diethylcarbonat, Kohlensäurediethylester). Es sind auch cycl. organ. C. bekannt (*Beisp.*: *1,3-Dioxolan-2-on, Ethylencarbonat), von denen einige als nichtwäss. *Lösungsmittel dienen[4]. Höhere C. sind die Ester der Di- (früher Pyro-) kohlensäure, z. B. *Diethyldicarbonat. *Polycarbonate enthalten die Gruppierung (O–R–O–CO–)$_n$. Von der hypothet. Orthokohlensäure [C(OH)$_4$] leiten sich die *Orthocarbonate ab. – ***E*** = ***F*** carbonates – ***I*** carbonati – ***S*** carbonatos

Lit.: [1] Chem. Labor Betr. **26**, 233 ff. (1975). [2] Z. Anal. Chem. **292**, 45 (1978). [3] Science **184**, 1074 (1974). [4] Chem. Nonaqueous Solv. **4**, 167–245 (1976).

Carbonat-Härte

allg.: Bathurst, Carbonate Sediments and Their Diagenesis, Amsterdam: Elsevier 1975 ▪ Fortschr. Chem. Forsch. **64**, 1–112 (1976) ▪ Gmelin, Syst.-Nr. 14, C 3, 1973 ▪ Kirk-Othmer (4.) **5**, 77, 87–94 ▪ Loewenthal u. Mara, Carbonate Chemistry of Aquatic Systems (2 Bd.), Ann Arbor: Ann Arbor Sci. Publ. 1976, 1979 ▪ Ullmann (5.) **A 5**, 197–202 ▪ Wilson, Carbonate Facies Geologic History, Berlin: Springer 1975.

Carbonat-Härte s. Härte des Wassers.

Carbonation s. Saccharose.

Carbonato... Bez. für die Atomgruppierung CO_3^{2-} als zweifach neg. anion. Ligand in Namen von Koordinationsverb. nach IUPAC-Regel I-10.4.5.1.
Lit.: Chem. Rev. **70**, 171–197 (1970) ▪ Coord. Chem. Rev. **4**, 147–198 (1969).

Carbonat-Verfahren s. Saccharose.

Carbonisieren. 1. Bez. für ein Verf. der *Textilveredlung, um aus Wolle od. Wollwaren (Lumpen, Reißwolle, Stücke) mit pflanzlichen Verunreinigungen bzw. Beimischungen von Pflanzenfasern reine *Wolle zu gewinnen. Man gibt zu der Ware ein anion. od. nichtion. Carbonisiernetzmittel u. 2–3%ige Schwefelsäure, schleudert auf ca. 40% Wassergehalt ab, erwärmt die Ware nach Vortrocknung im Carbonisierofen 10–15 min auf 90–110 °C (hierbei wird Cellulose verkohlt u. zermürbt, während Wolle fast unverändert bleibt) u. entfernt dann die Cellulose-Reste im Schlagwolf. Die Wolle wird entsäuert (z. B. mit 0,2%iger Sodalsg.) u. ausgewaschen. An Stelle von verd. Schwefelsäure kann man beim C. auch verd. Salzsäure bzw. Aluminiumchlorid- od. Magnesiumchlorid-Lsg. verwenden. Durch das C. verursachte Verfärbungen können eine anschließende Bleiche erforderlich machen. Beim C. mit H_2SO_4 können auch an der Wolle z. T. irreversible chem. Änderungen eintreten[1].
2. Allg. Bez. für „Verkohlung", insbes. für die *Inkohlung. – *E* = *F* carbonisation – *I* carbonizzazione – *S* 1. carbonizado 2. carbonización
Lit.: [1] Angew. Chem. **71**, 435 (1959).
allg.: Rath, Lehrbuch der Textilchemie, S. 287 ff., Berlin: Springer 1972 ▪ s. a. Textilveredlung u. Wolle.

Carbonitride. Bez. für eine Gruppe von *Hartstoffen aus Mischkrist. von *Carbiden u. *Nitriden der Übergangsmetalle. – *E* carbonitrides – *F* carbonitrures – *I* carbonitruri – *S* carbonitruros
Lit.: Metall (Berlin) **1971**, 1335 ▪ Winnacker-Küchler (4.) **4**, 224, 231. – *[HS 2849 90]*

Carbonitrieren. Thermochem. Behandlung eines Bauteiles aus *Stahl zum gleichzeitigen Anreichern der Randschicht mit Kohlenstoff u. Stickstoff[1]. Dem Verf. der *Aufkohlung wird dabei ein *Nitridieren überlagert. Der hierfür übliche Einsatzstahl wird zum C. bei vergleichsweise niedriger Temp. am Umwandlungspunkt Ferrit/Austenit (s. Eisen-Kohlenstoff-System) in gasf. od. flüssigen Mitteln mit hoher C- u. N-Aktivität eingesetzt. Das Bad kann z. B. aus NaCN, NaCl u. Na_2CO_3 bestehen. Durch C u. N wird der Stabilitätsbereich des *Austenits erweitert, d. h. die Umwandlungstemp. nimmt im Verlauf der Aufnahme dieser Elemente ab; daraus folgt die Möglichkeit der Anw. vergleichsweise niedriger Temp., was wiederum zu einer höheren *Dimensionsstabilität führt. An der Außenoberfläche bildet sich beim C. eine dünne Verbindungsschicht aus Fe-Carbonitrid mit antiadhäsiven Eigenschaften, darunter reichern sich C u. N im Austenit an u. führen beim *Abschrecken zu einem Stickstoff-haltigen *Martensit mit guter Verschleißbeständigkeit. Eine anschließende mechan. Bearbeitung (Schleifen, Polieren) sollte nicht mehr vorgenommen werden. – *E* carbonitriding – *F* carbonitruration – *I* carbonitrurazione – *S* carbonitruración
Lit.: [1] DIN/EN 10052 (01/1994); VDI-Lexikon Werkstofftechnik, S. 123, Düsseldorf: VDI 1993; DIN 17210 (09/1986); DIN 1654 Tl. 3 (10/1989).

...carbonitril. Suffix in systemat. Namen für *Nitrile.

Carbonium-Ionen. Die in Analogie zu Namen von anderen *Onium-Verbindungen gebildete Bez. Carbonium bedeutet sinngemäß das durch Anlagerung einer pos. geladenen Gruppe an ein gesätt. C-Atom entstandene pos. Ion $[CR_5]^+$, *Beisp.*:
$CH_4 + H^+ \rightarrow CH_5^+$ (*Methonium, Methanium*; zur Benennung der C. s. IUPAC-Regel C-82.4) u.
$C_2H_5^+ + H_2 \rightarrow C_2H_7^+$. Diese *Protonierung* des Methans gelingt im Massenspektrometer od. läßt sich mit Hilfe der *ICR-Spektroskopie nachweisen. Mit *Supersäuren wie *Magischer Säure u. dgl. (vgl. a. *Lit.* bei Carbokationen) können C. ebenfalls erzeugt werden; jedoch sind die Argumente für das Auftreten von C. nicht so eindeutig, wie bei den Gasphasenexperimenten. „Echte", fünfbindige C. – die meisten sog. C. sind *Carben*ium-Ionen, vgl. Definition bei Carbokationen – treten nur selten als *reaktive Zwischenstufen bei organ. Reaktionen auf, s. *Lit.*[1,2]. – *E* carbonium ions – *F* ions carbonium – *I* ioni di carbonio – *S* iones carbonio
Lit.: [1] Angew. Chem. **85**, 183–225 (1973). [2] Chem. Unserer Zeit **12**, 71–81 (1978).
allg.: s. Carbokationen, reaktive Zwischenstufen.

Carbonochloridate s. Chlorameisensäureester.

Carbonohydrazid s. Carbazid.

Carbonsäuren. Bez. für eine große Gruppe von organ. Säuren, die eine od. mehrere *Carboxy-Gruppen —COOH enthalten; entsprechend kennt man Mono-, *Di-, *Tri-, *Polycarbonsäuren usw. Die Carboxy-Gruppen können mit (gesätt. od. ungesätt.) Alkyl- od. Cycloalkyl-Resten od. mit aromat. Resten verbunden sein; die ersteren bezeichnet man auch als *Fettsäuren. Die Nomenklatur der C. R–COOH (IUPAC-Regeln C-401 bis C-491) greift entweder auf Trivialnamen zurück od. bildet die systemat. Namen entweder aus dem Namen des Stammkohlenwasserstoffs R durch Anhängen der Nachsilbe „...carbonsäure" od. aus dem Namen des Kohlenwasserstoffs (R+1) unter Anhängen von „...säure"; *Beisp.*: Capronsäure (*Trivialname*), Pentancarbonsäure, Hexansäure (*bevorzugter systemat. Name*) sind Synonyma für die Säure $H_3C–(CH_2)_4–COOH$. Bekannte C. sind *Ameisen-, *Essig-, *Butter-, *Stearinsäure (gesätt. Fettsäuren), *Acrylsäure, Crotonsäure (s. Butensäure), *Ölsäure (ungesätt. Fettsäuren), *Oxal-, *Malon-, *Bernstein-, *Adipinsäure (gesätt. Dicarbonsäuren), *Benzoe-, *Phthalsäure (aromat. Mono- u. Dicarbonsäure). Die Ggw. weiterer Substituenten am Grundgerüst der C. vergrößert die Zahl der C. erheblich; zu diesen substituierten C., die im allg. in Einzelstichwörtern behandelt sind, zählen die Aminosäuren, Hydroxy- u. Oxosäuren, wie z. B. die Zuckersäuren (Aldon- u. Uronsäuren), Harzsäuren, Naphthensäuren (cycl. C.), Gallensäuren u. a. Steroid-C., Halogencarbonsäuren u. a. Durch Ersatz des Carbonyl- u./od. Hydroxysauerstoffs durch Stickstoff- bzw. Schwefel-haltige Gruppen gelangt man zu Imid-, Hydroxam-, Thiosäuren etc. Die niederen aliphat. C. (bis ca. C_{10}) sind bei 20 °C fast alle flüssig, die höheren ebenso wie die aromat. fest. Alle C. haben sehr hohe Sdp., was auf die Neigung zur *Assoziation zurückzuführen ist. Bis etwa C_8 sind die C. wasserlöslich. Im allg. sind die C. schwächere Säuren als die gängigen anorgan. Säuren, obwohl z. B. halogenierte C. weitgehend dissoziiert sind; eine Tab. mit Dissoziationskonstanten von C. findet sich in *Lit.*[1] u. Serjeant (*Lit.*).

Vork.: In der Natur kommen veresterte C. in Ölen, Fetten u. Wachsen vor (als *Glyceride bzw. Fettsäurealkylester), ferner in natürlichen Aromen u. Harzen (aliphat. u. aromat. C-Ester). In freier Form treten die niederen aliphat. C. u. einige aromat. C. als Bestandteile von Pflanzensäften, Schweiß u. a. Tiersekreten in Erscheinung. Die bemerkenswerte Bevorzugung der aliphat. C. mit geradzahliger C-Zahl in der Natur ergibt sich aus dem Aufbaumechanismus über Acetyl-CoA (s. Coenzym A u. Fette und Öle). Umgekehrt unterliegen geradzahlige C. leichter dem *biologischen Abbau als ungeradzahlige u. verzweigte. Zum Vork. von C. in Erdöl u. in Sedimentgesteinen s. *Lit.*[2].

Nachw.: Durch die Herst. von krist. Derivaten wie Aniliden, Aminen, Phenacylestern usw., durch Überführung in *Hydroxamsäuren, die mit $FeCl_3$ eine charakterist. Färbung geben.

Herst.: Durch Oxid. von Alkoholen od. Aldehyden, von Alkenen, von Alkylbenzolen zu aromat. C. u. durch Hydrierung derselben zu alicycl. Carbonsäuren, durch Hydrolyse von Nitrilen.

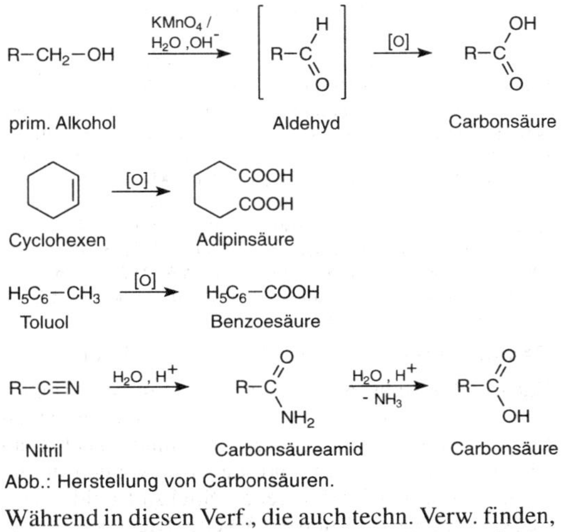

Abb.: Herstellung von Carbonsäuren.

Während in diesen Verf., die auch techn. Verw. finden, die C. die gleiche Anzahl C-Atome enthalten wie das Ausgangsmaterial, gibt es eine große Anzahl von meist in Einzelstichwörtern behandelten sog. *Aufbaureaktionen*, mit deren Hilfe sich C. mit höherer C-Zahl aus Rohstoffen mit niedrigerer synthetisieren lassen;

Beisp.: Malonester-Synth., Arndt-Eistert-Reaktion, Reformatsky-Synth., Carboxylierung von Grignard-Verb., Kochsche Carbonsäure-Synth., Carbonylierung, Oxo-Synth. usw. Zur Techn. Herst. einzelner C. sind meist Spezialverf. entwickelt worden, wozu auch die oxidative Spaltung höhermol. Olefine bzw. ungesätt. Fettsäuren zu rechnen ist u. die katalysierte Luft od. Sauerstoff-Oxid. von Petrochemikalien. Ein großer Prozentsatz techn. C. wird auch auf dem Gärungswege gewonnen (s. Biotechnologie).

Umwandlung: Mit Basen bilden die C. feste Salze u. mit Alkoholen *Ester:

$$R^1\text{–COOH} + R^2\text{OH} \rightarrow R^1\text{–COOR}^2 + H_2O;$$

findet die Veresterung innerhalb desselben Mol. (Hydroxy-C.) statt, so entstehen die *Lactone. Die Einwirkung wasserentziehender Mittel auf C. führt zur Bildung von *Säureanhydriden:

$$2\,R\text{–COOH} \rightarrow R\text{–CO–O–CO–R} + H_2O;$$

mit Ammoniak bilden die C. *Amide, mit Aminen die entsprechenden *N*-Alkylamide u. mit Amino-Gruppen innerhalb desselben Mol. (Amino-C.) *Lactame. Therm. erweisen sich viele C. als labil; sie verlieren beim Erhitzen, ggf. in Ggw. von Katalysatoren, Kohlendioxid:

$$R\text{–COOH} \rightarrow R\text{–H} + CO_2 \quad (*Decarboxylierung).$$

Mit Reduktionsmitteln reagieren viele C. unter Bildung der Alkohole:

$$R\text{–COOH} + 4\,H \rightarrow R\text{–CH}_2OH + H_2O$$

Tab.: Carbonsäure-Derivate.

X	allg. Formel	Name	in diesem Lexikon behandelt unter
–Cl(Br)	R^1–CO–Cl(Br)	Carbonsäurehalogenid	Säurehalogenide, Säurechloride
–N_3	R^1–CO–N_3	Carbonsäureazid	Azide
–NH_2	R^1–CO–NH_2	Carbonsäureamid	Amide
–NH–NH_2	R^1–CO–NH–NH_2	Carbonsäurehydrazid	Hydrazide
–NH–OH	R^1–CO–NH–OH	Hydroxamsäure	Hydroxamsäuren
–O–OH	R^1–CO–O–OH	Peroxycarbonsäure	Persäuren
–OR^2	R^1–CO–OR^2	Carbonsäureester	Ester
–O–CO–R^1	R^1–CO–O–CO–R^1	Carbonsäureanhydrid	Anhydride

Carbonyl...

Mit Halogenierungsmittel wie $SOCl_2$, PCl_3 od. PCl_5 entstehen Säurehalogenide (R–CO–X). Die Tab. gibt einen Überblick über C.-Derivate, die größtenteils in Einzelstichwörtern behandelt werden.
Wegen der Reaktionsfreudigkeit der Carboxy-Gruppe ist es oft nötig, *Schutzgruppen (z. B. die *9-Anthrylmethyl-Gruppe) einzuführen, wenn an anderer Stelle des C.-Mol. Reaktionen durchgeführt werden sollen. Zur Verw. der C. s. die Einzelverbindungen. – *E* carboxylic acids – *F* acides carboxyliques – *I* acidi carbonici – *S* ácidos carboxílicos
Lit.: [1] Pure Appl. Chem. **1**, 187ff. (1960). [2] Zechmeister **32**, 1–50. *allg.:* Houben-Weyl **E 5** (2 Bd.) ▪ Kirk-Othmer **4**, 814–871; (4.) **5**, 147 ff. ▪ Ogliaruso u. Wolfe, The Synthesis of Carboxylic Acids, Esters and their Derivatives (Update from the Patai Series), Chichester: Wiley 1991 ▪ Patai, The Chemistry of Carboxylic Acids and Esters, London: Interscience Publ. 1969; The Chemistry of Acid Derivatives (2 Bd), Chichester: Wiley 1979, 1992 ▪ Serjeant u. Dempsey, Ionisation Constants of Organic Acids in Aqueous Solution, Oxford: Pergamon 1979 ▪ Ullmann (5.) **A 5**, 235 ff.

Carbonyl... a) Bez. der Atomgruppierungen –C(=O)– od. =C=O (IUPAC-Regeln C-403.2, -463.3, I-8.4.2.2, R-3.2.1 u. a. od. C-321.2); *Beisp.:* Cyclohexancarbonyl..., *Ethoxycarbonyl..., Carbonyldichlorid ($COCl_2$, *Phosgen), 2,4-*O*-Carbonyl-ribit, *Carbonyldioxy..., Carbonylcyclohexan (C_6H_{10}=C=O); s. a. Carbonyl-Gruppe. – b) Bez. für CO (*Kohlenoxid) als Ligand, s. Metallcarbonyle u. Carbonylkomplexe. – *E* = *F* carbonyl... – *I* = *S* carbonil...

Carbonyl(di)chlorid s. Phosgen.

Carbonyldioxy... Bez. für die Atomgruppierung –O–CO–O– in systemat. Namen von organ. Verb. (IUPAC-Regel C-205.2); *Beisp.:* 4,4′-Carbonyldioxydibenzoesäure.

– *F* dioxy... carbonyle – *I* carbonildiossi... – *S* carbonildioxi...

Carbonyle s. Carbonyl-Komplexe u. Metallcarbonyle.

Carbonyleisen s. Eisen.

Carbonyl-Gruppe. Bez. für die *funktionelle CO-Gruppe, wie sie reaktionsbestimmend in *Aldehyden u. *Ketonen vorliegt. Die funktionelle Gruppe von Carbonsäure-Derivaten bezeichnet man im engeren Sinne nicht als C., sondern als Carboxy-Gruppe (s. Carboxylierung), da diese Verb. ein anderes Reaktionsverhalten aufweisen. So sind *Additions-Reaktionen an die C. reaktivitätsbestimmend u. werden oft von *Kondensations-Schritten gefolgt (s. Beisp. bei Aldehyden), während Carbonsäure-Derivate Additions-Eliminierungs-Reaktionen unter Erhalt der CO-Funktion eingehen (s. Carbonsäuren). Das charakterist. Reaktionsverhalten der C. kann auch zu deren Nachw. verwendet werden (Abb.). Zur colometr. u. fluorometr. Bestimmung der C. über C.-Derivate, s. *Lit.*[1].

Die Einführung der C. in organ. Substrate nennt man *Carbonylierung. Weitere Details zu den Reaktionen der C. s. bei Aldehyde, Chinone u. Ketone. – *E* carbonyl group – *F* groupe carbonyle – *I* gruppo carbonile – *S* grupo carbonilo
Lit.: [1] Pure Appl. Chem. **51**, 1803–1814 (1979).
allg.: Patai, The Chemistry of the Carbonyl Group (2 Bd.), London: Interscience Publ. 1966, 1970 ▪ Patai, The Chemistry of Doubled-Bonded Functional Groups, London: Wiley 1977 ▪ Warren, Chemistry of the Carbonyl Group, New York: Wiley 1974 ▪ s. a. Carbonylierung, Aldehyde, Ketone u. funktionelle Gruppen.

Carbonylierung. Bez. für die Einführung der *Carbonyl-Gruppe in organ. Verb., z. B. nach der formalen Gleichung: RH + CO → R-CHO. Zu den wichtigsten, auch techn. durchgeführten C. rechnen die Synth. von Aldehyden durch *Oxo-Synthese od. *Hydroformylierung u. die Synth. von Carbonsäuren (s. *Lit.*[1]) od. Alkyl- u. Aralkylhalogeniden (*Hydrocarboxylierung) u. die Essigsäure-Synth. nach dem *Monsanto-Verfahren. Diese C. laufen als *Einschiebungsreaktionen im allg. nur in Ggw. von *Metallcarbonylen u. *Carbonyl-Komplexen ab; diese katalysieren übrigens auch die *Decarbonylierungs-Reaktion[2].

– *E* = *F* carbonylation – *I* carbonilazione – *S* carbonilación
Lit.: [1] Adv. Organomet. Chem. **17**, 255–267 (1979). [2] Angew. Chem. **89**, 305–317 (1977).
allg.: Colquhoun, Thompson u. Twigg, Carbonylation, New York: Plenum Press 1991 ▪ Hegedus, Organische Synthese mit Übergangsmetallen, S. 123–132, Weinheim: VCH Verlagsges. 1995 ▪ Houben-Weyl **E18/2**, 750 f. ▪ Kirk-Othmer (3.), **4**, 776–781 ▪ Patai, The Chemistry of Doubled Bonded Functional Groups, S. 1099–1166, London: Wiley 1977; The Chemistry of the Metal-Carbon Bond, Bd. 3, S. 435–445, Chichester: Wiley 1985 ▪ Ullmann (5.) **A 5**, 217–234 ▪ Wender u. Pino, Organic Synthesis via Metal Carbonyl (2 Bd.), New York: Wiley 1968, 1976.

Carbonyl-Imine s. 1,3-dipolare Cycloaddition.

Carbonylkomplexe. Umfangreiche Gruppe von *Carbonyl-Gruppenhaltigen Metallkomplexen, in denen CO-Molekeln koordinativ (vgl. Koordinationslehre) an Metallatome gebunden sind; daneben können die C. noch Wasserstoff, Halogene, Stickstoffoxid, mol. Stickstoff, Cyano-Gruppen, Alkene, Diene u. a. ungesätt. organ. Verb., auch π-*Allyl-Übergangsmetall-Verbindungen u. *Aromaten-Übergangsmetall-Komplexe enthalten. Außerdem sind zahlreiche C. bekannt, die mehrere Metallatome (gleicher od. verschiedener

Art) enthalten u. die auch als *Cluster-Verbindungen bezeichnet werden. In der Mehrzahl der C. ist das *Übergangsmetall-Zentralatom nullwertig. Die Mannigfalt der C. sei durch einige Verb. des Eisens belegt, wobei die beiden erstgenannten Komplexe zu den reinen *Metallcarbonylen gerechnet werden:

Tab.: Carbonylkomplexe des Eisens.

Eisenpentacarbonyl	$Fe(CO)_5$
Dieisennonacarbonyl	$Fe_2(CO)_9$
Diprototetracarbonylferrat(II)	$H_2[Fe(CO)_4]$
Dicarbonyldiiodoeisen	$Fe(CO)_2I_2$
Trikaliumcarbonylpentacyanoferrat	$K_3[Fe(CN)_5CO]$
1,2-Bis(hexamethylbenzol)-tetracarbonyldieisen (0)	$C_{12}H_{18}Fe(CO)_4FeC_{12}H_{18}$
Carbidopentaeisenpentadeca-carbonyl	$Fe_5C(CO)_{15}$
Rhenium-eisen-mangan-tetradeca-carbonyl	$ReFeMn(CO)_{14}$

Die hier erwähnten Namen entsprechen allerdings weder den Regeln D-2 der IUPAC-Nomenklatur der organ. noch den Regeln 7.1–7.8 der anorgan. Chemie; beispielsweise wäre das in den USA vorübergehend als *Antiklopfmittel verwendete MMT (*Methylcyclopentadienylmangantricarbonyl, s. Abb.) nach Regel 7.42 als Tricarbonyl(η-methylcyclopentadienyl)mangan zu bezeichnen.

Bei der Synth. der C. geht man von den Metallcarbonylen aus u. verdrängt die CO- durch andere *Liganden. Aufgrund der leichten Austauschbarkeit der Liganden u. der Redoxeigenschaften der Zentralatome eignen sich die C. als Katalysatoren der homogenen *Katalyse, z.B. zur *Carbonylierung (auch CO-*Einschiebungsreaktion), *Carboxylierung, *Alkylierung, *Acylierung, Cyclisierung usw. – *E* carbonyl complexes – *F* complexes carbonyle – *I* complesse carbonili – *S* complejos de carbonilo

Lit.: Angew. Chem., Int. Ed. Engl. **34** (22), 2489–2491 (1995) ▪ Falbe, New Syntheses with Carbon Monoxide, Berlin: Springer 1980 ▪ Haupt, Untersuchungen über Metallcarbonyle u. CO-Reaktionsmechanismen, Wiesbaden: Westdtsch. Verl. 1978 ▪ Houben-Weyl **E 18** ▪ J. Organomet. Chem. **300**, 121–218 (1986) ▪ Kirk-Othmer (4.) **5**, 123–147 ▪ Metal Carbonyl Chemistry (Fortschr. Chem. Forsch. 71) Berlin: Springer 1977 ▪ Ullmann (5.) **A 18**, 222f. ▪ s. a. Carbonyl-Gruppe, Carbonylierung, Metallcarbonyle, Metall-organische Verbindungen.

Carbonylnitrene s. Nitrene.

Carbonyl-Oxide. Zusammen mit Carbonyl-Iminen u. Carbonyl-Yliden gehören C.-O. zu den instabilen 1,3-Dipolen des Allyl-Typs mit Sauerstoff als Zentralatom. Von *Criegee wurden C.-O. als Zwischenstufen bei der Ozonolyse von Alkenen postuliert (s. Abb. bei 1,3-dipolare Cycloaddition u. Ozonisierung). – *E* carbonyl oxides – *F* oxydes carbonyles – *I* ossidi di carbonile – *S* carbonil-óxidos

Lit.: Angew. Chem. **102**, 362ff. (1990) ▪ Padwa, 1,3-Dipolar Cycloaddition Chemistry, Bd. 2, S. 197ff., New York: Wiley 1984.

N-Carbonylsulfamoylchlorid (NCSA, Chlorsulfonylisocyanat, Isocyanatosulfonylchlorid). O=C=N–SO$_2$–Cl, CClNO$_3$S, M_R 141,53. Reaktivstes bekanntes Isocyanat. Farblose, an Luft rauchende u. erstickend riechende Flüssigkeit, D. 1,626, Schmp. –43 °C, Sdp. 108 °C, mit Wasser, Alkoholen heftig bis explosionsartig reagierend, in aromat. u. halogenierten Kohlenwasserstoffen löslich. Das aus Schwefeltrioxid u. Chlorcyan gebildete C. überführt Amine, Alkohole u. Säuren in *N*-Chlorsulfonylharnstoffe, -urethane usw. – *E N*-carbonylsulfamoylchloride – *F* chlorure de N-carbonylesulfamoyl – *I* cloruro di N-carbonilsolfamoile – *S* cloruro de *N*-carbonilsulfamoilo

Lit.: Aldrichim. Acta **10**, 23–29 (1977) ▪ Angew. Chem. **80**, 179–189 (1968) ▪ Beilstein E IV **3**, 86 ▪ Chem. Rev. **76**, 389ff. (1976) ▪ Synthesis **1987**, 437 ▪ Synthetica **2**, 68–70 ▪ Ullmann (5.) **A 10**, 572. – *[HS 285100]*

Carbonylsulfid s. Kohlenoxidsulfid.

Carbonyl-Verfahren s. Nickel.

Carbonyl-Ylide s. 1,3-dipolare Cycloaddition.

Carbonyl-Zahl. Bez. für die Anzahl mg CO (*Carbonyl-Gruppe), die in 1 g Substanz (z. B. Lsm.) enthalten ist. Die C.-Z. wird durch Oximierung u. Rücktitration bestimmt. – *E* carbonyl number – *F* nombre de carbonyles – *I* numero di carbonile – *S* índice de carbonilo, número de carbonilos

Carboplatin.

Internat. Freiname für *cis*-Diammin(1,1-cyclobutandicarboxylato)platin, $C_6H_{12}N_2O_4Pt$, M_R 371,25. C. ist ein *Cytostatikum, das gegen verschiedene Tumore eingesetzt wird (Carboplat®, Bristol-M.-Squibb; Ribocarbo®, Ribosepharm). Gegenüber *Cisplatin weist es verringerte Nephrotoxizität auf. – *E* carboplatin(um) – *F* carboplatine – *I* = *S* carboplatino

Lit.: Anticancer Res. **14**, 2279–2283 (1994) ▪ Hager (5.) **7**, 697ff. ▪ Khayat, Carboplatin, Freiburg: Karger 1993 (Bd. 50, Suppl. 2 der Reihe Oncology). – *[CAS 41575-94-4]*

Carbopol®. Marke von Goodrich für stark saure Acrylsäure-Polymerisate mit hoher Molmasse, die als wasserlösl. Pulver geliefert werden. Neutralisation mit anorgan. od. organ. Basen liefert hochviskose Lsg. od. Gele, die zur Herst. von kosmet. Präp., Textilhilfsmitteln, Farben, Polituren, Reinigungs- u. Abbeizmitteln Verw. finden. *B.:* Serva.

Carborane. 1. Ebenso wie *Barene* von der IUPAC abgelehnte, dennoch weithin benutzte Gruppenbez. für *Carbaborane*, d. h. Bor-Kohlenstoff-Wasserstoff-Verb., die käfigartige Strukturen aufweisen u. sich von den höheren *Boranen durch teilw. Ersatz von B durch C ableiten. Folgerichtig geht die Benennung der C. auch von den entsprechenden Boranen aus, u. die Kohlenstoff-Atome werden durch Carba... als Heteroatome gekennzeichnet; auch die Strukturpräfixe *closo-* *nido-* usw. haben die gleiche Bedeutung wie bei Boranen; *Beisp.:* $B_5C_2H_7$ Dicarba-*closo*-heptaboran(7). Die C. können durch verschiedenartige An-

Carborundane

ordnung der C-Atome Isomere bilden, die durch Angabe der Stellung (s. Abb. a) vor dem Verbindungsnamen unterschieden werden.

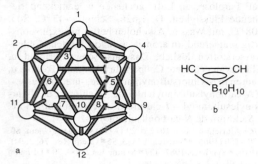

Abb.: Carborane.

2. *Carboran* $C_2H_{12}B_0$, ist der häufig verwendete Trivialname für die Verb. $B_{10}C_2H_{12}$, die drei Isomere bildet: 1,2-Dicarba-*closo*-dodecaboran(12), 1,7-Dicarba-*closo*-dodecaboran(12) u. 1,12-Dicarba-*closo*-dodecaboran(12), die auch als *ortho*-, *meta*- u. *para*-C. unterschieden werden, vgl. Abb. a, in der die 12 H-Atome weggelassen sind; häufig wird das 1,2-Isomere wie in Abb. b symbolisiert.
Die Verb. $B_{10}C_2H_{12}$ sind chem. u. therm. außerordentlich beständig; die Schmp. von *o*-, *m*- u. *p*-C. liegen bei 295°C, 273°C u. 259–261°C. Bei 450–500°C geht die *ortho*-Verb. in das *meta*-Isomere über, bei 630°C bildet sich aus ihr das *para*-Carboran. Starke Oxidationsmittel wie H_2O_2 od. $KMnO_4$ reagieren nicht, noch greifen starke Reduktionsmittel wie $LiAlH_4$ an. Dagegen gehen die $B_{10}C_2H_{12}$ wie alle übrigen C. – da deren Wasserstoffe schwach sauer sind, bilden die C. leicht Anionen – viele andere Reaktionen ein, z. B. Metallierung, Halogenierung, Anknüpfung von Siloxan-Seitenketten, Substitution von B durch andere Elemente wie z. B. Ga (vgl. Lit.[1]). Bildung von *Sandwich-Verbindungen mit Übergangsmetall-Zentralatomen etc. Für letztere sind auch Bez. wie *Canastide* u. *Carbollide*, *Dicarbollide* od. *Dicarbollylkomplexe* (von span.: olla = Kochtopf) in Gebrauch. Einen Überblick über die Strukturvielfalt der C. erhält man in Lit.[2] u. bes. bei Stumpf (*Lit.*). Die Synth. der C. gelingt durch Umsetzen von Acetylenen mit höheren Boranen, z. B. von C_2H_2 mit *nido*-Decaboran(14). Unter Einwirkung von Basen erhält man aus höheren C. verschiedene niedrigere. Neben diesen Grundsynth. gibt es zahlreiche weitere präparative Methoden.
Verw.: C. mit Siloxan-Seitenketten in der Gaschromatographie als stationäre Phase (*Dexsil), Polymere mit C. in Haupt- od. in Seitenketten als temperaturbeständige Elastomere[3] od. Thermoplaste, vgl. Stumpf (*Lit.*). – *E* = *F* carboranes – *I* carborani – *S* carboranos

Lit.: [1] Angew. Chem. **82**, 920–930 (1970). [2] Endeavour **31**, 16–21 (1972); Chem. Unserer Zeit **9**, 67–78 (1975). [3] Kunststoffe **63**, 616 (1973).
allg.: Adv. Inorgan. Chem. Radiochem. **18**, 1–142 (1976); **26**, 55–117 (1983) ▪ Gmelin, Erg.-Werk, Bd. 15, 27, 42, 43, Carborane 1–4, 1974 ff., 1st Suppl. Vol. 3, 1981, S. 105–255, 2nd Suppl. Vol. 2, 1982, S. 223–335, 3rd Suppl. Vol. 4, 1988, S. 153–254 ▪ Kirk-Othmer (4.) **4**, 465–470 ▪ Stumpf, in Möllinger, Themen zur Chemie des Bors, S. 85–140, Heidelberg: Hüthig 1976 ▪ Ullmann (5.) **A 4**, 320 f. ▪ s. a. Borane. – *[CAS 16872-09-6 (o-C.); 16986-24-6 (m-C.)]*

Carborundane s. Carbosilane.

CARBOSET®. Marken von Goodrich für Copolymere aus Acrylsäureestern u. Acrylsäuren, die als Beschichtungs- u. Imprägnierharze in fester, flüssiger od. gelöster Form verfügbar sind.

Carbosilane. Von G. Fritz geprägter, wenig zweckmäßiger Trivialname für offenkettige od. cycl. *Silicium-organische Verbindungen mit alternierend angeordneten Si- u. C-Atomen; *Beisp.*:

$(H_3C)_3Si-CH_2-Si(CH_3)_3$

2,2,4,4-Tetramethyl-2,4-disilapentan

1,1,3,3,5,5-Hexachlor-1,3,5-silinan

Polycycl., Adamantan-ähnliche C. werden von Fritz *Carborundane* genannt. Die C. sind durch Pyrolyse von Tetramethylsilan od. den Chlormethylsilanen $SiCl_n(CH_3)_{4-n}$ zugänglich. Sie sind techn. bedeutungslos. Die Pyrolyse polymerer C. in Chrom-Stählen soll zur Bildung verschleißmindernder Chromcarbide u. -silicide führen[1]. – *E* = *F* carbosilanes – *I* carbosilani – *S* carbosilanos

Lit.: [1] Nature (London) **264**, 237 ff. (1976).
allg.: Chem.-Ztg. **97**, 111–116 (1973) ▪ Fortschr. Chem. Forsch. **14**, 459–553 (1967); **50**, 43–127 (1974).

Carbosilan-Polymere. Untergruppe der *anorganischen Polymere. Als C.-P. im engeren Sinne werden kettenförmige, substituierte *Makromoleküle der Form $(SiR_2-CR'_2)_n$ bezeichnet, in denen Silicium-Atome u. Kohlenstoff-Atome alternierend eingebaut sind. – *E* carbosilane polymers – *F* polymères au carbosilane – *I* polimeri da carbosilano – *S* polímeros carbosilanos
Lit.: Elias **2**, 311.

Carbosolvan-Verfahren. Ein in der ehemaligen DDR entwickeltes Verf. zur CO_2-Gaswäsche mit heißer Kaliumcarbonat-Lsg., die mit *Sulfosolvan* (K-Salze von N-methylierten Aminosäuren) aktiviert ist.
Lit.: Chem. Tech. (Leipzig) **29**, 43–46 (1977).

Carbostesin®. Injektionslsg. zur Leitungsanästhesie, enthält *Bupivacain-Hydrochlorid, C. adrenal enthält Epinefrin. *B.*: Astra.

Carbosulf. Kurzbez. für die Carbosulf Chemische Werke GmbH, Geestemünderstr. 26, 50735 Köln, an der die AKZO Chemicals GmbH mit 67% beteiligt ist. *Produktion*: Schwefelkohlenstoff.

Carbosulfan. Common name für 2,3-Dihydro-2,2-dimethylbenzofuran-7-yl(dibutylaminothio)methylcarbamat.

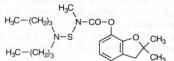

$C_{20}H_{32}N_2O_3S$, M_R 380,55, LD_{50} (Ratte oral) 250 mg/kg (WHO), von FMC entwickeltes system. *Insektizid u. *Nematizid zum Einsatz im Baumwoll-, Reis-, Mais-, Obst- u. Gemüseanbau. – $E=F$ carbosulfan – I carbosolfano – S carbosulfán
Lit.: Farm ▪ Perkow ▪ Pesticide Manual. – *[CAS 55285-14-8]*

...carbothio... Bestandteil von Suffixen aus der Nomenklatur von *Thiocarbonsäuren.

...carboxaldehyd. Von *Chemical Abstracts bevorzugtes Suffix in systemat. Namen von *Aldehyden; vgl. ...carbaldehyd.

...carboxamid. Nachsilbe in systemat. Namen von *Amiden in organ. Verb. (IUPAC-Regeln C-8.2, R-3.2.1); *Beisp.*: Cyclohexancarboxamid ($H_{11}C_6$–CO–NH_2). Im Deutschen wird ...carbonsäureamid u. seltener ...carbamid noch bevorzugt.

Carboxidobakterien (Kohlenmonoxid-oxidierende Bakterien). Von latein.: carbo = Kohle, griech.: oxys = sauer u. bacterion = Stäbchen hergeleitete Bez. für aerobe, fakultativ chemolithotrophe (*Chemolithotrophie) *Bakterien, die CO oxidieren u. mit diesem als einziger Energie- u. Kohlenstoffquelle aerob wachsen können. CO wird durch die CO-*Dehydrogenase oxidiert:

$$CO + H_2O \rightarrow CO_2 + 2H^+ + 2e^-.$$

Kohlendioxid wird über den Calvin-Cyclus (wie bei *C_3-Pflanzen) assimiliert; die Bilanz der Glucose-Bildung entspricht:

$$42 CO + 15 O_2 + 6 H_2O \rightarrow C_6H_{12}O_6 + 36 CO_2.$$

Die C. enthalten eine *Hydrogenase u. vermögen auch als Wasserstoff-oxidierende Bakterien zu wachsen; bekannte C. sind *Hydrogenomonas carboxydovorans*, *Pseudomonas carboxidovorans* u. a. *Pseudomonas*-Arten sowie *Hyphomicrobium*-, *Norcardia*- u. *Corynebacterium*-Arten. Einige Organismen vermögen CO anaerob zu nutzen, zu diesen gehören einige Methan-bildende Archaebakterien u. einige phototrophe Bakterien.
Lit.: Schlegel (7.), S. 390f.

Carboximidsäure(...) s. Imidsäure(...).

Carboxin. Common name für 5,6-Dihydro-2-methyl-1,4-oxathiin-3-carbonsäureanilid.

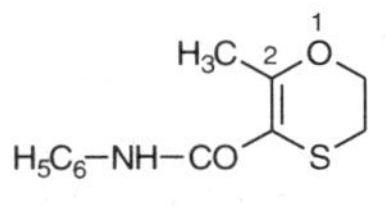

$C_{12}H_{13}NO_2S$, M_R 235,30, Schmp. 92–100 °C, LD_{50} (Ratte oral) 3820 mg/kg (WHO), von Uniroyal entwickeltes system. *Fungizid zur Saatgut-Behandlung gegen Brand- u. Rostkrankheiten im Getreide-, Reis-, Baumwoll- u. Erdnußanbau. – E carboxin, DCMO – F carboxine – I carbossina – S carboxín
Lit.: Farm ▪ Perkow ▪ Pesticide Manual. – *[HS 2934 90; CAS 5234-68-4]*

Carboxonium-Ionen. Von *Meerwein geprägte Bez. für Kationen, die aufgrund ihrer *Resonanz-Möglichkeiten gleichzeitig die Eigenschaften von *Carbenium-Ionen u. *Oxonium-Ionen (s. a. Oxonium-Salze) zeigen:

Zur Herst. präparativ nützlicher cycl. C.-I. s. *Lit.*[1]. – E carboxonium ions – F ions carboxonium – I ioni carbossoni – S iones carboxonio
Lit.: [1] Synthesis **1976**, 742–745.
allg.: Angew. Chem. **78**, 714f. (1966); **80**, 490f. (1968) ▪ Houben-Weyl **6/3**, 344–350 ▪ Olah u. von Schleyer, Carbonium Ions, Bd. 5, New York: Wiley 1976 ▪ s. a. Oxonium-Salze.

Carboxy... Bez. für die Atomgruppierung –COOH als Präfix in systemat. Namen von *Carbonsäuren (IUPAC-Regeln C-405, R-5.7.1.1). Gruppen wie –NH–COOH, –S–COOH, –CH_2–COOH werden analog Carboxyamino..., Carboxythio..., Carboxymethyl... genannt.

Carboxy-Gruppe s. Carboxy... u. Carbonsäuren.

Carboxylasen. Enzyme, die die Übertragung von Kohlendioxid auf organ. Substrate (*Carboxylierung) bewirken; *Beisp.*: Man kennt *Biotin-abhängige C. (EC 6.4.1, z. B. *Pyruvat-Carboxylase), die als weiteren Cofaktor *Adenosin-5′-triphosphat benötigen, u. Biotin-unabhängige C., z. B. *Phosphoenolpyruvat-Carboxykinase*, die Kohlendioxid u. *Phosphoenolpyruvat u. den darin gebundenen Phosphat-Rest auf Guanosin-5′-diphosphat (s. Guanosinphosphate), anorgan. Phosphat od. *Adenosin-5′-diphosphat übertragen (EC 4.1.1.32, 4.1.1.38 bzw. 4.1.1.49), wobei Oxalacetat, das Dianion der *Oxobernsteinsäure entsteht (*anaplerotische Reaktion). Weiter gehören u. a. hierher: *Ribulosebisphosphat-Carboxylase sowie die Vitamin-K-abhängige Glutamylprotein-Carboxylase[1]. – $E=F$ carboxylases – I carbossilasi – S carboxilasas
Lit.: [1] Biochem. J. **266**, 625–636 (1990); FASEB J. **7**, 445–452 (1993).

Carboxylierung. Unter C. versteht man die Einführung der Carboxy-Gruppe in organ. Verb., also die Synth. von *Carbonsäuren aus unsubstituierten Verb.; *Beisp.*: Die Umsetzung von Grignard-Verb. od. Lithium-organ. Verb. mit Kohlendioxid, die Synth. der Salicylsäure durch Erhitzen von Natriumphenolat u. Einleiten von CO_2 (Kolbe-Schmitt-Reaktion, s. Kolbe-Synthesen), die Einführung von –CH_2–COOH (*Carboxymethylierung*)[1] usw. Die wichtigsten, weil lebensnotwendigen C. finden ständig im lebenden Organismus im *Stoffwechsel statt (s. Carboxylasen). Die CO_2-Fixierung der Pflanzen wird häufig als *reduktive C.* bezeichnet. – $E=F$ carboxylation – I carbossilazione – S carboxilación
Lit.: [1] Synthesis **1970**, 628–635.
allg.: Organomet. React. **5**, 313–386 (1974) ▪ s. a. Carbonsäuren.

Carboxymethylcellulose. Als C. (Kurzz. CMC, nach DIN 7728, Tl. 1, 01/1988; Strukturformel s. Cellulose-Derivate mit R = H, CH_2–COONa) wird allg. das Natrium-Salz des Glykolsäureethers der Cellulose (oft verwendete, aber nicht korrekte Bez.: Celluloseglykolat) bezeichnet.
C. wird techn. hergestellt durch Umsetzung von *Alkalicellulose mit Monochloressigsäure bzw. deren Natrium-Salz. Die dabei anfallende C. enthält herstellungsbedingt Kochsalz sowie Natriumglykolat u. -diglykolat. Handelsübliche C. ist ein farbloses Pulver od. Granulat u. wird mit Substitutionsgraden von ca. 0,5–1,5 u. einem weiten Bereich der Lösungsvisko-

Carboxymethylierung

sitäten angeboten. C. ist unlösl. in organ. Lsm., lösl. in Wasser, aus dem sie als *Polyelektrolyt durch Zusatz von Säuren, Salzen od. mehrwertigen Metall-Ionen, z. B. Cu^{2+}, Al^{3+}, Fe^{2+}, Fe^{3+}, ausgefällt werden kann. Die Säure-Form der C. (Kurzz. HCMC) ist unlösl. in Wasser, Säuren u. organ. Lösemitteln.
Verw.: Aufgrund ihres breiten Eigenschaftsspektrums ist C. sehr vielseitig einsetzbar, z. B. als Schmutzträger in Waschmitteln (mengenmäßig größtes Einsatzgebiet für C.) u. Zusatzmittel für Feinseifen u. Handwaschpasten, als Tablettensprengmittel, Verdickungsmittel für Salben u. Zahncremes u. Stabilisierungsmittel für Emulsionen u. Suspensionen, als Emulgator u. Stabilisator für Speiseeis, Milch- u. Fruchtgetränke, Suppen u. Soßen, als Bindemittel u. Filmbildner für Tabakfolien, als Verdickungs-, Stabilisierungs-, Dispergier-, Emulgier-, Bindemittel u. Schutzkolloid, als Spachtelmasse, Abbeizpaste u. Dispersionsputze, weiterhin in der Textil-Ind. als Schlichte, in der Baustoff-Ind. als Verzögerer u. Verdickungsmittel für gipshaltige Massen u. Spachtelmassen, in der Erdöl-Ind. als Bohrspülhilfsmittel, im Bergbau als Filter-, Klär- u. Flotationshilfsmittel, sowie in anderen Ind.-Zweigen als Binde- u. Plastifizierungsmittel bei der Herst. von Schweißelektroden, als Bindemittel für Kopier- u. Farbstiftminen, als Hilfsmittel bei der Herst. von Kabeln, Batterien, Akkumulatoren u. in der Pyrotechnik, als Verdickungs- u. Geliermittel bei der Kühlbeutelherstellung. – *E* carboxymethylcellulose – *F* carboxyméthylcellulose – *I* carbossimetilcellulosa – *S* carboximetilcelulosa
Lit.: Encycl. Polym. Sci. Eng. **3**, 239 ff. ▪ Encycl. Polym. Sci. Technol. **3**, 520–529 ▪ Houben-Weyl **E 20**, 2072 ff. ▪ Kirk-Othmer **4**, 643 ff.; **17**, 399 f.; (3.) **5**, 145–149 ▪ Ullmann (5.) **A 5**, 477. – [HS 3912 31]

Carboxymethylierung s. Carboxylierung.

Carboxypeptidasen (EC 3.4.16–3.4.17). Zu den *Exopeptidasen gehörende *Hydrolasen, die einzelne Aminosäure-Reste (AS) vom Carboxy-Terminus eines Proteins hydrolyt. abspalten. C. sind je nach Katalysemechanismus in zwei Klassen unterteilt. Die sog. *Serin-Carboxypeptidasen*[1] (EC 3.4.16) entfalten max. Aktivität bei pH-Werten unter 7 u. werden durch *Diisopropylfluorophosphat (modifiziert Serin-Reste) gehemmt. Hierunter fallen die aus Lysosomen höherer Tiere, verschiedener höheren Pflanzen (*Citrus*-Arten, Gerstenkeimen, Baumwollsamen, Bohnen), Bakterien, Hefen u. Schimmelpilzen isolierten C., z. B. Carboxypeptidase Y (EC 3.4.16.1) aus Hefe. *Metall-Carboxypeptidasen*[2] (EC 3.4.17) benötigen zweiwertige Metall-Ionen für ihre Aktivität. Unter ihnen befinden sich Zink-haltige Enzyme, die bei der Eiweißverdauung im Dünndarm eine Rolle spielen u. aus *Pankreas, in dem sie als *Zymogene (*Procarboxypeptidasen*) gebildet werden, isolierbar sind. C. werden – wie auch *Aminopeptidasen – zur *Sequenzanalyse von Proteinen verwendet. – *E = F* carboxypeptidases – *I* carbossipeptidasi – *S* carboxipeptidasas
Lit.: [1] Curr. Opin. Biotechnol. **4**, 462–468 (1993). [2] Eur. J. Biochem. **211**, 381–389 (1993). – [HS 3507 90]

Carbromal.

H₂C₂—C(Br)(C₂H₅)—CO—NH—CO—NH₂

Internat. Freiname für (2-Brom-2-ethylbutyryl)-harnstoff, $C_7H_{13}BrN_2O_2$, M_R 237,10, Schmp. 116–119 °C; LD_{50} (Hund oral) 450 mg/kg. Es wurde 1909 als Sedativum von Bayer (Adalin®, außer Handel) patentiert. – *E = F = S* carbromal – *I* carbromale
Lit.: Beilstein E IV **3**, 117 ▪ DAB **10** u. Komm. ▪ Hager (5.) **7**, 701–702 ▪ Kirk-Othmer (3.) **13**, 125 ▪ Ullmann (4.) **20**, 437. – [HS 2924 10; CAS 77-65-6]

Carburieren. 1. Erhöhung der Leuchtkraft u. des Heizwertes von Brenn- u. Leuchtgasen durch Zusätze, die entweder elementaren Kohlenstoff enthalten od. diesen durch therm. Reaktion erzeugen; die Zusätze können fest (Kohlenstaub), flüssig od. gasf. (ungesätt. bzw. aromat. Kohlenwasserstoffe) sein.
2. Thermomechan. Verf. zum Einbringen von Kohlenstoff in die Oberfläche metall. Werkstoffe im Festkörperzustand; s. a. Aufkohlung. – *E = F* carburation – *I* carburazione – *S* carburación

Carbutamid.

H₂N—C₆H₄—SO₂—NH—CO—NH—C₄H₉

Internat. Freiname für 1-Butyl-3-sulfanilylharnstoff, $C_{11}H_{17}N_3O_3S$, M_R 271,33, Schmp. 144–145 °C; LD_{50} (Maus s.c.) 3000 mg/kg. Es wurde 1959 als orales Antidiabetikum von Boehringer Mannheim patentiert u. ist von Pharmafrid (Dia-Fridetten®) im Handel. – *E = F* carbutamide – *I* carbutammide – *S* carbutamida
Lit.: ASP ▪ Hager (5.) **7**, 703. – [HS 2935 00; CAS 339-43-5]

Carbuterol.

HO—C₆H₃(NH—CO—NH₂)—CH(OH)—CH₂—NH—C(CH₃)₃

Internat. Freiname für [5-(2-*tert*-Butylamino-1-hydroxyethyl)-2-hydroxyphenyl]-harnstoff, $C_{13}H_{21}N_3O_3$, M_R 267,33, Schmp. 174–176 °C; LD_{50} (Maus i. v.) 32,8, (Maus oral) 3134,6, (Ratte i. v.) 77,2 mg/kg. Verwendet wird a. das Hydrochlorid, Schmp. 205–207 °C. Es wurde 1973 u. 1975 als Broncholytikum (β-Sympathomimetikum) von SKF patentiert u. ist von Gödecke (Pirem®) im Handel. – *E = S* carbuterol – *F* carbutérol – *I* carbuterolo
Lit.: ASP ▪ Hager (5.) **7**, 703 ▪ Ullmann (5.) **A 2**, 461. – [HS 2924 21; CAS 34866-47-2; 34866-46-1 (Hydrochlorid)]

Carcinil. Injektionslsg. mit *Leuprorelin-Acetat (einem LH-RH-Analogon) gegen Prostata-Carcinom. *B.*: Abbott.

Carcinogene (Cancerogene, von griech.: karkinos bzw. latein.: cancer = Krebs u. ...*gen). Als C. (*Krebs-Risikofaktoren) werden alle Stoffe bezeichnet, die in einem geeigneten Tierversuch 1. nicht spontan auftretende Tumoren induzieren, – 2. die Inzidenz spontan entstehender Tumoren erhöhen, – 3. die Zeit bis zum Auftreten solcher Tumoren (Latenzzeit) verkürzen, – 4. Tumoren in anderen Geweben erzeugen, d. h. das spontan entstehende Tumorspektrum ändern, wobei die Gesamtinzidenz erhöht sein kann, aber nicht muß, – 5. die Zahl der Tumoren pro Versuchstier erhöhen. Es handelt sich hierbei um die summar. Bez. für eine sehr heterogen zusammengesetzte Gruppe von

Substanzen, die sowohl physikal. als auch chem. od. biolog. Natur sein können. Über die zur Entstehung maligner (bösartiger) *Tumoren führenden Mechanismen besteht noch keine endgültige Klarheit, obwohl eine Vielzahl von Beobachtungen zu Teilaspekten der *Carcinogenese (Cancerogenese) vorliegen.

Im allg. geht man heute von einem Mehrstufenkonzept der Krebsentstehung aus. Dieses Konzept, das aus Modellversuchen v. a. an der Mäusehaut resultiert, unterteilt den Prozeß der Carcinogenese in die Phasen Initiation, Promotion u. Progression. Als Initiation wird die irreversible Veränderung des genet. Materials bezeichnet, die als genet. fixierte Mutation an die Tochterzellen weitergegeben wird. Als Promotion wird die Stimulierung des Wachstums initiierter Zellen bezeichnet. Unter Progression versteht man den sich anschließenden Prozeß der zunehmenden Wachstumsautonomie u. Malignität. Chem. Stoffe können als Initiatoren, Promotoren od. als „komplette C." (Stoffe mit initiierendem u. promovierendem Effekt) wirken. Carcinogene reagieren dabei direkt od. nach metabol. Aktivierung mit zellulären Makromol. wie *Proteinen, *Ribonucleinsäuren u. v. a. *Desoxyribonucleinsäuren (DNA) u. führen so zu genet. Veränderungen in der normalen Zelle. Zu den mol. Grundlagen der Carcinogenese s. Lit.[1].

Es wird heute angenommen, daß die genotox. C. über die Bildung von DNA-Addukten od. durch anderweitige Induktion von DNA-Schäden wirksam sind. Hierbei können reaktionsfähige elektrophile Molekülspezies grundsätzlich mit allen Stickstoff- u. enolisierten Sauerstoff-Atomen der Nucleinsäure-Basen u. den Hydroxy-Gruppen der Phosphodiester-Gruppen reagieren[1]. Viele der im folgenden erwähnten, im allg. in Einzelstichworten behandelten C. sind auch als *Mutagene u./od. *Teratogene bekannt. Hierher gehören v. a. alkylierende Verb. wie Dimethylsulfat, Bis(chlormethyl)ether, β-Propiolacton, β-Chlorethylamine, Aziridine, Nitroso-alkylharnstoffe. Auch alkylierende Verb., die als *Cytostatika in der Tumortherapie eingesetzt werden, haben carcinogene (Neben)-Wirkungen. Beisp. sind *Endoxan, *Chlorambucil, 2-Chlorethylnitrosoharnstoffe, *Melphalan (IARC Monogr. 26). Bes. zu erwähnen ist die Verbindungsklasse der N-Nitroso-Verb., die neben Nitrosoharnstoffen, Nitrosourethanen, -guanidinen u. -amiden die große Gruppe der *Nitrosamine umfaßt. Von den bis heute etwa 300 untersuchten N-Nitroso-Verb. erwies sich die überwiegende Mehrzahl (80%) in Tierversuchen als carcinogen (N-*Nitrosamine vgl. Lit.[2]). Schon lange als C. bekannt sind polycycl. aromat. Kohlenwasserstoffe (*PAK) mit *kondensierten Ringsystemen; Beisp.: Benzo[a]pyren, Benz[a]anthracen, Dibenzanthracen, einige ihrer heterocycl. Analoga sowie methylierte Derivate wie z. B. 3-Methylcholanthren, 7,12-Dimethyl- u. 7,8,12-Trimethylbenz[a]anthracene. Da sie durch unvollständige Verbrennung organ. Materialien entstehen, sind sie weit verbreitet u. kommen z. B. im Steinkohleteer, Hausbrand- u. Autoabgasen u. in Tabakrauch vor. Strukturell eng verwandte Verb. können sich in der biol. Wirkung stark unterscheiden: Benzo[a]pyren ist stark, Benzo[e]pyren ist nicht krebserzeugend. Polycycl. Aromaten werden vorwiegend über intermediäre Epoxide metabolisiert. Eine wesentliche Rolle für die Ausprägung „Carcinogenität" solcher Metaboliten scheint das Vorhandensein einer sog. „Bay-Region" zu spielen; carcinogene Metaboliten sind im allg. solche, bei denen eine metabol. Epoxid-Bildung innerhalb der Bay-Region erfolgt. Beim *Benzo[a]pyren wird aus dem prim. gebildeten 7,8-Epoxid durch Epoxid-Hydratase das Dihydrodiol gebildet, das seinerseits zum ultimalen Dihydrodiolepoxid gegiftet wird. Näheres u. weitere Beisp. s. Lit.[1].

Zur Entdeckung carcinogener Wirkungen am Menschen haben v. a. Beobachtungen von Krebsinduktionen am Arbeitsplatz beigetragen. Beisp. sind *Benzo[a]pyren, β-*Naphthylamin, *Benzol, *Vinylchlorid. Auch eine Reihe von Arzneimitteln sind durch Beobachtungen am Menschen als krebserzeugend erkannt worden, wie DES [(E)-3,4-Bis(4-hydroxyphenyl)-3-hexen] od. *Phenacetin [N-(4-Ethoxyphenyl)-acetamid] (nach Abusus).

Jedoch zählen nicht nur synthet. Verb. zur Klasse der Carcinogene. Vielmehr gibt es eine große Zahl natürlich vorkommender Carcinogene. Hierzu gehören zahlreiche Pflanzeninhaltsstoffe u. Stoffwechselprodukte von Mikroorganismen. So erzeugt der Schimmelpilz *Aspergillus flavus* *Aflatoxine, eine Gruppe chem. nahe verwandter Stoffe von Difuro-cumarinen, die in schimmelbefallenen Lebensmitteln vorkommen od. durch Verfütterung Aflatoxin-haltigen Futters als Metabolit (Aflatoxin M) in Spuren in die Milch gelangen können. Aflatoxin B_1 gilt als das stärkste Hepatocarcinogen unter den Naturstoffen. Näheres s. Lit.[3]. Bei carcinogenen Pflanzen-Inhaltsstoffen sind v. a. die *Pyrrolizidin-*Alkaloide zu erwähnen, die in zahlreichen, früher viel verwendeten pflanzlichen Arzneimitteln, wie z. B. Kräutertees enthalten waren[4]. Als starkes C. haben sich auch die *Aristolochiasäuren erwiesen, ein Hauptbestandteil der bis vor kurzem als pflanzliches Arzneimittel verwendeten Osterluzei[4]. Das in den in Asien weitverbreiteten u. als Nahrung dienenden Cycaden-Nüssen enthaltende *Cycasin erzeugt ebenso wie *Safrol, der Hauptbestandteil des lange Zeit zum Färben von Getränken verwendeten *Sassafrasöls, im Tierversuch Tumoren bei Ratten[4]. Eine andere Gruppe von C. in Nahrungspflanzen sind *Hydrazin-Derivate wie das *Gyromitrin[5].

C. können auch während der Nahrungszubereitung gebildet werden. Näheres s. Lit.[6]. Beim starken Erhitzen von Lebensmitteln können aus Proteinen bzw. Aminosäuren carcinogene Aminosäure-Derivate entstehen. Es handelt sich dabei ausschließlich um heterocycl. Amine. Reaktionsprodukte vom Typ der Chinoline u. Chinoxaline wie z. B. IQ (2-Amino-3-methylimidazo[4,5-f]chinolin) u. MeIQx(2-Amino-3,8-dimethylimidazo[4,5-f]chinoxaline), sind die potentesten der bisher in Nahrungsmitteln bekannten Mutagene, s. a. Lit.[6]. Auch die carcinogene Wirkung dieser Verb. wurde mittlerweile nachgewiesen[6].

N-Nitroso-Verb. kommen als carcinogen wirksame Substanzen in Spuren in einer Reihe von Lebensmitteln vor[2]. Die früher häufig beobachtete Kontamination von Bier konnte durch Änderung der Technologie beim Darren des Malzes seit etwa Anfang der achtziger Jahre erheblich gesenkt werden. In kontaminierten

Lebensmitteln fand sich am häufigsten Dimethylnitrosamin[7], daneben N-Nitroso-pyrrolidin u./od. N-Nitroso-piperidin. Eine zusätzliche Belastung kann durch die Aufnahme von nitrosierbaren Aminen am Lebensmitteln entstehen. Sie können *in vivo* im Magen-Darm-Trakt durch Nitrosierungsmittel wie z. B. Nitrit zu *Nitrosaminen umgesetzt werden. Näheres s. *Lit.*[8].

Auch die bereits erwähnten polycycl. aromat. Kohlenwasserstoffe (PAK) sind in Lebensmitteln nachgewiesen worden[9]. Sie entstehen bei unvollständiger Verbrennung u. zwar bevorzugt bei Pyrolysetemp. zwischen 650 °C u. 850 °C (s. *Lit.*[10]). Meist an Rußpartikel absorbiert, werden sie in die Luft emittiert u. gelangen über Niederschläge in den Boden u. das Trinkwasser. Daher überrascht es nicht, daß PAK in Lebensmitteln pflanzlicher Herkunft, so z. B. Gemüse u. Brotgetreide, gefunden wurden. Daneben sind PAK in geräucherten Lebensmitteln nachgewiesen worden. Im Räucherrauch sind 27 PAK identifiziert worden (vgl. *Lit.*[10]).

Spuren carcinogen wirksamer Stoffe wurden auch in Trinkwasser nachgewiesen, wobei bestimmte Trinkwasser-Aufbereitungsverf. bei der Bildung solcher Stoffe eine Rolle spielen können[11].

Auch in Körperpflegemitteln wurden C. gefunden, so z. B. N-Nitrosodiethanolamin in Cremes, Shampoos u. Lotionen[12].

Ungefähr ein Sechstel aller von der International Agency for Research on Cancer (IARC) als krebserzeugend eingestufter Stoffe sind anorgan. Substanzen. Der überwiegende Teil sind Mineralien u. Metalle, die entweder selbst carcinogen wirken od. die über die von ihnen ausgehende Radioaktivität wirksam sind. *Arsen, *Beryllium, *Chrom, *Nickel u. *Cadmium gelten eindeutig als krebserzeugend, während *Blei noch nicht abschließend beurteilt ist[13]. Eine möglicherweise carcinogene Wirkung wird auch für Metalle wie z. B. *Quecksilber, *Cobalt, *Selen diskutiert[14,22].

Ein erhebliches Krebsrisiko geht von *Asbest-Fasern aus. Natürlich vorkommende Asbest-Fasern hatten bis vor kurzem techn. große Bedeutung u. sind daher auch heute noch ubiquitär verbreitet. Asbest-Fasern können beim Menschen bösartige Tumoren (Karzinome u. Mesotheliome) erzeugen. Näheres s. *Lit.*[15].

Eine Vielzahl von C. ist auch im Tabakrauch nachgewiesen, u. a. PAK, N-Nitroso-Verb., Arsen, Selen, radioaktives Polonium-210. Aufgrund epidemiol. Studien gilt es als gesichert, daß Rauchen das Lungenkrebsrisiko nicht nur deutlich, sondern klar dosisabhängig erhöht[16].

Die Krebsentstehung ist ein multifaktorielles Geschehen bei dem neben exogenen auch endogene Faktoren eine Rolle spielen. Beispielhaft seien erhebliche individuelle Unterschiede im aktivierenden bzw. desaktivierenden Metabolismus von C. erwähnt. Über Aktivierung bzw. Desaktivierung von C. im Organismus s. *Lit.*[1]. Auch die stark unterschiedliche Fähigkeit von Zellen zur Reparatur von DNA-Schäden hat erheblichen Einfluß auf die Wirkung von Carcinogenen. Näheres s. *Lit.*[17].

Zu unterscheiden von den C. sind die sog. Tumorpromotoren, die ohne das Vorliegen bereits irreversibel veränderter (initiierter) Zellen keine Tumoren erzeugen können. Die wohl am besten untersuchte Verb. dieser Art ist das TPA (12-Tetradecanoyl-phorbol-13-acetat). Wie andere als Tumorpromotor wirksame Diterpenester kommt TPA in einer Reihe höherer Pflanzen, bes. der Wolfsmilchgewächse (Euphorbiaceae) u. der Spatzenzungengewächse (Thymelaeaceae) vor. Zur biochem. Wirkungsweise von Tumorpromotoren s. *Lit.*[18].

Ein häufig fälschlich mit Promotor synonym verwendeter Begriff ist der des Cocarcinogens. Hierunter sind nur Stoffe zu verstehen, die fördernd in die Vorgänge der Initiation eingreifen, z. B. durch Steigerung metabol. Aktivierung über Induktion der Aktivität entsprechender Enzyme. Krebs entsteht jedoch nicht nur durch die Einwirkung von Carcinogenen. Auch *Viren können Tumoren erzeugen. *Retroviren enthalten *Gene, deren Expression zur cancerogenen Transformation führt und die deshalb als *virale* *Onkogene bezeichnet werden. Homologe Gene sind auch in normalen Körperzellen enthalten. Sie werden deshalb als *zelluläre* Protoonkogene bezeichnet, deren Deregulierung bei der Tumorentstehung durch carcinogen wirksame Substanzen eine Rolle spielen kann[19].

Ähnliches gilt für die sog. Tumorsuppressorgene. Das krebserzeugende Potential chem. C. kann bei unterschiedlichen Tierspezies erhebliche Unterschiede aufweisen. Die Übertragung von am Tier gewonnenen Erkenntnissen auf den Menschen ist Gegenstand ständiger wissenschaftlicher Diskussionen. In den letzten Jahren wurden zahlreiche Kurzzeittests entwickelt u. krit. diskutiert, die es ermöglichen sollen, potentiell krebserzeugende Substanzen schneller zu erkennen. V. a. dient der Nachw. mutagener Wirkungen an bakteriellen Testsyst., aber auch an *Hefen, *Drosophila melanogaster*, gelegentlich auch anderen *Organismen hierfür als Basis[20]. Zunehmend an Bedeutung gewinnen Kurzzeittests unter Verw. von Säugerzellkulturen[20]. Der wohl bekannteste Test dieser Art ist der sog. *Ames-Test, zum Vgl. mit anderen Verf. s. *Lit.*[20]. Über den Zusammenhang zwischen Kurzzeittests u. Carcinogenese s. a. *Lit.*[20].

Bei Menschen haben sich bestimmte Berufsgruppen als durch C. bes. gefährdet erwiesen: Schon 1755 war der Skrotumkrebs der Schornsteinfeger als Berufskrebs erkannt, 1895 das 2-Naphthylamin als Ursache des Blasenkrebses bei Arbeitern in Farbstoffabriken, u. in neuerer Zeit Vinylchlorid als Ursache von Lebertumoren bei Arbeitern in der Kunststoff-Industrie[21]. Die von der DFG herausgegebene Liste der MAK-Werte 1996 führt unter A 1 u. A 2 über 90 als eindeutig krebserzeugend ausgewiesene Arbeitsstoffe auf, bei weiteren 60 Stoffen besteht der Verdacht auf krebserzeugendes Potential. Über die allg. Vorstellungen zur Entstehung von Krebs u. über die Zusammenhänge zwischen chem. Konstitution u. Wirkungsweise von C. s. *Lit.*[22]. – *E* carcinogens, carcinogenic agents – *F* cancerigenes, cancerigéniques – *I* cancerogeni – *S* cancerígenos

Lit.: [1] Cooper u. Graver, Chemical Carcinogenesis and Mutagenesis, Heidelberg: Springer 1990. [2] Eisenbrand, N-Nitrosoverbindungen in Nahrung und Umwelt, Stuttgart: Wissenschaftl. Verlagsges. 1981; ACS Monogr. **182**, 1984; Mol. Tox-

icol. **1** (1), 107–119 (1987). [3]CRC Crit. Rev. Toxicol. **19**, 113–145 (1988). [4]Abstr. Chin. Med. **6**, 227–271 (1995). [5]IARC Monogr. Ser. **31** (1983); Cancer Res. **38**, 177–180 (1978); Environ. Carcinog. Rev. C**2**, 51 (1984). [6]Toxicology **84**, 1–82 (1993). [7]Food Chem. Toxicology **29**, 729 ff. (1991). [8]DFG-Symposium 1983: Das Nitrosamin-Problem, Weinheim: Verl. Chemie 1983; Food Chem. Toxicology **29**, 733–739 (1991). [9]IARC Monogr. Ser. **32** (1984). [10]Classen, Toxikologisch-hygienische Beurteilung von Lebensmittelinhalts- und Zusatzstoffen sowie bedenklichen Verunreinigungen, Berlin-Hamburg: Parey 1987. [11]Bull, in Ram et al., Org. Carcinog. Drinking Water, S. 353–371, New York: Wiley 1986; Hertz, in Ram et al., Org. Carcinog. Drinking Water, S. 95–139, New York: Wiley 1986. [12]Z. Lebensm. Unters. Forsch. **186**, 235–238 (1988). [13]IARC Monogr. Ser. Suppl. **7**, (1987). [14]IARC Sci. Publ. **71**, (1986); Cancer Metastasis Rev. **6**, 113–154 (1987). [15]IARC Sci. Publ., **90** (1989). [16]Chem. Br. **23** (9), 847–850 (1987); IARC Sci. Publ. **57** (1984); **71** (1986); **81** (1987). [17]Collins u. Downs, DNA Repair and its Inhibition, Oxford: IRL Press 1984. [18]Arcos et al. (Hrsg.), Chemical Induction of Cancer, S. 123–184, Boston: Birkhäuser 1995. [19]Cancer Res. Clin. Oncol. **122**, 3–13 (1996). [20]Eisenbrand u. Metzler, Toxikologie für Chemiker, Stuttgart: Thieme 1994; Marquardt u. Schäfer, Lehrbuch der Toxikologie, Mannheim: Wissenschaftsverl. 1994. [21]Berufskrebsstudie, DFG 1981, Boppard: Harald Bold Verl. 1981; IARC Sci. Publ. **36** (1982). [22]Schmähl, Maligne Tumoren (3.), Aulendorf: Edition Cantor 1981; Dev. Toxicol. Environ. Sci. **12**, 371–382 (1986); Environ. Sci. Tech. **21**, 743–745 (1987).
allg.: Adv. Cancer Res. **49**, 223–264 (1987) ▪ Adv. Mod. Environ. Toxicol. **10**, 243–266 (1987) ▪ Arcos et al. (Hrsg.), Chemical Induction of Cancer, Boston: Birkhäuser 1995 ▪ Cancer Res. **47**, 1199–1220 (1987) ▪ Cooper u. Grover, Chemical Carcinogenesis and Mutagenesis I u. II, Heidelberg: Springer 1990 ▪ Drug Metabolism Rev. **15** (7), 1307–1334 (1985) ▪ Environ. Carcinog. Rev. **121**, 73 (1987) ▪ Forth (7.) ▪ Gene Amplif. Anal. **4**, 21–38 (1986) ▪ IARC Monogr. **22**–**30**, **32**–**41**, Suppl. 2 (1980), Suppl. 4 (1982) ▪ IARC Sci. Publ. **30** (1980); **31** (1980); **41** (1982); **46** (1982); **51** (1983); **53** (1984); **56** (1984); **58** (1985); **59** (1984); **60** (1985); **63** (1984); **70** (1986); **71**, 17–43 (1986); **78** (1986); **84** (1987) ▪ Ishinishi u. Koirumi, Developments in Toxicology and Environmental Science, Bd. 13, Amsterdam: Elsevier 1986 ▪ Krebs-Tumoren, Zellen Gene, Heidelberg: Spektrum Wiss. Verlagsges. 1987 ▪ Mantel, Glutathione S-Transferase and Carcinogenesis, London: Taylor and Francis 1987 ▪ Mutagenesis **3** (4), 287–291 (1988) ▪ Mutat. Res. **150**, 33–41 (1985) ▪ Piechotte, Cancerogene, mutagene und Immunsystem-bezogene Wirkungen von Blei, Cadmium und Quecksilber, Bremerhaven: Wirtschaftsverl. NW 1983 ▪ Schriftenr., Ver. Wasser-, Boden-Lufthyg., Berlin-Dahlem **74**, 205–217 (1987) ▪ s. a. Krebs, Mutagene, Teratogene.

Carcinogenese (Cancerogenese). Bez. für den Prozeß der Entstehung von *Krebs. Nach den gegenwärtigen Vorstellungen entstehen die Zellen eines *Tumors aus einer gemeinsamen Stammzelle (Klonalität). Der Prozeß, in dem eine Zelle zur Krebszelle entartet (maligne Transformation), wird auf die Umgehung od. Störung der normalen Zellwachstumskontrolle zurückgeführt. Bei fehlerhaften Zellteilungen kann es zur Umordnung von *Chromosomen od. Chromosomen-Teilen ohne Wiederherstellung durch zelleigene Reparaturmechanismen kommen. Mutationen od. Translokationen von Genen mit zentraler Bedeutung für die Regulation von Zellaktivitäten (*Onkogene, *Tumor-Suppressor-Gene) führen zu unkontrollierter Steigerung der Zellvermehrung u. weiteren Veränderungen, die zum Verlust von Wachstumshemmung (*Autonomie*), zu zellulären u. histolog. Abnormitäten u. zur Entdifferenzierung (*Anaplasie*) sowie Streuung über den gesamten Organismus (*Metastasen*) führen.
Als ursächliche Bedingungen für die Krebsentstehung sieht man genet. Faktoren, *ionisierende Strahlen u. UV-Licht, Viren u. die Einwirkung von *Carcinogenen in Form von *Tabakrauch, Nahrung, Medikamenten od. durch Arbeitsplatz- u. Umwelt-bedingte Aufnahme an. Auch die mangelnde Abwehr von Tumorzellen infolge von Störungen des *Immunsystems tragen zur Entstehung von Krebserkrankungen bei. – *E* carcinogenesis – *F* cancérogénicité – *I* cancerogenesi – *S* carcinogénesis
Lit.: Burck et al., Oncogenes: An Introduction to the Concept of Cancer Genesis, New York: Springer 1988 ▪ Kahn, Oncogenes and Growth Control, New York: Springer 1988 ▪ Riede u. Schaefer, Allgemeine u. spezielle Pathologie, S. 344–377, Stuttgart: Thieme 1995 ▪ Schirrmacher, Krebs – Tumoren, Zellen, Gene, Heidelberg: Spektrum 1990.

Carclin®. Umwelt- u. materialschonendes Fahrzeugreinigerprogramm für Speditionen, Fuhrparkunternehmen, SB-Waschanlagen, Autowaschstraßen u. Portalanlagen. *B.:* Henkel.

Cardenolide.

Digitoxigenin

Gruppenname für *Steroide, die eine Butenolid-Gruppierung enthalten, ihr Grundkörper ist das Digitoxigenin, von denen sich die Cardenolid-Genine ableiten. Die C. sind herzwirksame Substanzen, sie besitzen eine pos. inotrope Wirkung (s. Inotropie). Sie steigern die systol. Kontraktionskraft, senken die Schlagfrequenz u. verbessern den Wirkungsgrad des Herzens. Sie gleichen in dieser Hinsicht den *Bufadienoliden, kommen jedoch im Gegensatz zu diesen in Pflanzen als Glykoside vor u. tragen am C-17 einen ungesätt. γ-Lacton-Ring. Wegen ihrer leichteren Verfügbarkeit [Vork. in Liliaceen, Ranunculaceen, Asclepiadaceen u. Apocynaceen, von größter Bedeutung sind jedoch die Glykoside des roten u. wolligen Fingerhutes (*Digitalis purpurea* u. *D. lanata*)] haben die C. die Bufadienolide aus der Medizin verdrängt. Struktur-Wirkungsbeziehungen entsprechen denen der Bufadienolide (s. Bufotoxin). C. werden von Insekten mit der Nahrung aufgenommen u. als Wehrsekret benutzt[1]. C., deren Lacton-Ring gesätt. ist, werden Cardanolide genannt. – *E* cardenolides – *F* cardénolide – *I* cardenolidi – *S* cardenolidas
Lit.: [1]J. Chem. Ecol. **12**, 1171 (1986).
allg.: Dtsch. Apoth. Ztg. **135**, 62 (1994) ▪ Hager (5.) **3**, 469 ff.; **5**, 645 ff. ▪ Karrer, Nr. 2139–2260, 3739–3857 ▪ Nuhn (2.), Chemie der Naturstoffe, S. 503–508, Stuttgart: Wissenschaftliche Verlagsges. 1990 ▪ Wicha, in Chizhov, Org. Synth.: Mod. Trends, Proc. IUPAC-Symp., 6th, 1986, S. 305 f., Oxford: Blackwell 1987 ▪ Zechmeister **13**, 137–231 ▪ s. a. Digitalis- u. Herzglykoside.

Cardiolipine s. Phospholipide.

Cardio-Longoral®. Dragees mit Kalium-DL-hydrogenaspartat, Magnesium-DL-hydrogenaspartat u. Extr. Fol. cum Flor. Crataegi spir. gegen Herzschwäche. *B.:* Klosterfrau.

Cardionatrine s. atrionatriuretischer Faktor.

Cardiotoxin s. Schlangengifte.

Cardol.

$C_{21}H_{32}O_2$, M_R 316,48, alkyliertes *Resorcin-Derivat, stark hautreizendes, gelbliches Öl, lösl. in Ethanol u. Ether, unlösl. in Wasser. Es ist im Harz von Anacardiaceen (z. B. *Fructus anacardii occidentalis*, Elefantenlaus) enthalten, das auf Java auch als Vergiftungsmittel für Tiere benutzt wird, der Tod tritt nach 1–2 d ein. Die Bez. „C." wird manchmal auch für eine Mischung von Phenolen, die mit unterschiedlich substituierten gesätt. u. ungesätt. Alkyl-Resten substituiert sind, verwendet (vgl. Urushiol). – *E* = *F* = *S* cardol – *I* cardolo

Lit.: Chem. Ind. (London) **1980**, 59–62 ▪ Chem. Soc. Rev. **8**, 499 (1979) ▪ Hager (5.) **4**, 254–259 ▪ Lewin, Die Pfeilgifte, S. 95, Hildesheim: Gerstenberg 1984 ▪ Lipids **21**, 241 (1986).

Cardular®. Tabl. mit dem α_1-Rezeptoren-Blocker *Doxazosin-Mesilat gegen Hypertonie. *B.:* Pfizer.

Carene.

2-C.   3-C.   4-C.

Zu den bicycl. *Terpenen gehörende ungesätt. Kohlenwasserstoffe von angenehmem Geruch, die leicht autoxidabel sind. Bekannt sind die Isomere 2-C., 3-C. u. 4-C. ($C_{10}H_{16}$, M_R 136,24), die auch als Δ^2-, Δ^3-, Δ^4-C. bezeichnet werden. Das häufigste C. ist 3-C. [D. 0,867, Sdp. 45 °C (1,10 kPa), (1*S*,6*R*)(+)-3-C. u. (1*R*,6*S*)(−)-3-C.: $[\alpha]_D$ ±17,3° (unverd.)]. (+)-3-C. ist zu 30–40% in *Terpentinölen enthalten, es läßt sich durch Ozonisierung in Riechstoffe umwandeln[1] u. kann als Ausgangsprodukt zur Gewinnung von *Menthol dienen[2]. (+)-2-C. kommt bis zu 24% im ether. Öl eines ind. Süßgrases (*Andropogon himalayensis*) vor. – *E* carenes – *F* carènes – *I* careni – *S* carenos

Lit.: [1] Riechst., Aromen, Körperpflegem. **26**, 278 (1976). [2] Chem. Ind. (London) 30, 399 (1978).
allg.: Chemosphere **17**, 309 (1988) ▪ Karrer, Nr. 56, 58 ▪ Naturwissenschaften **79**, 416f. (1992) ▪ Ullmann (5.) **A 11**, 166, 169. – *[CAS 4497-92-1 ((+)-2-C.); 498-15-7 ((+)-3-C.); 13466-78-9 ((−)-3-C.)]*

Carfentrazon-ethyl. Vorgeschlagener Common name für Ethyl-2-chlor-3-[2-chlor-4-fluor-5-(4-difluor-methyl-4,5-dihydro-3-methyl-5-oxo-1*H*-1,2,4-triazol-1-yl)phenyl]propionat. $C_{15}H_{14}Cl_2F_3N_3O_3$, M_R 412,20, Schmp. –22 °C, Sdp. 350–355 °C (101,3 kPa), LD_{50} (Ratte oral) 5143 mg/kg, von FMC entwickeltes *Herbizid gegen Unkräuter in Getreide u. Reis. – *E* carfentrazone-ethyl – *F* carfentrazone-éthyle – *I* carfentrazon-etile – *S* carfentrazona etílica

Lit.: van Saun, Brighton Crop Protection Conference – Weeds, Vol. 1, S. 19–22, Farnham, GB: British Crop Protection Council 1993. – *[CAS 128639-02-1]*

Carindacillin.

Von der WHO vorgeschlagener Freiname für das insbes. gegen Infektionen der Harnwege wirksame Indanyl-carbenicillin [α-(5-Indanyloxycarbonyl)-benzylpenicillin], $C_{26}H_{26}N_2O_6S$, M_R 494,56, vgl. a. Penicilline. Es wurde 1971 u. 1972 von Pfitzer (Carindapen®, außer Handel) patentiert. – *E* carindacillin – *F* carindacilline – *I* carindacillina – *S* carindacilina

Lit.: ASP ▪ Hager (5.) **7**, 708–709 ▪ Ullmann (5.) **A 2**, 506. – *[HS 2941 10; CAS 35531-88-5; 26605-69-6 (Natrium-Salz)]*

Carisano®. Dragees mit Knoblauchzwiebel-Pulver zur Senkung des Lipid-Spiegels. *B.:* Bilgast.

Carisoprodol.

Internat. Freiname für *N*-Isopropyl-2-methyl-2-propyl-1,3-propandioldicarbamat, $C_{12}H_{24}N_2O_4$, M_R 260,33, Schmp. 92–93 °C, LD_{50} (Maus oral) 2340, 1320, (Maus i.p.) 980 mg/kg. Es wurde 1960 als Muskelrelaxans von Carter Products patentiert u. ist von Pierre Fabre Pharma (Sanoma®) im Handel; vgl. a. Meprobamat. – *E* = *F* = *S* carisoprodol – *I* carisoprodolo

Lit.: ASP ▪ Hager (5.) **7**, 710. – *[HS 2924 10; CAS 78-44-4]*

Carito mono®. Kapseln mit Trockenextrakt aus Orthosiphonblättern als Urologikum. *B.:* Hoyer.

Carius, Georg Ludwig (1829–1875), Prof. für Chemie, Heidelberg u. Marburg. *Arbeitsgebiete:* Bestimmung von Halogenen, Schwefel u. Phosphor in organ. Substanzen, Herst. von Ethylenchlorhydrin aus Ethylen u. unterchloriger Säure.

Lit.: Pötsch, S. 78 ▪ Simon, Kleine Geschichte der Chemie, S. 87, Köln: Aulis 1980.

Carius-Methode. Von *Carius 1860 entwickeltes Verf. zum *Aufschluß (*Bombenaufschluß) von Halogenen od. Schwefel in organ. Substanzen. Dazu bringt man die abgewogene Substanz zusammen mit $AgNO_3$ u. konz. Salpetersäure in ein ca. 2,5 cm weites *Einschmelzrohr (Wandstärke 1–1,3 mm), schmilzt dieses zu u. erhitzt es im Bombenofen mehrere Stunden auf 200–300 °C. Die organ. gebundenen Halogene werden hierbei in Silber-Halogenide, organ. gebunde-

ner Schwefel in Schwefelsäure umgewandelt. – *E* Carius method – *F* méthode de Carius – *I* metodo di Carius – *S* método de Carius
Lit.: Ehrenberger u. Gorbach, Methoden der organischen Elementar- u. Spurenanalyse, S. 194 ff., Weinheim: Verl. Chemie 1973 ▪ Kolthoff u. Elving, Treatise on Analytical Chemistry, Part II, Vol. 12, S. 63 u. Vol. 13, S. 14, New York: Interscience 1965, 1966.

Carl Bosch-Haus, 60486 Frankfurt, Varrentrappstraße 40–42 (am 10.7.1957 eingeweiht), beherbergt *Beilstein- u. *Gmelin-Institut, *IDC sowie die Geschäftsstellen der *Deutschen Bunsen-Gesellschaft für Physikalische Chemie u. der *Gesellschaft Deutscher Chemiker.

Carlo-Erba s. Erba.

Carlosturanit s. Serpentin.

Carl-Zeiss-Stiftung s. Zeiss.

Carminativa (von latein.: carminare = reinigen). Blähungswidrige Präp., die durch spasmolyt. Wirkung auf die Muskulatur des Magen-Darm-Traktes die Abführung von Blähungen erleichtern u. zugleich häufig die Peristaltik anregen. Als C. schon lange benutzt sind Extrakte aus Blüten, Blättern bzw. Früchten von *Pfefferminz, *Kamillen, *Kümmel, *Fenchel, *Anis, *Salbei, Nelken, *Kalmus, Knoblauch u. a.; physiolog. aktive Inhaltsstoffe sind hierbei *Anethol, *Azulene, *Campher, *Carvon, *Menthol u. a. *Terpene. Alkohol verstärkt die Wirkung mancher C. (z. B. Anis- od. Kümmelschnaps). Auf Entschäumereigenschaften beruht die C.-Wirkung von Dimethylpolysiloxan. – *E* carminatives – *F* agents carminatifs – *I* carminativi – *S* carminativos
Lit.: Helwig-Otto II/38–46.

Carminativum Hetterich®. Tropfen mit ethanol. Auszug aus Kamillenblüten, Pfefferminzblättern, Fenchel, Kümmel u. Pomeranzenschalen bei Verdauungsschwierigkeiten. *B.:* Galenika Hetterich.

Carmoisin s. Echtrot.

Carmubris. Injektionsflüssigkeit mit *Carmustin gegen Hirntumore u. a. Carcinome. *B.:* Bristol-Myers.

Carmustin.

$$Cl-CH_2-CH_2-N(NO)-C(O)-NH-CH_2-CH_2-Cl$$

Internat. Freiname für 1,3-Bis-(2-chlorethyl)-1-nitrosoharnstoff (BCNU), $C_5H_9Cl_2N_3O_2$, M_R 214,05, Schmp. 30–32 °C; LD_{50} (Maus oral) 19–25, (Maus i. p.) 26 mg/kg. Es wurde 1963 als alkylierendes Cytostatikum von Johnston entwickelt u. ist von Bristol Myers Squibb (Carmubris®) u. Siphar (Nitrumon®) im Handel. – *E* = *F* carmustine – *I* = *S* carmustina
Lit.: ASP ▪ Hager (5.) **7**, 711 ▪ Ullmann (5.) **A 5**, 13 f. – *[HS 2924 10; CAS 154-93-8]*

Carnal®. Eiweißaufschluß, Schinkenspritzmittel. *B.:* Budenheim.

Carnallit. $KCl \cdot MgCl_2 \cdot 6 H_2O$ od. $KMgCl_3 \cdot 6 H_2O$; fettglänzende, leicht lösl., hygroskop., rhomb. Krist., Krist.-Klasse mmm-D_{2h}, Struktur s. *Lit.*[1]; durch Einlagerung von *Hämatit oft rötlich gefärbt, seltener gelb od. milchig weiß; H. 1–2, D. 1,6, etwas bitterer Geschmack. K. kann teilw. durch Na, NH_4 (*Ammonium-C.*, z. B. in Morsleben bei Helmstedt) u. in Spuren durch Rb ersetzt werden. *Brom-C.* enthält Br anstelle von Cl u. wird auf Br aufgearbeitet.
Vork.: Bildet selbständig od. mit Steinsalz u. z. T. *Kieserit u. a. Salzmineralien vermischt (z. T. als „Trümmer-C.) die oberste Salzschicht (*C.-Region*) in den nord- u. mitteldtsch. Kalisalz-Lagerstätten; weitere Vork. in Spanien, Sibirien, New Mexico/USA u. Saskatchewan/Kanada.
Verw.: C. ist das wichtigste der prim. *Kalisalze u. dient v. a. zur Gewinnung von *Kalidüngern u. von Magnesium. – *E* = *F* = *I* carnallite – *S* carnallita
Lit.: [1] Am. Mineral. **70**, 1309 ff. (1985).
allg.: Ramdohr-Strunz, S. 492 ▪ Schröcke-Weiner, S. 333 ff. ▪ Ullmann (5.) **A 15**, 565, 597–601, 604; **A 22**, 42–47, 58–62 ▪ s. a. Kalisalze. – *[HS 3104 10; CAS 1318-27-0]*

Carnaubawachs (Karnaubawachs, Brazil wax, E 903). Pflanzenwachs, gelbliche, grünliche od. dunkelgraue Masse, D. 0,990–0,999, Schmp. 83–86 °C. In organ. Lsm. mäßig, in Wasser kaum lösl.; im geschmolzenen Zustand strenger, charakterist., jedoch nicht unangenehmer Geruch. Wird in verschiedenen durch Auslese gewonnenen Qualitäten aus den Blättern der brasilian. Fächerpalme *Copernicia prunifera* od. Carnaubapalme (*C. cerifera*) in mehreren Tausend jato (1981: 13 000 jato) gewonnen. Der Wachsstaub wird von den angewelkten Wedeln gebürstet, geschmolzen, filtriert u. nach dem Festwerden in Stücke gebrochen (Ausbeute pro 100 g Blattmaterial ca. 5 g, eine Palme produziert in ihrer Reifezeit 150–180 g Wachs/a). C. kann durch Bleichmittel aufgehellt werden. Es enthält ca. 85% Ester (von Wachssäuren, ω-Hydroxycarbonsäuren u. Zimtsäuren mit Wachsalkoholen u. Diolen), jeweils etwa 2–3% freie Wachssäuren (Carnauba-, Behen-, Lignocerin-, *Melissin- u. *Cerotinsäure, meist 20–30 C-Atome), langkettige Alkohole, Diole u. gesätt. Kohlenwasserstoffe; IZ 8,5–10,5, SZ 1–4, VZ 70–83. C. ist schwer verseifbar; beim Kochen mit Laugen entstehen keine Seifen, sondern Emulsionen von Wachsalkoholen u. Kohlenwasserstoffen.
Verw.: Polituren für Schuhe, Möbel, Selbstglanzemulsionen für Fußböden, Trennmittel für Back- u. Süßwaren, Glasurmittel beim Dragieren, Kaumassen-Grundstoff, für kosmet. u. Dentalzwecke. – *E* carnauba wax – *F* cire de carnauba – *I* = *S* cera carnauba
Lit.: Cosmetic, Toiletry and Fragrance Assoc., J. Am. Coll. Toxicol. **3**, 1–41 (1984) ▪ Fiedler, Lexikon der Hilfsstoffe für Pharmazie, Kosmetik und angrenzende Gebiete (3.), S. 260, Aulendorf: Editio Cantor 1989 ▪ Food. Chem. Toxicol. **20**, 467 (1982) ▪ Hager (5.) **1**, 171, 709; **4**, 994 ▪ Kirk-Othmer (4.) **1**, 866; **7**, 586, 594, 971 ▪ Soap Perfum. Cosmet. **1993**, 37–40 ▪ Ullmann (5.) **A 9**, 571. – *[HS 1521 10; CAS 8015-86-9]*

Carnegieit s. Nephelin.

Carneol (Karneol) s. Chalcedon.

Carnico®. Veredeltes *Carnauba- u. *Candelillawachs. *B.:* Tromm.

CARNIFEED®. L-*Carnitin als Futtermittelzusatz in der Tierernährung. *B.:* Lonza.

Carnigen® (Mono). Tropfen, Ampullen u. Dragee mit 4-Hydroxyephedrin-Hydrochlorid (internat. Freiname Oxilofrin) gegen Kreislaufstörungen, auch in der Rekonvaleszenz u. im Klimakterium. *B.:* Albert-Roussel Pharma.

CARNIKING®. L-*Carnitin als Futtermittelzusatz in der Tierernährung. *B.:* Lonza.

Carnitin [3-Hydroxy-4-(trimethylammonio)-buttersäurebetain].

$$(H_3C)_3\overset{+}{N}-CH_2-\underset{H}{\overset{OH}{\underset{|}{C}}}-CH_2-COO^-$$

$C_7H_{15}NO_3$, M_R 161,20. Farblose, hygroskop. Krist., Schmp. 197 °C (Racemat) bzw. 212 °C (opt. aktiv), Schmp. der Hydrochloride 196 °C bzw. 142 °C (Zers.), in Wasser leicht löslich. Die L-Form des C. ist in tier. Geweben weit verbreitet u. ein charakterist. Bestandteil der gestreiften Muskulatur (Name von latein.: caro, Genitiv carnis = Fleisch); es dient v. a. im Fettsäure-Stoffwechsel als *Carrier (Überträger) für Acyl-Gruppen durch die *Mitochondrien-Membran hindurch. Diese werden durch eine Acyltransferase von Acyl-*Coenzym A auf die Hydroxy-Gruppe des L-C. übertragen. Der Transport von L-C. u. Acyl-L-C. durch die Membran erfolgt durch Vermittlung eines Transportproteins (*Translocase*). Auf der anderen Seite der Membran sorgt eine weitere Transacylase für die Rück-Acylierung auf Coenzym A. L-C. ist nur für bestimmte Insekten (z B. den Mehlwurm *Tenebrio molitor*) essentiell u. wurde deshalb früher als Vitamin B_T od. Mehlwurmfaktor bezeichnet. – *E* = *F* carnitine – *I* = *S* carnitina

Lit.: Beilstein E IV **4**, 3185 ▪ Nutrition **9**, 246–254 (1993) ▪ Stryer (5.), S. 493 f. – *[HS 2923 90; CAS 6645-46-1 (L(–)); 461-05-2 (DL)]*

Carnivore Pflanzen. Pflanzen, die tier. Nahrung, v. a. *Insekten, aber auch kleine Mäuse (bei *Nepenthes*), *Spinnen, Krebstiere (beim Wasserschlauch) od. *Protozoen (beim Wasserschlauch) fangen u. außerhalb der Pflanze durch ausgeschiedene *Enzyme verdauen. Aufgenommen werden Verdauungsprodukte durch bes. Resorptionshaare, wahrscheinlich durch aktiven Transport. *Carnivorie dient c. P., die typischerweise auf nährstoffarmen Substraten vorkommen, zur Nährstoffversorgung, insbes. mit Stickstoff- u. Phosphor-Verbindungen. In den Verdauungssekreten sind immer Eiweiß-hydrolysierende Enzyme (*Proteasen) enthalten, daneben wurden häufig *Phosphatasen u. *Esterasen sowie selten auch *Amylase-, *Lipase-, *Peroxidase- u. *Ribonuclease-Aktivität nachgewiesen. Die *Sekretion von Verdauungsflüssigkeit wird durch *Aminosäuren, *Harnsäure od. a. ausgelöst. Manche c. P. fangen Insekten mit klebrigen Sekreten, Leimen, die bei *Drosophyllum* ein saures *Polysaccharid enthalten. Verschiedene c. P. produzieren außerdem flüchtige Lockstoffe (*Attraktantien) sowie *Toxine, mit denen die Beute betäubt wird. Bekannte c. P. sind die (auch einheim.) Sonnentaue (*Drosera*) u. Fettkräuter (*Pinguicula*), welche mit Leimfallen fangen, die nordamerikan. Venusfliegenfalle (*Dionaea muscipula*) u. die Wasserschlauch-Arten (*Utricularia*), welche mit Klapp- bzw. Saugfallen ausgestattet sind sowie die Gattungen *Nepenthes* u. *Sarracenia*, deren Blätter zu Gleitfallen umgestaltet sind. – *E* carnivorous plants – *F* plantes carnivores – *I* piante carnivore – *S* plantas carnívoras

Lit.: Lange et al. (Hrsg.), Encyclopedia of Plant Physiology, New Series 12c, S. 488–517, Berlin: Springer 1983 ▪ Oecologia (Berlin) **73**, 518–521 (1987) ▪ Schlee (2.), S. 220–224 ▪ Sci. Am. **238**, 104–115 (1978) ▪ Science **257**, 1491–1495 (1992).

Carnivorie (Karnivorie). Von latein.: carnivorus = fleischfressend hergeleitete Bez. für das Verspeisen von tier. Nahrung. Karnivoren sind Fleischfresser, Carnivora die Säugetier-Ordnung der Raubtiere, s. a. carnivore Pflanzen u. nematophage Pilze. – *E* carnivorism – *F* carnivore – *I* carnivoria – *S* carnivorismo

Lit.: Schlee, S. 138 ff.

CARNO. Abk. für Chemical Abstracts *Registry Number.

Carnosin (*N*-β-Alanyl-histidin, Ignotin).

$$H_2N-CH_2-CH_2-CO-NH-\underset{H}{\overset{COOH}{\underset{|}{C}}}-CH_2-\begin{array}{c}H\\|\\N\end{array}$$

$C_9H_{14}N_4O_3$, M_R 226,24. Die natürlich vorkommende L-Form des Dipeptids C. bildet in Wasser unter alkal. Reaktion leicht lösl. Krist., die sich bei 246–250 °C zersetzen, die D-Form schmilzt bei 260 °C. C. kommt im Muskelgewebe des Menschen u. vielen Tieren vor; bei Vögeln statt dessen das Methyl-Derivat *Anserin. Über die Funktion des C. im Organismus ist nur wenig bekannt; in den Geruchsnerven scheint C. *Neurotransmitter-Funktion auszuüben. – *E* = *F* carnosine – *I* = *S* carnosina

Lit.: Beilstein E V **25/16**, 428 f. – *[HS 2933 29; CAS 305-84-0]*

Carnot, Sadi Nicolas Leonard (1796–1832), französ. Physiker u. Ingenieur. *Arbeitsgebiete:* Thermodynamik, Entwicklung des *Carnotschen Kreisprozesses.

Lit.: Krafft, S. 77 ▪ Neufeldt, S. 16 ▪ Pötsch, S. 78 ▪ Sadi Carnot et l'essor de la thermodynamique, Paris: CNRS 1976 ▪ Strube **2**, 74 ▪ Strube et al., S. 61, 124 ▪ Truesdell u. Bharatha. The Concepts and Logic of Classical Thermodynamics..., Berlin: Springer 1977.

Carnotit. $K_2[UO_2/VO_4]_2 \cdot 3H_2O$ od. $K_2O \cdot 2UO_3 \cdot V_2O_5 \cdot 3H_2O$; winzige plättchenförmige monokline Krist. u. Krusten, Imprägnationen, erdige Anflüge od. feinkörnige bis dichte Aggregate bildendes, kanarien- bis grüngelbes, im UV-Licht fluoreszierendes, sek. *Uran-Mineral; H. 2–2,5, D. 4,7.

Vork.: Als wichtiges Uran- u. z. T. auch Vanadium-Erz in Australien, Wyoming/USA u. in Sandsteinen des Colorado-Plateaus/USA; ferner in Zaire, Rössing/Namibia, Marokko. – *E* = *F* = *I* carnotite – *S* carnotita

Lit.: Ramdohr-Strunz, S. 656 ▪ Schröcke-Weiner, S. 646. – *[HS 2612 10; CAS 60182-49-2]*

Carnotscher Kreisprozeß. Von N.L.S. *Carnot entwickelter reversibler Kreisprozeß, der auf dem (erst später formulierten) zweiten Hauptsatz der Thermodynamik beruht. Der C. K. ist ein hypothet. Prozeß, der sich aus zwei isotherm. u. zwei adiabat. Zustandsänderungen zusammensetzt:

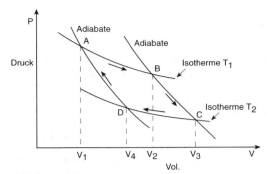

Abb.: Carnotscher Kreisprozeß.

A → B: Isotherme Expansion bei Temp. T_1: Syst. nimmt die Wärmemenge Q_1 auf, mit

$$Q_1 = v \cdot R \cdot T_1 \cdot \ln \frac{V_2}{V_1}$$

wobei v: Anzahl der Mole, R: allg. Gaskonstante.
B → C: Adiabat. Expansion: Kein Wärmeaustausch.
C → D: Isotherme Kompression bei Temp. T_2: Syst. gibt die Wärmemenge Q_2 ab, mit

$$Q_2 = v \cdot R \cdot T_2 \cdot \ln \frac{V_3}{V_4}.$$

D → A: Adiabat. Kompression: Kein Wärmeaustausch. Der *Wirkungsgrad* η eines Kreisprozesses ist definiert als der Quotient aus der gewonnenen mechan. Arbeit $W = Q_1 - Q_2$ u. der zugeführten Wärmemenge Q_1. Für den C. K. gilt

$$\eta = \frac{W}{Q_1} = \frac{Q_1 - Q_2}{Q_1} = \frac{T_1 - T_2}{T_1}.$$

Dieser Wirkungsgrad η ist das Optimum aller period. arbeitenden Wärmekraftmaschinen. In umgekehrter Richtung durchlaufen ist der C. P. eine ideale Wärmepumpe bzw. Kältemaschine. – *E* Carnot circle – *F* cycle de Carnot – *I* ciclo di Carnot – *S* ciclo de Carnot

Caro, Heinrich (1834–1910), Erfinder u. Industrieller, erster Techn. Direktor der BASF. *Arbeitsgebiete:* Erste techn. Herst. von Indigo u. Mauvein, Synth. von Eosin, Indulin, Methylenblau, Echtrot, Naphtolgelb, großtechn. Herst. von Alizarin-Farbstoffen u. Peroxomonoschwefelsäure (*Carosche Säure).
Lit.: Die BASF **15**, 195, (1965); **24**, 3 – 10 (1974) ▪ Krafft, S. 38 ▪ Neufeldt, S. 61, 69 ▪ Oberdorffer, Ludwigshafener Chemiker, Bd. 2, S. 45 – 83, Düsseldorf: Econ 1960 ▪ Pötsch, S. 78 ▪ Poggendorff **5**, 205 ▪ Strube 2, 137, 159, 167 ▪ Strube et al., S. 137, 176, 179.

CAROAT®. Kaliummonoperoxosulfat-Verb. (Tripelsalz), Bleich- u. Oxidationsmittel zur Herst. von Zahnprothesen-, Toiletten- u. Haushaltsreinigern, Waschmitteln sowie Kupfer-Ätzchemikalien; außerdem zur Entgiftung Cyanid-haltiger Abwässer u. zur Desinfektion. *B.:* Degussa.

Carobin, Carubin s. Johannisbrotbaum.

Carosche Säure (Peroxomonoschwefelsäure, Sulfomonopersäure). HO–SO₂–O–OH, M_R 114,09. Im reinen Zustand farblose Krist., Schmp. 45 °C (Zers.), in Wasser erfolgt Hydrolyse:

$$H_2SO_5 + H_2O \rightleftharpoons H_2SO_4 + H_2O_2;$$

die Reaktion ist umkehrbar. Die C. S. ist ein starkes Oxidationsmittel: Anilin wird zu Nitrobenzol oxidiert, u. aus Kaliumiodid-Lsg. wird augenblicklich I_2 freigemacht. Die reine Säure ist wie viele Peroxide unbeständig u. daher vorsichtig zu handhaben; ihre Salze sind die *Peroxomonosulfate.
Herst.: Durch Eintragen von $KHSO_5$ in konz. H_2SO_4 unter Zugabe von gepulvertem K_2SO_4 od. durch Umsetzung von Chlorsulfonsäure mit Wasserstoffperoxid [1].
Verw.: Als Oxidationsmittel in der Farben-Ind., in der organ. Synth., für Bleichzwecke u. zur Knitterfestmachung von Wolle. – *E* Caro's acid – *F* acide de Caro – *I* acido di Caro – *S* ácido de Caro
Lit.: [1] Brauer (3.) **1**, 391 f.
allg.: Gmelin, Syst.-Nr. 9, S, Tl. B 2, 1960, S. 798 – 808 ▪ Kirk-Othmer (3.) **17**, 14 ▪ Ullmann (5.) **A 19**, 187 ▪ Winnacker-Küchler (4.) **2**, 588 ff. – [HS 28 11 19; CAS 7722-86-3]

Carothers, Wallace Hume (1896–1937), Kunststoffchemiker bei Du Pont, Erfinder des *Nylons.
Lit.: J. Chem. Soc. **1940**, S. 100 ▪ Neufeldt, S. 197 ▪ Pötsch, S. 79 ▪ Strube et al., S. 183, 210.

Carothers Seide s. Nylon.

β-Carotin (β,β-Carotin, Provitamin A, E 160a, C.I. 75130).

$C_{40}H_{56}$, M_R 536,88, dunkelviolette Prismen, Schmp. 183 °C, unlösl. in Wasser, schwer lösl. in Alkohol, mäßig lösl. in Ether, Petrolether u. pflanzlichen Ölen, lösl. in Chloroform. λ_{max} 455, 520 nm. Stabilität: Wärme bis 150 °C (zeitabhängig), alkali- u. säurebeständig, relativ stabil in organ. Lsm., empfindlich gegen Licht u. Sauerstoff. β-C. ist das Provitamin A, das im tier. Organismus oxidativ in 2 Mol Retinal gespalten u. zu *Retinol (Vitamin A) reduziert wird. Die Dtsch. Ges. für Ernährung nahm 1991 einen Schätzwert von 2 mg β-C. als empfohlene Tagesdosis in die Empfehlungen für die Nährstoffzufuhr auf. Die präventivmedizin. Wirkung von β-C. gegenüber oxidationsbedingten Krankheiten wird in *Lit.*[1] beschrieben. β-C. ist das häufigste *Carotinoid im Pflanzenreich, überwiegend in der *all-trans*-Form, z. B. in Möhren, u. rohem Palmöl sowie als Begleiter des *Chlorophylls.
Geschichte: Isolierung 1826 (Wackenroder), Summenformel 1907 (Willstätter), Konstitution 1930 (Karrer), Synth. seit 1950, techn. Synth. seit 1954.
Herst.: Als Rohcarotin aus getrockneten Pflanzenteilen isoliert (75 – 90 %ig), umkristallisiert u. chromatograph. von anderen *Carotinen getrennt, auf mikrobiolog. Wege[2], halbsynthet. über Vitamin A. Die techn. Herst. von β-C. u. a. Carotinoiden kann nach dem BASF-Verf. über Ylide durchgeführt werden[3].
Verw.: Als Antioxidans, in medizin. Präp. als Vitamin-A-Vorstufe sowie als Lebensmittel- u. Kosmetikfarbstoff (E 160a) u. als Futtermittelzusatzstoff. – *E* β-carotenes – *F* β-carotène – *I* β-carotene – *S* β-caroteno
Lit.: [1] Carcinogenesis **12**, 671 – 678 (1991); Free Radical Biol. Med. **13**, 407 – 433 (1992); Vitam. Miner. Spurenelemente **5**, 95 – 102 (1990); Suppl. **1**, 3, 32 (1990). [2] Ullmann (5.) **A 4**, 149. [3] Angew. Chem. **89**, 437 (1977).

Carotindiol

allg.: Beilstein E IV **5**, 2617 ff. ▪ J. Agric. Food Chem. **38**, 1930 (1990) ▪ J. Am. Chem. Soc. **117**, 2747 (1995) (Synth.) ▪ Karrer, Nr. 1821 ▪ Martindale (30.), S. 1036 ▪ Pure Appl. Chem. **63**, 35 (1991) ▪ Römpp Lexikon Lebensmittelchemie, S. 161 ▪ Ullmann (5.) **A 11**, 508, 572. – *[HS 2936 10; CAS 7235-40-7]*

Carotindiol s. Carotinoide.

Carotine. $C_{40}H_{56}$, M_R 536,85. Gruppe von 11- bis 12fach ungesätt. *Tetraterpenen, die zu den *Carotinoiden gehören. Die Auftrennung des ursprünglich als einheitlich geltenden Naturstoffs in die drei Isomeren α-C., β-C. u. γ-C. gelang Kuhn u. Lederer 1931. Alle drei besitzen das gleiche Grundgerüst mit 9 konjugierten Doppelbindungen, 8 Methyl-Verzweigungen (einschließlich der möglichen Ringstrukturen) u. einer β-Ionon-Ringstruktur an einem Mol.-Ende, während sie sich in der Struktur des anderen Mol.-Endes unterscheiden. *β-Carotin* ist das im Tier- u. Pflanzenreich häufigste Carotinoid. α-C. (rote Krist., Schmp. 187,5 °C) leitet sich formal von β-C. durch Verschiebung der Doppelbindung in die 4′,5′-Stellung ab, es ist in geringen Mengen Begleiter von β-Carotin. Im γ-C. (violette Prismen, Schmp. 178 °C) ist der rechte Ring zwischen C-1′ u. C-6′ geöffnet, wodurch eine neue Doppelbindung entsteht (C-1′/2′ sowie C-5′,6′). Es findet sich in Spuren, bes. in Bakterien u. Pilzen. Weitere C. sind δ-C. (orangerote Nadeln, Schmp. 172 °C), das einen α-Ionon-Ring an einem Mol.-Ende trägt, das andere Ende ist offenkettig u. das offenkettige ζ-C. (all-trans-*Lycopin, Krist., Schmp. 42–46 °C). Beim ε-C. (rote Krist., Schmp. 172 °C) befindet sich an beiden Mol.-Enden ein α-Ionon-Ring. Alle C. sind in Wasser nicht, in Alkohol kaum, in Chloroform u. Ölen gut löslich u. als typ. Polyene gegen Luft, Licht u. Wärme empfindlich. – *E* carotenes – *F* carotène – *I* caroteni – *S* caroteno

Lit.: Blaue Liste, Nr. C 250, 250a, 250b (S. 96–97) ▪ s. Carotinoide – *[HS 2936 10, 3204 19]*

Carotinoide. Von Carotin abgeleitete Bez. für *Carotine (reine Kohlenwasserstoffe) u. *Xanthophylle (Sauerstoff-haltige Carotine), deren Grundgerüst aus acht Isopren-Einheiten (*Tetraterpene) besteht. Man kann sich die C. aus zwei C_{20}-*Isoprenoiden derart zusammengesetzt denken, daß die beiden mittleren Methyl-Gruppen in 1,6-Stellung zueinander stehen (Kopf-Kopf-Verknüpfung, s. die Abb. bei β-Carotin); die beiden Mol.-Hälften gehorchen jeweils der *Isopren-Regel. Die Farbigkeit der C. (zumeist gelb, orange od. rot) beruht auf ihrer Polyen-Struktur mit (meist) 11–12 konjugierten Doppelbindungen. Von dem C_{40}-Grundgerüst leiten sich nicht nur die durch Hydroxy- od. Oxo-Gruppen substituierten C. ab, sondern auch Apo-, Nor- od. Seco-C. (verkürzte Kette, Ringöffnung), bzw. Retro-C. (Verschiebung der Doppelbindungen). Zwar gilt für C. eine verbindliche IUPAC-Nomenklatur[1], doch werden fachsprachlich die hergebrachten – häufig auf …xanthin endenden – Trivialnamen weiterhin benutzt; *Beisp.:* (3R,6′R)-β,ε-Carotin-3,3′-diol (*Lutein), (3R,3′S,5′R)-3,3′-Dihydroxy-β,κ-carotin-6-on (*Capsanthin), 9′-*cis*-6,6′-Diapocarotindisäure-6′-methylester (*Bixin), s.a. Cantha-, Crypto-, Rhodo- u. Zeaxanthin, Crocetin, Lycopin, u.a. Eine Gegenüberstellung systemat. u. trivialer Namen findet man in *Lit.*[1,2].

Vork.: Die C. kommen in *Höheren Pflanzen* in Laubblättern, Früchten, Sprossen, Wurzeln (z.B. in der Möhre, *Daucus carota*), Staubblättern, Pollen u. Samen vor. Sie finden sich dort in den Plastiden (Chloroplasten u. Chromoplasten). Nativ liegen die C. häufig als wasserlösl. geschützte C.-Protein-Komplexe vor. In der Thylakoidmembran kommen nur *β-Carotin, *Lutein, *Violaxanthin u. Neoxanthin vor. Ihre Farbe tritt im Herbstlaub hervor, wenn das *Chlorophyll abgebaut wird u. die Chloroplasten in Chromoplasten umgewandelt werden. Ähnliches geschieht bei der Fruchtreife. Beisp. für C. in Früchten sind *Lycopin (in Tomate u. Hagebutte), Capsanthin (in rotem Pfeffer), β-Carotin, β-Cryptoxanthin u. Zeaxanthin (in der Judenkirsche). Obwohl die gelbe bis rötliche Farbe von Blütenblättern meist auf *Flavonoide zurückzuführen ist, kommen vereinzelt auch C. als Blütenfarbstoffe vor, z.B. *Crocetin u. *Violaxanthin. In Samen findet man im allg. nur wenige C., mit Ausnahme des Mais, dessen Körner viel β-Carotin u. Zeaxanthin enthalten. Weitere Angaben zu C. in Höheren Pflanzen finden sich in *Lit.*[3]. Die C. der *Algen, die dadurch orange bis leuchtend rot gefärbt sind, sind in Chromatophoren lokalisiert. Aus ihrem Erscheinungsmuster ließ sich ein Evolutionsschema aufstellen. In *Höheren Pilzen* sind ebenfalls C. enthalten[4]. Auch *Cyanobakterien (Blaualgen) besitzen C., bes. β-Carotin. Bei *Bakterien* findet man eine Reihe von C. mit ungewöhnlichen Strukturen, wie C_{45}- u. C_{50}-C., die fast ausschließlich in nichtphototrophen Bakterien vorkommen, methoxylierte C., die nur in phototrophen Bakterien auftreten, sowie Kohlenhydrat-haltige, aromat. u. Nor-C. sowie solche mit C,C-Dreifachbindungen u. kumulierten Doppelbindungen: z.B. *Fucoxanthin. Die C. der *Tiere* sind meist Umwandlungsprodukte von pflanzlichen Nahrungs-Carotinoiden. Sie sind z.B. verantwortlich für die gelbe bis rote Farbe vieler Vogelfedern (z.B. Flamingos) sowie für das Rot des Hummerpanzers (*Astaxanthin), anderer Krebstiere sowie des Marienkäfers. Auch in der Butter, im Blutplasma, in den Augenpigmenten (*Retinal) u. im Fleisch von Lachsen kommen C. bzw. deren Umwandlungsprodukte vor. Zum Vork. in Meeresorganismen s. *Lit.*[5].

Physiologie: Im pflanzlichen Organismus dienen C. als Lichtfilter u. sind an der Energieübertragung bei der Photosynth. beteiligt[6]. In Blütenblättern u. Früchten haben C. als Lockfarben für Tiere Bedeutung. Wichtig ist ihre Funktion als Provitamine für den tier. Organismus, so sind C. Vorstufen des *Retinals u. damit von Bedeutung für den *Sehprozeß[7], vgl. auch Retinol, β-Carotin.

Verw.: Viele Riechstoffe können als Abbauprodukte von C. angesehen werden[8]. Wegen ihrer physiolog. Unbedenklichkeit sind zahlreiche C. als Nahrungsmittelfarbstoffe (Margarine, Butter, Käse, Frucht-säfte), in der Kosmetik u. als Futtermittelzusatz (EG-Nr. 160a-f u. 161a-g, s. *Lit.*[9]) im Gebrauch. In medizin. Präp. findet β-Carotin als Vitamin A-Vorstufe Verwendung. Die Antioxidans-Wirkung der C. wird in der Prophylaxe u. Therapie bestimmter Krebserkrankungen genutzt[10].

Biosynth.: Der Biosyntheseweg der C. verläuft analog zu dem anderen Isoprenoiden über Isopentenylpyrophosphat. Über Geranylpyrophosphat (C_{10}) u. Farnesylpyrophosphat (C_{15}) bildet sich Geranylgeranylpyrophosphat (C_{20}). Aus zwei Mol. Geranylgeranylpyrophosphat wird das noch farblose 15-*cis*-Phytoen

(C_{40}) gebildet, das durch stufenweise Dehydrierung u. Isomerisierung der 15-*cis*-Doppelbindung zunächst in *all-trans*-ζ-Carotin (farbig), weiter in *all-trans*-Neurosporin u. schließlich in *all-trans*-Lycopin umgewandelt wird. Anschließende Cyclisierungsreaktionen ermöglichen die Bildung anderer C., die ihrerseits Ausgangsverb. für eine Vielzahl von C. sind. *Xanthophylle werden aus C. durch Einbau von Sauerstoff gebildet[11].

Analytik: In der Analytik der C. haben sich insbes. chromatograph. Meth. u. die Massenspektrometrie bewährt[12].

Struktur, Synth.: Um die Konstitutionsermittlung der C. haben sich bes. P. *Karrer u. R. *Kuhn, um die Synth. bes. O. *Isler verdient gemacht; die über Ylide führende *Wittig-Reaktion kann zum Aufbau – speziell von symmetr. C. – mit Erfolg angewandt werden, vgl. β-Carotin u. *Lit.*[13]. Zur Synth. opt. aktiver C. s. *Lit.*[14], zur abs. Konfiguration der C. s. *Lit.*[15]. Einen Überblick über Biogenese, Funktion u. Synth. erhält man aus *Lit.*[16]. – *E* carotinoids – *F* caroténoïdes – *I* carotenoidi – *S* carotenoides

Lit.: [1]Carotenoids Photosynth. **1993**, 1–15; Pure Appl. Chem. **41**, 405 (1975). [2]Wünsch, Einführung in die Chemie der Naturstoffe, S. 119–124, Berlin: VEB Verl. der Wissenschaften 1980. [3]Czygan, Pigments in Plants, Stuttgart: Fischer 1980. [4]Zechmeister **51**, 193f. [5]Scheuer **12**, 2–75. [6]Physiol. Plants **69**, 561 (1987). [7]New Food Ind. **30**, 30 (1988). [8]Zechmeister **35**, 431–527; ACS Symp. Ser. **317**, (Biogener. Aromas), 157 (1986). [9]Crit. Rev. Food Sci. Nutr. **18**, 59–97 (1982); Blaue Liste, Nr. C 211, S. 93; C 215, S. 94; C 236, S. 96. [10]s. β-Carotir. [11]Spurgeon et al. (Hrsg.), Biosynth. Isoprenoid. Compd., Bd. 2, S. 1–122, New York: Wiley 1983. [12]Adv. Chromatogr. (N.Y.) **22**, 197–213 (1983); Methods Microbiol. **18**, 235 (1985). [13]Chem. Ztg. **102**, 9 (1972). [14]Pure Appl. Chem. **57**, 735 (1985). [15]Helv. Chim. Acta **62**, 1902 (1979). [16]Pure Appl. Chem. **51**, 435–675, 857–886 (1979).

allg.: Bauernfeind, Carotinoids as Colorants and Vitamin A Precursors, New York: Academic Press 1981 ▪ Britton et al., Carotinoid Chemistry and Applications, Oxford: Pergamon Press 1982 ▪ Chem. Ind. (London) **1993**, 79–83 ▪ Goodwin, The Biochemistry of the Carotinoids, New York: Methuen 1984 ▪ Nat. Prod. Rep. **6**, 359–392 (1989) ▪ Nuhn (2.), Chemie der Naturstoffe, S. 456f., Stuttgart: Wissenschaftliche Verlagsges. 1990 ▪ Pfander, Key to Carotinoids (2.), Basel: Birkhäuser 1987 ▪ Packer, The Carotenoids, San Diego: Academic Press 1993 ▪ Pure Appl. Chem. **57**, Nr. 5 (1985) ▪ Schweppe, S. 167–178 ▪ Ullmann (5.) A **11**, 508, 572 ▪ Zechmeister **18**, 223–349; **34**, 8–23. – [*HS 3203 00*]

Carpain.

$C_{28}H_{50}N_2O_4$, M_R 478,70, monokline Prismen, Schmp. 121 °C, $[\alpha]_D$ +21,7° (C_2H_5OH). Gut wasserlösl. makrocycl., dimeres Bislacton, ein *Alkaloid aus den Blättern des Papaya-Baumes (*Carica papaya*), das Bradykardie verursacht. C. ist ein Amoebizid u. hat Antitumor-Aktivität. – *E* carpaine – *F* carpaïne – *I* carpaina – *S* carpaína

Lit.: J. Indian. Chem. Soc. **45**, 945 (1968) (Review) ▪ Manske **26**, 96 ▪ Res. Commun. Chem. Pathol. Pharmacol. **22**, 277–289 (1978) (Pharmakolog. Wirkung) ▪ Tetrahedron Lett. **20**, 3391 (1979). – [*CAS 3463-92-1*]

Carprofen.

Internat. Freiname für (±)-2-(6-Chlor-2-carbazolyl)-propionsäure, $C_{15}H_{12}ClNO_2$, M_R 273,72, Schmp. 197–198 °C; LD_{50} (Maus oral) 400 mg/kg. C. wurde 1974 u. 1975 als Antiphlogistikum von Hoffmann-La Roche (Imadyl®, außer Handel) patentiert. – *E* carprofen – *F* carprofène – *I* carpofene – *S* carprofeno

Lit.: ASP ▪ Beilstein E V **22/3**, 391 ▪ Hager (5.) **7**, 719 ▪ Ullmann (5.) A **3**, 44. – [*HS 2933 90; CAS 53716-49-7*]

Carrageen (E 407). Nach dem irischen Küstenort Carragheen benannter, gelbildender u. ähnlich wie *Agar aufgebauter (u. wie dieses auch Florideenstärke genannter) Extrakt aus nordatlant., zu den Florideen zählenden Rotalgen (*Chondrus crispus* u. *Gigartina stellata*). Die an der Küste von Irland, Nordfrankreich u. den USA gesammelten *Algen werden auch als Irländ. Moos, Knorpeltang od. Perltang bezeichnet. Häufig wird die Bez. C. für das getrocknete Algenprodukt u. Carrageenan für den Extrakt aus diesem verwendet. Das aus dem Heißwasserextrakt der Algen ausgefällte C. ist ein farbloses bis sandfarbenes Pulver mit M_R 100 000–800 000 u. einem Sulfat-Gehalt von ca. 25%, das in warmem Wasser sehr leicht lösl. ist; beim Abkühlen bildet sich ein thixotropes Gel, selbst wenn der Wasser-Gehalt 95–98% beträgt. Die Festigkeit des Gels wird durch die Doppelhelix-Struktur des C. bewirkt[1]. Beim Carrageenan unterscheidet man drei Hauptbestandteile: Die gelbildende κ-Fraktion besteht aus D-Galactose-4-sulfat u. 3,6-Anhydro-α-D-galactose, die abwechselnd in 1,3- u. 1,4-Stellung glykosid. verbunden sind (Agar enthält demgegenüber 3,6-Anhydro-α-L-galactose). Die nicht gelierende λ-Fraktion ist aus 1,3-glykosid. verknüpften D-Galactose-2-sulfat u. 1,4-verbundenen D-Galactose-2,6-disulfat-Resten zusammengesetzt u. in kaltem Wasser leicht löslich. Das aus D-Galactose-4-sulfat in 1,3-Bindung u. 3,6-Anhydro-α-D-galactose-2-sulfat in 1,4-Bindung aufgebaute ι-Carrageenan ist sowohl wasserlösl. als auch gelbildend. Weitere C.-Typen werden ebenfalls mit griech. Buchstaben bezeichnet: α, β, γ, μ, ν, ξ, π, ω, χ. Auch die Art vorhandener Kationen (K, NH_4, Na, Mg, Ca) beeinflußt die Löslichkeit der Carrageene. Halbsynthet. Produkte, die nur eine Ionen-Sorte enthalten, werden auch Carrag(h)eenate genannt. Während z. B. Calciumcarrageenat nach Aufkochen u. Abkühlen ein elast. Gel bildet, bleibt Natriumcarrageenat nach gleicher Behandlung eine hochviskose Flüssigkeit. In organ. Lsgm. sind C. u. die davon abgeleiteten Produkte unlösl., mit Proteinen bilden sie schwerlösl. Niederschläge.

Verw.: Als Geliermittel, Bindemittel für Wasserfarben, Appreturen, Salbenzusatz, Emulgator für Hautcremes, Suspendierhilfe für Schleif- u. Schmiermittel;

Carrez-Klärung

zur Puddingbereitung, Eiscremestabilisierung, Bierklärung (fällt Eiweißstoffe aus), zur Stabilisierung von Emulsionen u. Suspensionen u. von *Instant-Produkten, als Zahnpastenzusatz, zur Herst. von Gelees, Marmeladen u. dgl.; C.-haltige Nahrungsmittel täuschen wegen ihrer Quellfähigkeit beim Essen eine größere Nahrungsaufnahme vor; sie werden daher auch bei Abmagerungskuren (in Schlankheitsmitteln gegen *Fettsucht) verwendet. – $E = I$ carrageen – F carragheen – S carragaen

Lit.: [1] Angew. Chem. **89**, 228 (1977).
allg.: Belitz-Grosch (4.), S. 272 ff. ■ Bioact. Mol. **2**, 121–126 (1987) ■ Bot. Mar. **27**, 189–202 (1984) ■ Cereal Sci. Today **19**, 471 (1974) ■ Food Hydrocolloids **2**, 73–113 (1983) ■ Whistler u. BeMiller (Hrsg.), Industrial Gums, S. 145 ff., San Diego: Academic Press 1993 ■ s. a. Algen. – *[HS 1302 39]*

Carrez-Klärung. Ein auf C. Carrez zurückgehendes Klärverf., das v. a. in der *Zuckeranalytik* zur Beseitigung von Trübungen eingesetzt wird. Die bewährten Reagenzien haben folgende Zusammensetzung: *Carrez-Lsg. I:* 150 g Kaliumhexacyanoferrat(II) in 1000 ml H_2O; *Carrez-Lsg. II:* 300 g $ZnSO_4 \times 7 H_2O$ in 1000 ml H_2O od. 230 g Zinkacetat $\times 2 H_2O$ in 1000 ml H_2O. Man setzt den zu klärenden wäss. Auszügen jeweils gleiche Vol. dieser Lsg. zu. Das Klärverf. beruht darauf, daß Schwermetalle störende Kolloide wie Eiweiß ausfällen, od. daß bestimmte, in diesen Lsg. mit Metallsalzen erzeugte Niederschläge (hier: Zinkhexacyanoferrat) diese Kolloide mitreißen. – E Carrez purification – F clarification de Carrez – I depurazione Carrez – S clarificación de Carrez

Carrier. Sehr vielfältig verwendete Bez. für Stoffe od. supramol. Syst., die den Transport von Substanzen besorgen. – *Biochemie.* Stoffe für den Transport von Metaboliten, Nähr- u. Wirkstoffen durch biolog. *Membranen*[1] (z. B. *Carnitin, *Ionophore, Glucose-Transporter, Lactose-Permease), innerhalb von *Enzymen od. Multienzymkomplexen (z. B. Acyl-Carrier-Protein, s. Fettsäure-Biosynthese) zwischen Enzymen (Gruppen- od. Elektronen-übertragende *Coenzyme) od. in Flüssigkeiten (z. B. *Hämoglobin als Sauerstoff-C. im Blut). – *Immunologie:* Trägermol. für *Haptene od. niedermol. *Impfstoffe zur Erzielung einer *Immunantwort gegen diese. – *Pharmakologie:* Trägermol. (z. B. *Antikörper[2]) od. andere Syst. (z. B. *Liposomen, *Micellen, *Emulsionen, die bestimmte Wirkgruppen an ihren Erfolgsort im Körper transportieren. – *Textilchemie:* Schlepper, die eine Färbebeschleunigung bewirken. – *Kosmetik:* Salbengrundlagen; zur *Chemie* s. Träger. – E carriers – F transporteurs, vecteurs – I carrier, veicolanti – S transportadores

Lit.: [1] Cell **72**, 13–18 (1993). [2] Sedlacek et al., Antibodies as Carriers of Cytotoxicity, Basel: Karger 1992.

Carrollit s. Kobaltnickelkies.

Carr-Price-Reagenz. Eine 30%ige Lsg. von Antimon(III)-chlorid in ethanol- u. wasserfreiem Chloroform gibt mit Vitamin A eine kolorimetr. auswertbare blaue Färbung. Ähnliche Lsg. werden auch in der Dünnschichtchromatographie zur Sichtbarmachung von getrennten Substanzen benutzt. – E Carr-Price reagent – F réactif de Carr-Price – I reagente di Carr-Price – S reactivo de Carr-Price

CARSIN®. Formstoffadditive, Glanzkohlenstoffbildende Zusätze von CHEMETALL für Naßguß-Formsande, Zusätze für Kernsand.

Carta. Substantive Farbstoffe zum Färben geleimter u. ungeleimter Papiere.

CARTA®. Hartpapier auf Phenol- u. Epoxidharz-Basis als Tafeln, Rohre u. hieraus spangebend bearbeitete Teile. *B.:* Isola.

Cartap. Common name für 1,3-Bis(carbamoylthio)-2-dimethylaminopropan-Hydrochlorid.

$$(H_3C)_2N-CH\begin{matrix} CH_2-S-CO-NH_2 \\ CH_2-S-CO-NH_2 \end{matrix} \cdot HCl$$

$C_7H_{16}ClN_3O_2S_2$, M_R 273,80, Schmp. 179–181 °C (Zers.), LD_{50} (Ratte oral) 325 mg/kg (WHO), von Takeda entwickeltes system. *Insektizid gegen saugende u. beißende Insekten in vielen Kulturen. – $E = F = I = S$ cartap

Lit.: Farm ■ Pesticide Manual. – *[HS 2930 20; CAS 15263-52-2]*

CARTA®-TEXTIL. Hartgewebe auf Phenol- u. Melaminharz-Basis als Tafeln, Rohre u. hieraus spangebend bearbeitete Teile. *B.:* Isola.

Carteolol.

Internat. Freiname für 5-(3-*tert*-Butylamino-2-hydroxypropoxy)-3,4-dihydro-2(1*H*)-chinolinon, $C_{16}H_{24}N_2O_3$, M_R 292,38. Verwendet wird das Hydrochlorid, Schmp. 278 °C, LD_{50} (Maus oral) 810, (Ratte oral) 1380 mg/kg. C. wurde 1973 u. 1975 als β-Rezeptoren-Blocker von Otsuka patentiert u. ist von Madaus (Endak®) u. Ciba Vision Ophthalmics (Arteoptic®) im Handel. – $E = S$ carteolol – F cartéolol – I carteololo

Lit.: Arzneim.-Forsch. **33**, 277–345 (1983) ■ Beilstein E V **21/12**, 216 ■ Hager (5.) **7**, 717 ff. – *[HS 2933 79; CAS 51781-06-7; 51781-21-6 (Hydrochlorid)]*

Carthamin (Saflor-Rot, Saflor-Karmin, C.I. Natural Red 26, C.I. 75140).

$C_{43}H_{42}O_{22}$, M_R 910,79. Rote Nadeln, in Wasser u. Ether wenig, in Alkohol u. verd. Laugen löslich. Der aus den gelben bis orangen Blütenblättern des im Orient heim. u. in Europa u. Amerika angebauten Saflors (Färberdistel, *Carthamus tinctorius*, Compositae) isolierte Farbstoff findet Verw. in der Färbung von Likören,

Kosmetika, Kaugummi, Konditoreiwaren. Bei Einwirkung von Phosphorsäure cyclisiert C. unter Glucose-Abspaltung zu Carthamidin, einem Flavon-Derivat. – *E* carthamin – *F* carthamine – *I* = *S* cartamina
Lit.: Biochem. Physiol. Pflanz. **184**, 145 (1989) ▪ Chem. Lett. **1979**, 201 ▪ Janistyn **1**, 163 ▪ Schweppe, S. 183 ▪ Tetrahedron Lett. **23**, 5163 (1982). – *[HS 3203 00; CAS 36338-96-2]*

Cartier-Grade s. Aräometer.

Carvacrol (2-*p*-Cymenol, 5-Isopropyl-2-methylphenol).

$C_{10}H_{14}O$, M_R 150,22. Flüssigkeit, D_4^{20} 0,976, Schmp. ca. 0 °C, Sdp. 237–238 °C; in Wasser nicht, in Alkohol u. Ether leicht lösl., autoxidabel u. verharzend. Vork. u. Geruch wie *Thymol. In Kümmelöl kann C. bei Lagerung aus *Carvon entstehen[1].
Verw.: Als Ausgangsmaterial für organ. Synth. u. Desinfektionsmittel. – *E* = *F* = *S* carvacrol – *I* carvacrolo
Lit.: [1] Chem. Ztg. **102**, 260 (1978).
allg.: Beilstein E IV **6**, 3331 ▪ Hager (5.) **7**, 722 ▪ Karrer, Nr. 174 ▪ Ullmann (5.) **A 1**, 199; **A 11**, 172, 241; **A 19**, 317 ▪ s. a. Phenole. – *[HS 2907 19; CAS 499-75-2]*

Carvedilol.

Internat. Freinamе für (±)-1-(4-Carbazolyloxy)-3-[2-(2-methoxyphenoxy)ethylamino]-2-propanol, $C_{24}H_{26}N_2O_4$, M_R 406,48. C. ist ein Beta-Blocker [s. *β*-Sympath(ik)omimetika] u. *Vasodilatator vom Aminopropandiol-Typ u. wird gegen hohen Blutdruck gegeben (Dilatrend®, Boehringer Mannheim). – *E* = *F* = *S* carvedilol – *I* cervedilolo
Lit.: Ann. N.Y. Acad. Sci. **738**, 230–242 (1994) ▪ ASP ▪ Drugs **45**, 232–258 (1993). – *[HS 2933 90; CAS 72956-09-3]*

Carvomenthen. Unsystemat. Bez. für 1-*p*-*Menthen.

Carvon (*p*-Mentha-6,8-dien-2-on).

$C_{10}H_{14}O$, M_R 150,22, Öl, D_4^{20} 0,965, Sdp. 230–231 °C, $[\alpha]_D^{20}$ ±62° (unverd.), in Wasser unlösl., mit Alkohol mischbar. In der Natur kommt C. in opt. aktiver (4*S*)(+)-Form in Kümmelöl (*Carum carvi*, bis zu 85% C.), in Dillöl (bis zu 60%) u. Mandarinenschalen, in der (4*R*)(–)-Form im Minzöl (bis zu 72%) u. Kuromoji-Öl u. als Racemat im Ingwergras-Öl vor. (*R*)-C. riecht nach Minze u. (*S*)-C. nach Kümmel. Es entsteht in racem. Form durch Autoxid. von *Limonen, beim Belichten isomerisiert es zu Carvoncampher u. durch Alkali-Einwirkung zu *Carvacrol.

Verw.: In der Likör-, Kosmetik- u. Seifenind.; Ausgangsverb. zur asymmetr. Synth. von Naturstoffen[1]. Im *Carvonoxid*, das aus *Catasetum maculatum* isoliert wurde ($C_{10}H_{14}O_2$, M_R 166,22)[2], ist die Ringdoppelbindung des C. epoxidiert u. *cis*-ständig zur Isopropyl-Gruppierung. – *E* = *F* = *I* carvone – *S* carvona
Lit.: [1] Justus Liebigs Ann. Chem. **1992**, 403; **1993**, 1133.
[2] Phytochemistry **24**, 863 (1985).
allg.: Beilstein E IV **7**, 315 ▪ Chem. Ztg. **102**, 61 (1978) ▪ Hager (5.) **7**, 723 ▪ Gildemeister **3c**, 250–265 ▪ Parfüm. Kosmet. **56**, 258 ff. (1975) ▪ Phytochemistry **19**, 1433 (1980) ▪ Ullmann (5.) **A 11**, 172 ▪ s. a. etherische Öle. – *[HS 2914 29; CAS 6485-40-1 (R(–)); 2244-16-8 (S(+)); 22327-39-5 (±)]*

Caryophyllene.

β-Caryophyllen

$C_{15}H_{24}$, M_R 204,36. Aus ether. Ölen (z. B. Gewürznelkenöl, *Caryophylli flos*) isolierbare *Sesquiterpene. Man unterscheidet α-C. (s. Humulen), β- u. γ-Caryophyllen. Das β-Isomere ist eine Flüssigkeit von nelken- bis terpentinähnlichem Geruch, D_4^{20} 0,919, Sdp. 129–130 °C (1,29 kPa), $[\alpha]_D^{20}$ –9,2° (unverd.); β-C. kommt in den Larven von *Parides arcas* vor. γ-C. {Isocaryophyllen, farbloses Öl, Sdp. 125 °C (1,93 kPa), $[\alpha]_D^{25}$ –24,1°} ist an der Ringdoppelbindung Z-konfiguriert. C. finden Verw. als Riechstoffkomponenten (z. B. in Kaugummi). – *E* caryophyllenes – *F* caryophyllènes – *I* cariofilleni – *S* cariofilenos
Lit.: Beilstein E IV **5**, 1182 ▪ Karrer, Nr. 1929 ▪ Riv. Ital. Essenze, Profumi Piante Off., Aromi, Saponi, Cosmet., Aerosol. **59**, 603 (1977) ▪ Ullmann (4.) **A 11**, 166. – *[HS 2902 19; CAS 87-44-5 (β-C.); 118-65-0 (γ-C.)]*

Carzenid.

Internat. Freiname für 4-Sulfamoylbenzoesäure, $C_7H_7NO_4S$, M_R 201,20, Zers. bei 280 °C. Es wurde als Carboanhydrase-Hemmer u. Spasmolytikum 1891 von Fahlberg, 1949 von Nissan patentiert u. war von Simons in Kombination mit Phenazon (Dismenol®, enthält heute Ibuprofen) im Handel. – *E* = *I* carzenide – *F* carzènide – *S* carzenida
Lit.: Beilstein E IV **11**, 690 ▪ Hager (5.) **7**, 724. – *[HS 2935 00; CAS 138-41-0; 6101-29-7 (Natrium-Salz)]*

CAS. Abk. für *Chemical Abstracts Service.

Casale, Luigi (1882–1927), Chemiker, Univ. Torino u. Napoli. *Arbeitsgebiete:* Ammoniak-Synth. (Casale-Verf.), Kampfgase.

Cascan. Kurzbez. für die Cascan GmbH u. Co. KG, Hohenstaufenstr. 7, 65189 Wiesbaden, Arzneimittelvertrieb, *Beteiligungsges.*: Glaxo-Wellcome.

Casein (von latein.: caseus = Käse). Wichtigster Eiweiß-Bestandteil der *Milch, weißes bis gelbliches, schwach hygroskop. Pulver od. hornartige Stücke, in Wasser unlösl., in Alkalien löslich. Kuhmilch enthält etwa 3% C. in kolloidaler, milchig opaleszierender Lsg., u. zwar als *Calciumcaseinat* mit weiteren Begleit-Ionen (Calcium, Magnesium, Phosphat, Citrat).

Je nach Herkunft macht C. zwischen 1,6% (Mensch) u. 10,3% (Rentier) des Milchgewichtes aus. Mit Alkalien kann C. in *Caseinate übergeführt werden, u. durch Hydrolyse mittels proteolyt. Enzyme (Trypsin, Papain, Pancrease u. a.) läßt sich C. in alkal. Lsg. bei Temp. um 50 °C zu Aminosäuren abbauen; zum Nachw. kann die *Xanthoprotein-Reaktion dienen. Durch Fraktionierung läßt sich das Phosphorproteid C. grob in α-, β- u. γ-C. im Verhältnis 70:27:3 u. mit den M_R 24800–27600, 18000–25000 u. 30000 auftrennen, die z. T. ihrerseits in weitere Fraktionen zerlegt werden können. Die 3 Hauptbestandteile enthalten jeweils 17–18 Aminosäuren, wenn auch deren Mengenverhältnis zueinander schwankt; am augenfälligsten sind die Unterschiede bei folgenden Aminosäuren (zur Symbolik s. Aminosäuren, in Klammern der prozentuale Gehalt für α-C.: β-C.: γ-C.): Ala (3,7:1,7:2,3), Asp (8,4:4,9:4,0), Cystin (0,43:0,1:0,0), Leu (7,9:11,6:12,0), Pro (8,2:16,0:17,0), Trp (2,2:0,83:1,2), Tyr (8,1:3,2:3,7), Val (6,3:10,2:10,5). Die einzelnen Komponenten des α-C. unterscheiden sich in ihrem Gehalt an Phosphor, Cystin u. Kohlenhydraten; eine wichtige Unterfraktion ist das sog. κ-C. (M_R ca. 19000, isoelektr. Punkt 3,7), das ein Phosphorarmes Glykoprotein ist u. Neuraminsäure u. a. Zucker enthält. κ-C. wird – im Gegensatz zu den anderen C. – nicht durch Ca-Ionen ausgefällt u. bildet in der Milch ein Schutzkolloid, bei dessen Zerstörung (durch Ansäuern od. Einwirkung von Lab) die C. ausflocken.
Herst.: Man entrahmt *Milch bis auf einen Fettgehalt von 0,05–0,2%, mischt die auf 45 °C vorgewärmte Milch mit Säuren (Schwefelsäure, Milchsäure, Salzsäure) u. stellt auf pH 4,6 – den isoelektr. Punkt des C. – ein, worauf das C. gerinnt. Bei der Herst. von *Käse nimmt man die Ausflockung des C. dagegen mit *Lab vor. Nach Trennung der festen von den flüssigen Bestandteilen (*Molke) wird das C. verschiedenen Wasch- u. Trocknungsvorgängen durch Abpressen unterworfen u. schließlich bei 50–80°C getrocknet, bis der Wasser-Gehalt auf weniger als 10% abgesunken ist. Aus 30 l Magermilch erhält man ca. 1 kg Casein.
Verw.: Zur Herst. von *Casein-Kunststoffen, als Bindemittel für Anstrichfarben (*Casein-Anstrich), zur Sperrholzverleimung (*Casein-Leime), zur Herst. von Klebstoffen, Kitten, Appreturen u. Lederdeckfarben, zum Leimen u. Streichen von Papier, zum Wasserdichtmachen von Geweben, zur Herst. von Linoleum usw. C.-Abfälle können mit Formaldehyd etwas gehärtet u. als langsam wirkende Stickstoff-Blumendünger verwendet werden. C.-Hydrolysate werden in diätet. Präp. u. als Nährstoffe in der Bakteriologie verwendet. *Geschichte:* C. wurde schon 1812 von *Berzelius isoliert u. 1900 von O. Hammarsten durch Säurefällung rein hergestellt. – *E* casein – *F* caséine – *I* caseina – *S* caseína
Lit.: Fox (Hrsg.), Advanced Dairy Chemistry, Bd. 1, S. 63 f., London: Elsevier 1992 ▪ Römpp Lexikon Lebensmittelchemie, S. 164 ▪ s. a. Milch, Käse.

Casein-Anstrich. *Casein wurde seit dem Altertum als *Bindemittel für anorgan. Pigmente verwendet. Man löst zu diesem Zweck pulverisiertes Casein in stark verd. Ammoniakwasser, fügt ein Desinfektionsmittel zu u. rührt das Pigment ein. Mit allmählichem Entweichen des Ammoniaks erstarrt das Casein zu einem festen Überzug, dessen Härtung durch Formaldehyd, Glyoxal od. Glutaraldehyd beschleunigt werden kann. Mit Kalkmilch bildet C.-A. harte, wasserunlösl. Anstriche z. B. für Außenwände; auch für Alkali-haltige Ölfarben kann Casein od. *Caseinat als Bindemittel dienen. Heute sind C.-A. weitgehend ungebräuchlich u. durch *Anstrichstoffe mit Kunstharz-Bindemitteln ersetzt worden. – *E* casein paints – *F* colorant à la caséine – *I* colorante alla caseina – *S* pintura de caseína
Lit.: Encycl. Polym. Sci. Eng. **3**, 652 ▪ s. a. Casein.

Caseinate. Alkali- u. Erdalkalimetalle bilden mit den Phosphorsäureestern des *Caseins salzartige, farb-, geruch- u. geschmacklose C., die in Wasser lösl. sind.
Verw.: *Caseinanstriche, Textilhilfsmittel, Netzmittel für Schädlingsbekämpfungsmittel, Nährpräp. u. dgl. – *E* caseinates – *F* caséinates – *I* caseinati – *S* caseinatos
Lit.: s. Casein.

Casein-Fasern s. Eiweißfasern.

Casein-Kunststoffe [Kurzz. CSF nach DIN 7728 Tl. 1 (01/1988)]. Bez. für eine Gruppe von oft auch *Kunsthorn* genannten duroplast. abgewandelten Naturstoffen, die durch Einwirkung von Formaldehyd auf plastifiziertes *Casein entstehen. Die Härtung, bei der unter Wasseraustritt zwei benachbarte Proteinstränge an Amid-Stickstoff-Atomen durch CH_2-Gruppen vernetzt werden, dauert häufig – je nach Dicke des jeweiligen Werkstückes – mehrere Wochen, u. auch das Trocknen ist ein langwieriger Prozeß. Aus diesen Gründen sind die seit 1897 (Galalith) für Knöpfe, Messergriffe u. dgl. hergestellten C. heute weitgehend von anderen Kunststoffen verdrängt worden. – *E* casein plastics – *F* matières plastiques de caséine – *I* materie sintetiche alla caseina – *S* plásticos de caseína
Lit.: Ullmann (4.) **19**, 559–562 ▪ s. a. Casein.

Casein-Leime. Aus *Casein u. wäss. Alkalien bestehende flüssige Leime. Trockene C.-L. bestehen aus pulverförmigem Casein u. $Ca(OH)_2$, Metalloxiden, anorgan. Salzen, Konservierungsmitteln, Öl- u. Harzzusätzen, die, mit kaltem Wasser angeteigt, nach 30–45 min gebrauchsfertig sind.
Verw.: Zur Holzverleimung in der Bau- u. Möbel-Ind., als Pigment- u. Füllmittelträger bei der Herst. von Kunstdruck- u. Buntpapier, Lederdeckfarben u. Linoleumersatz. Gebrauchsfertige flüssige C. werden zur Flaschenetikettierung in der Getränke-Ind. verwendet. – *E* casein glues – *F* colles à la caséine – *I* colle alla caseina – *S* colas de caseína
Lit.: Encycl. Polym. Sci. Eng. **1**, 554; **2**, 690 ▪ Ullmann (4.) **14**, 241; (5.) **A 1**, 238 ▪ s. a. Casein, Klebstoffe.

Casey-Evans-Powell-Regeln s. CEP-Regeln.

Cashew-Nüsse (Cachou- od. Kaschu-Nüsse, Tintennüsse). Nierenförmige, eßbare Samen des aus Südamerika stammenden, in vielen trop. Gegenden kultivierten Cashew-Baums (*Anacardium occidentale*). Die nahrhaften u. Vitamin-reichen Kerne werden (ggf. auch geröstet) zum Dessert u. in Back- u. Konditoreiwaren verspeist; sie enthalten ca. 47% Fett, 19% Eiweiß, 2% Lecithin, 22,3% Kohlenhydrate, 1,3% Cellulose, 2,4% Mineralsalze, nur 5,3% Wasser, ferner

Vitamin B_1 u. Carotinoide. Auch die Fruchtschalen (sog. Elefantenläuse) u. ihr roter od. gelber, fleischig-birnenförmiger Stiel können verwertet werden. Aus dem Perikarp der Samenschalen wird als ölige, hautreizende Flüssigkeit das *Cashew-Nußschalenöl* gewonnen, das ca. 90% *Anacardsäure u. 10% *Cardol enthält.
Verw.: Zu Kunstharzen, als blasenziehendes, hautreizendes Mittel zur Ameisenvertreibung, zu Schmiermitteln, Konservierungsmitteln, Tinten u. dgl. – *E* cashew nuts – *F* noix de cajou – *I* noci di acagiù – *S* nueces de anacardo
Lit.: Brücher, Tropische Nutzpflanzen, Berlin: Springer 1977 ▪ Franke, Nutzpflanzenkunde, Stuttgart: Thieme 1992.

CASING-Verfahren (*c*ross-linking by *a*ctivated *s*pecies of *in*ert *g*ases). Verf. zur Oberflächenvernetzung von *Polytetrafluorethylen, *Polyethylen u. a. Polymeren: Die Werkstücke werden in einer Helium- od. Neon-Atmosphäre einer *Glimmentladung ausgesetzt, wobei sehr reaktionsfähige Edelgas-*Radikale entstehen, die die Kunststoffoberflächen angreifen u. die *Vernetzung einleiten. So behandelte Polymere lassen sich auch bedrucken u. mit üblichen Klebstoffen verkleben.

CAS ONLINE. Oberbegriff für verschiedene Datenbanken, die der *Chemical Abstracts Service über das Informationsnetz STN (Scientific and Technical Network) anbietet. Es besteht aus den strukturbezogenen Datenbanken Registry, Marpat (Patente aus Chem. Abstr. ab 1988), CASREACT u. den textbezogenen Datenbanken CA, CAOLD (Chem. Abstr. Referenzen vor 1966), CApreviews, CHEMLIST u. CIN (Wirtschaftsdaten der chem. Ind.). Der online-Zugang ist über die Knotenrechner Columbus/Ohio, Karlsruhe u. Tokyo möglich.

CAS Registry Number (Chemical Abstracts Service Registry Number, CASRN). Bez. für eine Nummer (RN), die von *Chemical Abstracts Service seit 1965 zur eindeutigen Kennzeichnung von chem. Stoffen verwendet wird. Bis Ende 1994 wurden ca. 12,5 Mio. Stoffe mit 18,5 Mio. Namen (über 88% sind vollständig definiert u. nur 4% enthalten keinen Kohlenstoff) mit einer RN versehen. Bei 11,6% der Stoffe ist entweder die Struktur nur teilw. bekannt od. es handelt sich um Polymere, Leg. od. Gemische. Die jährliche Zuwachsrate an neuen Stoffen beträgt ca. 700000. In einem speziellen Speicher werden die RN zusammen mit den Strukturen der Verb. (Connection Tables), der Summenformel u. den Verbindungsnamen gespeichert; ein Speicherauszug ist als Registry Handbook (*Lit.*) veröffentlicht. Die RN werden nicht nur in den Referaten u. Registern von *Chemical Abstracts u. a. *Referateorganen verwendet, sondern auch in Veröffentlichungen der chemischen Zeitschriften; in *Handbüchern (*Merck-Index, *Kirk-Othmer, *Negwer), in *Pharmakopöen, in Stofflisten wie der Arbeitsstoff-VO, der MAK-Liste, in Chemikalienkatalogen usw. Es gibt noch andere Stoffnummern, z. B. die Lawson-Nr. von *Beilstein's Handbuch der Organischen Chemie.
Lit.: Registry Handbook – Common Names (Microfiches), Columbus: CAS (jährlich) ▪ Schulz u. Gregory, Von CA bis CAS Online, Berlin: Springer 1994.

Cassain.

$C_{24}H_{39}NO_4$, M_R 405,58, glänzende Flocken, Schmp. 142,5 °C, $[\alpha]_D$ –103° (C_2H_5OH). *Diterpen-Alkaloid aus der Rinde von *Erythrophleum*-Arten, Leguminosae. Es ist tox. u. besitzt eine den *Digitalis-Glykosiden ähnliche Wirkung auf den Herzmuskel. – *E* cassaine – *F* cassaïne – *I* cassaina – *S* casaína
Lit.: Beilstein E IV 10, 3678 ▪ Sax (8.), Nr. CCO 675. – [CAS 468-76-8]

Cassappret®. Sortiment von hydrophilen Appreturmitteln für Textilien zum Weichmachen u. für die Schmutzfreiausrüstung. *B.:* Hoechst.

Cassastat® WF. Quartäre Ammonium-Verb. als waschbeständiges Antistatikum für Synthesefasern. *B.:* Hoechst.

Cassava s. Maniok.

CASSCF. Abk. für *C*omplete *A*ctive *S*pace *S*elf-*C*onsistent *F*ield. Wichtiges Verf. der *Quantenchemie für Elektronenstrukturrechnungen (s. a. ab initio u. Theoretische Chemie). Das C.-Verf. ist eine spezielle Variante des *MCSCF-Verfahrens. Die C.-Wellenfunktion wird nach *Konfigurationszustandsfunktionen entwickelt, wobei sowohl deren Entwicklungskoeff. als auch die sie aufbauenden Einelektronenwellenfunktionen (*Orbitale*) energieoptimiert werden. Der Raum der Orbitale wird eingeteilt in *inaktive Orbitale* (doppelt besetzt in allen Konfigurationszustandsfunktionen), *aktive Orbitale* u. *externe Orbitale*. Alle mit den aktiven Orbitalen konstruierbaren Konfigurationszustandsfunktionen werden in der C.-*Wellenfuktion* berücksichtigt. Die Qualität einer C.-Rechnung hängt damit von der Wahl des Raums der aktiven Orbitale ab. Das C.-Verf. eignet sich sowohl zur Beschreibung der Eigenschaften elektron. Grundzustände als auch angeregter Zustände, wobei Potentialkurven od. Potentialhyperflächen bis zu den Dissoziationsgrenzen berechnet werden können. Die C.-Wellenfunktion kann als Referenzwellenfunktion für eine Entwicklung nach einfach- u. zweifachsubstituierten Konfigurationszustandsfunktionen (s. MR-CI) verwendet werden, womit dann sehr genaue Ergebnisse erzielt werden können.
Lit.: Adv. Chem. Phys. **69**, 1–62, 63–200, 399–446 (1987).

CASSI. Abk. für *C*hemical *A*bstracts *S*ervice *S*ource *I*ndex, ein von *Chemical Abstracts Service herausgegebenes Zeitschriftenverzeichnis. Grundwerk: 1907–1984; vierteljährliche Ergänzungen. Das 4. Ergänzungsheft eines Jahrgangs enthält neben neuen Änderungen u. Ergänzungen auch die Hefte 1–3 des entsprechenden Jahrgangs in kumulierter Form. In maschinenlesbarer Form lieferbar. Der CASSI wird alle 5 Jahre in überarbeiteter Form herausgegeben. Das neueste Grundwerk des CASSI erschien 1995. CASSI-Stichwortregister (jeder Begriff, jedes Stichwort aus dem Titel in alphabet. Reihenfolge). Seit 1995 ist der CASSI auch als *CD-ROM erhältlich.

Cassinsäure s. Rhein.

Cassiopeium. Im dtsch. Schrifttum lange Zeit gebräuchlicher, von *Auer von Welsbach 1907 geprägter Name für *Lutetium.

Cassislikör (Crème de Cassis). Typ. arteigener aromat. Fruchtsaftlikör aus dem Saft der schwarzen *Johannisbeere, der früher ausschließlich um Dijon (Burgund) erzeugt wurde; Mindestalkohol-Gehalt 25% vol.

Cassius'scher Goldpurpur. Gibt man zu einer schwach sauren Zinn(II)-Salzlsg. einige Tropfen Goldchlorid-Lsg., so entsteht je nach Konz. eine tief purpurrote od. violettrote Färbung, die auf kolloidales Gold zurückzuführen ist, das am gleichfalls kolloiden Zinndioxidhydrat adsorbiert ist:

$$3\,SnCl_2 + 2\,AuCl_3 + 6\,H_2O \rightarrow 2\,Au + 3\,SnO_2 + 12\,HCl.$$

Die für Gold analyt. wichtige Färbung wurde von dem niederländ. Arzt Cassius 1663 entdeckt. Im Handel befindliche Präp. wechselnder Zusammensetzung aus Au, Sn u. O (*Goldstannat*) sind braune, in Wasser unlösl., in NH_3 lösl. Pulver, die zur Färbung von Rubinglas u. Porzellan verwendet werden. – *E* purple of cassius – *F* pourpre de Cassius – *I* porpora d'oro di Cassius – *S* púrpura de Cassius

Cassonsche Stoffe. Bez. aus der *Rheologie für plast. Massen, die das Verhalten bestimmter *nichtnewtonscher Flüssigkeiten* zeigen. C. s. beginnen – ähnlich wie *Binghamsche Medien – erst zu fließen, wenn die Schubspannung die *Fließgrenze überschreitet, s. die Abb. bei Newtonsche Flüssigkeiten. *Beisp.* für C. s.: Druckpasten, Schmierfette, Schokoladenmassen[1], u. Mikroorganismenkulturen[2]. – *E* Casson masses – *F* masses de Casson – *I* masse di Casson – *S* masas de Casson

Lit.: [1] CZ Chem. Tech. **3**, 283 ff. (1974). [2] Adv. Biochem. Eng. **11** (1979).

Castanospermin.

$C_8H_{15}NO_4$, M_R 189,21, große kub. Krist., Schmp. 212–215 °C (Zers.), $[\alpha]_D^{25}$ +79,7° (c 0,9/H_2O). Giftiges Alkaloid aus dem austral. Kastanienbaum (*Castanospermum australe*). C. wirkt gegen *AIDS-*Viren, indem es die Oberflächen-Glykoproteine des HIV verändert, so daß das Virus sich nicht mehr an Wirtszellen (T 4-Lymphozyten) anlagern u. reproduzieren kann. C. besitzt ebenfalls Aktivität gegen Krebszellen u. Herpes-Viren. – *E = F* castanospermine – *I = S* castanospermina

Lit.: Biochem. Pharmacol. **36**, 2381–2385 (1987) ■ Phytochemistry **20**, 811 (1981). – *Synth.:* J. Org. Chem. **58**, 52–61, 7096 (1993) ■ Tetrahedron Lett. **30**, 705 (1989). – *[CAS 79831-76-8]*

CASTing (Abk. für *c*yclic *a*mplification and *s*election of *t*argets). Unter C. versteht man ein auf der *polymerase-chain reaction (PCR)-Technik basierendes Verf., mit dessen Hilfe die Sequenzen der DNA-Bindestellen von Proteinen bestimmt werden können. Nach *Immobilisierung ge-reinigter Proteine wird mit einem Gemisch spezieller *Oligonucleotide, die an ihren Enden alle die gleichen Sequenzen besitzen, also nur im mittleren Teil charakterist. Abfolgen beinhalten, inkubiert. Gebundene Oligonucleotide werden selektiv von den Proteinen abgelöst u. durch Polymerase-Kettenreaktion (PCR) amplifiziert. Durch cycl. Versuchsführung (Bindung an die Proteine, Waschen, Ablösen, *Amplifikation) lassen sich dann spezif. bindende Oligonucleotide erhalten. – *E = F = I* CASTing – *S* amplificación cíclica y selección de blancos

Lit.: Newton et al., PCR, Heidelberg: Spektrum 1994.

Castner-Verfahren s. Chloralkali-Elektrolyse, Natrium u. Natriumcyanid.

Castrix®. Köder zur Bekämpfung von Hausmäusen auf der Basis von *Difenacoum. *B.:* Bayer.

CAT. 1. Abk. für *Chloramphenicol-Acetyltransferase.
2. Abk. für *C*omputer of *A*verage *T*ransitions, einen Digitalrechner zur Mittelwertbildung elektr. Signale, früher TAC (*T*ime *A*veraging *C*omputer) genannt. Der CAT ist ein Zusatzgerät, das meist mit Spektrometern (insbes. in der *NMR-Spektroskopie) zusammen betrieben wird. Dabei bewirkt es die automat. Wiederholung von physikal. Meßvorgängen, wobei beispielsweise ein bestimmter Spektralbereich beliebig oft (mit vorwählbarer Häufigkeit, über mehrere Stunden) abgetastet wird, wodurch (bei vorhandener Speichereinrichtung im CAT) die echten Signale sich addieren, während die vorgetäuschten des Untergrunds sich zu Null ergänzen. Heute ist die CAT-Technik durch die leistungsfähigere *Fourier-Transformation abgelöst worden.

Catabolite (gene) activator protein s. cAMP-Rezeptor-Protein.

Catacarb®-Verfahren. Zur Entfernung von CO_2 u. H_2S aus Gasgemischen entwickeltes Absorptions-Verf., das mit heißer, wäss. Kaliumcarbonat- u./od. -borat-Lsg., einem Amin-Katalysator u. einem Korrosionsinhibitor arbeitet.

Catalpol.

R^1 = OH, R^2 = H : Catalpol
R^1 = O–CO–C$_6$H$_4$–OH, R^2 = H : Catalposid
R^1 = OH, R^2 = : Globularin

$C_{15}H_{22}O_{10}$, M_R 362,33, Krist., Schmp. 207–209 °C (Zers.), $[\alpha]_D$ –102° (95%iges C_2H_5OH). Das *Iridoid-

Glucosid C. ist Inhaltsstoff von *Buddleia*-Arten u. kommt verestert mit verschiedenen Carbonsäuren in vielen Pflanzen vor: u. a. mit 4-Hydroxybenzoesäure in *Catalpa*-Arten (*Catalposid*, $C_{22}H_{26}O_{12}$, M_R 482,44, Krist., Schmp. 215–217 °C), mit *E*-Zimtsäure als *Globularin* ($C_{24}H_{28}O_{11}$, M_R 492,48). – *E* = *F* = *S* catalpol – *I* catpolo
Lit.: Hager (5.) **6**, 384 ff. ▪ *J. Nat. Prod.* **43**, 649 (1980); **48**, 957 (1985). – *[CAS 2415-24-9 (C.); 1399-49-1 (Globularin)]*

Catapol®. Gießbare Ein-Komponenten-Polyurethan-Prepolymere der Arnco, La Palma, CA, USA. *B.:* Nordmann; Rassmann GmbH & Co.

Catapresan®. Tabl., Perlongetten u. Ampullen mit *Clonidin-Hydrochlorid gegen Hypertonie. *B.:* Boehringer-Ingelheim.

Catarol-Prozeß. Nach dem zweiten Weltkrieg entwickeltes *Reformier-Verf. zur Gewinnung von Aromaten aus aliphat. Kohlenwasserstoffen des Erdöls. Man leitet hierbei ein Erdöldestillat unter Normaldruck bei 630–680 °C durch mit Katalysatoren auf Kupfer-Basis beschickte Rohre. Als Nebenprodukte entstehen gasf. Prod., bes. Methan, Ethan u. Ethylen. Entscheidende Fortschritte wurden seit Anfang der 50er Jahre mit dem Einsatz von Edelmetallkatalysatoren (zunächst v. a. mit Platin u. ca. 20 Jahre später auf Rhenium-Basis) erzielt. – *E* catarol process – *F* processus catarol – *I* processo catarolo – *S* proceso Catarole
Lit.: Winnacker-Küchler (3.) **3**, 235; (4.) **5**, 94 ff.

CAT-Assay s. Chloramphenicol-Acetyltransferase.

Catasulf®-Verfahren. Von der BASF entwickeltes Verf. zur Entschwefelung von Sauergasen aus CO_2- u. H_2S-Wäschen von Synthese- u. Naturgasen. Im Gegensatz zum *Claus-Verfahren wird schon während der exothermen, katalyt. Oxidationsreaktion ($H_2S + 1,5 O_2 \rightleftharpoons SO_2 + H_2O$) gekühlt. Dank der dadurch günstigeren Gleichgewichtslage ist bei der gleichzeitig verlaufenden Claus-Reaktion ($SO_2 + 2 H_2S \rightleftharpoons 2 S + 2 H_2O$) ein vollständiger Umsatz zu Schwefel in einer Stufe möglich. *B.:* BASF.

Catechin [Catechol, 3,3′,4′,5,7-Flavanpentol, 2-(3,4-Dihydroxyphenyl)-chroman-3,5,7-triol].

$C_{15}H_{14}O_6$, M_R 290,27. Krist. Pulver, kann ein Tetrahydrat bilden, Schmp. 175–177 °C, D-(2*R*,3*S*)-Form ($[\alpha]_D$ +17°) bzw. L-(2*R*,3*R*)-Form (*Epicatechin), DL-C. mit 3 Mol. Kristallwasser, Schmp. 212–216 °C, in kaltem Wasser mäßig, in heißem Wasser, Eisessig, Ethanol od. Aceton gut löslich. Mit $FeCl_3$-Lsg. dunkelgrüne Färbung. C. ist weitverbreitet in Pflanzen u. kommt zu 2–10% im *Catechu vor.
Verw.: Zum Färben, Beizen, Gerben; s. a. Catechine. – *E* catechin, catechol – *F* catéchine – *I* catechina – *S* catequina

Lit.: Beilstein E V 17/8, 448 ▪ *J. Chem. Soc., Perkin Trans. 1* **1977**, 1637 (Biosynth.) ▪ Karrer, Nr. 1762 ▪ Sharma (Hrsg.), Chemistry and Technology of Catechin and Catechu Manufacturing, Dehradun, Indien: International Book Distributors 1985. – *[HS 2932 99; CAS 154-23-4 (+); 7295-85-4 (±)]*

Catechine. Gruppe von Verb., die als hydrierte *Flavone od. *Anthocyanidine aufzufassen sind; entsprechend kann man *Catechin u. *Epicatechin zu Cyanidin oxidieren. Die C. bilden die Grundsubstanz einer Reihe natürlicher oligo- od. polymerer *Gerbstoffe, z. B. im *Tee. Sie kommen zusammen mit anderen Phenolen in vielen Obstarten vor u. sind an der durch *Phenoloxidasen katalysierten Bräunung von Druck- u. Schnittstellen (z. B. bei Äpfeln) beteiligt[1]. – *E* catechins – *F* catéchines – *I* catechine – *S* catequinas
Lit.: [1] Umschau **75**, 416 (1975).
allg.: Zechmeister **27**, 158–260. – *[HS 2932 99]*

Catechol. Im engl. Sprachgebrauch häufiges Synonym für *Brenzcatechin (*E* pyrocatechol), seltener für *Catechin.

Catecholamine. Gruppenbez. für hydroxylierte Phenethylamine, die die Brenzcatechin- (engl. auch: catechol) Gruppierung enthalten. Die körpereigenen C. entstehen aus L-Tyrosin über Hydroxylierung zu 3,4-Dihydroxy-L-phenylalanin (L-Dopa), dessen *Decarboxylierung zu *Dopamin, weiter durch L-*Ascorbinsäure-abhängige Hydroxylierung zu L-*Noradrenalin u. Methylierung mit Hilfe von *S*-*Adenosylmethionin (SAM) zu L-*Adrenalin. Die C. spielen im Organismus wichtige Rollen als *Neurotransmitter u. *Hormone. Ihr Abbau wird eingeleitet durch *O*-Methylierung durch *Catechol-O-Methyltransferase* (COMT, EC 2.1.1.6, Kristallstruktur s. *Lit.*[1], SAM als Coenzym) od. durch oxidative Desaminierung, katalysiert durch Monoamin-Oxidase (MAO, EC 1.4.3.2). Therapeut. werden synth. C. als *Sympathomimetika eingesetzt. – *E* catecholamines – *F* catécholamines – *I* catecolam(m)ine – *S* catecolaminas
Lit.: [1] Nature (London) **368**, 354–358 (1994).

Catecholboran (1,3,2-Benzodioxaborol).

$C_6H_5BO_2$, M_R 119,91. Farblose Krist., Schmp. 12 °C, Sdp. 50 °C (67 hPa), zur stereospezif. u. regioselektiven *Hydroborierung von Alkinen u. als mildes Reduktionsmittel. – *E* catechol borane – *F* catécholborane – *I* = *S* catecolborano
Lit.: Paquette, S. 1017 ▪ Tetrahedron **32**, 981–990 (1976) ▪ Ullmann (4.) **20**, 137. – *[CAS 274-07-7]*

Catecholestrogene s. Estrogene.

Catechu. C. ist die ind. Bez. für „Baumsaft". Unter C. sind Extrakte von Färbepflanzen mit einem hohen Anteil an kondensierten Gerbstoffen vom *Catechin-Typ zusammengefaßt. Man unterscheidet folgende Typen: 1. *Bengal C.* aus dem roten Kernholz der Gerberakazie (*Acacia catechu*), *A. suma* u. der Betelnußpalme (*Areca catechu*); – 2. *Gambi(e)r C.* aus Blättern u. Trieben des Strauches *Uncaria gambier*, der beim Schmel-

zen mit 1% Kaliumhydrogencarbonat als *präparierter C.* bezeichnet wird; – 3. *Mongrove C.* aus der Mangrove *Ceriops candolleana*; – 4. *Neu C.* aus europ. Nadelgehölzen; – 5. „Khair" aus *Acacia niloteca*, der in Indien zur direkten Braunfärbung von Seide verwendet wird. C. ist in siedendem Wasser lösl., enthält 2–10% *Catechin, 25–35% Catechin-Gerbstoffe, 20–30% *Quercetin sowie Schleimstoffe u. Harze.
Verw.: In der Färberei (braune, graue, schwarze Farbtöne), Gambi(e)r zum Betelkauen in Süd-/Ostasien, zum Gerben von Leder, medizin. als Adstringens in Mundwässern. – *E* cutch – *F* cachou – *I* catecù – *S* cato, catecú
Lit.: Curr. Sci. **53**, 91 (1984) ▪ Janistyn **1**, 513 ▪ Schweppe, S. 503 f. ▪ s. a. Catechin. – *[HS 3203 00]*

catena-. Kursiv gesetztes Präfix zur Bez. polymerer anorgan. Kettenstrukturen, bes. in der *Koordinationslehre (IUPAC-Regel I-10.8.4; s. a. *Lit.*[1]); *Beisp.*: *catena*-Poly[palladium-di-μ-chloro] (s. Abb.), *catena*-*Polyphosphate.

Lit.: [1] IUPAC, Compendium of Macromolecular Nomenclature, S. 110–129, Oxford: Blackwell Scientific Publications 1991.

Catena... Präfix für Heteroketten aus ident. mehr-atomigen Einheiten (bisher unrevidierte, vorläufige IUPAC-Regel D-4.4); *Beisp.*: Catenatri(phosphazen), s. Phosphazene. – *E*=*I*=*S* catena... – *F* catèna...

Catenane (von latein.: catena = Kette). Bez. für einen Verb.-Typ, bei dem die Mol. jeweils aus mind. zwei ineinandergreifenden Ringen (s. Abb.) bestehen, die aber nicht durch chem. Bindungen miteinander verbunden sind. Die Zahl der Ringe in einem C.-Mol. wird bei der Benennung vor dem Namen des C. in eckige Klammern gesetzt, z. B. [3]-Catenane, vgl. das abgebildete [3]-[Cycloeicosan]-[cyclohexacosan]-[cycloeicosan]-catenan.

Die erste Synth. eines C. gelang aus einer „doppelhenkligen" *Ansa-Verbindungen durch gezielte Aufspaltung von drei Bindungen; zur Geschichte der C.-Synth. durch *Lüttringhaus et al. s. *Lit.*[1]. Mit der C.-Synth. hat sich bes. Schill beschäftigt, s. die Synth. von [3]-C. bzw. [2]-C. in *Lit.*[2]. Bei den C. spricht man von *topolog. Isomerie* (s. Topologie). – *E* catenanes – *F* caténanes – *I* catenani – *S* catenanos

Lit.: [1] Nachr. Chem. Tech. **12**, 221 f. (1964). [2] Angew. Chem. **81**, 996 f. (1969); **84**, 1144 f. (1972).
allg.: Chem. Unserer Zeit **18**, 130–137 (1984) ▪ Naturwissenschaften **58**, 40–45 (1971) ▪ Prog. Polym. Sci. **19**, 843 (1994) ▪ Schill, Catenanes, Rotaxanes, and Knots, New York: Academic Press 1971.

Catenine. Lösl. Proteine (M_R α-C.: 102 000, β-C.: 92 000, γ-C.: 85 000) in den *Adhärenz-Verbindungen von Epithelzellen, die die cytoplasmat. *Domäne von *Cadherinen (Ca^{2+}-abhängigen *Zell-Adhäsionsmolekülen) binden. Dadurch werden letztere wahrscheinlich in den Adhärenz-Verb. fixiert, wenngleich noch nicht bekannt ist, auf welche Weise die Bindung an das darunterliegende *Actin-Gerüst zustande kommt. α-C. ist strukturell dem *Vinculin ähnlich, β-C. dem *Armadillo-Protein*, einem regulator. Protein der Embryonalentwicklung aus *Drosophila melanogaster, u. dem menschlichen *Plakoglobin*, γ-C. wahrscheinlich mit Plakoglobin identisch. β-C. kommt auch ohne Assoziation mit Cadherinen vor u. ist an intrazellulären Signalketten beteiligt, die die Zellvermehrung regulieren[1]. Weitgehend unverstanden ist auch noch die Bedeutung der Bindung des APC-Tumor-Suppressor-Proteins an β-Catenin[2]. – *E* catenins – *F* caténine – *I* catenine – *S* cateninas

Lit.: [1] Trends Biochem. Sci. **19**, 538–542 (1994). [2] Science **262**, 1667 f., 1731–1737 (1993).
allg.: Science **258**, 955–964 (1992) ▪ Trends Genet. **9**, 317–321 (1993).

CAT-Genexpression s. Chloramphenicol-Acetyltransferase.

Catgut (Katgut). Ursprünglich aus Katzendarm (*E* cat gut) u. Hammeldünndarm gewonnenes aufbereitetes *Kollagen. Die gereinigte Muskelhaut wird in Streifen geschnitten, mit Glaspulver poliert, gebleicht u. nach dem Sterilisieren zu Fäden gedreht. C. wird als chirurg. Nahtmaterial verwendet, das durch proteolyt. Enzyme abgebaut u. damit resorbierbar wird. Dieser Abbau kann durch Behandeln des C. mit Chrom-Salzen verzögert werden. Heute werden für diese Zwecke auch Polyvinylalkohol- u. a. Kunstfasern verwendet; auch bei diesen findet im Körper ein allmählicher Abbau statt. – *[HS 3006 10]*

Catharanthin.

$C_{21}H_{24}N_2O_2$, M_R 336,43, Krist., Schmp. 126–128 °C (D- od. L-Form), 61–63 °C (Racemat). Hauptalkaloid aus *Catharanthus*-Arten, biosynthet. Vorläufer der *Vinca-Alkaloide. – *E*=*F* catharanthine – *I*=*S* catarantina

Lit.: Beilstein EV **25/5**, 227 ▪ Chem. Pharm. Bull. **30**, 4052 (Synth.) ▪ Hager (5.) **3**, 259; **6**, 890 ▪ J. Org. Chem. **50**, 3236 (1985) ▪ s. a. Catharanthus roseus-Alkaloide. – *[CAS 2468-21-5]*

Catharanthus roseus-Alkaloide. *Indol-Alkaloide aus dem in den Tropen beheimateten *Catharanthus roseus* (Madagaskar-Immergrün, *E* Madagaskar periwinkle, früher *Vinca rosea*) sowie weiteren Arten. Bisher wurden aus *C. roseus* über 100 Alkaloide isoliert. Hauptalkaloide von *Catharanthus* sind *Catharanthin u. *Vindolin, die zu den dimeren Indol-Indolidin-Alkaloiden *Vinblastin u. *Vincristin verknüpft sind, die die aktiven Verb. dieser Pflanze darstellen u. zur Behandlung von Leukämie u. Morbus Hodgkin eingesetzt werden. Der Anbau von *C. roseus* erfolgt in Israel, Pakistan, Texas u. Ungarn. Die Alkaloide sind auch in Zellkultur gewinnbar (mit Ausnahme von Vindolin) u. werden kommerziell hergestellt. – *E* catharanthus ro-

seus alkaloids – *F* alcaloïdes de Catharanthus roseus – *I* alcaloide del cataranto roseo – *S* alcaloides de Catharanthus roseus
Lit.: Biosynth.: Rev. Soc. Quim. Mex. **29**, 115–119 (1985) ▪ Stud. Org. Chim. **26**, 497 (1986). – *Synth.:* Hasan, in Atta-ur-Rahman (Hrsg.), Natural Product Chemistry, S. 121–133, Berlin: Springer 1986. – *Kultivierung:* Biotechnol. Lett. **8**, 863 ff. (1986) ▪ Enzyme Microb. Technol. **9**, 466 ff. (1987) ▪ Planta Med. **53**, 479 ff. (1987) ▪ Symbiosis **2**, 55–65 (1986) ▪ Zechmeister **55**, 89. – *Pharmakologie:* Manske **37**, 205 ▪ s. a. Vinca-Alkaloide.

Cathenarin s. Islandicin.

Cathyl... Von L. F. *Fieser geprägte Abk. für *Ethoxycarbonyl...; „Cathylchlorid" (Chlorameisensäureethylester) u. Alkohole ergeben „Cathylate" (Ethylcarbonate). – *E* = *F* cathyl... – *I* = *S* catil...

Catiofast®. Kation. Fixiermittel für die Papier-Ind. zur Vermeidung von Ablagerungen u. zur Reinigung des Wasserkreislaufs. *B.:* BASF.

Catosal®. Phosphor/Vitaminkombination zur Stimulierung des Stoffwechsels bei Nutztieren. *B.:* Bayer.

Cat-Ox-Verfahren. Von Monsanto entwickeltes Verf. zur oxidativen Entfernung von *Schwefeldioxid u. a. Verunreinigungen aus Abgasen mit Hilfe von V_2O_5 als Katalysator, anschließender Absorption u. Abscheidung von gebildeter Schwefelsäure u. a. Oxidationsprodukten bzw. von Ruß. – *E* Cat-Ox-process – *F* processus Cat-ox – *I* processo Cat-Ox – *S* proceso cat-ox
Lit.: Chem. Weekbl. **66**, Nr. 46, 21 (1970) ▪ Kirk-Othmer (3.) **22**, 287 ▪ Ullmann (5.) **A 20**, 189.

Caudoxiren s. Algenpheromone.

Cavendish, Henry (1731–1810), engl. Chemiker u. Privatgelehrter. *Arbeitsgebiete:* Entdeckung des Wasserstoffes (1766), Analyse des Wassers u. der Luft, Bestimmung der Gravitationskonstante u. der mittleren Dichte der Erde, Untersuchung elektr. Erscheinungen.
Lit.: Berry, Cavendish, His Life and Scientific Work, London: Hutchinson 1960 ▪ Bugge, Das Buch der großen Chemiker, Bd. 1, S. 253–262, Weinheim: Verl. Chemie 1929 (1961) ▪ Krafft, S. 80 f. ▪ Pötsch, S. 80 ▪ Strube **2**, 20 f. ▪ Strube et al., S. 57, 58.

Cavinton®. Tabl. mit dem Nootropicum *Vinpocetin. *B.:* Thiemann.

Cayenne-Pfeffer s. Paprika.

CaZ s. Cetan-Zahl.

Cb. Chem. Symbol für Columbium (s. Niob).

CB s. Bromchlormethan.

CBA. Abk. für *c*ap *b*inding *a*ctivity. Unter CBA versteht man Proteinfaktoren, die an der Ausschleusung von synthetisierter *mRNA auch im Komplex mit Proteinen (RNP, s. Nucleoproteine) vom Zellkern in das *Cytoplasma beteiligt sind. CBA-Proteine binden an die cap-Strukturen der mRNA u. sind unmittelbar am Transport beteiligt.
Lit.: Stryer (5.), S. 792 ff.

cbm. Unzulässiges Kurzz. für Kubikmeter (m^3).

Cbm s. Carbamoyl...

Cbo. Kurzz. für Carbobenzoxy... als *Schutzgruppe in Peptid-Formeln, s. Benzyloxycarbonyl...

CBP. Abk. für *c*ap *b*inding *p*roteins. Initiationsfaktoren der *Translation, s. CBA.

CBR-Weapons (von *E c*hemical, *b*iological and *r*adioactive weapons = ABC-Waffen), s. biologische Waffen, chemische Waffen u. Kernwaffen.

CBS. Abk. für *Centraalbureau voor Schimmelcultures.

Cbz, CBZ. Kurzz. für Carbobenzoxy... als *Schutzgruppe in Peptid-Formeln, s. Benzyloxycarbonyl...

CC. 1. Abk. für *Coupled Cluster* (s. a. ab initio u. Quantenchemie). – 2. Nach DIN 60001 Tl. 1 (08/1970) Kurzz. für *Cupro, s. Kupferseide.

CC-1065 (Rachelmycin).

CC-1065

Hochwirksames Antitumor-Antibiotikum aus *Streptomyces zelensis* u. *S. canulus*. $C_{37}H_{33}N_7O_8$, M_R 703,71, gelber Feststoff, $[\alpha]_D^{20}$ +97° (c 0,2/DMF). CC-1065 bindet an DNA, ohne interkaliert zu wirken. Es ist hoch hepatotox. [LD_{50} (Maus i.v.) 0,009 mg/kg] u. wurde daher im Gegensatz zu Derivaten, z. B. Bizelesin[1], nicht therapeut. entwickelt.
Biosynth.: Aus DOPA, Serin, Tyrosin u. Methionin.
Lit.: [1] J. Am. Chem. Soc. **115**, 5925–5933 (1993).
allg.: Adv. Heterocycl. Nat. Prod. Synth. **2**, 1–188 (1992) ▪ J. Antibiotics **34**, 1119 (1981); **39**, 319–334 (1986) ▪ J. Am. Chem. Soc. **112**, 4633–4649 (1990) ▪ J. Org. Chem. **59**, 192 (1994) ▪ Sax (8.), Nr. APT 375 ▪ Synth. Commun. **25**, 1729–1739 (1995). – *[HS 294190; CAS 69866-21-3]*

cccDNA (Abk. für *c*ovalently *c*losed *c*ircular DNA). cccDNA ist kovalent geschlossene superhelicale (supertwisted) DNA (s. Desoxyribonucleinsäuren u. Helix), wie z. B. *Plasmide od. replikative Intermediate von *Viren. Auch nach Denaturierung sind die beiden Stränge ineinander verkettet. Durch Ethidiumbromid-Caesiumchlorid-Dichtegradienten kann cccDNA von linearer DNA od. oc- (open circular) DNA abgetrennt werden. – *E* covalently closed circular DNA – *F* ccc DNA

CCD. Abk. für Charged Coupled Device, ladungsgekoppeltes Halbleiter-Bauelement, bei dem die Information durch elektr. Ladungen gespeichert u. weitergeleitet wird. Bei der opt. Signalverarbeitung wird über Linsen ein Bild in der CCD-Ebene erzeugt. Je nach Lichtintensität bilden sich in den einzelnen Segmenten (typ. Breite 12 µm) unterschiedlich große elektr. Ladungen, die durch Transistoren verstärkt ausgelesen werden. CCD sind als eindimensionale Reihe („array") aufgebaut od. zweidimensional („matrix"). In der *Spektroskopie werden eindimensionale CCDs zunehmend an Stelle von Photoplatten am Ausgang eines Monochromators eingesetzt. Große Verw. finden zweidimensionale CCDs in elektron. Videokameras.

Lit.: Blouke, Charge-Coupled Device, in Encycl. of Appl. Physics, Bd. 3, S. 241–272, Weinheim: VCH Verlagsges. 1992 ▪ Hobson, Charge-Transfer Devices, in Encycl. of Physical Science and Technology, Bd. 3, S. 143–170, San Diego: Academic Press 1991.

CCK s. Cholecystokinin.

ccm. Unzulässiges Kurzz. für Kubikzentimeter.

C$_4$-Cyclus s. Hatch-Slack-Cyclus.

cd. Abk. für *Candela.

Cd. Chem. Symbol für *Cadmium.

CD. Abk. für *Circulardichroismus.

CD10 s. neutrale Endopeptidase 24.11.

C-14-Datierung (^{14}C-Datierung) s. Radiokohlenstoff-Datierung.

cdc2-Protein-Kinase s. Cyclin-abhängige Kinasen.

CDK s. Cyclin-abhängige Kinasen.

cd/m^2 (*Candela pro Quadratmeter). Abgeleitete SI-Einheit für die Leuchtdichte, die die seit 1.1.1975 nicht mehr gültige Einheit *Stilb (1 sb = 10000 cd/m^2 bzw. 1 cd/m^2 = 10^{-4} sb) ersetzt.

cDNA (complementary DNA, komplementäre DNA, copy DNA). Bez. für eine *DNA-Kopie von *mRNA. Die cDNA wird *in vitro z. B. von isolierter, poly-adenylierter, *eukaryontischer mRNA als Matrize hergestellt, wobei einzelsträngige cDNA zur differentiellen *Hybridisierung od. doppelsträngige cDNA zum *Klonieren (cDNA-*Genbank) dienen kann. Eine direkte Klonierung eukaryot. DNA führt nicht zur Expression eukaryot. Proteine in Bakterien, da die codierenden Regionen (*Exons) in der Regel von nicht-codierenden Regionen (*Introns) unterbrochen sind u. Bakterien diese Intron-Bereiche nicht prozessieren können. In der Eukaryonten-Zelle wird das primäre RNA-Transkript beim Spleißen durch Ausschneiden der Introns zu einer mRNA prozessiert, die nur noch aus codierenden Informationen besteht. Diese mRNA (aus mRNA-reichen Zellen od. Geweben) wird *in vitro* mit Hilfe der *Reverse Transcriptase (RNA-abhängige DNA-Polymerase) in einen komplementären DNA(cDNA)-Strang umkopiert. Eine doppelsträngige DNA wird mit dem sog. *Klenow-Fragment der DNA-Polymerase I aus *Escherichia coli od. der T4-DNA-Polymerase (beiden Enzymen fehlt die 5′,3′-Exonuclease-Aktivität) synthetisiert. Mit der Doppelstrangkopie kann nach dem Inserieren (Einbau) in einen geeigneten Vektor eine Bakterienzelle transformiert werden. Erste Anw. dieser Meth. waren die Klonierung der Gene für Ratten-Insulin u. humaner Transplantations-Antigene. – *E* complementary DNA – *I* DNA complementare – *S* ácido desoxirribonucleico complementario

Lit.: Glick u. Pasternak, Molekulare Biotechnologie, Heidelberg: Spektrum 1995 ▪ Winnacker, Gene u. Klone, S. 24–43, Weinheim: Verl. Chemie 1985.

cDNA-Genbank. Kloniert man die gesamte Population der *mRNA einer Zelle als *cDNA in Bakterien, so spricht man von einer cDNA-G. (s. Transkription, Translation, Gentechnologie). Die mRNA wird aus Zellen isoliert, durch enzymat. Schritte in doppelsträngige cDNA umgeschrieben u. über stumpfe Enden od. *Linker in einen *Lambda-Vektor od. Plasmid-Vektor ein-

gefügt. Es sind eine Reihe unterschiedlicher method. Variationen hierfür bekannt (z. B. die Okayama-Berg-Meth.). Die Häufigkeitsverteilung einzelner klonierter cDNA-Sequenzen in der Bank entspricht der der entsprechenden mRNA-Sequenzen in der Zelle. – *E* cDNA gene banks, cDNA libraries – *F* banques d'ADNc – *I* banche dei geni cDNA – *S* bancos de ADNc

Lit.: Glick u. Pasternak, Molekulare Biotechnologie, Heidelberg: Spektrum 1995 ▪ Sambrook, Molecular Cloning – Laboratory Manual (2.), New York: Cold Spring Harbor Laboratory Press 1989.

CDP s. Cytidinphosphate od. Calpaine.

CD-ROM (Compact Disc – Read Only Memory). Die CD-ROM ist ein Datenträger, der große Datenmengen auch für den PC verfügbar macht. Die Bedeutung der CD-ROMs in der chem. Information ist in den letzten Jahren stetig gewachsen. So gibt es u. a. CD-Versionen von Zeitschriften wie z. B. Journal of Biological Chemistry, Journal of the American Chemical Society, Biochemistry. Wichtige Beisp. aus der Sekundärlit. sind der „Kirk-Othmer", CD-Römpp von Thieme, Dictionary of Chemistry von VCH, ChemInform von VCH sowie der „Hommel", der zusammen mit einigen anderen Dateien auf einer „Gefahrgut-CD-ROM" untergebracht wurde. Auch der CASSI ist seit 1995 als CD-ROM erhältlich. Neben zahlreichen CD-ROMs, die öffentlich Online zugänglichen Datenbanken entsprechen wie z. B. BIOSIS, CAS Surveyor u. Current Facts (Beilstein), werden zu speziellen Gebieten der Chemie zahlreiche CD-ROMs angeboten. Hierbei sind Datenbanken über Umwelt/Sicherheit/Toxikologie gut vertreten.

Lit.: Nachr. Chem. Tech. Lab. **5**, 544–549 (1995).

CdR-Protein s. Calcium.

CDTA. Abk. für *trans*-1,2-Cyclohexylendinitrilotetraessigsäure (*trans*-1,2-Cyclohexandiamintetraessigsäure).

$C_{14}H_{22}N_2O_8$, M_R 346,34. Als Monohydrat farblose Krist., Schmp. 210–220 °C (Zers.), wird als Chelat-Bildner in der Medizin u. in der chem. Analyse zur Komplexometrie verwendet. – *E* = *F* = *I* = *S* CDTA

Lit.: Anal. Chem. **42**, 1238 (1970) ▪ Beilstein EIV **13**, 9. – [CAS 13291-61-7]

Ce. Chem. Symbol für *Cer.

CE s. Tetryl.

CEA. Engl. Abk. für *karzino-embryonales Antigen.

Cecenu®. Kapseln mit *Lomustin gegen Tumoren des ZNS u. der Bronchien. *B.*: Medac Ges. für klin. Spezialpräp. mbH.

Cech, Thomas Robert (geb. 1947), Prof. für Molekularbiologie, University of Colorado. Entdeckte unabhängig von *Altmann, daß die Ribonucleinsäure neben ihrer Funktion als Übertrager des genet. Codes zudem enzymat. Funktionen übernimmt, was bislang ausschließlich Eiweiß-Mol. zugeschrieben wurde. Cech zeigte als erster, daß RNS-Mol. chem. Reaktio-

nen katalysieren können, was er 1982 publizierte. Altmann, dessen frühere Arbeiten sich bereits mit dieser Fragestellung befaßten, wies 1983 enzymat. Reaktionen von RNS-Mol. nach. 1989 erhielt Cech gemeinsam mit Altmann den Nobelpreis für Chemie.
Lit.: The New Encyclopaedia Britannica (15.), Bd. 3, Chicago: University of Chicago 1991.

CECONSTANT®. Salze auf Erdalkalimetallchlorid- u. Alkalimetallcyanid-Basis für Salzbäder zum Aufkohlen von Stählen. *B.:* Degussa.

CECONTROL®. Cyanid-freie Härtesalze zum Aufkohlen von Stählen. *B.:* Degussa.

Cecropine s. Lepidopterane.

Cederan®. Handelsname für P- u. PK-Dünger (s. Düngemittel), die mind. einen wasserlösl. P_2O_5-Anteil von 50% enthalten. 8 bis 12% des P_2O_5 sind Citrat-lösl., 10 bis 15% Zitronensäure-lösl. u. ca. 15% Mineralsäurelöslich. C. P-Typen enthalten 23% P_2O_5 (C. P 23) bzw. 17% P_2O_5 u. 7% MgO (C. Magnesium-P). C. PK-Typen sind (Angaben jeweils in Gew.-% P_2O_5 u. K_2O) 12+24; 15+20; 16+16. C. Magnesium-PK-Typen (Angaben in Gew.-% P_2O_5, K_2O u. MgO) 9+23+6; 12+14+4; 14+4+4. *B.:* BASF.

Cedernöle s. Zedernöle.

Cedren [(−)-Cedren].

$C_{15}H_{24}$, M_R 204,36, Öl, Sdp. 124–126 °C (1,60 kPa), n_D^{20} 1,5001, $[\alpha]_D^{20}$ −91,3° (unverd.). Tricycl. sesquiterpenoider Inhaltsstoff der Zeder. *Zedernöl besteht zu ca. 80% aus C. u. 12% *Cedrol. − *E = I* cedrene − *F* cédrène − *S* cedreno
Lit.: Beilstein E III **5**, 1095 ▪ Herba Hung. **24**, 27 (1985) ▪ J. Am. Chem. Soc. **103**, 688 (1981) ▪ J. Org. Chem. **48**, 670 (1983) ▪ Tetrahedron Lett. **24**, 2125 (1983).

(+)-Cedrol (Zederncampher, Cypressencampher).

$C_{15}H_{26}O$, M_R 222,37, Nadeln, Schmp. 86–87 °C, $[\alpha]_D^{18}$ +13° (c 5,5/C_2H_5OH). Sesquiterpenoider Alkohol aus Zedern-, Cypressen- u. Sandelholzöl sowie Origanum. C. findet als Duftstoff Verwendung. − *E = S* cedrol − *F* cédrol − *I* cedrolo
Lit.: Anal. Chem. **60**, 472 (1988) ▪ Beilstein E III **6**, 424c ▪ Food Cosmet. Toxicol., 13 Suppl. **1975**, 745 (Review) ▪ J. Org. Chem. **43**, 1964 (1978) ▪ s. a. Cedren. − *[HS 2906 19; CAS 77-53-2]*

Cedukol®. Mikroskop. Einbettungsmittel aus Cellulosenitrat in 30% Ethanol (Collodium). *B.:* Merck.

Cedur®. Dragees mit *Bezafibrat gegen Hyperlipidämien. *B.:* Boehringer-Mannheim.

Cef... Für einige von der WHO vorgeschlagene Cef...-Freinamen für *Cephalosporin-Antibiotika werden aus Marken-rechtlichen Gründen Ceph...-Schreibweisen bevorzugt.
Lit.: Ullmann (5.) A **2**, 474–479.

Cefacetril. Internat. Freiname für das Antibiotikum 7-(Cyanacetyl-amino)-cephalosporansäure, $C_{13}H_{13}N_3O_6S$, M_R 339,32, Formel s. Cephalosporine. Es wurde 1969 von Ciba Geigy (Celospor®, außer Handel) patentiert, in der BRD nur für veterinär-medizin. Anw. im Handel. − *E = I* cefacetrile − *F* céfacétrile − *S* cefacetril
Lit.: ASP ▪ Hager (5.) **7**, 728. − *[HS 2941 90; CAS 10206-21-0; 23239-41-0 (Natrium-Salz)]*

Cefaclor.

Von der WHO vorgeschlagener Freiname für das *Cephalosporin-Antibiotikum 7-[(R)-2-Amino-2-phenylacetamido]-3-chlor-3-cephem-4-carbonsäure, $C_{15}H_{14}ClN_3O_4S$, M_R 367,81; UV$_{max}$ (pH 7 Puffer) 265 nm (ε 6800). Es wurde 1974 u. 1975 von Lilly (Panoral®) patentiert u. ist generikafähig. − *E = S* cefaclor − *F* céfaclor − *I* cefacloro
Lit.: ASP ▪ Florey **9**, 107–123 ▪ Hager (5.) **7**, 729ff. − *[HS 2941 90; CAS 53994-73-3]*

Cefadroxil. Internat. Freiname für (6R,7R)-7-[(R)-2-Amino-2-(4-hydroxyphenyl)acetamido]-3-methyl-3-cephem-4-carbonsäure, $C_{16}H_{17}N_3O_5S$, M_R 363,39, Schmp. des Monohydrats >197 °C (Zers.), $[\alpha]_D^{20}$ +165–178° (c 1/H_2O); Formel s. Cephalosporine. C. ist ein Oralcephalosporin, das bei vielen Infektionen − außer lebensbedrohlichen − zum Einsatz kommt (Bidocef®, Bristol-M.-Squibb). − *E = S* cefadroxil − *F* céfadroxil − *I* cefadroxilo
Lit.: ASP ▪ DAB 10 u. Komm. (Cephadroxil) ▪ Hager (5.) **7**, 732ff. − *[HS 2941 90; CAS 66592-87-8; 50370-12-2 (wasserfrei)]*

Cefak. Abk. für die Firma Cefak, chem.-pharmazeut. Fabrik Dr. Brand u. Co. KG. Inhaberin von über 60 eingetragenen Marken, die mit dem Stammbestandteil Cefa... beginnen.

Cefalexin. Von der WHO vorgeschlagener Freiname für das oral wirksame Antibiotikum 7-[(R)-2-Amino-2-phenylacetamido]-3-methyl-3-cephem-4-carbonsäure, $C_{16}H_{17}N_3O_4S$, M_R 347,39, Formel s. Cephalosporine. UV$_{max}$ 260 nm (ε 7750). Verwendet wird das Monohydrat: LD_{50} (Maus oral) 1600–4500, (Ratte oral) >5000 mg/kg. Es wurde erstmals 1966 von Lilly (Oracef®) patentiert u. ist generikafähig. − *E* cefalexin − *F* céfalexine − *I* cefalessina − *S* cefalexina
Lit.: ASP ▪ Florey **4**, 21–46 ▪ Hager (5.) **7**, 734ff. − *[HS 2941 90; CAS 15686-71-2; 23325-78-2 (Monohydrat)]*

Cefaloridin. Von der WHO vorgeschlagener internat. Freiname für das Breitspektrum-Antibiotikum 3-(1-Pyridiniumylmethyl)-7-[2-(2-thienyl)-acetamido]-3-cephem-4-carboxylat, $C_{19}H_{17}N_3O_4S_2$, M_R 415,48, Formel s. Cephalosporine. $[\alpha]_D$ +47,7° (c 1/H_2O). LD_{50} (Maus oral) >1, (Ratte oral) 2,5–4 g/kg. Es wurde erstmals 1965 von Glaxo (Cepaloridin-Glaxo®, außer

Handel) patentiert. – *E* cefaloridine – *F* céfaloridine – *I* = *S* cefaloridina

Lit.: ASP ▪ Hager (5.) **7**, 738 ff. ▪ Pharm. Ztg. **137**, 787 (1992). – *[HS 2941 90; CAS 50-59-9]*

Cefalotin. Von der WHO vorgeschlagener internat. Freiname für das Breitspektrum-Antibiotikum 7-[2-(2-Thienyl)-acetamido]-cephalosporansäure, $C_{16}H_{16}N_2O_6S_2$, M_R 396,43, Formel s. bei Cephalosporine; Schmp. 160–160,5°C, $[\alpha]_D^{20}$ +50° (c 1,03/CH_3CN). Verwendet wird das Natrium-Salz: Schmp. 204–205°C, LD_{50} (Maus oral) >20, (Ratte oral) >10 g/kg. Es wurde erstmals 1962 von Lilly (Cephalotin®, außer Handel) patentiert. – *E* cefalotin – *F* céfalotine – *I* = *S* cefalotina

Lit.: ASP ▪ Florey **1**, 319–341 ▪ Hager (5.) **7**, 741 ff. – *[HS 2941 90; CAS 153-51-7; 58-71-9 (Natriumsalz)]*

Cefamandol. Internat. Freiname für das Breitspektrum-Antibiotikum 7-D-Mandelamido-3-(1-methyl-1*H*-tetrazol-5-ylthiomethyl)-3-cephem-4-carbonsäure, $C_{18}H_{18}N_6O_5S_2$, M_R 462,50, Formel s. Cephalosporine. Verwendet wird das Formiat, Schmp. 190°C (Zers.), UV_{max} (Wasser) 269 nm (ε 10 800). C. wurde erstmals 1972 von Lilly (Mandocef®) patentiert. – *E* cefamandole – *F* céfamandole – *I* cefamandolo – *S* cefamandol

Lit.: ASP ▪ Florey **9**, 125–154 ▪ Hager (5.) **7**, 744 ff. – *[HS 2941 90; CAS 34444-01-4; 42540-40-9 (Formiat)]*

Cefazedon. Internat. Freiname für das Antibiotikum 7-[2-(3,5-Dichlor-4-oxo-1 (4*H*)-pyridyl)-acetamido]-3-(5-methyl-1,3,4-thiadiazol-2-ylthiomethyl)-3-cephem-4-carbonsäure, $C_{18}H_{15}Cl_2N_5O_5S_3$, M_R 548,43, Formel s. Cephalosporine. Verwendet wird das Natrium-Salz; LD_{50} (Maus) 6800, (Ratte) 4225 mg/kg. C. wurde erstmals 1975 von Merck (Refosporin®) patentiert. – *E* = *I* cefazedone – *F* céfazédone – *S* cefazedona

Lit.: Hager (5.) **7**, 748 ff. – *[HS 2941 90; CAS 56187-47-4]*

Cefazolin. Von der WHO vorgeschlagener Freiname für das Antibiotikum 3-(5-Methyl-1,3,4-thiadiazol-2-ylthiomethyl)-7-[2-(1-tetrazolyl)-acetamido]-3-cephem-4-carbonsäure, $C_{14}H_{14}N_8O_4S_3$, M_R 454,50, Formel s. Cephalosporine; Schmp. 198–200°C; UV_{max} (pH 6,4 Puffer) 272 rm (ε 13 150). Verwendet wird das Natrium-Salz, LD_{50} (Maus i.v.) 3,9, (Ratte i.v.) 3,18 mg/kg. C. wurde erstmals 1969 von Fujisawa u. 1978 von Lilly (Elzogram®) patentiert u. ist generikafähig. – *E* cefazolin – *F* céfazoline – *I* = *S* cefazolina

Lit.: ASP ▪ Florey **4**, 1–20 ▪ Hager (5.) **7**, 752 ff. – *[HS 2941 90; CAS 25953-19-9; 27164-46-1 (Natrium-Salz)]*

Cefepim. Internat. Freiname für (6*R*,7*R*)-7-{2-(2-Amino-4-thiazolyl)-2-[(Z)-methoxyimino]acetamido}-3-(1-methyl pyrrolidiniomethyl)-3-cephem-4-carboxylat, $C_{19}H_{24}N_6O_5S_2$, M_R 480,57; Formel s. Cephalosporine. C. ist ein neues Cephalosporin mit breitem Wirkungsspektrum gegen Gram-neg. Bakterien u. auch einige Gram-pos. Aerobier. Es muß parenteral gegeben werden (Maxipime®, Bristol-M.-Squibb/SKB). – *E* = *I* cefepime – *F* céfépime – *S* cefepima

Lit.: Drugs **47**, 471–505 (1994) ▪ Pharmacother. **14**, 657–668 (1994). – *[HS 2941 90; CAS 88040-23-7; 123171-59-5 (Hydrochlorid-Hydrat)]*

Cefetamet. Internat. Freiname für (6*R*,7*R*)-7-{2-(2-Amino-4-thiazolyl)-2-[(Z)-methoxyimino]acetamido}-3-methyl-3-cephem-4-carboxylat, $C_{14}H_{15}N_5O_5S_2$, M_R 397,42; C.-pivoxil $C_{20}H_{25}N_5O_7S_2$, M_R 511,57; Formel s. Cephalosporine. C. ist ein Oralcephalosporin der 3. Generation, das als Ester-Prodrug (C.-pivoxil = Pivaloyloxymethyl-Ester) gegen Infektionen mit Gramneg. Bakterien verwendet wird u. in seinen Wirkeigenschaften dem altbekannten *Cefadroxil ähnlich ist. – *E* = *I* = *S* cefetamet – *F* céfétamet

Lit.: Drugs **45**, 589–621 (1993) ▪ Pharm. Ztg. **140**, 4032–4038 (1995). – *[HS 2941 90; CAS 65052-63-3; 65243-33-6 (C.-pivoxil)]*

CEFIC. Abk. für *C*onseil *E*uropéen des *F*édérations de l'*I*ndustrie *C*himique mit Sitz in B-1160 Brüssel, Av. E. van Nieuwenhuyse 4. Der Europ. Chemieverband CEFIC vertritt die Chemieind. Westeuropas, ein Ind.-Zweig, der fast zwei Mio. Personen beschäftigt u. ein Drittel der Weltproduktion stellt. Der Verband vertritt die Interessen der europ. chem. Ind. gegenüber den EG-Behörden u. a. internat. Organisationen, die die wirtschaftlichen Rahmenbedingungen der Chemieind. beeinflussen. Zu den 71 Mitgliedern des im Jahre 1972 gegr. Verbandes zählen die nat. Chemieverbände von 15 europ. Ländern, darunter der *VCI. Darüber hinaus sind die meisten führenden Chemiefirmen Europas assoziierte Mitglieder von CEFIC. Auch verschiedene Fachverbände sind im Rahmen von od. im Einvernehmen mit CEFIC tätig.

CEFIC befaßt sich im Namen der Mitglieder mit folgenden Themenbereichen: Welthandel, Umwelt, Gesundheit, Sicherheit, Transport u. Vertrieb von Chemikalien, Energie- u. Rohstoffversorgung, Information u. statist. Erfassung, aber auch mit zahlreichen anderen Bereichen, die für die europ. Chemieind. von Interesse sind. Die Führung von CEFIC als Dachverband liegt in den Händen des Direktorenkomitees (COD Committee of Directors), in dem je ein Vertreter der nat. Chemieverbände sitzt. Die Versammlung der Mitgliedsunternehmen (*ACAM), in der führende Unternehmen der Ind. vertreten sind, berät die Hauptversammlung u. das COD in allg. Grundsatzfragen. INTERNET-Adresse: http://www.cefic.be/cefic

Cefixim. Internat. Freiname für (6*R*,7*R*)-7-{2-(2-Amino-4-thiazolyl)-2-[(Z)-carboxymethoxyimino]acetamido}-3-vinyl-3-cephem-4-carbonsäure, $C_{16}H_{15}N_5O_7S_2$, M_R 453,44, Schmp. des Trihydrats 218–225°C; Formel s. Cephalosporine. C. ist ein Oralcephalosporin der 3. Generation mit langer Eliminations-Halbwertszeit, das gegen die meisten bei Atemwegsinfektionen wichtigen Bakterien wirksam ist (Cephoral®, Merck). Die Substanz wurde 1981 von Fujisawa entwickelt. – *E* cefixime – *F* céfixime – *I* = *S* cefixima

Lit.: ASP ▪ Drugs **49**, 1007–1022 (1995) ▪ Hager (5.) **7**, 755 ff. ▪ U.S. Pharmacopeia 23, S. 291 f., Rockville, MD: U.S.P. Convention 1994. – *[HS 2941 90; CAS 79350-37-1; 125110-14-7 (Trihydrat)]*

Cefmenoxim. Internat. Freiname für 7-[(*R*)-2-(2-Amino-4-thiazolyl)-2-methoxyimino-acetimido-3-(1-methyl-1*H*-tetrazol-5-ylthiomethyl)-3-cephem-4-carbonsäure]. Ein dem *Cefotaxim strukturell verwandtes *Cephalosporin, $C_{16}H_{17}N_9O_5S_3$, M_R 511,55, Formel

s. Cephalosporine. Verwendet wird das Hydrochlorid. C. wurde 1976 erstmals von Takeda (Tacef®) patentiert. – *E* cefmenoxime – *F* cefménoxime – *S* cefmenoxima
Lit.: ASP ▪ Hager (5.) **7**, 757 ff. – *[HS 2941 90; CAS 65085-01-0; 75738-58-8 (Hydrochlorid)]*

Cefodizim. Internat. Freiname für (6*R*,7*R*)-7-{2-(2-Amino-4-thiazolyl)-2-[(*Z*)-methoximino]acetamido}-3-[(5-carboxymethyl-4-methyl-2-thiazolylthio)methyl]-3-cephem-4-carbonsäure, $C_{20}H_{20}N_6O_7S_4$, M_R 584,65; Formel s. Cephalosporine. C. ist ein Breitspektrum-Cephalosporin der 3. Generation mit langer Eliminationszeit, das parenteral bei Atem- u. Harnwegsinfektionen gegeben wird (Modivid®, medac) u. eine zusätzliche immunmodulierende Wirkkomponente aufzuweisen scheint. – *E* cefodizime – *F* céfodizime – *I* = *S* cefodizima
Lit.: Drugs **44**, 800–834 (1992) ▪ Hager (5.) **7**, 760 f. ▪ Pharm. Ztg. **139**, 2218 ff. (1995). – *[HS 2941 90; CAS 68739-16-8; 86329-79-5 (Dinatriumsalz)]*

Cefoperazon. Internat. Freiname für das Breitspektrum-Antibiotikum 7-[(*R*)-2-(4-Ethyl-2,3-dioxo-1-piperazincarboxamido)-2-(4-hydroxyphenyl)-acetamido]-3-(1-methyl-1*H*-tetrazol-5-ylthiomethyl)-3-cephem-4-carbonsäure, $C_{25}H_{27}N_9O_8S_2$, M_R 645,66, Formel s. Cephalosporine; Schmp. 169–171 °C. Verwendet wird das Natriumsalz. C. wurde erstmals 1976 von Toyama patentiert u. ist von Pfitzer (Cefobis®) im Handel. – *E* = *I* cefoperazone – *F* céfopérazone – *S* cefoperazona
Lit.: ASP ▪ Hager (5.) **7**, 762 ff. – *[HS 2941 90; CAS 62893-19-0; 62893-20-3 (Natriumsalz)]*

Cefotaxim. Internat. Freiname für das Breitspektrum-Antibiotikum der 3. Generation 7-[2-(2-Amino-4-thiazolyl)-2-methoxyiminoacetamido]-cephalosporansäure, $C_{16}H_{17}N_5O_7S_2$, M_R 455,46, Formel s. Cephalosporine. Verwendet wird das Natrium-Salz, $[\alpha]_D^{20}$ +55° (c 0,8/H_2O). C. wurde 1976 u. 1978 von Takeda, 1977 u. 1979 von Roussel-Uclaf patentiert u. ist von Hoechst AG (Claforan®) im Handel. – *E* cefotaxime – *F* céfotaxime – *S* cefotaxima
Lit.: ASP ▪ Florey **11**, 139–168 ▪ Hager (5.) **7**, 765 ff. – *[HS 2941 90; CAS 63527-52-6; 64485-93-4 (Natrium-Salz)]*

Cefotetan.

Internat. Freiname für das injizierbare Cephamycin 7-[2-(Carbamoylcarboxylatomethylen)-3-dithietan-2-yl]-carboxamido-7-(1-methoxy)-3-(1-methyl-5-tetrazolyl)thiomethyl-3-cephem-4-carbonsäure (s. Cephalosporine), $C_{17}H_{17}N_7O_8S_4$, M_R 575,60. Verwendet wird das Dinatrium-Salz, LD_{50} (Maus i. v.) 6,35, 8,48, 8,12, (Ratte i. v.) 8,37 g/kg. C. wurde 1979 u. 1981 von Yamanouchi patentiert u. ist von Zeneca (Apatef®) im Handel. – *E* = *I* cefotetan – *F* céfotétan – *S* cefotetán
Lit.: ASP ▪ Hager (5.) **7**, 769 ff. – *[HS 2941 90; CAS 69712-56-7; 74356-00-6 (Dinatrium-Salz)]*

Cefotiam. Internat. Freiname für das Cephalosporin-Antibiotikum 7β-[2-(Aminothiazol-4-yl)-acetamido]-3-[1-(2-dimethylaminoethyl)-1*H*-tetrazol-5-ylthiomethyl]-3-cephem-4-carbonsäure, $C_{18}H_{23}N_9O_4S_3$, M_R 525,62, Formel s. Cephalosporine. Verwendet wird das Dihydrochlorid. C. wurde 1976 von Takeda (Spizef®) patentiert. – *E* = *I* = *S* cefotiam – *F* céfotiam
Lit.: ASP ▪ Hager (5.) **7**, 772 ff. – *[HS 2941 90; CAS 61622-34-2; 66309-69-1 (Hydrochlorid)]*

Cefoxitin.

Internat. Freiname für das Cephamycin-Antibiotikum 3-(Carbamoyloxymethyl)-7α-methoxy-7β-[2-(2-thienyl)-acetamido]-3-cephem-4-carbonsäure, $C_{16}H_{17}N_3O_7S_2$, M_R 427,45, Schmp. 149–150 °C (Zers.). Verwendet wird das Natrium-Salz, $[\alpha]_{589\,nm}^{25}$ +210° (c 1/CH_3OH), LD_{50} (Maus i. v.) 5,1, (Ratte i. v.) 8,98 g/kg. C. wurde erstmals 1971 von Merck & Co patentiert u. ist von MSD (Mefoxitin®) im Handel. – *E* cefoxitin – *F* céfoxitine – *I* = *S* cefoxitina
Lit.: ASP ▪ Florey **11**, 169–195 ▪ Hager (5.) **7**, 775 ff. – *[HS 2941 90; CAS 35607-66-0; 33564-30-6 (Natrium-Salz)]*

Cefpirom. Internat. Freiname für (6*R*,7*R*)-7-{2-(2-Amino-4-thiazolyl)-2-[(*Z*)-methoximino]acetamido}-3-[(2,3-trimethylenpyridinio)methyl]-3-cephem-4-carboxylat, $C_{22}H_{22}N_6O_5S_2$, M_R 514,57; Formel s. Cephalosporine. C. wurde von Hoechst entwickelt (HR 810). Es ist ein neues Breitspektrum-Cephalosporin, das parenteral gegeben werden muß u. eine zusätzliche immunmodulierende Wirkkomponente aufzuweisen scheint. – *E* = *I* cefpirome – *F* cefpirom – *S* cefpiroma
Lit.: Antimicrob. Agents Chemotherap. **39**, 2193 ff. (1995) ▪ Clin. Pharmacokinet. **25**, 263–273 (1993). – *[HS 2941 90; CAS 84957-29-9; 98753-19-6 (Sulfat)]*

Cefpodoxim. Internat. Freiname für (6*R*,7*R*)-7-{2-(2-Amino-4-thiazolyl)-2-[(*Z*)-methoximino]acetamido}-3-(methoxymethyl)-3-cephem-4-carboxylat, $C_{15}H_{17}N_5O_6S_2$, M_R 427,45; Formel s. Cephalosporine. C. wurde von Sankyo entwickelt. Es ist ein Oralcephalosporin der 3. Generation, das als Ester-Prodrug [C.-proxetil = 1-(Isopropoxycarbonyloxy)ethyl-Ester] gegen Atemwegs- u. Hautinfektionen eingesetzt wird (Orelox®, Albert-Roussel, Podomexef®, Luitpold). – *E* = *F* cefpodoxime – *I* = *S* cefpodoxima
Lit.: Ann. Pharmacother. **29**, 561–565 (1995) ▪ ASP ▪ Drugs **44**, 889–917 (1992) ▪ Hager (5.) **7**, 778 f. – *[HS 2941 90; CAS 80210-62-4; 87239-81-4 (C.-Proxetil)]*

Cefprozil. Internat. Freiname für (6*R*,7*R*)-7-[(*R*)-(2-Amino-2-(4-hydroxyphenyl)acetamido]-3-(1-propenyl)-3-cephem-4-carbonsäure, $C_{18}H_{19}N_3O_5S$, M_R 389,43; Formel s. Cephalosporine. C. ist ein neues Oralcephalosporin mit bes. Wirksamkeit gegen bestimmte Gram-pos. Bakterien u. wurde von Bristol-M.-Squibb zur Behandlung von Atemwegs-, Haut- u. unkomplizierten Harnwegsinfektionen entwickelt. – *E* = *F* = *I* = *S* cefprozil

Lit.: Chemotherap. **41**, 427–432 (1995) ▪ Drugs **45**, 295–317 (1993) ▪ U.S. Pharmacopeia 23, S. 307f., Rockville, MD: U.S.P. Convention 1994. – *[HS 2941 90; CAS 92665-29-7; 121123-17-9 (Monohydrat)]*

Cefradin. Internat. Freiname für das Antibiotikum 7-[(R)-2-Amino-2-(1,4-cyclohexadien-1-yl)-acetamido]-3-methyl-3-cephem-4-carbonsäure, $C_{16}H_{19}N_3O_4S$, M_R 349,40, Formel s. Cephalosporine. Verwendet wird das Monohydrat, Schmp. 140–142 °C (Zers.), pK_1 2,63; pK_2 7,27. C. wurde 1969 von Squibb (in Frankreich u. Großbritannien Velosef®) patentiert. – *E* cefradine – *F* céfradine – *I* = *S* cefradina
Lit.: ASP ▪ Florey **5**, 21–59 ▪ Hager (5.) **7**, 780 ff. – *[HS 2941 90; CAS 38821-53-3; 31828-50-9 (Monohydrat)]*

Cefsulodin.

Internat. Freiname für das Antibiotikum 3-(4-Carbamoylpyridiniomethyl)-7-(2-phenyl-2-sulfoacetamido)-3-cephem-4-carboxylat, $C_{22}H_{20}N_4O_8S_2$, M_R 532,54. Verwendet wird das Natrium-Salz, Schmp. 175 °C (Zers.), LD_{50} (Maus i. p.) >4 g/kg; D-Form, Natriumsalz: $[\alpha]_D^{25}$ +16,5° (c 1,08/H_2O), L-Form, Natrium-Salz: $[\alpha]_D^{25}$ –16,8° (c 1,01/H_2O). Es wurde 1973 u. 1977 von Takeda (Pseudocef®) patentiert. – *E* cefsulodin – *F* céfsulodine – *I* = *S* cefsulodina
Lit.: ASP ▪ Hager (5.) **7**, 784 ff. – *[HS 2941 90; CAS 62587-73-9; 52152-93-9 (Natrium-Salz)]*

Ceftazidim. Internat. Freiname für das Antibiotikum (Z)-(7R)-7-[2-(2-Aminothiazol-4-yl)-2-(1-carboxy-1-methylethoxyimino)-acetamido]-3-pyridiniomethyl-3-cephem-4-carboxylat, $C_{22}H_{22}N_6O_7S_2$, M_R 546,57, Formel s. Cephalosporine. Verwendet wird das Pentahydrat: UV_{max} (pH 6) 257 nm ($E_{1cm}^{1\%}$ 348). C. wurde erstmals 1979 von Glaxo patentiert u. ist von Cascan (Fortum®) im Handel. – *E* = *F* ceftazidime – *I* = *S* ceftazidima
Lit.: ASP ▪ Hager (5.) **7**, 787 ff. – *[HS 2941 90; CAS 72558-82-8]*

Ceftibuten.

Internat. Freiname für (6R,7R)-7-[(Z)-2-(2-Amino-4-thiazolyl)-4-carboxy-2-butenamido]-3-cephem-4-carbonsäure, $C_{15}H_{14}N_4O_6S_2$, M_R 410,42. C. wurde 1985 von Shionogi entwickelt u. ist ein Oralcephalosporin der 3. Generation zur Behandlung von Atem- u. Harnwegsinfektionen (Keimax®, Essex/Thomae). Sein Wirkungsspektrum zeigt große Ähnlichkeit mit *Cefixim. – *E* = *I* ceftibuten – *F* ceftibutène – *S* ceftibutén
Lit.: Drugs **47**, 784–808 (1994) ▪ Pharm. Ztg. **140**, 3932–3939 (1995). – *[HS 2941 90; CAS 97519-39-6]*

Ceftizoxim.

Internat. Freiname für das Antibiotikum 7-[2-(2-Amino-4-thiazolyl)-2-methoxyiminoacetamido]-3-cephem-4-carbonsäure, Schmp. 227 °C, $C_{13}H_{13}N_5O_5S_2$, M_R 383,40. Verwendet wird das Natrium-Salz, LD_{50} (Maus, Ratte i. v.) >6 g/kg. C. wurde 1978 u. 1984 von Fujisawa patentiert u. ist von Boehringer Mannheim (Ceftix®) im Handel. – *E* ceftizoxime – *F* céftizoxime – *I* = *S* ceftizoxima
Lit.: ASP ▪ Hager (5.) **7**, 791 ff. – *[HS 2941 90; CAS 68401-81-0; 68401-80-9 (Monohydrochlorid); 68401-82-1 (Natriumsalz)]*

Ceftriaxon. Internat. Freiname für injizierbares Antibiotikum mit langer HWZ 7-[2-(2-Amino-4-thiazolyl)-2-methoxyiminoacetamido]-3-{[(2,5-dihydro-6-hydroxy-2-methyl-5-oxo-*as*-triazin-3-yl)thio]methyl}-3-cephem-4-carbonsäure, $C_{18}H_{18}N_8O_7S_3$, M_R 554,57, Formel s. Cephalosporine. Verwendet wird das Dinatrium-Salz-Semiheptahydrat, Schmp. 155 °C (Zers.), $[\alpha]_D^{25}$ –165° (c 1/H_2O), UV_{max} (Wasser) 242, 272 nm (ε 32 300, 29 530), LD_{50} (Maus i. v.) 2800–3000, (Ratte i. v.) 2175 mg/kg. C. wurde 1979 u. 1982 von Hoffmann-La Roche (Rocephin®) patentiert. – *E* = *F* ceftriaxone – *I* ceftriassone – *S* ceftriaxona
Lit.: ASP ▪ Hager (5.) **7**, 794 ff. – *[HS 2941 90; CAS 73384-59-5; 104376-79-6 (Dinatrium-Salz)]*

Cefuroxim. Internat. Freiname für das Antibiotikum (6R, 7R)-3-Carbamoyloxymethyl-7-[2-(2-furyl)-2-(Z)-methoxyimino-acetamido]-3-cephem-4-carbonsäure, $C_{16}H_{16}N_4O_8S$, M_R 424,39, Formel s. Cephalosporine. $[\alpha]_D^{20}$ +63,7° (c 1/0,2 M pH 7 Phosphatpuffer), UV_{max} (pH 6 Phosphatpuffer) 274 nm (ε 17 600). Verwendet wird das Natrium-Salz, $[\alpha]_D^{20}$ +60° (c 0,9/H_2O), UV_{max} (Wasser) 274 nm (ε 17 400) u. der 1-Acetoxyethylester (Axetil). C. wurde erstmals 1973 von Glaxo (Zinnat®) patentiert u. ist a. von Hoechst (Zinacef®), Cascan (Elobact®) u. Lilly (Cefuroxim Lilly/AJ®) im Handel. – *E* cerfuroxime – *F* céfuroxime – *I* cefurossima – *S* cefuroxima
Lit.: ASP ▪ Hager (5.) **7**, 797 ff. – *[HS 2941 90; CAS 55268-75-2; 56238-63-2 (Natrium-Salz)]*

Cegemett®. Emulgatoren u. Emulgatorenmischungen für den Einsatz in der Wurst u. Fleischwaren-Industrie. *B.*: Grünau.

Cegepal®. Pulverförmige, Trägerstoff-gebundene Fette für die Lebensmittel-Industrie. *B.*: Grünau.

Cegesoft®. Marke von Grünau für ein Sortiment von Fettsäure- bzw. Milchsäureestern mit Fettalkoholen, welche als auffettende u. konsistenzgebende Faktoren in kosmet. Präp. Verw. finden. *B.*: Henkel.

Cegesorb®. Emulgatoren u. a. Zusatzstoffe für die Tierernährung. *B.*: Grünau.

Ceiling-Temperatur (von engl.: ceiling = Zimmerdecke). Grenztemp., oberhalb derer die *Polymerisation von Monomeren zu langkettigen Polymeren unmöglich ist. Gegensatz: *Floor-Temperatur. – *E* ceiling temperature – *F* température de plafonnage – *I* temperatura di limite massimo – *S* temperatura de límite máximo
Lit.: Angew. Chem. **85**, 533–541 (1973) ▪ Encycl. Polym. Sci. Eng. **1**, 631; **2**, 745; **4**, 728 ▪ Ullmann (5.) **A 21**, 321.

Cekol®. *Carboxymethylcellulose, hochgereinigt (Lebensmittelqualität) von Metsä-Serla Chemicals, Nijmegen. *B.:* Nordmann; Rassmann GmbH & Co.

Celanese Nylon. Polyamid 6.6, auch Glasfaser-verstärkt, Kombination von Steifigkeit, Zähigkeit, geringe Abrasion u. Chemikalien-Beständigkeit. Spritzguß u. Extrusionsartikel für Getriebe, Kugellagerkäfige, Automobil-Anw., Stecker, Steckverbinder, Gehäuse u. Kabelbinder. *B.:* Hoechst Celanese Corporation.

Celanex®. Polybutylenterephthalat, Glasfaser-verstärkt u. flammwidrig, hohe Steifigkeit u. Temp.-Beständigkeit, elektr. isolierend. C. wird zur Herst. Temp.-beanspruchter Automobil- u. Elektroteile wie Gehäuse, Motorenteile, Tastaturen, Stecker, Relais u. Schalter verwendet. *B.:* Hoechst Celanese Corporation.

CElect™-Säulen. Marke von Supelco für Kapillarelektrophoresesäulen mit stabilen gebundenen Phasen. Die Säulen sind in verschiedenen Polaritäten als auch konditioniert lieferbar u. sichern so einen konstanten osmot. Fluß von der ersten Injektion an.

Celestamine®. Tabl. mit Betamethason u. Dexchlorpheniraminmaleat [(+)-Form von Chlorphenaminmaleat] gegen Allergien. *B.:* Essex Pharma GmbH.

Celestan®. Tropfen, Injektionsflüssigkeit, Salbe, Creme, Lsg. mit Betamethason gegen allerg. rheumat., dermatolog. u. a. Erkrankungen. *B.:* Essex Pharma GmbH.

Celiprolol.

$(H_3C)_3C-NH-CH_2-CH(OH)-CH_2-O-\text{Ph}(H_3C-CO)-NH-C(=O)-N(C_2H_5)_2$

Internat. Freiname für 3-[3-Acetyl-4-(3-*tert*-butylamino-2-hydroxypropoxy)-phenyl]-1,1-diethylharnstoff, $C_{20}H_{33}N_3O_4$, M_R 379,50, Schmp. 110–112°C. Verwendet wird das Hydrochlorid, LD_{50} (Maus i. v.) 56,2, (Ratte i. v.) 68,3 mg/kg. C. wurde als β-Rezeptorenblocker 1975 u. 1977 von Chemie Linz patentiert u. ist von Upjohn (Selectol®) im Handel. – *E* = *S* celiprolol – *F* céliprolol – *I* celiprololo
Lit.: ASP ▪ Hager (5.) 7, 802 ff. – *[HS 2924 21; CAS 56980-93-9; 57470-78-7 (Hydrochlorid)]*

Celite®. Marke der Celite Corp., USA, für Filterhilfsmittel zur Trennung u. Reinigung von Flüssigkeiten; funktioneller Füllstoff für Farben u. Lacke. C. bestehen aus Kieselgur verschiedener Korngrößen. *B.:* Lehmann & Voss; Serva.

Cellasto®. Zellige PUR-Elastomere. *B.:* Elastogran.

Cellex®. Ionenaustauscher-Cellulosen für die Chromatographie von Makromolekülen. *B.:* Bio-Rad.

Cellidor®. Thermoplast. Massen auf der Basis von Celluloseacetat (CA), -acetobutyrat (CAB) u. -propionat (CP), die durch Abmischen von Celluloseestern (Cellit) mit Weichmachern erhältlich sind. Verw. für Zierleisten, Brillengestelle, Lampenabdeckungen, Sesselschalen, Werkzeuggriffe, Spielzeug, Lenkräder, Schreibgeräte u. dgl. *B.:* Bayer.

Cellidrin®. Tabl. mit Allopurinol gegen Gicht u. Harnsäure-Steine. *B.:* Hennig.

Cellobiose (4-*O*-β-D-Glucopyranosyl-D-glucose). $C_{12}H_{22}O_{11}$, M_R 342,30, vgl. die Abb. bei Cellulose. Gut krist., geschmackloses Kohlenhydrat; β-Form: Schmp. 225°C (Zers.), $[\alpha]_D$ +14° → +35° (H_2O), in Wasser leicht, in Alkohol wenig löslich. Das *Disaccharid C. ist ein Stereoisomeres der *Maltose, reduziert Fehlingsche Lsg. u. hydrolysiert in saurer Lsg. od. unter Einwirkung von β-*Glucosidasen wie *Cellobiase* (Enzym, das in Malz, keimenden Spinatsamen, Hafer u. a. enthalten ist) unter Bildung von D-Glucose. C. ist durch Spaltung von Cellulose mit Essigsäureanhydrid u. konz. Schwefelsäure als Octaacetat erhältlich. In der Natur findet man C. nicht frei, sondern nur als Baustein von Cellulose u. *Lichenin. – *E* = *F* cellobiose – *I* cellobiosi – *S* celobiosa
Lit.: Beilstein E V **17**/7, 191 ▪ Dev. Food Carbohydr. **1980**, 229–273 (Review). – *[HS 2940 00; CAS 528-50-7]*

Cellophan®. In der BRD Marke der Hoechst AG für Folien aus üblicherweise *Cellulosehydrat od. regenerierte *Cellulose genanntem Material, dessen Herst. nach dem Viskose-Verf. unter Zellglas näher beschrieben ist.
Geschichte: Der Name C. wurde von J. E. Brandenberger, der 1908 bis 1911 ein maschinelles Herstellverf. entwickelte, aus *Cell*ulose u. griech.: dia*phan*is (= durchsichtig) geprägt. 1912 erwarb die französ. Firma La Cellophane (heute eine Tochterges. der Rhône Poulenc), 1924 die Firma Hoechst eine Lizenz, die von 1925 bis 1982 von Kalle ausgewertet wurde. In anderen Ländern ist der Name C. entweder als Marke für andere Firmen geschützt od. wird – wie in den USA – frei benutzt. *B.:* Kalle Nalo GmbH.

CELLOSIZE®. Marke für Hydroxyethylcellulose als Verdicker/Stabilisatoren für Tensidsysteme, Emulsionen in verschiedenen Viskositätsabstufungen. *B.:* Nordmann, Rassmann GmbH & Co.

Cellulase (Endoglucanase, EC 3.2.1.4). Bez. für ein Enzym, das am Abbau der nativen *Cellulose beteiligt ist. Zum vollständigen Abbau der Cellulose zu D-Glucose ist die Mitwirkung zweier weiterer Enzyme, β-*Glucosidase u. Exoglucanase (EC 3.2.1.91), erforderlich. Entsprechende C.-Komplexe, zuweilen *Cellulosomen* genannt, werden von Insekten, Mollusken, Bakterien u. Schimmelpilzen gebildet. Da die Cellulose-spaltenden Bakterien im Darm von Mensch u. Tier in großen Mengen vorkommen, können erhebliche Mengen von Cellulose in Zucker verwandelt u. ausgenutzt werden. Bes. Bedeutung hat dies bei den Wiederkäuern, die hauptsächlich von Cellulose-haltiger Nahrung leben. Techn. C.-Präp. werden aus Kulturen von *Aspergillus*- u. *Trichoderma*-Arten hergestellt; sie zeigen ein pH-Optimum von 4,5–5,5 u. werden bei Temp. über 50°C inaktiviert.
Verw.: Zum Aufschluß von Pflanzenmaterial u. als Zusatz zu Verdauungspräparaten. Diese Präp. enthalten meist hohe Nebenaktivitäten wie Hemicellulasen, Galacturonasen, Proteasen, Amylasen etc. – *E* = *F* cellulases – *I* cellulasi – *S* celulasas
Lit.: Biochemistry (USA) **29**, 10577 ff. (1990) ▪ FEMS Microbiol. Rev. **13**, 25–58 (1994) ▪ Kubicek et al., *Trichoderma*

reesei Cellulases: Biochemistry, Genetics, Physiology and Applications, London: Royal Society of Chemistry 1990. – *[HS 3507 90]*

Celluloid. (Zelluloid, Zellhorn). Das thermoplast. C., der älteste *Kunststoff, wurde ca. 1869 von J. W. Hyatt (1837–1920) als Elfenbeinersatz für die Herst. von Billardkugeln entwickelt. C., der Name ist abgeleitet von *Cellulose u. ...*oid, ist eine Mischung aus ca. 25–30 Gew.-% *Campher u. 70–75 Gew.-% *Cellulosenitrat, u. zwar Cellulosedinitrat (N-Gehalt: ca. 10,5–11%). C. hat eine hornartig zähe u. feste Konsistenz u. ist mit einem Erweichungstemp.-Bereich von ca. 80–90 °C sehr leicht verform- u. verarbeitbar. Seine elast. Eigenschaften lassen sich durch Zusatz von *Weichmachern verbessern. Das im Reinzustand transparente C. ist beliebig einfärbbar. Seine Nachteile, die verantwortlich sind für seinen Produktionsrückgang von global ca. 40 000 t im Jahre 1929 auf z. B. 5000 t im Jahre 1973, sind seine leichte Entzünd- u. Brennbarkeit. Ein Substitutionsprodukt für C. ist eine Mischung aus sek. *Celluloseacetat u. Campher, die nicht brennbar ist, wenn sie überwiegend Phosphorsäureester als Weichmacher enthält.

Verw.: C. hat heute noch Bedeutung als Kunststoff für die Herst. von Kämmen, Bürsten sowie anderen Toilettenartikel, Brillengestelle, Zeichen- u. Meßgeräte, Tischtennisbälle u. Druckklischees. – *E* celluloid – *F* celluloïd – *I* celluloide – *S* celuloide

Lit.: Kirk-Othmer **4**, 677 ▪ Ullmann (3.) **5**, 141–156; (4.) **9**, 179–183 ▪ Winnacker-Küchler (3.) **5**, 22 f. – *[HS 3912 20]*

Cellulose.

Tab. 1: Durchschnittlicher Polymerisationsgrad (DP) von Cellulose unterschiedlichen Ursprungs.

Cellulose	DP [Pn*]
Baumwolle roh	7 000, 15 000 (in noch ungeöffneten Kapseln)
Baumwolle gereinigt	300–1 500
Flachs	8 000
Ramie	6 500
Fichtenzellstoff	3 300
Buchenzellstoff	3 050
Bakterien	2 700 (Acetobacter 600)

* ermittelt durch osmot. Messung

Molekülstruktur: C. ist das isotakt. β-1,4-Polyacetal der *Cellobiose $(C_6H_{10}O_5)_n$, elementarer Zusammensetzung 44,4% C, 6,2% H, 49,3% O (bekannt seit 1842). C. bildet unverzweigte, wasserunlösl. Ketten. Verunreinigungen innerhalb der Ketten, z. B. Lignin-C.-Komplexe od. Veränderungen aufgrund von chem. Reaktionen (Hydrolyse, Oxid.) während der Isolierung, machen ~1% aus. C. enthält auch Carboxy-Gruppen, in Holz-*Zellstoff etwa 1 COOH-Gruppe alle 100–1000 Glucopyranosyl-Einheiten (Glc$p$), in Baumwolle alle 100–500 Glc$p$. Der durchschnittliche Polymerisationsgrad (DP) von C. kann durch verschiedene physikal. Messungen bestimmt werden[1]. Am häufigsten werden Viskositätsmessungen zur Bestimmung des DP herangezogen, die je nach biolog. Herkunft charakterist. Werte ergeben.

Im Gegensatz zu synthet. Polymeren enthält isolierte C. sehr unterschiedlich lange Ketten, die sich z. B. durch Gel-Permeations-Chromatographie (*Gelchromatographie) fraktionieren lassen. Um die Breite der Massenverteilung zu bezeichnen, wird der sog. Nonuniformity-Faktor (NU) verwendet. In Lösung liegt C. in Form großer Knäuel vor, in festem Zustand alternieren krist. Regionen mit solchen geringer Ordnung (amorphe Regionen). Native C. bildet pseudomonokline Elementarzellen, an deren Aufbau ein zentraler Glucan-Strang u. in den Kanten vier weitere Glucan-Stränge beteiligt sind. C. nimmt eine leicht helicale Krümmung durch intramol. H-Brücken ein, bes. Hydroxy-Gruppen an C-3 u. C-6, intermol. H-Brücken sowie auch das Pyranose-Ring-Sauerstoff-Atom sind beteiligt (zu Art u. Anordnung der H-Brücken gibt es unterschiedliche Veröffentlichungen[2]). Dies verhindert die freie Drehbarkeit u. bedingt eine relativ große Starrheit. Weitere Van-der-Waals-Kräfte u. H-Brücken können innerhalb der Gitterzellen od. zu benachbarten Zellen auftreten. Diese Fähigkeit zur H-Brücken-Bildung bedingt die steife, geradkettige Natur der C.-Moleküle. Den C.-Fasern liegt als Basis der sog. Elementarfibrille, die mit dem Elektronenmikroskop sichtbar ist, zugrunde. Mehrere Elementarfibrillen bilden Mikrofibrillen u. Makrofibrillen. Diese Anordnung findet man nur in nativen C.-Fasern u. nicht etwa in synthet. C.-Fasern wie *Viskose.

Physikal. Eigenschaften: C. ist relativ hygroskop., sie adsorbiert 8–14% Wasser. C. ist unlösl. in Wasser od. verd. Säuren, in alkal. Lsg. quillt C. stark auf u. die kurzkettigen Anteile mit DP <200 (α-C.) gehen in Lösung. C. löst sich in Zinkchlorid-Lsg. od. in Kupfersalz-Lsg., die Ammoniak (*Schweizers Reagenz, *Cuoxam) od. Ethylendiamin enthalten (Cuen), C. schmilzt nicht, FP >290 °C. Mit Chlor u. Zinkiodid verfärbt C. sich blauviolett, D. 1,52–1,59.

Chem. Eigenschaften: Chem. Reaktionen finden zuerst in Regionen geringerer Ordnung statt (topochem. Reaktionen) u. setzen sich unter günstigen Bedingungen bis in die krist. Regionen fort. Deshalb sind Maßnahmen zur Homogenisierung der Faser-Struktur wichtig, um eine gleichmäßigere Reaktivität zu erzielen, wie z. B. Quellung u. Oberflächenvergrößerung, Lsm.-Austausch, Behandlung mit Basen, z. B. die Mercerisierung von C. in 10–20%iger Natronlauge. In dieser Lsg. wird die Länge der Elementarzelle nativer C. von 0,61 nm auf 1,22 nm vergrößert. In saurer Lsg. kommt es, abhängig von pH-Wert u. Temp., zur Hydrolyse der β-glucosid. Bindung u. damit zur Kettenauflösung. In alkal. Lsg. geschieht dies erst bei Temp. >150 °C. Einen gezielten Kettenabbau erhält man in alkal. Lsg. unter 100 °C, indem man die terminale Glucose-Einheit in ein 1,2-Endiol überführt, das zur korrespondierenden Ketose isomerisiert u. abgespalten wird. Veresterung u. Veretherung von C. führen zu großtechn. genutzten C.-Estern u. C.-Ethern (z. B. *Celluloseacetat, *Methylcellulose, *Ethylcellulose u. *Carboxymethylcellulose); vgl. auch Cellulose-Derivate. Wichtigstes techn. Verf. der Veresterung von C.

ist die Xanthogenierung zur Herst. von Viskose-Fasern, Näheres s. dort.
Der *Abbau* der C. erfolgt durch *Cellulasen, die in Bakterien, Pilzen, Insekten u. Mollusken vorkommen.
Vork.: C. ist die häufigste organ. Verbindung. Sie ist Bestandteil nahezu aller Zellwände von Pflanzen, einschließlich Grüner Algen, Kieselalgen, Pilzen, im Tierreich auch in Tunikaten u. Bakterien. C. aus holzartigen Pflanzen ist mit bis zu 36% Lignin kombiniert. Diese Kombination macht Holz haltbar u. stabil. Jährlich werden etwa $7,5 \times 10^{10}$ t C. gebildet. Ein kommerzielles C.-Produkt (Cellulon) entsteht bei der aeroben Fermentation von Glucose. Es hat eine sehr große Oberfläche u. sehr gute sensor. Eigenschaften[3]. Einige Gram-neg. Bakterien (z. B. *Acetobacter xylinum* u. *A. aceti*) bilden Cellulose. Die von *A. xylinum* biosynthetisierte C. ist in sog. „terminalen Komplexen" in der Bakterienmembran verankert u. linear entlang der Längsachse der stäbchenförmigen Bakterien angeordnet. Es entstehen Fasern von bis zu 1 m Länge (z. B. bei Baumwolle dagegen nur wenige cm). Durch Zellteilungen entsteht schließlich ein C.-Netzwerk – ohne Polyosen u. Lignin – das leicht gewonnen werden kann. Die ungebundene *Acetobacter*-C. hat ein sehr hohes Wasserbindungsvermögen (700-faches Trockengew.) u. weist hervorragende Festigkeit auf. Algen-C. liegt in großen Kristalliten vor u. wird zur Herst. mikrokrist. C. verwendet.
Herst.: Die wichtigsten Rohstoffquellen für C. sind Baumwolle u. Bastpflanzen: Flachs, Ramie, Jute, Hanf (z. Z. noch sehr geringe Mengen) für die Textil-Ind. u. Holz für die Papier- u. Pulp-Ind., in geringem Maß auch Bagasse. Tab. 2 zeigt den C.-Gehalt einiger Pflanzen.

Tab. 2: Cellulose-Gehalt von Pflanzen.

Pflanze	C.-Gehalt [%]
Baumwolle	95
Kiefer	44
Birke	40
Buche	43
Fichte	43
Pappel	53

Die Isolierung von C. aus Holz erfordert eine Reihe von Prozessen, um C. von Lignin u. Polyosen zu trennen. Das entrindete Holz wird zu Hackschnitzeln von ca. 15-22 mm Länge u. 5 mm Dicke zerkleinert, größere Schnitzel erschweren die Penetration der Aufschlußlaugen, kleinere Schnitzel erzeugen zu geringe C.-Faser-Längen. Eine Vordämpfung der Hackschnitzel bewirkt die Verdrängung der im Holz vorhandenen Luft. Zur Dampfdruckbehandlung von Holzschnitzeln s. Masonite-Verfahren.
Sulfit-Verf.: Das zerkleinerte Holz wird in Hydrogensulfit-Lauge, mit u. ohne SO_2-Überschuß, erhitzt. pH-Werte von 2–6 werden für verschiedene Hölzer verwendet. Calcium-, Magnesium-, Natrium- u. Ammoniumhydroxid werden zur Anhebung des pH-Werts eingesetzt, auch um Essigsäure, die von den Polyosen abgespalten wird, zu neutralisieren. Das neutrale Natriumhydrogensulfit-Verf. (pH 7–9) ist langsam, die Hydrolyse der Polyosen vermindert, eine Zwangsumwälzung der Kochsäure ist erforderlich. Dieses Verf. wird überwiegend für Harthölzer verwendet. Sogar höhere pH-Werte (9–11 bei Siedetemp.) können eingestellt werden. Die Modifizierung des Sulfit-Verf. durch Zusatz relativ niedriger Methanol- u. Anthrachinon-Anteile wird ASAM genannt. Es liefert Chlorfrei bleichbare Zellstoffe mit deutlich besseren Ausbeuten.
Beim *Organosolv-Verf.* (s. a. Zellstoff-Gewinnung) wird der Aufschluß in der 1. Stufe mit 50%igem Methanol bei 190 °C/$2,8-3,2 \cdot 10^3$ kPa ausgeführt, in der 2. Stufe mit einer Lsg. von 30% Methanol, 30% Wasser u. 20% Natriumhydroxid. Das *Alcell-Verf.* ist ein reines Organosolv-Verf. mit wäss. Ethanol. Der Aufschluß mit Essigsäure, *Acetosolv-Verf.*, ist ebenfalls möglich u. das umweltfreundlichste Verf., das jedoch hohe Anforderungen an die Kesselmaterialien stellt.
Sulfat-Verf. (Kraft-Verf.): Wichtigstes, am häufigsten angewendetes Verf. zur C.-Gewinnung (Produktionszahlen s. Zellstoff). Grundlage des Verf. ist die teilw. Löslichkeit von Lignin in heißen Lösungen. Die alkal. Verf. verwendet Kochlaugen, die Natriumhydroxid, -sulfid, -sulfat u. -carbonat enthalten. Natriumsulfid steigert die Delignifizierung u. die Faserlängen. Neben Lignin werden im stärker alkal. Bereich auch Kohlenhydrate abgebaut. Polysulfid-haltige Laugen stabilisieren die Polyosen. Papier aus Kraftpulp ist reiß-, bruch- u. zugfest. Vorteile des Sulfat-Verf. sind eine gute Durchtränkung der Hackschnitzel in alkal. Lsg. u. damit kürzere Kochzeiten, es können prakt. alle Hölzer – auch harzreiche, z. B. Kiefern – verwendet werden. Sulfat-Zellstoffe enthalten noch größere Mengen Polyosen u. sind dunkler als Sulfit-Zellstoffe. Sie weisen keinen ausreichend hohen Gehalt an α-C. für die Herst. von C.-Derivaten auf. Die beim Sulfat-Verf. anfallenden Lignin-haltigen Ablaugen werden aufkonzentriert u. verbrannt, so daß der Energiebedarf des gesamten Verf. gedeckt werden kann. Als wertvolle Nebenprodukte fallen *Terpentinöl u. *Tallöl an.
An die beschriebenen Aufschluß-Verf. schließt sich eine Bleiche an, bei der der Restlignin-Gehalt weiter verringert werden soll. Aus ökolog. Gründen (Freisetzung von Chlor-organ. Verb. aus Zellstoffabriken) wurden im letzten Jahrzehnt erhebliche Neuerungen eingeführt[4]. Neben Polysulfid (PS) wird Anthrachinon (AQ) dem verlängerten Kochprozeß zugesetzt. Der Gehalt an gelöstem Lignin sowie der pH-Wert werden so niedrig wie möglich gehalten. Die früher üblichen Bleichsequenzen für Sulfat-Zellstoff beruhten auf dem Einsatz großer Mengen Chlorgas (C) neben Chlordioxid (D), Hypochlorit (H), alkal. Extraktion (E) u. Wasserstoffperoxid (P). Seit den 70er Jahren kam Sauerstoff in alkal. Lsg. zum Einsatz (EO), seit 1992 wird auch Ozon (Z) großtechn. zur Zellstoffbleiche verwendet[5]. Der Zusatz von Polyose-abbauenden Enzymen vor der Bleiche ist nützlich. Heute werden Elementarchlor-frei (ECF) u. Totalchlor-frei (TCF, seit 1990) gebleichte Kraftzellstoffe angeboten, inzwischen mit einem Weißgrad von bis zu 90% ohne starke Festigkeitsverluste. Der Chlor-Verbrauch in der schwed. Zellstoff-Ind. sank z. B. von 150 000 t 1987 auf 0 im Jahre 1993. Die Wiederaufbereitung der

Bleichchemikalien wird weiter optimiert, Ziel sind Abwasser-freie Zellstoffabriken.
Das *Alkali-Sauerstoff-Verf.* ist eine Schwefel-freie Alternative zum Kraft-Verf., jedoch wird hierbei die C. stärker angegriffen. Die erhaltenen Zellstoffe sind weniger reißfest. Das *Natron-Verf.* u. das *Salpetersäure-Verf.* haben nur noch histor. Bedeutung. Die *biotechnolog. Herst.* von C. ist noch sehr kostspielig u. ist Spezialanw. vorbehalten.
Mikrokrist. C. gewinnt man aus α-C. entweder durch mechan. Desintegration, durch chem. Depolymerisation od. gezielte Derivatisierung krist. Bereiche sowie z. B. aus Algen. Man unterscheidet eine Fraktion, die in Wasser Aufschlämmungen bildet, von einer Fraktion, die sich zu kolloiden Syst. dispergieren läßt.
Verw.: C. ist einer der wichtigsten Rohstoffe für verschiedene Industriezweige, bes. die Textil-, Papier- u. Vliesstoff-Ind. (vgl. hierzu die Stichwörter, die mit Cellu... bzw. Cello... beginnen, sowie Kunstseide, Papier, Viskose-Fasern) u. zur Herst. von C.-Derivaten. C. dient in der Lebensmittel-Ind. zur Herst. von Kunstdärmen u. als Füll- u. Trennmittel, mikrokrist. C. als C.-Pulver[6] in Pharmazie u. Kosmetik, in kolloidaler Form zur Konsistenzverbesserung Stärke-haltiger od. Energie-reduzierter Lebensmittel, als Chromatographie-Material, *Acetobacter*-C. zur Herst. von Membranen u. reißfesten Spezialpapieren. – *E = F* cellulose – *I* cellulosa – *S* celulosa

Lit.: [1] Ullmann (5.) **A 5**, 377–488. [2] Angew. Makromol. Chem. **133**, 183–203 (1985). [3] Food. Technol. **45**, 108 (1991). [4] Tappi J. **78** (3), 55–62 (1995). [5] Tappi J. **75** (3), 207–213 (1992). [6] Hager (5.) **7**, 810.
allg.: Annual Book of ASTM Standards, Pt. 21, Cellulose, Philadelphia: ASTM 1982 ▪ ACS Symp. Ser. **340**, 1–310 (1987) ▪ Fengel u. Wegener, Wood Chemistry, Ultrastructure, Reactions, Berlin: de Gruyter 1989 ▪ Kennedy et al., Cellulose and its Derivatives, Chichester: Horwood 1985 ▪ Kirk-Othmer (4.) **5**, 499; **6**, 1023; **7**, 292; **8**, 451 ▪ Nature (London) **311**, 165 (1984) (Biosynth.) ▪ Nevell et al., Cellulose Chemistry, Chichester: Horwood 1985 ▪ Pharm. Unserer Zeit **14**, 1 (1985); **19**, 73–81 (1990) ▪ Rogovin et al., Chem. Treatment and Modification of Cellulose, Stuttgart: Thieme 1983 ▪ Tappi J. **72** (3), 169 (1989) ▪ Wilke et al., Chem. Technol. Rev. 218: Enzymatic Hydrolysis of Cellulose, Park Ridge: Noyes Data Corp. 1983 ▪ Winnacker-Küchler (4.), **5/1**, 592; **6/11**, 436, 711 ▪ Wood, Methods Enzymol. 160/A, San Diego: Academic Press 1988 ▪ Young et al., Cellulose, New York: Wiley 1986. – *Zeitschrift:* Cellulose (Roberts, Hrsg.), London: Chapman & Hall (seit 1994). – *[HS 3912 11, 3912 90; CAS 9004-34-6]*

Celluloseacetat. Als C. (Acetylcellulose, Kurzz. CA nach DIN 7728, Tl. 1, 01/1988) werden *Celluloseester (Strukturformel s. Cellulose-Derivate mit R = H, $CO-CH_3$) bezeichnet, die techn. durch Umsetzung von *Linters od. *Zellstoff mit Essigsäureanhydrid in Essigsäure od. Methylenchlorid als Lsm. unter Einsatz von starken Säuren (Schwefel-, Perchlorsäure) als Katalysatoren in diskontinuierlichem Verf. hergestellt werden. Bei den techn. Prozessen resultieren zunächst lösl., vollständig acetylierte Produkte (Primäracetate, Triacetate; Gehalt an Acetyl-Gruppen bzw. gebundener Essigsäure: ca. 44,8 bzw. 62,5%). Gleichzeitig mit der Acetylierung erfolgt eine säurekatalysierte Depolymerisation des *Cellulose-Rückgrates; das schließlich anfallende C. hat Polymerisationsgrade von nur noch ca. 100–350.

Für viele Einsatzgebiete des C. ist jedoch eine erschöpfende Acetylierung der Cellulose unerwünscht. Die Primäracetate werden daher ohne vorherige Isolierung durch Wasserzugabe partiell zu den sog. Sekundäracetaten (Acetyl-Gruppengehalt: ca. 35–40%) mit Substitutionsgraden (durchschnittliche Anzahl der Acetyl-Gruppen pro Anhydroglucose-Einheit) von 2 –2,5(2-C.–$2\frac{1}{2}$-C.) hydrolysiert. Diese zweistufige Herstellungsweise der Sekundäracetate ist erforderlich, da auf direktem Wege durch eine nur partielle Veresterung der Cellulose lediglich Gemische von nicht u. vollständig acetylierter Cellulose erhalten werden. Niedriger acetyliertes C. ist lösl. in Aceton, Dioxan u. Essigsäuremethylester, höher acetyliertes in Methylenchlorid u. Essigsäure. C. ist beständig gegen Wasser (außer bei Dauerbeanspruchung), Benzin, Ether u. Öle, unbeständig gegen Alkohol, Aceton, Essigsäure u. Laugen. Die Schmelzbereiche von C. sind abhängig vom Veresterungsgrad (Triacetate schmelzen bei ca. 290–300 °C, $2\frac{1}{2}$-C. bei ca. 240–260 °C).
C. ist brennbar; es wird (abgesehen von schwer entflammbaren Typen) weichmacherhaltig verarbeitet. Die Verarbeitung des thermoplast. C. erfolgt u. a. durch Spritzguß, Extrudieren, Rotationsformen, Wirbelsintern od. Spanen. C. zeichnet sich durch hohe Festigkeit, Schlagzähigkeit, Kratzunempfindlichkeit, Lichtdurchlässigkeit, akust. Dämpfungsvermögen u. Oberflächenglanz aus u. kann leicht durch Bedrucken, Lackieren, Heißprägen od. Metallisieren oberflächenveredelt werden; seine Anwendungstemp. liegt im Bereich von ca. 0–85 °C.
Verw.: Triacetate werden fast ausschließlich zur Herst. von Fotofilmen verwendet. Aus der Hauptmenge der Sekundäracetate werden Textilfasern, sog. Acetatfasern (s. a. Chemiefasern u. Kunstseide) u. Fasern für Zigarettenfilter (Filter Tow) hergestellt. Als thermoplast. Masse verarbeitet wird C. u. a. zur Herst. von Schaltknöpfen, Leuchten u. Zierleisten in der Fahrzeug-Ind., von Beschlägen, Lichtkuppeln, Sitzflächen, Tischgestellen, Armaturengriffen, Leuchtenabdeckungen u. Lampenschirmen in der Bau- u. Möbel-Ind., von Werkzeuggriffen, Brillengestellen, Kugelschreibern, Zeichenschablonen, Telefonen, Toilettenartikeln, Spielzeug, Verpackungsfolien, Rohren u. Sinterüberzüge für Metallteile. – *E* celluloseacetate – *F* acétate de cellulose – *I* acetato di cellulosa – *S* acetato de celulosa

Lit.: Encycl. Polym. Sci. Eng. **3**, 209–223 ▪ Encycl. Polym. Sci. Technol. **3**, 337–344 ▪ Houben-Weyl **14/2**, 873–876; **E 20**, 2096–2101 ▪ Ullmann (4.) **9**, 228–234; (5.) **A 5**, 438–445 ▪ s. a. Kunststoffe. – *[HS 3912 11–12]*

Celluloseacetobutyrate. (Kurzz. CAB, nach DIN 7728, 01/1988; Strukturformel s. Cellulose-Derivate mit R = H, $CO-CH_3$, $CO-C_3H_7$). C. wird ähnlich wie *Celluloseacetat durch Mischveresterung von *Cellulose mit den Anhydriden der Essig- u. Buttersäure hergestellt. Handelsübliche C. enthalten ~0,5–2,1 Acetyl- u. ~2,3–0,6 Butyryl-Gruppen pro Anhydroglucose-Einheit. C. können wie Celluloseacetate thermoplast. verarbeitet werden, sind diesen aber aufgrund höherer Härte, Festigkeit u. Zähigkeit, breiterem Anwendungstemp.-Bereich (~–45 °C bis +115 °C) u. geringerer Wasseraufnahme überlegen.

Verw.: U. a. zur Herst. von Filmen u. Folien, als Rohstoffe für Isolier- u. Papierlacke, als Schmelztauchmassen. – *E* cellulose acetate butyrate – *F* acétobutyrate de cellulose – *I* acetobutirrato di cellulosa – *S* acetobutiratos de celulosa
Lit.: s. Celluloseacetat u. Celluloseester. – *[HS 3912 90]*

Celluloseacetophthalat. C. sind *Phthalsäure-Halbester von partiell acetylierten *Cellulosen – Strukturformel s. Cellulose-Derivate mit

R = H ; CO–CH₃ ; –CO–⟨C₆H₄⟩–COOH

– die im Sauren unlösl., im Alkalischen dagegen lösl. sind. Aufgrund dieser Eigenschaften werden C. bevorzugt für Überzüge für Tabl. verwendet, die sich erst nach Passieren des Magens im Darmtrakt auflösen. – *E* cellulose acetate phthalate – *F* acétophtalate de cellulose – *I* acetoftalato di cellulosa – *S* acetoftalato de celulosa
Lit.: Houben-Weyl E 20, 2108 ff. ▪ Ullmann (5.) A 5, 446 ▪ s. a. Celluloseester, Cellulose-Derivate. – *[HS 3912 90]*

Celluloseacetopropionat. (Kurzz. CAP, nach DIN 7728, 01/1988; Strukturformel s. Cellulose-Derivate mit R = H, CO–CH₃, CO–CH₂–CH₃). Als C. werden Mischester der *Cellulose mit Essig- u. Propionsäure bezeichnet. Sie werden weitgehend analog *Celluloseacetat bzw. *Celluloseacetobutyrat hergestellt u. als thermoplast. *Kunststoffe verarbeitet u. verwendet. – *E* cellulose acetate propionate – *F* acétopropinate de cellulose – *I* acetopropionato di cellulosa – *S* acetopropionato de celulosa
Lit.: s. Celluloseacetat, Celluloseester u. Cellulose-Derivate. – *[HS 3912 90]*

Cellulose-Carbamat. C.-C. sind Produkte der Reaktion zwischen *Cellulose u. *Harnstoff – Strukturformel s. Cellulose-Derivate mit R = H, CO–NH₂. Je nach eingesetztem Verhältnis von Cellulose u. Harnstoff, Aktivierung der Cellulose u. Reaktionsbedingungen werden unterschiedliche Substitutionsgrade der Cellulose erreicht. C.-C. soll in Zukunft als Ersatz z. B. des *Cellulose-Xanthogenats zur umweltfreundlicheren Produktion von *Cellulose-Fasern genutzt werden. – *E* cellulose carbamate – *F* cellulose carbamat – *I* carbamato di cellulosa – *S* carbamato de celulosa
Lit.: s. Cellulose-Derivate.

Cellulose-Derivate. Als C.-D. werden allg. durch *polymeranaloge Reaktionen chem. modifizierte *Cellulosen bezeichnet. Sie umfassen sowohl Produkte, bei denen ausschließlich die Hydroxywasserstoff-Atome der Anhydroglucose-Einheiten der Cellulose durch organ. od. anorgan. Gruppen substituiert sind als auch solche, in denen formal ein Austausch der gesamten Hydroxy-Gruppen erfolgt ist (z. B. Desoxycellulosen).

[Strukturformel Cellulose mit ROCH₂ und OR Gruppen, n]

Auch Produkte, die unter intramol. Wasserabspaltung (Anhydrocellulosen), Oxidationsreaktionen (Aldehyd-, Keto- u. Carboxycellulosen) od. Spaltung der C_2, C_3-Kohlenstoff-Bindung der Anhydroglucose-Einheiten anfallen (Dialdehyd- u. Dicarboxycellulosen), werden zu den C.-D. gerechnet. C.-D. sind schließlich auch durch Reaktionen wie Vernetzungs- od. *Pfropfcopolymerisations-Reaktionen zugänglich. Da für alle diese Reaktionen z. T. eine Vielzahl von Reagenzien eingesetzt u. zusätzlich die *Substitutions- u. *Polymerisationsgrade der anfallenden C.-D. variiert werden können, ist eine umfangreiche Palette von lösl. u. unlösl. C.-D. mit stark differierenden Eigenschaften bekannt. Großtechn. produzierte C.-D. sind *Celluloseester (R = H, organ. u./od. anorgan. Säure-Rest) bzw. *Celluloseether (R = H, Alkyl- od. Aralkyl-Gruppe, vgl. Strukturformel). – *E* cellulose derivatives – *F* dérivés cellulosiques – *I* derivati della cellulosa – *S* derivados de la celulosa, derivados celulósicos
Lit.: Encycl. Polym. Sci. Eng. 3, 124–139 ▪ Encycl. Polym. Sci. Technol. 3, 291–306 ▪ Houben-Weyl E 20, 2047–2136 ▪ Rogowin u. Galbraich, Die chemische Behandlung u. Modifizierung der Cellulose, Stuttgart: Thieme 1983.

Celluloseester. C. (Strukturformel s. Cellulose-Derivate mit R=H, organ. u./od. anorgan. Säure-Rest) sind *Cellulose-Derivate, die durch Veresterung von *Linters od. *Zellstoff mit organ. u./od. anorgan. Säure(-Derivate)n, die auch als Gemische eingesetzt werden, herstellbar sind. Von den organ. C. haben Ester der C_2–C_4-Monocarbonsäuren, wie *Celluloseacetat, *Celluloseacetobutyrat, *Cellulosepropionat u. *Cellulosepropionat große techn. Bedeutung erlangt. Auch C. von organ. Dicarbonsäuren sind bekannt (s. Celluloseacetophthalat). Die wichtigsten anorgan. C. sind *Cellulosenitrat u. *Cellulosexanthogenat. Andere anorgan. C., z. B. Cellulosenitrite, -phosphate od. -sulfate haben bisher keine größere techn. Bedeutung erlangt. Auch C., die organ. u. anorgan. Säure-Reste enthalten, z. B. Celluloseacetosulfat, sind herstellbar. Für die Herst. organ. C. ist die Umsetzung der *Cellulose mit *Säureanhydriden in Ggw. starker Säuren (Schwefel-, Perchlorsäure) als Katalysatoren in organ. Lsm. (z. B. Eisessig, Methylenchlorid) das techn. günstigste Vorgehen. Zur Herst. anorgan. C. s. Cellulosenitrat u. Cellulosexanthogenat. Organ. C. u. Cellulosenitrat sind wasserunlösl. (Ausnahmen: Salze der Halbester von Dicarbonsäuren) thermoplast. Massen, deren Eigenschaften u. Verw. (s. einzelne C.) vom Säure-Rest sowie dem Substitutions- u. Polymerisationsgrad bestimmt werden. – *E* cellulose esters – *F* esters cellulosiques – *I* estere di cellulosa – *S* ésteres celulósicos
Lit.: Encycl. Polym. Sci. Eng. 3, 139–226 ▪ Encycl. Polym. Sci. Technol. 3, 307–458 ▪ Houben-Weyl E 20, 2093–2123 ▪ Kirk-Othmer (2.) 4, 616–637, 653–683; (3.) 5, 89–143 ▪ Ullmann (5.) 5, 182–201; (5.) A 5, 419–459.

Celluloseether. C. (Strukturformel s. Cellulose-Derivate mit R = H, Alkyl, *Aralkyl) sind *Cellulose-Derivate, die durch partielle od. vollständige Substitution der Wasserstoff-Atome der Hydroxy-Gruppen der Cellulose durch Alkyl- u./od. (Ar)alkyl-Gruppen, die funktionelle nicht-, an- od. kation. Gruppen enthalten können, hergestellt werden. Die Veretherung der *Cellulose wird im allg. durch Einwirkung von (Ar)alkylhalogeniden (z. B. Methyl-, Ethyl-, Benzylchlorid, 2-

Cellulose-Fasern

Chlorethyldiethylamin, Chloressigsäure), *Epoxiden (z. B. Ethylen-, Propylen-, Butylenoxid, Glycidol, Glycidyltrimethylammoniumchlorid) od. aktivierten *Olefinen (u. a. Acrylnitril, Acrylamid, Vinylsulfonsäure) auf mit Basen, meist mit wäss. Natronlauge (s. Alkalicellulose) aktivierte Cellulose durchgeführt; sie kann in An- od. Abwesenheit eines organ. Lsm. erfolgen. C. aus der Umsetzung von Cellulose mit mehr als einem Veretherungsmittel werden als Cellulose-Mischether bezeichnet (Methylhydroxyethyl-, Methylhydroxypropyl-, Methylhydroxybutyl-, Ethylhydroxyethyl-, Carboxymethylhydroxyethyl-Cellulosen).

C. sind je nach Art u. Anzahl der eingeführten Ether-Gruppen lösl. in Wasser u./od. organ. Lsm. (s. einzelne C.). Einige C. (z. B. *Methyl- u. *Hydroxypropylcellulosen) zeigen umgekehrte Löslichkeit in Wasser, d. h. sie können durch Erwärmen ihrer wäss. Lsg. ausgeflockt werden. C. finden u. a. als Filmbildner, Klebstoffe, Emulgatoren, Schutzkolloide, Stabilisatoren, Waschhilfsmittel (Schmutzträger, Vergrauungsinhibitoren), Haaravivagemittel, Plastifizierungs- u. Wasser-Retentionsmittel sowie Verdickungsmittel für Lsg. auf Basis von Wasser u. organ. Lsm. vielseitige Anw. in Wasch- u. Reinigungsmitteln, Kosmetika, weiterhin in der Pharmazie, Nahrungsmittel- u. Getränke-Ind. sowie in Kleb-, Bau- u. Anstrichstoffen, Textil-, Papier- u. Kabel-Ind., Bergbau u. Erdölförderung, Landwirtschaft u. Polymerisationshilfsmitteln. Mengenmäßig bedeutendster C. ist *Carboxymethylcellulose, gefolgt von Methylcellulose (einschließlich Methylhydroxyalkylcellulosen) u. *Hydroxyethylcellulose. Weitere C. von techn. Bedeutung sind Carboxymethylhydroxyethylcellulose, *Ethylcellulose, Ethylhydroxyethylcellulose u. Hydroxypropylcellulose. Kation. modifizierte Hydroxyethylcellulosen werden für spezielle Einsatzgebiete (Haarkosmetik) hergestellt. *Benzylcellulose wird heute nicht mehr produziert. – *E* cellulose ethers – *F* éthers de cellulose – *I* etere di cellulosa – *S* éteres celulósicos

Lit.: Encycl. Polym. Sci. Eng. **3**, 226–269 ▪ Encycl. Polym. Sci. Technol. **3**, 459–549 ▪ Houben-Weyl **E 20**, 2051–2092 ▪ Ullmann (4.) **9**, 192–212; (5.) **A 5**, 461–488.

Cellulose-Fasern. Sammelbez. für *Textilfasern aus natürlicher od. regenerierter *Cellulose u. aus *Celluloseacetat; *Beisp.:* Baumwolle, Leinen, Zellwolle, Kunstseiden – früher wurden *Chemiefasern auf Cellulose-Basis (Cupro, Viskose u. Acetat einschließlich der Polynosic- u. a. Modalfasern) auch als *Reyon* zusammengefaßt. – *E* cellulosics, cellulosic fibers – *F* fibres cellulosiques – *I* fibre di cellulosa – *S* fibras celulósicas

Celluloseglykolat s. Carboxymethylcellulose.

Cellulosehydrat. Allg. Bez. für aus Lsg. regenerierte *Cellulose, die bei Einwirkung von Feuchtigkeit od. Wasser wesentlich stärker quillt als native Cellulose. C. wird u. a. zur Herst. von Folien auf Basis von Cellulose verwandt (s. Cellophan). – *E* cellulose hydrate – *F* hydrate de cellulose – *I* idrato di cellulosa – *S* hidrato de celulosa

Lit.: Ullmann (4.) **11**, 678 ff.

Cellulose-Ionenaustauscher. C.-I. sind unlösl. *Ionenaustauscher auf der Basis von *Cellulose. Am einfachsten sind C.-I. zugänglich durch Imprägnierung von Cellulose mit ion. Polymeren (z. B. *Polyethylenimin, PEI-Cellulose), die rein physikal. od. über Salz-Bindungen chem. fixiert werden. Überwiegend werden C.-I. aber durch Veresterung od. Veretherung von Cellulose mit ion. funktionalisierten Reagenzien hergestellt (*Cellulose-Derivate; *Celluloseester od. *Celluloseether). C.-I. sind schließlich auch über *Pfropfcopolymerisation von Cellulose mit ion. Monomeren od. deren Derivaten (z. B. Acrylsäure u. Acrylate) zugänglich. Auf diesem Wege können sehr unterschiedliche Gruppen in hoher Anzahl an das Cellulose-Mol. gebunden werden (*Cellulose-Pfropfcopolymere). Die bekanntesten Kationenaustauscher auf Basis von Cellulose sind die Säure-Formen von *Carboxymethylcellulose (CM-C), Sulfoethylcellulose (SE-C) u. Cellulosephosphat (P-C). Die wichtigsten Anionenaustauscher sind Aminoethyl- (AE-C), Diethylaminoethyl- (DEAE-C), Triethylammoniomethyl- (TEAE-C), Guanidinoethyl- (GE-C), p-Aminobenzylcellulose (PAB-C) u. ein Umsetzungsprodukt von Cellulose mit Triethanolamin u. Epichlorhydrin (ECTEOLA-C). Die Austausch-Kapazitäten dieser C.-I., die in Form von Pulvern, Beads od. Fasern angeboten werden, liegt im allg. im Bereich von ca. 0,1–1 meq/g. Deutlich höhere Kapazitäten haben Cellulosephosphate (bis ca. 7 meq/g). C.-I. werden u. a. in der *Säulen- u. *Dünnschichtchromatographie u. als Träger für die *Affinitätschromatographie eingesetzt. – *E* cellulosic ion exchangers – *F* échangeurs d'ions à cellulose – *I* scambiatore d'ioni di cellulosa – *S* intercambiadores iónicos de celulosa

Lit.: Encycl. Polym. Sci. Technol. **7**, 708 f. ▪ Peterson, Cellulosic Ion Exchangers, Amsterdam: North-Holland Publishing Comp. 1970.

Celluloselacke. Bez. für Lacke auf der Basis von *Celluloseacetat u. *Cellulosenitrat.

Lit.: Ullmann (4.) **15**, 601–602; (5.) **A 18**, 369–374.

Cellulosenitrat (Kurzz. CN, nach DIN 7728, Tl. 1, 01/1988, für Salpetersäureester der *Cellulose). C. (die oft gebrauchte Bez. Nitrocellulose ist falsch) ist der wichtigste anorgan. *Celluloseester. C. ist eine weiße, faserige geruch- u. geschmacklose Masse, die beim Entzünden, auch in Abwesenheit von Sauerstoff, spontan u. ohne Rauchentwicklung verbrennt (Verbrennungsgase: CO, CO_2, N_2 u. H_2). C. wird techn. durch Behandlung von *Baumwoll-*Linters od. *Holzzellstoffen mit *Nitriersäuren in unterschiedlichen Veresterungsgraden hergestellt. C. ist abhängig vom Veresterungsgrad lösl. in Alkoholen, Estern u. Ketonen u. unlösl. in Wasser. Produkte mit N-Gehalten von ca. 10,5–12,2 Gew.-% werden als Lack- od. Collodium-, solche mit N-Gehalten von 12,3–13,7 Gew.-% als Pulver- u. Schießwolle bezeichnet. C. unterliegt dem Sprengstoffgesetz u. darf nur wasser- bzw. alkoholfeucht od. phlegmatisiert mit Weichmachern vermarktet werden.

Verw.: Zur Herst. von *Lacken (*Nitrolacke), plast. Massen, *Celluloid, *Collodium, *Klebstoffen u. *Explosivstoffen (s. Schießbaumwolle, Schießpulver).

Zur Herst. von Fasern (*Chardonnet-Seide) wird C. heute nicht mehr eingesetzt. – *E* cellulose nitrate – *F* nitrate de cellulose – *I* nitrato di cellulosa – *S* nitrato de celulosa

Lit.: Encycl. Polym. Sci. Eng. **3**, 139–153 ▪ Houben-Weyl **E 20**, 2114 ff. ▪ Ullmann (3.) **12**, 789 ff.; (4.) **17**, 343 ff.; (5.) **A 5**, 421. – [HS 3912 20]

Cellulose-Pfropfcopolymere. C.-P. sind *Pfropfcopolymere, die Cellulose als Pfropfgrundlage enthalten. Sie werden überwiegend hergestellt durch Überführung von *Cellulose od. *Cellulose-Derivaten in Makroradikale, auf die eine große Anzahl von Monomeren (Vinyl-, Acryl-Verb. u. a.) aufgepfropft werden kann. Über die Pfropfreaktionen ist eine vielseitige Änderung der Eigenschaftsbilder der Cellulose möglich. *Cellulose-Fasern können auf diesem Wege z. B. bakteriozid ausgerüstet werden bzw. wollähnlichen Charakter vermittelt bekommen (Aufpfropfen von Acrylsäure bzw. Acrylnitril). Über das Aufpfropfen von ion. od. chelatbildenden Monomeren sind *Cellulose-Ionenaustauscher zugänglich. Breite Anw. haben C.-P. bisher nicht gefunden, vermutlich wegen des zu ihrer Herst. benötigten hohen Aufwands. – *E* cellulose graft copolymers – *I* copolimeri d'innestamento della cellulosa

Lit.: Encycl. Polym. Sci. Eng. **3**, 68–86 ▪ Encycl. Polym. Sci. Technol. **3**, 242–284 ▪ Houben-Weyl **E 20**, 2127–2134.

Cellulosepropionat. (Kurzz. CP nach DIN 7728, Tl. 1, 01/1988; Strukturformel s. Cellulose-Derivate mit R = H, CO–CH_2–CH_3). C. ist ein durch Reaktion von *Cellulose mit Propionsäure/Propionsäureanhydrid-Gemischen hergestellter *Celluloseester. C. zeichnet sich gegenüber *Celluloseacetat durch höheren Anwendungstemp.-Bereich (–40 °C bis +115 °C), verbesserte Zähigkeit u. Lichtbeständigkeit sowie niedrigere Dichte u. Wasser-Aufnahmefähigkeit aus. C. wird als thermoplast. *Kunststoff weitgehend analog *Celluloseacetat u. *Celluloseacetobutyrat verwendet. – *E* cellulose propionate – *F* propionate de cellulose – *I* propionato di cellulosa – *S* propionato de celulosa

Lit.: s. Celluloseacetat, Celluloseester u. Cellulose-Derivate. – [HS 3912 90]

Cellulosetriacetat s. Celluloseacetat.

Cellulosexanthogenat. C. (Strukturformel s. Cellulose-Derivate mit R = H, $CS–S^-Na^+$) ist ein anorgan. *Celluloseester, der bei der Herst. von *Cellophan, *Kunstseide od. *Regenerat-Cellulose als nicht isoliertes Zwischenprodukt bei der Einwirkung von Schwefelkohlenstoff auf *Alkalicellulose anfällt. Bei diesem Prozeß wird C. als viskose, orangefarbene wäss. Lsg. (sog. Viskose) erhalten, deren Viskosität durch Reifen (oxidativer Abbau der *Cellulose) reguliert wird. Aus dieser Lsg. wird die Cellulose durch Fällen in Säurebädern unter quant. Abspaltung der Xanthogenat-Gruppen in Form von Fäden (s. Kunstseide) od. Folien (s. Cellophan) regeneriert. Alternativen für das aus ökolog. Grunde bedenkliche Viskoseverf. werden intensiv untersucht. – *E* cellulose xanthate – *F* xanthogénate de cellulose – *I* xantogenato di cellulosa – *S* xantogenato de celulosa

Lit.: Encycl. Polym. Sci. Technol. **11**, 810–847 ▪ Houben-Weyl **14/2**, 882 f. ▪ Kirk-Othmer (3.) **19**, 855–880 ▪ Ullmann (4.) **9**, 213–222.

Celorbicol s. Agarofurane.

Celox®. Sonden u. Geräte zur Sauerstoff-Temperaturmessung in Metallschmelzen. *B.:* Heraeus Electro-Nite GmbH.

Celsian s. Feldspäte.

Celsius, Anders (1701–1744), Prof. für Astronomie, Uppsala. *Arbeitsgebiete:* Begründer der *Celsius-Temperatur-Skale, Bestimmung der Polhöhe, Erdmagnetismus, Verfechter des Gregorian. Kalenders.

Lit.: Krafft u. Meyer-Abich, Große Naturwissenschaftler, S. 82 f., Frankfurt: Fischer 1970 ▪ Poggendorff **1**, 410 f.

Celsius-Temperatur-Skale. Von Celsius eingeführte Temp.-Skale, die den Temp.-Bereich zwischen dem Eis- u. Siedepunkt des Wassers linear in 100 Grade einteilt (wenn auch *Celsius den Sdp. als 0 °C u. den Schmp. als 100 °C definierte). Der Eispunkt des Wassers (0 °C) entspricht 273,15 K; Näheres s. Temperatur-Skalen, absolute Temperatur. – *E* Celsius temperature scale – *F* échellle Celsius de temperature – *I* scala centigrada di temperatur – *S* escala Celsius de temperatura

Lit.: Phys. Unserer Zeit **22**, 13–19 (1991).

Celstran®. Langglasfaser-verstärkte Thermoplaste (Polypropylen, Polyamid, Polyester, Polyurethan), gute Kombination von Steifigkeit u. Zähigkeit, für die Herst. techn. Teile im Bereich Automobil-, Elektro-, Pumpen-, Maschinenbau u. der Hydraulik. *B.:* Hoechst Celanese Corporation.

Celtium. Von Urbain 1911 eingeführte, heute nicht mehr verwendete Bez. für das Element Hafnium. Name nach den Bewohnern Galliens, den Kelten.

Cembranoide (Cembranolide).

2,7,10-Cembratrien-4,6,12-triol

Gruppe von cycl. *Diterpenen mit vierzehngliedrigen Ringen, die im Tabak, in Weichkorallen, Meeresschwämmen (bes. im Großen Barriereriff) u. in Pinien vorkommen. Es wurden Wirkungen gegen Tumoren sowie gegen *Psoriasis beschrieben. Die wichtigsten Verb. sind *Cembrenin* ($C_{20}H_{30}$, M_R 270,46, Öl) u. *2,7,10-Cembratrien-4,6,12-triol* {$C_{20}H_{34}O_3$, M_R 322,49, Öl, $[\alpha]_D^{20}$ +93° (C_2H_5OH)}, s. a. Cembrene. – *E* cembranoids, cembranolides – *F* cembranolide – *I* cembranoidi – *S* cembranoides

Cembrene

Lit.: Chem. Pharm. Bull. **36**, 3780 (1988) ▪ Chem. Rev. **88**, 719–732 (1988) ▪ J. Org. Chem. **53**, 1616 (1988) ▪ Tetrahedron **45**, 103 (1989); **49**, 4975–4992 (1993) ▪ Tetrahedron Lett. **33**, 1225 (1992) ▪ Zechmeister **36**, 285–387; **59**, 141–294; **60**, 1–141.

Cembrene.

Cembren

Cembren A

Zu den *Cembranoiden gehörende monocycl. *Diterpene mit vierzehngliedrigem Ring. Man unterscheidet *Cembren* (14-Isopropyl-3,7,11-trimethyl-1,3,6,10-cyclotetradecatetraen, Thunbergen, Thumbelen, $C_{20}H_{32}$, M_R 272,47, Krist., Schmp. 58–59 °C), *C. A* [Neocembren, Öl, Sdp. 150–152 °C (106,66 Pa)] u. *C. C.* Die C. sind in der Natur weit verbreitet. Sie kommen u. a. im ether. Öl von *Pinus*-Arten, im Tabak u. in verschiedenen Harzen vor. C. A wirkt als Termitenpheromon. – *E* cembrenes – *F* cembrène – *I* cembrene – *S* cembreno

Lit.: Beilstein E IV **5**, 1497. – *Synth.:* Aust. J. Chem. **39**, 1703 (1986) ▪ Bull. Soc. Chim. Belg. **104**, 69 ff. (1995) ▪ Scheuer II **2**, 264 ▪ Synlett **1992**, 577. – *[CAS 31570-39-5 (C. A)]*

Cementit s. Eisencarbid.

CeMM. Abk. für *Cer-Mischmetall.

CEN. Abk. für *Comité Européen de Normalisation*, 1961 gegr. Vereinigung zur Harmonisierung des europ. Normenwerks mit Sitz in Rue de Stassart 36, B-1050 Brüssel. Mitglieder sind Normeninst. aus 18 europ. Staaten, z. B. das Deutsche Institut für Normung/DIN. Das CEN hat 100 Mitarbeiter u. einen Jahresetat von 8,9 Mio. ECU. Neben der nat. Normungsarbeit (z. B. *DIN) u. der internat., weltweiten Normierung (*ISO) will CEN verbindliche europ. Normen schaffen, die in aller Regel von bestehenden ISO-Normen ausgehen.

Centi... (Zenti...). Vorsatz zur Bez. des 100. Teils einer physikal. Einheit (Symbol: c), z. B.: Centimeter = cm.

Centipoise (Abk. cP). Veraltete Maßeinheit der dynam. *Viskosität: 10^{-2} Poise = 1 mPa · s.

Centistokes (Abk. cSt). Veraltete Maßeinheit der kinemat. *Viskosität: 10^{-2} Stokes = 1 $mm^2 s^{-1}$.

Centraalbureau voor Schimmelcultures (Abk. CBS). Internat. Kultursammlung (gegr. 1906), in der *Hefen, aber auch mycelbildende Pilze u. *Actinomyceten gelagert sind. Adresse: CBS, Oosterstraat 1, P.O. Box 273, 3740 Baarn, The Netherlands.

Centractin (Arp1, Actin-RPV). Zu den *Actin-verwandten Proteinen gehörendes *Protein aus Wirbeltieren, das vergesellschaftet mit der cytoplasmat. Form des Motor-Proteins *Dynein vorkommt (dies steht im Gegensatz zu *Actin, das mit *Myosin zusammenwirkt). Insbes. ist es – in Form von Actin-ähnlichen Filamenten – Bestandteil des *Dynactin-Komplexes, der möglicherweise dazu dient, Dynein mit Membranstrukturen (z. B. Vesikeln) zu verknüpfen u. so deren durch Dynein bewirkte Bewegung relativ zu *Mikrotubuli zu ermöglichen. Mehrere leicht voneinander abweichende Formen menschlichen C. (α-, β- u. γ-C.) wurden gefunden[1]. – *E* centractin – *F* centractine – *I* RPV-actina – *S* centractina

Lit.: [1] Mol. Biol. Cell **5**, 1301–1310 (1994).
allg.: Curr. Biol. **3**, 54 f. (1993) ▪ J. Cell Biol. **126**, 403–412; **127**, 1–4 (1994).

Centralit®. Stabilisatoren für Sprengstoffe, Phlegmatisierungsmittel. C. I: 1,3-Diethyl-1,3-diphenylharnstoff, C. II: 1,3-Dimethyl-1,3-diphenylharnstoff, C. III: 1-Ethyl-3-methyl-1,3-diphenylharnstoff. *B.* (für C. II): Bayer.

Central-Prayon-Verfahren. Von Prayon entwickeltes Verf. zur Naßherst. von Phosphorsäure aus Calciumphosphaten; als Nebenprodukt fällt Calciumsulfat an. – *E* Central-Prayon process – *F* processus Central-Prayon – *I* processo Central-Prayon – *S* proceso Central-Prayon

Lit.: s. Phosphorsäure.

Centre Européen des Fédérations... s. CEFIC.

Centrex®. Witterungsstabile Styrol-Polymerisate basierend auf ASA u. AES mit exzellenter Farbstabilität u. sehr guten mechan. Eigenschaften. Die Haupteinsatzgebiete umfassen Kfz-Außenteile, Sport- u. Freizeitartikel. *B.:* Bayer.

Centriolen s. Zellen (Abb.).

centrivac®. Vak.-Konzentratoren zur Probenvorbereitung in Chemie, Biologie, Pharmazie u. Medizin. Das Komplett-Syst. besteht aus Zentrifugal-Verdampfer, Kühlfalle u. ölfreier Chemie-Membranpumpe. *B.:* Heraeus Instruments GmbH.

Centromer. Bewegungsorganell des *Eukaryonten-*Chromosoms, an dem sich während der Meta- u. Anaphase der *Mitose u. *Meiose die *Mikrotubuli (Spindelfasern) des Spindelapparats anheften. Während der Mitose sind die C. als entspiralisierte, nicht färbbare (*Feulgen-neg.), eingeschnürte Bereiche des Chromosoms gut sichtbar. Die eigentliche Anheftungsstelle innerhalb des C. stellt der sog. *Kinetochor dar, ein Bereich von ca. 400 nm Länge. Die Lage der abgegrenzten C. innerhalb des Chromosoms ist konstant u. für jedes Chromosom charakteristisch. Bei den bei einigen Organismen vorliegenden diffusen C. kommt die Anheftung der Mikrotubuli über den gesamten Chromosomenbereich zustande. Fehlen des C. führt zum Verlust des Chromosomenbruchstücks bei Zellteilung. C. verschiedener Chromosomen sind untereinander austauschbar: Mit gentechnolog. Meth. wurden Bereiche der C. von Hefechromosomen, die *CEN*-Fragmente, charakterisiert. Den *CEN*-Fragmenten aller Chromosomen gemeinsam sind 3 Elemente mit nahezu ident. Basensequenz. – *E* centromere – *F* centromère – *I* centromero – *S* centrómero

Lit.: Glick u. Pasternak, Molekulare Biotechnologie, S. 126 ff., Heidelberg: Spektrum 1995.

Centrophenoxin s. Meclofenoxat.

Centrosomen. Supramol. Komplexe, die in Interphase-Zellen (Zellen, die sich gerade nicht teilen) zwei *Centriolen* (symmetr. Gebilde aus *Mikrotubuli; nicht in Pflanzen) u. das *pericentriolare Material* (PCM) enthalten u. die Organisation der *Mikrotubuli übernehmen (*Mikrotubulus-organisierendes Zentrum*, engl. Abk.: MTOC). Während der *Mitose verdoppeln sie sich u. wandern auseinander unter Ausbildung des Spindelapparats. Die Nucleationszentren des PCM, an denen die Mikrotubuli zu wachsen beginnen, bestehen aus spiralförmigen Komplexen aus Proteinen u. je 13 γ-*Tubulin-Mol., sowie je einem α/β-Tubulin-Dimer, gebunden am Anfang der nur einmal gewundenen Spiralen. Durch Anlagerung von weiteren α/β-Tubulin-Dimeren entstehen dann die Mikrotubuli[1]. – *E = F* centrosomes – *I* centrosomi – *S* centrosomas
Lit.: [1] Curr. Biol. **5**, 1384–1393 (1995); Nature (London) **378**, 555 f., 578–583, 638 ff. (1995).
allg.: Alberts et al., Molekularbiologie der Zelle, 3. Aufl., S. 1079 ff., Weinheim: VCH Verlagsges. 1995 ▪ Annu. Rev. Biochem. **63**, 639–674 (1994) ▪ Spektrum Wiss. **1993**, Nr. 8, 30–37.

Centurium (Symbol Ct). Ursprüngliche Bez. für das Element 100, jetzt *Fermium.

CEPA. Abk. für *Coupled Electron Pair Approximation*. Von W. Meyer (s. *Lit.*[1]) eingeführtes Verf. der *Quantenchemie (s. a. ab initio), das eine effiziente Beschreibung der durch die *Elektronenkorrelation bewirkten Effekte auf Atom- u. Mol.-Eigenschaften gestattet. Das CEPA-Verf., das als approximatives *Coupled Cluster-Verf. klassifiziert werden kann, eignet sich sowohl für die Untersuchung elektron. Grundzustände als auch angeregter Zustände. – *E* coupled electron pair approximation
Lit.: [1] J. Chem. Phys. **58**, 1017 (1973).
allg.: s. ab initio, Quantenchemie u. Theoretische Chemie.

Ceph... s. Cef... u. Cephalosporine.

Cephalosporine. Gruppe von *β-Lactam-Antibiotika mit einem den strukturell eng verwandten *Penicillinen analogen Wirkmechanismus. Den C. liegt das Grundgerüst der 7-Aminocephalosporansäure {7-ACA; (6R,7R)-3-Acetoxymethyl-7-amino-8-oxo-5-thia-1-aza-bicyclo[4.2.0]oct-2-en-2-carbonsäure; od. mit anderer Numerierung: 3-(Acetoxymethyl)-7-amino-3-cephem-4-carbonsäure} zugrunde (Formelbilder siehe S. 644).
Die C. sind analog wie die Penicilline (6R,7R)-konfiguriert u. besitzen ebenfalls eine 7β-Acylamido-Seitenkette, die auch hier für die antibakterielle Wirksamkeit essentiell ist. Natürliche C. haben D-α-Aminoadipinsäure als Acyl-Rest. Der wichtigste Vertreter ist *C*. C {7β-[(R)-5-Amino-5-carboxyvaleramido]cephalosporansäure, $C_{16}H_{21}N_3O_8S$, M_R 415,42; als Na^+-Salz lösl. in Wasser, kaum lösl. in Ethanol, Ether}, das 1953 zusammen mit Penicillin N u. C in Kulturfiltraten des Pilzes *Acremonium chrysogenum* nachgewiesen wurde. Der Strukturaufklärung folgte 1965 die Totalsynth. durch *Woodward[1]. Bei einem Screening auf β-Lactam-Antibiotika wurden 1971 die *Cephamycine* (7α-Methoxycephalosporine) als weitere wichtige Gruppe der C. isoliert, die von verschiedenen *Actinomyceten (*Streptomyceten- u. *Nocardia*-Isolaten) produziert werden. C. wirken, wie die nahe verwandten Penicilline, als Hemmstoffe der bakteriellen Zellwandsynth. auf wachsende Organismen. Zur Therapie eingesetzt werden nur halbsynthet. C., die neben oraler Wirksamkeit u. exzellenter β-Lactamase-Stabilität als Breitbandantibiotika auch Wirkung gegen Gram-neg. Erreger aufweisen. Neben der fermentativen Herst. des C.-Grundgerüsts hat in den letzten Jahren das Verf. zur chem. Ringerweiterung von Penicillinen zu C. v. a. wegen der niedrigen Penicillin-Einstandspreise breite Anw. gefunden. Die im Handel befindlichen C., die vorwiegend bei Penicillin-*Allergien verwendet werden, werden halb- bzw. totalsynthet. hergestellt. – *E* cephalosporins – *F* céphalosporines – *I* cefalosporine – *S* cefalosporinas
Lit.: [1] Angew. Chem. **78**, 557 (1966).
allg.: Angew. Chem. **97**, 183 (1985) ▪ Annu. Rev. Microbiol. **34**, 159 (1980) ▪ Crueger-Crueger (3.), S. 230 ff. ▪ Flynn, Cephalosporins and Penicillins, New York: Academic Press 1972 ▪ Gräfe ▪ Morin u. Gorman, Chemistry and Biology of β-Lactam Antibiotics, Bd. 1, Penicillins and Cephalosporins, New York: Academic Press 1982 ▪ Präve et al. (4.) ▪ Simon u. Stille, Antibiotika-Therapie in Klinik u. Praxis, New York: Schattauer 1989 ▪ Vining, Biochemistry and Genetic Regulation of Commercially Important Antibiotics, S. 73–94, London: Addison-Wesley 1983. – *Cephamycine:* Antimicrob. Agents Chemother. **2**, 122 281, 287 (1972) ▪ Heterocycles **8**, 719 (1977) ▪ J. Am. Chem. Soc. **93**, 2308 (1971) ▪ Tetrahedron Lett. **1972**, 2911. – *[HS 2941 90]*

Cephalostatine.

C.1

Gruppe von hochwirksamen Zellwachstums-Inhibitoren aus dem südafrikan. marinen Röhrenwurm *Cephalodiscus gilchristi* (Cephalodiscidae). C. 1: $C_{54}H_{74}N_2O_{10}$, M_R 911,19, $[\alpha]_D^{20}$ +30,3°. Bisher sind 12 C. bekannt (C. 1–12), die sich nur geringfügig in ihren Strukturen unterscheiden. Es sind disteroidale *Alkaloide mit zentraler 1,4-Diazin-Struktur. – *E* cephalostatins – *F* céphalostatine – *I* cefalostatine – *S* cefalostatinas
Lit.: Bioorg. Med. Chem. Lett. **5**, 2027 (1995) ▪ Can. J. Chem. **67**, 1509 (1989) ▪ J. Am. Chem. Soc. **110**, 2006 (1988); **117**, 10 157 (1995) ▪ J. Chem. Soc., Chem. Commun. **1988**, 865, 1440 ▪ J. Chem. Soc., Perkin Trans. 1 **1993**, 2865 ▪ J. Org. Chem. **57**, 6379 (1992); **60**, 608 (1995).

Cephalotaxin.

(−)-Cephalotaxin

Cephalosporine

Tab.: Struktur ausgewählter Cephalosporine.

	R^1	R^2
7-Amino-3-methyl-3-cephem-4-carbonsäure	H	H
7-Amino-cephalosporansäure	H	O—CO—CH$_3$
Cephalosporin C	HOOC–CH(NH$_2$)–(CH$_2$)$_3$–CO	O—CO—CH$_3$
Cefalotin	Thienyl–CH$_2$–CO	O—CO—CH$_3$
Cefacetril	NC–CH$_2$–CO	O—CO—CH$_3$
Cefapirin	Pyridyl–S–CH$_2$–CO	O—CO—CH$_3$
Cefalexin	C$_6$H$_5$–CH(NH$_2$)–CO	H
Cefradin	Cyclohexadienyl–CH(NH$_2$)–CO	H
Cefadroxil	HO–C$_6$H$_4$–CH(NH$_2$)–CO	H
Cefprozil	HO–C$_6$H$_4$–CH(NH$_2$)–CO	=CH–CH$_3$
Cefaloridin	Thienyl–CH$_2$–CO	Pyridinium
Cefamandol	C$_6$H$_5$–CH(OH)–CO	S–(1-methyl-tetrazolyl)
Cefazedon	3,5-Dichloro-4-oxopyridinyl-CH$_2$–CO	S–(5-methyl-1,3,4-thiadiazolyl)
Cefazolin	Tetrazolyl–CH$_2$–CO	S–(5-methyl-1,3,4-thiadiazolyl)
Cefmenoxim	2-Amino-thiazolyl–C(=N–OCH$_3$)–CO	S–(1-methyl-tetrazolyl)

	R^1	R^2
Cefoperazon	H$_5$C$_2$–N(piperazin-2,3-dion)–CO–NH–CH(4-HO–C$_6$H$_4$)–CO	S–(1-methyl-tetrazolyl)
Cefuroxim	Furyl–C(=N–OCH$_3$)–CO	O—CO—NH$_2$
Cefotaxim	2-Amino-thiazolyl–C(=N–OCH$_3$)–CO	O—CO—CH$_3$
Cefotiam	2-Amino-thiazolyl–CH$_2$–CO	S–(1-(2-dimethylaminoethyl)-tetrazolyl)
Cefetamet	2-Amino-thiazolyl–C(=N–OCH$_3$)–CO	H
Cefpodoxim	2-Amino-thiazolyl–C(=N–OCH$_3$)–CO	OCH$_3$
Cefodizim	2-Amino-thiazolyl–C(=N–OCH$_3$)–CO	S–(2-thiazolyl-5-COOH-4-methyl)
Cefepim	2-Amino-thiazolyl–C(=N–OCH$_3$)–CO	N$^+$(CH$_3$)$_2$-pyrrolidinium
Cefpirom	2-Amino-thiazolyl–C(=N–OCH$_3$)–CO	Cyclopentenopyridinium
Cefixim	2-Amino-thiazolyl–C(=N–O–CH$_2$–COOH)–CO	=CH$_2$
Ceftriaxon	2-Amino-thiazolyl–C(=N–OCH$_3$)–CO	S–(2,5-dihydro-6-hydroxy-2-methyl-5-oxo-1,2,4-triazinyl)
Ceftazidin	2-Amino-thiazolyl–C(=N–O–C(CH$_3$)$_2$–COOH)–CO	Pyridinium

$C_{18}H_{21}NO_4$, M_R 315,37, Krist., Schmp. 119–121 °C, $[\alpha]_D^{30}$ –161,3° (c 0,8/CHCl$_3$); andere Angabe: Schmp. 132 °C, $[\alpha]_D^{25}$ –204° (c 1,8/CHCl$_3$). Hauptalkaloid aus *Cephalotaxus harringtonia*. C. zeigt antileukäm. Aktivität wie seine Ester Harringtonin u. Homoharringtonin. – *E* cephalotaxine – *F* céphalotaxine – *I* cefalotassina – *S* cefalotaxina
Lit.: Chem. Pharm. Bull. **41**, 276 (1993) ▪ J. Am. Chem. Soc. **116**, 9791 (1994) ▪ J. Org. Chem. **60**, 115–119 (1995) (Synth.). – [CAS 24316-19-6]

Cephamycine s. Cephalosporine.

Cephemcarbonsäure s. Cephalosporine.

Cephoral®. Filmtabl., Suspension u. Trockensaft mit dem Cephalosporin-Antibiotikum *Cefixim-Trihydrat. *B.*: Merck.

CEP-Regeln (Casey-Evans-Powell-Regeln). Benennungs- u. Numerierungsregeln für Dreiecknetz-Polyeder u. ihre Derivate (höhere *Borane u. a. *Cluster-Verbindungen; IUPAC-Regel I-10.8.3.3). CEP-Bez.: 1. Zahl der Polyederecken (Vertizes; kursives *v*), 2. Polyeder-Symmetriesymbol (*Schönflies-System), 3. Vertex-Anzahl in jeder zur Hauptachse senkrechten Ebene u. *Koordinationszahlen als Indizes, 4. Symbol Δ u. Dreieckflächenzahl als Index, 5. kursives Präfix *closo*- u. 6. ggf. Symbole für Strukturabwandlungen (s. a. commo-); *Beisp.*: 1,12-Dicarba-(12*v*) [I_h-(1$v^5$5$v^5$1v^5)-Δ^{20}-*closo*]-dodecaboran(12) = *p*-*Carboran. In CEP-Bez. kann man redundante Symbole weglassen. – *E* CEP rules – *F* règlements CEP – *I* regole di CEP – *S* reglas de CEP
Lit.: Block, Powell u. Fernelius, Inorganic Chemical Nomenclature, S. 102ff., Washington DC, USA: ACS 1990 ▪ Inorg. Chem. **22**, 2228, 2236 (1983); **23**, 4132 (1984).

Cer (Cerium). Metall. Element, chem. Symbol Ce, Ordnungszahl 58, Atomgew. 140,12. Natürliche Isotope: 136 (0,193%), 138 (0,250%), 140 (88,48%), 142 (11,07%). Daneben sind künstliche Isotope u. Isomere mit HWZ zwischen 6 s u. 284,9 d bekannt, von denen v. a. ^{144}Ce als Radioindikator Verw. gefunden hat. Ce ist ein *Seltenerdmetall u. gehört zur Gruppe der *Lanthanoide. Das reine Ce hat die Farbe u. den Glanz des Eisens, D. 6,67–8,23 (in Abhängigkeit von der allotropen Form), Schmp. 795 °C, Sdp. 3468 °C. An der Luft zeigt es infolge Oxid. allmählich gelbe Anlauffarben. Ce ist nur etwa so hart wie Zinn u. sehr dehnbar. Es verbrennt beim Erhitzen an der Luft mit noch hellerer Flamme als Mg; mit reinem O_2 reagiert es schon bei 150 °C. Mit Halogenen erfolgt oberhalb 200 °C sehr lebhafte Reaktion, bei hohen Temp. auch mit C, N, B u. H unter Bildung von Verb., deren Zusammensetzung von den Reaktionsbedingungen abhängen. Auch mit Si, P, S, Se, Te u. a. kann Ce umgesetzt werden. Von Wasser wird es angegriffen, verd. Mineralsäuren lösen es rasch. In seinen Verb. tritt Ce in den Oxidationsstufen +3 u. +4 auf. Von den übrigen Lanthanoiden kann Ce durch Ionenaustausch od. durch Oxid. zum Ce^{4+}, z. B. durch Peroxodisulfate, u. anschließende Fällung als $(NH_4)_2[Ce(NO_3)_6]$ in salpetersaurer Lsg. abgetrennt werden.
Nachw.: Als Ce^{4+} u. a. mit Arsanilsäure, mit der es orange od. braune Verb. bildet, mit *o*-Tolidin od. Oxin. Quant. läßt sich Ce in größeren Mengen durch Titration von Ce^{4+} mit FeSO$_4$-Lsg. in schwefelsaurem Milieu bestimmen; die Endpunktserkennung ist potentiometr. od. mit Ferroin möglich, s. a. Oxidimetrie. Kleinere Mengen werden durch Atomabsorption u. Flammenphotometrie erfaßt.
Vork.: Wichtige Rohstoffe für die Ce-Gewinnung sind *Bastnäsit, *Monazit, *Allanit u. *Cerit, s. a. Ceriterden. Etwa 0,0046% der obersten, 16 km dicken Erdkruste bestehen aus (chem. gebundenem) Ce. Dieses Metall ist also häufiger als z. B. Arsen, Blei, Brom, Platin, Quecksilber, Silber u. Zinn; da es aber in den Erstarrungsgesteinen nur in geringen Mengen vorliegt u. nur selten in abbauwürdigen Lagerstätten vorkommt, wurde es verhältnismäßig spät entdeckt.
Herst.: Durch Red. von Cerfluorid mit Ca od. durch Elektrolyse von geschmolzenem Cerchlorid od. anderen Halogeniden. Die Gewinnung des reinen Metalls ist jedoch in der Technik nur von geringer Bedeutung.
Verw.: Ce wird in der Hauptsache in Form von Leg. (s. Cer-Mischmetall) für techn. Zwecke eingesetzt, auch in magnet. Werkstoffen[1]. *Cer(IV)-Verbindungen spielen als starke Oxidationsmittel in der präparativen organ. Chemie u. der Maßanalyse (*Cerimetrie*, s. Oxidimetrie) eine bedeutende Rolle. Ce dient zur Stabilisierung von Gläsern gegen radioaktive Strahlung u. Röntgenstrahlen, zur Herst. von Katalysatoren, Ce^{3+}-Verb. auch zur Herst. von Fernsehleuchtstoffen.
Geschichte: Entdeckt wurde Ce 1803 von Klaproth u., unabhängig von ihm, von Berzelius u. Hisinger, die das Element nach dem 1801 entdeckten Planetoiden Ceres benannten. 1825 stellte Mosander Ce aus Cerchlorid durch Red. mittels Natrium dar, u. 1875 gewannen es Hillebrand u. Norton in unreiner Form auf elektrochem. Wege aus geschmolzenem Cerchlorid. – *E* cerium – *F* cérium – *I* = *S* cerio
Lit.: [1] Goldschmidt inform **1979**, Nr. 2, 10–14.
allg.: Kirk-Othmer (4.) **5**, 728–749 ▪ Pure Appl. Chem. **40**, 223–258 (1974) ▪ Snell-Ettre **9**, 246ff. ▪ Ullmann (5.) **A6**, 139–152 ▪ Winnacker-Küchler (4.) **2**, 678–707 ▪ s. a. Lanthanoide u. Seltenerdmetalle. – [CAS 7440-45-1]

Cera. Latein. Bez. für *Wachs, z. B. cera alba bzw. flava (s. Bienenwachs), *cera liquida, cera mineralis alba (s. Ceresin).
Lit.: DAB 10 u. Komm. (Wachs) ▪ Hager (4.) **7b**, 498–511.

CERACOLOR®. Keram. Farben. *B.*: Cerdec AG Keramische Farben.

Cerafil®. Anionaktiver Phosphorsäureester, auch in Kombination mit sulfoniertem Öl, als Weichmachungsmittel u. Egalisiermittel in der Textilfärbung. *B.*: Dr. Th. Böhme KG.

Cera liquida. Flüssigwachs aus Ölsäureestern verschiedener Fettalkohole (vorwiegend Decanol), das ähnliche Eigenschaften u. Verw. aufweist wie *Cetiol.

Ceralox®. Ultrareine Aluminiumoxide, bis 99,999% Al_2O_3, für synthet. Saphire, spezielle Transluzent-Keramik, Bio-Keramik, Schneidwerkzeuge u. Spezialpoliermittel. *B.*: Condea.

Ceramid-Complexe CLR. In aktivierter Form, für pflegende Kosmetika. *B.*: CLR.

Ceramide (von latein.: cerebrum = Gehirn). Bez. für körpereigene, bes. in der *Hirnsubstanz u. im *Myelin des ZNS gebunden anzutreffende lipophile Amide der allg. Formel

$$R-CO-NH\ \overset{OH}{\underset{|}{C}}-(CH_2)_{12}-CH_3$$
$$HO-CH_2-\overset{H}{\underset{|}{C}}-\overset{}{\underset{|}{C}}-\overset{H}{\underset{|}{C}}$$

mit R = langkettiger Alkyl-Rest. Der ungesätt. Aminodiol-Rest heißt *4-Sphingenin* (*Sphingosin). Im Organismus liegen die C. in Bindung über Kohlenstoff-Atom [1] als Cholinphosphatester (*Sphingomyeline) od. als Glykoside vor (*Cerebroside, *Ganglioside u. *Sulfatide). Beide Gruppen faßt man als *Sphingolipide zusammen; Störungen im enzymat. Auf- od. Abbau dieser Membranbausteine resultieren in – ggf. erblichen – Stoffwechselerkrankungen. C. wirken als intrazelluläre Signalübertrager (*second messenger) für *Tumornekrose-Faktor α u. *Interleukin 1[1]. – *E* ceramides – *F* céramides – *I* ceram(m)idi – *S* ceramidas
Lit.: [1] J. Biol. Chem. **269**, 3125 f. (1994).

Cerammoniumnitrat s. Cer-Verbindungen.

CERAN®. Laborschutzplatten, Laborkocher von Schott.

CERAPHYL® KONDITIONIERMITTEL. CERAPHYL® 60: Gluconamidopropyl-dimethyl-2-hydroxy-ethyl-ammonium-chloride, wasserlösl.; CERAPHYL® 65: Mink-amidopropyl-dimethyl-2-hydroxy-ethyl-ammonium-chloride u. Propylenglykol, wasserlösl.; CERAPHYL® 70: Stearamidopropyl-dimethyl-(myristyl-acetate)-ammonium-chloride u. Propylenglykol, öllösl.; CERAPHYL® 85: Stearamidopropyl-cetearyl-dimonium-tosylate u. Propylenglykol, öllöslich. Milde kation. Konditioniermittel für Haarpflege- u. Hautpflegeprodukte. *B.:* ISP.

CERDECAL®. Keram. Farben, Edelmetall-Präp. u. Dekorationshilfsmittel für silicat. Unterlagen. *B.:* Cerdec AG Keramische Farben.

Cerebrodiene.

$$HO\underset{NH_2}{\diagdown}\diagup\diagdown\diagup\diagdown\diagup\diagdown\diagup\diagdown CH_3$$
C. A

Mit den *Sphingosinen strukturverwandte Hirnlipide, die für die Auslösung von Schlaf Bedeutung haben, z. B. *C. A*, $C_{18}H_{35}NO$, M_R 281,48, Feststoff. – *E* cerebrodienes – *F* cérébrodiène – *I* cerebrodieni – *S* cerebrodienas
Lit.: Chem. Unserer Zeit **29**, 21 (1995) ▪ Proc. Natl. Acad. Sci. USA **91**, 9505 (1994).

Cerebroforte®. Tabl. u. Flüssigkeit mit *Piracetam gegen Hirnleistungsstörungen im Alter. *B.:* Azupharma.

Cerebroside.

$$R^1\diagup\diagdown\underset{NH-R^2}{\overset{OH}{\diagdown\diagup}}O-R^3$$

R[1] = langkettiger Alkyl-Rest
R[2] = Fettsäure-Rest
R[3] = β-D-Galactopyranosyl od. β-D-Glucopyranosyl

C. ist die allg. Bez. für eine Gruppe von Glykolipiden, die aus *Sphingosin, einer Fettsäure u. einem Monosaccharid (meistens Galactose) aufgebaut sind. Sie kommen stets als Gemische vor u. sind wichtige Bestandteile von Fetten, insbes. im Hirn- u. Nervengewebe. Bei pflanzlichen C. kommen auch mehrfach ungesätt., verzweigte Alkyl-Reste R^1, sowie α-Hydroxyfettsäuren als Acyl-Komponenten vor. Die C. haben antifung. Eigenschaften – *E* cerebrosides – *F* cérébrosides – *I* cerebrosidi – *S* cerebrósidos
Lit.: Angew. Chem. **97**, 60 (1985), engl.: **24**, 65 ▪ J. Antibiot. **41**, 469 (1988) ▪ Luckner (3.), S. 150 ff. ▪ Tetrahedron **41**, 2369–2386 (1985).

Cereisen. Mischung aus ca. 60% *Cer-Mischmetall mit ca. 30% Eisen. In fester Form verwendet als *Zündstein in Feuerzeugen, in pulvriger Form früher als Blitzlichtpulver. – *E* cerium misch metal iron alloy – *F* ferro-cérium – *I* cerioferro – *S* ferrocerio

Čerenkov, Pavel Alekseyevich (1904–1990), Prof. für Physik, Akademie der Wissenschaften der Sowjetunion. Er erhielt 1958 zusammen mit *Tamm u. I. *Frank für die Entdeckung u. Interpretation des Phänomens der *Čerenkov-Strahlung den Nobelpreis für Physik.
Lit.: The New Encyclopaedia Britannica (15.), Bd. 3, Chicago: University of Chicago 1991.

Čerenkov-Strahlung (Cherenkov-, Tscherenkow-Strahlung). Eine 1934 vom russ. Physiker *Čerenkov erstmals beobachtete u. 1937 von I. M. *Frank u. I. E. *Tamm (gemeinsamer Physik-Nobelpreis 1958) theoret. gedeutete Lichtemission, deren Maximum im blauen Spektralbereich liegt. C.-S. tritt immer dann auf, wenn geladene *Teilchen (Elektronen, Protonen u. Positronen) ein transparentes Medium mit einer Geschw. durchdringen, die größer als die Phasengeschw. (Quotient aus Lichtgeschw. im Vak. u. Brechungsindex) des Lichtes ist. Der Effekt läßt sich vergleichen mit der Druckwelle eines mit Überschallgeschw. bewegten Flugkörpers; seine theoret. Grundlagen liegen im Bereich der Quantenmechanik. Die C.-S. wird u. a. in Schwerwasser-Reaktoren als blaues Leuchten beobachtet. Eine Anw. findet sie z. B. in *Čerenkov-Zählern* zur Messung der Teilchenenergien; als Medium fungieren Flüssigkeiten, Plexiglas u. dgl., heute bevorzugt Bleisilicatgläser[1]. – *E* C(h)erenkov radiation – *F* rayonnement Cerenkov – *I* radiazione Čerenkov – *S* radiación de Čerenkov
Lit.: [1] Fabjan, Detectors, Particle and Calorimetric, in Encycl. of Applied Physics, Bd. 4, S. 485–502, Weinheim: VCH Verlagsges. 1992.
allg.: Bergmann u. Schaefer, Lehrbuch der Experimentalphysik, Bd. 4, Berlin: de Gruyter 1992.

Cer-Epidot s. Allanit.

Ceres®. Sortiment in organ. Lsm. lösl. *Azo- u. *Anthrachinon-Farbstoffe zum Färben von Ölen, Wachsen, Benzin u. dgl. Einige C.-Farbstoffe sind als Kosmetika- u./od. Lebensmittelfarbstoffe zugelassen. *B.:* Bayer.

Ceresin (Zeresin, Mineralwachs, cera mineralis alba). Farbloses, geruchloses, geschmackfreies Wachs, Schmp. 58–80 °C (gereinigt 70–75 °C), D. 0,91–0,94, n_D^{80} 1,435, IZ<1; lösl. in vielen organ. Lsm., unlösl. in Wasser. C. ist ein Gemisch normaler, verzweigtkettiger u. ringförmiger gesätt. Kohlenwasserstoffe, das durch Raffination von Ozokerit-Erdwachs (Kohlenwasserstoff-Wachs) fossilen Ursprungs gewonnen wird. Lagerstätten liegen z. B. in Galizien, den USA (Utah-Wachs) u. Mexiko. Von Paraffin unterscheidet sich C. durch seinen höheren Schmp. u. seine Zähigkeit. C. wird in Schuh-, Holz- u. Möbelpflegemitteln verwendet; es dient zur Herst. von Kerzen, Wachspapieren u. Modelliermassen. – *E* ceresin – *F* cérésine – *I* = *S* ceresina

Lit.: Seifen, Öle, Fette, Wachse **91**, 74 (1965) ■ s. a. Bienenwachs. – *[HS 2712 90]*

Ceresit®. Bauchem. Produkte wie Fliesenkleber, Fugenmassen, Grundierungen, Abdichtprodukte, Bodenspachtelmassen u. -Kleber, Polyurethanschaum u. Putze für den Heimwerker. *B.:* Henkel.

Ceri... Veraltete Bez. für Ce(IV)-Verb. (*Cer-Verbindungen).

Ceridust®. Mikronisierte *PE- u. *PTFE-*Wachse als Scheuerschutz in Druckfarben, als Gleit- u. Mattierungsmittel in Lacken; organ. Füllstoffe. *B.:* Hoechst.

Cerimetrie s. Oxidimetrie.

Cerinol®. Sortiment von Bautenschutzmitteln, z.B. Betonzusatzmittel, Blitzzemente, Bodenausgleichsmassen u. Werktrockenmörtel zur Betonsanierung. *B.:* Deitermann.

Cerit. $(SE,Ca)_9(Mg,Fe^{3+})(SiO_4)_6(Si_3OH)(OH)_3$; wasserhaltiges Ca-Ce-Silicat mit Gehalt an Lanthan u. a. Seltenerdmetallen (SE). Pseudo-oktaedr., trigonale, wachsartig glänzende Krist., meist aber derb feinkörnig; Krist.-Klasse $3m-C_{3v}$, Struktur s. *Lit.*[1]. Rötlich nelkenbraun, H. 5–5,5, D. 4,8–4,9. Trotz des beachtlich hohen Gehaltes an *Seltenerdmetallen spielt das Mineral für deren Gewinnung wegen seiner Seltenheit nur eine untergeordnete Rolle. In C. entdeckte *Berzelius das Element Cer.

Vork.: Bastnäs/Schweden, Mountain Pass/Californien, Jamestown/Colorado, Quebec/Kanada u. Ural/Rußland. – *E* = *I* cerite – *F* cérite – *S* cerita

Lit.: [1] Am. Mineral. **68**, 996–1003 (1983).
allg.: Anthony et al., Handbook of Mineralogy, Vol. II, Tl. 1, S. 123, Tucson (Arizona): Mineral Data Publishing 1995 ■ Ramdohr-Strunz, S. 683. – *[HS 2846 10; CAS 12197-54-5]*

Ceritchloride s. Ceriterden.

Ceriterden (leichte Seltene Erden). Gruppenbez. für die Oxide der 6 ersten *Seltenerdmetalle (SE) Lanthan, Cer, Praseodym, Neodym, Samarium u. Europium – die übrigen *Seltenen Erden* werden *Yttererden genannt. Die wichtigsten C.-Mineralien sind *Bastnäsit u. *Monazit, ferner *Cerit u. *Allanit. Aus den erstgenannten gewinnt man die sog. *Ceritchloride* ($SECl_3 \cdot 6H_2O$), die umgerechnet 15–30% La_2O_3, 45–55% CeO_2, 4–6% Pr_6O_{11}, 10–20% Nd_2O_3, 0,5–5% Sm_2O_3, bis 0,2% Eu_2O_3 sowie <5% andere Seltenerdoxide enthalten u. zur Herst. von elementaren SE, *Cer-Mischmetall, SE-Katalysatoren, SE-Verb. u. Polierpulvern dienen. – *E* cerite earths – *F* terres de cérites – *I* terre di cerite – *S* tierras de la cerita, tierras ceríticas

Lit.: s. Seltenerdmetalle.

Cerium s. Cer.

Cermalloy®. Auf der Basis von Edelmetallen od. Unedelmetallen hergestellte Pasten, insbes. Leiterpasten, Widerstandspasten u. dielektr. Pasten für elektrotechn., insbes. elektron. Zwecke sowie deren Ausgangsmaterialien. *B.:* Heraeus GmbH.

Cermets. Von *E cer*amics u. *met*als abgeleitete u. mit *Metallkeramiken* od. *Kerametalle* übersetzte Bez. für eine Gruppe von Werkstoffen aus zwei getrennten Phasen (einem metall. u. einem keram. Bestandteil), die sich in Härte u. Schmp. voneinander unterscheiden. Der keram. Anteil (z. B. *Oxidkeramiken) bewirkt große Härte, hohen Schmp., bedeutende Wärmefestigkeit u. Zunderbeständigkeit. Der metall. Anteil verbessert die Temp.-Wechselbeständigkeit, Zähigkeit u. Schlagfestigkeit. Eine Zusammenstellung von möglichen Komponenten bringt die Tabelle.

Tab.: Mögliche Komponenten von Cermets.

Cermets	Keram. Tl.	Metall. Tl.
Oxid-	Al_2O_3	Al, Be, Co, Cr, Fe, Cr–Ni–Fe
	CdO	Ag
	Cr_2O_3	Cr
	MgO	Al, Be, Co, Fe, Mg
	SiO_2	Cr, Si
	ThO_2	W
	U_3O_8	Al
	ZrO_2	Mo, Zr
Carbid-	Cr_3C_2	Ni
	SiC	Al, Co, Cr, Si
	TaC	Co, Fe, Ni
	TiC	Co, Cr, Fe, Mo, Ni, W, Superleg.
	WC	Co
Borid-	Cr_3B_2	Ni, Ni–Al
	TiB_2	Co, Fe, Ni
	ZrB_2	Co, Fe, Ni, Ni–Al
Silicid-	$MoSi_2$	Co, Cr, Fe, Ni, Pt
Nitrid-	TiN	Ni

Herst.: Gewöhnlich vermischt man die keram. Pulver mit den Metallpulvern, preßt das Gemisch unter hohem Druck zu Formlingen, sintert in neutraler od. schwach saurer, reduzierender Atmosphäre (s. Pulvermetallurgie), mahlt das Produkt u. bringt es z. B. durch *Flammspritzen auf das zu schützende Metall od. durch Preßformen unter hohem Druck in die gewünschte Form.

Verw.: Z. B. zur Auskleidung von Verbrennungskammern von Düsentriebwerken im Flugwesen u. in der Raketentechnik, für Tiegel u. Schutzrohre bei hohen Temp., für Schweißelektroden, als Kathoden- u. Widerstands-Heizleitermaterial, für Kontaktwerkstoffe, ferner als fester Kernbrennstoff in Reaktoren. – *E* = *F* cermets – *I* metalloceramiche – *S* cermetes, cerametales

Lit.: Kirk-Othmer (3.) **4**, 209; **5**, 256, 288 ■ Ullmann (4.) **3**, 28; **19**, 575; (5.) A **6**, 74–75 ■ Winnacker-Küchler (4.) **3**, 179; **4**, 607–608.

Cer-Mischmetall (CeMM). In seinen Erzen tritt Cer in höherer Konz. stets mit den anderen *Seltenerdmetallen La, Pr, Nd, Sm, Eu in den Mineralien *Bastnäsit u. *Monazit auf. Aufgrund sehr ähnlicher Eigenschaften dieser Metalle sind sie nur schwer zu separieren, so daß in vielen Fällen die Anw. als C.-M. mit 50–60% Ce, 25–30% La, 10–15% Nd, 4–6% Pr u. 1% Fe sowie geringen Anteilen weiterer Seltenerdmetalle erfolgt.

Anw.: 1. Feinverteiltes C.-M. ist pyrophor. Durch Zusatz von Fe erzeugt man *Zündsteine (*Cereisen, Auermetall). 2. Wegen hoher Affinität zu Sauerstoff u. Schwefel wird C.-M. in der Stahlmetallurgie eingesetzt. 3. Als Legierungselement in *Stahl erhöht C.-M. dessen Zähigkeit. – *E* misch metal of cerium, mixed cerium metals – *F* métal á base dde Cérium – *I* metallo misto di cerio – *S* metal de cerio mixto – *[HS 2805 30]*

CERN. Abk. für *Co*nseil *E*uropéen (jetzt: Organisation Européenne) pour la *R*echerche *N*ucléaire mit Sitz in Meyrin, CH-1211 Genève 23 (Schweiz). Das Europ. Laboratorium für Teilchenphysik wurde 1954 gegr. u. ist ein auf beiden Seiten der französ.-schweizer. Grenze betriebenes Großforschungszentrum, das sich insbes. mit Fragen der Hochenergiephysik beschäftigt. CERN untersucht die aller Materie zugrundeliegenden Teilchen u. Kräfte u. unterhält zu diesem Zweck einen Komplex von Beschleunigern: Ein 28 GeV Protonensynchrotron (PS), ein 450 GeV Super-Protonensynchrotron (SPS), das auch als Protonen-Antiprotonenkollider (SppS) mit bis zu 900 GeV funktionieren kann u. ein $2 \cdot 51$ GeV Elektron-Positron-Ringkollider (LEP). Zu den Forschungsanlagen gehören auch modernste visuelle u. elektron. Teilchendetektoren sowie Datenverarbeitungsanlagen. CERN wird von 19 europ. Staaten finanziert. Die *Mitgliedstaaten* sind: Belgien, Dänemark, BRD, Finnland, Frankreich, Griechenland, Großbritannien, Italien, Niederlande, Norwegen, Österreich, Polen, Portugal, Schweden, Schweiz, Slowakische Republik, Spanien, Tschechische Republik, Ungarn. Etwa 3100 festangestellte Mitarbeiter betreiben das Laboratorium, das von über 6200 Wissenschaftlern aus Universitäten u. Forschungsinst. der ganzen Welt, insbes. jedoch aus den Mitgliedstaaten, für kürzere od. längere Forschungsaufenthalte genutzt wird. INTERNET-Adresse: http://www.cern.oh.

Cernilton®. Kapseln mit Extraktum Pollinis sicc., *Glutaminsäure u. *Stigmasterin als Urologikum. *B.:* Strathmann.

Cerotinsäure (Hexacosansäure). $H_3C-(CH_2)_{24}-COOH$, $C_{26}H_{52}O_2$, M_R 396,70. Krist., D. 0,836, n_D^{100} 1,430, Schmp. 88°C, unlösl. in Wasser, leicht lösl. in siedendem Alkohol u. Ether, kommt verestert im *Bienenwachs, Wollwachs, Palmblätter- u. Gräserwachsen sowie in Tuberkelbazillen (*Mycobacterium tuberculosis*) vor. Name von griech.: kerotos = wachsig. – *E* cerotic (cerinic) acid – *F* acide cérotique – *I* acido cerotico – *S* ácido cerótico
Lit.: Beilstein E IV **2**, 1310 f. ■ Ullmann (5). **A 10**, 247. – *[HS 2915 90; CAS 506-46-7]*

Cerson®. Creme, Salbe, Liquidum mit *Flumetason-21-pivalat zur top. Ekzem- u. Psoriasis-Therapie. *B.:* LAW.

Certistain®. Farbstoffe für die Mikroskopie. *B.:* Merck.

Cerucal®. Tabl. u. Injektionslsg. mit dem Dopamin-D_2-Antagonisten, Peristaltik-Anreger u. Antiemetikum *Metoclopramid. *B.:* AWD.

Cerulenin (2,3-Epoxy-4-oxo-7,10-dodecadiensäureamid, Helicocerin).

$C_{12}H_{17}NO_3$, M_R 223,27, Nadeln, Schmp. 84,5°C [(–)-Form] bzw. 93°C [(+)-Form]. Antifung. Antibiotikum

aus Kulturen von *Cephalosporium caerulens*, das die Fettsäure- u. Steroid-Biosynth. hemmt[1]. C. hemmt die Wirkung tox. *Lektine (*Ricin, *Abrin), die über einen Bindungsmechanismus in die Zellen eingeschleust u. in den Golgi-Apparat transportiert werden, durch Unterbindung ihrer Freisetzung im endoplasmat. Reticulum[2]. – *E* cerulenin – *I* cerulenina
Lit.: [1] J. Biochem. **71**, 783 (1972). [2] Chem. Unserer Zeit **27**, 180 (1993).
allg.: Beilstein E V **18/8**, 201. – *Review.:* Methods Enzymol. **72**, 520 (1981). – *Synth.:* Chem. Pharm. Bull. **36**, 1229 (1988); **40**, 2945-2953 (1992). – *[CAS 17397-89-6]*

Ceruletid. Internat. Freiname für synthet. *Caerulein.

Cerumenex®. Tropfen mit Ölsäure-Polypeptid-Kondensat zur Entfernung von Ohrenschmalz, zur Reinigung des Gehörgangs vor lokalen Behandlungen. *B.:* Mundipharma GmbH.

Cerussa s. Bleiweiß.

Cerussit (Weißbleierz). $PbCO_3$; lokal wichtiges Bleierz, krist. rhomb.-dipyramidal, Krist.-Klasse mmm-D_{2h}; isotyp mit *Aragonit, zur Struktur s. *Lit.*[1]. Formenreiche tafelige, säulige, nadelige, spießige, durch Bildung von *Zwillingen oft pseudohexagonale, wabenartige od. sternförmige, fettig diamantartig glänzende, farblose, weiße, graue od. gelbe Krist.; auch derb od. nierenförmig; H. 3–3,5, D. 6,4–6,6.
Vork.: In den *Oxidationszonen von *Bleiglanz-Lagerstätten, z. B. Tsumeb/Namibia, Broken Hill/Sambia, Leadville/Colorado, Pribram/Böhmen, Mibladen u. Touissit/Marokko, Harz. – *E* = *I* cerussite – *F* cérussite, cérusite – *S* cerusita
Lit.: [1] Z. Kristallogr. **199**, 67–74 (1992).
allg.: Lapis **4**, Nr. 11, 5 ff. (1979) ■ Ramdohr-Strunz, S. 576 ■ Schröcke-Weiner, S. 540 ff. – *[HS 2607 00; CAS 14476-15-4]*

Cerutil®. Filmtabl. mit *Meclofenoxat-Hydrochlorid gegen Demenz. *B.:* Isis Pharma.

Cer-Verbindungen. Entsprechend seiner Drei- u. Vierwertigkeit bildet Ce zwei Reihen von Verb., von denen die Ce(III)-Salze prakt. farblos, die Ce(IV)-Salze durchweg gefärbt sind. Die sauren Lsg. der Ce(IV)-Salze wirken stark oxidierend, was z. B. in der organ. Chemie präparativ u. in der analyt. Chemie (s. Oxidimetrie) ausgenutzt wird. Die wichtigsten Vertreter der C.-V. sind:
(a) *Cer(IV)-ammoniumnitrat* [Ammoniumhexanitratocerat(IV), CeAN], $(NH_4)_2Ce(NO_3)_6$, M_R 548,23. Orange Krist., dienen als Oxidationsmittel in der organ. Chemie[1] u. als Urtitersubstanz in der Cerimetrie.
(b) *Cer(III)-chlorid*, $CeCl_3$, M_R 246,48. Farblose Krist., D. 3,92, Schmp. 817°C, Sdp. 1727°C, zur Herst. von Glühstrümpfen.
(c) *Cer(III)-nitrat*, $Ce(NO_3)_3$, M_R 326,13. Farblose Krist., Zers. bei 150°C, als Katalysator in der organ. Synth. u. zur Trennung des Ce von den übrigen Lanthanoiden, ferner in der Photographie als Abschwächer u. bei der Herst. von Glühstrümpfen verwendet.

(d) *Cer(IV)-oxid*, CeO$_2$, M$_R$ 172,12. Schwach gelbliches Pulver, Poliermittel für opt. Gläser, als Antireflex-Beschichtung für Infrarotfilter, in der Cerimetrie u. als Katalysator in der organ. Synth., beim Bau von Farbfernsehröhren.

(e) *Cer(IV)-sulfat*, Ce(SO$_4$)$_2$, M$_R$ 332,24. Tiefgelbe Krist., D. 3,91, Schmp. 195 °C. Bildet ein Tetrahydrat, wird in der Cerimetrie, bei der Anilin-Schwarzfärbung, in der Photographie als Abschwächer, als Reagenz für Santonin, Strychnin u. Phenole verwendet. – *E* cerium compounds – *F* composés de cérium – *I* composti di cerio – *S* compuestos de cerio

Lit.: [1] Synthesis **1972**, 560–563; **1973**, 206, 347–354; **1978**, 472–474.
allg.: Brauer (3.) **2**, 1069 ff., 1090 f. ▪ Kirk-Othmer (5.) **5**, 728–749 ▪ Richardson, in Wiberg, Oxidation in Organic Chemistry, Part A, S. 244–277, New York: Academic Press 1965 ▪ s. a. Cer. – *[HS 2846 10; CAS 16774-21-3 (a); 7790-86-5 (b); 1306-38-3 (d); 13590-82-4 (e)]*

Cerylalkohol s. Wachsalkohole.

CESIO. Abk. für *Comité Européen des Agents de Surface et leur Intermédiaires Organiques*, gegr. 1974. CESIO setzt sich aus 7 nat. Ind.-Verbänden, die ihrerseits knapp 100 *Tensid-Hersteller vertreten, 10 Direktmitgliedern (internat. operierenden Chemieunternehmen), 2 wissenschaftlichen Mitglieds-Organisationen u. *A.I.S.E. (assoziierte Mitgliedschaft) zusammen (1996); Verbandssitz ist Brüssel.

Cestocur®. Breitspektrum-Bandwurmmittel für Schafe. *B.:* Bayer.

Cestoden s. Anthelmintika, Parasiten u. Würmer.

Cetaceum s. Walrat.

Cetal®. Ampullen u. Kapseln mit *Vincamin gegen cerebrale Durchblutungsstörungen. *B.:* Parke-Davis.

Cetalkoniumchlorid.

$$\left[H_5C_6-CH_2-\overset{+}{\underset{CH_3}{\underset{|}{N}}}{\overset{CH_3}{\overset{|}{}}}-CH_2-(CH_2)_{14}-CH_3 \right] Cl^-$$

Internat. Freiname für das antisept. u. bakterizid wirkende Benzyl-hexadecyl-dimethylammonium-chlorid, C$_{25}$H$_{46}$ClN, M$_R$ 396,10. C. ist ein Vertreter der *Benzalkoniumchloride. – *E* cetalkonium chloride – *F* chlorure de cétalconium – *I* cloruro di cetalconio – *S* cloruro de cetalconio

Lit.: Beilstein E IV **12**, 2168 ▪ s. a. quartäre Ammonium-Verbindungen. – *[HS 2923 90; CAS 122-18-9]*

Cetan s. Hexadecan u. Cetan-Zahl.

Cetanol s. 1-Hexadecanol.

Cetan-Zahl (Kurzz. CZ od. CaZ). Eine der *Octan-Zahl (OZ) analoge Kennziffer für die *Zündwilligkeit* eines *Dieselkraftstoffs, die um so größer ist, je kürzer die Zeit (*Zündverzug*) zwischen Kraftstoffzuführung in den Motorzylinder u. der Entzündung ist; Näheres s. bei Dieselkraftstoffe. Die CZ gibt an, wieviel Vol.-% Cetan (*Hexadecan) in einem Gemisch Cetan/1-*Methylnaphthalin enthalten sind, das in einem BASF- od. CFR-Prüfmotor (*Cooperative Fuel Research Committee*) dieselbe Zündwilligkeit wie der zu prüfende Dieselkraftstoff selbst hat. Reines Cetan hat definitionsgemäß CZ 100, das bes. zündunwillige 1-Methylnaphthalin CZ 0. Wenn z. B. ein Gasöl (für Dieselmotoren) die CZ 60 hat, so besagt das, daß ein solches Öl ebenso zündwillig ist wie ein Cetan-Methylnaphthalin-Gemisch mit 60 Vol.-% Cetan. Je höher die CZ, um so zündwilliger ist der Kraftstoff. Einige Treibstoffe erreichen CZ über 100, sind also noch zündwilliger als Cetan. Aromaten u. verzweigte Alkane haben niedrige CZ (dagegen hohe OZ), unverzweigte Alkane hohe CZ (u. niedrige OZ). Ist die OZ eines Kraftstoffs bekannt, so läßt sich die CZ nach der empir. Beziehung CZ $\approx$ 60 - $\frac{1}{2}$ OZ abschätzen. Dtsch. Braunkohlenteeröle können z. B. CZ 35, handelsübliche Dieselkraftstoffe CZ 48 haben. Anstelle von 1-Methylnaphthalin wird seit kurzem das synthet. zugängliche *2,2,4,4,6,8,8-Heptamethylnonan (HMN) als zündträger Treibstoff vorgezogen, das eine CZ von 15 hat. Damit berechnet sich die CZ = Vol.-% Cetan + 0,15 Vol.-% HMN; ein Gemisch von 45% Cetan u. 55% HMN hat also eine CZ von 53. Früher wurde statt Cetan der ungesät. Kohlenwasserstoff *Ceten* benutzt; die CZ liegt ca. 13% niedriger als die *Cetenzahl* (Abk. CeZ). Durch Zündverbesserer kann die CZ angehoben werden, als Additive haben sich bes. Alkylnitrate, z. B. Isopropyl-, Amyl-, Cyclohexyl- od. Octylnitrat, ferner organ. Nitrite, Nitro-Verb. od. Peroxide bewährt. – *E* cetane number – *F* indice de cétane – *I* numero di cetano – *S* índice de cetano

Lit.: DIN 51 773 (07/1971) ▪ Kirk-Othmer (3.) **11**, 683 ▪ McKetta **2**, 68 f. ▪ Ullmann (4.) **12**, 576 ff. ▪ Winnacker-Küchler (4.) **5**, 71, 145 ff.

Ceten(zahl) s. Cetan-Zahl.

Cetin s. Walrat.

Cetiol®. Sortiment von Ölkomponenten, Überfettungsmittel für Cremes, Emulsionen, Salben, Schaum- u. Duschbäder, Alkohol-haltige Kosmetika u. Gele, überwiegend auf Basis von Fettsäureestern. C. selbst ist Ölsäureoleylester. *B.:* Henkel.

Cetirizin.

Internat. Freiname für (±)-{2-[4-(4-Chlorbenzhydryl)-1-piperazinyl]ethoxy}essigsäure, C$_{21}$H$_{25}$ClN$_2$O$_3$, M$_R$ 388,89, Schmp. 110–115 °C (Dihydrochlorid 225 °C). C. ist ein Histamin-H1-Antagonist u. der wichtigste Hauptmetabolit von *Hydroxyzin. Es ist als Zyrtec® (UCB) zur Behandlung allerg. Erkrankungen im Handel. – *E* cetirizine – *F* cétirizine – *I* = *S* cetirizina

Lit.: ASP ▪ Bock, Neue Aspekte in der Therapie allerg. Erkrankungen: Cetirizindihydrochlorid, Berlin: BMV 1990 ▪ Hager (5.) **7**, 815 f. – *[HS 2933 59; CAS 83881-51-0; 83881-52-1 (Dihydrochlorid)]*

Cetobemidon.

Cetraria

Internat. Freiname für 1-[4-(3-Hydroxyphenyl)-1-methylpiperidin-4-yl]-1-propanon, $C_{15}H_{21}NO_2$, M_R 247,34, Schmp. 156–157 °C. Verwendet wird das Hydrochlorid, Schmp. 201–202 °C. Es wurde 1947 u. 1948 als Analgetikum von Ciba (Cliradon®, außer Handel), auch von Winthrop u. I.G. Farben patentiert. C. ist in Anlage II der Btm-VO gelistet. – $E = I$ cetobemidone – F cétobémidone – S ketobemidona, cetobemidona

Lit.: ASP ▪ Beilstein E III/IV **21**, 6106 ▪ Hager **1**, 798 ▪ Ullmann (5.) **A 2**, 283. – *[CAS 469-79-4]*

Cetraria s. Isländisches Moos.

Cetrimoniumbromid. s. Cetyltrimethylammoniumbromid.

Cetrimoniumchlorid s. Cetyltrimethylammoniumchlorid.

Cetus-Prozeß. Von der Firma Cetus entwickelter biotechnolog. Prozeß zur enzymat. Produktion von Alkenoxiden aus Alkenen. Zur Herst. z. B. von *Propylenoxid sind Pyranose-Oxidase, Chlor-Peroxidase u. *Halohydrin-Epoxidase beteiligt. Der Prozeß kann derzeit aus ökonom. Gründen nicht mit den chem. Verf. konkurrieren. – E Cetus process – F procédé Cetus – I processo di Cetus – S procedimiento Cetus

Lit.: Lafferty (Hrsg.), Enzyme Technology, S. 79 f., Berlin: Springer 1983 ▪ Rehm-Reed (2.) **7 a**, 626 ff.

Cetyl... Von latein. cetus = Wal abgeleiteter Trivialname für den Rest $(CH_2)_{15}$–CH_3; IUPAC-Regel A-1.2 empfiehlt *Hexadecyl....

Cetylalkohol s. 1-Hexadecanol.

Cetylbromid s. Hexadecylbromid.

Cetylchlorid s. Hexadecylchlorid.

Cetylpyridiniumchlorid.

Freie internat. Bez. für 1-Hexadecylpyridinium-chlorid, $C_{21}H_{38}ClN$, M_R 339,99. Farbloses Kristallpulver mit leichtem charakterist. Geruch, Schmp. 83–85 °C, in Wasser, Chloroform u. Alkohol gut, in Benzol u. Ether kaum löslich. Wie alle *quartären Ammonium-Verbindungen zeigt C. kationtensid. Eigenschaften u. finden Anw. als Desinfektions- u. Konservierungsmittel. – E cetylpyridinium chloride – F chlorure de cétylpyridinium – I cloruro di cetilpiridinio – S cloruro de cetilpiridinio

Lit.: Beilstein E V **20/5**, 233 ▪ Kirk-Othmer **22**, 385 f. – *[HS 2933 39; CAS 6004-24-6]*

Cetylstearylalkohol. Trivialname für techn. Gemische etwa gleicher Teile Cetyl- u. Stearylalkohol, die in Form weißer bis schwach gelblicher Massen anfallen, Schmp. 46–52 °C, lösl. in Alkohol u. Ether, in Wasser unlöslich. Der durch Hochdruck-Hydrierung aus entsprechendem tier. u. pflanzlichen Fettsäureestern gewonnene C. wird als Salbengrundlage in pharmazeut. u. kosmet. Präp. verwendet. Unter dem sog. *emulgierenden* C. versteht man wachsartige, emulgierende Gemische aus mind. 88% C. u. mind. 7% des korrespondierenden Fettalkoholsulfat-Natrium-Salzes. – E cetostearyl alcohol – F alcool cétostéarylique – I alcool cetilstearilico – S alcohol cetilesteariílico

Lit.: DAB **8**, 165–168.

Cetyltrimethylammoniumbromid (CTAB).

$$\left[H_3C-\underset{\underset{CH_3}{|}}{\overset{\overset{CH_3}{|}}{N^+}}-C_{16}H_{33} \right] Cl^-$$

Trivialname für Hexadecyltrimethylammonium-bromid, Freiname *Cetrimoniumbromid*, $C_{19}H_{42}BrN$, M_R 364,45. Farbloses Kristallpulver, Schmp. 250–256 °C, in Wasser mit saurer Reaktion (pH 5–7) unter Schaumbildung, in Alkohol gut, in Kohlenwasserstoffen hingegen unlöslich. Wie alle *quartären Ammonium-Verbindungen zeigt C. kationtensid. Eigenschaften u. ist unverträglich mit anionaktiven Substanzen. C. findet Verw. als Desinfektionsmittel, als Bestandteil von Kosmetika u. Haarpflegemitteln, in Sanitärreinigern u. v. a. in der *Avivage von Textilien. – E cetyltrimethylammonium bromide – F bromure de cétyltriméthylammonium – I bromuro cetiltrimetilico d'ammonio – S bromuro de cetiltrimetilamonio

Lit.: Beilstein E IV **4**, 819 f. ▪ Food Cosmet. Toxicol. **13**, 231 f. (1975) ▪ Seifen, Öle, Fette, Wachse **104**, 433 f. (1978) ▪ vgl. a. quartäre Ammonium-Verbindungen. – *[HS 2923 90; CAS 57-09-0]*

Cetyltrimethylammoniumchlorid (CTAC). Trivialname für Hexadecyltrimethylammonium-chlorid, Freiname *Cetrimoniumchlorid*, $C_{19}H_{42}ClN$, M_R 320,00. Farbloses krist. Pulver von ähnlichen Eigenschaften u. Verw. wie das vorstehend beschriebene *Cetyltrimethylammoniumbromid. – E cetyltrimethylammonium chloride – F chlorure de cétyltriméthylammonium – I cloruro cetiltrimetilico d' ammonio – S cloruro de cetiltrimetilamonio

Lit.: vgl. Cetyltrimethylammoniumbromid. – *[HS 2923 90; CAS 112-02-7]*

CeZ. Abk. für Ceten-Zahl, s. Cetan-Zahl.

CE-Zeichen. Durch Anbringung des CE-Z. z. B. auf persönlicher Schutzausrüstung od. auf Maschinen bestätigt der Hersteller od. sein in der Europ. Union niedergelassener Bevollmächtigter, daß die persönlichen Schutzausrüstungen od. Maschinen den grundlegenden Sicherheits- u. Gesundheitsanforderungen aller relevanten EU-Richtlinien entsprechen. Das CE-Z. darf vom Hersteller od. von seinem in der Europ. Union niedergelassenen Bevollmächtigten erst dann angebracht werden, wenn die Konformitätserklärung ausgestellt worden ist. – E CE-sign

Lit.: Richtlinie 89/392/EWG des Rates vom 14.06.1989 zur Angleichung der Rechtsvorschriften der Mitgliedstaaten für Maschinen (Amtsblatt der EG Nr. L 183, S. 9), zuletzt geändert durch die Richtlinie 93/368/EWG des Rates vom 20.06.1991 (Amtsblatt der EG Nr. L 198, S. 16) ▪ Richtlinie 89/686/EWG des Rates vom 21.12.1989 zur Angleichung der Rechtsvorschriften der Mitgliedstaaten für persönliche Schutzausrüstungen (Amtsblatt der EG Nr. L 399, S. 18) ▪ 8. VO zum Gerätesicherheitsgesetz vom 10.6.1992 (BGBl. I, S. 1019) in der Fassung vom 28.9 1995 (BGBl. I, S. 1213) ▪ 9. VO zum Gerätesicherheitsgesetz vom 12.5.1993 (BGBl. I, S. 704) in der Fassung vom 28.9.1995 (BGBl. I, S. 1213).

Cf. Chem. Symbol für *Californium.

CF. 1. Nach DIN 7728, Tl. 1 (01/1988) Kurzz. für Kresol-Formaldehyd-Harze (s. Kresol-Harze). – 2. Nach DIN 4076 (02/1980) Kurzz. für *Holzschutzmittel auf der Basis von Alkalifluoriden u. -dichromaten.

CFA-, CFB-Salze s. CF-Salze.

CFC s. FCKW.

CFK. 1. Nach DIN 7728, Tl. 2 (03/1980) Kurzz. für Kohlenstoffaser-verstärkte Kunststoffe; s. Faserverstärkung. – 2. Abk. für Chemiefaser-verstärkte Kunststoffe; s. Faserverstärkung. – 3. Abk. für Chlorfluorkohlenstoffe, s. FCKW.

CFM. Abk. für Chlorfluormethane, s. FCKW.

CFPI. Abk. für die 1928 gegr. Compagnie Française de Produits Industriels, 28. Boulevard Camélinat, 92233 Gennevilliers (Frankreich). *Daten* (1996): 1250 Beschäftigte, 35,4 Mio. FF Kapital, ca. 1335,1 Mio. FF Umsatz. *Produktion:* Chem. Spezialitäten (Produkte für die Metallbearbeitung, Tenside, Reinigungs-, Desinfektions- u. Wasserbehandlungsmittel), Agrochemikalien (Herbizide u. Pflanzenwachstumsregulatoren) u. Feinchemikalien (organ. Zwischenprodukte für die pharmazeut. u. photograph. Ind.).

CFPP. Engl. Abk. für cold filter pluging point, s. Dieselkraftstoffe.

CF-Salze. Nach DIN 4076, Tl.5 (11/1981) Abk. für Alkalimetalldichromate u. -fluoride (früher U-Salze), eine Gruppe von gegen Pilze u. vorbeugend gegen Insekten wirksamen *Holzschutzmitteln. Von diesen leiten sich durch Zusatz von Arsenaten u. Boraten die *CFA*- u. *CFB-Salze* ab.
Lit.: Ullmann (4.) **12**, 685–702.

CFTR (*c*ystic *f*ibrosis *t*ransmembrane conductance *r*egulator). Zu den *ABC-Transporter-Proteinen gehörendes *Membran-Protein (M_R 169 000) menschlicher Epithelzellen (äußerste Zellschicht der Organe), das bei der *zystischen Fibrose (Mukoviszidose) einem genet. Defekt unterliegt. Beim CFTR handelt es sich um einen Chlorid-*Ionenkanal geringer Leitfähigkeit, der bei *Phosphorylierung durch *Protein-Kinase A stimuliert wird. Dadurch wird die Ionen-Leitfähigkeit über die Membran (*E* transmembrane conductance) reguliert.
Pathologie: Die veränderte Elektrolyt-Ausscheidung macht sich bes. am Epithel der Atemwege u. des Verdauungsapparates bemerkbar, wo es zu einer Schleimverfestigung (= Mukoviszidose) mit gefährlichen Komplikationen der Atmung u. der Verdauung kommt. – *E* cystic fibrosis transmembrane conductance – *F* = *I* CFTR – *S* regulador de la membrana de la fibrosis cística
Lit.: Annu. Rev. Physiol. **55**, 609–630 (1993); **57**, 387–416 (1995) ▪ Curr. Biol. **5**, 1357 ff. (1995) ▪ Science **269**, 805 f. (1995) ▪ Spektrum Wiss. **1996**, Nr. 2, 32–39.

CG. Abk. für *Chorio(n)gonadotrop(h)in.

cGMP s. Guanosinphosphate.

CGRP s. Calcitonin-Gen-zugehöriges Peptid.

CGS-System. Im Jahre 1881 vereinbartes, seit 1948 durch das *MKS-System u. seit 1970 durch das *SI ersetztes physikal. *Einheiten-Syst., das auf den 3 *Grundeinheiten *C*entimeter, *G*ramm u. *S*ekunde aufgebaut ist. Die zum CGS-Syst. gehörenden kohärenten abgeleiteten Einheiten Gal (Symbol: Gal) für Beschleunigung, Dyn (Symbol: dyn) für Kraft, Erg (Symbol: erg) für Arbeit, Energie, Poise (Symbol: P) für dynam. Viskosität u. Stokes (Symbol: St) für kinemat. Viskosität wurden mit dem 1.1.1978 ungültig. Danach gelten nur noch die *gesetzlichen Einheiten.

Chabasit. $Ca[Al_2Si_4O_{12}] \cdot 6 H_2O$; ein Teil des Ca kann durch Na, K, Sr ersetzt sein od. gegen Na, K, Sr, Ag usw. ausgetauscht werden. Sog. *Würfel-Zeolith*, heute zu den *Zeolithen mit Sechserringen aus $[(Si,Al)O_4]$-Tetraedern gerechnet. Krist. würfelähnlich rhomboedr. od. durch Bildung von *Zwillingen pseudohexagonal. C. ist lebhaft glasglänzend u. farblos bis weiß, gelblich od. rötlich; H. 4–5, D. 2,05–2,2. Krist.-Klasse $\bar{3}m$-D_{3d}, aber auch triklin interpretiert [1].
Vork.: Bes. in Blasenhohlräumen in vulkan. Gesteinen, z. B. Idar-Oberstein, Rhön, Vogelsberg, Island u. in umgewandelten *Tuffen, z. B. in Oregon/USA.
Verw.: Sedimentärer C. von Bowie/Arizona zur Entfernung von H_2O, CO_2 u. H_2S aus Ind.-Abgasen; C. wird wegen seiner Molekularsieb-Eigenschaften unter Bez. wie *Zeolith E* synthet. hergestellt. – *E* = *F* chabazite – *I* cabasite – *S* chabasita
Lit.: [1] Neues Jahrb. Mineral., Monatsh. **1983**, 461–480.
allg.: Gottardi u. Galli, Natural Zeolites, S. 175–192, Berlin: Springer 1985 ▪ Lapis **13**, Nr. 9, 6–9 (1988) ▪ Ramdohr-Strunz, S. 796 f. ▪ s. a. Zeolithe. – [CAS 12251-32-0]

Chaconin s. α-Solanin.

Chadwick, Sir James (1891–1974), Prof. für Physik, Univ. Liverpool. *Arbeitsgebiete:* Kernladung, Streuung der Alphateilchen, Untersuchung von (α,p)-Reaktionen, Entdeckung des Neutrons (1932), wofür er 1935 den Physik-Nobelpreis erhielt.
Lit.: Krafft, S. 93 ▪ Neufeldt, S. 178, 188 ▪ Nobel Lectures Physics 1922–1941, S. 333–350, Amsterdam: Elsevier 1965 ▪ Poggendorff **6/1**, 421 f.; **7 b/2**, 762 f. ▪ Strube **2**, 84 ▪ Strube et al., S. 161 f.

Chagas-Krankheit. Eine nach dem brasilian. Mediziner Carlos Chagas (1879–1934) benannte, in Mittel- u. Südamerika verbreitete Infektionskrankheit, die durch Trypanosomen (*Trypanosoma cruzi*) hervorgerufen wird. Die Übertragung erfolgt durch Stiche von blutsaugenden Raubwanzen (Gattung *Triatoma*). Nach 2–4 Wochen Inkubationszeit treten zuerst Hautentzündungen, Lymphknotenschwellungen u. Vergrößerung von Milz, Leber u. Schilddrüse auf. Später folgt Zerstörung von Nervengewebe, was zu neurolog. Ausfällen führt. Befall von Herz od. Dickdarm hat jeweils Vergrößerung u. Störungen zur Folge. Eine Behandlung ist durch Chemotherapie, z. B. mit *Nifurtimox, möglich, wirksamer jedoch ist eine Bekämpfung der Zwischenwirte durch hygien. Maßnahmen u. Pestizide. – *E* Chagas' disease – *F* maladie de Chagas – *I* malattia di Chagas – *S* enfermedad de Chagas

Chain, Sir Ernst Boris (1906–1979), Prof. für Biochemie, Rom, Oxford, London. *Arbeitsgebiete:* Isolierung, therapeut. Erprobung u. Konstitution von Penicillin (hierfür Nobelpreis 1945 für Medizin od. Physiologie zusammen mit *Fleming u. *Florey), Entwicklung halbsynthet. Penicilline, Submers-Verf.,

Chalcedon

Stoffwechselprodukte von Kleinpilzen, Insulinfunktion usw.
Lit.: Hems, Biologically Active Substances: Exploration and Exploitation, New York: Wiley 1977 ■ Krafft, S. 126 ■ Neufeldt, S. 168 ■ Nobel Lectures Physiology and Medicine 1942–1962, S. 79ff., 110–145, Amsterdam: Elsevier 1964 ■ Pötsch, S. 82 ■ Strube et al., S. 119, 121 ■ Therapeut. Ber. **44**, 63–68 (1972).

Chalcedon (Chalzedon). Mikrokrist. faserige Abart von *Quarz; zur Struktur s. *Lit.*[1,2], zum Wachstum *Lit.*[3], zur Nomenklatur der mikrokrist. SiO_2-Minerale *Lit.*[4]. Durchscheinende bis undurchsichtige, makroskop. dicht erscheinende, weiße bis graue, bläuliche od. andersfarbige Massen od. Krusten mit nierig-traubiger Oberfläche, stalaktit. Formen, knollige *Konkretionen. Härte u. Dichte (D. 2,59–2,61) sind wegen submikroskop. kleiner Poren u. Wasser-Gehalten zwischen 0,5 u. 2% [adsorbiertes mol. Wasser u. chem. gebundenes Silanol-Gruppen-Wasser, (–Si–OH)] kleiner als bei Quarz. *Varietäten* von C. sind u. a. *Achat, der durch Eisenoxid (*Hämatit) fleischrot bis tiefrot gefärbte *Carneol* (Karneol), der durch Spuren von Nickel (0,35–2,4%) apfelgrün gefärbte, z. B. in Polen u. Australien vorkommende *Chrysopras*, ferner *Heliotrop u. *Onyx.
Vork.: In Hohlräumen von vulkan. Gesteinen, z. B. Brasilien, Uruguay, Idar-Oberstein; in Erzlagerstätten, z. B. Hüttenberg/Kärnten, Frankenwald; als Versteinerungsmittel („Versteinerte Wälder", z. B. Arizona/USA); als Bestandteil von *Feuerstein u. Chert (s. Kieselgesteine). – *E* chalcedony – *F* calcédoine – *I* calcedonio – *S* calcedonia
Lit.: [1] Am. Mineral. **79**, 452–460 (1994). [2] Eur. J. Mineral. **6**, 459–464 (1994). [3] Contrib. Mineral. Petrol. **115**, 66–74 (1993). [4] Neues Jahrb. Mineral., Abh., **163**, 19–42 (1991).
allg.: Heaney, Prewitt u. Gibbs (Hrsg.), Silica (Reviews in Mineralogy, Vol. 29), S. 209–232, Washington (D.C.): Mineralogical Society of America 1994 ■ Rykart, Quarz-Monographie (2.), S. 352–376, Thun: Ott 1995 ■ Ullmann (5.) **A 23**, S. 583–591, 599–601. – *[CAS 14639-89-5]*

Chalciporon.

$C_{16}H_{21}NO$, M_R 243,35, hellgelbes Öl, $[\alpha]_D$ –452° (Ether). Scharfstoff aus den Fruchtkörpern des Pfefferröhrlings (*Chalciporus piperatus*, Basidiomycetes), ist für dessen pfeffrigen Geschmack verantwortlich. Neben dem 2*H*-Azepin C. u. Norchalciporylpropionat wurden auch strukturverwandte 3*H*-Azepine (z. B. Isochalciporon) isoliert, die aus den 2*H*-Isomeren durch sigmatrope [1,5]-H-Verschiebung entstehen, achiral sind u. mild schmecken. Der Pfefferröhrling findet als Würzpilz Verwendung. – *E* chalciporone – *I* calciporone – *S* calciporona
Lit.: Tetrahedron **43**, 1075–1082 (1987).

Chalko... Von griech.: chalkos = Kupfer u. chalkous = ehern abgeleitete Vorsilbe in Begriffen, die in einer Beziehung zu Kupfer u. Erz stehen. – *E* = *F* chalco... – *I* = *S* calco...

Chalkogene. Von *Chalko... u. *...gen abgeleitet u. mit *Erzbildner* (vgl. Chalkogenide) übersetzbare Bez. für die Elemente O, S, Se, Te der 6. Hauptgruppe des *Periodensystem; das Polonium rechnet man im allg. nicht zu den Chalkogenen. Die C. sind durchweg Nichtmetalle; ihr elektroneg. Charakter nimmt in der angegebenen Reihenfolge ab, umgekehrt (von O zu Te) erhöhen sich metall. Charakter, elektr. Leitfähigkeit, Dichte, Schmp. u. Siedepunkt. Gelegentlich werden Derivate der Kohlensäure, in denen der Sauerstoff durch S, Se, Te ersetzt ist, als *Chalkogenokohlensäuren* bezeichnet; *Beisp.:* *Trithiokohlensäure (s. *Lit.*[1]). – *E* chalcogens – *F* chalcogènes – *I* calcogeni – *S* calcógenos
Lit.: [1] Angew. Chem. **80**, 954–965 (1968).

Chalkogenide. Binäre Verb., in denen die *Chalkogene als elektroneg. Komponente auftreten, also Oxide, Sulfide, Selenide, Telluride; die C. sind am Aufbau der Erde (*Chalkosphäre*, s. Geochemie) wesentlich beteiligt, unter ihnen finden sich die wichtigsten Erze. Einige der C. von Se u. Te haben in den letzten Jahren erhebliche Bedeutung als *Halbleiter gewonnen. – *E* chalogenides – *F* chalcogénures – *I* calcogenuri – *S* calcogenuros
Lit.: s. Halbleiter, Oxide, Selenide, Sulfide, Telluride.

Chalkolith s. Torbernit.

Chalkon (1,3-Diphenyl-2-propen-1-on, veraltet: Benzylidenacetophenon). H_5C_6–CH=CH–CO–C_6H_5, $C_{15}H_{12}O$, M_R 208,26. Blaßgelbe Prismen, in der *trans*-Form D. 1,071, Schmp. 58 °C (auch Schmp. 18 °C, 30 °C, 49 °C; Polymorphie), Sdp. 345–348 °C, lösl. in Ether, Chloroform, Benzol, Schwefelkohlenstoff, wenig lösl. in Alkohol, nicht lösl. in Wasser. C. kann aus Benzaldehyd, Acetophenon u. NaOH hergestellt werden u. wird in der Parfümerie verwendet. Derivate mit Hydroxy-Gruppen u. Halogenen in den Benzol-Kernen wirken bakteriostat. u. Dihydro-C. von *Naringin u. *Neohesperidin haben *Süßstoff-Charakter. – *E* chalcone, benzylideneacetophenone – *F* chalcone, benzalacétophénone – *I* calcone – *S* calcona, chalcona, bencilidenacetofenona
Lit.: Beilstein E IV **7**, 1658 ■ Merck-Index (11.), Nr. 2028. – *[HS 2914 39; CAS 614-47-1]*

Chalkophanit s. Braunsteine.

Chalkophile Elemente. Metall. Elemente, die sich bevorzugt in der Chalkosphäre anreichern, s. Geochemie.
Lit.: Ramdohr-Strunz, S. 348.

Chalkophyten s. Metallophyten.

Chalkopyrit s. Kupferkies.

Chalkosiderit s. Türkis.

Chalkosin (Kupferglanz). Cu_2S; oberhalb von 103 °C hexagonales (*Hoch-C.*, β-Cu_2S), unterhalb 103 °C monoklin-pseudorhomb. (*Tief-C.*, α-Cu_2S, Krist.-Klasse 2/m-C_{2h}, Struktur s. *Lit.*[1–3]) Erzmineral mit 79,8% Cu; meist derb als z. T. große, kompakte, muschelig brechende Massen od. eingesprengt od. als Überzüge. Licht bleigrau mit starkem Metallglanz auf frischen Schnitt- od. Bruchflächen, bald aber matt u. schwarz anlaufend; H. 2,5–3, D. 5,5–5,8, Strich metall. glänzend. Zu Verwachsungen u. Umwandlungen zwischen den sehr ähnlichen Mineralen C., *Digenit

Cu_9S_5 u. *Djurleit* $Cu_{1,96}S$ (Struktur s. *Lit.*[1,3]) s. *Lit.*[4]. Der „isotrope Kupferglanz" od. „blaue kub. Kupferglanz" der älteren Lit. ist Digenit.
Vork.: In vielen Kupferlagerstätten, z. B. Bor/Serbien, Arizona u. Montana/USA; im *Kupferschiefer, z. B. Lubin/Polen. C. ist das wichtigste Kuppererz u. wird in Cu_2S-Cd-Solarzellen verwendet. – *E* chalcocite – *F* chalcosine – *I* = *S* chalcosina
Lit.: [1] Z. Kristallogr. **150**, 299–320 (1979). [2] Science **203**, 356ff. (1979). [3] Am. Mineral. **66**, 807–818 (1981). [4] Am. Mineral. **79**, 308–315 (1994).
allg.: Anthony et al., Handbook of Mineralogy, Vol. 1, S. 88, Tucson (Arizona): Mineral Data Publishing 1990 ▪ Lapis **10**, Nr. 6, 8–11 (1985) ▪ Ramdohr, Die Erzmineralien u. ihre Verwachsungen, S. 475–502, Berlin: Akademie 1975. – *[HS 2603 00; CAS 21112-20-9]*

Chalkostibit s. Wolfsbergit.

Chalkotrichit s. Cuprit.

Chalone. 1. Gewebshormone. – 2. Körpereigene Inhibitoren der Zellvermehrung bei Säugern. C. sind Gewebs-, aber nicht Art-spezif. u. wirken bereits in sehr geringen Mengen (ca. 0,1 mg/t Gewebe). – *E* = *F* chalones – *I* caloni – *S* chalonas

Chamazulen (7-Ethyl-1,4-dimethylazulen, Dimethulen).

$C_{14}H_{16}$, M_R 184,28, blaues Öl, Sdp. 161 °C (1,60 kPa), D. 0,9883, wird an der Luft braun. C. wird aus Kamille u. Schafgarbe gewonnen u. wegen seiner entzündungshemmenden Eigenschaften in *Antiphlogistika, daneben auch als *Carminativum eingesetzt. – *E* chamazulene – *F* chamazulène – *I* acamazulene – *S* chamazuleno
Lit.: Mann et al., in Craker et al. (Hrsg.), Herbs, Spices and Medicinal Plants, Bd. 1, S. 235–280, Phoenix, Arizona: Oryx Press 1986 (Review) ▪ Hager (5.) **7**, 357 ▪ J. Am. Chem. Soc. **101**, 251 (1979) (Synth.) ▪ Pharm. Unserer Zeit **13**, 67 (1984) ▪ Ullmann (5.) **A 11**, 220 (1988) ▪ Zechmeister **19**, 32–119. – *[HS 2902 19; CAS 529-05-5]*

Chamberlain, Owen (geb. 1920), Prof. für Physik, Univ. California, Berkeley. *Arbeitsgebiete:* Kernspaltung, Streuung von Protonen, Entdeckung des Antiprotons (hierfür Physik-Nobelpreis 1959 zusammen mit Segré), Antinucleonen.
Lit.: Who's Who in America 1995, S. 625.

Chamigrene.

α   β

Spirobicycl. *Sesquiterpene mit Chamigran-Grundgerüst. Während sich in Braunalgen der Gattung *Laurencia* vorwiegend halogenierte u. oxidierte Derivate des α-*Chamigrens* {2,7-Chamigradien, $C_{15}H_{24}$, M_R 204,36, Öl, $[\alpha]_D$ –14,5° (c 0,2/$CHCl_3$), zur Synth. s. *Lit.*[1]} finden, kommt in Scheinzypressen, z. B. *Chamaecyparis taiwanensis* das isomere β-*Chamigren* vor {Öl, Sdp. 110–113 °C (17,3 · 10^3 Pa), $[\alpha]_D^{15}$ –52,7° ($CHCl_3$), zur Synth. s. *Lit.*[2]}. – *E* chamigrenes – *F* camigrène – *I* camigreni – *S* chamigrenos
Lit.: [1] Helv. Chim. Acta **60**, 515 (1977). [2] J. Org. Chem. **49**, 1001 (1984); Pure Appl. Chem. **58**, 395 (1986).
allg.: Phytochemistry **27**, 1761–1766 (1988) ▪ Scheuer **11**, 138–163; **12**, 331–343; **15**, 164–171. – *[CAS 18045-70-0 (α-C.); 15401-86-2 (β-C.)]*

Chamosit s. Chlorite.

Champagner s. Wein.

Champignons s. Speisepilze.

Chandu s. Opium.

Channel-Ruß s. Kanalruß.

Chaos. Das „determinist. Chaos", ein Begriff aus der Theorie dynam. Syst., bezeichnet das unvorhersehbare, zufällige Langzeitverhalten streng determinist. Systeme. Ein solches chaot. Verhalten ist darüber hinaus *typ.* für alle Syst., auch für solche mit wenigen Freiheitsgraden. Die sich seit Mitte der 70er Jahre stürmisch entwickelnde *Chaos-Theorie* führte zu einer grundlegenden Revolution in vielen wissenschaftlichen Gebieten, von der mikroskop. Physik bis zur makroskop. Biologie. Speziell für die (physikal.) Chemie sei beispielhaft angeführt: Dynamik chem. Reaktionen, chem. Uhren, Konvektionsmuster in Flüssigkeiten, Strukturbildung („fraktale Strukturen"), turbulente Strömungen. Weiterhin führte die Theorie zu einem neuen Verständnis des *Entropie-Begriffes. – *E* = *F* chaos – *I* = *S* caos
Lit.: Jensen, Chaos, in Encycl. of Physical Science and Technology, Bd. 3, S. 83, San Diego: Academic Press 1992 ▪ Schuster, Deterministic Chaos (3.), Weinheim: VCH Verlagsges. 1994 ▪ Schuster, Chaotic Phenomena, Encycl. of Applied Physics, Bd. 3, S. 189, Weinheim: VCH Verlagsges. 1991.

Chaotrop (von griech.: chaos = Wirrwarr u. ....*trop.). Bez. für die Eigenschaft von Substanzen, die regelmäßige – auf der Bildung von *Wasserstoff-Brückenbindungen beruhende – Struktur von flüssigem Wasser (s. dort) zu zerstören. *Chaotrope Stoffe* – z. B. Ammoniumsulfat, Thiocyanate, Perchlorate – stabilisieren die Konformation von Makromol., indem sie die Bildung der zur *Solvatation notwendigen H_2O-Käfigstrukturen verhindern, sie erleichtern bei der *Verteilung den Übergang von unpolaren Mol. aus nichtwäss. u. wäss. Phasen, u. in der Immunologie bewirken sie die Spaltung von Antigen-Antikörper-Bindungen u. ermöglichen damit die Gewinnung von Antikörpern. Nach Robinson (s. *Lit.*[1]) lassen sich zwitterion. *Puffer in c. u. *taxigene (Gegensatz zu c.) einteilen. – *E* chaotropic – *F* chaotrope – *I* = *S* caotropo
Lit.: [1] Naturwissenschaften **65**, 438 f. (1978).

Chaperone (mol. Chaperone, mol. Anstandsdamen). *Proteine, die die Faltung od. Oligomerisierung anderer Proteine kontrollieren, indem sie deren nicht-native Konformationen od. noch nicht zusammengetretene Untereinheiten zeitweise binden u. stabilisieren, aber nicht Bestandteil der resultierenden Struktur werden. Eine solche Kontrolle ist bei vielen Proteinen nötig nach ihrer Neusynth.[1], nach Entfaltung durch

Hitzeschock od. beim Durchtritt durch *Membranen, z. B. die der *Mitochondrien[2]. C. besitzen die Aktivität von *Adenosintriphosphatasen (H-Typ ATPasen), u. während des C.-Cyclus kommt es zur Hydrolyse von *Adenosin-5'-triphosphat.
Beisp. für C. sind die hsp60- u. hsp70-Familien der *Hitzeschock-Proteine. Beim Zusammentreten der *Histokompatibilitäts-Antigene spielen *Calnexin u. die invariante Kette die Rolle von C.[3]. Eine Untergruppe strukturverwandter, aus *Bakterien, Mitochondrien u. *Plastiden stammender C., die z. B. das Rubisco-Untereinheiten-bindende Protein enthält, wird auch als *Chaperonine* bezeichnet. Das bestuntersuchte Chaperonin ist der GroEL/GroES-Komplex[4] aus *Escherichia coli, in denen die Untereinheiten (M_R 57 000 bzw. 10 000) in jeweils 14- od. 7facher Anzahl vorhanden sind. Ganz homolog ist auch der Komplex der Chaperonine cpn60/cpn10 aus *Rhodobacter sphaeroides*[5]. – *E* (molecular) chaperones – *F* chaperons (moléculaires) – *I* dame di compagnia molecolari – *S* señoras de compañía moleculares
Lit.: [1] Curr. Biol. **6**, 115–118 (1996). [2] Trends Biochem. Sci. **19**, 87–92 (1994). [3] Curr. Opin. Immunol. **7**, 77–84 (1995). [4] Nature (London) **371**, 578–586 (1994); **379**, 37–45, 420–426 (1996). [5] Curr. Biol. **3**, 265–273 (1993); Spektrum Wiss. **1995**, Nr. 4, 16–18.
allg.: Angew. Chem. **106**, 1479–1501 (1994) ▪ FASEB J. **10**, 5–26 (1996) ▪ Morimoto et al., The Biology of Heat Shock Proteins and Molecular Chaperones, Cold Spring Harbor: CSH Laboratory Press 1994.

Chaperonine s. Chaperone.

Chapman, Orville Lamar (geb. 1932), Prof. für Organ. Chemie, Univ. California, Los Angeles. *Arbeitsgebiete:* Tropolone, Photochemie, Reaktionsmechanismen, kleine Ringe, Pheromone u. a. Naturstoffe.
Lit.: Chem. Eng. News **45**, Nr. 40, 102 (1967) ▪ Who's who in America 1995, S. 633.

CHAPS. Kurzbez. für 3-[*N*-(3-Cholanamidopropyl)-dimethylammonio]-1-propansulfonat, M_R 614,9. Zwitterion. Tensid, das die Vorzüge der Gallensäure u. der *N*-Alkylsulfobetaine in sich vereinigt.

CHAPSO. Kurzbez. für das Tensid 3-[*N*-(3-Cholanamidopropyl)-dimethylammonio]-2-hydroxy-1-propansulfonat, M_R 630,9, krit. Mizell-Bildungskonz. 8 mmol; denaturiert nicht Membran-gebundene Proteine.

Charakterart (Kernart, Leitform). C. ist eine Organismen-*Art, die für Organismen-Ges. bestimmter Biotope kennzeichnend ist, z. B. in Pflanzen-*Assoziationen. Eine C. muß nicht nur auf eine Assoziation beschränkt sein, sondern kann auch in anderen, hinsichtlich ökolog. Ansprüche ähnlichen, Assoziationen vorkommen u. dann als Trenn- od. Differentialart innerhalb dieser Assoziationen wirken. – *E* characteristic species – *F* espèce – *I* carattere della specie – *S* especie característica
Lit.: Stugren, Grundlagen der allg. Ökologie (4.), S. 51 ff., Stuttgart: Fischer 1985 ▪ Wilmanns, Ökologische Pflanzensoziologie (2.), Heidelberg: Quelle u. Meyer 1978.

Chardonnet-Seide (Nitrocellulose-Seide, Nitroseide, Collodiumseide). Erste, vom franzos. Grafen Milaire de Chardonnet 1891 in Besançon farbrikmäßig hergestellte *Kunstseide (Tagesproduktion 50 kg). Ähnlich einem 1883 an J. W. Swan in England erteilten Patent zur Herst. von Glühfäden für Kohlefadenlampen wurde gelöste *Collodiumwolle (*Cellulosenitrat) durch Düsen zu Fäden geformt. Wegen der leichten Entflammbarkeit der C.-S. u. ihrer gegenüber den wenig später erfundenen *Kupferseiden u. *Viskosefasern unterlegenen fasertechn. Eigenschaften ist die C.-S. bald wieder vom Markt verschwunden u. heute nur noch von histor. Interesse. – *E* Chardonnet silk – *F* soie de chardonnet – *I* seta di Chardonnet – *S* seda chardonnet, seda al colodión
Lit.: Ullmann (4.) **11**, 194.

Chargaff, Erwin (geb. 1905), Prof. für Biochemie, Columbia Univ., New York. *Arbeitsgebiete:* Nucleinsäuren, Lipoproteine, Blutgerinnung, Mikrobiologie, Inosit.
Lit.: Chargaff, Heraclitean Fire, New York: Rockefeller Univ. Press 1978 ▪ Pötsch, S. 84 ▪ Poggendorff **7b/2**, 777–782 ▪ Who's Who in America 1995, S. 635.

Charge-transfer-Komplexe (CT-Komplexe). Hierunter versteht man den nicht durch chem. Bindungen bewirkten lockeren Zusammenschluß von Mol. verschiedener (seltener der gleichen) Art, bei dem eines der Mol. elektronenarm (*Elektronenakzeptor*), das andere elektronenreich (*Elektronendonator* od. *-donor*) ist. Bei der Bildung dieser *Elektronen-Don(at)or-Akzeptor-Komplexe gehen neg. elektr. Ladungen reversibel vom *Donator-Mol. zum *Akzeptor-Mol. über. Dabei tritt nicht selten eine Färbung auf, die sich von der Einzelkomponenten charakterist. unterscheidet; *Beisp.:* *Chloranil (gelb, Akzeptor) bildet in inerten Lsm. mit *Benz[*a*]anthracen (farblos, Donor) einen blau gefärbten CT-Komplex. Weitere Beisp. sind die *Chinhydrone, *Pikrate, Mol.-Verb. aus polycycl. Aromaten u. Iod. od. aus Halogenen bzw. Halogen-Verb. (Akzeptoren) u. Pyridin, Dioxan usw.[1]; zahlreiche weitere Beisp. findet man in *Lit.*[2]. Häufig werden Komplexe, an denen aromat. Mol. beteiligt sind, auch summar. als *Pi-Komplexe (*π-Komplexe*) bezeichnet; überhaupt ist die terminolog. Abgrenzung des Begriffs nicht frei von Willkür. Die CT-K. sind nicht nur von Bedeutung für mechanist. Betrachtungen der *Photochemie, sondern auch in der analyt. Chemie, in der Chemie der Antioxidantien[3], als Initiatoren spezieller Polymerisationsreaktionen[4], in der Theorie der elektr. Leitfähigkeit[5], im Zusammenhang mit der Frage nach „Organischen Metallen"[6] u. der Supraleitung[7] u. in der Biochemie zur Deutung von Energie- u. Stoffübertragungsprozessen; z. B. bilden sich zwischen Riboflavin, FAD usw. u. aromat. Aminosäuren CT-Komplexe. Eine Anw. finden CT-K. auch in der *Charge-transfer-Chromatographie*, einer Variante der *Affinitätschromatographie[8]. – *E* charge transfer complexes – *F* complexes à transfert de charge – *I* complessi a trasferimento di carica – *S* complejos de transferencia de carga
Lit.: [1] Angew. Chem. **82**, 821–827 (1970). [2] Pharm. Unserer Zeit **8**, 46–53 (1979). [3] Chem. Br. **4**, 266f. (1968). [4] Adv. Macromol. Chem. **1**, (1968). [5] Angew. Chem. **89**, 534–549 (1977). [6] Nature (London) **309**, 119–126 (1984); Angew. Chem. **103**, 1761 ff. (1991). [7] Endeavour **34**, 123–130 (1975). [8] J. Chromatogr. **68**, 325–343 (1972); Pure Appl. Chem. **51**, 1549–1559 (1979).

allg.: Chem. Unserer Zeit **21**, 50–58 (1987) ▪ J. Phys. Chem. **84**, 2135–2141 (1980) ▪ s. a. Elektronen-Don(at)or-Akzeptor-Komplexe.

Charisma®. Lichthärtendes Microglass-Komposit für Füllungen u. Kompositinlays zur Front- u. Seitenzahnrestaurierung. *B.:* Heraeus Kulzer GmbH.

Charles Gesetz. Nach Charles (1787) ist bei konstantem Vol. der Druck eines idealen Gases der abs. Temp. des Gases proportional: $p = p_0 \cdot T/T_0$, wobei p_0 = Gasdruck bei T_0 = 273,15 K ist. – *E* Charles' law – *F* loi de Charles – *I* legge di Charles – *S* ley de Charles

Charm. Quantenzahl des vierten *Quarks (s. Elementarteilchen).

Charmeuse. Durch *RAL-Gütezeichen geschützte, maschenfeste Kettengewirke aus zwei verschieden bindenden Ketten mit (meist) glänzender Ober- u. krepppartiger Unterseite; Materialien sind Seide, Kunstseide, Polyamide.

Charoit. $(K,Na)_5(Ca,Ba,Sr)_8[Si_{12}O_{30}/Si_6O_{16}(OH)] \cdot 4H_2O$; erst seit 1976 bekanntes, purpurfarbenes bis rötlich violettes, meist faserig, aber auch feinkörnig ausgebildetes Mineral, das als Schmuck- u. Ornamentstein verwendet wird u. seinen Namen nach dem Vork. im Flußgebiet des Charo im Murun-Massiv in Yakutien/Sibirien erhalten hat; H. 5–6, D. 2,54. – *E = F = I* charoite – *S* charoita

Lit.: Anthony et al., Handbook of Mineralogy, Vol. II, Tl. 1, S. 130, Tucson (Arizona): Mineral Data Publishing 1995 ▪ Eppler, Praktische Gemmologie (5.), S. 382, Stuttgart: Rühle-Diebener 1994 ▪ Lapis **18**, Nr. 4, 13–20 (1993). – *[CAS 66256-98-2]*

Charpak, Georges (geb. 1924), Prof. für Physik an der Ecole Superieure de Physique et Chemie sowie seit 1959 am *CERN. 1992 erhielt er den Nobelpreis für Physik für die Erfindung u. Entwicklung der Teilchendetektoren, insbes. der Vieldraht-Proportionalkammer.

Lit.: Phys. Bl. **48**, 1002 (1992).

Chartreuse (Karthäuserlikör). Gesetzlich geschützte Bez. für einen gelben od. grünen Kräuterlikör aus der Chartreuse (Berggegend um Grenoble) mit Auszügen aus Moschusschafgarbe, Curaçaoschalen, Ingwer, Kalmus, Pfeffer, Pomeranzen usw.; der grüne Likör ist alkoholreicher (55% vol. Alkohol), der gelbe süßer (43% vol. Alkohol, 38% Zucker). – *E = F = I = S* chartreuse

Chartreusin (Lambdamycin).

$C_{32}H_{32}O_{14}$, M_R 640,60, gelbe Platten, Schmp. 184–186 °C, schwache Säure. Antibiotikum aus dem afrikan. *Streptomyces chartreusis* u. anderen Stämmen aus nordamerikan. Böden. C. besteht aus einem Di-

saccharid u. dem Aglykon Chartarin. C. ist wirksam gegen Gram-pos. Bakterien einschließlich Mykobakterien, vgl. auch Elsamicine u. Ellagsäure. – *E* chartreusin – *F* chartreusine – *I* cartreusina – *S* chartreusina

Lit.: J. Org. Chem. **45**, 4071 (1980) (Synth.); **52**, 996 (1987) ▪ Prog. Med. Chem. **19**, 247 (1982) (Review).

Charybdotoxin (ChTX).

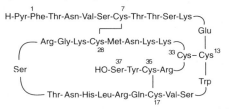

Ein aus dem Skorpion *Leiurus quinquestriatus hebraeus* isoliertes hochaffines Neurotoxin. Dieser präsynapt. K⁺-Kanal-Antagonist erhöht die neuromuskuläre Transmission aufgrund von Acetylcholin-Freisetzung an den neuromuskulären Verzweigungen. C. besteht aus 37 Aminosäuren u. ist tricycl. durch die S-S-Brücken der folgenden Cysteine: 7→28, 13→33 u. 17→35. – *E* charybdotoxin – *F* charybdotoxine – *I* caribdotossina – *S* charibdotoxina

Lit.: Br. J. Pharmacol. **108**, 214 (1993) ▪ Eur. J. Biochem. **217**, 157–169 (1993) ▪ J. Biol. Chem. **265**, 18745 (1990) ▪ J. Membr. Biol. **109**, 95 (1988) ▪ Nature (London) **313**, 316 (1985) ▪ Pharm. Ther. **46**, 137 (1990) ▪ Proc. Natl. Acad. Sci. U.S.A. **85**, 3329 (1988). – *[CAS 95751-30-7; 115422-61-2]*

Chaulmoograöl (Hydnocarpusöl). Bräunliches Öl od. salbenartiges Fett von charakterist. Geruch, lösl. in Ether u. Chloroform, z. T. lösl. in 90%igem Alkohol; D. 0,95, Schmp. 22–30 °C. Hauptbestandteile sind Glyceride der *Chaulmoograsäure, *Hydnocarpussäure, Gorlisäure u. a. Fettsäuren; die Zusammensetzung hängt von der Herkunft ab. C. wird mit 50%iger Ausbeute aus den Samen des in Burma heim. u. in Südostasien kultivierten Baumes *Hydnocarpus kurzii* sowie einigen anderen Flacourtiaceen gewonnen. Das sog. *falsche C.*[1] aus *Chaulmoogra odorata* (*Gynocardis odorata*), ebenfalls einer Flacourtiacee, enthält cyanogene Glykoside. Es ist giftig u. hat insektizide Wirkung.

Verw.: Seit dem 6. Jh. wird C. v. a. in Indien gegen *Lepra angewendet, ist heute jedoch weitgehend durch synthet. Wirkstoffe ersetzt. Als Erklärung für die Wirksamkeit von C. nimmt man an, daß die zelleigenen Fettstoffe der Lepraerreger (20–40% der Trockenmasse) z. T. gegen die *Chaulmoograsäure ausgetauscht werden, wobei der bakterielle Lipid-Stoffwechsel Störungen erleidet. – *E* chaulmoogra oil, gynocardia oil – *F* huile de chaulmoogra – *I* olio di chaulmoogra (gynocardia) – *S* aceite de chaulmoogra

Lit.: [1] Hager **4**, 1222 f.

allg.: Fette, Seifen, Anstrichm. **83**, 65 f., 401 f. (1981) ▪ Hager **5**, 110; **7b**, 172 f. ▪ Mangold u. Spener, in Termini (Hrsg.), Lipids and Polymers in Higher Plants, S. 85 f., Berlin: Springer 1977.

Chaulmoograsäure [13-(2-Cyclopentenyl)tridecansäure]. $C_{18}H_{32}O_2$, M_R 280,45. Glänzende Blättchen, Schmp. 69 °C, Sdp. 247–248 °C (2,70 kPa), $[\alpha]_D^{25}$

+61,7°, in Ether, Chloroform lösl., unlösl. in Wasser, wird in opt. aktiver Form aus *Chaulmoograöl od. in

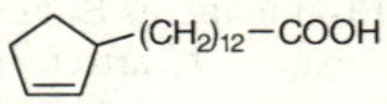

⌬—(CH₂)₁₂—COOH

racem. Form synthet. gewonnen. C. gehört zur Gruppe der Cyclopentenylfettsäuren, deren Glycerinester typ. Bestandteile von Samenölen der v.a. in den Tropen heim. Pflanzenfamilie Flacourtiaceae (z.B. *Hydnocarpus kurzii*) sind. Früher wurden C. bzw. ihre Ethyl- u. Methylester gegen Lepra verwendet, da C. antibakterielle Wirkung, insbes. gegen Mykobakterien zeigt. – *E* chaulmoogric acid – *F* acide chaulmoogrique – *I* acido chaulmoogrico – *S* ácido chaulmoógrico, ácido chaulmúgrico

Lit.: Beilstein E IV **9**, 216 ▪ Biochemistry **13**, 2241 (1974) (Biosynth.) ▪ Phytochemistry **19**, 1685, 1863 (1980) ▪ Ullmann (5.) **A 10**, 233. – *[HS 2916 20; CAS 29106-32-9]*

Chavicol [4-(2-Propenyl)phenol, 4-Allylphenol].

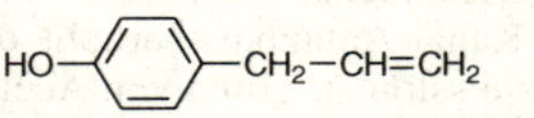

HO—⌬—CH₂—CH=CH₂

$C_9H_{10}O$, M_R 134,18, Öl, Schmp. 16 °C, Sdp. 238 °C, D. 1,0175, n_D^{18} 1,5441, lösl. in Alkohol, Ether, Chloroform, Petrolether. C. kommt zusammen mit *Terpenen in den flüchtigen Bestandteilen der Bethelöls u. zusammen mit *Estragol im Basilikumöl vor. C. ist psychotrop wirksam u. ein Pheromon des nordamerikan. Maiswurzelstechers *Diabrotica undecimpunctata*. – *E* = *F* = *S* chavicol – *I* cavicolo

Lit.: Beilstein E IV **6**, 3817 ▪ Synthesis **1983**, 701 ▪ Ullmann (5.) **A 11**, 217; **A 14**, 311. – *[CAS 501-92-8]*

Chayen-Kaltschmelz-Prozeß s. Fette und Öle.

Cheddit s. Chlorat-Sprengstoffe.

Chefaro Pharma s. Deutsche Chefaro Pharma.

Cheirotoxin.

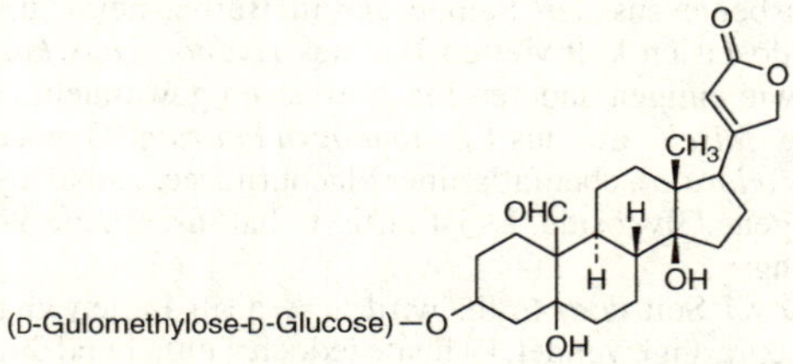

(D-Gulomethylose-D-Glucose)—O—[Steroidstruktur mit OHC, H, OH, CH₃, OH und Butenolid-Ring]

$C_{35}H_{52}O_{15}$, M_R 712,79. Tox. Herzglykosid mit *Digitalis-Glykosid-artiger Wirkung aus dem Goldlack (*Cheiranthus cheiri*, Brassicaceae), in dem es zusammen mit Cheirosid A vorkommt. – *E* cheirotoxin – *F* cheirotoxine – *I* cheirotossina – *S* queirotoxina

Lit.: Braun-Frohne (6.), S. 142 f. ▪ Hager (5.) **4**, 832 ff.; **5**, 84 ff. ▪ Phytochemistry **27**, 101 (1988). – *[CAS 7044-33-9]*

Chelatbildner (Chelatoren). Bez. für Stoffe, die zur Bildung von *Chelaten befähigt sind.

Chelate. Von latein.: chelae = Scheren (von Krebstieren) abgeleitete u. 1920 durch Morgan u. Drew eingeführte Sammelbez. für solche cycl. Verb., bei denen Metalle, Gruppierungen mit *einsamen Elektronenpaaren od. mit Elektronenlücken u. Wasserstoff an der Ringbildung beteiligt sind. Die Koordinationsverb. der Metalle (s. Koordinationslehre), die *Metall-C.*, überwiegen dabei. Es sind Verb., in denen ein einzelner Ligand mehr als eine Koordinationsstelle an einem Zentralatom besetzt, d.h. mind. „zweizähnig" ist (für ...zähnig ist auch die Bez. ...zähnig im Gebrauch). In diesem Falle werden also normalerweise gestreckte Verb. durch Komplexbildung über ein Metall-Atom od. -Ion zu Ringen geschlossen. Die Zahl der gebundenen Liganden hängt von der Koordinationszahl des zentralen Metalls ab. Voraussetzung für die C.-Bildung ist, daß die mit dem Metall reagierende Verb. zwei od. mehr Atomgruppierungen enthält, die als Elektronendonatoren wirken. Ein bekanntes Beisp. ist das rote *Nickeldimethylglyoxim* [systemat. Name: Bis(2,3-butandion-dioximato)nickel]:

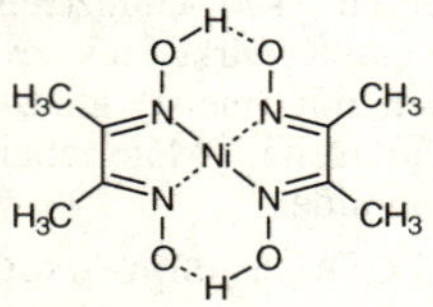

[Strukturformel Nickeldimethylglyoxim mit zwei H₃C-Gruppen auf jeder Seite, N-Ni-N Koordination und O-H···O Wasserstoffbrücken]

Tatsächlich entstehen hier sogar 4 Ringe, zwei davon als Sekundäreffekt der Metallchelat-Bildung, wobei die 2. mögliche Art von C.-Bildung zur Auswirkung kommt, nämlich der Ringschluß über *Wasserstoff-Brückenbindungen. Letzterer Fall liegt v.a. in α- u. β-Hydroxycarbonyl-Verb. vor, also Hydroxycarbonsäuren, -ketonen u. -aldehyden u. ihren Analogen; hierher gehören auch enolisierbare 1,3-Diketone wie *Acetylaceton u. Homologe [s. die Abb. bei Eu(DPM)₃]. Das Nickeldimethylglyoxim ist auch ein Beisp. für eine bes. Form von Metall-C., den sog. *Inneren Komplexsalzen*, d.h. C., bei denen von den den Ringschluß über das Metall-Ion bewirkenden Bindungen eine salzartig, die andere koordinativ ist. C. sind bes. stabil, wenn sich Fünf- od. Sechsringe ausbilden, u. vielen dieser C. wird sogar *Aromatizität zugeschrieben.

In der Natur spielen C. als Blutfarbstoff (*Hämoglobin) u. Blattgrün (*Chlorophyll) eine wichtige Rolle, u. auch die *Blütenfarbstoffe sind häufig C. von Fe, Al u.a. Metallen mit Anthrocyanen. Die Pflanzenwurzeln scheiden Verb. aus, die z.B. mit den Ca- u. Fe-Ionen des Bodens leicht resorbierbare C. bilden.

Verw.: Die Chelatisierung wird in der Chemie sehr vielseitig angewandt. Mit C.-Bildern, wie Polyoxycarbonsäuren, Polyaminen, Ethylendiamintetraessigsäure (EDTA), Nitrilotriessigsäure (NTA) u.a. kann man Metall-Ionen in wäss. Lsg. halten od. in Lsg. bringen, z.B. bei der Behandlung von Brauch- u. Abwässern, bei der Wasserenthärtung od. bei der Metallgewinnung aus Erzen. Durch die Komplexierung von störenden Metallen wie Mn, Fe, Cu u.a., werden z.B. in der Textilfärberei reine Farbtöne erzielt u. in der Papier- u. Zellstoff-Ind. Peroxid-Bleichmittel stabilisiert. Aus Düngemitteln lassen sich Spurenelemente als C. gelöst den Pflanzenwurzeln zuführen. An C.-Harzen können Metalle aus wäss. Lsg. abgeschieden werden, z.B. bei der Abwasserreinigung galvanotechn. Betriebe od. bei Trennreaktionen in der Hydrometallurgie. In der analyt. Chemie benutzt man C.-Bildner z.B. zur *Maskierung (*Sequestrierung*) störender Ionen u. zur *Komplexometrie (*Chelatometrie* nach

Přibil); hierbei können vorteilhaft Thioketone eingesetzt werden. Metall-C. sind verwendbar als *Verschiebungsreagentien in der NMR-Spektroskopie u. als Katalysatoren. In der Medizin werden C.-Bildner u. a. zur Entgiftung bei Schwermetallvergiftungen verwendet; darüber hinaus gewinnen zahlreiche andere Anw. z. T. spezieller Chelatbildner zunehmende Bedeutung[1]. – *E* chelates – *F* chélates – *I* chelati – *S* quelatos

Lit.: [1] Struct. Bonding (Berlin) **67**, 91–141 (1987).
allg.: Bell, Principles and Applications of Metal Chelation, London: Oxford Univ. Press 1977 ▪ Encycl. Polym. Sci. Eng. **3**, 363–381 ▪ Flaschka u. Barnard, Chelates in Analytical Chemistry (5 Bd.), New York: Dekker 1967–1976 ▪ Kirk-Othmer (4.) **5**, 764–795 ▪ Muzzarelli, Natural Chelating Polymers, Oxford: Pergamon 1974 ▪ Stary, Chelating Extractants, Oxford: Pergamon 1978 ▪ Ullmann (5.) **A 10**, 95–100 ▪ s. a. Koordinationslehre, Metall-organische Verbindungen.

Chelatisierung s. Chelate.

Chelatometrie s. Komplexometrie.

Chelatoren s. Chelatbildner.

Cheletrope Reaktionen. Von *Woodward u. Roald *Hoffmann[1] eingeführte, von latein.: chelae = Scheren (von Krebstieren) u. ...*trop abgeleitete Bez. für eine spezielle *pericyclische Reaktion, bei der zwei σ-Bindungen, die vom gleichen Atom ausgehen, synchron geöffnet od. geschlossen werden. Beispielsweise geht ein ungeradzahliger Ring durch *cheletrope* *Eliminierung eines Atoms bzw. einer Gruppe in ein offenkettiges geradzahliges Polyen über; *Beisp.:* Pyrolyse von Sulfolen zu SO_2 u. Butadien.

Sulfolen → 1,3-Butadien + SO_2

Auch die umgekehrte Reaktion ist definitionsgemäß eine c. R. (*cheletrope *Cycloaddition*); *Beisp.:* stereospezif. [2+1]-Cycloaddition eines *Singulett-*Carbens an ein Alken:

– *E* cheletropic reactions – *F* réactions chélétropiques – *I* reazioni cheletrope – *S* reacciones queletrópicas
Lit.: [1] Angew. Chem. **81**, 797–869, bes. 858–863 (1969).
allg.: s. elektro- u. pericyclische Reaktionen.

Chelidonin (Stylophorin).

$C_{20}H_{19}NO_5$, M_R 353,37. Benzophenanthridin-Alkaloid aus dem *Schöllkraut (*Chelidonium majus*), Prismen, Schmp. 135–136 °C, $[\alpha]_D^{20}$ +115° (C_2H_5OH), unlösl. in Wasser, lösl. in Alkohol, Ether u. Chloroform. C. wirkt erschlaffend auf die glatte Muskulatur u. wird zur Schmerzlinderung bei Magen- u. Darmschmerzen sowie gegen Krämpfe bei Asthma empfohlen. C. ist ein schwaches *Mitosegift, worauf vielleicht die warzenvertreibende Eigenschaft des Schöllkrautsaftes zurückgeführt werden kann. – *E* chelidonine – *F* chélidonine – *I* chelidonina – *S* quelidonina
Lit.: Beilstein EIV **27**, 6874 ff. ▪ Braun-Frohne (6.), S. 142–146 ▪ Chem. Lett. **1986**, 739 (Synth.) ▪ Dtsch. Apoth. Ztg. **133**, 27 (1993); **134**, 1031 (1994) ▪ Hager (5.) **3**, 266 f.; **4**, 836 ff. ▪ J. Chem. Soc., Perkin Trans. 1 **1975**, 1147 (Biosynth.) ▪ Manske **25**, 178–188; **26**, 185–240 ▪ Phytochemistry **31**, 2713 (1992). – [HS 293990; CAS 476-32-4]

Chelite®. Analysenreine komplexogene Harze, deren Ankergruppe zur Komplex-Bildung mit mehrwertigen Kationen befähigt sind u. diese schnell u. weitgehend aus einer Lsg. entfernen; außerdem haben C. Ionenaustauschende Eigenschaften. *B.:* Serva.

CHEMAG AG. Abk. für die 1923 gegr. CHEMAG-Aktiengesellschaft, Senckenberganlage 10–12, 60325 Frankfurt/Main, die zur BASF gehört. *Daten* (1994): ca. 104 Beschäftigte, 6 Mio. DM Kapital, 534 Mio. DM Umsatz. *Vertrieb:* Chemikalien, pharmazeut. Rohstoffe, Petrochemikalien, Mineralien u. ä. Erzeugnisse.

Chemetall GmbH. Ges. für chem.-techn. Verf., Reuterweg 14, 60271 Frankfurt. Gründung 1982 als Unternehmen der Metallges. AG Frankfurt. Seit 1992 bildet die C. GmbH den Geschäftsbereich Spezialitätenchemie der Dynamit Nobel AG. Ca. 35 Tochterges. in mehr als 20 Ländern. *Daten* (1995, weltweit): 2200 Beschäftigte, ca. 1 Mrd. DM Umsatz. *Leistungsspektrum:* Entwicklung von Spezialverf., Verfahrensmittel, Anlagen, Einrichtungen, Rohstoffe u. Vorprodukte für die Bereiche Oberflächentechnik, Feinchemie, Polymerchemie.

CHEM-FLEX™. Marke von ALDRICH entwickelt für den optimalen Transfer von aggressiven Lsm., sowie luftempfindlichen Flüssigkeiten u. Gasen. Eine Vielzahl von Kombinationsmöglichkeiten, durch variable Nadeln, Schläuche u. Kupplungen bieten dem Anwender größtmögliche Flexibilität in der Anwendungsmethode.

ChemG. Abk. für *Chemikaliengesetz.

Chemical Abstracts (Abk. CA). Wichtigstes *Referateorgan der Chemie u. ihrer Grenzgebiete, in engl. Sprache herausgegeben von *Chemical Abstracts Service, einer Abteilung der *American Chemical Society. CA erscheinen seit 1907, bis 1966 vierzehntägig, danach wöchentlich; ein Jahrgang hat zwei Bände. *Mitarbeiterstab* (1995): ca. 1370 Angestellte, 98 % der Dokumente (Zeitschriften, Patente etc.) werden von festangestellten Mitarbeitern od. Inputzentren in Berlin u. Tokyo ausgewertet. Die Referatehefte sind in Sektionen aufgeteilt: Die ungeradzahligen Hefte enthalten die Sektionen 1 (pharmacology) bis 34 (amino acids, peptides, proteins) mit den Schwerpunkten Biochemie u. organ. Chemie u. die geradzahligen die Sektionen 35 (chemistry of synthetic high polymers) bis 80 (organic analytical chemistry) mit den Schwerpunkten makromol. Chemie, angewandte Chemie u. Verfahrenstechnik sowie physikal., anorgan. u. analyt. Chemie. 1994 wurden ca. 12 000 wissenschaftliche u. techn. Zeitschriften aus über 140 Ländern, Patentschriften von 27 Ländern, techn. Berichte, Konferenzberichte, Monographien sowie amerikan. Diss. ausgewertet. Die Abb. spiegelt das Wachstum der Chemiepublikationen wider (Zahl der von CA referierten Dokumente, 1967 u. 1977 einschließlich Patentkonkordanzen).

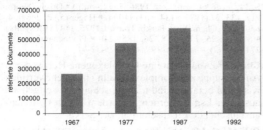

Abb.: Wachstum der Chemiepublikationen.

1955 wurde das 2millionste Dokument, 1967 das 4millionste, 1974 das 6millionste, 1979 das 8millionste Dokument, 1988 das 12millionste, 1994 das 15millionste in CA zitiert. Jedes CA-Heft enthält ein Stichwort-, Patentnummern- u. Autorenregister sowie eine Patentkonkordanz. Die halbjährlich erscheinenden Bandregister bestehen aus dem ausführlicheren Autoren-, Patentnummern-, Verbindungs-, Summenformel-, Ringsystem- u. Sachregister sowie der Patentkonkordanz. Die Register wurden bis 1956 zu Zehnjahresregistern u. danach zu Fünfjahresregistern kumuliert. Das 12. Sammelregister für die Jahre 1987–1991 ist auch auf CD-ROM erhältlich. CA einschließlich der Register kann nicht nur gedruckt, sondern auch auf Mikrofiche od. Mikrofilm erhalten werden. Andere gedruckte Produkte sind: *CA-Section Groupings* (gedruckte Referatehefte der Sektionsgruppen Biochemie, Organ. Chemie, Makromol. Chemie, Angewandte Chemie u. Chem. Technik, Physikal. u. Analyt. Chemie), *CA-Selects* (gedruckte Referatehefte für 209 spezielle Themen wie Ionenaustausch, Organosiliciumchemie, Forens. Chemie). Magnetbanddienste werden für maschinelle *Recherchen angeboten. Jede in CA genannte Verb. wird seit 1965 mit der sog. *Registry Number versehen u. durch diese eindeutig gekennzeichnet – im April 1994 waren schon 12 Mio. Verb. auf diese Weise registriert. Es sei darauf hingewiesen, daß die Registereintragungen in CA zwar auf den IUPAC-Regeln basieren, häufig aber auch davon abweichen – z. B. wird Diethylether im Chemical Substance Index unter „ethane, 1,1′-oxybis-" gefunden. Vor einer Lit.-Recherche im CA-Index sollte also der CA Index Guide herangezogen werden.

Chemical Abstracts Registry Number (CARNO) s. Registry Number.

Chemical Abstracts Service (CAS). Eine Abteilung der American Chemical Society mit Sitz in Columbus (Ohio) 43210. Seine Aufgabe besteht darin, die Weltlit. auf dem Gebiet der Chemie u. der chem. Technik zugänglich zu machen, u. er erfüllt diese Aufgabe durch die Herausgabe verschiedener Dienste, gedruckt, in Mikroform od. maschinenlesbar, die zum großen Teil aufeinander bezogen sind, sich gegenseitig ergänzen u. die zusammen das CAS-Informationssyst. bilden. Das Angebot reicht von den *Chemical Abstracts (CA) bis *CAS ONLINE, die Informationsdatenbank zur Chemie, in der sowohl nach chem. Verb. als auch nach Sachverhalten gesucht werden kann. 1995 beschäftigte CAS ca. 1370 Mitarbeiter. CAS überwacht 12 000 wissenschaftliche u. techn. Zeitschriften aus über 140 Ländern u. in mehr als 50 Sprachen. Er berücksichtigt Patentschriften von 29 Organisationen sowie Konferenzberichte, Dissertationen, Forschungsberichte u. neue Bücher aus allen Ländern der Erde. Eine Arbeit, die von CAS referiert u. zusammen mit den bibliograph. Daten in der CAS-Datenbank gespeichert wird, muß zwei Kriterien erfüllen: Sie muß neue Informationen enthalten, u. sie muß in das Gebiet der Chemie u. der chem. Technik gehören.

Die CAS-Dienste erstrecken sich von Publikationen wie CA Selects, CAS Source Index (*CASSI), Chemical Abstracts (CA) u. den dazugehörigen Sammelregistern bis hin zu Magnetbanddiensten (Datenbanken), CA Index Guide, CASEARCH, CASSI, CBAC (Chemical-Biological Activities), CIN (Chemical Industry Notes), Chemical-Titles, POST (Polymer Science and Technology), Registry Nomenclature Service, Registry Structure Service.

CAS ist Teil des *STN International, des wissenschaftlichen u. techn. Informationsnetzes, das von folgenden drei Oranisationen getragen wird: der *American Chemical Society, dem *Fachinformationszentrum Karlsruhe u. dem Japan Information Center of Science and Technology (JICST), Tokyo. STN bietet die *CAS-ONLINE Datenbanken u. a. bedeutende, wissenschaftliche u. techn. Datenbanken an; dazu gehören CA (bibliograph. Daten plus Abstracts), CA Previews, CAS-REACT (Reaktionen), AGPAT (Agrikulturchemie), PharmPat (Pharmaziepatente), Registry (Strukturdaten).

Inputzentren, die mit CAS zusammenarbeiten, sind FIZ CHEMIE, Berlin, u. das Japan Center of International Chemical Information (JAICI), Tokyo. CAS stellt mit *BIOSIS Dienste auf dem Grenzbereich Biologie-Chemie her. CAS teilt jedem Stoff (Verb., Element) eine Nr. zu, die *Registry Number genannt wird. Diese wird auch in vielen Zeitschriften, Handbüchern u. Datensammlungen zur Identifizierung einer Substanz verwendet. – INTERNET-Adresse: http://www.acs.org.

Chemical Abstracts Service Source Index s. CASSI.

Chemical Mace s. ω-Chloracetophenon.

Chemical Society. Frühere Organisation der Chemiker in Großbritannien, Gründung 1841; 1980 Vereinigung mit dem Royal Institute of Chemistry zur Royal Society of Chemistry.

Chemical Society of Japan. 1878 gegründete Ges. mit 32 000 Mitgliedern, Sitz in Kagakukai, 1–5 Kanda-Surugadai, Chiyoda-ku, Tokyo.
Publikationen: Bulletin, Chemistry Letters, Kagaku to Kogyo, Nippon Kagaku Kaishi.

Chemical Titles. Ein von *Chemical Abstracts Service herausgegebener, vierzehntäglich erscheinender Informationsdienst. Er enthält aus den etwa 800 wichtigsten Chemie-Zeitschriften die Titel aller Veröffentlichungen u. dient dazu, Chemiker über die neuesten

Fortschritte in Theorie u. Praxis ungefähr einen Monat, bevor die Referate in den Chemical Abstracts erscheinen, zu unterrichten. 1994 wurden ca. 200 000 Titel in den 26 Ausgaben der C. T. aufgeführt. Jedes Heft der C. T. enthält ein Schlagwort-im-Kontext-Register (KWIC, alphabet. geordnet), bibliograph. Daten (alphabet. geordnet nach den Zeitschriften-CODEN mit der zugehörigen Titelkürzung) u. ein Autorenregister (alphabet. geordnet). C. T. ist auch in maschinenlesbarer Form erhältlich.

Chemie (von ägypt. ch'mi = schwarz; zu dieser u. a. Ableitungen s. Geschichte der Chemie). Nach einer Definition der *American Chemical Society von 1963 ist Chemie diejenige Wissenschaft, die sich mit Folgendem beschäftigt:
1. den *chemischen *Elementen* in freiem od. gebundenem Zustand;
2. den *Reaktionen*, Umsetzungen, Umwandlungen u. Wechselwirkungen der chem. Elemente u. ihrer Verb.;
3. der Bestimmung, Steuerung u. Voraussage, *Deutung* u. Auswertung (durch direkte od. indirekte Meth.), Anw. u. den Mechanismen der unter 2. aufgeführten Prozesse;
4. den *Grunderscheinungen* u. Kräften der Natur hinsichtlich ihrer Anw. auf Reaktionen, Extraktionen, Kombinationen, Prozesse, Additionen, Synth., Zers., Kennzeichnungen u. Analysen. Nach einer abstrakteren Definition ist C. die Wissenschaft, die sich mit den Ursachen u. Wirkungen von Elektronenabgabe, -aufnahme od. -verteilung zwischen Atomen od. Mol. u. mit den Beziehungen zwischen den Energieniveaus solcher Elektronen innerhalb der Atome od. Mol. befaßt. Nachdenkliche Gesichtspunkte zu einer Definition der C. s. Lit.[1].

Chem. Verb. existierten u. reagierten auf der Erde schon lange, bevor „Leben" entstand, s. chemische Evolution. Daher, u. weil tier. u. pflanzliches Leben den (chem.) Stoffwechselgesetzen gehorchen, muß man C. als eine der ältesten Wissenschaften der Menschheit ansehen, wenn auch ihre Gesetzmäßigkeiten erst im Laufe der letzten 3–4 Jh. näher erforscht wurden. Im 19. Jh. erwies es sich als notwendig, nicht nur *anorganische gegen *organische Chemie (die inzwischen nicht nur über die metallorgan. Verb. wieder zueinander gefunden haben) abzugrenzen, sondern eine weitergehende Spezialisierung vorzunehmen. So unterscheidet man heute u. a. folgende in Einzelabschnitten besprochene Teilgebiete: Agrikulturchemie, Analyt. C., Anorgan. C., Biochemie, Cytochemie, Elektrochemie, Forens. C., Geochemie, Kernchemie, Kolloidchemie, Komplexchemie, Kosmochemie, Kristallchemie, Lebensmittelchemie, Magnetochemie, Makromol. C., Mechanochemie, Militärchemie, Ökolog. C., Organ. C., Pharmakolog. C., Pharmazeut. C., Photochemie, Physikal. C., Physiolog. C., Präparative C., Phytochemie, Quantenchemie, Radiochemie, Strahlenchemie, chem. Technologie, Textilchemie, Theoret. C., chem. Verfahrenstechnik, Umweltschutz-C. – eine *Allgemeine Chemie im engeren Sinne gibt es kaum noch, u. auch eine Trennung in *Reine u. *Angewandte Chemie scheint heute nicht mehr sinnvoll. Die meisten Berufe der Ggw. haben fast täglich mit C.

zu tun; es seien hier nur Ärzte, Apotheker, Architekten u. Bauarbeiter, Drogisten, Ingenieure, Kaufleute, Kraftfahrer, Landwirte, Maler, Photographen usw. genannt. Fast alle Stoffe u. Gegenstände unserer Umgebung sind dem. Reaktionen zu verdanken: Arzneimittel, Brennstoffe, Explosivstoffe, Farben, Filme u. Photochemikalien, Glas, Gummi, Handelsdünger, Haushaltsgeräte, Kitte u. Klebstoffe, Konservierungsmittel, Kosmetika, Kunstseiden, Kunststoffe, Leder, Leuchtgas, Metalle, Mörtel, Motorkraftstoffe, Nahrungs- u. Genußmittel, Papier, Parfüms, Porzellan- u. Tonwaren, Schädlingsbekämpfungsmittel, Tinten, Trinkwasser, Zement u. zahllose andere Dinge. Naturgemäß finden sich unter den mehr als 12 Mio. *chemischen Verbindungen, die man z. Z. kennt, nicht nur nützliche, sondern auch gefährliche u. schädliche Stoffe, Gifte, chem. Waffen u. Kampfstoffe, Rauschmittel, die Umwelt belastende u. schädigende Stoffe u. dgl. – häufig ist es nur eine Frage der Dosis od. der Dauer einer Einwirkung, ob eine Verb. ein Nutz- od. Schadstoff ist. Die Verfeinerung der Analysentechnik hat es mit sich gebracht, daß heute auch da noch winzige Mengen eines Schadstoffs entdeckt werden können, wo man jahrhundertelang auf die Harmlosigkeit eines Produktes vertraute. Freilich ist Hysterie bezüglich möglicher Gefahren der C. ebensowenig am Platze wie Beschwichtigungen. Schließlich ist es im allg. die C. selbst, die die – oft auch bei sehr sorgfältiger Prüfung zunächst unvorhersehbaren – Gefahren analysiert u. mit eigenen Mitteln mindert od. beseitigt. Angesichts der Zunahme der Erdbevölkerung einerseits – im Jahre 2000 kann mit 6–7 Mrd. Menschen gerechnet werden – u. der Abnahme der natürlichen *Rohstoffe andererseits bleiben dem *Chemiker auch in ferner Zukunft bedeutende Forschungs- u. Entwicklungsaufgaben in der Versorgung des Menschen mit Nahrung, Behausung u. Bekleidung u. im Schutz seiner Umwelt, seiner Gesundheit u. seines Lebens[2], s. a. Club of Rome. – *E* chemistry – *F* chimie – *I* chimica – *S* química

Lit.: [1] Chem. Labor Betr. **45**, 303 ff. (1994). [2] Pure Appl. Chem. **50**, 407–426 (1978).
allg.: Chemistry and the Need of Society (Spec. Publ. 26), London: Chem. Soc. 1974 ■ Colloque: Images de la chimie, Paris: CNRS 1979 ■ Dobbs, The Age of the Molecule: Chemistry in the World and Society, London: Harper & Row 1976.

Chemieanlagen s. chemische Industrie, chemische Technologie, technische Chemie u. Verfahrenstechnik.

Chemie-Berufe. Sammelbez. für die spezif. ausgeübten Berufe in Forschung u. Ind. der Chemie u. ihrer Randgebiete. Die Berufsbez. sind meist in eigenen Stichwörtern näher behandelt. Hinsichtlich des Ausbildungsniveaus ist zu unterscheiden in:
1. *Ausbildung an Universitäten*, Techn. Universitäten, Techn. Hochschulen u. Gesamthochschulen: Diplom-Chemiker (s. Chemie-Studium), Diplom-Biochemiker, Lebensmittelchemiker, Diplom-Ingenieur Fachrichtung Chemie, Chemietechnik, Verfahrenstechnik u. andere. Die Dipl.-Chemiker haben meist promoviert; sie werden im allg. Sprachgebrauch oft nur als *Chemiker bezeichnet. Die Dipl.-Ingenieure mit Hochschulausbildung (ca. 10 Semester Studiendauer) werden häufig wie auch die unter 2. aufgeführten Dipl.-Ingenieure mit

Tab.: Übersicht über die Ausbildungsniveaus in Chemie-Berufen.

Dipl.-Chemiker / Dipl.-Ingenieure	1. Universitätsstudium
Dipl.-Ingenieure	2. Fachhochschulstudium
Techniker	3. Ausbildung an Fachhochschulen

Labortechn. Berufe	Produktionstechn. Berufe	
Laborantenberufe Assistentenberufe Chemielaborjungwerker	Facharbeiterberufe (z. B. Chemikant) Chemiebetriebsjungwerker	4./5. Ausbildungsberufe

Fachhochschulausbildung vereinfachend *Chemieingenieure bzw. Verfahrensingenieure genannt. Die gesetzlich erfolgte Gleichstellung der Dipl.-Ingenieure beider Ausbildungsstätten ist immer noch umstritten. Wichtige Unterschiede zeigen sich z. B. im öffentlichen Dienst, wo in der Regel nur Absolventen der wiss. Hochschulen/Universitäten in den höheren Dienst gelangen; auch berechtigt das FH-Diplom nicht zur Dissertation. Mit der Gründung von Gesamthochschulen (Nordrhein-Westfalen, ab 1972) wurde der Versuch gemacht, klass. Hochschulstudiengänge u. die unter 2. beschriebenen Fachhochschulstudiengänge miteinander zu verbinden. Dort kann ein Ingenieurstudium der Fachrichtung Chemie im Kurzzeitstudiengang (in der Regel 6–7 Semester) absolviert werden. Es gibt noch eine ganze Reihe weiterer Ingenieur-Studienrichtungen mit Chemiebezug, z. B. Brennstoffwissenschaften, Lebensmitteltechnologie, Papieringenieurwesen, Textiltechnik, Umwelttechnik usw.

2. *Ausbildung an Fachhochschulen:* Zugangsvoraussetzung ist die Fachhochschulreife, die entweder über Fachabitur (12 Schuljahre) od. über eine abgeschlossene, einschlägige Berufsausbildung u. einjährigen Besuch der Fachoberschule (bei erfolgreichem Realschulabschluß) nachgewiesen wird. Der Studiengang schließt in aller Regel eine Praxisphase ein, die in den Bundesländern unterschiedlich geregelt ist (meist 1–2 Praxissemester). Die Regelstudiendauer beträgt 6 Semester u. führt zum Dipl.-Ingenieur in den schon oben erwähnten Fachrichtungen. Daneben gibt es wiederum eine Anzahl von Studiengängen, die für die Chemie zumindest einen Teilbezug haben, z. B. Apparatebau, Farbe, Lebensmitteltechnologie, Papierverarbeitung, Photoingenieurwesen, Textilchemie, Umweltschutz usw. Die Ausbildung an Fachhochschulen (ehem. Ingenieurschulen bzw. Ingenieurakademien) endete früher mit der Graduierung (Ing. grad.).

3. *Ausbildung* (bzw. Fortbildung) *auf der Basis einer abgeschlossenen Berufsausbildung* u. entsprechender Berufspraxis: (a) Meisterkurse der Ind.- u. Handelskammern: Industriemeister Chemie; (b) Fachschulen: *Chemotechniker, Biotechniker, Pharmareferent, *Techniker für Farbe, Lack, Kunststoff, Umweltschutztechniker, Kunststofftechniker u. andere.

4. *Ausbildung an Schulen für techn. Assistenten:* *Chemisch-technischer Assistent, Biologisch-technischer Assistent.

5. *Berufsausbildung im dualen Syst.*, d. h. durch prakt. Ausbildung im Betrieb u. berufsbegleitenden Unterricht in der Berufsschule: *Chemielaborant, Chemielaborjungwerker, Chemiebetriebsjungwerker, *Chemikant (Chemiefacharbeiter), Pharmakant (Pharmafacharbeiter), *Edelmetallprüfer, Stoffprüfer (Chemie), *Galvaniseur, Biologielaborant, Physiklaborant, Lacklaborant, Textillaborant. Die letzte Gruppe wird im sog. Berufsfeld der naturwissenschaftlich-techn. Ausbildungsberufe zusammengefaßt. Die Ausbildungsdauer beträgt mit Ausnahme der beiden Jungwerker-Berufe (2 Jahre) 3 bis $3\frac{1}{2}$ Jahre. – *E* chemistry professions – *F* professions de la chimie – *I* professioni chimiche – *S* profesiones químicas

Lit.: Chem. Exp. Technol. **3**, 209–216 (1977) ▪ Chem. Ind. (Düsseldorf) **29**, 706–710 (1977); **32**, 28 (1980) ▪ Studien- u. Berufswahl, Bad Honnef: Bock (jährlich) ▪ Verzeichnis der anerkannten Ausbildungsberufe ..., Bielefeld: Bertelsmann (jährlich) ▪ s. a. Chemie, Chemie-Studium.

Chemiefacharbeiter. *Chemie-Beruf mit 3-jähriger Ausbildung, seit dem 1.8.1987 ersetzt durch den *Chemikanten.

Chemiefasern. Nach DIN 60000 (01/1969) gehören C. zu den *Textilfasern u. werden nach DIN 60001 T3 (10/1988) definiert als „aus natürlichen od. synthet. Polymeren od. anorgan. Stoffen industriell hergestellte Faserstoffe". Da die Vielzahl der C. in diesem Werk überwiegend in Einzelstichwörtern abgehandelt sind, werden die einzelnen C.-Typen im folgenden in der Reihenfolge u. Definition der DIN 60001 T3 mit Zusatz der internat. üblichen Kurzz. gemäß DIN 60001 T4 (08/1991) aufgelistet, z. T. mit ergänzenden Anmerkungen.

1. Chemiefasern aus natürlichen Polymeren:
1.1. *Viskose(fasern), kurzz. CV: Aus *Regeneratcellulose, hergestellt mit dem *Viskose-Verf.*, s. Viskosefasern.
1.2. *Modal(fasern), Kurzz. CMD: Aus modifizierten Viskosefasern mit bes. Zugdehnungswerten u. hohem *Naßmodul.
1.3. *Cupro, Kurzz. CUP: Aus *Regeneratcellulose, hergestellt mit dem *Kupferoxidammoniak-Verf.*, s. Kupferseide.
1.4. *Acetat*, Kurzz. CA: Aus *Celluloseacetat mit 74–92% acetylierten Hydroxy-Gruppen.
1.5. *Triacetat*, Kurzz. CTA: Aus Celluloseacetat mit >92% acetylierten Hydroxy-Gruppen.

Die C.-Typen 1.1 bis 1.5 werden nach DIN unter dem Begriff „Cellulosische Chemiefasern" zusammengefaßt, man bezeichnet sie auch als *Kunstseiden od. *Reyon. Von den C.-Typen dieser Gruppe haben die

Viskosefasern die breiteste Anw. u. die größte wirtschaftliche Bedeutung.
1.6. *Alginat(fasern), Kurzz. ALG: Überwiegend aus Calciumalginat, s. Alginat-Fasern.
1.7. *Gummi(fasern)*, Kurzz. LA: Überwiegend aus vulkanisiertem *Naturkautschuk (natürliches *Polyisopren), im Eigenschaftsbild dem Elastodien (s. 2.2. weiter unten) vergleichbar.
2. Chemiefasern aus synthet. Polymeren (*Synthesefasern) werden aus Polymeren ersponnen, die durch *Polyaddition, *Polykondensation od. *Polymerisation gewonnen werden:
2.1. *Elastan (s. Elastofasern), Kurzz. EL: Aus segmentiertem *Polyurethan.
2.2. *Elastodien (s. Elastofasern), Kurzz. ED: Aus synthet. *Polyisopren od. Hochpolymeren, polymerisiert aus einem od. mehreren *Dienen mit od. ohne *Vinylmonomeren, auch vulkanisiert.
2.3. Fluoro, Kurzz. PTFE: Aus fluorierten aliphat. Kohlenwasserstoffen, z. B. *Polytetrafluorethylen.
2.4. Polyacryl(fasern), Kurzz. PAN: Aus *Acrylnitril mit bis zu 15% Vinylacetat od. *Vinylpyrrolidon als Comonomeren.
2.5. *Modacryl(fasern), Kurzz. MAC: *Acrylnitril mit bis zu 50% *Vinylchlorid od. Vinylidenchlorid (1,1-*Dichlorethylen) als Comonomeren.
2.6. *Polyamid(fasern), Kurzz. PA: Durch Amidgruppen verbundene aliphat. Kettenglieder, z. B. Polyamid 6 aus ε-Caprolactam (s. Perlon®) u. Polyamid 66 aus *1,6-Hexandiamin u. *Adipinsäure (s. Nylon).
2.7. *Aramid(fasern), Kurzz. AR: Durch Amid-Gruppen verbundene aromat. Kettenglieder, bei denen bis zu 50% der Amidbindungen durch Imidbindungen ersetzt sein können, z. B. Poly-p-phenylenterephthalsäureamid.

$$\mathrm{+HN-\!\!\left\langle\!\!\bigcirc\!\!\right\rangle\!\!-NH-CO-\!\!\left\langle\!\!\bigcirc\!\!\right\rangle\!\!-CO\!\!+_p}$$

2.8. *Polyvinylchlorid(fasern), Kurzz. CLF: Aus mind. 50% *Vinylchlorid.
2.9. *Polyvinylidenchlorid(fasern), Kurzz. CLF: Aus mind. 50% Vinylidenchlorid (1,1-*Dichlorethylen).
2.10. *Polyester(fasern), Kurzz. PES: Aus Estern eines *Diols u. *Terephthalsäure, z. B. *Polyethylenterephthalat.
2.11. *Polyethylen(fasern), Kurzz. PE: Aus *Ethylen polymerisierte lineare Makromoleküle.
2.12 *Polypropylen(fasern), Kurzz. PP: Aus Propylen (*Propen) polymerisierte lineare Makromoleküle.
2.13. *Polyvinylalkohol(fasern), Kurzz. PVAL: Aus durch Polymerisation von *Vinylacetat u. anschließender Verseifung entstandenen linearen Makromol. mit mind. 85% Polyvinylalkohol.
3. Chemiefasern aus anorgan. Stoffen:
3.1. *Glas(fasern), Kurzz. GF: Aus Glasschmelzen hergestellt.
3.2. *Kohlenstoff(fasern) (*Graphitfasern*), Kurzz. CF: Aus mind. 90% C bestehend.
3.3. *Metall(fasern), Kurzz. MTF: Aus Metallen, wie Gold, Silber, Kupfer, Bronze, Aluminium, Chromnickelstahl u. dgl. hergestellt.
Die den C. ebenfalls zuzurechnenden *Eiweißfasern aus regeneriertem pflanzlichem od. tier. Eiweiß sowie die aus *Cellulosenitrat hergestellte Nitroseide (s. Chardonnet-Seide) sind in den oben genannten Normen nicht mehr aufgeführt, da sie keine Bedeutung mehr haben.
Geschichte: Erste Gedanken, künstliche Fäden zu spinnen, stammen von *Hooke* (1665) u. *Réaumur* (1734). Erst mit der Entwicklung der Cellulosechemie über 100 Jahre später wurden die Grundlagen zur C.-Herst. geschaffen: Durch *Schönbein (1845, *Cellulosenitrat, lösl. in organ. Lsm.) zur Entwicklung der *Chardonnet-Seide 1891; durch Schweizer (1857, Löslichkeit von Cellulose in Kupferoxidammoniak) zur Entwicklung der *Kupferseide Ende des 19. Jh.; durch *Cross, Bevan* u. *Beadle* (1885, Herst. des in Natronlauge lösl. *Cellulosexanthogenats) zur Entwicklung der *Viskosefasern, industrielle Herst. ab 1905; 1894 Cellulosetriacetat (lösl. in Chloroform) sowie 1901 partiell verseiftes Cellulosetriacetat (lösl. in Aceton) führten ab 1919 zur industriellen Herst. von *Acetatseide*; die Entwicklung der *Polyvinylchlorid-Fasern geht zurück auf ein Patent von *Klatte 1913 u. führte erst ab 1939 zur industriellen Produktion. Mit den Forschungen *Staudingers entstanden die wesentlichen Grundlagen zur weiteren Entwicklung der Synthesefasern: *Carothers (*Nylon) u. *Schlack (*Perlon) entwickelten um 1935 die Polyamidfasern; *Whinfield* u. *Dickson* schufen 1941 mit dem *Polyethylenterephthalat die *Polyester-Fasern; *Rein fand 1942 für das schon länger bekannte *Polyacrylnitril geeignete Lsm. zur Herst. der Polyacrylfasern; die Elastofasern basieren auf den 1937 von Otto *Bayer entdeckten *Polyurethanen; Karl *Ziegler u. Giulio *Natta schufen die Grundlagen zur Entwicklung der *Polyethylen- u. *Polypropylen-Fasern Mitte der 50er Jahre. Neben den erwähnten wurden in den letzten Jahrzehnten weitere C.-Typen für spezielle Zwecke entwickelt; über die aktuellen Trends der Entwicklung u. Produktion von C. berichten *Lit.*[1,2].

Herst.: Vereinfacht dargestellt gliedert sich die Herst. der C. in drei Grundschritte:
1. Herst. der *Spinnlösungen* od. *Spinnschmelzen*.
2. *Spinnen der Fasern durch *Naßspinnen, Trockenspinnen* od. *Schmelzspinnen*.
3. Nachbehandlung wie *Recken, *Texturierung, *Thermofixieren u. a.
Die C. können als Filamentgarn (*Monofil- u. Multifilgarne), *Spinnfasern (früher Stapelfasern genannt), *Flock, Borsten (auf bestimmte Länge geschnittene Monofile u. *Kabel* hergestellt werden. C. lassen sich ebenso wie Naturfasern verzwirnen u. zu *Garn verspinnen u. mit der Meth. der *Textilveredlung auf den jeweiligen Verwendungszweck hin verbessern. Detaillierte Beschreibungen der verschiedenen Herstellungsverf. findet man in der *Lit.*, insbes. bei Rogowin, Ullmann u. Winnacker-Küchler.
Verw.: Bekleidung (z. B. Oberbekleidung, Futterstoffe, Strumpfwaren); Heimtextilien (z. B. Decken, Gardinen, Teppiche); Techn. Textilien (z. B. Förderbänder u. Schläuche, Verpackungsmaterialien, Zwischenlagen im Straßen- u. Wasserbau).
Die wirtschaftliche Bedeutung der C., insbes. der Synthesefasern, in ihrer Entwicklung seit 1950 im Vgl. zu den *Naturfasern verdeutlicht die Tab. auf Seite 662. Die regionale Verteilung der C.-Produktion 1994 von weltweit 20,04 Mio. t zeigt die Abb. auf Seite 662. Das Produktionsvol. in der BRD betrug 1994 1,07 Mio. t = 5,3% der Weltproduktion[4]. – *E* manmade fibers, chemical fibers – *F* fibres chimiques – *I* fibre sintetiche – *S* fibras químicas

Tab.: Produktion von Chemiefasern[3].

Jahr	Chemiefasern		Natur-fasern
	Cellulose-	Synthese-	
1950	1,61	0,07	7,70
1960	2,66	0,70	11,50
1970	3,59	4,81	13,30
1975	3,70	7,40	13,90
1980	3,58	10,70	17,40
1985	3,20	13,10	21,80
1990	2,76	14,91	20,68
1994	2,32	17,72	20,30

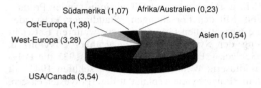

Südamerika (1,07) Afrika/Australien (0,23)
Ost-Europa (1,38)
West-Europa (3,28)
Asien (10,54)
USA/Canada (3,54)
Welt gesamt: 20,04

Abb.: Regionale Verteilung der Chemiefaserproduktion 1994 (Angaben in Mio. t; nach Lit.[3]).

Lit.: [1] Melliand Textilberichte **11**, 952 (1995). [2] Nachr. Chem. Tech. Lab. **44**, 211 (1996). [3] Chemical Fibers International (CFI) **45**, 238 (1995). [4] Chemical Fibers International (CFI) **45**, 155 (1995).
allg.: Kirk-Othmer (3.) **10**, 148–182; (4.) **10**, 539–726 ▪ Rogowin, Chemiefasern, Stuttgart: Thieme 1982 ▪ Ullmann (4.) **9**, 213–226; **11**, 249–390; (5.) A **5**, 400–418, 447 f.; A **10**, 567–655; A **11**, 1–66 ▪ Winnacker-Küchler (4.) **6**, 611–734.
– Inst. u. *Organisationen:* Industrievereinigung Chemiefasern, 60329 Frankfurt ▪ Inst. für Chemiefasern, 73770 Denkendorf.

Chemie-Information u. -Dokumentation Berlin (CIDB). Eine 1970 gegründete, aus der Westredaktion des *Chemischen Zentralblatts hervorgegangene Abteilung der GDCh mit Sitz in Berlin. 1982 wurde die CIDB in das *Fachinformationszentrum Chemie GmbH (FIZ CHEMIE) überführt.

Chemieingenieur. Kurzbez. für einen *Ingenieur-Beruf, dessen Ausbildung heute an drei unterschiedlichen Hochschultypen möglich ist: (a) Fachhochschule, (b) Gesamthochschule u. (c) Universität, Techn. Universität od. Techn. Hochschule. An den Fachhochschulen ist das Studium meist straff gegliedert u. umfaßt – wie bei den übrigen Hochschultypen – ein Grund- u. ein Hauptstudium; hinzu kommen Praxissemester od. berufsprakt. Studiensemester. Die Ausbildung an Fachhochschulen hat einen starken Praxisbezug u. vermittelt viele, im Beruf direkt verwertbare Kenntnisse. Bei der Ausbildung an Gesamthochschulen (Nordrhein-Westfalen, Hessen) wird zwischen dem Langzeitstudium (eher wissenschaftsbezogen) u. dem Kurzzeitstudium (eher praxisbezogen) unterschieden; Übergänge sind durch Brückenkurse bzw. Anschlußstudium möglich. Die unter (c) genannten Hochschulen sind die traditionellen Träger der wissenschaftlichen Ingenieurausbildung in der BRD. Die Anleitung zum selbständigen wissenschaftlichen Arbeiten steht im Hauptstudium im Vordergrund. Die Bez. C. bezieht sich im allg. auf den *Ingenieur mit Fachhochschulausbildung (früher Ing. grad.), z. B. Fachrichtung Chemie od. Verfahrenstechnik, seltener auf den Ingenieur mit Hochschulbildung, z. B. Fachrichtung Chemietechnik, Verfahrenstechnik, Techn. Chemie u. a. – *E* chemicalengineer – *F* ingénieur de chimie – *I* ingegnere chimico – *S* ingeniero técnico químico
Lit.: Henning u. Staufenbiel, Berufsplanung für Ingenieure, Köln: Staufenbiel Institut 1995 ▪ Henning u. Staufenbiel, Das Ingenieurstudium, Köln: Staufenbiel Institut 1992 ▪ Mahler, Studienführer Ingenieurwissenschaften, München: Lexika 1993 ▪ s. a. Chemie-Berufe.

Chemie-Ingenieurwesen. Auf die Chemie bezogenes Teilgebiet der Ingenieurwissenschaften, das die techn. Verwirklichung u. wirtschaftliche Nutzbarmachung chem. Forschungsergebnisse in Produktionsanlagen zum Ziele hat. Zu den in diesem Bereich, der sich begriffsmäßig mit *chemischer Technologie u. *Verfahrenstechnik überschneidet, tätigen *Chemie-Berufen gehören in erster Linie die *Ingenieure Fachrichtung Chemie bzw. Verfahrenstechnik, s. a. Chemieingenieur. – *E* chemical engineering – *F* génie chimique – *I* ingegneria chimica – *S* ingeniería química
Lit.: s. chemische Technologie.

Chemielaborant. *Chemie-Beruf mit dreieinhalbjähriger Ausbildungszeit. Der geprüfte C. ist in der Lage, nach entsprechenden Angaben die im Laboratorium vorkommenden prakt. Arbeiten selbständig auszuführen: qual. anorgan. Untersuchungen nach Angabe, gewichtsanalyt. Einzelbestimmung u. Trennung, Herst. von Normallsg., maßanalyt. u. gasanalyt. Bestimmung, physikal. Bestimmung mit den üblichen Geräten, Herst. einfacher anorgan. u. organ. Präp. nach Angabe, Aufbauen von Versuchsapp. u. Durchführen von Versuchen nach Angabe. Über die Untersuchungen führt er Protokolle u. wertet die Arbeitsergebnisse aus. Die Ausbildung des C. erfolgt in den Lehr- u. Forschungslaboratorien der chem. Ind. u. in den Fachklassen der Berufsschulen. Wegen der Tätigkeit in den verschiedenen Ind.-Bereichen erfolgt nach dem zweiten Ausbildungsjahr eine Differenzierung zwischen den Fachrichtungen Chemie, Kohle, Metalle u. Silikat. Die Prüfung findet vor der Ind.- u. Handelskammer statt. Der C. arbeitet in Forschungs- u. Entwicklungslaboratorien der Ind., an Hochschulen od. in Forschungsstätten sowie in Chemischen Untersuchungsstellen. Bei Übertragung eines Verf. vom Labor in den Betrieb wird er auch im Technikum eingesetzt. Chemielaborjungwerker können sich zum C. fortbilden. Der C. seinerseits kann durch Besuch von Fachschulen *Chemotechniker werden, danach steht ihm die Weiterbildung zum *Ingenieur Fachrichtung Chemie offen. Eine Ausbildungsvoraussetzung ist gesetzlich nicht vorgeschrieben. – *E* laboratory assistant – *F* aide-laboratoire de chimie – *I* assistente chimico di laboratorio – *S* laborante químico

Chemie-Mineralien AG & Co. KG. Hans-Böckler-Straße 48, 28217 Bremen, eine Tochterges. der Klöckner u. Co. Aktienges., Geschäftsbereich Chemie. *Vertrieb:* Adsorbentien, Verdickungs- u. Thixotropiermittel, Trägerstoffe auf Basis Attapulgit, Kaolin-Füllstoffe, Glimmer, Mineralöl-Additive, Farbstoffe, synth. Schmierstoffe.

Chemieschulen. Staatliche od. private Inst. zur Ausbildung von Chemotechniker(inne)n, Chem.-techn.

Assistent(inn)en, Ingenieuren (Fachrichtung Chemie), teils als Berufsfachschulen, Fach- u. Ingenieurschulen, gelegentlich auch als Abendlehrgänge; s. a. Chemie-Berufe u. Lit.[1]. Anschriften von C. findet man in den Blättern zur Berufskunde, in dem von der Bundesanstalt für Arbeit herausgegebenen Nachschlagewerk „Einrichtungen zur beruflichen Bildung" u. im Anzeigenteil von Zeitschriften wie Angew. Chem., Nachr. Chem. Tech. Lab., Chem. Labor Betr., Chem.-Ztg. usw.; Auskünfte erteilen auch die Kultusministerien der Bundesländer. – *E* schools for chemistry – *F* écoles de chimie – *I* scuole di chimica – *S* escuelas de química

Lit.: [1]Chem. Ind. (Düsseldorf) **28**, 708–712 (1976).

Chemieseiden. Veraltete Bez. für die cellulos. *Chemiefasern, die hier unter der histor. Bez. *Kunstseiden behandelt sind.

Chemie-Studium. Zur Zeit (1994) besteht an 55 Universitäten u. Techn. Hochschulen (TH) sowie an 6 Gesamthochschulen (s. Hochschulen) ein Studiengang Chemie, der mit dem Erwerb des Titels *Diplomchemiker* abgeschlossen werden kann; eine Eingangsvoraussetzung für das C.-S. ist der Erwerb der allg. od. fachgebundenen Hochschulreife. An fünf Gesamthochschulen können Studienanfänger mit Fachhochschulreife nach der Teilnahme an entsprechenden Brückenkursen ebenfalls in diesen Studiengang aufgenommen werden. Zulassungsbeschränkungen existieren z.Z. nicht, da die Zahl der vorhandenen Studienplätze gewöhnlich etwas größer ist als die Zahl der Studienbewerber. Dem Studium vorausgehende prakt. Erfahrungen, wie sie z.B. in ingenieurwissenschaftlichen Fächern z.T. üblich sind, werden für das C.-S. nicht verlangt. Einschlägige Fachkenntnisse, die durch eine abgeschlossene Berufsausbildung in einem anderen der *Chemie-Berufe nachgewiesen sind, werden gewöhnlich in individuellen Verf. von den einzelnen Hochschulen auf die zu erbringende Studienleistung angerechnet.

Das Chemie-Studium in der BRD will dem angehenden *Chemiker Berufsfähigkeit im Sinne einer breiten wissenschaftlichen Grundlage für seine vielfältigen beruflichen Aufgaben vermitteln, nicht aber Berufsfertigkeit im Sinne einer Ausbildung für bestimmte Tätigkeitsfelder. Demgemäß orientieren sich die Studienplätze an der Struktur u. Entwicklung der Wissenschaft Chemie. Das C.-S. ist in drei Abschnitte gegliedert, die jeweils mit Examina abgeschlossen werden. Es sind dies die Diplomvorprüfung, die Diplomhauptprüfung u. die Promotion. Im ersten Abschnitt, dem sog. Grundstudium, werden Lehrveranstaltungen nach feststehenden, an den einzelnen Hochschulen leicht verschiedenen Studienplänen besucht. Die Studierenden erwerben dabei Grundkenntnisse in den Fächern Anorganische, Organische u. Physikalische Chemie sowie in Mathematik u. Physik. Das Lehrangebot der beiden letzten Fächer orientiert sich an den Problemstellungen u. Lösungsmeth. der Chemie. Im zweiten Studienabschnitt, dem sog. Hauptstudium, tritt neben die vertiefenden Lehrveranstaltungen der Anorgan., Organ. u. Physikal. Chemie ein von Hochschule zu Hochschule verschiedenes Angebot von Lehrveranstaltungen anderer Fächer wie z.B. der Analyt. Chemie, der Biochemie, der Kern- u. Radiochemie, der Makromol. od. Polymerchemie, der Techn. Chemie, der Theoret. Chemie u. v.a. mehr. Aus diesem Angebot können die Studierenden nach Maßgabe ihrer Neigungen u. speziellen Fähigkeiten eine im Umfang begrenzte Auswahl treffen. An manchen Hochschulen werden Teile dieses sog. Wahlpflichtprogrammes bestimmten Schwerpunkten zugeordnet. An TH ist im zweiten Studienabschnitt die Teilnahme an Lehrveranstaltungen der Techn. Chemie obligatorisch. Das Hauptstudium endet mit dem mündlichen Teil des Diplomhauptexamens, an das sich die Diplomarbeit als weiterer Teil der Diplomhauptprüfung anschließt. Der dritte Studienteil, das sog. Aufbau- od. Promotionsstudium, wird vom Studierenden weitgehend frei gestaltet. In seinem Mittelpunkt steht die Teilnahme an den Seminaren des Arbeitskreises u.a., auf ähnlichen Gebieten arbeitender Gruppen. Spezielle Lehrveranstaltungen führen ihn an die Grenzen der chem. Forschung in seinem eigenen u.a. Gebieten. Die Doktorarbeit (*Dissertation) schließt sich in den meisten Fällen direkt an die Diplomarbeit an. Sie stellt meistens die Lösung eines eigenständigen Problems innerhalb der breiten Aufgabenstellung einer Arbeitsgruppe dar. Sie muß einen erkennbaren Wissensfortschritt bringen. Die meisten chem. Doktorarbeiten bestehen aus einem prakt. u. einem theoret. Teil; die Skala reicht jedoch von weitgehend prakt. bis zu ausschließlich theoret. Arbeiten.

Die Prüfungsanforderungen im *Diplomvorexamen* sind ziemlich einheitlich an allen Hochschulen auf mündliche Prüfungen in Anorgan. u. Analyt. Chemie, Organ. u. Physikal. Chemie sowie Physik beschränkt. Das *Diplomhauptexamen* ist der berufsqualifizierende Abschluß des C.-S. im jurist. Sinne. Neben der erfolgreichen Bewältigung der Diplomarbeit, die etwa 6–9 Monate in Anspruch nimmt, wird an den meisten Hochschulen in vier Fächern mündlich geprüft, u. zwar in Anorgan., Organ. u. Physikal. Chemie, sowie in einem sog. vierten Fach, an dessen Lehrveranstaltungen der Studierende im Wahlpflichtteil des Hauptstudiums teilgenommen hat. An den TH ist zumeist Techn. Chemie das obligator. vierte Fach. Mehr als 90% der Diplomchemiker beenden ihr Studium mit der Promotion. Welche Prüfungsleistungen neben der erfolgreichen Durchführung u. Abfassung der Doktorarbeit verlangt werden, ist von Hochschule zu Hochschule verschieden.

Über Studienpläne u. Prüfungsbedingungen an allen 61 Hochschulen mit Diplomstudiengang Chemie informiert der Studienführer Chemie, der von der *Gesellschaft Deutscher Chemiker herausgegeben wird u. in der VCH-Verlagsges. erscheint.

Die Tab. zeigt, wie die Präsenzzeit der Studierenden nach Meinung der überregionalen Studienreformkommission Chemie über die Fächer verteilt sein sollte (s. Veröffentlichungen zur Studienreform Heft 20, Empfehlungen der Studienreformkommission Chemie, Sekretariat der Ständigen Konferenz der Kultusminister der Länder – Geschäftsstelle für Studienreformkommissionen). Wie von den im Bereich der Chemie tätigen wissenschaftlichen Ges. schon früher vorgeschla-

Tab.: Empfehlungen der Studienreformkommission Chemie zum Chemie-Studium.

Fach	Grundstudium (1.–4. Semester)				Hauptstudium (5.–8. Semester)			
WoStd.	V	S/Ü zur V	P	S/Ü zum P	V	S/Ü zur V	P	S/Ü zum P
Allg. Chemie	4	2	8	2				
Anorgan. Chemie	5	1	20	3	6		20	2
Organ. Chemie	5	1	20	4	7		20	2
Physikal. Chemie	5	3	12	4	8 *	3	12	2
Physik	4	2	5	1				
Mathematik	5	3						
Freiraum	12				12			
4. Fach					4		15	1
Schwerpunkt					2		15	1
Summe	40	12	65	14	39	3	82	8

V = Vorlesung, S/Ü = Seminar/Übung, P = Praktikum
* incl. 1 WoStd. EDV Anwendung

gen, sollen Grundstudium u. Hauptstudium für je vier Semester konzipiert werden. Hinzu treten noch 2 Semester für die Abfassung der Diplomarbeit, Prüfungsvorbereitungen u. eventuell nachzuholende Lehrveranstaltungen. Insgesamt ergibt sich so eine Regelstudienzeit von 10 Semestern. Dies hat 1995 die *GDCh u. die *ADUC in der sog. „Siegener Resolution" zum Ausdruck gebracht, die einen Rahmen für das C.-S. von 10 Semestern mit mind. 240 Semesterwochenstunden formuliert[1]. Die tatsächliche mittlere Dauer bis zum Abschluß des Diplomexamens lag 1994 bei 12,5 Semestern u. bis zur Promotion bei 19,2 Semestern. Allerdings hatten 50% der Absolventen ihre Promotion bereits nach 18,5 Semestern abgeschlossen[2]. An den Nordrhein-Westfälischen Gesamthochschulen bestehen integrierte Studiengänge Chemie (Y-Modell), in denen sich ein achtsemestriger Studiengang mit dem Abschluß Diplomchemiker u. ein sechssemestriger Studiengang mit dem Abschluß *Diplomlaborchemiker* od. *Diplomingenieurchemiker* aus einem gemeinsamen Studienbeginn von 2–3 Semestern Dauer entwickeln. Der sechssemestrige Zweig dieser Studiengänge entspricht etwa einem Studiengang an einer Fachhochschule. Ausbildungsgänge für *Chemielehrer* bestehen an fast allen Hochschulen mit Studiengang zum Diplomchemiker. An 15 Hochschulen sind Studiengänge für *Lebensmittelchemiker* eingerichtet, die zum Staatsexamen führen. Ihr erster Teil bis zur Lebensmittelchemiker-Zwischenprüfung entspricht fast völlig dem Grundstudium im Diplom-Studiengang. Alle Studiengänge sind im Studienführer Chemie der GDCh beschrieben. Neben der an fast allen Hochschulen gegebenen Möglichkeit, sich in Biochemie zu spezialisieren, haben sich an 12 Hochschulen eigene Studiengänge mit dem Ziel *Diplombiochemiker* entwickelt. Die Zahl der Studienanfänger für den Diplomstudiengang Chemie in der BRD hat sich in den letzten Jahren deutlich verringert. Die folgende Abb. gibt einen Überblick über die Zahl der Studienanfänger in den letzten vier Jahren sowie über die Zahl derjenigen, die die Hochschule vor der Promotion (also nur mit dem Diplom in Chemie) verließen.

Der Anteil der weiblichen Studienanfänger, der seit 1975 stark gestiegen ist, liegt heute bei etwa 30%. 1994 befanden sich unter den Diplomanden etwa 27,5% u. unter den Doktoranden 23,6% Frauen. Der Anteil der ausländ. Studierenden liegt bei ca 7,3%. Über Zahl u. Altersverteilung der Professoren u. der wissenschaftlichen Mitarbeiter an den wissenschaftlichen Hochschulen sowie über die Zahl der Habilitationen im Fach Chemie unterrichtet u.a. der Wissenschaftsrat in seiner Veröffentlichung „Grunddaten zum Personalbestand an den Hochschulen". Über die Arbeitsgebiete der Professoren u. Privatdozenten Chemie u. Biochemie informiert der „Forschungsführer Chemie u. Biochemie in Deutschland", VCH Verlagsges. 1994.

In der Chemieausbildung an den Hochschulen gewinnen Sicherheitsaspekte immer mehr an Gewicht; so wird eine von der GDCh entwickelte Anleitung „Sicheres Arbeiten in chemischen Laboratorien", Hrsg. GDCh, BG Chemie, BAGUV kostenlos von den Unfallversicherungsträgern an alle Chemiestudierenden ab-

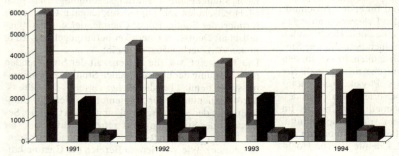
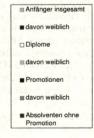

Abb.: Daten zum Studiengang Chemie in der BRD.

gegeben. Daneben werden in zunehmendem Maße Themen aus dem Bereich Umwelt, Recht, Toxikologie[3] u. Chemie zumeist interdisziplinär behandelt. Qualifikationen in Chemie werden vom European Communities Chemistry Commitee, in dem die Chemischen Gesellschaften der EU-Länder zusammenarbeiten, in Kategorien zusammengefaßt. Das *ECCC verlieh am 30.11.1992 erstmals den Titel des „*European Chemist*" (EurChem)[4]. Dieser Titel soll künftig an qualifizierte Chemiker innerhalb der EU verliehen werden, um über Landesgrenzen hinweg die Beurteilung von Ausbildungsabschlüssen zu erleichtern. In den Nachr. Chem. Tech. Lab. wird über spezielle Themen des C.-S. u. Unterrichts berichtet. Innerhalb der IUPAC beschäftigt sich das Committee on the Teaching of Chemistry mit Fragen des C.-S. u. des Unterrichts. Über Trends u. Entwicklungen berichtet dessen International Newsletter. – *E* study of chemistry – *F* études de chimie – *I* studio di chimica – *S* estudio de química

Lit.: [1] Nachr. Chem. Tech. Lab. **43**, 867 (1995). [2] Nachr. Chem. Tech. Lab. **43**, 825–831 (1995). [3] Nachr. Chem. Tech. Lab. **42**, 941 ff. (1994). [4] Nachr. Chem. Tech. Lab. **41**, 53 (1993). *allg.:* Fonds der Chemischen Industrie (Hrsg.), CHEMIE AKTUELL (jährlich), CHEMIE HEUTE (jährlich) ▪ Forschungsführer Chemie u. Biochemie in Deutschland – Institute, Personen, Arbeitsgebiete, Publikationen, Technologietransfer, Weinheim: VCH Verlagsges. 1995 ▪ GDCh (Hrsg.), Studienführer Chemie, Weinheim: VCH Verlagsges. 1996 ▪ Stifterverband für die Deutsche Wissenschaft (Hrsg.), Vademecum deutscher Lehr- und Forschungsstätten, Essen: Gemeinnützige Verwaltungsgesellschaft für Wissenschaftspflege 1994.

Chemie-Umweltberatungs GmbH (CUB). 1987 gegründete Tochterges. des Verbandes der Chem. Ind. e.V. (*VCI) mit Sitz in 60329 Frankfurt, Karlstr. 19–21. Zweck der Ges. ist die Vermittlung von Beratungsdienstleistungen u. die Beratung von Unternehmen, die ordentliche Mitglieder des VCI sind od. die Rechte der ordentlichen Mitglieder des VCI nach Satzung des VCI besitzen. Die Vermittlung von Beratungsdienstleistungen sowie die Beratung durch die Ges. erstreckt sich insbes. auf sämtliche Fragen der techn. Sicherheit, des Arbeitsschutzes, des Gesundheits- u. Umweltschutzes. Die Beratung erfolgt durch Experten der Chem. Ind. u. des Verbandes. Die Erstberatung, die insbes. der Problemerkennung u. -aufbereitung dient, ist bis auf eine Aufwandsentschädigung (Spesen) kostenlos. Die Umweltpolitik mit ihren zahlreichen Gesetzen, VO, Verwaltungsvorschriften u. techn. Normen u. Regelwerken stellt insbes. an kleine u. mittlere Betriebe, die kein entsprechendes Fachpersonal haben, hohe Anforderungen, die häufig nur durch eine gezielte Einzelberatung erfüllt werden können. Seit 1993 sind neben der kostenlosen Erstberatung auch Folgeberatungen gegen Honorar möglich. Daneben bietet die CUB Aus- u. Fortbildungslehrgänge an.

Chemie-Unterricht. In den Schulen wendet sich heute der C.-U. vorwiegend an jene 97–98% aller Schüler, die nicht in *Chemie-Berufen arbeiten werden. Er versucht, im Rahmen einer *Allgemeinen Chemie die Denk- u. Arbeitsweise der *Chemie verständlich zu machen u. die Chemie in den Kontext des täglichen Lebens einzubinden. Die Meth., Schülern möglichst früh Schlüsselbegriffe u. Modelle weitgehend mitzuteilen u. deren Kompaßfunktion an vielen Beisp. zu verdeutlichen, wurde nach anfänglicher Euphorie in den 70er Jahren abgelöst durch die Einsicht, daß bei diesem Vorgehen der Bezug zur Lebenswelt der Schüler nicht ausreichend hergestellt wird, die Chemie letztlich fremd bleibt u. Schüler sich dadurch vom Fach abwenden. Die intellektuelle u. manuelle Eigentätigkeit der Schüler soll im C.-U. bes. gefördert werden, um Motivation, Verstehen u. Verständigung im Lernprozeß zu stützen. Dies wird auch dadurch gefördert, daß auch im C.-U. die Computertechnologie verstärkt Einzug gehalten hat[1]. Häufig steht die mangelhafte Ausrüstung der Schulen mit Räumen u. Sachmitteln diesen Zielen im Wege. Planung u. Durchführung von Schülerexperimenten sind sehr zeitaufwendig. Chemielehrer werden dafür nicht ausreichend entlastet. Die Ausbildung der Chemielehrer muß sich mehr an den Zielen des C.-U. orientieren. Insbes. müssen zukünftige Lehrer gezielt auf einen Experimentalunterricht so vorbereitet werden, daß Lernende durch die Experimente gesundheitlich nicht gefährdet werden (s. Gefahrstoffverordnung). Die Theorie der Lehr- u. Lerninhalte sowie die Methodik der Vermittlung im C.-U. als Teil des Studiums ist Gegenstand der *Didaktik der Chemie. Die einzelnen Bundesländer besitzen Inst., die für die Entwicklung von Unterrichtseinheiten u. für die Fortbildung der Lehrer zuständig sind. Überregional arbeitet das Inst. für die Pädagogik der Naturwissenschaften in Kiel. In der GDCh (s. Gesellschaft Deutscher Chemiker) nimmt sich die Fachgruppe Chemieunterricht dieser Fragen an.

Der C.-U. setzt je nach Bundesland u. Schulart zwischen der 5. u. 9. Jahrgangsstufe ein[2]. In den Klassen 5–10 werden jedoch von durchschnittlichen 35 Wochenstunden rund 4 dem naturwissenschaftlichen Unterricht gewidmet u. von diesen entfällt rechner. höchstens 1 Std. auf die Chemie. In der Sekundarstufe II (Jahrgangsst. 11–13) müssen die Schüler heute zwar Grundkurse in Naturwissenschaften belegen, sie können dennoch Chemie zugunsten von Biologie u. Physik abwählen. Angesichts der zunehmenden Bedeutung der Chemie für die Lebensbedingungen der Bürger unseres rohstoffarmen u. auf Veredelungstechniken angewiesenen Landes erscheint dies als zu wenig. So hat die GDCh zusammen mit der Deutschen Physikalischen Ges., der *Gesellschaft Deutscher Naturforscher u. Ärzte u. dem Verband Deutscher Biologen eine Stellungnahme zur Reform der gymnasialen Oberstufe abgegeben[3]. Darin wird eine Belegpflicht für 2 u. Abiturpflicht für mind. ein naturwissenschaftliches Fach gefordert. Dies ist eine Reaktion auf den Beschluß der Kultusministerkonferenz vom Februar 1994, daß für die naturwissenschaftlichen Fächer Chemie, Physik u. Biologie keine Beleg- u. Abiturpflicht mehr bestehen soll.

Mit dem C.-U. beschäftigen sich regelmäßig folgende Fachzeitschriften: Chemie für Labor u. Betrieb, Frankfurt: Umschau-Verl.; Chemie in Unserer Zeit, Weinheim: VCH Verlagsges.; Chemistry in Britain; Chemkon; Education in Chemistry (Großbritannien), Chem. Soc.; International Newsletter on Chemical Education (IUPAC, Großbritannien); Journal of Chemical Education (USA), Washington: ACS; Kontakte (Merck); Pra-

xis der Naturwissenschaften, Chemie, Köln: Aulis; Schriftenreihe des Fonds der Chemischen Industrie. – *E* classes of chemistry – *F* cours de chimie – *I* lezione di chimica – *S* clases de química
Lit.: [1] Prax. Naturwiss., Teil 3 **44**, Nr. 4, 1–36 (1995). [2] Empfehlungen zur Gestaltung von Chemielehrplänen, Math.-Nat. Unterr. **37**, Nr. 3, 161–174 (1984). [3] Nachr. Chem. Tech. Lab. **43**, 1008 f. (1995).
allg.: Bukatsch, in Glöckner (Hrsg.), Experimentelle Schulchemie, 9. Bd. Köln: Aulis 1975 ▪ Chem. Soc. Rev. **9**, 365–380 (1980) ▪ Dierks, Markus, Pfundt, in Weninger (Hrsg.), Stoffe u. Stoffumbildungen, IPN-Lehrgang, 3 Bd., Stuttgart: Klett 1988 ▪ Duit, Jung, in Pfundt (Hrsg.), Alltagsvorstellungen u. naturwissenschaftlicher Unterricht, Köln: Aulis, 1981 ▪ Gräber u. Stork, Die Entwicklungspsychologie Jean Piagets als Mahnerin u. Helferin des Lehrers im naturwissenschaftlichen Unterricht, Math.-Nat. Unterr. **37**, Nr. 4, 193–201 (1984); **37**, Nr. 5, 257–269 (1984) ▪ Klein, in Wambach (Hrsg.), Empfehlungen zur Gestaltung von Chemielehrplänen, Math.-Nat. Unterr. **37**, Nr. 3, 161–174 (1984).

Chemigraphie. Bez. für die Arbeitstechnik zur Herst. von *Klischees* für den *Hochdruck* – ein *Druckverfahren, bei dem die zum Abdruck kommenden Teile erhöht liegen u. die nicht druckenden Teile durch *Ätzen entfernt werden. Eine Metallplatte (Mg, Al, Cu, meist aber Zn, daher auch die engl. u. franzö̈s. Bez.) wird mit einer säurefesten Schicht bedeckt. Die Metallschicht wird durch Gravieren mechan. freigelegt u. an diesen Stellen durch Säureeinwirkung tief geätzt. Bei photograph. Übertragung wird die säurefeste Schicht (Chromateiweiß od. -leim, Kopierlack, Kunststoff) photochem. gehärtet. An den unbelichteten Stellen wird das Metall. freigelegt u. durch Säure geätzt. Eine *Autotypie* (Rasterätzung) ist ein im allg. photograph. hergestellter Originaldruckstock nach Halbtonvorlagen, dessen Tonwerte mit Hilfe eines Rasters in verschieden große Druckelemente zerlegt u. deren Zwischenräume chem. od. elektrolyt. vertieft sind. – *E* chemigraphy, zincography – *F* zincographie – *I* chemigrafia – *S* quimiografía, zincografía
Lit.: Golpon, Lehrbuch der Druckindustrie, Bd. 2: Reproduktionsfotografie, Frankfurt: Polygraph 1973 ▪ Kirk-Othmer (3.) **19**, 128–153 ▪ Lexikon der graphischen Technik, München: Saur 1977 ▪ Seichter, ABC der Reprotechnik, Berlin: Schiele u. Schön 1975 ▪ Spitzing, Metallätzen nach Fotos, Stuttgart: Frech 1973.

Chemikalien. Sammelbez. für alle durch chem. Verf. im Laboratorium od. industriell hergestellten chem. Verbindungen. Die C. hohen Reinheitsgrades (wegen einschlägiger Bez. s. chemische Reinheit) werden oft auch Feinchemikalien, solche von techn. Reinheitsgrad techn. C. genannt. Einfach zusammengesetzte C., die als Ausgangsstoffe für viele großtechn. Prozesse verwendet werden, werden als Grund- od. Basis-C. bezeichnet. Beim Umgang mit C. sind die Aspekte der *Arbeitssicherheit u. des *Umweltschutzes sowie die *Transportbestimmungen zu beachten.
Über die chem. u./od. physikal. Eigenschaften von C. informieren die spezif. Nachschlagewerke wie z. B. Beilstein, Gmelin, Landolt-Börnstein od. Ullmann. Diese werden ergänzt durch Chemikalienkataloge von Chemieunternehmen, die neben physikal.-chem. Daten, Strukturformeln u. Lit.-Hinweisen auch sicherheitsrelevante Angaben zum Umgang enthalten. – *E* chemicals – *F* produits chimiques – *I* prodotti chimici – *S* productos químicos

Chemikaliengesetz (ChemG). Kurzbez. für das Bundesgesetz zum Schutz vor gefährlichen Stoffen[1]. Das C. ist ein stoffbezogenes, medienübergreifendes Regelwerk mit dem Ziel, Mensch u. Umwelt vor schädlichen Einwirkungen gefährlicher Stoffe u. Zubereitungen zu schützen, insbes. diese Einwirkungen erkennbar zu machen, sie abzuwenden u. ihrem Entstehen vorzubeugen (*Vorsorgeprinzip). Das derzeit geltende C. ist die Umsetzung der EU-Richtlinie 67/548/EWG in der Fassung der 7. Änderungsrichtlinie (92/32/EWG) in dtsch. Recht. Das Gesetz regelt die Anmeldung neuer Stoffe sowie die Einstufung u. Kennzeichnung gefährlicher Stoffe, Zubereitungen u. Erzeugnisse. Es beschreibt Mitteilungspflichten, es ermächtigt zu Verboten u. Beschränkungen sowie zu Maßnahmen zum Schutz von Beschäftigten u. es macht die Anw. der EU-Prüfmeth. (88/302/EWG, 92/69/EWG) u. die Einhaltung der Guten Laborpraxis für die Durchführung der Chemikalienprüfung verbindlich (s. a. Good Laboratory Practices).
Das C. enthält als Schwerpunkt die Verpflichtung, erstmals auf den Markt gebrachte, neue Stoffe vor Beginn des Inverkehrbringens in der EU bzw. des Importes in die EU auf gefährliche Eigenschaften zu prüfen u. bei der zuständigen Behörde anzumelden [Anmeldestelle Chemikaliengesetz bei der *Bundesanstalt für Arbeitsschutz (BAU)].
Mit der Anmeldung muß ein Dossier vorgelegt werden, das Angaben zur Identität (Gehalt, Komponenten), Nachw., Herst., Verw., Exposition, Verbleib, schädliche Wirkungen bei der Verw., Hinweise zur Toxikokinetik, Einstufung, Verpackung, Kennzeichnung, Empfehlungen über Vorsichts- u. Sofortmaßnahmen, Angaben zur Menge, Verf. zur Entsorgung, Wiederverwendung u. Unschädlichmachung sowie Prüfnachw. zu physikal.-chem. Eigenschaften, zu toxikolog. u. ökolog. Eigenschaften u. darüber hinaus sämtliche verfügbaren weiteren Erkenntnisse über die Wirkungen des Stoffes auf Mensch u. Umwelt enthält. Diese Unterlagen werden durch Bewertungsstellen, z. B. BAU, UBA (*Umweltbundesamt) u. BgVV (*Bundesinstitut für gesundheitlichen Verbraucherschutz u. Veterinärmedizin) überprüft u. bewertet. Eine Rückweisung kann erfolgen, wenn die Unterlagen fehlerhaft od. unvollständig sind u. eine ausreichende Beurteilung des Stoffes nicht erlauben. Weitere Prüfungen können bei Erreichen bestimmter Vermarktungsmengenschwellen vorgeschrieben werden (Stufenplan). Herabgesetzte Anforderungen bezüglich Angaben u. Prüfnachweisen gibt es für das Inverkehrbringen von Mengen kleiner 1 t/a bzw. kleiner 100 kg/a. Ausnahmeregelungen bestehen für Polymere sowie für Stoffe, die ausschließlich für wissenschaftliche od. verfahrenstechn. Forschung u. Entwicklung od. nur in Mengen kleiner 10 kg/a in den Verkehr gebracht werden od. vor mehr als 10 Jahren bereits angemeldet worden sind. Für gemeldete Stoffe gibt es eine ständige Mitteilungspflicht über Identität, Verw., neue Erkenntnisse, Eigenschaftsänderungen, Einstellung u. Wiederaufnahme der Produktion sowie über Mengen. Darüber hinaus gibt es eine Mitteilungspflicht für Stoffe, die für Forschung u. Entwicklung abgegeben werden (ohne Prüfprogramm) u. die nur für interne Zwecke

(Zwischenprodukte) od. für den Export aus der EU in Mengen von mehr als 1 t/a hergestellt werden (mit Prüfprogramm). Ausführlich geregelt sind auch Anmeldepflicht, Fristen, Prüfnachw., Verf. nach der Anmeldung, ein mehrstufiges Zusatzprüfungsprogramm, die Bestimmungen für Einführeranmeldungen, Bußgeld- u. Strafvorschriften.
Die meisten der hier angesprochenen Regelungen werden in VO zum ChemG spezifiziert, z. B. in der Prüfnachweisverordnung, *Chemikalienverbotsverordnung, *Gefahrstoffverordnung, Giftinformationsverordnung, *FCKW-Halon-Verbots-Verordnung, Chem-Kostenverordnung[2], Chemikalien-Bußgeldverordnung[3], Allg. Verwaltungsvorschrift zur Durchführung der Bewertung nach § 12 Abs. 2 des Chemikaliengesetzes[4] sowie in zwei VO zur Durchsetzung von EU-VO (über Stoffe, die zu einem Abbau der Ozonschicht führen[5] sowie betreffend die Aus- u. Einfuhr bestimmter gefährlicher Chemikalien[6]). Für *Altstoffe sind EU-VO[7] verbindlich; zudem existiert ein spezielles Gefahrstoffrecht. Die in der EU angemeldeten Stoffe werden in einem Register (EliNCS) erfaßt. – *E* chemicals act – *F* loi sur les produits chimiques – *I* legge sui prodotti chimici – *S* ley de productos químicos

Lit.: [1] ChemG in der Fassung (i. d. F.) vom 25. 7. 1994 (BGBl. I, S. 1703), zuletzt geändert durch G. vom 27. 9. 1994 (BGBl. I, S. 2705). [2] VO über Kosten für Amtshandlungen der Bundesbehörden nach dem Chemikaliengesetz (ChemKostV) vom 16. 8. 1994 (BGBl. I, S. 2118). [3] VO zur Bezeichnung der nach dem Chemikaliengesetz mit Geldbuße bewehrten Tatbestände in EG-VO über Stoffe u. Zubereitungen (Chem BußgeldV) vom 30. 3. 1994 (BGBl. I, S. 718). [4] GMBl., S. 438. [5] VO zur Durchsetzung der VO (EWG) Nr. 2455/92 über Stoffe, die zu einem Abbau der Ozonschicht führen (ChemOHKW-BußgeldV) vom 18. 7. 1991 (BGBl. I, S. 1587). [6] VO zur Durchsetzung der VO (EWG) Nr. 2455/92 betreffend die Ausfuhr u. Einfuhr bestimmter gefährlicher Chemikalien (ChemAusfuhr-BußgeldV) vom 13. 4. 1993, geändert durch VO vom 26. 10. 1993 (BGBl. I, S. 1782, ber. S. 2049). [7] VO (EWG) Nr. 793/93 des Rates vom 23. 3. 1993 zur Bewertung u. Kontrolle der Umweltrisiken chemischer Altstoffe (Amtsblatt der EG vom 5. 4. 1993, L 84, S. 1., ber. Amtsblatt der EG vom 3. 9. 1993, L 224, S. 34); VO (EWG) Nr. 1488/94 der Kommission vom 28. 6. 1994 zur Festlegung von Grundsätzen für die Bewertung der von Altstoffen ausgehenden Risiken für Mensch u. Umwelt gemäß der VO (EWG) Nr. 793/93 des Rates (Amtsblatt der EG L 161, S. 3, 1994).

allg.: BMU (Hrsg.), Umweltpolitik, 10 Jahre Chemikaliengesetz, Bonn: BMU 1992 ▪ Schendel et al., Umwelt u. Betrieb – Umweltrecht für die betriebliche Praxis, S. 501, Berlin: E. Schmidt 1990 ▪ Welzbacher, Das neue Chemikalienrecht, Loseblattausgabe, Augsburg: WEKA (seit 1991).

Chemikalienverbotsverordnung (ChemVerbotsV). Bez. für die VO über Verbote u. Beschränkungen des Inverkehrbringens gefährlicher Stoffe, Zubereitungen u. Erzeugnisse nach dem *Chemikaliengesetz vom 14. 10. 1993[1]. Für eine Vielzahl von Nutzungen verbietet die C. das Inverkehrbringen von Stoffen u. *Zubereitungen; es werden genannt: *DDT, *Asbest, *Formaldehyd, chlorierte u. bromierte *Dibenzodioxine u. *Dibenzofurane (s. a. Dioxine), gefährliche u. krebserzeugende flüssige Stoffe u. Zubereitungen, *Benzol, aromat. *Amine (2-Naphthylamin, 4-Aminobiphenyl, *Benzidin u. 4-*Nitrobenzol), *Bleicarbonate u. *Bleisulfate, *Quecksilber, *Arsen, *Zinn-organische Verbindungen, Di-μ-oxo-di-n-butyl-stanniohydroxyboran, Polychlorierte *Biphenyle (*PCB; hier mit mehr als 2 Chlor-Atomen) u. Polychlorierte *Terphenyle (*PCT), *Vinylchlorid, *Pentachlorphenol (*PCP), aliphat. *Chlorkohlenwasserstoffe [Tetrachlormethan (s. a. Chlormethane), *1,1,2,2-Tetrachlorethan, 1,1,1,2-Tetrachlorethan u. *Pentachlorethan (s. a. FCKW)], Teeröle, *Cadmium u. 3 halogenierte *Diphenylmethan-Derivate. Grundsätzlich gelten die Verbote nicht für Forschungs-, wissenschaftliche Ausbildungs- u. Analysenzwecke sowie zur ordnungsgemäßen Abfallentsorgung. Verbote u. Ausnahmen sind gründlich im Lehrbuch zur C. beschrieben. Die C. regelt außerdem Erlaubnis-, Anzeige-, Informations- u. Aufzeichnungspflichten für den Verkauf u. a. Formen des Inverkehrbringens *giftiger, sehr giftiger, *ätzender, *brandfördernder, hochentzündlicher u. bestimmter *gesundheitsschädlicher Stoffe u. Zubereitungen. Sie fordert vom Abgeber Zuverlässigkeit u. legt für Abgeber u. Erwerber Anforderungen hinsichtlich Alter, Kenntnissen u. a. fest. Mit der C. sind verschiedene Regelungen wie die PCB-, PCT-, *VC-Verbots-VO, die PCP-VO[2] sowie das DDT-Gesetz obsolet. Herst., Verw. u. Beschäftigungsverbote finden sich in der *Gefahrstoffverordnung, ähnliche Regelungen in der *FCKW-Halon-Verbotsverordnung.

Lit.: [1] BGBl. I, S. 1720, zuletzt geändert durch Gesetz vom 25. 7. 1994; BGBl. I, S. 1689. [2] Römpp Lexikon Umwelt, S. 537 f., 775.

Chemikant. *Chemie-Beruf mit 3-jähriger Ausbildung, der ab 1. 8. 1987 mit der Neuordnung der naturwissenschaftlich-techn. Berufe geschaffen wurde. Die Ausbildung zum C. entspricht etwa der früheren des *Chemiefacharbeiters u. erfolgt in den Lehr- u. Produktionsbetrieben der chem. Ind. sowie in den Fachklassen der Berufsschule. Sie schließt mit einer Prüfung vor der Ind.- u. Handelskammer ab. Unter geeigneten Voraussetzungen steht dem C. die Weiterbildung zum *Chemotechniker (Fachschule) u. zum *Ingenieur Fachrichtung Chemie offen. Der C. überwacht das einwandfreie Arbeiten von Produktionsanlagen u. -abläufen in der chem. Ind. u. beseitigt etwaige Mängel. Über die Betriebsabläufe, z. B. Messung physikal. Größen, führt der C. ein Betriebsprotokoll. Zum Tätigkeitsfeld gehören neben der Überwachung der Anlage an einer Leitstand auch installationstechn. Arbeiten u. die Kontrolle der gesicherten Zufuhr von Medien, z. B. Dampf, Strom, Druckluft sowie von Chemikalien. Dazu sind Kenntnisse der Rohstoffe u. Herstellungsverf., der techn. Zusammenhänge u. der Meß- u. Regeltechnik erforderlich. – *E* chemical worker – *F* chimiste – *I* operaio specializzato di impianto e laboratorio chimico – *S* técnico químico

Chemiker. Die Berufsbez. „Chemiker" unterliegt in der BRD bisher zwar keinem ausdrücklichen gesetzlichen Schutz, doch sollte nach einem Vorschlag des Gemeinschaftsausschusses der Technik vom 29. 6. 1951 die Berufsbez. „Chemiker" sowie Berufsbez., die das Wort „Chemiker" enthalten, nur führen dürfen: (a) wer aufgrund des Abschlußzeugnisses einer z. Z. der Ausfertigung des Zeugnisses anerkannten dtsch. Hochschule (Universität Techn. Hochschule, Landwirtschaftlichen Hochschule) promoviert, den akadem. Grad eines Diplom-Chemikers (vgl. Chemie-Studium) erworben od. die Staatsprüfung als *Lebensmittelchemiker bestanden hat. Die Promotion muß aufgrund einer Arbeit auf chem. Gebiet erfolgt sein; – (b) wem aufgrund von Leistungen auf dem Gebiet der reinen od. angewandten Chemie die Würde eines Ehrendoktors von einer der unter (a) genannten Hochschulen verliehen wurde; – (c) wem auf Antrag durch den zuständigen Landeswirtschaftsminister im Ausnahmeweg aufgrund der Vorschriften der Durchführungs-VO das Recht zur Führung der Berufsbez. „Chemiker" verliehen worden ist. Diese Forderungen entsprechen der Auffassung u. daher im wesentlichen auch den Aufnahmebedingungen der *Gesellschaft Deutscher Chemiker für Ordentliche Mitglieder, ebenso denen anderer *Chemischer Gesellschaften.

1994 gab es in der BRD 30 000 im Berufsleben stehende Chemiker. Sie hatten derzeit Beschäftigungsverhältnisse in den folgenden Bereichen des Berufsfeldes inne: 50% in der *Chemischen Industrie, 20% in der übrigen Wirtschaft, 15% im Öffentlichen Dienst bzw. Forschungseinrichtungen außerhalb der Hochschule, 15% im Bereich der *Hochschulen. In *Forschung u. Entwicklung sind zumeist die nach Berufsjahren jüngsten C. beschäftigt – die nach Berufsjahren erfahrenste Gruppe arbeitet im Management. Chemikerinnen haben einen Anteil unter den Absolventen von etwa 20%. Sie finden nun auch einen ihrem zahlenmäßigen Anteil entsprechenden Eingang in den Beruf (s. Lit.[1,2]). Die Zahlen spiegeln den hohen Forschungsbezug des Tätigkeitsfeldes der C. wider, aus dem sich auch die hohe Promotionsrate von über 90% erklärt (s. a. Chemie-Studium). So honoriert denn auch die chem. Ind. die für die *Dissertation aufgewandte Zeit: Bei Chemikern zählen 2 bis 3 der für die Anfertigung der Dissertation aufgewendeten Jahre bei der Berechnung des Tarifgehaltes als Berufsjahre. Die Tarifgehälter für die ersten fünf Berufsjahre werden jährlich vom *Bundesarbeitgeberverband Chemie e. V., dem VAA u. der IG Chemie, Papier, Keramik ausgehandelt (s. unten). In der nichtchem. Ind. arbeiten C. vorwiegend als Analytiker. Sie überwachen die eingehenden Rohstoffe u. die das Werk verlassenden Fertigprodukte vom Standpunkt der Materialqualität. Häufig sind sie für Fragen der *Arbeitssicherheit u. für den *Umweltschutz verantwortlich. Auch in den Chem. u. Lebensmittel-Untersuchungsstellen der Länder sind C. vorwiegend analysierend u. überwachend in Zusammenarbeit mit *Lebensmittelchemikern tätig. C. arbeiten mit bei Post, Zoll, *TÜV, DRK, Feuerwehr u. in der kriminalist. Untersuchung der Spuren von Unfällen u. Verbrechen, s. Forensische Chemie. Biochemiker arbeiten in der pharmazeut. Ind. u. in der medizin. Forschung an der Aufklärung der Lebensvorgänge, der Erklärung patholog. Abläufe u. der Entwicklung von *Arzneimitteln. Die klin.-chem. Diagnostik hat den Klin. C. ein breites Arbeitsfeld eröffnet. Die zunehmende Bedeutung der *Toxikologie für chem.-pharmazeut. u. medizin. Fragen bietet auch C. Forschungs- u. Arbeitsmöglichkeiten. C. sind darüber hinaus in der Entwicklung von Geräten für die wissenschaftliche Arbeit in Chemie, Biochemie, Klin. Chemie u. Medizin tätig. Ein relativ neues Forschungsgebiet, in dem C. Betätigung finden, ist das der *Biotechnologie. Etwa 12% der C. arbeiten als Lehrer u. Forscher an wissenschaftlichen *Hochschulen, Fachhochschulen u. *Chemieschulen. Den *Chemie-Unterricht an den allgemeinbildenden Schulen erteilen Chemielehrer, die in eigenständigen Studiengängen ausgebildet wurden (s. Lit.[3]) u. ihre Ausbildung mit einem Staatsexamen abschließen. Freiberuflich sind C. als Leiter eigener Untersuchungslaboratorien, z. B. als öffentlich bestellte u. vereidigte *Handelschemiker od. amtlich anerkannte Sachverständige tätig sowie als Fachschriftsteller, Ind.-Berater u. Patentanwälte. Die Rezession u. der Strukturwandel führte auch in der chem. Ind. zu einem ausgeprägten Abbau von Arbeitsplätzen. Bei den Arbeitsämtern waren 1995 über 4000 arbeitslose C. gemeldet. Durch diese Entwicklung haben sich neue Einstiegsmodelle u. Tätigkeitsfelder entwickelt. Das Modell des „bench chemists", die vermehrte Einstellung von Diplomchemikern u. die Einsatzmöglichkeit von Fachhochschulabsolventen auf Routinearbeiten sind eine Möglichkeit. Weitere Tätigkeitsfelder ergeben sich durch die EU-ÖkoAuditVO im Umweltmanagement als Berater bzw. Gutachter sowie im Marketing, als freiberuflich arbeitender C., im Gesundheitswesen u. im öffentlichen Dienst (s. Lit.[4,5]).

Der große Umfang des Forschungsgebietes sowie die Vielfalt der aus der wissenschaftlich-techn. Anw. der Chemie resultierenden Produkte u. Verf. erfordern neben einer breiten Ausbildung eine gewisse Spezialisierung in der Diplom- u. Doktorarbeit. So bezeichnen sich C. selbst von ihrer Ausbildung her jargonhaft als: Anorganiker, Organiker, Physikochemiker, Biochemiker, Techn. Chemiker, Polymerchemiker, Analyt. Chemiker od. Theoret. Chemiker. Die Schwerpunkte ihrer späteren Tätigkeit müssen jedoch nicht unbedingt mit ihrer speziellen Ausbildungsrichtung zusammenfallen. Die schnelle Entwicklung chem. Wissens u. seiner Anwendungsmöglichkeiten macht eine lebenslange Fort- u. Weiterbildung der C. notwendig. Entsprechende Kurse werden von der *Gesellschaft Deutscher Chemiker u. der *DECHEMA angeboten. Zahlreiche Fachzeitschriften dienen dem gleichen Zweck. Beim Eintritt in das Berufsleben u. bei dem – für C. seltenen – Stellenwechsel sind neben den Einrichtungen der Bundesanstalt für Arbeit bes. die Abteilung Stellenvermittlung für Chemiker u. Physiker der GDCh (im Auftrag der BfA) behilflich.

Wohl die Mehrzahl der C. in aller Welt gehört den jeweiligen nat. Organisationen (s. Chemische Gesellschaften) an; darüber hinaus sind viele C. noch Mitglied assoziierter Fachgruppen. Die Mitglieder der GDCh sind namentlich erfaßt im Adreßbuch Deutscher Chemiker 1995/96, das die zur Veröffentlichung freigegebenen persönlichen Daten der Mitglieder aufführt. Fragen der Aus- u. Fortbildung, Berufschancen, Tariffragen u. a. berufliche Probleme, auch im Vgl. mit denen von C. in anderen Ländern, behandelt die Zeitschrift Nachrichten aus Chemie, Technik und Laboratorium, die allen Mitgliedern der GDCh im Rahmen des Mitgliedsbeitrages zugeht. Ähnliche Aufgaben erfüllen Chemical and Engineering News, Chemistry in

Britain, Chemisch Weekblad u. a. Die für den C. in der BRD wichtigen *Organisationen* sind: Gesellschaft Deutscher Chemiker (mit ihren Fachgruppen), *Deutsche Bunsen-Gesellschaft für Physikalische Chemie, DECHEMA, *Deutscher Zentralausschuß für Chemie, *Verband der Chemischen Industrie, alle in Frankfurt; Verband Angestellter Akademiker u. Leitender Angestellter in der chem. Industrie, Köln; Bundesarbeitgeberverband Chemie e. V., Wiesbaden; *Industriegewerkschaft Chemie-Papier-Keramik, Hannover. – Ausländ. Organisationen s. Chemische Gesellschaften. – *E* chemist – *F* chimiste – *I* chimico – *S* químico

Lit.: [1] Nachr. Chem. Tech. Lab. **43**, 439 ff. (1994). [2] Chem. Ind. (Düsseldorf) **12**, 6 (1995). [3] Nachr. Chem. Tech. **36**, 284 (1988); **37**, 97 (1989); Chem. Sch. **42**, Nr. 10, 378 f. (1995). [4] Nachr. Chem. Tech. Lab. **43**, 1263 f. (1995); vgl. a. in Nr. 7/8 jeden Jahrgangs dieser Zeitschrift die Statistik der Chemiestudierenden. [5] CLB **46**, 75 (1995).
allg.: s. Chemie, Chemie-Berufe, Chemie-Studium.

Chemilumineszenz (Chemoluminesenz). Bez. für die mit chem. Reaktion verbundene *Lumineszenz, d. h. die Aussendung von sichtbarem od. ultraviolettem, ggf. auch infrarotem Licht unterhalb der Glühtemp. der beteiligten Substanzen. Bei der C. wird chem. Energie in elektron. od. (seltener) Schwingungs-Energie verwandelt, vorausgesetzt, daß diese Energiefreisetzung auf einmal, d. h. nicht in zahlreichen Stufen, erfolgt. C. tritt bei zahlreichen chem. Prozessen auf, in denen energiereiche, instabile *Zwischenstufen entstehen u. sofort wieder zerfallen – daß dies so ist, weiß man erst, seitdem mit verfeinerten analyt. Geräten auch sehr schwache Lichtmengen nachgewiesen werden können. In der Mehrzahl der Fälle ist die C. bei Oxidationsprozessen beobachtet worden, bei denen freier Sauerstoff auf ein Substrat einwirkt, z. B. bei der *Autoxidation (vgl. *Lit.*[1]) u. bei Verbrennungsprozessen in Motoren[2]. Bei derartigen Reaktionen entstehen oft instabile Peroxide, wie 1,2-Dioxetane od. 1,2-Dioxete, die unter Abspaltung von O_2 wieder zerfallen; die dabei freiwerdende Energie kann momentan entweder bei dem O_2-Mol. od. bei dem anderen Partner verbleiben. Eines der beiden Bruchstücke der Zerfallsreaktion befindet sich durch den „Energiebesitz" im Zustand der *Anregung, aus dem es durch Abgabe der Energie in Form eines Lichtquants in den *Grundzustand zurückkehren kann. Folgerichtig beobachtet man das Lumineszenz-Spektrum des einen od. anderen Partners. Da Anregung u. Lichtemission auf chem. – seltener elektrochem.[3] – Prozesse zurückgehen, spricht man manchmal auch von „Photochemie ohne Licht" (s. *Lit.*[4]). Bes. häufig scheinen α-*Peroxylactone (1,2-Dioxetan-3-one) als reaktive Zwischenstufen aufzutreten, u. zwar sowohl in biolog. Syst. (s. Biolumineszenz) als auch als *Luftverunreinigungen – heute gründet sich sogar eine wichtige Nachw.-Meth. für letztere auf C.-Messungen[5]. Sind die zerfallenden peroxid. Verb. chiral, dann ist das emittierte Licht circular polarisiert[6]. Schon lange bekannt ist die C.-Reaktion des *Luminols, dessen Oxid. mit mol. O_2 in alkal. Lsg. wohl wie in der Abb. dargestellt abläuft[7].

Ebenso bekannt ist die Erscheinung des Leuchtens von farblosem Phosphor, das ebenfalls auf eine Oxidationsreaktion zurückzuführen ist; für die Lichtemission sind *Excimere verantwortlich[8]. Analyt. wird die

C. zur Spurenanalyse von organ. u. anorgan. Substraten eingesetzt, z. B. zum Calcium-Nachw. (in Ggw. von *Aequorin, s. *Lit.*[9]), s. a. Biolumineszenz. Für Zwecke der Lichterzeugung hat die C. in chem. *Lasern, in der Beleuchtungstechnik dagegen nur als Notbeleuchtung (Coolite od. Cyalume der ACC[10]) Anw. gefunden. – *E* chemiluminescence – *F* chimiluminescence – *I* chemiluminescenza – *S* quimioluminiscencia

Lit.: [1] Reich u. Stivala, Autoxidation of Hydrocarbons and Polyolefins, S. 343–384, New York: Dekker 1969. [2] Angew. Chem. **87**, 132 (1975). [3] Electroanalyt. Chem. **10**, 304 (1977). [4] Angew. Chem. **86**, 292–307 (1974). [5] Toxicol. Environ. Chem. Rev. **2**, 81–97 (1974); Int. Lab. 1976, Nr. 5, 13–21; Angew. Chem. **89**, 220–228 (1977). [6] J. Am. Chem. Soc. **99**, 3870 (1977). [7] Chem. Unserer Zeit **4**, 55–60 (1970); Fortschr. Chem. Forsch. **46**, 61–139 (1974). [8] J. Am. Chem. Soc. **96**, 6805 (1974). [9] Endeavour **30**, 18–25 (1971). [10] Acc. Chem. Res. **2**, 80–87 (1969).
allg.: Adv. At. Mol. Phys. **11**, 361–409 (1975) ▪ Biochem. Soc. Trans. **7**, 1239–1246 (1979) ▪ Kirk-Othmer (3.) **5**, 416–450 ▪ Suchard, Spectroscopic Data, Bd. 1 A u. B, New York: Plenum 1975. – *Reviews:* Anal. Chem. **66**, 443 R (1994) ▪ Focus **MHL 1**, 66, 70 (1984) ▪ J. Photochem. **25**, 9 (1984) ▪ Nav. Res. Rev. **36**, 2 (1984) ▪ s. a. Lumineszenz u. Photochemie.

ChemInform. Wöchentlich erscheinendes *Referateorgan (früher Chem. Informationsdienst), das seit 1970 nach Einstellung des *Chemischen Zentralblattes erscheint; die engl. Referate werden vom *Fachinformationszentrum Chemie GmbH u. der *Bayer AG erarbeitet. Aus rund 250 Zeitschriften werden pro Jahr ca. 20 000 Veröffentlichungen mit über 60 000 Reaktionen u. ca. 100 000 Verb. hauptsächlich aus den Gebieten der niedermol. organ. u. metall-organ. Chemie ausgewählt u. referiert. Die kurzen, in vielen Fällen mit Strukturformeln versehenen Referate sind im Heft einem Klassifikationssyst. eingeordnet.
ChemInform dient v. a. der raschen Information der Wissenschaftler: Die Referate werden schon zwei Monate nach Erscheinen der Original-Zeitschriften veröffentlicht. Die Hefte enthalten Autorenregister u. Systemnummernregister, ein Bibliographieband ist verfügbar.
Seit 1992 wird die Reaktionsdatenbank ChemInform RX sowohl als Inhouse-Version (jährliche Aktualisierung) als CD-ROM, u. a. als online Datenbank (vierteljährliche Aktualisierung) angeboten. Die Datenbank, die vom FIZ Chemie, Berlin hergestellt u. von der Molecular Design Ltd. (MDL) vermarktet wird, enthält ausgewählte Zitate aus dem Referatedienst ChemInform von 1991 bis heute.
Lit.: Nachr. Chem. Tech. Lab. **40**, 1114–1120 (1992).

Chemiosmotisch. Von P. *Mitchell geprägte Bez. für die Art u. Weise, wie z. B. die Biosynth. von *Adenosin-5′-triphosphat (ATP) an energieliefernde Prozesse gekoppelt ist (vgl. Bioenergetik). C. Koppelung findet man bei der oxidativen u. der Photo-*Phosphorylie-

rung, wo durch die in den inneren Membranen der *Mitochondrien bzw. der *Chloroplasten befindlichen Enzymsyst. der *Atmungskette bzw. der *Photosynthese H^+-Ionen durch die Membran von innen nach außen transportiert werden. Durch den Rückfluß dieser Ionen wird dann die Energie für die Phosphorylierung von *Adenosin-5′-diphosphat zu ATP durch die ATP-Synthasen geliefert. Unklarheit besteht jedoch noch darüber, ob die energetisierende Auswirkung der Protonenverschiebung die Membran gleichmäßig betrifft, nur von lokaler Natur od. gar jeweils auf vereinzelte Komplexe von Membranenzymen beschränkt ist. Im erweiterten Sinn kann als c. jede Kopplung zwischen einem skalaren Stoffwechsel- u. einem vektoriellen Transportprozeß bezeichnet werden; dies trifft u. a. auf alle mol. Pumpen zu (s. Ionenpumpen). – *E* chemiosmotic – *F* chimiosmotique – *I* chemiosmotico – *S* quimiosmótico
Lit.: Curr. Biol. **5**, 25 ff. (1995).

Chemiphorese. Von H. Gerhart entwickeltes Verf. zur Beschichtung von *Stählen mit polymeren Werkstoffen[1]. Hierzu wird das Werkstück in eine wäss. Latex-Suspension mit Zusätzen von HF u. H_2O_2 getaucht u. anschließend einer Einbrennbehandlung unterzogen. Hierbei entsteht ein dichter, gut haftender Überzug mit einer Dicke um 25 µm. Für die Haftung verantwortlich sind: 1. die Aktivierung der Stahloberfläche, 2. die Bildung von gelöstem Eisen(III) u. 3. dessen Bedeutung für Latexkoagulation u. -adhäsion. Grundsätzlich hätte ein derartiges prozeßoptimiertes Beschichtungsverf. Potential für die Stahlbandbeschichtung (s. Coil Coating). – *E* chemiphoresis – *F* chemophorèse – *I* chemiforesi – *S* quimioforesis
Lit.: [1] Chem. Eng. News **55**, Nr. 14, 28 f. (1977); DIN 50 902 (07/1994).

Chemische Abwasserbehandlung. *Abwasserbehandlung, bei der die schädlichen Inhaltsstoffe des Wassers durch Zusatz von Chemikalien reduziert, oxidiert, neutralisiert od. in schwer lösl. Verb. übergeführt werden. Dazu zählt die Mitfällung fein verteilter Abwasserinhaltsstoffe beim Ausfällen von Phosphat durch zugesetztes Kalkhydrat, Eisen- od. Aluminium-Salze. Beisp. der c. A. sind die Oxid. od. Red. von Farbstoffen, die Entkeimung durch Chlor, die *Cyanid- u. *Chromat-Entgiftung, die Fällung, *Flockung, *Wasserstoffperoxid-Oxidation, *Naßoxidation u. *Gasphasenoxidation. – *E* chemical waste water treatment – *F* traitement chimique des eaux résiduaires – *I* trattamento chimico delle acque di rifiuto – *S* tratamiento químico de aguas residuales
Lit.: Birr et al. (5.), Umweltschutztechnik, S. 136–141, Leipzig: Deutscher Verl. für Grundstoffindustrie 1992 ▪ Römpp Lexikon Umwelt, S. 160 ▪ Ullmann (5.) **B 8**, 105–120.

Chemische Analyse. Unter c. A. verstand man ursprünglich dasjenige Teilgebiet der *Analytischen Chemie, das – im Gegensatz zur *physikalischen Analyse – die Ermittlung der Art (qual. c. A.) u. Menge (quant. c. A.) von Einzelbestandteilen von Stoffgemischen mit rein chem. Meth. ermittelte. Die Notwendigkeit der Erfassung komplexer Stoffsyst. verlangt heute oft nach Verbundverf. von chem. u. physikal. Methoden. Die zu immer kleineren Mengen tendierenden Nachweisgrenzen verlangen neben empfindlichen Nachweisverf. (chem. u. physikal. Art) Analysenstrategien, die Probenahme, Probenaufbereitung, Trennung u. Nachw. optimal aufeinander abstimmen. – *E* chemical analysis – *F* analyse chimique – *I* analisi chimica – *S* análisis químico
Lit.: Angew. Chem. **97**, 439 (1985) ▪ Christian, Analytical Chemistry, New York: Wiley 1986 ▪ Latscha, Analytische Chemie, Berlin: Springer 1984 ▪ Otto, Analytische Chemie, Weinheim: VCH Verlagsges. 1995 ▪ Schwedt, Analytische Chemie, Stuttgart: Thieme 1995 ▪ s. a. Analytische Chemie.

Chemische Apparate s. Apparate u. Reaktionsapparate.

Chemische Bindung. Hierunter versteht man die Art des Zusammenhalts der Atome in einem Mol. (d. h. in einer *chemischen Verbindung) u. der Mol. in Mol.-Verbänden (z. B. *Molekülverbindungen, *Kristallen, *Einschlußverbindungen u. dgl.). Nach der Stärke dieses Zusammenhalts, die durch die *Bindungsenergie* (das ist der zur Bildung od. Spaltung der betreffenden Bindung erforderliche Energiebetrag) ausgedrückt wird, unterscheidet man *Hauptvalenzbindungen* mit Bindungsenergien zwischen 50 u. 1000 kJ/mol u. *Nebenvalenzbindungen* mit Bindungsenergien von weniger als 50 kJ/mol. Die Bindungskräfte, die die Atome zu Mol. od. die Mol. zu Verb. höherer Ordnung vereinigen, sind in Stärke u. Reichweite sehr unterschiedlich; während erstere auf Bindungsabstände wirksam werden u. mit zunehmendem Kernabstand exponentiell abnehmen, wirken letztere – als *zwischenmolekulare Kräfte – über weite Distanzen. Die Abstände sind durch die verschiedenen *Atomradien vorgegeben (*Ionen-, kovalente, Metallatom-, Van der Waals-Radien). Zur Veranschaulichung können *Atom- u. *Molekül-, insbes. *Kalottenmodelle, hilfreich sein. C. B. entsteht durch die Verformung der Elektronenhüllen bei gegenseitiger Annäherung der Atome u. ist damit von *elektromagnet. Natur*. Bei den innerhalb der Mol. wirksamen *Hauptvalenzbindungen* unterscheidet man drei Grenzfälle: *kovalente, ion.* u. *metall. Bindung*. Diese treten selten rein auf; meist liegen Übergänge zwischen den drei Grenzfällen vor, wobei einer davon überwiegt.

1. Hauptvalenzbindungen. Die c. B., v. a. die kovalente u. die metall., ist ein quantenmech. Phänomen. Versuche, sie auf der Grundlage der klass. Physik od. der Bohr-Sommerfeldschen Theorie (sog. ältere Quantentheorie, s. Atommodelle) zu verstehen, sind gescheitert. Die erste Arbeit zur Theorie der c. B. auf quantenmechan. Grundlage war der Bindung im Wasserstoff-Mol. gewidmet[1]. Theoret. noch einfacher zu behandeln ist das *Wasserstoffmol.-Ion* H_2^+, das aus 2 Protonen u. 1 Elektron besteht (s. Abb. 1) u. an dem im folgenden der physikal. Mechanismus für das Zustandekommen der c. B. erläutert werden soll. Das H_2^+-Ion ist von großer Bedeutung für die Chemie der interstellaren Wolken (s. Kosmochemie) u. wurde mit Meth. der hochauflösenden Spektroskopie eingehend untersucht[2].

Die *Schrödingergleichung für das H_2^+-Ion läßt sich zwar numer. exakt lösen[3], doch hat die hierbei verwendete mathemat. Technik keine größere allg. Bedeutung. Beliebig genaue Näherungslösungen sind beim H_2^+-Ion mit der *LCAO-MO-Methode zu erhalten, bei der die mol. Einelektronenwellenfunktionen (*Molekülorbitale, Abk. MOs) nach atomaren Ein-elektronenfunktionen (*Atomorbitalen, Abk. AOs) entwickelt werden.

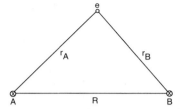

Abb. 1: Abstände im H_2^+-Ion. Hierbei ist r_A der Abstand des Elektrons vom Proton A u. r_B der Abstand des Elektrons vom Proton B; R ist der Abstand zwischen den beiden Protonen.

Für das MO des elektron. Grundzustandes des H_2^+-Ions macht man den einfachen Näherungsansatz: $\psi = N(\varphi_A + \varphi_B)$. Es wird also durch eine Linearkombination aus 2 AOs angenähert. N ist der *Normierungsfaktor*, der so gewählt wird, daß das Betragsquadrat des MOs, $|\psi|^2$, im Sinne von *Born als Aufenthaltswahrscheinlichkeitsdichte interpretiert werden kann, d.h. die über den dreidimensionalen Raum der Elektronenkoordinaten integrierte Aufenthaltswahrscheinlichkeitsdichte $\int |\psi|^2 d\tau$ muß gleich 1 sein. Für die beiden AOs φ_A u. φ_B verwenden wir normierte wasserstoffähnliche 1s-Orbitale (s. Atombau):

$$\varphi_A = (\eta^3/\pi a_0^3)^{1/2} \exp(-\eta r_A/a_0)$$

u.

$$\varphi_B = (\eta^3/\pi a_0^3)^{1/2} \exp(-\eta r_B/a_0).$$

Hierbei ist a_0 der Bohrsche Radius (s. atomare Einheiten u. Atombau). Der Parameter η hat für das Wasserstoff-Atom den Wert 1. Beim H_2^+-Ion erhält man eine verbesserte Beschreibung, wenn man ihn als Variationsparameter betrachtet u. in Abhängigkeit vom Protonenabstand R (s. Abb. 1) so bestimmt, daß die Gesamtenergie des H_2^+-Ions möglichst klein wird (s. Energievariationsprinzip). Die Abhängigkeit des in diesem Sinne optimalen η-Werts von R ist in Abb. 2 dargestellt. Beim Gleichgewichtskernabstand, d.h. dem R-Wert zur niedrigsten Gesamtenergie (bei ruhenden Kernen), beträgt der optimale Wert von η 1,25, für $R \to 0$ (vereinigtes Atom, in diesem Fall ein Helium-Atom) hat er den Wert 2. Für die Gesamtenergie des H_2^+-Ions bei ruhenden Kernen (s. Born-Oppenheimer-Näherung) erhält man im Rahmen unseres Näherungsansatzes den Ausdruck

$$E = \int \psi \hat{H} \psi \, d\tau = (H_{AA} + H_{AB})/(1+S).$$

Hierbei ist $\hat{H}$ der *Hamiltonoperator, der die kinet. Energie des Elektrons u. die Wechselwirkung des Elektrons mit den beiden Protonen beschreibt. H_{AA} u. H_{AB} sind Integrale über die AOs:

$$H_{AA} = \int \varphi_A \hat{H} \varphi_A \, d\tau = H_{BB} \text{ u.}$$
$$H_{AB} = \int \varphi_A \hat{H} \varphi_B \, d\tau = H_{BA}.$$

E, H_{AA}, H_{AB} u. S sind vom Kernabstand R abhängige Funktionen.

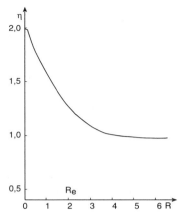

Abb. 2: Der energetisch optimale Orbitalexponent η für den Grundzustand des H_2^+-Ions als Funktion des Kernabstands R (in atomaren Einheiten).

Unter Einführung des sog. *reduzierten Resonanzintegrals* $\beta = H_{AB} - H_{AA} S$ erhält man für die Gesamtenergie des H_2^+-Grundzustandes:

$$E = H_{AA} + \frac{\beta}{1+S}.$$

Dieser Ausdruck bildet die Grundlage für einfache semi-empir. Einelektronentheorien wie die Hückel-Molekülorbital-Theorie (Abk. *HMO-Theorie), bei der der Effekt nichtverschwindender Überlappung ($S \neq 0$) in das reduzierte Resonanzintegral absorbiert wird, das man dann als an experimentelle Daten anpaßbaren Parameter auffaßt. Zum Verständnis des physikal. Mechanismus der Ausbildung einer c.B. ist es zweckmäßig, eine Aufspaltung der Gesamtenergie in kinet. Energie T u. potentielle Energie V vorzunehmen (diese beiden Beiträge kann man in Form von *Erwartungswerten mit dem MO ψ bilden). Die Beiträge der kinet. Energie T u. der potentiellen Energie V zur Gesamtenergie E des H_2^+-Grundzustands sind in Abb. 3 dargestellt.

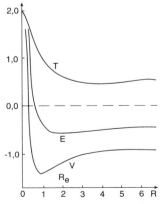

Abb. 3: Beiträge der kinetischen Energie T u. der potentiellen Energie V zur Gesamtenergie E des H_2^+-Grundzustands (LCAO-MO-Näherung) mit optimalem Parameter η.

Verringert man den Abstand zwischen den beiden Protonen, dann nimmt die kinet. Energie zunächst ab gegenüber dem asymptot. Wert von 0,5 atmosphär. Einheiten (kinet. Energie des Wasserstoff-Atoms). Der dem Elektron zur Verfügung stehende Raum vergrößert sich beim Übergang vom Syst. „Wasserstoff-Atom + Proton" zum Syst. „Wasserstoff-Mol.-Ion" u. nach der Heisenbergschen *Unschärfebeziehung ist damit eine Erniedrigung der kinet. Energie verknüpft. Voraussetzung hierfür ist die Überlappung der AOs derart, daß Ladung aus den kernnahen Bereichen in die Gegend zwischen den Kernen verschoben wird. Für die Elektronendichte gilt im Rahmen unserer Näherungsrechnung:

$$\rho = N^2(\varphi_A^2 + \varphi_B^2 + 2\varphi_A\varphi_B) = [2(1+S)]^{-1}(\varphi_A^2 + \varphi_B^2 + 2\varphi_A\varphi_B).$$

S ist hierbei das Überlappungsintegral $S = \int \varphi_A \varphi_B d\tau$ zwischen den beiden AOs. Die Funktion ρ ist graph. in Abb. 4 (A; B) dargestellt.

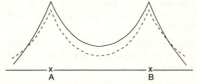

Abb. 4: Schematische Darstellung der Elektronendichte im elektronischen Grundzustand des H_2^+-Ions. — quantenmechanische Dichte (LCAO-MO mit Promotion, d. h. variablem η); —·— quasiklassische Dichte.

Abb. 5: Höhenlinienbild der Elektronendichte im Grundzustand von H_2^+ nach einer genauen quantenchemischen Rechnung.

Diese Abb. enthält auch die *quasiklass. Elektronendichte* $\rho_{QK} = 1/2(\varphi_A^2 + \varphi_B^2)$, die durch Addition der Elektronendichten der an der Bindung beteiligten Atome erhalten wird, ohne daß irgendeine mit der Bindungsbildung einhergehende Veränderung der Elektronendichte berücksichtigt wird. Man erkennt, daß sich die quantenmechan. Elektronendichte ρ gegenüber der quasiklass. ρ_{QK} im Bereich zwischen den beiden Protonen deutlich erhöht hat aufgrund des pos. 3. Terms (sog. *Interferenzterm*) in dem quantenmechan. Ausdruck für ρ. Der Interferenzterm ist häufig der wichtigste Beitrag zur c. B. u. bei einer qual. Diskussion ist seine Betrachtung oft ausreichend. Auch an den Kernen A u. B ist ρ größer als ρ_{QK}, da mit abnehmendem R das optimale η anwächst (s. Abb. 2) u. damit eine *Kontraktion der AOs* erfolgt. Allg. verwendet man für eine solche Veränderung der AOs bei der Mol.-Bildung, die aber oft nur eine untergeordnete Rolle bei der qual. Erklärung der c. B. spielt, die Begriffe „*Promotion*" od. „*Überführung in den Valenzzustand*". Wie wahrscheinlich von Hellmann[4] zuerst erkannt wurde, ist die „treibende Kraft" für die Ausbildung einer c. B. das beschriebene Absinken der kinet. Energie T. Die Verhältnisse werden allerdings dadurch kompliziert[5], daß T bei einem bestimmten Kernabstand ein Minimum hat u. dann mit Verringerung des Kernabstandes anwächst. Beim H_2^+-Ion ist z. B. im Falle des vereinigten Atoms (R → 0) die kinet. Energie des Elektrons gerade doppelt so groß wie für R → ∞ (H-Atom + Proton bei unendlich großem Abstand). Beim Gleichgewichtskernabstand R_e gilt der *Virialsatz in der gleichen Form wie für Atome, d. h. die kinet. Energie ist gleich dem Negativen der Gesamtenergie. Da das Auftreten einer c. B. aber bedeutet, daß die Gesamtenergie des gebildeten Mol. betragsmäßig größer ist als die Summe der Energien der getrennten Atome, folgt hieraus, daß bei der Gleichgewichtsgeometrie die kinet. Energie des Mol. größer ist als die der getrennten Atome. Somit initiiert das Absinken der kinet. Energie T die Ausbildung einer c. B.; am Ort der tiefsten Gesamtenergie (R_e) hat aber die potentielle Energie V die dominierende Rolle übernommen (s. Abb. 3). Für $R < R_e$ führen das Anwachsen der kinet. Energie u. die durchweg abstoßende quasiklass. Wechselwirkung der Protonen (proportional zu R^{-1}) u. der Elektronendichteverteilungen der „ungebundenen" Wasserstoff-Atome zu einem starken Ansteigen der Gesamtenergie[6].

Die beim H_2^+-Ion erhaltenen Ergebnisse lassen sich näherungsweise auch auf andere Mol. übertragen. Das Beisp. des Wasserstoff-Mol. mit 2 Protonen u. 2 Elektronen ist hierbei bes. einfach; gleichzeitig soll hier der Unterschied zwischen der *MO-Beschreibung* u. der *Valenzstruktur*-Beschreibung diskutiert werden. In der MO-Beschreibung des elektron. Grundzustands des H_2-Mol. besetzen beide Elektronen das MO ψ mit antiparallelem *Spin; der resultierende Zustand ist also ein *Singulett. Die Zweielektronenwellenfunktion ist eine *Slater-Determinante, die sich in ausmultiplizierter Form als Produkt aus einem Ortsanteil der Form $\psi(\underline{r}_1) \cdot \psi(\underline{r}_2)$ u. einer Singulett-Spinfunktion schreiben läßt; $\underline{r}_1$ u. $\underline{r}_2$ sind hierbei die Ortskoordinaten der beiden Elektronen. Für die Gesamtenergie bei ruhenden Kernen erhalten wir in grober Näherung

$$E = 2H_{AA} + \frac{2\beta}{1+S},$$

d. h. gerade die doppelte Bindungsenergie wie beim H_2^+ (tatsächlich ist die Bindungsenergie des H_2-Mol. nur um 71% größer als die des H_2^+-Ions). In der schon angesprochenen Hückelschen Näherung, die im folgenden öfters verwendet wird, vereinfacht sich der Energieausdruck (gültig für R ≈ R_e) weiter zu $E = 2(\alpha + \beta)$, wobei α u. β nunmehr anpaßbare Parameter sind.

Etwas älter als die bisher besprochene MO-Theorie ist die *Valenzstrukturmeth.* od. *VB-Methode* (von *E* „valence bond"). Diese Meth., bei der die Wellenfunktion so konstruiert wird, daß die Rolle der getrennten Atome u. gerichteter, orthogonaler u. an einzelnen Kernen lokalisierter Atomorbitale (Hybridorbitale) betont wird, wurde von *Heitler u. *London 1927 auf das Wasserstoff-Mol. angewendet[1]. Wie beim LCAO-MO-Ansatz werden zwei 1s-AOs für die Konstruktion der Zweielektronenwellenfunktion herangezogen. Der spinabhängige Anteil ist beim VB-Ansatz ident. mit dem der MO-Wellenfunktion; der auf 1 normierte, von den Ortskoordinaten der beiden Elektronen abhängige Ortsanteil ist

$$(1+S^2)^{-1}[\varphi_A(\underline{r}_1) \cdot \varphi_B(\underline{r}_2) + \varphi_B(\underline{r}_1) \cdot \varphi_A(\underline{r}_2)].$$

Somit liegt eine Situation vor, bei der eines der beiden Elektronen das eine AO besetzt, während das andere mit antiparallelem Spin im anderen AO untergebracht ist. Entscheidend ist die Zuordnung der Elektronen zu AOs, während in der MO-Meth. zunächst sich über das ganze Mol. erstreckende, delokalisierte MOs konstruiert werden, wobei AOs nur zu ihrer Darst. in Form von Basisfunktionen Anw. finden (im Prinzip könnte man auch Basisfunktionen verwenden, die nicht den Kernen zugeordnet sind). Ein direkter Vgl. von VB- u. LCAO-MO-Wellenfunktionen für H_2 ist möglich, wenn man den Ortsanteil der letzteren ausmultipliziert, wobei sich

$$1/2(1+S)^{-1}[\varphi_A(r_1) \cdot \varphi_B(r_2) + \varphi_B(r_1) \cdot \varphi_A(r_2)] + 1/2(1+S)^{-1}[\varphi_A(r_1) \cdot \varphi_A(r_2) + \varphi_B(r_1) \cdot \varphi_B(r_2)]$$

ergibt. Der erste Anteil ist bis auf die unterschiedliche Normierung mit dem VB-Ausdruck ident.; man bezeichnet ihn als *kovalenten Anteil* u. kann ihm die Valenzstruktur H–H zuordnen. Dieser Anteil beschreibt für $R \to \infty$ zwei Wasserstoff-Atome im elektron. Grundzustand. Daneben beinhaltet der LCAO-MO-Ausdruck sog. *ion. Terme*, bei denen die beiden Elektronen jeweils nur ein AO besetzen u. somit die Situation H^-H^+ bzw. H^+H^- vorliegt. Demnach ist der gewählte LCAO-MO-Ansatz nicht in der Lage, die Dissoziation des H_2-Mol. nach zwei neutralen H-Atomen korrekt zu beschreiben. Man kann dies erreichen, indem man mit der einen *Slater-Determinante noch eine zweite linear kombiniert, die mit dem MO $\psi = [2(1-S)]^{-1/2}(\varphi_A - \varphi_B)$ gebildet wird (s. Configuration Interaction). Damit ist die im Prinzip unbeschränkte Erweiterungsfähigkeit der MO-Meth. angedeutet, die in ähnlicher Weise auch für die VB-Meth. existiert; hier wird dann die Anzahl der VB-Strukturen erhöht. In dem für die Praxis allerdings bedeutungslosen Grenzfall unendlich langer Entwicklungen werden MO-Theorie u. VB-Theorie völlig äquivalent. Als prakt. Meth. der *Quantenchemie (s. a. ab initio u. Theoretische Chemie) findet die MO-Theorie einen wesentlich breiteren Anwendungsbereich als die VB-Theorie, die ihrerseits aber in der Frühzeit der Theorie der c. B. auf quantenmechan. Grundlage die Basis od. Rationalisierung einer Reihe noch immer weit verbreiteter Konzepte zur qual. Beschreibung der c. B. geliefert hat.

Die c. B. in zweiatomigen Mol. mit gleichen Kernen (*homonukleare Mol.*) läßt sich zwanglos mittels qual. LCAO-MO-Theorie beschreiben, während qual. VB-Theorie mitunter (v. a. beim Sauerstoff-Mol.) etwas Schwierigkeiten hat. Die MOs werden aus einem minimalen *Basissatz von AOs derart konstruiert, daß sie der Symmetrie des Mol. Rechnung tragen. Demgemäß gibt es bei homonuklearen zweiatomigen Mol. MOs, die bei der Spiegelung am Mittelpunkt der Kernverbindungslinie sich entweder garnicht ändern od. nur ihr Vorzeichen. Erstere nennt man *gerade* (g), letztere *ungerade* (u). Mit den energet. am tiefsten liegenden 1s-AOs lassen sich zwei Linearkombinationen bilden: $1s_A \pm 1s_B$ (der Einfachheit halber bleibt im folgenden die Normierung unberücksichtigt). Das der pos. Linearkombination entsprechende MO ist gerade, das der neg. entsprechende ungerade. Letzteres hat eine senkrecht zur Kernverbindungslinie stehende u. durch ihren Mit-

telpunkt gehende Knotenfläche, d. h. eine Fläche, auf der das MO den Wert Null hat. Beide MOs sind rotationssymmetr. bezüglich der Kernverbindungslinie u. werden als σ-*Orbitale* bezeichnet. Die gesamte Bez. der beiden MOs lautet $1\sigma_g$ bzw. $1\sigma_u$, wobei die vorgestellte natürliche Zahl die MOs einer bestimmten Symmetrierasse gemäß der energet. Reihenfolge durchnumeriert. Zur Konstruktion der energet. höherliegenden MOs werden die 2s- u. 2p-AOs herangezogen (s. Atombau). Zunächst bildet man aus jeweils zwei gleichartigen AOs an die mol. Symmetrie angepaßte Linearkombinationen (sog. *symmetrieadaptierte AOs* od. *Symmetrie-AOs*), die der Situation bei großem Kernabstand R entsprechen. Mit den $2p_x$- bzw. $2p_y$-AOs werden sog. π-*Orbitale* gebildet, die eine die Kernverbindungslinie beinhaltende Knotenfläche besitzen. Bei Verkleinerung von R bilden sich aus den Symmetrie-AOs die MOs; hierbei treten die zur gleichen mol. Symmetrierasse gehörigen Symmetrie-AOs untereinander in Wechselwirkung (s. Abb. 6).

So wird z. B. mit abnehmendem R die Energie des $2\sigma_g$-Orbitals abgesenkt u. die des $3\sigma_g$-Orbitals angehoben, da sich das Mischungsverhältnis von 2s- u. $2p_z$-Orbitalen in diesen MOs in Abhängigkeit von R ändert. Die Anhebung des $3\sigma_g$-Orbitals ist hierbei so stark, daß es über dem $1\pi_u$-Orbital zu liegen kommt. Vom Bindungscharakter her bezeichnet man ein durch Linearkombination von AOs gebildetes MO als *bindend*, wenn es außer den Knotenflächen der beteiligten AOs keine weiteren Knotenflächen zwischen den Kernen hat. Dies trifft für die MOs $1\sigma_g$, $2\sigma_g$, $3\sigma_g$, $1\pi_u x$ u. $1\pi_u y$ zu. Ein MO bezeichnet man hingegen als *antibindend*, wenn es eine zusätzliche Knotenfläche besitzt, wie dies bei den MOs $1\sigma_u$, $2\sigma_u$, $3\sigma_u$, $1\pi_g x$ u. $1\pi_g y$ der Fall ist. Bei mehratomigen Mol. können zudem noch *nichtbindende* MOs hinzukommen.

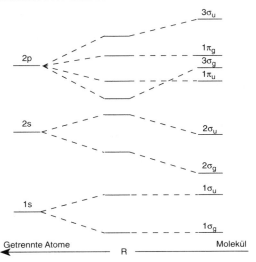

Abb. 6: Das MO-Diagramm für die homonuklearen, zweiatomigen Moleküle mit Elementen der 1. Langperiode.

Gemäß dem *Aufbauprinzip werden beim elektron. Grundzustand die MOs nach aufsteigender Energie mit Elektronen besetzt, wobei nach dem *Pauli-Prinzip jedes nichtentartete MO max. mit 2 Elektronen besetzt

Chemische Bindung

Tab.: Elektronenkonfigurationen, Termbezeichnungen u. Eigenschaften homonuklearer zweiatomiger Moleküle im elektronischen Grundzustand.

Molekül u. Elektronenkonfiguration	Termbez.	N_{bind}	N_{ant}	p	R_e (Å)	D_e [a] (kJ/mol)
$H_2 (1\sigma_g)^2$	$^1\Sigma_g^+$	2	–	1	0,74	458
$He_2 (1\sigma_g)^2 (1\sigma_u)^2$	$^1\Sigma_g^+$	2	2	0	3,0	0,1
$Li_2 [He_2] (2\sigma_g)^2$	$^1\Sigma_g^+$	4	2	1	2,67	103
$Be_2 [He_2] [2\sigma_g)^2 (2\sigma_u)^2$	$^1\Sigma_g^+$	4	4	0	2,47	10
$B_2 [Be_2] (1\pi_u)^2$	$^3\Sigma_g^-$	6	4	1	1,59	298
$C_2 [Be_2] (1\pi_u)^4$	$^1\Sigma_g^+$	8	4	2	1,24	628
$N_2 [Be_2] (1\pi_u)^4 (3\sigma_g)^2$	$^1\Sigma_g^+$	10	4	3	1,10	956
$O_2 [Be_2] (1\pi_u)^4 (3\sigma_g)^2 (1\pi_g)^2$	$^3\Sigma_g^-$	10	6	2	1,21	498
$F_2 [Be] (1\pi_u)^4 (3\sigma_g)^2 (1\pi_g)^4$	$^1\Sigma_g^+$	10	8	1	1,44	160
$Ne_2 [Be_2] (1\pi_u)^4 (3\sigma_g)^2 (1\pi_g)^4 (3\sigma_u)^2$	$(^1\Sigma_g^+)$	10	10	0	3,1	0,3

[a] Gleichgewichtsdissoziationsenergie, d. h. Energiedifferenz zwischen getrennten Atomen u. Mol. bei R_e.

werden kann, deren Spins dann antiparallel eingestellt sein müssen. Als *Bindungsgrad* p bezeichnet man die halbe Differenz zwischen der Zahl der Elektronen in bindenden MOs u. der entsprechenden Zahl in antibindenden: $p = \frac{1}{2}(N_{bind} - N_{ant})$. Werte für p sind für die homonuklearen zweiatomigen Mol. in der Tab. angegeben.
Beim He_2 sind das $1\sigma_g$- u. das $1\sigma_u$-Orbital doppelt besetzt; der zugehörige *Term ist $^1\Sigma_g^+$. Da die antibindende Wirkung des $1\sigma_u$-Orbitals stärker ist als die bindende des $1\sigma_g$-Orbitals, liegt beim He_2 keine c. B. vor (bei großem Kernabstand gibt es ein sehr flaches Energieminimum, das auf langreichweitige *Van-der-Waals-Kräfte vom Dispersionstyp zurückzuführen ist u. einen gebundenen Zustand zuläßt). Das Lithium-Mol. hat zwei Elektronen mehr, die in dem Valenz-MO $2\sigma_g$ untergebracht werden. Dieses ist bindend, womit der Bindungsgrad beim Li_2 den Wert 1 hat. Die c. B. im Li_2-Mol. kann man also als durch ein σ-Orbital bewerkstelligte *Einfachbindung* bezeichnen. Be_2 hat eine relativ schwache c. B., die allerdings mit dieser einfachen qual. MO-Theorie nicht zu erklären ist. Eine quant. Beschreibung erfordert umfangreiche Rechnungen unter Berücksichtigung der *Elektronenkorrelation. Beim B_2-Mol. sind die beiden energiegleichen (entarteten) $1\pi_u$-Orbitale einfach besetzt u. gemäß der *Hundschen Regel ist ein *Triplett-Zustand energet. am günstigsten (Term: $^3\Sigma_g^-$). Die Bindung kann man als durch ein bindendes π-Orbital bewerkstelligte Einfachbindung beschreiben. Beim C_2 sind im elektron. Grundzustand 4 Elektronen in den beiden $1\pi_u$-Orbitalen untergebracht; wir haben somit eine *Doppelbindung* mit zwei π-Orbitalen. Beim N_2-Mol. wird dann auch das energet. sehr ähnliche $3\sigma_g$-Orbital doppelt besetzt, so daß eine *Dreifachbindung*, gebildet aus einer σ-Bindung u. zwei π-Bindungen, resultiert. Beim O_2-Mol. sind – wie bei B_2 – zwei entartete π-Orbitale (hier die antibindenden $1\pi_g$-Orbitale) einfach mit Elektronen mit parallelen Spin besetzt. Es resultiert der Term $^3\Sigma_g^-$; der Bindungsgrad ist 2. Vollständige Besetzung der $1\pi_g$-Orbitale liegt beim F_2-Mol. vor, das damit nur noch eine σ-Bindung aufweist. Beim Ne_2 ist auch das noch übrigbleibende $3\sigma_u$-Orbital doppelt besetzt. Wie beim He_2-Mol. existiert hier nur eine schwache Van-der-Waals-Bindung.

Bei den bisher behandelten Beisp. zur c. B. liegt *kovalente Bindung* (auch *Atombindung, homöopolare Bindung* od. *Elektronenpaarbindung* genannt) vor, da bei gleichartigen Bindungspartnern im elektron. Grundzustand die Elektronendichte symmetr. verteilt ist. In *heteronuklearen* zweiatomigen Mol. findet man hingegen häufig eine beträchtliche Ladungsverschiebung von einem Atom zum anderen; man redet dann von *polarer Bindung*. Im Rahmen der Hückelschen Näherung trägt man ihr durch Wahl unterschiedlicher Werte des Hückel-Parameters α für die beiden Atomsorten Rechnung. Allg. kann man α als neg. atomare Valenzionisierungsenergie interpretieren (α ist neg.). Bei dem Atom mit dem kleineren α-Wert (größere Ionisierungsenergie) sind die Valenzelektronen stärker gebunden; Ladungstransfer wird daher von dem Atom mit dem größeren α-Wert (α_A) auf das mit dem kleineren (α_B) erfolgen. Bringt man die beiden Atome miteinander in Wechselwirkung, so erfolgt eine Aufspaltung der Orbitalenergien gemäß der in Abb. 7 angegebenen Form.

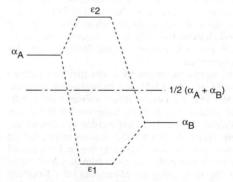

Abb. 7: Polare Bindung. Relative Energie von Atom- u. Molekülorbitalen. Die Aufspaltung ist symmetrisch bezüglich der Linie $\frac{1}{2}(\alpha_A + \alpha_B)$.

Die zugehörige Energieformel ist ($\Delta = \alpha_A - \alpha_B$):

$$\varepsilon_{1/2} = \frac{1}{2}(\alpha_A + \alpha_B) \pm \sqrt{\Delta^2 + 4\beta^2}.$$

Der erste Beitrag, das arithmet. Mittel der beiden α-Werte, ist hierbei ein atomarer Beitrag; der Wurzelausdruck beinhaltet den *Beitrag des Ladungstransfers* zur Energie u. den *Resonanzbeitrag*. Das zugehörige MO setzt sich aus den AOs der beiden Atome zusammen:

$$\psi = c_A \varphi_A + c_B \varphi_B \text{ mit } c_A^2 + c_B^2 = 1$$

(Normierungsbedingung). Für $|c_A| = |c_B|$ haben wir den kovalenten Fall ($\Delta = 0$). Für einen großen Wert von Δ wird ein Elektron nahezu vollständig von Atom A nach Atom B übertragen u. wir haben die Situation A^+B^- vorliegen (*ion. Bindung*). In diesem Fall gilt $c_B^2/c_A^2 \gg 1$, d.h. das MO ist prakt. ein am Atom B lokalisiertes AO (s. Abb. 8).

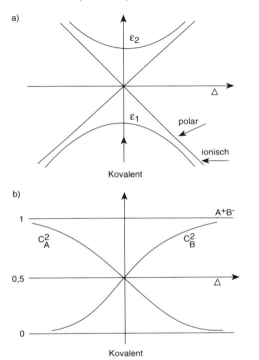

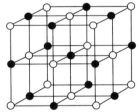

Abb. 8: Schematische Darstellung der kovalenten, polaren u. ionischen Bindung.
a) Orbitalenergie ε_1 u. ε_2 als Funktion von Δ.
b) Koeffizientenquadrate der Atomorbitale in den zum tieferen Energiewert ε_1 gehörenden Molekülorbitalen.

Für die Beschreibung der energet. Verhältnisse bei der ion. Bindung wird häufig ein einfaches *elektrostat. Modell* verwendet, das im folgenden am Beisp. des NaCl-Mol. beschrieben wird. NaCl dissoziiert zwar nach 2 neutralen Atomen, da die *Elektronenaffinität des Chloratoms [EA(Cl) = 3,6 eV] kleiner ist als die Ionisierungsenergie des Natriumatoms [IE(Na) = 5,1 eV]; die Bindung nahe R_e entspricht aber prakt. einer Ionenbindung. Die energet. Verhältnisse bei der Bildung von NaCl lassen sich näherungsweise durch die folgende Funktion beschreiben:

$$V(R) = A \cdot \exp(-\alpha \cdot R) - \frac{e^2}{4 \cdot \pi \cdot \varepsilon_0 \cdot R} + IE(Na) - EA(Cl).$$

Hierbei sind A u. α adjustierbare Parameter, e die Elementarladung u. ε_0 die elektr. Feldkonstante (s. Naturkonstanten). Der 1. Term (sog. *Born-Mayer-Potential*) beschreibt die kurzreichweitige Abstoßung der Elektronenhüllen von Na^+ u. Cl^- u. der 2. Term die langreichweitige *Coulomb-Anziehung zwischen den beiden Ionen; letzterer ist für die Ausbildung der Ionenbindung verantwortlich. Der Gleichgewichtskernabstand im NaCl-Mol. wurde mikrowellenspektroskop. zu $R_e = 2{,}361$ Å ermittelt; das experimentelle Gleichgewichtsdipolmoment μ_e beträgt 9,0 D u. weicht damit um 30% von dem Wert für 2 Punktladungen der Ladungszahl ±1 im Abstand von R_e ab (die Differenz ist v.a. durch Polarisierungseffekte – das Na^+-Kation induziert in dem leicht polarisierbaren Cl^--Anion ein Dipolmoment entgegengesetzten Vorzeichens – zu erklären, die in dem obigen einfachen Modell unberücksichtigt bleiben (berücksichtigt werden sie in dem Modell von Rittner[7]).

Im festen Zustand bildet Natriumchlorid ein aus Na^+-Ionen u. Cl^--Ionen aufgebautes *Kristallgitter, dessen als *Kochsalzgitter* bezeichnete Struktur in Abb. 9 dargestellt ist. Jedes Na^+-Ion ist hierbei oktaedr. von 6 Cl^--Ionen u. umgekehrt jedes Cl^--Ion in gleicher Weise von 6 Na^+-Ionen umgeben. Für sich gesehen bilden die Na^+-Ionen u. die Cl^--Ionen je eine kub. flächenzentrierte Anordnung aus. Die beiden Ionen Na^+ u. Cl^- besitzen eine Edelgaskonfiguration u. damit im freien Zustand eine kugelsymmetr. Ladungsverteilung.

Abb. 9: Kristallstruktur von Kochsalz.
○ Cl^--Ionen; • Na^+-Ionen.

Wie Abb. 10 (S. 676) zeigt, bleibt eine solche auch im Krist. näherungsweise erhalten, mit geringen Verformungen an den Kontaktstellen zu den Nachbarionen. Zwischen zwei Ionen sinkt die Elektronendichte nahezu auf den Wert Null ab; dies steht im Gegensatz zu der kovalenten Bindung, bei der in der Mitte zwischen zwei Kernen Elektronendichtezuwachs vorliegt.

Das einfachste mehratomige Mol. ist das H_3^+-*Mol.-Ion* mit drei Protonen u. zwei Elektronen, das von großer Bedeutung für die Chemie der interstellaren Wolken (s. Kosmochemie) u. die *Plasmachemie ist. Es wurde massenspektroskop. bereits 1912 von Sir J. J. *Thomson nachgewiesen, obwohl dies später – zu Unrecht – sogar von ihm selbst angezweifelt wurde. In den 30er Jahren dieses Jahrhunderts gab es allerdings genügend zwingende Hinweise für die Existenz des H_3^+-Ions, die allerdings nicht zu den gängigen Vorstellungen über die c. B. passen wollten, wonach der Wasserstoff als monovalent angesehen wurde. Von *Eyring soll damals gesagt worden sein[8], das H_3^+-Problem sei der „Skandal der modernen Chemie". Eyring selbst trug zusammen mit *Hirschfelder entscheidend dazu bei, diesen „Skandal" zu bereinigen. Hirschfelder[9] konnte in einer klass. Arbeit zeigen, daß die stabilste Struktur von H_3^+ ein nahezu gleichseitiges Dreieck ist. Daß

Chemische Bindung

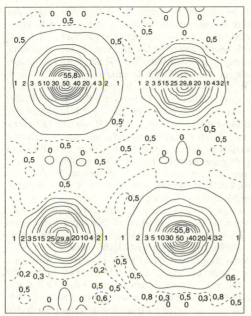

Abb. 10: Ladungsverteilung im Kochsalz-Kristall.

keine exakte gleichseitige Gleichgewichtsgeometrie resultierte, war wohl auf numer. Probleme zurückzuführen, womit die frühe Quantenchemie in der Vor-Computer-Ära stets zu kämpfen hatte. Bis 1980 waren theoret. Arbeiten, die immer wieder verfeinert wurden, dem Experiment beim H_3^+ weit voraus; erst in jenem Jahr konnte Oka[10] das erste hochaufgelöste Infrarotspektrum dieses Ions aufnehmen u. damit die genauen theoret. Vorhersagen von Carney u. Porter[11] bestätigen.

Abb. 11: Höhenlinienbild des den Grundzustand des H_3^+-Ions beschreibenden Molekülorbitals. Die 3 Protonen A, B u. C sind in der Gleichgewichtsgeometrie in Form eines gleichseitigen Dreiecks angeordnet.

Eine einfache Beschreibung der Bindungsverhältnisse im elektron. Grundzustand des H_3^+-Ions gelingt mit Hilfe der *Hückelschen Näherung* (s. a. HMO-Theorie) Diese liefert für die lineare Anordnung der Kerne die Energie $E = 2(\alpha + \sqrt{2}\beta)$, für die Anordnung in Form eines gleichseitigen Dreiecks hingegen die tiefere Energie von $E = 2(\alpha + 2\beta)$. Paßt man den Hückel-Parameter β (β ist neg.) an die experimentelle Dissoziationsenergie des Wasserstoff-Mol. an, so resultiert ein erstaunlich genauer Wert (Fehler: 4%) für die *Protonenaffinität des Wasserstoff-Mol., d. h. die *Reaktionsenthalpie der Dissoziationsreaktion $H_3^+ \rightarrow H_2 + H^+$. In LCAO-MO-Näherung ist die Wellenfunktion des H_3^+-Ions eine *Slater-Determinante, die aus dem MO $\psi = N(\varphi_A + \varphi_B + \varphi_C)$ gebildet wird; φ_A, φ_B u. φ_C sind hierbei an den 3 Protonen lokalisierte 1s-AOs. Ein Höhenlinienbild dieses delokalisierten MOs ist in Abb. 11 angegeben. H_3^+ ist ein typ. Beisp. für eine *Mehrzentrenbindung* – 2 Elektronen in einem über das gesamte Kerngerüst delokalisierten MO bilden 3 gleichstarke Bindungen zwischen den 3 Protonen aus. Die *Bindungsordnung* ergibt sich im Rahmen der Hückelschen Näherung zu $2/3$; die entsprechenden Werte für H_2 u. H_2^+ sind 1 bzw. $1/2$. Der Gleichgewichtskernabstand in H_3^{++}-Ion beträgt nach genauen Rechnungen $R_e = 0{,}8732$ Å (s. Lit.[12]); zum Vgl.: $R_e(H_2) = 0{,}7415$ Å u. $R_e(H_2^+) = 1{,}052$ Å. Generell gilt, daß ein Gleichgewichtskernabstand ein sensibles Maß für die Stärke der c. B. zwischen den entsprechenden Kernen ist (s. a. Kutzelnigg, *Lit.*).

Die Hückelsche Näherung wurde ursprünglich zur Behandlung organ. π-Elektronensyst. eingeführt[13], sie eignet sich aber auch vorzüglich, um ein rasches qual. Bild von MOs in anderen chem. Verb. zu erhalten (s. z. B. Kutzelnigg, *Lit.*); solche Rechnungen sind auf Taschenrechnern durchführbar. Z. B. erklärt sie zwanglos die experimentellen Befunde, wonach die beiden äquivalenten Bindungen im CO_2-Mol. von ihrer Stärke her ziemlich genau in der Mitte zwischen Doppel- u. Dreifachbindungen liegen. Eine einzige *Valenzstrichformel* wird der c. B. im CO_2-Mol. nicht gerecht. In der Valenzstrukturmeth. müßte man vielmehr einen sog. Hybrid aus 4 Grenzstrukturen verwenden, wobei die Grenzstrukturen alle mit je 25% beitragen (s. a. Lewis-Formeln u. Resonanz).

Die Verw. von delokalisierten Mehrzentrenorbitalen führt zu einer konsistenten Beschreibung der c. B. in beliebigen Molekülen. Nicht ganz befriedigend ist dabei allerdings, daß der Zusammenhang zu den Valenzstrichformeln nicht deutlich wird. Einen solchen herzustellen gelingt aber in vielen Fällen, wie schon *Hund*[14] gezeigt hat, indem man eine völlig gleichwertige Beschreibung durch *lokalisierte MOs* verwendet, die sich hauptsächlich nur über den Bereich einer Bindung erstrecken od. an einem Atom lokalisiert sind. Die lokalisierten MOs erzeugt man durch eine geeignete *unitäre Transformation aus den delokalisierten, wobei die *Orthogonalität der MOs erhalten bleibt. Diese Operation ist erlaubt, da sich bei einer solchen Transformation die gesamte Wellenfunktion für das Mehrelektronenproblem allenfalls um einen unwesentlichen Phasenfaktor vom Betrag 1 ändert. Bei Mol. mit hoher Symmetrie wie CH_4 gelingt dies bereits aus Symmetrieüberlegungen; ansonsten muß man physikal. *Lokalisierungskriterien heranziehen. Die Lokalisierung ist allerdings nur unter bestimmten Voraussetzungen möglich (s. a. Kutzelnigg, *Lit.*).

Der Zusammenhang zwischen delokalisierten MOs, die man z. B. aus einer quantenchem. *SCF-Rechnung mit einem minimalen Basissatz von AOs erhalten kann, u. lokalisierten MOs sei am Beisp. des CH_4-Mol. illustriert, wobei wir uns hier auf die Betrachtung der vier

Valenz-MOs beschränken. Bezeichnet man die 1s-AOs an den vier Protonen mit h_1, h_2, h_3 u. h_4 u. die Valenz-AOs des Kohlenstoff-Atoms mit 2s, $2p_x$, $2p_y$ u. $2p_z$, dann haben die delokalisierten MOs (od. *kanon.* MOs) die folgende Form (s. a. Abb. 12):

$$\psi_1(a_1) = 2s + a(h_1 + h_2 + h_3 + h_4)$$
$$\psi_2(t_{2x}) = 2p_x + b(h_1 + h_3 - h_2 - h_4)$$
$$\psi_3(t_{2y}) = 2p_y + b(h_1 + h_4 - h_2 - h_3)$$
$$\psi_4(t_{2z}) = 2p_z + b(h_1 + h_2 - h_3 - h_4)$$

Diese MOs sind unnormiert; a u. b sind Koeff., die durch quantenchem. Rechnungen bestimmt werden. Die Symmetriebez. für die MOs sind in Klammern angegeben; sie beziehen sich auf die Tetraedergruppe T_d (s. a. Gruppentheorie). Die Orbitale ψ_2, ψ_3 u. ψ_4 gehören zur gleichen Energie u. sind damit entartet. Durch eine unitäre Transformation kann man aus den vier kanon. Valenz-MOs vier äquivalente lokalisierte MOs erzeugen, die schemat. in Abb. 13 dargestellt sind.

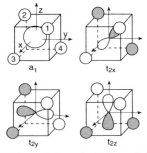

Abb. 12: Schematische Darstellung des Aufbaus der kanonischen Molekülorbitale des CH_4-Moleküls aus einem minimalen Basissatz von Valenz-Atomorbitalen.

Da sie sich hauptsächlich vom zentralen Kohlenstoff-Atom zu jeweils einem der Wasserstoff-Atome erstrecken, kann man sie auch als *Bindungsorbitale* bezeichnen.

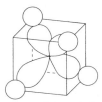

Abb. 13: Schematische Darstellung der 4 äquivalenten, lokalisierten Valenz-Molekülorbitale für das CH_4-Molekül.

Diese Art der Beschreibung ist eng verwandt mit der Valenzstrukturbeschreibung unter Verw. atomarer *Hybridorbitale*, unter denen man orthogonale, gerichtete AOs versteht. In diesem Fall handelt es sich um sp^3-Hybridorbitale, d. h. Linearkombinationen aus dem 2s-AO u. den drei 2p-AOs. Das Höhenlinienbild eines solchen Hybridorbitals ist in Abb. 14 dargestellt. In der Valenzstrukturmeth. werden zunächst vier äquivalente sp^3-Hybridorbitale konstruiert u. diese werden dann mit Wasserstoff-AOs zu singulettgekoppelten Elektronenpaarfunktionen kombiniert analog den beim H_2-Mol. geschilderten Verhältnissen.

Die *metall. Bindung* kann man als einen Extremfall der Elektronenmangelbindung ansehen. Z. B. stellt bei den *Alkalimetallen jedes Atom nur ein Valenzelektron

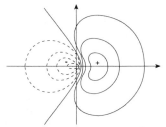

Abb. 14: Höhenlinienbild eines sp^3-Hybridorbitals. Der Kern des Zentralatoms (z. B. C) befindet sich im Ursprung des Koordinatensystems; die Abszisse weist in Richtung auf einen der Ligandenkerne (z. B. H).

zur Verfügung, kann aber andererseits vier Valenz-AOs zur Ausbildung von c. B. bereitstellen. Überdies hat jedes Alkalimetall-Atom 8 nächste Nachbarn, womit klar ist, daß die Bindung im Metall weit entfernt ist von den Verhältnissen bei lokalisierten Bindungen. Eine größere Anzahl wichtiger Eigenschaften von Metallen läßt sich durch das ideale *Elektronengasmodell* erklären. Danach bewegen sich die am schwächsten gebundenen Elektronen der Kristallatome nahezu ungehindert durch das Metallgitter. Die Valenzelektronen der Gitteratome werden als *Leitungselektronen* bezeichnet, z. B. ist in einem freien Natrium-Atom das Valenzelektron in einem 3s-Zustand. Im Metall wird daraus ein Leitungselektron; das zugehörige Energieband wird als *3s-Leitungsband* bezeichnet. Die $Na^{\oplus}$-Ionenrümpfe mit der Elektronenkonfiguration $1s^2 2s^2 2p^6$ erfüllen lediglich 15% des Vol. eines Natrium-Krist., der ein kub. raumzentriertes Gitter (bcc) bildet. In Edelmetallen wie Kupfer, Silber od. Gold sind die Atomrümpfe relativ größer u. können sich gegenseitig berühren. Die Erklärung spezieller Metalleigenschaften durch die Bewegung freier Elektronen war lange vor der Entwicklung der Quantenmechanik möglich; die entsprechende klass. Theorie vermochte z. B. eine Ableitung des *Ohmschen Gesetzes zu geben u. den Zusammenhang zwischen elektr. Leitfähigkeit u. Wärmeleitfähigkeit zu deuten. Schwierigkeiten traten allerdings bei dem Versuch auf, die spezif. Wärme u. die magnet. Suszeptibilität der Leitungselektronen zu erklären. Noch gravierender versagte die klass. Theorie bei dem Versuch, die experimentell zweifelsfrei erwiesenen enorm langen mittleren freien Weglängen zu erklären, die in sehr reinen Metallen u. bei tiefen Temperaturen bis zu 10^8 Atomabstände (mehr als 1 cm) betragen können. Die Quantenmechanik gibt auf dieses Problem eine zwanglose zweiteilige Antwort: Einerseits wird ein Leitungselektron von den Atomrümpfen eines period. Gitters nicht abgelenkt, weil sich Materiewellen in einer period. Struktur ungehindert ausbreiten können. Andererseits verhindert das *Pauli-Prinzip eine häufige gegenseitige Streuung der Leitungselektronen.

2. Nebenvalenzbindungen (Van der Waals-Bindungen): Sie werden von *zwischenmolekularen Kräften bewerkstelligt. Im Gegensatz zu den bei Hauptvalenzbindungen wirksamen chem. Kräften zeigen die zwischenmol. Kräfte keine „Sättigung", d. h. ein Mol. kann mit einer beliebig großen Anzahl von Partnern gleichzeitig in Wechselwirkung treten, sofern dies räumliche Ansprüche der einzelnen Mol. nicht verbieten. Bei Dipol-Dipol-Wechselwirkung liegt zwar eine starke Richtungsabhängigkeit vor; im allg. variieren die Bindungswinkel in Nebenvalenzbindungen aber über einen weiten Bereich. Während die Hauptvalenzbindung unmittelbar mit der Überlappung u. Interferenz von Atomorbitalen zusammenhängt, existieren die zwischenmol. Kräfte auch bei verschwindender Überlappung, sind also *langreichweitiger Natur*. Im wesentlichen beruhen sie auf der elektr. Wechselwirkung der Ladungsverteilungen der Monomeren. Hierbei unterscheidet man zwischen der *elektrostat. Wechselwirkung* permanenter elektr. Momente wie Dipol-Dipol- od. Dipol-Quadrupol-Wechselwirkung u. der indirekten Wechselwirkung infolge gegenseitiger Polarisation der Ladungsverteilung, wobei bei letzterer zwischen *Induktions-* u. *Dispersionsbeiträgen* unterschieden wird. Die Dispersionswechselwirkung ist die einzige anziehende Art von Wechselwirkung zwischen Edelgas-Atomen.

Van der Waals-Kräfte wirken im allg. um so stärker, je größer u. leichter polarisierbar die Atome od. Mol. sind, weshalb man z.B. Wasserstoff u. Helium viel schwieriger verflüssigen kann als etwa Chlor, Kohlendioxid od. Argon. Bei den organ. Verb. beobachtet man eine ähnliche Zunahme der zwischenmol. Kräfte mit der Mol.-Größe; so sind z.B. Methan u. Ethan gasf., Hexan, Heptan usw. flüssig u. höhere Kohlenwasserstoffe (z.B. $C_{25}H_{52}$) fest. Infolge der geringen Anziehungswirkung zwischen den ganzen Mol. sind viele organ. Verb. leicht schmelzbar u. sehr weich, d.h. ihre Mol. können leicht gegeneinander verschoben werden. Zwischen den sehr dünnen, monomol., übereinanderliegenden Blättchen des *Graphits (s. die Abb. dort) wirken in senkrechter Richtung nur Van der Waals-Kräfte, weshalb sich die Blättchen leicht gegeneinander verschieben lassen (Graphit in Schmiermitteln u. Bleistiften). Eine bes. wichtige Form von Nebenvalenzbindung ist die *Wasserstoff-Brückenbindung, für deren Ausbildung das Vorhandensein von Wasserstoff-Atomen auf der einen Seite u. Atomen mit einsamen Elektronenpaaren auf der anderen Seite wesentlich ist. – *E* chemical bond – *F* liaison chimique – *I* legane chimico – *S* enlace químico

Lit.: [1] Z. Phys. **44**, 455 (1927). [2] Berkowitz u. Groeneveld, Molecular Ions, New York: Plenum, 1983. [3] Burrau, K. Danske Vidensk. Selsk. Mat.-Fys. Medd. **7**, 1 (1927). [4] Z. Phys. **35**, 180 (1933). [5] Angew. Chem. **85**, 551–568 (1973). [6] Rev. Mod. Phys. **39**, 326 (1962). [7] J. Chem. Phys. **19**, 1030 (1951). [8] J. Chem. Phys. **27**, 144 (1957). [9] J. Chem. Phys. **6**, 795 (1938). [10] Phys. Rev. Lett. **45**, 531 (1980). [11] J. Chem. Phys. **65**, 3547 (1976). [12] J. Chem. Phys. **84**, 891 (1986). [13] Heilbronner u. Bock, Das HMO-Modell u. seine Anwendung, Weinheim: Verl. Chemie, 1968. [14] Z. Phys. **73**, 565 (1931), **74**, 1 (1932).

allg.: Kutzelnigg, Einführung in die Theoretische Chemie, Bd. 2, Die Chemische Bindung, 2. Aufl., Weinheim: VCH Verlagsges. 1994 ▪ Maksić, Theoretical Models of Chemical Bonding, Bd. 2, The Concept of the Chemical Bond, Berlin: Springer 1990 ▪ Zülicke, Quantenchemie – Ein Lehrgang, Bd. 2, Atombau, Chemische Bindung u. Molekulare Wechselwirkungen, Heidelberg: Hüthig 1985.

Chemische Elemente (von latein.: elementum = Ur-, Grundstoff; das Wort entstammt vielleicht dem Etrusk. od. stellt eine Zusammenziehung der Mittelbuchstaben LMN des latein. Alphabets dar). Heute versteht man unter einem c.E. einen mit *chem.* Mitteln nicht auftrennbaren chem. Stoff, der zu Verb. zusammentreten u. aus diesen durch *chem.* Operationen wieder isoliert werden kann. Am Aufbau der bisher bekannten *chemischen Verbindungen sind ca. 90 c.E. beteiligt, an dem der ca. 4–6 Mio. organ. Verb. jedoch nur höchstens 6, nämlich die mit außerordentlicher Mannigfaltigkeit verbundenen Atome der Elemente Kohlenstoff, Wasserstoff, Sauerstoff, Stickstoff, auch Schwefel u. Phosphor; dagegen sind die restlichen Elemente am Aufbau von nur etwa 100000 anorgan. Verb. beteiligt. Am biolog. Geschehen nehmen nur wenige *essentielle c.E. – einige als sog. *Spurenelemente – teil. Die kleinsten Teilchen eines Elementes, die eben noch die kennzeichnenden Eigenschaften des Elementes verkörpern, heißen *Atome. Das Element Wasserstoff hat die „leichtesten", die Elemente der Transactinoide (s.u.) haben die „schwersten" Atome, s. Atomgewicht. Bei 20 °C findet man unter den Elementen 11 Gase (Argon, Chlor, Fluor, Helium, Krypton, Neon, Radon, Sauerstoff, Stickstoff, Wasserstoff u. Xenon), 2 Flüssigkeiten (Brom u. Quecksilber) u. 94 feste Stoffe. Etwa 80 Elemente sind Metalle. Zu den *Nichtmetallen gehören die 11 Gase sowie Brom, Iod, Kohlenstoff, Phosphor u. Schwefel, während Antimon, Arsen, Germanium, Selen, Silicium, Tellur *Halbmetalle sind.

Die Namen der Elemente sind in der Regel von latein. od. griech. Bez. hergeleitet, nicht selten wurden auch mytholog. Ausdrücke (Cer, Niob, Palladium, Tantal, Thorium, Vanadium) od. das Heimatland des Entdeckers (Gallium, Germanium, Polonium, Ruthenium, Scandium) zur Namensgebung verwendet; zur Benennung der *Transurane s. unten. In der *chemischen Zeichensprache, eingeführt von *Berzelius, ordnet man den Elementen nur den ersten Buchstaben des latein. od. griech. Namens als Symbol zu, so dem Wasserstoff H (von Hydrogenium), dem Stickstoff N (von Nitrogenium). Wo Verwechslungen möglich sind, setzt man noch einen weiteren Buchstaben hinzu; so hat z.B. der Stickstoff das Symbol N, dagegen Natrium Na, Neodym Nd, Neon Ne, Nickel Ni u. Niob Nb. In Formelregistern werden die chem. Verb. nach ihren c.E. im *Hillschen System sortiert.

Die Häufigkeit der Elemente in dem Erdbereich, über den einigermaßen sichere Aussagen gemacht werden können, ist sehr verschieden. So bestehen 49,50 Gew.-% der obersten, 16 km dicken Erdkruste (einschließlich Wasser- u. Lufthülle) aus Sauerstoff, 25,80% aus Silicium, 7,57% aus Aluminium, 4,70% aus Eisen, 3,38% aus Calcium; eine *Häufigkeitstabelle* aller natürlichen c.E. findet man beim Stichwort *Geochemie. Die 5 häufigsten Elemente machen also bereits 91, die 12 häufigsten Elemente bereits etwa 99,5% aus. Am häufigsten sind die Elemente mit geraden, niedrigen Ordnungszahlen; so verhalten sich z.B. die Gesamtmengen der Elemente mit den Ordnungszahlen 1–29 zu den Elementen mit den Ordnungszahlen 30–92 etwa wie 99,9 zu 0,1. Auffälligerweise haben die häufigsten Elemente (bzw. deren *Isotope) Atom-Gew., die durch 4 (Atom-Gew. des Heliums) teilbar sind. Dies wirft die Frage auf, wie die c.E. selbst „entstanden" sind. Auskünfte erhofft sich die *Kosmochemie von den Untersuchungen der Häufigkeitsverteilung der c. E. im solaren (s. Sonne) u. a. galakt. Systemen. Auf die verschiedenen Hypothesen eines – vor 7–20 Mrd. a angenommenen – „Urknalls" (E big bang) kann weder hier noch bei *chemische Evolution eingegangen werden; vgl. *Lit.*[1].

Geschichte: (s. a. Geschichte der Chemie): Kennt man heute mehr als 100 c. E., so führte man im Altertum die Mannigfaltigkeit der belebten u. unbelebten Natur auf das Zusammenwirken einer viel kleineren Zahl von „Elementen" zurück. So betrachtete z. B. der griech. Philosoph Thales (624–544 v. Chr.) das Wasser, Anaximenes (588–524 v. Chr.) die Luft u. Heraklit (535–475 v. Chr.) das Feuer als den wichtigsten „Grundstoff" aller Dinge. Die Chinesen unterschieden schon um 600 v. Chr. die 5 „Elemente" Wasser, Feuer, Holz, Metall u. Erde. Auch Empedokles (484–430 v. Chr.) erkannte Feuer, Wasser, Luft u. Erde als „Elemente" an. Demgegenüber war nach Aristoteles (384–322 v. Chr.) die Welt aus einem Urstoff (*Protyl*) aufgebaut, dem die vier Grundeigenschaften „heiß", „kalt", „trocken" u. „feucht" zuzuschreiben sind. Dieser Urstoff tritt in der Welt stets mit einem Eigenschaftspaar auf, woraus sich die „Elemente" ergeben, z. B. Feuer = Urstoff + (heiß u. trocken). Die Alchemisten des Mittelalters definierten Quecksilber, Schwefel u. Salz als weitere „Elemente", worunter sie freilich nicht die Stoffe im heutigen Sinne sondern Grundeigenschaften verstanden. So sollten das Quecksilber allg. metall. Eigenschaften, der „philosoph." Schwefel Brennbarkeit u. das „philosoph." Salz Wasserlöslichkeit u. salzigen Geschmack verursachen.

Gegenüber diesen im allg. recht myst. u. verworrenen, oft mit astrolog. Gesichtspunkten (vgl. die Darst. der Elementsymbole beim Stichwort chemische Zeichensprache) durchsetzten Anschauungen kommen die Element-Definitionen von *Jungius u. *Boyle der heutigen Auffassung schon wesentlich näher. Man kann diese beiden Forscher daher als Begründer unseres Elementbegriffes betrachten. Eine erste Element-Tafel wurde von *Lavoisier in seinem Buch „Traité Elémentaire de Chimie" in Paris im Revolutionsjahr 1789 veröffentlicht; sie enthielt 21 Elemente: Antimon, Bismut, Blei, Cobalt, Eisen, Gold, Kohlenstoff, Kupfer, Mangan, Molybdän, Nickel, Phosphor, Platin, Quecksilber, Sauerstoff, Schwefel, Stickstoff, Wasserstoff, Wolfram, Zink, Zinn; dagegen waren ihm die (schwer darstellbaren) Alkalimetalle noch nicht bekannt. „Aluminiumoxid", „Baryt", „Kalk", „Magnesia" u. „Quarz" wurden von Lavoisier irrtümlicherweise als Elemente betrachtet.

In der ersten Hälfte des 19. Jh. entdeckte man u. a. mit Hilfe der Schmelzelektrolyse in rascher Folge eine Reihe von weiteren Elementen, so z. B. Aluminium, Barium, Beryllium, Bor, Brom, Cadmium, Calcium, Cer, Fluor, Iod, Iridium, Kalium, Lanthan, Lithium, Magnesium, Natrium, Osmium, Palladium, Rhodium, Selen, Silicium, Strontium, Thorium, Zirkonium. Mit Hilfe der von *Bunsen u. *Kirchhoff eingeführten Spektralanalyse wurden 1860–1863 die Elemente Cäsium, Indium, Rubidium u. Thallium, bei der Auswertung der Röntgenspektren die Elemente Hafnium (von *Hevesy, 1923) u. Rhenium (*Noddack, 1925) entdeckt. Von 1870–1925 wurden nach außerordentlich mühevollen Trennungsverf. die 14 Seltenerdmetalle als verschiedene Elemente erkannt, u. in den Jahren 1895 bis 1898 wurden in der Luft die Edelgase Helium, Argon, Neon, Krypton u. Xenon entdeckt.

Eine bes. Klärung erfuhr der Elementbegriff durch die Aufstellung des *Periodensystems. *Döbereiner hatte die ihm bekannten Elemente zu Triaden zusammengestellt. *Mendelejew u. J. L. *Meyer fanden unabhängig voneinander, daß sich die Elemente in Gruppen ähnlicher chem. Eigenschaften zusammenfassen lassen, s. Atombau u. Periodensystem. Die anfangs des 20. Jh. einsetzende Erforschung der *Isotopen ergab, daß die meisten Elemente nicht aus einheitlichen, völlig gleichartigen Atomen, sondern aus – meist 2–10 (Sn) – verschieden schweren Isotopen bestehen; man bezeichnet solche Elemente als *Mischelemente*. Nur 20 Elemente (Aluminium, Arsen, Beryllium, Bismut, Cäsium, Cobalt, Fluor, Gold, Holmium, Iod, Mangan, Natrium, Niob, Phosphor, Praseodym, Rhodium, Scandium, Terbium, Thulium, Yttrium) sind *Reinelemente* (*anisotope Elemente), d. h. sie bestehen nur aus einer einzigen Sorte von Atomen. Als Reinelemente kann man prakt. auch Helium, Lanthan u. Wasserstoff auffassen, da der natürlich Anteil eines Isotops hier jeweils mehr als 99,9% beträgt.

Von 1898 an fand man eine Reihe von radioaktiven Elementen, so z. B. Radium, Polonium, Actinium u. Protactinium, 1971 im Bastnäsit auch Plutonium (Element 94). Die Entdeckung der *Radioaktivität führte zu einer teilw. Revision des Elementbegriffs von Boyle u. Lavoisier. Während man noch im 19. Jh. die Elemente für völlig unveränderlich u. „ewig" hielt, erkannte man in neuerer Zeit, daß sie mehr od. weniger wandelbar sind, denn durch *physikal.* Operationen, z. B. Elementumwandlung unter dem Einfluß von Partikelstrahlungen (*Kernreaktionen), ist die Synth. von c. E. möglich geworden, u. von Zeit zu Zeit wird über solche neuen c. E. berichtet. Früher wurden die noch unbekannten, aber aus den Gesetzmäßigkeiten des Periodensyst. postulierbaren c. E. als sog. *Eka-Elemente* benannt, die nach ihrer Entdeckung u. Charakterisierung von den Nomenklatur-Kommissionen die heute gültigen Namen zuerteilt bekamen. Heute erhalten die neuentdeckten *Transurane zunächst nur ihre Ordnungszahl als Kennzeichen. Bei der endgültigen Namensgebung kommt es gelegentlich zu Differenzen (vgl. Nobelium, Element 102). Eine entsprechende Situation liegt bei den Elementen 104 u. 105 vor. Die IUPAC hat hier die vorläufigen Symbole Unq (für Unnilquartium von un = 1, nil = 0, quart = 4) u. Unp (für Unnilpentium) festgelegt. Russ. Forscher nennen die beiden Elemente *Kurtschatovium bzw. *Nielsbohrium, amerikan. Forscher dagegen Rutherfordium bzw. *Hahnium[2]. Zur Erzeugung c. E. über 100 benötigt man Schwerionen-Beschleuniger. Die Elemente 102 bis 106 wurden zwischen 1958 u. 1974 von Forschungsgruppen in Berkeley u. Dubna (Sowjetunion) durch Fusion von schweren Actinoiden mit beschleunigten Ionen der Elemente Bor, Kohlenstoff, Stickstoff, Sauerstoff u. Neon dargestellt. Auf dem Weg der „kalten Fusion" von Chrom u. Eisen mit Blei u. Bismut konnte die *Gesellschaft für Schwerionenforschung mbH (GSI) in Darmstadt in den achtziger Jahren die Elemente 107 bis 109 u. Ende 1994 die Elemente 110 u. 111 synthetisieren. Die Aussichten zur Herst. superschwerer c. E. werden heute skept. beurteilt. Bevor ein neu hergestelltes c. E. als nachweislich existent gelten kann, muß eine Reihe von Kriterien erfüllt sein[3]. – *E* chemical elements – *F* éléments chimiques – *I* elementi chimici – *S* elementos químicos

Lit.: [1] Naturwissenschaften **63**, 443–448 (1976); **71**, 456–467, 515–527 (1984). [2] Chem. Unserer Zeit **29**, 194–206 (1995). [3] Naturwiss. Rundsch. **30**, 219 ff. (1977). *allg.:* Acta Aliment. **21** (2), 145–152 (1992) ▪ Chaney u. Putnam, Electronic Properties Research Literature Retrieval Guide, Bd. 1: Elements, New York: Plenum 1979 ▪ Gmelin, Greenwood u. Earnshaw, Chemie der Elemente, Weinheim: Verl. Chemie 1988 ▪ Heiserman, Exploring Chemical Elements and their Compounds, New York: McGraw-Hill 1991 ▪ Marczenko, Spectrometric Determination of the Elements, Chich-ester: Horwoc 1976 ▪ Roche, Chemical Elements: Chemistry, Physical Properties & Uses in Science & Industry, Englewood Cliffs: Prentice Hall 1994 ▪ Toelg, Mitteilungsbl. – Ges. Dtsch. Chem., Fachgruppe Anal. Chem. (1994), (1), M 23–M 31 ▪ Touloukian et al., Thermophysical Properties Research Literature Retrieval Guide, Suppl. 1 u. 2, Bd. 1: Elements and Inorganic Compounds, New York: Academic Press 1979 ▪ s. a. Atombau, Geschichte der Chemie, Periodensystem.

Chemische Evolution. Bez. für einen Teilaspekt der *Evolution. Irgendwann sind die *chemischen Elemente entstanden [beim Urknall vor vielleicht 11–20 Mrd. Jahren (Wasserstoff u. ein Teil des Heliums), später im Inneren von Sternen (bis M_R des Eisens) od. in Supernova-Explosionen (alle schwereren Elemente)] u. aus diesen die einfachsten Moleküle. Vor etwa 4,7 Mrd. Jahren war die Erde wahrscheinlich von einer hauptsächlich aus Wasserstoff, Wasserdampf, Methan, Schwefelwasserstoff u. Ammoniak bestehenden Atmosphäre umgeben. Daß aus diesen einfachsten Mol. die Vielfalt der heutigen organ. Materie geworden ist, bezeichnet man als *Abiogenese* od. *chem.* bzw. *präbiot. Evolution.* Dabei kann man zwei Phasen unterscheiden: 1. Die Bildung z. B. einfacher Aminosäuren u. Zucker durch sehr elementare Reaktionen (c. E. im engeren Sinne), – 2. die Zusammenlagerung dieser einfachen Monomeren zu den natürlichen Polymeren Proteine, Stärke, Cellulose etc. (*biochem. Evolution*). Die ersten Schritte dieser Synth. aus der „Uratmosphäre" sind im Labor unter Bedingungen nachvollzogen worden, die denjenigen vor 4 Mrd. Jahren ähnlich sein dürften: Bestrahlung von CO_2, H_2O u. H_2 mit Elektronen ließ Ameisensäure u. Formaldehyd (Zucker-Baustein) entstehen, u. aus der mit sehr kurzwelligem UV-Licht bestrahlten Mischung aus Methan, Ammoniak u. CO_2 entstanden Amino-säuren ebenso wie aus CH_4, NH_3, H_2 u. Wasserdampf bei Einwirkung starker elektr. Entladungen. Inzwischen ist es gelungen, durch Bestrahlung ähnlich primitiver Syst. sogar ATP zu erzeugen. Bei der Entstehung der *Biopolymeren diskutiert man eine Beteiligung von verschiedenen *Matrix-Materialien[1]. Unklar ist noch, wie die *optische Aktivität der Mol. zustande gekommen ist, u. auch im Verständnis der Vorgänge, wie aus den z. Tl. schon komplizierten Einzelbausteinen die höhere Ordnung der Mol. u. gar der *Genetische Code entstand, klaffen heute noch Lücken. Man glaubt, daß den *Ribonucleinsäuren dabei eine tragende Rolle zukam. An die c. E. schließt sich die *biolog. Evolution* an – die manchmal auch als *Biogenese bezeichnet wird – mit der Kardinalfrage: von wann ab kann man von lebenden Syst. sprechen? – *E* chemical evolution – *F* évolution chimique – *I* evoluzione chimica – *S* evolución química

Lit.: [1] Nature (London) **381**, 59 ff. (1996). *allg.:* Sci. Am. **271**/4, 52–61 (1994).

Chemische Fabrik Lehrte. Kurzbez. für die 1888 gegr. Firma Chemische Fabrik Lehrte, Dr. Andreas Kossel GmbH, 31275 Lehrte. Eine 100%ige Tochter der *VEBA AG (über Stinnes/Brenntag AG & Co.). *Produktion*: Reine u. chem. reine Salze für die Pharmazeut., Lebensmittel- u. Chem. Industrie.

Chemische Formeln s. Bruttoformeln, chemische Zeichensprache, Elementaranalyse, Formelschablonen, Hillsches System u. Strukturformeln.

Chemische Gesellschaften. Nat. wissenschaftliche Vereinigungen der Chemiker; in osteurop. Ländern werden Funktionen der c. G. meist von chem. Sektionen der jeweiligen nat. Akademien wahrgenommen. Die ideellen u. prakt. Zielsetzungen der einzelnen c. G. entsprechen wohl weitgehend denen der *Gesellschaft Deutscher Chemiker, einer der ältesten chem. Gesellschaften. Im Anschluß an die – z. T. in Einzelstichwörtern ausführlicher beschriebenen – nat. c. G. sind einige internat. Vereinigungen aufgeführt, die meist nicht Zusammenschlüsse von Einzelpersonen, sondern von Verbänden sind.
Ägypten: „Chemische Gesellschaft von Ägypten", Dokki, Kairo, Nationales Forschungszentrum. *Argentinien:* Asociación Química Argentina, Buenos Aires, Sánchez de Bustamante 1749 (gegr. 1912). *Australien:* Royal Australian Chemical Institute (R.A.C.I.), 191 Royal Parade, Parkville 3052 (gegr. 1917). *Belgien:* Société Chimique de Belgique (BCB), B-1040 Bruxelles, 49 Square Marie-Louise (gegr. 1887). *Brasilien:* Associação Brasileira de Química, 20000 Rio de Janeiro, Av. Rio Branco 156, Caixa Postal 550 (gegr. 1940/1951). *China (Volksrepublik):* Chinesische Akademie der Wissenschaften, Peking (gegr. 1949), Chem. Institut. *Dänemark:* Kemisk Forening, DK-2100 København, Universitetsparken 5 (gegr. 1879). *Bundesrepublik Deutschland (BRD):* *Gesellschaft Deutscher Chemiker; Deutsche Gesellschaft für Chemisches Apparatewesen e. V. (s. DECHEMA). *Finnland:* Finska Kemistsamfundet – Suomen Kemistiseura, N. Hesperiagatan 3 B 10, SF-00260 Helsinki (gegr. 1891); Suomalaisten Kemistien Seura, P. Hesperiankatu 3 B, SF-00260 Helsinki (gegr. 1919). *Frankreich:* Fédération Nationale des Associations de Chimie de France, 28, rue St. Dominique, F-75007 Paris; *Société Française de Chimie, Société de Chimie Industrielle. *Griechenland:* Enosis Ellinon Chimikon, Athen, 27 Odos Kanningos (gegr. 1924). *Großbritannien:* *Chemical Society; Society of Chemical Industry. *Indien:* Indian Chemical Society, Calcutta 700009, University College Science Buildings, 92 Upper Circular Road (gegr. 1924). *Indonesien:* National Chemical Institute, Indo-

nesian Institute of Sciences, Jalan Tjhik Ditiro 43, Jakarta (gegr. 1967); Balai Penelitian Kimia, Jalan Ir. H. Juanda 5–7, Bogor (gegr. 1909). *Irland:* The Institute of Chemistry of Ireland, 22 Clyde Road, Ballsbridge, Dublin 4 (gegr. 1950). *Israel:* Israel Chemical Society, 30 Jehuda Halevy St., Tel Aviv. *Italien:* Società Chimica Italiana. *Japan:* Nippon Kagaku-Kai, 1–5 Kanda-Surugadai, Chiyoda-ku, Tokyo (gegr. 1878). *Kanada:* Chemical Institute of Canada, 151 Slater Street, Ottawa Ont. K1P 5H3 (gegr. 1945); Society of Chemical Industry (Canadian Section; gegr. 1902). *Korea (Südkorea):* Korean Chemical Society, 35, 5-ga, Anam-dong, Seangbuk-ku Seoul (gegr. 1946). *Niederlande:* Koninklijke Nederlandse Chemische Vereniging (KNCV), NL-2596 HV's Gravenhage Burnierstraat 1 (gegr. 1903). *Norwegen:* Norsk Kjemisk Selskap, Postboks 1107, Blindern, Oslo 3 (gegr. 1893). *Österreich:* *Verein Österreichischer Chemiker. *Philippinen:* Philippine Council of Chemists, Manila, P.O. Box 1202 (gegr. 1958). *Polen:* Polskie Towarzystwo Chemiczne (PTCh), Warszawa, ul. Freta 16 (gegr. 1919). *Portugal:* Sociedade Portuguesa de Química e Física, Laboratório de Química, Faculdad de Ciências, Lisboa. *Rumänien:* Societatea de Ştiinţe Fizice şi Chimice din R.S.R., Str. Spiru Haret, Bucureşti (gegr. 1964). *Schweden:* Svenska Kemistsamfundet, Stockholm; Svenska Kemiingenjörers Riksförening, Stockholm. *Schweiz:* *Schweizerische Chemische Gesellschaft; *Schweizerischer Chemiker-Verband. *Spanien:* Asociación Nacional de Químicos de España, Madrid 6, Lagasca 83 (gegr. 1945); Real Sociedad Española de Física y Química, Madrid, Ciudad Universitaria, Facultad de Ciencias (gegr. 1903). *Südafrika:* South African Chemical Institute (S.A.C.I.), 2 Hollard Street, Johannesburg (gegr. 1912). *Türkei:* Türkiye Kimya Cemiyeti Harbiye, Halaskârgazi Caddesi 53, Posta Kutusu 829, Istanbul (gegr. 1919). *Uruguay:* Asociación de Química y Farmacía del Uruguay, Montevideo, Av. Libertador Brigadier General Lavalleja 1464 (gegr. 1888). *USA:* *American Chemical Society (ACS); American Institute of Chemists (AIC), 607315 NW Wisconsin Av., Bethesda (gegr. 1923). *Venezuela:* Sociedad Venezolana de Química, Universidad Central de Venezuela, Apartado 3895, Caracas.

Internat. Organisationen: Federation of European Chemical Societies (*FECS); International Union of Pure and Applied Chemistry (*IUPAC); European Federation of Chemical Engineering (Fédération Européenne du Génie Chimique, *Europäische Föderation für Chemie-Ingenieur-Wesen).

Lit.: Internationales Verzeichnis wissenschaftlicher Verbände u. Gesellschaften, München: Saur 1984 ▪ The World of Learning, London: Europe Publ. (jährlich).

Chemische Gleichgewichte. Chem. *Reaktionen in homogener Phase laufen nie vollständig, sondern nur bis zum Erreichen eines *Gleichgewichtszustandes* ab, in dem neben den Reaktionsprodukten auch die Reaktanden noch z. T. vorhanden sind. Der gleiche Endzustand wird erreicht, wenn man vom Reaktionsprodukt ausgeht u. dieses den Bedingungen (d. h. gleichem Außendruck u. gleicher Temp.) der Bildungsreaktion unterwirft. Ein *Beisp.* für c. G. u. umkehrbare (*rever-sible*) Reaktionen bildet die von Bodenstein (1897) untersuchte Reaktion zwischen Iod-Dampf, Wasserstoff u. Iodwasserstoff (die allerdings einer wesentlich komplexeren Kinetik gehorcht, als von Bodenstein angenommen[1]). Erhitzt man in einem abgeschlossenen Kolben Iod u. Wasserstoff in äquivalenten Mengen, so verblaßt die violette Farbe der Iod-Dämpfe allmählich, da sich farbloser Iodwasserstoff bildet: $H_2 + I_2 \rightarrow 2 HI$. Die Iod-Farbe verschwindet jedoch niemals vollständig, da bei jeder beliebigen Temp. immer noch etwas Iod übrigbleibt. Erhitzt man umgekehrt reinen, farblosen Iodwasserstoff auf die gleiche Temp. wie zuvor das Elementgemisch, so wird ebenfalls die Iod-Färbung wahrnehmbar, da der Iodwasserstoff beim Erhitzen z. T. in Iod u. Wasserstoff zerfällt: $2 HI \rightarrow H_2 + I_2$; diese Gleichung ist die Umkehrung der obigen. Da die Reaktion umkehrbar ist u. nach beiden Richtungen verlaufen kann, setzt man hier besser kein Gleichheitszeichen od. einen einfachen Pfeil, sondern zwei entgegengesetzte Pfeile (Gleichgewichtspfeile, s. chemische Zeichensprache) zwischen die Reaktionsseiten ($H_2 + I_2 \rightleftharpoons 2 HI$).

In einem abgeschlossenen Gefäß stellt sich zwischen Iod, Wasserstoff u. Iodwasserstoff stets ein Gleichgew. ein. Es ist dies ein *dynamisches Gleichgew.*, bei dem Hinreaktion u. Rückreaktion mit derselben Geschw. ablaufen. Im c. G. entstehen also pro Zeiteinheit ebensoviele Produkt-Mol., wie solche in Reaktanden-Mol. zerfallen. Die Geschw. der Gesamtreaktion ist daher im c. G. gleich Null. Momentanen Störungen gibt das c. G. mit einer gewissen Verzögerung nach, die man *Relaxation nennt; auf der Messung von Relaxationszeiten beruhen verschiedene Meth. – z. B. die *Drucksprung-Methode od. die *Temperatursprung-Methode – zur Untersuchung *schneller Reaktionen.

Die thermodynam. Beschreibung des c. G. bei konstantem Druck u. konstanter Temp. erfolgt unter Verw. der *Freien Reaktionsenthalpie

$$\Delta_r G = (\partial G/\partial \xi)_{p,T} = \sum_i \nu_i \mu_i,$$

wobei ξ die *Reaktionslaufzahl, ν_i die stöchiometr. Faktoren der Reaktionsteilnehmer u. μ_i ihre *chemischen Potentiale sind. Im c. G. ist $\Delta_r G = 0$ u. somit $\sum_i \nu_i \mu_i = 0$. Die Änderung der Freien Reaktionsenthalpie bei einem Mol Umsatz ist also gleich Null, wenn die Reaktion bei der Gleichgewichtszusammensetzung der Reaktionsmischung abläuft. Mit $\mu_i = \mu_i^- + RT \ln a_i$, wobei μ_i^- der Standardanteil zum chem. Potential, R die Gaskonstante u. a_i die *Aktivität der Teilchensorte i sind, ergibt sich $\Delta_r G = \Delta_r G^- + RT \sum_i \nu_i \ln a_i$, wobei $\Delta_r G^- = \sum_i \nu_i \mu_i^-$ ist. Im c. G. ist $\Delta_r G = 0$ somit gilt: $\Delta_r G^- = -RT \ln \prod_i [a_i]^{\nu_i}$, wobei $[a_i]$ die Gleichgewichtsaktivitäten sind. Das Argument der Logarithmusfunktion entspricht der thermodynam. Gleichgewichtskonstanten K (s. Massenwirkungsgesetz), womit wir auch $\Delta_r G^- = -RT \ln K$ schreiben können. Der Zahlenwert von K bestimmt die Lage des c. G.: ist K>1 ($\Delta_r G^-<0$), so liegt es auf der Seite der Produkte, für K<1 ($\Delta_r G^->0$) liegt es auf der Seite der Reaktanden. Obwohl K über viele Zehnerpotenzen variieren kann, kann eine Reaktion in homogener Phase nicht vollständig in einer Richtung

ablaufen. *Katalysatoren können die Einstellung eines c. G. beschleunigen, *aber nicht dessen Lage verschieben.*
Die thermodynam. Gleichgewichtskonstante K hängt von der Temp. ab. Durch Änderung des Drucks läßt sich zwar nicht K verändern, aber die Gleichgewichtsaktivitäten der Reaktionsteilnehmer können sich unter Konstanthaltung von K ändern. Z. B. führt eine Druckerhöhung bei der Gasreaktion $N_2O_4 \rightleftharpoons 2 NO_2$ zu einer Abnahme der Menge von NO_2 u. einer Zunahme von N_2O_4. Hierbei handelt es sich um einen Spezialfall des *Prinzips des kleinsten Zwanges* von Le Châtelier, nach dem ein sich im c. G. befindliches Syst. auf eine Störung derart reagiert, daß die Wirkung der Störung möglichst gering gehalten wird. In dem betrachteten Fall heißt dies, daß das Syst. versucht, die Druckerhöhung zu kompensieren, indem es die Anzahl der Mol. in der Gasphase verringert. Die Temp.-Abhängigkeit der Gleichgewichtskonstanten wird durch die van't Hoffsche Reaktionsisochore $d \ln K/dT = \Delta_r H^-/RT$ beschrieben, wobei $\Delta_r H^-$ die Standardreaktionsenthalpie bei der Temp. T ist. Ein alternativer Ausdruck hierfür ist $d \ln K/d(1/T) = -\Delta_r H^-/R$, woraus folgt, daß bei exothermen Reaktionen ($\Delta_r H^- < 0$) Temp.-Zunahme die Reaktanden bevorzugt, während bei endothermen Reaktionen ($\Delta_r H^- > 0$) Temp.-Zunahme die Produkte bevorzugt. Dies ist wiederum ein Spezialfall des Le Chatelierschen Prinzips.
C. G. spielen in allen Bereichen der Chemie eine wesentliche Rolle, z. B. bei der therm. od. der *elektrolytischen Dissoziation, in der *Gravimetrie (*Löslichkeitsprodukt), in der Komplexchemie, bei Polymerisationen etc. Techn. bedeutende *Beisp.*: *Boudouard-Gleichgewicht ($CO_2 + C \rightleftharpoons 2 CO$), *Synthesegas-, *Wassergas-Gleichgew. (z. B. $C + H_2O \rightleftharpoons CO + H_2$); Ammoniak-Gleichgew. ($N_2 + 3 H_2 \rightleftharpoons 2 NH_3$); Kalkbrennen ($CaCO_3 \rightleftharpoons CaO + CO_2$); Kontakt-Schwefelsäureverf. ($2 SO_2 + O_2 \rightleftharpoons 2 SO_3$). – *E* chemical equilibria – *F* equilibres chimiques – *I* lei equilibri chimici – *S* equilibrios químicos
Lit.: [1] J. Chem. Phys. **46**, 73 (1967).
allg.: Atkins, Physikalische Chemie, Weinheim: VCH Verlagsges. 1987, 1988 ▪ Denbigh, The Principles of Chemical Equilibrium, 4. Aufl., London: Cambridge University Press 1981 ▪ Kortüm u. Lachmann, Einführung in die chemische Thermodynamik, Weinheim: Verl. Chemie 1981 ▪ Rau u. Rau, Chemische Gleichgewichtsthermodynamik, Braunschweig/Wiesbaden: Vieweg 1995 ▪ Wedler, Lehrbuch der Physikalischen Chemie, 3. Aufl., Weinheim: VCH Verlagsges. 1987.

Chemische Gleichungen s. chemische Zeichensprache, chemische Gleichgewichte u. Reaktionen.

Chemische Industrie. In den meisten Staaten der Welt hat sich seit etwa 1850 – in den Entwicklungsländern erst seit 1945 – allmählich eine eigenständige c. I. entwickelt, die mit den von ihr erzeugten Wirtschaftsgütern wesentlich zur Verbesserung der Lebensbedingungen der Menschen beiträgt. Das von Leblanc 1791 entwickelte Sodaverf. war Ausgangspunkt für die chem. Großindustrie. Im 19. Jh. wurde die Produktion synthet. Düngemittel u. Farbstoffe aufgebaut, bei der Deutschland mit der späteren IG Farbenind. AG eine führende Rolle spielte. Die großen chem. Ind.-Unternehmen zeichnen sich durch hohe Kapitalinvestitionen, einen verglichen mit anderen Wirtschaftszweigen geringen Bedarf an Arbeitskräften, weitgehende Automation, z. T. mehrere Veredelungsstufen u. hohe Wertsteigerung der verarbeiteten Rohstoffe, kostspielige Forschung u. aufwendige *Verfahrenstechnik sowie durch eine große Zahl u. Vielfalt der hergestellten Waren aus. Diese Waren sind sowohl Grundstoffe als auch Zwischen- u. Fertigprodukte. Neben dem Konsumgüterbereich werden die Produkte in allen Bereichen des verarbeitenden Gewerbes u. der Investitionsgüter-Ind. eingesetzt, insbes. in der Automobil-Ind., im Baugewerbe u. in der Landwirtschaft.
Aus Gründen der optimalen Rohstoffnutzung wie auch der Abfallvermeidung ist die Produktion in der c. I. häufig innerhalb eines großen Verbundes gekoppelt. In dieser Verbundwirtschaft kommt dem Erdöl im Bereich der organ. Basischemikalien ein bes. Platz zu, denn zum einen ist es Ausgangsstoff für 80–90% der Chemieprodukte, zum anderen ist es neben Kohle u. Gas ein wichtiger Primärenergieträger. Koppelproduktion u. hoher Energieverbrauch (Strom, Dampf) sind typ. Merkmale der chem. Industrie.
Zur c. I. rechnet man die Hersteller von anorgan. u. organ. Grund- u. Feinchemikalien (vgl. Chemikalien) u. von chem. Spezialerzeugnissen. Ferner kann man ihr auch Firmen der *Biotechnologie sowie die Hersteller chemiespezif. Apparate u. Anlagen (Chemieanlagen, vgl. chemische Technologie) zurechnen. Etwa die Hälfte der dtsch. Chemieproduktion stammt aus Großbetrieben, die andere Hälfte aus Mittel- u. Kleinbetrieben (die z. T. im Mehrheitsbesitz von Konzernen sind). Die chem. Großind. erzeugt hauptsächlich anorgan. Grundprodukte, Düngemittel, Farstoffe, Kunststoffe, Arzneimittel, Mineralöle u. a. petrochem. Erzeugnisse, organ. Halbfabrikate u. *Zwischenprodukte, während die Mittel- u. Kleinbetriebe bes. Lacke, Anstrichstoffe, Kosmetika, Seifen, Waschmittel, Büroartikel, Pflegemittel, Klebstoffe usw. herstellen u. die hierbei benötigten *Ausgangsmaterialien von den Großbetrieben beziehen. Im Zuge der Konzentrationsprozesse in der c. I. haben sich auch hierbei Großunternehmen herausgebildet.
Die Sparten Organika, Kunststoffe u. Pharmazeutika tragen zu etwa gleichen Teilen 50% des Chemieumsatzes in der BRD. Einzelheiten sind Abb. 1 zu entnehmen.

Abb. 1: Produktionswerte der Sparten der chemischen Industrie 1994 (in %).

Die c. I. ist nach einigen wirtschaftlich schwierigen Jahren wieder in eine günstigere Ertragslage gelangt. Für 1994 wird ein Chemieumsatz (fachliche Betriebsteile) von 175 Mrd. DM angegeben; der Gesamtumsatz (einschließlich Handels- u. fachfremder Geschäfte) erreichte 213,6 Mrd. DM. In der c. I. der BRD sind 570 300 Personen beschäftigt. Die Exportquote, das Verhältnis von Ausfuhren zum Chemieumsatz, erreichte mit 95 Mrd. DM, das entspricht 54%, einen Spitzenwert. Die Aufwendungen der c. I. für Forschung u. Entwicklung betrugen 1994 ca. 10,3 Mrd. DM. Aus Abb. 2 geht die Entwicklung ab 1963 hervor.

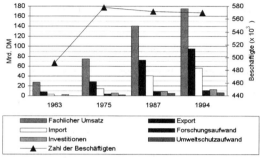

Abb. 2: Entwicklung der chemischen Industrie.

Unverkennbar ist der Trend zur Konz. in den c. I. aller Länder, z. B. Fusionen, Betriebszusammenlegungen, Übernahme von Firmengruppen auch im internat. Rahmen. Dabei ist es das Bestreben der Firmen, ihre Energie- u. Rohstoffbasis zu verbreitern u. möglichst krisenfest zu machen, Marktanteile abzusichern, Währungsrisiken zu entgehen, handelspolit. Schranken zu überwinden u. dadurch Zugang zu ausländ. Märkten zu gewinnen sowie in Einzelfällen auch ein Potential an – ggf. billigen – Arbeitskräften zu erschließen u. Entwicklungshilfe zu leisten. In der dtsch. u. a. europ. Petrochemie wurde seit den 80er Jahren für die Basischemikalien eine Einschränkung der Wettbewerbsfähigkeit befürchtet durch die Konkurrenz von Ölförderländern, z. B. Saudi-Arabien. Da diese für den Einsatzstoff Rohöl von reinen Förderkosten ausgehen können u. das sonst abgefackelte Erdgas sogar kostenlos zur Verfügung steht, können sie die geringveredelten petrochem. Produkte billiger herstellen als die westeurop. Unternehmen. Das niedrige Preisniveau des Rohöls von etwa 15–20 $ je Faß ermöglichte Westeuropa jedoch den Erhalt der Wettbewerbsposition, zumal die Länder des Nahen Ostens zusätzlich Transportkosten u. Zölle berücksichtigen müssen.
Die c. I. in der BRD hat gegenüber der internat. Konkurrenz sehr hohe Arbeitskosten. Bei den Arbeitskosten in der c. I. lag die Bundesrepublik im internat. Vgl. an der Spitze vor Belgien, Japan, Frankreich u. den Niederlanden. Dagegen ist die durchschnittliche Jahresarbeitszeit kürzer als in den meisten anderen Industrieländern.
Westeuropa ist der mit Abstand bedeutendste Exporteur u. a. Importeur chem. Produkte. Etwa zwei Drittel des Chemie-Exportes in der Welt entfallen auf Westeuropa; dies ist vorwiegend auf die exportorientierte c. I. der BRD zurückzuführen, deren Exportanteil am Gesamtumsatz bei 54% liegt (s. Abb. 3).

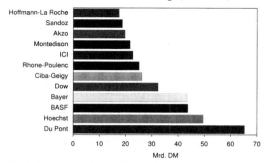

Abb. 3: Chemieumsatz nach Unternehmen 1994.

Einen Überblick über die Leistungen der c. I. geben die speziellen Ausstellungen wie *ACHEMA u. die internat. Messen. Statist. Angaben sind den bei *Chemikalien erwähnten Publikationen zu entnehmen, insbes. dem Jahresbericht des *VCI. Außerdem sind alle wichtigen Unternehmen der c. I. des In- u. Auslands in Einzelstichwörtern in diesem Werk behandelt. – *E* chemical industry – *F* industrie chimique – *I* industria chimica – *S* industria química
Lit.: Achema-Jahrbuch (3 Bd.), Frankfurt: DECHEMA ▪ Chemiewirtschaft in Zahlen, Frankfurt: Verband Chem. Ind. (jährlich) ▪ Die Chem. Ind. u. ihre Helfer, Darmstadt: Industrieschau-Verlagsges. (jährlich) ▪ Jahrbuch Chem. Ind., Solothurn: Vogt-Schild (jährlich) ▪ Japan Chemical Directory, Tokyo: Chem. Daily Comp. (jährlich).

Chemische Institute. Gebäude mit Laboratorien, Hörsälen, Bibliotheken, Sammlungen usw., die der chem. Forschung u. zugleich der Unterweisung von Chemiestudierenden dienen. Die meisten dieser Inst. gehören den Universitäten u. Hochschulen an, doch gibt es daneben auch reine chem. Forschungsinst. (z. B. Max-Planck-Inst.). Anschriften von c. I. in der BRD finden sich im Vademecum Deutscher Lehr- u. Forschungsstätten (DUZ-Universitätszeitung, Stuttgart: Raabe 1985, bes. 554–610), solche von c. I. in den USA im Directory of Graduate Research [Washington: ACS (zweijährlich)].

Chemische Kampfstoffe s. chemische Waffen u. Kampfstoffe.

Chemische Keule s. ω-Chloracetophenon.

Chemische Kinetik (Reaktionskinetik) s. Kinetik.

Chemische Kurzbezeichnung. Synonym für *Internationaler *Freiname* (*INN) (bei *Arzneimitteln) bzw. *Common name* (bei *Pflanzenschutz- u. *Schädlingsbekämpfungsmitteln).

Chemische Laboratorien (Labors). Bez. für die in geeigneter Weise eingerichteten Arbeitsräume des Chemikers zur Durchführung chem. Versuche (z. B. Analysen, Synth.). Zur Ausstattung gehören Arbeitstische mit ihren Aufsätzen, Einbauten u. angeschlossenen Versorgungsleitungen für Wasser u. Gas, Spüleinrichtungen, Abzüge, Labor- u. Trockenschränke sowie Einrichtungen zur Abfallbeseitigung. Einen wesentlichen Teil der Einrichtung eines c. L. bilden die Einrichtungen für Arbeitssicherheit u. Unfallverhütung.

Zu ihnen gehören Alarmvorrichtungen, Feuerlöscheinrichtungen, Notduschen, Erste-Hilfe-Kästen u. persönliche Schutzausrüstungen.
Je nach Aufgabe lassen sich die c.L. in Forschungs-, Betriebs-, Unterrichts- u. Untersuchungslaboratorien unterteilen. Die Forschungslaboratorien sind ähnlich wie die chem. Inst. mehr od. weniger stark spezialisiert, so gibt es z.B. Laboratorien für Anorgan., Organ., Physikal. u. Physiolog. Chemie, Biochemie, Kolloidchemie, Pharmazie, Pharmakologie, Farbstoffchemie, Analyt. Chemie, Radio- u. Strahlungschemie usw. Als *Laborgeräte* bezeichnet man die vielen verschiedenartigen Gerätschaften aus Glas, Porzellan, Metallen, Gummi u. Kunststoffen wie Bechergläser, Kolben, Kühler, Schalen, Trichter, Thermometer, Schläuche, Spritzflaschen, Spatel, Heizgeräte, Stative, Klammern u. Muffen usw., mit deren Hilfe die chemischen Arbeitsverfahren praktiziert werden – hier ist zu denken an die im allg. in Einzelstichwörtern behandelten Meth. wie Ätzen, Aufschlämmen, Aufschließen, Ausethern, Ausfällen, Auskristallisieren, Ausschütteln, Bleichen, Chromatographieren, Dekantieren, Denaturieren, Destillieren, Dialysieren, Digerieren, Emulgieren, Extrahieren, Färben, Filtrieren, Kolieren, Kondensieren, Lösen, Mischen, Rösten, Schmelzen, Sieden, Sublimieren, Umkristallisieren, Veraschen, Verdünnen, Zentrifugieren u.v.a. Zu den Laborgeräten zählen auch einfache *Apparate wie Zentrifugen, Schüttelmaschinen, Magnetrührer, Kühl- u. Trockenschränke, Öfen, Thermostaten usw., während die vorwiegend physikal. Untersuchungsmeth. dienenden Laboratorien (bis hin zum weitgehend automatisierten Labor, vgl. Automation) den begrifflichen Rahmen des c.L. sprengen. In der chem. Ind. werden die im Forschungslaboratorium erarbeiteten Ergebnisse u. Verf. zunächst in den *Technikums-* u. dann in den *Pilot Plant*-Maßstab übertragen, ehe sie ggf. großtechn. genutzt werden (s. Verfahrenstechnik). Seit langem sind Laboreinrichtungen u. -geräte genormt, s. die Sachgruppen 29–44 im DIN-Katalog [Berlin: Beuth (jährlich)]. Mit der Normung von Laborgeräten befaßt sich ein Fachnormenausschuß des *DIN in Zusammenarbeit mit der *DECHEMA. Neuentwicklungen auf dem Sektor Labortechnik werden auf den allg. u. Fach-Ausstellungen (z.B. *ACHEMA) demonstriert, wobei äußerste Robustheit, leichte Handhabbarkeit u. ein hoher Grad an Anwendungssicherheit der Produkte meist im Vordergrund stehen. Heute sind viele Labormöbel von c.L. nach einem Baukastenprinzip konzipiert, u. aus einigen Grundeinheiten lassen sich zahlreiche verschiedenartige Laborkonfigurationen aufbauen. – *E* chemical laboratories – *F* laboratoires chimiques – *I* laboratori chimici – *S* laboratorios químicos

Chemische Laser. *Laser, bei denen die Besetzungsinversion (d.h. die Besetzung eines energet. angeregten Niveaus ist größer als die des Grundniveaus zu dem ein Dipolübergang existiert) durch eine chem. exotherme Reaktion erzeugt wird. Typ. Reaktionen hierfür sind:

$$X + H_2 \rightarrow HX^* + H$$
$$X + HY \rightarrow HX^* + Y$$
$$H + X_2 \rightarrow HX^* + X$$

X bzw. Y können die Halogen-Radikale F, Cl, Br u. I sein. Im Fall des HF-Lasers gilt die Gesamtreaktion $H_2 + F_2 \rightarrow 2\, HF^*$; hierbei werden durch die Reaktion $F + H_2 \rightarrow HF^*$ (v = 0–3) + H mit $\Delta H = 132$ kJ/mol die Vibrationsniveaus v = 0:1:2:3 im Verhältnis 1:2:10:5 bevölkert, während durch die Reaktion $H + F_2 \rightarrow HF^*$ (v = 0–10) + F mit $\Delta H = 410$ kJ/mol die Vibrationsniveaus v = 0 bis v = 10 im Verhältnis 6:6:9:16:20:33:30:16:9:6:6 besetzt werden (s. u. a. *Lit.*[1]). Tritt z.B. stimulierte Emission für Rotationslinien des Schwingungsübergangs v = 2 → 1 auf, wird die Besetzung von v = 2 reduziert u. das den Laserübergang v = 3 → 2 hervorhebt. Zusätzlich wird die Besetzung des Niveaus v = 1 erhöht u. somit Laseremission des Übergangs v = 1 → 0 vergrößert. Eine Zusammenstellung der wichtigsten c.L. ist in der Tabelle.

Tab.: Daten wichtiger chemischer Laser.

Laser-Emitter	Wellenlänge in µm	Typ. Reaktion
HF	1,3	$F + H_2 \rightarrow HF^* + H$
		$H + F_2 \rightarrow HF^* + F$
HCl	2,6 bis 3,5	$H + Cl_2 \rightarrow HCl^* + Cl$
DF	3,5 bis 4,1	$F + D_2 \rightarrow DF^* + H$
		$D + F_2 \rightarrow DF^* + F$
HBr	4,0 bis 4,7	$H + Br_2 \rightarrow HBr^* + Br$
CO	4,9 bis 5,8	$CS + O \rightarrow CO^* + S$

Die Abb. zeigt den prinzipiellen Aufbau eines c.L. bestehend aus einer Gasströmungsapparatur, in die H_2 (bzw. D_2) u. die durch eine Gasentladung erzeugten Radikale durch Düsen einströmen. Man verwendet Schlitzdüsen od. in einer Reihe angeordnete runde Düsen. In der Mischzone kommt es zur Bildung der angeregten Moleküle. Laseremission wird durch einen Spiegelresonator (*Laser) senkrecht zur Gasströmung erreicht. Details eines Aufbaus s. *Lit.*[2].

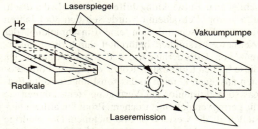

Abb.: Aufbau eines chemischen Lasers.

C.L. werden kommerziell als kontinuierliche od. gepulste Syst. angeboten. Sie zeichnen sich durch eine hohe Effektivität aus. Es werden 200 bis 300 Joule Laserenergie (bei HF sogar mehr als 1 kJ) pro Gramm freier Radikale erzeugt, was einer chem. Effizienz von mehr als 10% entspricht. Kontinuierliche Syst. ergeben Lichtleistungen bis einige Kilowatt (HF: 7 kW), während gepulste Syst. im Puls Leistungen einiger Megawatt u. mehr erreichen.
Auf Grund der hohen Effektivität u. der einfachen Energiespeicherung in Form von chem. Energie sind c.L. für militär. Anw. interessant geworden. Das Projekt ALPHA der USA hat als Ziel, einen DF-Laser mit einer kontinuierlichen Lichtleistung von 5 Megawatt

zu entwickeln u. zu Verteidigungszwecken auf einer geostationären Bahn zu installieren. – *E* chemical laser – *F* laser chimique – *I* laser chimici – *S* láser químico
Lit.: [1] Hollas, High Resolution Spectroscopy, London: Butterworths 1982. [2] Rev. Sci. Instrum. **53**, 949 (1982).
allg.: Laser Appl. **4**, 133 (1985) ▪ Laser Optoelektr. **16**, 31 (1984) ▪ Miller, Proc. Int. Conf. Lasers, McLean, Virginia: STS Press 1988 ▪ Solomon, Lasers Chemical, in Encycl. of Physical Science and Technology, Bd. 8, S. 497–504, San Diego: Academic Press 1991.

Chemische Literatur. Die c. L. umfaßt die Fachzeitschriften, Patentschriften, Reports, Kongreßberichte, Monographien, Diss. u. anderes. Menge u. Informationsinhalt der c. L. wachsen ständig. Die Zahl der von *Chemical Abstracts erfaßten Dokumente (Zeitschriften, Patente, Reports usw.) stieg von 269 000 (1967) über 478 000 (1977) u. 579 000 (1987) auf 630 000 (1992). Die Hauptmenge der wirklich wichtigen c. L. ist in nur etwa 1000–2000 *Zeitschriften veröffentlicht (chem. Sachverhalte finden sich jedoch in ca. 12 000 Zeitschriften[1]). Selbst wenn sich der Chemiker auf das Studium der allerwichtigsten Primärzeitschriften seines Fachgebietes beschränkt, wofür er wöchentlich etwa 6 Stunden aufwendet[2], ist seine Ausbeute an nützlichem Wissen gering, da er sich durch eine Überzahl an irrelevanten Artikeln hindurcharbeiten muß. Die Sichtung u. Auswertung des immer schneller anwachsenden Chemieschrifttums ist zum Gegenstand eines eigenen Wissenschaftszweiges (*Dokumentation im Chemie-Sektor) geworden, dessen Bedeutung ständig zunimmt. Dennoch ist auch heute noch ausgedehntes Lit.-Studium erforderlich, um die bisherigen Forschungsergebnisse kennenzulernen u. Doppelarbeit zu vermeiden. Für solche Lit.-Recherchen kann sich der Chemiker einer Reihe von Lit.-Gattungen bedienen, von denen die wichtigsten in einer guten *Bibliothek vorhanden sein sollten.
Nicht vorrätige Lit. wird von den Bibliotheken od. Informationsstellen per Post od. elektron. Anforderung vermittelt u. in eiligen Fällen per Telefax weitergegeben. Zeitschriften-Publikationen sind auch online abrufbar. Zu Problemen des *Copyright s. *Lit.*[3]. Allg. nützliche Gesichtspunkte für die Lit.-Suche in der Chemie vermitteln das Buch von Mücke (*Lit. allg.*) u. Mullen[4]. Man unterscheidet Primärlit. (z. B. Zeitschriften) u. Sekundärlit. (z. B. Referateorgane, s. unten). Als Periodika bezeichnet man Schriften, die – wie Zeitschriften u. viele offene Serien – period. erscheinen.

1. *Fachzeitschriften* sind die wichtigste u. aktuellste Informationsquelle des Chemikers. Dazu gehören auch Zeitschriften, die nur Kurzmitteilungen aufnehmen (*Beisp.:* Tetrahedron Letters, Synlett, Synthesis) od. sog. Synopsen-Zeitschriften (s. Synopsis) u. andererseits solche, die keine Originalbeiträge, sondern Übersichtsartikel mit zahlreichen Lit.-Angaben enthalten, sog. *Review-Zeitschriften* (*Beisp.:* Accounts of Chemical Research, Chemical Reviews, Chemical Society Reviews, Intra-Science Chemistry Reports, Reviews of Pure and Applied Chemistry, Uspekhi Khimii = Russian Chemical Reviews, Synthesis). Die *Halbwertszeit der Information aus wissenschaftlichen *Zeitschriften ist unterschiedlich: 4 Jahre in der Metallurgie, 5 Jahre in der chem. Technologie, 7 Jahre in der Physiologie, 8 Jahre in der reinen Chemie u. 12 Jahre in der Geologie[5]. Daß jährlich mehrere Hundert Zeitschriften neu begründet werden, trägt erheblich zur Informationsüberschwemmung bei[6].

2. *Fortschrittsberichte* beschreiben in wechselnden Intervallen die Entwicklung bestimmter Fachgebiete (*Beisp.:* Advances in ..., Progress in ..., Fortschritte der ...). Hierher gehören auch Jahrbücher (Annual Reviews in ..., Annual Reports on ..., Specialist Periodical Reports). *Serienwerke* dieser Art (offene *Serien) zeichnen sich dadurch aus, daß die in ihnen zusammengefaßten Artikel von Fachleuten verfaßt u. mit Lit.-Zitaten vervollständigt worden sind.

3. **Handbücher* (geschlossene *Serien) enthalten entweder Substanzbeschreibungen in konzentriertester Form od. themat. einschlägige Arbeiten, die fachlich gegliedert u. zu einem zusammenhängenden Ganzen verarbeitet wurden; *Beisp.:* *Beilstein's Handbuch der Organischen Chemie; *Elseviers Encyclopedia of Organic Chemistry; *Gmelin Handbook of Inorganic Chemistry; Traité de Chimie Minérale (bzw.) Organique; *Ullmann; *Kirk-Othmer; *Houben-Weyl; *McKetta; *Snell-Ettre; *Kolthoff-Elving; *Fresenius-Jander; *Wilson-Wilson; *Mellor; *Thorpe; *Rodd; Encycl. Polym. Sci. Technol. (s. Vorwort); *Weissberger; *Manske; *Winnacker-Küchler; *Gildemeister u. v. a.

4. **Tabellenwerke* dienen zum Nachschlagen von Zahlenwerten, z. B. *Landolt-Börnstein, Zahlenwerte u. Funktionen aus Naturwissenschaften u. Technik; *Handbook of Chemistry and Physics; D'Ans-Lax, Taschenbuch für Chemiker u. Physiker; Tables des Constantes Sélectionnées, London: Pergamon, DECHEMA Chemistry Data Series u. a.; ein Verzeichnis von Tabellenwerken findet sich in Mücke, Die chemische Literatur, S. 140 f. Weinheim: Verl. Chemie 1982.

5. *Anleitungsbücher* dienen zur Herst. von chem. Präp. (Synthesevorschriften), also Experimentierbücher im weitesten Sinne; *Beisp.:* Inorganic Syntheses (New York: McGraw-Hill); *Organic Synthesis (New York: Wiley); Biochemical Preparations (New York: Wiley); *Brauer; Theilheimer, Synthetic Methods of Organic Chemistry (Basel: Karger); *Houben-Weyl; *Organic Reactions; Neuere Methoden der präparativen organischen Chemie (Weinheim: Verl. Chemie); Weissberger, Technique of Organic Chemistry (New York: Interscience); *DAB u. a. *Pharmakopöen.

6. *Monographien u. Spezialwerke* behandeln Einzelgebiete; so gibt es z. B. umfangreiche Werke, die sich ausschließlich mit Eisen, Kupfer, Silber, Zink, Soda, Wasserglas, Schwefelsäure, Alkohol, Glycerin, Nitroglycerin, Cellulose, Edelgasen, Seltenen Erden, Eiweißstoffen, Explosivstoffen, Treibstoffen, Schmiermitteln u. dgl. befassen. Auch begrenztere Themen, wie z. B. Triethanolamin, Hydride, Maleinsäure-Derivate, Rhenium, perorale Strophanthinbehandlung u. dgl. haben umfangreiche monograph. Bearbeitungen erfahren. Zwar werden Monographien weiterhin zur Zusammenfassung des Wissens über ganz spezielle Sachverhalte ihren Wert behalten, doch ist angesichts der großen Zuwachsrate an neuen Ergebnissen die „Lebensdauer" von Monographien nicht sehr hoch

– auf rasch expandierenden Wissenschaftsgebieten nur ca. 3 Jahre.

7. *Chemie-Lehrbücher* dienen der allg. Wissensvermittlung, insbes. der Belehrung u. Förderung des Lernenden. Im reichhaltigen Schrifttum sind alle Buchtypen vom kleinen Leitfaden für die Volksschulen bis zum großen, mehrbändigen Lehrbuch für den Universitätsgebrauch vertreten.

8. *Hilfsbücher* u. *Nachschlagewerke* (vgl. die Aufstellung dort) sind z. B. Logarithmentafeln, fremdsprachige *Wörterbücher für Chemie u. Technik, Bezugsquellenverzeichnisse u. Adreßbücher (s. Chemikalien), Kürschners Gelehrtenkalender (Verzeichnis aller deutschsprachigen Gelehrten mit Kurzbiographien u. Anschriften), Adreßbuch Deutscher Chemiker, Firmenkataloge mit Preisverzeichnissen, allg. u. spezielle Lexika, Statist. Jahrbücher, *Bibliographien, *Indexe, Werke über *Nomenklatur (IUPAC-Regeln, *Ring Index) u. a. Hilfsmittel, die z. T. mehr zum Rüstzeug des Dokumentars (s. Dokumentation) u. des Bibliothekars (s. Bibliotheken) gehören.

9. *Patentschriften:* Bes. für die Ind. ist die Kenntnis der einschlägigen in- u. ausländ. Auslege- u. Patentschriften unerläßlich: Sie enthalten eine Fülle von prakt. bedeutsamen Forschungsergebnissen; Näheres s. bei Patente, wo man auch Details zur spezif. Dokumentationssituation findet. Viele Fachzeitschriften bringen laufend Kurzberichte über die einschlägigen Patente, außerdem werden sie in den *Referateorganen behandelt.

10. *Reports:* Eine erst in den letzten Jahrzehnten entstandene Lit.-Gattung ist die der *Reports, die sowohl Aufgaben als Tätigkeitsberichte gegenüber Auftrag- u./od. Geldgebern als auch solche der Publizierung für einen kleinen Leserkreis erfüllen. Die über militär. chem. Forschung berichtenden Reports sind zunächst geheim („classified"), werden aber häufig später freigegeben („declassified"). Viele Forschungsinst. geben solche Reports heraus (als Rechenschaftsberichte, gelegentlich aber auch als halboffizielle Publikation zur Sicherung von Prioritäten).

11. *Konferenzberichte* können in gedruckter od. als Manuskript vervielfältigter Form vorliegen. Man unterscheidet vor, während u. nach der Konferenz zugängliche Berichte [Preprints, (Full) Papers u. Proceedings]. Letztere enthalten häufig auch die Diskussionsbemerkungen, erscheinen aber gelegentlich erst lange nach dem Kongreß. *Beisp.:* Abstracts of Meetings of the *ACS, Proceedings der IUPAC-Kongresse (z. T. in Pure Appl. Chem. publiziert), DECHEMA-Monographien. Näheres u. spezif. Referateorgane s. Konferenzen.

12. *Firmenschriften* vermitteln oftmals Informationen, die weit über die durch Werbung od. Imagepflege vorgegebenen Ziele hinausgehen. Zur Beobachtung der Wettbewerbssituation finden sie zunehmende Beachtung.

13. Von den *Hochschulschriften* sind die *Dissertationen am wichtigsten. Diese sind in der BRD über die Universitäts-*Bibliotheken entleihbar; Diss. (u. Habilitationsschriften) werden angezeigt in den Dtsch. *Bibliographien, in der Bibliographie der dtsch. Hochschulschriften zur Chemie; amerikan. Diss. werden ausführlich referiert in Dissertation Abstracts (s. a. Referateorgane).

Während die vorgenannten Lit.-Arten mit Ausnahme der Handbücher, Tabellenwerke, Nachschlagewerke u. Lehrbücher der sog. Primärlit. zuzurechnen sind, deren Studium zwar direkten Zugang zu den Originaldaten u. -aussagen gewährt, dafür aber häufig zeitraubend ist, ist mit Hilfe der sog. Sekundärlit. ein rascher u. selektiver, dafür aber oft nur oberflächlicher Zugang zu eben dieser Originallit. zu gewinnen. Nur Zeitschriften u. Patente, bisweilen auch Reports, Konferenzberichte u./od. Diss. werden oft unter Zugrundelegung eines genormten Vokabulars (im allg. in einem *Thesaurus nachzuschlagen) „verarbeitet".

14. Zu den Sekundärdiensten zählen die *Referateorgane*, die zu allen Gebieten der Chemie bzw. der Naturwissenschaften insgesamt erscheinen; *Beisp.:* *Chemical Abstracts, *ChemInform, *Chemisches Zentralblatt (bis 1969), *Current Abstracts of Chemistry and Index Chemicus®, Referativnyi Zhurnal. Hinzu kommen Referatezeitschriften auf Sondergebieten; Analytical Abstracts, Dissertation Abstracts, Gas and Liquid Chromatography Abstracts, Nuclear Science Abstracts (bis 1976) usw.

15. Die sog. *Schnellinformationsdienste* geben dem Leser außer bibliograph. Angaben keinen Hinweis auf den Inhalt der erfaßten Arbeiten (Ausnahme: *Current Abstracts of Chemistry and Index Chemicus®); er muß also anhand des (oft sehr unpräzise formulierten) Titels entscheiden, ob ein Zeitschriftenaufsatz für ihn lesenswert sein wird od. nicht. *Beisp.:* *Chemical Titles, Current Chemical Papers (bis 1969), *Current Contents, *Macroprofiles, Signalinformation von VINITI.

16. Informationsquellen bes. Art sind der *Citation Index*, der die Erschließung eines Sachgebietes erlaubt, indem er den Personenkreis namhaft macht, der sich mit eben diesem Sachgebiet beschäftigt (*Beisp.:* *Science Citation Index).

Ein Kernproblem der c. L. ist das der Sprachen. In der BRD ist die Kenntnis der engl. Sprache unter Chemikern sehr verbreitet, aber schon französ. Lit. findet nicht mehr viele Leser. Wenn man von der Häufigkeit der Zitierung dtsch. Lit. in amerikan. Zeitschriften auf die Sprachkenntnisse amerikan. Chemiker schließen wollte, dann scheint dort Deutsch nicht sehr verbreitet zu sein. Die von vielen Verlagen u. Autoren gezogene Konsequenz ist die, ihre Ergebnisse u. Bücher in Engl. zu publizieren; *Beisp.:* Synthesis, Naturwissenschaften, Tetrahedron Letters, Journal of Chemical Research, Synlett. Die Zeitschriften Angewandte Chemie u. zahlreiche russ. Zeitschriften werden vollständig („cover-to-cover") ins Engl. übersetzt. Darüber hinaus gibt es Übersetzungszentren, die nicht nur selber Übersetzungen (auf Wunsch) anfertigen, sondern auch eine Dokumentation fremder Übersetzungen angefertigt haben; *Beisp.:* European Translation Centre (Delft), Euratom (Transatom-Abteilung, Luxemburg), *Technische Informationsbibliothek, period. Übersetzungsnachw. s. unter Dokumentation. Die prozentuale Verteilung der Zeitschriftenlit. auf die Länder wird von Chemical Abstracts in der Tab. S. 687 angegeben.

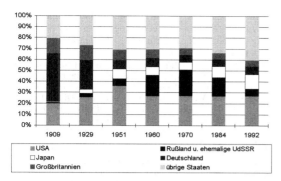

Abb.: Prozentuale Verteilung der Zeitschriftenliteratur.

Die vorab erwähnte Bevorzugung des Engl. als Publikationssprache wird auch aus der folgenden prozentualen Sprachverteilung der referierten Originalbeiträge deutlich (1992, Zahlen für 1986 in Klammern): engl. 79,3 (72,8), russ. 7,6 (11,9), japan. 4,7 (4,4), deutsch 2,3 (3,1), chines. 3,2 (3,1).
Die meisten oben erwähnten Lit.-Gattungen lassen sich über Fachbuchhandlungen beziehen, wobei sich einige auf Fachgebiete spezialisiert haben, andere auf Ländergruppen (z. B. Osteuropa, Ostasien). Viele Fachbuchhandlungen geben regelmäßig Neuzugangslisten heraus. Auch Verlagsankündigungen können private Benutzer u. Inst. auf Anfragen beziehen; Bibliotheken haben darüber hinaus noch andere Informationsquellen. Nützlich ist auch die Lektüre von Buchrezensionen. Manche Fachzeitschriften gliedern ihrem redaktionellen Teil Listen von neuen Buchtiteln an. – *E* chemical literature – *F* littérature chimique – *I* letteratura chimica – *S* literatura química
Lit.: [1] Nachr. Dok. **27**, 115 ff. (1976). [2] Nachr. Chem. Tech. **18**, 250 ff. (1970). [3] Naturwissenschaften **62**, 555–564 (1975); Nasri, Crisis in Copyright, New York: Dekker 1976. [4] Praxis Naturwiss. (Chemie) **28**, Nr. 7, 185–194 (1979). [5] Houghten, Scientific Periodicals, S. 107, London: Bingley 1975. [6] Chem. Labor Betr. **23**, 358 ff. (1972).
allg.: Mücke, Die chemische Literatur, Weinheim: Verl. Chemie 1982.

Chemische Physik. Auffassung der *Physikalischen Chemie als Grenzgebiet der Physik statt der Chemie; in der BRD ungebräuchliche Bezeichnung. – *E* chemical physics – *F* physique chimique – *I* fisica chimica – *S* física química

Chemische Reaktionstechnik s. Technische Chemie.

Chemische Reinheit. Die ursprüngliche Bedeutung eines „chem. reinen" Stoffes, bei dem sich Verunreinigungen, Beimengungen od. Begleitsubstanzen mit chem. Hilfsmitteln (*Reagenzien) nicht mehr nachweisen lassen, hat an Bedeutung verloren, da – je nach gefordertem Reinheitsgrad – die entsprechenden empfindlichen Nachweismeth. herangezogen werden, auch wenn diese Meth. physikal. od. anderer Natur sind. Die c. R. bezieht sich also auf den Grad der Freiheit von Verunreinigungen einer chem. Substanz. Von alters her verwendete Bez. (in Klammern latein. Bez. od. Abk.) roh (crudum, crd.), techn. (pract., techn.), gereinigt (depuratum, dep.), rein (purum, pur.), reinst (purissimum, puriss.), zur Analyse (pro analysi, p. a.), sublimiert (sublimatum, subl.), gefällt (praecipitatum, praec.) haben sich gehalten. Auch Begriffe, die sich auf den Verwendungszweck beziehen, wie spektroskop. rein od. für die Spurenanalyse sind üblich. Aus Kostengründen bestimmt der Verwendungszweck die c. R. einer Chemikalie. Für bestimmte Zwecke werden zeitweilig von der IUPAC in Pure Appl. Chem. *Standards mit bes. c. R. definiert. Viele Angaben über chem. Reinheitsprüfungen an Chemikalien, Reagenzien u. Arzneimitteln finden sich in *Pharmakopöen wie dem *DAB u. dem *EuAB. Als Meth. zur *Reinigung von Materialien kommen Subl., Krist., Dest., Zonenschmelzen u. a. *Trennverfahren in Betracht; bei organ. Substanzen kommen auch Gas- u. Flüssigkeits-*Chromatographie in Frage. Techn. Bedeutung hat umgekehrt auch die „gezielte Verunreinigung" mancher Stoffe, z. B. das *Dotieren bei der Herst. von *Halbleitern. – *E* chemical purity – *F* pureté chimique – *I* purezza chimica
Lit.: Chem. Ind. (London) **1985**, 268–274 ▪ J. Cryst. Growth **75**, 42–53 (1986) ▪ Kontakte (Merck) **1985**, 54–60 ▪ Metall (Berlin) **39**, 116 ff., 121–125 (1985).

Chemische Reinigung s. Chemisch-Reinigen.

Chemischer Sauerstoffbedarf s. CSB.

Chemische Sinne s. Geruch, Geschmack u. Sinnesphysiologie.

Chemisches Laboratorium Richter s. CLR.

Chemisches Potential. Intensive Zustandsgröße (üblicherweise mit μ bezeichnet), die bei thermodynam. Syst. mit variabler Molzahl eingeführt wird. Bei konstanten Werten für Druck p u. Temp. T ist das c. P. μ_i einer Teilchensorte i gleich der partiellen Ableitung der *Freien Enthalpie (od. *Gibbsschen Energie) nach der Molzahl n_i unter Konstanthaltung der Molzahlen aller übrigen Teilchensorten: $\mu_i \equiv (\partial G/\partial n_i)_{p,T,n_j \neq n_i}$. Das c. P. ist eine wichtige Größe zur Beschreibung thermodynam. Gleichgew., wenn Phasenumwandlungen od. chem. Reaktionen stattfinden. Z. B. gilt für das Gleichgew. in dem Zweiphasensyst. eines reinen Stoffes mit den Phasen ' u. " (z. B. fest-flüssig, fest-gasf. od. flüssig-gasf.): $\mu' = \mu''$ u. $d\mu' = d\mu''$ (sog. währendes Gleichgew.). Aus diesen Bedingungen läßt sich die *Clausius-Clapeyronsche Gleichung herleiten. Für Mehrkomponenten-Mehrphasensyst. ohne chem. Reaktion, die sich im thermodynam. Gleichgew. befinden, gilt für jede Komponente: $\mu_i' = \mu_i'' = \mu_i''' = \ldots$ (insgesamt P – 1 Gleichungen, wobei P die Anzahl der Phasen ist). Derartige Bedingungen bilden die Grundlage der *Gibbsschen Phasenregel. Zur Bedeutung des c. P. für *Chemische Gleichgewichte s. dort. – *E* chemical potential – *F* potentiel chimique – *I* potenziale chimico – *S* potencial químico

Chemisches Screening. Begriff aus der Wirkstoffsuche. Ein c. S. beruht im Gegensatz zum biolog. od. physiko-chem. *Screening auf der chem. Reaktivität der von einem Organismus gebildeten *Sekundärmetabolite gegenüber chem. Agentien. Häufig werden zur Detektion Farbreaktionen benutzt, die nach Auftrennung eines zu untersuchenden Extraktes aus Organismen (z. B. Mikroorganismen-Kulturen) z. B. auf *Dünnschichtchromatographie-Platten durch Aufsprühen erzeugt werden. Man verzichtet in einem c. S.

bewußt auf eine enge Korrelation zwischen Suchkriterium u. späterer Anw. (indikationsoffenes Screening). Vorteilhaft werden in einem zweiten Schritt nur die isolierten Reinsubstanzen einer breiten biolog. Prüfung zugeführt, z. T. in Testsyst., die für zu untersuchende Extrakte ungeeignet sind. In einem breit angelegten c. S. konnte gezeigt werden, daß man mit hohem Prozentsatz strukturell neue Sekundärstoffe findet, die sich als *Leitstrukturen für eine spätere Anw. eignen können. – *E* chemical screening – *F* triage chimique – *I* screening chimico – *S* tamizado químico
Lit.: Bu'Lock (Hrsg.), Bioactive Microbial Products, S. 51–70, New York: Academic Press 1982 ▪ Justus Liebigs Ann. Chem. **1996**, 627–633.

Chemisches Zentralblatt (geläufige Abk.: C.). Unter dem Namen Pharmaceutisches Centralblatt 1830 gegr., ältestes deutschsprachiges *Referateorgan für alle wesentlichen Publikationen aus aller Welt (Zeitschriften, Patente, Monographien, Bibliographien) auf dem Gebiete der Chemie u. ihrer Grenzgebiete, das von der *Gesellschaft Deutscher Chemiker, der Chemischen Gesellschaft der Deutschen Demokratischen Republik, der Akademie der Wissenschaften zu Göttingen, der Deutschen Akademie der Wissenschaften zu Berlin herausgegeben wurde. Das C. Z. hat Ende 1969 sein Erscheinen eingestellt, doch können die bis dahin erschienenen Referate- u. Registerbände als in sich Geschlossenes für retrospektive Recherchen genutzt werden. Die Referate sind nach dem „System", einem eigenen Klassifikationsschema, angeordnet (Das System des Chemischen Zentralblatts, Weinheim: Verl. Chemie 1966). Der erste Jahrgang (1830) dieser Referatezeitschrift enthielt auf 544 S. insgesamt 403 Referate, der 110. Jahrgang (1939) auf 12 294 S. 70 575 Referate, der Jahrgang 1964 113 340 Zeitschriften- u. 22 860 Patentreferate, u. 1968 wurden auf 16 268 S. 165 260 Zeitschriften- u. Patentreferate veröffentlicht. Aus den von 1967–1969 zusätzlich herausgegebenen *Schnellreferate*-Heften ist 1970 der *Chemische Informationsdienst* (*ChemInform) hervorgegangen.
Lit.: Chem. Ber. **106**, 1–16 (1973) ▪ Chem. Labor Betr. **22**, 307ff. (1971) ▪ Chem. Unserer Zeit **8**, 184–190 (1974) ▪ s. a. Referateorgane.

Chemische Technologie. Bez. für den gelegentlich auch mit *technischer Chemie u. *Verfahrenstechnik, mit *industrieller Chemie u. selbst mit *Chemie-Ingenieurwesen u. *Angewandter Chemie gleichgesetzten Bereich der Chemie, der sich mit der Umsetzung der im *chemischen Laboratorium erarbeiteten Verf. (z. B. *Synthese- od. *Trennverfahren) in den großtechn. Maßstab – d. h. in den der *chemischen Industrie – befaßt. Auf die vielfältigen Meth. – chem. Reaktionstechnik, chem. Verfahrenstechnik etc. – u. die vielgestaltigen Aspekte der c. T. – Werkstoffwahl, Transport- u. Energieprobleme, Recycling, Automation, Optimierung, Arbeitssicherheit, Umweltschutz etc. – kann hier nicht eingegangen werden; ein anschauliches Bild, in dem auch die *Biotechnologie ihren Platz hat, vermitteln die einzelnen Abschnitte in *Lit.*[1]. Zur Leistungsfähigkeit des Chemieanlagen- u. *Apparate-Baus s. *Lit.*[2] u. zu Fragen der Anlagenplanung s. *Lit.*[3]. Mit Ausbildungs- u. Aufstiegsmöglichkeiten in den *Chemie-Berufen der c. T. beschäftigen sich u. a. Hopp (*Lit.*), vgl. a. *Lit.*[4] u. zur histor. Entwicklung der c. T. s. *Lit.*[5]. – *E* chemical technology, chemical engineering – *F* technologie chimique – *I* tecnologia chimica – *S* tecnología química
Lit.: [1] Ullmann (5.) **B 1–B 4**. [2] Chem Ind. (Düsseldorf) **31**, 281–306 (1979). [3] Chem. Ind. (Düsseldorf) **39**, Nr. 7, 74–81 (1987). [4] Chem. Ind. (Düsseldorf) **29**, 706–710 (1977); Chem. Exp. Technol. **3**, 209–216 (1977); Chem. Ind. (Düsseldorf) **10**, Nr. 10, 55 ff. (1987). [5] Chem.-Ing.-Tech. **48**, 913–1084 (1976); Chem. Tech. (Heidelberg) **9**, 377–385 (1980).
allg.: Baerns et al., Chemische Reaktionstechnik, Stuttgart: Thieme 1992 ▪ Batchelor, An Introduction to Fluid Dynamics, Cambridge: Cambridge University Press 1990 ▪ Bockhorn, Einführung in die chemische Reaktionstechnik, Berlin: Springer 1996 ▪ Brötz u. Schönbucher: Technische Chemie, Weinheim: VCH Verlagsges. 1982 ▪ Fitzer u. Fritz: Technische Chemie, Berlin: Springer 1989 ▪ Frank u. Stadelhofer, Industrielle Aromatenchemie, Berlin: Springer 1987 ▪ Froment u. Bischoff, Chemical Reactor Analysis and Design, New York: Wiley 1990 ▪ Jakubith, Chemische Verfahrenstechnik, Einführung in Reaktionstechnik und Grundoperationen, Weinheim: VCH Verlagsges. 1991 ▪ Kirk-Othmer ▪ McKetta ▪ Payne, Chemicals from Coal: New Processes, New York: Wiley 1987 ▪ Sandler, Chemical and Engineering Thermodynamics, New York: Wiley 1989 ▪ Vauck u. Müller, Grundoperationen der chem. Verfahrenstechnik (6. Aufl.) Weinheim: Verl. Chemie 1982 ▪ Vauck u. Müller, Grundoperationen chemischer Verfahrenstechnik, Weinheim: VCH Verlagsges. 1990 ▪ VDI-Wärmeatlas, Berechnungsblätter für den Wärmeübergang, Düsseldorf: VDI Verlag 1994 ▪ Weissermel-Arpe (4.) ▪ Westerterp, van Swaaij u. Beenackers, Chemical Reactor Design and Operation, New York: Wiley 1993 ▪ Winnacker-Küchler ▪ s. a. Chemische Industrie, industrielle Chemie, technische Chemie u. Verfahrenstechnik. – *Zeitschriften u. Serien:* Advances in Chemical Engineering, New York: Academic Press (seit 1956) ▪ Chemical and Engineering News ▪ Chemical Engineering Communications, London: Gordon & Breach (seit 1973) ▪ Chemical Engineering Journal, Amsterdam: Elsevier (seit 1970) ▪ Chemical Engineering Progress, New York: AIChE (seit 1947) ▪ Chemical Engineering Science, Oxford: Pergamon ▪ Verfahren, Leinfelden: Konradin (seit 1967) ▪ Chemie-Ingenieur-Technik, Weinheim: Verl. Chemie (seit 1928) ▪ Chemie-Technik, Heidelberg: Hüthig (seit 1972) ▪ Chem. Tech. Washington: ACS (seit 1971) ▪ Computers and Chemical Engineering, Oxford: Pergamon (seit 1977) ▪ DECHEMA-Monographien, Weinheim: Verl. Chemie ▪ Industrial and Engineering Chemistry (3 Tl.: Fundamentals, Process Design and Development, Product Research and Development), Washington: ACS (seit 1962) ▪ Institution of Chemical Engineers Symposium Series, Rugby: IChemE ▪ Journal of Applied Chemistry and Biotechnology, New York: Academic Press (seit 1951) ▪ Journal of Applied Chemistry of the USSR, New York: Consultants Bureau (seit 1950). – *Organisationen:* AIChE ▪ DECHEMA.

Chemische Uhren s. Zeitreaktionen.

Chemische Verbindungen. Bez. für homogene reine Stoffe, deren kleinste Einheiten (*Moleküle) aus mindestens zwei Atomen verschiedener Elemente zusammengesetzt sind. Nicht zu den c. V. zählt man daher die mehratomigen Modif. der Elemente (z. B. H_2, O_2, O_3, Cl_2, S_8). Die Eigenschaften der c. V. unterscheiden sich grundlegend von denen der Gemische aus gleichen Anteilen der sie aufbauenden Elemente. Die Atome sind durch *chemische Bindung in bestimmten zahlenmäßigen Verhältnissen (s. Stöchiometrie) miteinander verbunden. Nach der Anzahl der beteiligten Elemente (Atomarten) unterscheidet man *binäre, *ternäre, *quaternäre usw. Verbindungen; andererseits spricht man im Hinblick auf die chem. Bindung der Atome

auch von *polaren, *apolaren u. *intermetallischen Verbindungen. *Einfache* od. *Verb. 1. Ordnung* können nur in Elemente od. bruchstückartige Atomgruppen (*Radikale, *Ionen) gespalten od. aus solchen (ohne Umsetzung) aufgebaut werden; *zusammengesetzte* od. *Verb. höherer Ordnung* entstehen durch Zusammentreten einfacher c. V.; *Beisp.:* *Charge-transfer- u. *Elektronen-Donator-Akzeptor-Komplexe, *Einschluß-, Koordinationsverb. (vgl. Koordinationslehre), *Molekülverbindungen. Während einer Reaktion vorübergehend entstehende, nicht im Endprodukt enthaltene c. V. nennt man *intermediäre Verb.* od. *Zwischenstufen.
Eine bes. Gruppe sind die *nichtstöchiometrischen Verbindungen, die man früher als *Berthollide* den *Daltoniden* (c. V. mit stöchiometr. Zusammensetzung) gegenüberstellte. Zur Beschreibung des Aufbaus von c. V. bedient man sich der *Nomenklatur u. der *chemischen Zeichensprache mit *Bruttoformeln u. *Strukturformeln. Von den mehreren Mio. bekannten c. V. haben nur relativ wenige (ca. 1%) Bedeutung als *Chemikalien erlangt. – *E* chemical compounds – *F* composés chimiques – *I* composti chimici – *S* compuestos químicos

Chemische Verfahrenstechnik s. Technische Chemie u. Verfahrenstechnik.

Chemische Verschiebung s. Abschirmung, NMR-Spektroskopie u. Verschiebungsreagentien.

Chemische Waffen. Summar. Bez. für feste, flüssige od. gasf. chem. Substanzen, die im Krieg od. bei anderen bewaffneten Auseinandersetzungen eingesetzt werden können zum Töten od. zum Kampfunfähigmachen des Gegners. Zu den c. W. zählen im erweiterten Sinn *Nebel-, *Rauch- u. *Brandwaffen einschließlich *Napalm, *Entlaubungsmittel (*Herbizide), *Tränenreizstoffe („Chemische Keule"), beruhigend wirkende „Psychokampfstoffe" sowie die eigentlichen chem. *Kampfstoffe (z. B. *Lost, *Tabun, *Sarin, *Soman u. a.; s. Kampfstoffe). Die neueste Entwicklung auf diesem Gebiet sind die *binären Kampfstoffe. C. W. sind seit dem Altertum bekannt („Pech und Schwefel", Brandpfeile u. a.). In größerem Maßstab eingesetzt wurden c. W. im 1. Weltkrieg ab 1915 mit der Folge von ca. 100000 Toten u. 1 200 000 Versehrten. Obgleich im „Genfer Protokoll" von 1925 der Einsatz (nicht jedoch die Herst. od. Bereitstellung) von c. W. völkerrechtlich geächtet wurde, sind c. W. in krieger. Auseinandersetzungen weiterhin eingesetzt worden, z. B. von Italien im Abbessinienkrieg 1935, von Japan in den China-Kriegen 1937–1945, von Ägypten im Jemenkrieg 1961 sowie vom Irak im Golfkrieg der 80er Jahre gegen Iran u. aufständ. Kurden[1]. Der Einsatz von Entlaubungsmitteln („Agent Orange"), *Napalm sowie von Psychokampfstoff (BZ) u. Tränenreizstoffe (CN, CS) durch die USA im Indochinakrieg 1965–1973 sei ebenfalls erwähnt. Es wird angenommen, daß etwa 25 Staaten über c. W. verfügen. Das „Genfer Protokoll" wurde 1929 vom Deutschen Reichstag ratifiziert. Der Deutsche Bundestag bekräftigte 1954 die Ratifizierung mit dem ausdrücklichen Verzicht auf die Herst. von c. W. unter Bereitschaft zu internat. Kontrolle. Von der UN-Vollversammlung wurde 1972 das „Genfer Protokoll" bekräftigt unter Einbeziehung von Tränengasen u. *Herbiziden. Nach über 20jährigen Verhandlungen wurde Ende 1992 in Genf eine „Chemiewaffen-Konvention" mit umfassendem C. W.-Verbot verabschiedet u. bislang von 159 Staaten unterzeichnet, jedoch erst von 27 Staaten ratifiziert[2]. Zu den vereinbarten Kontrollen s. *Lit.*[3]. Die c. W. als Mittel der *Militärchemie werden mit *biologischen Waffen u. *Kernwaffen als *ABC-Waffen zusammengefaßt. – *E* chemical weapons – *F* armes chimiques – *I* armi chimiche – *S* armas químicas

Lit.: [1] Chem. Unserer Zeit **27**, 6 (1993). [2] Chem. Unserer Zeit **29**, 162 (1995). [3] Nachr. Chem. Tech. Lab. **43**, 774–778 (1995). *allg.:* Kirk-Othmer (3.) **5**, 393–416; (4.) **5**, 795–816; Nachr. Chem. Tech. Lab. **36**, 915 ff. (1988); **41**, 291–296 (1993) ▪ Schrempf, Chemische Kampfstoffe – Chemischer Krieg, München: Institut für Internationale Friedensforschung 1981 ▪ s. a. Kampfstoffe.

Chemische Zeichensprache. Die weltweite Kommunikation der Chemiker bedarf eines im wesentlichen einheitlichen *Thesaurus von Fachbegriffen u. der internat. c. Z. (Symbole, Kurzz. etc.). Die *IUPAC hat beides in umfangreichen Regel- u. Nachschlagewerken für chem. *Nomenklatur u. *Terminologie festgelegt.
In Altertum u. Mittelalter gab es viele, oft wechselnde Zeichen[1] für chem. Stoffe u. Begriffe (*Beisp.:* astronom.-astrolog. Symbole wie ☽ = Mond = Silber, ♂ = Mars = Eisen, ♀ = Venus = Kupfer). Den Grund zur heutigen internat. c. Z. legte 1811 der schwed. Chemiker *Berzelius, der 1814 Vorschläge veröffentlichte[2], Elemente mit Buchstabensymbolen zu bezeichnen u. chem. Verb. u. Reaktionen durch Gruppen von Elementzeichen unter Berücksichtigung ihrer *Stöchiometrie in Formeln u. Gleichungen zu beschreiben. Berzelius' Formelsyst. setzte sich ab 1826 allg. durch u. wurde zur heutigen internat., kaum mehr veränderlichen c. Z. weiterentwickelt.

1. Elemente: *Chemische Elemente werden mit den Anfangsbuchstaben der wissenschaftlichen, meist latein. od. griech. Namen u. bei den meisten Elementen einem weiteren charakterist. Buchstaben bezeichnet[3] (s. Periodensystem u. Atomgewicht). Für die *Transactinoide, deren Namen teilw. noch strittig sind, gibt es eine spezielle 3-Buchstaben-Notation. Für die übrigen Elemente werden heute weltweit einheitliche Symbole verwendet. In der älteren Lit. finden sich abweichende Symbole (s. Tab., S. 690); einige Namensvorschläge für angeblich neuentdeckte Elemente wurden nie akzeptiert, da Irrtum od. Betrug im Spiel war (*Beisp.:* s. bei Promethium u. Technetium). Die Elementsymbole stehen entweder allg. für ein Element od. in Formeln u. Gleichungen für ein einzelnes Atom od. ein Mol od. eine stöchiometr. Menge Atome. An Elementsymbolen kann man links oben die *Massenzahl der *Isotope* angeben, links unten die Kernladung (*Ordnungszahl), rechts oben die Ionenladung u. rechts unten die Anzahl der Atome; *Beisp.:* $^{32}_{16}S_2^{2-}$ ist ein zweifach neg. geladenes Ion, das aus zwei Schwefel-Atomen der Ordnungszahl 16 besteht, die beide die Massenzahl 32 haben.

2. Verbindungen: Für *chemische Verbindungen sind verschiedene Formel-Darst. möglich. In *Bruttofor-

Chemische Zeichensprache

Tab.: Veraltete Elementsymbole.

Alte Bez. (Herkunft)		Jetzt gültige Bez.	
A	(französ.-engl.)	Ar	(Argon)
Az	(französ.: Azote)	N	(Stickstoff, Nitrogenium)
Cb	(engl.-französ.: Columbium)	Nb	(Niob)
Cp	(Cassiopeium)	Lu	(Lutetium)
Fa	(französ.)	Fr	(Francium)
Gl	(französ.: Glucinium)	Be	(Beryllium)
J	(deutsch, veraltet: Jod)	I	(Iod)
Nt	(engl.: Niton)	Rn	(Radon)
Tu	(russ.)	Tm	(Thulium)
X	(französ.)	Xe	(Xenon)

meln werden die Symbole der beteiligten Elemente heute nach dem *Hillschen System sortiert (früher auch nach dem *Richterschen System) u. ihre *Stöchiometrie mit Zahlenindizes rechts unten an den Elementsymbolen angegeben. Bruttoformeln können zwar nur einfache Verb. eindeutig beschreiben (*Beisp.*: Kaliumiodid KI, Chlor Cl$_2$, Wasser H$_2$O), sind aber wichtig für Formelregister in Nachschlagewerken (z. B. Anhang dieses Bandes) u. Datenbanken, zur Berechnung der *Molmasse u. *Elementaranalyse sowie für *Legierungen u. *nichtstöchiometrische Verbindungen.

Zur eindeutigen Beschreibung etwas komplexerer Verb. dienen sog. „aufgelöste Bruttoformeln", in denen man Elementsymbole sinnvoll zu Atomgruppen zusammenfaßt, die man ggf. in Klammern setzt; *Beisp.*: Zinksulfat ZnSO$_4$, Aluminiumsulfat Al$_2$(SO$_4$)$_3$, *cyclo*-Tris(tetracarbonylosmium)(3 Os–Os) [{Os(CO)$_4$}$_3$]. Allg. Regeln: Zentralatome nennt man in Atomgruppen zuerst. Bei anorgan. Verb. stehen pos. geladene Gruppen vor neg.; *Beisp.*: NaNO$_3$, H$_2$SO$_4$, (NH$_4$)$_2$CO$_3$, [Cu(NH$_3$)$_6$]Cl$_2$. Bei organ. Verb. schreibt man funktionelle Gruppen gern rechts, links angefügte Gruppen aber oft so, daß verknüpfte Zentralatome benachbart sind; *Beisp.*: Serin HOCH$_2$CH(NH$_2$)COOH, Di-*tert*-butylamin [(H$_3$C)$_3$C]$_2$NH. Oft sind für dieselbe Verb. mehrere Formeln möglich; *Beisp.*: KHS = KSH; NaOCl = NaClO, Na$_2$C$_2$O$_4$ = (COONa)$_2$. Ein Punkt in Zeilenmitte bedeutet „und" in Formeln für *Hydrate („Kristallwasser"; *Beisp.*: Na$_2$CO$_3 \cdot$ 10 H$_2$O), Solvate [*Beisp.*: BF$_3 \cdot$ S(CH$_3$)$_2$] u. *Molekülverbindungen (*Beisp.*: C$_6$H$_4$O$_2 \cdot$ C$_6$H$_4$(OH)$_2$ = *Chinhydron) sowie für Mineralien (*Beisp.*: Al$_2$O$_3 \cdot$ 2 SiO$_2 \cdot$ 2 H$_2$O = *Kaolinit; CaO $\cdot$ MgO $\cdot$ 2 SiO$_2$, s. Augite). Pluszeichen sind dafür nicht zu verwenden, sondern nur für chem. Gleichungen u. *Gemische.

Um beliebig komplexe Verb. abzubilden, gibt es verschiedene Arten von *Strukturformeln, in denen chem. Bindungen als „Valenzstriche" erscheinen. Solche Striche soll erstmals William Higgins (1765–1825) um 1789 in dem Buch „Vergleichende Übersicht der phlogist. u. antiphlogist. Theorien" verwendet haben, aber erst mit *Couper u. *Butlerow setzten sich die Strichformeln im heutigen Sinne durch. *Einfachbindung, *Doppelbindung u. *Dreifachbindung werden durch einfachen Strich, Doppel- u. Dreifachstrich angezeigt (s. a. chemische Bindung); *Beisp.*: Cl–N=O, H–C≡N. Punkte statt Striche zu setzen ist veraltet u. mißverständlich (Cl·N:O, H·C:N); Doppelpunkte für bindende od. alle Elektronenpaare dienen in Elementarlehrbüchern nur dazu, die *Oktett-Regel zu verdeutlichen (:C̈l:N̈::Ö, H:C:::N:). In der Lit. allg. üblich sind vereinfachte Strukturformeln bis hin zu den oben erwähnten „aufgelösten Bruttoformeln" u. zu Strichformeln, in denen Kohlenstoff-Ketten u. -Ringe als Zickzacklinien u. Vielecke symbolisiert u. alle an C gebundenen H-Atome weggelassen werden; *Beisp.*: Hexansäure u. Benzol:

H$_3$C[CH$_2$]$_4$COOH = [Zickzacklinie mit COOH]

[Benzol als Sechsring mit Doppelbindungen] = [Sechseck mit Doppelbindungen] = [Sechseck mit Kreis]

Ferner sind zur Vereinfachung von Strukturformeln viele, teilw. in IUPAC-Regeln empfohlene Abk. u. Kurzz. für Atomgruppen üblich; *Beisp.*: Et (C$_2$H$_5$, Ethyl), Bu^t [C(CH$_3$)$_3$, *tert*-Butyl], Ph (C$_6$H$_5$, Phenyl). Auch *Notationen kann man als codierte Strukturformeln auffassen; *Beisp.*: Peptid-, Nucleotid- u. Oligosaccharid-Notationen, *GREMAS u. Wiswesser-Linearnotation. Für Tab. vereinigt man oft ähnliche Strukturen in *Markush-Formeln, indem man variable Gruppen mit Kurzz. u. ggf. hochgestellten Strich- od. Zahlindizes anzeigt; *Beisp.*: *R, R', R^1 (*Rest, Radikal), *X (Heteroatom-Rest, Abgangsgruppe), Ar (*Aryl-Rest), E (Ester-Gruppe), L (Ligand). Variable Positionen zeigt man durch einen blind zwischen zwei Positionen endenden, von einem Rest ausgehenden Bindungsstrich an.

Die räumliche Anordnung der Atome im Mol. (s. Konfiguration, Konformation u. Stereochemie) od. Krist. wird in perspektiv. Formeln od. speziellen *Projektionsformeln abgebildet. Bindungen, die aus der Papierebene nach „oben" weisen, werden als verdickte Linie od. „oben" verbreiterter Keil gezeichnet, nach „unten" weisende als Strichellinie od. „unten" zugespitzter schraffierter Keil, Bindungen mit unbekannter od. uneinheitlicher Stellung aber als Wellenlinie. Ein fetter Punkt od. eine Kreislinie auf einer *angulären Stelle zeigte früher an, ob ein H-Atom (od. Rest) „oben" (β) od. „unten" (α) steht. Man vergleiche folgende Formeln für 2ξ,8a-Dimethyl-4aα,8aβ-decalin mit den Konformationsformeln bei *Decalin, die auch die *axiale od. *äquatoriale Stellung der H-Atome zeigen:

[Drei Strukturformeln von Decalin-Derivaten mit CH$_3$-Substituenten]

Abb. von *Konfigurationen u. *Konformationen finden sich an vielen Stellen in diesem Werk; *Beisp.*: Cyclohexan, Steroide. Zum Zeichnen solcher Stereoformeln verwendet man *Formelschablonen u. spezielle

Computergraphik-Programme. Viele stereochem. Einzelheiten können in Formeln allein nicht klar gezeigt werden, sondern müssen verbal (s. Nomenklatur) od. mit Hilfe weiterer Symbole u. Konventionen erläutert werden; *Beisp.:* abs. *Konfiguration, *sterische Hinderung u. *stereoselektive Effekte.

3. *Ionen: Pos. od. neg. Ladungen werden rechts oben an der (oft in eckige Klammern gesetzten) Formel des Ions od. am Symbol des geladenen Atoms als (meist in einem Kreis stehendes) Plus- od. Minus-Zeichen angegeben. Bei mehrfach geladenen Ionen wird die Zahl der Ladungen vor (nicht hinter!) das Vorzeichen der Ladung gesetzt; zwei od. drei Elementarladungen darf man auch mit zwei od. drei Plus- od. Minuszeichen angeben. *Beisp.:* K^+, $Ca^{2+} = Ca^{++}$, $PO_4^{3-} = PO_4^{---}$, $[Fe(CN)_6]^{4-}$. *Mesoionische Verbindungen kann man mit ± kennzeichnen; *Beisp.:* s. Sydnone. Hochgestellte Punkte u. Strichindizes für pos. u. neg. Ladung dienen nur noch zur Angabe sog. effektiver Ladungen in der Notation der *Punktdefekte von Ionenkrist. (IUPAC-Regel I-6.4.4).

4. *Radikale: *Freie Radikale erhalten als symbol. Markierung einen hochgestellten Punkt für jedes ungepaarte *einsame Elektron, möglichst am Atom seiner größten Aufenthaltswahrscheinlichkeit; *Beisp.:* tert-Butyl-Radikal $(H_3C)_3C^·$, Aceton-Diradikal $(H_3C)_2C^·-O^·$, Sauerstoff $O_2^·$; s. a. Radikale; zur Kennzeichnung der Spinzustände von Diradikalen s. Photochemie. Das hochgestellte Schrägkreuz als Radikalsymbol [*Beisp.:* $(H_3C)_2N-O^×$] ist nicht mehr üblich.

5. *Reaktionen: Chem. Vorgänge beschreibt man durch chem. Reaktionsgleichungen; *Beisp.:* Natrium u. Chlor reagieren zu Natriumchlorid nach der Gleichung: $2Na + Cl_2 \rightarrow 2NaCl$. Der Reaktionspfeil als Gleichheitszeichen besagt nach dem Gesetz der Erhaltung der Masse, daß Anzahl u. Art der Atome auf beiden Seiten der Gleichung gleich sein muß. In Ionengleichungen muß auch die Summe der Ladungen auf beiden Seiten gleich sein; *Beisp.:*

$$2Fe^{3+} + SO_2 + 2H_2O \rightarrow 2Fe^{2+} + SO_4^{2-} + 4H^+$$

In der *Thermochemie wird oft auch die umgesetzte Wärmemenge in der Gleichung angegeben. Die Reaktionsbedingungen kann man am Pfeil angeben (Temp., pH, Katalysator, Lsm., Bestrahlung $= h \cdot \nu$, Erhitzen $= \Delta$). Das Ausbleiben einer (erwarteten) Reaktion wird mit einfach od. doppelt durchgestrichenem Pfeil angedeutet ($\nrightarrow$, $\nleftrightarrow$). Für umkehrbare Reaktionen (s. chemische Gleichgewichte) verwendet man zwei entgegengesetzt gerichtete parallele Pfeile od. Halbpfeile ($\rightleftarrows$ od. $\rightleftharpoons$); *Beisp.:*

$$H_3C-COOH + C_2H_5OH \rightleftharpoons H_3C-COOC_2H_5 + H_2O$$

Der obere Pfeil gibt stets die Richtung der Hinreaktion an. Ist bei einem Reaktionsgleichgew. eine Seite der Gleichung bevorzugt, so zeigt man dies durch ungleiche Länge der Reaktionspfeile an:

$$A + B \rightleftharpoons C + D$$

Mit Doppelpfeilen ($\leftrightarrow$) werden dagegen mesomere Grenzformeln kombiniert, deren Mittelwert die Elektronenverteilung im Mol. zeigt (s. Mesomerie, Resonanz; s. a. Benzol-Ring, Nitro-Verbindungen). Die Zeichen ↑ u. ↓ hinter einem Atomsymbol od. einer Mol.-Formel in einer chem. Gleichung bedeuten, daß der entstehende Stoff gasf. entweicht (↑) od. als schwerlösl. Niederschlag ausfällt (↓). Das Symbol $\rightarrow$ kennzeichnet eine Reaktion als *Umlagerung. Der gewellte Pfeil ($\rightsquigarrow$) steht für eine photo- od. strahlenchem. ausgelöste Reaktion.

6. Weitere Symbole: In den Grenzbereichen der Chemie werden viele weitere Symbole verwendet; *Beisp.:* Biochemie, chem. Topologie (s. *Lit.*[4]), Kernchemie (s. Kernreaktionen), Physikal. Chemie (s. *Lit.*[5]; s. a. Nomenklatur), Kristallographie u. Mineralogie. – *E* chemical symbols – *F* symboles chimiques – *I* simboli chimici – *S* símbolos químicos

Lit.: [1] Sci. Am. **216** (5), 128 (1967); Endeavour N.S. **1**, 23–31 (1977); Z. Chem. **6**, 297–311 (1966): [2] Ann. Philos. **4**, 51 (1814). [3] Naturwiss. Rundsch. **21**, 321 ff. (1968). [4] Naturwissenschaften **58**, 247–257 (1971); Angew. Chem. **82**, 741–771 (1970). [5] IUPAC, Quantities, Units and Symbols in Physical Chemistry ("Green Book"), Oxford: Blackwell 1993 (IUPAC, Größen, Einheiten u. Symbole in der Physikal. Chemie, Weinheim: VCH 1996).
allg.: Wegner et al., Chemische Zeichensprache, Berlin: Volk u. Wissen 1974 ■ s. a. Geschichte der Chemie, Nomenklatur u. Stereochemie.

Chemisch induzierte... s. CIDEP u. CIDNP.

Chemisch-physikalische Behandlung (chem.-physikal.-biolog. Behandlung, CPB). Behandlung von bestimmten gewerblich-industriellen, hauptsächlich flüssigen u. pastösen *Sonderabfällen, die wegen ihrer Konsistenz od. Zusammensetzung nicht direkt verwertet, verbrannt od. deponiert werden können. Die Behandlungsschritte setzen sich im wesentlichen aus chem.-physikal. Grundoperationen der Verf.-Technik zusammen u. können mechan. (z. B. *Sedimentation, Dekantieren, Filtrieren), physikal. (z. B. *Destillation, *Strippen, Eindampfung, *umgekehrte Osmose), chem. (z. B. Fällung, *Neutralisation, Red., Oxid.) sowie biolog. Prozesse (aerober u. anaerober Abbau) umfassen. Ziel der CPB ist es, verwertbare od. zumindest verbrennbare od. deponierfähige Materialien bzw. einleitfähige Abwässer zu erhalten. Da eine Verwertung von Rückständen aus der CPB derzeit im Regelfall nicht möglich ist, werden CPB-Anlagen im Verbund mit Entsorgungseinrichtungen wie Abfallverbrennungsanlagen bzw. *Deponien betrieben.

Vereinfachend lassen sich CPB-Verf. in Entgiftungs- u. Entfrachtungsverf. unterteilen. Entgiftungsverf. wandeln umweltschädliche Stoffe in weniger schädliche Stoffe um (z. B. Cyanid-Oxid.), während Entfrachtungsverf. die unerwünschten Begleitstoffe weitgehend aus dem Abfall entfernen (z. B. Schwermetallfällung).

Für die einer CPB zugeführten Abfälle existieren zwei getrennte Behandlungslinien: 1. für vorwiegend anorgan. belastete Abfälle (z. B. Säuren, Laugen, Galvanikschlämme, anorgan. belastete Spülwasser u. Konzentrate), – 2. für organ. belastete Abfälle (z. B. Öl-Wasser-Emulsionen, Lsm.-Wasser-Gemische).

Im *anorgan. Behandlungsstrang* werden v. a. folgende Verf. in Auswahl od. Kombination angewendet: – Neutralisation, – Fällung, insbes. Fällung von *Schwermetallen als Hydroxide sowie ggf. als Sulfide, –

*Flockung, – Oxid. (z. B. von Cyanid zu Cyanat), – Red. (z. B. von Chrom-VI zu Chrom-III), – Entwässerung (Sedimentation, Zentrifugation, Pressung: z. B. Kammerfilter-, Siebband-, Membranpresse), – *Immobilisierung, Verfestigung (z. B. mittels Kalk-, Zement- od. Silikatbindemitteln). Bei diesen Verf. handelt es sich v. a. um schlammbildende Reaktionen, die deponierbare Rückstände erzeugen; nachteilig ist die hiermit meist verbundene Erhöhung der Abfallmenge bzw. Aufsalzung des Abwassers durch die Zugabe der Hilfs- u. Einsatzstoffe.
Im organ. Behandlungsstrang werden hauptsächlich Verf. zur Emulsionstrennung eingesetzt: – chem. Emulsionsspaltung (mittels starker Elektrolyte, z. B. Säuren, Salze), – therm. Emulsionsspaltung (*Destillation, Verdampfung) u. – Emulsionsspaltung durch Membrantechnik (*Ultrafiltration). – *E* chemical and physical waste treatment – *F* traitement chimico-physique – *I* trattamento chimico-fisico – *S* tratamiento fisico-quimico
Lit.: Der Rat von Sachverständigen für Umweltfragen, Abfallwirtschaft, Ziffer 1177–1311, Stuttgart: Metzler-Poeschel 1990 ■ Entsorgungspraxis 11, Nr. 5, 366 ff. (1993) ■ Thomé-Kozmiensky (Hrsg.), Behandlung von Sonderabfällen, Bd. 3, S. 343–368, Berlin: EF-Verl. Energie- u. Umwelttechnik, 1990.

Chemisch-Reinigen (Trockenreinigen). Bez. für in Gewerbebetrieben durchgeführte Verf. zur Reinigung von *Textilien durch Behandlung mit organ. Lsm. in entsprechenden Anlagen. Man unterscheidet maschinelle *Grundbehandlung* u. meist manuelle *Nachbehandlung*. Das *Kleiderbad ist auf die Grundbehandlung beschränkt. Als. Lsm. werden überwiegend Perchlorethylen (*Tetrachlorethylen) u. *Schwerbenzin verwendet u. in den heute üblichen Anlagen destillativ zurückgewonnen, gereinigt u. im Kreislauf wiederverwendet. Heute erhalten die organ. Lsm. oft auch geringe Zusätze von Wasser u. *Reinigungsverstärkern, die beide dem *Vergrauen entgegenwirken[1]. Früher wurden beim C.-R. mit Benzin sog. *Benzinseifen zugesetzt. Durch Beigabe mikrobizider Mittel ist es möglich, Bakterien u. Pilze, die gewöhnlich den Reinigungsprozeß überstehen, sicher abzutöten. Die zu reinigenden *Textilien tragen in der Regel Etiketten mit Hinweis-Symbol für das sachgerechte C.-R. (s. Textilien).
Zur *Nachbehandlung* der gereinigten Kleidungsstücke (die seit Einführung der *Reinigungsverstärker nur noch bei etwa 10% der Reinigungswäsche notwendig ist) gehören ggf. *Detachur u. Naßwäsche. Bei der Detachur werden Verfleckungen örtlich durch Behandlung mit speziellen Chemikalien entfernt. Die Naßwäsche hingegen wird häufig auf einer Waschtafel vorgenommen. Hier werden die Stücke bei 20 °C unter Zusatz von waschaktiven Stoffen u. evtl. Anw. von Eiweißlösern gebürstet, mit lauwarmen od. kalten Soda- od. Calgon-Lsg. gespült, unter Zusatz von 0,5 ml/l Essig- od. Ameisensäure (bewirkt Farbtonauffrischung) abgesäuert, abgeschleudert u. nach Trocknung gebügelt. Zu der ökolog. Problematik u. zur ökolog.-toxikolog. Risikominimierung durch das C.-R. s. *Lit.*[2]. – *E* dry cleaning – *F* nettoyage à sec – *I* lavaggio a secco – *S* lavado en seco, lavado químico

Lit.:[1] Wäscherei- u. Reinigungs-Praxis 26, 10 ff. (1977).[2] Wäscherei u. Reinigungspraxis 9, 2 f. (1987); 10, 50 ff. (1987).
allg.: Berneisen u. Überschär, Lehrbuch der Textilreinigung (2.), Leipzig: VEB Fachbuchverl. 1983 ■ Kirk-Othmer (3.) 8, 50–68 ■ Ullmann (4.) 9, 262–267; (5.) A 9, 49–53 ■ Winnacker-Küchler (4.) 7, 141.

Chemisch-technische(r) Assistent(in) (CTA). Als *Chemie-Beruf mit Labororientierung ist der CTA eine planmäßig auf *Chemieschulen ausgebildete u. geprüfte Fachkraft mit der Fähigkeit, in Laboratorien an Hand von kurzen, nicht ins einzelne gehenden Anweisungen analyt. u. präparative Arbeiten unter selbständiger Wahl der geeigneten Hilfsmittel auszuführen. Voraussetzung für die Ausbildung ist Realschulabschluß od. ein gleichwertiger Bildungsnachw.; eine Vorpraxis wird nicht verlangt. Die Ausbildung dauert in der Regel 2 Jahre an einer öffentlichen od. staatlich anerkannten od. staatlich genehmigten Berufsfachschule für Chemie. In einigen Bundesländern besteht die Möglichkeit, in sog. doppelqualifizierenden Bildungsgängen gleichzeitig die Fachhochschulreife od. die allg. Hochschulreife zu erlangen. Die Ausbildungszeit beträgt dann 3 od. 4 Jahre. Die Ziele der Ausbildung sind in der Rahmenvereinbarung der Kultusministerkonferenz vom 12.6.1992 festgelegt.
Der CTA, dessen Qualifikation etwa der des *Chemielaboranten entspricht, muß sich im Gegensatz zu diesem in die berufliche Praxis in Forschungs- u. Betriebslaboratorien erst einarbeiten. Dort hat er die Möglichkeit, nach Leistung u. Bewährung aufzusteigen; Weiterbildungsmöglichkeiten zum *Chemotechniker, Industriemeister Chemie od. *Ingenieur, Fachrichtung Chemie sind gegeben. – *E* technical assistant in chemistry – *F* assistant technicien-chimiste – *I* assistente tecnico-chimico – *S* asistente químico-técnico

Chemisch-Technische Reichsanstalt s. Bundesanstalt für Materialforschung und -prüfung.

Chemisorption (chem. Adsorption). Bez. für eine Art der *Adsorption von Atomen od. Mol. an einer Festkörperoberfläche. Eine typ. C. liegt z. B. bei der für die *Katalyse wichtigen adsorptiven Bindung von Wasserstoff an Oberflächen von *Übergangsmetallen, z. B. Palladium od. Eisen, vor. Im Gegensatz zur Physisorption (physikal. Adsorption), bei der die Wechselwirkung zwischen der adsorbierten Substanz (Adsorbat) u. dem Adsorbens auf langreichweitigen *van der Waalsschen Kräften beruht, werden bei der C. die Teilchen über eine *chemische Bindung (oft kovalent) an die Oberfläche gebunden. Die Abb. zeigt schemat. den Unterschied zwischen einem physikal. adsorbierten Wasserstoff-Mol. (rechts) u. der C. von Wasserstoff-Atomen (links) an einer Schicht von Metallatomen.

Abb.: Chemisorption u. physikal. Adsorption.

Bei der C. haben die adsorbierten Teilchen die Tendenz, Adsorptionsplätze so einzunehmen, daß eine möglichst große Koordinationszahl resultiert. Physisorption u. C. unterscheiden sich in der Stärke der Bindungen, die sich in den Größen der Adsorptionswärmen äußert. Bei der Physisorption liegen diese im Bereich der Kondensationsenthalpien, bei der C. sind sie mit *Reaktionsenthalpien chem. Reaktionen vergleichbar. Beisp. für einige molare Enthalpien der C. findet man in der Tabelle.

Tab.: Molare Enthalpien der Chemisorption (in kJ mol^{-1}).

Adsorbat	Adsorbens	
	Cr	Fe
H_2	−188	−134
CO	−192	
C_2H_4	−427	−285

Die C. verläuft fast immer *exotherm, d. h. die Enthalpien der C. sind negativ. Da bei der Adsorption die Bewegungsfreiheit des Adsorbats verringert wird, nimmt die *Entropie bei der C. in der Regel ab ($\Delta S<0$). Damit ein Adsorptionsprozeß thermodynam. möglich ist, muß die zugehörige Änderung der *freien Enthalpie ($\Delta G = \Delta H - T\Delta S$) neg. sein, womit ein neg. ΔH gefordert wird. Ausnahmen können vorliegen, wenn das Adsorbat dissoziiert (*dissoziative C.*) u. auf der Oberfläche des Adsorbens sehr beweglich ist. So ist die Adsorption von Wasserstoff auf Glas endotherm, denn bei der Adsorption entstehen Wasserstoff-Atome. Hierfür muß Energie zur Dissoziation der Wasserstoff-Mol. zugeführt werden, die nicht vollständig bei der Bildung der chemisorptiven Bindungen kompensiert wird. Da sich die Wasserstoff-Atome auf der Oberfläche aber nahezu frei bewegen können, ist die Entropiezunahme bei dem Prozeß $H_2(g) \rightarrow 2H(Glas)$ so groß, daß trotz der pos. Enthalpieänderung ein neg. ΔG resultiert.

Die Bindungsenergien u. Aktivierungsschwellen der C. von Wasserstoff auf Gold, Platin, Kupfer u. Nickel wurden bereits quantenmechan. berechnet u. erklären den experimentell erwiesenen Edelmetallcharakter von Gold[1]. Die C. spielt eine wichtige Rolle bei der heterogenen Katalyse (s. a. Oberflächenchemie). Moderne Untersuchungsmeth. zum Studium der C. sind z. B. *LEED, *Auger-Spektroskopie u. *Photoelektronen-Spektroskopie, *IR-Spektroskopie, Feld-emissionsmikroskopie u. *SIMS. – *E* chemisorption – *F* chimisorption – *I* chemiosorbimento – *S* quimisorción

Lit.: [1] Nature (London) **376**, 238 (1995) ▪ Phys. Unserer Zeit **26**, 223 (1995).
allg.: Bare u. Somorjai, Surface Chemistry, in Encycl. of Physical Science and Technology, Bd. 16, S. 337–390, San Diego: Academic Press 1992. – *Zeitschriften mit Originalarbeiten:* Surface and Interface Analysis (Wiley, Chichester) ▪ Surface Science (Elsevier, Amsterdam) ▪ Surface Science Reports (Elsevier, Amsterdam) ▪ s. a. Adsorption, Katalyse, Oberflächenchemie.

Chemizorb®. Absorptionsmittel für verschüttete Flüssigkeiten. *B.:* Merck.

Chemoautotrophie s. Chemolithotrophie.

Chemodeme s. Chemotaxonomie.

Chemokine (chemotakt. *Cytokine). Bei entzündlichen Prozessen von *Leukocyten, Fibroblasten u. Endothelzellen freigesetzte chemotakt. (s. Chemotaxis) aktive Mediatorstoffe, die entzündungsfördernde Effekte ausüben. Die C. bilden eine Familie strukturell verwandter Polypeptide (M_R ca. 8000). Aufgrund der relativen Positionen zweier von vier vorhandenen *Cystein-Resten (Sequenz C-X-C gegenüber C-C; C = Cystein, X = beliebige Aminosäure), aufgrund ihres Genortes auf Chromosom 4 bzw. 17 sowie aufgrund ihrer Funktion werden sie in die α- u. β-C. Subfamilien eingestuft, wobei die α-C. neutrophile Granulocyten (s. Leukocyten), die β-C. hingegen *Monocyten u. *Lymphocyten anlocken.
Beisp.: RANTES (ein β-C., gebildet durch T-Lymphocyten)[1] u. die auch zu den *Monokinen gerechneten *inflammator. Makrophagen-Proteine* MIP-1α u. -1β (ebenfalls β-C.-Subfamilie). Für die α-C.-Subfamilie sei *Interleukin 8 genannt. Das neu entdeckte C. *Lymphotactin* gehört keiner der beiden Subfamilien an[2]. – *E* chemokines – *F* chimiokines – *I* chemiochine – *S* quimioquinas, quimiocinas
Lit.: [1] Krensky, Biology of the Chemokine RANTES, Berlin: Springer 1995. [2] Science **266**, 1395–1399 (1994).
allg.: FASEB J. **9**, 57–62 (1995) ▪ Lindley et al., The Chemokines, New York: Plenum Press 1994.

Chemolitholyse s. Harnsteine.

Chemolithotrophie. Bez. für die Fähigkeit von primitiven Organismen (*Knallgas-, *Eisen-, *Schwefel-, *Nitrifikations-Bakterien u. dgl.), die Masse der Zellbestandteile aus CO_2 (wird der Luft od. dem Wasser entnommen), Wasser u. anorgan. Salzen selbständig aufzubauen. Die dafür notwendige Energie wird durch *Chemosynth.*, d. h. durch Oxid. von z. B. H_2S-, S-, Fe^{2+}-, Stickstoff-haltigen Substraten gewonnen. Die C. ist damit eine Form der *Chemotrophie, u. zwar der *Auto- u. der *Lithotrophie; sie steht im Gegensatz zur *Photolithotrophie*. – *E* chemolithotrophy – *F* chimiolithotrophie – *I* chemiolitotropia – *S* quimiolitotrofía
Lit.: Annu. Rev. Microbiol. **32**, 155–184 (1978) ▪ Schlegel (7.), S. 377.

Chemolumineszenz s. Chemilumineszenz.

Chemometrie s. Computer-gestützte analytische Chemie.

Chemonastie s. Chemotropismus.

Chemophobie s. Toxikopie.

Chemorezeptoren. Im weitesten Sinn alle *Rezeptoren, die durch chem. Substanzen erregt werden (gegenüber Photo-, Mechano-, Thermo-, Baro-, Schmerz-Volumenrezeptoren etc.). In der *Sinnesphysiologie geht es dabei bes. um Geruchs- u. Geschmacksrezeptoren. Bei *Bakterien, *Leukocyten, *Makrophagen usw. sind mit C. Rezeptoren für *Chemotaxis-aktive Stoffe gemeint. Zur Steuerung der Atmung gibt es bei bestimmten Lungen-Epithelzellen C. für Sauerstoff, in den Arterien auch für Kohlenstoffdioxid, im Gehirn solche für die Zusammensetzung des Liquors. – *E* chemoreceptors – *F* chimiorécepteurs, chémorécepteurs – *I* chem(i)orecettori – *S* quimiorreceptores

Chemosil®. Bindemittel für natürliche u. synthet. Elastomere an Metallen u. a. starren Substraten im Rahmen der Vulkanisation. *B.:* Henkel.

Chemostat. Eine *kontinuierliche Fermentation, bei der als offenes Syst. dem *Bioreaktor kontinuierlich sterile *Nährlösung zugeführt u. gleichzeitig umgesetzte Lsg. zusammen mit Organismen (*Biomasse) entnommen wird. Dabei ist die Durchflußrate D das Verhältnis von Zuflußrate F (l/h) bzw. Abflußrate u. dem Bioreaktor-Ansatzvol. V (l): $D=F/V$ (h^{-1}). Als C. betrieben wird das Zellwachstum im Fließgleichgewicht durch die Konz. eines Substrates (Kohlenhydrat, Stickstoff, Salze od. Vitamine) limitiert. Im Fließgleichgewicht ist die Durchflußrate nominell gleich der Wachstumsrate der Kultur $D=m$ (h^{-1}). Ist die Durchflußrate höher, kommt es zum Auswaschen der Kultur. Produktionen mit der C.-Technik werden z. B. für *Bier, *Ethanol u. *Glucose-Isomerase durchgeführt. Vorteile bestehen in der gegenüber *Batch-Fermentationen größeren Raum-Zeit-Ausbeute, der besseren automat. Kontrolle u. den über längere Zeiträume genau definierten Bedingungen. – $E=F$ chemostat – I chemiostato – S quimiostato
Lit.: Crueger-Crueger (3.), S. 63 ff. ▪ Präve et al. (4.), S. 411 f.

Chemosterilantien. Bez. für chem. *Schädlingsbekämpfungsmittel, die durch Veränderung an *Chromosomen von männlichen u./od. weiblichen *Insekten deren Fortpflanzungsfähigkeit herabsetzen od. völlig verhindern. Die C. lassen sich in drei Gruppen einteilen: *alkylierende Substanzen*, die größte Gruppe unter den C., greifen meist direkt das genet. Syst. an. Es handelt sich in der Mehrzahl um Verb., die eine od. mehrere Aziridinyl-Gruppen enthalten. *Antimetaboliten*, vorwiegend *Purin-, *Pyrimidin- u. *Folsäure-Analoge, greifen in den Stoffwechsel ein u. beeinflussen z. B. die *Nucleinsäure-Synthese. Die dritte Gruppe besteht aus *unterschiedlichen Verb.* wie Triphenylzinn-Derivaten, cycl. Harnstoffen, Hormonen u. Antibiotika. Schwerwiegende toxikolog. Bedenken u. das Auftreten von Resistenzerscheinungen haben eine breite Anw. der C. bisher verhindert. Am vielversprechendsten scheint eine Meth. zu sein, bei der die Insekten mit Hilfe von *Pheromonen angelockt u. dann über das Futter od. bauliche Maßnahmen mit den C. in Berührung gebracht werden. – E chemosterilants – F stérilisants chimiques – I chemiosterilizzatori – S quimioesterilizantes
Lit.: s. Autozid-Verfahren.

Chemosynthese s. Chemotrophie.

Chemotaxis (von *Taxis). Viele *Bakterien, Gameten von *Algen u. *Pilzen sowie Geschlechtszellen aller Art, aber auch *Leukocyten u. a. *Zellen orientieren sich nach dem Konzentrationsgefälle bestimmter Reizstoffe, deren chem. Aufbau manchmal sehr kompliziert ist (s. die einzelnen Organismen) u. die mit spezif. *Rezeptoren (*Chemorezeptoren*) erkannt werden. Man unterscheidet pos. C. (Anlockung) durch *Attraktantien wie z. B. Nährstoffe u. neg. C. (Abstoßung) durch *Repellentien (z. B. *Schadstoffe). Die biochem. Zusammenhänge sind bei *Bakterien bekannt. Als spezif. Rezeptoren dienen im periplasmatischen Raum lokalisierte lösl. Proteine, die nach Bindung an ein Chemotaktikum mit Proteinen in der Zellmembran (MCPs, Abk. für methylakzeptierende chemotakt. Proteine) wechselwirken u. so über weitere Schritte die Orientierungsbewegung auslösen. Bei *Salmonella typhimurium* wurden bislang neun *Gene zur Reizübermittlung zwischen Rezeptor u. Geißel identifiziert. – E chemotaxis – F chimiotaxie, chimiotactisme – I chemiotassia – S quimiotactismo, quimiotaxis
Lit.: Schlegel (7.), S. 69 ▪ Sorkin, Chemotaxis: Its Biology and Biochemistry, Basel: Karger 1974 ▪ Stryer (5.), S. 1019 f., 1041–1048 ▪ Wilkinson, Chemotaxis and Inflammation, Edinburgh: Livingstone 1974.

Chemotaxonomie. Bez. für dasjenige Teilgebiet der *Taxonomie, das sich mit der – meist hierarch. – Einordnung von Organismen in biolog. Syst. befaßt, indem es diese nach Gemeinsamkeiten ihrer *chem. Zusammensetzung* (z. B. von Pflanzeninhaltsstoffen od. von Bürzeldrüsensekreten u. Federbestandteilen bei Vögeln) zusammenfaßt. Als solche chem. Merkmale dienen z. B. ether. Öle, Blütenfarbstoffe, Alkaloide, Glykoside usw. – oft lassen sich aufgrund ihrer typ. Zusammensetzung „chem. Rassen" (*Chemodeme*) innerhalb der Arten erkennen, s. die ausführliche Darstellung anhand ether. Öle in *Lit.*[1]. – E chemotaxonomy – F chimiotaxonomie – I chemiotassonomia – S quimiotaxonomía
Lit.: [1] Dragoco-Rep. **24**, 203–230 (1978).
allg.: Bezzel u. Prinzinger, Ornithologie (2.), Stuttgart: Ulmer 1990 ▪ Hegnauer, Chemotaxonomie der Pflanzen (7 Bd.), Basel: Birkhäuser (seit 1962) ▪ Naturwissenschaften **58**, 585–598 (1971) ▪ Pure Appl. Chem. **34**, 353–672 (1973).

Chemotechniker. Je nach Ausbildungsort auch als Chemietechniker bezeichnet. Ein als Bindeglied zwischen Labor u. Produktion angesiedelter *Chemie-Beruf mit Fachschulausbildung. Der C. ist eine staatlich geprüfte Fachkraft mit der Fähigkeit, selbständig u. verantwortlich in seinem Arbeitsbereich in Laboratorien, Technika, Forschungs- u. Produktionsstätten vielseitig einsetzbar zu arbeiten. Der C. soll in vertieftem Umfang über Kenntnisse u. Fertigkeiten verfügen, wie sie im Berufsbild des *Chemielaboranten festgelegt sind. So baut die Ausbildung zum C. auf einer beruflichen Vorpraxis auf u. ist in der „Rahmenvereinbarung über Fachschulen mit zweijähriger Ausbildungsdauer" – Beschluß der Kultusministerkonferenz vom 12. 6. 1992 – geregelt. Für die Ausbildung, die in Vollzeitform (Tagestechnikerschule) 2 Jahre u. in Teilzeitform (Abendtechnikerschule) 4 Jahre dauert, gibt es die folgenden Wege: Nach bestandener Lehrabschlußprüfung als Chemielaborant, Chemiebetriebsjungwerker, Chemiefacharbeiter, *Chemikant od. Lacklaborant u. 1,5–2 jähriger Berufspraxis, je nach Ausbildungsgang, Besuch einer öffentlichen od. staatlich anerkannten od. staatlich genehmigten Tagesfachschule für Chemotechnik. *Chemisch-technische Assistenten können nach einer zweijährigen Berufspraxis ebenfalls eine Tagesschule für Chemotechnik besuchen. Für die Fortbildung zum Techniker in Teilzeitform kann einschlägige Berufspraxis bis zur Hälfte während der Fachschulausbildung abgeleistet werden. Die Abschlußprüfung vor einer Kommission des Regierungspräsidenten besteht aus je einem prakt., schriftlichen u. mündlichen Teil. Analoge Ausbildungsgänge mit Bedeutung für die Chemie sind der Techniker für Farbe, Lack, Kunststoff, der Physiktechniker, der Biotechniker u. der Umweltschutztechniker. Da der C. später als mittlere Führungskraft eingesetzt wird, muß er auch Fähigkeiten in Menschenführung aufweisen. Berufsspezif. Kenntnisse in Betriebswirtschaft u. Betriebsorganisation sind erforderlich. Der C. überwacht Betriebsabläufe u. versucht zusammen mit dem Betriebsleiter, aus dem Labor kommende Anregungen zur Verbesserung des Produktionsablaufs durch Umbau der Anlagen od. andere Maßnahmen umzusetzen. Weiterbildungsmöglichkeiten bestehen zum *Ingenieur; bei bes. guten Prüfungsleistungen kann eine Zulassung zum Chemiestudium an einer Hochschule erfolgen. In der Chem. Ind. wird der C. als Mitarbeiter im Forschungs- u. Entwicklungslabor, im analyt. Betriebs- u. Kontrollabor, im Technikum u. Produktionsbetrieb, in der anwendungstechn. Abteilung od. auch im Lehr- u. Ausbildungslaboratorium angestellt. Er kann auch im Verkaufsbereich als Kundenberater tätig sein. Ebenso findet der C. Anstellung in anderen Ind.-Zweigen, v. a. in der Mineralöl-Ind., in der Steinkohlen- u. Bergbau-Ind., in der eisenschaffenden u. -verarbeitenden Ind., in der Nichteisenmetall-Ind. u. in der Nahrungsmittel-Industrie. Schließlich gibt es Stellen für C. an Forschungs- u. Hochschulinst. u. in öffentlichen chemischen Untersuchungsstellen. Bes. Geeignete finden Verw. als techn. Lehrer an gewerblichen Berufs- u. Fachschulen. – *E* chemical technician – *F* technicien chimiste – *I* tecnico di chimica – *S* técnico químico

Chemotherapie, (-therapeutika). Behandlung von durch Bakterien, Viren, Protozoen, Pilze u. Würmer verursachte Infektionskrankheiten sowie von Krebserkrankungen mit chem. Stoffen. Die C. in diesem Sinne begann mit der Entwicklung des *Salvarsans durch P. *Ehrlich 1910, der Entdeckung der *Sulfonamide durch G. *Domagk 1935 u. der des *Penicillins durch A. *Fleming 1929. Man unterscheidet die C. von Infektionskrankheiten mit antibakteriellen u. antiviralen Chemotherapeutika, *Anthelmintika u. Antiprotozoenmitteln von der C. maligner Tumoren. *Antiinfektiöse* Chemotherapeutika sollen die Krankheits-verursachenden Organismen schädigen, nicht aber den Wirtsorganismus. Dabei unterscheidet man eine Erreger-hemmende (bakterio- od. virustat.) u. eine Erreger-abtötende (bakterizide, mikrobizide, viruzide) Wirkung. *Antibakterielle Chemotherapeutika* sind Stoffwechselprodukte von Mikroorganismen od. deren halbsynthet. Derivate (*Antibiotika) od. synthet. hergestellte Verbindungen. Wichtige Gruppen antibakterieller Chemotherapeutika sind z. B. die bakteriziden *Penicilline, *Cephalosporine u. *Aminoglykoside sowie die bakteriostat. *Tetracycline u. *Sulfonamide. Die Charakteristik eines Mittels hängt ab von der Wirksamkeit auf bestimmte Erregerarten (Wirkungsspektrum), dem Wirkungstyp (bakteriostat., bakterizid), der Wirkungsstärke u. dem mol. Wirkungsmechanismus. Als Kriterien für den klin. Einsatz gelten neben den Wirksamkeitsparametern die pharmakokinet. Eigenschaften u. die Verträglichkeit. Weitere antiinfektöse Chemotherapeutika wie *antivirale* Substanzen wie *Amantadin u. *Aciclovir, Mittel gegen Pilzinfektionen (*Antimykotika) wie Nystatin od. *Clotrimazol u. Substanzen gegen tier. Parasiten wie Einzeller (Antiprotozoenmittel) u. Würmer (Anthelmintika).

Unter der C. *von Tumoren* versteht man die Gabe von Zellgiften zur Behandlung von im gesamten Körper verbreiteten Tumoren u. von verbliebenen Tumorzellen nach lokaler chirurg. Behandlung od. Bestrahlung. Diese Stoffe greifen spezif. in bestimmte Vorgänge der Zellteilung ein, so daß Gewebe mit hohem Anteil an sich teilenden Zellen wie das rasch wachsende Tumorgewebe, aber auch Haare u. Schleimhäute empfindlicher reagieren. Durch die Kombination von Wirkstoffen mit unterschiedlichem Angriffspunkt (Polychemotherapie) werden bessere Erfolge bei verminderten Nebenwirkungen erreicht. Zum Einsatz kommen u. a. alkylierende Verb. (*Cyclophosphamid), *Antimetabolite (*Methotrexat), Alkaloide (*Vincristin), Antibiotika (*Adriamycin) u. Hormone (*Prednison).

Lit.: Forth et al. (6.) ▪ Gilman et al., The Pharmacological Basis of Therapeutics, New York: Macmillan 1990.

Chemotrophie (von ...troph). Bez. aus der *Mikrobiologie für die Ernährungsweise (*Stoffwechsel-Typ) von Mikroorganismen, die ihren Energie-Stoffwechsel durch Chemosynth., d. h. mittels chem. Reaktionen aufrechterhalten (Gegensatz: *Phototrophie). Je nachdem, ob anorgan. od. organ. Substrate in den Oxid.-Red.(*Redox)-Reaktionen umgesetzt werden, unterscheidet man *Lithotrophie (s. Chemolithotrophie) u. *Organotrophie. Energie kann durch aerobe od. anaerobe *Atmung od. durch *Gärung gewonnen werden. – *E* chemotrophy – *F* chimiotrophie – *I* chemiotrofia – *S* quimiotrofia

Lit.: Präve et al. (4.), S. 129–139 ▪ Schlegel (7.), S. 201 ▪ Stryer (5.), S. 327–341.

Chemotropismus (von ...*tropismus). Bei *Pflanzen Bez. für eine der *Chemotaxis analoge, durch chem. Stoffe ausgelöste Wachstumsbewegung in Richtung auf den Reizstoff hin (*pos. C.*) bzw. von ihm weg (*neg. C.*). Bei Bewegungen, bei denen eine derartige Richtungsabhängigkeit nicht zu erkennen ist, spricht man von *Chemonastie* (s. Nastien); bekanntestes *Beisp.:* *Mimosen, s. *Lit.*[1] u. *Lit.* bei Chemotaxis. – *E* chemotropism – *F* chimiotropisme – *I* chemiotropismo – *S* quimiotropismo

Lit.: [1] Naturwissenschaften **65**, 125–129 (1978).

CHEM-REZ®. Kalthärtende Furan-Harze zur Herst. von Kernen u. Formen für alle Gußarten. Für Stahlguß u. Pinholes-empfindlichen Grauguß N2-freie, N2-arme Spezialtypen. Die Verw. von regeneriertem Altsand bis zu 100% bei einem Binderanteil von 0,7–1,2% wird mit diesen No-Bake-Harzen ermöglicht. *B.:* Ashland-Südchemie-Kernfest GmbH.

Chemsalan. Fettalkoholethersulfate, Fettalkoholsulfate. *B.:* Chemische Fabrik Chem-Y.

Chemson. Kurzbez. für die Chemson Gesellschaft für Polymer-Additive mbH, Reuterweg 14, 60271 Frankfurt/Main. Ein Unternehmen der Chemetall-Gruppe. *Daten* (1994/95): Kapital 5,5 Mio DM, Umsatz 40,28 Mio. DM.

Chemurgie (Chemiurgie). Von griech.: ergon = Arbeit abgeleitete, heute nur noch selten verwandte Bez. für

die Gewinnung chem. Produkte aus organ., von der Land- u. Forstwirtschaft erzeugten Stoffen; *Beisp.*: Alkohol aus Kartoffeln, Seife aus Pflanzen- u. Tierfetten, Leim aus tier. Eiweiß, Kautschuk aus Kautschukpflanzen, Penicillin aus Pilzen, Kunststoffe aus Cellulose, Vitamine, Hormone, Pektine, Alginate, Aminosäuren, Arzneimittel usw. aus Tier- u. Pflanzenstoffen. – *E* chemurgy – *F* chemurgie – *I* chimiurgia – *S* quimica agricola
Lit.: Kirk-Othmer (3.) 5, 553–564.

ChemVerbotsV s. Chemikalienverbotsverordnung.

Chem-Y. Kurzbez. für Chemische Fabrik Chem-Y GmbH, Kupferstr. 1, D-46446 Emmerich, gegr. 1952. *Daten:* ca. 150 Beschäftigte, Stammkapital: 11,5 Mio. DM, Umsatz: ca. 100 Mio. DM. Produkte für die kosmet., Reinigungsmittel- u. chem.-techn. Industrie.

Chenodesoxycholsäure ($3\alpha,7\alpha$-Dihydroxy-5β-cholan-24-säure, Chenodiol).

$C_{24}H_{40}O_4$, M_R 392,58. In Wasser, Petrolether u. Toluol unlösl. Krist., Nadeln, Schmp. 168–171 °C (auch 119 °C u. 149 °C angegeben), $[\alpha]_D^{20}$ +11° (C_2H_5OH), leicht lösl. in Alkohol, Aceton, Essigsäure. Als in der Leber gebildete *Gallensäure ist C. ein Hauptbestandteil der *Galle von Gänsen, Hühnern u. vielen Säugetieren, auch des Menschen (Hirsch bis 45%, Affe bis 13%). Sie vermag Cholesterin in Lsg. zu bringen u. kann daher zur nichtoperativen Entfernung Cholesterin-haltiger *Gallensteine eingesetzt werden (große Mengen p.o., dabei Gefahr der Entstehung von Leber- u. Gallenzirrhosen durch *Lithocholsäure!)[1]. Die an C-7 epimere Verb. heißt *Ursodesoxycholsäure* (Schmp. 206 °C) u. wird im gleichen Sinne gebraucht. *Biosynth.:* Aus *Cholesterin in der Leber zu Cholsäure, dann im Darm durch 7α-Dehydroxylierung der Cholsäure zu Chenodesoxycholsäure. – *E* chenodeoxycholic acid – *S* ácido quenodesoxicólico
Lit.:[1] Prakt. Arzt 12, 1529 (1978); Z. Allg. Med. 54, 70 (1978). *allg.:* Beilstein E IV 10, 1604 ▪ Drugs 21, 90 f.; (1981) ▪ Hager (5.) 7, 827; 9, 1141 ▪ Hofmann, Chenodeoxycholic Acid and Gallstone Dissolution, Lancaster: MTP 1978 ▪ Hofmann, Chenodeoxycholic Acid Therapy of Gallstones (2. Tl.), Stuttgart: Schattauer 1974, 1975 ▪ J. Am. Chem. Soc. 103, 2890 (1981) ▪ s. a. Gallensäuren. – [*HS* 2918 19; *CAS* 8474-25-9]

Chenopodiumöl (Wurmsamenöl). Aus Wurmkraut (*Chenopodium abrosioides* var. *anthelminticum*, Familie Gänsefußgewächse) gewonnenes ether. Öl (D^{25} 0,950–0,980, n_D^{20} 1,472–1,479), das früher bei Mensch u. Tier gegen Wurmparasiten (Spul- u. Hakenwürmer) eingesetzt wurde. C. ist heute wegen seiner Nebenwirkungen in der Humanmedizin obsolet. C. enthält v. a. *Ascaridol (60–75%), Ascaridolglykol, *p*-Cymol (20–30%), α-*Terpinen, *Limonen. – *E* oil of chenopodium – *I* olio di chenopodio – *S* aceite de quenopodio
Lit.: Braun-Frohne (6.) S. 146 f. ▪ Hager (5.) 7, 298.

Chephasaar. Kurzbez. für die Arzneimittelfirma Chephasaar GmbH, chemisch-pharmazeut. Fabrik, Mühlstraße 50, 66386 St. Ingbert.

Cherimoya. C. (*Annona cherimola*) ist eine Sammelbeerenfrucht der Familie Annonaceae, zugleich die verbreitetste u. wohlschmeckendste Art. Andere Vertreter sind der Sauersack od. Stachelannone (*A. muricata*), die Ochsenherzannone od. Netzannone (*A. reticulata*) u. der Rahmapfel od. Süßsack (*A. squamosa*). Alle vier Arten sind in den Tropen Amerikas zu Hause u. werden dort sowie in warmen Gebieten der Alten Welt kultiviert. Die C. war schon bei den Inkas in Kultur u. gedieh bis in die Subtropen hinein. Die immergrünen, ovalen Blätter tragenden kleinen *Annona-Bäumchen bilden an Kurztrieben Blüten aus, die in ihrem Bau an die Magnolien erinnern. Nach der Bestäubung verwachsen die Einzelfrüchte zu einer Sammelbeere. Die Annonen enthalten 70–80% Wasser, 1–1,7% Eiweiß, 0,3–0,7% Fett u. 14–20% Zucker. – *E* cherimoga – *I* anona cherimola – *S* cherimoya
Lit.: Franke, Nutzpflanzenkunde, Stuttgart: Thieme 1992.

Cherry Brandy. Fruchtsaftlikör aus Kirschsaft, Kirschwasser, Zucker od. Stärkesirup, Ethanol u. Wasser, der in der BRD oft eine Bittermandel-Aromatisierung aufweist; Mindestgehalt an Alkohol 30% vol.

Chert s. Kieselgesteine.

Chevreau. Chromgare Leder von jungen Ziegen als glatte, glänzende Oberleder für feinere Schuharten.
Lit.: Stather, Gerbereichemie u. Gerbereitechnologie (4.), Berlin: Akademieverl. 1967 ▪ Ullmann (4.) 16, 115; s. a. Gerberei.

Chevrette. Auf Chevreau-Ähnlichkeit gegerbtes u. zugerichtetes Schafleder.
Lit.: Stather, Gerbereichemie u. Gerbereitechnologie (4.), Berlin: Akademieverl. 1967; s. a. Gerberei.

Chevreul, Michel-Eugène (1786–1889), Prof. für Chemie, Paris. *Arbeitsgebiete:* Walrat, Wollfett, Fettalkohole, Entdeckung von 7 Fettsäuren, Cholesterin u. Naturfarbstoffen, Herst. von Stearinkerzen, Begründung der wissenschaftlichen Fett- u. Seifenforschung.
Lit.: Chem. Unserer Zeit 13, 176 f. (1979) ▪ Costa, Chevreul, Pioneer of Organic Chemistry, Madison: State Historical Soc. of Wisconsin 1962 ▪ Farber, Great Chemists, S. 437–451, New York: Interscience 1961 ▪ J. Chem. Educ. 42, 392–393 (1965) ▪ Krafft, S. 44 ▪ Neufeldt, S. 11 ▪ Pötsch, S. 85 ▪ Strube 2, 42 ▪ Strube et al., S. 80, 83.

Chi s. χ (Anfang C).

Chiastolith s. Andalusit.

Chibro®-. Durch Marke geschützter Namensvorsatz von Ophthalmika, im allg. Augen-Tropfen, der Firma Chibret Pharmazeut. GmbH, München, die z. B. Proxymetacain-Hydrochlorid, Dexamethason u. Neomycin, Timolol, Indometazin od. 8-Hydroxy-1-methylchinoliniummethylsulfat enthalten können.

Chicago-Säuren s. Naphtholsulfonsäuren.

Chilesalpeter. Farbloses bis grauweißes, leichtlösl. Salz, das (als Handelsware) aus etwa 98% *Natriumnitrat besteht u. Verunreinigungen aus NaCl, Na_2SO_4, u. a. sowie Spuren von Perchloraten u. Natriumiodat enthält. C. wird seit 1825 aus der *Caliche in der fast regenlosen, nordchilen. Atacama-Wüste durch Umkristallisieren gewonnen. Etwa bis 1880 baute man fast nur *Caliche* mit hohem Salpeter-Gehalt ab; heute wird auch die dicht unter der Caliche lagernde *Costra* mit geringerem Gehalt an $NaNO_3$ verarbeitet. Zur Entstehungsweise der bis 600 km langen u. 1–2 m mächtigen C.-Lager s. Lit.[1]. Seit 1950 ging die C.-Förderung von 1,67 auf rund 0,50 Mio t/a zurück. Da $NaNO_3$-Düngemittel nur noch geringe Bedeutung haben, liegt der hauptsächliche Nutzen der Salpeter-Gewinnung heute im Nebenprodukt Iod, das im C. bis zu 0,1% enthalten ist. – *E* Chile salpetre – *I* salnitro del Cile – *S* salitre de Chile

Lit.: [1] Nature (London) **219**, 1131 ff. (1968).
allg.: Hommel Nr. 147 ▪ Kirk-Othmer (3.) **21**, 228–239 ▪ Ullmann (5.) **A 10**, 347; **A 14**; 383 f.; **A 17**, 266 ff. ▪ Winnacker-Küchler (4.) **2**, 168, 344. – [*HS 3102 50*]

Chil(l)ies s. Paprika.

Chimitex Cellchemie GmbH. 79650 Schopfheim. *Daten* (1995): ca. 30 Beschäftigte, 1,3 Mio. DM Kapital, ca. 12 Mio. DM Umsatz. *Produktion:* Bindemittel, Ind.-Klebstoffe, Maschinen für die Auftragstechnik.

China-Alkaloide. Therapeut. wichtige *Alkaloide aus der *Chinarinde (Cortex Chinae), die aus der Rinde verschiedener *Cinchona*-Arten (Rubiaceae) gewonnen wird. Zaire, Indonesien u. Malaysia sind Hauptproduzenten der Rinde, aus der ca. 4000–5000 t/a der Hauptalkaloide *Chinin u. *Chinidin (80% des Gesamtalkaloid-Gehalts) extrahiert werden. Weiterhin sind *Cinchonin u. *Cinchonidin, außerdem *Indol-Alkaloide enthalten. Bei den *Chinolin-Alkaloiden ist der Chinolin-Ring über eine Hydroxymethyl-Brücke mit dem tricycl. Chinuclidin-Ring (1-Azabicyclo[2.2.2.]octan), der in 3-Stellung eine Vinyl-Gruppe trägt, verbunden. In der Chinarinde liegen die C. als Salze der *Chinasäure u. a. Säuren, z. B. *Gallussäure, vor. – *E* cinchona alkaloids – *F* alkaloides de chine – *I* alcaloidi della china – *S* alcaloides de la quina

Lit.: Curr. Res. Med. Aromat. Plants **9**, 34–56 (1987) (Review) ▪ Manske **34**, 331–398 ▪ Ullmann (5.) **A 1**, 388, 395. – *Synth.:* Chem. Heterocycl. Compd. **25**, 729–752 (1983) ▪ J. Chem. Soc., Perkin Trans. 1 **1987**, 1053–1058

Chinablau. Farbstoff für Bakterien-Nährböden (s. Wasserblau). Mit C. werden gelegentlich auch bestimmte Sorten von Berliner Blau (Preußischblau), Indigo, Chessilithblau u. dgl. bezeichnet. – *E* Chinese blue – *F* bleu de Chine – *I* blu di Cina – *S* azul chino

China Clay s. Kaoline.

Chinacridon (5,12-Dihydro-chinolo[2,3-*b*]acridin-7,14-dion).

$C_{20}H_{12}N_2O_2$, M_R 312,33. Gelbe Krist., Schmp. 394 °C, gut lösl. in Eisessig, Anilin u. alkohol. Laugen (Gelbfärbung mit blaugrüner Fluoreszenz). C. ist der Grundkörper der *Chinacridon-Pigmente*, die für violett-rote Farbnuancen, z. B. in Autolacken, Verw. finden. – *E* quinacridone – *F* quinacridon – *I* chinacridone – *S* quinacridona

Lit.: Beilstein EV **24/8**, 581 ▪ Helv. Chim. Acta **55**, 85–100 (1972) ▪ Herbst u. Hunger, Industrial Organic Pigments, S. 4, 8, 447, Weinheim: VCH Verlagsges. 1993 ▪ Winnacker-Küchler (3.) **4**, 251 f., 366.

Chinaldin s. Methylchinoline.

Chinaldinrot.

$C_{21}H_{23}IN_2$, M_R 430,33. Dunkelgrünes bis grauschwarzes, feinkrist. Pulver, wenig lösl. in Wasser, leicht lösl. in Alkohol, Aceton, Chloroform u. Eisessig.
Verw.: *Indikator für Titrationen in nichtwäss. Lsm. (titrimetr. Bestimmung von schwachen Basen mit Perchlorsäure); Umschlag: pH 3,2–1,4 (violett – fast farblos). – *E* quinaldine red – *F* rouge de quinaldine – *I* rosso di chinaldina – *S* rojo de quinaldina

Lit.: Beilstein EV **22/11**, 167 ▪ Merck Index (11.), Nr. 8057. – [*CAS 117-92-0*]

Chinaldinsäure s. 2-Chinolincarbonsäure.

Chinalizarin (Alizarinbordeaux, 1,2,5,8-Tetrahydroxy-anthrachinon).

$C_{14}H_8O_6$, M_R 272,21. Dunkelrote Nadeln mit grünem Metallglanz, Schmp. oberhalb 275 °C, unlösl. in Wasser, wenig lösl. in Alkohol, lösl. in Aceton, wäss. Alkalilsg., Eisessig, Schwefelsäure.
Verw.: Zum Nachw. u. zur kolorimetr. Bestimmung von Be, Mg, B, Al, Ga, In u. von Fluoriden. Baumwollfarbstoff, färbt auf Tonerde-Beize bordeauxähnlich, auf Chromlack bräunlichviolett. C. entsteht aus *Alizarin durch Erhitzen mit rauchender Schwefelsäure u. Borsäure. – *E* quinalizarin – *F* quinalizérine – *I* chinalizarina – *S* quinalizarina

Lit.: Beilstein E IV **8**, 3683 ▪ Merck Index (11.), Nr. 8059. – [*CAS 81-61-8*]

Chinapfeffer s. Pfeffer.

China-Restaurant-Syndrom s. Natrium-L-glutamat u. Glutamate.

Chinarinde (*Cortex cinchonae*). Getrocknete Stamm- u. Zweigrinde der in Südamerika heim. u. in vielen Tropengebieten (bes. Java, Ceylon, Vietnam, Kongo u. Indien) in 1000–3500 m Höhe angepflanzten *Cinchona*-Arten (Rubiaceae): der roten offizinellen Apothekenrinde von *C. pubescens* (*succirubra*) u. der gelben Fabrikrinde von *C. calisaya* (*ledgeriana*) mit einem Chinin-Gehalt von 80% der gesamten Alkaloid-Menge; der Name stammt vom altperuan. Wort Kina für Rinde. Die Außenseite der Bäume ist durch Flechtenbesatz meist weißlichgrau. Die Rinde wird entweder von gefällten od. wachsenden 6–8 Jahre alten Bäumen geschält. Sie kommt in röhren- od. halbröhrenförmigen Stücken in den Handel. In der Rinde sind etwa 30 Alkaloide in einer Gesamtkonz. von etwa 4–12% enthalten. Hauptalkaloide sind die Diastereo-

merenpaare *Chinin-*Chinidin u. *Cinchonin-*Cinchonidin. Ihre Grundgerüste bestehen aus Chinolin- u. Chinuclidin-Syst. (s. China-Alkaloide). Für den bitteren Geschmack der Droge ist nicht nur Chinin verantwortlich, sondern auch das sehr bittere Chinovin.
Verw.: Anw. finden prakt. nur noch die Reinalkaloide Chinin u. Chinidin als *Antimalariamittel, Tonika, bittere Stomachika. – *E* cinchona bark – *F* écorce de quine – *I* corteccia di China – *S* corteza de quina
Lit.: DAB 10 u. Komm. ▪ Hager (5.) **4**, 871–884 ▪ Wichtl, S. 131 f. – *[HS 1211 90]*

Chinasäure (1,3,4,5-Tetrahydroxycyclohexancarbonsäure).

(1*R*)-(-)-Form

$C_7H_{12}O_6$, M_R 192,17. Sauer schmeckende, monokline Prismen, leicht lösl. in Wasser u. Eisessig, $[\alpha]_D^{26}$ –42° (H_2O). Die (1*R*)-(–)-C., Schmp. 168–170 °C, ist neben Catechin-Gerbstoffen in der Chinarinde salzartig an die *China-Alkaloide gebunden; außerdem findet sie sich in Kaffeebohnen (an *Kaffeesäure zu *Chlorogensäure gebunden), Zuckerrüben, Wiesenheu, Stachelbeeren, Brombeeren sowie in den Blättern der Heidel- u. Preiselbeere. Über cholagog wirksame C.-Ester aus Artischocken s. Cynarin. C. wurde gegen Gicht angewendet. C. wird gelegentlich zur *Racemattrennung verwendet. Dehydratisierung führt zu *Shikimisäure. – *E* quinic acid – *F* acide quinique – *I* acino chinico – *S* ácido quínico
Lit.: Beilstein E IV **10**, 2257 ▪ Conn, The Shikimic Acid Pathway, New York: Plenum 1986 ▪ Nat. Prod. Rep. **10**, 233–263 (1993); **11**, 173–203 (1994) ▪ Zechmeister **35**, 80–85. – *Synth.:* Helv. Chim. Acta **74**, 807–818 (1991). – *[HS 2918 19; CAS 36413-60-2]*

Chinazolin (Benzopyrimidin).

$C_8H_6N_2$, M_R 130,15. Farblose, Chinolin-artig riechende, bitter schmeckende Blättchen, Schmp. 48 °C, Sdp. 241 °C, lösl. in Wasser u. vielen organ. Lösemitteln. Einige C.-Derivate haben blutdrucksenkende Wirkung. Das 4-Hydroxy-Derivat bzw. seine Keto-Form, das *Chinazolon* ($C_8H_6N_2O$, M_R 146,15, farblose Nadeln, Schmp. 209 °C, destilliert bei ca. 360 °C, schwerlösl. in Ligroin u. Petrolether, die Lsg. fluoresziert blau) ist Grundkörper verschiedener Antiepileptika. – *E* = *F* quinazoline – *I* chinazolina (benzopirimidina) – *S* quinazolina
Lit.: Adv. Heterocycl. Chem. **1**, 253–309 (1963) ; **24**, 1 ff. (1979) ▪ Beilstein E V **23/7**, 129 ff. ▪ Fortschr. Arzneimittelforsch. **14**, 218–268 (1970) ▪ Ullmann (4.) **12**, 657; (5.) **A 1**, 367 ▪ Weissberger **24/1**. – *[HS 2933 59; CAS 253-82-7]*

Chinhydrone. Gruppenbez. für meist tiefgefärbte Additionsverb. aus Chinonen u. Hydrochinonen (**Charge-transfer-Komplexe*). Bei entsprechend substituierten *Paracyclophanen können C. auch intramol. auftreten, s. *Lit.*[1]. Das gewöhnliche C. aus *Benzochinon u. *Hydrochinon hat die Formel

$C_{12}H_{10}O_4$, M_R 218,21. Der Name wurde 1844 von Wöhler durch Zusammenziehung aus *Chin*on u. *Hy*drochin*on gebildet. C. krist. in rotbraunen Nadeln mit grünem Oberflächenglanz, D. 1,40, Schmp. 171 °C, leicht lösl. in Alkohol u. heißem Wasser. Die Lsg. von C. in kalten organ. Lsm. ist wegen der Rückspaltung in Chinon u. Hydrochinon nur schwach rotgelb gefärbt. C. findet Verw. in der *Chinhydron-Elektrode*, einer Redox-Elektrode aus einem inerten Metall in einer gesätt. C.-Lsg., die in der *pH-Meßtechnik im sauren u. neutralen Bereich als *Ableitelektrode von Bedeutung ist. – *E* = *F* quinhydrones – *I* chinidroni – *S* quinhidrona
Lit.: [1] Angew. Chem. **85**, 831 f. (1973); **86**, 234 f. (1974); **89**, 839–842 (1977).
allg.: Beilstein E IV **7**, 2069 ▪ Ullmann (5.) **A 13**, 500 ▪ s. a. Chinone.

Chinidin [(9*S*)-6'-Methoxycinchonan-9-ol, β-Chinin, Pitayin]. Formel s. Chinin. $C_{20}H_{24}N_2O_2$, M_R 324,42; typ. *China-Alkaloid, rechtsdrehendes Diastereomer von *Chinin aus Chinarinde. Krist. freudig, schwer lösl. in Wasser, leichter in Alkohol, Ether, Chloroform, Schmp. 175 °C, $[\alpha]_D^{15}$ +262° (C_2H_5OH), wird bei der Isolierung von Chinin aus den Mutterlaugen gewonnen u. durch Fällung u. Salzbildung gereinigt.
Wirkung[1,2]: C. wirkt gegen Fieber u. wird seit 1918 als Cardiakum eingesetzt, meist in Form des C.-*Sulfats*, das in Wasser, Ethanol u. Chloroform gut, in Ether u. Aceton unlösl. ist. Es blockiert Na-Kanäle (Hemmung des Na-Einstroms) u. wirkt so antiarrhythm. bei Vorhofflimmern. Nach oraler Gabe wird C. gut resorbiert (bis zu 100%), zeigt hohe Plasmahalbwertszeiten (6–8 h) u. relativ lange Wirkdauer (6–8 h). C. wird in der Leber durch Hydroxylierung metabolisiert, 10–30% werden unverändert im Harn ausgeschieden.
Anw.: Als Sulfat bei Extrasystolen u. Vorhofflattern in max. Dosen von bis zu 2 g pro Tag[1,2]. Sowohl C. als auch Chinin wurden eingesetzt, um den Mechanismen der „multiple drug resistance" von Krebszellen gegenüber Chemotherapeutika zu untersuchen[3]. – *E* = *F* quinidine – *I* chinidina – *S* quinidina
Lit.: [1] DAB 10; Hager (5.) **4**, 876 ff.; **7**, 829–835. [2] Forth et al. (6.), S. 353. [3] J. Clin. Oncol. **10**, 1730 (1992).
allg.: ASP ▪ Beilstein E V **23/13**, 395 ▪ DAB 10 u. Komm. (C.-Sulfat) ▪ Florey **12**, 483–546 ▪ Manske **34**, 331–398 ▪ Martindale (30.), S. 72 ▪ Negwer (6.), Nr. 5748 ▪ Pharmacol. Ther. **23**, 179 (1983) ▪ Sax (8.), Nr. QFS 000–QHA 000 ▪ Ullmann (5.) **A 1**, 395; **A 2**, 445. – *[HS 2939 39; CAS 56-54-2]*

α-**Chinidin** s. Cinchonidin.

Chinin [(8*S*,9*R*)-6'-Methoxycinchonan-9-ol].
$C_{20}H_{24}N_2O_2$, M_R 324,42, krist. Bitterstoff, Schmp. 177 °C (als Trihydrat Schmp. 57 °C), C. ist ein *Chinolin-Alkaloid, in Wasser schwer lösl., gut lösl. in organ. Lsm. (Alkohol, Chloroform), in Sauerstoff-haltigen Säuren löst sich C. mit blauer Fluoreszenz wie Chinidin. Wie auch andere *China-Alkaloide bildet C. bes. mit *Chinasäure u. Gerbsäuren in der Pflanze lösl.

Salze, u. a. als Chinincitrat. Das C.-Sulfat u. C.-Hydrochlorid werden therapeut. verwendet. C. wird auch

R = H : (−)-Cinchonidin (+)-Cinchonin
R = OCH$_3$: (−)-Chinin (+)-Chinidin

für *Racemattrennungen eingesetzt. *Chinidin ist ein C.-Isomer mit entgegengesetzter Konfiguration an C8 u. C9. C. kommt neben mehr als 30 anderen China-Alkaloiden in der Droge Cinchona cortex (s. Chinarinde) vor. C. wird daraus industriell isoliert[1,2] u. als Sulfat gereinigt.

Wirkung[3,4]: C. ist ein Protoplasmagift, das bei entsprechender Konz. auf alle Zellen wirkt, da es zahlreiche Enzymsyst. hemmt. Es komplexiert die DNA (wie auch andere China-Alkaloide) u. stört so die DNA/RNA-Synthese.
C. zerstört Schizonten des Malariaerregers *Plasmodium falciparum*, womit dessen Entwicklungscyclus im menschlichen Blut unterbrochen wird (Malariamittel). Als Antimalariamittel ist C. durch Chloroquin, Plasmochin, Resochin, Halofantrin ersetzt worden. Neuerdings wird es wieder zu Behandlung von Malaria tropica, bes. bei Chloroquin-resistenten Stämmen von *Plasmodium falciparum* eingesetzt. Trotz der langen Verw. von C. sind bis heute keine C.-resistenten Malariaerreger aufgetreten.
C. wirkt auch antipyret. (fiebersenkend) u. schmerzstillend (symptomat. Behandlung von Erkältungskrankheiten), lokalanästhet. u. muskelrelaxierend sowie wehenanregend (früher Verw. als Wehenmittel u. Abortivum). In therapeut. Dosen können neurotox. Wirkungen (Gehör-, Sehstörungen, Schwindel) sowie Schweißausbrüche, Verwirrtheitszustände (= Cinchonismus) auftreten. Allergien sind häufig.

Toxizität: Bei schweren Vergiftungen werden Herzrhythmusstörungen, Atemdepression, Nierenversagen beobachtet. 5–10 g C. gelten als letale Dosis bei Erwachsenen (Therapie: Auslösen von Erbrechen, Gabe von Kohle, Magenspülung).

C.-Hydrochlorid besitzt einen Bitterwert von 200 000 u. wird vom dtsch. u. schweizer. Arzneibuch als Standardsubstanz zur Bitterwertbestimmung vorgeschrieben. Oft enthalten appetitanregende Getränke (z. B. *Tonic Water) C., fast die Hälfte des kommerziell gewonnenen C. wird in der Getränke-Ind. verwendet.

Geschichte: Die fiebersenkende Wirkung der Chinarinde haben schon die Indianer Südamerikas genutzt, in Europa wurden Drogenauszüge zu Beginn des 17. Jh. bekannt. Die Isolierung des C. geht auf Pelletier u. Caventou (1820) od. auf Sertürner (1811) zurück. Pictet hat 1912 erstmals die Konstitution von C. ermittelt u. Woodward 1944 die erste Totalsynth. beschrieben. – *E* = *F* quinine – *I* chinina – *S* quinina

Lit.: [1] Ullmann (5.) **A 1**, 395; **A 6**, 206; **A 24**, 214 (C.-Sulfat). [2] Florey **12**, 547. [3] DAB **10**; Hager (5.) **4**, 876 ff.; **7**, 833–841. [4] Forth et al. (6.), S. 699.
allg.: Beilstein E V **23/13**, 395–399 ▪ Chem. Pharm. Bull. **30**, 1925 (1982); **31**, 1551 (1983) (Synth.) ▪ Handb. Exp. Pharmacol. **68**, 61–81, 267–324 (1984) ▪ Manske **3**, 1–63; **14**, 181–223; **34**, 331–398 ▪ Sax (8.), Nr. QHJ 000–QMA 000 ▪ Winnacker-Küchler (3.) **4**, 604. – [HS 293921; CAS 130-95-0 (C.); 804-63-7 (C.-Sulfat)]

Chinin-Wässer. Bez. für alkoholfreie, maximal 80 mg/l *Chinin enthaltende *Limonaden, die meist als *Tonic Waters* bezeichnet werden. – *E* quinine waters – *F* liqueurs de quinine – *I* acque di chinina – *S* aguas tónicas

Chiniofon s. 8-Chinolinol.

Chinizarin (1,4-Dihydroxy-anthrachinon).

$C_{14}H_8O_4$, M_R 240,22. Gelbrote Blättchen, Schmp. 200–202 °C, od. tiefrote Nadeln, Schmp. 194–196 °C, in Wasser, Alkohol, Ether u. Benzol löslich. Das zu *Alizarin isomere, aus *p*-Chlorphenol u. Phthalsäureanhydrid mit Borsäure-haltiger Schwefelsäure, synthetisierte C. ist Zwischenprodukt bei Synth. von sauren Wollfarbstoffen. In der Medizin dient Chinizarin-2,6-disulfonsäure Dinatrium-Salz zur Lokalisation von Schweißabsonderungen. – *E* quinizarin – *F* quinizérine – *I* chinizarina – *S* quinizarina

Lit.: Beilstein E IV **8**, 3260 f. ▪ Ullmann (4.) **7**, 600 f.; (5.) **A 2**, 371, 375 ▪ Winnacker-Küchler (4.) **6**, 268 f. – [HS 291469; CAS 81-64-1]

Chinodimethane.

1,4-Chinodimethan   1,2-Chinodimethan

Gruppenbez. für Dimethylencyclohexadien-Derivate mit *chinoiden Systemen*, vgl. a. Chinonmethide. Die als meist instabile Produkte bei Dehydrierungs- od. anderen Abspaltungsreaktionen geeignet substituierter Alkylaryl-Verb. entstehenden C. polymerisieren leicht, s. z. B. Parylen. Die 1,2- od. *o*-C. gehen mit C,O- u. C,N-Mehrfachbindungen *Cycloadditionen ein[1], u. bei aromat. Anellierungen können sie als reaktive Zwischenprodukte dienen[2]. Ein interessantes Derivat ist das *7,7,8,8-Tetracyano-1,4-chinodimethan (TCNQ). – *E* quinodimethane – *F* quinodiméthanes – *I* chinodimetani – *S* quinodimetanos

Lit.: [1] Angew. Chem. **84**, 1108 f. (1972). [2] Synthesis **1973**, 416 f.

Chinoid. Von *Chinon abgeleitete Bez. für eine Elektronenkonfiguration in 6-gliedrigen Ringsyst., der *Konjugation, aber keine *Aromatizität zukommt. *Chinoide Syst.* entstehen durch *Desaromatisierung – z. B. bei einer Dehydrierung – *benzoider Syst.; *Beisp.:* s. bei gekreuzt-konjugiert, Hexaphenyl-

ethan, Triarylmethan- u. a. Farbstoffen etc. – *E* quinoid – *F* quinoïde – *I* chinoide – *S* quinoide
Lit.: Chem. Unserer Zeit **12**, 1–11 (1978).

Chinole s. Chinone.

Chinolin.

C_9H_7N, M_R 129,16. Farblose od. schwach gelbe, stark lichtbrechende, hygroskop., antisept. wirkende Flüssigkeit mit scharfem, unangenehmem Geruch. D. 1,093, Schmp. −16 °C, Sdp. 238 °C, in Wasser nur mäßig lösl., mit Alkohol u. Ether in jedem Verhältnis mischbar. Dämpfe u. Flüssigkeit reizen Augen, Atemwege u. Haut; die Flüssigkeit wird auch über die Haut aufgenommen, LD_{50} (Ratte oral) 331 mg/kg, wassergefährdender Stoff, WGK 2 (Selbsteinst.). Das zu ca. 0,3% im Steinkohlenteer vorkommende C. ist der Grundkörper der *Chinolin-Alkaloide; es ist ein starkes Protoplasmagift, wirkt gegen Mikroorganismen u. Fieber, früher gelegentlich gegen Malaria angewendet. Mit Säuren bildet C. wie die anderen organ. Basen gut krist. Salze; die Basizität des C. entspricht etwa der des Anilins.
Herst.: Aus Stein- u. Braunkohlenteer, durch *Skraupsche Synthese aus Anilin, Nitrobenzol, Glycerin, Schwefelsäure u. auf anderen Synthesewegen (s. *Lit.*[1]). Durch *Camps-Reaktion kommt man zu den Hydroxychinolinen.
Verw.: Äußerlich zu Pinselungen (5%ige Lsg.), zur Konservierung anatom. Präp. u. als Einschlußmittel in der Mikroskopie, als Analysensubstanz (pH-Bestimmung), zur Herst. von Sparbeizen, Photosensibilisatoren, Vulkanisationsbeschleunigern, *Chinolin-Farbstoffen* (Chinolingelb extra), Arzneimitteln (*8-Chinolinol); Saatgut-Beizen sowie als Lsm. für natürliche u. synthet. Harze. – *E* quinoline – *F* quinoléine – *I* chinolina – *S* quinolina
Lit.: [1] Chem. Rev. **35**, 78–279 (1944).
allg.: Beilstein E V **20/7**, 276 ff. ▪ Hommel, Nr. 888 ▪ Kirk-Othmer **16**, 865–899 ▪ Paquette, S. 4397 ▪ Ullmann **5**, 283–288; (4.) **9**, 311 ff.; (5.) **A 22**, 465 ▪ Weissberger **32/1** ▪ Winnacker-Küchler (3.) **4**, 225 f., 537, 615 ff., 733. – *[HS 2933 40; CAS 91-22-5; G 6.1]*

Chinolin-Alkaloide. Sammelbez. für ca. 200 Alkaloide mit dem Grundgerüst des *Chinolins, das durch Hydrierung od. Ankondensation weiterer Ringe verändert sein kann. Hierzu sind bes. die therapeut. wichtigen *China-Alkaloide (Cinchona-Alkaloide) *Chinin u. *Chinidin, aber auch *Cinchonin u. *Cinchonidin, einige Furochinolin-Alkaloide u. Acridin-Alkaloide u. im weitesten Sinne auch die Alkaloide der Brechnuß, *Strychnin u. *Brucin, die ein hydriertes Chinolin-Syst. besitzen, zu zählen. C.-A. kommen in Mikroorganismen, Pflanzen u. Tieren vor, in Pflanzen hauptsächlich in Rutaceae u. Rubiaceae (Rauten- u. Rötegewächse). C.-A. kommen auch in Käfern[1] u. Schwämmen[2] vor, u. a. mit bitterer, antisept., convulsiver u. antineoplast. Wirkung. Chinolin ist auch Teilstruktur im Redoxfaktor PQQ (= *Pyrrolochinolinchinon) in den Chinoenzymen, s. *Lit.*[3]. Auch das 1-(2-Chinolinyl)-β-carbolin (*Nitramarin*), $C_{20}H_{13}N_3$, M_R 295,34, aus dem Jochblattgewächs *Nitraria* zählt zur Reihe der C.-A., es zeigt schlafförderndne Eigenschaften im Tierversuch[4].
Biosynth.: Bei Pflanzen kann das Chinolin-Syst. biogenet. auf verschiedenen Wegen entstehen (biochem. Konvergenz). Bei China-Alkaloiden fungiert *Tryptophan als Vorstufe, während einfache Chinoline, Furochinoline u. Acridine aus *Aminobenzoesäure entstehen. Der zweite Biosynthesepartner ist häufig ein Hemiterpen (für Furochinoline) bzw. ein iridoides Monoterpen (*Secologanin) bei Cinchona-Alkaloiden. – *E* quinoline alkaloids – *F* alcaloides de quinoline – *I* alcaloidi della chinolina – *S* alcaloides de la quinoleína
Lit.: [1] Alkaloids **1**, 33 (1983). [2] J. Am. Chem. Soc. **110**, 4856 (1988). [3] Annu. Rev. Biochem. **63**, 299–344 (1994). [4] Chem. Pharm. Bull. **35**, 2261 (1987).
allg.: Alkaloids (London) **12**, 84–93 (1982); **13**, 99–121 (1983) ▪ Manske **32**, 341 ▪ Nat. Prod. Rep. **1**, 195–200 (1984); **2**, 393–400 (1985) ▪ Teuscher u. Lindequist, Biogene Gifte, S. 428–433, Stuttgart: G. Fischer 1994 ▪ Ullmann (5.) **A 1**, 366. – *[HS 2939 21-29; CAS 95360-17-1 (Nitramarin)]*

2-Chinolincarbonsäure (Chinaldinsäure).

$C_{10}H_7NO_2$, M_R 173,17. Schwach gelbliches, krist. Pulver, Schmp. 154–156 °C, schwerlösl. in kaltem Wasser, lösl. in heißem Wasser, Alkalimetallaugen, Alkohol. Die durch *Reissert-Reaktion zugängliche C. findet Verw. zur gewichtsanalyt. Bestimmung von Cd, Cu, Zn, U, zur kolorimetr. Bestimmung von Fe. C. gibt mit vielen 2-wertigen Kationen unlösl. Niederschläge (Chinaldinate). – *E* quinolinecarboxylic acid – *F* acide 2-quinoline-carbonique – *I* acido 2-chinolincarbossilico – *S* ácido 2-quinolincarboxílico
Lit.: Beilstein EV **22/3**, 183 f. – *[HS 2933 40; CAS 93-10-7]*

Chinolingelb A {Chinophthalon, 2-[2(1*H*)-chinolinyliden]-1,3-indandion}.

Gelber, Sprit-lösl. Farbstoff, $C_{18}H_{11}NO_2$, M_R 273,29, der bis 31. 3. 89 zur Herst. kosmet. Mittel zugelassen war. – *E* quinoline yellow A – *F* jaune de quinoléine A – *I* giallo di chinolina A – *S* amarillo de quinoleina A
Lit.: Beilstein EV **21/11**, 489 ▪ Blaue Liste, S. 149. – *[CAS 8003-22-3]*

Chinolingelb S [Chinophthalondisulfonsäure, 2-(1,3-Dioxo-2-indanyliden)-1,2-dihydrochinolindisulfonsäure, Natrium-Salz].

Gelber, wasserlösl. Farbstoff, $C_{18}H_9NNa_2O_8S_2$, M_R 477,37, der zum Färben von Lebensmitteln verwendet

wurde. – *E* quinoline yellow S – *F* jaune de quinoléine S – *I* giallo di chinolina S – *S* amarillo de quinoleina S
Lit.: Blaue Liste, S. 149. – *[CAS 8004-92-0]*

8-Chinolinol (8-Hydroxychinolin),

Tab.: Struktur des 8-Chinolinol u. einiger Hydroxychinoline.

Substituenten in Stellung	2	5	7
*Broquinaldol	CH$_3$	Br	Br
*Broxychinolin	H	Br	Br
Chiniofon (Ferron)	H	SO$_3$	I
*Chlorquinaldol	CH$_3$	Cl	Cl
Clamoxyquin	H	Cl	a
*Clioquinol	H	Cl	I
*Cloxyquin	H	Cl	H
Diiodhydroxychinolin	H	I	I
*Halquinol	H	Cl	Cl
8-Chinolinol	H	H	H

^{a} CH$_2$–NH–(CH$_2$)$_3$–N(C$_2$H$_5$)$_2$

C$_9$H$_7$NO, M$_R$ 145,16. Farblose Krist. od. Kristallpulver, Schmp. 76 °C, Sdp. 267 °C, in Wasser u. Ether schwer lösl., lösl. in Alkohol, Aceton, Chloroform, Benzol, wäss. Mineralsäuren. C., auch bekannt unter dem Namen *Oxin*, wird seit 1927 als quant. Reagenz zur Bestimmung von Al, Mg, Bi, Cd, Th, Ti, Zn usw. verwendet; mit Al-Ionen gibt es z. B. einen grünlich-gelben, krist. Niederschlag (Al-Gehalt 5,87%). Ca. 30 Metall-Ionen bilden mit C. Ionenkomplex-Salze z. B. von der Formel (C$_9$H$_6$NO)M. Die Bestimmungen können gravimetr., maßanalyt., spektralphotometr., polarograph., potentiometr. u. fluorometr. sowie chromatograph. durchgeführt werden. C. eignet sich auch als Testsubstanz in der organ. Elementaranalyse, nämlich für die Bestimmung von C, H, N u. O. In Form seines wasserlösl. Sulfats (*8-Chinolinol-sulfat*, *Chinosol*) wird C. als Rachendesinfiziens u. als Fungizid im Weinbau eingesetzt. Vom C. leiten sich eine Reihe von pharmakolog. aktiven, in der Tab. aufgeführte Verb. (*Hydroxychinoline*) ab. Präp. mit Clioquinol od. Broxychinolin werden seit 1970 für das Auftreten einer SMON genannten Erkrankung (subacute myelo-optic neuropathy) in Japan verantwortlich gemacht. – *E* = *F* 8-quinolinol – *I* 8-chonilinolo – *S* quinolin-8-ol
Lit.: Arzneimittelchemie III, 159–163 ▪ Beilstein E V **21**/3, 252 ff. ▪ Hager (5.) **7**, 841 ▪ Kirk-Othmer (3.) **11**, 705 f.; **19**, 550–553 ▪ Some Miscellaneous Pharmaceutical Substances (IARC Monogr. 13), Lyon: IARC 1977 ▪ Ullmann (4.) **9**, 277 ff., 312; **13**, 193. – *[HS 2933 40; CAS 148-24-3]*

Chinolizidin-Alkaloide.

Sammelbez. für *Alkaloide mit dem Grundgerüst des Chinolizidins (Perhydrochinolizin, s. Formel). Zu den C.-A. zählen v. a. die Alkaloide der *Lupinen (Lupinin, *Spartein, Lupanin) sowie das im Goldregen u. Ginster vorkommende *Cytisin u. die *Lycopodium-Alkaloide. Das Chinolizidin-Gerüst kann auch Bestandteil von tri- u. tetracycl. Syst. od. mehrkernigen Alkaloiden sein, z. B. in dem zu den *Isochinolin-Alkaloiden gehörenden *Berberin.
Biosynth.: Die C.-A. sind aus 2–4 *1,5-Pentandiamin-Einheiten aufgebaut (Entstehung aus L-*Lysin).
Wirkung: C.-A. wirken fraßhemmend u. hemmen die Entwicklung pflanzenpathogener Viren sowie vieler Bakterien u. Pilze. – *E* quinolizidine alkaloids – *F* alcaloides de quinolizidine – *I* alcaloidi della chinolizidina – *S* alcaloides de la quinolizidina
Lit.: Alkaloids (London) **11**, 63–70 (1981); **13**, 87–98 (1983) ▪ Alkaloids (N. Y.) **28**, 183–308 (1986) ▪ Bernays (Hrsg.), Focus on Plant Insect Interactions IV, S. 131–166, Boca Raton: CRC Press 1992 ▪ Chem. Pharm. Bull. **36**, 3348 (1988) ▪ Nat. Prod. Rep. **1**, 349 (1984); **11**, 639 (1994) ▪ Planta Med. **53**, 509 (1987) ▪ Rodd's Chem. Carbon Compd. (2.) **4**, 285–342 (1978) ▪ Ullmann (5.) A **1**, 364 (1985). – *[HS 2939 90]*

Chinomethionat. Common name für *S,S'*-(6-Methylchinoxalin-2,3-diyl)dithiocarbonat.

C$_{10}$H$_6$N$_2$OS$_2$, M$_R$ 234,29. Schmp. 170 °C, LD$_{50}$ (Ratte oral) 2500 mg/kg (WHO), von Bayer 1962 eingeführtes selektives nicht-system. *Fungizid u. *Akarizid gegen Echten Mehltau u. Spinnmilben im Obst-, Gemüse- u. Zierpflanzenanbau. – *E* chinomethionat, quinomethionate – *F* chinomethionate – *I* chinometionato – *S* quinometionato
Lit.: Farm ▪ Pesticide Manual. – *[HS 2934 90; CAS 2439-01-2]*

Chinondiazide. Gruppenbez. für chinoide *Diazocarbonyl-Verb.*, die eine Carbonyl- u. eine Diazo-Gruppe enthalten, s. die Abb. bei Chinonmethide. Bes. die *o*-C. haben in der Photographie Bedeutung erlangt; Lichteinwirkung führt zur Abspaltung von Stickstoff mit weiteren Folgereaktionen. (*Süs-Reaktion, *Wolff-Umlagerung). – *E* = *F* quinone diazides – *I* chinondiazidi – *S* quinondiazidas
Lit.: Angew. Chem. **87**, 52–63 (1975) ▪ Ershov et al., Quinone Diazides, Amsterdam: Elsevier 1981 ▪ Winnacker-Küchler (3.) **5**, 634 f.

Chinone. Große u. wichtige Gruppe von organ. Verb., die als Oxidationsprodukte von Aromaten aufgefaßt werden können. Der Name C. leitet sich von *Chinasäure ab, deren Oxid. zu *Benzochinon führt. Durch Dehydrierung des (farblosen) *Hydrochinons entsteht das gelb gefärbte 1,4-Benzochinon (s. Benzochinone), in dem kein *benzoides* Doppelbindungssyst. mehr vorliegt, sondern ein (desaromatisiertes) *chinoides System.

Hydro-   1,4-Benzo-   1,2-Benzo-   Chinol
chinon   chinon   chinon

Vork.: In der Natur kommen C. bes. in Farbstoffen vor, z. B. in Pilzen[1], in Bakterien[2], Antibiotika u. Blüten,

Chinonimine

od. sie entstehen durch enzymat. Oxid. von *Polyphenolen (z. B. bei der Braunfärbung angeschnittener Äpfel usw.). C. spielen eine bedeutende Rolle als Elektronenüberträger in der *Atmungskette (*Ubichinone) u. bei der *Photosynthese (*Plastochinon). Weitere bekannte C. sind Hydroxynaphthochinone (z. B. *Lawson im Henna u. *Juglon in Walnüssen), Echinochrom A, Adrenochrom, Dopachrom, die *Vitamine K (Phyllochinon, Menachinone, s. 2-Methyl-1,4-naphthochinone). Auch in den Wehrsekreten von *Insekten kommen C., v. a. Benzo- u. Toluchinon, vor (s. *Lit.*[3]).

Herst.: Die C. entstehen im allg. durch Oxid. aus Phenolen od. polycycl. aromat. Kohlenwasserstoffen, wobei sich bes. Cer(IV)-Verb. (Cerammoniumnitrat, CAN) als nützlich erweisen; vgl. a. Benzochinon. Ein weiteres viel angewendetes Oxidationsmittel ist *Thalliumtrifluoracetat (TTFA) zur Herst. von 1,4-Benzochinonen. Unter geeigneten Bedingungen kann bei der Oxid. *Chinhydron abgefangen werden.

Umwandlung: Die durchweg gefärbten C. sind starke Oxidationsmittel; man unterscheidet 1,2- (od. *ortho-*) Chinone u. 1,4- (od. *para-*) Chinone (*Beisp.:* *Benzochinon, *Naphthochinon, *Anthrachinon), deren Oxidationspotentiale durch vorhandene Substituenten (Halogene, Cyan-Gruppen) noch erhöht sein können. Die C. sind zu mannigfaltigen *Additions-Reaktion (in 1,2-, 1,4- od. 1,6-Stellung) befähigt, wobei sich in der Mehrzahl der Fälle das benzoide Syst. zurückbildet; eine Ausnahme bilden die *Chinole*, die durch 1,2-Addition von RH od. durch elektrochem. Oxid. von ster. gehinderten Phenolen entstehen. Beispielsweise formulierte man die bakterizide u. cytostat. Wirkung mancher C.-Derivate über die Addition von SH-Gruppen (von Enzymen, X = S) od. von NH$_2$-Gruppen (von Aminosäuren, X = NH):

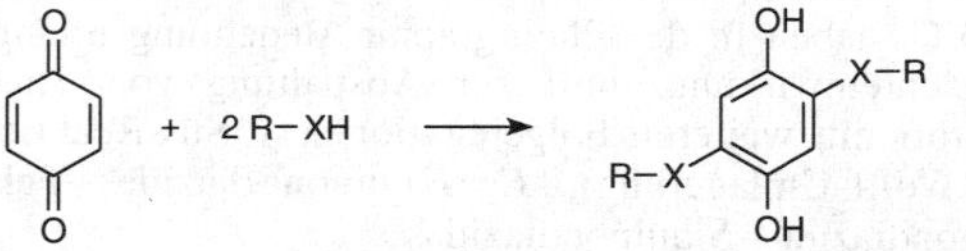

Synthet. wichtig sind auch die ggf. photochem. ausgelösten *Cycloadditions-Reaktionen der C., die zu Cyclobutan-Derivaten, *Oxetanen, *Käfigverbindungen, *Naphthochinon-Derivaten u. *Pyranen führen können; Olefine addieren sich bei Belichtung an das 1,2-Dicarbonyl-Syst. von *ortho*-Chinonen, das in diesen Fällen als Hetero-1,3-dien-Syst. fungiert (s. Diels-Alder-Reaktion). u. a. unter Bildung von Dioxan-Derivaten (*Schönberg-Reaktion). Durch Ersatz einer *Carbonyl-Gruppe durch NH, NOH, N$_2$ od. CH$_2$ leiten sich die *Chinonimine, -oxime, -diazide od. -methide ab.

Verw.: Als Oxidationsmittel, Bakterizide, analyt. Reagenzien, Zwischenprodukte in Farbstoffsynth. u. als Antimalariamittel. Techn. wichtig ist auch die Gewinnung von Wasserstoffperoxid über Anthrachinon. Zu den cytostat. wirksamen synthet. C. gehören einige Aziridinyl-C. (Mitomycin C, Triaziquon). – *E = F* quinones – *I* chinoni – *S* quinonas

Lit.:[1] Chem. Unserer Zeit **9**, 117–123 (1975). [2] Angew. Chem. **85**, 163–169 (1973). [3] Angew. Chem. **82**, 17–23 (1970); Nature (London) **253**, 625 (1975).

allg.: Houben-Weyl **7/3a, 3b** ▪ Kirk-Othmer (3.) **19**, 572–606 ▪ Patai, The Chemistry of Quinoid Compounds (2 Bd.), London, Chichester: 1974, 1988 ▪ Winnacker-Küchler (3.) **4**, 209–217.

Chinonimine. Gruppenbez. für chinoide Verb., die eine Carbonyl- u. eine Imino-Gruppe enthalten, s. die Abb. bei Chinonmethide. Derartige C. spielen als Farbstoffe eine Rolle, z. B. Indoanilin u. *Indophenol. – *E = F* quinone imines – *I* chinonimmine – *S* quinoniminas

Lit.: Winnacker-Küchler (3.) **4**, 258 ▪ s. a. Chinone.

Chinonmethide (Chinomethane).

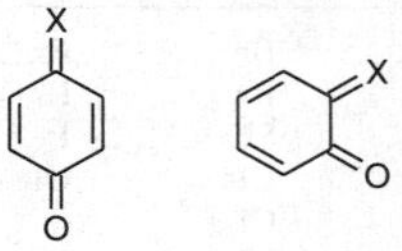

1,4- (bzw.1,2)-Chinon-(*p*- u. *o*-)
X = N$_2$; -diazid
X = NH; -imin
X = CH$_2$; -methid
X = N–OH; -oxim

Gruppenbez. für chinoide Verb., die eine Carbonyl- u. eine Methylen-Gruppe enthalten. Durch Ersatz der Carbonyl-Gruppe gelangt man formal zu *Chinodimethanen. Monocycl. (z. B. *Carthamin) u. kondensierte C. sind als Naturstoffe anzutreffen, s. *Lit.*[1]. – *E* quinone methides – *F* quinométhanes – *I* chinonmetidi – *S* quinonmetidas

Lit.:[1] Zechmeister **24**, 288–328.
allg.: s. a. Chinone u. Chinondiazide.

Chinonoxime. Gruppenbez. für chinoide Verb., die eine Carbonyl- u. eine Oxim-Gruppe enthalten, s. die Abb. bei Chinonmethide. – *E = F* quinone oximes – *I* chinonossime – *S* quinonoximas

Chinoproteine. *Proteine, die *chinoide *Cofaktoren enthalten. Alle bisher gefundenen C. sind *Enzyme. Als deren chinoide Cofaktoren kennt man *Pyrrolochinolinchinon, Topachinon (s. Tyrosin) u. Tryptophan-Tryptophyl-Chinon (s. Tryptophan). – *E* quinoproteins – *F* quinoprotéines – *I* chinoproteine – *S* quinoproteínas

Lit.: Annu. Rev. Biochem. **63**, 299–344 (1994) ▪ Biospektrum **2**, Nr. 1, 35–43 (1996) ▪ FASEB J. **8**, 513–521 (1994).

Chinosol®. Tabl. u. Salbe mit 8-Hydroxychinolinsulfat u. Kaliumsulfat, Gurgeltabl. mit *Ethacridinlactat gegen Infektionen des Rachens, der Haut u. von Körperhöhlen. *B.:* Chinosolfabrik.

Chinosol® W. Gemisch von 8-Chinolinolsulfat (s. 8-Chinolinol) u. Kaliumsulfat als Fungizid gegen *Botrytis* (Erreger der Edelfäule des Weins) bei der Herst. von Pfropfreben. *B.:* Riedel de Haën AG (Chinosolfabrik).

Chinoxalin (Benzopyrazin).

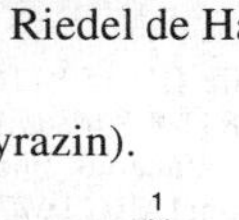

$C_8H_6N_2$, M_R 130,15. Farblose Krist., riecht kalt Chinolin-, warm Piperidin-ähnlich, D. 1,1334 (48 °C), Schmp. 29–30 °C (als Hydrat Schmp. 37 °C), Sdp. 230 °C, leicht lösl. in Wasser, Alkohol, Ether, Benzol. Unter Lichteinwirkung dunkelt das aus *o*-Phenylendiamin u. Glyoxal zugängliche C. stark nach. C. ist der Grundkörper einer Reihe von sog. *Azin-

Farbstoffen. – $E = F$ quinoxaline – I chinossalina – S quinoxalina
Lit.: Adv. Heterocycl. Chem. **22**, 367–431 (1978) ▪ Beilstein E V **23**/7, 135 ff. ▪ Merck-Index (11.), Nr. 8107 ▪ Ullmann (5.) A **19**, 406 ▪ Weissberger **5**, 203–331; **35**. – *[HS 2933 90; CAS 91-19-0]*

Chinuclidin (1-Azabicyclo[2.2.2]octan).

$C_7H_{13}N$, M_R 111,19. Farblose Krist., Schmp. 158 °C, die leicht sublimieren u. in Wasser u. organ. Lsm. leicht lösl. sind. C. ist ein wirksamer Polymerisationskatalysator. Das C.-Gerüst ist in verschiedenen Naturstoffen enthalten (s. Chinin) u. auch in einer Reihe von Arzneimitteln (s. *Lit.*[1]). – $E = F$ quinuclidine – I chinuclidina – S quinuclidina
Lit.: [1] Negwer (6.), S. 1739.
allg.: Adv. Heterocycl. Chem. **11**, 473–523 (1970) ▪ Beilstein V **20**/4, 335 ff. ▪ Merck-Index (11.), Nr. 8109 ▪ Weissberger **15**, 1331–1356. – *[HS 2933 39; CAS 100-76-5]*

CHIRALD™. Marke von ALDRICH für (2S,2R)-(+)-4-Dimethylamino-1,2-diphenyl-3-methyl-2-butanol.

Chiralica®. Bausteine u. Reagenzien für die chirale Synthese. *B.:* Merck.

Chiralität, chiral (Händigkeit). Chem. Verb. lassen sich im Hinblick auf ihr Verhalten gegenüber linearpolarisiertem Licht in zwei Gruppen einteilen: Entweder sie drehen die Ebene des Lichtes od. sie tun es nicht. Man spricht bei ersteren von opt. aktiven Verb., wobei dieses Verhalten durch bes. Symmetrieeigenschaften der Krist. od. der Mol. selbst verursacht wird (Näheres s. optische Aktivität). Für die der opt. Aktivität zugrunde liegende Moleküleigenschaft wird nach einem Vorschlag von K. *Mislow der bereits von Lord Kelvin 1904 geprägte Begriff C. (*Händigkeit*, aus dem griech. von *cheir* = Hand) eingeführt. Um die mathemat. Einbettung der C. in die Gruppentheorie hat sich bes. V. *Prelog verdient gemacht. Ein Objekt – wie eine Hand – aber auch ein Mol. ist c., wenn es sich nicht mit seinem Spiegelbild zur Deckung bringen läßt. Ob ein Mol. c. od. achiral ist, läßt sich anhand von Symmetriebetrachtungen ableiten. Danach sind achirale Mol. spiegelsymmetr. u. besitzen eine interne Spiegelgerade od. gehören einer bestimmten Punktgruppe (s. Gruppentheorie) im *Schönflies-System an; dort ist ein Algorithmus angegeben, mit dessen Hilfe man leicht über Symmetrieoperationen (s. Tab. 1) für ein gegebenes Mol. die Punktgruppe ermitteln kann. Eine Auflistung der Punktgruppen findet sich unter dem Stichwort *Kristallmorphologie.
In Tab. 2 sind einige Punktgruppen nach Schönflies mit der dazugehörigen Chiralitätskennung (chiral od. achiral) zusammen mit Beisp. aufgelistet.
Zur Klassifizierung der C. sind die Chiralitätselemente – *Chiralitätszentrum*; – *Chiralitätsachse (Helix)* u. – *Chiralitätsebene* definiert worden. Ein c. Mol. kann mehrere Chiralitätselemente enthalten. Ein *Chiralitätszentrum* stellt der asymmetr. Kohlenstoff mit vier verschiedenen Liganden dar (vgl. asymmetrische

Tab. 1.: Symmetrieoperationen u. Symmetrieelemente.

Symmetrie-operation	Symmetrie-element	Symbol	Beispiel
Identitäts-operation	Identität	I	Drehung um $2\pi = 360°$
Drehung	Drehachse	C_n	Drehung um $2\pi/2 = 180°$: C_2
Spiegelung	Spiegel- od. Symmetrie-ebene	σ	Spiegelebene in der Hauptachse: σ_v
Inversion	Inversions- od. Symmetrie-zentrum	i	Punktspiegelung
Dreh-spiegelung	Drehspiegel-achse	S_n	Drehung um $2\pi/2 = 180°$ u. anschließende Spiegelung an der zur Achse senkrechten Spiegelebene: S_2

Tab. 2: Punktgruppen u. Chiralität.

Punkt-gruppe	Molekül-eigenschaft	Chira-lität	Beispiele
C_1	asymmetrisch	chiral	allg.: abcd vgl. asymmetrische Atome
C_n, D_n	symmetrisch	chiral	C_2: (–)-*Weinsäure; D_2: *Twistan
alle anderen Punkt-gruppen	symmetrisch	achiral	C_s: ; D_{2h}: Cl—⬡—Cl ; T_d:

Atome). Die Zuordnung der absoluten *Konfiguration für Mol. mit zentraler C. geschieht nach den *CIP-Regeln, bei denen die vier verschiedenen Liganden nach fallender Priorität geordnet sind u. das Mol. nach der *Chiralitätsregel* betrachtet wird. *Axiale C.* tritt bei Mol. der Punktgruppen C_n u. D_n auf. Dazu müssen vier Liganden paarweise um eine Achse angeordnet sein u. dürfen nicht in einer Ebene liegen; z. B. 1,3-disubstituierte Allene (s. a. Beisp. bei Atropisomerie u. Binaphthyl). Eine bes. axiale C. stellt die *Helicität*, d. h. links- od. rechtsgängige Schraube einer Helix, dar (s. Helicene u. Desoxyribonucleinsäuren). *Planare C.* wird bei Mol. mit einer Chiralitätsebene beobachtet, die ein Mol. in unterschiedliche Seiten teilt. Ein bekanntes Beisp. dafür ist *trans*- bzw. *E*-Cyclooceten.

(–)-   (+)-*E*-Cyclooceten

Eine interessante Frage ist, wie unter den Bedingungen der Evolution C. entstanden sein könnte. Es ist offensichtlich, daß c. Mol. (Enantiomere, Diastereomere) – prakt. alle physiolog. aktiven Verb. sind c. – eine Selektion erfahren. Bei optimaler Wechselwirkung zweier Mol. müssen auch ihre Chiralitätsinformationen zueinander passen, d. h. ein c. Mol. selektiert aus einer Vielzahl unterschiedlicher Partner den zu ihm komplementären. Man spricht in diesem Zusammenhang von der Fähigkeit des *mol. Erkennens*.
In der Physik bezeichnet man mit C. die Eigenschaften aller Elementarteilchen mit halbzähligem Spin (Fermi-Ionen), zwei gleichsam spiegelbildliche Zustände in einem bestimmten abstrakten Raum annehmen zu können. – *E* chirality – *F* chiralité – *I* chiralità – *S* quiralidad
Lit.: Angew. Chem. **78**. 413 ff. (1966); **94**, 614 ff. (1982); **101**, 588 ff. (1989) ■ Eliel u. Wilen, Stereochemistry of Organic Compounds, New York: Wiley 1994 ■ Hauptmann u. Mann, Stereochemie, Heidelberg: Spektrum Akadem. Verl. 1996 ■ Houben-Weyl **E 21 a**, 1 ff. ■ Janoschek (Hrsg.), Chirality – From Weak Bosons to the α-Helix, Heidelberg: Springer 1991 ■ Prelog, My 132 Semesters of Chemistry Studies, Washington, DC: Am. Chem. Soc. 1991 ■ Quinkert, Egert u. Griesinger, Aspekte der Organischen Chemie – Struktur, S. 43–62, Basel: Helvetica Chimica Acta 1995 ■ s. a. optische Aktivität.

Chiral-Säulen. *HPLC-Fertigsäulen von Daicel zur Trennung von Enantiomeren. *B.*: Baker.

CHIRAPHOS s. Phosphane.

chiro-. Kursiv gesetztes Präfix in der Nomenklatur der *Inosite (vgl. Cyclite) für 1,2,4-*cis*/3,5,6-*trans*-hexasubstituierte Cyclohexane (IUPAC/IUB-Regel I-1.1). – *E* = *F* = *I* chiro – *S* quiro-.

Chiron. Abgekürzte Bez. für chirales *Synthon (s. Chiralität). Näheres s. bei Retrosynthese u. stereoselektiver Synthese.

Chiropterit s. Guano.

Chiroptische Methoden. Sammelbez. für Meth. zur Untersuchung der *Chiralität, s. die Aufzählung dort. – *E* chiroptical methods – *F* méthodes chiroptiques – *I* metodi chirottici – *S* métodos quirópticos

Chitin (von griech.: chiton = Panzer). Ein bes. aus tier. Organismen isoliertes *Aminozuckerhaltiges Polysaccharid der allg. Formel $(C_8H_{13}NO_5)_x$, M_R ca. 400 000. C. besteht aus Ketten von β-1,4-glykosid. verknüpften *N*-Acetyl-D-glucosamin-(NAG)-Resten. Das als Derivat der *Cellulose (mit 2-Acetamido- anstelle der 2-Hydroxy-Gruppen) formulierbare C. übt bei verschiedenen wirbellosen Tieren eine ähnliche Stützfunktion wie jene bei Pflanzen aus. Aus C. sind die Panzer (Außenskelette) der *Arthropoden (Krebse, Insekten, Spinnen, Tausendfüßler usw.) aufgebaut, man findet es auch in den *Skleroproteinen* (Strukturproteinen) von Mollusken, von Armfüßlern u. Moostierchen, ferner in den Zellwänden von Algen, Hefen, Pilzen u. Flechten. Ziemlich reines C. liegt in Maikäferflügeln u. Hummerschalen vor. Auch der Kokonfaden bestimmter Insektenlarven besteht aus Chitin.
In Wasser, organ. Lsm. u. verd. Laugen bzw. Säuren ist C. unlöslich. Starke Säuren spalten C. in D-Glucosamin (*Chitosamin*) u. Essigsäure; bei Zerlegung durch Alkalien entstehen Acetate u. das schwach bas., desacetylierte u. teilw. depolymerisierte, kristallisierbare *Chitosan*, das in verd. Säuren (außer Schwefelsäure), wäss. Methanol u. Glycerin lösl. u. außerdem gel- u. filmbildend ist. Die im Schneckenmagen, in einigen Schimmelpilzen u. Bakterien befindlichen *Chitinasen* (EC 3.2.1.14) können – wie übrigens auch einige *Lysozyme – C. auflösen. Die entstehende *Chitobiose*, das Disaccharid aus β-1,4-verknüpftem NAG, wird dann durch Chitobiase (EC 3.2.1.30) in die Monomeren gespalten. Der Aufbau von C. wird durch das Enzym Chitinsynthase (EC 2.4.1.16) katalysiert. Auf der Hemmung dieses Enzyms basiert das Insektizid *Diflubenzuron.
Verw.: Regenerierte C.-Fasern als – durch das körpereigene Lysozym – abbaubare Wundverbände. Chitosan als Papier- u. Färbereihilfsmittel, Bindemittel für Vliesstoffe, Klebstoff in der Leder-Ind., für Wursthüllen, Dialysemembranen, als Chelatisierungs- u. Flockungsmittel (z. B. für Abwässer). – *E* chitin – *F* chitine – *I* chitina – *S* quitina
Lit.: Roberts, Chitin Chemistry, Basingstoke: Macmillan 1992. – [HS 3913 90]

Chitosamin s. D-Glucosamin.

Chloanthit s. Skutterudit.

Chlor (Symbol Cl). Chem. Element aus der 7. Hauptgruppe des *Periodensystems zwischen Fluor u. Brom, denen es chem. sehr ähnelt (*Halogene), Ordnungszahl 17, Atomgew. 35,453. Natürliche Isotope: 35 (75,53%) u. 37 (24,47%). Daneben sind künstliche Isotope mit HWZ zwischen 0,315 s u. 300 000 a bekannt. Das Radionuklid ^{36}Cl ist in der *Geochronologie von Bedeutung[1]. C. ist unter Normalbedingungen ein grüngelbes, aus zweiatomigen Mol. bestehendes Gas von stechendem Geruch. Es ist 2,5mal so schwer wie Luft [D. 3,214 g/l (0 °C)]. Da seine krit. Temp. recht hoch liegt, kann es leicht verflüssigt werden; krit. Temp. 143,9 °C, krit. Druck 7710 kPa, krit. D. 0,567. Das flüssige C. (Sdp. –34,06 °C) leitet den elektr. Strom nicht u. bildet beim Erstarrungspunkt (–100,98 °C) eine feste, gelbe krist. Masse. In Wasser ist C. mäßig lösl.: In 1 l Wasser lösen sich bei 20 °C ca. 2,3 l C.-Gas. Diese 0,4–0,5%ige wäss. Lsg. heißt *Chlorwasser*. Sie wird als Oxidationsmittel verwendet u. muß in braunen Flaschen vor Licht geschützt aufbewahrt werden, da unter dem Einfluß von Sonnenlicht die in der Lsg. vorhandene *Hypochlorige Säure (sie entsteht durch Reaktion eines Teils des Cl_2 mit Wasser) in Salzsäure u. O_2 zerfällt. Als *aktives, wirksames* od. *verfügbares C.* bezeichnet man das beim Bleichen aus *Hypochloriten wie Chlorkalk, Calcium-, Kalium- u. Natriumhypochlorit freiwerdende Cl, das für deren Bleich- u. Desinfektionswirkung (z. T. nach $Cl_2 + H_2O \rightarrow 2\,HCl + O$, Bildung atomaren Sauerstoffs) verantwortlich ist. Der Gehalt an aktivem Cl kann durch Titration mit As_2O_3 (Oxid. zu As_2O_5) od. Iod bestimmt werden.

C. ist nach Fluor das reaktionsfähigste aller nichtmetall. Elemente; es tritt in den Oxidationsstufen −1 u. +1 bis +7 auf. Es reagiert schon bei 20 °C mit den meisten Elementen unter großer Wärmeentwicklung, noch heftiger aber setzt es sich bei erhöhter Temp. um. Gegenüber Metallen verhält es sich dabei elektronegativ. So bildet es z. B. mit Natrium unter intensiver enorm gelber Lichterscheinung Natriumchlorid, NaCl. Nicht nur die *Alkalimetalle reagieren heftig mit Cl_2, auch die *Erdalkalimetalle u. a. Elemente werden ggf. lebhaft umgesetzt: P, B, Si entzünden sich im Cl_2-Gas von selbst, vorerwärmtes, fein zerteiltes Bi sowie Sn, As u. Sb verbrennen in Cl_2 zu den Chloriden, Mn, Zn, Fe, Co u. Hg verbrennen nach Erwärmung in Cl_2 ebenfalls unter Lichterscheinungen. K, Na u. Mg gehen schon bei gewöhnlicher Temp., Pb, Ag, Au u. Pt beim Erwärmen in Chloride über. Oft spielt dabei die Anwesenheit geringer Feuchtigkeitsmengen eine wesentliche Rolle. So greift z. B. völlig trockenes Cl_2 Eisen od. Kupfer unter 200 °C nicht an. Mit Sauerstoff, Stickstoff, Kohlenstoff, Iridium u. den Edelgasen reagiert Cl_2 nicht unter einfachen Bedingungen. Durch elektr. Anregung od. über andere Verb. kann man aber auch diese Elemente mit Cl_2 umsetzen. So zeigt z. B. Cl_2 gegenüber Sauerstoff elektropos. Charakter. Diese O-Verb. sind stark endotherme Substanzen u. daher meistens wenig beständig. Die Einführung von Cl in organ. Verb. bezeichnet man als *Chlorierung. Mit Wasserstoff bildet Cl_2 im Molverhältnis 1:1 das sog. *Chlorknallgas. Auch mit chem. gebundenem Wasserstoff reagiert Cl_2, z. B. im Sonnenlicht mit Wasser (s. oben) od. mit NH_3 nach: $2\,NH_3 + 3\,Cl_2 \rightarrow N_2 + 6\,HCl$. Wenn Ammoniak im Überschuß zugegen ist, kann man am Auftreten von Salmiaknebeln das Vorhandensein von gasf. Cl_2 erkennen; sonst mit Kaliumiodid-Stärkepapier.

Nachw.: Mit Hilfe von Prüfröhrchen können sehr geringe Mengen Cl_2 festgestellt werden. Die quant. Bestimmung von ionogenem Cl als in konz. HNO_3 unlösl., in wäss. NH_3 lösl. Niederschlag von AgCl erfolgt nach den verschiedensten Meth. der Endpunktserkennung durch Titration mit Silbernitrat-Lösung. Eine Arbeitsvorschrift für den Nachw. von ionogenem Cl findet man in *Lit.*[2]. Zur kolorimetr. Bestimmung eignet sich bes. o-Tolidin, aber auch andere Reagenzien[3] sind brauchbar, z. B. zum Nachw. in Badewasser.

Physiologie: C.-Gas zerstört tier. u. pflanzliche Gewebe teils durch Oxid., teils durch Verdrängung von H in organ. Bindung, teils auch durch C.-Addition an Doppelbindungen. Auf diese Weise vernichtet Cl_2 auch Bakterien, Algen usw. Luft, die 0,5–1% C.-Gas enthält, wirkt auf Säugetiere u. Menschen rasch tödlich, da die Luftwege u. Lungenbläschen verätzt werden (Bildung von HCl). Nach stundenlangem Einatmen von Luft mit 0,01% Cl_2 können tödliche Vergiftungen eintreten, u. selbst ein Cl_2-Gehalt von nur 0,001% greift bereits die Lungen schwer an. 0,0001% Cl_2 in der Atemluft reizt noch die Atmungsorgane u. wird ohne weiteres am Geruch erkannt; eine Gefahr besteht in diesem Fall nicht mehr. Während elementares C.-Gas giftig ist (MAK 1,5 mg/m^3), sind andererseits die neg. geladenen Chlorid-Ionen lebensnotwendig; sie werden in Form von gelöstem Kochsalz aufgenommen u. spielen bei der Aufrechterhaltung des Säure-Basen-Gleichgew., im Wasserhaushalt sowie bei der Nieren- u. Magensekretion eine wichtige Rolle. Der normale menschliche Organismus enthält etwa 0,12% chem. gebundenes bzw. ionisiertes Cl; s. a. Spurenelemente. Bestimmte organ. C.-Derivate (*Chlorbiphenyle u. *Chlorkohlenwasserstoffe) rufen Hauterkrankungen (*Chlorakne), andere rufen Lebererkrankungen hervor (z. B. Vinylchlorid). Über Vorsichtsmaßnahmen beim Arbeiten mit Cl_2 s. *Lit.*[4]; über Maßnahmen bei Vergiftungen s. *Lit.*[5].

Vork.: Cl gehört zu den 20 häufigsten Elementen der obersten, 16 km dicken Erdkruste; es ist dort zu 0,0314% vertreten u. steht damit in der Häufigkeit in der Nähe von Kohlenstoff u. Chrom. Auch auf den übrigen Himmelskörpern scheint es verbreitet zu sein; man konnte z. B. in Steinmeteoriten durchschnittlich 0,08 Gew.-% Cl nachweisen. Infolge seiner außerordentlichen Reaktionsfähigkeit kommt Cl höchstens in Vulkangasen in elementarem Zustand vor; sonst ist es immer an andere Stoffe chem. gebunden, so z. B. an Na, K od. Mg. Bes. das Steinsalz (NaCl) kommt in umfangreichen Lagerstätten vor. Das Wasser der Ozeane enthält etwa 2% ionisiertes Cl (meist Kochsalz). Auch in Pflanzen u. Tieren finden sich stets geringe Mengen von C.-Verbindungen. Einige C.-haltige Naturstoffe haben bemerkenswerte Eigenschaften, z. B. *Chloramphenicol. C.-Verb. sind auch aus Algen isoliert worden. Auffällig ist, daß die Einführung von Cl in organ. Verb. diesen oft einen süßen Geschmack verleiht (*Beisp.:* Chloroform).

Herst.: Im Laboratorium erhält man Cl_2 gewöhnlich aus Salzsäure u. einem Oxidationsmittel (z. B. Chlorkalk, Kaliumpermanganat, Braunstein, Kaliumchlorat) nach der schemat. Gleichung: $2\,HCl + O \rightarrow H_2O + Cl_2$. In der Technik wird Cl_2 überwiegend durch Elektrolyse von gelöstem Kochsalz od. Kaliumchlorid gewonnen, s. Chloralkali-Elektrolyse. Dabei bedient man sich sowohl des *Amalgam-* als auch des *Diaphragma-Verfahrens*. Neuere Entwicklungen zielen auf die techn. Anw. des *Membranprozesses*. Aus Chlorwasserstoff – Zwangsanfall bei zahlreichen Produktionen der organ. Chemie (s. u.) – wird Cl durch Salzsäure-Elektrolyse gewonnen. Während das oxidative *KEL-Chlor-Verf.* (ein modifizierter *Deacon-Prozeß) u. der *Shell-Deacon-Prozeß* keine nennenswerte Bedeutung erlangt haben, wurde 1988 in Japan eine Produktionsanlage nach dem *Mitsui Toatsu-Chlor-*

Prozeß unter Verw. eines Cr_2O_3-Katalysators in Betrieb genommen. Eine ausführliche Beschreibung der C.-Erzeugung nach den verschiedenen Verf. findet man in *Lit.*[6]. In den Handel gelangt C. verflüssigt in Stahlflaschen u. -fässern (Farbe grau) od. Kesselwagen. Nach Informations Chimie 366 (03/1995) liegen die Weltkapazitäten bei 44,2 Mio. t Cl_2. Davon entfallen rund 14 auf Nordamerika, 11 auf Westeuropa, 12 auf Asien u. Ozeanien, 6 auf Osteuropa inklusive GUS-Staaten.

Verw.: C. ist eines der wichtigsten Grundprodukte der chem. Industrie. Der größte Teil der Produktion wird zur Herst. von *Vinylchlorid u. *PVC verwendet sowie von anderen organ. C.-Verb. (Chloroform, Methylenchlorid, Tetrachlormethan, Chloropren, Chloraromaten usw.) u. Zwischenprodukten (Phenol, Ethylenglykol, Propylenoxid, Glycerin u. a.). Cl_2 dient ferner zur Herst. vieler anorgan. Produkte (z. B. Phosgen, Phosphor- u. Schwefelchloride, Hydrazin, Aluminiumchlorid, Siliciumtetrachlorid, Titantetrachlorid), zur Sulfochlorierung, zum Aufschluß von Erzen, Entzinnen von Weißblech usw. Weiterhin werden Cl_2 u. aktives Cl enthaltende Verb. zum *Bleichen von Papier u. Cellulose, sowie zur Desinfizierung von Trinkwasser u. Freibädern (s. Chlorung) verwendet.

Geschichte: Cl_2 wurde 1774 von Scheele erstmals durch Oxid. von Salzsäure mit Braunstein erhalten. Scheele erkannte die Elementnatur dieses Stoffes noch nicht, ebensowenig Berthollet, der Cl_2 aufgrund der Sauerstoff-Entwicklung des belichteten Chlorwassers für ein Oxid hielt. Nachdem Gay-Lussac, Thénard u. Davy vergeblich versucht hatten, aus dem Cl Sauerstoff abzuspalten, bezeichnete Davy im Jahre 1810 das C. als Element („Chloricgas" bzw. „Chlorine" von griech.: chloros = gelbgrün). – *E* chlorine – *F* chlore – *I* = *S* cloro

Lit.: [1] Chem. Labor Betr. **28**, 339–348, bes. 341 (1977). [2] Z. Analyt. Chem. **233**, 175 (1968). [3] Fries-Getrost, S. 107–113. [4] Merkblatt BG Chemie, Nr. M 020. [5] Braun-Dönhardt (3.) S. 101. [6] Chem. Unserer Zeit **12**, 135–145 (1978). *allg.:* Büchner et al. (2.), S. 157–176 ■ Down u. Adams, The Chemistry of Chlorine, Bromine, Iodine, and Astatine, Oxford: Pergamon 1975 ■ Encycl. Gaz., S. 779–786 ■ Gmelin, Syst.-Nr. 6, Cl, 1927, Erg.-Bd., 2 Tl., 1968–1969 ■ Hommel, Nr. 60 ■ Kirk-Othmer (4.) **1**, 938–1025 ■ Milazzo, Elektrochemie, 2. Grundlagen u. Anwendungen, Basel: Birkhäuser 1983 ■ Ullmann (5.) A **6**, 399–481 ■ WHO, Environmental Health Criteria 21, Chlorine and Hydrogen Chloride, Genf 1982 ■ Winnacker-Küchler (4.) **2**, 379–480 ■ Wirth u. Gloxhuber, Toxikologie (5.), S. 72–76, Stuttgart: Thieme 1994 ■ s. a. Halogene. – *[HS 2801 10; CAS 7782-50-5; G 2]*

Chlor... Im Deutschen bevorzugte Bez. für Chlor als Substituent in Namen von organ. Verb.; als Ligand in Komplexen u. [neben Infix ...chlorid(o)...] bei Austausch von OH gegen Cl in mehrbasigen anorgan. Säuren dagegen *Chloro...* – *E* chloro... – *F* chlor(o)... – *I* = *S* cloro...

Chloracetal s. Chloracetaldehyddiethylacetal.

Chloracetaldehyd. $Cl–CH_2–CHO$, C_2H_3ClO, M_R 78,50. Farblose, stechend riechende Flüssigkeit Sdp. 85 °C, MAK 1 ppm (MAK-Werte-Liste 1995); LD_{50} (Ratte oral) 75 mg/kg, wassergefährdender Stoff, WGK 2 (Selbsteinst.). Dämpfe u. Flüssigkeiten führen zu starker Reizung (bis hin zur Verätzung) der Augen, der Atemwege u. der Haut; Lungenödem möglich. Lösl. in Wasser unter Hydrat-Bildung sowie in den üblichen organ. Lösemitteln. Näheres zu Herst. u. Reaktionen s. Ullmann (*Lit.*). C. dient zur Synth. von Arzneimitteln, Insektiziden, Fungiziden, Desinfektionsmitteln, Farbstoffen u. Härten von Epoxidharzen sowie für Antistatika. – *E* chloroacetaldehyde – *F* chloracétaldéhyde – *I* cloroacetaldeide – *S* cloroacetaldehído

Lit.: Beilstein E IV **1**, 3134 ■ Hommel, Nr. 1173 ■ Paquette, S. 1064 ■ Ullmann (4.) **9**, 373 f.; (5.) A **6**, 527. – *[HS 2913 00; CAS 107-20-0; G 6.1]*

Chloracetaldehyddiethylacetal (Chloracetal, 2-Chlor-1,1-diethoxyethan).

$$Cl–CH_2–CH(OC_2H_5)–OC_2H_5$$

$C_6H_{13}ClO_2$, M_R 152,62. Farblose Flüssigkeit, D. 1,026, Schmp. −34,4 °C, Sdp. 157 °C; das Handelsprodukt enthält ca. 0,5 % Stabilisator. Vorsicht vor etwaiger Peroxid-Bildung; bei kühler Lagerung unbeschränkt haltbar. Anwesenheit von Feuchtigkeit beschleunigt die Zers., Lagerung über Magnesiumspänen empfehlenswert.

Verw.: Zur Herst. von Aminoacetalen, Zwischenprodukt bei der Synth. von 2-Aminothiazol u. Sulfathiazol. – *E* chloroacetal – *I* 8-cloroacetaldeiddietilacetale, cloroacetale – *S* dietilacetal del cloroacetaldehído

Lit.: Beilstein E IV **1**, 3134 ■ Paquette, S. 1110 ■ Ullmann (4.) **7**, 137 f.; (5.) A **6**, 528. – *[HS 2911 00; CAS 621-62-5]*

Chloracetaldehyddimethylacetal (2-Chlor-1,1-dimethoxyethan).

$$Cl–CH_2–CH(OCH_3)–OCH_3$$

$C_4H_9ClO_2$, M_R 124,57. Farblose aromat. riechende Flüssigkeit, Sdp. 128 °C (950 hPa). Ist in alkal. Lsg. unbeschränkt haltbar, enthält ca. 0,5 % eines Stabilisators. Als Zwischenprodukt zur Herst. von 2-Aminothiazol, Sulfathiazol, Aminoacetalen u. a. organ. Synthesen. – *E* 2-chloroacetaldehyde dimethyl acetal – *F* chloracétaldéhydedimethylacétal – *I* 8-cloroacetaldeiddimetilacetale – *S* dimetilacetal del cloroacetaldehído

Lit.: Beilstein E IV **1**, 3134 ■ Org. Synth. **71**, 175 (1993). – *[CAS 97-97-2]*

2-Chloracetamid (Chloressigsäureamid). $Cl–CH_2–CO–NH_2$, C_2H_4ClNO, M_R 93,51. Farblose Krist., Schmp. 119–120 °C, Sdp. ca. 225 °C (Zers.), lösl. in Wasser u. Alkohol, vielseitig verwendbares Zwischenprodukt. Aufgrund seiner *mikrobiziden Eigenschaften findet C. Verw. als techn. Konservierungsmittel; als *Fungizid in Bohrflüssigkeiten, in wasserhaltigen Anstrichmitteln u. in Holzschutzmitteln; Härter für Harnstoff- u. Melamin-Harze. – *E* 2-chloroacetamide – *F* 2-chloracétamide – *I* 2-cloroacetammide – *S* 2-cloroacetamida

Lit.: Beilstein E IV **2**, 490 ■ Blaue Liste, S. 25 ■ Tetrahedron Lett. **24**, 5219 (1983) ■ Ullmann (4.) **9**, 398; (5.) A **6**, 543. – *[HS 2924 10; CAS 79-07-2; G 6.1]*

Chloraceton (1-Chlor-2-propanon). $H_3C–CO–CH_2–Cl$, C_3H_5ClO, M_R 92,53. Farblose, tränenreizende Flüssigkeit von stechendem Geruch, D. 1,123, Schmp.

−44,5 °C, Sdp. 119 °C, mischbar mit Wasser, Alkohol u. Ether. Kontakt mit der Flüssigkeit u. den Dämpfen führt zu starker Reizung u. Verätzung der Augen, der Atemwege u. der Haut; Lungenödem möglich. Das durch Chlorierung von Aceton herstellbare C. wurde im 1. Weltkrieg als *Kampfstoff verwendet, später auch als Tränenreizstoff. In der organ. Chemie dient es zur Synth. von Thiazol-Körpern, Thiazolinen, Cumaronen, Acetalen, Sulfonamiden, Enzymdesaktivatoren, Emulgatoren, Gerbstoffen, Parfüms, Insektiziden, Photosensibilisatoren u. dgl. – *E* chloroacetone – *F* chloracétone – *I* cloroacetone – *S* cloroacetona

Lit.: Beilstein EIV **1**, 3215–3217 ▪ Hommel, Nr. 645. – *[CAS 78-95-5; G 6.1]*

ω-Chloracetophenon (2-Chlor-1-phenylethanon, Phenacylchlorid). $H_5C_6-CO-CH_2-Cl$, C_8H_7ClO, M_R 154,60. Farblose, krist. schwer flüchtige Masse, D. 1,324, Schmp. 54–56 °C, Sdp. 244–245 °C, in Wasser unlösl., leicht lösl. in Alkohol u. Ether, wird durch Hitze u. Luftfeuchtigkeit nicht zersetzt. Staub u. Dämpfe führen zu stärkstem Tränenreiz, Schädigung der Augen sowie zu starker Reizung der Atemwege, der Lunge sowie der Haut; bei hohen Konz. Stimmritzenkrampf u. Lungenödem möglich, MAK 0,05 ppm, (US-Wert); LD_{50} (Ratte oral) 50 mg/kg, wassergefährdender Stoff, WGK 2 (Selbsteinst.). Das durch Chlorierung von *Acetophenon herstellbare C. wirkt als starker *Tränenreizstoff. Obwohl die tödliche Dosis etwa das 1000fache der „Unerträglichkeitsgrenze" ausmacht, sind bei Einsatz als Tränengas [Decknamen: *CN*, *Chemische Keule* (*E* chemical mace)] in kleinen Räumen schon Todesfälle u. Fälle von Hautkrebs bekanntgeworden [1]. Eine ausführliche Darst. der Fragwürdigkeit des C.-Einsatzes gegen Menschen findet man in *Lit.*[2]. – *E* ω-chloroacetophenone – *F* chloracétophénone – *I* ω-cloroacetofenone – *S* ω-cloroacetofenona

Lit.: [1] New Sci. **68**, 618 (1975). [2] Chem. Unserer Zeit **12**, 146–152 (1978).
allg.: Beilstein EIV **7**, 641 ▪ Brauer, Gefahrstoff-Sensorik, Landsberg: Ecomed Verlagsgesellschaft 1988 ▪ Hager (5.) **3**, 271 ▪ Hommel, Nr. 949 ▪ Merck-Index (11.), Nr. 2115 ▪ Ullmann (4.) **19**, 627. – *[HS 2914 70; CAS 532-27-4; G 6.1]*

Chloracetylchlorid (Chloressigsäurechlorid). $Cl-CH_2-CO-Cl$, $C_2H_2Cl_2O$, M_R 112,94. Wasserklare Flüssigkeit von stechendem Geruch, D. 1,152, Schmp. −22 °C, Sdp. 105–110 °C, mischbar mit Ether, Chloroform u. Benzol, Zers. in Wasser. Gefahr der Reizwirkung auf Augen, Haut u. Schleimhäute. LD_{50} (Ratte oral) 208 mg/kg, wassergefährdender Stoff, WGK 2 (Selbsteinst.).
Verw.: Zur Synth. zahlreicher organ. Chemikalien, z. B. des Adrenalins, verschiedener Ester u. des Anhydrids der Monochloressigsäure, Zwischenprodukt bei der Synth. des Acetophenons. – *E* chloroacetyl chloride – *F* chlorure de chloracétyle – *I* cloruro di cloroacetile – *S* cloruro de cloroacetilo

Lit.: Beilstein EIV **2**, 488 f. ▪ Gesundheitsschädliche Arbeitsstoffe: toxikologisch-arbeitsmedizinische Begründung von MAK-Werten, Weinheim: Verl. Chemie 1972–1996 ▪ Hommel, Nr. 403 ▪ Paquette, S. 1067 ▪ Ullmann (4.) **9**, 397; (5.) **A 6**, 539, 542. – *[HS 2915 90; CAS 79-04-9; G 8]*

Chloraethyl „Dr. Henning"®. Lokalanästhetikum (Spray u. Tropfen) mit *Ethylchlorid. *B.:* Dr. G. F. Henning.

Chlorakne (Chlorphenolakne, Pernakrankheit). Form der *Akne, die durch die orale, perkutane od. inhalative Aufnahme von u. a. *Chlornaphthalinen u. *Chlorphenolen entsteht. Die Exposition mit den Chemikalien geschieht meist berufsbedingt durch Tätigkeit in der Elektro- u. chem. Industrie. – *E* chlorine acne – *F* chloracné – *I* cloracne – *S* cloracné

Chloral (Trichloracetaldehyd). Cl_3C-CHO, C_2HCl_3O, M_R 148,40. Farblose, leichtbewegliche, erstickend riechende Flüssigkeit, D. 1,515, Schmp. −57,5 °C, Sdp. 97 °C. Giftige Substanz, Kontakt mit der Flüssigkeit u. den Dämpfen führt zu starker Reizung bis hin zur Verätzung der Augen, der Atemwege, der Lunge (Lungenödem möglich) und der Haut, mit Wasser mischbar unter Bildung von *Chloralhydrat, dient zu dessen Herst. u. als Ausgangsprodukt für Insektizide. Der Name ist von Tri*chloral*dehyd abgeleitet. – *E = F* chloral – *I* cloralio – *S* cloral

Lit.: Beilstein EIV **1**, 3142 f. ▪ Hommel, Nr. 219 ▪ Kirk-Othmer **8**, 454 f. ▪ Paquette, S. 1048 ▪ Ullmann (4.) **9**, 377 f; (5.) **A 6**, 533. – *[HS 2913 00; CAS 75-87-6; G 6.1]*

Chloraldurat®. Kapseln mit *Chloralhydrat als Hypnotikum. *B.:* Pohl.

Chloralhydrat (Trichloracetaldehydhydrat, 2,2,2-Trichlor-1,1-ethandiol). $Cl_3C-CH(OH)_2$, $C_2H_3Cl_3O_2$, M_R 165,40. Farblose, luftbeständige, trockene, durchsichtige Krist., D. 1,9, Schmp. 57 °C, Sdp. 98 °C, dabei Zerfall in Chloral u. Wasser, leichtlösl. in Wasser, Alkohol u. Ether. C. ist das älteste, synthet. Schlafmittel; es wurde 1832 von Liebig entdeckt u. 1869 von Liebreich als Schlafmittel eingeführt u. gehört auch heute noch zu den 2000 am häufigsten verordneten Arzneimitteln [1]. Früher wurde C. gelegentlich gegen Keuchhusten, Neuralgien, Veitstanz, Seekrankheit, bei äußerlichen Wundbehandlungen, Geschwüren, Spülungen bei Rachenkatarrh, als Narkotikum bei veterinärmedizin. Operationen eingesetzt, ferner als Konservierungsmittel in der Mikroskopie. Heute wird C. noch bei der Synth. von DDT u. Chloralose benötigt. – *E* chloral hydrate – *F* chloral-hydrate – *I* cloralio idrato – *S* hidrato de cloral

Lit.: [1] Schwabe u. Paffrath, Arzneiverordnungsreport, S. 242–247, Stuttgart: Fischer 1995.
allg.: Arzneimittelchemie I, 232 f. ▪ Beilstein EIV **1**, 3143 f. ▪ DAB **10** u. Komm. ▪ Florey **2**, 85–143 ▪ Hager (5.) **7**, 843 ff. ▪ Ullmann (5.) **A 6**, 533–536. – *[HS 2905 50; CAS 302-17-0]*

Chloralkali-Elektrolyse. Techn. angewandtes Verf. zur Zers. wäss. Natriumchlorid-Lsg. durch elektr. Energie unter Bildung von Natronlauge, Chlor u. Wasserstoff nach der schemat. Gleichung:

$$\text{Energie} + 2\,NaCl + 2\,H_2O \rightarrow 2\,NaOH + H_2 + Cl_2.$$

Die techn. Durchführung dieser Elektrolyse ist dadurch charakterisiert, daß eine Trennung der Kathodenprodukte Wasserstoff u. Natronlauge von dem Anodenprodukten Chlor erfolgen muß, um die Bildung von *Chlorknallgas bzw. *Natriumhypochlorit

$$Cl_2 + 2\,NaOH \rightarrow NaOCl + NaCl + H_2O$$

zu verhindern. Die einzelnen Verf. unterscheiden sich darin, wie diese Trennung erreicht wird. Großtechn. werden zwei Verf., das Quecksilber- u. das Diaphragma-Verf. angewendet. Im *Amalgam-* od. *Quecksilber-Verf.* (s. Abb.) werden das Natriummetall unmittelbar an der Quecksilber-Kathode unter Amalgam-Bildung (hohe Wasserstoff-Überspannung am Quecksilber) u. das Chlor gasf. an der Graphit- od. aktivierten Titan-Anode abgeschieden. Das Amalgam fließt im Kreislauf über einer nachgeschalteten sog. Zersetzer (Horizontal- od. Vertikalzersetzer) u. wird dort mit Wasser elektrokatalyt. unter Bildung von 50%iger, Chlorid-freier Natronlauge u. Wasserstoff zersetzt. Die erste industriell verwendbare Hg-Zelle wurde 1892 von H. Y. Castner – ursprünglich zur Herst. sehr reiner Soda – entwickelt. Moderne Großanlagen (z. B. 300000 jato Cl_2) haben Zellengrößen von ca. 35 m^2, Stromstärken bis $\leq$50000 A u. Stromdichten von 10–15 kA/m^2, wobei bis zu 65 Zellen erforderlich sind. Zur Problematik von Elektrolysegiften bei der H_2-Abscheidung s. *Lit.*[1].

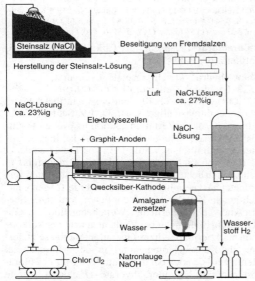

Abb.: Amalgam- od. Quecksilber-Verfahren.

Ein bedeutender Fortschritt gegenüber der sich verbrauchenden Graphit-Anode ist die formstabile sog. aktivierte Titan-Anode mit Laufzeiten von ca. 1,5–3 a. Für 1 t Cl_2 werden 3300 kWh, 1,7 t NaCl und weniger als 0,003 kg Quecksilber benötigt. Hg-Emissionen werden durch eine Reihe von Maßnahmen minimiert (s. Winnacker-Küchler, *Lit.*). Bekannte Zellentypen werden von den Firmen Uhde, De Nora, Olin Mathieson, Krebskosmo u. Kureha gebaut.

Im *Diaphragma-Verf.* werden Anoden- u. Kathodenraum durch ein poröses Diaphragma aus Asbest getrennt, so daß eine Rückreaktion der Produkte verhindert wird. Die wäss. NaCl-Lsg. fließt vom Anodenraum durch das Diaphragma in den Kathodenraum, wo sich der Wasserstoff an einer Stahlkathode abscheidet, während sich ein Katholyt mit einem NaOH-Gehalt von 130–150 g/l u. 175–210 g NaCl/l ergibt, der unter Salzausscheidung auf 50%ige Natronlauge eingedampft werden muß. Der Restgehalt von 1% NaCl in der Natronlauge wird durch Feinreinigung entfernt. Das an Graphit- od. aktivierten Titan-Anoden abgeschiedene Chlor enthält bis zu 3 Vol.-% Sauerstoff, der durch Chlor-Verflüssigung ausgetrieben werden kann. Eine unerwünschte Nebenreaktion ist außer der O_2- auch die Chlorat-Bildung (vgl. *Lit.*[2]). Moderne Diaphragmazellen (Stromstärken bis 150000 A, Stromdichte 2,0–2,74 kA/m^2) arbeiten mit justierbaren, aktivierten Titan-Anoden und mit durch Kunststoff-Fasern verdichteten Asbest-Diaphragmen (Zellenspannungen 3,0–4,15 V, Stromausbeuten ca. 96%, Energieverbrauch 2590–3250 kWh/t Cl_2). Zur Berechnung der Stromausbeuten s. *Lit.*[3]. Der Gesamtenergieverbrauch ist etwas höher als beim Quecksilber-Verfahren. Bekannte Zellentypen werden von Hooker, Diamond Shamrock, Glanor, Krebskosmo u. Nippon Soda gebaut. Eine Variante des Diaphragma-Verf. ist das *Membran-Verf.*, das auf dem Einsatz selektiv ionenleitender Membranen beruht[4]. Bei unmittelbarer Solung der NaCl-Lsg. im Salzstock u. niedrigen Dampfkosten ist das Diaphragma-Verf. günstig, bei hohen Reinheitsanforderungen an die Produkte ist das Quecksilber-Verf. vorzuziehen. Während in Europa noch das Amalgam-Verf. bevorzugt wird, wird die C.-E. in den USA u. heute auch in Japan vorwiegend nach dem Diaphragma-Verf. betrieben. Näheres u. Abb. der verschiedenen Zellentypen s. bei Winnacker-Küchler, Kirk-Othmer u. McKetta (*Lit.*), u. über Spezial-Verf. s. *Lit.*[5]. Den aktuellen Stand der C. s. *Lit.*[6]. Über eine Meth. zur Gewinnung von Natriumcarbonat durch C. mit Hilfe von PTFE-Kationenaustauscher-Membranen s. *Lit.*[7]. – *E* chloralkali electrolysis – *F* électrolyse des chlorures alcalins – *I* elettrolisi dei cloruri alcalini – *S* electrolisis de cloruros alcalinos

Lit.: [1] Chem. Tech. (Leipzig) **30**, 357 ff. (1978). [2] Chem. Tech. (Leipzig) **29**, 212 ff. (1977); **30**, 640 ff. (1978). [3] Chem. Tech. (Leipzig) **29**, 383–387 (1977). [4] Chem.-Ztg. **101**, 433–447 (1977). [5] Chem. Labor Betr. **29**, 213–218 (1978). [6] Chem. Unserer Zeit **12**, 135–145 (1978). [7] Chem. Tech. (Leipzig) **27**, 356 (1975).

allg.: Chem. Anlagen + Verfahren **1972**, Nr. 9, 65–76 ■ Chem. Labor Betr. **29**, 213–218 (1978) ■ Chem. Unserer Zeit **12**, 135–145 (1978) ■ Chem.-Ztg. **101**, 433–447 (1977) ■ Kirk-Othmer (3.) **1**, 799, 825 ■ McKetta **7**, 305–500 ■ Ullmann **A 6**, 406; **A 9**, 209 ff. ■ Winnacker-Küchler (4.) **2**, 382–442 ■ s. a. Chlor, Elektrolyse.

Chloralkohole s. Chlorhydrine.

Chloralose. Common name für (R)-1,2-O-(2,2,2-Trichlorethyliden)-α-D-glucofuranose. Xn

$C_8H_{11}Cl_3O_6$, M_R 309,53, Schmp. 187 °C, LD_{50} (Ratte oral) 400 mg/kg (WHO). Die aus Chloralhydrat u. Glucose erhältliche C. wurde früher als Schlafmittel verwendet, lähmt hauptsächlich die motor. Teile des Großhirns u. die Empfindlichkeit. C. kann Sucht er-

zeugen. C. wird als *Rodentizid speziell gegen Mäuse verwendet, wobei die Tiere in Tiefschlaf fallen u. dann an Unterkühlung sterben. – *E* chloralose, alpha-chloralose, glucochloralose – *F* chloralose – *I* cloralosio – *S* cloralosa
Lit.: Farm ▪ Pesticide Manual. – *[HS 291100; CAS 15879-93-3]*

Chlorambucil.

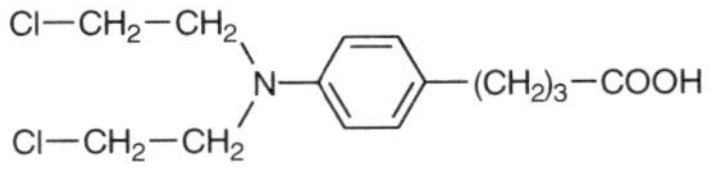

Cl—CH$_2$—CH$_2$—N(—CH$_2$—CH$_2$—Cl)—C$_6$H$_4$—(CH$_2$)$_3$—COOH

Internat. Freiname für 4-(4-[Bis(2-chlorethyl)-amino]-phenyl)-buttersäure, C$_{14}$H$_{19}$Cl$_2$NO$_2$, M_R 304,22, Schmp. 64–66 °C. LD$_{50}$ (Ratte i. p.) 58,2 µmol/kg. C. wurde als alkylierendes Leukämietherapeutikum 1962 von Burroughs Wellcome (Leukeran®) patentiert. – *E* = *F* chlorambucil – *I* clorambucile – *S* clorambucilo
Lit.: ASP ▪ DAB 10 ▪ Hager (5.) **7**, 845 ▪ Ullmann (5.) A **5**, 12. – *[HS 292249; CAS 305-03-3]*

Chlorameisensäureester [Chlor(o)kohlensäureester, Chlor(o)formiate, Carbonochloridate]. Cl—COOR;

Gruppenbez. für die Ester der Chlorameisen- od. Chlor(o)kohlensäure, *Beisp.*: R = CH$_3$: *Chlorameisensäuremethylester*, C$_2$H$_3$ClO$_2$, M_R 94,50, D. 1,223, Sdp. 71 °C; R = C$_2$H$_5$: *Chlorameisensäureethylester*, C$_3$H$_5$ClO$_2$, M_R 108,52, D. 1,140, Sdp. 95 °C. Beides sind farblose, zu Tränen reizende Flüssigkeiten, die mit Wasser, Alkohol, Ammoniak, organ. Natrium-Verb. ähnlich wie Carbonsäurechloride leicht reagieren u. daher wie auch andere C. (Benzyl-, Isopropylester) bei Synth. Verw. finden, s. *Lit.*[1]. Zur Stabilisierung wird den C. ggf. Calciumcarbonat zugesetzt. Die C. sind wegen ihren ätzenden Wirkung auf Haut u. Schleimhäute gefährlich; das Einatmen der Dämpfe bes. der niederen Ester kann zu Lungenödem u. damit zum Tode führen. – *E* chloroformates – *F* chloroformiates – *I* estere dell'acido cloroformico – *S* cloroformiatos
Lit.: [1] Synthetica **1**, 114–118; **2**, 72–76.
allg.: Beilstein EIV **3**, 23ff. ▪ Hommel, Nr. 374, 404 ▪ Kirk-Othmer **4**, 386–390; (3.) **4**, 758–771 ▪ Ullmann **5**, 380f.; (4.) **9**, 381; A **6**, 559. – *[HS 291590; CAS 79-22-1 (Methylester); 541-41-3 (Ethylester); G 3]*

Chloramin. NH$_2$Cl, M_R 51,48. Farblose Krist., Schmp.

–66 °C, zersetzlich, lösl. in Wasser u. Ether. C. wirkt bakterizid u. ist zur Wasser-Entkeimung, Hydrazin-Synth. u. in der präparativen organ. Synth. verwendbar. Herst. nach Raschig aus Ammoniak u. Hypochlorit: NH$_3$ + OCl$^-$ → NH$_2$Cl + OH$^-$. Von C. leiten sich die *Chloramine u. das techn. wichtige *Chloramin T ab. – *E* = *F* chloramine – *I* cloramina – *S* cloramina
Lit.: Brauer (3.) **1**, 459 ff. ▪ Frazier u. Sisler, Chloramination Reactions, Stroudsburg: Dowden, Hutchinson & Ross 1977 ▪ Gmelin, Syst.-Nr. 6, Cl, Erg.-Bd. B 2, 1969, S. 490–500 ▪ Kirk-Othmer (4.) **5**, 915 f. ▪ Ullmann (5.) **6**, 554. – *[HS 293500; CAS 127-52-6]*

Chloramine. Gruppenbez. für Amine, bei denen Stickstoff-Atome Chlor-Substituenten tragen; *Beisp.*:

R—NH—Cl, R$_2$N—Cl (R sind Alkyl u./od. Aryl-Reste) u. *Chlorisocyanursäuren. Die C. finden Verw. zu *Chlorierungen, als *Desinfektionsmittel u. als Oxidationsmittel (vgl. Chloramin T). – *E* = *F* chloramines – *I* clorammine – *S* cloraminas

Lit.: Chem. Rev. **70**, 639–665 (1970) ▪ Kirk-Othmer **4**, 908–928; (3.) **5**, 565–580 ▪ Ullmann (4.) **9**, 384ff. ▪ s.a. Chlorierung. – *[HS 293500]*

Chloramingelb (C.I. Direct Yellow 28).

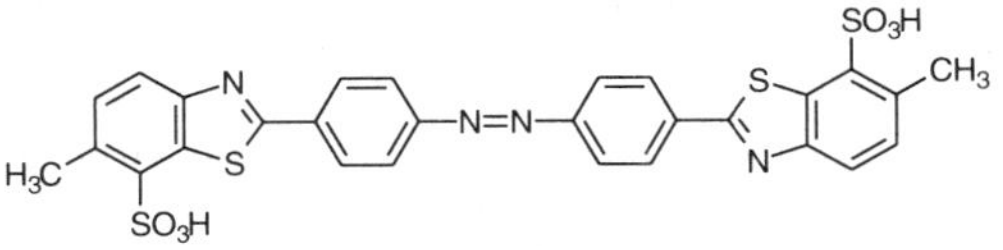

Lichtechter, gelber *Direktfarbstoff, C$_{28}$H$_{20}$N$_4$O$_6$S$_4$, M_R 636,73, der nicht mittels Diazotierung u. Kupplung (s. Azo-Farbstoffe), sondern durch Dehydrogenierung von 2-(4-Aminophenyl)-6-methylbenzothiazol-5-sulfonsäure (Dehydrothiotoluidinsulfonsäure) mit Natriumhypochlorit hergestellt wird. – *E* chloramin yellow – *F* jaune de chloramine – *I* giallo di clorammino – *S* amarillo de cloroamina
Lit.: Beilstein E III/IV **27**, 6022 ▪ Zollinger, Color Chemistry, S. 127, 2. Aufl., Weinheim: VCH Verlagsges. 1991. – *[CAS 8005-72-9]*

Chloramin T (*N*-Chlor-4-toluolsulfonamid-Natrium; internat. Freiname: Tosylchloramid-Natrium).

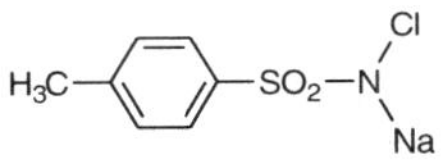

C$_7$H$_7$ClNNaO$_2$S, M_R 227,64. Als Trihydrat Krist., die sich an Luft zersetzen, in Wasser leicht, in organ. Lsm. nicht lösl., durch Alkohol zersetzt. Handelsübliches C. ist ein weißes Pulver od. Tabl., die etwa 25% aktives Chlor enthalten u. schon in 0,25–0,5%iger Lsg. auf Wunden usw. infolge Chlor-Abspaltung desinfizierend wirken. C. ist in Pulverform u. konz. Lsg. gut haltbar, leicht lösl., ungiftig, verursacht in den üblichen Verdünnungen keine Wundreizungen, greift Textilfasern nicht an, wirkt ähnlich wie Chlorkalk bleichend u. zerstört Gerüche.
Verw.: Zur Wunddesinfektion, zur Desinfektion von Krankenzimmern, Geräten, Kleidern, Ställen, Schwimmbädern (als *Algizid) usw. (zur Desinfektion von *Trinkwasser ist C. T in der BRD nicht mehr zugelassen), zu zahnärztlichen Operationen; in der Maßanalyse zur Bestimmung von Halogenen u. Bromat, zum Bleichen, von Chloren von Wolle, als Stärke-Aufschließungsmittel für Appretur u. Schlichterei, in der Photographie zur Zerstörung von Fixierbädern. Analog verhält sich *Chloramin B*, das Benzol-Analoge von C. (H statt CH$_3$ in obiger Formel). – *E* = *F* chloramine T – *I* clorammina T – *S* cloramina T. *B.*: Lysoform.
Lit.: Beilstein E IV **11**, 457 ▪ DAB 10 u. Komm. (Tosylchloramid-Natrium) ▪ Hager (4.) **1**, 1229f. ▪ Ullmann (5.) A **6**, 553–558. – *[HS 293500; CAS 127-65-1]*

Chloramphenicol.

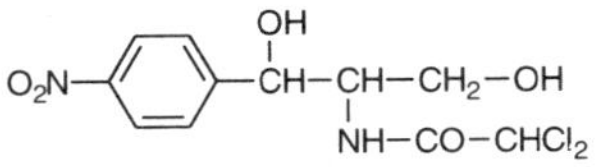

O$_2$N—C$_6$H$_4$—CH(OH)—CH(NH—CO—CHCl$_2$)—CH$_2$—OH

Internat. Freiname für D-(–)-*threo*-2-(Dichloracetyl-amino)-1-(4-nitrophenyl)-1,3-propandiol, C$_{11}$H$_{12}$Cl$_2$N$_2$O$_5$, M_R 323,13. Bitter schmeckende, farblose Krist., Schmp. 149–152 °C, $[\alpha]_D^{20}$ +20° (C$_2$H$_5$OH,

5%ig), in Wasser wenig, in polaren organ. Lsm. gut löslich. Das 1947 durch Ehrlich et al. u. unabhängig von ihm durch Gottlieb et al. in Streptomyces-Nährböden entdeckte C. enthält die in Naturstoffen seltenen Nitro- u. Dichlormethyl-Gruppierungen. Es ist das erste synthet. hergestellte sog. Breitband-*Antibiotikum. C. wirkt gegen Rickettsien, große Viren, Grampos. u. -neg. Bakterien u. Kokken, Actinomyceten, Spirochäten u. Leptospiren; es wird v. a. verwendet bei Papageienkrankheit, Typhus, Paratyphus, Augenentzündungen. C. wird an bakterielle Ribosomen gebunden u. inhibiert dadurch die Peptidyltransferase; die resultierende Proteinsynthese-Hemmung bewirkt Bakteriostase. Bekannte Präp. sind Chloromycetin® (Parke Davis), Leukomycin® (Bayer) u. Paraxin® (Boehringer Mannheim), C. ist generikafähig. Die C.-Resistenz verschiedener Bakterien entsteht durch Acetylierung des C.-Mol. mit Hilfe bakterieneigener Enzyme[1]. Zur Entdeckungsgeschichte, Konstitutionsermittlung u. techn. Synth. vgl. Lit.[2]. – *E* chloramphenicol – *F* chloramphénicol – *I* cloramfenicolo – *S* cloranfenicol, cloramfenicol

Lit.: [1] Umschau **75**, 179–181 (1975). [2] Ehrhart-Ruschig, S. 1717–1729.
allg.: Arzneimittelchemie III, 124–127 ▪ Beilstein EIV **13**, 2742–2744 ▪ DAB 10 u. Komm. ▪ Florey **4**, 47–90, 517; **15**, 701–760 ▪ Hager (5.) **7**, 847–851 ▪ IARC Monogr. **10**, 85–98 ▪ Pongs, Antibiotics 5/1, S. 26–42, Berlin: Springer 1979 ▪ s. a. Antibiotika. – [HS 294140; CAS 56-75-7]

Chloramphenicol-Acetyltransferase (Abk. CAT, EC 2.3.1.28). Produkt eines *Resistenz-Gens, das von *Bakterien zur Inaktivierung des Antibiotikums *Chloramphenicol gebildet wird. Chloramphenicol wird hierbei in das Mono- od. Diacetat überführt. Die CAT-Genexpression (CAT-Assay) wird als Test zur Prüfung der Stärke u. Funktion eines *Promotors benutzt. Die hierfür erforderlichen speziellen DNA-Konstrukte nennt man CAT-Vektoren, die neben den üblichen Vektorstrukturen das Gen für das Enzym C.-A. als *Reportergen beinhalten. Da das CAT-Gen, ein wichtiger *Selektionsmarker in der *Gentechnologie, nativ nur in *Prokaryonten vorkommt, gibt es in *eukaryontischen Zellen keinen störenden Hintergrund.

Chloramphenicol → CAT, Acetyl-CoA → 1,3-Diacetyl-Chloramphenicol

Abb.: Acetylierung von Chloramphenicol mit Chloramphenicol-Acetyltransferase.

– *E* chloramphenicol acetyltransferase – *F* chloramphénicol acétyltransférase – *I* cloramfenicol-acetiltransferasi – *S* cloranfenicol-acetiltransferasa
Lit.: Methods Enzymol. **152**, 709–718 (1987) ▪ Sambrook, Molecular Cloning, Bd. 3, S. 1659–1665, New York: Cold Spring Harbor Laboratory Press 1989. – [HS 294140; CAS 9040-07-7]

Chloranil (Tetrachlor-1,4-benzochinon). $C_6Cl_4O_2$, M_R 245,88. Goldgelbe Blättchen od. monokline haut- u. schleimhautreizende Prismen, Schmp. 296 °C (Subl.), unlösl. in Wasser, wenig lösl. in Alkohol, Methanol, Chloroform, in Ether lösl.; LD_{50} (Ratte oral) 4000 mg/kg. C. bildet *Charge-transfer-Komplexe mit aromat. Kohlenwasserstoffen[1].

Verw.: Als kräftiges Oxidationsmittel zur Dehydrierung vor allem von hydroaromat. Verb., als Elektronenakzeptor in Charge-transfer-Komplexen. Der Name ist auf die span. Bez. für Indigo (Anil) zurückzuführen, weil C. erstmals aus Indigo-Derivaten gewonnen wurde. – *E* chloranil – *F* chloranile – *I* cloranile – *S* cloranil
Lit.: [1] Naturwissenschaften **62**, 392 (1975).
allg.: Beilstein EIV **7**, 2083 ▪ Chem. Rev. **78**, 317 (1978) ▪ J. Phys. Chem. **95**, 7308 (1991) ▪ Paquette, S. 1056 ▪ Ullmann (4.) **8**, 364; (5.) **A3**, 571, 573. – [HS 291470; CAS 118-75-2]

Chloraniline.

C_6H_6ClN, M_R 127,57. Gruppenbez. für die 3 Monochlor-Derivate des Anilins, die durch Einwirkung von Chlor auf Acetanilid u. anschließende Verseifung od. durch Red. der entsprechenden Chlornitro-Verb. hergestellt werden.

(a) *2-C.*: D. 1,21, Schmp. –2 °C, Sdp. 209 °C, LD_{50} (Maus oral) 256 mg/kg, – (b) *3-C.*: D. 1,22, Schmp. –10 °C, Sdp. 231 °C, LD_{50} (Ratte oral) 256 mg/kg), – (c) *4-C.*: Schmp. 73 °C, Sdp. 231 °C, gilt als Stoff, der sich im Tierversuch eindeutig als krebserzeugend erwiesen hat, Gruppe III A 2 MAK-Werte-Liste 1995. Alle 3 C. sind Blut- u. Nervengifte ähnlich dem *Anilin, können durch die Haut resorbiert werden u. ggf. Nierenschäden verursachen; WGK 2.
Verw.: Zwischenprodukte bei der Synth. von Herbiziden, Farbstoffen, Arzneimitteln. – *E* chloroanilines – *F* chloranilines – *I* cloroaniline – *S* cloroanilinas
Lit.: Beilstein EIV **12**, 1115, 1137, 1166 ▪ Hager (5.) **3**, 273–277 ▪ Hommel, Nr. 460, 834 ▪ Kirk-Othmer (3.) **2**, 318; (4.) **2**, 439 ▪ Rippen, Handbuch Umweltchemikalien, Landsberg: Ecomed-Verlagsgesellschaft 1987–1996 ▪ Ullmann (4.) **7**, 570 ff.; (5.) **A2**, 46, 308 ▪ Winnacker-Küchler (3.) **4**, 172f. – [HS 292142; CAS 95-51-2 (2-C.); 108-42-9 (3-C.); 106-47-8 (4-C.); G 6.1]

Chloranilsäure (2,5-Dichlor-3,6-dihydroxy-1,4-benzochinon).

$C_6H_2Cl_2O_4$, M_R 208,99. Rote, leicht sublimierende Krist., Schmp. 283–284 °C, leicht lösl. in Alkoholen, wenig in Wasser u. Ether, nicht in Chloroform u. Benzol. In der analyt. Chemie dient C. zur gravimetr. u./od. kolorimetr. Bestimmung von Al, Ba, Ca, Mo, Pb, Sr, Zn, Zr; da Chloride, Fluoride u. Sulfate die C. aus ihren

Metall-Salzen (*Chloranilate*) freisetzen, können kolorimetr. auch diese Anionen bestimmt werden, u. a. auch im klin. Bereich. – *E* chloranilic acid – *F* acide chloranilique – *I* acido cloranilico – *S* ácido cloranílico
Lit.: Beilstein E IV **8**, 2707 ▪ J. Chromatogr. **4**, 153 (1960) ▪ Merck Index (11.), Nr. 2072. – *[CAS 87-88-7]*

Chlorargyrit (Silberhornerz, Hornsilber, Kerargyrit). AgCl; bis 75,27% *Silber enthaltendes, in frischem Zustand diamantglänzendes u. farbloses, aber bald unter Silber-Abscheidung grau, bräunlich od. schwarz werdendes, hornartiges (Namen!), mit dem Messer schneidbares Mineral; bildet kleine kub. Krist. (Krist.-Klasse m3m-O_h), derbe Massen, Krusten od. Überzüge. H. 1,5, D. 5,5–5,6; Analysen zeigen alle Übergänge zu *Bromargyrit* AgBr.
Vork.: Als lokal zeitweise wichtiges Silbererz in *Oxidationszonen von Silberlagerstätten, z. B. Erzgebirge, Markirch/Elsaß, USA, Mexiko, Chile; als Imprägnation in Sandsteinen („Silbersandstein") in Utah/USA. – *E = F* chlorargyrite – *I* chlorargirite – *S* chlorargirita
Lit.: Ramdohr-Strunz, S. 486 ▪ Schröcke-Weiner, S. 319 f. – *[HS 2616 10, 2843 10; CAS 57030-43-0]*

Chloraromaten (Chlorarene). Sammelbez. für verschiedene kernchlorierte *aromatische Verbindungen wie z. B. die Chlorbenzole (Mono-, Di-, Tri- etc. Chlorbenzol), *Chlornaphthaline, *Chlortoluole, *Chlorbiphenyle (s. a. PCB) u. a. aromat. *Chlorkohlenwasserstoffe (CKW); auch Chlorphenole u. Derivate wie *2,3,7,8-Tetrachlordibenzo[1,4]dioxin können hierher gerechnet werden. Die C. finden vielfache Verw., z. B. als Zwischenprodukte bei der Herst. von Arzneimitteln, Schädlingsbekämpfungs- u. Pflanzenschutzmitteln, Desinfektionsmitteln, Konservierungsstoffen, Farbstoffen usw. Aufgrund ihrer meist geringen Abbaubarkeit können *Rückstände im *Boden u. daraus resultierend in *Lebensmitteln zum Problem werden, zumal eine Reihe von C. nicht nur hauttox. (*Chlorakne), sondern sogar potentielle *Carcinogene sind. Daher ist die Verw. von C. für bestimmte Zwecke bes. Einschränkungen unterworfen wie z. B. der Höchstmengenverordnung u. a. – *E* chloroaromatics – *F* chloroaromatiques – *I* cloruri dei composti aromatici – *S* cloroaromáticos
Lit.: s. Chlorkohlenwasserstoffe.

Chlorate. Salze der *Chlorsäure (HClO₃), die das Chlorat-Ion ClO_3^- enthalten. Die C. sind farblos u. in Wasser leicht löslich. In festem, reinem Zustand halten sie sich bei 20 °C unverändert, beim Erhitzen geben sie Sauerstoff ab, was in Ggw. von leicht oxidablen Stoffen explosiv (s. Chlorat-Sprengstoffe) vonstatten gehen kann, bes. wenn Schwermetall-Verb. katalyt. wirken können. Die Fähigkeit zur O₂-Abgabe wird in den sog. *Chlorat-Kerzen* (Patronen mit festem C., meist NaClO₃) zur Sauerstoff-Versorung in U-Booten, Flugzeugen, in der Raumfahrt u. in Atemmasken genutzt. – *E = F* chlorates – *I* clorati – *S* cloratos
Lit.: Gmelin, Syst.-Nr. 6, Cl, 1927, S. 334–362, Erg.-Bd. B 2, 1969 ▪ Kirk-Othmer (4.) **5**, 998–1016 ▪ Solymosi, Structure and Stability of Salts of Halogen Oxyacids in the Solid Phase, London: Wiley 1978 ▪ Ullmann (5.) **A 6**, 501 ff., 521 ▪ s. a. Chlorsäure u. Natriumchlorat.

Chlorat-Sprengstoffe. Sammelbez. für 1877 von *Berthollet erstmals hergestellte u. früher viel verwendete explosive Gemische von *Chloraten der Alkali- od. Erdalkalimetalle mit Kohlenstoff-reichen organ. Verb. (z. B. Holzmehl, Petroleum, Ölen, Fetten, Nitro-Derivaten von Benzol od. Toluol u. dgl.). Die C. sind sehr reibungsempfindlich u. leicht entflammbar u. werden daher kaum noch verwendet; *Beisp.:* Cheddit (Name nach dem Ort Chedde in Savoyen), Chloratit (80–90% Kaliumchlorat bzw. Natriumchlorat u. 5–12% Kohlenwasserstoffe, evtl. mit Zusatz von Holzmehl). – *E* chlorate explosives – *F* explosifs au chlorate – *I* esplosivi a clorato – *S* explosivos de clorato
Lit.: Kirk-Othmer (3.) **9**, 561–620 ▪ Meyer, Explosivstoffe (6.), S. 63, Weinheim: VCH-Verlagsges. 1985 ▪ Winnacker-Küchler (4.) **7**, 346–403.

Chlorazanil.

Internat. Freiname für 2-Amino-4-(4-chloranilino)-1,3,5-triazin, $C_9H_8ClN_5$, M_R 221,65, Schmp. 233–234 °C, auch 256–258 °C angegeben. C. wurde als Diuretikum 1955 von Heumann (Orpidan 150®) patentiert. – *E = F* chlorazanil – *I* clorazanile – *S* clorazanil
Lit.: Beilstein E V **26/8**, 420 ▪ Hager (5.) **7**, 852–853 ▪ Pharm. Ztg. **138**, 3738 (1993). – *[HS 2933 69; CAS 500-42-5; 2019-25-2 (Hydrochlorid)]*

Chlorbenzaldehyde.

C_7H_5ClO, M_R 140,57. 3 Isomere: *2-C.*, D. 1,25, Schmp. 12 °C, Sdp. 212 °C; – *3-C.*, D. 1,24, Schmp. 18 °C, Sdp. 213–214 °C; – *4-C.*, D. 1,196, Schmp. 48 °C, Sdp. 214 °C. Alle 3 C. sind stark haut- u. schleimhautreizend u. mäßig löslich in Wasser, lösl. in Alkohol, Ether, Aceton. Zwischenprodukte bei der Synth. von Triarylmethan-Farbstoffen, Arzneimitteln u. Sorbitreagenz (2-C.). – *E* chlorobenzaldehydes – *I* clorobenzaldeide – *S* clorobenzaldehídos
Lit.: Beilstein E IV **7**, 561, 566, 568 ▪ Kirk-Othmer (3.) **3**, 741 ▪ Ullmann (4.) **8**, 348 ff.; (5.) **A 6**, 366. – *[HS 2913 00; CAS 89-98-5 (2-C.); 587-04-2 (3-C.); 104-88-1 (4-C.); G 6.1]*

Chlorbenzoesäuren.

$C_7H_5ClO_2$, M_R 156,57. 3 Isomere: *2-C.*, D. 1,544, Schmp. 142 °C (subl.), Sdp. 285 °C, WGK 2; – *3-C.*, D. 1,496, Schmp. 155–158 °C (subl.); – *4-C.*, Schmp. 235–243 °C, Sdp. 275 °C; LD_{50} (Ratte oral) 1170 mg/kg, WGK 2. Die C. sind in heißem Wasser u. polaren organ. Lsm. gut löslich.
Verw.: Als Zwischenprodukte in der Synth. von Arzneimitteln, Schädlingsbekämpfungsmitteln, Farbstof-

fen, 3-C. auch als Bezugssubstanz für Elementaranalysen. 4-C. übertrifft die Benzoesäure in ihrer konservierenden Wirkung u. wurde früher in der Form des Natrium-Salzes als Microbin zur Konservierung von Lebensmitteln u. Genußmitteln verwendet. – *E* chlorobenzoic acids – *F* acide chlorobenzoique – *I* acidi clorobenzoici – *S* ácidos clorobenzoicos
Lit.: Beilstein E IV 9, 956, 969, 973 ▪ Gesundheitsschädliche Arbeitsstoffe: toxikologisch-arbeitsmedizinische Begründung von MAK-Werten, Weinheim: Verl. Chemie 1972 – 1996 ▪ Ullmann (4.) **8**, 377 f.; (5.) **A 3**, 564. – *[HS 2916 39; CAS 118-91-2 (2-C.); 535-80-8 (3-C.); 74-11-3 (4-C.)]*

Chlorbenzol. H_5C_6–Cl, C_6H_5Cl, M_R 112,56. Farblose Flüssigkeit, D. 1,106, Schmp. –46 °C, Sdp. 132 °C, unlösl. in Wasser, leicht lösl. in Alkohol, Ether u. Benzol, WGK 2. Die Dämpfe haben stark narkot. Wirkung u. reizen geringfügig die Augen u. die Atemwege, MAK 10 ppm (MAK-Werte-Liste 1995). Entsteht beim Chlorieren von Benzol mit Chlor in Ggw. von Friedel-Crafts-Katalysatoren (s. Friedel-Crafts-Reaktion), od. durch Oxychlorierung von Benzol mit HCl-Luft-Gemischen. C. läßt sich ebenso wie die höher chlorierten Benzole durch Bakterien zu dem entsprechenden Phenol umwandeln[1].
Verw.: Lsm. für Öle, Fette, Harze, Kautschuk, Ethylcellulose, Wärmeübertragungsmittel, Zwischenprodukt bei der Herst. von Insektiziden, Farbstoffen, Arzneimitteln, Duftstoffen, Phenol usw. – *E* chlorobenzene – *F* chlorobenzène – *I* clorobenzene – *S* clorobenceno
Lit.: [1] Angew. Chem. **89**, 680 f. (1977).
allg.: Beilstein E IV **5**, 640 – 651 ▪ Gesundheitsschädliche Arbeitsstoffe: toxikologisch-arbeitsmedizinische Begründung von MAK-Werten, Weinheim: Verl. Chemie 1972 – 1996 ▪ Hommel, Nr. 133 ▪ Kirk-Othmer **5**, 253 – 258, (3.) **5**, 797 – 808 ▪ McKetta **8**, 117 – 134 ▪ Ullmann (4.) **9**, 499 ff.; (5.) **A 6**, 330 ▪ Weissermel-Arpe (4.), S. 378 f. – *[HS 2903 61; CAS 108-90-7; G 3]*

Chlorbenzole s. Chloraromaten.

Chlorbenzoxamin.

Internat. Freiname für das anticholinerg wirkende 1-[2-(2-Chlorbenzhydryloxy)-ethyl]-4-(2-methylbenzyl)-piperazin, $C_{27}H_{31}ClN_2O$, M_R 435,01, Sdp. 234 – 236 °C (1,33 Pa), 235 °C (0,6 Pa). Verwendet wird das Dihydrochlorid, Schmp. 197 – 200 °C, LD_{50} (Ratte s. c.) 4000, (Ratte i. v.) 66 mg/kg. C. wurde 1958 von Morren patentiert u. war von UCB (Libratar®) im Handel. – *E* chlorobenzoxamine – *I* clorobenzossammina – *S* clorobenzoxamina
Lit.: Beilstein E V 23/1 457 ▪ Hager (5.) **7**, 854. – *[HS 2933 59; CAS 522-18-9; 5576-62-5 (Dihydrochlorid)]*

(2-Chlorbenzyliden)-malonsäuredinitril.

$C_{10}H_5ClN_2$, M_R 188,62. Farblose Masse, Schmp. 95 °C, Sdp. 310 °C, in vielen organ. Lsm. gut lösl., weniger gut in Wasser, mit dem es langsam reagiert. C. ist ein starker *Tränenreizstoff, der nach den Entdeckern Corson u. Stoughton (1928) auch *CS* genannt wird. Er findet in teilw. anfechtbarer Weise Verw. als polizeilich u. militär. genutzter *Kampfstoff; zur Wirkung, ihrem Mechanismus u. Nebenwirkungen s. *Lit.*[1]. – *E* (2-chlorobenzylidene)-malononitrile – *I* (2-clorobenziliden)-malodinitrile – *S* dinitrilo del ácido (2-clorobenciliden)malónico
Lit.: [1] Naturwissenschaften **60**, 177 – 183 (1973); **62**, 459 – 467 (1975); Chem. Unserer Zeit **12**, 146 – 152 (1978).
allg.: Brauer, Gefahrstoff-Sensorik, Landsberg: Ecomed Verlagsges. 1988 ▪ Hager (5.) **3**, 279 ▪ Kirk-Othmer **4**, 877; (3.) **5**, 413 ▪ Merck-Index (11.), Nr. 2127 ▪ Nature (London) **235**, 257 – 261 (1972) ▪ Ullmann (4.) **19**, 627; (5.) **A 16**, 72. – *[CAS 2698-41-1]*

Chlorbiphenyle. Bez. für meist mehrfach chlorierte *Biphenyle, s. (unabhängig vom Chlorierungsgrad) PCB (Abk. für polychlorierte Biphenyle).

Chlorbleiche s. Papier (Umweltaspekte, Bleichverf.).

Chlorbleichlauge s. Natriumhypochlorit.

Chlorbrommethan s. Bromchlormethan.

2-Chlor-1,3-butadien s. Chloropren.

Chlorbutan s. Butylchloride.

Chlorcarbonyl… Bez. für die Atomgruppierung –CO–Cl in organ. Verb. (IUPAC-Regel R-3.2.1.1); alte Bez. (IUPAC-Regel C-481.2): *Chlorformyl…* – *E* chlorocarbonyl… – *F* chlorcarbonyle… – *I* = *S* clorocarbonil…

Chlorcarvacrol (4-Chlor-5-isopropyl-2-methylphenol).

$C_{10}H_{13}ClO$, M_R 184,67. Ähnlich Chlorthymol in der Mundhygiene, zur Hautdesinfektion u. in Hämorrhoidenmitteln verwendetes Desinfektionsmittel. – *E* = *F* chlorocarvacrol – *I* clorocarvacrolo – *S* clorocarvacrol
Lit.: Beilstein E IV **6**, 3333 ▪ Hager (5.) **7**, 855. – *[HS 2908 10; CAS 5665-94-1]*

Chlorchemie. Begriff für einen Sektor der Chemie, bei dem *Chlor im Einsatz ist. Erfaßt werden dabei Produkte u. Prozesse. Die Chemie mit Chlor hat hohe Bedeutung für Innovationen u. Technik u. ist damit von großer volkswirtschaftlicher Wichtigkeit. Zahlreiche Produkte für den Endverbraucher leiten sich vom Chlor ab. Differenziert werden muß dabei zwischen Chlor-haltigen u. Chlor-freien Endprodukten. In Diskussion geraten ist die C. hauptsächlich durch ihre Produkte, die generell als persistent u. bioakkumulativ gelten (s. Persistenz u. Bioakkumulation). Diese pauschale Beurteilung ist nicht gerechtfertigt[1]. Nur Einzelprüfungen können Aufschluß über das Gefährdungspotential einer Substanz bringen. Nach Erkennen von neg. Eigenschaften für Mensch u. Umwelt sind zahlreiche Produktions- u. Anwendungsverbote bzw. freiwillige Verzichte durch die chem. Ind. erfolgt. – *E* chlorine chemistry – *F* chimie du chlore – *I* chimica del cloro – *S* química del cloro

Lit.: [1] Enquête-Komm.: Schutz des Menschen u. der Umwelt, Die Industriegesellschaft gestalten: Perspektiven für einen nachhaltigen Umgang mit Stoff- u. Materialströmen, Bonn: Economica Verl. 1994.
allg.: Chem. Unserer Zeit **27**, 32–41 (1993) ▪ Perspektiven mit Chlor, Brüssel: Euro Chlor Federation 1992 ▪ Positionen zur Chemie mit Chlor, Frankfurt: VCI 1996.

Chlorcyan (Cyanogenchlorid). Cl–CN, M_R 61,47. Farbloses, zu Tränen reizendes, sehr giftiges Gas, D. 1,186 (flüssig), Schmp. −6 °C, Sdp. 14 °C; lösl. in Wasser, Alkohol u. Ether. Das aus HCN u. Chlor herstellbare C. ist an trockner Luft stabil, polymerisiert jedoch in Ggw. von Katalysatoren zu *Cyanurchlorid. Qual. Bestimmung mit Prüfröhrchen (Dräger). – *E* cyanogen chloride – *F* chlorure de cianogène – *I* cloruro cianico – *S* cloruro de cianógeno
Lit.: Beilstein E IV **3**, 90 ff. ▪ Brauer (3.) **2**, 630–632 ▪ Encycl. Gaz., S. 187–189 ▪ Gmelin, Syst.-Nr. 14, C, Tl. D 3, 1976, S. 185–217 ▪ Kirk-Othmer (4.) **4**, 755 ▪ Ullmann (5.) **A 8**, 180 ff. – *[HS 2851 00; CAS 506-77-4; G 2]*

Chlorcyclohexan (Cyclohexylchlorid).

$C_6H_{11}Cl$, M_R 118,61. Farblose, erstickend riechende Flüssigkeit, D. 1,00, Schmp. −44 °C, Sdp. 143–144 °C, in Wasser nicht, in organ. Lsm. löslich.
Verw.: Bei Synth. von Methylcyclohexan, Phenylcyclohexan, Cyclohexancarbonsäure, Cyclohexen, dient zur Einführung der Cyclohexyl-Gruppe in organ. Verb. ähnlich wie *Bromcyclohexan. – *E* chlorocyclohexane – *F* chloro-cyclohexane – *I* clorocicloesano – *S* clorociclohexano
Lit.: Beilstein E IV **5**, 48 f. – *[HS 2903 59; CAS 542-18-7]*

Chlordan. Common name für 1,2,4,5,6,7,8,8-Octachlor-2,3,3a,4,7,7a-hexahydro-4,7-methanoinden.

$C_{10}H_6Cl_8$, M_R 409,78, Schmp. 104–107 °C, LD_{50} (Ratte oral) 250 mg/kg (GefStoffV), MAK 0,5mg/m³, von J. Hyman (Velsicol Chem. Co.) 1944 synthetisiertes breit wirksames *Insektizid zur Bekämpfung von Bodenschädlingen. Der Wirkstoff ist als Pflanzenschutzmittel in der BRD nicht mehr zugelassen. – *E* = *F* chlordane – *I* = *S* clordano
Lit.: Farm ▪ Perkow ▪ Pesticide Manual. – *[HS 2903 59; CAS 57-74-9]*

Chlordiazepoxid.

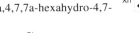

Internat. Freiname für 7-Chlor-2-methylamino-5-phenyl-3H-1,4-benzodiazepin-4-oxid, $C_{16}H_{14}ClN_3O$, M_R 299,76, Schmp. 236–236,5 °C, verwendet wird das Hydrochlorid, Schmp. 213 °C. Es wurde als erster Tranquilizer vom Benzodiazepin-Typ (s. dort) 1959 von Hoffmann-La Roche (Librium®) patentiert u. ist a. von AMW-Dresden (Radepur®) u. Rosen-Pharma (Multum®) im Handel. C. ist in Anlage IIIC der BtmVO gelistet. – *E* chlordiazepoxide – *I* clorodiazepossido – *S* clordiazepóxido
Lit.: Arzneimittelchemie I, 314, 320 f. ▪ ASP ▪ Beilstein E V **25/11**, 429 ▪ DAB **10** u. Komm. ▪ Florey **1**, 15–51 ▪ Hager (5.) **7**, 859–860 ▪ Pharm. Unserer Zeit **8**, 87–93 (1979). – *[HS 2933 90; CAS 28-58-3; 438-41-5 (Hydrochlorid)]*

Chlordimethylether s. (Chlormethyl)methylether.

4-Chlor-3,5-dimethylphenol (*p*-Chlor-*m*-xylenol, Chlorhydroxyxylol).

C_8H_9ClO, M_R 156,61. Feste, angenehm riechende, farblose Masse, lösl. in Alkohol u. in der 2500fachen Wassermenge, leichter lösl. in Seifenwasser, Öl u. dgl., Schmp. 112 °C, Sdp. 246 °C. C. wirkt stärker desinfizierend als Kresol u. Phenol; da es außerdem die Haut weniger reizt u. angenehmer riecht, wird es in Desinfektionsmitteln, medizin. Seifen, Schimmelverhütungsmitteln, Konservierungsmitteln usw. verwendet. – *E* 4-chloro-3,5-dimethylphenol – *F* 4-chloro-3,5-dimétylphénol – *I* 4-cloro-3,5-dimetilfenolo – *S* 4-cloro-3,5-dimetilfenol
Lit.: Beilstein E IV **6**, 3152 ▪ Hager (5.) **7**, 921 ▪ Merck-Index (11.), Nr. 2176 ▪ Ullmann (4.) **9**, 576; (5.) **A 8**, 558; **A 19**, 360. – *[HS 2908 10; CAS 88-04-0]*

1-Chlor-2,4-dinitrobenzol.

$C_6H_3ClN_2O_4$, M_R 202,55. Gelbe, giftige, wärmeempfindliche, in verschiedenen Modif. auftretende Krist., D. 1,68, Schmp. 53 °C (α-D., stabile Form), Sdp. 315 °C, unlösl. in Wasser, lösl. in heißem Alkohol, Ether, Benzol, Schwefelkohlenstoff C. wirkt äußerst hautreizend, kann allerg. Erscheinungen auslösen.
Verw.: Reagenz für Alkylierungs-, Arylierungs- u. Substitutionsreaktionen, zur Herst. von Farbstoffen, Photochemikalien, Explosivstoffen, Fungiziden, Kautschukchemikalien usw. C. dient zum Nachw. von Pyridin-Derivaten sowie zur gravimetr. Bestimmung des Morphin-Gehaltes im Opium. – *E* 1-chloro-2,4-dinitrobenzene – *F* 1-chloro-2,4-dinitrobenzole – *I* 1-cloro-2,4-dinitrobenzene – *S* 1-cloro-2,4-dinitrobenceno
Lit.: Beilstein E IV **5**, 744ff. ▪ Hager (5.) **3**, 485 ▪ Hommel, Nr. 267 ▪ Kirk-Othmer **13**, 843 f.; (3.) **7**, 590 ▪ Ullmann (4.) **17**, 394 ff.; (5.) **A 17**, 429. – *[HS 2904 90; CAS 97-00-7; G 6.1]*

Chlordioxid s. Chloroxide.

Chlordiphenylarsan s. Diphenylarsinchlorid.

Chlorella. Grünalgen-Gattung aus der Familie der Chlorococcales. Zu C. gehören 10 Arten, deren bis zu

10 μm große Zellen sich nur vegetativ vermehren. Häufigste Art im Sommerplankton schwach verschmutzter Teiche u. Tümpel ist *C. vulgaris*. Bevorzugtes physiolog. Studienobjekt (*Assimilation, *Photosynthese); Massenkulturen für Protein-Gewinnung. – *[HS 1212 20]*

Chlorendics.

Engl. Abk. für Derivate der 1,4,5,6,7,7-Hexachlorbicyclo[2.2.1]hept-5-en-2,3-dicarbonsäure. Aus Hexachlorcyclopentadien u. Maleinsäureanhydrid entsteht durch *Diels-Alder-Reaktion *Chlorendicanhydrid* ($C_9H_2Cl_6O_3$, M_R 370,83, Schmp. 235 °C), das dann weiter umgesetzt werden kann.
Verw.: Zu unbrennbaren Kunststoffen; die Mercuriimide sind Insektizide. – *E* chlorendic anhydride – *F* chlorendique – *I* derivati dell'acido 1,4,5,6,7,7-esaclorobiciclo[2.2.1]ept-5-en-2,3-dicarbonico – *S* cloréndicos
Lit.: Beilstein E III/IV **17**, 6670 ▪ Kirk-Othmer (4.) **10**, 969 ▪ Merck-Index (11.), Nr. 2084. – *[HS 2917 20; CAS 4827-55-8]*

1-Chlor-2,3-epoxypropan s. α-Epichlorhydrin.

Chloressigsäure (Monochloressigsäure). T
$Cl-CH_2-COOH$, $C_2H_3ClO_2$, M_R 94,50. Farblose, zerfließende Krist., D. 1,40 (flüssig), Schmp. (4 Modif.) zwischen 43 °C u. 63 °C, Sdp. 188 °C. Dämpfe u. Flüssigkeit führen zu Verätzung der Augen, der Atmungsorgane u. der Haut; LD_{50} (Ratte oral) 580 mg/kg, WGK 2, in Wasser mit stark saurer Reaktion u. in organ. Lsm. leicht löslich.
Herst.: Durch Chlorierung von Essigsäure in flüssiger Phase bei mindestens 85 °C u. bis zu $6 \cdot 10^5$ Pa (6 bar) zumeist ohne Katalysator aber vielfach mit Zusatz von Initiatoren wie Acetanhydrid od. Acetylchlorid.
Verw.: Nützliches Reagenz, bes. für Acetylierungen, wichtiges Ausgangsprodukt zur Herst. von *Carboxymethylcellulose, Zwischenprodukt für Pflanzenschutzmittel, Farbstoffe u. pharmazeut. Präparate. – *E* chloroacetic acid – *F* acide chloracétique – *I* acido cloracetico – *S* ácido cloroacético
Lit.: Beilstein E IV **2**, 474–480 ▪ Hommel, Nr. 383 a, b, c ▪ Kirk-Othmer (3.) **1**, 171–174; (4.) **1**, 165, 732 ▪ McKetta **1**, 240–243 ▪ Synthesis **1983**, 1013 ▪ Synthetica **2**, 79 f. ▪ Ullmann (4.) **9**, 393 ff.; (5.) **A 6**, 537 ff. ▪ Weissermel-Arpe (4.), S. 196. – *[HS 2915 40; CAS 79-11-8; G 8]*

Chloressigsäureester. $Cl-CH_2-COOR$. Von den Estern der *Chloressigsäure sind die niederen Glieder farblose, in Wasser unlösl. u. mit Alkohol u. Ether mischbare Flüssigkeiten, die für organ. Synth. u. auch als Lsm. Verw. finden.
(a) *Chloressigsäureethylester*, $R = C_2H_5$, $C_4H_7ClO_2$, M_R 122,55, D. 1,159, Schmp. −26 °C, Sdp. 144 °C, riecht stechend, reizt zu Tränen; Reagenz für die *Reformatsky u. *Darzens-Reaktion.
(b) *Chloressigsäuremethylester*, $R = CH_3$, $C_3H_5ClO_2$, M_R 108,53, D. 1,234, Schmp. −32 °C, Sdp. 132 °C,

WGK 2, Reagenz für die Darzens-Kondensation. – *E* chloroacetates – *F* chloracétates – *I* cloracetati – *S* cloroacetatos
Lit.: Beilstein E IV **2**, 480 f. ▪ Hommel, Nr. 583, 584 ▪ J. Organomet. Chem. **280**, 159 (1985) ▪ J. Org. Chem. **48**, 3601 (1983) ▪ Synth. Commun. **14**, 121 (1984); **23**, 209 (1993) ▪ Ullmann (5.) **A 6**, 539, 543. – *[G 6.1]*

Chlorethan s. Ethylchlorid.

2-Chlorethanol s. Ethylenchlorhydrin.

Chlorethoxyfos. Common name für O,O-Diethyl-O-(1,2,2,2-tetrachlorethyl)-phosphorothioat.

$C_6H_{11}Cl_4O_3PS$, M_R 336,00, Sdp. 105–115 °C (106,6 Pa), LD_{50} (Ratte oral) 1–10 mg/kg, von Du Pont Mitte der 80er Jahre eingeführtes Boden-*Insektizid. – *E* chlorethoxyfos – *F* chlorétoxyfos – *I* cloretossifos – *S* cloretóxifos
Lit.: Farm ▪ Pesticide Manual. – *[CAS 54593-83-8]*

Chlorethylen s. Vinylchlorid.

Chloreton s. 1,1,1-Trichlor-2-methyl-2-propanol.

Chlorfenvinfos. Common name für [2-Chlor-1-(2,4-dichlorphenyl)vinyl]diethylphosphat. T

$C_{12}H_{14}Cl_3O_4P$, M_R 359,57, Sdp. 167–170 °C (66,7 Pa), LD_{50} (Ratte oral) 10 mg/kg (GefStoffV), von Shell entwickeltes *Insektizid zur Blatt- u. Bodenapplikation im Acker-, Gemüse-, Zitrus- u. Maisanbau u. gegen Ektoparasiten an Vieh. – *E* = *F* chlorfenvinfos – *I* clorfenvinfos – *S* clorfenvinfos
Lit.: Farm ▪ Perkow ▪ Pesticide Manual. – *[HS 2919 00; CAS 470-90-6]*

Chlorfluazuron. Common name für 1-[3,5-Dichlor-4-(3-chlor-5-trifluormethyl-2-pyridyloxy)phenyl]-3-(2,6-difluorbenzoyl)harnstoff.

$C_{20}H_9Cl_3F_5N_3O_3$, M_R 540,66, Schmp. 226,5 °C (Zers.), LD_{50} (Ratte oral) 8500 mg/kg, von Ishihara entwickeltes *Insektizid gegen beißende Insekten in Baumwoll-, Tee-, Zierpflanzen-, Obst- u. Gemüseanbau. – *E* chlorfluozuron – *F* chlorfluazurone – *I* clorfluazurone – *S* clorfluozurón
Lit.: Farm ▪ Perkow ▪ Pesticide Manual. – *[CAS 71422-67-8]*

Chlorfluoride. Gruppe von gasf. Verb., in denen Chlor als elektropos. Element auftritt u. die nicht ungefährlich zu handhaben sind. *Chlormonofluorid*, ClF, M_R

54,45, Schmp. −155 °C, Sdp. −101 °C; *Chlortrifluorid*, ClF$_3$, M$_R$ 92,45, Schmp. −83 °C, Sdp. +11 °C, MAK 0,4 mg/m^3; *Chlorpentafluorid*, ClF$_5$, M$_R$ 130,45, Schmp. −93 °C, Sdp. −13 °C.
Verw.: Das Trifluorid dient zur *Fluorierung von organ. u. anorgan. Stoffen, insbes. zur Herst. von UF$_6$. Sowohl das Tri- als auch das Pentafluorid sind als Rakentreibstoffe geeignet. – *E* chlorine fluorides – *F* fluorures de chlor – *I* fluoruri di cloro – *S* fluoruros de cloro
Lit.: Brauer (3.) **1**, 166ff. ▪ Encycl. Gaz, S. 757–770 ▪ Gmelin, Syst.-Nr. 6, Cl, Erg.-Bd. B 2, 1969, S. 543–575 ▪ Kirk-Othmer (4.) **11**, 342–355 ▪ Ullmann (5.) A **11**, 341 f. – *[HS 2813 90; CAS 7790-89-8 (ClF); 7790-91-2 (ClF$_3$); 13637-63-3 (ClF$_5$)]*

Chlorfluorkohlenwasserstoffe s. FCKW.

Chlorfluormethane s. FCKW.

Chlorflurenol-methyl. Common name für 2-Chlor-9-hydroxyfluoren-9-carbonsäuremethylester.

$C_{15}H_{11}ClO_3$, M$_R$ 274,70, Schmp. 136–142 °C, LD$_{50}$ (Ratte oral) >12 800 mg/kg (WHO), von Merck 1965 eingeführter Pflanzen-*Wachstumsregulator zur Wuchsdämpfung an Straßenrändern, Grabenböschungen u. Mittelstreifen der Autobahn. – *E* = *F* chlorflurenol-methyl – *I* clorofluorenolo-metile – *S* clorflurenol metílico
Lit.: Farm ▪ Pesticide Manual. – *[HS 2918 19; CAS 2464-37-1]*

Chlorformiate s. Chlorameisensäureester.

Chlorformyl... s. Chlorcarbonyl....

Chlorfreies Papier. Allg. Bez. für Papiere, für deren Herst. chlorfrei gebleichte *Zellstoffe od. *Holzstoffe verwendet werden, s. a. Papier (Umweltaspekte, Bleichverf.). – *E* chlorine-free paper – *F* papier déchloré – *I* carta senza cloro – *S* papel no clorado

Chlorhexamed®. Lsg., Konzentrat u. Gel mit *Chlorhexidingluconat gegen Entzündungen u. Mykosen im Mund- u. Rachenraum. *B.:* Wick Pharma.

Chlorhexidin.

Internat. Freiname für 1,1′-Hexamethylenbis[5-(4-chlorphenyl)-biguanid], $C_{22}H_{30}Cl_2N_{10}$, M$_R$ 505,45, Schmp. 134 °C. Als Antiseptikum (bes. für den Mund- u. Rachenraum) werden das Dihydrochlorid, Diacetat u. Digluconat verwendet. C. wurde 1954 von I.C.I. patentiert u. ist generikafähig. – *E* = *F* chlorhexidine – *I* cloroesidina – *S* clorhexidina
Lit.: Beilstein E IV **12**, 1201 ▪ Hager (5.) **7**, 863–868. – *[HS 2925 20; CAS 55-56-1; 56-95-1 (Diacetat); 3697-42-5 (Dihydrochlorid); 18472-51-0 (Digluconat)]*

...chlorhydrat s. ...hydrochlorid.

Chlorhydrine. Histor. Trivialname für vicinale *Chloralkohole*; *Beisp.:* *Ethylenchlorhydrin. Hier sind Verb. wie die Propylen- u. Glycerinmonochlorhydrine etc. unter ihren systemat. Namen *Chlorpropanole u. -diole abgehandelt.

Herst.: Durch Einwirkung von HCl auf Glykole od. Epoxide bzw. durch Anlagerung von Unterchloriger Säure an Olefine; techn. wird diese Reaktion durch Einleiten von Chlor in Olefin-Wassergemische vorgenommen. Die C. sind ebenso wie die *Bromhydrine wichtige Zwischenprodukte bei organ. Synth., die ggf. über Epoxide (z. B. *Epichlorhydrin) verlaufen. – *E* chlorohydrins – *F* chlorhydrines – *I* cloroidrine – *S* clorhidrinas
Lit.: Kirk-Othmer (3.) **5**, 848–864; (4.) **6**, 140–155 ▪ McKetta **8**, 160–205 ▪ Snell-Ettre **14**, 153–178 ▪ Ullmann (5.) A **6**, 565–576.

Chlorhydroxyxylol s. 4-Chlor-3,5-dimethylphenol.

Chloridazon. Common name für 5-Amino-4-chlor-2-phenylpyridazin-3(2H)-on.

$C_{10}H_8ClN_3O$, M$_R$ 221,65, Schmp. 205 °C, LD$_{50}$ (Ratte oral) 2420 mg/kg (WHO), von BASF eingeführtes selektives system. *Herbizid gegen Unkräuter im Rübenbau. – *E* chloridazon, pyrazon, PCA – *F* chloridazone – *I* cloridazone – *S* cloridazón
Lit.: Farm ▪ Perkow ▪ Pesticide Manual. – *[HS 2933 90; CAS 1698-60-8]*

Chloride. Verb., in denen *Chlor als der elektroneg. Bestandteil auftritt. Hierzu gehören die Salze der Salzsäure, z. B. Natriumchlorid (NaCl), Calciumchlorid (CaCl$_2$), Tetramethylammoniumchlorid [H$_3$C)$_4$N]$^+$Cl$^−$, die sog. *Säurechloride, d. h. die außer den entsprechenden Derivaten der Carbonsäuren (z. B. Acetylchlorid, CH$_3$COCl) auch die als C. der Sauerstoffsäuren aufzufassenden Chlor-Verb. der Nichtmetalle, z. B. Phosphortrichlorid (PCl$_3$), Phosphoroxidchlorid (POCl$_3$), Kohlensäuredichlorid od. Phosgen (COCl$_2$), zu rechnen sind. Als C. werden auch die *Chlorkohlenwasserstoffe bezeichnet, z. B. Ethylchlorid (C$_2$H$_5$Cl); im Gegensatz dazu wird z. B. die früher als Cyclohexylchlorid bezeichnete Verb. hier unter dem systemat. Namen *Chlorcyclohexan abgehandelt. Für die Herst. von C. gibt es zahlreiche Methoden. Wichtige Herstellungsverf. von anorgan. C. sind die Reaktionen zwischen: Element + Chlor, Oxid + Kohlenstoff + Chlor, Element + HCl, Oxid + HCl, Hydroxid + HCl, Carbonat + HCl, Sulfid + HCl, Oxid + PCl$_5$ od. Umsetzen von Säuren bzw. deren Anhydriden mit PCl$_5$, POCl$_3$ od. PCl$_3$ usw. Zur Herst. von organ. Chlor-Verb. s. Chlorierung. Die meisten anorgan. C. sind in Wasser gut lösl.; schwer lösl. sind AgCl, Hg$_2$Cl$_2$, TlCl, CuCl. nur wenig lösl. PbCl$_2$. Gefärbt sind alle C. mit farbigem Kation, also FeCl$_3$, CrCl$_3$, NiCl$_2$ od. CoCl$_2$. Viele Metallchloride, z. B. von Cu, Hg, Cd, Zn, Au, Sn, Sb, Pt. etc., lösen sich in konz. Salzsäure unter Bildung (kristallwasserhaltiger) Komplexe auf, die nach A. Werner allg. als *Chlorosäuren* bezeichnet werden; *Beisp.:* H[AuCl$_4$] · 4 H$_2$O, H$_2$[PtCl$_6$] · 6 H$_2$O. – *E* chlorides – *F* chlorures – *I* cloruri – *S* cloruros
Lit.: Gmelin, Syst.-Nr. 6, Cl, 1927, S. 183–227 ▪ Houben-Weyl **5/4**, 718–776 ▪ Snell-Ettre **9**, 333–368 ▪ s. a. Chlor, Chlorierung u. Halogen(id)e.

Chlorid-Kanäle. *Ionenkanäle, die Chlorid-Ionen durch biolog. *Membranen passieren lassen. Sie dienen dem Ionentransport durch Epithelien (innere Auskleidung der Organe, z. B. der Blutgefäße), der Volumenregulation u. der Stabilisierung von Membran-Potentialen; *Beisp.:* *CFTR. – *E* chloride channels – *F* canaux à chlorures – *I* canali di cloruro – *S* canales de los cloruros
Lit.: Curr. Biol. **2**, 285–287 (1992) ▪ FASEB J. **9**, 509–515 (1995).

Chlorid-Zellen. Die Kieme von Knochenfischen besitzt in ihrem Epithel, das das Blut vom externen Wasser trennt, zwei unterschiedliche Zelltypen. Während die eine Schicht aus flachen Zellen besteht, die nur wenige Mitochondrien enthalten u. bes. für den Gasaustausch geeignet sind, da sie der Gasdiffusion nur einen geringen Widerstand entgegensetzen, enthält die andere Schicht auch Zellen von säulenähnlicher Form, die von der Basis bis zur Spitze um das Mehrfache dicker sind als die flachen Zellen. Diese sog. C.-Z. (=Ionocyten) sind durch Einfaltungen der Oberflächenmembran an den basalen u. lateralen Oberflächen tief eingestülpt. Außerdem sind sie mit Mitochondrien u. Enzymen vollgefüllt, die denen ähnlich sind, die am aktiven NaCl-Transport beteiligt sind. Die C.-Z. wurden erstmals 1932 u. mit einer Chlorid-Transportfunktion beschrieben, da sie histochem. solchen Zellen ähnelten, die im Amphibien-Magen Salzsäure sezernieren. Auch war bereits nachgewiesen, daß die Knochenfisch-Kieme als Exkretionsorgan für Chlorid (u. Natrium) fungiert. Neuere Untersuchungen bestätigten eine hohe Chlorid-Konz. in diesen Zellen, bes. bei Fischen, die an eine hohe Salzkonz. angepaßt sind, wobei das Chlorid aktiv aus der Zelle gepumpt wird. Inzwischen ist bekannt, daß die C. außer dem Chlorid-Ionen-Transport auch für den Austausch anderer Ionen einschließlich Wasserstoff-, Natrium-, Kalium-, Ammonium- u. Hydrogencarbonat-Ionen verantwortlich sind. Zu den Beweisen für diese Funktion gehören die Änderungen, die die C. während der Anpassung an hohe Salzkonz. durchmachen. Man kann daher annehmen, daß die C. für den aktiven Ionenaustausch der Kieme der Knochenfische (Teleostier) verantwortlich sind. – *E* chloride cells – *F* cellules à chlorures – *I* cellule di cloruro – *S* células de cloruros
Lit.: Eckert, Tierphysiologie, Stuttgart: Thieme 1986.

Chlorierende Röstung. Im Rahmen der sehr komplexen Metallurgie von *Nichteisenmetallen wie Cu u. Zn ein Verf. zum *Rösten sulfid. Erze (Kupferkies, Zinkblende) unter Zusatz von NaCl. Damit werden unlösl. Verb. in lösl. überführt, aus denen in nachgeschalteten metallurg. Prozessen (*Naßoxidation bis ca. 600°C, Verflüchtigungsverf. bis ca. 1200°C) die Metalle gewonnen werden. Die c. R. wird des weiteren auch für die oxid. Erze von Vanadium teils mit, teils ohne Zusatz von Schwefel-Verb. durchgeführt. – *E* chloridizing roasting – *F* grillage chlorurant – *I* arrostimento clorurante – *S* tostación clorurante

Chlorierte Biphenyle s. PCB.

Chloriertes Polyethylen (Chlorpolyethylen, Kurzz. PE-C, nach DIN 7728, Tl. 1, 01/1988). C. P. wird durch Chlorierung von *Polyethylen hergestellt. In Abhängigkeit von Ausgangsmaterial, Herstellungsverf. u. Chlor-Gehalt des Endproduktes (ca. 25–50% bei handelsüblichen Typen) fallen Polymere mit kautschuk- bis thermoplastähnlichen Eigenschaften an. C. P. ist vulkanisierbar; die Vulkanisate besitzen sehr hohe Wärme-, Oxid.-, Witterungs- u. Ölbeständigkeit.
Verw.: V. a. zur Abmischung mit *Polyvinylchlorid, um dessen Schlagzähigkeit zu erhöhen; zur Herst. von Kabelummantelungen, Förderbändern, chemikalienbeständigen Schläuchen, Dichtungsringen, wasserdichten Folien für unterschiedliche Einsatzgebiete u. a. – *E* chlorinated polyethylene (CPE) – *F* polyéthylène chloré – *I* polietilene clorurati – *S* polietileno clorado
Lit.: Bode, Kunststoff Produkte '88, S. 85, Darmstadt: Hoppenstedt u. Co. 1988 ▪ Encycl. Polym. Sci. Eng. **6**, 494 ff. ▪ Ullmann (4.) **13**, 632–633. – *[HS 3901 10–20]*

Chloriertes Polypropylen (Chlorpolypropylen, Kurzz. PP-C, nach DIN 7728, 04/1978). C. P. ist ein bei der Einwirkung von Chlor auf *Polypropylen anfallendes, in die Kategorie der *Chlor-Kautschuke einzuordnendes Produkt. C. ist gut lösl. in organ. Lsm., chemikalien- u. wasserbeständig u. nicht brennbar.
Verw.: hauptsächlich als Lackbindemittel (s. Chlorkautschuk-Lacke). – *E* chlorinated polypropylene – *F* polypropylène chloré – *I* polipropilene clorurati – *S* polipropileno clorado
Lit.: Reichhold-Albert-Nachr. **1969**, Nr. 3, 9–13 ▪ s. a. Chlor-Kautschuke. – *[HS 3902 10]*

Chloriertes Polyvinylchlorid (Chlorpolyvinylchlorid, Kurzz. PVC-C, nach DIN 7728, Tl. 1, 01/1988). C. P., hergestellt durch Chlorierung von *Polyvinylchlorid im Wirbelbett-, Dispersions- od. Lösungsverf., wird als farbloses Pulver mit einem Chlor-Gehalt von ca. 62–69% u. einer Dichte von ca. 1,5–1,58 g/cm^3 gehandelt. Durch die Chlorierung werden insbes. die Thermostabilität u. Wärmeformbeständigkeit des Polyvinylchlorids erhöht.
Verw.: Zur Herst. von Rohren, Platten, Hohlkörpern u. Fittings; als Lack- u. Klebstoffrohstoff. – *E* chlorinated polyvinylchloride – *F* chlorure de polyvinyle chloré – *I* cloruro di polivinile clorurati – *S* cloruro de polivinilo clorado
Lit.: Encycl. Polym. Sci. Technol. **14**, 460–468 ▪ Felger, Polyvinylchlorid, Kunststoff Handbuch 2/1, S. 281 f., München: Hanser 1985 ▪ Nass u. Heiberger, Encyclopedia of PVC (2.), Vol. 1, Resin Manufacture and Properties, S. 619 ff., New York: Dekker 1986 ▪ Ullmann (4.) **19**, 354 ff. – *[HS 3904 10]*

Chlorierung. Einführung von Chlor in eine chem. Verb. durch *Addition od. *Substitution, s. a. Halogenierung. Geeignete *Chlorierungsmittel* sind Chlor, Chlorwasserstoff, Antimonpentachlorid, Sulfurylchlorid, Thionylchlorid, Unterchlorige Säure, *N*-Chlor-Verb., Tetrachlormethan, Phosphorchloride, Säurechloride, Chloramine, speziell für Alkohole das *Vilsmeier-Reagenz u. dgl. Die C. organ. Verb. verläuft bei Anwesenheit typ. Halogen-Übertrager wie Eisen, Iod usw. oft günstiger; techn. Bedeutung hat auch die Photochlorierung erlangt, die als *Kettenreaktion verläuft. Nicht dagegen zu den C.-Reaktionen zählt man die *Chlorung z. B. von Wasser od. von Wolle zur *Filzfreiausrüstung. – *E* chlorination – *F* chloruration – *I* clorurazione – *S* cloración

Lit.: Angew. Chem. **90**, 17-27 (1978) ▪ Chem. Tech. (Heidelberg) **1971**, 371-381 ▪ Houben-Weyl **5/3**, 511-1078 ▪ Kirk-Othmer **5**, 88-92; (3.) **5**, 672-676 ▪ McKetta **8**, 4-62 ▪ Meth. Free-Radical Chem. **1**, 79-193 (1969); **3**, 135-154 (1972) ▪ Ullmann (5.) **A 13**, 290 ▪ s. a. Chlor(ide) u. Halogenierung.

Chlorige Säure. $HClO_2$, M_R 68,46. Unbeständige, nur in Form ihrer wäss. Lsg. bekannte einwertige Säure, die durch *Disproportionierung von Chlordioxid (s. Chloroxide) in Wasser entsteht. Beständiger sind ihre Salze, die *Chlorite. – *E* chlorous acid – *F* acide cloreux – *I* acido cloroso – *S* ácido cloroso
Lit.: s. Chlorite.

Chlorimetrie (Chlorometrie). 1. s. Oxidimetrie. – 2. Allg. Bez. für die analyt. Bestimmung von *Chlor, speziell für die Bestimmung des „wirksamen" Chlors in Bleichpulvern. – *E* chlorimetry – *F* chlormétrie – *I* clorimetria – *S* clorimetría

Chlorimuron-ethyl. Common name für Ethyl-2-[(4-chlor-6-methoxypyrimidin-2-ylcarbamoyl)sulfamoyl]-benzoat.

$C_{15}H_{15}ClN_4O_6S$, M_R 414,82, Schmp. 181 °C, LD_{50} (Ratte oral) 4100 mg/kg, von Du Pont entwickeltes selektives *Herbizid gegen breitblättrige Unkräuter in Soja. – *E* chlorimuron-ethyl – *F* chlorimuron-éthyle – *I* clorimuron-etile – *S* clorimurón etílico
Lit.: Farm ▪ Pesticide Manual. – *[CAS 90982-32-4]*

Chlorine.

Der Strukturtyp der C. (2,3-Dihydroporphyrine) leitet sich vom *Porphyrin formal durch Red. einer peripheren Doppelbindung in einem Pyrrol-Ring des Porphyrin-Gerüstes ab. Der Name geht auf die *Chlorophylle zurück, die das C.-Grundgerüst mit zentralem Magnesium(II)-Ion besitzen. Weitere bisher bekannte Strukturen mit C.-Grundgerüst sind neben den Chlorophyllen u. ihren Abbauprodukten einige *Bakteriochlorophylle, *Bonellin u. *Tunichlorin. – *E* chlorins – *F* chlorines – *I* clorine – *S* clorinas
Lit.: Chem. Rev. **94**, 327 (1994) ▪ J. Chem. Soc., Perkin Trans. 1 **1988**, 3119-3131.

Chlorisocyanursäuren. Gruppenbez. für am Stickstoff chlorierte Isocyanursäuren (vgl. Formelbild bei Cyanursäure). Die auch *Isocyanurchloride* genannten N-Chlor-1,3,5-triazine, von denen bes. die *Trichlorisocyanursäure techn. Bedeutung hat, gehören zu den N-*Chloraminen u. werden wegen ihrer bleichenden u. desinfizierenden Eigenschaften (Abspaltung von aktivem Chlor) als *Algizide in *Schwimmbadpflegemitteln, in *Scheuer- u. *Reinigungsmitteln, in *Geschirrspülmitteln usw. sowie als Textilhilfsmittel verwendet. – *E* chloroisocyanuric acids – *F* acides chlorisocyanidiques – *I* acidi cloroisocianurici – *S* ácidos cloroisocianúricos
Lit.: Hassner-Stumer ▪ Snell-Hilton **7**, 228 ff. ▪ Ullmann (5.) **A 6**, 555 ▪ s. a. *N*-Chloramine.

Chloritbleiche. Modernes Bleichverf. unter Verw. von *Natriumchlorit. Das Verf. arbeitet schneller, schonender u. billiger als die Chlor- od. Wasserstoffperoxid-Bleiche. Wegen der hohen Belastung mit Chlor-Verb. aus ökolog. Gründen heutzutage zunehmend kritisch.

Chlorite. 1. Salze der *Chlorigen Säure mit dem Anion ClO_2^-. C. entstehen neben *Chloraten, wenn z. B. NaOH od. KOH auf Chlordioxid einwirkt. In Lsg. verhalten sich C. als starke Oxidationsmittel; sie finden zum *Bleichen Verw., da das mit Säuren entstehende Chlordioxid Textilfasern nicht angreift. Die gelben $AgClO_2$ u. $Pb(ClO_2)_2$ sind in Wasser schwer lösl., sie explodieren beim Erwärmen od. durch Schlag.
2. Von griech.: chloros = gelbgrün abgeleitete Bez. für eine zu den Phyllo-*Silicaten gehörende, oft den *Tonmineralien zugerechnete, artenreiche Gruppe von überwiegend grünen, den *Glimmern ähnlichen, vollkommen spaltbaren, triklinen od. monoklinen Mineralen; ihre Strukturen bestehen aus 14 Å dicken *Vierschicht*-Paketen aus Tetraeder-Oktaeder-Tetraeder-Einheiten plus einer Zwischenschicht aus vernetzten $[Mg(O,OH)_6]$- od. $[Al(O,OH)_6]$-Oktaedern [s. die Abb. zu Phyllo-Silicate u. Bailey (*Lit.*)]. Am häufigsten sind die trioktaedr. (vgl. Glimmer) *Mg-Fe*-C. *Klinochlor*, $(Mg,Fe^{2+})_5Al[(OH)_8/AlSi_3O_{10}]$, mit den Abarten *Pennin* u. *Rhipidolith* (Fe-reicher), u. *Chamosit*, $(Fe^{2+},Mg,Fe^{3+})_5Al[(OH,O)_8/AlSi_3O_{10}]$. C. können in den Oktaeder-Schichten außer Mg, Fe u. Al auch Mn (z. B. im *Pennantit*), Ni, Zn, Cr (z. B. im violetten *Kämmererit*) u. Li (z. B. im *Cookeit*) enthalten; ein Al-reicher C. ist *Sudoit*. Zu den Strukturen dioktaedr. C. (z. B. *Donbassit*) s. a. Lit.[1]. Die C. bilden überwiegend feinkörnige, blättrige, schuppige, kugelige od. massive Aggregate, seltener pseudohexagonale Krist.; H. 2-3, D. 2,6-3,3; beim Erhitzen auf 600-650 °C spalten sie Wasser ab.
Vork.: Verbreitet in *metamorphen Gesteinen, z. B. in *Grünschiefern u. Chloritschiefern; vielerorts auf Klüften (*Gänge) in den Alpen. In *magmatischen Gesteinen als Umwandlungsprodukt, z. B. von *Biotit, *Hornblende u. *Augit. In *Sedimentgesteinen u. in Böden, hier oft als Bestandteil von *Wechsellagerungs-Mineralen. Chamosit in sedimentären Eisensteinen, z. B. in England, Schmiedefeld/Thüringen, Wabana/Neufundland.
Verw.: Mg-reiche C. als Füllstoffe in der Papier- u. Zellstoff-Ind.; Chamosit lokal als Eisenerz. – *E = F* chlorites – *I* cloriti – *S* cloritas
Lit.: [1] Clays Clay Miner. **37**, 193-202 (1989).
allg. (*zu 1*): Gmelin, Syst.-Nr. 6, Cl, 1927, S. 296-307, Erg.-Bd. B 2, 1969, S. 395-408 ▪ Kirk-Othmer (4.) **5**, 968 f., 981-997 ▪ Ullmann (5.) **A 6**, 500 f. s. a. Bleichen u. Chloroxide. – (*zu 2*): Bailey (Hrsg.), Hydrous Phyllosilicates (Reviews in Mineralogy, Vol. 19) (2.), S. 316-453, Washington (D.C.): Mineralogical Society of America 1991 ▪ Deer et al., S. 332-343 ▪ Jasmund u. Lagaly (Hrsg.), Tonminerale u. Tone, Darmstadt: Steinkopff 1993 (zahlreiche Zitate des Stichworts) ▪ Ullmann (5.) **A 7**, 112, 119 ▪ s. a. Tonmineralien u. Ton. – *[HS 2828 90 (1.); CAS 14998-27-7 (2.)]*

Chlorkalk (Calciumchloridhypochlorit, Bleichkalk). Ungefähre Zusammensetzung [3 CaCl(OCl) · Ca(OH)$_2$] · 5 H$_2$O. Farbloses, krümeliges, in Wasser wenig lösl., alkal. reagierendes, eigenartig riechendes Pulver. Der Geruch ist wahrscheinlich auf Chlor u. Unter-chlorige Säure zurückzuführen, die durch das CO$_2$ feuchter Luft aus C. freigemacht werden u. bleichend, desinfizierend u. desodorierend wirken. Mit Salzsäure läßt sich aus C. leicht Chlor entwickeln: CaOCl$_2$ + 2 HCl → CaCl$_2$ + H$_2$O + Cl$_2$ (hieraus berechnet sich der Gehalt an „wirksamem" od. „verfügbarem" *Chlor).
Herst.: Man leitet Chlor-Gas in pulverigen, gelöschten Kalk, der 3–4% überschüssiges Wasser enthält. Gewöhnlicher C. enthält 25–36% „wirksames" Chlor.
Verw.: Zum *Bleichen von Zellstoff, Papier u. Textilien (heute vielfach durch Wasserstoffperoxid u. a., weniger aggressive Produkte ersetzt), zur Desinfektion von Stallungen, Latrinen u. Kadavern, in Schwimmbadpflegemitteln, früher auch zur Wasserentkeimung. Da heute flüssiges *Chlor leicht zu handhaben ist, geht die Verw. von C. zurück. In der Praxis wird die begriffliche Unterscheidung zwischen Chlorkalk (gemischtes Salz der *Hypochlorigen Säure u. Salzsäure) u. *Calciumhypochlorit [Ca(OCl)$_2$, Salz der Unterchlorigen Säure] nicht immer streng vorgenommen.
Geschichte: C. wurde erstmals 1799 von Charles Tennant in industriellem Maßstab hergestellt. – *E* chloride of lime, bleach – *F* chlorure de chaux – *I* cloruro di calce, polvere da sbianca (comm.) – *S* cloruro de cal
Lit.: Gmelin, Syst.-Nr. 28, Ca, Tl. B, 1957, S. 565–572 ▪ Kirk-Othmer (4.) **5**, 358 ▪ Ullmann (5.) **A 6**, 487 f. – ▪ Winnacker-Küchler (4.) **2**, 457 f. – *[HS 2828 10]*

Chlorkautschuke (Kurzz. RUC nach DIN 55950, 04/1978). C. sind Chlorierungsprodukte von *Naturkautschuk od. *Synthesekautschuken wie *Polybutadien, *Polyethylen, *Polyisopren u. *Polypropylen. Die Chlorierung erfolgt in organ. Lsm. (Tetrachlormethan od. andere chlorierte Kohlenwasserstoffe). C. werden als geruch- u. geschmacklose, farblose bis schwach gelbliche Pulver (D. ~1,65) gehandelt. C. aus *Kautschuken unterschiedlicher Provenienz differieren bei vergleichbaren Molmassen (50000–200000 g/mol) u. Chlor-Gehalten (ca. 64–68%) eigenschaftsmäßig kaum. Sie sind lösl. in aromat. u. chlorierten aliphat. Kohlenwasserstoffen u. Estern, teilweise lösl. bzw. quellbar in Ether u. Aceton, unlösl. in Benzin, Alkohol u. Wasser. C. sind verträglich mit Ölen, natürlichen u. synthet. *Harzen, beständig gegen kaltes Wasser, Alkalien, Säuren u. Salze, unbeständig gegen heißes Wasser u. Wasserdampf u. nur mäßig temperaturbeständig.
Verw.: Als Bindemittel für Lacke (s. Chlorkautschuk-Lacke) für Unterwasseranstriche auf Beton od. Stahl, z. B. für den Anstrich von Wasservorratsbehältern, Schwimmbädern od. Schiffen, u. für chemikalienbeständige Anstriche von Behältern u. Bauteilen. Zur Verw. von C. in Korrosionsschutz-Anstrichen s. *Lit.*[1]. C. können zusätzlich in Rotationstiefdruckfarben u. als Haftverbesser beim Aufvulkanisieren von Kautschukmischungen auf Metall eingesetzt werden. – *E* chlorinated rubber – *F* caoutchoucs chlorés – *I* cauc-ciù al cloro – *S* caucho clorado, clorocaucho

Lit.: [1] Chem. Ind. (Düsseldorf) **25**, 292 f. (1973). *allg.:* Encycl. Polym. Sci. Technol. **12**, 310 f. ▪ Ullmann (4.) **13**, 591 f. – *[HS 3913 90]*

Chlorkautschuk-Lacke. Bez. für *Lacke, die *Chlorkautschuke allein (Rein-C.) od. in Kombination mit anderen Produkten, z. B. mit *Alkyd-, *Acrylharz od. bituminösen Stoffen (Kombinations-C.) als Bindemittel enthalten. Zur Verw. s. Chlorkautschuke.
Lit.: Lacke und Lösemittel, Eigenschaften, Herstellung, Anwendung, S. 12–14, Weinheim: Verl. Chemie 1979 ▪ Ullmann (4.) **15**, 603 ff.

Chlorknallgas. Bez. für ein Gemisch aus gleichen Raumteilen Chlorgas u. Wasserstoff, das unter dem Einfluß von direktem Sonnenlicht, UV-Licht od. elektr. Lichtbogen unter Bildung von Chlorwasserstoff explodieren kann (H$_2$ + Cl$_2$ → 2 HCl). Bei dieser Reaktion handelt es sich um eine photochem. ausgelöste *Kettenreaktion nach dem Schema

$$243{,}5 \text{ kJ} + \underline{C}l_2 \rightarrow \cdot Cl\,|\, + \cdot Cl \quad (I)$$
$$\cdot \underline{C}l\,|\, + H_2 \rightarrow HCl + H\cdot \quad (II)$$
$$H\cdot + Cl_2 \rightarrow HCl + \cdot \underline{C}l\,|\, \quad (III)$$

In der Terminologie der Kettenreaktionen bezeichnet man I als *Initiation*, II u. III als *Propagation*. Der Kettenabbruch (*Termination*) erfolgt durch Vereinigung zweier Chlor-Atome (bzw. Wasserstoff-Atome) zu einem Molekül. Anwesenheit von Sauerstoff setzt die Reaktionsgeschw. herab (z. B. senkt 0,5% O$_2$ die Geschw. auf 9% des ursprünglichen Wertes), obwohl der Sauerstoff-Gehalt nach der Reaktion unverändert ist. In diffusem Tageslicht bildet sich aus C. nur langsam Chlorwasserstoff; man kann diese Reaktion zur Messung der chem. Wirksamkeit von Strahlen verwenden (*Aktinometrie). Die C.-Flamme hat eine Temp. von 2500 K. – *E* chlorine detonating gas – *F* gaz explosif au chlore – *I* gas tonante clorurato – *S* gas detonante de cloro
Lit.: Gmelin, Syst.-Nr. 6, Cl, 1927, S. 86–96, Erg.-Bd. B 1, 1968, S. 2–38.

Chlorkohlensäureester s. Chlorameisensäureester.

Chlorkohlenwasserstoffe (CKW). Bez. für aliphat. od. aromat. *Kohlenwasserstoffe, in denen 1 od. mehrere H-Atome durch Cl-Atome ersetzt sind, wobei man die vollständig chlorierten (*perchlorierten*) Verb. wie Tetrachlormethan (s. Chlormethane), *Tetrachlorethylen (*Per*), *Hexachlorethan, *Hexachlorbenzol usw. häufig auch als *Chlorkohlenstoffe* bezeichnet. Fluorierte C. faßt man unter Chlorfluorkohlenstoffe bzw. Fluorchlorkohlenwasserstoffe (*FCKW) zusammen. Die C. sind eine Untergruppe der Halogen-organ. Verbindungen.
Mit zunehmendem Chlorierungsgrad nehmen im allg. Sdp., Dichte u. Lipophilie zu, während Wasserlöslichkeit u. aerobe biolog. Abbaubarkeit (aerober Abbau) abnehmen. Die C. werden nach der Lage ihrer Sdp. in leichtflüchtige u. schwerflüchtige C. eingeteilt. Zu den *leichtflüchtigen* C. gehören z. B. die Chlormethane sowie die chlorierten Ethan-, Ethen-, manche Propan- u. Butan-Derivate. Viele leichtflüchtige C. sind unbrennbar u. gute Lsm. für lipophile Substanzen wie *Fette und Öle, *Wachse u. *Harze. Zu den *schwerflüchtigen* C. gehören sowohl chlorierte Aliphaten (s. Chlorparaffine, PVC, chloriertes Polypropy-

len, Halone) u. Cycloaliphaten (z. B. *Lindan, *Camphechlor) als auch Kern-chlorierte Aromaten (s. PCB, Trichlorbenzole, Tetrachlorbenzole usw.) u. Seitenketten-chlorierte Alkylaromaten. Deutliche Unterschiede ihrer physikal., chem. u. biolog. Eigenschaften resultieren aus der Art des zugrundeliegenden Kohlenwasserstoffes, ihrem Halogen-Gehalt u. der Position der Substitution[1].

Herkunft: Die wichtigsten Ausgangsprodukte zur Herst. von C. sind *Erdgas, *Paraffine, *Benzol, *Naphthalin u. *Biphenyl. Chloraliphaten werden hergestellt durch therm. *Chlorierung der entsprechenden Kohlenwasserstoffe (evtl. gefolgt von *Polymerisation). Je nach Ausgangsprodukt erhält man Produktgemische verschiedener Kettenlänge u. verschiedenen Chlorierungsgrades. Die Kernchlorierung aromat. Kohlenwasserstoffe geschieht durch Umsatz mit Chlor unter Verw. von *Katalysatoren wie z. B. $FeCl_3$, die Seitenketten-Chlorierung von Alkylaromaten erfolgt dagegen radikalisch. Bes. in Ggw. von Kupfer können C. auch ungewollt bei Verbrennungsvorgängen aus Chlor-freien organ. Verb. wie z. B. *Kohlenhydraten (Holz), Bio-*Treibstoffen[2] od. *Polyethylen u. Chlor-Donatoren wie *Natriumchlorid entstehen[3]. C. entstehen auch bei der Chlorierung von *Trinkwasser[4,5], bei Anw. *Hypochlorit-haltiger Haushaltsreiniger od. von Chlor bei der *Papier-Herst.[6], selbst bei der Wasserbehandlung mit Chlor-freien Oxidationsmitteln[7]. Viele C., darunter alle *Chlormethane[8], sowie chlorierte *Terpene[9], werden biolog. gebildet (z. B. Chlormethan ca. 5 Mio. t/a), v. a. durch *Pilze u. *Algen. Abiogen werden C. in der Atmosphäre (photochem.), bei Waldbränden od. durch *Vulkanismus[10] gebildet.

Verw.: Als Löse- u. Reinigungsmittel (zunehmend Einsatz im geschlossenen Syst. bzw. Substitution durch Zubereitungen auf Wasserbasis), als *Weichmacher für *Kunststoffe, als *Flammschutzmittel, Textil- u. ähnliche Hilfsmittel, Holzimprägniermittel, *Hydraulikflüssigkeiten, Wärmeträgeröle, *Dielektrika, Verguß- u. Tauchmasse für *Kondensatoren u. ähnliche Produkte usw. (Substitution durch Halogen-freie Verb.), v. a. aber als Ausgangs- u. Zwischenprodukte zur Herst. von Chlor-haltigen u. Chlor-freien organ. Chemikalien, *Pharmazeutika, *Pflanzenschutzmitteln, *Desinfektionsmitteln, *Synthesekautschuk, *Kunststoffen, *Gerbstoffen, *Kosmetika, *Farben, *Lacken, *Waschrohstoffen u. vielen anderen Produkten[11].

Verhalten in der Umwelt: In Abhängigkeit von Flüchtigkeit u. Wasserlöslichkeit gelangen die niedermol. C. v. a. in die *Atmosphäre, die höhermol. v. a. in *Hydrosphäre u. Pedosphäre. In der Umwelt unterliegen C. vielfältigen Abbaumechanismen (s. unten). Einige hochchlorierte C. wie *DDT[12], DDE[12], bestimmte *PCB u. *FCKW, Tetrachlormethan u. *Camphechlore[12] sind relativ stabil (s. Persistenz) u. global verbreitet, andere finden sich v. a. in der Nähe ihrer Emission. Wegen ihrer guten Adsorbierbarkeit (vgl. AOX) u. ihrer Lipophilie kann die Ausbreitung auch mit *Aerosolen u. *Schwebstoffen, in Organismen sowie im Boden auch als Migration bes. in lipophilen Sicker- u. Grundwasserverunreinigungen erfolgen. C. werden bes. mit Sedimenten abgelagert[13,14]. In Organismen finden sie sich bevorzugt im Fettgewebe[14]; die *Bioakkumulation korreliert weitgehend mit dem Verteilungskoeffizienten n-Octanol/Wasser.

Biogene C. sind in der Natur weitverbreitet u. dienen Lebewesen z. B. als Abwehrstoffe (s. Allelopathie), als *Attraktantien od. zur Biosynth. (z. B. Chlormethan zu *Methylierungen)[8].

Toxizität: Hohe Toxizität, verknüpft mit Persistenz u. großem Bioakkumulationspotential findet sich nur bei wenigen hochchlorierten C.; Schädigungen können sich in Leber, Nieren, seltener Milz, Kreislauf- u. Zentralnervensyst. finden[15,16]. Bes. leberdegenerierend sind aromat. Vertreter wie Perchlornaphthalin u. PCB. Diese Wirkungen können aber möglicherweise auf geringe Gehalte an Sauerstoff-haltigen Verb. wie Polychlordibenzodioxinen u. -furanen (s. Dioxine) zurückzuführen sein. Zur Einstufung bezüglich krebserzeugendem Potential s. die jeweils aktuelle *MAK-Liste. Nach § 15 *GefStoffV bestehen Herst.- u. Verwendungsverbote für aliphat. C., Vinylchlorid, PCB, PCT u. bestimmte chlorierte Methyldiphenylmethane sowie Beschäftigungsverbote für 1,2,3-Trichlorpropan. Die Ökotoxizität der schwerflüchtigen C. steigt im allg. mit ihrer Fettlöslichkeit u. mit sinkender Wasserlöslichkeit bis zu einem Octanol-Wasser-Verteilungskoeff. von ca. 10^6 an. Darüber ist die Wasserlöslichkeit der Substanzen so gering, daß keine tox. Konz. mehr erreicht werden.

Abbau u. Entsorgung: Mit Ausnahme vollchlorierter Verb. werden die C. in der Atmosphäre von OH-Radikalen sowie (mit steigendem Chlor-Gehalt) auch direkt photolyt. abgebaut. Einige Organochlor-Pestizide wie z. B. Heptachlor werden im wäss. Milieu relativ schnell hydrolysiert. Der abiot. Abbau von C. wird durch die *Adsorption an Sande katalyt. beschleunigt[17]. Speziell im anaeroben Milieu von Sedimenten werden viele, auch hochchlorierte, C. (z. B. DDT, chlorierte Benzol-Derivate, Toxaphen) reduktiv dechloriert[18,19]. Die mikrobielle *Dehalogenierung von Chlor-Aromaten[20] erfolgt entweder als erster Schritt des Abbaus hydrolyt., oxygenolyt. od. reduktiv, od. erst nach mehreren enzymat. Schritten mit Chlor-haltigen Zwischenprodukten nach der Ringspaltung[21]. Mit Ausnahme der reduktiven Dechlorierung können Bakterien-Reinkulturen dabei den Chlor-Aromaten als Kohlenstoff- u. Energiequelle nutzen. Die Dehydrochlorierung nach Ringspaltung ist immer mit der *ortho*-Spaltung des Chlorbrenzcatechins u. der Bildung der Chlormuconsäure verbunden, aus der bei der Lactonisierung eliminiert wird (s. Abb. S. 720). Nach diesem Mechanismus wird u. a. der Abbau von Chlorbenzolen, Chlortoluolen, Chlorbenzoaten, Chloranilinen, Chlorphenolen, Chlorsalicylaten u. Chlorphenoxyacetaten eingeleitet[22]. Weitere Abbauwege s. biologischer Abbau u. *Lit.*[23].

Die techn. Entsorgung von C. ist möglich durch Verbrennen in geeigneten Anlagen[24] od. Palladium-katalysierte Dechlorierung mit Hypophosphit. Eine weitere Möglichkeit ist die *Chlorolyse, falls die dabei entstehenden Produkte verwendet werden können. Spuren von C. können aus Wasser durch Reduktion (mit Eisen u. a.) entfernt werden[25,26]. – *E* chlorinated hydrocarbons – *F* hydrocarbures chlorés – *I* idrocarburi clorurati – *S* hidocarburos clorados

Chlorbenzol → cis-3-Chlor-3,5-cyclohexadien-1,2-diol → 3-Chlorbrenzcatechin → (5-Oxo-5H-2-furyliden)essigsäure ← 2-Chlor-cis,cis-muconsäure

Abb.: Dechlorierung kernchlorierter Aromaten nach Ringspaltung.

Lit.: [1] Vgl. Daten vieler Einzelstoffe/Stoffgruppen in BUA (Hrsg.), Stoffberichte, Weinheim: VCH Verlagsges. 1985–1993, Stuttgart: Hirzel (ab 1993); Koch, Umweltchemikalien (3.), Weinheim: VCH Verlagsges. 1995. [2] Chemosphere **28**, 1895–1904 (1994). [3] Korte (3.), S. 137 f. [4] Z. Wasser-Abwasser-Forsch. **19**, 66–71 (1986). [5] Wat. Res. **28**, 553–557 (1994). [6] Chemosphere **28**, 2139–2150 (1994). [7] Korrespondenz Abwasser **40**, 1298–1306 (1993); **41**, 1794–1801 (1994). [8] Chem. Unserer Zeit **27**, 33–41 (1993). [9] Hutzinger **1**, 229–254. [10] J. Ecol. Chem. **1993**, 19. [11] VCI (Hrsg.), Informationen zur Chemie mit Chlor, Frankfurt: VCI 1993. [12] Science **265**, 1155 (1994); **269**, 1851–1854 (1995). [13] Environ. Sci. Techn. **29**, 2713–2717 (1995). [14] Chemosphere **27**, 2079–2094 (1993); **28**, 1325–1360 (1994); **30**, 1685–1696 (1995); **31**, 4289–4306 (1995). [15] Henschler, Toxikologie chlororganischer Verbindungen, Weinheim: VCH Verlagsges. 1994. [16] Chemosphere **23**, 1783–1801 (1991). [17] Environ. Sci. Techn. **27**, 177–184 (1993). [18] Appl. Environ. Microbiol. **59**, 3266–3272 (1993). [19] Environ. Sci. Techn. **30**, 542–547 (1996). [20] Ann. Rev. Microbiol. **42**, 263–287 (1988). [21] Ullmann (5.) **B 8**, 26 f. [22] Forum Microbiol. **9**, 402–411 (1989). [23] Crit. Rev. Biotechn. **11**, 1–40 (1991). [24] Chemosphere **26**, 2129–2138 (1993). [25] Wat. Res. **29**, 2434–2439 (1995). [26] Chemosphere **29**, 1743–1753 (1994).

Chlorkresole (Chlormethylphenole).

a) b) c) d)

C_7H_7ClO, M_R 142,59. Benzol-Derivate, bei denen 3 H-Atome des Benzol-Mol. durch je eine CH_3- u. OH-Gruppe sowie durch ein Cl-Atom ersetzt sind. Farblose, Phenol- od. Kresol-artig riechende Krist. mit hoher Desinfektionswirkung, haut- u. schleimhautreizend, jedoch schwächer als die *Kresole. Die C. sind unlösl. in Wasser, lösl. in Alkohol, Benzol, Ether, Aceton, Petrolether. Man unterscheidet (Bezugspunkt in den Namen ist die Hydroxy-Gruppe):
(a) *4-Chlor-m-kresol*, Schmp. 68 °C, Sdp. 235 °C; LD_{50} (Ratte oral) 890 mg/kg, WGK 2, Kühlschmierstoffkomponente. – (b) *2-Chlor-m-kresol*, Schmp. 49–50 °C; – (c) *3-Chlor-p-kresol*, Schmp. 55 °C, Sdp. 228 °C; – (d) *6-Chlor-m-kresol*, Schmp. 46 °C, Sdp. 196 °C [weitere Chlorkresole s. Ullmann (4.) (*Lit.*)].

Xn

Verw.: Antiseptika, Desinfektionsmittel, zur Konservierung von chem.-techn. Präp. (Leim, Klebstoffe, Tinten u. dgl.). – *E* chlorocresols – *I* clorocresoli – *S* clorocresoles
Lit.: Beilstein E IV **6**, 2000–2064 ▪ Blaue Liste, S. 45 ▪ Hager (5.) **7**, 878 ▪ Hommel, Nr. 835, 835 a ▪ Janistyn **1**, 187 f. ▪ Ullmann (4.) **9**, 576 f.; (5.) **A 7**, 3 f. ▪ s.a. Chlorphenole. – *[HS 2908 10; CAS 6640-27-3 (a); 615-74-7 (b); 1570-64-5 (c); 59-50-7 (d); G 6.1]*

Chlormadinonacetat.

Internat. Freiname für 17α-Acetoxy-6-chlorpregna-4,6-dien-3,20-dion, $C_{23}H_{29}ClO_4$, M_R 404,93, Schmp. 212–214 °C; $[α]_D$ +6° (c 1/CHCl$_3$), UV$_{max}$ (pH 6): 283,5, 286 nm ($ε$ 23 400, 22 100). C. wurde 1960 als Gestagen von E. Merck (Gestafortin®) patentiert. – *E* chlormadinone acetate – *F* acétate de chlormadinone – *I* cloromadinoacetato – *S* acetato de clormadinona
Lit.: Hager (5.) **7**, 868–869 ▪ Ullmann (5.) **A 7**, 465. – *[HS 2937 92; CAS 302-22-7]*

Chlormephos.
Common name für *S*-Chlormethyl-*O*,*O*-diethyldithiophosphat.

T ☠

$C_5H_{12}ClO_2PS_2$, M_R 234,70, Sdp. 81–85 °C (13,3 Pa), LD$_{50}$ (Ratte oral) 7 mg/kg (WHO), von Rhone Poulenc entwickeltes nicht-system. *Insektizid gegen Bodenschädlinge im Mais-, Rüben-, Kartoffel-, Tabak- u. Getreideanbau. – *E* = *F* chlormephos – *I* = *S* clormefos
Lit.: Farm ▪ Perkow ▪ Pesticide Manual. – *[HS 2930 90; CAS 24934-91-6]*

Chlormequatchlorid.
Common name für (2-Chlorethyl)trimethylammoniumchlorid.

Xn

$C_5H_{13}Cl_2N$, M_R 158,07, Schmp. 245 °C (Zers.), LD$_{50}$ (Ratte oral) 670 mg/kg (WHO), von American Cyanamid 1959 eingeführter Pflanzen-*Wachstumsregulator zur Anw. v. a. im Getreide- u. Zierpflanzenanbau. – *E* = *F* chlormequat chloride – *I* clormequato cloruro – *S* cloruro de cloromequato
Lit.: Farm ▪ Pesticide Manual. – *[HS 2923 90; CAS 999-81-5]*

Chlormerodrin (^{197}Hg).

Internat. Freiname für das Radiodiagnostikum [3-(Chlormercurio-^{197}Hg)-2-methoxypropyl]-harnstoff, $C_5H_{11}Cl^{197}HgN_2O_2$. – *E* chlormerodrin – *F* chlormérodrine – *I* = *S* clormerodrina

Tab. 1: Chem.-physikal. Daten der Chlormethane.

	Chlormethan	Dichlormethan	Trichlormethan	Tetrachlormethan
Summenformel	CH_3Cl	CH_2Cl_2	$CHCl_3$	CCl_4
M_R	50,49	84,93	119,38	153,84
Schmp. [°C]	−97,7	−94,92	−63,2	−22,9
Sdp. [°C]	−24,2	39,64	61,3	76,7
FP [°C]	−24	20–100?		
Zündtemp. [°C]	618–625	605–662	982	
D [kg/l]	0,9979 (bei −24 °C)	1,325	1,483	1,594
Löslichkeit in H_2O bei 20 °C [g/l]	6,4	13,7	8,2	0,8
Verteilungskoeff. [log P_{ow}]	0,91	1,25	1,9	2,6
Henry-Konst. H [Pa m^3 mol^{-1}]	415–605	380	310	2300
EG-Nr.	602-001-00-7	602-004-00-3	602-006-00-4	6002-008-00-5
EINECS-Nr.	200-817-4	200-838-9	200-663-8	200-262-8
CAS-Nr.	74-87-3	75-09-2	67-66-3	56-23-5

Chlormethane. Bez. für die unmittelbar von *Methan abgeleiteten *Chlorkohlenwasserstoffe: Chlormethan (Methylchlorid), Dichlormethan (Methylenchlorid), Trichlormethan (Chloroform) u. Tetrachlormethan (Tetrachlorkohlenstoff). C. reagieren teilw. heftig mit Alkalimetallen u. anderen reaktiven Stoffen, sind aber bei 25 °C sonst recht reaktionsträge. C. zersetzen sich bei Einwirkung von Licht u. Wärme, insbes. in Gegenwart von Feuchtigkeit, weshalb techn. Produkte oft mit Stabilisatoren wie Ethylacetat od. Ethanol versetzt werden. Chem.-physikal. Daten s. Tab. 1.
C. reagieren teilw. heftig mit Alkalimetallen u. einigen anderen reaktiven Stoffen, sind aber bei 20 °C sonst recht reaktionsträge. C. zersetzen sich bei Einwirkung von Licht u. Wärme, insbes. in Ggw. von Feuchtigkeit, weshalb techn. Produkte oft mit Stabilisatoren wie Ethylacetat od. Ethanol versetzt werden.
Herkunft: Herst. durch therm. *Chlorierung od. katalyt. Oxychlorierung von Methan. *Chlormethan* wird techn. v. a. durch Hydrochlorierung von Methanol, Tetrachlormethan auch durch *Chlorolyse organ. Verb. hergestellt. Produktion in den späten 80er Jahren s. Tab. 2. C. werden durch Brandrodung freigesetzt u. entstehen aus Chlormethan in der Atmosphäre. *Trichlormethan* entsteht auch durch die Haloform-Reaktion, z. B. bei der Trinkwasser-Chlorung od. bei der Abwasser-Behandlung mit Chlor-freien Oxidationsmitteln in Ggw. von Chlorid. Vulkane emittieren Chlormethane. Biot. entstehen C. v. a. in Algen u. Pilzen in ganz erheblicher Menge (weitere Beisp. s. Lit.[1]).
Zur Verw. in den späten 80er Jahren s. Tab. 3; die Verw. ist seither deutlich zurückgegangen; s. Chemikalienverbotsverordnung u. FCKW.

Tab. 2: Quellen der Chlormethane.

	anthropogene		natürliche Quellen
	Produktion [Mio. t/a]	Emission [Mio. t/a]	[Mio. t]
Chlormethan	0,4	0,2	5
Dichlormethan	0,4	0,4	1
Trichlormethan	0,3	0,05	2
Tetrachlormethan	1	0,002	2

Tab. 3: Verwendung der Chlormethane.

	wichtige Verwendungen
Chlormethan	Zwischenprodukt (v. a. Methylierungsmittel)
Dichlormethan	Aerosole, Farbentferner, Entfettung, Film- u. Elektronik-Ind., Blähmittel, Lösemittel
Trichlormethan	Zwischenprodukt, Lösemittel
Tetrachlormethan	FCKW-Produktion, Lösemittel

Toxikologie: Die C. sind relativ gering akut tox. (s. Tab. 4 u. Chlorkohlenwasserstoffe), haben aber eine betäubende Wirkung, bes. das früher medizin. als *Betäubungsmittel eingesetzte Chloroform. Z. T. wir-

Tab. 4: Beisp. für toxikolog. Daten der Chlormethane.

	Chlormethan	Dichlormethan	Trichlormethan	Tetrachlormethan
Gefahrensymbole	Xn, F+	Xn	Xn	T
*R-Sätze	12, 40, 48/20	40	22, 38, 40, 48/20/22	27/28
*MAK				
Abschnitt	III B	III B	III B	III B
ppm	50	100	10	10
mg/m^3	105	360	50	65
Spitzenbegrenzung	II, 1	II, 2	II, 1	II, 1
Schwangerschaftsgruppe		D	B	D
BAT		5% CO-Hämoglobin		1,6 ml/m^3 Alveolarluft
		1 mg/l CH_2Cl_2 im Blut		10 µg/l im Blut
LC_{50} (Ratte inhalativ) [mg/l]	152 (0,5 h)	52 (6 h)	48 (4 h)	50 (4 h)

ken die C. stark auf Zentralnervensyst., Leber, Niere, Lunge u. Nebenniere, wo sie Gewebsveränderungen bis hin zu Nekrosen verursachen können. Es besteht ein begründeter Verdacht auf krebserzeugendes Potential. Bei Vergiftungen kann Alkohol wirkungsverstärkend sein. C. werden über Lunge, Haut u. Magen-Darm-Trakt leicht resorbiert u. z.T. durch Exhalation unverändert ausgeschieden. C. können über die mikrosomale Cytochrom-P-450-Oxygenase sowie über die cytosol. Glutathion-Transferase metabolisiert u. z. B. zu CO, CO_2 u. HCl abgebaut werden. Weiteres s. BUA-Stoffberichte u. MAK-Liste.

Ökologie: Wegen ihrer Flüchtigkeit finden sich die C. v. a. in der Atmosphäre (Tab. 5). Nur am Ort ihres Entstehens bzw. in der Nähe der Emissionsstelle kommen sie in hoher Konz. vor. Zur Wirkung auf die Ozonschicht s. FCKW. Obwohl sie v. a. auch auf viele Testorganismen nur schwach wirken u. nur ein geringes *Bioakkumulations-Potential haben, sind sie v. a. wegen ihrer Toxizität als wassergefährdend bzw. stark wassergefährdend eingestuft. Der Abbau durch OH-Radikale ist für die drei niedrig chlorierten C. bedeutend, die Hydrolyse nur bei Chlormethan. Der *biologische Abbau läuft in adaptierten Kläranlagen problemlos. Alle C. sind von Mikroorganismen metabolisierbar. – *E* chloromethanes – *F* chlorométhanes – *I* = *S* clorometanos

Lit.: [1] Chem. Unserer Zeit 27, Nr. 1, 34 (1993).
allg.: GDCh (Hrsg.), BUA-Stoffberichte 1 (Chloroform), 6 (Dichlormethan), 7 (Chlormethan), 45 (Tetrachlormethan), 114 (Ergänzung zu Chlormethan), Weinheim: VCH Verlagsges. 1985–1990 bzw. Stuttgart: Hirzel (Bd. 114) 1993 ▪ Koch, Umweltchemikalien (3.), Weinheim: VCH Verlagsges. 1995 ▪ UBA (Hrsg.), Texte 55/91, Handbuch Chlorchemie, Berlin: UBA 1992 ▪ WHO (Hrsg.), Environmental Health Criteria 32, Methylene Chloride, Genf: WHO 1984.

Tab. 5: Beisp. für ökolog. u. ökotoxikolog. Daten der Chlormethane.

	Chlormethan	Dichlormethan	Trichlormethan	Tetrachlormethan
Konz.				
Atmosphäre [µg/m³]	1,3	0,14	0,1	1
Meerwasser [µg/l]	bis 224	0,002	0,006	0,005
Toxizität [mg/l]				
Algen				
– *Scenedesmus quadricaudata* Wachstum/d Schädlichkeitsgrenze	1450	1450	1100	>600
Bakterien				
– Blaualge				
Microcystis aeruginosa Wachstum/d Schädlichkeitsgrenze	550	550	185	105
echtes Bakterium				
– *Pseudomonas putida* Zellvermehrungshemmtest 16 h Schädlichkeitsgrenze	500	500	125	>30
Daphnien				
– *Daphnia magna* Ec_{50} 24 h		ca. 2000	29 – 290	28 – >100
Fische				
– *Lepomis macrochirus* LC_{50} 4 d	550	220 – 310	18	27
WGK	2	2	3	3
Abbau				
– abiot. durch OH-Radikale $\tau_{1/2}$ (Atmosphäre)[*] [a]	1	0,7	0,3	50
– durch Hydrolyse $\tau_{1/2}$ (Lösung)[*] [a]	0,1	2	≥100	≥1000
– biot.				
– aerob	+	+	++	++
– anaerob		+	++	++

[*] Lebensdauer (atmosphär. od. in Lösung) bis zur Konz.-Halbierung

Chlormethin.

$$\text{Cl–CH}_2\text{–CH}_2 \diagdown \\ \qquad\qquad\qquad \text{N–CH}_3 \\ \text{Cl–CH}_2\text{–CH}_2 \diagup$$

Internat. Freiname für das – als *Kampfstoff Stickstofflost* genannte – Bis(2-chlorethyl)-methylamin, $C_5H_{11}Cl_2N$, M_R 156,06. Flüchtigkeit bei 25 °C: 3,581 mg/l, d_4^{25} 1,118; Schmp. –60 °C, Sdp. 87, 75, 64, 59 °C (bei 2,4, 1,3, 0,69 kPa). Das Hydrochlorid wird als Cytostatikum verwendet, Schmp. 109–111 °C; LD_{50} (Ratte i. v.) 1,1 (Ratte s. c.) 1,9 mg/kg. – *E* chlormethin, mechlorethamine – *F* chlorméthine – *I* = *S* clormetina

Lit.: Beilstein E IV **4**, 446 ▪ Kirk-Othmer **S**, 82 ▪ Ullmann (4.) **9**, 707. – *[HS 2921 19; CAS 51-75-2; 55-86-7 (Hydrochlorid)]*

Chlormethylenammoniumchlorid s. Vilsmeier-Reagenz.

(Chlormethyl)ethylether. Cl–CH₂–O–C₂H₅, C_3H_7ClO, M_R 94,54. Farblose Flüssigkeit, D. 1,0345, Sdp. 81–83 °C, in Ether lösl., zersetzt sich in Wasser u. heißem Alkohol; wirkt desinfizierend, reizt Atemwege, Lungenödem möglich.

Verw.: Zwischenprodukt für organ. Synth., z. B. zur Einführung der Ethoxymethyl-Gruppe, Synth. von Diethylenglykolether, Schmiermittelzusatz, zur Herst. von Netz- u. Imprägniermitteln. – *E* chloromethyl ethyl ether – *F* éther chlorométhyléthylique – *I* etere clorometiletilico – *S* éter etílico de clorometilo

Lit.: Beilstein E IV **1**, 3047 ▪ Hommel, Nr. 1168. – *[HS 2909 19; CAS 3188-13-4; G 3]*

Chlormethylierung. Einführung der Atomgruppierung –CH₂Cl, z. B. durch Behandlung aromat. Verb. mit Formaldehyd unter gleichzeitigem Einleiten von Chlorwasserstoff (*Blancsche Reaktion*) in Ggw. eines Kondensationsmittels ($ZnCl_2$, $AlCl_3$, H_2SO_4 od. H_3PO_4). Die C. ist eine wichtige Reaktion in der Chemie der Aromaten u. eng mit der *Friedel-Crafts-Reaktion verwandt. Die erhaltenen Benzylchloride können leicht zu anderen Produkten umgewandelt werden. Als Zwischen- u. Nebenprodukt entsteht bei der C. Bis(chlormethylether), der ein wirksames *Carcinogen darstellt u. im Tierversuch Lungentumore indiziert. C. sind deshalb mit äußerster Vorsicht durchzuführen od. besser ganz zu vermeiden, s. *Lit.*[1].

⌬ + H₂C=O / HCl / ZnCl₂ → ⌬–CH₂Cl

– *E* chloromethylation – *F* chlorométhylisation – *I* clorometilazione – *S* clorometilación
Lit.: [1] J. Nat. Cancer Inst. **43**, 481 f. (1969).
allg.: Hassner-Stumer, S. 37 ▪ Laue-Plagens, 48 ff. ▪ Org. React. **1**, 63–91 (1942) ▪ s. a. Carcinogene.

(Chlormethyl)methylether (Chlordimethylether). Cl–CH₂–O–CH₃, C₂H₅ClO, M_R 80,51. Farblose Flüssigkeit, D. 1,061, Schmp. –104 °C, Sdp. 59 °C, in organ. Lsm. lösl., zersetzt sich mit Wasser. Kontakt mit Dämpfen u. Flüssigkeit führt zu Reizung der Augen, der Haut u. der Atmungsorgane, das techn. Produkt gilt als Stoff, der beim Menschen erfahrungsgemäß bösartige Geschwülste zu verursachen vermag, Gruppe III A 1 MAK-Werte-Liste 1995.
Verw.: Zwischenprodukt für organ. Synth., zur Einführung der Methoxymethyl-Gruppe. – *E* chloromethyl methyl ether – *F* chlorométhylméthyléther – *I* etere clorometilmetilico – *S* éter metílico de clorometilo
Lit.: Beilstein E IV **1**, 3046 f. ▪ Merck-Index (11.), Nr. 2146 ▪ Paquette, S. 1156 ▪ Synthetica **2**, 86 f. ▪ Ullmann (5.) **A 5**, 265. – [HS 2909 19; CAS 107-30-2; G 3]

(Chlormethyl)oxiran s. Epichlorhydrin.

(4-Chlor-2-methylphenoxy)-butter-, -essig-, -propionsäure s. MCPB, MCPA, Mecoprop, vgl. Phenoxycarbonsäuren.

Chlormethylpropane s. Butylchloride.

3-Chlor-2-methyl-1-propen (Methallylchlorid).

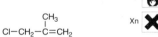

C₄H₇Cl, M_R 90,55. Farblose, giftige, Augen u. Schleimhäute reizende Flüssigkeit, D. 0,917, Sdp. 78 °C, mit Alkohol u. Ether mischbar; wassergefährdender Stoff, WGK 2 (Selbsteinst.), C. gilt als Stoff mit begründetem Verdacht auf krebserzeugendes Potential, Gruppe III B MAK-Werte-Liste 1995.
Verw.: Als Zwischenprodukt für organ. Synth. u. Insektizide. – *E* 3-chloro-2-methyl-1-propene – *F* chloro-3-méthyl-2 propène-1 – *I* 3-cloro-2-metil-1-propene – *S* 3-cloro-2-metil-1-propeno
Lit.: Beilstein E IV **1**, 803 f. ▪ Hommel, Nr. 707 ▪ Ullmann (4.) **9**, 472 f.; (5.) **A 6**, 319 ff. – [HS 2903 29; CAS 563-47-3; G 3]

Chlormethylsilane. Systemat. Gruppenbez. für die hier unter *Methylchlorsilane abgehandelten Verbindungen.

Chlormezanon. Internat. Freiname für 2-(4-Chlorphenyl)-tetrahydro-3-methyl-4*H*-1,3-thiazin-4-on-1,1-dioxid, C₁₁H₁₂ClNO₃S, M_R 273,73, Schmp. 116,2–118,2 °C. Es wurde 1959 als Muskelrelaxans von Sterling Drug patentiert u. ist generikafähig. – *E* chlormezanone – *F* chlormézanone – *I* clormezanone – *S* clormezanona
Lit.: ASP ▪ Beilstein E IV **27**, 2758 ▪ Hager (5.) **7**, 873–875. – [HS 2934 90; CAS 80-77-3]

Chlormidazol.

Internat. Freinamen für 1-(4-Chlorbenzyl)-2-methyl-1*H*-benzimidazol, C₁₅H₁₃ClN₂, M_R 256,73; Sdp. 240–242 °C (1,6 kPa), verwendet wird das Hydrochlorid, Schmp. 227–228 °C. Es wurde 1959 als Antimykotikum von Gruenenthal patentiert. – *E* = *F* chlormidazole – *I* clormidazolo – *S* clormidazol
Lit.: ASP ▪ Beilstein E V **23/6**, 330 ▪ Hager (5.) **7**, 875–876 ▪ Pharm. Ztg. **136**, 1075 (1991) ▪ Ullmann (5.) **A 3**, 87. – [HS 2933 90; CAS 3689-76-7]

Chlornaphthaline.

Sammelbez. für ein- bis mehrfach chlorierte Naphthaline. Die bei der Chlorierung mittels PCl₅ in Ggw. von Iod als Zwischenprodukte auftretende Penta- u. Hexachlor-Produkte rufen – wie auch andere *Chloraromaten – heftige Chlorakne hervor u. besitzen die für viele *Chlorkohlenwasserstoffe typ. Hepatotoxizität, während z. B. die Mono-C. weniger tox. sind. C. wirken gegen Insekten u. Pilzschädlinge, s. a. Holzschutzmittel. *1-C.* (farblose Flüssigkeit, D. 1,2, Sdp. 259 °C, LD_{50} (Ratte oral) 1540 mg/kg; WGK 2) ist Lsm. für Öle, Fette, DDT; es dient auch zur Bestimmung des Brechungsindex von Kristallen. – *E* chloronaphthalenes – *F* chloronaphtalènes – *I* cloronaftaline – *S* cloronaftalenos
Lit.: Beilstein E IV **5**, 1658–1665 ▪ Kirk-Othmer (4.) **6**, 133 ▪ Ullmann (4.) **9**, 518 f.; (5.) **A 8**, 350.

Chlornitrobenzole.

a) b) c)

C₆H₄ClNO₂, M_R 157,56. Von den C. gibt es *ortho-, metha-* u. *para*-Isomere: (a) *1-Chlor-2-nitrobenzol:* Gelbe Krist., D. 1,305, Schmp. 33–35 °C, Sdp. 246 °C, LD_{50} (Ratte oral) 268 mg/kg, WGK 2, Stoff mit begründetem Verdacht auf krebserzeugendes Potential, Gruppe III B MAK-Werte-Liste 1995.
(b) *1-Chlor-3-nitrobenzol:* Schwach gelbe Krist., D. 1,534, Schmp. 46 °C, Sdp. 236 °C; WGK 2, LD_{50} (Ratte oral) 420 mg/kg.
(c) *1-Chlor-4-nitrobenzol:* Gelbe Krist., D. 1,520, Schmp. 82–84 °C, Sdp. 242 °C, Stoff mit begründetem Verdacht auf krebserzeugendes Potential, Gruppe III B MAK-Werte-Liste 1995, LD_{50}

Chloro...

(Ratte oral) 420 mg/kg, WGK 2. Die stark giftigen C. sind in heißem Alkohol, Ether, Benzol u. a. organ. Lsm. lösl., in Wasser unlöslich. Ihre Herst. erfolgt durch Nitrierung von Chlorbenzol, wobei ein Gemisch aus ca. 34% *ortho*-, 65% *para*- u. 1% *meta*-C. entsteht. Über die Trennung der *ortho*- u. *para*-Isomere durch extraktive Krist. s. *Lit.*[1]. Die C. stellen wichtige Zwischenprodukte bei der organ. Synth. von Farbstoffen, Pharmazeutika, Schädlingsbekämpfungsmitteln etc. dar. Neben den einfachen C. haben auch eine Reihe von z. T. in Einzelstichwörtern behandelten höher chlorierten u./od. nitrierten C. Bedeutung für die Schädlingsbekämpfung. Ihnen allen ist eine lokale Reizwirkung auf Haut u. Schleimhäute gemeinsam sowie – bei Einatmung od. oraler Aufnahme – das Auftreten von Methämoglobinämie mit Atemnot u. Cyanose, bei großen Mengen auch von Leber- u. Nierenschäden. Näheres zur Toxikologie s. *Lit.*[2]. – *E* chloronitrobenzenes – *F* chloronitrobenzènes – *I* cloronitrobenzeni – *S* cloronitrobencenos

Lit.: [1] Chem. Eng. News **48**, Nr. 6, 11 (1970). [2] Gesundheitsschädliche Arbeitsstoffe: toxikologisch-arbeitsmedizinische Begründung von MAK-Werten, Weinheim: Verl. Chemie 1972 – 1996.
allg.: Beilstein E IV **5**, 721 – 724 ■ Hommel, Nr. 295, 295 a ■ Kirk-Othmer **13**, 840 – 844 ■ Rippen, Handbuch Umweltchemikalien, Landsberg: Ecomed-Verlagsges. 1987 – 1996 ■ Ullmann (4.) **17**, 393 f.; (5.) A **17**, 428 ■ Winnacker-Küchler (3.) **4**, 157. – *[CAS 88-73-3 (a); 121-73-3 (b); 100-00-5 (c); G 6.1]*

Chloro... s. Chlor...

Chlorobutanol. Internat. Freiname für *1,1,1-Trichlor-2-methyl-2-propanol (Chlorbutol).

Chlorocarbonyl... s. Chlorcarbonyl...

Chlorocresol. Internat. Freiname für 4-Chlor-3-methylphenol (s. Chlorkresole).

Chloroform s. Chlormethane.

Chloroformyl s. Chlorcarbonyl....

Chlorogensäure [3-*O*-(3,4-Dihydroxycinnamoyl)-chinasäure, 5-*O*-Kaffeoylchinasäure, Heliantsäure].

$C_{16}H_{18}O_9$, M_R 354,31. Als Hemihydrat, Schmp. 208 – 210 °C (Zers.), $[\alpha]_D^{16}$ −35,2° (c 2,8/H_2O), in siedendem Wasser, Alkohol u. Aceton leicht löslich. Säuren hydrolysieren C. zu *Kaffeesäure; der andere Bestandteil der C. ist *Chinasäure.
Vork.: In Kaffee, jungem Wein, Blättern von Steinobstbäumen, Artischocken, Tabak, Kartoffeln u. vielen anderen Pflanzen, häufig im Gemisch mit isomeren u. Di-Kaffeesäureestern (sog. *Isochlorogensäuren*) der Chinasäure. Meist spricht man zusammenfassend von Chlorogensäuren. Arabica-Kaffee enthält im Durchschnitt 6,5% Robusta-Kaffee, 8% Chlorogensäuren. Mit vielen Metall-Ionen bildet C. gefärbte Komplexe, z. B. mit Fe(III)-Ionen in Kartoffeln (schwarze Farbe). Gegen die Annahme, daß C. zu den Reizstoffen des Kaffees gehört, spricht die Tatsache, daß beim Verzehr vieler C.-haltiger Nahrungsmittel (Obst, Gemüse, Kartoffeln) keine entsprechende Wirkung beobachtet wird. C. ist ein *Phytoalexin u. zeigt Aktivität gegen phytopath. Viren u. Pilze. Die Biosynth. verläuft über *p*-Cumarsäure. C. trägt zur oxidativen Bräunung von Obst bei[1]. – *E* chlorogenic acid – *F* acide chlorogénique – *I* acido clorogenico – *S* ácido clorogénico

Lit.: [1] Chem. Ind. (London) **1995**, 836.
allg.: Angew. Chem. **101**, 572 – 587 (1989) ■ Beilstein E IV **10**, 2259 ■ Chem. Unserer Zeit **18**, 17 (1984) (Vork. in Kaffee) ■ Menden et al., Über die Chlorogensäure u. ihre physiolog. Wirkung, Uelzen: Blume 1959 ■ Phytochemistry **15**, 703 (1976) (Biosynth.) ■ Zechmeister **35**, 80 ff.. – *[HS 291829; CAS 327-97-9]*

Chlorokohlensäureester s. Chlorameisensäureester.

Chlorolyse. Bez. für eine unter Spaltung von C,H- u. C,C-Bindungen verlaufende Reaktion organ. Verb. unter der Einwirkung von elementarem Chlor. Die bei 500 – 700 °C durchgeführte C. dient z. B. zur Gewinnung höher chlorierter *Chlorkohlenwasserstoffe aus einfacher chlorierten. – *E* chlor(in)olysis – *F* chlorolyse – *I* clorolisi – *S* clorolisis
Lit.: McKetta **8**, 206 – 214 ■ s. a. Chlorierung, Chlorkohlenwasserstoffe.

Chloroneb. Common name für 1,4-Dichlor-2,5-dimethoxybenzol.

$C_8H_8Cl_2O_2$, M_R 207,06, Schmp. 134 °C, LD_{50} (Ratte oral) >11 000 mg/kg (WHO), von DuPont 1966 eingeführtes system. *Fungizid zur Boden- u. Saatgut-Behandlung im Baumwoll-, Soja- u. Bohnenanbau, in der BRD nicht zugelassen. – *E* chloroneb – *F* chloroneb – *I* = *S* cloroneb
Lit.: Farm ■ Perkow ■ Pesticide Manual. – *[HS 290930; CAS 2675-77-6]*

Chloropal s. Nontronit.

Chlorophyll(e) (von griech. chloros = gelbgrün u. phyllon = Blatt).

Chlorophyll a
$R^1 = CH_3$
$R^2 = C_2H_5$
$R^3 = $ Phytyl

Chlorophyll b
$R^1 = CHO$
$R^2 = C_2H_5$
$R^3 = $ Phytyl

Chlorophyll c
c_1 $R^1 = CH_3$, $R^2 = C_2H_5$
c_2 $R^1 = CH_3$, $R^2 = CH=CH_2$
c_3 $R^1 = COOCH_3$, $R^2 = CH=CH_2$

Von Pelletier u. Caventou geprägter Name für das Blattpigment (C.I. Natural Green 3) der Höheren Pflanzen u. Grünalgen, das diesen die grüne Farbe verleiht u. die Photosynth. ermöglicht [1,2]. Mit Ausnahme des C. c, dem das *Porphyrin-Gerüst zugrunde liegt, besitzen alle C. das *Chlorin-Grundgerüst. In den Pflanzen findet sich das C. in den Chloroplasten. Das C. der Höheren Pflanzen u. Grünalgen ist kein einheitlicher Stoff, sondern ein Gemisch der C. a u. b, die von Tswett durch Chromatographie erstmalig voneinander getrennt werden konnten. C. a ist blaugrün, C. b gelbgrün gefärbt. C. a findet sich im Blattgrün etwa dreimal häufiger als b, das ein Oxidationsprodukt von a darstellt. Daneben hat man aus Meeres-Algen noch die C. c u. d isolieren können. Auch die *Bakteriochlorophylle c – d sind strukturell eher mit dem C. verwandt als mit Bakteriochlorophyll a u. b.

Struktur: Bis 1987 waren ca. 45 C.-Protein-Komplexe beschrieben, die u. a. nach Art des C. u. der Wellenlänge des absorbierten Lichtes mit Buchstaben u. Zahlen belegt werden: z. B. a685, b650, c705, P700.
C. a, $C_{55}H_{72}MgN_4O_5$, M_R 893,51; bildet blauschwarze, wachsartige Nadeln, Schmp. 117–120 °C, in Alkohol mit tiefroter Fluoreszenz lösl., in organ. Lsm. sehr leicht lösl., kann aus der Blaugrünen Alge *Anacystis nidulans* in reiner Form gewonnen werden.
C. b, $C_{55}H_{70}MgN_4O_6$, M_R 907,49; krist. in dunkelgrünen Platten, Schmp. 120–130 °C, von ähnlicher Löslichkeit wie C. a. Es wird vorwiegend von Algen zur Photosynth. benötigt.
C. c_1, $C_{35}H_{30}MgN_4O_5$, M_R 610,95; rotschwarze, hexagonale Krist., strenggenommen ein *Chlorophyllid, da der Phytyl-Rest fehlt, C. c_2 ist das Divinyl-Derivat von C. c_1, C. c_3 ein oxidiertes Derivat von C. c_2.

Biosynth.: Markierungsversuche mit radioaktiven Isotopen zeigten, daß in Pflanzen aus Succinyl-Coenzym A u. Glycin u./od. Glutaminsäure (über *5-Amino-4-oxovaleriansäure u. *Porphobilinogen), *Protoporphyrine u. verwandte Verb. aufgebaut u. durch Mg-Einlagerung, Hydrierung, Oxid. u. Cyclopentan-Ringschluß das wasserlösl. Chlorophyllid a umgewandelt werden [3]. Bei dessen Veresterung mit *Phytol (zu C. a) ist das Enzym Chlorophyllase beteiligt; statt des Phytyl-Restes enthalten die Bakteriochlorophylle c – e den Farnesyl- od. Geranylgeranyl-Rest. Die C.-Biosynth. wird durch Blei-Ionen gehemmt. Zur Bildung von C. u. zur Photosynth. ist Eisen(III) nötig, dieses ist Bestandteil von *Ferredoxin. Die meisten Höheren Pflanzen benötigen zur C.-Bildung Licht (sonst Vergilbung), doch können viele Algen u. Kryptogamen auch in völliger Dunkelheit C. bilden. Die in gemäßigten Klimazonen zu beobachtende herbstliche Laubfärbung [4] wird durch Chlorophyll-Abbau in den Blättern bewirkt, wodurch dann die normalerweise neben dem C. vorliegenden anderen Blattfarbstoffe, z. B. die *Carotinoide, farblich dominieren (das enthaltene Magnesium wird größtenteils von den Pflanzen resorbiert). Auch auf chem. Weg lassen sich die Mg-Zentralatome aus den C. u. Chlorophylliden entfernen, wobei die *Phäophytine u. Phäophorbide entstehen.

Verw.: Als Farbstoffe in der Medizin, Lebensmittel-, Kosmetik- u. Kerzen-Industrie.

Geschichte: Die Verwandtschaft zum Blutfarbstoff *Hämoglobin ist schon seit 1851 bekannt. Systemat. Untersuchungen zur Konstitutions- u. Konfigurations-Aufklärung u. Synth. wurden von Willstätter, H. Fischer, Linstead u. Brockmann jr. seit 1906 vorgenommen. Die Totalsynth. gelang 1960 Woodward [5]. – *E* chlorophylls – *F* chlorophylle – *I* clorofilla – *S* clorofila
Lit.: [1] Nature (London) **361**, 326 (1993). [2] Angew. Chem. **101**, 849, 872 (1989). [3] Nat. Prod. Rep. **4**, 441–469 (1987); J. Nat. Prod. **51**, 629–642 (1988). [4] Chem. Unserer Zeit **29**, 298–306 (1995). [5] Tetrahedron **46**, 7599 (1990).
allg.: Beilstein E V **26**/15, 505f., 537f. ■ Chem. Unserer Zeit **20**, 63 (1986) ■ Karrer, Nr. 2507, 4368, 4369 ■ Hager (5.) **7**, 881 ■ Scheer, Chlorophylls, Boca Raton: CRC Press Inc. 1991 (1152 Seiten) ■ Schweppe, S. 537ff. ■ Zechmeister **26**, 284–355. – [HS 320300; CAS 479-61-8 (C. a); 519-62-0 (C. b); 18901-56-9 (C. c_1)]

Chlorophyllid(e). Bez. für die durch Verlust des *Phytols od. anderer langkettiger Alkohole entstehenden wasserlösl. *Chlorophyll-Strukturen mit freier 17-Propionsäure. In der Chlorophyll-Biosynth. werden die langkettigen Alkohole mittels Chlorophyllasen an die C. angeknüpft. – *E* = *F* chlorophyllides – *I* clorofillide – *S* clorofilidas
Lit.: s. Chlorophylle.

Chlorophylline. Durch Hydrolyse u. Mg-Austausch aus natürlichem *Chlorophyll gewonnene wasserlösl. u. lichtbeständigere Chlorophyll-Pigmente, die als Farbstoffe verwendet werden (z. B. der C.-Kupfer-Komplex E 141). – *E* chlorophyllins – *F* chlorophyllines – *I* clorofilline – *S* clorofilinas
Lit.: Hager (5.) **7**, 882 ■ Ullmann (4.) **11**, 126–129. – [HS 320300]

Chloroplasten (von griech.: chlorós = grün, plastós = geformt). Bez. für die Zellorganellen (*Plastiden*) grüner Pflanzen u. Algen, in denen das *Chlorophyll konzentriert ist u. in denen sich *Photosynthese u. *chemiosmotische *Phosphorylierung abspielen. Die *Zellen der *Pflanzen enthalten zahlreiche, diejenigen der *Algen im allg. nur einen einzelnen dieser ellipsoiden, grüngefärbten, durch eine doppelte Hüllmembran begrenzten C., die einen Durchmesser zwischen 3 u. 10 μm haben. Bei Untersuchungen durch Elektronenmikroskopie sieht man in den C. Dutzende von kleinen, flachen, zylindr., ca. 0,2 μm dicken u. 0,5 μm langen Körperchen (*Grana*), die aus 20–30 flachen Scheiben zusammengesetzt sind. Die Scheiben sind etwa 0,05 μm dick u. bestehen aus Membranen (sog. *Thylakoide*, s. Abb. bei Zellen) von Proteinen u. Phospholipiden, in die das Chlorophyll eingelagert ist u. die der Sitz der photosynthet. Lichtreaktionen sind. Überwiegend in jungen Sproß- u. Blattzellen entwickeln sich während der *Ontogenese der meisten höheren Pflanzen die C. aus kleinen, unpigmentierten u. formveränderlichen *Proplastiden*. Bei Lichtmangel können als Hemmformen sog. *Etioplasten* entstehen, die anstelle des Chlorophylls geringe Mengen an Protochlorophyll enthalten. Bei Licht erfolgt Umwandlung in typ. C. Bei der C.-Genese kommt dem *Phytochrom* eine vielfältig regulierende Funktion zu. – *E* chloroplasts – *F* chloroplastes – *I* cloroplasti – *S* cloroplastos

Chloroplatinate. Sammelbezeichnung für Verb. des Typs $M_2(PtCl_6)$, die sich von der Hexachloro-platin(IV)-säure $H_2(PtCl_6)$, od. des Typs $M_2(PtCl_4)$, die sich von der Tetrachloroplatin(II)-säure $H_2(PtCl_4)$ ableiten; s. Platin-Verbindungen.

Chloropren (2-Chlor-1,3-butadien).

$$H_2C=CH-\underset{\underset{Cl}{|}}{C}=CH_2$$

F, Xn

C_4H_5Cl, M_R 88,54. Farblose, stechend riechende Flüssigkeit, D. 0,958, Sdp. 59,4 °C, FP. −20 °C c.c., Explosionsgrenzen in Luft 2,5 − 12 Vol.-%, lösl. in Alkohol u. Ether, wenig lösl. in Wasser. C. reizt Haut u. Schleimhäute, wird durch die Haut resorbiert u. wirkt wie auch andere *Chlorkohlenwasserstoffe narkot. sowie bei chron. Einwirkung leber- u. nierenschädigend; MAK-Wert 5 ppm (MAK-Werte-Liste 1995), Verdacht auf fruchtschädigende Wirkung.
Ausgangsprodukte für die C.-Herst. sind in älteren Verf. *Acetylen u. in moderneren Prozessen *1,3-Butadien; der Wechsel der Rohstoffbasis vollzog sich mit Beginn der siebziger Jahre. 1980 wurden weltweit schon mehr als 80% der C.-Produktion aus Butadien hergestellt [zur Herst. s. Weissermel-Arpe (*Lit.*)]. Stabilisatoren (z. B. Thiodiphenylamin) verhindern spontane Polymerisation.
Verw.: C. wird fast ausschließlich zu C.-Kautschuk (Neopren, Baypren) polymerisiert, s. a. Polychloroprene. – *E* chloroprene – *F* chloropréne – *I* cloroprene – *S* clopreno
Lit. (auch zu C.-Kautschuk): Beilstein E IV **1**, 984 ▪ Brauer, Gefahrstoff-Sensorik, Landsberg: Ecomed Verlagsgesellschaft 1988 ▪ Hager (5.) **3**, 280 ▪ Hommel, Nr. 690 ▪ Kirk-Othmer (3.) **1**, 246; **5**, 773 − 785 ▪ Ullmann (4.) **9**, 538 f.; **13**, 614; (5.) **A 6**, 315 f. ▪ Weissermel-Arpe (4.), S. 132 f. – *[HS 290329]*

Chloropyramin.

Cl—⌬—CH$_2$—N(Pyridyl)—CH$_2$—CH$_2$—N(CH$_3$)$_2$

Internat. Freiname für *N*-(4-Chlorbenzyl)-*N',N'*-dimethyl-*N*-(2-pyridyl)-ethylendiamin, $C_{16}H_{20}ClN_3$, M_R 289,82, Sdp. 154 − 155 °C (26,6 Pa). Verwendet wird das Hydrochlorid, Schmp. 172 − 174 °C. Es wurde 1952 als Antihistaminikum von Merck & Co patentiert. – *E* = *F* chloropyramine – *I* cloropirammina – *S* cloropiramina
Lit.: Beilstein E V **22/8**, 378 ▪ Hager (5.) **7**, 883 − 884. – *[HS 2933 39; CAS 59-31-5; 6170-42-9 (Hydrochlorid)]*

Chloroquin.

Cl—(chinolin)—NH—CH(CH$_3$)—(CH$_2$)$_3$—N(C$_2$H$_5$)$_2$

Internat. Freiname für das gegen Amöben u. Plasmodien (Malaria) sowie antirheumat. wirkende 7-Chlor-4-(4-diethylamino-1-methylbutylamino)-chinolin, $C_{18}H_{26}ClN_3$, M_R 319,88, Schmp. 87 °C. Verwendet wird das Disulfat, Schmp. 215 − 218 °C u. das Sulfat. C. wurde 1941 von Winthrop patentiert u. ist generikafähig. An Nebenwirkungen können reversible Hornhauttrübungen u. Photosensibilisierung der Haut auftreten. – *E* = *F* chloroquine – *I* = *S* cloroquina
Lit.: ASP ▪ Beilstein E V **22/10**, 279 ▪ Florey **5**, 61 − 85 ▪ Hager (5.) **7**, 884 − 890 ▪ IARC Monogr. **13** (1977) ▪ Ullmann (5.) **A 6**, 207. – *[CAS 54-05-7; 50-63-5 (Diphosphat); 132-73-0 (Sulfat)]*

Chlorosäuren s. Chloride.

Chloroschwefelsäure (ältere Bez.: Chlorsulfonsäure). $HO-SO_2-Cl$, M_R 116,52. Farblose od. schwach gelbliche, stechend riechende, ätzende Flüssigkeit, die beim Eintropfen in Wasser unter explosionsartigem Zischen in Schwefelsäure u. Salzsäure gespalten wird, D. 1,75, Sdp. 152 °C, bildet Salze [*Chlor(o)sulfate*] mit dem Anion $^-O-SO_2-Cl$. Herst. aus Schwefeltrioxid u. Chlorwasserstoff.
Verw.: Starkes *Sulfonierungs-, *Chlorierungs- u. *Sulfochlorierungs-Mittel. C. ermöglicht die Einführung der Sulfo-Gruppe auch in Fällen, wo rauchende Schwefelsäure versagt. – *E* chlorosulfuric acid – *F* acide chlorosulfurique – *I* acidi clorosolforici – *S* ácido clorosulfúrico
Lit.: Brauer (3.) **1**, 388 f. ▪ Gmelin, Syst.-Nr. 9, S., Tl. B, 1963, S. 1834 − 1846 ▪ Hommel, Nr. 247 ▪ Kirk-Othmer (4.) **6**, 168 − 176 ▪ Snell-Ettre **9**, 528 − 533 ▪ Ullmann (5.) **A 7**, 17 − 21 ▪ Winnacker-Küchler (3.) **2**, 62 − 65 ▪ s. a. Chlorierung u. Sulfonierung. – *[HS 2806 20; CAS 7790-94-5; G 8]*

Chlorose. Von griech.: chlorôs = faul, blaß, grüngelb abgeleitete Bez. für (patholog.) Ausbleichen von Blättern grüner Pflanzen, bedingt durch den Abbau od. die mangelnde Neubildung von *Chlorophyll infolge von Stoffwechselstörungen, die vielfältige Ursachen haben können, so biot. wie *Parasiten-Befall u. genet. Defekte [bei bleichen, züchter. erwünschten Flecken spricht man von Panaschierung; Ursache ist eine Entmischung grüner von farblosen (defekten) Chloroplasten bei der Blattbildung], abiot. wie Licht-, Wasser- od. Nährstoffmangel, Spurenstoffintoxikationen u. Kälte (s. a. Laubfärbung). Bei Alterungsvorgängen (s. a. Seneszenz) treten meist ebenfalls C. auf. – *E* chlorosis – *F* chlorose – *I* clorosi – *S* clorosis
Lit.: Schlösser, Allgemeine Phytopathologie, Stuttgart: Thieme 1983.

Chlorosulfate. Salze der *Chloroschwefelsäure; ältere Bez.: Chlorsulfonate.

Chlorotetain.

Chlorotetain | Anticapsin | Bacilysin

Antibiotikum aus *Bacillus subtilis*. $C_{12}H_{17}ClN_2O_4$, M_R 288,73. C. hemmt die Glucosamin-6-phosphat-Synthetase. Es wirkt antifung., in hohen Konz. ist es auch gegen Gram-pos. u. -neg. Bakterien wirksam. C. kann über das Dipeptid-Transportsyst. in die Zelle eindringen u. stört dort vermutlich die Zellwandsynthese.

Strukturell nahe verwandt mit C. sind *Bacilysin* [$C_{12}H_{18}N_2O_5$, M_R 270,29, amorph, $[\alpha]_D^{20}$ +103° (c 0,6/H_2O)] u. *Anticapsin* [$C_9H_{13}NO_4$, M_R 199,21, Schmp. 150°C (Zers.), $[\alpha]_D^{25}$ +125° (c 1/H_2O)]. Bacilysin wird von *B. subtilis* u. *B. pumilus* produziert u. ist wie C. ein Glucosamin-6-phosphat-Synthetase-Hemmer. Es wirkt gegen Gram-pos. u. -neg. Bakterien, so lysiert es wachsende Staphylokokken. Die Biosynth. von Bacilysin erfolgt über Shikimisäure u. Alanin[1]. Anticapsin aus *Streptomyces griseoplanus* wirkt gegen einige Gram-pos. Organismen. Zur Isolierung von C. s. *Lit.*[2], zur stereoselektiven Synth. s. *Lit.*[3]. – *E* chlorotetaine – *F* chlorotétaïne – *I* clorotetaina – *S* clorotetaína
Lit.: [1] Biochem. J. **118**, 557–569 (1985). [2] Angew. Chem. **100**, 1801 (1988); Angew. Chem., Int. Ed. Engl. **30**, 1685 (1991). [3] J. Chem. Soc., Chem. Commun. **1993**, 1332; J. Org. Chem. **59**, 2748–2761 (1994). – [CAS 117985-03-2 (C.); 29393-20-2 (Bacilysin); 28978-07-6 (Anticapsin)]

Chlorotrianisen.

Internat. Freiname für das nichtsteroide, estrogen wirkende Chlor-tris(4-methoxyphenyl)ethylen, $C_{23}H_{21}ClO_3$, M_R 380,87, Schmp. 114–116°C, UV_{max} (CHCl$_3$): 310 nm ($E_{1cm}^{1\%}$ 323). C. wurde 1947 von Merrel (Merbentul®) patentiert. – *E* chlorotrianisene – *F* chloro-trianisène – *I* clorotrianisene – *S* clorotrianiseno
Lit.: ASP ▪ Beilstein EIV **6**, 7650f. ▪ Hager (5.) **7**, 891. – [HS 290930; CAS 569-57-3]

Chloroxide. Entsprechend seinen Oxidationsstufen bildet *Chlor eine Reihe von Oxiden, die im allg. leicht, in Ggw. oxidierbarer Materie ggf. unter Explosion, zerfallen. Dabei sind techn. bedeutungslos: *Dichloroxid* (Chlormonoxid, Cl_2O, M_R 86,91; gelbbraunes Gas, D. 3,89 g/l, Schmp. –116°C, Sdp. 4°C unter Explosion), *Dichlortrioxid* (Cl_2O_3, M_R 118,90, bei –78°C stabiler, dunkelbrauner Festkörper, der sich bei –45°C langsam, bei ca. 0°C explosiv zu Cl_2 u. O_2 zersetzt), *Dichlorhexoxid* (Chlortrioxid, Cl_2O_6, M_R 166,90, tiefrote Flüssigkeit, D. 2,02, Schmp. 3,5°C, Sdp. 203°C) u. *Dichlorheptoxid* (Cl_2O_7, M_R 182,90, farbloses Öl, D. 1,86, Schmp. –92°C, Sdp. 82°C). Das einzige wichtige C. ist *Chlordioxid*, ClO_2, M_R 67,45, gelblich-rötliches Gas, rotbraune Flüssigkeit od. explosive rote Krist., Geruch Chlor-ähnlich, D. 1,62 (flüssig), 3,09 g/l (Gas), Gefrierpunkt –59°C, Sdp. 11°C, in Wasser, Alkalien u. Schwefelsäure lösl., mit niederen Chlorkohlenwasserstoffen mischbar; MAK 0,3 mg/m³, Nachw. mit Dräger-Prüfröhrchen. *Herst.:* Aus Natriumchlorit u. Chlor ($2 NaClO_2 + Cl_2 \rightarrow 2 NaCl + 2 ClO_2$) od. Acetanhydrid od. aus Chloraten mit SO_2, HCl, NO_2 od. Schwefelsäure.
Verw.: Zum Bleichen in der Textil-, Cellulose- u. Papier-Industrie. ClO_2 ist auch zur Wasserentkeimung, Desinfektion u. Desodorierung übelriechender Abfälle u. Abwässer geeignet sowie zum Bleichen von Ölen, Fetten u. Wachsen. – *E* chlorine oxides – *F* oxydes de chlor – *I* ossidi clorosi – *S* óxidos de cloro
Lit.: Brauer (3.) **1**, 310–317 ▪ Gmelin, Syst.-Nr. 6, Cl, 1927, S. 226–249, Erg.-Bd. B 2, 1969, S. 315–375 ▪ Industrial Water Treat. **27** (5), 48–58 (1995) ▪ Kirk-Othmer (4.) **5**, 992 ff. ▪ Masschelein, Chlorine Dioxide: Chemistry and Environmental Impact of Oxychlorine Compounds, Ann Arbor: Sci. Publ. 1979 ▪ Ullmann (5.) **A 6**, 484 ff., 496–500 ▪ Winnacker-Küchler (4.) **2**, 463 ff. ▪ s. a. Chlor. – [CAS 7791-21-1 (Cl_2O); 17496-59-2 (Cl_2O_3); 12442-63-6 (Cl_2O_6); 12015-53-1 (Cl_2O_7); 10049-04-4 (ClO_2)]

Chlorparaffine. Farblose, flüssige od. feste Chlorierungsprodukte des Paraffins mit 15–70% Chlor-Gehalt, verwendbar zur wasserfesten Imprägnierungen, als Flammschutzmittel zusammen mit Sb- od. P-haltigen Synergisten, als Pigment-Lsm. für Durchschreibepapier, als Weichmacher für PVC u. Lackrohstoffe, ferner als Anstrichmittel, für Schmierflüssigkeiten u. Metallbearbeitungsöle. Ca. 200 verschiedene C. werden industriell genutzt, immer als Substanzgemische. In der Umwelt sind C. sehr reaktionsträge u. konnten deshalb im Wasser u. Boden, in Muscheln, Fischen, Vögeln u. auch im menschlichen Fettgewebe in Spuren nachgewiesen werden[1]. C. gelten als wenig giftig; die tox. Eigenschaften sind von der Kettenlänge u. dem Chlorierungsgrad abhängig. Kurzkettige Vertreter, mit 10–13 C-Atomen u. zu 58% chloriert, könnten als Tumorpromoter wirken. Eine Zusammenfassung toxikolog. Daten findet man in *Lit.*[2]. – *E* chlorinated paraffins – *I* paraffine clorurate – *S* parafinas cloradas
Lit.: [1] Environ. Sci. Technol. **14**, 1209–1214, 1215–1221 (1980). [2] Food Chem. Toxic. **25**, 553–562 (1987).
allg.: Kirk-Othmer (3.) **5**, 786–791; (4.) **6**, 78–87 ▪ Ullmann (4.) **9**, 476 ff.; (5.) **A 6**, 323–330.

Chlorpentafluorethan s. FCKW.

3-Chlorperoxybenzoesäure (MCPPA).

$C_7H_5ClO_3$, M_R 172,57. Farblose Krist., Schmp. 92–94°C (Zers.), in Wasser nicht, in den meisten organ. Lsm. gut lösl.; das Handelsprodukt enthält bis zu 15% 3-Chlorbenzoesäure.
Verw.: Zur Epoxidierung, *Baeyer-Villiger-Oxidation, Synth. von *N*-Oxiden, Sulfoxiden, Sulfonen etc. – *E* 3-chloroperoxybenzoic acid – *F* acide 3-chloroperoxybenzoique – *I* acido 3-cloroper(ossi)benzoico – *S* ácido 3-cloroperoxibenzoico
Lit.: Beilstein EIV **9**, 972 ▪ Org. Synth. Coll. Vol. **7**, 282 (1990) ▪ Paquette, S. 1192 ▪ Ullmann (4.) **17**, 668 f.; (5.) **A 19**, 206, 209. – [HS 291639; CAS 937-14-4; G 5.2]

Chlorphacinon. Common name für 2-[2-(4-Chlorphenyl)-2-phenylacetyl]indan-1,3-dion.

$C_{23}H_{15}ClO_3$, M_R 374,82, Schmp. 140°C, LD_{50} (Ratte oral) 3 mg/kg, von Lipha S.A. 1961 eingeführtes

*Rodentizid, wirkt durch Hemmung der Blutgerinnung. – $E = F$ chlorophacinone – I clorofacinone – S clorfacinona
Lit.: Farm ▪ Perkow ▪ Pesticide Manual. – *[HS 2914 70; CAS 3691-35-8]*

Chlorphenamin.

Internat. Freiname für 3-(4-Chlorphenyl)-N,N-dimethyl-3-(2-pyridyl)propylamin, $C_{16}H_{19}ClN_2$, M_R 274,79, Sdp. 142 °C (0,13 kPa). Verwendet wird das Maleat, Schmp. 130–135 °C, UV_{max} (Wasser): 261 nm (ε 5760), LD_{50} (Maus oral) 162 mg/kg. C. wurde 1951 u. 1954 als Antihistaminikum von Schering patentiert u. ist in Kombination mit verschiedenen Hustenblockern im Handel. – E chlorphenamine – F chlorphénamine – I clorofenammina – S clorfenamina
Lit.: ASP ▪ DAB 10 ▪ Florey **7**, 43–80 ▪ Hager (5.) **7**, 894–896 ▪ Ullmann (5.) **A 2**, 423 f. – *[HS 2933 39; CAS 132-22-9; 113-92-8 (Maleat)]*

Chlorphenesin.

Internat. Freiname für 3-(4-Chlorphenoxy)-1,2-propandiol, $C_9H_{11}ClO_3$, M_R 202,64, Schmp. 77–79 °C. Es wurde 1949 als Antimykotikum von British Drug Houses patentiert u. ist von Dr Kade (Soorphenesin®) im Handel. – E chlorphenesin – F chlorphénésine – I clorofenesina – S clorfenesina
Lit.: Hager (5.) **7**, 897. – *[HS 2909 49; CAS 104-29-0]*

Chlorphenole.
Gruppenbez. für Chlor-Derivate des Phenols, also auch für *Di-, *Tri- u. *Pentachlorphenol(e). Xn

Die einfach chlorierten Vertreter(C_6H_5ClO, M_R 128,56) sind: 2- od. *o*-C.: Unangenehm, Iodoform-artig riechende Flüssigkeit, D. 1,24, Schmp. 7 °C, Sdp. 175 °C, LD_{50} (Ratte oral) 670 mg/kg, entsteht, wenn 1 Mol Chlor in 150–180 °C heißes Phenol geleitet wird; – *3-* od. *m*-C.: D. 1,268, Schmp. 33 °C, Sdp. 214 °C, LD_{50} (Ratte oral) 570 mg/kg, wird aus 3-Chloranilin über die Diazo-Verb. gewonnen; – *4-* od. *p*-C.: D. 1,26, Schmp. 43 °C, Sdp. 220 °C, LD_{50} (Ratte oral) 367 mg/kg, entsteht bei der Chlorierung von Phenol in der Kälte. Die C. sind in Wasser ziemlich schwer, in Alkohol u. Ether leicht lösl., WGK 2. Sie haben ähnliche desinfizierende u. antimykot. Eigenschaften wie das *Phenol u. rufen wie dieses – wenn auch in schwächerer Form – Haut- u. Schleimhautreizungen hervor; außerdem sind sie, wie auch andere *Chloraromaten, hepatotoxisch. Die C. sind biolog. schwer abbaubar u. können sogar zusätzlich durch mikrobielle Umwandlung aus Chlorbenzolen entstehen[1].
Verw.: Zwischenprodukte bei Arzneimittel-[2] u. Farbstoffsynth., als Desinfektionsmittel. – E chlorophenols – F chlorophénols – I clorofenoli – S clorofenoles
Lit.: [1] Angew. Chem. **89**, 680 f. (1977). [2] Negwer (6.), S. 1682. *allg.:* Beilstein E IV **6**, 782 ff., 810 f., 820 ff. ▪ Hager (5.) **3**, 301 ▪ Hommel, Nr. 153 ▪ Kirk-Othmer (3.) **5**, 864–872; (4.) **6**, 156 ff. ▪ Rippen, Handbuch Umweltchemikalien, Landsberg: Ecomed-Verlagsges. 1987–1996 ▪ Ullmann (4.) **9**, 573 ff.; (5.) **A 7**, 2 f. – *[CAS 95-57-8 (2-C.); 108-43-0 (3-C.); 106-48-9 (4-C.); G 6.1]*

Chlorphenolrot (Dichlorphenolsulfonphthalein).
$C_{19}H_{12}Cl_2O_5S$, M_R 423,27, Formel s. Bromphenolblau. Gelbbraunes Pulver, lösl. in Alkohol, wenig lösl in Wasser. Indikatorumschlag gelb bis purpur im pH-Bereich 4,6 bis 7,0. – E chlorophenol red – F rouge de chlorophénol – I rosso di clorofenolo – S rojo de clorofenol
Lit.: Beilstein E V **19/3**, 458. – *[CAS 4430-20-0]*

Chlorphenoxamin.

Internat. Freiname für N-[2-(4-Chlor-α-methylbenzyhydryloxy)-ethyl]-N,N-dimethylamin, $C_{18}H_{22}ClNO$, M_R 303,83, Sdp. 150–155 °C (6,7 Pa). Verwendet wird das Hydrochlorid, Schmp. 128 °C. Es wurde 1957 als Antihistaminikum von Asta Werke (Systral®) patentiert. – E chlorphenoxamine – F chlorphénoxamine – I clorofenossammina – S clorfenoxamina
Lit.: Arzneimittelchemie I, 344, 415–417 ▪ Hager (5.) **7**, 899 ▪ Ullmann (5.) **A 3**, 9. – *[HS 2922 19; CAS 77-38-3; 56-09-4 (Hydrochlorid)]*

Chlorpikrin.
Common name für Trichlornitromethan. T+

CCl_3NO_2, M_R 164,38, Sdp. 112 °C (101,3 kPa), sehr hohe Giftigkeit, die wegen der starken Einwirkung auf die Atemorgane nicht als akute orale LD_{50} feststellbar ist, 0,12 g/m³ Luft sind lebensgefährlich; MAK-Wert 0,1 ppm; wird als Bodenentseuchungsmittel gegen Nematoden, Larven, Bodenpilze u. Unkrautsamen sowie zur Begasung von Getreidelagern verwendet; in der BRD nicht mehr zugelassen. Verboten in kosmet. Mitteln (Kosmetik-VO, Anlage 1, Nr. 325). C. kann bei der Dest. explodieren. – E chloropicrin – F chloropicrine – I cloropectina – S cloropicrina
Lit.: Farm ▪ Perkow ▪ Pesticide Manual. – *[HS 2904 90; CAS 76-06-2; G 6.1]*

Chlorpolyethylen s. chloriertes Polyethylen.

Chlorpolypropylen s. chloriertes Polypropylen.

Chlorpolyvinylchlorid s. chloriertes Polyvinylchlorid.

Chlorpromazin.

Internat. Freiname für 2-Chlor-10-(3-dimethylaminopropyl)-phenothiazin, $C_{17}H_{19}ClN_2S$, M_R 318,86, Sdp.

200–205°C. Verwendet wird das Hydrochlorid, Zers. bei 179–180°C (Kapillar-Meth.), 194–196°C (Block). LD$_{50}$ (Ratte oral) 225 mg/kg. C. wurde 1953 als Antipsychotikum, Neuroleptikum u. Psychosedativum von Rhône-Poulenc patentiert u. ist von Rodleben (Propaphenin®) im Handel. – **E = F** chlorpromazine – **I = S** clorpromazina
Lit.: ASP ▪ Beilstein E IV **27/6**, 358–361 ▪ DAB 10 ▪ Hager (5.) **7**, 902–904. – *[HS 2934 30; CAS 69-09-0; 50-53-3 (Hydrochlorid)]*

Chlorpropamid.

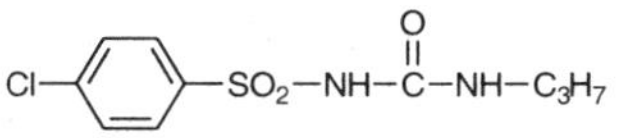

Internat. Freiname für 1-(4-Chlorbenzolsulfonyl)-3-propylharnstoff, C$_{10}$H$_{13}$ClN$_2$O$_3$S, M$_R$ 276,74; Schmp. 127–129°C, UV$_{max}$ (0,01 N Salzsäure) 232,5 nm (ε 16 500), LD$_{50}$ (Ratte i. p.) 580 mg/kg. C. wurde 1960 u. 1967 als Antidiabetikum von Pfitzer patentiert. – **E = F** chlorpropamide – **I** clorpropammide – **S** clorpropamida
Lit.: ASP ▪ Hager (5.) **7**, 905–907 ▪ Ullmann (5.) **A 3**, 3. – *[HS 2935 00; CAS 94-20-2]*

3-Chlor-1,2-propandiol (Glycerin-α-mono-chlorhydrin).

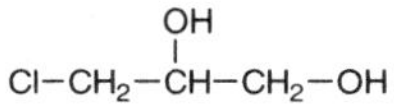

C$_3$H$_7$ClO$_2$, M$_R$ 110,54. Blaßgelbe Flüssigkeit, D. 1,321, Sdp. 213°C (Zers.), lösl. in Wasser u. Alkohol. Dämpfe u. Flüssigkeit verursachen starke Reizung der Augen, der Atemwege u. der Haut. C. kann auch bei Aufnahme über die Haut lebensgefährliche Vergiftungen hervorrufen; LD$_{50}$ (Ratte oral) 26 mg/kg, wassergefährdender Stoff, WGK 2 (Selbsteinst.).
Verw.: Zur Herst. von Farbstoffen u. Pharmazeutika. Das auf Ratten sterilisierend wirkende C. ist als Rodentizid geeignet, hat aber auch nierentox. Eigenschaften[1]. – **E = F** 3-chloro-1,2-propanediol – **I** 3-cloro-1,2-propandiolo – **S** 3-cloro-1,2-propanodiol
Lit.: [1] Naturwissenschaften **66**, 425 (1979).
allg.: Beilstein E IV **1**, 2484 ▪ Hommel, Nr. 1170 ▪ Merck-Index (11.), Nr. 2145 ▪ Ullmann (5.) **A 6**, 566. – *[HS 2905 50; CAS 96-24-2; G 6.1]*

Chlorpropane s. Propylchloride.

Chlorpropanole.

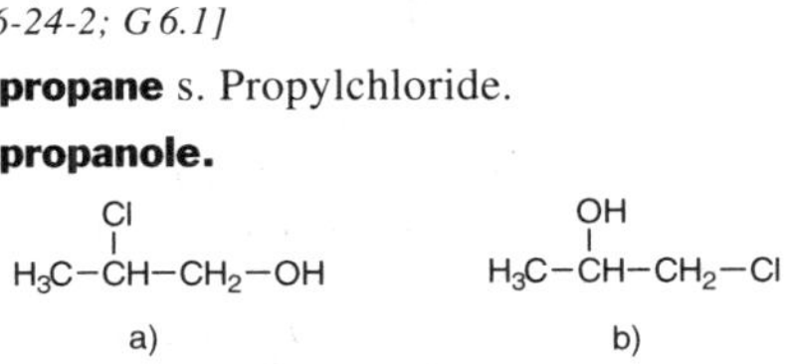

a) b) c)

C$_3$H$_7$ClO, M$_R$ 94,54. Von den 3 C. sind v. a. die beiden mit benachbarten Substituenten (Propylenchlorhydrine) von techn. Bedeutung. Alle 3 C. sind giftig, Dämpfe u. Flüssigkeiten reizen Augen, Atemwege u. Haut, die Flüssigkeiten werden auch über die Haut aufgenommen, die Dämpfe wirken in hohen Konz. narkotisch, Leber u. Nierenschäden möglich.

(a) *2-Chlor-1-propanol*, farblose, angenehm riechende Flüssigkeit, D. 1,10, Sdp. 134°C, lösl. in Wasser u. Alkohol.
(b) *1-Chlor-2-propanol*, D. 1,11, Sdp. 127°C. Bei der techn. Herst. aus Unterchloriger Säure u. Propen entstehen beide Isomere im Gemisch, das im allg. direkt zu *Propylenoxid weiterverarbeitet wird.
(c) *3-Chlor-1-propanol* (Trimethylenchlorhydrin), ölige Flüssigkeit, D. 1,13, Sdp. 165°C (Zers.), ist Ausgangsprodukt für Cyclopropan u. Oxetan sowie Zwischenprodukte für Pharmazeutika. – **E** chloropropanols – **F** chloropropanol – **I** cloropropanoli – **S** cloropropanoles
Lit.: Beilstein E IV **1**, 1440(a); 1490(b); 1441(c) ▪ Hommel, Nr. 1163, 1164 ▪ Kirk-Othmer **5**, 309 f.; (3.) **5**, 848–854 ▪ Ullmann (4.) **7**, 75; (5.) **A 6**, 566, 569. – *[HS 2905 50; CAS 127-00-4 (a); 19210-21-0 (b); 627-30-5 (c); G 6.1]*

3-Chlorpropen s. Allylchlorid.

3-Chlorpropin s. Propargylchlorid.

Chlorprothixen.

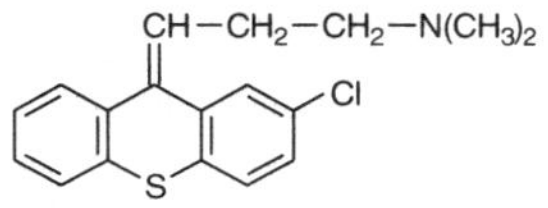

Internat. Freiname für 3-(2-Chlorthioxanthen-9-yliden)-*N,N*-dimethylpropylamin, C$_{18}$H$_{18}$ClNS, M$_R$ 315,86, Schmp. 97–98°C; LD$_{50}$ (Ratte oral) 380 mg/kg. Verwendet wird auch das Hydrochlorid. C. wurde als Neuroleptikum 1957 von Hoffmann-La Roche (Taractan®), 1960 Merck & Co u. 1963 Kefalas patentiert u. ist auch von Promonta Lundbeck (Truxal®) im Handel. – **E** chlorprothixene – **F** chlorprothixène – **S** clorprotixeno
Lit.: Beilstein E V **18/10**, 108 ▪ DAB 10 ▪ Florey **2**, 63–84 ▪ Hager (5.) **7**, 908–910. – *[HS 2934 90; CAS 113-59-7; 6469-93-8 (Hydrochlorid)]*

Chlorpyridine.

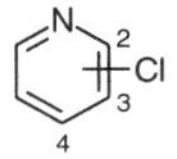

C$_5$H$_4$ClN, M$_R$ 113,55. *2-C.:* Farblose Flüssigkeit, D. 1,205, Sdp. 168–170°C, in Wasser schwer löslich. – *3-C.:* Farblose Flüssigkeit, D. 1,22, Sdp. 148–149°C. – *4-C.:* Als Hydrochlorid farbloses Pulver, Schmp. 212°C, in Wasser u. Alkohol löslich. Die hautreizenden C. dienen zur Synth. von entsprechenden Pyridin-Derivaten, insbes. Arzneimitteln. – **E = F** chloropyridines – **I** cloropiridine – **S** cloropiridinas
Lit.: Beilstein E V **20/5**, 402, 406, 410 ▪ Hommel, Nr. 1140 ▪ Ullmann (4.) **19**, 601 f.; (5.) **A 22**, 413. – *[HS 2933 39; CAS 109-09-1 (2-C.); 626-60-8 (3-C.); G 6.1]*

Chlorpyrifos. Common name für *O,O*-Diethyl-*O*-(3,5,6-trichlor-2-pyridyl)thiophosphat. T

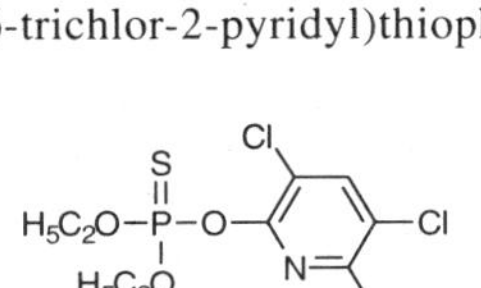

Chlorquinaldol

$C_9H_{11}Cl_3NO_3PS$, M_R 350,58, Schmp. 42 °C, LD_{50} (Ratte oral) 135 mg/kg (GefStoffV), nicht-system. *Insektizid gegen Boden- u. einige Blattinsekten in zahlreichen Kulturen, Lagerschädlinge u. Parasiten an Tieren. – *E* chlorpyrifos – *F* chlorpyriphos – *I* = *S* clorpirifos
Lit.: Farm ▪ Perkow ▪ Pesticide Manual. – *[HS 2933 39; CAS 2921-88-2]*

Chlorquinaldol. Internat. Freiname für das Antiseptikum u. Antimykotikum 5,7-Dichlor-2-methylquinolin-8-ol, $C_{10}H_7Cl_2NO$, M_R 228,08, Schmp. 114–115 °C, UV_{max} (C_2H_5OH): 316 nm ($A_{1cm}^{1\%}$ 170) mind. 280 nm; Formel s. 8-Chinolinol. C. wurde 1946 von Geigy patentiert u. ist in Kombination mit anderen Wirkstoffen als in Nerisona C® u. Proctospre® enthalten. – *E* = *F* chlorquinaldol – *I* cloroquinaldolo – *S* clorquinaldol
Lit.: Hager (5.) **7**, 911 ▪ Pharm. Ztg. **136**, 1741 (1991). – *[CAS 72-80-0]*

Chlorsäure. $HClO_3$. M_R 84,46. Nur in wäss. Lsg. (farblose, fast geruchlose Flüssigkeit) existierende starke, einwertige Säure, die in wäss. Lsg. fast vollkommen dissoziiert ist. Die Lsg. rötet zunächst blaues Lackmuspapier u. entfärbt es später aufgrund der Oxidationswirkung. Sie ist erhältlich, in dem man auf Bariumchlorat-Lsg. verd. Schwefelsäure einwirken läßt:

$$Ba(ClO_3)_2 + H_2SO_4 \rightarrow BaSO_4 + 2HClO_3$$

Das Filtrat kann man im Vak., bis zu einem Gehalt von 40% $HClO_3$ (entsprechend der Zusammensetzung $HClO_3 \cdot 7H_2O$, D. 1,28) eindampfen. Die 40%ige wäss. C.-Lsg. ist ein starkes Oxidationsmittel. Noch stärker wirkt ein Gemisch aus rauchender Salzsäure u. C. (od. Kalium- bzw. Natriumchlorat); solche gelben Gemische (*Euchlorin*) entwickeln viel Chlor u. Chlordioxid, wodurch sich z. B. organ. Substanzen rasch zerstören lassen (*Aufschluß*). Auf der Haut verursacht C. schwer heilende Wunden. Die Salze der C. (*Chlorate) sind beständiger u. leichter herstellbar. – *E* chloric acid – *F* acide chlorique – *I* ácido clorico – *S* ácido clórico
Lit.: Brauer (3.) **1**, 323 ▪ Gmelin, Syst.-Nr. 6, Cl, 1927, S. 307–344, Erg.-Bd. B 2, 1969, S. 408–421 ▪ Kirk-Othmer (4.) **5**, 998 ff. ▪ Ullmann (5.) A 6, 501 f. – *[HS 2811 19; CAS 7790-93-4]*

Chlorschwefelsäure s. Chloroschwefelsäure.

Chlorsilane s. Silane.

Chlorstickstoff s. Stickstoff-Halogenide.

N-Chlorsuccinimid (1-Chlor-2,5-pyrrolidindion, NCS).

$C_4H_4ClNO_2$, M_R 133,54. Farbloses, Haut u. Schleimhäute reizendes Pulver, D. 1,65, Schmp. 150 °C (Zers.), wenig lösl. in Wasser u. Chlorkohlenwasserstoffen, gut lösl. in den meisten organ. Lsm., mit denen es allerdings (außer mit Benzol) in Reaktion tritt; mit reduzierenden Substanzen, Ammoniak u. Ammonium-Salzen bildet es explosive Produkte.
Verw.: Analog *N*-*Bromsuccinimid als selektives Chlorierungs- u. Dehydrierungsmittel. – *E* *N*-chlorosuccinimide – *F* *N*-chlorosuccinimide – *I* *N*-clorosuccinimmide – *S* *N*-clorosuccinimida

Lit.: Beilstein E V **21/9**, 543 ▪ J. Chem. Soc., Chem. Commun. **1984**, 762 ▪ Paquette, S. 1205 ▪ Ullmann (4.) **9**, 387; (5.) A 6, 553, 556. – *[HS 2925 19; CAS 128-09-6]*

Chlorsulfane s. Schwefelchloride u. vgl. Sulfane.

Chlorsulfate s. Chloroschwefelsäure.

Chlorsulfoniertes Polyethylen (Kurzz. CSM). C. P. wird durch gleichzeitige Umsetzung von *Polyethylen mit Chlor u. Schwefeldioxid hergestellt. Über eingeführte Chlorsulfonyl-Gruppen ist C. leichter vulkanisierbar als das ihm in seinem Eigenschaftsspektrum sehr ähnliche *chlorierte Polyethylen. C.-Typen des Handels enthalten ca. 25–45% Chlor u. 0,8–1,5% Schwefel.
Verw.: V. a. als oxidations-, witterungs-, öl- u. chemikalienbeständiges Beschichtungsmaterial; s. a. unter chloriertes Polyethylen. – *E* chlorosulfonated polyethylene – *F* polyéthylène chlorosulfoné – *I* polietilene clorosolfonato – *S* polietileno clorosulfonado
Lit.: Encycl. Polym. Sci. Eng. **6**, 513 ff. ▪ Kirk-Othmer (3.) **8**, 484 f. ▪ Ullmann (4.) **13**, 633 f. – *[HS 3901 10–20]*

Chlorsulfonierung s. Sulfochlorierung.

Chlorsulfonsäure s. Chloroschwefelsäure.

Chlorsulfonylisocyanat s. *N*-Carbonylsulfamoylchlorid.

Chlorsulfuron. Common name für 1-(2-Chlorphenylsulfonyl)-3-(4-methoxy-6-methyl-1,3,5-triazin-2-yl)harnstoff.

$C_{12}H_{12}ClN_5O_4S$, M_R 357,77, Schmp. 174–178 °C, LD_{50} (Ratte oral) 5545 mg/kg (WHO), von DuPont 1980 entwickeltes selektives system. *Herbizid gegen Unkräuter u. einige Ungräser im Getreideanbau u. auf Nichtkulturland. – *E* = *F* chlorsulfuron – *I* clorsolfurone – *S* clorsulfurona
Lit.: Farm ▪ Perkow ▪ Pesticide Manual. – *[CAS 64902-72-3]*

Chlortalidon.

Internat. Freiname für 2-Chlor-5-(1-hydroxy-3-oxoisoindolin-1-yl)-benzolsulfonamid, $C_{14}H_{11}ClN_2O_4S$, M_R 338,77, Zers. bei 224–226 °C, UV_{max} (CH_3OH): <220 nm. C. wurde 1962 als Diuretikum u. Antihypertonikum von Geigy (Hygroton®) patentiert u. ist generikafähig. – *E* chlort(h)alidone – *F* chlortalidone – *I* clortalidone – *S* clortalidona
Lit.: ASP ▪ DAB 10 ▪ Florey **14**, 1–36 ▪ Hager (5.) **7**, 912–914. – *[HS 2935 00; CAS 77-36-1]*

Chlortetracyclin.

Internat. Freiname für ein 1948 von Duggar aus Kulturflüssigkeiten von *Streptomyces aureofaciens* (ein goldgelber Pilz) isoliertes Antibiotikum ($C_{22}H_{23}ClN_2O_8$, M_R 478,89) der *Tetracyclin-Gruppe, Schmp. 168–169 °C, $[\alpha]_D^{23}$ –275° (CH_3OH), UV_{max} (0,1 N Salzsäure): 230, 262,5, 367,5 nm, (0,1 N Natronlauge): 255, 285, 345 nm. Verwendet wird auch das Hydrochlorid, Zers. über 210 °C; $[\alpha]_D^{23}$ –240°; LD_{50} (Ratte oral) 10 300 mg/kg. C. wurde 1949 von Am. Cyanamid patentiert u. ist von Lederle (Aureomycin®) im Handel. – *E* chlortetracycline – *F* chlortétracycline – *I* = *S* clorotetraciclina

Lit.: DAB 10 u. Komm. ▪ Florey **8**, 101–137 ▪ Hager (5.) **7**, 915–916 ▪ Ullmann (5.) **A 2**, 516 ▪ Zechmeister **21**, 80–120 ▪ s. a. Antibiotika, Tetracycline. – *[HS 2941 30; CAS 57-62-5; 64-72-2 (Hydrochlorid)]*

Chlorthalonil. Common name für Tetrachlorisophthalonitril.

$C_8Cl_4N_2$, M_R 265,91, Schmp. 250 °C, LD_{50} (Ratte oral) >10 000 mg/kg (WHO), von Diamond Shamrock Co. 1966 entwickeltes Blatt- u. Boden-*Fungizid mit sehr breiter protektiver Wirkung im Erdnuß-, Sojabohnen-, Tabak-, Gemüse- u. Getreideanbau. – *E* = *F* chlorothalonil – *I* clortalonile – *S* clortalonil

Lit.: Farm ▪ Perkow ▪ Pesticide Manual. – *[HS 2926 90; CAS 1897-45-6]*

Chlorthenoxazin.

Internat. Freiname für 2-(2-Chlorethyl)-2,3-dihydro-1,3-benzoxazin-4-on, $C_{10}H_{10}ClNO_2$, M_R 211,65, Schmp. 146–147 °C (Zers.), UV_{max} ($CHCl_3$) 297,5 nm. C. wurde 1960 als Analgetikum, Antiphlogistikum u. Antipyretikum von Thomae patentiert. – *E* chlorthenoxazine – *F* chlorthénoxazine – *I* clortenossazina – *S* clortenoxazina

Lit.: Beilstein E V **27/11**, 178 ▪ Hager (5.) **7**, 917 ▪ Ullmann (5.) **A 2**, 272. – *[HS 2934 90; CAS 132-89-8]*

4-Chlorthiophenol (4-Chlorbenzolthiol).

C_6H_5ClS, M_R 144,62. Farblose, widerlich riechende, tränenreizende Krist., Schmp. 54 °C, Sdp. 205–207 °C, unlösl. in Wasser, lösl. in Ether, Benzol, Toluol u. heißem Ethanol. Zwischenprodukt bei der Herst. von Antimalariamitteln, Insektiziden, Öladditiven usw. – *E* 4-chlorothiophenol – *F* chlorothiophénol – *I* 4-clorotiofenolo – *S* 4-clorotiofenol

Lit.: Beilstein E IV **6**, 1581 ▪ Ullmann (4.) **23**, 189. – *[HS 2930 90; CAS 106-54-7]*

Chlorthymol (4-Chlor-2-isopropyl-5-methylphenol). $C_{10}H_{13}ClO$, M_R 184,66. Farblose, angenehm Thymol-artig riechende Krist., Schmp. 62–64 °C, in Wasser schwer, in Natronlauge u. Alkohol leicht lösl., starkes Desinfektionsmittel ähnlich *Chlorcarvacrol.

– *E* chlorothymol – *F* chlorthymol – *I* clorotimolo – *S* clortimol

Lit.: Beilstein E IV **6**, 3344 ▪ Hager (5.) **7**, 919 ▪ Ullmann (4.) **18**, 237. – *[HS 2908 10; CAS 89-68-9]*

Chlortoluole.

C_7H_7Cl, M_R 126,59. Die 3 Monochlortoluole (2-C., 3-C. u. 4-C.) sind farblose, brennbare, nicht selbstentzündliche Flüssigkeiten WGK 2, mischbar mit den üblichen organ. Lsm., nicht mischbar mit Wasser. Dämpfe u. Flüssigkeiten reizen Augen, Haut u. Schleimhäute. Die techn. wichtigsten C. sind 2-C. (Schmp. –35 °C, Sdp. 158 °C) u. 4-C. (Schmp. 7 °C, Sdp. 162 °C).

Verw.: Lsm. u. Zwischenprodukt für Farbstoffe, Pflanzenschutz- u. Arzneimittel. α-Chlortoluol s. Benzylchlorid. – *E* chlorotoluenes – *F* chlorotoluène – *I* clorotolueni, clorotoluoli – *S* clorotoluenos

Lit.: Beilstein E IV **5**, 805 ff. ▪ Giftliste ▪ Hommel, Nr. 235 ▪ Kirk-Othmer (3.) **5**, 819–827 ▪ Ullmann (4.) **9**, 509; (5.) **A 6**, 340. – *[HS 2903 69; CAS 95-49-8 (2-C.); 108-41-8 (3-C.); 106-43-4 (4-C.); G 3]*

Chlortoluron. Common name für 3-(3-Chlor-4-methylphenyl)-1,1-dimethylharnstoff.

$C_{10}H_{13}ClN_2O$, M_R 212,68, Schmp. 147–148 °C, LD_{50} (Ratte oral) >10 000 mg/kg (WHO), von Ciba 1969 eingeführtes selektives Boden- u. Blatt-*Herbizid gegen Ungräser u. Unkräuter im Getreideanbau. – *E* chlorotoluron – *F* chlortoluron – *I* clortolurone – *S* clortolurón

Lit.: Farm ▪ Perkow ▪ Pesticide Manual. – *[HS 2924 21; CAS 15545-48-9]*

2-Chlor-1,1,1-trifluorethan s. FCKW.

Chlortrifluorethylen s. FCKW.

Chlortrifluormethan s. FCKW.

Chlortrimethylsilan s. Methylchlorsilane.

Chlorüre. Veraltete, aus dem Französ. (chlorure) abgeleitete Bez. für diejenigen Metallchloride, die sich von den niedrigen Oxidationsstufen der Elemente ableiten; *Beisp.:* Kupferchlorür [Kupfer(I)-chlorid, CuCl], Zinnchlorür [Zinn(II)-chlorid, $SnCl_2$].

Chlorung (Nicht zu verwechseln mit *Chlorierung!). 1. Ältestes Verf. zur *Filz- u. *Krumpffreiausrüstung von Wolle durch Einwirkung von saurer Chlor- od. Hypochlorit-Lsg.; die analoge Behandlung von Geweben aus *Cellulose-Fasern befreit diese von den gelblich-

Chlorwasser

bräunlichen, pflanzlichen Begleitstoffen u. hellt sie auf.
2. Behandlung von Trink-, Bade-, Brauch- od. Abwasser zur Entkeimung od. Oxid. unerwünschter Beimengungen mit elementarem Chlor od. oxidierend wirkenden Chlor-Verb., die Chlor abgeben, z. B. *Chloroxiden wie Chlordioxid. Allerdings können durch die C. im *Trinkwasser aus organ. Inhaltsstoffen (*Huminsäuren, sog. Fulvinsäuren, Citronensäure) Chlor-organ. Verb., insbes. das potentiell carcinogene Chloroform, entstehen. Die Verw. von Chlordioxid vermeidet einige der Nachteile der C. mit Chlor bzw. Hypochlorit. – *E* chlor(in)ation – *F* chloration – *I* clorazione – *S* cloración

Lit.: (zu 2): Lück u. Jager, Chemische Lebensmittelkonservierung, Berlin: Springer 1995 ▪ Water Res. **20**, 1555–1560 (1986) ▪ s. a. Trinkwasser.

Chlorwasser s. Chlor.

Chlorwasserstoff (Salzsäuregas; s. a. Salzsäure). HCl, M_R 36,46. Farbloses, stechend riechendes, unbrennbares Gas, das feuchtes, blaues Lackmuspapier rötet. D. 1,64 g/l (0 °C, 100 kPa), 1,18 (flüssig), Schmp. –114 °C, Sdp. –85 °C; krit. Druck 8260 kPa, krit. D. 0,42, krit. Temp. 51 °C. 1 l Wasser löst bei 0 °C unter Erwärmung 525 l bzw. 825 g HCl-Gas auf, wobei *Salzsäure entsteht. An feuchter Luft bildet HCl-Gas Nebel aus feinen Salzsäure-Tröpfchen. HCl-Gas ist sehr beständig; beim Erhitzen auf 1000 °C unter Normaldruck sind erst 0,014% der HCl-Mol. in H- u. Cl-Atome gespalten. Flüssiges HCl hat eine ähnliche elektr. Leitfähigkeit wie reines Wasser. Heute wird in der Großtechnik statt konz. Salzsäure in steigendem Maße verflüssigter HCl verwendet; dieser greift Zink, Magnesium, Eisen, Silber u. Quecksilber nicht an u. löst von anorgan. Stoffen nur Zinnchlorid, Phosphorchlorid u. Phosphorbromid.

Physiologie: Obwohl HCl giftig ist, gehören tödliche HCl-Vergiftungen zu den Seltenheiten; es kommt höchstens zu einer akuten Bronchitis, die nach wenigen Tagen wieder abklingt; MAK 7 mg/m³; Nachw. mit Prüfröhrchen.

Herst.: Man läßt nach *Glauber konz. Schwefelsäure auf Salzsäure od. Kochsalz einwirken ($2 NaCl + H_2SO_4 \rightarrow Na_2SO_4 + 2 HCl$), verbrennt *Chlorknallgas od. zersetzt Phosphortrichlorid mit Wasser. Als Nebenprodukt bei der *Chlorierung organ. Verb. in der Technik werden erhebliche Mengen von HCl erhalten; auf diese Weise wird heute die Hauptmenge an HCl erzeugt, auch durch Rückgewinnung aus Nebenprodukten der Vinylchlorid-Erzeugung durch Pyrolyse.

Verw.: Flüssiges od. gasf. HCl zur Herst. von organ. Verb. durch Addition an Olefine, als Katalysator bei Veretherungen u. Kondensationen unter Abspaltung von Wasser u. NH_3, zur Isomerisation von aliphat. Kohlenwasserstoffen, zum Ausfällen von leicht lösl. Metallchloriden aus ihren wäss. Lsg., zur Holzverzuckerung usw.; über weitere Verw. s. a. Salzsäure. – *E* hydrogen chloride – *F* chlorure d'hydrogène – *I* cloroidrogeno – *S* cloruro de hidrógeno

Lit.: Brauer (3.) **1**, 294f. ▪ Chlorine and Hydrogen Chloride, Washington: Nat. Acad. Sci. 1976 ▪ Encycl. Gaz., S. 771–778 ▪ Gmelin, Syst.-Nr. 6, Cl, 1927, S. 86–138, Erg.-Bd. B 1, 1968,

S. 40–296 ▪ Guderian, Air Pollution. Phytotoxicity of Acidic Gases and Its Significance in Air Pollution Control, Berlin: Springer 1977 ▪ Hommel, Nr. 63 ▪ Kirk-Othmer (4.) **13**, 894–925 ▪ Snell-Ettre **14**, 389–402 ▪ Winnacker-Küchler (4.) **2**, 466–472 ▪ s. a. Chlor. – *[HS 2806 10; CAS 7647-01-0; G 2]*

***p*-Chlor-*m*-xylenol** s. 4-Chlor-3,5-dimethylphenol.

Chlorzinkiod-Lösung. Lsg. von 66 Tl. Zinkchlorid in 34 Tl. Wasser mit Zusatz von 6 Tl. Kaliumiodid u. so viel Iod, wie die Lsg. aufnimmt. Mit *Cellulose entstehen blaue bis violette Färbungen. – *E* zinc chloride-iodine solution – *F* solution de chlorure de zinc-iode – *I* soluzione di cloro, zinco e iodo – *S* solución de cloruro de cinc y yodo

Chlorzoxazon.

Internat. Freiname für 5-Chlor-3*H*-benzoxazol-2-on, $C_7H_4ClNO_2$, M_R 169,57, Schmp. 191–191,5 °C, LD_{50} (Maus oral) 3650, (Maus i. p.) 380 mg/kg. C. wurde 1959 als Muskelrelaxans von McNeil Labs. patentiert. – *E* = *F* chlorzoxazone – *I* clorzossazone – *S* clorzoxazona

Lit.: Arzneim.-Forsch. **32**, 759 (1982) ▪ Beilstein E V **27/10**, 465 ▪ Florey **16**, 119–144 ▪ Hager (5.) **7**, 921. – *[HS 2934 90; CAS 95-25-0]*

Chlozolinat. Common name für (±)-3-(3,5-Dichlorphenyl)-5-methyl-2,4-dioxooxazolidin-5-carbonsäureethylester.

$C_{13}H_{11}Cl_2NO_5$, M_R 332,14, Schmp. 113 °C, LD_{50} (Ratte oral) >4000 mg/kg (WHO), von Montedison entwickeltes system. *Fungizid mit spezif. Wirkung gegen Grauschimmel, Weißfäule u. a. Pilzerkrankungen im Zierpflanzen-, Gemüse-, Wein- u. Obstanbau. – *E* = *F* chlozolinate – *I* = *S* clozolinato

Lit.: Farm ▪ Perkow ▪ Pesticide Manual. – *[CAS 84332-86-5]*

Chol... Von griech.: chole = Galle abgeleitete Vorsilbe in Trivialnamen von chem. Verb., die in irgendeinem Bezug zu *Galle stehen, z. B. *Cholsäure, *Cholesterin. Chol... ist auch anlautender Wortbestandteil in den meist durch Marken geschützten Handelsnamen von *Cholagoga; die Zusammensetzung solcher Präp. entspricht im wesentlichen der unter Bil... u. Gall... genannten. – *E* chol... – *I* = *S* col...

Cholagoga. Von griech.: cholo = *Galle u. agoge = Leitung abgeleitete Bez. für Arzneipräp. (vgl. Bil..., Chol..., Gall... zur Zusammensetzung), die eine Verstärkung des Gallenflusses aus Leber u./od. Gallenblase bewirken. Je nach Wirkungsweise unterscheidet man bei den C. *Choleretika u. *Cholekinetika. Die C. werden oft verordnet, ihre therapeut. Bedeutung ist aber gering. – *E* cholagogic drugs – *F* cholagogues – *S* colagogos

Lit.: Arzneimittelchemie II, 309 f. ▪ Mutschler (7.), S. 490 f. ▪ Steinegger u. Hänsel, Pharmakognosie, S. 297–304, Berlin: Springer 1992 ▪ Ullmann (5.) A 5, 144 ff.

Cholagogum®. Kapseln u. Tropfen mit Schöllkraut- u. Curcumawurzel-Extrakt als *Carminativum. *B.:* Rhône Poulenc Rorer.

5β-Cholan. Nach IUPAC/IUB-Regel 3 S-2.4 Bez. für den Grundkörper ($C_{24}H_{42}$) der *Gallensäuren; s. a. Steroide.

– *E* = *F* 5β-cholane – *I* = *S* 5β-colano
Lit.: Beilstein E IV 5, 1220 ▪ Elsevier 14, 17.

Cholecalciferol s. Calciferole.

Cholecysmon®. Dragees mit Ochsengalle zur Verdauungsförderung. *B.:* SSW Dresden.

Cholecystokinin (CCK, Pankreozymin).

Lys-Ala-Pro-Ser-Gly-Arg-Met-Ser-Ile-Val-Lys-Asn-Leu-Gln-Asn-Leu-Asp-Pro-Ser-His-Arg-Ile-Ser-Asp-Arg-Asp-Tyr(SO_3H)-Met-Gly-Trp-Met-Asp-Phe-NH_2

Abb.: Aminosäure-Sequenz des CCK (Mensch).

$C_{167}H_{263}N_{51}O_{52}S_4$, M_R 3945,50. Ein zu den *Gewebshormonen gerechnetes Polypeptid mit 33 Aminosäure-Resten aus der Schleimhaut des Zwölffingerdarms, welches bei Anregung durch Chymus (sauren Speisebrei), Fette od. Fettsäuren zum einen die Kontraktion der Gallenblase, zum anderen das *Pankreas zur Sekretion stimuliert. Letztere Wirkung wird durch *Peptid YY gehemmt. CCK gilt neben *Gastrin u. *Secretin als eines der drei wichtigsten *gastrointestinalen Hormone*, u. sein Carboxy-terminales Pentapeptid ist ident. mit dem von *Caerulein u. von Gastrin, dessen Sekretion es hemmt. Im Gehirn wirkt es als körpereigener Antagonist der *Opiate u. *Endorphine; diese Wirkung kann durch *Proglumid aufgehoben werden. Im Tierversuch bewirkt CCK eine Verminderung der Nahrungsaufnahme. Das Carboxy-terminale Octapeptid mit O-sulfonyliertem Tyrosin-27 (*Sincalid*; $C_{49}H_{62}N_{10}O_{16}S_3$, M_R 1143,27) ist aktiver als CCK selbst u. kommt in relativ hohen Konz. im Zentralnervensyst. vor. – *E* cholecystokinin – *F* cholé-cystokinine – *I* colecistochinina – *S* colecistoquinina, -kinina
Lit.: Peptides 15, 731–755 (1994) ▪ Reeve et al., Cholecystokinin, New York: N. Y. Acad. Sci. 1994. – *[CAS 96827-04-2 (CCK, Mensch)]*

Choleinsäuren. Histor. Bez. für körpereigene *Einschlußverbindungen aus *Desoxycholsäure u. Fettsäuren, Estern, Alkoholen, Ethern, Phenolen u. Kohlenwasserstoffen, deren Alkalimetallsalze lösl. sind. So konnte man aus der *Galle eine C. isolieren, die auf 1 Mol. Fettsäure 8 Mol. Desoxycholsäure enthielt. In den C. fungiert Desoxycholsäure als *Lösungsvermittler für den Transport der erwähnten Stoffwechselprodukte u. *Fremdstoffe. – *E* choleic acids – *F* acides choléiques – *I* acidi coleici – *S* ácidos coleicos

Cholekinetika. Von griech.: chole = *Galle u. kinesis = Bewegung abgeleitete Bez. für Präp., die die Entleerung der Gallenblase stimulieren, z. B. ether. Öle aus Anis, Fenchel, Kümmel, Pfefferminz, ferner Pankreozymin, Magnesiumsulfat, Peptone, Eidotter. Die C. werden auch zur röntgenolog. Überprüfung der Entleerungsfähigkeit der Gallenblase gegeben. – *E* cholekinetic agents – *F* agents cholicinétiques – *I* colecinetiche – *S* agentes colecinéticos
Lit.: s. Cholagoga.

Cholera. Akute Infektionskrankheit des Dünndarmes, hervorgerufen durch das Gram-neg. Bakterium *Vibrio cholerae*, die zu massiven Durchfällen mit u. U. lebensbedrohlichen Flüssigkeitsverlusten führt. Die C. ist auf dem ind. Subkontinent verbreitet, ab 1826 griff die Erkrankung in sechs Seuchenzügen auf die übrige Welt über u. erreichte dabei auch mehrmals Europa. Die letzten Epidemien traten 1892 in Hamburg u. 1942/43 in der Ukraine auf; noch 1991 forderte eine Epidemie in Südamerika mehrere tausend Todesopfer. Die Übertragung geschieht vorwiegend durch verseuchtes Wasser, aber auch durch kontaminierte Nahrungsmittel. So sind die hygien. Bedingungen ein wesentlicher Faktor für das Auftreten der Cholera. Die aufgenommenen C.-Bakterien passieren die Darmwand nicht. Sie produzieren ein Gift (*Enterotoxin*, *Choleratoxin), das eine starke Absonderung von Flüssigkeit u. *Elektrolyten in allen Dünndarmsegmenten hervorruft. Die massiven Durchfälle führen zu raschen u. hohen Verlusten an Körperflüssigkeit u. Elektrolyten u. dadurch zu lebensbedrohlichen Zuständen wie Kreislaufschock, *Azidose u. Kalium-Mangel. Die Behandlung besteht im wesentlichen aus dem Ersatz der verlorenen Wasser- u. Elektrolyt-Mengen u. der Gabe von Antibiotika. Unter diesen Bedingungen ist eine vollständige Erholung die Regel. Eine Schutzimpfung ist möglich u. gibt einen unvollständigen Schutz für 4–6 Monate. – *E* cholera – *F* choléra – *I* colera – *S* cólera
Lit.: Brandis et al., Lehrbuch der Medizinischen Mikrobiologie, S. 439–449, Stuttgart: Fischer 1994.

Choleratoxin. Das Toxin des *Cholera-Erregers *Vibrio cholerae* ist ein Lipid- u. Kohlenhydrat-freies Protein mit einer Molmasse von ca. 82000. Es besteht, ähnlich dem *Diphtherietoxin, aus einer A-Untereinheit u. 5 od. 6 B-Untereinheiten. A besitzt eine M_R von ca. 28000 (240 Aminosäure-Reste), B eine M_R von 11600 (103 Aminosäure-Reste). B ist für die Bindung des C. an die Zellenoberfläche der Darmschleimhaut verantwortlich u. ermöglicht den Transport des eigentlichen tox. Prinzips, Fragment A, durch die Zellmembran. Nach proteolyt. u. reduktiver Spaltung (S-S-Brücken) führt A zu einer dauernden Aktivierung der *Adenylatcyclase, was eine ständige Synth. von cyclo-AMP (*Adenosin-3′,5′-monophosphat) zur Folge hat. Die Konz. von cyclo-AMP steuert u. a. die Ausscheidung von Wasser u. Salzen. Normalerweise wird bei Stimulierung der Adenylat-Cyclase durch den Nahrungsbrei im Dünndarm soviel cyclo-AMP gebildet, daß etwa zwei Liter alkal. Flüssigkeit aus der Darmwand abgegeben werden. Sie ist für die Aktivität der Verdauungsenzyme nötig u. wird später wieder re-

sorbiert. Durch die Überstimulierung der Adenylat-Cyclase durch C. wird oft mehr als die zehnfache Menge Wasser in den Dünndarm abgegeben, deren spätere Resorption unmöglich ist, so daß es zu dem für die Cholera typ. Verlust von Wasser u. Elektrolyt-Salzen kommt. – *E* cholera toxin – *F* toxine du choléra – *I* tossina del colera – *S* toxina del cólera
Lit.: Kuwahara et al. (Hrsg.), New Perspectives in Clin. Microbiol., Vol. **6**, Adv. in Res. on Cholera, Boston: Martinus Nijhoff 1983, 1985 ▪ Nachr. Chem. Tech. Lab. **31**, 779 (1983) ▪ Nuhn, Chemie der Naturstoffe (2.), S. 112, Berlin: Akademie-Verl. 1990 ▪ Pharm. Unserer Zeit **15**, 51 (1986).

Choleretika. Von griech.: chole = Galle u. erethisma = Reizung abgeleitete Bez. für Präp., die – als Bestandteile von *Cholagoga – die *Leber zur verstärkten Sekretion von *Galle anregen, z. B. Gallensäuren u. -extrakte, *Febuprol sowie pflanzliche Stoffe, vgl. Bil... u. Gall... – *E* choleretic agents – *F* agents cholérétiques – *I* agenti coleretici – *S* coleréticos
Lit.: s. Cholagoga.

Cholestan. Nach IUPAC/IUB-Regel 3 S-2.4 Bez. für das Grundgerüst ($C_{27}H_{48}$), das dem *Cholesterin u. vielen verwandten *Steroiden zugrunde liegt (Formel s. dort). – *E* = *F* cholestane – *I* = *S* colestano
Lit.: Beilstein E IV **5**, 1226.

Cholesterin (5-Cholesten-3β-ol, Cholesterol).

$C_{27}H_{46}O$, M_R 386,66. Farblose Blättchen, D. 1,052, Schmp. 148,5 °C, Sdp. 360 °C (geringe Zers.), in Wasser prakt. nicht, in Alkohol in der Kälte wenig, in der Wärme besser, in Ether, Benzol, Petrolether löslich. C. wird von *Digitonin u. a. *Saponinen gefällt u. qual. durch Liebermann-Burchard-Reaktion (s. Liebermann-Reaktionen) nachgewiesen. Zur quant. Bestimmung mit chromatograph. Meth. s. *Lit.*[1].
Vork.: Als Hauptvertreter der *Zoosterine ist C. in allen Organen verbreitet: Im Großhirn (etwa 10% der Trockensubstanz), in Nervenzellen, Nebennieren u. Haut. Eidotter u. Wollwachs sind ebenfalls C.-reich. Das Blut enthält 0,15 – 0,25%, das Herz 2% C. (Höchstmenge um das 60. Lebensjahr). Insgesamt enthält der menschliche Körper durchschnittlich 0,32% C., teils frei, teils mit Fettsäuren verestert. Täglich werden im Körper des Erwachsenen ca. 1–2 g C. synthetisiert u. bei fettarmer Kost 0,04 – 0,1 g, bei fettreicher Kost bis 1,4 g C. aufgenommen; je 100 g Nahrungsmittel enthält C. in mg: Butter 244, Margarine 186, Rindfleisch, fett 90, Schweinefleisch, fett 99, Kabeljau 58, Schellfisch 64, Lebertran 570. In geringen Mengen tritt C. auch in pflanzlichen Fetten auf.
Biosynth.: Der Biosyntheseweg von C. verläuft letztlich ausgehend von Acetyl-CoA, u. a. über *Mevalonsäure, *Squalen u. *Lanosterin; Hauptbildungsort ist die Leber, aber auch in der Nebennierenrinde, in Haut, Darm, Testes (Hoden) u. Aorta wird C. gebildet.

Der *Transport* des C. u. seiner Ester im Blut erfolgt in Form von *Lipoproteinen.
Biolog. Bedeutung: C. ist die biogenet. Vorstufe der *Gallensäuren (dies Hauptabbauweg für C.) u. *Steroid-Hormone. Das zu den *Lipiden gerechnete C. ist neben Phospho- u. Glykolipiden wichtiger Bestandteil von Biomembranen, insbes. der Plasmamembranen von *Eukaryonten, deren Fluidität (innere Beweglichkeit) es reguliert. C. spielt im Organismus auch eine Rolle als Hautschutzsubstanz, Quellungsregulator, Nervenisolator u. dgl.
Pathologie: Durch falsche Ernährung, aber auch durch bestimmte Enzym- od. Rezeptordefekte können patholog. erhöhte C.-Spiegel im Serum entstehen (*Hypercholesterinämie*). Diese erachtet man als mitverantwortlich für die Entstehung der gefährlichen *Arteriosklerose, bei der sich C.-reiche Ablagerungen an Arterienwänden bilden. C. ist auch in großen Mengen in *Gallensteinen zu finden.
Gewinnung: Man extrahiert gepulverte Gallensteine mit Alkohol u. Ether. Techn. werden große Mengen C. aus Wollfett bzw. tier. Rückenmark gewonnen.
Verw.: Als Emulgator für kosmet. u. pharmazeut. Präp., Textilwaren, Lederpflegemittel u. dgl., Bestandteil von Haarwuchsmitteln, Ausgangsmaterial für die Vitamin-D-Synth. u. a. Steroide sowie für die als *flüssige Kristalle wichtigen *Cholesterylester.
Geschichte: Die Entdeckung des C. in Gallensteinen (ca. 1770) wird verschiedenen Autoren zugeschrieben. *Chevreul versuchte 1812 vergeblich, C. zu verseifen u. prägte den Namen (von griech.: chole = Galle u. stereos = starr), von dem sich die Gattungsbezeichnung *Sterine herleitet. Die C.-Struktur wurde von *Windaus u. H. O. *Wieland aufgeklärt u. die Biosynth. von K. E. *Bloch (1965); die Synth. erfolgte durch *Woodward (1951). – *E* cholesterol – *F* cholestérol – *I* colesterina – *S* colesterol
Lit.: [1] J. Chromatogr. B – Biomed. Appl. **671**, 341–362 (1995). *allg.:* Beilstein E IV **6**, 4000 ▪ Finegold, Cholesterol in Membrane Models, Boca Raton: CRC Press 1993 ▪ Myant, Cholesterol Metabolism, LDL, and the LDL Receptor, San Diego: Academic Press 1990 ▪ Voet-Voet (2.), S. 647–689. – [HS 2906 13; CAS 57-88-5]

Cholesterinester s. Cholesterylester.

Cholesterische Phase s. flüssige Kristalle.

Cholesterol s. Cholesterin.

Cholesterylester (Cholesterinester). Als einwertiger, sek. Alkohol vermag *Cholesterin Ester zu bilden, von denen bes. die mit aliphat. od. aromat. Carbonsäuren als *flüssige Kristalle* Bedeutung erlangt haben, z. B. C. der Öl-, Palmitin-, Stearin-, Benzoe- od. Zimtsäure. Wegen ihrer strukturellen Eigenart bilden die C. eine eigene Gruppe (*cholester. Phasen*) innerhalb der flüssigen Kristalle. Im Lipidstoffwechsel stellen C. eine Speicher- u. Transportform des Cholesterins dar. Ihre Bildung erfolgt extrazellulär unter Katalyse durch Lecithin: Cholesterin-Acyltransferase (EC 2.3.1.43), ihre Speicherung in *Lipoproteinen. – *E* cholesteryl esters – *F* esters de cholestérol – *I* esteri del colesterolo – *S* ésteres de colesterol
Lit.: Beilstein E IV **6**, 4007; **9**, 320.

Cholin [(2-Hydroxyethyl)trimethylammonium].

$$\left[(H_3C)_3\overset{+}{N}-CH_2-CH_2-OH\right]{}^-OH$$

$[C_5H_{14}NO]^+$, M_R 104,17. Das Hydroxid, $C_5H_{15}NO_2$, M_R 121,18, ist eine farblose, viskose, sehr hygroskop. Flüssigkeit od. Kristallmasse, reagiert stark bas. u. ist leicht lösl. in Wasser u. Alkohol.
C. kommt z. B. in Steinpilz, Champignon u. Hopfen vor u. ist als Bestandteil der *Phospholipide (z. B. *Lecithine, *Sphingomyeline) weit verbreitet. Seine Biosynth. erfolgt in Form von Lecithinen, aus denen es freigesetzt werden kann. C. kann als Methyl-Gruppen-Donor für L-*Homocystein fungieren. In *cholinergen Nervenzellen dient C. als Vorstufe des *Neurotransmitters *Acetylcholin, wird nach erfolgter Transmission durch *Acetylcholin-Esterase aus diesem freigesetzt u. durch *Endocytose aus dem synapt. Spalt in die präsynapt. Zelle zurücktransportiert.
Wirkung: C. wirkt gefäßerweiternd, blutdrucksenkend, regelt die Darmbewegung u. soll die Fettablagerung (bes. in der *Leber) vermindern. Es wird daher in Form von *Cholinchlorid u. a. Salzen (*Cholinium-Salzen*) in Arzneipräp. gegen Arterienverkalkung, Leberparenchymschäden u. dgl. sowie in der Geriatrie eingesetzt; verschiedene C.-Derivate wirken als *Ganglienblocker. Weitere Verw. in Futtermittelmischungen, in der Technik (Synth. aus Ethylenoxid u. Trimethylamin) als Katalysator, Neutralisationsmittel u. zur Synth. von Wirkstoffen wie Chlorcholinchlorid, Succinylcholinchlorid u. a. – *E* = *F* choline – *I* = *S* colina
Lit.: Beilstein E IV **4**, 1443 f. – [HS 2923 10; CAS 62-49-7]

Cholinchlorid. $[(H_3C)_3N^+-CH_2-CH_2-OH]Cl^-$, $C_5H_{14}ClNO$, M_R 139,63. Farblose, hygroskop., an der Luft leicht zerfließende Krist. von schwachem, Aminartigem Geruch, sehr leicht lösl. in Alkohol, Wasser, Methanol u. Formaldehyd, schwer lösl. in Tetrachlormethan, Chloroform u. Benzol.
Verw.: In Arzneipräp. (Leberschutzstoff), als Futterzusatz wie *Cholin. – *E* choline chloride – *F* chlorure de choline – *I* cloruro di colina – *S* cloruro de colina
Lit.: Beilstein E IV **4**, 1443 f. – [HS 2923 10; CAS 67-48-1]

Cholinerg. Von *Cholin u. griech.: ergon = Werk, Tätigkeit abgeleitetes Adjektiv, das Beziehungen zum *Acetylcholin ausdrücken soll. Als *cholinerges (Nerven-)System* bezeichnet man diejenigen Nervenfasern bzw. *Synapsen, in denen Acetylcholin gebildet bzw. als *Neurotransmitter freigesetzt wird. Es sind dies sämtliche Bahnen des parasympath. Nervensyst., die präganglionären Sympathikusfasern (die postganglionären sind im allg. *adrenerg) u. die peripheren motor. Neuronen. – *E* cholinergic – *F* cholinergique – *I* colinergico – *S* colinérgico
Lit.: Whittaker, The Cholinergic Neuron and Its Target, Basel: Birkhäuser 1992.

Cholin-Esterase (Butyryl-, Pseudo-Cholin-Esterase, EC 3.1.1.8). *Nicht* mit *Acetylcholin-Esterase ident., dieser aber – auch bezüglich der Hemmstoffe – sehr ähnliche *Esterase, die unspezif. Acylcholine in Carboxylat-Ionen u. *Cholin spaltet, u. zwar Butyryl- u. Propionylcholin wesentlich schneller als *Acetylcholin. C. kommt vorwiegend im Serum, in der Leber u. der Bauchspeicheldrüse von Säugetieren, aber auch in *Schlangengiften vor. – *E* cholinesterase – *F* cholinestérase – *I* colinesterasi – *S* colinesterasa
Lit.: J. Biol. Chem. **266**, 4025 ff. (1991) ■ Soreq u. Zakut, Human Cholinesterases and Anti-Cholinesterases, San Diego: Academic Press 1993.

Cholinorezeptoren s. Acetylcholin.

Chol-Kugeletten®. Dragees mit Schöllkraut- u. Aloe-Trockenextrakt als *Cholagogum. *B.:* Dolorgiet.

Cholsäure ($3\alpha,7\alpha,12\alpha$-Trihydroxy-5β-cholan-24-säure).

$C_{24}H_{40}O_5$, M_R 408,58. Farbloses, krist. Pulver von süßlich bitterem Geschmack, Schmp. 198 °C, wenig lösl. in kaltem, leicht lösl. in heißem Wasser, Alkohol, Aceton, Alkalien. In Form der Konjugate mit Glycin u. Taurin (*Glyko- u. *Taurocholsäure) ist die in der Leber synthetisierte C. der Hauptbestandteil der *Gallensäuren von Rindergalle (5–6%), kommt auch im Blut zu 1–2 mg auf je 100 ml vor. – *E* cholic acid – *F* acide cholique – *I* acido colico – *S* ácido cólico
Lit.: Beilstein E IV **10**, 2072 f. – [HS 2918 19; CAS 81-25-4]

Cholspasmin®. Tabl. mit *Hymecromon als Spasmolytikum u. Choleretikum. *B.:* Lipha.

Cholspasminase®. Filmtabl. mit Pankreatin, Triacylglycerollipase, Amylase u. proteolyt. Enzymen zur Verdauungsförderung. *B.:* Lipha.

Chol-Spasmoletten®. Dragees mit *Hymecromon als Spasmolytikum u. Choleretikum. *B.:* Dolorgiet.

Chondramide.

Chondramid A

Cytostat. u. antifung. Depsipeptide aus *Chondromyces crocatus* (Myxobacteria). Sie sind strukturverwandt mit *Jaspamid aus Schwämmen. Durch C. kommt es zur Anhäufung von Zellkernen u. Stabilisierung von Actin, Folge ist der Zelltod.
C. A: $C_{36}H_{46}N_4O_7$, M_R 646,78, Glas, lösl. in Methanol, Aceton, unlösl. in Hexan. – *E* = *F* chondramides – *I* condramidi – *S* condramidas
Lit.: J. Antibiot. (Tokyo) **48**, 1262 (1995).

Chondrin (Tetrahydro-2*H*-1,4-thiazin-3-carbonsäure-1-oxid). $C_5H_9NO_3S$, M_R 163,19, Krist., Schmp. 255 °C,

Chondriom

$[\alpha]_D^{20}$ +20,9° (1S,3R-Form). Ungewöhnliche Aminosäure aus Rotalgen der Gattung *Chondria* u. Braunalgen der Gattungen *Undaria* bzw. *Zonaria*. – *E* = *F* chondrine – *I* = *S* condrina

Lit.: Arch. Biochem. Biophys. **141**, 766 (1970) (Isolierung) ▪ Beilstein E V **27/14**, 556 ▪ Scheuer I 3, 122.

Chondriom. Bez. für die Gesamtzahl der in den *Mitochondrien lokalisierten *Gene (s. mitochondriale DNA; Abk.: mtDNA).

Chondrite s. Meteoriten.

Chondroblasten. Zellen, die im Laufe der Entwicklung des Organismus aus dem embryonalen *Bindegewebe hervorgehen u. den *Knorpel bilden. Sie scheiden in die Zwischenzellspalten Tropokollagen (s. Kollagene), *Glykosaminoglykane u. *Proteoglykane ab, aus denen die Knorpelgrundsubstanz entsteht u. führen so zum Wachstum des Knorpels. – *E* chondroblasts – *F* chondroblastes – *I* condroblasti – *S* condroblastos

Chondrodit s. Humit.

Chondroitinsulfate. *Glykosaminoglykane (ältere Bez.: Mucopolysaccharide), abwechselnd aus β-*D-Glucuronsäure od. α-L-Iduronsäure u. *N*-Acetyl-β-D-galactosamin(NAG)-4- od. -6-sulfat mit alternierenden 1,3- bzw. 1,4-glycosid. Verknüpfungen zusammengesetzt.

	R¹	R²	R³	R⁴
C.A, Chondroitin-4-sulfat	SO₃H	H	COOH	H
C.B, Dermatansulfat, β-*Heparin	SO₃H	H	H	COOH
C.C, Chondroitin-6-sulfat	H	SO₃H	COOH	H

Abb.: Struktur der sich wiederholenden Disaccharid-Einheit der Chondroitinsulfate.

Vork.: Gebunden in *Proteoglykanen, die zusammen mit *Hyaluronsäure u. *Collagenen den Hauptbestandteil von Knorpel (griech.: chondros, daher Name), Knochen u. a. Bindegeweben bilden. – *E* chondroitin sulfates – *F* chondroïtine sulfates – *I* condroitinsolfati – *S* sulfatos de condroitina – *[CAS 24967-93-9 (C.A); 24967-94-0 (C.B); 25322-46-7 (C.C)]*

Chorio(n)gonadotrop(h)in (G, HCG). Aus Schwangerenharn isolierbares *gonadotropes Hormon, das während der Schwangerschaft von der *Placenta freigesetzt wird. Auf den C.-Nachweis im Harn gründet sich ein Schwangerschaftstest. C. ist ein *Glykoprotein, M_R ca. 30000, das neben Aminosäuren (bes. Arg, His, Trp, Tyr) D-Galactose, D-Mannose, D-Galactosamin, D-Glucosamin, L-Fucose u. Sialinsäure enthält.

Es besteht aus zwei Polypeptid-Ketten, von denen die 92 Aminosäure-Reste umfassende α-Kette ident. ist mit der von *Follitropin, *Lutropin u. *Thyrotropin. Hormon-spezif. ist dagegen die β-Kette mit 139 Aminosäure-Resten. C. wirkt auslösend auf den Eisprung u. die Bildung des Gelbkörpers, verhindert dessen Abbau u. stimuliert die Bildung der interstitiellen Zellen der Testikel. C.-Antikörper wirken antikonzeptionell. C. wird zur Behandlung von Menstruationsstörungen u. männlichen Entwicklungsstörungen eingesetzt. – *E* chorionic gonadotropin – *F* gonadotrop(h)ine chorionique – *I* gonadotropina corionica – *S* gonadotropina coriónica

Lit.: Endocrine Rev. **15**, 650–683 (1994) ▪ Nature (London) **369**, 455–461 (1994) ▪ Seminars Onkol. **22**, 121–129 (1995). – *[HS 2937 10]*

Chorio(n)mammotropin s. Placentalactogen.

Chorisminsäure [(3R)-*trans*-3-(1-Carboxyvinyloxy)-4-hydroxy-1,5-cyclohexadien-1-carbonsäure].

$C_{10}H_{10}O_6$, M_R 226,19; krist. als Monohydrat, Schmp. 148–149 °C, $[\alpha]_D^{27}$ –295,5° (c 0,2/Wasser). C. steht bei Bakterien, Pilzen u. Höheren Pflanzen in der Biosynth. aromat. Naturstoffe auf dem *Shikimisäure-Weg an zentraler Stelle. Biosynth. erfolgt über Shikimisäure → Shikimisäure-3-phosphat → 5-*O*-(1-Carboxyvinyl)-shikimisäure-3-phosphat → Chorisminsäure. – *E* chorismic acid – *F* acide chorismique – *I* acido corismico – *S* ácido corísmico

Lit.: Bioorg. Chem. **20**, 323 (1992) ▪ J. Am. Chem. Soc. **91**, 5893 (1969) (Biosynth.) ▪ **104**, 1153, 7036 (1982); **105**, 6264 (1983); **112**, 8907 (1990) (Synth.) ▪ J. Org. Chem. **52**, 1765, 4836 (1987) ▪ Luckner (3.), S. 323–329, 363 ▪ Merck-Index (11.), Nr. 2220 ▪ Nat. Prod. Rep. **11**, 173–203 (1994) ▪ Synthesis **1993**, 179 (Review). – *[CAS 617-12-9]*

CHP®. *N*-Cyclohexyl-2-pyrrolidon. Lsm. für Farben, Tinten u. Beschichtungen für PVC, PMMA, Polypropylen u. PETP. Die selektive temperaturabhängige Wasserlöslichkeit erlaubt die Wasserabscheidung von einem Syst. ohne Destillation. *B.:* ISP.

Christen, Hans Rudolf (geb. 1924), Prof. (emeritiert) für Chemiedidaktik, ETH Zürich. *Arbeitsgebiete:* Didaktik des Chemieunterrichts (Lehrvorgänge, Modellvorstellungen), Limnologie, Algen. Autor von über 10 Chemie-Lehrbüchern für Schule u. Hochschule.

Lit.: Kürschner (16.), S. 500 ▪ Nachr. Chem. Tech. **24**, 167 (1976).

Christophskraut. Das C. (*Actaea spicata*) gehört zur Pflanzen-Familie der Hahnenfußgewächse (Ranunculaceae). Der Name stammt von griech. akte = Gestade, griech. akteios = an Ufern wachsend, latein. spicata = ährig. Die dtsch. Benennung erfolgte nach dem heiligen Christophorus, dem Schutzpatron der Schatzgräber. Das C. blüht von Mai bis Juli u. ist in Buchen- u. Mischwäldern, in Schluchten u. an Bachufern in fast ganz Europa anzutreffen, aber auch in Teilen Asiens mit gemäßigtem Klima. Die etwa 40–70 cm Höhe erreichende Pflanze besitzt einen aufrechten, runden,

kahlen Stengel mit 2–3 langgestielten, gefiederten Blättern mit gesägtem Rand. Aus den endständigen Trauben weißer Blüten werden eiförmige grüne, dann glänzendschwarze Beeren. Als tox. Inhaltsstoffe des als Giftpflanze eingestuften C. wird *Protoanemonin gelegentlich genannt, gesichert aber *Triterpensaponine u. *trans*-*Aconitsäure. Als Vergiftungssymptome bewirken die Beeren auf der Haut Rötung u. Blasenbildung. Nach Einnahme kommt es zu Magen-Darm-Entzündungen, u. U. zu Atemnot u. Delirien. Auch Kreislaufkomplikationen sind möglich. Vergiftungen erfolgen insbes. durch die ungerechtfertigte volkstümliche Anw. als Brech-, Abführ- od. Rheumamittel. Therapiemaßnahmen sind bei früh einsetzender Behandlung u. a. Gaben von Aktivkohle, Auslösen von Erbrechen u. danach reichliches Trinken von warmem Tee. Bei Einnahme größerer Mengen ist die Behandlung durch einen Arzt angeraten. – *E* baneberry, herb Christopher – *F* herb de Saint-Christophe – *I* actea, barba di capra – *S* hierba de San Cristóbal, falso eléboro
Lit.: Frohne u. Pfänder, Giftpflanzen, 3. Aufl., Stuttgart: Wissenschaftliche Verlagsges. 1987 ▪ Hiller, Giftpflanzen, Stuttgart: Enke 1988.

Chrolon. Wasserlösl. Chlor-haltige Komplexverb. der *Stearinsäure mit bas. Chromchlorid zur *Hydrophobierung von Papier, Filz, Glasfasern, Leder u. a. Stoffen.

Chrom. Metall. Element, chem. Symbol Cr, Ordnungszahl 24, Atomgew. 51,996. Natürliche Isotope (in Klammern Angabe der Häufigkeit): 52 (83,76%), 53 (9,55%), 50 (4,31%), 54 (2,38%). Daneben kennt man noch 5 künstliche Isotope (in Klammern die HWZ): 48 (23 h), 49 (41,9 min), 51 (27,8 Tage), 55 (3,5 min) u. 56 (5,9 min). Cr ist ein silberglänzendes, in reinem Zustand zähes, dehn- u. schmiedbares, bei Verunreinigung mit Wasserstoff od. Sauerstoff hartes, sprödes Metall, D. 7,18–7,20, Schmp. 1890 °C, Sdp. 2670 °C, H. 9,0, krist. in raumzentrierten Würfeln. Bei gewöhnlicher Temp. ist Cr chem. außerordentlich widerstandsfähig, es oxidiert auch an feuchter Luft kaum, verbrennt erst im Sauerstoff-Gebläse, u. auch mit Chlor, Brom, Fluor, Schwefel, Kohlenstoff, Silicium, Bor usw. vereinigt es sich erst bei hoher Temperatur. Mäßig verd. Salzsäure, Bromwasserstoffsäure u. Schwefelsäure lösen Cr in der Kälte langsam, in der Hitze schneller auf, dagegen wird es von Salpetersäure u. oxidierenden Säuregemischen nicht angegriffen; es findet im Gegenteil sogar eine Passivierung (s. Passivität) statt, so daß sich das Metall nachher für einige Zeit in verd. Salzsäure od. Schwefelsäure nicht mehr auflöst. Entsprechend seiner Stellung in der 6. Nebengruppe des Periodensyst. tritt Cr als typ. *Übergangsmetall in den Oxidationsstufen 0 bis +6 auf. In sauren Lsg. wird die Oxidationsstufe +3 bevorzugt, in Ggw. von Alkalien läßt sich Cr leicht zu den bes. beständigen 6-wertigen Verb. oxidieren. Cr(V)-Verb. sind in wäss. Lsg. nicht stabil, sondern disproportionieren zu Cr(III) u. Cr(VI).
Physiologie: Als *Spurenelement ist Cr *essentiell u. von Bedeutung für den Glucose-Stoffwechsel[1], menschliches Gewebe enthält ca. 0,01–0,1 ppm Cr.

Der tägliche Bedarf liegt zwischen 0,05 u. 0,5 mg für Erwachsene. Für Cr ist die Spanne zwischen notwendiger u. tox. Konz. bes. groß. Säugetiere tolerieren ohne Schäden das 100–200fache ihres normalen Cr-Gehaltes im Körper (s. Luckey et al., *Lit.*). Von toxikolog. Bedeutung sind nur die 6-wertigen Cr-Verbindungen. Bes. Cr(VI)-oxid („Chromsäure") u. Alkalimetallchromate sind giftig u. wirken als starke Oxidationsmittel ätzend auf Haut u. Schleimhäute u. können schlecht heilende Geschwüre sowie – bei oraler Aufnahme – Magen-Darm-Entzündungen, Durchfälle, Kollaps, Leber- u. Nierenschäden u. a. verursachen. Cr(VI)-Verb. sind in Form von Stäuben/Aerosolen krebserzeugend im Tierversuch (Gruppe III A 2 der MAK-Werte-Liste, TRK-Wert 0,1 bzw. 0,2 mg/m^3). Ausgenommen sind die in Wasser prakt. unlösl. Chrome. Metall. Cr u. 3-wertige Verb. sind weder hautreizend noch mutagen od. cancerogen.
Nachw.: Qual. nach Oxidationsschmelze zu Chromat durch Bildung von blaugefärbtem CrO$_5$ mit H$_2$O$_2$ in schwefelsaurer Lsg. u. Ausschütteln mit Ether od. als Silberchromat. Zur quant. Bestimmung eignen sich Diphenylcarbazid, Chromotropsäure u. a. Reagenzien, s. Fries-Getrost (*Lit.*).
Vork.: Cr findet sich in der Natur fast nur in Form von Verb.; lediglich in Meteoriten konnte man schon Spuren von metall. Cr nachweisen. Man schätzt den Cr-Anteil der obersten, 16 km dicken Erdkruste auf 0,020%; Cr gehört also zu den häufigeren Elementen. Das wichtigste Chromerz ist *Chromit. Wichtigste Cr-Lagerstätten (in Klammern Fördermenge in kt 1994[2]: Südafrika (3599), Kasachstan (2020), Indien (909), Türkei (700), Finnland (573), Zimbabwe (517), Brasilien (250), Albanien (223), Iran (129), Rußland (120), Madagaskar (90), Philippinen (64); weltweit wurden 1994 9,3 Mio. t Chromerz gefördert.
Herst.: Zur Gewinnung des zum Legieren von *Stahl notwendigen *Ferrochroms wird Chromit nach Zusatz von Kohle in elektr. Öfen od. Siemens-Martin-Öfen direkt reduziert:

$$FeO + Cr_2O_3 + 4C \rightarrow Fe + 2Cr + 4CO;$$

Ferrochrom enthält handelsüblich 52–75% Cr. Um reines C.-Metall herzustellen, wird Chromit unter Zusatz von Natriumcarbonat u. ggf. Natriumhydroxid unter reichlichem Luftsauerstoffzutritt in Natriumchromate u. diese durch Schwefelsäure od. CO$_2$ in Dichromate übergeführt. Mit Kohle werden die Dichromate zu Chrom(III)-oxid reduziert:

$$Na_2Cr_2O_7 + 2C \rightarrow Cr_2O_3 + Na_2CO_3 + CO.$$

Das Chromoxid wird auf aluminotherm. Wege in Cr übergeführt:

$$Cr_2O_3 + 2Al \rightarrow Al_2O_3 + 2Cr.$$

Das so gewonnene Cr ist etwa 99%ig; reineres Cr erhält man bei der Elektrolyse von Cr-Salzen.
Verw.: Als Katalysator der Ammoniak-Synth., zur Herst. von *Chrom-Stählen, *nichtrostenden Stählen, *Chrom-Legierungen, zur Inchromierung u. zum galvan. *Verchromen (nicht zu verwechseln mit *Chromatieren). Cr(II)-Salze sind nützliche Red.-Mittel in der präparativen organ. Chemie, Chromate, Dichromate u. CrO$_3$ sind wichtige Oxidationsmittel, organ.

Komplexe des Cr werden als Entwickler-Farbstoffe in der Farbphotographie verwendet, u. anorgan. Cr-Verb. dienen als *Chrom-Pigmente.
Geschichte: Vauquelin entdeckte das C. 1797 in einem sibir. Bleierz. Der Name stammt von griech.: chroma = Farbe, weil die meisten Cr-Verb. schöne Farben aufweisen. – *E* chromium – *F* chrome – *I* = *S* cromo
Lit.: [1] Diabetes Praxis 1, 2 ff. (1983). [2] British Geological Survey, World Mineral Statistics 1990–94, S. 47, Nottingham: Keyworth 1996.
allg.: Brauer **2**, 1168 f. ▪ Büchner et al., S. 263 ff. ▪ Fairhurst u. Minty, Toxicity of Chromium and Inorganic Chromium Compounds, Toxicity Review Series Nr. 21 (1989) ▪ Fries-Getrost, S. 114 ff. ▪ Gmelin, Syst.-Nr. 52, Cr, 1962–1965 ▪ IARC Monographs on the Evaluation of Carcinogenic Risk of Chemicals to Humans, Vol. 23, S. 205 ff., Lyon: IARC 1980 ▪ Katz u. Salem, The Biological and Environmental Chemistry of Chromium, New York: VCH Verlagsges. 1994 ▪ Kirk-Othmer (4.) **6**, 228–263 ▪ Papp, Chromium Life Cycle Study, Washington DC: Bur. Miner. Inf. Circ. 1995 ▪ Rollinson, The Chemistry of Chromium, Molybdenum and Tungsten, Oxford: Pergamon 1975 ▪ Treatment of Hazardous Waste, The Chromium Cycle, Bonn: BMFT 1976 ▪ Ullmann (5.) **A 7**, 43 ff. ▪ Winnacker-Küchler (4.) **2**, 651 ff., **4**, 201 ff. – *[HS 8112 20; CAS 7440-47-3]*

Chrom(III)-acetat. Bildet als blau-violettes Hexaquosalz $[Cr(H_2O)_6](O-CO-CH_3)_3$, $C_6H_9CrO_6$, M_R 229,13, nadelförmige Kristalle. Bas. Chrom(III)acetate sind grün gefärbt.
Verw.: Als Beize in Textilfärberei u. -druck, als Katalysator bei der Polymerisation von Olefinen u. bei Oxidationsreaktionen, zur Verbesserung der Anfärbbarkeit von Polymeren. – *E* chromium acetate – *F* acétate de chrome(III) – *I* acetato cromico – *S* acetato de cromo(III)
Lit.: Beilstein E IV **2**, 119 ▪ Gmelin, Syst.-Nr. 52, Cr, Tl. B, 1962, S. 383 ff. ▪ Kirk-Othmer (4.) **6**, 270 ▪ Winnacker-Küchler (4.) **2**, 670. – *[HS 2915 29; CAS 39430-51-8]*

Chromacetylacetonat s. Metallacetylacetonate.

Chromalaun (Kaliumchromalaun, Chromkaliumsulfat). $KCr(SO_4)_2 \cdot 12 H_2O$, M_R 499,39. Große, dunkelviolette Oktaeder od. hellviolettes Pulver, D. 1,83, Schmp. 89 °C, schwach giftig, WGK 0. Die violette wäss. Lsg. schlägt beim Erhitzen nach grün um.
Verw.: Wurde früher in großen Mengen zum Gerben von Leder eingesetzt, ist aber heute weitgehend durch das bas. *Chrom(III)-sulfat verdrängt worden. Neben Kaliumchromalaun sind noch viele andere sog. *Chromalaune* mit der allg. Formel $M^I Cr(SO_4)_2 \cdot 12 H_2O$ herstellbar; als M kommen Na, Rb, Cs, Ammonium usw. in Betracht. – *E* chrome alum – *F* alun de chrome – *I* allume cromico – *S* alumbre de cromo
Lit.: Gmelin, Syst.-Nr. 52, Cr, Tl. B, 1962 ▪ Winnacker-Küchler (4.) **2**, 669. – *[HS 2833 30; CAS 7788-99-0]*

Chroman s. Chromen.

Chromate. Man unterscheidet die in bas. wäss. Lsg. tiefgrünen *Chromate(III)* ($[Cr(OH)_6]^{3\ominus}$), die nur in festem Zustand existierenden blauschwarzen *Chromate(V)* (CrO_4^{3-}) u. die *Chromate(VI)*, die als Salze der Chromsäure (H_2CrO_4) die größte Bedeutung haben. Letztere enthalten das Anion CrO_4^{2-}. Alle Cr(VI)-C. sind gelb, sofern der kation. Bestandteil (z. B. Fe, Cu, Ni) keine andersartige Eigenfarbe aufweist. Beim Ansäuern von gelösten Cr(VI)-C. erfolgt unter Dichromat-Bildung ein Farbumschlag nach Orange: $2 CrO_4^{2-} + 2 H^+ \rightleftharpoons$ $Cr_2O_7^{2-} + H_2O$. In stärker sauren Lsg. findet eine Kondensation zu Trichromat ($Cr_3O_{10}^{2-}$), Tetrachromat ($Cr_4O_{13}^{2-}$) u. höheren Polychromaten statt. K-, Na- u. Mg-Chromate sind in Wasser leicht lösl., Ca-Chromat ist schwer lösl., die C. von Ba, Pb, Bi, Ag u. Hg sind fast vollkommen unlösl.; die wäss. Lsg. der Alkalimetallchromate reagieren alkalisch. Die Cr(VI)-C. sind giftig (s. Chrom) u. sensibilisieren die Haut (*Chromat-Allergie*, bei Zementarbeitern als sog. *Maurerekzem*, da Zement C.-Spuren enthält). Die dtsch. MAK-Kommission hat Zn-C. als humancarcinogen eingestuft. Sonstige Cr(VI)-Verb. (in Form von Stäuben/Aerosolen) gelten als tiercarcinogen; ausgenommen sind die in Wasser prakt. unlösl. Cr(VI)-C., wie z. B. Blei-C., Barium-Chromate.
Chromat-haltige Abwässer können durch Red. u. Ausfällung des *Chrom(III)-hydroxids entgiftet werden. Zur Toxizität des Bleichromats s. dort. Von den unlösl. C. sind einige geschätzte Pigmente (*Chrom-Pigmente), lösl. C. werden u. a. zum *Chromatieren u. *Verchromen verwendet. – *E* = *F* chromates – *I* cromati – *S* cromatos
Lit.: Gmelin, Syst.-Nr. 52, Cr, Tl. B, 1962 ▪ Kirk-Othmer (4.) **6**, 269–311; **16**, 441 ff. ▪ Ullmann, (5.) **A 7**, 43 ff. ▪ Winnacker-Küchler (4.) **2**, 657 ff.; **6**, 666 f. ▪ s. a. Chrom. – *[HS 2841 20–50]*

Chromatiden s. Chromosomen.

Chromatieren. Verf. zum *Korrosionsschutz von Metalloberflächen u. zur Verbesserung der Hafteigenschaften für Lack-, Kleber- od. Kunststoffschichten (nicht zu verwechseln mit *Verchromen), das nach DIN 50 902 (07/1975) definiert wird als „Herstellen einer hauptsächlich aus Chrom-Verb. bestehenden Schicht durch Behandeln mit sauren od. alkal. Lsg., die 6-wertiges Chrom enthalten". Für die Behandlung durch C. sind bes. die Metalle Al, Zn, Cd u. Mg geeignet, da diese von Chromsäure nicht nennenswert angegriffen werden. Zu den bekannten C.-Verf. gehören Alodine®-Verfahren u. Bonder-Verfahren. – *E* chromating, chromate-treating – *F* chromatation – *I* cromare – *S* cromatización
Lit.: DIN 50 939 (04/1988); DIN 50 961 (06/1987) ▪ Kirk-Othmer (3.) **15**, 307 f. ▪ Winnacker-Küchler (4.) **4**, 666 f.

Chromatin. Bez. für das aus Zellkernen (s. Zellen) der Interphase (s. Mitose) gewinnbare, mit bas. Farbstoffen anfärbbare fädige Material (Name von griech.: chroma = Farbe), das während der Kernteilung in verdichteter Form als *Chromosomen vorliegt. Es besteht qual. aus *Desoxyribonucleinsäuren (DNA), *Proteinen, u. zwar 5 verschiedenen *Histonen sowie Nicht-Histon-Proteinen, zu denen z. B. spezif. *Enzyme gehören, sowie geringen Anteilen an *Ribonucleinsäuren, die teils als Matrizen für die Protein-Biosynth. dienen, vermutlich aber auch regulator. Funktionen ausüben. Aufgrund unterschiedlicher Färbbarkeit unterscheidet man bei C. Domänen starker (*Heterochromatin*, dicht gepackt, inaktiv) u. solche schwacher Anfärbbarkeit (*Euchromatin*, aufgelockert, aktiv – d. h. der *Transkription unterworfen).
Den Histonen kommt eine wichtige Rolle bei der Ausbildung der C.-Strukturen sowie bei der Regulation der

Transkription zu. Aufgrund von elektronenmikroskop. Untersuchungen, Röntgenbeugungs- u. Verdauungs-Experimenten mit *Nucleasen weiß man, daß C. Perlenketten gleicht, in denen DNA die Ketten von ca. 3 nm Stärke bildet u. kugelförmige Protein-Komplexe aus je 8 Histon-Mol., die 1,8mal linksgängig mit DNA umwickelt sind, die Perlen (*Nucleosomen, Durchmesser ca. 10 nm) darstellen. Nucleosomen binden auf diese Weise in Abständen von durchschnittlich 200 Basenpaaren jeweils DNA einer Länge von ca. 140 Basenpaaren (engl. core DNA genannt) an sich. Die genaue Position der Nucleosomen hängt in vielen Fällen von der Basensequenz des DNA-Doppelstrangs ab. Zwischen den Nucleosomen befindet sich die Verbindungs-DNA (engl. linker DNA). Durch Bindung von Histon H 1 an diese Bereiche kommt es in gewissen Präp. zu 30 nm dicken Strängen, die Nucleosomen in kompakterer schraubenförmiger Anordnung enthalten. Dies ist als der erste Schritt beim Übergang zum noch dichteren Chromosom zu betrachten. Bei Letzterem schließt man aufgrund elektronenmikroskop. Aufnahmen auf ein Gerüst aus Nicht-Histon-Proteinen (engl.: nuclear scaffold), an das Schleifen aus C. geknüpft sind. Der Kondensierungsgrad erscheint als ein Mittel zur Regulierung der Transkription während des Zellzyklus. – *E* chromatin – *F* chromatine – *I* = *S* cromatina

Lit.: Annu. Rev. Cell. Biol. **8**, 563 ff. (1992) ▪ Nature (London) **355**, 219 – 224 (1992) ▪ Trends Cell Biol. **5**, 272 – 277 (1995) ▪ Wolffe, Chromatin. Structure and Function, 2. Aufl., San Diego: Academic Press 1995.

Chromatographie. Bez. für physikal. *Trennverfahren, bei denen die Stofftrennung durch Verteilung zwischen einer *stationären u. einer *mobilen Phase geschieht. Die für die Trennung verantwortlichen physikal. Vorgänge lassen eine grobe Einteilung der C. in zwei Hauptgruppen zu: Erfolgt die Verteilung durch *Adsorption an einem Feststoff (*Adsorbens) als stationäre Phase, spricht man von *Adsorptions-Chromatographie. Wird die Stofftrennung durch den *Lösevorgang* in beiden, miteinander nicht mischbaren Phasen bestimmt, spricht man von *Verteilungs-Chromatographie. Beide Trennprinzipien kommen im allg. nicht rein, sondern im unterschiedlichen Maße gemischt vor. Eine weitere Einteilung ermöglicht die Kombination der Phasenzustände fest, flüssig u. gasf. für die mobile u. stationäre Phase.
Dadurch ergeben sich folgende Kombinationen: 1. Flüssig-fest-C. (*E* Liquid-Solid Chromatography, LSC), – 2. Flüssig-flüssig-C. (*E* Liquid-Liquid Chromatography, LLC), – 3. Gas-fest-C. (*E* Gas-Solid-Chromatographie, GSC), – 4. Gas-flüssig-C. (*E* Gas-Liquid Chromatography, GLC). Die verschiedenen Ausführungsformen führen schließlich zu vielfältigen Verf. wie *Papier- u. *Dünnschicht-Chromatographie (DC), einschließlich der Hochleistungs-DC (*E* HPTLC: high performance thin-layer chromatography), *Säulen- od. *Flüssigkeits-Chromatographie (LC) mit ihrer Weiterentwicklung der Hochdruck- od. Hochleistungsflüssig-C. (*HPLC). Andere Verf. sind die *Ionen-, *Ionenaustausch- u. *Ionenpaar-Chromatographie sowie die Reversed phase-, Gelpermeations- u. Bioaffinitäts-Chromatographie. Schließlich ist die Gas- einschließlich der Kapillar-Gas-Chromatographie zu nennen. Unter einem *Chromatogramm* versteht man das Ergebnis einer Trennung auf dem Papier, der Dünnschichtplatte od. dem Diagramm der jeweiligen Auswerteeinheit (*Detektor). Zu den hier benutzten Begriffen existieren Terminologie-Vorschläge der IUPAC [1].
Die C. ist als analyt. Meth. unverzichtbar bei der Rückstandsanalytik von Pflanzenschutzmitteln, bei der Bestimmung von Aminosäuren in der *biochemischen Analyse, in der Umweltanalytik u. a.; sie wird auch zunehmend im präparativen Maßstab angewandt.
Zur Geschichte der C. s. Lit.[2]. – *E* chromatography – *F* chromatographie – *I* cromatografia – *S* cromatografía

Lit.: [1] Pure Appl. Chem. **37**, 445 (1974). [2] Wintermeyer, Die Wurzeln der Chromatographie, Darmstadt: GIT-Verl. 1989.
allg.: Heftman (Hrsg.), Chromatography: Fundamentals and Applications of Chromatography and Related Differential Migration Methods, 5. Aufl., Bd. A u. B, Amsterdam: Elsevier 1992 ▪ Schwedt, Chromatographische Trennmethoden, 3. Aufl., Stuttgart: Thieme 1994 ▪ Schwedt, Analytische Chemie, S. 307 – 364, Stuttgart: Thieme 1995.

Chromaton. Umfangreiches Sortiment von ggf. modifizierten Trägern für die *Gaschromatographie auf der Basis von *Kieselgur.

Chromatophoren (von griech.: chroma = Farbe u. phoros = tragend). 1. In der Botanik veraltete Sammelbez. für gefärbte *Plastiden im *Plasma pflanzlicher Zellen (vgl. die Abb. dort); man unterscheidet zwischen *Chlorophyll-haltigen *Chloroplasten der grünen Pflanzen, den durch Fucoxanthin braun gefärbten *Phaeoplasten* einiger *Algen (z. B. Braunalgen), den durch Phycoerythrin u. Phycobilin rot bis violett gefärbten *Rhodoplasten* der Rotalgen u. den gelb bis orange gefärbten *Chromoplasten vieler Blüten u. Früchte. Nur die letzteren sind photosynthet. inaktiv.
2. In der Zoologie versteht man unter C. die mit Farbstoffen gefüllten Zellen im *Bindegewebe der Haut, unter der Schale od. unter dem *Chitin-Panzer von Wirbellosen (Krebsen, Tintenfischen) u. Wirbeltieren (Fischen, Amphibien, Reptilien). Nach der Art des Pigments unterscheidet man *Xanthophoren* u. *Erythrophoren* (gelb-rot durch Carotinoide u. Pterine), *Guano-o. Iridiophoren* (weißlich bis silbrig-irisierend durch Lichtreflektion) u. *Melanocyten* (von gelb bis schwarz variierende Melanine). Unter dem Einfluß von Neurohormonen können sich die C. zwecks *Farbwechsel* sternartig ausbreiten od. zu Kugeln zusammenziehen. Dies dient nicht nur der Tarnung, sondern die Muster können die momentane Stimmung des Tieres ausdrücken, z. B. Erregung od. Paarungsbereitschaft. – *E* = *F* chromatophores – *I* cromatofori – *S* cromatóforos

Chromat-Pigmente s. Chrom-Pigmente.

Chromazurol S. $C_{23}H_{13}Cl_2Na_3O_9S$, M_R 605,29. Ein *Triarylmethan-Farbstoff zur komplexometr. Bestimmung von Al, Ca, Cu, Fe, Mg, Ni, Th mit EDTA. Weiterhin für die spektrophotometr. Bestimmung von Metallen, hauptsächlich Be u. Al. Der Be-Chelatkomplex wird zur Bestimmung von Fluorid benutzt. – *E* chrome azurol S – *F* chromazurol S – *I* cromazurolo S – *S* cromoazurol S

Chromboride

Lit.: Anal. Chem. **31**, 152 (1959) ▪ Anal. Chim. Acta **82**, 207 (1976); **84**, 115 (1979) ▪ Beilstein E IV **11**, 707 ▪ Collect. Czech. Chem. Commun. **58**, 1495, 1509 (1993). – [CAS 1667-99-8]

Chromboride. Sehr harte u. hochschmelzende *nichtstöchiometrische Verbindungen von B u. Cr. (a) *Chrommonoborid*, CrB, M_R 62,81. Rhomb. Krist., D. 6,2, Schmp. 2060 °C; – (b) *Chromdiborid*, CrB_2, M_R 73,62, Schmp. 2130 °C; – (c) *Trichromdiborid*, Cr_3B_2, M_R 177,61, tetragonale Krist., D. 6,1, Schmp. 1960 °C; – (d) *Pentachromtriborid*, Cr_5B_3, M_R 292,41, Pulver, Korngröße 4 – 10 µm. Die C. finden Verw. in *Cermets, Bohr- u. Schneidwerkzeugen. – *E* chromium borides – *F* borures de chrome – *I* boruri cromici – *S* boruros de cromo

Lit.: Gmelin, Syst.-Nr. 52, Cr, Tl. B, 1962, S. 343 – 351 ▪ Kirk-Othmer (4.) **4**, 424 ▪ Ullmann (5.) **A 4**, 303 ff. – [HS 2850 00; CAS 12006-79-0 (a); 12007 – 16-8 (b); 12045-40-8 (c); 12007-38-4 (d)]

Chromcarbide. Harte, spröde, *nichtstöchiometrische Verbindungen, die durch Erhitzen von Chromoxid mit Kohle hergestellt werden, z. B. $Cr_{23}C_6$, das techn. wichtige Cr_3C_2 (M_R 180,01, D. 6,7, Schmp. 1810 °C, Sdp. 3900 °C) u. das in Cr-Stählen vorkommende Cr_7C_3 (Schmp. 1650 °C, D. 6,92). Die C. gehören zu den korrosionsbeständigsten Materialien, s. a. Carbide. – *E* chromium carbides – *F* carbures de chrome – *I* carburi cromici – *S* carburos de cromo

Lit.: Gmelin, Syst.-Nr. 52, Cr, Tl. B, 1962, S. 352 – 363 ▪ Kirk-Othmer (4.) **4**, 841 – 848 ▪ Ullmann (5.) **A 5**, 73 f. ▪ Winnacker-Küchler (3.) **6**, 503, 514. – [HS 2849 90; CAS 12105-81-6 ($Cr_{23}C_6$); 12012-35-0 (Cr_3C_2); 12075-40-0 (Cr_7C_3)]

Chromchloride. (a) *Chrom(II)-chlorid*, $CrCl_2$, M_R 122,90, farblose, sehr hygroskop., leicht lösl., glänzende Nadeln, D. 2,88, Schmp. 824 °C. Aus der kornblumenblauen Lsg. des Salzes krist. bei 20 °C blaue Hydrate, z. B. $CrCl_2 \cdot 4H_2O$.

Herst.: Man leitet über rotglühendes Chrom-Metall einen Chlorwasserstoff-Strom od. reduziert wasserfreies $CrCl_3$ mit Wasserstoff, wobei farbloses $CrCl_2$ entsteht.

Verw.: Als Katalysator, kräftiges Reduktionsmittel (z. B. für Nitro-Verb. u. Sulfoxide, s. *Lit.*[1]), als Absorptionsmittel für Sauerstoff sowie zur Inchromierung.

(b) *Chrom(III)-chlorid*, $CrCl_3$, M_R 158,36, rotviolette, glänzende Blättchen, D. 2,76, Schmp. ca. 1150 °C, Sdp. 1300 °C (subl.), in kaltem Wasser u. Alkohol unlösl., schnell lösl. bei Zusatz von etwas $CrCl_2$. Aus den wäss. Lsg. erhält man je nach Temp.-Bedingungen eine ganze Reihe von verschieden gefärbten u. verschieden krist. Chrom(III)-chloridhydraten (Komplexsalze).

Herst.: Durch Chlorieren von Chrom od. Ferrochrom.

Verw.: Zur Wasserdichtimprägnierung u. zur Beize bei der Baumwollfärberei u. im Seidendruck, zur Herst. anderer Cr-Verb., zur Verchromung, als Katalysator bei organ. Synthesen. – *E* chromium chlorides – *F* chlorures de chrome – *I* cloruri di cromo – *S* cloruros de cromo

Lit.: [1] Synthesis **1977**, 792 ff.

allg.: Brauer **2**, 1171 ▪ Gmelin, Syst.-Nr. 52, Cr, Tl. B, 1962 ▪ Synthetica **1**, 120 ff.; **2**, 103 ff. ▪ Ullmann (5.) **A 7**, 83, 89 ▪ Winnacker-Küchler (4.) **2**, 669. – [HS 2827 39; CAS 10049-05-5 (II); 10025-73-7 (III)]

Chromdiffusion s. Inchromverfahren.

Chromeisenstein s. Chromit.

Chromen.

2 H-   4 H-

C_9H_8O, M_R 132,16. Nach IUPAC-Regel B-2.11 zulässiger Trivialname für *Benzopyran*. Je nachdem, an welchem C-Atom sich der zusätzliche Wasserstoff befindet, unterscheidet man z. B. 2 H-C. u. 4 H-C.; von ersterem leitet sich *Cumarin, von letzterem *Chromon ab. C. ist auch der Grundkörper der *Cannabinoide, *Anthocyanidine u. *Flavone. Hydrierung der beiden C. gibt *Chroman*, das ebenfalls als Grundgerüst einer Reihe von Naturstoffen, wie z. B. den *Tocopherolen u. *Rotenoiden, vorkommt. – *E* chromene – *F* chromène – *I* = *S* cromeno

Lit.: Beilstein E IV **17/2**, 19 ▪ Karrer, Nr. 1689 – 1701 ▪ Weissberger **31** (1977). – [HS 2932 99; CAS 254-04-6 (2 H-C.); 254-03-5 (4 H-C.)]

Chrom-Farbstoffe. Unkorrekte Bez. für Chromierungsfarbstoffe, s. Beizenfarbstoffe.

Chromfluoride. (a) *Chrom(II)-fluorid*, CrF_2, M_R 89,99. Grüne, monokline Krist., D. 4,11, Schmp. 894 °C, Sdp. oberhalb 1200 °C, in Wasser wenig lösl., aus $CrCl_2$ u. HF hergestellt.

Verw.: Zur Inchromierung, als Katalysator in organ. Synthesen.

(b) *Chrom(III)-fluorid*, CrF_3, M_R 108,99. Rhomb., grüne Krist., D. 3,8, Schmp. oberhalb 1000 °C (auch 1404 °C angegeben), in Wasser unlösl., aus $CrCl_3$ u. HF in der Hitze herstellbar.

Verw.: Zum Beizen von Wolle u. Cellulosefasern für die Färbung mit Beizenfarbstoffen, als Korrosionsinhibitor in Rostschutzfarben.

(c) *Chrom(IV)-fluorid*, CrF_4, M_R 127,99. Schwarzgrüne Krist., D. 2,89, Schmp. ca. 200 °C, Sdp. ca. 400 °C (mit blauem Dampf).

(d) *Höhere Chromfluoride.* Aus Chrom-Pulver u. gasf. Fluor (400 °C, $2 \cdot 10^4$ kPa) wurden feuerrotes CrF_5 u. zitronengelbes CrF_6 hergestellt[1]. – *E* chromium fluorides – *F* fluorures de chrome – *I* fluoruri cromici – *S* fluoruros de cromo

Lit.: [1] Angew. Chem. **75**, 346 f. (1963).

allg.: Brauer (3.) **1**, 263 ff. ▪ Gmelin, Syst.-Nr. 52, Cr, Tl. B, 1962, S. 175 – 186 ▪ Hommel, Nr. 288 ▪ Ullmann (5.) **A 7**, 83 ▪ Winnacker-Küchler (4.) **2**, 669 f. – [HS 2826 19; CAS 10049-10-2 (II); 7788-97-8 (III); 10049 – 11-3 (IV); 14884-42-5 (V); 13843-28-2 (VI)]

Chromgelb s. Chrom-Pigmente.

Chromgerbung. Wichtigstes Gerbverf. unter Einsatz dreiwertiger Chromsalze (s. Gerberei) für Kalb-,

Schaf-, Ziegenfelle u. für Rindshäute, die auf die Dicke von Kalbsledern gespalten werden. In der *Photographie wendet man den Begriff der C. bes. im Zusammenhang mit dem Technicolor-Verf. der *Farbphotographie (s. a. dort) an. – *E* chrome tanning – *F* tannage au chrome – *I* concia al cromo – *S* curtido al cromo
Lit.: Ullmann (4.) **16**, 120f., 144ff.; (5.) **A 15**, 268ff.; s. a. Gerberei.

Chromgrün s. Chrom-Pigmente.

Chromhexacarbonyl [Hexacarbonylchrom(0)]. $Cr(CO)_6$, M_R 220,06. Farblose rhomb. Krist., D. 1,77, sintern ab 90°C u. zersetzen sich bei 130°C, bei 210°C explosionsartige Zers., in Wasser od. Methanol kaum, in Chloroform u. Ether löslich.
Verw.: Als Polymerisationskatalysator, zur Herst. von Chromoxiden u. *Chrom-organischen Verbindungen. – *E* hexacarbonylchromium – *F* chromhexacarbonyle – *I* esacarbonilcromo – *S* cromohexacarbonilo
Lit.: Gmelin, Syst.-Nr. 52, Cr, Tl. B, 1962 ▪ Ullmann (5.) **A 7**, 89 ▪ s. a. Carbonyl-Komplexe, Metallcarbonyle. – *[HS 293100; CAS 13007-92-6]*

Chrom(III)-hydroxid. Aus Chrom(III)-Salzlsg. mit Alkalilaugen fällbarer hellgraublauer, gelartiger Niederschlag, der wechselnde Mengen Wasser enthält. Als amphoteres Hydroxid löst sich C. in Säuren unter Bildung von Cr(III)-Salzen, in Laugen unter Bildung von Chromaten(III). – *E* chromium hydroxide(III) – *F* hydroxide de chrome (III) – *I* idrossido di cromo(III) – *S* hidróxido de cromo(III)
Lit.: Brauer **2**, 1178 f. ▪ Gmelin, Syst.-Nr. 52, Cr, Tl. B, 1962, S. 59 ▪ Kirk-Othmer (4.) **6**, 271 ▪ Ullmann (5.) **A 7**, 76. – *[HS 281990; CAS 41646-40-6 ($Cr(OH)_3 \cdot 3 H_2O$); 1308-14-1 (wasserfrei)]*

Chromi... Veraltete Bez. für Chrom(III)-Verb., s. die einzelnen Chrom(III)-Salze.

Chromiake. Trivialname für die *Ammin-Salze des Cr^{III}, die sich vom Ion $[Cr(NH_3)_6]^{3\oplus}$ ableiten; *Beisp.:* $[Cr(NH_3)_2(H_2O)_4]Cl_3$ [Tetraaquadiamminchrom(III)-chlorid]. – *E* chrome amines – *F* amines chromiques – *I* ammine cromiche – *S* aminas de cromo
Lit.: Gmelin, Syst.-Nr. 52, Cr, Tl. C, 1965 ▪ s. a. Koordinationslehre.

Chromieren s. Beizenfarbstoffe, Inchromverfahren, Verchromen.

Chromierungsfarbstoffe s. Beizenfarbstoffe.

Chromit (Chromeisenstein). $(Fe^{2+},Mg)(Fe^{3+},Al,Cr^{3+})_2O_4$; zu den *Spinellen gehörendes, eisen- bis bräunlichschwarzes, fast undurchsichtiges Mineral, einziges Chromerz. Gewöhnlich als eingesprengte Körner od. derbe Klumpen u. Nester; H. 5,5, D. 4,5–4,8, Strich braun; unlösl. in Säuren. C. enthalten bis max. 62% Cr_2O_3, 6–18% FeO, 0–22% MgO, 0–32% Al_2O_3 u. 0–30% Fe_2O_3, manchmal auch Mn, Ti, V od. Zn; zur Fe^{2+}-Fe^{3+}-Verteilung in C. s. *Lit.*[1].
Vork.: Überwiegend gebunden an *Peridotite, Dunite, Pyroxenite u. Norite (*Gabbros) sowie an Serpentinite (*Serpentin). Man unterscheidet *stratiforme* (schichtige) C.-Lagerstätten, z. B. im Bushveld/Südafrika (Hauptförderland), in Simbabwe u. Finnland, u. *podiforme* (alpinotype) C.-Lagerstätten, das sind linsen-, platten- u. stockförmige Erzkörper in *Ophiolithen, z. B. Ural/Rußland, Albanien, Indien, Türkei, Philippinen, Iran.
Verw.: Chromreiche C.-Erze (mit 55–40% Cr_2O_3) in der Stahl-Ind. zur Herst. von *Chrom-Legierungen (*Ferrochrom*) u. Gießformen; *Fe-reiche C.-Erze* (mit 40–46% Cr_2O_3) in der chem. Ind. zur Herst. von Chrom-Verb., Pigmenten, Holzschutzmitteln, Gerbereisalzen u. Chrom-Metall; *Al-reiche C.-Erze* (mit 33–38% Cr_2O_3, 22–34% Al_2O_3) zur Herst. von *Feuerfestmaterialien, z. B. *Chrommagnesitsteinen, u. als Gießereisand. Zu Vork. u. Verw. von C. s. a. *Lit.*[2]. – *E* = *F* chromite – *I* cromite – *S* cromita
Lit.: [1] Phys. Chem. Miner. **19**, 255–259 (1992). [2] Ind. Miner. **257**, 25–45 (1989).
allg.: Lindsley (Hrsg.), Oxide Minerals, Petrologic and Magnetic Significance (Reviews in Mineralogy, Vol. 25), S. 323–353, Washington (D.C.): Mineralogical Society of America 1991 ▪ Pohl, Lagerstättenlehre (4.), S. 127–133, Stuttgart: Schweizerbart 1992 ▪ Ramdohr-Strunz, S. 506f. – *[HS 261000; CAS 1308-31-2]*

Chromkaliumsulfat s. Chromalaun.

Chromlauge. Bas. Lsg. zur Chrom-Gerbung auf Chromsulfat-Basis.

Chromleder s. Gerberei.

Chromleder-Farbstoffe. Anion. Farbstoffe für das Färben von Chromleder.

Chrom-Legierungen. Leg., in denen das Element Cr den größten Anteil bildet od. größte Bedeutung hat, wie z. B. Vorlegierungen (*Ferro-Legierungen für die Metallurgie) u. *Superlegierungen (für Hochtemp.-Anw.). Vorleg. werden im Rahmen der Herst. von Leg. eingesetzt, da sich die Anw. von reinem Chrom aus Reaktivitätsgründen verbietet. Man unterscheidet hierbei binäre Typen wie NiCr (80% Cr), CrMo (70% Cr), CrNb (20–70% Cr) u. ternäre Typen wie CoCrW u. CoCrMo. Der wirtschaftlich wichtigste Typ ist *Ferrochrom (FeCr) mit 45–95% Cr. Ferrochromsilicium ist ein ternärer Typ, der wie Ferrochrom in der Stahlmetallurgie angewendet wird. Superleg. werden bei Bauteilen für Hochtemp.-Einsatz verwendet, z. B. in Turbinen od. Öfen. – *E* chromium alloys – *F* alliages de chrome – *I* leghe di cromo – *S* aleaciones de cromo
Lit.: s. Chrom. – *[HS 811220]*

Chrom-Leim. Bez. für Hautleim (s. Leime), der aus z. T. Chrom-gegerbten Häuten gewonnen wird. – *[HS 350300, 350610]*

Chrommagnesitsteine (Synonym: Chrommagnesiasteine). Hochfeuerfeste Steine aus *Magnesit u. *Chromit, zur Auskleidung von Siemens-Martin- u. a. therm. u. mechan. hochbeanspruchten Öfen. – *E* chrome magnesite stones – *F* pierres de chrome-magnésite – *I* magnesiti di cromo – *S* ladrillos de cromomagnesita
Lit.: Winnacker-Küchler (4.) **3**, 205 ff.

Chromnickel. Bez. für eine binäre *Chromlegierung als Heizleiter-Leg. mit ca. 80% Cr u. 20% Ni. Leg. dieses Typs weisen einen hohen elektr. Widerstand auf u. sind gleichzeitig beständig gegen therm. Oxid. (Verzunderung). Die Kombination beider Eigenschaften machen diese Leg. geeignet für elektr. Widerstandserwärmung. – *E* chromium nickel alloy, nichrome® – *F* chrome-nickel – *I* cromonichel – *S* cromo-níquel

Chrom(III)-nitrat. Cr(NO$_3$)$_3$, M$_R$ 238,01. Schwach grünes, zersetzliches Pulver, in Wasser gut, in Chloroform od. Benzol kaum lösl.; bildet ein Nonahydrat, violette Krist., Schmp. 60 °C, bei 100 °C Zers. (brandfördernd), wird als Beize im Baumwolldruck u. zur Herst. Alkalimetall-freier Katalysatoren verwendet. – *E* chromic nitrate(III) – *F* nitrate de chrome(III) – *I* nitrato cromico(III) – *S* nitrato de cromo(III)
Lit.: Gmelin, Syst.-Nr. 52, Cr, Tl. B, 1962, S. 165 ff. ▪ Hommel, Nr. 1532 ▪ Kirk-Othmer (4.) **6**, 269 ▪ Ullmann (5.) **A7**, 84. – *[HS 2834 29; CAS 26679-46-9 (C. · 9 H$_2$O); 13548-38-4 (C.); G 5.1]*

Chromo... (von griech.: chroma = Farbe). 1. Bestandteil von Benennungen, die in irgendeinem Bezug zu Farbe od. Färbung stehen. *Beisp.:* Chromogen, Chromophor, Chromoprotein. – 2. Veraltete Bez. für Chrom(II)... – *E* = *F* chromo... – *I* = *S* cromo...

Chromobindine s. Annexine.

Chromogene [von *Chromo...(1.) u. ...*gen]. Aus der alten Farbentheorie von O. N. *Witt übernommene Bez. für Mol., die zwar *chromophore Gruppen* (s. Chromophore) enthalten, aber nicht im sichtbaren Wellenbereich absorbieren. Ihre Farbigkeit erhalten C. erst durch die Einführung von *auxochromen Gruppen* (s. Auxochrome); näheres s. bei Chromophore u. Farbstoffe, zur Anw. in der Biochemie auch bei Färben. Von chromogener Entwicklung spricht man in der *Farbphotographie, s. dort. – *E* chromogens – *F* chromogènes – *I* cromogeni – *S* cromógenos

Chromogranine s. Granine.

Chromomere s. Chromosomen.

Chromone.

Sammelbez. für Verb. mit dem Grundgerüst des Chromons (4*H*-1-Benzopyran-4-on, Chromen-4-on), C$_9$H$_6$O$_2$, M$_R$ 146,15. Farblose Nadeln, Schmp. 59 °C (subl.), in Alkohol, Ether od. Chloroform lösl., unlösl. in Wasser. Von diesem leiten sich z. B. die *Flavone u. *Isoflavone (*Blütenfarbstoffe) sowie die Furochromone (vgl. Furocumarine) ab. *Chromon* ist konstitutions-isomer mit *Cumarin. Zum Umlagerungsverhalten substituierter C. s. *Lit.*[1]. – *E* = *F* chromones – *I* cromoni – *S* cromonas
Lit.: [1] Synthesis **1977**, 61 f.; **1978**, 208 f.
allg.: Beilstein E V **17**/**10**, 139 ▪ Elderfield, Heterocyclic Compounds, Bd. 3, S. 230–263, New York: Wiley 1950 ▪ Weissberger **31**.

Chromopapier s. Papier.

Chromophore. Von griech.: chroma = Farbe u. phoros = tragend abgeleitete Bez. für Atom-Gruppierungen, die einer Verb. durch selektive Lichtabsorption „Farbigkeit" verleihen; im allg. handelt es sich bei den *chromophoren Gruppen* um π-Elektronensysteme. Verb., die nur 1 derartige ungesätt. Atom-Gruppierung (z. B. C=C, C=O, C=S, N=O, C=N) enthalten, erscheinen dem menschlichen Auge noch farblos: ihre *Absorption liegt im kurzwelligen Bereich, der nur durch *UV-Spektroskopie untersucht werden kann. Dennoch spricht man davon, daß auch solche Mol. (*Beisp.:* Olefine, Ketone u. Aldehyde, Imine) einen *Chromophor* enthalten. Erst wenn dessen π-Elektronen mit denen weiterer ungesätt. Atom-Gruppierungen, die man in das Mol. einführt, durch *Konjugation in Wechselbeziehung treten können u. sich die Einzelchromophore zu einem Gesamtchromophor vereinigen können, wandert die Absorptionsbande in das Gebiet des Sichtbaren. Das Vorhandensein eines hochkonjugierten Syst. ist also mit dem Auftreten einer Farbe verbunden; *Beisp.:* Carotin, Benzochinon, Azobenzol. Dementsprechend enthalten organ. *Farbstoffe stets Azo-, Azoxy-, Imino- u./od. Chinon-Gruppierungen; häufig sind die C. darüber hinaus *gekreuzt-konjugiert (*chinoide* u. *indigoide Syst.*). Aromat. Verb. sind per se meist farblos, was mit der gleichmäßigen Verteilung ihrer π-Elektronen über das gesamte Ringsyst. zusammenhängt (*Delokalisierung, s. a. Aromatizität); durch die Einführung von *Auxochromen werden sie jedoch zu Farbstoffen. Man bezeichnet daher solche Verb., die durch die Einführung zusätzlicher C. farbig werden, auch als *Chromogene. Bewirkt der Eintritt der auxochromen Gruppe in das Chromogen eine Vertiefung (Intensivierung) des Farbeindrucks, ohne daß sich die Farbe ändert, so spricht man von einem *hyperchromen*, bei einer entgegengerichteten Wirkung (Aufhellung) von einem *hypochromen* Effekt. Verschiebt die neu eingetretene auxochrome Gruppe die *Farbe in der Richtung Gelb → Rot → Violett → Blau, nennt man diese Verschiebung *bathochrom* u. in umgekehrter Richtung *hypsochrom;* Beisp. s. bei *UV-Spektroskopie. Quant. Aussagen über Richtung u. Intensität dieser Änderungen vermag die *MO-Theorie zu geben[1]; einer mehr qual. Beschreibung dient das sog. *Elektronengas*-Modell von H. *Kuhn[2]. – *E* = *F* chromophores – *I* cromofori – *S* cromóforos
Lit.: [1] Chem. Unserer Zeit **12**, 1–11 (1978). [2] Angew. Chem. **71**, 93–101 (1959); Zechmeister **16**, 169–205; **17**, 404–451.
allg.: Adv. Photochem. **10**, 359–465 (1977) ▪ Annu. Rev. Biophys. Bioeng. **5**, 511–560 (1976) ▪ Kirk-Othmer (3.) **6**, 121–142 ▪ Ullmann **7**, 153–183 ▪ s. a. Farbstoffe, Spektroskopie.

Chromoplasten (von griech.: chroma = Farbe, plastós = geformt). Bez. für die aus dem *Plasma von Pflanzen isolierbaren *Plastiden, die infolge ihres *Carotin-Gehalts gelb bis rot gefärbt sind, vielgestaltig (kugelig, linsenförmig, vielflächig, kristallförmig) auftreten u. – im Gegensatz zu *Chloroplasten u. a. *Chromatophoren – nicht photosynthet. aktiv sind. C. entstehen entweder durch Umwandlung aus Chloroplasten od. direkt aus Proplastiden. C. sind z. B. in Blütenblättern von Stiefmütterchen, in Tomatenfrüchten u. Karottenwurzeln ebenso anzutreffen wie in reifen Zitronenfrüchten. Eine Sonderform der C. sind die in absterbenden Blättern (Herbstlaub) vorkommenden *Gerontoplasten*. – *E* chromoplasts – *F* chromoplastes – *I* cromoplasti – *S* cromoplastos

Chromoproteine (veraltet: Chromoproteide). Bez. für *Proteine, deren *prosthet. Gruppe* (s. a. Enzyme) Farbstoffcharakter besitzt. Hierher gehören u. a. *Hämoglobin, *Cytochrome, *Peroxidase, *Katalase, *Rhodopsin u. die *Phytochrome des sog. „Hellrot-Dunkelrot-Syst.". In der Mehrzahl der Fälle ist die prosthet. Gruppe eine Eisen-, gelegentlich auch Kupfer-haltige *Porphyrin-Verb.; auch *Carotinoide können in C. auftreten. – *E* chromoproteins – *F* chromoprotéines – *I* cromoproteine – *S* cromoproteínas

Chromorange s. Chrom-Pigmente.

Chrom-organische Verbindungen. Die organ. Verb. des Chroms lassen sich einteilen in solche, in denen Cr(II) od. Cr(III) mit Einfachbindungen kovalent an organ. Reste gebunden ist, u. in solche, in denen Cr in nullwertigem Zustand od. als Cr(I) an Aromaten komplex gebunden ist. Die Verb. des ersten Typs lassen sich aus den Chromhalogeniden mit Grignard-Verb. (*Transmetallierung), ggf. auch direkt mit den Halogenkohlenwasserstoffen herstellen.

Von den C.-o. V. des Cr(0) ist das *Bis(η^6-benzol)chrom*

($C_{12}H_{12}Cr$, M_R 208,22, braune Krist., D. 1,519, Schmp. 284–285 °C, subl. im Vak. ab 150 °C) wohl am bekanntesten; Näheres zu diesem u. zu verwandten *Sandwich-Verbindungen s. bei Aromaten-Übergangsmetall-Komplexe. Von diesen abgeleitete *Carbonyl-Komplexe können ebenfalls zu den C.-o. V. gerechnet werden: wenn *Chromhexacarbonyl* mit geeigneten *Elektronenpaar-Donatoren* erhitzt wird, werden Kohlenoxid-Liganden des *Metallcarbonyls* gegen diese Donatoren ausgetauscht, wobei Verb. wie (η^6-Benzol)tricarbonylchrom(0) entstehen, die in vielfältiger Weise in der organ. Synth. eingesetzt werden können; z. B. bei der sonst nur schlecht durchführbaren *nucleophilen Substituion an Halogenaromaten [1].

Einige C.-o. V. können als Katalysatoren der homogenen Katalyse, z. B. der Polymerisation von Olefinen, Verw. finden. – *E* organochromium compounds – *I* composti organici di cromo – *S* compuestos organocrómicos

Lit.: [1] Hegedus, Organische Synthesen mit Übergangsmetallen, S. 275 ff., Weinheim: VCH-Verlagsges. 1995.
allg.: Adv. Met. Org. Chem. **2**, 195 (1991) ■ Russ. Chem. Rev. **56**, 682 ff. (1987) ■ Wilkinson-Stone-Abel **3**, 783–951, 953–1077; (2.) **5**, 155–549.

Chromosal®. 33–42% bas. Chromsulfat. *B.:* Bayer.

Chromosome jumping. Mit c. j. lassen sich große *DNA-Bereiche, die zwischen genet. Markern liegen, charakterisieren u. so *Klone einer gewünschten Sequenz systemat. auffinden. Man kann mit dieser Technik im Genom größere Regionen als beim *chromosome walking überschreiten u. umgeht nicht-klonierbare Fragmente. Hochmol. DNA wird mit einem selten schneidenden *Restriktionsenzym partiell verdaut, durch Puls-Feld-Gel-*Elektrophorese aufgetrennt, isoliert u. mit Hilfe eines Markerplasmids zirkularisiert. Nachschneiden mit einem zweiten Restriktionsenzym führt zu gewünschten Deletionen u. man erreicht Größen, die über Lambda-*Phagen kloniert werden können. Es lassen sich 2 komplementäre *Genbanken erhalten, die jeweils mit einem Restriktionsenzym-Paar vor- u. nachgeschnitten werden (z. B. BamHI/EcoRI u. EcoRI/BamHI). Durch *Hybridisierungen mit einer EcoRI/BamHI-Probe können dann positive Klone erhalten werden. Je nach Genbibliothek springt man gerichtet in die eine od. entgegengesetzte Richtung im Genom. Über wiederholte Hybridisierungen mit der Meth. des chromosome walking läßt sich dann eine genauere Lokalisierung durchführen. – *E* chromosome jumping – *F* saut chromosomique – *I* cromosomi jumping – *S* cromosoma jumping

Lit.: Glick u. Pasternak, Molekulare Biotechnologie, S. 425–433, Heidelberg: Spektrum 1995.

Chromosomen. Ursprünglich wegen der Anfärbbarkeit mit bas. Farbstoffen von griech. chroma = Farbe u. soma = Körper abgeleitete Bez. für die in den Zellkernen *eukaryontischer *Zellen vorhandenen V- od. X-förmigen Partikeln, die Erbinformation in Form von *Genen enthalten u. durch ident. Reduplikation (*Replikation) an die nächste Zellgeneration weitergeben. Im erweiterten Sinn versteht man heute jedoch unter C. die Hauptträger der genet. Information beliebiger Zellen.

Eukaryont. C. sind im allg. nur während der Kernteilung sichtbar, während sie im sog. Arbeitskern (Interphasekern) als *Chromatin vorliegen (zur chem. Zusammensetzung s. dort). Nach dessen Replikation verdichten sich die C. u. bestehen aus zwei ident. *Chromatiden* (Tochterchromosomen), von denen je eines auf die beiden Tochterzellen vererbt wird.

C. sind in verschiedenen Organismen in unterschiedlicher Zahl vorhanden, jedoch bei Körperzellen in doppelter Ausführung, was als *Diploidie* bezeichnet wird. Die *haploiden* Geschlechtszellen (Gameten), die durch Meiose (s. Mitose) entstehen, besitzen nur einen einfachen C.-Satz.

Struktur: Mittels bestimmter Anfärbemeth. erkennt man für die jeweiligen C. charakterist. Querbandenmuster, wobei die stark gefärbten Banden als *Chromomere* bezeichnet werden. Die prim. Einschnürung, bei der beide Chromatiden aneinanderhaften u. an der in der Metaphase der Spindelapparat ansetzt (s. Mitose), heißt *Centromer [1]; eine sek. Einschnürung bei sog. Satelliten-C. trennt einen kurzen endständigen Abschnitt (Satellit) vom Hauptbereich. Die Gene sind auf einem einzigen linearen Mol. *Desoxyribonucleinsäure (DNA) pro C. enthalten. Die DNA eines menschlichen C.-Satzes (46 C., davon 2 Geschlechts-C.[2]), die 7,8 Mrd. Basenpaare enthält u. aneinandergereiht 2,6 m lang ist, ist auf 200 µm zusammengepackt. Ein großer Teil dieser DNA enthält keine Infor-

Chromosome walking

mation, sondern sich wiederholende kurze Basenpaar-Sequenzen. Die Enden einer chromosomalen DNA nennt man *Telomere.
Bei wiederholter Replikation ohne Trennung der Chromatiden (Endomitose) entstehen die *Riesen-* od. *Polytän-C.* (bis 0,5 mm lang u. 25 μm dick) der Zweiflügler (Diptera, z. B. *Drosophila melanogaster*). *Lampenbürsten-C.*[3] sind langgestreckte C. (bis 1 mm) mit vielen seitlichen Schleifen u. kommen in den Eizellen von Amphibien u. einigen anderen Tieren u. Pflanzen vor.
Prokaryont. C.[4]: Die C. der *Bakterien u. *Archaea sind von einfacherer Struktur u. geringerer Größe. Bei den bis jetzt bekannten Fällen handelt es sich um eine einzige ringförmige DNA-Doppelhelix, die zwar mit regulator. Proteinen komplexiert ist, jedoch keine Histone enthält. Sie ist an die Zellmembran geheftet u. kann im Gegensatz zu eukaryont. DNA kontinuierlich, beginnend an nur einer Startstelle (engl.: replication origin), repliziert werden. – *E* = *F* chromosomes – *I* cromosomi – *S* cromosomas

Lit.: [1] Science **270**, 1591 ff. (1995). [2] Reed u. Graves, Sex Chromosomes and Sex Determining Genes, Longhorne: Harwood 1994. [3] Curr. Biol. **4**, 919 (1994). [4] Microbiol. Rev. **54**, 502–539 (1990).
allg.: Heslop-Harrison u. Flavell, The Chromosome, Oxford: Bios Scientific 1993 ▪ Sharma u. Sharma, Chromosome Techniques. A Manual, Langhorne: Harwood 1994 ▪ Traut, Chromosomen. Klassische u. Molekulare Cytogenetik, Berlin: Springer 1991 ▪ Wagner et al., Chromosomes: A Synthesis, New York: Wiley-Liss 1993.

Chromosome walking. C. w. ist ein Verf. zur Kartierung von *DNA-Mol. aus einer *Genbank, in der die jeweiligen DNA-Fragmente überlappen. Über Kreuzhybridisierungsexperimente lassen sich fortschreitende Überlappungen auffinden. Mit der Meth. des c. w. läßt sich z. B. ein DNA-Segment, das zu lang ist, um direkt sequenziert zu werden, fragmentieren u. durch Sub-*Klonieren sequenzieren; s. a. chromosome jumping. – *E* chromosome walking – *F* translation chromosomique – *I* cromosomi walking – *S* cromosoma walking
Lit.: Glick u. Pasternak, Molekulare Biotechnologie, S. 425–433, Heidelberg: Spektrum 1995 ▪ Stryer (5.), S. 134–138.

Chromosorb®. Marke von Celite Corp., USA, für ein Sortiment von Trägermaterialien, vorwiegend aus Diatomeenerde, für die *Gaschromatographie, lieferbar in unbehandelter u. vorbehandelter Form u. in verschiedenen Mesh-Bereichen. *B.:* Lehmann & Voss.

Chromotrop. Bez. für die Eigenschaft einer Substanz, *Metachromasie zu zeigen.

Chromotropsäure Dinatrium-Salz.

$C_{10}H_6Na_2O_8S_2$, M_R 364,25. Farblose, leicht in Wasser lösl. Krist., Schmp. >300 °C, Dinatrium-Salz der 4,5-Dihydroxy-2,7-naphthalindisulfonsäure.
Verw.: Als Zwischenprodukt bei Farbstoffsynth., im Labor als Reagenz bzw. zur quant. Bestimmung von Ag, B, Cr, Hg, Ti, Chromat, Formaldehyd, Nitrit u. Nitrat. Des weiteren für die Bestimmung der Methylendioxy-Gruppe u. von Ethylenglycol in biolog. Material. – *E* chromotropic acid disodium salt – *F* acide chromotropique, sel disodique – *I* sale bisodico dell'acido cromotropico – *S* ácido cromotrópico, sal disódica
Lit.: Anal. Biochem. **65**, 132 (1975) ▪ Beilstein E IV **11**, 636 ▪ Fries-Getrost ▪ J. Chromatogr. **37**, 357 (1968) ▪ Merck Index (11.), Nr. 2243. – [CAS 5808-22-0]

Chromoxide. Gegenüber Sauerstoff tritt Chrom in den Oxidationsstufen +2, +3, +4 u. +6 auf; die Oxide haben sehr unterschiedliche Bedeutung.
(a) *Chrom(II)-oxid*, CrO, M_R 68,00, entsteht z. B. bei therm. Zers. von Chromhexacarbonyl, geht beim Glühen in Chrom(III)-oxid u. beim Erhitzen im Wasserstoff-Strom in metall. Cr über.
(b) *Chrom(III)-oxid* („Chromoxid"), Cr_2O_3, M_R 151,99, je nach Herst. grünes Pulver od. metallglänzende, buntschillernde, sehr harte, hexagonal rhomboedr. Krist., D. 5,22, Schmp. 2435 °C, Sdp. ca. 3000 °C, unlösl. in Säuren; wird wegen seiner großen Härte in Schleifmitteln u. hochtemperaturbeständigen Werkstoffen verwendet, daneben als Katalysator in zahlreichen organ. Synth.

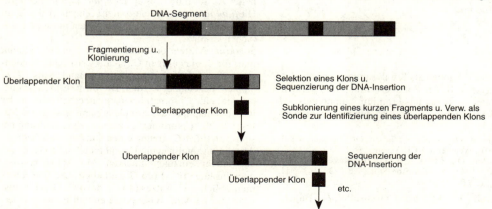

Abb.: Chromosome walking.

u. in den *Chrom-Pigmenten. Als Beimengung (0,25%) zu Al_2O_3 verursacht es dessen Rotfärbung zum *Rubin.
(c) *Chrom(IV)-oxid*, CrO_2, M_R 83,99, braunes bis schwarzes Pulver, D. ca. 5,0, durch therm. Abbau von CrO_3 gewinnbar, wird als *Ferromagnetikum in der Elektro-Ind. für *Magnetbänder u. ä. Speichereinrichtungen verwendet.
(d) *Chrom(VI)-oxid* [Chromtrioxid, Chromsäure(anhydrid)], CrO_3, M_R 99,99, dunkelrote, geruchlose, giftige u. carcinogene Kristallnadeln (Gruppe III A 2, TRK-Wert 0,1 bzw. 0,2 mg/m^3), die an der Luft Feuchtigkeit anziehen u. in viel Wasser unter Bildung von gelber Chromsäure (H_2CrO_4), in wenig Wasser unter Bildung von gelbroten höheren Chromsäuren sehr leicht lösl. sind. Reines CrO_3 krist. rhomb., D. 2,7, Schmp. 197 °C; beim Glühen geht es unter Sauerstoff-Abspaltung über CrO_2 in Cr_2O_3 über. CrO_3 ist ein außerordentlich energ. Oxidationsmittel, das z.B. mit Alkohol u.a. organ. Stoffen explosionsartig reagieren kann. Vorsicht! Auf Haut u. Schleimhäute wirkt CrO_3 stark ätzend (s. Chrom), Eiweiß wird ausgeflockt bzw. gehärtet, bei Einnahme entstehen Verdauungsstörungen u. Nierenschädigungen (0,6 g können tödlich wirken), Krämpfe u. Lähmungen. Auch die Dämpfe sind giftig.
Herst.: Ausfällen aus konz. Chromat-Lsg. mit konz. H_2SO_4.
Verw.: Wichtigstes Verwendungsgebiet ist die Galvanotechnik. CrO_3-Lsg. dienen zur Passivierung von Zn, Al, Cd u. Messing. Auch zur Herst. von CrO_2 u. in Holzschutzmitteln wird Chrom(VI)-oxid verwendet. In der präparativen Chemie als Oxidationsmittel, wobei organ. Substanzen vorteilhaft mit CrO_3/Aceton-Lsg. (*Jones-Oxidation) od. CrO_3/Pyridin-Suspension (*Sarett-Oxidation) oxidiert werden. Das *Lalancette-Reagenz (in Graphit eingelagertes CrO_3) oxidiert Alkohole spezif. zu Aldehyden bzw. Ketonen.
(e) Die vom Chromsäure-Nachw. bekannte, in Ether gelöste, blaue Verb. (*Perchromsäure*) besteht aus dem Etherat $CrO_5 \cdot O(C_2H_5)_2$; Cr liegt auch hier in der Oxidationsstufe +6 vor (2 Peroxo-Gruppen). – *E* chromium oxides – *F* oxydes de chrome – *I* ossido di cromo – *S* óxidos de cromo
Lit.: Alper, High Temperature Oxide. Part 1: Magnesia, Lime, and Chrome Refractories, New York: Academic Press 1970 ▪ Gmelin, Syst.-Nr. 52, Cr, Tl. B, 1962, S. 8–156 ▪ Hommel, Nr. 248 ▪ Kirk-Othmer (4.) **6**, 269 ff., 279 ff. ▪ Ullmann (5.) **A 7**, 76 ff. ▪ Winnacker-Küchler (4.) **2**, 653 ff. ▪ s.a. Chrom. – [HS 2819 10 – 90; CAS 12018-00-7 (a); 1308-38-9 (b); 12018-01-8 (c); 1333-82-0 (d); 35267-77-2 (CrO_5)]

Chromoxidgrün, Chrom(III)-oxidhydrat s. Chrom-Pigmente.

Chromoxid-Pigmente s. Chrom-Pigmente.

Chromoxid-Pyridin-Komplex s. Sarett-Oxidation.

Chromoxychlorid s. Chromylchlorid.

Chrom(III)-phosphat. $CrPO_4 \cdot 3H_2O$. Blaugrünes, wasserunlösl. Pulver, D. 2,15, wird in der Malerei unter der Bez. Arnaudons od. Plessys Grün gelegentlich als Pigment verwendet; auch als Haftgrundmittel u. Korrosionsinhibitor. – *E* chromic phosphate(III) – *F* phosphate de chrome(III) – *I* fosfato di cromo(III) – *S* fosfato de cromo(III)

Lit.: Brauer **2**, 1195 ▪ Gmelin. Syst.-Nr. 52, Cr, Tl. B, 1962, S. 440–444 ▪ Ullmann (5.) **A 7**, 84. – [HS 2835 29; CAS 13475-97-4 (C. $\cdot$ $3H_2O$); 7789-04-0 (C.)]

Chrom-Pigmente. Sammelbez. für *Pigmente auf der Basis von Verb. des Chroms. Man unterscheidet Chromoxid-Pigmente u. Chromat-Pigmente.
1. *Chromoxid-Pigmente* sind gegen Licht, Luft, Säure u. Laugen beständige Pulver, die ungiftig sind. Zur Verw. gelangen das olivgrüne, hitzebeständige *Chromoxidgrün* [Chrom(III)-oxid, s. Chromoxide] u. das feurig smaragdgrüne, aufgrund seines Wassergehalts etwas weniger hitzebeständige *Chromoxidhydratgrün* (Guignets Grün, Mittlers Grün, Viridian, Veronese-Grün), u. zwar für Anstrichstoffe (50%), Baustoffe (25%), Kunststoffe (10%), Emails u. Keramik (10%) u. sonstige Zwecke (5%). Die Produktionskapazität dieser C. betrug 1985 weltweit ca. 53 000 t/a (ca. 1,4% der anorgan. Pigmente).
2. *Chromat-Pigmente* übertreffen mengenmäßig die vorgenannten Chromoxid-Pigmente. Sie werden wegen ihrer reinen, kräftigen gelb-roten Farbtöne u. der guten Deckkraft als Malerfarben geschätzt; es sind im allg. schwerlösl. Metall- u. Erdalkalimetallchromate (z. T. als Mischungen) z.B. von Blei, Zink, Strontium u. Barium, Calcium, die hier unter den Einzelverb. abgehandelt sind. Sie kommen unter der Bez. wie *Chromgelb* ($PbCrO_4$ u. $PbSO_4$), *Chromorange* u. *Chromrot* (Chromzinnober, Derbyrot, Persisch od. Wiener Rot, ungefähre Zusammensetzung $PbO \cdot PbCrO_4$), *Strontiumgelb* (Gemisch aus $SrCrO_4$ u. $BaCrO_4$), *Barytgelb* (gelber Ultramarin, $BaCrO_4$), *Zinkgelb* (ungefähre Zusammensetzung $K_2O \cdot 4ZnO \cdot 4CrO_3 \cdot 3H_2O$) od. *Steinbühls Gelb* ($CaCrO_4$) in den Handel.
3. *Mischpigmente* sind z.B. das *Molybdatrot ($PbCrO_4 + PbSO_4 + PbMoO_4$) u. das gegen Säuren u. Basen empfindliche *Chromgrün* ($PbCrO_4$ u. Berliner Blau, auch als Deck-, Druck-, Englisch-, Milori-, Moos-, Neapel-, Seiden-, Russisch- od. Zinnobergrün bezeichnet). Obwohl die Chromat-Pigmente sehr gute Anstrich-Eigenschaften haben, ist man wegen ihrer physiolog. Bedenklichkeit (vgl. Chrom, Physiologie) bemüht, sie durch Chromat-freie Pigmente zu ersetzen. – *E* chrome pigments – *F* pigments de chrome – *I* pigmenti di cromo – *S* pigmentos de cromo

Lit.: Kirk-Othmer (3.) **6**, 105 ff. ▪ Winnacker-Küchler (4.) **4**, 380 ff. ▪ s.a. Pigmente u. die Einzelverbindungen. – [HS 3206 20]

Chromrot s. Chrom-Pigmente.

Chromsäure(anhydrid) s. Chromtrioxid unter Chromoxide.

Chromschwefelsäure. Ätzendes, giftiges, stark oxidierend wirkendes Gemisch, das man durch Lösen von wasserfreiem, feingepulvertem $K_2Cr_2O_7$ od. $Na_2Cr_2O_7$ in konz. Schwefelsäure erhält; handelsübliche Präp. enthalten ca. 5% $K_2Cr_2O_7$ bzw. $Na_2Cr_2O_7$. In der C. ist neben Alkalihydrogensulfat das stark oxidierend wirkende Chromtrioxid (s. Chromoxide) vorhanden, von dem bisweilen nach der Bereitung ein Teil ausfallen kann. Aufgrund des Gehaltes an Chromtrioxid besitzt C. carcinogene Eigenschaften. Frisch bereitete C. ist rotbraun, verbrauchte C. grün gefärbt, u. zwar infolge der Red. des CrO_3 zu Cr^{3+}. C. reagiert mit Wasser unter starker Wärmeentwicklung (stark ätzende Spritzer!) u. darf nur durch Eingießen der Säure in Wasser unter Rühren verdünnt werden – beim Arbeiten mit C. ist äußerste Vorsicht geboten (Schutzbrille, Abzug!). Die C. findet Verw. zum Reinigen von Glasgeräten, da sie organ. Substanzen (Fette, Staub usw.) oxidativ zerstört. In den Laboratorien wird sie heute allerdings vielfach durch andere Reinigungsmittel ersetzt. – *E* chromosulfuric acid – *F* mélange sulfochromique – *I* acido solfocromico – *S* ácido cromosulfúrico, mezcla crómica

Lit.: Hommel, Nr. 997. – *[CAS 65272-71-1; G 8]*

Chromsesquioxid. Veraltete Bez. für das Chrom(III)-oxid, s. Chromoxide.

Chromstähle. Chrom ist eines der wichtigsten Legierungselemente für *Stahl. Es wird im Rahmen der Stahlherst. dem Eisen als *Ferrochrom (s. Chrom-Legierungen) zulegiert. Es hat folgende Auswirkungen auf die Eigenschaften von Stahl: Im *Mischkristall mit Eisen stabilisiert es dessen Tieftemp.-Phase (*Ferrit) u. weitet ihren Existenzbereich mit ansteigendem Zusatz soweit aus, daß Eisen bei Gehalten >13% Cr (in Abwesenheit Austenit-stabilisierender Zusätze) sich nicht mehr umwandelt. Cr erhöht des weiteren die Festigkeit von Eisen durch Bildung von Mischkrist., durch Feinausscheidungen von Carbiden u. durch Beeinflussung der Umwandlung des Eisens (*Martensit). In Vergütungsstählen werden bis ca. 4% Cr zulegiert, in warmfesten Stählen bis 18%. Bei größeren Anteilen an Carbiden führt deren hohe Härte zu verbesserter Verschleißbeständigkeit. So finden sich in Wälzlagerstählen bis 18% u. in Werkzeugstählen bis 25% Cr. Aufgrund seiner hohen Affinität zu Sauerstoff bildet sich in einem weiten Temp.-Bereich auf Cr eine festhaftende, dichte, chem. weitgehend inerte, selbstheilende Chromoxid-Schicht geringer Dicke. Bei Gehalten >13% überträgt Cr die resultierende Eigenschaft chem. Beständigkeit auch auf Eisen (s. Passivität) u. bildet daher die Grundlage der *nichtrostenden u. hitzebeständigen Stähle mit Cr-Gehalten bis 30%. Cr ist allerdings auch wichtigster Bestandteil von Phasen in Stählen, die sich insbes. bei längeren Glühvorgängen bilden u. zu einer *Versprödung od. *Sensibilisierung führen. Eine sehr wichtige Phase dieser Art ist die intermetall. FeCr(σ)-Phase mit ca. 45% Cr. Aufgrund der Beeinflussung des Umwandlungsverhaltens kann Chrom in Stählen beim *Schweißen zu unerwünschten Aufhärtungen führen. – *E* chromium (alloyed) steels – *F* aciers au chrome – *I* acciai al cromo – *S* aceros de cromo

Lit.: Rapatz, Die Edelstähle, 5. Aufl., S. 175–209, Berlin: Springer 1962.

Chrom(III)-sulfat, $Cr_2(SO_4)_3$, M_R 392,16. Violettes Pulver, D. 3,012, unlösl. in Wasser u. Säuren, bildet verschiedene wasserlösl. Hydrate, die entweder grün od. violett gefärbt sind (z. B. mit $18 H_2O$). Das ebenfalls techn. bedeutsame bas. C. $Cr(OH)SO_4$ enthält wechselnde Mengen an Krist.-Wasser; grüne Flitter od. grünes Pulver, lösl. in Wasser.

Verw.: Hauptsächlich zur Ledergerbung, daneben als Textilbeize u. zur Herst. anderer Chrom-Verbindungen – *E* chromium sulfate – *F* sulfate de chrome(III) – *I* solfato cromico(III) – *S* sulfato de cromo(III)

Lit.: DECHEMA-Monogr. **75**, 513–523 (1974) ▪ Gmelin, Syst.-Nr. 52, Cr, Tl. B, 1962, S. 306–334 ▪ Winnacker-Küchler (3.) **2**, 111 ff., 118. – *[HS 2833 23; CAS 15244-38-9]*

Chromtrioxid s. Chromoxide.

Chromyl... Bez. für die Atomgruppierung CrO_2^{2+}; *Beisp.:* *Chromylchlorid.

Chromylchlorid (Chromoxychlorid). CrO_2Cl_2, M_R 154,90. Blutrote Flüssigkeit, die an der Luft rotbraune Dämpfe abgibt, D. 1,935, Schmp. –96,5 °C, Sdp. 117 °C; unzersetzt lösl. in Tetrachlormethan, Schwefelkohlenstoff u. Phosphoroxidchlorid, wird von Wasser unter starker Wärmeentwicklung unter Umkehrung der Bildungsreaktion zu Chromsäure u. Salzsäure zersetzt. In reinem Zustand hält es sich unter Lichtabschluß ziemlich lange, dagegen reagiert es mit organ. Substanzen oft heftig u. unter Entflammung.

Verw.: Als Oxid.- u. Chlorierungsmittel, zur Umwandlung von Methyl-Gruppen (an aromat. Kernen) in Aldehyd-Gruppen, zur Herst. chlorierter Ketone aus aliphat. Kohlenwasserstoffen, zur Synth. von Cr^{III}-Komplexen, Chelaten, Chrom-haltigen Farbstoffen. – *E* chromyl chloride – *F* chlorure de chromyle – *I* cloruro di cromile – *S* cloruro de cromilo

Lit.: Hommel, Nr. 996 ▪ Ullmann (5.) **A 7**, 89. – *[HS 2827 49; CAS 14977-61-8; G 8]*

Chronoamperometrie, -coulometrie s. Chronopotentiometrie.

Chronobiologie. Lehre von den zeitlichen bzw. period. Änderungen biolog. Prozesse. Viele Lebensvorgänge bei Mensch, Tier u. Pflanze laufen in definierten rhythm. Intervallen (z. B. Tages-, Monats- u. Jahreszeit-Intervalle). Das Frequenzspektrum der biolog. Rhythmen reicht vom ms-Bereich über Stunden u. Tage bis zu Monaten u. Jahren u. hat sich häufig Umweltzyklen (z. B. Tag/Nacht, Sommer/Winter) angepaßt. Gesetzmäßige Zirkadianschwankungen zeigen z. B. die menschliche Körpertemp., der Blutdruck, die Pulsfrequenz u. der Blutzuckerspiegel. Dieser Bioperiodik liegen rhythm. Änderungen der Zellaktivität zugrunde. Die Lebensrhythmen u. ihre Synchronisation werden z. T. in Therapie-Konzepten berücksichtigt (Chronopharmakologie, Chronotherapie). – *E* chronobiology – *F* chronobiologie – *I* cronobiologia – *S* cronobiología

Lit.: Brady (Hrsg.), Biological Timekeeping, Soc. for Experimental Biology Seminars Series 14, Cambridge: Cambridge University Press 1982.

Chronopotentiometrie. Von griech.: chronos = Zeit u. Potentiometrie abgeleitete Bez. für eine auf dem Prinzip der *Voltammetrie beruhende Meth. der Elektroanalyse, bei der durch die Änderung des *Potentials* einer Elektrode als Funktion der Zeit aufgezeichnet wird, während ein (im allg. konstant gehaltener) Strom durch die Zelle fließt. Bei der Messung des interessierenden Potentials wird eine Hilfs-Bezugselektrode verwendet, als 2. („akt") Elektrode kann einfach das Bodenquecksilber dienen. Die angewandten Stromstärken betragen etwa 10^{-4} A. Die Analysen (Metall-Ionen, Halogen-Ionen, organ. funktionelle Gruppen) lassen sich in etwa $1/10$ der Zeit ausführen wie bei der gewöhnlichen *Polarographie; die Meth. eignet sich deshalb bes. für kinet. Untersuchungen. In analoger Weise spricht man auch von *Chronoampero-* bzw. *-coulometrie*, wobei im ersten Fall der Stromabfall, im letzten die Elektrizitätsmenge in Abhängigkeit von der Zeit gemessen wird. Zur Terminologie s. *Lit.*[1]. – *E* chronopotentiometry – *F* chronopotentiométria – *I* cronopotenziometria – *S* cronopotenciometría

Lit.: [1] Pure Appl. Chem. **45**, 81–97 (1976); **51**, 1159–1174 (1979).

allg.: Snell-Hilton **3**, 197 ff. ▪ Townshend, Encyclopedia of Analytical Science, Vol. 1, 90–99, London: Academic Press 1995 ▪ Ullmann (4.) **5**, 651–685 ▪ Weissberger u. Rossiter, Electrochemical Methods (Techn. Chem. 1/2 A), S. 591–644, New York: Wiley 1971 ▪ s. a. Elektroanalyse, Voltammetrie.

Chrys... Von griech.: chrysos = Gold abgeleitete Vorsilbe, die in den Trivialnamen von Verb. gelbe od. goldene Färbung ausdrücken soll. *Beisp.:* Chrysazin, Chrysoidin, Chrysophansäure.

Chrysanthemin (Asterin, Cyanidin-3-monoglucosid).

C.-Chlorid: $C_{21}H_{21}ClO_{11}$, M_R 484,84. Metallglänzende, rotbraune Blättchen od. Prismen, Schmp. 205 °C (Zers.). C. findet sich z. B. als Farbstoff in Astern, Chrysanthemen, Holunderbeeren, Brombeeren, Heidelbeeren, Blutorangen, Pfirsichen od. in roten Herbstblättern einiger Ahornarten. – *E* chrysanthemine – *F* chrysanthémine, astérine – *I* = *S* crisantemina

Lit.: Beilstein E V **17/8**, 475 ▪ Karrer, Nr. 1713 ▪ Schweppe, S. 396 f. – *[HS 3203 00]*

Chrysanthemumsäure. (1R)-*trans*-2,2-Dimethyl-3-(2-methyl-1-propenyl)-cyclopropancarbonsäure.

$C_{10}H_{16}O_2$, M_R 168,24, Schmp. 17–21 °C, Ester der C. sind Hauptwirkstoffe des *Pyrethrums, einem aus getrockneten Chrysanthemenblüten gewonnenen Extrakt mit insektizider Wirkung; C.-Ester waren der Ausgangspunkt für die Entwicklung der *Pyrethroide, einer bedeutenden *Insektizid-Klasse. – *E* chrysanthemic acid – *F* acide chrysanthèmique – *I* acido crisantemico – *S* ácido crisantemo

Lit.: Beilstein E IV **9**, 168 ▪ Zechmeister **19**, 120–164. – *[CAS 2259-14-5]*

Chrysarobin (1,8-Dihydroxy-3-methyl-9-anthron, Chrysophanolanthron). $C_{15}H_{12}O_3$, M_R 240,26, gelbe Nadeln, Schmp. 206–208 °C, lösl. in Alkohol u. Chloroform od. Fetten. C. wird durch Extraktion mit Benzol aus dem sog. Araroba- od. Goapulver (gelblichbraunes Pulver aus dem Kernholz des 20–30 m hohen Baumes *Andira araroba*, Fabaceae, in Indien angebauter brasilian. Schmetterlingsblütler) gewonnen. C. ist der Hauptbestandteil eines Chrysarobinum genannten Gemisches verschiedener *Anthrone u. Anthranole. C. gibt nach Alaunbeize auf Wolle eine dunkelviolette Färbung, reizt Haut- u. Schleimhäute (bes. die Augen) u. findet gelegentlich Verw. gegen *Psoriasis. – *E* chrysarobin, purified goa powder – *F* chrysarobine – *I* crisarobina – *S* crisarrobina

Lit.: Beilstein E III **8**, 2852 ▪ Hager (5.) **1**, 575; **7**, 937 ▪ Merck-Index (11.), Nr. 2257 ▪ Schweppe, S. 251. – *[CAS 491-58-7]*

Chrysazin (1,8-Dihydroxyanthrachinon, Danthron).

$C_{14}H_8O_4$, M_R 240,22. Tiefgelbes Pulver od. orangefarbene Krist., D. 1,537, Schmp. 191 °C, nahezu unlösl. in Wasser, lösl. in Alkohol, Ether, wäss. Alkalimetallhydroxid-Lsg., Zwischenprodukt bei der Synth. von *Alizarin- u. *Indanthren-Farbstoffen, Abführmittel. – *E* chrysazin – *F* chrysazine – *I* = *S* crisazina

Lit.: Beilstein E IV **8**, 3271 ▪ Merck-Index (11.), Nr. 2813 ▪ Ullmann (4.) **7**, 604; (5.) **A 2**, 375. – *[HS 291469; CAS 117-10-2]*

Chrysen.

$C_{18}H_{12}$, M_R 228,29. Farblose, rhomb. Krist. mit blauer Fluoreszenz, D. 1,274, Schmp. 256 °C (Subl.), Sdp. 448 °C, in Steinkohlen- u. Braunkohleteer verbreitet, auch im organ. Mineral Curtisit vorkommend. C. entsteht bei unvollständiger Verbrennung u. ist Bestandteil der polycycl. aromat. Kohlenwasserstoffe im Tabakrauch. In Tieren kann es als *Carcinogen wirken. C. dient zur Herst. von UV-Filtern, Sensibilisatoren u. Farbstoffen. Durch Verstreuen von C. u. nachfolgende Ultraviolettbeleuchtung konnte man verschiedentlich Diebstähle aufklären, Insekten markieren usw. – *E* chrysene – *F* chrysène – *I* crisene – *S* criseno

Lit.: Beilstein E IV **5**, 2554 ff. ▪ IARC Monogr. **3**, 159–177 (1973); **32**, 247–261 (1983) ▪ Ullmann (4.) **14**, 687; (5.) **A 5**, 265, 267. – *[CAS 218-01-9]*

Chrysin (5,7-Dihydroxyflavon, 5,7-Dihydroxy-2-phenyl-chromen-4-on). $C_{15}H_{10}O_4$, M_R 254,24. Blaßgelbe Krist., Schmp. 285 °C, unlösl. in Wasser, lösl. in Alkalimetall-Laugen, Alkohol, Ether. Verbreitet als Glucosid in Knospen von Pappeln, in verschiedenen

Coniferen, Fagales, Rosales, Bignoniaceae. – *E* chrysin – *F* chrysine – *I* = *S* crisina

Lit.: Beilstein E V **18/4**, 76 ▪ Schweppe, S. 366 ▪ s. a. Apigenin. – *[CAS 480-40-0]*

Chrysoberyll. Al_2BeO_4; rhomb. (Krist.-Klasse mmm-D_{2h}), grünlichgelbe bis grünlichbraune, flach prismat. Krist.; Struktur s. *Lit.*[1]; H. 8,5, D. 3,7. Reine C. sind geschätzte *Edelsteine. Als Schmucksteine beliebt sind auch der durch Cr^{3+} bei Tageslicht grün, bei Kunstlicht meist dunkelrot od. rotviolett erscheinende, seit 1964 auch künstlich (u. a. zur Verw. in der Lasertechnik) hergestellte *Alexandrit* (Struktur s. *Lit.*[2]; zum „Alexandrit-Effekt" s. *Lit.*[3]) u. das C.-*Katzenauge (*Cymophan*). Letzteres ist durchscheinend gelbgrün, doppelbrechend u. zeigt bei hochgewölbtem mugeligem Schliff eine silbrigweiße, bei Drehung des Steins wandernde Lichtlinie.
Vork.: V. a. in *Granit-*Pegmatiten, z. B. in Brasilien, Sri Lanka (Ceylon), Simbabwe; Alexandrit im Ural/Rußland, in Brasilien, Tansania u. Simbabwe. – *E* chrysoberyl – *F* chrysobéryl – *I* crisoberillo – *S* crisoberilo
Lit.: [1] Phys. Chem. Miner. **14**, 13–20, 426–434 (1987). [2] Sov. Phys. Crystallogr. **30**, 277 f. (1985). [3] Mineral. Mag. **59**, 111 ff. (1995).
allg.: Eppler, Praktische Gemmologie (5.), S. 124–134, Stuttgart: Rühle-Diebener 1994 ▪ Gemmologie (Z. Dtsch. Gemmol. Ges.) **44** (4.), 90–98 (1995) ▪ Ramdohr-Strunz, S. 508 f. ▪ s. a. Edelsteine. – *[HS 253090, 710310; CAS 1304-50-3; 12252-02-7 (Alexandrit)]*

Chrysoidin s. 2,4-Diaminoazobenzol.

Chrysoin s. Tropäolin.

Chrysokoll (Kieselkupfer, Kupfergrün). $(Cu,Al)_2H_2[(OH)_4/Si_2O_5] \cdot nH_2O$; zur Struktur s. *Lit.*[1]; hellblaues, bläulichgrünes od. grünes, gelartiges, fettig glasglänzendes bis mattes *Kupfer-Mineral mit 30–36% Cu-Gehalt; nur derb in traubigen, nierigen u. stalaktit. Formen od. Krusten; H. 2–4, D. 2,0–2,2, Bruch muschelig.
Vork.: In Kupfererz-Lagerstätten, z. B. Nevada u. Arizona/USA, Mexiko, Chile, Zaire, Rußland.
Verw.: Als Schmuckstein, für kunstgewerbliche Gegenstände. Als Antifouling-Zusatz für Schiffsanstriche. Lokal als Kupfererz. – *E* chrysocolla – *F* chrysocolle – *I* crisocolla – *S* crisocol
Lit.: [1] Clays Clay Miner. **40**, 593–599 (1992).
allg.: Eppler, Praktische Gemmologie (5.), S. 383 f., Stuttgart: Rühle-Diebener 1994 ▪ Lapis **19**, Nr. 3, 8 ff. (1994) ▪ Ramdohr-Strunz, S. 713 ▪ s. a. Edelsteine. – *[HS 260300; CAS 26318-99-0, 14567-86-3]*

Chrysolith s. Olivin.

Chrysophanol s. Chrysophansäure.

Chrysophanolanthron s. Chrysarobin.

Chrysophansäure (Chrysophanol, 1,8-Dihydroxy-3-methylanthrachinon). $C_{15}H_{10}O_4$, M_R 254,24. Goldgelbe Blättchen, Schmp. 200–201 °C, in freier Form u. als Glucosid in Rhabarber-, *Rumex*- u. *Rhamnus*-Arten; hautreizend (vgl. Chrysarobin), bildet Cu- u. Co-Komplexe. C.-Glykoside finden als Laxantien Verwendung.

– *E* chrysophanic acid – *F* acide chrysophanique – *I* acido crisofanico – *S* ácido crisofánico
Lit.: Beilstein E IV **8**, 3277 ▪ Hager (5.) **4**, 719 f.; **6**, 392 ff. ▪ J. Chem. Soc., Chem. Commun. **1978**, 95 ▪ Merck-Index (11.), Nr. 2263 ▪ Phytochemistry **25**, 103 (1986). – *[HS 291469; CAS 481-74-3]*

Chrysopras s. Chalcedon.

Chrysotil s. Serpentin u. Asbest.

CHT R. Beitlich GmbH. 72072 Tübingen. *Daten* (1995): 530 Beschäftigte, 25 Mio. DM Kapital, 185 Mio. DM Umsatz. *Produktion*: Textilhilfsmittel.

Chuanghsinmycin (Chuangxinmycin, (2*R*)-*cis* 3,5-Dihydro-3-methyl-2*H*-thiopyrano[4,3,2-*cd*]indol-2-carbonsäure).

$C_{12}H_{11}NO_2S$, M_R 233,28, Schmp. des Methylesters: 145–146 °C. Antitumor-Antibiotikum aus *Actinoplanes tsinanensis* u. *Streptomyces nigrifaciens* mit *in vitro*-Wirkung gegen Gram-pos. u. Gram-neg. Bakterien. C. ist *in vivo* gegen *Escherichia coli*- u. *Shigella dysenteria*-Infektionen wirksam. – *E* chuanghsinmycin – *F* chuangxinmycine – *I* chuangxinmicina – *S* chuanghsinmicina
Lit.: Chem. Pharm. Bull. **35**, 2656–2660 (1987); **42**, 271–276 (1994) ▪ J. Chem. Soc., Perkin Trans. 1 **1992**, 323 f. ▪ Tetrahedron Lett. **34**, 489 (1993).

Chutney. Als C. wird das rohe Mus der Tamarinde (Sauerdattel) bezeichnet. Es ist das unpassierte Mark dieser Hülsenfrucht (*Tamarindus indica*) u. wird als Obst verzehrt. Die Inhaltsstoffe sind 39% Wasser, 2,3% Eiweiß, 0,2% Fett, 30–40% Zucker, 6% Rohfaser u. 2,1% Mineralstoffe. Daneben wird das Mus auch zu Tamarindensaft, -wein, Soßen od. Zuckerbier verarbeitet. Ausgewachsene Bäume liefern je 150–200 kg Früchte (mit 80–90 kg Fruchtmus). Kommerzielle Bedeutung hat die Produktion nur in Indien (1982: 250 000 t), Puerto Rico u. Thailand. Die bei der Aufarbeitung anfallenden Samen finden wegen ihres Gehaltes an hydrokolloiden Substanzen neuerdings als Samenmehl in der Jute- u. als Appreturmittel in der Textil-Ind. Indiens Verwendung. Die Tamarinde (von tamar = Dattel), die wohl aus Äthiopien stammte u. nach Indien gelangte, ist von dort ins Mittelmeergebiet u. im 16. Jh. nach Amerika eingeführt worden. Neben Wildvork. wird sie heute weltweit kultiviert. Der immergrüne, bis 25 m hohe Baum gedeiht in semiariden Gebieten. Nach Insektenbestäubung entwickelt sich das einzige Fruchtblatt zu einer bis 17 cm langen Hülse, in der die Samen in ein braunes, klebri-

ges, süßsaures Fruchtmus (C.), das Mesokarp, eingebettet sind. – *E* Tamarind – *F* Tamarinier – *I* = *S* tamarindo
Lit.: Franke, Nutzpflanzenkunde, 4. Aufl., Stuttgart: Thieme 1989.

Chylomikronen s. Lipoproteine.

Chymasen (EC 3.4.21.39). Familie eng-verwandter *Glykoproteine (Mensch: M_R ca. 30 000 in SDS-Elektrophorese, 226 Aminosäure-Reste) aus *Mastzellen, funktionell *Serin-Proteasen mit ähnlicher Spezifität wie *Chymotrypsin, d. h. an Carboxy-Gruppen der aromat. Aminosäure-Reste *Phenylalanin, *Tyrosin u. *Tryptophan spaltend. Dabei selektieren einzelne Typen von C. jedoch jeweils ganz bestimmte Bindungen in bestimmten Protein-Mol., z. B. die Phe^8-His^9-Bindung in *Angiotensin I, was zur Bildung von Angiotensin II führt. C. kommen in Skelettmuskel, Herz, Lunge, Haut vor. – *E* = *F* chymase – *I* chimasi – *S* quimasa
Lit.: J. Hypertension **11**, 1155–1159 (1993) ▪ Science **271**, 502 ff. (1996).

Chymopapain s. Papain.

Chymosin s. Lab.

Chymotrypsine (EC 3.4.21.1–2). Verdauungsenzyme, gehören zu den *Proteinasen (Endopeptidasen), einer Untergruppe der *Hydrolasen. Sie entstehen im *Pankreas aus ihren *Zymogenen (*Chymotrypsinogenen) unter der Einwirkung von *Trypsin. Die Aktivierung der C. aus Chymotrypsinogenen wird durch bestimmte Inhibitoren (z. B. *Aprotinin) reguliert. In zahlreichen pflanzlichen Lebensmitteln (Hülsenfrüchten, Getreide, Kartoffeln u. a.) wurden C.-Inhibitoren gefunden. Aufgrund ihres Katalysemechanismus, an dem wesentlich ein Serin-Rest beteiligt ist, u. ihrer Struktur zählt man die C. – wie z. B. auch *Elastase, *Thrombin, *Trypsin – zur wichtigen Familie der *Serin-Proteasen. Das bestuntersuchte α-C. (M_R ca. 25 000, 3 Polypeptid-Ketten, insgesamt 245 Aminosäure-Reste, Strukturaufklärung durch Blow) hydrolysiert Proteine, Peptide, Aminosäureester u. Amide spezif. an der Carboxy-Gruppe hydrophober *Aminosäuren.
Verw.: Als proteolyt. Enzyme z. B. bei Hämatomen, Ödemen, Entzündungen. – *E* chymotrypsins – *F* chymotrypsines – *I* chimotripsine – *S* quimotripsinas
Lit.: Stryer (5.), S. 231–239, 256 f. – *[HS 350790]*

Chymotrypsinogene. Im *Pankreas-Saft gebildete u. gespeicherte *Zymogene der *Chymotrypsine, die aus C. unter der Einwirkung von Trypsin entstehen. Bisher wurden die drei C. A, B u. C in krist. Form isoliert. – *E* chymotrypsinogens – *F* chymotrypsinogènes – *I* chimotripsinogeni – *S* quimotripsinógenos – *[HS 350400]*

Chypre-Parfüm. Klass. Parfüm (Coty 1917) auf der Basis von Bergamotte, Rose, Jasmin u. Eichenmoos mit frisch aldehyd.-moosiger Note. Über die Zusammensetzung diverser Parfüms mit Chypre-Noten s. *Literatur.*
Lit.: Appell, Cosmetics, Fragances and Flavors, S. 280, Whiting: Novox 1982 ▪ H & R Duftatlas Bd. 2, S. 102–121, Hamburg: Glöss Verl. 1984.

Ci. Kurzz. für die Einheit *Curie.

CI. Abk. für *Configuration Interaction.

CIA. Abk. für Chemical Industries Association Ltd., Dachverband der chem. Ind. in Großbritannien mit Sitz in Kings Buildings, Smith Square, GB-London SW 1 P 3 JJ. CIA fördert die allg. u. wirtschaftlichen Interessen der Chemie-Produzenten sowie deren Zusammenarbeit. Er ist wie der *VCI in der Bundesrepublik Deutschland Mitglied der *CEFIC.

Ciamician, Giacomo (1857–1922), Prof. für Chemie, Bologna. *Arbeitsgebiete:* Spektroskopie, Pyrrol-Derivate, Antiseptika, Terpene, Phenole, Riechstoffe, v. a. aber organ. Photochemie, als deren Begründer C. angesehen werden kann.
Lit.: Ann. Chim. (Paris) **10**, 187–192 (1965) ▪ EPA Newsletter 1978, Dec., S. 4–10 ▪ Farber, Great Chemists, S. 1085 ff., New York: Wiley 1961 ▪ J. Chem. Educ. **42**, 383 ff. (1965) ▪ Pötsch, S. 86.

Ciatyl®. Tropfen, Tabl., Ampullen mit *Clopenthixol, C. Z (Ampullen) mit *Zuclopenthixol, gegen Psychosen, Schizophrenie, Zerebralsklerosen u. dgl. *B.:* Bayer Pharma Deutschland.

Ciba Additive GmbH. 68619 Lampertheim, Tochterges. der Ciba-Geigy AG, Basel. *Produktion:* Additive für die Kunststoff-Ind. (PVC-Stabilisatoren, Antioxidantien u. Lichtschutzmittel).

Cibacalcin®. Trockensubstanz mit Human-*Calcitonin Hydrochlorid zur Osteoporose-Therapie. *B.:* Geigy Pharma.

Cibacen® u. Cibadrex®. Filmtabl. mit *Benazepril-Hydrochlorid, ein ACE-Hemmer gegen Hypertonie. *B.:* Ciba Pharma.

Ciba Foundation. Eine 1949 gegr. u. von *Ciba-Geigy unterstützte Stiftung mit Sitz in Portland Place 41, London W1N 4BN, zur Förderung der internat. Zusammenarbeit auf den Gebieten der medizin. u. chem. Forschung. *Publikation:* Ciba Foundation Symposia, Chichester: John Wiley & Sons Ltd. (seit 1986). – INTERNET-Adresse: http://www.ciba.com/cgf
Lit.: Chem. Rundsch. **31**, Nr. 14, 1–4 (1978) ▪ Woodford, The Ciba Foundation: An Analytic History 1949–1974, Amsterdam: Excerpta Medica 1974.

Ciba-Geigy. Kurzbez. für den durch den Zusammenschluß von Ciba u. Geigy (1970) entstandenen Chemiekonzern Ciba-Geigy AG, CH-4002 Basel. *Daten 1994:* 84 000 Beschäftigte, weltweit ca. 22 Mrd. sfr Umsatz. *Produktion:* Farbstoffe, Pigmente, Textilchemikalien, Gerbstoffe, Papierchemikalien, Pharmazeutika, Agrochemikalien für Pflanzenschutz u. Tiergesundheit, Kunststoffe, Additive, Photochemikalien, Industriechemikalien, Haushalts-, Garten- u. Körperpflegemittel u. v. a.
1996 fusionierte Ciba-Geigy mit dem Chemiekonzern Sandoz unter dem Namen Novartis (s. dort).

Čičibabin, Aleksej Evgenevic s. Tschitschibabin.

Ciclacillin.

Internat. Freiname für das Antibiotikum 6-[(1-Aminocyclohexyl)-carbonylamino]-penicillansäure, $C_{15}H_{23}N_3O_4S$, M_R 341,43, Schmp. 182–183°C (Anhydrat), Zers. bei 156–158°C; $[\alpha]_D^{25}$ 268° (H_2O); C. wurde 1965 u. 1969 von Am. Home Prods. patentiert. – *E* ciclacillin – *F* ciclacilline – *I* ciclacillina – *S* ciclacilina
Lit.: Hager (5.) **7**, 942. – *[HS 2941 10; CAS 3485-14-1]*

Cicletanin.

Internat. Freiname für (±)-3-(4-Chlorphenyl)-1,3-dihydro-6-methylfuro[3,4-c]pyridin-7-ol, $C_{14}H_{12}ClNO_2$, M_R 261,71, Schmp. des Hydrochlorids 219–228°C. C. ist ein *Vasodilatator u. zur Behandlung des hohen Blutdrucks als Justar® (Intersan) im Handel. – *E* cicletanine – *F* clétanine – *I* = *S* cicletanina
Lit.: Frölich u. Förstermann, Cicletanin-Symposium (Bd. 7 der Reihe Klin. Pharmakologie), Germering: Zuckschwerdt-Verl. 1990 ■ Merck Index (11.), Nr. 2268 ■ Naunyn-Schmiedebergs Arch. Pharmakol. **347**, 548–552 (1993). – *[CAS 89943-82-8; 82747-56-6 (Hydrochlorid)]*

Cicloniumbromid.

Internat. Freiname für Diethyl-methyl-{2-[α-methyl-α-(5-norbornen-2-yl)-benzyloxy]-ethyl}-ammoniumbromid, $C_{22}H_{34}BrNO_2$, M_R 424,42. Es wurde 1957 als Spasmolytikum u. Anticholinergikum von Asta (Dolo-Adamon®, außer Handel) patentiert. – *E* ciclonium bromide – *F* bromure de ciclonium – *I* bromuro di ciclonio – *S* bromuro de ciclonio
Lit.: Pharm. Ztg. **137**, 971 (1992). – *[HS 2923 90; CAS 29546-59-6]*

Ciclopirox.

Internat. Freiname für 6-Cyclohexyl-1-hydroxy-4-methyl-2(1*H*)-pyridinon, $C_{12}H_{17}NO_2$, M_R 207,27, häufig als 2-Aminoethanol-Salz (*Ciclopiroxolamin*), $C_{14}H_{24}N_2O_3$, verwendet; Schmp. 144°C, LD_{50} (Maus oral) 2898, (Ratte oral) 3290 mg/kg. C. wurde 1970 u. 1975 als Antimykotikum von Hoechst (Batrafen®) patentiert. – *E* ciclopirox(olamine) – *F* = *S* ciclopirox
Lit.: ASP ■ Hager (5.) **7**, 944. – *[HS 2933 79; CAS 29342-05-0; 41621-49-2 (Amin-Salz)]*

Ciclosporin.

Internat. Freiname für das zur *Immunsuppression verwendete *Cyclosporin A von Sandoz (Sandimmun®). – *E* ciclosporin – *F* ciclosporine – *I* = *S* ciclosporina
Lit.: ASP ■ Beilstein E V **21/7**, 470 ■ Hager (5.) **7**, 949. – *[HS 2933 90; CAS 59865-13-3]*

Cicutin s. Coniin.

Cicutoxin [(*E,E,E*)-(–)-Heptadeca-8,10,12-trien-4,6-diin-1,14-diol].

$C_{17}H_{22}O_2$, M_R 258,36, (*all-E*)-(–)-Form: amorphes Pulver, Schmp. 54°C, $[\alpha]_D^{15}$ –14,5° (c 1,7/C_2H_5OH). Giftiger Inhaltsstoff aus den Wurzeln des Wasser-Schierlings (*Cicuta virosa*, Umbelliferae) u. *C. maculata*. (*all-E*)-(±)-Form: Krist., Schmp. 67°C. C. hemmt den Elektronentransport in der Atmungskette u. bei der Photosynthese. Es wirkt antileukäm. u. als zentral angreifendes Krampfgift. LD_{50} 9,2 mg/kg (Maus, i.p.); LDL_0 7 mg/kg (Katze, oral). – *E* citutoxin – *F* cicutoxine – *I* cicutossina – *S* cicutoxina
Lit.: Beilstein E IV **1**, 2744 ■ J. Nat. Prod. **49**, 1117 (1986) ■ Karrer, Nr. 138 ■ Merck-Index (11.), Nr. 2273 ■ Sax (8.), Nr. CMN 000 ■ Vet. Hum. Toxicol. **29**, 240 (1987). – *[CAS 82905-09-7; 505-75-9 ((all-E)-C.)]*

Cid®. Sprayförmiges Wäsche-Vorbehandlungsmittel, das vor dem Waschen auf verschmutzte Stellen des Waschgutes aufgesprüht wird. Der FCKW-freie Waschkraftverstärker enthält neben grenzflächenaktiven Substanzen ein Gemisch aus Isoparaffinen. **B.**: Henkel.

CIDB. Abk. für *Chemie-Information u. -Dokumentation Berlin.

CIDEP. Abk. für *C*hemically *I*nduced *D*ynamic *E*lectron *P*olarization (chem. induzierte dynam. Elektronenspin-Polarisation), einen Begriff aus der *EPR-Spektroskopie. Wenn *freie Radikale chem. reagieren, dann hat dies einen Einfluß auf ihre Elektronenspinzustände. Die resultierende *magnet.* *Polarisation gibt sich durch vorübergehend auftretende (*transiente) anomale Intensitäten infolge *Emission von Radiowellen in den EPR-Spektren zu erkennen, vgl. a. CIDNP.
Lit.: Richard u. Granger, *Lit.* bei CIDNP.

CIDNP. Scherzhaft wie „*K*idnap" ausgesprochene Abk. für *C*hemically *I*nduced *D*ynamic *N*uclear *P*olarization (chem. induzierte dynam. Kernpolarisation). Hierunter versteht man einen 1967 erstmals beschriebenen Effekt, der sich bei der *NMR-Spektroskopie – statt wie üblich als Absorption – als *Emission von Radiowellen zu erkennen gibt; die Erscheinung wird deshalb gelegentlich auch als *Raser* (*R*adiowave *A*mplification by *S*timulated *E*mission of *R*adiation) bezeichnet. CIDNP tritt dann auf, wenn in der Untersuchungssubstanz während der Kernresonanzmessung in Erscheinung tretende *Radikale rekombinieren. Die hiermit verbundene *Polarisation der Kernspins (bzw. der Elektronenspins bei *CIDEP) ist für den Effekt verantwortlich; näheres zu Theorie u. Anw. der CIDNP auf Photolysen, Thermolysen u. Umlagerungen s. *Lit.*[1].
Lit.: [1] Chem. Unserer Zeit **10**, 84–93 (1976).
allg.: Kalinowski, Berger u. Braun, ^{13}C-NMR-Spektroskopie, S. 613 ff., Stuttgart: Thieme 1984 ■ Richard u. Granger, Chem-

ically Induced Dynamic Nuclear and Electron Polarizations – CIDNP and CIDEP, Berlin: Springer 1974 ▪ Top. Carbon-13 NMR Spectrosc. **3**, 361 (1979) ▪ Z. Naturforsch., Teil A **22**, 1551 (1967).

Cidre. Französ. Apfelwein, enthält im Liter durchschnittlich 59 g Ethanol, 55,3 g Extrakt, 31 g Zucker, 4,8 g Fruchtsäuren u. 3 g Mineralstoffe. – *E* cider – *F* cidre – *I* sidro – *S* sidra

cif. Die Abk. (für engl.: cost = Preis, insurance = Versicherung u. freight = Fracht) bedeutet im Übersee-Warenhandel, daß die Beförderungs- u. Versicherungskosten einer Ware vom Abgangsort bis zum Bestimmungsort vom Verkäufer getragen werden, s. dagegen fob.

Ciguatera-Toxine. Der Begriff Ciguatera steht für Vergiftungen, die nach dem Genuß verschiedener trop. u. subtrop. Riff-Fische auftreten, die normalerweise eßbar sind, z. B. *Lutjanus bohar* (Roter Schnapper), *Epinephylus fuscoguttatus* (Riff-Dorsch), *Variola louti* (Riff-Barsch). Etwa 20 000 Vergiftungsfälle mit geringer Mortalität werden jedes Jahr gezählt. Ciguatera-Vergiftungen sind insbes. im pazif. Raum weit verbreitet. Als Symptome werden Übelkeit, Erbrechen, Diarrhoe, Kopfschmerzen, Unruhe u. Muskellähmung beobachtet. Neurolog. Symptome halten oft Monate an, z. B. der Trockeneis-Effekt, eine Umkehr der Kalt-Heiß-Empfindung: Personen, die ihre Hand in kaltes Wasser tauchen, haben das Gefühl sich zu verbrühen. Die unterschiedlichen Effekte, die beschrieben werden, sind letztlich das Ergebnis einer direkten Aktion auf erregbare Membranen: Die Toxine erhöhen die Na^+-Permeabilität der Tetrodotoxin-sensitiven Na-Kanäle. Man unterscheidet zwei Gruppen von Verb., die für die Vergiftungen verantwortlich sind: *Ciguatoxin (CTX) u. *Maitotoxin u. davon abgeleitete Verbindungen. Beide Gruppen werden von dem epiphyt. Dinoflagellaten *Gambierdiscus toxicus* produziert, an herbivore Fische weitergeleitet u. schließlich von carnivoren Fischen aufgenommen. Aus *G. toxicus* wird allerdings nur der weniger polare u. weniger tox. Vorläufer CTX3C isoliert, der erst im Laufe der Nahrungskette in den Fischen ins hochtox. Ciguatoxin überführt wird[1]. – *E* ciguatera toxin – *F* toxine de ciguatera – *I* tossina della ciguatera – *S* toxina de la ciguatera

Lit.: [1] Tetrahedron Lett. **34**, 1975 (1993).
allg.: Biol. Bull. (Woods Hole, Mass.) **172**, 137 (1987) ▪ Chem. Unserer Zeit **29**, 68 – 75 (1995) ▪ FEBS Lett. **219**, 355 (1987) ▪ J. Pharmacol. Exp. Ther. **235**, 783 (1985) ▪ Med. Mo. Pharm. **14**, 206 – 216 (1991) ▪ Naturwiss. Rundsch. **43**, 120 (1990); **45**, 481 f. (1992).

Ciguatoxin (CTX).

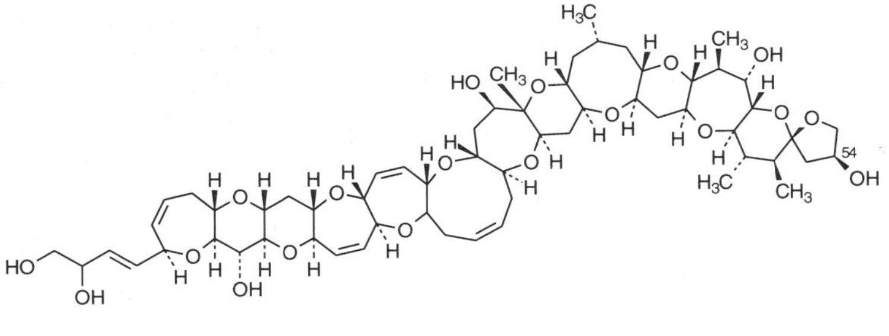

Aus 125 kg Eingeweiden der Muräne *Gymnothorax javanicus* konnten für die Strukturaufklärung 0,35 mg C. ($C_{60}H_{86}O_{19}$, M_R 1111,33) gewonnen werden. CTX wirkt als Agonist potentialsensitiver Natriumkanäle. Die letale Dosis beträgt 0,35 µg/kg (Maus). Das Toxin ist somit etwa 100mal giftiger als *Tetrodotoxin; s. a. Ciguatera-Toxine. – *E* ciguatoxin – *F* ciguatoxine – *I* ciguatossina – *S* ciguatoxina

Lit.: Pharmakologie: J. Biol. Chem. **259**, 8353 (1984) ▪ Toxicon **22**, 169 (1984); **29**, 1115 (1991). – *Struktur:* Chem. Rev. **93**, 1897 (1993) ▪ J. Am. Chem. Soc. **111**, 8929f. (1989); **112**, 4380 (1990) ▪ Tetrahedron Lett. **33**, 525 (1992); **34**, 1975 (1993). – [CAS 11050-21-8]

Cilastatin.

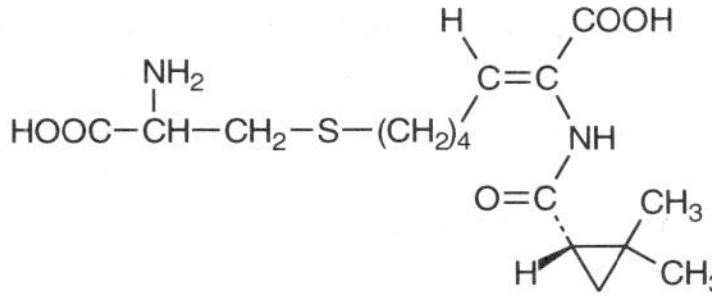

Internat. Freiname für die als Dehydropeptidase-Inhibitor (dieses Enzym inaktiviert *Carbapenem-Antibiotika) wirksame (Z)-7-[(R)-2-Amino-2-carboxyethylthio]-2-{[(S)-2,2-dimethylcyclopropyl)-carbonylamino}-2-heptensäure, $C_{16}H_{26}N_2O_5S$, M_R 358,45. Es ist in Kombination mit *Imipenem in Zienam® (MSD) im Handel. – *E* cilastatin – *F* cilastatine – *I* = *S* cilastatina

Lit.: Hager (5.) **7**, 949 f. ▪ J. Antimicr. Chemother. **12**, Suppl. D, 1 – 35 (1983). – [HS 2930 90; CAS 82009-34-5; 81129-83-1 (Mono-Natrium-Salz)]

Cilazapril.

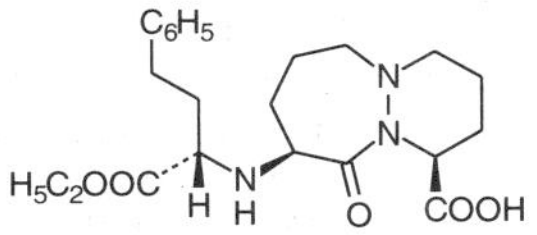

Internat. Freiname für (1S,9S)-9-[(S)-1-Ethoxycarbonyl-3-phenylpropylamino]octahydro-10-oxo 6H-pyridazino[1,2-a][1,2]diazepin-1-carbonsäure, $C_{22}H_{31}N_3O_5$, M_R 417,51, Schmp. des Monohydrats 95 – 97 °C, $[\alpha]_D^{20}$ –62,5° (c 1/C_2H_5OH). C. ist ein *ACE-Hemmer u. zur Behandlung des hohen Blutdrucks als Dynorm® (Merck/Roche) im Handel. Wirkform ist die im Körper durch Hydrolyse entstehende Dicarbonsäure (Cilazaprilat). – *E* = *F* = *I* = *S* cilazapril

Lit.: ASP ▪ Clin. Drug Investig. **10**, 221 – 227 (1995) ▪ Drugs **41**, 799 – 820 (1991); **41** Suppl. 1, 18 – 24 (1991) ▪ Hager (5.) **7**, 951 f. – [HS 2933 90; CAS 88768-40-5; 92077-78-6 (Monohydrat); 90139-06-3 (Cilazaprilat)]

Cilest®. Antikonzeptionsmittel (Tabl.) mit *Ethinylestradiol u. dem *Gestagen Norgestimat. **B.:** Cilag.

Ciliary neurotrophic factor s. neurotrophe Faktoren.

Cimetidin.

Internat. Freiname für 1-Cyan-2-methyl-3-[2-(5-methylimidazol-4-ylmethylthio)ethyl]-guanidin, $C_{10}H_{16}N_6S$, M_R 252,34, Schmp. 141–145 °C; LD_{50} (Maus oral) 2900, (Ratte oral) 5000, (Maus i. v.) 150 mg/kg. C. wurde 1975 als erster H_2-Rezeptor-Antagonist, der wegen seiner kompetitiven Hemmung des Histamins in den Basalzellen der Magenschleimhaut zur Ulkusbehandlung eingesetzt werden kann, von SmithKline & French (Tagamet®) patentiert u. ist generikafähig. – *E* cimetidine – *F* cimétidine – *I* = *S* cimetidina

Lit.: ASP ▪ Beilstein E V **23/11**, 28 ▪ DAB **10** ▪ Florey **13**, 127–182; **17**, 797 ▪ Hager (5.) **7**, 953 ▪ Ullmann (5.) **A 2**, 322 ff. – *[HS 2933 29; CAS 51481-61-9]*

Cinchocain.

Internat. Freiname für 2-Butoxy-4-chinolincarbonsäure-(2-diethylamino-ethylamid), $C_{20}H_{29}N_3O_2$, M_R 343,47. Verwendet wird das Hydrochlorid, Zers. bei 90–98 °C, UV_{max} (1 N Salzsäure): 247, 320 nm (ε 24700, 8810). C. wurde als Lokalanästhetikum 1931 von Ciba patentiert u. ist von Dr. Kade (DoloPosterine®) im Handel. – *E* cinchocaine, dubicaine – *F* cinchocaïne – *I* cincocaina – *S* cincocaína

Lit.: ASP ▪ Beilstein E V **22/5**, 278 ▪ Hager (5.) **7**, 956. – *[HS 2933 40; CAS 85-79-0 (Base); 61-12-1 (Hydrochlorid)]*

Cinchona-Alkaloide s. China-Alkaloide.

Cinchonidin [(8S,9R)-Cinchonan-9-ol, α-Chinidin, Cinchovatin]. Formel s. Chinin. $C_{19}H_{22}N_2O$, M_R 294,40, Platten od. Prismen, Schmp. 210 °C, $[\alpha]_D^{25}$ –110° (Ethanol), in Alkohol u. Chloroform gut lösl., LD_{50} (Ratte i. p.) 206 mg/kg. C. ist ein Alkaloid der Cinchona-Gruppe (*China-Alkaloid), ein *Chinolin-Alkaloid. C. wurde aus vielen *Cinchona*-Arten (*C. tacujensis*, *C. succirubra*) isoliert u. kommt auch in *Remijia*-Arten (Rubiaceae) u. in einigen Ölbaumgewächsen wie *Olea europaea* (Ölbaum) u. *Ligustrum vulgare* (Gemeiner Liguster) vor. Gewonnen wird C. aus der *Chinarinde. C. u. *Cinchonin sind Diastereomere.

Biosynth.: *In vivo* Versuche mit markiertem Keton von C. (= Cinchonidinon) ergaben den Einbau in Cinchona-Alkaloide, bes. in nicht methoxylierte wie C. u. Cinchonin[1]. Zu enzymat. Arbeiten s. *Lit.*[2], zu synthet. Arbeiten s. *Lit.*[3]. C. wird ähnlich wie *Chinin verwendet. – *E* = *F* cinchonidine – *I* = *S* cinconidina

Lit.: [1] J. Chem. Soc., Chem. Commun. **1971**, 31. [2] Phytochemistry **26**, 393 (1987). [3] J. Chem. Soc., Chem. Commun. **1986**, 573.

allg.: Beilstein E V **23/12**, 406 f. ▪ Hager (5.) **4**, 877; **5**, 939 ▪ Manske **34**, 331. – *[HS 2939 29; CAS 485-71-2]*

Cinchonin [(9S)-Cinchonan-9-ol]. Formel s. Chinin. $C_{19}H_{22}N_2O$, M_R 294,40; Nadeln od. Prismen aus Ether od. Alkohol, Schmp. ca. 265 °C (ab 220 °C beginnende Subl.), $[\alpha]_D$ +229° (C_2H_5OH), LD_{50} (Ratte i.p.) 150 mg/kg. C. ist prakt. unlösl. in Wasser, gut lösl. in Alkohol. C. zählt zu den *China-Alkaloiden, ist das wichtigste Nebenalkaloid von *Chinin u. kommt in vielen *Cinchona*-Arten (Rubiaceae) vor.

Wirkung: C. ist gegen Malaria wirksam, jedoch deutlich schwächer als Chinin. C. kann auch zur *Racemattrennung u. zur Fällung von Bi, Cd, Ge, Mo u. W verwendet werden. Von C. sind gut wasserlösl. Salze (Chloride, Sulfate) beschrieben. – *E* = *F* cinchonine – *I* = *S* cinconina

Lit.: Acta Crystallogr., Sect. B **35**, 440 (1979) ▪ Beilstein E V **23/12**, 406 ▪ Hager (5.) **4**, 877; **5**, 939 ▪ J. Chem. Soc., Chem. Commun. **1986**, 573 ▪ Sax (8.), CMP 925. – *[HS 2939 29; CAS 118-10-5]*

Cinchophen.

Internat. Freiname für 2-Phenyl-chinolin-4-carbonsäure, $C_{16}H_{11}NO_2$, M_R 249,27. Es wurde früher als Antirheumatikum u. Urikosurikum eingesetzt. – *E* cinchophen – *F* cinchophène – *I* cincofene – *S* cincofeno

Lit.: Beilstein E V **22/3**, 484 ▪ Pharm. Ztg. **137**, 122 (1992). – *[HS 2933 40; CAS 132-60-5]*

Cinchovatin s. Cinchonidin.

Cineol (1,8-Cineol, 1,8-Epoxy-*p*-menthan, Eucalyptol).

$C_{10}H_{18}O$, M_R 154,25. Farblose, würzig Campher-ähnlich riechende Flüssigkeit, D. 0,927, Schmp. +1,5 °C, Sdp. 176–177 °C, n_D^{20} 1,4586; in Wasser unlösl., mit den meisten organ. Lsm. mischbar. C. ist ein Hauptbestandteil des *Eukalyptusöls (bis zu 85%), auch enthalten in Niaouli-, Juniperus-, Piper-, Cannabis-, Kajeput-, Salbeiöl, Myrtenöl u. a. *etherischen Ölen.

Gewinnung: Techn. C. (99,6–99,8%ig) wird in Spanien in großen Mengen durch fraktionierte Dest. von Eukalyptusöl gewonnen.

Verw.: Als Expectorans bei Bronchialkatarrhen, heute vorwiegend in der Veterinärmedizin sowie als Aromastoff in der Parfümindustrie. Das isomere 1,4-Cineol ist von geringer Bedeutung. – *E* cineole – *F* cinéole – *I* cineolo – *S* cineol

Lit.: Beilstein E V **17/1**, 273 ▪ Ullmann (5.) **A 11**, 203 (1988). – *[HS 2932 99; CAS 470-82-6]*

Cinerine. Giftige, insektizide Inhaltsstoffe von *Pyrethrum*-Arten, insbes. *Chrysanthemum cinerariaefolium*. **C. I:** $C_{20}H_{28}O_3$, M_R 316,44, viskoses Öl, sehr luftempfindlich, Sdp. 137 °C (1,07 Pa), Xn

n_D^{20} 1,5064, unlösl. in Wasser, lösl. in organ. Lsm; *C. II*: $C_{21}H_{28}O_5$, M_R 360,45, Sdp. 184 °C (0,13 Pa), n_D^{20}

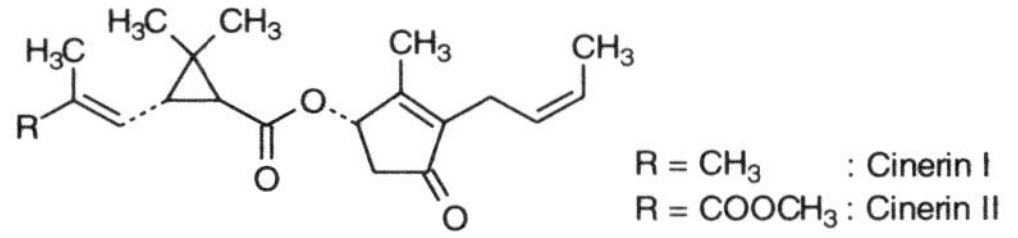

R = CH₃ : Cinerin I
R = COOCH₃ : Cinerin II

1,5183, sehr luftempfindlich, lösl. wie C. I. Im Gemisch mit anderen Pyrethrum-Inhaltsstoffen werden C. als Insektizide verwendet. – *E* cinerins – *F* cinérine – *I* cinerine – *S* cinerina

Lit.: Beilstein E III **9**, 214, 3988 ▪ Hayes (Hrsg.), Handbook of Pesticide Toxicology, S. 585 f., London: Academic Press 1991 ▪ J. Agric. Food Chem. **31**, 151 (1983) ▪ Sax (8.), S. 1130 f. ▪ Ullmann (5.) **A 14**, 273 ▪ Zechmeister **19**, 120–164. – *[CAS 25402-06-6 (C. I); 121-20-0 (C. II)]*

Cinmethylin. Common name für 4-Isopropyl-1-methyl-2-*exo*-(2-methylbenzyloxy)-7-oxabicyclo [2.2.1]heptan.

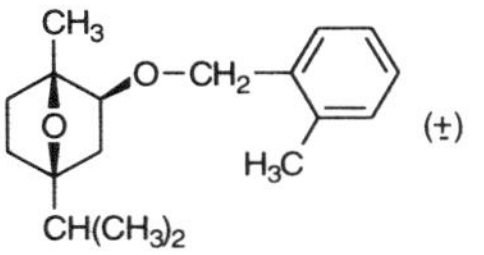

(±)

$C_{18}H_{26}O_2$, M_R 274,40, Sdp. 313 °C (101,3 kPa), LD_{50} (Ratte oral) 3960 mg/kg, von Shell (nun American Home Products) 1989 eingeführtes *Herbizid gegen Unkräuter im Reis. – *E* cinmethylin – *F* cinméthyline – *I* cinmetilina – *S* cinmetilín

Lit.: Farm ▪ Pesticide Manual. – *[CAS 87818-31-3]*

Cinnabarin (Polystictin).

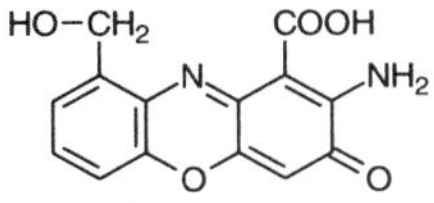

$C_{14}H_{10}N_2O_5$, M_R 286,24, rote Nadeln, Schmp. 320 °C (Zers.). Antibiot. wirksamer Phenoxazinon-Farbstoff aus dem weltweit verbreiteten rotorange gefärbten Baumpilz *Pycnoporus cinnabarinus* (*Trametes cinnabarina*, Zinnoberschwamm). C. entsteht wie andere Phenoxazinone durch oxidative Dimerisierung von 3-Hydroxyanthranilsäure. – *E* = *F* cinnabarine – *I* = *S* cinnabarina

Lit.: Zechmeister **51**, 208 f.

Cinnabarit s. Zinnober.

Cinnamaldehyd s. Zimtaldehyd.

Cinnamate. Bez. für die Salze u. Ester der *Zimtsäure, von denen die letzteren Bedeutung in Parfümerie u. Kosmetik besitzen; Näheres s. Zimtsäureester. – *E* cinnamates – *F* cinnamate – *I* cinnamati – *S* cinamato

Cinnamoyl... (3-Phenylacryloyl...). Bez. für die Atomgruppierung –CO–CH=CH–C₆H₅ (IUPAC-Regeln C-404.1, R-9.1.28a). – *E* = *F* cinnamoyl... – *I* cinnamoil... – *S* cinamoil...

Cinnamyl... (3-Phenylallyl..., 3-Phenyl-2-propenyl ...). Bez. für die Atomgruppierung –CH₂–CH=CH–C₆H₅ (IUPAC-Regeln A-13.3, R-9.1.19b). – *E* = *F* cinnamyl... – *I* cinnamil... – *S* cinamil...

Cinnamylacetat s. Essigsäurecinnamylester.
Cinnamylcinnamat s. Zimtsäureester.
Cinnamyliden... (3-Phenylallyliden...). Bez. für die Atomgruppierung =CH–CH=CH–C₆H₅ (IUPAC-Regel A-13.4). Alte Bez.: Cinnamal... – *E* cinnamylidene... – *F* cinnamylidène... – *I* cinnamiliden... – *S* cinamilideno...

Cinnarizin.

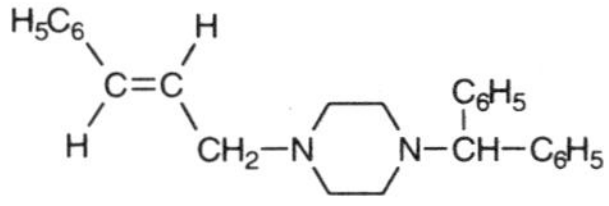

Internat. Freinamen für 1-Benzhydryl-4-*trans*-cinnamylpiperazin, $C_{26}H_{28}N_2$, M_R 368,52. Es wurde 1959 als Antihistaminikum u. Vasodilatator von Janssen (Stutgeron®) patentiert u. ist generikafähig. – *E* = *F* cinnarizine – *I* cinnarizina – *S* cinarizina

Lit.: Beilstein E V **23/1**, 233 ▪ DAB **10** ▪ Hager (5.) **7**, 960–961. – *[HS 293359; CAS 298-57-7]*

Cinnolin (Benzo[*c*]pyridazin).

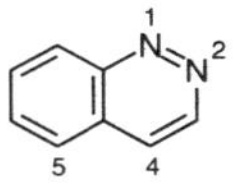

$C_8H_6N_2$, M_R 130,15. Hellgelbe, giftige Krist., Schmp. 38–39 °C, riecht charakterist. nach Geranien, zersetzt sich an der Luft; in Wasser u. organ. Lsm. löslich. – *E* = *F* cinnoline – *I* cinnolina – *S* cinolina

Lit.: Beilstein E V **23/7**, 124 f. ▪ Merck-Index (11.), Nr. 2309 ▪ Ullmann (4.) **10**, 125 ▪ Weissberger **5**, 3–65; **27**, 1–321. – *[CAS 253-66-7]*

Cinosulfuron. Common name für 1-(4,6-Dimethoxy-1,3,5-triazin-2-yl)-3-[2-(2-methoxyethoxy)phenyl-sulfonyl]harnstoff.

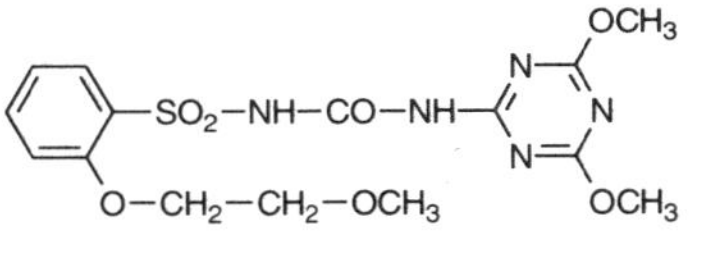

$C_{15}H_{19}N_5O_7S$, M_R 413,41, Schmp. 144 °C, LD_{50} (Ratte oral) >5000 mg/kg, von Ciba-Geigy 1987 eingeführtes *Herbizid gegen Unkräuter in Reis. – *E* = *F* cinosulfuron – *I* cinosulfurone – *S* cinosulfurona

Lit.: Pesticide Manual. – *[CAS 94593-91-6]*

Cinoxacin.

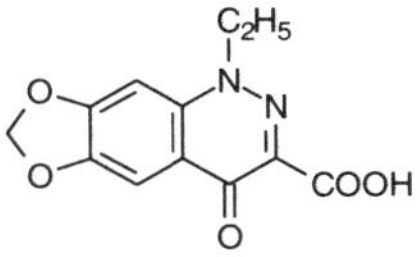

Internat. Freinamen für die als Gyrasehemmer bakterizid wirksame 1-Ethyl-1,4-dihydro-4-oxo-1,3-dioxo-lo[4,5-*g*]cinnolin-3-carbonsäure, $C_{12}H_{10}N_2O_5$, M_R 262,22, Schmp. 261–262 °C (Zers.); LD_{50} (Ratte oral) 4160, (Ratte i. v.) 900 mg/kg. C. wurde 1970 u. 1972 von Lilly (Cinobactin®) patentiert u. ist a. von Rosen Pharma (Cinoxacin500) im Handel. – *E* cinoxacin – *F* cinoxacine – *I* cinoxacina – *S* cinoxacino

Lit.: Drugs **25**, 544–569 (1983) ▪ Hager (5.) **7**, 962–963. – *[HS 293490; CAS 28657-80-9]*

Cinzano. Italien. Wermutwein (s. Vermouth).

CIPAC. Abk. für *C*ollaborative *I*nternational *P*esticides *A*nalytic *Cou*ncil, London, gegr. 1957, Arbeitsschwerpunkt: Meth. zur Bestimmung von Pestiziden u. Pflanzenschutzmitteln in techn. Materialien u. *Formulierungen von Pflanzenschutzmitteln sowie Rückstandsanalytik.

Cipionat. Kurzbez. für den 3-Cyclopentylpropionat-Rest in internat. Freinamen.

CIP-Regeln (CIP-System). Stereoisomere mit mind. einem stereogenen Zentrum verhalten sich wie ein Objekt u. sein Spiegelbild (s. Chiralität u. Enantiomere). Damit beide Isomere unterschieden werden können, ist eine eindeutige Bez. notwendig. Bewährt hat sich hier das von R. S. Cahn C. *Ingold u. V. *Prelog eingeführte Syst. (CIP-Notation bzw. *R/S*-Konvention). Grundlage des Syst. sind die Sequenzregeln, die die unterschiedlichen Liganden an einem *asymmetrischen Atom in fallender Priorität ordnen. Im Falle des asymmetr. Kohlenstoff-Atoms Cabcd wird nach den Chiralitätsregeln das Zentralatom in die Mitte eines Rades gelegt u. die drei Liganden der höchsten Priorität auf drei Radspeichen verteilt. Der Ligand niedrigster Priorität befindet sich hinter dem Zentralatom auf der Radachse. Der Betrachter blickt nun durch die Mitte des Rades auf den dahinter liegenden vierten Liganden. Ergibt eine Kreisbewegung für die verbleibenden Liganden in abnehmender Priorität eine Bewegung in Uhrzeigerrichtung, so wird dieser Konfiguration die Bez. *R* (von latein. rectus = rechts) zuerkannt. Entsprechend bezeichnet man bei einer Kreisbewegung gegen den Uhrzeigersinn die Konfiguration mit *S* (von latein. sinister = links). Zur Festlegung der Priorität der Liganden gelten die folgenden Kriterien in abnehmender Reihenfolge: (a) Atome mit der höheren Ordnungszahl vor denjenigen mit niedrigerer; – (b) bei gleichen Atomen das Isotop mit der höheren Massenzahl. Kann in der ersten Sphäre um das Zentralatom keine eindeutige Prioritätszuordnung getroffen werden, so wird die zweite Sphäre herangezogen.

– *E* CIP-rules – *F* règles CIP – *I* regole di CIP – *S* reglas de CIP
Lit.: s. Chiralität u. optische Aktivität.

Ciprobay®. Lacktabl. u. Infusionslsg. mit *Ciprofloxacin-Hydrochlorid gegen bakterielle Infektionen. *B.:* Bayer Pharma Deutschland.

Ciprofloxacin.

Internat. Freiname für 1-Cyclopropyl-6-fluor-1,4-dihydro-4-oxo-7-(1-piperazinyl)-3-chinolincarbonsäure, $C_{17}H_{18}FN_3O_3$, M_R 331,35; Zers. bei 255–257°C. C. wurde 1983 u. 1987 als Gyrase-Hemmer von Bayer (Ciprobay®) patentiert. – *E* ciprofloxazin – *F* ciprofloxacine – *I* = *S* ciprofloxacina
Lit.: ASP ▪ DAB **10** ▪ Hager (5.) **7**, 965–968 ▪ Ullmann (5.) A **6**, 183 f. – *[HS 293359; CAS 85721-33-1; 86393-32-0 (Hydrochlorid-Monohydrat)]*

CIPW-System s. magmatische Gesteine.

Circadiane Rhythmik. Unter c. R. versteht man einen nicht exakt dem 24-Stunden-Rhythmus entsprechenden, nach oben od. nach unten etwas abweichenden zeitlichen Tages-Rhythmus, z.B. im tageszeitlichen Wechsel von Aktivitäten od. von Körperfunktionen. Als Innere Uhr ist die c. R. als eine endogene Periodik in vielen Lebewesen selbst vorgegeben u. wird über Zeitgeber mit der Periodik der Umwelt in zeitlichen Einklang gebracht, d.h. auf den 24-Stunden-Rhythmus synchronisiert. Die tatsächliche Dauer der c. R. eines Tieres od. des Menschen kann in Versuchen ermittelt werden, wobei der Proband unter absolut konstanten Bedingungen (z.B. bei Dauerlicht einer bestimmten Helligkeit) lebt. Unter solchen Bedingungen läuft die endogene Periodik als selbsterregte Schwingung weiter u. läßt infolge des Fehlens von (synchronisierenden) Außenreizen ihre endogene Periodendauer erkennen. Viele grundlegende Erkenntnisse zur c. R. sind in der Verhaltensforschung an Vögeln gefunden worden. – *E* circadian rhythm – *F* rhythme circadien – *I* ritmica circadiana – *S* rítmica circadiana
Lit.: Berthold, Vogelzug, Darmstadt: Wissenschaftliche Buchges. 1990 ▪ Bezzel u. Prinzinger, Ornithologie, 2. Aufl., Stuttgart: Ulmer 1990 ▪ Franck, Verhaltensbiologie, 2. Aufl., Stuttgart: Thieme 1985 ▪ Immelmann, Wörterbuch der Verhaltensforschung, Berlin: Parey 1982.

Circannuale Periodik. C. P., auch Jahresperiodik od. Jahresrhythmik genannt, bezeichnet den jahreszeitlichen Wechsel im Verhalten u. in verschiedenen Körperfunktionen. Durch Untersuchungen in jüngerer Zeit v. a. an Vögeln hat sich gezeigt, daß bei der Jahresperiodik wie bei der *circadianen Rhythmik ebenfalls eine endogene Periodik zugrunde liegen kann, die unter ganz konstanten Versuchsbedingungen u. damit unter Ausschaltung von externen Zeitgebern eine nur angenäherte Jahresperiodik („circa" ein Jahr) mit Abweichungen nach oben od. unten besitzt. Synchronisierende Zeitgeber im täglichen Leben sind dann Umweltfaktoren wie die Jahreszeiten od. der exakte Ver-

lauf der Sonnenkurve. Diese Faktoren spielen z. B. eine ganz entscheidende Rolle im Jahresrhythmus des Zug- u. Brutverhaltens von Vögeln. – *E* circannual periodicity – *F* periode circannuelle – *I* periodicità circannuale – *S* periodicidad circanual
Lit.: Berthold, Vogelzug, Darmstadt: Wissenschaftliche Buchges. 1990 ▪ Bezzel u. Prinzinger, Ornithologie, 2. Aufl., Stuttgart: Ulmer 1990 ▪ Franck, Verhaltensbiologie, 2. Aufl., Stuttgart: Thieme 1985 ▪ Immelmann, Wörterbuch der Verhaltensforschung, Berlin: Parey 1982.

Circanol®. Tabl. u. Tropflsg. mit den Mesilaten von Dihydroergocornin, -cristin, -kryptin u. -toxin gegen Hypertension, Migräne, periphere Durchblutungsstörungen. *B.:* 3M Medica.

Circulardichroismus (CD). Bei opt. aktiven (chiralen) Verb. zu beobachtender Effekt, der zur Strukturaufklärung verwendet werden kann. Voraussetzung für das Vorliegen des CD ist die Existenz eines Übergangs (im allg. elektron. Übergang), der sowohl elektr. als auch magnet. Anteile besitzt. Schickt man durch die Lsg. der opt. aktiven Verb. *linear polarisiertes Licht* (vgl. optische Aktivität) einer Wellenlänge, die im Bereich der zu der genannten Übergang gehörenden Absorptionsbande liegt, so beobachtet man, daß das Meßlicht nach dem Austritt aus der Probe im allg. Fall *ellipt. polarisiert* ist. Erklärung: Das linear polarisierte Licht kann man sich als Überlagerung einer links u. einer rechts circular polarisierten Teilwelle gleicher Amplitude vorstellen. Bei dem Durchgang durch die Probe können die beiden circularen Teilwellen von opt. aktiven Mol. unterschiedlich stark absorbiert werden, d. h. die beiden Absorptionskoeff. ε_L u. ε_R für links bzw. rechts circular polarisiertes Licht sind nicht notwendigerweise identisch. Nach dem Austritt aus der Probe überlagern sich dann die beiden verbliebenen circularen Anteile. Da sie nun im allg. nicht mehr die gleichen Amplituden besitzen, ist das austretende Licht nicht mehr linear sondern ellipt. polarisiert. CD ist als Differenz der molaren dekad. Absorptionskoeff. $\Delta\varepsilon \equiv \varepsilon_L - \varepsilon_R$ definiert. Ein quant. Maß für den CD einer gesamten Absorptionsbande ist die *integrale circulardichroit. Absorption*

$$\int_{\lambda_1}^{\lambda_2} \frac{\Delta\varepsilon(\lambda)}{\lambda} d\lambda$$

(λ: Wellenlänge; die Integration erstreckt sich über den Bereich der Absorptionsbande). Sie ist proportional zu der *Rotationsstärke* R, für welche sich theoret.[1] der Ausdruck R = $\vec{\mu} \cdot \vec{m}$ ergibt, wobei $\vec{\mu}$ u. $\vec{m}$ das elektr. bzw. magnet. Übergangsmoment sind. Damit CD auftritt, dürfen somit die beiden Übergangsmomentrichtungen nicht senkrecht zueinander stehen. CD wird überwiegend bei elektron. Übergängen im ultravioletten od. sichtbaren Bereich des Spektrums beobachtet, läßt sich aber auch bei Schwingungsübergängen im infraroten Bereich nachweisen. Letzterer Fall wird Vibrations-CD genannt, Abk. VCD[2]. Größe u. Vorzeichen des CD reagieren sehr empfindlich auf die mol. Umgebung des Chromophors, weshalb die Messung des CD ein Hilfsmittel zur Festlegung der abs. Konformation chiraler Mol. darstellt[3]. Bei Mol., die von Natur aus keine Chiralität besitzen, kann eine solche – u. damit ein CD – erzwungen werden, u. zwar durch

ein Magnetfeld (s. MCD) od. durch chirale Lsm., z. B. *flüssige Kristalle*[4]. – *E* circular dichroism – *F* dichroïsme circulaire – *I* dicroismo circolare – *S* dicroísmo circular
Lit.: [1] J. Chem. Phys. **30**, 648 (1959). [2] Nachr. Chem. Tech. Lab. **25**, 32 (1977). [3] Pure Appl. Chem. **51**, 769–785 (1979). [4] Angew. Chem. **96**, 335 (1984).
allg.: Acc. Chem. Res. **7**, 258–264 (1974) ▪ Angew. Chem. **101**, 588–604 (1989); **104**, 1012–1031 (1992) ▪ Caldwell u. Eyring, The Theory of Optical Activity, New York: Wiley 1971 ▪ Charney, The Molecular Basis of Optical Activity: Optical Rotatory Dispersion and Circular Dichroism, New York: Wiley 1979 ▪ Harada u. Nakanishi, Circular Dichroic Spectroscopy, Oxford: Oxford University Press 1983 ▪ Michl u. Thulstrup, Spectroscopy with Polarized Light, S. 18–72, New York: VCH Verlagsges. 1986 ▪ Thulstrup, Lecture Notes in Chemistry, Vol. 14, Berlin: Springer 1980.

Circularpolarisiertes Licht s. optische Aktivität u. Circulardichroismus.

C.I. Reactive Black 5.

NaO₃S–O–(CH₂)₂–SO₂ ... OH NH₂ ... SO₂–(CH₂)₂–O–SO₃Na
NaO₃S ... SO₃Na

Marineblauer bis schwarzer *Reaktivfarbstoff, Na-Salz, $C_{26}H_{21}N_5Na_4O_{19}S_6$, M_R 991,79, heute der mengenmäßig größte u. weltweit häufigst verwendete Reaktivfarbstoff. Histor. ist er der erste Reaktivfarbstoff mit zwei faserreaktiven Gruppen. – *E* reactive black 5 – *F* C.I. noir de réaction – *I* nero reattivo – *S* C.I. reactivo negro 5
Lit.: Zollinger, Color Chemistry, 2. Aufl., S. 177, Weinheim: VCH Verlagsges. 1991. – [CAS 17095-24-8]

cis- (latein.: cis = diesseits; in bes. Fällen als *c*- abgekürzt). In der Nomenklatur der *Stereochemie (IUPAC-Regeln E-2, E-3, R-7.1) gebräuchliche, kursiv gesetzte, bei der alphabet. Namenseinordnung zunächst unberücksichtigte Vorsilbe in Verb.-Namen, die besagt, daß zwei Substituenten od. Liganden (z. B. bei Komplexen, s. a. *fac*-) räumlich auf der gleichen Seite des Grundkörpers fixiert sind; Gegensatz: *trans*-, *t*-. Beisp.:

a) *cis*-1,2-Dibromcyclohexan   b) (Z)- od. *cis*-2-Buten

So spricht man auch von *cis*-ständigen Substituenten bzw. von *cis*-Doppelbindungen, entsprechend auch von *cis*-Addition u. *cis*-Verknüpfung von Ringen, z. B. in *cis*-Decalin (s. dort auch die zeichner. Darst.). Bei Ringsyst. mit 3 od. mehr *Chiralitäts-Zentren wählt man nach IUPAC-Regel E-2.3.4 eine Bezugsgruppe (=Referenzgruppe; Symbol *ref*- od. *r*-), welche die *cis*- od. *c*-Seite des Ringsyst. festlegt. Ähnlich wird in Chem. Abstr. α- u. β-Seite definiert. Beisp.: (–)-*Menthol ist nach IUPAC (1R)-2t-Isopropyl-5c-methyl-1r-cyclohexanol u. nach Chem. Abstr. [1R-(1α,2β,5α)]-5-Methyl-2-(1-methylethyl)cyclohexanol.
Bei *cis-trans*-Isomerie an tri- u. tetrasubstituierten Doppelbindungen (s. a. Stereoisomerie) gibt es keine

allg. gültige Definition der Bez. *cis*- u. *trans*-.

c) (*Z*)-1,2-Dibrom-1-chlor-2-iodethylen

d) (*Z*)-(3-Brom-3-chlorallyl)-benzol

e) *s-cis*-1,3-Butadien

f) *s-trans*-1,3-Butadien

Die in der IUPAC-Regel E-2.2 empfohlene Anw. der Symbole (*E*)- (von „entgegen") u. (*Z*)- (von „zusammen") nach den *Sequenzregeln ermöglicht hier eindeutige Bez.; *Beisp*: (*Z*)-2-Buten (s. Abb. b), Abb. c u. d: in der Sequenzregel (*CIP-Regeln) nimmt die Priorität von Iod über Brom, Chlor usw. ab. Gelegentlich ist auch eine Bezeichnungsweise *s-cis*- anzutreffen (s. Abb. e); damit soll ausgesagt werden, daß 1,3-Butadien in der gezeigten, *cisoiden, nicht isolierbaren ster. Form vorliegt, wobei *s*- stellvertretend für Einfachbindung (single bond) steht. Früher wurde *cis*- auch im gleichen Sinne wie *syn- benutzt (z.B. bei Diazotaten u. Oximen), doch ist auch hier die (*E,Z*)-Nomenklatur eindeutig anwendbar. – *E* = *F* = *I* = *S* cis

Cisaprid.

Internat. Freiname für (±)-4-Amino-5-chlor-*N*-{*cis*-1-[3-(4-fluorphenoxy)propyl]-3-methoxy-4-piperidyl}-2-methoxybenzamid, $C_{23}H_{29}ClFN_3O_4$, M_R 465,95, Schmp. des Monohydrats 110°C. C. ist von Janssen (Propulsin®) zur Behandlung gastrointestinaler Motilitätsstörungen in den Handel gebracht worden. Es wirkt als 5-HT$_4$-Agonist (s. Serotonin). Im Gegensatz zum chem. verwandten *Metoclopramid zeigt es kaum Nebenwirkungen im zentralen Nervensystem. – *E* = *F* = *I* cispride – *S* cisprida

Lit.: Ann. Pharmacother. **29**, 1161 ff. (1995) ▪ Drugs **47**, 116–12 (1994) ▪ Hager (5.) **7**, 968 ff. – [HS 2933 39; CAS 81098-60-4]

Cisday®. Retardtabl. mit dem Calcium-Antagonisten *Nifedipin. *B*.: Kytta Siegfried.

Cismollan®. Weichmittel für tier. Häute. *B*.: Bayer.

Cisoid. Bezeichnungsweise für die *cis-Konfiguration von Gruppen od. Syst.; *Beisp*.: 1,3-Butadien kann in einer *c*. od. *synperiplanaren* (s. Abb. e bei cis) u. einer *transoiden* od. *antiperiplanaren* Form (Abb. f bei cis) vorliegen, die allerdings aufgrund der kleinen Aktivierungsenergie[1] (*s-cis* → *s-trans*: 3,9 kcal/mol) kaum separiert werden können. Die Begriffe *c*. u. *transoid* werden auch gebraucht bei der Kennzeichnung der relativen Konfiguration von Ringverschmelzungsstellen (*tricyclische Verbindungen u. höhercycl. Verb.; IUPAC-Regel E-3.2). – *E* cisoid – *F* cisoïde – *I* = *S* cisoide

Lit.: [1] J. Am. Chem. Soc. **101**, 3657 (1979).

Cispentacin [(1*R*)-*cis*-2-Aminocyclopentancarbonsäure].

$C_6H_{11}NO_2$, M_R 129,16. Antifung. Antibiotikum aus *Bacillus cereus* u. *Streptomyces setonii*, Prismen, Schmp. 195°C (Zers.), $[\alpha]_D^{22}$ –10,7° (c 0,5/H$_2$O). C. ist im Modell der system. Candidose (Maus p.o.) antimykot. wirksam. – *E* = *S* cispentacin – *F* cispentacine – *I* cispentacina

Lit.: Chem. Pharm. Bull. **41**, 1012–1018 (1993) ▪ J. Antibiot. **42**, 1749–1762 (1989); **43**, 1–7, 513–518 (1990) ▪ J. Chem. Soc., Chem. Commun. **1991**, 2276 ▪ Synlett **1993**, 461. – [HS 2941 90; CAS 122672-46-2]

Cisplatin.

Internat. Freiname für den cytostat. wirksamen Platin-Komplex *cis*-Diammindichloroplatin(II), M_R 300,05; Zers. bei 270°C, LD$_{50}$ (Meerschweinchen i.p.) 9,7 mg/kg. C. wurde 1979 von Bristol Myers (Platinex®) patentiert u. ist generikafähig. Die Struktur des C.-DNA-Adduktes wurde durch Röntgenstrukturanalyse[1] u. NMR[2] aufgeklärt; s. a. Platin-Verbindungen. – *E* cisplatin – *F* cisplatine – *I* = *S* cisplatino

Lit.: [1] Nature (London) **377**, 649–652 (1995). [2] Science **270**, 1842–1845 (1995).

allg.: ASP ▪ DAB 10 ▪ IARC Monogr. **26**, 154–161 (1981) ▪ Prestayko et al., Cisplatin, New York: Academic Press 1980 ▪ Ullmann (5.) **A 5**, 21–23. – [HS 2843 90; CAS 15663-27-1]

Cis-taktisch s. Taktizität.

***cis-trans*-Isomerie.** Sammelbez. für eine bes. bei cycl., auch Metall-organ. Verb. u. bei ungesätt. Verb. auftretende Form der *Stereoisomerie. Hier soll nur die Stereoisomerie an Alkenen betrachtet werden, für die früher die Bez. *Ethylen* od. *Alloisomerie* später *cis-trans*-I. üblich war. Da bei Alkenen die freie Drehbarkeit um die Doppelbindung aufgehoben ist, beobachtet man bei diesen zwei Stereoisomere, die nach den Sequenzregeln von *C*ahn, *I*ngold u. Prelog (s. CIP-Regeln) als (*E*)- u. (*Z*)-Isomeres bezeichnet werden (die Bez. *cis*- od. *trans*-Isomeres sollte nicht mehr verwendet werden). Nach den *CIP-Regeln sind die Substituenten nach absteigender Priorität angeordnet; das (*Z*)-Isomere besitzt beide Substituenten höherer Priorität auf der gleichen Seite der Doppelbindung (s. Abb. für 2-Bromstyrol).

(*E*)   (*Z*)

Die Umwandlung der energiereicheren (*Z*)-Isomere in die (*E*)-Isomeren gelingt häufig auf photolyt. Wege. – *E cis-trans* isomerism – *F* isomérie de *cis-trans* – *I* isomeria *cis-trans* – *S* isomería *cis-trans*

Lit.: Chem. Unserer Zeit **8**, 148 (1974) ▪ s.a. Stereoisomerie.

Cistron s. genetischer Code.

Cistus-Öl s. Labdanum.

Citarin®/Concurat®. Imidazothiazol-Derivate (*Levamisol), Breitspektrum-Anthelminthika bei Nutztieren für orale, parenterale u. kutane Applikationen. *B.:* Bayer.

Citation Index (Zitierindices, Zitatenindices). Eine bes. in den USA entwickelte Lit.-Form, die es gestattet, ausgehend von einer zitierten Quelle (z.B. Zeitschriften-Artikel, Buch, Patent, Report der *chemischen Literatur) alle neueren zitierenden Quellen der Zeitschrift-Lit. zu erfassen, die sich mit demselben Gegenstand beschäftigen u. daher die frühere Lit.-Stelle zitiert haben. Näheres zur Verfahrensweise, die den Einsatz der elektron. Datenverarbeitung verlangt, s. *Lit.* Der für die *Dokumentation der Chemie wichtigste C. I. ist der von *Garfield bei *ISI entwickelte *Science Citation Index®. Die gleichen Verknüpfungsprinzipien zwischen zitierten u. zitierenden Publikationen liegen auch anderen C. I. von ISI zugrunde, z. B. dem Index to Scientific Reviews. – *E* citation index – *F* index des citations – *I* indice delle citazioni – *S* índice de citas

Lit.: Chem.-Ztg. **96**, 334–341 (1972) ▪ Garfield, Essays of an Information Scientist (2 Bd.), Philadelphia: ISI 1977 ▪ Garfield, Citation Indexing: Its Theory and Application in Science, Technology and Humanities, New York: Wiley 1978 ▪ Kirk-Othmer (3.) **13**, 295 ▪ Mücke, Die chemische Literatur, S. 179ff. Weinheim: Verl. Chemie 1982 ▪ Science **178**, 471–479 (1972).

Citax®. Kunstharzdispersionen od. Schmelzklebstoffe auf EVA-, PO- od. Polyamid-Basis für die holzverarbeitende Ind. zur Verw. bei Montage u. Furnierkanten-Klebungen. *B.:* Henkel.

Citax Klebetechnik GmbH. Rudolf-Breitscheid-Str. 41, 01809 Heidenau; ein Unternehmen der Henkel-Gruppe. *Produktion:* Klebstoffe für die Möbel- u. holzverarbeitende Ind., für die Montage, Kantenverklebung, Profilummantelung u. Flächenverklebung.

Citiolon.

Internat. Freiname für *N*-Acetyl-DL-homocysteinthiolacton, $C_6H_9NO_2S$, M_R 159,20, Schmp. 111,5–112,5 °C, UV_{max} 238 nm (ε 4400), LD_{50} (Maus i.v.) 1200, (Ratte i.p.) 1950 mg/kg. C. wurde 1961 als Lebertherapeutikum von Degussa patentiert. – *E = F = I* citiolone – *S* citiolona

Lit.: ASP ▪ Beilstein E V **18/11**, 320 ▪ Hager (5.) **7**, 974 ▪ Pharm. Ztg. **137**, 3749 (1992). – *[HS 2934 90; CAS 17896-21-8]*

Citowett®. Netz- u. Haftmittel auf der Basis Alkylarylpolyglykolether. *B.:* BASF.

Citraconsäure(anhydrid) s. Methylmaleinsäure(anhydrid).

Citral (3,7-Dimethyl-2,6-octadienal). $C_{10}H_{16}O$, M_R 152,24. Das handelsübliche C. besteht aus den *cis/trans*-isomeren Monoterpen-Aldehyden *Geranial* u. *Neral*, die sich in ihren Eigenschaften nur geringfügig unterscheiden. Das Handels-C. ist ein leicht be-

R^1 = H , R^2 = CHO : Geranial (Citral a)
R^1 = CHO , R^2 = H : Neral (Citral b)

wegliches, schwach gelbliches, nach Zitronen riechendes Öl, D. 0,887, Sdp. 228 °C, lösl. in der 7fachen Menge 60%igen Alkohols. C. findet sich in zahlreichen *etherischen Ölen, v.a. im *Lemongrasöl von *Cymbopogon flexuosus*, Graminaceae (70–85%), im *Citronenöl (3,5–5%) u. in *Basilikum-Ölen. Blattschneiderameisen alarmieren mit C. die „Soldaten" des Volkes (Allomonwirkung). Die Herst. erfolgt aus Lemongrasöl od. durch Oxid. von Geraniol, auch aus Acetylen-Derivaten u. Isopren.
Verw.: Als Ausgangsmaterial der Synth. von Vitamin A, Methylionon u. β-Ionon, zur Herst. von Likören, Parfüms u. Kosmetikartikeln. – *E = F = S* citral – *I* citrale

Lit.: Beilstein E IV **1**, 3569f. ▪ Food Cosmet. Toxicol. **17**, 259–266 (1979) ▪ Parfüm., Kosmet. **59**, 263 (1978) ▪ Tetrahedron Lett. **22**, 763 (1981) (Synth.) ▪ Ullmann (5.) **A 11**, 159. – *[HS 2912 19; CAS 5392-40-5; 141-27-5 ((E)-C.); 106-26-3 ((Z)-C.)]*

Citranaxanthin (5',6'-Dihydro-5'-apo-β-carotin-6'-on).

$C_{33}H_{44}O$, M_R 456,71, Schmp. 156 °C. Ein natürlicherweise in *Citrusfrüchten vorkommendes Xanthophyll (*Carotinoid), das durch *Wittig-Synth. zugänglich ist[1]. C. wird als Futterzusatz für die Eidotter- u. Hautpigmentierung von Mastgeflügel verwendet. In der BRD ist C. als Lebensmittelzusatzstoff nicht zugelassen. – *E* citranaxanthin – *F* citranaxanthine – *I = S* citranaxantina

Lit.: [1] Angew. Chem. **89**, 437–443 (1977).
allg.: s. Carotinoide. – *[HS 2936 10; CAS 3604-90-8]*

Citrange s. Citrusfrüchte.

Citrat-Cyclus s. Citronensäure-Cyclus.

Citrate. Bez. für die meist farblosen Salze der *Citronensäure u. für die *Citronensäureester. Da Citronensäure drei Carboxy-Gruppen enthält, sind *prim.*, *sek.* u. *tert.* C. herstellbar. Die Alkalimetall-C. sind wasserlösl., die übrigen unlöslich.
Verw.: Mg-C. u. Cholin-C. für diätet. Lebensmittel als Kochsalzersatz; Fe-C. zur Steigerung der Eisen-Zufuhr; Na- u. K-C. als Schmelzsalze. Alle C. (außer Cholin-, Fe- u. Mg-C.) werden als Chelatbildner eingesetzt u. wirken so u.a. als Synergist für Antioxidantien u. als Stabilisatoren, außerdem überwiegend als Säureregulatoren u. Säuerungsmittel. Trinatrium-C. wird noch als Kutterhilfsmittel u. Antigerinnungsmittel bei Blutkonserven verwendet. – *E = F* citrates – *I* citrati – *S* citratos

Lit.: Beilstein E IV **3**, 1274 ▪ Kirk-Othmer (4.) **6**, 354–375 ▪ Roempp Lexikon Lebensmittelchemie, S. 186 ▪ Ullmann (5.) **A 5**, 197–202. – *[HS 2918 15]*

Citrat-Synthase (EC 4.1.3.7). Zu den *Lyasen gehörendes *Enzym, das die Kondensation von *Acetyl-CoA mit *Oxobernsteinsäure zu *Citronensäure (unter Freisetzung von *Coenzym A) katalysiert (deshalb ursprünglich engl. als „condensing enzyme" bezeichnet) u. somit am Eintritt der Acetyl-Gruppen in den *Citronensäure-Cyclus beteiligt ist. Das Enzym aus Säugetieren besteht aus zwei ident. Untereinheiten (M_R je 49 000), die wiederum aus je einer kleineren u. einer größeren *Domäne bestehen; zwischen diesen Domänen befindet sich auf je einer Untereinheit eine Bindungsstelle für Oxobernsteinsäure. Bei deren Bindung kommt es zu ungewöhnlich großen Konformationsänderungen im Protein (bis zu 15 Å; Übergang von der „offenen" zur „geschlossenen" Konformation). Erst dadurch werden definierte Bindungsstellen für Acetyl-CoA geschaffen. Diese C.-S. ist sehr spezif. für ihre Substrate u. katalysiert stereospezif. die (si)-seitige Anlagerung des Acetyl-Restes, d. h. in der Rückreaktion wird immer der (pro-3 S)-Acetat-Rest abgespalten. – *E* = *F* citrate synthase – *I* citratosintasi – *S* citrato sintasa
Lit.: Curr. Topics Cell Regul. **33**, 167–275 (1992). – [HS 350790]

Citrazinsäure (2,6-Dihydroxy-4-pyridincarbon-säure).

$C_6H_5NO_4$, M_R 155,11. Gelbliches Pulver, Schmp. oberhalb 330 °C (Zers.), fast unlösl. in kaltem Wasser, lösl. in Alkalimetall-Laugen (hier langsame Blaufärbung); Zwischenprodukt bei Arzneimittel- u. Farbstoff-Synth., Zusatz für Farbentwickler. – *E* citrazinic acid – *F* acide citrazinique – *I* acido citrazinico – *S* ácido citrazínico
Lit.: Beilstein E V **22**/7, 24 ▪ Merck-Index (11.), Nr. 2327. – [HS 2933 39; CAS 99-11-6]

Citreoviridine.

C.A

Neurotox. *Mykotoxine aus *Penicillium citreo-viride* u. *Aspergillus terreus*. Die wichtigste Verb. ist C.A, $C_{23}H_{30}O_6$, M_R 402,49, dunkelgelbe Krist., Schmp. 107–111 °C. C. werden über den *Polyketid-Weg gebildet (Nonaketide), 5 Methyl-Gruppen stammen aus Methionin. C.A kommt in verschimmeltem Reis vor (Ostasien), dessen Verzehr zu Symptomen einer akuten kardialen *Beriberi führt, häufig mit letalem Ausgang infolge Atmungsstillstand. In Europa kann C.A in Wurstwaren auftreten, wenn sich bei unkontrollierter Reifung u. Lagerung ein C.A-produzierender *Penicillium*-Stamm ansiedelt. Maiskolben direkt nach der Ernte enthielten bis zu 2,79 mg/kg. Einzelne Pilz-infizierte Körner enthielten bis zu 760 mg/kg. Die Wirkung von C. beruht auf einer Hemmung der mitochondrialen ATPase bzw. ATP-Synthese. – *E* citreoviridins – *F* citréoviridine – *I* citreoviridine
Lit.: Angew. Chem. **92**, 484 ff. (1980), engl.: **19**, 461 ▪ Appl. Environ. Microbiol. **54**, 1096 ff. (1988) ▪ Cole u. Cox, S. 876 ▪ J. Chem. Soc., Chem. Commun. **1985**, 1531 ▪ Sax (8.), Nr. CMS 500 ▪ Tetrahedron Lett. **26**, 231 (1985); **29**, 711 (1988). – [CAS 25425-12-1 (C. A)]

Citrin s. Quarz.

Citrinin.

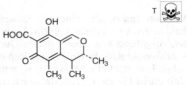

$C_{13}H_{14}O_5$, M_R 250,24. Aus Kulturflüssigkeiten von *Penicillium citrinum* u. *Aspergillus terreus* sowie anderen bes. auf Reis, aber auch auf anderem Getreide lebenden Pilzen isoliertes *Mykotoxin; zitronengelbe Krist., Schmp. 179 °C, $[\alpha]_D$ –37,4° (C_2H_5OH), starke Säure, in Wasser nicht, in Alkohol u. Alkalien löslich. C. kann durch Pilze auch im Brot gebildet werden u. dadurch für *Lebensmittelvergiftungen (es ist ein starkes Nierengift) verantwortlich sein[1].

Biosynth.: Pentaketid (Poyketid-Weg), zwei Methyl-Verzweigungen u. die Carboxy-Gruppe stammen aus Methionin[2]. Zur Synth. von (3R, 4S)-(–)-C. s. *Lit.*[3]. – *E* citrinin – *F* citrinine – *I* = *S* citrinina
Lit.: [1] Getreide, Mehl, Brot **31**, 265–270 (1977); Umschau **78**, 610 (1978). [2] Tetrahedron **39**, 3583 (1983). [3] Justus Liebigs Ann. Chem. **1995**, 885 ff.
allg.: Beilstein E V **18**/9, 61 ▪ J. Chem. Soc., Perkin Trans. 1 **1981**, 2577, 2594; **1986**, 2101; **1987**, 2743 ▪ Sax (8.), Nr. CMS 775 ▪ Zechmeister **24**, 289. – [CAS 518-75-2]

CITROFLEX®. Marke von Reilly für Weichmacher.

Citronat s. Citronen.

Citronellal (3,7-Dimethyl-6-octenal).

R = CHO : Citronellal
R = CH_2OH : Citronellol

$C_{10}H_{18}O$, M_R 154,25. Flüssigkeit von erfrischendem, melissenartigem Geruch, D. 0,85–0,86, n_D^{20} 1,4477, Sdp. 208 °C, $[\alpha]_D^{20}$ +11,5° (3R)-Form, –14,2° (3S)-Form; in Wasser wenig, in Alkohol u. Ether leicht löslich. C. kommt im *Citronellöl, *Citronenöl, *Lemongrasöl u. *Melissenöl vor, wo es meist von *Rhodinal (mit endständiger Doppelbindung) begleitet ist. (+)-C. wird techn. aus Citronellöl durch fraktionierte Dest., (±)-C. aus *Eucalyptus citriodora*-Öl gewonnen. Synthet. wird C. aus *Geraniol, *Nerol, *Citronellol od. *Citral hergestellt. Gegen Metalle, Säuren u. Alkalien ist C. sehr empfindlich, es polymerisiert u. autoxidiert leicht.

Verw.: Zur Herst. von Menthol, Citronellol, Hydroxycitronellal, Isopulegol u. als Geruchskomponente in der Parfümerie. – *E* = *F* citronellal – *I* citronellale – *S* citronelal
Lit.: Beilstein E IV **1**, 3515 ▪ Ullmann (5.) **A 11**, 161 (1988). – [HS 2912 19; CAS 141-26-4 (racem.); 2385-77-5 (R(+)); 5949-05-3 (S(–))]

Citronellöl (Bartgrasöl). Farblose bis gelbbraune stark nach Zitronen od. Melissen riechende, brennend schmeckende Flüssigkeit, die in Mittelamerika, Indonesien, Taiwan u. Sri Lanka durch Wasserdampfdest. getrockneter Gräser (*Cymbopogon*-Arten, z. B. *C. nardus*, *C. winterianus*) gewonnen wird, D. je nach Herkunft 0,88–0,91. Der Geruch wird hauptsächlich durch *Citronellal hervorgerufen; der mengenmäßige Hauptbestandteil ist *Geraniol, dazu kommen *Borneol (1–2%), *Camphen, Dipenten, bis zu 15% *Citronellol u. a. Zur Gewinnung der alkohol. Bestandteile aus C. s. *Lit.*[1]. Die Weltjahresproduktion ist durch Syntheseprodukte (Menthol, Citronellol, Geraniol) stark zurückgegangen u. beträgt heute nur noch ca. 2500 t.
Verw.: Zur Fabrikation von Likören, Parfüms, Seifen, zu Einreibungen gegen Rheumatismus, zur Vertreibung von Insekten. – *E* citronella oil – *F* essence de citronelle – *I* olio essenziale di citronella – *S* esencia de citronela
Lit.: [1] Parfüm. Kosmet. **56**, 193 f. (1975); Perfum. Flavor. **19** (2), 29 (1994).
allg.: s. a. etherische Öle. – [HS 3301 29]

Citronellole [3,7-Dimethyl-6-octen-1-ol (C., β-C.) u. 7-octen-1-ol (α.-C.)]. $C_{10}H_{20}O$, M_R 156,27, Formel s. Citronellal (R=CH$_2$OH). Acycl. Monoterpen-Alkohole; (*R*)-(+)-C. u. (*S*)-(–)-C., Sdp. 224–224,5 °C, sind fast geruchlos, während (*S*)-(–)-α-C. stark rosenartigen Geruch besitzt (s. Rhodinol).
Vork.: (*R*)-(+)-C. im Java-Citronenöl aus *Cymbopogon winterianus*, Gramineae bis 54% u. in Drüsen-Sekret der Alligatoren[1] (zunächst als „Yacarol" bezeichnet). (*S*)-(–)-C. im türk. *Rosenöl neben *Geraniol bis zu 50%.
Synth.: (±)-C. durch Red. von Geraniol od. totalsynthet. aus 2,6-Dimethyl-5-hexensäure u. anschließende Säure-Behandlung[2]. (*R*)-(+)-C. u. (*S*)-(–)-C. durch Red. der entsprechend konfigurierten *Citronellale.
Verw.: In der Parfüm- u. Kosmetik-Industrie. C. dienen als Ausgangsverb. zur Herst. von Citronellylestern[1]: Formiate (fruchtig, blumig), Acetate (Bergamotte, Lavendel), Propionate (Rosen, Maiglöckchen), Isobutyrate (süß, fruchtig), Isovalerate (krautig), Tiglate (pilzartig). – *E* citronellols – *F* citronellol – *I* citronelloli – *S* citroneloles
Lit.: [1] Chem. Ind. (London) **1988**, 562. [2] Synthesis **1976**, 391.
allg.: Beilstein E IV **1**, 2188 f. ▪ Experientia **38**, 775 (1982) ▪ Synthesis **1982**, 752 ▪ Tetrahedron Lett. **1980**, 3377 ▪ Ullmann (5.) **A 11**, 157, 165. – [HS 2905 22; CAS 6812-78-8 (α-C.); 1117-61-9 ((R)-(+)-C.); 7540-51-4 ((S)-(–)-C.); 26489-01-0 ((+)-C.)]

Citronen, Zitronen (obwohl im Dtsch. die Schreibweise mit Z üblich ist, wurde die Einordnung wegen des Zusammenhangs mit den benachbarten Stichwörtern hier vorgenommen). Frucht des Zitronenbaumes (*Citrus limon*), wird in Mittelmeerländern, Kalifornien, West- u. Ostindien in verschiedenen Rassen kultiviert. Der Zitronenbaum blüht das ganze Jahr; er trägt oft gleichzeitig Blüten u. Früchte u. gibt im Jahr 3–4 Ernten. Die Früchte (s. Citrusfrüchte) werden grün geerntet u. reifen bei der Lagerung; zur Konservierung der Schale gegen Mikroorganismen eignen sich *Biphenyl, 2-*Biphenylol u. *Thiabendazol. Je 100 g eßbare Zitronenanteile enthalten durchschnittlich 90 g Wasser, 0,7 g Eiweiß, 0,6 g Fett, 7,1 g Kohlenhydrate, 0,9 g Rohfaser, 0,5 g Mineralstoffe, 53 mg Vitamin C; Zitronensaft enthält 4,7–7,9% Citronensäure u. 0,12–1,57% Invertzucker. Die Schale enthält ether. Öle (s. Citronenöl), *Bitterstoffe (Limonin), Hesperidin u. a. *Flavon-glykoside, Gerbstoff.
Verw.: Zu Limonaden, Salatwürze, Punsch, zur Gewinnung von Citronenöl, Pektin, Citronensäure usw. Die Schale – frisch gerieben od. getrocknet – ist ein beliebtes Küchengewürz für Kompotte, Back- u. Süßwaren etc. Aus der Schale der wesentlich größeren Cedrat-Zitrone (*C. medica* var. *bajoura*) wird durch *Kandieren das in manchen Backwaren geschätzte *Citronat* (*Sukkade) hergestellt. – *E* lemons, citrons – *F* citrons – *I* limoni
Lit.: Brücher, Tropische Nutzpflanzen, S. 343 f., Berlin: Springer 1977 ▪ Franke, Nutzpflanzenkunde, Stuttgart: Thieme 1992 ▪ Melchior u. Kastner, Gewürze, S. 78–81, Berlin: Parey 1974 ▪ Pahlow, Das große Buch der Heilpflanzen, S. 469, München: Gräfe & Unzer 1987. – [HS 0805 30]

Citronenessenz. Wohlriechendes, alkohol. Destillat aus Zitronenschalen, wird hauptsächlich zur Limonadenfabrikation verwendet. Aus 6000 Zitronen erhält man ca. 100 kg Zitronenschalen. Diese werden zur Erhöhung der Ausbeute stark zerkleinert u. mit 65 l 94,5%igem Alkohol vermischt. 1–2wöchige *Mazeration, ggf. mit nachfolgender *Rektifikation zur Entfernung der Terpene ergibt 100 kg C. für ca. 100 t Zitronenlimonade. – *E* lemon essence – *F* essence de citron – *I* essenza di limone – *S* esencia de limón
Lit.: Bauer, Garbe u. Surburg, Common Fragrance and Flavor Materials (2.), S. 146, Weinheim: VCH Verlagsges. 1990 ▪ Food Technol. (Chicago) **37**, 92, 97 (1983); **40**, 95, 103 (1986).

Citronenöl (Zitronenöl, Citrusöl). Hellgelbe, angenehm zitronenartig riechende, würzig schmeckende Flüssigkeit mit bitterem Nachgeschmack, D. 0,849–0,855, lösl. in Alkohol, Ether, Benzol, Ölen. Das Agrumenöl C. wird aus den Schalen der Zitronenvarietät *Citrus medica* subspec. *limonum* gepreßt; aus 100 Zitronen erhält man 300–650 g Öl. Hauptbestandteile sind *Limonen (ca. 90%), *Citral (3–5%, bedingt den charakterist. Geruch) u. *Dipenten. C. enthält außerdem noch α- u. β-Pinen, Myrcen, Heptanal, Geraniol u. Geranylacetat[1]; es ist vor Licht u. Luft zu schützen. Terpen-freies C., durch Eindampfen im Vak. od. durch Ausschütteln der Terpene erhältlich, besteht hauptsächlich aus Citral sowie Geranyl- u. Linalylacetat, riecht u. schmeckt intensiv nach Zitrone, D. 0,88–0,89, lösl. zu gleichen Teilen in 80%igem Alkohol.
Verw.: Zur Geschmacksverbesserung von Medikamenten, Backwaren, Ölen u. Speisen, in der Parfümerie, zur Aufhellung mikroskop. Präparate. – *E* lemon oil – *F* essences de citrus – *I* olio di limone – *S* aceite de limón
Lit.: [1] Ohloff, S. 127–135.
allg.: Morton u. MacLeod (Hrsg.), Food Flavours, Part C: The Flavour of Fruits, S. 93–124, Amsterdam: Elsevier 1990.

Citronensäure (2-Hydroxy-1,2,3-propantricarbonsäure).

$$\begin{array}{c} H_2C-COOH \\ | \\ HO-C-COOH \\ | \\ H_2C-COOH \end{array}$$

Citronensäure-Cyclus

$C_6H_8O_7$, M_R 192,13. Farblose Rhomben, als Monohydrat D. 1,542, Schmp. 100 °C, wasserfrei D. 1,665, Schmp. 153 °C, in Wasser sehr leicht mit saurem Geschmack u. saurer Reaktion, in Alkohol ebenfalls leicht, in Ether dagegen schwer u. in Benzol u. Chloroform nicht löslich. Beim Erhitzen über 175 °C erfolgt Zers. unter Bildung von *Methylmaleinsäureanhydrid, Einwirkung von H_2SO_4 gibt *Aconitsäure. C. ist eine starke *Tricarbonsäure u. bildet 3 Reihen von Salzen (s. Citrate) sowie *Citronensäureester. Mit Metall-Ionen bildet sie – meist wasserlösl. – Komplexe, worauf ihre vielseitige techn. Verw. zur Inaktivierung von Metall-Ionen beruht. Die Bestimmung erfolgt meist enzymat. mit Hilfe der Citrat-Lyase.
C. ist ein Zwischenprodukt des *Citronensäure-Cyclus u. gehört zu den am weitesten verbreiteten organ. Säuren in Früchten (s. dazu *Lit.*[1]). Zusammen mit C. ist in Früchten, allerdings in wesentlich kleineren Mengen, auch *Isocitronensäure anzutreffen.

Herst.: Aus Zitronensaft durch Ausfällen mit Kalkmilch als Calciumcitrat, das durch Schwefelsäure in Calciumsulfat u. freie C. zerlegt wird. Techn. wird C. jedoch zu >90% durch aerobe Fermentation gewonnen, Näheres zu den Verf. s. Kirk-Othmer u. Ullmann (*Lit.*). Chem. Herstellungsverf., z. B. aus Oxalessigsäureanhydrid u. Keten sind gegenüber der fermentativen Erzeugung ohne Bedeutung. 1990 wurden weltweit ca. 550 000 t C. jährlich erzeugt.

Verw.: C. ist die mit Abstand am häufigsten verwendete Genußsäure in der Lebensmittel-Ind. (E 330). Sie wird als Säuerungsmittel bei der Herst. von alkoholfreien Erfrischungsgetränken, Fruchtsäften u. -nektaren, Konfitüren u. Süßwaren, als Säureregulator (zur pH-Wert Einstellung), zur Geschmacksgebung, als Komplexbildner u. als Synergist zu Antioxidantien sowie als Rohstoff für Emulgatoren eingesetzt. C. findet weiterhin Verw. in der Haut- u. Haarkosmetik, zum Entrosten u. zur Reinigung von Metallflächen, zur Komplexierung von Eisen in Lsg., zum Entkalken, als Hilfsmittel in der Galvano- u. Textiltechnik, zur Herst. von Citrat-Weichmachern, als Entfernungsmittel für Tintenflecke u. dgl., zum Entfärben von Olivenöl, gegen Verätzungen durch Ätzkalk, zur Verhinderung der Blutgerinnung bei der Herst. von Blutkonserven (ACD-Puffer). Die größte Menge der produzierten C. verbraucht die Lebensmittel-Ind., der Rest findet Verw. für pharmazeut. u. kosmet. Zwecke sowie techn. Anw. u. in Reinigungsmitteln.

Geschichte: C. wurde 1784 erstmals von Scheele aus Zitronensaft isoliert, Liebig bestimmte die Struktur 1838. – *E* citric acid – *F* acide citrique – *I* acido citrico – *S* ácido cítrico

Lit.: [1] Soucí et al., Die Zusammensetzung der Lebensmittel-Nährwerttabellen, 4. Aufl., Stuttgart: Wissenschaftliche Verlagsges. 1989/1990.
allg.: Beilstein E IV **3**, 272 ff. ▪ Hager (5.) **7**, 975 ▪ Kirk-Othmer (4.) **6**, 354–375 ▪ Roempp Lexikon Lebensmittelchemie, S. 189 ▪ Ullmann (5.) A **7**, 103–108 ▪ Z. Chem. **28**, 204–211 (1988). – [*HS 2918 14; CAS 77-92-9 (C.-wasserfrei); 5949-21-1 (C.)*]

Citronensäure-Cyclus (Citrat-Cyclus, Krebs-Cyclus, Tricarbonsäure-Cyclus). Bez. für das cycl. *Stoffwechsel-Schema des oxidativen Endabbaus der Nahrungsstoffe zu Kohlendioxid in *Mitochondrien. Die Formulierung des C.-C. erfolgte etwa 1937 gleichzeitig durch Sir H. A. *Krebs, *Knoop u. Martius.

Abb.: Citronensäure-Cyclus.

Energetik: Wesentliches Merkmal des C.-C. ist der Energiegewinn, der mit dem Abbau der jeweils zwei Kohlenstoff-Atome umfassenden Bruchstücke verbunden ist, die dem Fett-, Eiweiß- u. Kohlenhydrat-Abbau entstammen. Dieses Bruchstück, der Acetyl-Rest, tritt in den C.-C. als *Acetyl-CoA ein.
Die Energiegewinne äußern sich in der Bildung von Reduktionsäquivalenten, d. h. der reduzierten Formen von *Flavin-Adenin-Dinucleotid (FADH$_2$; oxidierte Form: FAD) u. *Nicotinamid-Adenin-Dinucleotid (NADH; oxidierte Form: NAD$^+$) sowie in der *Phosphorylierung von Guanosin-5'-diphosphat (GDP) zu Guanosin-5'-triphosphat (GTP; s. Guanosinphosphate) durch anorgan. Phosphat (P$_i$); man spricht auch von *Substratketten-Phosphorylierung*. Während GTP an sich schon eine verwertbare energiereiche Phosphat-Verb. darstellt, aber auch auf *Adenosin-5'-diphosphat (ADP) unter Entstehung von *Adenosin-5'-triphosphat (ATP) u. GDP transphosphorylieren kann, können die in NADH u. FADH$_2$ enthaltenen Reduktionsäquivalente in der *Atmungskette auf Sauerstoff übertragen werden; in der hieran angekoppelten *oxidativen Phosphorylierung* entsteht dann ebenfalls ATP.

Stoffwechsel: Neben seiner Funktion als terminaler Oxidationsprozeß der Nährstoffe ist der C.-C. auch ein Lieferant für Biosynth.-Vorstufen: Durch *Transaminierung entstehen aus den Oxosäuren mit 4 bzw. 5 Kohlenstoff-Atomen die wichtigen Aminosäuren L-*Asparaginsäure bzw. L-*Glutaminsäure, aus Oxobernsteinsäure können über die *Gluconeogenese Zucker, z. B. die für die *Nucleinsäure-Synth. wichtige Ribose, gebildet werden. *5-Amino-4-oxovaleriansäure, die Vorstufe der *Porphyrine wird aus Succinyl-Coenzym A synthetisiert. Die aufgrund dieser Aufbaureaktionen dem C.-C. entnommenen Bausteine müssen aus anderen Stoffwechselwegen aufgefüllt werden (*anaplerotische Reaktionen*, z. B. die Carboxylierung von

*Brenztraubensäure zu *Oxobernsteinsäure). Wegen seiner Doppelfunktion in Ana- u. Katabolismus nennt man den C.-C. auch *amphibolisch.* Der C.-C. ist auch die Basis für die biotechnol. Gewinnung von Citronen-, Oxal-, Itacon-, Bernstein-, Fumar- u. L-Äpfelsäure aus Kulturen von *Aspergillus-* u. a. Pilzarten. – *E* citric acid cycle – *F* cycle citrique – *I* ciclo dell'acido citrico – *S* ciclo del ácido cítrico
Lit.: Voet-Voet (2.), S. 504–526.

Citronensäureester. Ester der *Citronensäure. Einige Alkylcitrate dienen als nichtion. *Weichmacher für Kunststoffe, die mit Nahrungsmittel in Berührung kommen, z. B. für Kosmetika (Salben, Cremes) u. als *Emulgatoren u. *Synergisten für *Antioxidantien in Lebensmitteln. Techn. Bedeutung haben Triethylcitrat u. Tributylcitrat sowie deren Acetate erlangt, in denen die Hydroxy-Gruppe der Citronensäure ebenfalls verestert ist. Alle C. sind wenig wasserlösl., farblose Flüssigkeiten, die sich als Additive bei der Herst. von PVC, Cellulosenitrat u. Ethylcellulose eignen. – *E* citric acid esters – *F* esters d'acide citrique – *I* esteri citrici – *S* ésteres del ácido cítrico
Lit.: Beilstein E IV 3, 1276 f. ▪ Janistyn 1, 200 f. ▪ Mutagenic Evaluation of Triethyl Citrate, FCC, Springfield: NTIS 1976. – [HS 2918 15]

Citronin s. Naphthol-Farbstoffe.

Citrullin (2-Amino-5-ureidovaleriansäure, δ-Ureidonorvalin).

H₂N—CO—NH—(CH₂)₃—CH—COOH
                              |
                             NH₂

$C_6H_{13}N_3O_3$, M_R 175,19. Prismen, Schmp. 222 °C, in der Natur kommt die (*S*)-(+)-Form vor, $[\alpha]_D^{25}$ +7,5° (c 2/H₂O), in Wasser gut, in Alkoholen nicht löslich. C. ist erstmals aus dem Saft der Wassermelone (*Citrullus vulgaris,* Cucurbitaceae) gewonnene Aminosäure, die in Proteinen nur in geringen Mengen enthalten ist (z. B. im Casein), aber im Blutungssaft von Birken u. Erlen reichlich vorkommt. C. wird in der Leber gebildet u. ist im *Harnstoff-Cyclus ein Zwischenprodukt beim *Arginin-Aufbau. – *E = F* citrulline – *I* citrullina – *S* citrulina
Lit.: Beilstein E IV 4, 2647. – [HS 2924 10; CAS 372-75-8]

Citrusfrüchte. Sammelbez. für die auch *Agrumen (von italien.: agro = sauer, bitter) genannten Früchte der zu den Rutaceen zählenden botan. *Citrus-*Arten, die in zahlreichen Züchtungsformen kultiviert werden. Die wichtigsten, meist in Einzelstichwörtern (Zitr... hier unter Citr...) behandelten *Citrus-*Arten sind: *C. aurantium* (Sauer- od. Bitterorange, *Pomeranze, Bigarade, Bergamotte), *C. aurantifolia* (*Limette), *C. grandis* bzw. *paradisi* (*Pampelmuse, Shaddock bzw. *Grapefruit), *C. reticulata* (*Mandarine, *Clementine, *Tangerine), *C. limonia* (*Limone od. Echte Zitrone), *C. medica* (Zedrat-Zitrone, liefert Zitronat) u. *C. sinensis* (Apfelsine, *Orange, Süßorange). Daneben gibt es zahlreiche, z. T. mit Phantasienamen belegte Kreuzungen, z. B. die *Citrange* (Zitrange; Kreuzung von *C. sinensis* mit dem Pollen von *Poncirus trifoliata,* Synonym *C. trifoliata*) sowie Zitrangequat, Limequat, Orangequat (Kreuzungen mit Kumquat), Tangelo (aus Mandarine u. Grapefruit) u. anderen. Verwandt mit den C. sind die *Fortunella-*Arten: Zwerg-C. mit süßen Schalen u. saurem Fruchtinneren (Kumquat). Zur *Chemotaxonomie bei C. s. Herrmann (*Lit.*). Verw. finden das Fruchtfleisch bzw. der durch Auspressen gewonnene Saft (auch wegen des Gehalts an Ascorbinsäure) als Nahrungsmittel bzw. Getränk sowie Schalen, Blüten u. a. Pflanzenteile zur Gewinnung von *Citrusölen; zur Aromen-Zusammensetzung s. dort. Zur Konservierung der C. während Reife, Lagerung u. Transport werden v. a. *Biphenyl (meist fälschlicherweise Diphenyl genannt), *Thiabendazol u. 2-Hydroxybiphenyl (s. Biphenylole) verwendet, wobei die Anw. durch Bedampfen („Spritzen") der Früchte selbst od. durch Imprägnierung des ggf. verwendeten Einwickelpapiers bzw. durch Verteilung im Transportbehälter geschehen kann. Die für fungistat. Zwecke zulässigen Mengen sind von Land zu Land verschieden. – *E* citrus fruits – *F* agrumes – *I* agrumi – *S* frutos cítricos
Lit.: Brücher, Tropische Nutzpflanzen, S. 334–348, Berlin: Springer 1977 ▪ Franke, Nutzpflanzenkunde, Stuttgart: Thieme 1992 ▪ Herrmann, Exotische Lebensmittel, S. 38–42, Berlin: Springer 1983 ▪ Pahlow, Das große Buch der Heilpflanzen, München: Gräfe & Unzer 1987 ▪ s. a. etherische Öle, Obst u. die einzelnen C.-Arten. – [HS 0805 10–90]

Citrusöle. *Etherische Öle, die aus den Schalen von *Citrusfrüchten (Bergamotte, Grapefruit, Limette, Mandarine, Orange, Zitrone) gewonnen werden, oft auch Agrumenöle (von italien. agrumi = saure Früchte) genannt. Da die Öle in kleinen Bläschen in den äußeren Fruchtschalen (Albedo) gespeichert sind, können sie durch mechan. Verf. isoliert werden. Sie werden daher auch als „gepreßte" od. „kaltgepreßte" Öle bezeichnet.
C. bestehen zu einem großen Teil aus Monoterpen-Kohlenwasserstoffen, hauptsächlich *Limonen (Ausnahme: *Bergamottöl, das nur ca. 40% enthält). Da die wichtigen geruchs- u. geschmackgebenden Komponenten deshalb nur in verhältnismäßig geringen Konz. vorhanden sind u. da der hohe Anteil an Terpen-Kohlenwasserstoffen wegen unzureichender Löslichkeit oft anwendungstechn. Probleme bereitet, werden v. a. für den Einsatz als Aromatisierungsmittel sog. konz. C. verwendet. Diese werden hergestellt, indem man einen Großteil der unerwünschten unpolaren Bestandteile abtrennt u. so den Gehalt der polaren Komponenten erhöht, was techn. durch Dest.-, Verteilungs-, Extraktion- od. Adsorptionsverf. geschehen kann. Die erhaltenen „Terpen-armen" Konzentrate werden je nach Konz.-Grad als „X-fache C." bezeichnet, z. B. „Zitronenöl 5fach" od. „Orangenöl 10fach".
C. enthalten auch kleinere Anteile (1–5%) von nicht verdampfbaren Komponenten, darunter Farbstoffe, Wachse, Cumarine usw. Zur letzten Verbindungsklasse gehören auch die sog. *Furocumarine, die in einigen C. in solchen Konz. vorhanden sind, daß die Verw. dieser Öle auf der Haut (z. B. in Parfüms) zu phototox. Reaktionen führen kann. Diese Öle können daher im kosmet. Bereich nur in geringen, unschädlichen Dosierungen eingesetzt werden od. sind vorher so zu rektifizieren, daß die schwerflüchtigen Furocumarine abgetrennt werden. – *E* citrus oils – *F* huiles d'agrumes

Citryx

Lit.: Inhaltsstoffe: Perfum. Flavor. **16** (2), 17 (1991). – *Cumarine/Furocumarine:* Perfum. Flavor. **7** (3), 57 (1982) ▪ J. Essent. Oil Res. **1**, 139 (1989) ▪ Flavour Fragr. J. **7**, 129 (1992) ▪ J. Chromatogr. **672**, 177 (1994).

Citryx. Terpen-Gemisch für Kölnisch Wasser-Noten von BASF.

City Men®. Sortiment duftorientierter Körperpflegeserien für Herren, bestehend aus Deospray, After Shave, Duschbad, Deo-Zerstäuber u. Eau de Toilette. *B.:* Henkel.

CKA, CKB, CKF s. CK-Salze.

C/kg. Kurzz. für die Einheit Coulomb/kg für die *Dosis der Bestrahlung mit *ionisierender Strahlung (*Ionendosis*).

CK-Salze. Nach DIN 4076, Tl. 5 (11/1981) Kurzz. für *Holzschutzmittel auf der Basis von Alkalimetalldichromat-Kupfersalz-Gemischen. Von diesen leiten sich durch Zusatz von Arsenaten die *CKA*-, von Boraten die *CKB*- u. von Fluoriden die *CKF-Salze* ab.
Lit.: Ullmann (4.) **12**, 685–702.

CKW. Abk. für *Chlorkohlenwasserstoffe.

cl. Abk. für Zentiliter (0,01 l = 10 ml).

Cl. 1. Chem. Symbol für *Chlor. – 2. In der Thermodynamik Kurzz. für Clausius (Energieeinheit, entspricht nicht dem SI). 1 Cl = 1 cal/K = 4,1868 J/K.

Clabin®. Lsg. mit Salicyl- u. Milchsäure gegen Hühneraugen, Schwielen u. Warzen. *B.:* Bernsdorf.

Cladinose (2,6-Didesoxy-3-*C*-methyl-3-*O*-methyl-*ribo*-hexose).

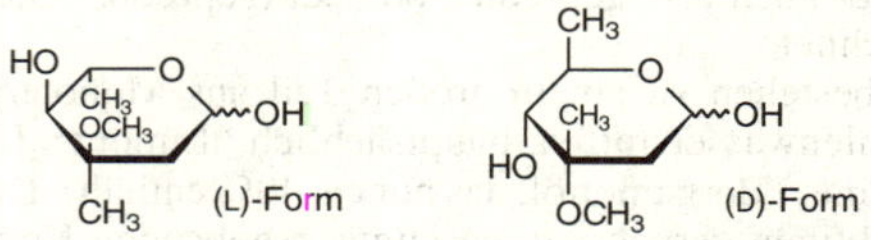

$C_8H_{16}O_4$, M_R 176,21, sirupös. D-Form: $[\alpha]_D^{20}$ +21,0° (c 0,7/H_2O); L-Form: $[\alpha]_D^{20}$ −21,1° (c 0,7/H_2O). C. ist ein 6-*Desoxyzucker aus dem Sekundärstoffwechsel von *Mikroorganismen. Die L-Form findet sich als Kohlenhydrat-Baustein z. B. im *Antibiotikum *Erythromycin. – *E* = *F* cladinose – *I* cladinosio – *S* cladinosa
Lit.: Gräfe, S. 104 f., 111–116 ▪ Präve et al. (4.), S. 147. – [CAS 470-12-2 (D-Form); 3758-45-0 (L-Form)]

Cladribin.

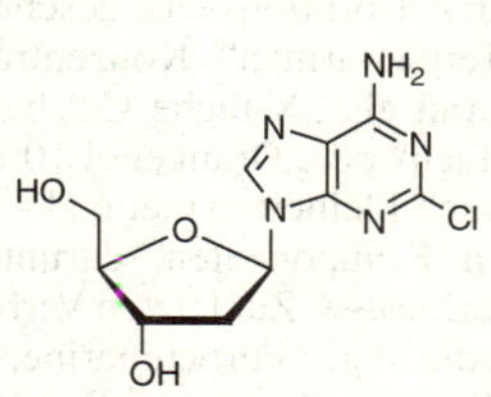

Internat. Freiname für 2-Chlor-2′-desoxyadenosin, $C_{10}H_{12}ClN_5O_3$, M_R 285,69. C. ist ein von Ortho Biotech (USA) entwickelter Inhibitor der Purin-Nucleosid-Phosphorylase. Es ist bei verschiedenen Leukämieformen u. Lymphomen wirksam. – *E* = *F* cladribine – *I* = *S* cladribina
Lit.: Ann. Hematol. **69**, 223–230 (1994) ▪ Drugs **46**, 872–894 (1993). – [CAS 4291-63-8]

Claisen, Ludwig (1851–1930), Prof. für Chemie, Aachen, Kiel, Berlin. *Arbeitsgebiete:* Präparative organ. Chemie, Kondensationsreaktionen, Phenole.
Lit.: Ber. Dtsch. Chem. Ges. **63**, A 47 (1930); **69**, A 97 (1936) ▪ Neufeldt, S. 53, 82, 128 ▪ Pötsch, S. 87 ▪ Strube et al., S. 135, 137.

Claisen-Kolben. Von *Claisen erfundener Destillierkolben für Vakuumdest. (s. Abb.).

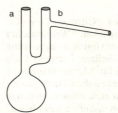

Abb.: Darstellung eines Claisen-Kolbens.

In die Hauptöffnung des Kolbens (a) kommt eine *Siedekapillare aus Glas zur Verhinderung des *Siedeverzugs, in das Rohr (b) ein Thermometer zur Kontrolle der Temp. in der Dampfphase. An Stelle des C.-K. benutzt man heute im allg. Rund- od. Spitzkolben mit Schliff, auf die man einen sog. *Claisen-Aufsatz* aufsetzt, s. Abb. 1 b bei Destillation. – *E* Claisen flask – *F* flacon de Claisen – *I* storta di Claisen, matraccio di Claisen – *S* matraz de Claisen

Claisen-Kondensation. Summar. Bez. für die von *Claisen entdeckten Alkanolat-katalysierten Kondensationen, für die das Vorhandensein einer aktivierten CH_2-Gruppe Voraussetzung ist u. die zur Bildung von β-Oxocarbonsäureestern (a) od. ungesätt. Carbonsäureestern (b) führen, wenn von Estern ausgegangen wird. Prinzipiell gleichartig verläuft die *Claisen-Schmidt-Kondensation* zwischen Aldehyden (c).

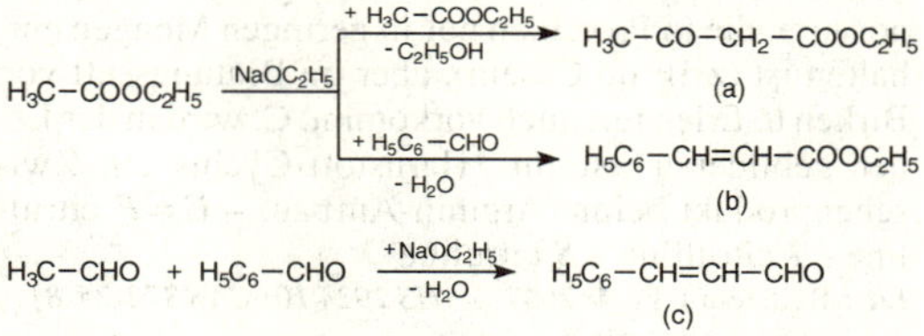

$$H_3C-COOC_2H_5 \xrightarrow[-C_2H_5OH]{+H_3C-COOC_2H_5, NaOC_2H_5} H_3C-CO-CH_2-COOC_2H_5 \quad (a)$$

$$H_3C-COOC_2H_5 \xrightarrow[-H_2O]{+H_5C_6-CHO} H_5C_6-CH=CH-COOC_2H_5 \quad (b)$$

$$H_3C-CHO + H_5C_6-CHO \xrightarrow[-H_2O]{+NaOC_2H_5} H_5C_6-CH=CH-CHO \quad (c)$$

Der Einsatz unterschiedlicher Carbonsäureester ist präparativ nur dann sinnvoll, wenn eine Ester-Komponente keinen α-H-Atom besitzt; z. B. Ameisensäureester, aromat. Carbonsäureester u. a. Carbonsäurediester gehen intramol. C.-K. zu cycl. β-Oxocarbonsäureestern ein (*Dieckmann-Kondensation*), wenn dabei 5–7-Ringe gebildet werden. β-Ketoester zeigen das Phänomen der Keto-Enol-Tautomerie.

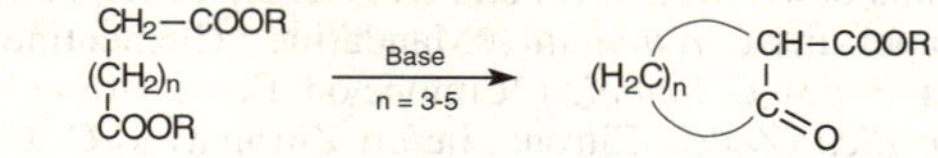

Eine mit der C.-K. verwandte Reaktion ist die *Stobbe-Kondensation. – *E* Claisen condensation – *F* condensation de Claisen – *I* condensazione di Claisen – *S* condensación de Claisen
Lit.: Hassner-Stumer, S. 65 ▪ Laue-Plagens, S. 57–62 ▪ Org. React. **15**, 1–203 (1967) ▪ Trost-Fleming **2**, 795 ff.

Claisen-Umlagerung. Von *Claisen 1923 erstmals beobachtete Umlagerung von Allylethern der Phenole od. Enole zu C-Allylhydroxy-Derivaten durch Erwärmen; *Beisp.:* Allylphenylether gibt 2-Allylphenol (R = H):

Sind beide *ortho*-Positionen substituiert, so erfolgt die C.-U. in die *para*-Stellung (*para-Claisen-Umlagerung*). Die Umlagerung erfolgt unter *Inversion der Allyl-Kette (Abb.) u. ist im mechanist. Sinne als *pericyclische, [3.3]-*sigmatrope Reaktion aufzufassen (vgl. Allyl- u. Cope-Umlagerung). Die C.-U. kann auch durch *Lewis-Säuren katalysiert werden[1]; in diesem Falle sollte die Reaktion jedoch wie eine *Friedel-Crafts-Reaktion ablaufen. Die aliphat. C.-U. von Allylvinylethern ist ebenfalls bekannt. Sie führt zu γ,δ-ungesätt. Carbonyl-Verb. u. kann diastereoselektiv durchgeführt werden[2].

Heteroanaloge der C.-U. sind bekannt, bei der anstelle des O-Atoms, S- od. N(R)-Reste an der Umlagerung beteiligt sind (*Thio-* bzw. *Aza-Claisen-Umlagerung*). – *E* Claisen rearrangement – *F* réarrangement de Claisen – *I* riordinamento trasposizione di Claisen – *S* transposición de Claisen
Lit.: [1] Chem. Rev. **84**, 205–247 (1984). [2] Nachr. Chem. Tech. Lab. **36**, 520ff., 644ff. (1988).
allg.: Chem. Rev. **88**, 1423–1452 (1988) ▪ Fortschr. Chem. Forsch. **16**, 75–102 (1970) ▪ Hassner-Stumer, S. 66 ▪ Laue-Plagens, S. 62–66 ▪ Org. React. **22**, 1–252 (1975).

Clamoxyquin s. 8-Chinolinol.

Clapeyron, Benoit Pierre Emile (1799–1864), Prof. für Mechanik, Paris, Ing. in St. Petersburg. C. entwickelte, aufbauend auf die von *Carnot aufgestellten Berechnungen u. Schlußfolgerungen, wichtige Grundlagen der heutigen Thermodynamik. Die später von *Clausius überarbeitete Gleichung (*Clausius-Clapeyronsche Gleichung) gibt die Temperaturabhängigkeit des Dampfdruckes bei Phasenübergängen an.
Lit.: Pötsch, S. 87.

Clarithromycin. Internat. Freiname für 6-*O*-Methylerythromycin, $C_{38}H_{69}NO_{13}$, M_R 747,96, Schmp. 217–220 °C (Zers.), $[\alpha]_D^{20}$ –90° (c 1/CHCl$_3$); Formel s. Erythromycin. C. ist ein semisynthet. Antibiotikum, das von Taisho entwickelt wurde u. als Cyllind®, Klacid® u. Mavid® (alle Abbott) im Handel ist. Es wird ähnlich wie *Erythromycin eingesetzt. – *E* clarithromycin – *F* clarithromycine – *I* = *S* claritromicina
Lit.: ASP ▪ Hager (5.) **7**, 978f. ▪ J. Chem. Soc., Chem. Commun. **1995**, 1653f. (Konformationsanalyse) ▪ U.S. Pharmacopeia, Bd. 23, S. 383f., Rockville, MD: U.S.P. Convention 1994. – [*HS 2941 50*; *CAS 81103-11-9*]

Clark I/II s. Diphenylarsinchlorid u. Diphenylarsincyanid.

Clarke, Frank Wigglesworth (1847–1931), Chef-Chemiker US Geological Survey, Washington. *Arbeitsgebiete:* Geochemie. Unter *Clarkezahl* versteht man den Durchschnittsgehalt eines chem. Elements in der etwa 17 km starken Erdkruste (1 Clarke = 1 g/t).
Lit.: Pötsch, S. 88.

CLARMARIN®. Entkeimungs- u. Algenbekämpfungsmittel für Schwimmbäder, Kühlwässer, Kreislaufsyst. bei Fabrikationswässern. *B.:* Degussa.

Clarocarbon®. Aktivkohle für die Lebensmittel-Industrie. *B.:* Merck.

Clarofos®. Trink- u. Brauchwasser-Behandlungsmittel. *B.:* Budenheim.

Clathrate (Käfigeinschlußverbindungen). Von latein.: clatratus = vergittert abgeleitete Bez. für einen Typ von Einschlußverbindungen (vgl. die Abb. dort), bei dem das „Wirtsmol." ein käfigartiges Kristallgitter besitzt, in dem das „Gastmol." eingeschlossen ist. So bildet z. B. krist. Hydrochinon zahlreiche regelmäßig angeordnete Käfige, in welche entsprechend kleine Mol. (z. B. von Schwefeldioxid, Methanol, Acetylen, Kohlendioxid) od. Atome (von Edelgasen) eingelagert werden können. Die C. lassen sich durch Schmelzen od. Auflösen des Gitterwerks od. der eingeschlossenen Substanz leicht zersetzen, u. auch bei Raumtemp. schmelzende C. sind bekannt[1]. Die ersten C. (Einschlüsse von H_2S, HCl, SO_2 in Hydrochinon) wurden bereits 1886 von Mylius beschrieben, aber erst um 1948 setzte deren systemat. Erforschung durch Palin, Powell, W. *Schlenk u. *Cramer u. a. ein.
Eine bes. Art von C. sind die *Eishydrate* od. *Gashydrate*. In diesem Fall werden meist nichtpolare Gase, wie Edelgase, Chlor, Brom, aber auch aromat. Kohlenwasserstoffe in die beim Gefrieren von Wasser entstehenden Hohlräume eingelagert. Die Zusammensetzung u. Struktur dieser Gashydrate mit Wasser, deren erster Vertreter (Cl_2) von Sir H. *Davy 1811 beschrieben wurde, ist seit den Untersuchungen von Stackelbergs[2] als Gas · 5,75 H_2O od. (Gas)$_8$ (H_2O)$_{46}$ bekannt. Natürliche C. sind z. B. *Melanophlogit, antarkt. Tiefeneis (s. Eis) u. die Methangas-Felder in Sibirien.
Verw.: In *Trennverfahren von Gemischen u. Racematen (s. bes. McKetta, *Lit.*), zur Konfigurationsbestimmung, zur Verfestigung von Gasen u. Flüssigkeiten, zum *Transport von Ionen etc. Näheres s. bei Einschlußverbindungen; es sei darauf hingewiesen, daß bes. im Engl. diese oft mit C. gleichgesetzt werden. – *E* = *F* clathrates – *I* clatrati – *S* clatratos
Lit.: [1] Chem. Eng. News, Nr. 8, 72 (1977). [2] Z. Elektrochem. **58**, 25ff., 40ff., 99ff., 104ff., 162ff. (1954).
allg.: Gmelin, Syst.-Nr. 1, Edelgase, Erg.-Bd. 1, 1970, S. 131–160 ▪ Kirk-Othmer (4.) **14**, 122–154 ▪ McKetta **8**, 333–365 ▪ Ullmann (5.) **A 14**, 119–126; (5.) **A 17**, 501f. ▪ Weber (Hrsg.), Molecular Inclusion and Molecular Recognition - Clathrates 1., in Topics in Current Chemistry, Vol. 140, Berlin: Springer 1987 ▪ s. a. Einschlußverbindungen.

Clathrin. Mit der *Cytoplasma-Seite der Plasmamembran u. des Trans-Golgi-Netzwerks (TGN, s. Golgi-Apparat) assoziiertes Protein (Trimer aus 3 schweren u. 3 leichten Polypeptid-Ketten; M_R insge-

samt 650000), das an bestimmten Einbuchtungen der Membran (*coated pits*, Acanthosomen) konzentriert ist u. sich um diese zu gitterartigen Strukturen zusammenlagert. C. spielt bei der Ausbildung der coated pits, der Vesikel-Knospung u. der *Endocytose eine wichtige Rolle, da es aufgrund seiner Struktur (dreiarmiges Gebilde) die Fähigkeit besitzt, konvexe Polyedergitter aus Fünf- u. Sechsecken auszubilden. Bei der rezeptorvermittelten Endocytose bindet C. zuvor über *Clathrin-Adaptor-Proteine* (früher auch: clathrin assembly protein; Protein-Komplexe aus mehreren Untereinheiten, zu denen auch die α- u. *β-Adaptine* mit M_R von 105000–112000 bzw. 104000 gehören)[1] spezif. an die cytoplasmat. Seite jeweils bestimmter Frachtrezeptoren, die dann durch die Aggregation des C. im coated pit eingefangen werden. Dazu scheint außerdem *ARF nötig zu sein. Nach der Abschnürung der coated pits von der Zellmembran, bei der *Dynamin beteiligt ist u. *Adenosin-5′-triphosphat (ATP) verbraucht wird, findet man C. noch kurze Zeit auf den sog. *coated vesicles*, nicht mehr jedoch an den dann entstehenden Endosomen. Dieses „Entkleiden" einer solchen Vesikel geschieht mit Hilfe eines weiteren Proteins (uncoating ATPase, Hsc 70) u. unter Verbrauch von ATP. Beim Vesikel-Transport innerhalb des Golgi-Apparats u. bei Vesikeln aus dem *endoplasmatischen Retikulum sind statt C. u. Adaptor-Proteinen andere Hüllproteine beteiligt, s. *Lit.*[2] u. Coatomer. – *E* clathrin – *F* clathrine – *I* = *S* clatrina
Lit.: [1] Trends Cell Biol. **2**, 293–297 (1992). [2] FEBS Lett. **369**, 93–96 (1995); Nature (London) **349**, 215–220 (1991). *allg.*: Alberts et al., Molekularbiologie der Zelle, 3. Aufl., S. 731 f., 753–756, Weinheim: VCH Verlagsges. 1995 ▪ Crit. Rev. Biochem. Mol. Biol. **28**, 431–464 (1993) ▪ Curr. Opin. Cell Biol. **6**, 539–544 (1994) ▪ Eur. J. Biochem. **202**, 689–699 (1991) ▪ Science **271**, 1526–1533 (1966) ▪ Trends Biochem. Sci. **16**, 165 f., 208–213 (1991).

Claude, Albert (1899–1983), Prof. für Zytologie, Univ. Brüssel. *Arbeitsgebiete:* Gewebekulturen, Ultrazentrifuge, Elektronenmikroskopie, Krebsforschung, Zellbiologie. Nobelpreis für Medizin od. Physiologie 1974 (zusammen mit Palade u. de Duve).
Lit.: Nachr. Chem. Tech. **22**, 452 f. (1974) ▪ Naturwiss. Rundsch. **27**, 504 (1974).

Clauden®. Watte, Tupfer, Gaze, Nasentampons mit Blutgerinnungsfaktor 3 u. 7-Brom-5-Chlor-8-chinolinol mit Partialthromboplastin gegen Blutungen aller Art. *B.:* Lohmann/Neuwied.

Claudetit s. Arsenik.

Claude-Verfahren s. Haber-Bosch-Verfahren.

Claudicat® retard. Ampullen u. Filmtabl. mit *Pentoxifyllin gegen schwere periphere Durchblutungsstörungen (Schaufensterkrankheit). *B.:* Promonta Lundbeck.

Claus, Carl Ernst (auch Karl Karlovich Klaus genannt, 1796–1864), Prof. für Pharmazie, Univ. Dorpat. *Arbeitsgebiete:* Platin-Metalle, Entdeckung des Rutheniums.
Lit.: J. Chem. Educ. **1968**, S. 419–425 ▪ Neufeldt, S. 36 ▪ Pötsch, S. 89 ▪ Strube et al., S. 122.

Clausenamid [(±)-3-Hydroxy-5-(α-hydroxybenzyl)-1-methyl-4-phenyl-pyrrolidin-2-on]. $C_{18}H_{19}NO_3$, M_R 297,35, Nadeln, Schmp. 239–240 °C, opt. inaktiv (Racemat). Das γ-Lactam C. kann mit heißem Wasser aus

Clausenamid   Cyclo(-)-Clausenamid

den Blättern des chines. Obstbaumes *Clausena lansium* (Rutaceae) extrahiert werden. Es ist für die in der chines. Volksmedizin beschrie-bene Wirkung der Pflanze gegen akute u. chron. Hepatitis verantwortlich. Getrocknete Blätter weisen einen Wirkstoffgehalt von 0,04% auf. C. zeigt in Tierversuchen hepatoprotektive Effekte gegen Lebergifte wie Tetrachlormethan u. Thioacetamid. C. ist ein Radikalfänger u. übt eine induzierende Wirkung auf Cytochrom P450 aus. Zur diastereo- u. enantio-selektiven Totalsynth. sowie zur Röntgenstruktur-analyse für C. s. *Lit.*[1]. Aus *C. lansium* wurden auch die verwandten Lactame Neoclausenamid u. Cyclo-Clausenamid sowie Heptaphyllin u. Lansamid-I[2] u. die Carbazole Clausenol u. Clausenin[3] isoliert. – *E* = *F* clausenamide – *I* clausenammide – *S* clausen-amida
Lit.: [1] J. Org. Chem. **52**, 4352 (1987). [2] Phytochemistry **27**, 445 (1988). [3] Phytochemistry **40**, 295 (1995).

Clausius, Rudolf Julius Emmanuel (1822–1888), Prof. für Physik, TH Zürich, Univ. Würzburg u. Bonn. *Arbeitsgebiete:* Thermodynamik, Entwicklung des 2. Hauptsatzes der Thermodynamik, kinet. Gastheorie, Einführung des *Entropie-Begriffs.
Lit.: Krafft, S. 86 ▪ Neufeldt, S. 40, 43, 46 ▪ Pötsch, S. 89 ▪ Strube **2**, 67 f., 74 ▪ Strube et al., S. 61, 104, 124, 127.

Clausius-Clapeyron'sche Gleichung. Von *Clapeyron (1834) u. *Clausius (1850) aufgestellte Gleichung, die sich mit dem therm. Gleichgew. in dem Zweiphasensyst. eines reinen Stoffes befaßt: $dp/dT = L/(T \cdot \Delta V)$, wobei p = Dampfdruck, T = abs. Temp., L = *Umwandlungswärme u. $\Delta V = V_1 - V_2$ die Differenz der Vol. der beiden Phasen sind. Die C.-C. G. läßt sich auf Verdampfungs-, Subl.- u. Schmelzvorgänge anwenden; entsprechend ist L als *Verdampfungsenthalpie* (bei *Destillationen), *Sublimationsen-thalpie* (bei *Sublimation) od. *Schmelzenthalpie* (beim *Schmelzen) zu interpretieren. Bei Verdampfungs- u. Sublimationsvorgängen kann man für die C.-C. G. die folgende Näherungsform angeben:

$$\ln p(T_2) - \ln p(T_1) = \frac{L}{R}(1/T_1 - 1/T_2),$$

wobei T_1 u. T_2 zwei verschiedene Temp. u. R die *Gaskonstante sind. Nach dieser Gleichung, der sog. *Augustschen Dampfdruckformel*, ist der Logarithmus des Dampfdrucks eine lineare Funktion der inversen abs. Temperatur. – *E* Clausius-Clapeyron equation – *F* équation de Clausius-Clapeyron – *I* equazione di Clausius-Clapeyron – *S* ecuación de Clausius-Clapeyron

Clausius-Mossoti-Gleichung. Von Mossotti (1850) u. *Clausius (1879) aufgestellte Gleichung, die die *Molpolarisation* P_{mol} mit der Dielektrizitätszahl ε u. dem

*Molvolumen V_{mol} verknüpft:

$$P_{mol} = \frac{\varepsilon-1}{\varepsilon+2} V_{mol}$$

S. a. Debye-Clausius-Mosotti-Gleichung. – *E* Clausius-Mossoti equation – *F* équation de Clausius-Mossoti – *I* equazione di Clausius-Mossoti – *S* ecuación de Clausius-Mossoti

Clausthalith s. Bleiselenid.

Claus-Verfahren. Wichtiger Prozeß zur Gewinnung von Schwefel (s. dort) durch Verbrennung von H_2S mit Sauerstoff-Unterschuß bzw. aus H_2S u. SO_2, die bei der *Entschwefelung von Erdgas, Synthesegas, Rauchgas u. dgl. anfallen (s. *Lit.*).
Lit.: Kirk-Othmer (3.) **11**, 640 ▪ Winnacker-Küchler (4.) **2**, 7 ff.

Clavame.

β-Lactame vom Oxapenam-Typ (4-Oxa-1-azabicyclo[3.2.0]heptan-7-on), gegenüber den *Penamen ist Schwefel durch Sauerstoff ersetzt. Sie besitzen antifung. Eigenschaften u. werden aus Kulturbrühen von *Streptomyces*-Arten isoliert. Wichtige Beisp. sind Clavam-2-carbonsäure[1] (das erste C., das gefunden wurde) aus *S. clavuligerus*, $C_6H_7NO_4$, M_R 157,13 (Struktur: R = COOH); die *Clavamycine*[2] sowie 2-(2-Hydroxyethyl)clavam, $C_7H_{11}NO_3$, M_R 157,16 (R = CH_2-CH_2OH), 3S,5S-Form, Öl, $[\alpha]_D^{23}$ –141° u. *Valclavam*, $C_{14}H_{23}N_3O_6$, M_R 329,35 (R s. Formelbild), aus *S. hygroscopicus*. – *E* clavams – *F* clavame – *I* clavami – *S* clavamos

Lit.: [1] J. Chem. Soc., Chem. Commun. **1979**, 282. [2] J. Antibiot. **39**, 510 (1986).
allg.: Beilstein E V **27/10**, 221, 236; **27/16**, 216. – *Isolierung:* Arch. Microbiol. **147**, 315 (1987) ▪ J. Antibiot. **39**, 510 (1986). – *Synth.:* J. Org. Chem. **50**, 3457 (1985) ▪ Tetrahedron **43**, 2467 (1987) ▪ Tetrahedron Lett. **29**, 1609 (1988); **34**, 5645 (1993) (Valclavam). – *[CAS 79416-52-7]*

Clavamycine (Clavamycine A–F).

Clavamycin B

Antifung. β-Lactam-Antibiotika vom Oxapenam-Typ (vgl. Penam), z. B. C: $C_{13}H_{22}N_4O_8$, M_R 362,34. Die C. sind thermolabile sowie basen- u. säureempfindliche, mit Peptid-Resten substituierte hydrophile *Clavame, die *in vitro* sehr gute Wirkung gegen pathogene Hefen (z. B. *Candida albicans*) zeigen. Sie werden aus Kulturbrühen von *Streptomyces hygroscopicus* isoliert. – *E* clavamycins – *F* clavamycine – *I* clavamicine – *S* clavamicina
Lit.: J. Antibiot. **39**, 510, 516 (1986).

Claversal®. Tabl. u. Suppositorien mit *Mesalazin gegen ulceröse Dickdarmentzündung, Morbus Crohn. *B.:* SK Beecham.

Claviceps-Alkaloide. Mutterkorn-Alkaloide, gebildet u. a. von den Gattungen *Claviceps* u. *Epichloe*; s. Ergot-Alkaloide.

Clavigrenin®. Tropfen u. Retard-Kapseln mit *Dihydroergotamin-mesilat, Suppositorien mit *Ergotamintartrat zur Migräne-Therapie. *B.:* Hormosan.

Clavulansäure {(2R,5R)-3-(2-Hydroxyethyliden)-7-oxo-4-oxa-1-azabicyclo[3.2.0]heptan-2-carbonsäure}.

(Z)-Form

$C_8H_9NO_5$, M_R 199,16. Ein von *Streptomyces clavuligerus, S. jumonjinensis* u. *S. katsurahamanus* gebildetes *β-Lactam-Antibiotikum mit einem β-Lactam-Oxazolidin-(*Clavam-)Ringsystem. Die (*E*)-Form nennt man Isoclavulansäure. C., ein instabiles Öl, besitzt gegen Gram-pos. u. Gram-neg. Erreger nur eine geringe Wirkhöhe. Kommerziell wird C. als äußerst wirksamer β-Lactamase-Inhibitor eingesetzt u. ist in Kombination mit *Amoxicillin im Handel (*Augmentan®). C. führt in Verbindung mit β-Lactamase-empfindlichen *Penicillinen u. *Cephalosporinen zu einer deutlichen Aktivitätssteigerung dieser Antibiotika. – *E* clavulanic acid – *F* acide clavulanique – *I* acido clavulanico – *S* ácido clavulánico
Lit.: Drugs **22**, 337–362 (1981) ▪ Gräfe, S. 178–199, 339–361 ▪ Präve et al. (4.), S. 667–673. – *[HS 294190; CAS 58001-44-8 (Z-Form); 57943-81-4 (Na-Salz); 62319-53-3 (E-Form)]*

Clayden-Effekt s. Photographie.

Clayton-Gas. Gemisch aus SO_2 u. N_2, das z. B. auf Schiffen als Feuerlöschmittel verwendet wurde. Wenn die Luft 5% dieses Gasgemisches enthält, erlöschen gewöhnliche Feuer.

Clebsch-Gordan-Koeffizient. Kopplungskoeff., der bei der *Kopplung von Drehimpulsen* auftritt. C.-G.-K. spielen in der Theorie der Atom- u. Mol.-Spektren u. der Theorie der langreichweitigen intermol. Wechselwirkungskräfte eine wichtige Rolle.

Clemastin.

Internat. Freiname für 2-{2-[1-(4-Chlorphenyl)-1-phenylethoxy]-ethyl}-1-methylpyrrolidin, $C_{21}H_{26}ClNO$, M_R 343,90, Sdp. 154 °C (2,67 Pa); n_D^{22} 1,5582; $[\alpha]_D^{20}$ +33,6° (C_2H_5OH). Verwendet wird auch das Hydrogenfumarat, Schmp. 177–178 °C, $[\alpha]_D^{21}$ +16,9° (CH_3OH); LD_{50} (Maus oral) 730, (Ratte oral) 3550, (Maus i. v.) 43, (Ratte i. v.) 82 mg/kg. C. wurde 1963 als Antiallergikum von Sandoz (Tavegil®) patentiert. – *E* clemastine – *F* clémastine – *I* = *S* clemastina
Lit.: Hager (5.) **7**, 983–985 ▪ Ullmann (5.) **A 2**, 423. – *[HS 293390; CAS 15686-51-8; 14976-57-9 (Hydrogenfumarat)]*

Clementeine.

Clementein A

Sesquiterpen-Lactone mit der in der Natur selten vorkommenden (z. B. *Taxol) Oxetan-Struktur aus *Centaurea canariensis*, C. clementei, z. B. C. A: $C_{21}H_{26}O_7$, M_R 390,43, Schmp. 193–195°C. – *E* clementeins – *F* clémentéïne – *I* clementeini – *S* clementeinas
Lit.: Tetrahedron **42**, 3611–3622 (1986); **49**, 2499–2508 (1993). – [CAS 86939-93-7 (C. A)]

Clementinen.
Kernarme bis kernlose, ähnlich wie die *Tangerinen aus *Mandarinen durch Mutation gezüchtete *Citrusfrüchte, die in Nordafrika von Dezember bis Februar geerntet werden. Je 100 g eßbare Substanz enthält 3,3–4,1 g Invertzucker, 7–7,7 g Rohrzucker, 0,7–1,1 g Gesamtsäure (Citronensäure), 0,5–0,67 g Eiweißstoffe, 0,3–0,35 g Mineralsubstanz, 52–65 mg Vitamin C. – *E* clementines – *I* clementine – *S* clementinas
Lit.: Brücher, Tropische Nutzpflanzen, S. 343, Berlin: Springer 1977 ▪ Franke, Nutzpflanzenkunde, Stuttgart: Thieme 1992 ▪ s. a. Citrusfrüchte. – [HS 0805 20]

Clemizol.

Freie, internat. Kurzbez. für das Antihistaminikum 1-(4-Chlorbenzyl)-2-(pyrrolidinomethyl)-benzimidazol, $C_{19}H_{20}ClN_3$, M_R 325,84, Schmp. 167°C. Es wurde 1952 als Antihistaminikum von Bayer AG patentiert. C. war als Salz mit Benzylpenicillin als Depot-Antibiotikum im Handel – *E* clemizole – *F* clémizol – *I* clemizolo – *S* clemizol
Lit.: Hager (5.) **7**, 985–989. – [HS 2933 90; CAS 442-52-4; 1163-36-6 (Hydrochlorid)]

Clemmensen-Reduktion.
Nach E. C. Clemmensen (1876–1941) benannte Red. von Ketonen od. Aldehyden mit Hilfe von amalgamiertem Zinkstaub u. 5–40%iger Salzsäure, wobei die *Carbonyl-Gruppe zur Methylen-Gruppe reduziert wird. Eine weitere Meth. zur Red. von Carbonyl-Verb. zu Alkanen, die im bas. Milieu durchgeführt wird, ist die *Wolff-Kishner-Reduktion.

$$R^1R^2C=O \xrightarrow[-ZnCl_2]{Zn(Hg), HCl, H_2O} R^1-CH_2-R^2$$

– *E* Clemmensen reduction – *F* réduction de Clemmensen – *I* riduzione di Clemmensen – *S* reducción de Clemmensen
Lit.: Hassner-Stumer, S. 68 ▪ Laue-Plagens, S. 66–68 ▪ Org. React. **22**, 401–422 (1975) ▪ Trost-Fleming **8**, 307 ff.

Clenbuterol.

Internat. Freinamen für 1-(4-Amino-3,5-dichlorphenyl)-2-*tert*-butylaminoethanol, $C_{12}H_{18}Cl_2N_2O$, M_R 277,19. Verwendet wird das Hydrochlorid, Schmp. 174–175,5°C, LD_{50} (Maus oral) 176, (Ratte oral) 315, (Ratte i. v.) 35,3 mg/kg. C. wurde 1968 u. 1970 als Broncholytikum von Thomae (Spiropent®) patentiert. – *E* = *S* clenbuterol – *F* clenbutérol – *I* clenbuterolo
Lit.: ASP ▪ Hager (5.) **7**, 989–991 ▪ Ullmann (5.) **A 2**, 460. – [HS 2922 19; CAS 37148-27-9]

Clericis Lösung.
Schwere, leicht bewegliche, blaßgelbe Flüssigkeit, D. ca. 4, aus je 1 Mol *Thallium(I)-formiat u. Thalliummalonat. C. L. ist mit Wasser verdünnbar u. wird zur Bestimmung der Dichte von Mineralien verwendet. – *E* Clerici's solution – *F* solution de Clerici – *I* soluzion di Clerici – *S* solución de clerici
Lit.: Brauer (3.) **2**, 888 f.

Clerodane.

Die C. sind eine Gruppe bicycl. Diterpenoide, mit über 650 Vertretern, sie kommen in Höheren Pflanzen (v. a. Labiaten), Mikroorganismen u. Meerestieren vor. Ihre Biosynth. verläuft über Geranylgeranylpyrophosphat, Cyclisierung u. Umlagerung des entstehenden Labdadienyl-Kations. Antibiot., Antitumor- u. insektenfraßhemmende Eigenschaften wurden beschrieben. – *E* clerodanes – *F* clérodane – *I* clerodani – *S* clerodanos
Lit.: J. Nat. Prod. **52**, 433 ff. (1989) ▪ Nat. Prod. Rep. **9**, 243–287 (1992) ▪ Tetrahedron **44**, 6607–6622 (1988) ▪ Zechmeister **63**, 107–196.

Clerol®.
Entschäumer, z. T. auf Basis Alkylpolyalkoxyester. Verw. in Prozeßwässern der Nahrungsmittel-Ind. wie z. B. bei Zucker, Stärke, Kartoffelprodukten; in Prozessen zur Herst. von organ. Säuren, Antibiotika, Hefe, Enzymen u. Alkohol; bei der Phosphorsäure-Herstellung. *B.:* Henkel.

Clethodim.
Common name für 2-{(*E*)-1-[(*E*)-3-Chlorallyloxyimino]propyl}-5-[2-(ethylthio)propyl]-3-hydroxy-2-cyclohexenon.

$C_{17}H_{26}ClNO_3S$, M_R 359,91, klare, gelbe Flüssigkeit, Zers. vor Sdp., LD_{50} (Ratte oral) 1360 mg/kg, von

Chevron 1987 eingeführtes *Herbizid gegen Unkräuter u. Ungräser in Soja, Baumwolle, Sonnenblumen, Tabak, Erdnüsse, Obst, Gemüse u. Wein. – *E* = *I* clethodim – *F* cléthodim – *S* cletodím
Lit.: Farm ▪ Pesticide Manual. – *[CAS 99129-21-2]*

Cleve, Per Theodor (1840–1905), Prof. für Chemie, Univ. Uppsala. *Arbeitsgebiete:* Seltenerdmetalle, Entdeckung der Elemente Thulium u. Holmium.
Lit.: Neufeldt, S. 70 ▪ Pötsch, S. 90 ▪ Poggendorff **3**, 4 ▪ Strube **2**, 193 ▪ Strube et al., S. 138, 139, 140.

Cleve-Säuren s. Naphthylaminsulfonsäuren.

Clibucain.

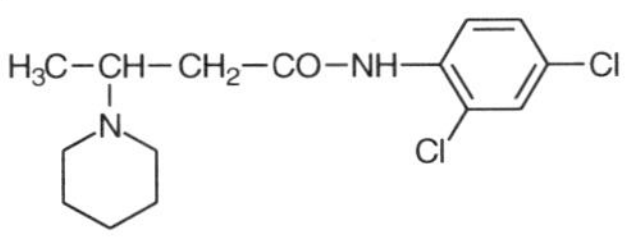

Internat. Freiname für das lokalanästhet. wirkende 2′,4′-Dichloro-3-piperidino-butyranilid, $C_{15}H_{20}Cl_2N_2O$, M_R 315,24. – *F* clibucaine – *I* clibucaina – *S* clibucaína
Lit.: Beilstein E III/IV **20**, 1061.

Clidiniumbromid.

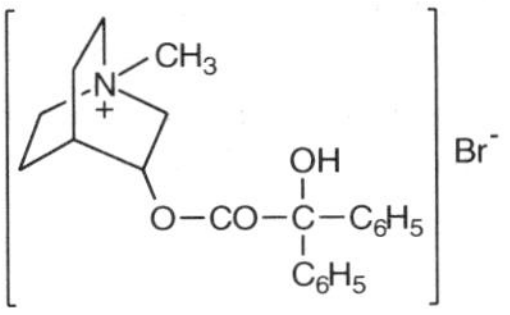

Internat. Freiname für 3-Benziloyloxy-1-methylchinuclidinium-bromid, $C_{22}H_{26}BrNO_3$, M_R 432,36, Schmp. 240–241 °C. Es wurde 1953 als Anticholinergikum von Hoffmann-La Roche (Librax®, Kombination mit Chlordiazepoxid, außer Handel) patentiert. – *E* clidinium bromide – *F* bromure de clidinium – *I* clidino bromuro – *S* bromuro de clidinio
Lit.: Beilstein E V **21/1**, 277f. ▪ Florey **2**, 145–161 ▪ Hager (5.) **7**, 991–992. – *[HS 2933 39; CAS 3485-62-9]*

Clindamycin.

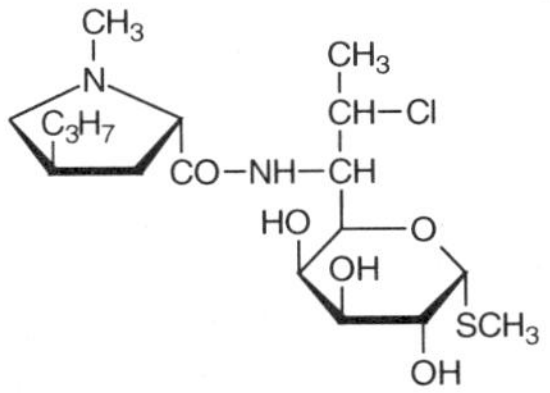

Internat. Freiname für das halbsynthet. Lincosamid-Antibiotikum 7-Chlor-7-desoxylincomycin, $C_{18}H_{33}ClN_2O_5S$, M_R 424,98; $[\alpha]_D$ +214° (CHCl$_3$). Verwendet wird auch das Hydrochlorid-Monohydrat, Schmp. 141–143 °C, $[\alpha]_D$ +144° (H$_2$O), pKa 7,6; LD$_{50}$ (Maus i. v.) 245, (Maus i. p.) 361 mg/kg. C. wurde 1969 u. 1970 von Upjohn (Sobelin®) patentiert u. ist generikafähig. – *E* clindamycin – *I* = *S* clindamicina
Lit.: Beilstein E V **22/1**, 283 ▪ DAB 10 ▪ Florey **10**, 75–91 ▪ Hager (5.) **7**, 993–996 ▪ Ullmann (5.) **A2**, 534. – *[HS 2941 90; CAS 18323-44-9; 21462-39-5 (Hydrochlorid-Monohydrat)]*

Clinesfar®. Gel mit Erythromycin u. Tretinoin gegen Akne vulgaris. *B.:* Essex Pharma GmbH.

Clinmat®. Spezieller, hochkonz. bzw. universeller Klarspüler für Spülgut in mittleren u. größeren gewerblichen Spülmaschinen mit nichtion. schaumarmen Tensiden. *B.:* Henkel-Ecolab.

Clinofem®. Tabl. mit *Medroxyprogesteronacetat zur Behandlung hormonaler Cyclus-Störungen, Menopause u. Endometriose. *B.:* Upjohn.

Clin® Plus. Tensid-haltiger Allzweckreiniger, Hochkonzentrat in Dosierflasche mit integriertem Dosiersyst., für alle abwaschbaren Oberflächen. *B.:* Henkel.

Clin-Sanorania®. Kapseln mit dem Antibiotikum *Clindamycin-Hydrochlorid, Trockensaft mit Clindamycin-Palmitat-Hydrochlorid. *B.:* Sanorania.

Clioquinol. Internat. Freiname für 5-Chlor-7-iod-8-chinolinol, C_9H_5ClINO, M_R 305,50, Zers. bei 178–179 °C, Formel s. 8-Chinolinol. C. wirkt antisept. u. amöbizid u. wurde deshalb als Anitidiarrhoikum verwandt. Vor unkontrollierter Einnahme muß jedoch gewarnt werden, da sich C. als Ursache für die sog. SMON-Krankheit erwiesen hat. Diese (subacute myelo-optic neuropathy) ist eine mit Nervenschädigungen, Lähmungen u. ggf. auch Erblindung verbundene Krankheit, die in Japan 1953–1970 zahlreiche Menschen befallen hat (Schadensersatzforderungen damals über 1 Mrd. DM!). – *E* clioquinol, iodochlorhydroxyquin – *F* = *S* clioquinol – *I* cliochinolo
Lit.: ASP ▪ Beilstein E V **21/3**, 294 ▪ Naturwiss. Rundsch. **24**, 492 (1971); **32**, 201 (1979) ▪ Ullmann (5.) **A6**, 212. – *[HS 2933 40; CAS 30-26-7]*

Clitidin (1,4-Dihydro-4-imino-1-β-D-ribofuranosyl-3-pyridincarbonsäure). T

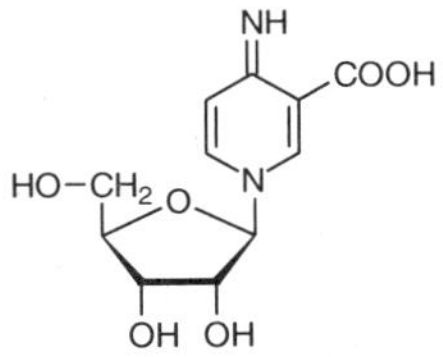

$C_{11}H_{14}N_2O_6$, M_R 270,24, Schmp. 189–191 °C (Monohydrat), $[\alpha]_D$ −50,6° (H$_2$O), lösl. in Wasser u. Methanol, unlösl. in Ether u. Chloroform; sehr giftiges Pyridin-Nucleosid aus dem japan. Giftpilz Dokusasako (*Clitocybe acromelalga*, Trichterlinge). Die LD$_{50}$ (Maus) beträgt weniger als 50 µg/kg. C. wirkt als NAD-Analoges. Im Pilz ist auch das entsprechende Nucleotid enthalten. – *E* = *F* clitidine – *I* = *S* clitidina
Lit.: Phytochemistry **35**, 897 (1994) ▪ Tetrahedron **38**, 3281 (1982).

Clitocin (Clitosin).

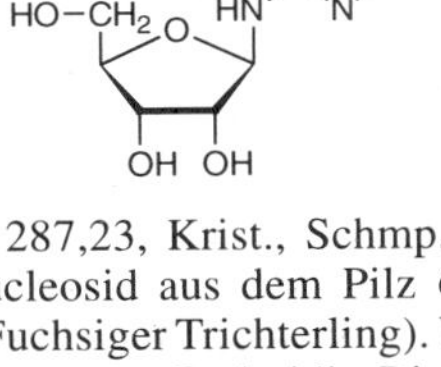

$C_9H_{13}N_5O_6$, M_R 287,23, Krist., Schmp. 228–231 °C. Insektizides Nucleosid aus dem Pilz *Clitocybe (Lepista) inversa* (Fuchsiger Trichterling). Ungewöhnlich ist die Nitro-Gruppe am Pyrimidin-Ring, die vermut-

lich durch oxidative Spaltung aus dem Imidazol-Ring von Adenin entsteht. – *E = F* clitocine – *I = S* clitocina
Lit.: Acta Crystallogr., Sect. C **44**, 1076 (1988) ▪ J. Antibiot. **41**, 1711 (1988) ▪ J. Chem. Soc., Chem. Commun. **1988**, 195 ▪ J. Med. Chem. **31**, 786 (1988) ▪ Tetrahedron Lett. **27**, 4277 (1986); **31**, 279 (1990). – *[CAS 105798-74-1]*

Clivarin®. Fertigspritze u. Durchstechflasche mit *Reviparin-Natrium, einem niedermol. Heparin zur Blutgerinnungs-Hemmung. *B.:* Immuno.

Clobazam.

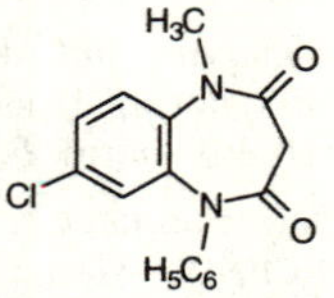

Internat. Freiname für 7-Chlor-1-methyl-5-phenyl-1*H*-1,5-benzodiazepin-2,4(3*H*,5*H*)-dion, $C_{16}H_{13}ClN_2O_2$, M_R 300,74, Schmp. 180–182 °C; LD_{50} (Maus oral) 840, (Ratte oral) 2000, (Maus i.p.) 510 mg/kg. C. wurde 1968, 1972 als Tranquilizer von Boehringer Ingelheim (Frisium®, Hoechst) patentiert u. ist in Anlage IIIC der Btm-VO gelistet. – *E = F = I = S* clobazam
Lit.: ASP ▪ Beilstein E V **24/8**, 34 f. ▪ Hager (5.) **7**, 999 ▪ Ullmann (5.) **A 3**, 19 f. – *[HS 2933 79; CAS 22316-47-8]*

Clobetasol.

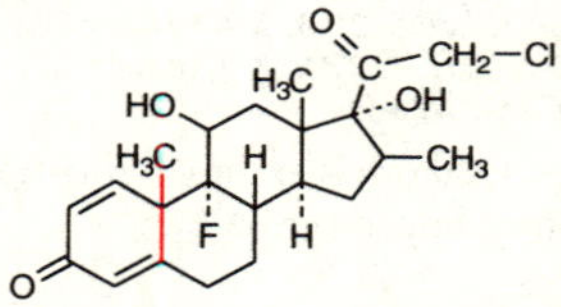

Internat. Freiname für 21-Chlor-9-fluor-11β,17-dihydroxy-16β-methyl-1,4-pregnadien-3,20-dion, $C_{22}H_{28}ClFO_4$, M_R 410,91. Verwendet wird das 17-Propionat; Schmp. 195,5–197 °C; $[\alpha]_D$ +103,8° (c 1,04/Dioxan), UV_{max} (C_2H_5OH) 237 nm (ε 15 000). C. wurde als entzündungshemmendes Glucocorticoid 1969 u. 1973 von Glaxo (Dermoxin®) patentiert. – *E = S* clobetasol – *F* clobétasol – *I* clobetasolo
Lit.: Hager (5.) **7**, 1000–1001. – *[HS 2937 22; CAS 25122-41-2; 25122-46-7 (Propionat)]*

Clobetason. Internat. Freiname für ein dem *Clobetasol eng verwandtes Glucocorticoid mit einer Oxo-Gruppe in 11β-Stellung statt der Hydroxy-Gruppe beim oben genannten, $C_{22}H_{26}ClFO_4$, M_R 408,90. Verwendet wird das 17-Butyrat, Schmp. 90–100 °C. Es wurde 1969 u. 1973 von Glaxo (Emovate®) patentiert. – *E = I* clobetasone – *S* clobetasona
Lit.: Hager (5.) **7**, 1002–1003. – *[HS 2937 22; CAS 54063-32-0; 25122-57-0 (Butyrat)]*

Clobutinol.

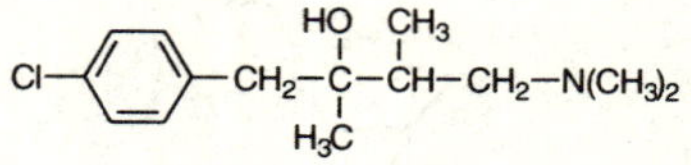

Internat. Freiname für 1-(4-Chlorphenyl)-4-dimethylamino-2,3-dimethyl-2-butanol, $C_{14}H_{22}ClNO$, M_R 255,79; Sdp. 179–180 °C (1,6 kPa). Verwendet wird das Hydrochlorid, Schmp. 169–170 °C; LD_{50} (Maus oral) 600, (Maus i.p.) 130 mg/kg. C. wurde 1962 u. 1964 als Antitussivum von Thomae (Silomat®) patentiert u. ist generikafähig. – *E = F = S* clobutinol – *I* clobutinole
Lit.: ASP ▪ Hager (5.) **7**, 1003–1004. – *[HS 2922 19; CAS 14860-49-2; 1215-83-4 (Hydrochlorid)]*

Clocortolon.

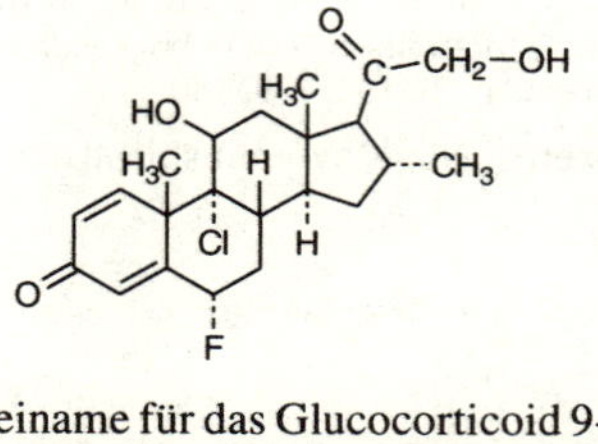

Internat. Freiname für das Glucocorticoid 9-Chlor-6α-fluor-11β,21-dihydroxy-16α-methyl-1,4-pregnadien-3,20-dion, $C_{22}H_{28}ClFO_4$, M_R 410,91, Schmp. 254 °C (Zers.), verwendet werden die Ester 21-Pivalat u. 21-Hexanoat. C. wurde 1971 u. 1973 von Schering patentiert u. die Kombination der Ester ist von Asche (Kaban®, Kabanimat®) im Handel. – *E = I* clocortolone – *F* clocortolon – *S* clocortolona
Lit.: Hager (5.) **7**, 1005–1006. – *[HS 2937 22; CAS 4828-27-7; 34097-16-0 (Pivalat); 4891-71-8 (Hexanoat)]*

Clodinafop-propargyl. Common name für Propargyl-(*R*)-2-[4-(5-chlor-3-fluor-2-pyridyloxy)phenoxy]-propionat.

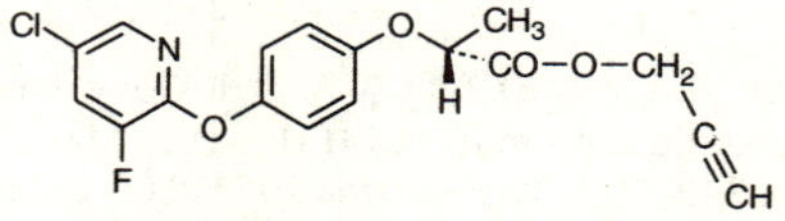

$C_{17}H_{13}ClFNO_4$, M_R 349,75, Schmp. 59 °C, LD_{50} (Ratte oral) 1830 mg/kg, von Ciba-Geigy entwickeltes *Herbizid gegen Ungräser u. Unkräuter in Getreide. – *E = F* clodinafop-propargyl – *I* clodinafop-propargile – *S* clodinafop-propargil
Lit.: Perkow ▪ Pesticide Manual. – *[CAS 105512-06-9]*

Clodronsäure.

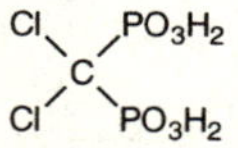

Internat. Freiname für (Dichlormethylen)bis(phosphonsäure), $CH_4Cl_2O_6P_2$, M_R 244,89, Schmp. 250 °C. C. reduziert den Serum-Calciumspiegel. Das Dinatriumsalz wird bei Erkrankungen mit Hypercalciämie eingesetzt (Knochenresorptions-Krankheiten wie Morbus Paget, Hypercalciämie durch Tumore etc.). Es wurde 1966 von Procter u. Gamble patentiert u. ist als Bonefos® (Astra/medac) u. Ostac® (Boehringer Mannheim) im Handel. – *E* clodronic acid – *F* acide clodronique – *I* acido clodronico – *S* ácido clodrónico
Lit.: Acta Oncolog. **34**, 629–636 (1995) ▪ Drugs **47**, 945–962 (1994) ▪ Hager (5.) **7**, 1007 ff. – *[HS 2931 00; CAS 10596-23-3; 22560-50-5 (Dinatriumsalz-tetrahydrat)]*

Cloethocarb. Common name für 2-(2-Chlor-1-methoxy-ethoxy)phenyl-methylcarbamat. $C_{11}H_{14}ClNO_4$, M_R 259,69, Schmp. 80 °C, LD_{50} (Ratte oral) 35 mg/kg (WHO), von BASF entwickeltes system. *Insektizid u.

*Nematizid zur Anw. im Mais-, Sojabohnen-, Reis-, Getreide-, Zuckerrüben- u. Gemüseanbau. –

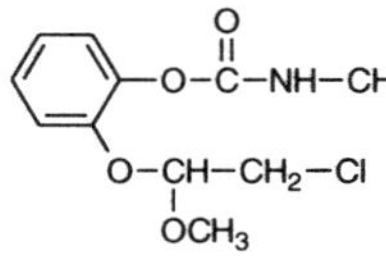

$E = F = I = S$ cloetocarb
Lit.: Farm ■ Pesticide Manual. – [CAS 51487-69-5]

Clofazimin.

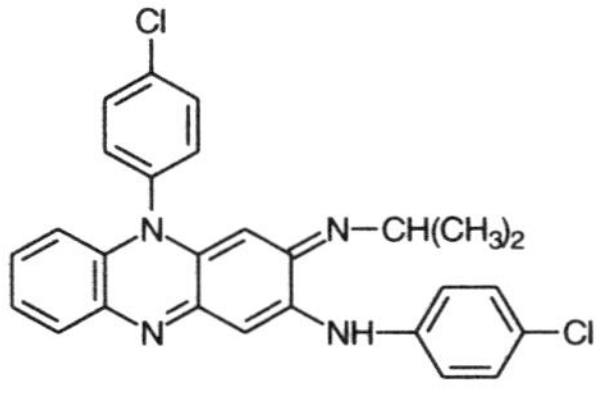

Internat. Freiname für das Lepramittel u. Tuberkulostatikum 3-(4-Chloranilino)-10-(4-chlorphenyl)-2,10-dihydro-2-(isopropylimino)-phenazin, $C_{27}H_{22}Cl_2N_4$, M_R 473,40, Schmp. 210–212 °C, LD_{50} (Maus, Ratte) >4 g/kg. – E clofazimine – F clofamicine – $I = S$ clofazimina
Lit.: Beilstein E III/IV **25**, 3033 ■ Hager (5.) **7**, 1009–1010 ■ Ullmann (5.) A **6**, 196. – [HS 2933 90; CAS 2030-63-9]

Clofedanol.

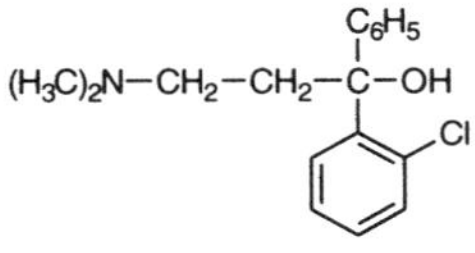

Internat. Freiname für 1-(2-Chlorphenyl)-3-dimethylamino-1-phenyl-1-propanol, $C_{17}H_{20}ClNO$, M_R 289,80, Schmp. 120 °C, LD_{50} (Maus i. v.) 70 mg/kg. Verwendet wird auch das Hydrochlorid: Schmp. 190–191 °C, LD_{50} (Ratte oral) 350, (Maus s. c.) 95 mg/kg. C. wurde 1960 u. 1962 als Antitussivum von Bayer patentiert. – E chlophedianol – F clofédanol – I clofedanolo – S clofedianol
Lit.: ASP ■ Hager (5.) **7**, 1011–1013 ■ Pharm. Ztg. **137**, 2811 (1992). – [HS 2922 19; CAS 791-35-5; 511-13-7 (Hydrochlorid)]

Clofenamid.

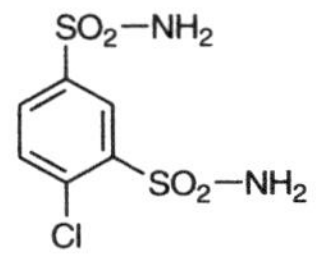

Internat. Freiname für das salidiuret. wirkende Antihypertonikum 4-Chlorbenzol-1,3-disulfonamid, $C_6H_7ClN_2O_4S_2$, M_R 270,71, Schmp. 206–207 °C, auch 217–219 °C angegeben. – $E = I$ clofenamide – F clofénamide – S clofenamida
Lit.: Beilstein E IV **13**, 2203 ■ Hager (5.) **7**, 1013. – [HS 2935 00; CAS 671-95-4]

Clofenciclan. Internat. Freiname für das zentral stimulierende 2-[1-(4-Chlorphenyl)-cyclohexyloxy]triethylamin, $C_{18}H_{28}ClNO$, M_R 309,88, Sdp. 145–152 °C (0,11 kPa). Verwendet wird auch das Hydrochlorid, Schmp. 145–146 °C. – $E = F$ clofenciclan – I clofenciclane – S clofenciclán 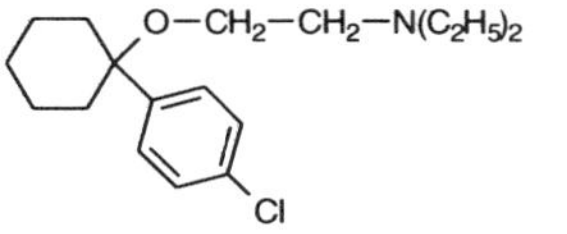
Lit.: Merck Index (11.), Nr. 2372. – [HS 2922 19; CAS 5632-52-0]

Clofenotan. Internat. Freiname für *DDT.

Clofentezin. Common name für 3,6-Bis(2-chlorphenyl)-1,2,4,5-tetrazin.

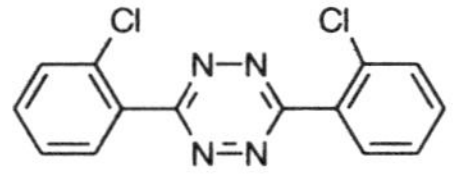

$C_{14}H_8Cl_2N_4$, M_R 303,15, Schmp. 182 °C, LD_{50} (Ratte oral) >3200 mg/kg (WHO), von Schering 1976 entwickeltes *Akarizid mit ovizider Wirkung zur Anw. im Obst-, Wein- u. Ackerbau. – E clofentezine – F clofentézine – I clofentezina – S clofentezín
Lit.: Farm ■ Perkow ■ Pesticide Manual. – [CAS 74115-24-5]

Clofexamid s. Clofezon.

Clofezon.

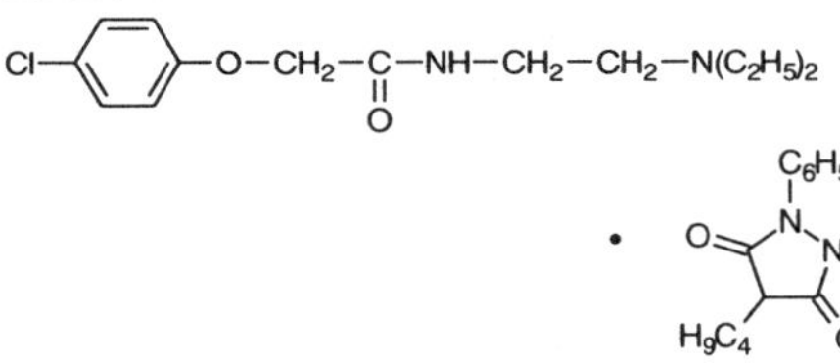

Internat. Freiname für die antirheumat. wirkende Kombination von 2-(4-Chlorphenoxy)-N-(2-diethylaminoethyl)-acetamid (Clofexamid, $C_{14}H_{21}ClN_2O_2$) mit Phenylbutazon, $C_{33}H_{41}ClN_4O_4$, M_R 593,17. – $E = I$ clofezone – F cloféezon – S clofezona
Lit.: Hager (5.) **7**, 1014 ■ Med. Welt **26**, 611–613 (1975). – [HS 2933 19; CAS 17449-96-6; 60104-29-2 (Dihydrat)]

Clofibrat.

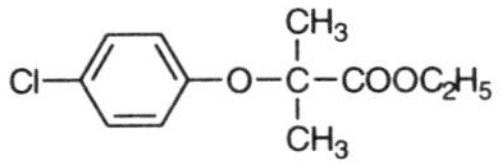

Internat. Freiname für 2-(4-Chlorphenoxy)-2-methylpropionsäureethylester, $C_{12}H_{15}ClO_3$, M_R 242,70, Sdp. 148–150 °C (2,7 kPa), LD_{50} (Maus oral) 1,28, (Ratte oral) 1,65 mg/kg. C. wurde 1961 u. 1966 als Cholesterin- u. Lipid-Senker von I.C.I. patentiert u. ist von Zeneka (Regelan®) u. Stada (Clofibrat 500) im Handel. – $E = I$ clofibrate – F clofibrat – S clofibrato
Lit.: ASP ■ DAB **10** ■ Florey **11**, 197–224 ■ Hager (5.) **7**, 1014 ■ Ullmann (5.) A **5**, 295. – [HS 2918 90; CAS 637-07-0]

Clomazon. Common name für 2-(2-Chlorbenzyl)-4,4-dimethyl-3-isoxazolidinon. $C_{12}H_{14}ClNO_2$, M_R 239,70, Schmp. 25 °C, Sdp. 275 °C (101,3 kPa), LD_{50} (Ratte oral) 1369 mg/kg, von FMC entwickeltes selektives *Herbizid gegen Ungräser u. breitblättrige Unkräuter in Soja, Mais, Raps u. Zuckerrüben. – $E = F = I$ clomazone – S clomazona

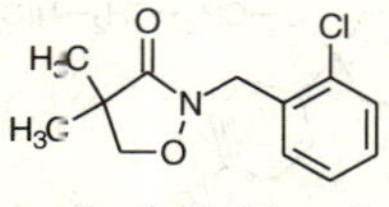

Lit.: Farm ■ Perkow ■ Pesticide Manual. – *[CAS 81777-89-1]*

Clomeprop. Common name für (±)-2-(2,4-Dichlor-3-methylphenoxy)propionanilid.

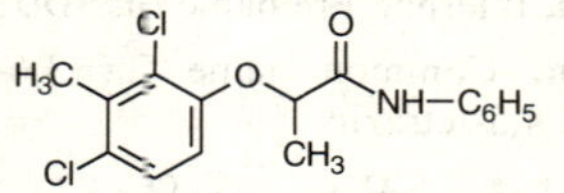

$C_{16}H_{15}Cl_2NO_2$, M_R 324,21, Schmp. 146–147 °C, LD_{50} (Ratte oral) >5000 mg/kg, von Mitsubishi entwickeltes *Herbizid gegen Unkräuter im Reis. – $E = F = I = S$ clomeprop

Lit.: Farm ■ Pesticide Manual. – *[CAS 84496-56-0]*

Clomethiazol.

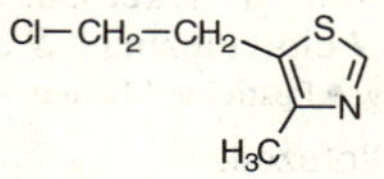

Internat. Freiname für 5-(2-Chlorethyl)-4-methyl-1,3-thiazol, C_6H_8ClNS, M_R 161,65, Sdp. 92 °C (0,9 kPa), d_D^{25} 1,233. Verwendet wird das Ethan-disulfonat, Schmp. 124 °C. C. wurde 1937 als Antikonvulsivum, Hypnotikum u. Sedativum von Roche patentiert u. ist von Astra (Distraneurin®) im Handel. Es wird auch bei Alkoholismus in der Entzugstherapie eingesetzt. – E clomethiazole – F clométhiazol – I clometiazolo – S clometiazol

Lit.: ASP ■ Beilstein E V **27/5**, 67 ■ Hager (5.) **7**, 1019–1022. – *[HS 2934 10; CAS 533-45-9; 1867-58-9 (Ethandisulfonat)]*

Clomifen.

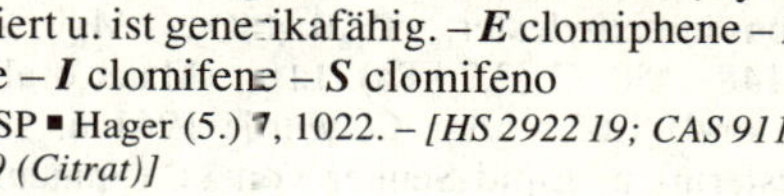

Internat. Freiname für 2-[4-(2-Chlor-1,2-diphenylvinyl)-phenoxy]-triethylamin, $C_{26}H_{28}ClNO$, M_R 405,97. Verwendet wird das Dihydrogen-citrat, Schmp. 116,5–118 °C. Es wurde als Gonadotropin-Stimulans u. Estrogen 1959 von Merrell (Dyneric®) patentiert u. ist generikafähig. – E clomiphene – F clomifène – I clomifene – S clomifeno

Lit.: ASP ■ Hager (5.) **7**, 1022. – *[HS 2922 19; CAS 911-45-5; 50-41-9 (Citrat)]*

Clomipramin.

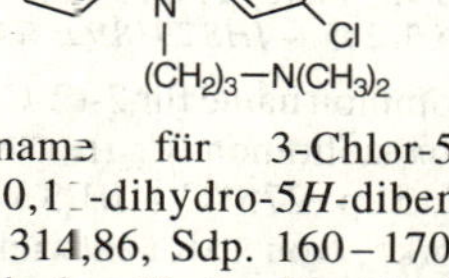

Internat. Freiname für 3-Chlor-5-(3-dimethylaminopropyl)-10,11-dihydro-5H-dibenz[b,f]azepin, $C_{19}H_{23}ClN_2$, M_R 314,86, Sdp. 160–170 °C (39,9 Pa). Verwendet wird das Hydrochlorid, Schmp. 189– 190 °C, auch 191–192 °C angegeben. Es wurde 1963 als Antidepressivum von Geigy (Anafranil®) patentiert u. ist generikafähig. – $E = F$ clomipramine – $I = S$ clomipramina

Lit.: ASP ■ Beilstein E V **20/8**, 103 ■ DAB **10** ■ Hager (5.) **7**, 1025–1026. – *[HS 2933 90; CAS 303-49-1; 17321-77-6 (Hydrochlorid)]*

Clonazepam.

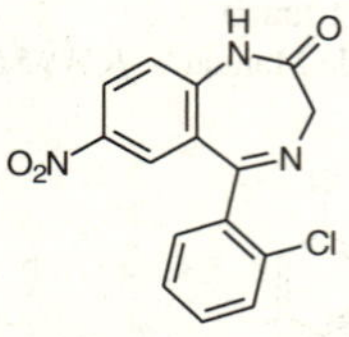

Internat. Freiname für 5-(2-Chlorphenyl)-1,3-dihydro-7-nitro-2H-1,4-benzodiazepin-2-on, $C_{15}H_{10}ClN_3O_3$, M_R 315,72, Schmp. 236,5–238,5 °C, UV_{max} (7,5% Methanol in Isopropanol) 248, 310 nm (ε 14500, 11600), pk_1 1,5, pK_2 10,5, LD_{50} (Maus oral) >4 g/kg. C. wurde 1963 als Antikonvulsivum von Hoffmann-La Roche (Rivotril®) patentiert u. ist auch von AWD (Antelepsin®) im Handel. C. ist in Anlage IIIC der Btm-VO gelistet. – $E = I = S$ clonazepam – F clonazépam

Lit.: ASP ■ Beilstein E V **24/4**, 351 ■ DAB **10** ■ Florey **6**, 61–81 ■ Hager (5.) **7**, 1027–1028 ■ Ullmann (5.) **A 3**, 19. – *[HS 2933 90; CAS 1622-61-3]*

Clonidin.

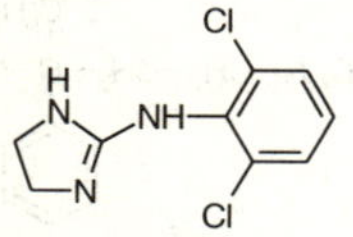

Internat. Freiname für 2-(2,6-Dichloranilino)-4,5-dihydroimidazol, $C_9H_9Cl_2N_3$, M_R 230,10, Schmp. 130 °C. Verwendet wird das Hydrochlorid, Schmp. 305 °C, LD_{50} (Maus oral) 328, (Ratte oral) 270, (Ratte i. v.) 29 mg/kg. C. wurde 1965 als Antihypertonikum u. Miotikum von Boehringer Ingelheim (Catapresan®) patentiert u. ist generikafähig. – $E = F = I$ clonidine – S clonidina

Lit.: ASP ■ Beilstein E V **25/9**, 277 ■ DAB **10** ■ Florey **21**, 109–148 ■ Hager (5.) **7**, 1029–1031 ■ Ullmann (5.) **A 4**, 242 f. – *[HS 2933 29; CAS 4105-90-7; 4205-91-8 (Hydrochlorid)]*

Clonostachydiol (5,11-Dihydroxy-6,14-dimethyl-1,7-dioxacyclotetradeca-3,9-dien-2,8-dion).

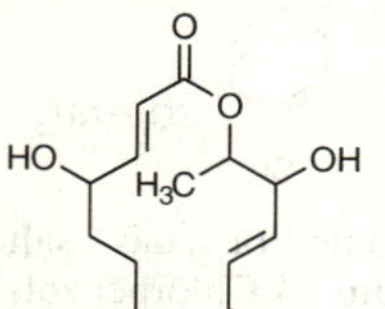

$C_{14}H_{20}O_6$, M_R 284,31, farblose Nadeln, $[\alpha]_D^{20}$ +103° (c 1,0/CH_3OH). C. ist ein Makrodiolid der Colletodiol-Familie, isoliert aus *Clonostachys cylindrospora*, u. besitzt cytostat. u. anthelmint. Aktivität. – $E = F$ clonostachydiol – I clonostachidiolo – S clonostachidiol

Lit.: J. Antibiot. **46**, 343 ff. (1993).

Clopamid.

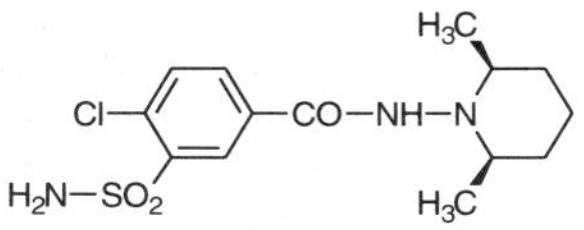

Internat. Freiname für 4-Chlor-N-(cis-2,6-dimethyl-piperidino)-3-sulfamoylbenzamid, $C_{14}H_{20}ClN_3O_3S$, M_R 345,84. C. wurde 1962 u. 1967 als Diuretikum von Sandoz (Brinaldix®) patentiert. – *E* = *F* = *I* clopamide – *S* clopamida

Lit.: ASP ▪ Beilstein E V 20/4, 188 ▪ Hager (5.) 7, 1032. – [HS 2935 00; CAS 636-54-4]

Clopenthixol.

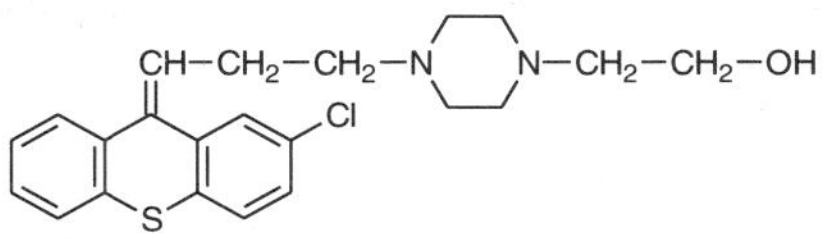

Internat. Freiname für 2-{4-[3-(2-Chlorthioxanthen-9-yliden)-propyl]-1-piperazinyl}-ethanol, $C_{22}H_{25}ClN_2OS$, M_R 400,97. Verwendet wird das Dihydrochlorid, Schmp. 250–260 °C, LD_{50} (Maus i. v.) 111 mg/kg. C. wurde als Neuroleptikum der Thioxanthen-Gruppe 1960 erstmals von Kefalas patentiert u. ist von Bayer (Ciatyl®) im Handel. – *E* clopenthixol – *F* = *S* clopentixol – *I* clopentioxolo

Lit.: Beilstein E V 23/2, 451 ▪ Hager (5.) 7, 1033–1034. – [HS 2934 90; CAS 982-24-1; 633-59-0 (Dihydrochlorid)]

Cloprednol.

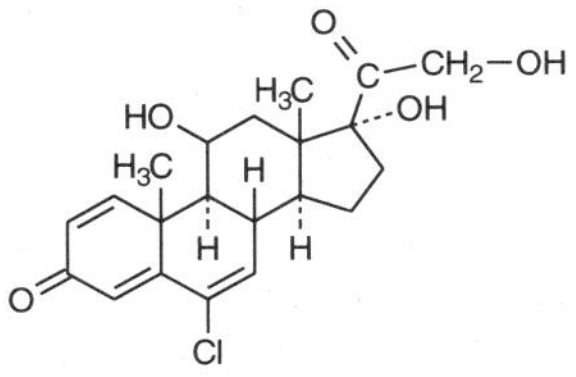

Internat. Freiname für das bei Bronchialasthma u. Polyarthritis verwendete Glucocorticoid 6-Chlor-11β,17,21-trihydroxy-1,4,6-pregnatrien-3,20-dion, $C_{21}H_{25}ClO_5$, M_R 392,88. C. wurde 1962 u. 1966 von Syntex (Syntestan®) patentiert. – *E* = *F* = *S* cloprednol – *I* cloprednolo

Lit.: ASP ▪ Hager (5.) 7, 1035. – [HS 2914 40; CAS 5251-34-3]

Clopyralid. Common name für 3,6-Dichlorpyridin-2-carbonsäure.

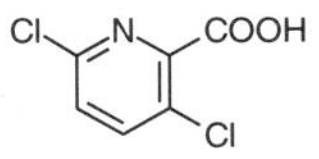

$C_6H_3Cl_2NO_2$, M_R 192,0, Schmp. 151–152 °C, LD_{50} (Ratte oral) 4300 mg/kg (WHO), von Dow 1975 eingeführtes selektives system. *Herbizid gegen Unkräuter im Getreide-, Raps- u. Rübenbau. – *E* clopyralid – *F* clopyralide – *I* clopiralide – *S* clopiralid

Lit.: Farm ▪ Perkow ▪ Pesticide Manual. – [HS 2933 39; CAS 1702-17-6]

Clorazepat s. Dikaliumclorazepat.

Clorexolon.

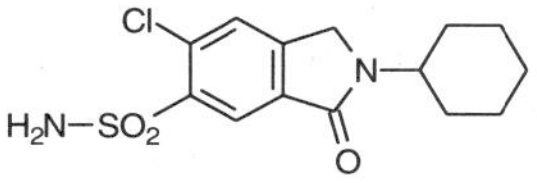

Internat. Freiname für 6-Chlor-2-cyclohexyl-3-oxo-isoindolin-5-sulfonamid, $C_{14}H_{17}ClN_2O_3S$, M_R 328,81, Schmp. 266–268 °C. Es wurde 1963 u. 1965 als Diuretikum von May & Baker patentiert. – *E* = *I* clorexolone – *F* clorexolon – *S* clorexolona

Lit.: Beilstein E V 22/7, 591 ▪ Hager (5.) 7, 1040. – [HS 2935 00; CAS 2127-01-7]

Clorindanol.

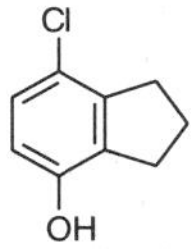

Internat. Freiname für das antisept. u. spermizid wirkende 7-Chlor-4-indanol, C_9H_9ClO, M_R 168,62, Schmp. 91–93 °C. Es wurde 1961 von Esta Med. Labs patentiert. – *E* chlorindanol – *F* = *S* clorindanol – *I* clorindanolo – [HS 2908 10; CAS 145-94-8]

Clorindion.

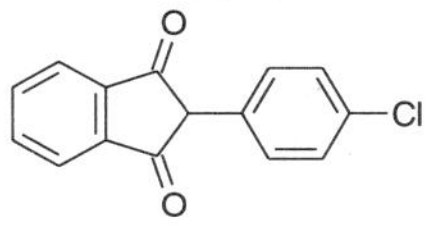

Internat. Freiname für 2-(4-Chlorphenyl)-1,3-indandion, $C_{15}H_9ClO_2$, M_R 256,69, Schmp. 145–146 °C, LD_{50} (Maus oral) 1220 mg/kg. C. wurde 1956 als Antikoagulans von Geigy patentiert u. ist von Berlin Chemie (Chlor-Athrombon) im Handel. – *F* clorindion – *I* clorindione – *S* clorindiona

Lit.: Hager (5.) 7, 1041. – [HS 2914 70; CAS 1146-99-2]

Clorofen.

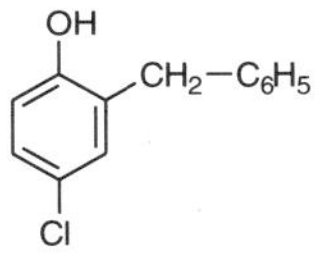

Internat. Freiname für das antisept. wirkende 2-Benzyl-4-chlorphenol, $C_{13}H_{11}ClO$, M_R 218,68, Schmp. 45,5 °C, Sdp. 160–162 °C (0,47 kPa), $d_{15,5}^{55}$ 1,186–1,190. – *E* clorophene – *F* clorofène – *I* clorofen – *S* clorofeno

Lit.: Hager (5.) 7, 1042. – [HS 2908 10; CAS 120-32-1]

Closilat. Kurzbez. für den 4-Chlorbenzolsulfonat-Rest in internat. Freinamen.

closo- (von *E* close = schließen). In der Nomenklatur der *Borane u. *Carborane übliches, kursiv gesetztes Präfix zur Kennzeichnung einer geschlossenen, käfigartigen Struktur (früherer Vorschlag: *clovo-*, von latein.: clovis = Käfig). – *E* = *F* = *I* = *S* closo-

Clostebol.

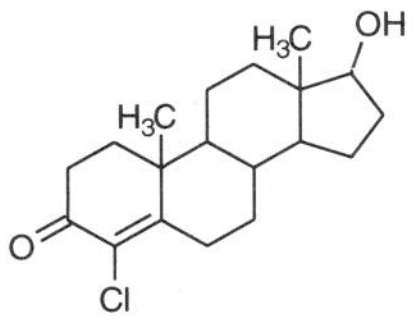

Internat. Freiname für 4-Chlortestosteron $C_{19}H_{27}ClO_2$, M_R 322,88, Schmp. 188–190°C, $[\alpha]_D^{20}$ +148° (CHCl$_3$), UV$_{max}$ (95% C_2H_5OH) 256 nm (log ε 4,13). Verwendet wird das Acetat, Schmp. 228–230°C, $[\alpha]_D$ +118° ±4° (CHCl$_3$), UV$_{max}$ 255 nm (ε 13,300). C. wurde 1960 als Anabolikum von Farmitalia patentiert u. ist von Pharmacia (Megagrisevit®) im Handel. – $E = I = S$ clostebol – F clostébol

Lit.: ASP ▪ Hager (5.) **7**, 1043–1045 ▪ Pharm. Ztg. **139**, 98 (1994). – *[HS 2937 99; CAS 1093-58-9; 855-19-6 (Acetat)]*

Clostridiopeptidase A s. Collagenasen.

Clostridium (von griech.: Kloster = Spindel). Gattung in der *Bakterien-Familie der Bacillaceae (s. Bacillus) mit ausgeprägtem *Gärungsstoffwechsel. C. sind vorwiegend Gram-pos., stäbchenförmig u. leben unter streng anaeroben Bedingungen. Es sind aber auch aerotolerante Arten bekannt.
Vork.: C. sind allgegenwärtig, man findet sie im Boden, Abwasser, aquat. Sedimenten sowie im Verdauungstrakt von Wirbeltieren (auch Mensch) u. Insekten. Als Krankheitserreger sind bekannt: *C. tetani* (*Tetanus = Wundstarrkrampf), *C. botulinum* (von latein.: botulus = Wurst; schwere Lebensmittelvergiftung, *Botulismus), *C. septicum* u. *C. histolyticum* (Gasbrand) u. andere.
Sicherheitsstufe (nach Anhang 1 B der Gentechnik-Sicherheits-VO 1990): Die Arten der Gattung C. sind in Risikogruppe 1 (z.B. *C. felsineum, C. acetobutylicum*) od. 2 (z.B. *C. tetani, C. botulinum, C. septicum, C. histolyticum*) eingestuft.
Biotechnolog. Anw.: C. werden zur biotechnolog. Herst. von organ. Lsm. (*Aceton-Butanol-, Butanol-Isopropanol- u. Buttersäure-Fermentation) sowie zur Produktion von *Toxinen (Botuline) eingesetzt. Auch der Cellulose-Abbau ist mit C.-Arten möglich. – $E = F = I = S$ Clostridium

Lit.: Präve et al. (4.) ▪ Schlegel (7.), S. 203 f., 316 ff.

Clotiazepam.

Internat. Freiname für 5-(2-Chlorphenyl)-7-ethyl-1-methyl-1,3-dihydro-thieno[2,3-*e*][1,4]diazepin-2-on, $C_{16}H_{15}ClN_2OS$, M_R 318,82, Schmp 105–106°C, LD$_{50}$ (Maus i.p.) 440, (Maus oral) 636 mg/kg. C. wurde 1971 u. 1974 als Tranquilizer von Yoshitomi patentiert, ist von Bayer (Trecalmo®) im Handel u. in Anlage IIIC der Btm-VO gelistet. – $E = I = S$ clotiazepam – F clotiazépam

Lit.: ASP ▪ Hager (5.) **7**, 1047. – *[HS 2934 90; CAS 33671-46-4]*

Clotrimazol.

Internat. Freiname für 1-[(2-Chlorphenyl)-diphenylmethyl]-1*H*-imidazol, $C_{22}H_{17}ClN_2$, M_R 344,84, Schmp. 147–149°C, LD$_{50}$ (Maus oral) 923, (Ratte oral) 708 mg/kg. C. wurde 1969 als Antimykotikum von Bayer (Canesten®) patentiert u. ist generikafähig. – E clotrimazole – $F = S$ clotrimazol – I clotrimazolo

Lit.: ASP ▪ Florey **11**, 225–255 ▪ Hager (5.) **7**, 1047–1048 ▪ Ullmann (5.) A **3**, 80 f. – *[HS 2933 29; CAS 23593-75-1]*

Cloudpoint. Von E cloud = Wolke, Trübung abgeleitete Bez. für diejenige Temp., bei der eine Mineralölprobe beim Abkühlen beginnt, Paraffin-Krist. auszuscheiden u. trübe zu werden; Trübung durch Wasser wird nicht berücksichtigt. Die Bestimmung erfolgt für Mineralölerzeugnisse gemäß DIN EN 23015 (05/1994). – $E = I$ cloudpoint – F point de trouble – S punto de enturbamiento

Cloxacillin.

Internat. Freiname für [3-(2-Chlorphenyl)-5-methyl-4-isoxazolyl]-penicillin-Natriumsalz, $C_{19}H_{18}ClN_3O_5S$, M_R 435,88. Verwendet wird das Natrium-Salz-Monohydrat, Zers. bei 170°C, $[\alpha]_D^{20}$ +163°, LD$_{50}$ (Ratte i.p.) 1630±112, (Maus i.p.) 1280±50 mg/kg. C. wurde 1961 als Antibiotikum von Beecham patentiert. – E cloxacillin – F cloxacilline – I cloxacillina – S cloxacilina

Lit.: Florey **4**, 113–136 ▪ Hager (5.) **7**, 1049–1051 ▪ Ullmann (5.) A **2**, 507. – *[HS 2941 10; CAS 61-72-3; 642-78-4 (Natrium-Salz); 7081-44-9 (Natrium-Salz-Monohydrat)]*

Cloxiquin. Internat. Freiname für das antimykot. wirkende 5-Chlor-8-chinolin-ol, C_9H_6ClNO, M_R 179,61, Schmp. 130°C, 256–258°C (Hydrochlorid), Formel s. 8-Chinolinol. – E cloxyquin – F cloxiquine – $I = S$ cloxiquina

Lit.: Beilstein E V **21/3**, 279 ff. ▪ Merck Index (11.), Nr. 2416 ▪ Pharm. Ztg. **137**, 649 (1992). – *[CAS 130-16-5]*

Clozapin.

Internat. Freiname für 8-Chlor-11-(4-methyl-1-piperazinyl)-5*H*-dibenzo[b,e][1,4]diazepin, $C_{18}H_{19}ClN_4$, M_R 326,83, Schmp. 183–184°C. C. ist ein schwach potentes *Neuroleptikum, das sehr geringe extrapyramidal-motor. Nebenwirkungen hat, aber eine Agranulozytose hervorrufen kann. Es wird zur Behandlung schizophrener Psychosen eingesetzt (Leponex®, Wander). – $E = F$ clozapine – $I = S$ clozapina

Lit.: Can. J. Psych. **39**, 236 ff. (1994) ▪ CNS Drugs **4**, 370–400 (1995) ▪ Hager (5.) **7**, 1053 ff. – *[HS 2933 59; CAS 5786-21-0]*

CLR. Abk. für die 1926 gegr. Firma Chemisches Laboratorium Dr. Kurt Richter GmbH, Bennigsenstr. 25, D-12159 Berlin. *Daten* (1988): 50 Beschäftigte, 750 000 DM Kapital. *Produktion:* Wirkstoffe für kosmet. Präp. wie biolog. aktive Milch-Peptide, biotechnol. Lysate, Matrix-Komponenten, Organ- u. Kräuterextrakte, Radikalfänger, marine Extrakte, Vitamine, Vitaminkombinationen usw.

Club of Rome. 1968 in Rom von dem italien. Unternehmer A. Peccei gegr. internat. Vereinigung von Wissenschaftlern, Industriellen u. Politikern aus über 30 Ländern mit Sitz in F-75116 Paris 34, Avenue d'Eylon. Die Gruppe will Zusammenhänge zwischen Mensch u. Umwelt erforschen u. hat dazu Weltmodelle (z. B. MIT-Modell, Massachusetts Institute of Technology) entwickelt. Darin werden z. B. Wechselwirkungen von Erdbevölkerung, Rohstoffreserven, Umweltverschmutzung, Industrialisierung, Landwirtschaft usw. beschrieben, um so ein Instrumentarium für anstehende polit. Entscheidungen zu schaffen. Der Club strebt als Endziel eine neue Lebensqualität an. Der erste Bericht an den Club wurde von D. Meadows et al. unter dem Titel „Die Grenzen des Wachstums" 1972 verfaßt; seither sind zahlreiche weitere Berichte erschienen.

Clupanodonsäure [(*all-Z*)-4,8,12,15,19-Docosapentaensäure].

H₃C∼=∼=∼=∼=∼=∼COOH

$C_{22}H_{34}O_2$, M_R 330,51. Blaßgelbe Flüssigkeit, D. 0,937, Schmp. −78 °C, Sdp. 331 °C. Benannt nach der japan. Sardine (*Clupanodon melanostica*), deren Öl ca. 8% C. enthält. C. entsteht im tier. Organismus durch Kettenverlängerung von *(*all-Z*)-5,8,11,14,17-Eicosapentaensäure. Viele Fisch- u. Fischleber-Öle enthalten Glycerinester der C. in wechselnden Anteilen, z. B. Sardinen- 2,8%, Makrelen- 0,6%, Anschovis- 1,2% u. Heringsöl 0,4% sowie Dorschlebertran 10%. – *E* clupanodonic acid – *F* acide clupanodonique – *I* acido clupano donica – *S* ácido clupanodon
Lit.: Beilstein E III **2**, 1528 ▪ Biochim. Biophys. Acta **409**, 304 (1975) ▪ Kinsella, Seafoods in Human Health and Disease, New York: Marcel Dekker 1987. – *[CAS 2548-85-8]*

Clupein. Ein *Protamin (M_R 4050, enthält 30 Aminosäuren) aus den Samenzellen des Herings (*Clupea harengus*). C. ist ein farbloses Pulver, reagiert stark alkal. u. gelangt gewöhnlich als wasserlösl. C.-Sulfat in den Handel. – *E* clupeine – *F* clupéine – *I* clupeina – *S* clupeína – *[HS 350400]*

Clusius, Klaus (1903 – 1963), Prof. für Physikal. Chemie, München u. Zürich. *Arbeitsgebiete:* Isotopentrennung (s. folgendes Stichwort), *ortho-* u. *para-*Deuterium, Kettenreaktionen, spezif. Wärmen in der Nähe des abs. Nullpunkts, Azide, Flammen u. Explosionen.
Lit.: Chimia **17**, 92 f. (1963) ▪ Nachr. Chem. Tech. **10**, 51 (1962); **11**, 100 (1963) ▪ Neufeldt, S. 202 ▪ Pötsch, S. 90 ▪ Poggendorff **7 a/1**, 351 ff.

Clusius-Trennrohr (auch: Clusius-Dickelsches Trennrohr). Von *Clusius u. Dickel 1938 beschriebene Vorrichtung, die eine Trennung von *Isotopen gasf. Elemente (u. auch von Flüssigkeiten) aufgrund der *Thermodiffusion ermöglicht. In seiner ursprünglichen Form ist das C.-T. ein Syst. von senkrecht stehenden Glasröhren von z. B. 30–40 m Gesamtlänge u. 1 cm lichter Weite, deren Achse ein elektr. beheizter, dünner Draht bildet, während die Rohrwandung von außen mit Wasser gekühlt wird. Füllt man nun z. B. die Röhre unter Atmosphärendruck mit Chlorwasserstoff-Gas, so reichert sich das leichtere HCl mit dem Chlor-Isotop 35 ein wenig am heißen Draht, das mit dem schwereren Chlor-Isotop 37 dagegen an der gekühlten Wand an. Da das Gas am heißen Draht eine geringere Dichte hat als an der Wand, entsteht eine Konvektionsströmung, die kontinuierlich die sich am Draht sammelnden leichten Mol. nach oben u. entsprechend die an der kalten Wand sich anreichernden schweren Mol. nach unten transportiert, bis man am oberen Rohrende nahezu reines $H^{35}Cl$, am unteren $H^{37}Cl$ entnehmen kann. Selbst bei recht großen Rohrlängen sind jedoch die Ausbeuten relativ gering. Das C.-T. hat sich bei der Anreicherung u. fast reinen Isolierung von Verb. mit ^{13}C, ^{15}N, ^{18}O, ^{20}Ne, ^{22}Ne, ^{35}Cl, ^{37}Cl, ^{36}Ar, ^{84}Kr, ^{86}Kr u. ^{136}Xe bewährt. Einfachste Ausführungsform des C.-T. ist die beschriebene Bauart mit zentralem Heizdraht. Bei Produktionsanlagen größeren Ausmaßes werden Kaskaden von Metall-Trennrohren mit zentraler Flüssigkeitsbeheizung eingesetzt. Beim Lichtbogentrennrohr von Clusius [1] ersetzt die Entladungsbahn eines mit hochgespanntem Wechselstrom gespeisten Lichtbogens (Plasma des Trenngases) die heiße Trennrohrwand. – *E* Clusius column – *F* colonne de Clusius – *I* colonna di Clusius – *S* columna de Clusius
Lit.: [1] Z. Phys. Chem. **15**, 14 (1958).
allg.: Kirk-Othmer (3.) **13**, 845 f. ▪ Ullmann (4.) **2**, 642 ff.

Cluster. Als C. bezeichnet man in der *Genetik direkt benachbarte Anordnungen von ähnlichen od. funktionell zusammengehörigen *Genen (Genfamilie) od. Sequenzelementen. – *E* = *F* = *I* = *S* cluster
Lit.: Lewin, Gene – Lehrbuch der Molekularen Genetik, Weinheim: VCH Verlagsges. 1988.

Cluster-Verbindungen (von *E* cluster = Haufen). 1964 von F. A. Cotton eingeführte Bez. für Verb. mit Metall-Metall-Bindungen in Abgrenzung zu den Mehrkernkomplexen im Wernerschen Sinne. Heute bezeichnet man als Cluster eine Gruppe von 3 od. mehr Atomen, von denen jedes mit mind. 2 anderen Atomen der Gruppe chem. verknüpft, also wenigstens Teil eines Ringes ist. C.-V. können aus Atomen gleicher (mononucleare C.) od. verschiedener (heteronucleare C.) *Übergangsmetalle u. auch von Hauptgruppenelementen bestehen; als *Liganden, die stabilisierend wirken, enthalten sie vorwiegend CO-Mol. (s. Carbonylkomplexe u. Metallcarbonyle), ferner C_5H_5-Reste (s. Cyclopentadienyl) u. a.; *Beisp.:* $Fe_3(CO)_{12}$ (Abb. 1) $H_2FeRu_2Os(CO)_{13}$, $(C_5H_5)_4Co_4B_4H_4$, $[\{Ni_9S_9[P(C_2H_5)_3]_6\}_3]_6]^{2+}$ od. das chirale $(C_5H_5)SCoFeMo(CO)_8$.
Den C.-V. wird eine Brückenfunktion zwischen Molekülchemie u. Festkörperchemie zugeschrieben. Sie sind wegen ihrer bes. Bindungsverhältnisse zwischen kovalenter u. metall. *chemischer Bindung, wegen ihrer polyedr. Strukturen u. wegen ihrer Reaktivität von erheblichem Interesse. Die durch freie Koordinationsstellen bedingte Beweglichkeit der Liganden auf der

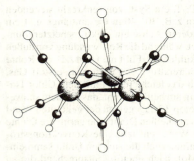

Abb. 1: $Fe_3(CO)_{12}$ (Lit.).

Polyederoberfläche erlaubt Rückschlüsse auf Transportvorgänge chemisorbierter Atome u. Mol., z. B. bei katalyt. Prozessen. Die meisten größeren Cluster enthalten die Metall-Atome in dichtester Packung. Bei abgeschlossener äußerer Geometrie ist ein innenzentriertes Atom von 12 Atomen auf einer Kugelschale umgeben, Beisp.: $[Rh_{13}(CO)_{24}H_{5-n}]^{n-}$, Abb. 2; mit weiteren 42, allg. $10 n^2 + 2$ Atomen, kommt man zu zweischaligen M_{55}-Clustern (M = Ru, Co, Rh, Pt, Au), bzw. Clustern mit n abgeschlossenen Schalen;

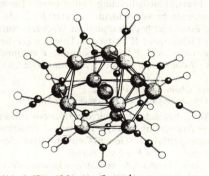

Abb. 2: $[Rh_{13}(CO)_{24}H_{5-n}]^{n-}$ (Lit.[1]).

Beisp.: $Au_{55}[P(C_6H_5)_3]_{12}Cl_6$ bzw. $Pd_{561}(phen)_{36}O_{\sim 200}$ (fünfschalig). Diese „closed-shell cluster" entsprechen in ihrer kub. od. hexagonalen Struktur Fragmenten von Metall-Gittern bzw. kleinen Mikrokristalliten. Als Liganden-stabilisierte C.-V. besitzen sie jedoch noch keine Metall-Eigenschaften. Der bes. interessante Übergang zum Metall ergibt sich beim Abbau der äußeren Schale samt Liganden von 2-schaligen M_{55}-Clustern. Dabei verbleiben „nackte" M_{13}-Cluster, welche sich ihrerseits zu Überstrukturen $(M_{13})_{13}$ u. diese weiter zu $(M_{13})_{13\,n}$ aggregieren, die mit Hilfe hochauflösender Elektronenmikroskope abzubilden sind. Über die Metallcluster als Studienobjekte der Metall-Bildung s. Lit.[1]. Zur Bildung von Kohlenstoff-Clustern, z. B. C_{60}, für den die Struktur eines abgestumpften Ikosaeders mit 20 hexagonalen u. 12 pentagonalen Flächen („Football") vorgeschlagen wird, s. Lit.[2]. Über den Modellcharakter von C.-V. für biolog. aktive Mol., z. B. Eisen-Schwefel-Cluster als Analoga zu Fe/S-Proteinen, s. Lit.[3]. – $E = F = S$ clusters – I composti cluster

Lit.: [1] Chem. Unserer Zeit **22**, 85–92 (1988). [2] Chem. Ztg. **111**, 101 f. (1987). [3] ACS Sympos. Ser. **372** (1988).
allg.: Adv. Organomet. Chem. **22**, 169–208 (1983) ▪ Angew. Chem. **93**, 23–24 (1981); **95**, 706–726 (1983); **98**, 910 ff. (1986); **100**, 1300–1320 (1988) ▪ Benedec u. Pacchioni (Hrsg.), Springer Series in Materials Science, Vol. 6: Elemental and Molecular Clusters, Berlin: Springer 1988 ▪ Johnson (Hrsg.), Transition Metal Clusters, New York: Wiley 1980 ▪ Kirk-Othmer (4.) **5**, 126 f. ▪ Moskovits (Hrsg.), Metal Clusters, New York: Wiley & Sons 1986 ▪ Z. Chem. **26**, 421–430 (1986); **28**, 81–92 (1988) ▪ Z. Phys. Chem. (München) NF **156**, 23–40 (1988) ▪ s. a. Carbonylkomplexe, Metallcarbonyle.

Clysar®. Polyolefin-Schrumpffolien, PP-/LLDPE-Mehrlagen-Blasfolien für Verkaufsverpackungen. **B.:** DuPont.

Formelregister für Band 1

Das folgende Formelregister enthält alle im vorliegenden Band 1 behandelten anorgan., Metall-organ. u. organ. Verbindungen. Zur Einordnung wird das *Hill'sche System* angewandt, d. h., mit Ausnahme der Kohlenstoff-Verb. wird in den *Bruttoformeln aller Verb. die alphabet. Folge der Elementsymbole streng eingehalten. Innerhalb der Elementsymbole, die jeweils wie 1 Buchstabe behandelt werden, wird dann nach Atomzahlindices numer. aufsteigend geordnet. Dies hat allerdings zur Folge, daß z. B. die Di-, Tri- u. Tetrahalogenide eines Elements im allg. *nicht* zusammensortiert auftreten. So ergibt sich z. B. für die im Chemie Lexikon erwähnten Chlor-Verb. von Calcium, Cobalt, Eisen, Iod, Natrium, Schwefel, Silber, Silicium u. Zinn die Folge: AgCl, CaCl$_2$, ClI, ClNa, Cl$_2$Co, Cl$_2$Fe, Cl$_2$S, Cl$_2$S$_2$, Cl$_2$Sn, Cl$_3$Fe, Cl$_3$I, Cl$_4$S, Cl$_4$Si, Cl$_4$Sn, Cl$_6$Si$_2$ etc. Das evtl. enthaltene Kristallwasser od. Hydratwasser bleibt bei der Aufstellung der Bruttoformel unberücksichtigt. Die Bruttoformeln der Carbonate u. Hydrogencarbonate finden sich unter denen der Kohlenstoff-Verbindungen. Im allg. wurden in das Formelregister *nicht aufgenommen*: Verb. mit nichtstöchiometr. Zusammensetzung, Mischkrist. u. Mineralien mit variabler Zusammensetzung wie Ca$_2$Al$_3$[OOHSiO$_4$Si$_2$O$_7$] u. dgl. Die mit Eigennamen belegten Isotope ^{2}H u. ^{3}H werden alphabet. unter den Symbolen D u. T geführt (z. B. D$_2$O).

Eine abweichende Behandlung erfahren alle Verb., die C-Atome enthalten. Hier wird *in jedem Fall* das Elementsymbol C vorangestellt. Diesem folgen – aber nur bei *Wasserstoff-freien C-Verb.* – die übrigen Elementsymbole (die der *Heteroatome) in alphabet. Reihung. Daraus ergibt sich z. B. für einige Carbonate, Carbonyl-Verb., Cyanide, Cyanate, Fulminate, Tetrachlormethan u. Phosgen die Folge: CAgNO, CAg$_2$O$_3$, CBaO$_3$, CCl$_2$O, CCl$_4$, CKN, CNNaO, CO$_3$Zn, C$_2$HgN$_2$O$_2$, C$_4$NiO$_4$, C$_5$FeO$_5$. Bei *Wasserstoff-haltigen Verb.* des Kohlenstoffs folgt dem Symbol C zunächst dasjenige des Wasserstoffs u. erst hiernach werden die übrigen Elementsymbole von A–Z angeführt. Die Namen der Verb. mit gleicher Bruttoformel sind alphabet. geordnet.

Ac

Ac=Actinium
AgCl=Chlorargyrit
Ag_2S=Argentit
Al=Aluminium
$AlBr_3$=Aluminiumbromid
$AlCl_3$=Aluminiumchlorid
AlF_3=Aluminiumfluorid
$AlHO_2$=Aluminiumhydroxide
AlH_3O_3=Aluminiumhydroxide
$AlH_4NO_8S_2$=Ammoniumalaun
$AlH_6O_{12}P_3$=Aluminiumphosphate
$AlKO_8S_2$=Alaun
AlN=Aluminiumnitrid
AlN_3O_9=Aluminiumnitrat
$AlNaO_6Si_2$=Analcim
AlO_4P=Aluminiumphosphate
AlO_9P_3=Aluminiumphosphate
Al_2BeO_4=Chrysoberyll
$Al_2Be_3O_{18}Si_6$=Beryll
$Al_2CaO_{12}Si_4$=Analcim, Chabasit
Al_2O_3=Aluminiumoxide
Al_2O_5Si=Andalusit
$Al_2O_{12}S_3$=Aluminiumsulfat
Am=Americium
Ar=Argon
As=Arsen
$AsCl_3$=Arsentrichlorid
AsF_3=Arsenfluoride
AsF_5=Arsenfluoride
AsFeS=Arsenopyrit
$AsHO_2$=Arsenige Säure
AsH_3=Arsenwasserstoff
AsH_3O_3=Arsenige Säure
AsH_3O_4=Arsensäure
$As_2Ca_3O_8$=Calciumarsenat
$As_2Ni_3O_8$=Annabergit
As_2O_3=Arsenik
As_2O_5=Arsenpentoxid
As_2S_3=Arsensulfide, Auripigment
As_4S_3=Arsensulfide
As_4S_4=Arsensulfide
As_4S_{10}=Arsensulfide
At=Astat
B=Bor
BBr_3=Bortribromid
BCl_3=Bortrichlorid
BCr=Chromboride
BF_3=Bortrifluorid
BH_3O_3=Borsäure
BN=Bornitrid
B_2CaO_4=Calciumborat
B_2Cr=Chromboride
B_2Cr_5=Chromboride
B_2O_3=Bortrioxid
B_3Cr_5=Chromboride
$B_3H_3O_3$=Boroxine
$B_3H_3S_3$=Borthiine
$B_3H_6N_3$=Borazine
$B_4H_8N_2O_7$=Ammoniumborate
$B_4Na_2O_7$=Borax
$B_5H_4NO_8$=Ammoniumborate
Ba=Barium
$BaCl_2$=Bariumchlorid
$BaCl_2O_6$=Bariumchlorat
$BaCl_2O_8$=Bariumperchlorat
$BaCrO_4$=Bariumchromat
BaF_2=Bariumfluorid
BaH_2O_2=Bariumhydroxid
$BaHgI_4$=Bariumtetraiodomercurat(II)
BaN_2O_6=Bariumnitrat
BaO=Bariumoxid
$BaOS_4$=Baryt
BaO_2=Bariumperoxid
BaO_3Ti=Bariumtitanat
BaO_4S=Bariumsulfat
BaO_9Si_3Ti=Benitoit
BaS=Bariumsulfid
Be=Beryllium
$BeCl_2$=Beryllium-Verbindungen
BeF_2=Beryllium-Verbindungen
BeH_2O_2=Beryllium-Verbindungen
BeN_2O_6=Beryllium-Verbindungen
BeO_4S=Beryllium-Verbindungen
$Be_4H_2O_9Si_2$=Bertrandit
Bi=Bismut
BiClO=Bismutchloride
$BiCl_3$=Bismutchloride
$BiCuPbS_3$=Aikinit
BiH_3=Bismutwasserstoff
$BiNO_4$=Bismutnitrate
BiN_3O_9=Bismutnitrate
Bi_2O_3=Bismutoxide
Bi_2S_3=Bismuthinit
Bk=Berkelium
Br=Brom
BrF_3=Bromfluoride
BrF_5=Bromfluoride
BrH=Bromwasserstoff
$BrHO_3$=Bromsäure
BrH_4N=Ammoniumbromid
Br_2Ca=Calciumbromid
Br_2Cd=Cadmiumbromid
$CBaO_3$=Bariumcarbonat
CBi_2O_5=Bismutcarbonate
CBrN=Bromcyan
$CCaN_2$=Calciumcyanamid
$CCaO_3$=Aragonit, Calciumcarbonat
$CCdO_3$=Cadmiumcarbonat
CClN=Chlorcyan
$CClNO_3S$=N-Carbonylsulfamoyl-chlorid
CCl_3NO_2=Chlorpikrin
CCs_2O_3=Cäsium-Verbindungen
$CHBr_3$=Bromoform
CHN=Blausäure
CH_2BrCl=Bromchlormethan
CH_2O_2=Ameisensäure
CH_3NO_2=Carbamidsäure
$CH_4Cl_2O_6P_2$=Clodronsäure
CH_4N_2S=Ammoniumthiocyanat
CH_5NO_2=Ammoniumformiat
CH_5NO_3=Ammoniumhydrogen-carbonat
CH_6N_4=Aminoguanidin
$CH_8N_2O_3$=Ammoniumcarbonat
CO_3Pb=Bleicarbonat, Cerussit
C_2B_{13}=Borcarbid
C_2Ca=Calciumcarbid
C_2CaN_2=Calciumcyanid
$C_2CaN_2S_2$=Calciumthiocyanat
C_2CaO_4=Calciumoxalat
C_2Cr_3=Chromcarbide
C_2F_6NO=Bis(trifluormethyl)-nitroxid
C_2HCl_3O=Chloral
C_2H_2=Acetylen
$C_2H_2CaO_2S$=Calciumthioglykolat
$C_2H_2CaO_4$=Calciumformiat
$C_2H_2CaO_6$=Calciumhydrogencarbonat
C_2H_3ClO=Chloracetylchlorid
$C_2H_3O_8Pb_3$=Bleiweiß
C_2H_3BrO=Acetylbromid
$C_2H_3BrO_2Pb$=Bromessigsäure
C_2H_3ClO=Acetylchlorid, Chloracetaldehyd
$C_2H_3ClO_2$=Chlorameisensäure-ester, Chloressigsäure
$C_2H_3Cl_3O_2$=Chloralhydrat
C_2H_3N=Acetonitril
C_2H_4BrNO=N-Bromacetamid
C_2H_4ClNO=2-Chloracetamid
$C_2H_4Cl_2O_2$=Bis(chlormethyl)ether
$C_2H_4N_2O_3$=Allophansäure
$C_2H_4N_4$=Amitrol
C_2H_4O=Acetaldehyd
$C_2H_4O_2$=Ameisensäuremethylester, Biosen
C_2H_5ClO=(Chlormethyl)methyl-ether
C_2H_5NO=Acetamid
$C_2H_5N_3O_2$=Biuret
$C_2H_5O_5P$=Acetylphosphorsäure
C_2H_7NO=Aminoethanole
$C_2H_7NO_2$=Ammoniumacetat
$C_2H_7N_5$=Biguanide
$C_2H_8N_2O_4$=Ammoniumoxalat
$C_2H_{12}B_{10}$=Carborane
$C_2N_2PbS_2$=Bleithiocyanat
C_3Al_4=Aluminiumcarbid
C_3Cr_7=Chromcarbide
C_3H_3N=Acrylnitril
C_3H_4=Allen
C_3H_4O=Acrolein
$C_3H_4O_2$=Acrylsäure
$C_3H_4O_3$=Brenztraubensäure
C_3H_5Br=Allylbromid
C_3H_5Cl=Allylchlorid
C_3H_5ClO=Chloraceton
$C_3H_5ClO_2$=Chlorameisensäure-ester, Chloressigsäureester
C_3H_5NO=Acrylamid
C_3H_6O=Aceton, Allylalkohol
$C_3H_6O_2$=Ameisensäureethylester
$C_3H_7CaO_6P$=Calciumglycerophosphat
C_3H_7ClO=(Chlormethyl)ethyl-ether, Chlorpropanole
$C_3H_7ClO_2$=3-Chlor-1,2-propandiol
C_3H_7N=Allylamin
$C_3H_7NO_2$=Alanin
$C_3H_7N_3O_4$=L-Alanosin
C_3H_9B=Bor-organische Verbindungen
C_3H_9NO=Aminopropanole
$C_3H_{10}NO_3P$=Ampropylfos
C_4BaN_4Pt=Bariumtetracyanoplatinat(II)
$C_4H_2N_2O_4$=Alloxan
$C_4H_3BrN_2O_2$=5-Bromuracil
C_4H_4=1-Buten-3-in
$C_4H_4BrNO_2$=N-Bromsuccinimid
$C_4H_4ClNO_2$=N-Chlorsuccinimid
$C_4H_4KNO_4S$=Acesulfam-K
$C_4H_4N_2$=Bernsteinsäuredinitril
$C_4H_4N_2O_3$=Barbitursäure
$C_4H_4N_6O$=8-Azaguanin
$C_4H_4O_2$=Butenolide
$C_4H_4O_3$=Bernsteinsäureanhydrid
C_4H_5Cl=Chloropren
C_4H_5NS=Allylisothiocyanat
C_4H_6=1,3-Butadien, 1-Butin
$C_4H_6BaO_4$=Bariumacetat
$C_4H_6CaO_4$=Calciumacetat
$C_4H_6CdO_4$=Cadmiumacetat
$C_4H_6N_4O_3$=Allantoin
$C_4H_6N_4O_3S_2$=Acetazolamid
$C_4H_6O=(E)$-2-Butenal
$C_4H_6O_2$=2,3-Butandion, Butensäure, 2-Butin-1,4-diol, γ-Butyrolacton
$C_4H_6O_3$=Acetessigsäure
$C_4H_6O_4$=Bernsteinsäure
$C_4H_6O_4Pb$=Bleiacetate
$C_4H_6O_5$=Äpfelsäure
$C_4H_7AlN_4O_5$=Aldioxa
C_4H_7Br=1-Brom-2-buten
$C_4H_7BrO_2$=2-Brombuttersäure, Bromessigsäureethylester
C_4H_7Cl=3-Chlor-2-methyl-1-propen
C_4H_7ClO=Buttersäurechlorid
$C_4H_7ClO_2$=Chloressigsäureester
$C_4H_7NO_2$=1-Amino-cyclo-propancarbonsäure, Azetidin-2-carbonsäure
$C_4H_7NO_3$=Asparaginsäure
C_4H_8=Buten
$C_4H_8Cl_2O$=Bis(2-chlorethyl)ether
$C_4H_8Cl_2S$=Bis(2-chlorethyl)sulfid
$C_4H_8N_2O_3$=Asparagin
$C_4H_8N_2S$=Allythioharnstoff
C_4H_8O=2-Butanon, Butyraldehyde
$C_4H_8O_2$=Acetoin, Aldol, 2-Buten-1,4-diol, Buttersäure
$C_4H_9Al_2ClN_4O_7$=Alcloxa
C_4H_9Br=Butylbromide
C_4H_9Cl=Butylchloride
$C_4H_9ClO_2$=Chloracetaldehyd-dimethylacetal
C_4H_9Li=Butyllithium
$C_4H_9NO_2$=Aminobuttersäuren
C_4H_{10}=Butan
$C_4H_{10}BF_3O$=Bortrifluorid-Etherat
$C_4H_{10}NO_5PS$=Acephat
$C_4H_{10}O$=Butanole
$C_4H_{10}O_2$=Butandiole, tert-Butyl-hydroperoxid
$C_4H_{10}S$=1-Butanthiol
$C_4H_{11}N$=Butylamine
$C_4H_{11}NO$=2-Amino-1-butanol, 2-Amino-2-methyl-1-propanol
$C_4H_{11}NO_2$=Aminoacetaldehyd-dimethylacetal, 2-Amino-2-methyl-1,3-propandiol
$C_4H_{12}N_2$=1,4-Butandiamin
$C_4H_{12}Pb$=Bleitetramethyl
$C_4H_{13}NO_7P_2$=Alendronat
C_5H_4BrN=Brompyridine
C_5H_4ClN=Chlorpyridine
$C_5H_4N_4O$=Allopurinol
$C_5H_4N_2$=Anemonin(e)
C_5H_5N=Adenin
$C_5H_6N_2$=Aminopyridine
$C_5H_7ClN_2O_3$=Acivicin
$C_5H_7N_3O_4$=Azaserin
$C_5H_8O_2$=Acetylaceton, Butteraroma
$C_5H_9Cl_2N_3O_2$=Carmustin
$C_5H_9NO_3$=5-Amino-4-oxovaleriansäure
$C_5H_9NO_3S$=Acetylcystein, Chondrin
$C_5H_9NO_4S$=Carbocistein
$C_5H_9N_3$=Betazol
$C_5H_{10}O_2$=Buttersäureester
$C_5H_{10}O_5$=Apiose, Arabinose
$C_5H_{11}ClHgN_2O_2$=Chlormerodrin
$C_5H_{11}Cl_2N$=Chlormethin
$C_5H_{11}NO_2$=Betain
$C_5H_{11}NO_4S$=Acamprosat
$C_5H_{12}ClO_2PS_2$=Chlormephos
$C_5H_{12}N_4O_3$=Canavanin
$C_5H_{12}O$=tert-Butylmethylether
$C_5H_{12}O_5$=Arabit
$C_5H_{13}Cl_2N$=Chlormequatchlorid
$C_5H_{14}ClNO$=Cholinchlorid
$C_5H_{15}NO_2$=Cholin
$C_5H_{15}N_2O_3PS$=Amifostin
C_6HCl_5=Chloranil
C_6CrO_6=Chromhexacarbonyl
$C_6FeK_3N_6$=Blutlaugensalze
$C_6FeK_4N_6$=Blutlaugensalze
$C_6HBr_4O_3$=Bibrocathol
$C_6H_1N_3O_8Pb$=Bleitrinitroresorcinat
$C_6H_2Cl_2O_4$=Chloranilsäure
$C_6H_3ClN_2O_4$=1-Chlor-2,4-dinitrobenzol
$C_6H_3Cl_2NO_2$=Clopyralid
$C_6H_4ClNO_2$=Chlornitrobenzole
$C_6H_4O_2$=Benzochinone
$C_6H_5BO_2$=Catecholboran
C_6H_5Br=Brombenzol
C_6H_5BrO=4-Bromphenol
C_6H_5Cl=Chlorbenzol
C_6H_5ClO=Chlorphenole
$C_6H_5ClO_2S$=Benzolsulfonylchlorid
C_6H_5ClS=4-Chlorthiophenol
$C_6H_5NO_4$=Citrazinsäure

C₆H₅N₃=1H-Benzotriazol
C₆H₆=Benzol, Benzvalen
C₆H₆ClN=Chloraniline
C₆H₆N₂O₂=Acipimox
C₆H₆O₂=Brenzcatechin
C₆H₆O₃S=Benzolsulfonsäure
C₆H₆O₆=Aconitsäure, L-Ascorbinsäure
C₆H₆O₆S₂=Benzoldisulfonsäuren
C₆H₇ClN₂O₄S₂=Clofenamid
C₆H₇N=Anilin
C₆H₇NO=Aminophenole
C₆H₇NO₂S=Benzolsulfonamid
C₆H₇NO₃S=Aminobenzolsulfonsäuren
C₆H₇NO₄=Clavame
C₆H₈AsNO₃=4-Aminophenylarsonsäure
C₆H₈CaO₇=Calciumsaccharat
C₆H₈ClNS=Clomethiazol
C₆H₈ClN₇O=Amilorid
C₆H₈N₂=Adipinsäuredinitril
C₆H₈O₆=L-Ascorbinsäure
C₆H₈O₇=Citronensäure
C₆H₉CrO₆=Chrom(III)-acetat
C₆H₉NO₂=Citiolon
C₆H₁₀CaO₄=Calciumpropionat
C₆H₁₀CaO₆=Calciumlactat
C₆H₁₀N₂O₅=ADA
C₆H₁₀OS₂=Allicin
C₆H₁₀O₂=(E)-2-Butensäureethylester, ε-Caprolacton
C₆H₁₀O₃=Acetessigester
C₆H₁₀O₄=Adipinsäure
C₆H₁₁AuO₅S=Aurothioglucose
C₆H₁₁Br=Bromcyclohexan
C₆H₁₁BrN₂O₂=Bromisoval
C₆H₁₁Cl=Chlorcyclohexan
C₆H₁₁Cl₄O₃PS=Chlorethoxyfos
C₆H₁₁NO=ε-Caprolactam
C₆H₁₁NO₂=Cispentacin
C₆H₁₁NO₃S=Alliin
C₆H₁₂FeN₃O₁₂=Ammoniumeisen (III)-oxalat
C₆H₁₂N₂O₄Pt=Carboplatin
C₆H₁₂O₂=Buttersäureester
C₆H₁₃BrO₂=Bromacetaldehyddiethylacetal
C₆H₁₃ClO₂=Chloracetaldehyddiethylacetal
C₆H₁₃NO₂=6-Aminohexansäure
C₆H₁₃NO₄=BICINE
C₆H₁₃N₃O₃=Citrullin
C₆H₁₄N₂O₇=Ammoniumcitrat
C₆H₁₄N₄O₂=L-Arginin
C₆H₁₄O₂=Acetaldehyd-diethylacetal
C₆H₁₄O₆S₂=Busulfan
C₆H₁₅B=Bor-organische Verbindungen
C₆H₁₅BO₃=Borsäureester
C₆H₁₅ClN₂O₂=Carbachol
C₆H₁₅NO₅S=BES
C₆H₁₅N₅=Buformin
C₇H₃Br₂NO=Bromoxynil
C₇H₄ClNO₂=Chlorzoxazon
C₇H₅ClO=Benzoylchlorid, Chlorbenzaldehyde
C₇H₅ClO₂=Chlorbenzoesäuren
C₇H₅ClO₃=3-Chlorperoxybenzoesäure
C₇H₅Cl₃=Benzotrichlorid
C₇H₅F₃=Benzotrifluorid
C₇H₅N=Benzonitril
C₇H₅NS=Benzothiazol
C₇H₆Cl₂=Benzylidendichlorid
C₇H₆N₂=Benzimidazol
C₇H₆O=Benzaldehyd
C₇H₇Br=Benzylbromid
C₇H₇Cl=Benzylchlorid, Chlortoluole

C₇H₇ClNNaO₂S=Chloramin T
C₇H₇ClO=Chlorkresole
C₇H₇NO=Benzamid
C₇H₇NO₂=Aminobenzoesäuren, Carbanilsäure
C₇H₇NO₃=p-Aminosalicylsäure
C₇H₇NO=Carzenid
C₇H₈O=Anisol, Benzylalkohol
C₇H₉N=Benzylamin
C₇H₉NO=Anisidine
C₇H₉NO₂=Ammoniumbenzoat
C₇H₁₀N₂O₂=Anemonin(e)
C₇H₁₀N₂O₂=Carbimazol
C₇H₁₁NO₂=Arecolin
C₇H₁₁NO₃=Clavame
C₇H₁₁NO₅=Acetylglutaminsäure
C₇H₁₂O₆=Chinasäure
C₇H₁₃BrN₂O₂=Carbromal
C₇H₁₃N=Chinuclidin
C₇H₁₃NO₄=2-Aminopimelinsäure
C₇H₁₄N₂O₂S=Aldicarb, Butocarboxim
C₇H₁₄N₂O₄S=Butoxycarboxim
C₇H₁₅NO₃=Carnitin
C₇H₁₆ClNO₂S₂=Cartap
C₇H₁₆NO₂=Acetylcholin
C₇H₁₇N₄O₂P=Anatoxine
C₈Cl₄N₂=Chlorthalonil
C₈H₄K₂O₁₂Sb₂=Brechweinstein
C₈H₅N₃O₃=Calvatsäure
C₈H₆N₂=Chinazolin, Chinoxalin, Cinnolin
C₈H₆N₂O=Chinazolin
C₈H₆N₄O₈=Alloxantin
C₈H₆O=Benzofuran
C₈H₆S=Benzo[b]thiophen
C₈H₇Br=β-Bromstyrol
C₈H₇BrO=ω-(od. α-)-Bromacetophenon
C₈H₇ClO=ω-Chloracetophenon
C₈H₇NS=Benzylisothiocyanat
C₈H₈=Barrelen
C₈H₈Cl₂O₂=Chloroneb
C₈H₈O=Acetophenon
C₈H₈O₂=p-Anisaldehyd, Benzoesäuremethylester
C₈H₉ClO=4-Chlor-3,5-dimethylphenol
C₈H₉NO=Acetanilid
C₈H₉NO₂=Acetylaminophenole, Aminobenzoesäureester
C₈H₉NO₅=Clavulansäure
C₈H₁₀AsNO₅=Acetarsol
C₈H₁₀NO₂=4-Aminoacetanilid
C₈H₁₀N₂O₄S=Asulam
C₈H₁₀O₂=p-Anisalkohol
C₈H₁₁Cl₃O₆=Chloralose
C₈H₁₁NO=2-Amino-1-phenylethanol
C₈H₁₁N₃O₆=6-Azauridin
C₈H₁₁N₅O₃=Aciclovir
C₈H₁₁N₇S=Ambazon
C₈H₁₂N₂O=Betahistin
C₈H₁₂N₂O₃=Barbital
C₈H₁₂N₄=Azoisobutyronitril
C₈H₁₂N₄O₅=5-Azacytidin
C₈H₁₂O₂=Buttersäureester
C₈H₁₂O₈Pb=Bleiacetate
C₈H₁₃NO₂=Arecolin, Bemegrid
C₈H₁₄ClN₅=Atrazin
C₈H₁₄O₃=Buttersäureanhydrid
C₈H₁₅B=9-Borabicyclo[3.3.1]nonan
C₈H₁₅NO₄=Castanospermin
C₈H₁₆O₂=Buttersäureester
C₈H₁₆O₄=Cladinose
C₈H₁₈O₂=Buttersäureester
C₈H₂₀Pb=Bleitetraethyl
C₈H₂₁NOSi₂=N,O-Bis-(trimethylsilyl)-acetamid
C₉H₂Cl₆O₃=Chlorendics
C₉H₅Br₂NO=Broxychinolin

C₉H₅ClINO=Clioquinol
C₉H₅Cl₃N₄=Anilazin
C₉H₆ClNO=Cloxiquin
C₉H₆ClNO₃S=Benazolin
C₉H₆I₃NO₃=Acetrizoesäure
C₉H₆O₂=Chromone
C₉H₇N=Chinolin
C₉H₇NO=8-Chinolinol
C₉H₇N₇O₂S=Azathioprin
C₉H₈Cl₂N₂=Chlozanil
C₉H₈Cl₃NO₂S=Captan
C₉H₈O=Chromen
C₉H₈O₃=Acetylsalicylsäure
C₉H₉ClO=Clorindanol
C₉H₉Cl₂N₃=Clonidin
C₉H₉NO₅=Adrenochrom
C₉H₉NO₅=Betalaine
C₉H₉N₃O₂=Carbendazim
C₉H₉N₃S=Amiphenazol
C₉H₉N₅=Benzoguanamin
C₉H₁₀Cl₂N₄=Apraclonidin
C₉H₁₀N₂O₃=4-Aminohippursäure
C₉H₁₀O=Chavicol
C₉H₁₀O₂=Benzoesäureethylester
C₉H₁₁ClO₃=Chlorphenesin
C₉H₁₁Cl₃NO₃PS=Chlorpyrifos
C₉H₁₁NO₂=Benzocain
C₉H₁₁NO₃=Adrenalon
C₉H₁₁N₅O=Biopterin
C₉H₁₂O₄=Aucubin
C₉H₁₃BrN₂O₂=Bromacil
C₉H₁₃N=Amphetamin
C₉H₁₃NO₃=L-Adrenalin
C₉H₁₃NO₄=Chlorotetain
C₉H₁₃N₅O₆=Clitocin
C₉H₁₄N₄O₃=Carnosin
C₉H₁₅BrN₂O₃=Acecarbromal
C₉H₁₅NO₃=Aceclidin
C₉H₁₅NO₃S=Captopril
C₉H₁₅N₅O₇S₂=Amidosulfuron
C₉H₁₆O=Brevicomin
C₉H₁₆O₄=Azelainsäure
C₉H₁₇N₅S=Ametryn
C₉H₁₈N₂S=Altretamin
C₉H₁₉NO₃S=CAPS
C₉H₂₁AlO₃=Aluminiumisopropylat
C₁₀H₅ClN₂=(2-Chlorbenzyliden)-malonsäuredinitril
C₁₀H₆Cl₈=Chlordan
C₁₀H₆N₂O₅=Chinomethionat
C₁₀H₆N₄O₂=Alloxazin
C₁₀H₆Na₂O₈S₂=Chromotropsäure Dinatrium-Salz
C₁₀H₇Br=1-Bromnaphthalin
C₁₀H₇Br₂NO=Broquinaldol
C₁₀H₇Br₂NO=Chlorquinaldol
C₁₀H₇NO₂=2-Chinolincarbonsäure
C₁₀H₈=Azulene
C₁₀H₈ClN₃O=Chloridazon
C₁₀H₈N₂=2,2'-Bipyridin
C₁₀H₈OS₃=Anetholtrithion
C₁₀H₈O₄=Anemonin(e)
C₁₀H₉Cl₄NO₂S=Captafol
C₁₀H₉N₃O=Amrinon
C₁₀H₁₀=Basketen, Bullvalen
C₁₀H₁₀ClNO₂=Chlorthenoxazin
C₁₀H₁₀Cl₈=Camphechlor
C₁₀H₁₀O=Benzylidenaceton
C₁₀H₁₀O₆=Chlorinsminsäure
C₁₀H₁₁BrN₂O₃=Brallobarbital
C₁₀H₁₁N₃=Acetamiprid
C₁₀H₁₁ClNO=Beclamid
C₁₀H₁₂ClNO₂=Baclofen
C₁₀H₁₂N₂O₃=Allobarbital
C₁₀H₁₂N₂O₃S=Bentazon
C₁₀H₁₂N₂O₃PS₂=Azinphosmethyl
C₁₀H₁₂N₄O₃=Carbazochrom
C₁₀H₁₂N₅O₆P=Adenosin-3',5'-monophosphat

C₁₀H₁₂O=Anethol, Butyrophenon
C₁₀H₁₂O₄=Cantharidin
C₁₀H₁₃ClN₂O=Chlortoluron
C₁₀H₁₃N₂O₃S=Chlorpropamid
C₁₀H₁₃ClO=Chlorcarvacrol, Chlorthymol
C₁₀H₁₃N₅O₄=Adeninarabinosid, Adenosin
C₁₀H₁₄ClN₃OS=Azintamid
C₁₀H₁₄N₂=Anabasin
C₁₀H₁₄N₂O₃=Aprobarbital
C₁₀H₁₄N₂O₄=Carbidopa
C₁₀H₁₄N₅O₇P=Adenosin-3'-monophosphat, Adenosin-5'-monophosphat
C₁₀H₁₄O=tert-Butylphenole, Carvacrol, Carvon
C₁₀H₁₄O₂=4-tert-Butylbrenzcatechin, tert-Butylhydrochinon, Carvon
C₁₀H₁₄O₅=Acetomycin
C₁₀H₁₅BrO₄S=3-Bromcampher-8-sulfonsäure
C₁₀H₁₅NO=Anatoxine
C₁₀H₁₅N₃O₅=Benserazid
C₁₀H₁₅N₅O₁₀P₂=Adenosin-5'-diphosphat
C₁₀H₁₆=Adamantan, Camphen, Carene
C₁₀H₁₆KNO₉S₂=Allylisothiocyanat
C₁₀H₁₆N₂O₃=Butobarbital
C₁₀H₁₆N₂O₃S=Biotin
C₁₀H₁₆N₄O₃=Anserin
C₁₀H₁₆N₅O₁₃P₃=Adenosin-5'-triphosphat
C₁₀H₁₆N₆S=Cimetidin
C₁₀H₁₆O=Bernstein, Campher, Citral
C₁₀H₁₆O₂=Ascaridol, Chrysanthemumsäure
C₁₀H₁₆O₄=Camphersäure
C₁₀H₁₆O₄S=Campher-10-sulfonsäure
C₁₀H₁₇N=1-Adamantanamin
C₁₀H₁₈=Caran
C₁₀H₁₈O=Borneol, Cineol, Citronellal
C₁₀H₂₀O=Citronellole
C₁₀H₂₁Br=1-Bromdecan
C₁₀H₂₃O₂PS₂=Cadusafos
C₁₁H₉I₃N₂O₄=Amidotrizoesäure
C₁₁H₁₀N₂S=Antu
C₁₁H₁₁NO₄S=Actinoquinol
C₁₁H₁₂ClNO₃S=Chlormezanon
C₁₁H₁₂Cl₂N₂O₅=Chloramphenicol
C₁₁H₁₃BrN₂O₅=Brivudin
C₁₁H₁₃NO₄=Bendiocarb
C₁₁H₁₃N₃O₄=Angustmycin
C₁₁H₁₃N₃O₅=Azidamfenicol
C₁₁H₁₄ClNO₂=Buclosamid
C₁₁H₁₄ClN₂O₃S=Cloethocarb
C₁₁H₁₄N₂O₆=Clitidin
C₁₁H₁₄O₂=Benzoesäureisobutylester, Buttersäureester, 4-tert-Butylbenzoesäure
C₁₁H₁₅NO₃=Anhalonium-Alkaloide
C₁₁H₁₅N₅O₅=Angustmycin
C₁₁H₁₆ClN₃O₄S₂=Butizid
C₁₁H₁₆N₂O₃=Butalbital
C₁₁H₁₆O=2-tert-Butyl-4-(bzw. 5)-methylphenol
C₁₁H₁₆O₂=tert-Butylmethoxyphenol
C₁₁H₁₇NO₃S=Carbutamid
C₁₁H₁₇N₅O₃=Cafaminol
C₁₁H₁₈N₂O₇=Amobarbital
C₁₁H₁₉NO₉=Acylneuraminsäuren
C₁₁H₂₂N₃O₆P=Bilanafos
C₁₁H₂₃NOS=Butylat

$C_{12}H_6Cl_4O_2S$=Bithionol
$C_{12}H_8$=Acenaphthen, Biphenylen
$C_{12}H_8Cl_6$=Aldrin
$C_{12}H_9AsClN$=Adamsit
$C_{12}H_9ClN_2O_3$=Aclonifen
$C_{12}H_9N$=9H-Carbazol
$C_{12}H_{10}$=Acenaphthen, Agropyren, Biphenyl
$C_{12}H_{10}CaO_{10}S_2$=Calciumdobesilat
$C_{12}H_{10}Ca_3O_{14}$=Calciumcitrat
$C_{12}H_{10}N_2$=Azobenzol
$C_{12}H_{10}N_2O$=Azoxybenzol
$C_{12}H_{10}N_2O_5$=Cinoxacin
$C_{12}H_{10}O$=Biphenylole
$C_{12}H_{10}O_2$=Biphenyl-2,2′-diol
$C_{12}H_{10}O_4$=Chinhydrone
$C_{11}H_{11}ClN_6O_2S_2$=Azosemid
$C_{12}H_{11}NO$=3-Anilinophenol
$C_{12}H_{11}NO_2$=Carbaryl
$C_{12}H_{11}NO_3S$=Chuanghsinmycin
$C_{12}H_{11}N_3$=4-Aminoazobenzol
$C_{12}H_{12}$=Agropyren
$C_{12}H_{12}ClN_5O_4S$=Chlorsulfuron
$C_{12}H_{12}Cr$=Chrom-organische Verbindungen
$C_{12}H_{12}N_2$=Benzidin
$C_{12}H_{13}NO_2S$=Carboxin
$C_{12}H_{13}NO_3$=Aniracetam
$C_{12}H_{14}As_2Cl_2N_2O_2$=Arsphenamin
$C_{12}H_{14}CaO_4$=Calciumsorbat
$C_{12}H_{14}ClNO$=Clomazon
$C_{12}H_{14}Cl_3O_4P$=Chlorfenvinfos
$C_{12}H_{14}N_2O_2$=Abrin
$C_{12}H_{14}O_4$=Apiol
$C_{12}H_{15}ClO_3$=Clofibrat
$C_{12}H_{15}NO_3$=Anhalonium-Alkaloide, Carbofuran
$C_{12}H_{15}N_3O_2S$=Albendazol
$C_{12}H_{15}N_3O_5S$=Ameziniummetilsulfat
$C_{12}H_{16}N_2O_3$=Carbetamid
$C_{12}H_{16}N_3O_3PS_2$=Azinphosethyl
$C_{12}H_{16}O_3$=Asarone
$C_{12}H_{16}O_4S$=Benfuresat
$C_{12}H_{16}O_7$=Arbutin
$C_{12}H_{17}ClN_2O_4$=Chlorotetain
$C_{12}H_{17}NO_2$=Anhalonium-Alkaloide, Ciclopirox
$C_{12}H_{17}NO_3$=Bucetin, Bufexamac, Cerulenin
$C_{12}H_{17}N_3O_4$=Agaritin
$C_{12}H_{18}Cl_2N_2O$=Clenbuterol
$C_{12}H_{18}N_2O_5$=Chlorotetain
$C_{12}H_{19}NO_2$=Bamethan
$C_{12}H_{20}O_{11}V$=Amavadin
$C_{12}H_{20}O_2$=Bornylacetat
$C_{12}H_{22}CaO_{14}$=Calciumgluconat
$C_{12}H_{22}O_{11}$=Cellobiose
$C_{12}H_{24}N_2O_4$=Carisoprodol
$C_{13}H_8Br_2Cl_2O_2$=Bromchlorophen
$C_{13}H_9N$=Acridin, Benzochinoline
$C_{13}H_{10}O$=Benzophenon
$C_{13}H_{11}ClO$=Clorofen
$C_{13}H_{11}Cl_2NO_5$=Chlozolinat
$C_{13}H_{11}NO$=Benzanilid
$C_{13}H_{11}NO_2$=N-Benzoyl-N-phenylhydroxylamin
$C_{13}H_{12}BrCl_2N_3O$=Bromuconazol
$C_{13}H_{12}N_2O_2$=Aaptamin
$C_{13}H_{12}O$=Benzhydrol, 4-Benzylphenol
$C_{13}H_{13}N$=Benzylanilin
$C_{13}H_{13}N_3O_6S$=Cefacetril
$C_{13}H_{13}N_3O_5S_2$=Ceftizoxim
$C_{13}H_{14}N_2O_7$=Acromelsäuren
$C_{13}H_{14}O_5$=Citrinin
$C_{13}H_{16}F_3N_3O_4$=Benfluralin
$C_{13}H_{16}N_2O_5$=Aminoglutethimid
$C_{13}H_{16}N_2O_3$=Anthramycine
$C_{13}H_{16}N_{10}O_5S$=Azimsulfuron

$C_{13}H_{17}NO_3$=Anhalonium-Alkaloide
$C_{13}H_{17}N_3O$=Aminophenazon
$C_{13}H_{17}N_5O_8S_2$=Aztreonam
$C_{13}H_{18}Br_2N_2O$=Ambroxol
$C_{13}H_{19}ClN_2O$=Butanilicain
$C_{13}H_{19}NO$=Amfepramon
$C_{13}H_{19}NO_2$=Anhalonium-Alkaloide
$C_{13}H_{19}NO_3$=Anhalonium-Alkaloide
$C_{13}H_{20}N_2O_3S$=Articain
$C_{13}H_{21}N_3O_3$=Carbuterol
$C_{13}H_{22}N_4O_8$=Clavamycine
$C_{13}H_{22}O_4$=A-Faktor
$C_{13}H_{24}N_4O_3S$=Bupirimat
$C_{14}H_7Br_3F_3N_3O_4$=Bromethalin
$C_{14}H_7ClF_3NO_5$=Acifluorfen
$C_{14}H_8Cl_2N_4$=Clofentezin
$C_{14}H_8FeN_2O_8$=Actinoviridin A
$C_{14}H_8O_2$=Anthrachinon
$C_{14}H_8O_4$=Alizarin, Chinizarin, Chrysazin
$C_{14}H_8O_6$=Chinalizarin
$C_{14}H_9Cl_2NO_5$=Bifenox
$C_{14}H_9NO_2$=Aminoanthrachinone
$C_{14}H_{10}$=Anthracen
$C_{14}H_{10}BrN_3O$=Bromazepam
$C_{14}H_{10}N_2$=Cinnabarin
$C_{14}H_{10}O$=9-Anthrol, Anthron
$C_{14}H_{10}O_2$=Benzil
$C_{14}H_{10}O_3$=Benzoesäureanhydrid
$C_{14}H_{10}O_4$=Benzoylperoxid
$C_{14}H_{11}ClN_2O_4S$=Chlortalidon
$C_{14}H_{12}ClNO$=Cicletanin
$C_{14}H_{12}N_2O_2$=Benzildioxime
$C_{14}H_{12}O_2$=Benzoesäurebenzylester, Benzoin
$C_{14}H_{12}O_3$=Benzilsäure
$C_{14}H_{13}N_2NaO_4S$=Acediasulfon-Natrium
$C_{14}H_{14}ClN_3O_4S_2$=Benzylhydrochlorothiazid
$C_{14}H_{14}N_2Na_2O_6S_3$=Aldesulfon-Natrium
$C_{14}H_{14}N_8O_4S_3$=Cefazolin
$C_{14}H_{15}N_5O_5S_2$=Cefetamet
$C_{14}H_{16}$=Chamazulen
$C_{14}H_{16}N_2O_6$=Betalaine
$C_{14}H_{17}ClN_2O_3S$=Clorexolon
$C_{14}H_{18}CaN_3Na_3O_{10}$=Calciumtriumpentetat
$C_{14}H_{18}N_2O_5$=Aspartame
$C_{14}H_{18}N_4O_3$=Benomyl
$C_{14}H_{19}Cl_2NO_2$=Chlorambucil
$C_{14}H_{20}Br_2N_2$=Bromhexin
$C_{14}H_{20}ClNO_2$=Acetochlor, Alachlor
$C_{14}H_{20}ClN_3O_3S$=Clopamid
$C_{14}H_{20}N_2O_2$=Bunitrolol
$C_{14}H_{20}O_6$=Clonostachydiol
$C_{14}H_{21}ClN_2O_2$=Clofezon
$C_{14}H_{21}N_3O_6S$=Adicillin
$C_{14}H_{22}BrN_3O_2$=Bromoprid
$C_{14}H_{22}ClNO$=Clobutinol
$C_{14}H_{22}N_2O_2$=Bupranolol
$C_{14}H_{22}N_2O_3$=Atenolol
$C_{14}H_{22}N_2O_8$=CDTA
$C_{14}H_{23}N_3O_6$=Clavame
$C_{14}H_{24}Na_4PS_3$=Bensulid
$C_{14}H_{24}N_2O_3$=Ciclopirox
$C_{15}H_9ClO_2$=Clorindion
$C_{15}H_{10}BrClN_4S$=Brotizolam
$C_{15}H_{10}ClN_3O_3$=Clonazepam
$C_{15}H_{10}O_4$=Chrysin, Chrysophansäure
$C_{15}H_{10}O_5$=Apigenin
$C_{15}H_{11}ClO_3$=Chlorflurenol-methyl
$C_{15}H_{12}ClNO_2$=Carprofen
$C_{15}H_{12}N_2O$=Carbamazepin
$C_{15}H_{12}O$=Chalkon
$C_{15}H_{12}O_3$=Chrysarobin

$C_{15}H_{13}ClN_2$=Chlormidazol
$C_{15}H_{14}ClN_3O_4S$=Cefaclor
$C_{15}H_{14}ClN_3O_4S_3$=Benzthiazid
$C_{15}H_{14}Cl_2F_3N_3O_3$=Carfentrazonethyl
$C_{15}H_{14}F_3N_3O_4S_2$=Bendroflumethiazid
$C_{15}H_{14}N_4O_6S_2$=Ceftibuten
$C_{15}H_{14}O_5$=Atrochryson
$C_{15}H_{14}O_6$=Catechin
$C_{15}H_{15}ClN_4O_6S$=Chlorimuronethyl
$C_{15}H_{15}NO$=Carbazol-Alkaloide
$C_{15}H_{15}NO_6$=L-Ascorbinsäure
$C_{15}H_{16}ClN_3O_4S_2$=Bemetizid
$C_{15}H_{16}I_3NO_2$=Bunamiodyl
$C_{15}H_{16}O_2$=Bisphenol A
$C_{15}H_{16}O_9$=Aesculin
$C_{15}H_{17}N_5O_6S_2$=Cefpodoxim
$C_{15}H_{18}O_4$=Artemisin
$C_{15}H_{18}O_8$=Bilobalid
$C_{15}H_{19}N_5O_7S$=Cinosulfuron
$C_{15}H_{20}$=Asterane
$C_{15}H_{20}Cl_2N_2O$=Clibucain
$C_{15}H_{20}N_2O$=Anagyrin
$C_{15}H_{20}N_2O_2$=Arborescin
$C_{15}H_{20}O_4$=Abscisinsäure
$C_{15}H_{20}O_7$=Anisatin
$C_{15}H_{20}O_8$=Anisatin
$C_{15}H_{21}NO_2$=Cetobemidon
$C_{15}H_{22}N_6O_5S$=S-Adenosylmethionin
$C_{15}H_{22}O_4$=Brefeldine
$C_{15}H_{22}O_9$=Aucubin
$C_{15}H_{22}O_2$=Catalpol
$C_{15}H_{23}NO_2$=Alprenolol
$C_{15}H_{23}N_3O_4S$=Ciclacillin
$C_{15}H_{24}$=Bisabolene, Cadinen, Capnellen, Caryophyllene, Cedren, Chamigrene
$C_{15}H_{26}O$=(−)-Bisabolol, (+)-Cedrol
$C_{15}H_{26}O_4$=Agarofurane
$C_{16}H_{10}O_6$=Aflatoxine
$C_{16}H_{11}NO_2$=Cinchophen
$C_{16}H_{13}ClN_2O_2$=Clobazam
$C_{16}H_{14}ClN_3O$=Chlordiazepoxid
$C_{16}H_{14}O_5$=Brasilin
$C_{16}H_{14}O_6$=Aflatoxine
$C_{16}H_{15}ClN_2OS$=Clotiazepam
$C_{16}H_{15}Cl_2NO_2$=Clomeprop
$C_{16}H_{15}N_5O_5S_2$=Cefixim
$C_{16}H_{16}N_2O_6S_2$=Cefalotin
$C_{16}H_{16}N_4O_8S_2$=Cefuroxim
$C_{16}H_{16}O_5$=Alkannin
$C_{16}H_{17}N_3O_4$=Anthramycine
$C_{16}H_{17}N_3O_4S$=Cefalexin
$C_{16}H_{17}N_3O_5S$=Cefadroxil
$C_{16}H_{17}N_3O_7S_2$=Cefoxitin
$C_{16}H_{17}N_5O_7S_2$=Azidocillin
$C_{16}H_{17}N_5O_7S_2$=Cefotaxim
$C_{16}H_{17}N_9O_5S_3$=Cefmenoxim
$C_{16}H_{18}N_4O_7S$=Bensulfuronmethyl
$C_{16}H_{18}O_9$=Chlorogensäure
$C_{16}H_{19}BrN_2$=Brompheniramin
$C_{16}H_{19}ClN_2$=Chlorphenamin
$C_{16}H_{19}ClN_2O$=Carbinoxamin
$C_{16}H_{19}N_3O_4S$=Ampicillin, Cefradin
$C_{16}H_{19}N_3O_5S$=Amoxicillin
$C_{16}H_{20}ClN_3$=Chloropyramin
$C_{16}H_{20}N_2O_2$=Anthramycine
$C_{16}H_{20}N_4O_2$=Azapropazon
$C_{16}H_{21}NO$=Chalciporon
$C_{16}H_{21}NO_4$=Befunolol
$C_{16}H_{21}N_3O_8S$=Cephalosporine
$C_{16}H_{21}N_5O_2$=Alizaprid
$C_{16}H_{22}N_4O_4S$=Acetiamin
$C_{16}H_{23}N_3OS$=Buprofezin
$C_{16}H_{24}N_2O_3$=Carteolol
$C_{16}H_{24}N_2O_4$=Bestatin

$C_{16}H_{24}N_{10}O_4$=Aminophyllin
$C_{16}H_{24}O_3$=Brefeldine
$C_{16}H_{24}O_4$=Brefeldine
$C_{16}H_{25}NO_2$=Butetamat
$C_{16}H_{26}N_2O_5S$=Cilastatin
$C_{16}H_{28}O$=Ambrox, Bombykol
$C_{16}H_{28}O_2$=Ambrettolid
$C_{17}H_{10}O$=Benzanthron
$C_{17}H_{11}NO_7$=Aristolochiasäuren
$C_{17}H_{11}NO_8$=Aristolochiasäuren
$C_{17}H_{12}Br_2O_3$=Benzbromaron
$C_{17}H_{12}O_2$=Benzoesäure-2-naphthylester
$C_{17}H_{12}O_6$=Aflatoxine
$C_{17}H_{12}O_7$=Aflatoxine
$C_{17}H_{12}O_8$=Aflatoxine
$C_{17}H_{13}ClFNO_4$=Clodinafop-propargyl
$C_{17}H_{13}ClN_4$=Alprazolam
$C_{17}H_{14}N_2O_2$=4-Benzoyl-5-methyl-2-phenyl-2,4-dihydro-3H-pyrazol-3-on
$C_{17}H_{14}N_2O_5S$=Calmagit
$C_{17}H_{14}O_5$=Benzaron
$C_{17}H_{14}O_6$=Aflatoxine
$C_{17}H_{14}O_7$=Aflatoxine
$C_{17}H_{14}O_8$=Aflatoxine
$C_{17}H_{15}NO_5$=Benorilat
$C_{17}H_{16}Br_2O_3$=Brompropylat
$C_{17}H_{17}NO_2$=Apomorphin
$C_{17}H_{17}N_7O_8S_4$=Cefotetan
$C_{17}H_{18}FN_3O_3$=Ciprofloxacin
$C_{17}H_{18}N_2O$=Amfetaminil
$C_{17}H_{18}N_2O_6S$=Carbenicillin
$C_{17}H_{19}ClN_2S$=Chlorpromazin
$C_{17}H_{19}NO_3$=Benzylisochinolin-Alkaloide
$C_{17}H_{19}N_3$=Antazolin
$C_{17}H_{19}N_5$=Anastrazol
$C_{17}H_{20}ClNO$=Clofedanol
$C_{17}H_{20}N_2O_5S$=Bumetanid
$C_{17}H_{21}NO_4S$=Bensultap
$C_{17}H_{21}N_3$=Auramin
$C_{17}H_{22}O_2$=Cicutoxin
$C_{17}H_{23}NO_3$=Atropin
$C_{17}H_{25}NO_4$=Buflomedil
$C_{17}H_{25}N_3O_4S_2$=Alanycarb
$C_{17}H_{26}ClNO_2$=Butacher
$C_{17}H_{26}ClNO_3S$=Clethodim
$C_{17}H_{26}N_8O_5$=Blasticidine
$C_{17}H_{26}O_5$=Botrydial
$C_{17}H_{28}N_2O_2$=Ambucetamid
$C_{17}H_{30}N_2O_6$=Bengamide
$C_{17}H_{30}N_8O_5$=Blasticidine
$C_{18}Fe_7N_{18}$=Berliner Blau
$C_{18}H_9NNa_2O_8S_2$=Chinolingelb S
$C_{18}H_{11}NO_2$=Chinolingelb A
$C_{18}H_{12}$=Benz[a]anthracen, Chrysen
$C_{18}H_{12}N_2$=2,2′-Bichinolin
$C_{18}H_{12}O_6$=Atromentin
$C_{18}H_{14}N_2Na_2O_8S_2$=Allura Red
$C_{18}H_{14}N_6O_2$=Cadion
$C_{18}H_{15}N_5O_5S_2$=Cefazedon
$C_{18}H_{16}N_2O_8$=Betalaine
$C_{18}H_{18}ClNO_5$=Benzoximat
$C_{18}H_{18}ClNS$=Chlorprothixen
$C_{18}H_{18}N_6O_5S_2$=Cefamandol
$C_{18}H_{18}N_8O_7S_3$=Ceftriaxon
$C_{18}H_{19}ClN_4$=Clozapin
$C_{18}H_{19}N$=Benzoctamin
$C_{18}H_{19}NO_3$=Clausenamid
$C_{18}H_{19}N_3O_5S$=Cefprozil
$C_{18}H_{20}O_5$=Byssochlamsäure
$C_{18}H_{21}NO_4$=Cephalotaxin
$C_{18}H_{22}ClNO$=Chlorphenoxamin
$C_{18}H_{22}N_2O_2$=Carazolol
$C_{18}H_{22}N_2S$=Alimemazin
$C_{18}H_{23}N_5O_3$=Cafedrin
$C_{18}H_{23}N_3O_4S_3$=Cefotiam
$C_{18}H_{26}ClN_3$=Chloroquin
$C_{18}H_{26}O_2$=Cinmethylin

$C_{18}H_{27}NO_2$=Butaverin
$C_{18}H_{27}NO_3$=Capsaicin
$C_{18}H_{28}ClNO$=Clofenciclan
$C_{18}H_{28}N_2O$=Bupivacain
$C_{18}H_{28}N_2O_4$=Acebutolol
$C_{18}H_{28}N_4O$=Butalamin
$C_{18}H_{28}O_4$=Albocyclin
$C_{18}H_{29}NO_3$=Betaxolol, Butamirat
$C_{18}H_{29}N_3O_5$=Bambuterol
$C_{18}H_{30}N_2O_2$=Butacain
$C_{18}H_{30}O_2$=Calendulaöl
$C_{18}H_{31}NO_4$=Bisoprolol
$C_{18}H_{32}CaN_2O_{10}$=Calciumpantothenat
$C_{18}H_{32}O_2$=Chaulmoograsäure
$C_{18}H_{32}O_5$=Aspicilin
$C_{18}H_{33}ClN_2O_5S$=Clindamycin
$C_{18}H_{35}NO$=Cerebrodiene
$C_{18}H_{37}NO$=Aldimorph
$C_{19}H_{10}Br_2Cl_2O_5S$=Bromchlorphenolblau
$C_{19}H_{10}Br_4O_5S$=Bromphenolblau
$C_{19}H_{10}Br_4O_5S$=Bromphenolrot
$C_{19}H_{12}Cl_2O_5S$=Chlorphenolrot
$C_{19}H_{14}O_3$=Aurin
$C_{19}H_{15}NO_2$=Acenocoumarol
$C_{19}H_{16}KN_3O_3S$=Benzylorange
$C_{19}H_{17}N_3O_4S_2$=Cefaloridin
$C_{19}H_{18}CaN_2O_9$=Carbasalat-Calcium
$C_{19}H_{18}ClN_3O_3$=Camazepam
$C_{19}H_{18}ClN_3O_5S$=Cloxacillin
$C_{19}H_{18}N_4O_8$=Atranorin
$C_{19}H_{19}NO_4$=Bulbocapnin
$C_{19}H_{20}ClNO_4$=Bezafibrat
$C_{19}H_{20}ClN_3$=Clemizol
$C_{19}H_{20}N_8O_5$=Aminopterin
$C_{19}H_{20}O_4$=Benzylbutylphthalat
$C_{19}H_{21}NO_4$=Boldin
$C_{19}H_{22}N_2O$=Cinchonidin, Cinchonin
$C_{19}H_{22}N_2OS$=Aceprometazin
$C_{19}H_{22}N_2O_3$=Bumadizon
$C_{19}H_{22}O_9$=Aloe
$C_{19}H_{22}O_{10}$=Aloe
$C_{19}H_{23}ClN_2O$=Clomipramin
$C_{19}H_{23}I_2NO_2$=Bufeniod
$C_{19}H_{23}NO_4$=Benzylisochinolin-Alkaloide
$C_{19}H_{23}N_3$=Amitraz
$C_{19}H_{23}N_3O$=Bromazydamin
$C_{19}H_{23}N_4O_6PS$=Benfotiamin
$C_{19}H_{24}N_2$=Bamipin
$C_{19}H_{24}N_6O_5S_2$=Cefepim
$C_{19}H_{25}N_3O_3$=Adrenosteron
$C_{19}H_{25}NO_2$=Buphenin
$C_{19}H_{26}N_2$=Aspidosperma-Alkaloide
$C_{19}H_{27}ClO_2$=Clostebol
$C_{19}H_{27}N_5O_3$=Bunazosin
$C_{19}H_{27}N_5O_4$=Alfuzosin
$C_{19}H_{30}O_2$=Androstanolon, 5-Androsten-3β,17β-diol, Androsteron
$C_{19}H_{31}NO$=Bencyclan
$C_{19}H_{32}$=5α-Androstan
$C_{19}H_{32}N_2O_2$=Camylofin
$C_{19}H_{42}BrN$=Cetyltrimethylammoniumbromid
$C_{19}H_{42}ClN$=Cetyltrimethylammoniumchlorid
$C_{20}H_4Cl_4I_4O_5$=Bengalrosa
$C_{20}H_8Br_4Na_2O_{10}S_2$=Bromsulfalein
$C_{20}H_9Cl_3F_5N_3O_3$=Chlorfluazuron
$C_{20}H_{11}N_2Na_3O_{10}S_3$=Amaranth
$C_{20}H_{11}N_3O_2$=Arcyria-Farbstoffe
$C_{20}H_{11}N_3O_3$=Arcyria-Farbstoffe
$C_{20}H_{11}N_3O_4$=Arcyria-Farbstoffe
$C_{20}H_{11}N_3O_5$=Arcyria-Farbstoffe
$C_{20}H_{12}$=Benzo[a]pyren
$C_{20}H_{12}N_2O$=Chinacridon
$C_{20}H_{13}N_2NaO_5S$=Calcon

$C_{20}H_{13}N_3$=Chinolin-Alkaloide
$C_{20}H_{13}N_3O_3$=Arcyria-Farbstoffe
$C_{20}H_{13}N_3O_4$=Arcyria-Farbstoffe
$C_{20}H_{14}N_2O_6$=Adipiodon
$C_{20}H_{14}O_2$=Binaphthyl
$C_{20}H_{14}O_8$=Bikaverin
$C_{20}H_{16}N_2$=Binaphthyl
$C_{20}H_{16}N_2O_4$=Camptothecin
$C_{20}H_{16}O_7$=Averufin
$C_{20}H_{19}NO_5$=Berberin, Chelidonin
$C_{20}H_{20}N_6O_7S_4$=Cefodizim
$C_{20}H_{21}AlCl_2O_7$=Aluminiumclofibrat
$C_{20}H_{21}CaN_7O_7$=Calciumfolinat
$C_{20}H_{21}NO$=Butinolin
$C_{20}H_{21}NO_4$=Benzylisochinolin-Alkaloide
$C_{20}H_{22}N_2$=Azatadin
$C_{20}H_{23}BrN_2O_4$=Brompheniramin
$C_{20}H_{23}N$=Amitriptylin
$C_{20}H_{23}NO_3$=Benalaxyl
$C_{20}H_{23}N_3O_2$=Bitertanol
$C_{20}H_{23}N_5O_6$=Azlocillin
$C_{20}H_{24}N_2$=Aristotelia-Alkaloide
$C_{20}H_{24}N_2O_2$=Chinidin, Chinin
$C_{20}H_{25}ClN_2O_5$=Amlodipin
$C_{20}H_{25}NO_2$=Adiphenin
$C_{20}H_{25}NO_3$=Benactyzin
$C_{20}H_{25}NO_4$=Benzylisochinolin-Alkaloide
$C_{20}H_{25}N_5O_7S_2$=Cefetamet
$C_{20}H_{26}N_2$=Aristotelia-Alkaloide
$C_{20}H_{26}N_2O_2$=Ajmalin
$C_{20}H_{26}O_7$=Benediktenkraut
$C_{20}H_{27}BrN_2O$=Ambutoniumbromid
$C_{20}H_{27}NO_5$=Carbocromen
$C_{20}H_{27}NO_{11}$=Amygdalin
$C_{20}H_{27}N_5O_3$=Bamifyllin
$C_{20}H_{28}O_3$=Cinerine
$C_{20}H_{29}N_5O_2$=Cinchocain
$C_{20}H_{30}$=Cembranoide
$C_{20}H_{30}N_2O_5S$=Benfuracarb
$C_{20}H_{30}O_2$=Abietinsäure
$C_{20}H_{32}$=Cembrene
$C_{20}H_{32}N_2O_3S$=Carbosulfan
$C_{20}H_{32}O_2$=Arachidonsäure
$C_{20}H_{32}O_4$=Asperdiol
$C_{20}H_{33}NO_4$=Celiprolol
$C_{20}H_{34}AuO_9PS$=Auranofin
$C_{20}H_{34}N_2O_2$=Cembranoide
$C_{20}H_{34}O_4$=Aphidicolin
$C_{20}H_{34}O_5$=Alprostadil
$C_{20}H_{35}N_3Sn$=Azocyclotin
$C_{20}H_{40}O_2$=Arachinsäure
$C_{21}H_{14}Br_4O_5S$=Bromkresolgrün
$C_{21}H_{14}N_2O_7S$=Calconcarbonsäure
$C_{21}H_{16}Br_2O_5S$=Bromkresolpurpur
$C_{21}H_{18}ClNO_6$=Acemetacin
$C_{21}H_{19}N_3S$=Amsacrin
$C_{21}H_{20}N_6O$=Aminoquinurid
$C_{21}H_{20}O_6$=Cabenegrine
$C_{21}H_{21}ClO_{11}$=Chrysanthemin
$C_{21}H_{22}O_9$=Aloe
$C_{21}H_{23}BrFNO_2$=Bromperidol
$C_{21}H_{23}IN_2$=Chinaldinrot
$C_{21}H_{24}N_2O_2$=Aspidosperma-Alkaloide, Catharanthin
$C_{21}H_{24}N_2O_3$=Ajmalicin
$C_{21}H_{25}ClN_2O_3$=Cetirizin
$C_{21}H_{25}ClO_5$=Cloprednol
$C_{21}H_{25}NO$=Benzatropin
$C_{21}H_{26}ClNO$=Clemastin
$C_{21}H_{26}O_3$=Acitretin
$C_{21}H_{26}O_7$=Clementine
$C_{21}H_{27}NO$=Benproperin
$C_{21}H_{27}NO_4$=Benzylisochinolin-Alkaloide
$C_{21}H_{27}N_3O_7S$=Bacampicillin
$C_{21}H_{28}ClN_3O_7S$=Bacampicillin
$C_{21}H_{28}O_2$=Avarol

$C_{21}H_{28}O_4$=Bovichinone
$C_{21}H_{28}O_5$=Aldosteron, Cinerine
$C_{21}H_{29}BrN_2$=Bryozoen-Alkaloide
$C_{21}H_{29}NO$=Biperiden
$C_{21}H_{30}O_2$=Avarol
$C_{21}H_{31}NO_2$=Bornaprin
$C_{21}H_{31}N_5O_2$=Buspiron
$C_{21}H_{32}N_6O_3$=Alfentanil
$C_{21}H_{32}O$=Allylestrenol
$C_{21}H_{32}O_2$=Cardol
$C_{21}H_{32}O_3$=Alfaxolon, Asterosaponine
$C_{21}H_{34}O_3$=Asterosaponine
$C_{21}H_{35}NO$=Amorolfin
$C_{21}H_{38}ClN$=Cetylpyridiniumchlorid
$C_{22}H_{14}N_6Na_2O_9S_2$=Amidoschwarz 10 B
$C_{22}H_{17}ClN_2$=Clotrimazol
$C_{22}H_{17}NO_5$=Azoxystrobin
$C_{22}H_{18}Cl_2FNO_3$=Beta-Cyfluthrin
$C_{22}H_{18}N_2$=Bifonazol
$C_{22}H_{19}ClO_3$=Atovaquon
$C_{22}H_{19}Cl_2NO_3$=Alpha-Cypermethrin
$C_{22}H_{19}NO_4$=Bisacodyl
$C_{22}H_{20}N_4O_8S_2$=Cefsulodin
$C_{22}H_{22}N_6O_5S_2$=Cefpirom
$C_{22}H_{22}N_6O_7S_2$=Ceftazidim
$C_{22}H_{23}ClN_2O_8$=Chlortetracyclin
$C_{22}H_{23}N_3O_9$=Aurintricarbonsäure-Ammoniumsalz
$C_{22}H_{24}ClN_3O$=Azelastin
$C_{22}H_{24}FN_3O_2$=Benperidol
$C_{22}H_{25}ClN_2OS$=Clopenthixol
$C_{22}H_{26}BrNO_3$=Clidiniumbromid
$C_{22}H_{26}ClFO_4$=Clobetason
$C_{22}H_{26}N_4$=Calycanthin
$C_{22}H_{26}O_{12}$=Catalpol
$C_{22}H_{28}BrNO_3$=Benziloniumbromid
$C_{22}H_{28}ClFO_4$=Clobetasol, Clocortolon
$C_{22}H_{28}FNa_2O_8P$=Betamethason
$C_{22}H_{29}ClO_5$=Alclometason, Beclometason
$C_{22}H_{29}FO_5$=Betamethason
$C_{22}H_{30}Cl_2N_{10}$=Chlorhexidin
$C_{22}H_{30}N_2$=Aprindin
$C_{22}H_{30}N_2O_2$=Aspidosperma-Alkaloide
$C_{22}H_{30}N_{10}O_8$=Acefyllin-Piperazin
$C_{22}H_{31}N_3O_5$=Cilazapril
$C_{22}H_{32}N_2O_5$=Benzquinamid
$C_{22}H_{32}O_2$=Anacardsäure
$C_{22}H_{33}N_3O_3$=Barbexaclon
$C_{22}H_{34}BrNO$=Cicloniumbromid
$C_{22}H_{34}O_2$=Clupanodonsäure
$C_{22}H_{36}O_7$=Andromedotoxin
$C_{22}H_{40}O_7$=Agaricinsäure
$C_{22}H_{43}N_5O_{13}$=Amikacin
$C_{22}H_{44}O_2$=Behensäure, Butylstearat
$C_{23}H_{13}Cl_2Na_3O_9S$=Chromazurol S
$C_{23}H_{15}ClO_3$=Chlorphacinon
$C_{23}H_{20}N_2O_5$=Bentiromid
$C_{23}H_{21}ClO_3$=Chlortrianisen
$C_{23}H_{22}ClF_3O_2$=Bifenthrin
$C_{23}H_{26}N_2O_4$=Brucin
$C_{23}H_{28}N_2O_3$=Bopindolol
$C_{23}H_{29}ClFN_3O_4$=Cisapril
$C_{23}H_{29}ClO_4$=Chlormadinonacetat
$C_{23}H_{30}O_6$=Citreoviridine
$C_{23}H_{31}IN_2O$=Buzepid metiodid
$C_{23}H_{31}NO_3$=Acetylmethadol
$C_{23}H_{31}NO_7S$=Bevoniummetilsulfat
$C_{23}H_{32}O_7$=Antiarin
$C_{23}H_{34}O_5$=Alfadolon
$C_{23}H_{36}N_6O_5S$=Argatroban

$C_{23}H_{38}N_7O_{17}P_3S$=Acetyl-CoA
$C_{24}H_{16}N_2$=Bathophenanthrolin
$C_{24}H_{22}$=1,4-Bis(2-methylstyryl)-benzol
$C_{24}H_{22}Cl_2N_2$=Benzylviologen
$C_{24}H_{22}N_2O$=Butyl-PBD
$C_{24}H_{26}N_2O_4$=Carvedilol
$C_{24}H_{26}N_2O_{13}$=Betalaine
$C_{24}H_{28}N_2O_5$=Benazepril
$C_{24}H_{28}O_4$=Bixin
$C_{24}H_{28}O_5$=Catalpol
$C_{24}H_{29}ClN_2O_9$=Amlodipin
$C_{24}H_{31}FO_6$=Betamethason
$C_{24}H_{31}N_3OS$=Butaperazin
$C_{24}H_{33}N_3O_7$=Anthramycine
$C_{24}H_{34}O_5$=Bufotoxin
$C_{24}H_{39}NO_4$=Cassain
$C_{24}H_{40}O_4$=Chenodesoxycholsäure
$C_{24}H_{40}O_5$=Cholsäure
$C_{24}H_{42}$=5β-Cholan
$C_{25}H_{23}N_5O_6S$=Apalcillin
$C_{25}H_{26}O_{10}$=Aquayamycin
$C_{25}H_{26}O_3$=Alizarin
$C_{25}H_{27}NO_4$=Ancistrocladus-Alkaloide
$C_{25}H_{27}N_9O_8S_2$=Cefoperazon
$C_{25}H_{39}I_2NO_3$=Amiodaron
$C_{25}H_{29}NO_4$=Ancistrocladus-Alkaloide
$C_{25}H_{30}O_4$=Bixin
$C_{25}H_{34}O_6$=Budesonid
$C_{25}H_{41}NO_9$=Aconin
$C_{25}H_{42}N_4O_{14}$=Allosamidin
$C_{25}H_{43}NO_{18}$=Acarbose
$C_{25}H_{44}N_{14}O_7$=Capreomycin
$C_{25}H_{44}N_{14}O_8$=Capreomycin
$C_{25}H_{46}ClN$=Cetalkoniumchlorid
$C_{26}H_{20}N_2$=Bathocuproin
$C_{26}H_{21}F_6NO_5$=Acrinathrin
$C_{26}H_{21}N_5Na_4O_{19}S_6$=C.I. Reactive Black 5
$C_{26}H_{26}N_2O_6S$=Carindacillin
$C_{26}H_{26}N_4O_4S$=Bentiamin
$C_{26}H_{28}ClNO$=Clomifen
$C_{26}H_{28}N_2$=Cinnarizin
$C_{26}H_{28}O_{14}$=Apiin
$C_{26}H_{29}F_2N_7$=Almitrin
$C_{26}H_{29}NO_4$=Ancistrocladus-Alkaloide
$C_{26}H_{31}NO_4$=Ancistrocladus-Alkaloide
$C_{26}H_{36}O_4$=Bovichinone
$C_{26}H_{37}N_5O_2$=Cabergolin
$C_{26}H_{52}O_2$=Cerotinsäure
$C_{27}H_{19}NO$=BBO
$C_{27}H_{22}Cl_2N_4$=Clofazimin
$C_{27}H_{28}Br_2O_5S$=Bromthymolblau
$C_{27}H_{31}ClN_2O$=Chlorbenzoxamin
$C_{27}H_{37}FO_6$=Betamethason
$C_{27}H_{40}O_3$=Calcipotriol
$C_{27}H_{42}ClNO_2$=Benzethoniumchlorid
$C_{27}H_{44}N_2O_8$=Bengazole
$C_{27}H_{44}O$=Calciferone
$C_{27}H_{44}O_2$=Alfacalcidol, Calcifediol
$C_{27}H_{44}O_3$=Calciferole
$C_{27}H_{46}O$=Cholesterin
$C_{27}H_{48}$=Cholestan
$C_{28}H_{20}N_4O_6S_4$=Chloramingelb
$C_{28}H_{26}N_2O_{10}$=Balanol
$C_{28}H_{29}NO_4$=Bepheniumhydroxynaphthoat
$C_{28}H_{32}N_4O_2$=Astemizol
$C_{28}H_{33}ClN_2$=Buclizin
$C_{28}H_{35}FO_7$=Amcinonid
$C_{28}H_{36}O_7$=Bruceantin
$C_{28}H_{37}FO_7$=Betamethason
$C_{28}H_{38}O_7$=Bongkreksäure
$C_{28}H_{40}N_2O_9$=Antimycin A_1

$C_{28}H_{42}Cl_4N_4O_2$ = Ambenonium-chlorid
$C_{28}H_{43}NO_6$ = Borrelidin
$C_{28}H_{44}O$ = Calciferole
$C_{28}H_{46}N_2O_8$ = Bengazole
$C_{28}H_{48}O_6$ = Brassinosteroide
$C_{28}H_{50}N_2O_4$ = Carpain
$C_{29}H_{30}O_{13}$ = Amarogentin
$C_{29}H_{33}FO_6$ = Betamethason
$C_{29}H_{37}NO_{12}$ = Agarofurane
$C_{29}H_{37}NO_{13}$ = Agarofurane
$C_{29}H_{37}N_3O_6$ = Calcimycin
$C_{29}H_{41}NO_4$ = Buprenorphin
$C_{29}H_{42}O_{11}$ = Antiarin
$C_{29}H_{46}O$ = Calysterole
$C_{29}H_{46}O_4$ = Betulinsäure
$C_{30}H_{23}BrO_4$ = Bromadiolon
$C_{30}H_{24}N_2Na_2O_{13}$ = Calcein
$C_{30}H_{40}O$ = Apocarotinal
$C_{30}H_{40}O_6$ = Absinthin
$C_{30}H_{48}O_3$ = Betulinsäure
$C_{30}H_{50}O$ = Amyrine
$C_{30}H_{50}O_2$ = Betulin
$C_{30}H_{52}O$ = Ambrein
$C_{30}H_{53}NO_{11}$ = Benzonatat
$C_{31}H_{23}BrO_3$ = Brodifacoum
$C_{31}H_{29}N_5O_4$ = Asperlicin
$C_{31}H_{34}N_4O_4$ = Bonellin
$C_{31}H_{42}N_2O_6$ = Batrachotoxin
$C_{31}H_{48}O_4$ = Abietospiran
$C_{32}H_{28}N_2Na_2O_8S_2$ = Acid Blue 80
$C_{32}H_{32}O_{14}$ = Chartreusin
$C_{32}H_{39}NO_4$ = Aflatrem
$C_{32}H_{40}BrN_5O_5$ = Bromocriptin
$C_{32}H_{40}O_{11}$ = Azadirachtin(e)
$C_{32}H_{45}FO_7$ = Betamethason
$C_{33}H_{34}N_4O_6$ = Biliverdin
$C_{33}H_{35}FN_2O_5$ = Atorvastatin
$C_{33}H_{36}N_4O_6$ = Bilirubin
$C_{33}H_{41}ClN_4O_4$ = Clofezon
$C_{33}H_{44}O$ = Citranaxanthin
$C_{34}H_{22}Cl_2N_4O_2$ = Carbazolviolett
$C_{34}H_{26}N_6Na_2O_6S_2$ = Benzopurpurin 4 B
$C_{34}H_{27}Br_5N_4O_8$ = Bastadine
$C_{34}H_{47}NO_{11}$ = Aconitin
$C_{34}H_{50}O_7$ = Carbenoxolon
$C_{35}H_{30}MgN_4O_5$ = Chlorophyll(e)
$C_{35}H_{34}N_2O_5$ = Bisbenzylisochinolin-Alkaloide
$C_{35}H_{44}O_{16}$ = Azadirachtin(e)
$C_{35}H_{52}O_{15}$ = Cheirotoxin
$C_{36}H_{18}O_{16}$ = Badione
$C_{36}H_{18}O_{18}$ = Badione
$C_{36}H_{46}N_4O_7$ = Chondramide
$C_{36}H_{58}N_{10}O_{18}S$ = Albomycine
$C_{36}H_{70}BaO_4$ = Bariumstearat
$C_{36}H_{70}CaO_4$ = Calciumstearat
$C_{36}H_{70}O_4Pb$ = Bleistearat
$C_{37}H_{33}N_7O_8$ = CC-1065
$C_{37}H_{40}N_2O_6$ = Bisbenzylisochinolin-Alkaloide
$C_{37}H_{58}O_8$ = Aescin
$C_{37}H_{60}N_{12}O_{18}S$ = Albomycine
$C_{38}H_{31}ClN_3NaO_3S$ = Alkaliblau
$C_{38}H_{32}ClN_3$ = Anilinblau
$C_{38}H_{44}N_2O_6$ = Bisbenzylisochinolin-Alkaloide
$C_{38}H_{69}NO_{13}$ = Clarithromycin
$C_{38}H_{72}N_2O_{12}$ = Azithromycin
$C_{39}H_{53}N_9O_{13}S$ = Amanitine
$C_{39}H_{53}N_9O_{15}S$ = Amanitine
$C_{39}H_{54}N_{10}O_{14}S$ = Amanitine
$C_{40}H_{52}O_2$ = Canthaxanthin
$C_{40}H_{52}O_4$ = Astaxanthin
$C_{40}H_{56}$ = β-Carotin, Carotine
$C_{40}H_{56}O_3$ = Capsanthin
$C_{40}H_{56}O_4$ = Capsanthin

$C_{40}H_{56}O_{23}S$ = Breynine
$C_{40}H_{56}O_{24}S$ = Breynine
$C_{40}H_{60}BNaO_{14}$ = Aplasmomycin
$C_{40}H_{60}N_4O_{10}$ = Bufotoxin
$C_{42}H_{53}NO_{15}$ = Aclarubicin
$C_{42}H_{67}NO_{16}$ = Carbomycin
$C_{43}H_{42}O_{22}$ = Carthamin
$C_{43}H_{66}O_{14}$ = Acetyldigitoxin
$C_{43}H_{66}O_{15}$ = Acetyldigoxin
$C_{44}H_{32}P_2$ = Binaphthyl
$C_{44}H_{50}Cl_2N_4O_2$ = Alcuronium-chlorid
$C_{45}H_{74}BNO_{15}$ = Boromycin
$C_{47}H_{68}O_{17}$ = Bryostatine
$C_{47}H_{70}O_{14}$ = Abamectin, Avermectine
$C_{47}H_{71}NO_{17}$ = Candidin
$C_{47}H_{72}O_{15}$ = Avermectine
$C_{47}H_{73}NO_{17}$ = Amphotericin B
$C_{48}H_{56}N_6O_8S_2$ = Benzylpenicillin-Benzathin
$C_{48}H_{72}O_{14}$ = Abamectin, Avermectine
$C_{48}H_{74}O_{15}$ = Avermectine
$C_{48}H_{78}O_{19}$ = Asiaticosid
$C_{49}H_{62}N_{10}O_{16}S_3$ = Cholecystokinin
$C_{49}H_{69}ClO_{14}$ = Brevetoxine
$C_{49}H_{70}N_{14}O_{11}$ = Angiotensinamid
$C_{49}H_{70}O_{13}$ = Brevetoxine
$C_{49}H_{74}O_{14}$ = Avermectine
$C_{49}H_{76}O_{15}$ = Avermectine
$C_{50}H_{70}O_{14}$ = Brevetoxine
$C_{50}H_{73}N_{15}O_{11}$ = Bradykinin
$C_{54}H_{74}N_2O_{10}$ = Cephalostatine
$C_{55}H_{70}MgN_4O_6$ = Chlorophyll(e)
$C_{55}H_{72}MgN_4O_5$ = Chlorophyll(e)
$C_{55}H_{76}IN_3O_{21}S_4$ = Calicheamicine
$C_{55}H_{84}N_{20}O_{21}S_2$ = Bleomycine
$C_{55}H_{86}O_{24}$ = Aescin
$C_{56}H_{74}IN_3O_{22}S_2$ = Calicheamicine
$C_{56}H_{101}N_3O_{15}$ = Amycine
$C_{58}H_{73}N_{13}O_{21}S_2$ = Caerulein
$C_{58}H_{91}N_{13}O_{20}$ = Amfomycin
$C_{59}H_{84}N_2O_{18}$ = Candicidin
$C_{60}H_{86}N_6O_{15}$ = Buserelin
$C_{60}H_{86}O_{19}$ = Ciguatoxin
$C_{60}H_{92}N_8O_{11}$ = Aureobasidine
$C_{61}H_{90}Cl_2O_{32}$ = Avilamycine
$C_{62}H_{105}N_3O_{21}$ = Amycine
$C_{64}H_{78}N_{10}O_{10}$ = Antamanid
$C_{65}H_{82}N_2O_{18}S_2$ = Atracurium-besilat
$C_{66}H_{103}N_{17}O_{16}S$ = Bacitracin
$C_{71}H_{110}N_{24}O_{18}S$ = Bombesin
$C_{79}H_{131}N_{31}O_{24}S_4$ = Apamin
$C_{151}H_{226}N_{40}O_{45}S_3$ = Calcitonin
$C_{167}H_{263}N_{51}O_{52}S_4$ = Cholecystokinin
$C_{284}H_{432}N_{84}O_{79}S_7$ = Aprotinin
Ca = Calcium
$CaCl_2$ = Calciumchlorid
$CaCl_2O_2$ = Calciumhypochlorit
$CaCl_2O_6$ = Calciumchlorat
CaF_2 = Calciumfluorid
$CaHO_4P$ = Calciumphosphate
CaH_2 = Calciumhydrid
CaH_2O_2 = Calciumhydroxid
$CaH_2O_6S_2$ = Calciumhydrogensulfit
CaH_2S_2 = Calciumhydrogensulfid
$CaH_4O_8P_2$ = Calciumhydrogenphosphate
CaI_2 = Calciumiodid
CaN_2O_6 = Calciumnitrat
CaO = Calciumoxid

CaO_2 = Calciumperoxid
CaO_3S = Calciumsulfit
CaO_3Si = Calciumsilicate
CaO_4S = Anhydrit, Calciumsulfat
CaO_4W = Calciumwolframat
CaO_6P_2 = Calciumphosphate
CaS = Calciumsulfid
Ca_2O_4Si = Calciumsilicate
$Ca_2O_7P_2$ = Calciumphosphate
$Ca_3H_2O_8Si_2$ = Afwillit
Ca_3O_5Si = Calciumsilicate
$Ca_3O_8P_2$ = Calciumphosphate
Ca_3P_2 = Calciumphosphid
$Ca_4HO_{12}P_3$ = Calciumphosphate
$Ca_4O_9P_2$ = Calciumphosphate
Cd = Cadmium
$CdCl_2$ = Cadmiumchlorid
CdI_2 = Cadmiumiodid
CdN_2O_6 = Cadmiumnitrat
CdO = Cadmiumoxid
CdO_4S = Cadmiumsulfat
CdS = Cadmiumsulfid
$CdSe$ = Cadmiumselenid
$CdTe$ = Cadmiumtellurid
Ce = Cer
$CeCl_3$ = Cer-Verbindungen
$CeH_8N_8O_{18}$ = Cer-Verbindungen
CeN_3O_9 = Cer-Verbindungen
CeO_2 = Cer-Verbindungen
CeO_8S_2 = Cer-Verbindungen
Cf = Californium
Cl = Chlor
$ClCs$ = Cäsium-Verbindungen
$ClCu_7H_3O_3$ = Atacamit
ClF = Chlorfluoride
ClF_3 = Chlorfluoride
ClF_5 = Chlorfluoride
ClH = Chlorwasserstoff
$ClHO_2$ = Chlorige Säure
$ClHO_3$ = Chlorate, Chlorsäure
$ClHO_3S$ = Chloroschwefelsäure
ClH_2N = Chloramin
ClH_4N = Ammoniumchlorid
ClH_4NO_4 = Ammoniumperchlorat
ClO_2 = Chloroxide
Cl_2Cr = Chromchloride
Cl_2CrO_2 = Chromylchlorid
$Cl_2H_6N_2Pt$ = Cisplatin
Cl_2Mg = Bischofit
Cl_2O = Chloroxide
Cl_2O_3 = Chloroxide
Cl_2O_6 = Chloroxide
Cl_2O_7 = Chloroxide
Cl_2Pb = Bleichloride
Cl_3Cr = Chromchloride
$Cl_3CrH_{14}N_2O_4$ = Chromiake
Cl_3KMg = Carnallit
Cl_3Sb = Antimonchloride
Cl_4Pb = Bleichloride
Cl_5Sb = Antimonchloride
Cr = Chrom
CrF_2 = Chromfluoride
CrF_3 = Chromfluoride
CrF_4 = Chromfluoride
$CrHO_5S$ = Chrom(III)-sulfat
$CrH_8N_2O_4$ = Ammoniumchromat
$CrKO_8S_2$ = Chromalaun
CrN_3O_9 = Chrom(III)-nitrat
CrO = Chromoxide
CrO_2 = Chromoxide
CrO_3 = Chromoxide
CrO_4P = Chrom(III)-phosphat
CrO_4Pb = Bleichromat
$Cr_2H_8N_2O_7$ = Ammoniumdichromat
Cr_2O_3 = Chromoxide
$Cr_2O_{12}S_3$ = Chrom(III)-sulfat
Cs = Cäsium
$CsHO$ = Cäsium-Verbindungen
CsI = Cäsium-Verbindungen

$CsNO_3$ = Cäsium-Verbindungen
CsO_2 = Cäsium-Verbindungen
Cs_2O = Cäsium-Verbindungen
Cs_7O = Cäsium-Verbindungen
$CuPbS_3Sb$ = Bournonit
Cu_2S = Chalkosin
Cu_5FeS_4 = Bornit

FH_4N = Ammoniumfluorid
F_2H_5N = Ammoniumfluorid
F_2Pb = Bleifluorid
F_3Sb = Antimonfluoride
F_5Sb = Antimonfluoride
$FeHO_2$ = Brauneisenerz
$FeH_4NO_8S_2$ = Ammoniumeisen(III)-sulfat
$FeH_8N_2O_8S_2$ = Ammoniumeisen(II)-sulfat

H_2MgO_2 = Brucit
H_2O_5S = Carosche Säure
H_3N = Ammoniak
H_3NO_3S = Amidoschwefelsäure
H_3O_3Sb = Antimonoxide
H_3Sb = Antimonwasserstoff
H_4IN = Ammoniumiodid
H_4NO_3P = Ammoniumphosphate
H_4NO_3V = Ammoniumvanadat
$H_4N_2O_2$ = Ammoniumnitrit
$H_4N_2O_3$ = Ammoniumnitrat
H_5NO_4S = Ammoniumsulfat
H_5NS = Ammoniumhydrogensulfid
H_6NO_4P = Ammoniumphosphate
$H_6N_2O_3S$ = Ammoniumsulfamat
$H_8MoN_2O_4$ = Ammoniummolybdate
$H_8Mo_2N_2O_7$ = Ammoniummolybdate
$H_8N_2O_3S$ = Ammoniumthiosulfat
$H_8N_2O_4S$ = Ammoniumsulfat
$H_8N_2O_8S_2$ = Ammoniumpersulfat
H_8N_2S = Ammoniumsulfid
$H_9N_2O_4P$ = Ammoniumphosphate
$H_{12}N_3O_4P$ = Ammoniumphosphate
$H_{16}Mo_8N_4O_{26}$ = Ammoniummolybdate
$H_{16}Mo_{10}N_4O_{32}$ = Ammoniummolybdate
$H_{16}N_6O_{10}S$ = Ammonsulfatsalpeter
$H_{24}Mo_7N_6O_{24}$ = Ammoniummolybdate

I_2Pb = Bleiiodid

$K_2O_{12}U_2V_2$ = Carnotit

$MgNa_2O_8S_2$ = Astrakanit
MnS = Alabandin
$Mn_7O_{12}Si$ = Braunit
$Mn_{14}Na_4O_{27}$ = Birnessit
N_2O_6Pb = Bleinitrat
N_6Pb = Bleiazid

OPb = Bleioxide
O_2Pb = Bleioxide
O_2Zr = Baddeleyit
O_3PbZr = Bleizirkonat
$O_3S_6Sb_2$ = Antimonzinnober
O_3Sb_2 = Antimonoxide
O_4PbS = Anglesit, Bleisulfat
O_4Pb_3 = Bleioxide
O_4Sb_2 = Antimonoxide
O_5Sb_2 = Antimonoxide
Pb = Blei
PbS = Bleiglanz, Bleisulfid
$PbSe$ = Bleiselenid
$PbTe$ = Bleitellurid
$Pb_5S_{11}Sb_4$ = Boulangerit

S_3Sb_2 = Antimonit, Antimonsulfide
S_5Sb_2 = Antimonsulfide

Sb = Antimon

Lang Kurt

Verzeichnis der Abkürzungen

 E Explosionsgefährlich
 O Brandfördernd
 F Leichtentzündlich
 F+ Hochentzündlich
 C Ätzend

$[\alpha]$	spezifische Drehung	gasf.	gasförmig
a	Jahr	geb.	geboren
a.	auch, andere(n, m) in Zusammensetzungen wie: s.a., u.a.	GefStoffV	Gefahrstoffverordnung
		gegr.	gegründet
		Ges.	Gesellschaft
Abb.	Abbildung	gesätt.	gesättigt
Abk.	Abkürzung	Geschw.	Geschwindigkeit
abs.	absolut	Gew.	Gewicht
ADI	acceptable daily intake = annehmbare tägliche Aufnahme	ggf.	gegebenenfalls
		Ggw.	Gegenwart
		h	Stunde
allg.	allgemein	H.	Härte nach Mohs
Anw.	Anwendung	Hdb.	Handbuch, Handbook
Aufl.	Auflage	Herst.	Herstellung
B.	Bezugsquelle	Hrsg.	Herausgeber
BAT	Biologischer Arbeitsstoff Toleranzwert	*HS*	Harmonisiertes System
		HWZ	Halbwertszeit
Bd.	Band, Bände	*I*	italienische Bezeichnung
Beisp.	Beispiel	i.m.	intramuskulär
bes.	besonders, besondere(r, s)	Ind.	Industrie
Bez.	Bezeichnung	Inst.	Institut(ion)
Btm	Betäubungsmittel	i.p.	intraperitoneal
CAS	Chemical Abstracts Service-Nr.	i.Tr.	in der Trockenmasse
ChemG	Chemikaliengesetz	IZ	Iod-Zahl
d	Tag	i.v.	intravenös
D.	Dichte	Jh.	Jahrhundert
Darst.	Darstellung	KBwS	Klassifizierung durch Kommission zur Bewertung wassergefährdender Stoffe beim BMU
Dest.	Destillation		
dest.	destilliert		
dgl.	dergleichen		
Diss.	Dissertation	Koeff.	Koeffizient
E	englische Bezeichnung	Konz.	Konzentration
EC	Enzyme Commission	konz.	konzentriert
ehem.	ehemals, ehemalig	Krist.	Kristallisation, Kristall
Erg.	Ergänzung	krist.	kristallisiert, kristallin
et al.	et alii = und andere	Kurzz.	Kurzzeichen
F	französische Bezeichnung	LD	letale Dosis
f., ff.	die nächst folgende Seite, die folgenden Seiten	Leg.	Legierung
		Lit.	Literatur
FP.	Flammpunkt	lösl.	löslich
G	Gefahrenklasse	Lsg.	Lösung